dictionnaire des écrivains de langue française

Jean-Pierre de Beaumarchais, ancien élève de l'École normale supérieure, agrégé de l'Université, est l'éditeur du théâtre de Beaumarchais, son aïeul, et spécialiste de la littérature du XVIIIe siècle français. Il a notamment publié chez Larousse *les Grandes Répliques du théâtre français*.

Daniel Couty, romanticiste et nervalien, enseigne à l'université de Rouen. Il est à l'origine d'ouvrages de référence publiés chez Larousse et consacrés à la littérature française (*Histoire de la littérature française*) ou au théâtre (*le Théâtre*, avec Alain Rey).

Alain Rey, lexicographe, auteur de plusieurs dictionnaires de langue française et d'ouvrages de lexicologie, est directeur de la rédaction des dictionnaires Le Robert. Il est aussi, depuis 1994, chroniqueur « langue française » à France Inter.

Les trois directeurs d'ouvrage ont bénéficié des conseils, pour la littérature contemporaine, de **Pierre Lepape**, longtemps chroniqueur au *Monde des livres* et fin connaisseur de l'actualité littéraire.

dictionnaire des écrivains de langue française

JEAN-PIERRE DE BEAUMARCHAIS

DANIEL COUTY

ALAIN REY

A-L

LAROUSSE

21 RUE DU MONTPARNASSE 75283 PARIS CEDEX 06

Édition
Frédéric Haboury,
assisté de Maud Taïeb
et Jeanne Maënhaut

Correction
Jacques Barbaut,
Frédérique Gest,
Édith Zha

Conception maquette intérieure
Carole Berthélémy

Maquette et mise en page des annexes
Tatum

Informatique éditoriale
Karine Gurtner

Fabrication
Nicolas Perrier,
Anne Raynaud

Le présent ouvrage est une édition abrégée, entièrement revue et mise à jour du *Dictionnaire des littératures de langue française* (première édition : 1984). Des articles ou des extraits d'articles ont aussi ponctuellement été repris du *Dictionnaire des œuvres littéraires de langue française* (1994).

Distributeur exclusif au Canada :
Messageries ADP, 1751
Richardson, Montréal, Québec

Dépôt légal : octobre 2001

ISBN 2 03 505173 8
(volume 1)
ISBN 2 03 505198 3
(édition complète)

Ont collaboré à cet ouvrage :

Robert Abirached
Lionel Acher
Peter Ainsworth
Nelly Andrieux-Reix
Véronique Anglard
Annie Arnaudiès
Michel Arrivé
Françoise Bagot-Mignonnat
E. Ballaguy
Olivier Barbarant
Christine Barbé
Pierre Barillet
Alain-Marie Bassy
Emmanuèle Baumgartner
Marie-Alice de Beaumarchais
Colette Becker
Roger Bellet
Marie-Christine Bellosta
Daniel Bergez
Simone Bernard-Griffiths
Patrick Besnier
Roland Beyen
Odile Biyidi
Nathalie Blaise
André Blanc
Pascale Boisseau
Yves Bolduc
Joseph Bonenfant
Charles Bonn
Henri Bonnet
Dominique Boutet
Herman Braet
André Brochu
Pierre Brunel
Annie-Claude Bruneval
Jane Burin des Roziers
Emmanuel Bury

Évelyne Capiau-Laureys
Christophe Carlier
Jean Céard
Jacqueline Cerquiglini
Jacqueline Chenieux-Gendron
Sylvie Chesnier
Michel Chopard
André Clavel
Michel Clément
Gérard Cogez
Jean-Paul Colin
Dominique Combe
Antoine Compagnon
Benoît Conort
Françoise Court-Perez
Florence Crépin
Claire de Croix
Michel Crouzet
Jean-Pierre Damour
Robert Dawson
Jacques De Caluwé
Alain Déchamps
Gilles Declercq
Jean Déjeux
Christian Delacampagne
Philippe Delaveau
Paul Delbouille
Christian Delcourt
Michel Delon
Marie-Luce Demonet
Mireille Dereu
François Desplanques
Amélie Djourachkovitch
Jacques Dubois
Bernard Duchâtelet
Jean Dufournet
Guy Dumur
Paul Émond

Jean-Louis Fabiani
Claire Fargeot
Marcel Faure
Gérard Ferreyrolles
Marie Madeleine Fontaine
Charles Foulon
Pierre Frantz
Michèle Gally
Christian Gambotti
Jérôme Garcin
Jean-Charles Gateau
Patricia Gauthier
Michèle Gazier
Gérard Gengembre
Mireille Gérard
Marie-Odile Germain
Henri Gidel
Dominique Giovacchini
Martine Giovacchini
Jean Goldzink
Marie-Christine Gomez-Géraud
Claudine Gothot-Mersch
Jean-Paul Goujon
Patrick Gourvennec
Arthur Greenspan
Karen Haddad-Wotling
Franck Hamel
Laurence Harf-Lancner
Philippe Hédouin
Henrik Heger
Armelle Héliot
Hélène Himelfarb
Jean-Claude Huchet
Valéry Hugotte
Geneviève Idt
Marcel Israël
Gilbert Kahn
Claudine Lacoste

Robert Lafont
Alain Lanavère
Rémy Landy
Jean-Marc Lantéri
Daniel Laroche
Chantal Lavigne
Yvan Leclerc
Hélène Lefebvre
Yves Le Gars
Alain Le Pichon
Renée Leduc-Park
Michel Lemaire
Pierre Lepape
Claude Lesbats
Frank Lestringant
Françoise Lioure
Michel Lioure
Hans Peter Lund
Daniel Madelénat
André Magnan
Jean-François Maillard
Jean-Louis Major
Pierre Malandain
Dominique Malézieux-Pastol
André Maraud
Pierre Mari
Claude Martin
Jean Maurice
Marie-Thérèse de Medeiros
Nicole Mêdjigbodo
A. Méline
Daniel Ménager
Sylvain Menant
Christiane Mervaud
Yves Mézières
Dominique Moncond'hui
Jacques Monge
Jacques Morel
Daniel Mortier
Bernard Mouralis
François Moureau
Suzanne Mühlemann
Vincent Nadeau
Franklin Nassery-Warburg
Roger Navarri
Pierre Nepveu
Alain Niderst
Jean-Thomas Nordmann
Adolphe Nysenholc
Yves Olivier-Martin
Georges Pascal
Jean-Noël Pascal
Jean-Charles Payen
Aimé Petit
Dominique Pety
Anne Pierrot-Herschberg
Luc Pinhas
Alain Pons
Catherine Pont-Humbert
Axel Preiss
Thierry Prieur
Marc Quaghebeur
Lise Queffélec
Bernard Raffalli
Philippe Ratte
Pierrette Renard
Michel Rendu
John Renwick
Pierre-Louis Rey
Dominique Rincé
Christian Robin
Jean-Marc Rodrigues
Guy Rosa
Corrado Rosso
Jean-Jacques Roubine
Jean-Pierre Ryngaert
Jean-Pierre Salgas
Monique Santucci
Alain Schaffner
Kurt Schärer
Michel P. Schmitt
Jacques Seebacher
Philippe Sellier
Michel Simonin
Georges Sion
Brigitte Siot
Valérie Stemmer
Armand Strubel
François Suzzoni
Norman David Thau
Jean-Marie Thomasseau
Anne Ubersfeld
Bernard Valette
Gilles Vannier
Nadine Vasseur
Hélène Védrine
Gilles Veinstein
Paul Vernois
Alain Viala
Roland Virolle
Bertrand Visage
Paul Zumthor

Avant-propos

Le *Dictionnaire des écrivains de langue française* constitue une version abrégée, mais entièrement révisée et mise à jour, de notre *Dictionnaire des littératures de langue française* publié en quatre volumes en 1987 aux éditions Bordas, et qui n'avait connu depuis lors que des actualisations limitées. Le présent ouvrage reste fidèle, du moins l'espérons-nous, aux ambitions qui ont assuré le long succès de son « grand frère » : proposer un panorama aussi riche et complet que possible de notre patrimoine littéraire, à la fois dans le temps et dans l'espace, du Moyen Âge jusqu'à l'époque la plus contemporaine, de la France hexagonale jusqu'aux « lointains » de la francophonie, des grands classiques jusqu'à des auteurs plus difficiles ou injustement négligés ; manifester une diversité de ton et d'approche qui reflète celle de la littérature elle-même, grâce à des rédacteurs nombreux, compétents, s'exprimant dans une langue claire et capables de faire partager le plaisir du texte ; offrir une information ordonnée de manière à rendre la consultation facile et efficace aussi bien par l'utilisateur régulier, étudiant, enseignant, que par le lecteur occasionnel, amateur de retrouvailles et, plus encore, de découvertes.

Version abrégée, disions-nous. Comment dès lors, dans les limites plus restreintes qui nous étaient imparties, ne pas renoncer à notre idéal de – relative – exhaustivité ? Après mûre réflexion, nous avons décidé de recentrer un projet initialement global (puisqu'il traitait aussi de théorie et de sociologie littéraires, de terminologie critique, etc.) sur ce qui nous paraissait l'essentiel : l'acte créateur, tel qu'il surgit de la rencontre entre une passion, une conscience et une écriture. Et c'est ainsi que le *Dictionnaire des littératures* est devenu celui des *écrivains*.

Mais ce changement de perspective imposait ses propres exigences. Chacune des quelque mille « entrées » devait être attentivement contrôlée et mise à jour, surtout si elle concernait des écrivains encore actifs. Nous devions aussi, au prix de quelques exclusions, réparer certains oublis fâcheux, réévaluer – ou dévaluer – tel ou tel, et surtout faire entrer dans notre nomenclature la trentaine de noms apparus ces dernières années, que nous jugions dignes d'y figurer. Choix difficiles, que nous assumons entièrement, mais pour lesquels les conseils de Pierre Lepape, longtemps chroniqueur au *Monde des livres* et fin connaisseur de l'actualité littéraire, nous ont été précieux. Choix personnels, donc discutables, bien entendu, mais c'est la loi du genre. Il reste que, paradoxalement, cet abrégé est à certains égards aussi complet que son prédécesseur...

Livre de plaisir, le *Dictionnaire des écrivains de langue française* se devait également d'être un bon instrument de travail, et nous avons veillé à y distribuer avec soin les divers types d'information. En premier lieu ont été nettement distingués les articles proprement dits et la petite centaine de dossiers qui traitent des écrivains les plus importants, de Chrétien de Troyes à Aragon ou Nathalie Sarraute, et qui forment comme l'armature de l'ouvrage. Chaque dossier représente une véritable monographie critique pouvant atteindre plusieurs dizaines de pages (Molière, Balzac, Hugo, Zola...)

et composée de trois parties : un texte de synthèse sur l'auteur considéré, une chronologie de sa vie et de son œuvre, des études littéraires et des synopsis de ses principaux écrits. Quant aux articles, eux aussi fréquemment pourvus d'études littéraires et de synopsis d'œuvres, les plus longs sont intertitrés afin de favoriser une vision d'ensemble, et les plus courts restent toujours de taille suffisante pour permettre au moins l'esquisse d'un discours critique. Car rien n'est pire que ces tristes répertoires qui « expédient » un écrivain en deux dates et trois adjectifs.

Les articles et dossiers « auteurs », auxquels s'ajoutent évidemment les grandes œuvres anonymes, notamment médiévales, ou collectives, telles *la Chanson de Roland* ou l'*Encyclopédie*, occupent donc la quasi-totalité de l'ouvrage. Mais ils sont doublement reliés entre eux : d'abord, par d'autres articles ou dossiers d'histoire littéraire sur les principaux courants et mouvements (classicisme, Lumières, romantisme...) qui permettent de situer les écrivains dans leurs « familles » respectives et face aux enjeux collectifs de leur temps ; ensuite, par un système de renvois qui conjure l'effet d'émiettement dû à l'ordre alphabétique et propose au lecteur de nombreux chemins de traverse. Enfin, hommage à l'institution, des annexes recensent les membres des grandes académies et les lauréats des principaux prix littéraires, tandis qu'un index de toutes les œuvres citées dans le *Dictionnaire* permet de retrouver en un instant l'origine momentanément oubliée d'un titre surgi au hasard d'un souvenir, d'une lecture, d'une conversation.

« Envolez-vous, pages tout éblouies ! » disait Valéry à la fin du « Cimetière marin ». L'heure est maintenant venue d'entrer dans ce livre et d'accomplir en notre compagnie, si vous le voulez bien, ce qui fut d'abord pour nous un parcours de plaisir, d'aventure – et d'admiration. Mais la route est encore longue : car un tel ouvrage n'atteint son but qu'autant qu'il suscite à son tour l'envie d'aimer, le désir de lire. Notre *Dictionnaire des écrivains de langue française* ne se veut donc, en toute modestie, qu'un point de départ. Malgré son ampleur, qu'est-il en effet par rapport aux myriades de pièces de théâtre, de romans, de poèmes dont il rend compte ? Toutes ces œuvres, parfois un peu fripées par le temps, à l'étroit dans ces deux volumes, n'aspirent qu'à en sortir. Elles n'attendent, pour renaître, qu'un regard : le vôtre.

Jean-Pierre de Beaumarchais, Daniel Couty, Alain Rey

A

ABELLIO Raymond

Pseudonyme de ***Georges Soulès*** *(1907-1986)*

Si Abellio est passé par Polytechnique, s'il a pratiqué tous les échelons de la positivité contemporaine, de la phénoménologie au structuralisme, il s'est aussi avancé très loin dans les mysticismes et les spiritualismes de tous poils : l'auteur de *la Bible, document chiffré* est allé chercher de nouveaux savoirs du côté de l'alchimie et de l'hindouisme, du Talmud et de la Kabbale, de l'occultisme et de l'ésotérisme. C'est dire la volonté prophétique de son travail : recherche d'une lucidité, d'une voyance qui ne négligerait rien des acquis de la science. Une voyance volontiers luciférienne, une sorte de théologie négative qu'Abellio imagine comme une réplique à nos univers aseptisés et surpolitisés. Cette éthique sans moralisme, elle se retrouve dans des romans comme *Heureux les pacifiques* (1946), un portrait des intellectuels à la veille de 1939, *Les yeux d'Ézéchiel sont ouverts* (1950), une vaste fresque aux accents parfois nietzschéens qui synthétise l'histoire du monde en tâchant d'y repérer des messianismes pour demain, dans *la Fosse de Babel* (1952) ou *Visages immobiles* (1983). Comment maintenir la métaphysique tout en la débarrassant des aliénations qui jusque-là lui étaient inhérentes, telle est l'ambition d'Abellio. Cela reviendrait alors à « projeter la spiritualité dans le social ». Les principaux essais d'Abellio (*Vers un nouveau prophétisme*, 1947 ; *la Bible, document chiffré*, 1950 ; *Assomption de l'Europe*, 1954 ; *la Structure absolue*, 1965 ; *la Fin de l'ésotérisme*, 1973 ; *Approches de la nouvelle gnose*, 1981) reflètent, sur un mode plus abstrait, la même ambition. Et toute l'œuvre d'Abellio se tient sur cette corde raide, pour ne pas dire illusoire : inventer des sagesses pour les cataclysmes qui se préparent, en réconciliant la foi et la libération, le logos et la praxis, Dieu et Prométhée. Deux volumes de Mémoires (*Ma dernière mémoire*) ont paru en 1972.

A. Clavel

ABOUT Edmond

(1828-1884)

Ni la naissance ni le milieu ne prédisposaient About à la brillante carrière de journaliste, de romancier et de dramaturge que devait couronner en 1884 son élection à l'Académie française.

Il naquit à Dieuze (en Moselle, devenue allemande en 1871) dans une famille d'origine rurale dont le père, petit épicier, mourut prématurément. Les difficultés matérielles, l'éloignement de la mère en Russie, l'internat au séminaire de Dieuze (d'où il sera renvoyé) préparent en About le polémiste qui prendra part à toutes les luttes en faveur du libéralisme et le moraliste qui témoignera de l'aventure de son époque, marquée par la confiance dans le progrès, la certitude d'une réussite par le travail, la conviction d'une solidarité du consommateur et du producteur, de l'ouvrier et du patron, du capital et du travail. « C'est le travail qui produit le capital et le capital à son tour travaille et nourrit son créateur » (*Causeries*, 1864-1867).

La revivification des valeurs ancestrales – travail, famille, patrie – illustre la vie d'About et forme la matière principale de ses romans et de ses nouvelles, cependant que son activité intellectuelle s'exerce essentiellement dans la controverse : élève au lycée Charlemagne, avec Francisque Sarcey, Gustave Doré, François-Victor Hugo, ce lauréat du concours général en latin sera plus tard le défenseur des lettres modernes. Élève de l'École normale supérieure (1848-1851), reçu premier à l'agrégation de lettres en 1851, il renonce à l'enseignement : c'est un auditoire plus vaste qu'il brigue, et qu'il captivera dans les « Chroniques » qu'il livrera, de 1855 à 1870, dans *le Figaro*, *le Soir*, la *Revue des Deux Mondes*, *l'Opinion nationale* et enfin dans le *XIXe Siècle*, qu'il fondera en 1871 et dirigera jusqu'à la fin de sa vie.

De la Grèce, où il est envoyé en 1852 après le concours de l'École d'Athènes, il ne rapporte pas un essai panégyrique sur l'Antiquité et ses héros mais une étude sévère et polémique sur *la Grèce contemporaine* (1854). En quelques années il se fait la réputation d'un écrivain à la mode (le plus en vue du Tout-Paris), qui prend vigoureusement parti : pour le principe des nationalités (*la Nouvelle Carte d'Europe, 1860*), pour l'unité allemande (*la Prusse en 1860*), puis contre (*Alsace*, 1872) ; contre le pouvoir temporel du pape (*la Question romaine*, 1861).

Ses romans, objets d'engouement, reflètent les goûts de la génération pseudo-sentimentale du second Empire : *Tolla*, 1855 ; *Germaine*, 1857 ; *le Turco*, 1866. Mais About écrit également des romans à vocation « utilitaire » qui sont dans la lignée des expériences de Hetzel et d'Hachette (son éditeur) : l'intrigue est soutenue par des problèmes – et leur solution – d'ordre économique ou social : en 1858, *Maître Pierre* (l'assèchement des Landes) ; en 1863, *Madelon* ; en 1867, *l'Infâme* (l'association agricole) ; en 1869, *le Fellah* (la culture en Égypte) ; en 1880, *le Roman d'un brave homme* (l'enseignement mutuel et pratique ; l'art de devenir patron en s'instruisant et en travaillant ; l'art d'être un bon ouvrier, un bon père, un bon mari et un bon patriote). Un essai de 1864 théorise les idées ébauchées dans les romans : *le Progrès*.

Le désir de plaire, d'amuser son public, le goût des bons mots, voire de l'antiphrase, ont suscité des œuvres divertissantes, soit des romans satiriques : *les Mariages de Paris* (1856), que compléteront *les Mariages de province* (1868), *le Roi des montagnes* (1857), soit des romans physio-histologiques de la plus haute fantaisie : en 1862, *le Cas de M. Guérin* (l'homme-enceint[e]), *le Nez d'un notaire* (greffe et transmission des caractères) et *l'Homme à l'oreille cassée* (cryogénie et résurrection, avec une intéressante vision de l'histoire contractée du premier et du second Empire).

Journaliste impliqué dans l'actualité, homme du présent – au risque de se contredire souvent –, About eut de son vivant un énorme succès populaire. Dès 1862, huit de ses romans et essais figurent dans « la Bibliothèque des chemins de fer » (Hachette). Il sera un des auteurs attitrés de « la Bibliothèque des écoles et des familles », et *le Roman d'un brave homme* demeurera, pendant toute la IIIe République, le modèle des livres de prix. On ne réédite plus guère aujourd'hui, dans les œuvres pour la jeunesse, que ses romans satiriques ou fantaisistes, qui sont le moins marqués par le temps.

A. Preiss

ACHARD Marcel

Pseudonyme de **Marcel-Augustin FERRÉOL** *(1899-1974)*

Un amoureux maladroit mené en bateau par sa femme, Marceline, c'est *Jean de la Lune* (1929). Trois hommes et une femme dans un cirque aux prises avec leurs sentiments, c'est *Voulez-vous jouer avec moâ ?* (1923). Pas de grands sujets dramatiques, pas de philosophie du tréteau : Marcel Achard place son théâtre entre la poésie du quotidien et le « Boulevard » stéréotypé. Académicien pour les besoins de sa carrière, dandy mondain pour ceux de sa publicité, écrivain plutôt avare de ses mots (il voulait que chacune de ses pièces fût un succès), Marcel Achard est né à Sainte-Foy-lès-Lyon, d'un père cultivateur. Jeune, il est successivement instituteur, placier en papier carbone, souffleur au Vieux-Colombier et journaliste. En 1923, Charles Dullin monte à l'Atelier *Voulez-vous jouer avec moâ ?* : Marcel Achard-le-dramaturge est né.

Aux grandes étapes de son œuvre correspondent les contributions des meilleurs comédiens de l'époque : Louis Jouvet monte *Jean de la Lune* avec Michel Simon et Valentine Tessier ; Raimu joue Loulou dans *Noix de coco* (1935) ; Yvonne Printemps et Pierre Fresnay interprètent *Auprès de ma blonde* (1946), etc. À côté de son travail de dramaturge, Marcel Achard se lance dans la réalisation cinématographique. Ses plus beaux fleurons seront *Mayerling, Gribouille, Mam'zelle Nitouche*... Remarquable professionnel du dialogue et de la repartie, spécialiste des gags de scène (de la gifle aux coups de pied), séduisant aussi bien par les situations sentimentales que par les impromptus anticonformistes, peignant volontiers des timides, des innocents, des lunatiques, des cocus, et divers autres personnages voguant entre rêve et réalité (*Domino*, 1931 ; *Patate*, 1956), Marcel Achard est l'auteur d'un théâtre profondément populaire, à la technique bien rodée, mais très fortement daté.

J. Garcin

ADAM Paul

(1862-1920)

Romancier et publiciste, Paul Adam eut à son époque une célébrité réelle. Son premier livre est un roman naturaliste au titre révélateur, *Chair molle* (1885, publ. à Bruxelles), que la justice condamne. Mais Adam change bientôt de registre et de style en se tournant vers le symbolisme. Il fréquente G. Kahn, H. de Régnier, T. de Wyzewa, Mallarmé et surtout Moréas avec lequel il collabore pour *le Thé chez Miranda* et *les Demoiselles Goubert* (les deux en 1886). Adam écrit aussi dans les revues du mouvement et dirige même les *Entretiens politiques et littéraires* où il publie, par exemple, le *Traité du Narcisse* d'A. Gide. Durant ces années, Adam manifeste un goût certain pour l'expression précieuse, l'occultisme et les mystères : *En décor* (1890, rééd. plus tard sous le titre *Jeunesse et Amours de Manuel Héricourt*, 1913) est symptomatique sur ce point d'une certaine littérature quintessenciée qu'Adam a pourtant satirisée lui-même dans son *Petit Dictionnaire pour servir à l'histoire des auteurs décadents et symbolistes* (1888, sous le pseudonyme de J. PLOWERT). Décidément insituable, Adam en vient aussi à s'intéresser à la politique, où ses options sont peu claires : il suit Barrès en Lorraine et se présente à ses côtés aux élections législatives ; d'un autre côté cependant, le sens de la patrie et de l'enracinement historique se conjugue chez lui à des tendances anarchistes assez inattendues...

Son œuvre traduit dans une certaine mesure ces hésitations, ces fluctuations à travers de vastes fresques comme *le Temps et la Vie* (axé en grande partie sur l'histoire de la famille d'Adam) ou *l'Époque* (ensemble assez peu homogène traitant de la période contemporaine). Dans la première série, on peut noter, entre autres, *Basile et Sophia* (1900), sur l'époque byzantine, *Être* (1891), très symbolistement médiéval, quatre romans sur une histoire plus proche avec *la Force* (1899), *l'Enfant d'Austerlitz* (1902), *la Ruse* (1903) et *Au soleil de juillet* (1907). *Soi* (1886) et *la Bataille d'Uhde* (1897) se situent sous le second Empire, tandis qu'*En décor*, *le Mystère des foules* (1895) ou *le Trust* (1913) essaient d'expliquer la période immédiatement contemporaine. Dans cette abondante production, on relèvera aussi des œuvres dramatiques (*le Cuivre*, 1896) et, à côté de cette littérature de fiction, toute une œuvre de voyageur, de journaliste et de moraliste, racontant ses voyages (en Hollande, en Russie, en Égypte, au Brésil), traitant de l'actualité (la Grande Guerre, notamment) ou cherchant la vérité d'une époque.

Paul Adam, on l'a vu, est d'abord intéressant par les multiples incarnations littéraires qui sont les siennes, parcourant tout le spectre du naturalisme au barrésisme, en passant par le symbolisme : chacune de ces écoles, de ces modes pourrait-on dire, Adam la pousse jusqu'à l'outrance, un peu à la manière de Catulle Mendès dont la virtuosité littéraire était aussi déroutante. L'unité cependant existe dans cette œuvre, au-delà des jeux formels successifs. Elle se définit sans doute par ces thèmes de l'énergie et du mystère qu'on trouve déjà dans certains titres d'Adam : cherchées d'abord dans le secret d'une intimité narcissique, puis dans la nation, l'histoire et les grands hommes, il y a des « forces », des « puissances », des « volontés merveilleuses » (titre d'une série, 1888-90) qui sont au travail. D'où, chez Adam, un grand intérêt pour l'occultisme, l'ésotérisme, les religions secrètes, pour la psychologie des masses et des élites, pour l'utopie (*Lettres de Malaisie*, 1898 ; *la Cité prochaine*, 1908). Le tout finit néanmoins par être souvent bien obscur, en raison même de cette superposition de prismes, de dogmes et de symboles. Ces romans, dès lors, nous intéressent surtout par le témoignage qu'ils offrent sur une mentalité d'époque, dans sa richesse et ses contradictions.

A. Preiss

ADAM DE LA HALLE *ou* ADAM LE BOSSU

(seconde moitié du XIIIe siècle)

Adam de la Halle est le témoin d'un monde en crise. L'Église romaine passe par des moments difficiles. Le développement et l'influence des ordres mendiants, dominicain et franciscain, suscitent de violentes réactions dans les universités. Connue dans son ensemble, l'œuvre d'Aristote, après avoir procuré un instrument de connaissance qui avait servi à explorer les mystères de la nature, à classer et à ordonner les espèces et les genres, fournit une pensée séduisante, de fond antichrétien, que l'Église cherche à contrecarrer. En dépit de Saint Louis, c'est la fin de l'esprit de croisade : à la guerre sainte succède le temps des explorateurs, des commerçants et des missionnaires. Adam est aussi l'héritier de toute la culture médiévale, comme l'attestent des emprunts et des allusions aux œuvres dramatiques (*Jeu de saint Nicolas, Courtois d'Arras*), lyriques (jeux partis, congés, pastourelles, chansons courtoises), épiques et romanesques, satiriques (*Chansons et Dits artésiens*), mais aussi aux légendes du folklore (repas des fées, chasses infernales) et aux pratiques de la sorcellerie.

Une vie obscure

Les hypothèses de H. Guy relatives à la biographie d'Adam ont été contestées très tôt, et en particulier par A. Guesnon, si bien qu'il ne semble pas qu'il faille les retenir. Surnommé le Bossu (mais il nie l'être), ce poète, qui fut aussi l'un des plus grands musiciens du Moyen Âge, était appelé à l'étranger Adam d'Arras, si l'on en croit *le Jeu du pèlerin*. Les thèses les plus contradictoires se sont opposées sur ses sentiments à l'égard de sa femme et de son père comme sur la chronologie de son œuvre : il n'est pas sûr que *le Jeu de la Feuillée*, qui date de 1276, soit contemporain des *Congés* et antérieur au *Jeu de Robin et Marion*. Il n'est pas du tout prouvé qu'Adam ait quitté Arras pour Paris, il est très peu probable qu'il ait été exilé. En revanche, *le Jeu du pèlerin* nous apprend qu'Adam, « aimé et prisé et honoré du comte d'Artois », Robert II, l'accompagna à Naples, où il passa au service de Charles d'Anjou, qu'il chanta dans l'épopée inachevée du *Roi de Sicile*. Quant à sa mort, on la situe généralement entre 1285 et 1288.

Une œuvre très diverse

Dans une œuvre abondante qui comprend de multiples chansons, motets, rondeaux, des strophes sur la mort, un *Dit d'amours*, dix-neuf laisses du *Roi de Sicile*, émergent les *Jeux partis*, les *Congés*, *le Jeu de Robin et Marion* et son chef-d'œuvre, *le Jeu de la Feuillée*.

Dans les *Jeux partis*, où deux poètes, sur un problème d'amour courtois, développent tour à tour des thèses opposées, trois seulement ont été proposées par Adam (IV, XIV et XVI), une par Rogier, et toutes les autres viennent de Jean Bretel, qui, dans la majorité des cas, est le plus fidèle aux prescriptions de la courtoisie et se présente comme le plus « fin amant », au détriment d'Adam, à qui son partenaire reproche d'être peu versé dans la science et l'art de l'amour. De surcroît, le Bossu soutient des points de vue qu'il reniera dans *le Jeu de la Feuillée* : il y préfère l'amour à Arras plutôt que la « clergie » (l'état de clerc et la recherche intellectuelle) à Paris, acceptant même d'être, comme Aristote, chevauché par son amie.

Comme Jean Bodel et Baude Fastoul, Adam a composé des *Congés*, qui n'ont pas nécessairement accompagné un départ. Le poète se dit décidé à s'en aller, parce qu'il perd son temps à Arras et qu'il est mécontent de la politique que l'on y mène (II-III) ; il dit adieu aux êtres qui lui sont chers, à sa femme (V-VI) et à ses bienfaiteurs (VII-XII), en treize douzaines d'octosyllabes sobres et élégants, composés d'adroits croquis satiriques et de compliments bien tournés. Des différences nettes séparent les *Congés* du *Jeu de la Feuillée* : dans ceux-là, Adam confesse qu'il a connu, grâce à l'amour, une vie heureuse qu'il quitte à regret et dont il ne souffle mot dans la *Feuillée*, où il est sévère pour sa femme ; il n'y parle pas de son père, qu'il critiquera violemment par la suite ; il y chante de riches membres du patriciat arrageois, dont il fait dans la *Feuillée* une bande d'avares et de malhonnêtes gens. Aussi peut-on soutenir que le Bossu écrivit ses *Congés* à un moment où, se faisant des illusions sur les patriciens, il espérait les persuader d'être généreux à son égard et de l'aider à gagner Paris. L'expérience lui ouvrit les yeux. Au moment du *Jeu de la Feuillée*, ses rêves se sont effrités au dur contact de la réalité : ainsi Jakemon Pouchin, qualifié de « père » dans les *Congés*, est attaqué à demi-mot dans la *Feuillée* et accusé d'avoir injustement détruit Thomas de Bourriane.

Dans *le Jeu de Robin et Marion*, opéra-comique avant la lettre selon certains, pièce joyeuse et tourbillonnante de jeunesse, plus complexe qu'on ne l'a dit, jouant habilement d'un avant-texte constitué de refrains-centons, Adam a emprunté à la pastourelle, genre aristocratisant le plus souvent plein de mépris pour les paysans grotesques, son schéma général (l'ébauche d'un roman entre un seigneur et une jeune paysanne), sa conclusion (l'échec final du seigneur), ses divertissements champêtres (jeux des « rois et reines », de « saint Côme », musique, danses), ses détails accessoires (lutte contre le loup, querelles…). Mais l'auteur a changé le récit en action, le style indirect en dialogue ; il y reprend des refrains connus, et sans doute est-il possible d'y déceler les structures du *Jeu de la Feuillée*.

Le Jeu de la Feuillée : l'ambiguïté d'un psychodrame médiéval

Toutefois, l'œuvre capitale d'Adam demeure *le Jeu de la Feuillée*, écrit sans doute pour une réunion de la Confrérie des jongleurs et bourgeois d'Arras. Son titre – en picard, *li Jeus de le Fuellie* – évoque aussi bien la folie que la loge de feuillage qui abrite la châsse de la Vierge ou la table des fées dans les fêtes de mai, ou encore la feuillée où le chevalier essaie de séduire la bergère.

SYNOPSIS

La pièce semble, de prime abord, composée d'une succession fiévreuse et incohérente de scènes et de tableaux très divers : portrait contrasté de Maroie, la femme d'Adam, qui « estoit blanke et vermeille, rians, amoureuse et deugie [svelte] », et que maintenant il voit « crasse et mautaillie, triste et tenchant [grincheuse] » ; venue d'un médecin, puis d'un moine chargé des reliques de saint Acaire (qui guérissait de la folie), ce qui permet de dénoncer l'avarice, la gourmandise, la luxure et la folie de nombreux Arrageois ; élucubrations et cabrioles d'un « dervé », un fou furieux, encadrant un débat sur les clercs « bigames » (remariés) ; une « grant merveille de faerie » : trois fées, qui s'entretiennent avec un envoyé du roi infernal Hellequin, Croquesot, accordent à deux des acteurs, à Adam lui-même et à Rikier, des dons qui, favorables ou défavorables, aboutissent au même résultat, les enfermant dans leur vie actuelle et les retenant à Arras, qu'Adam voudrait fuir, comme il l'annonce au début de la pièce ; elles dénoncent Robert Sommeillon, faux chevalier et détestable amant, et, grâce à l'allégorie de la Roue de Fortune, la politique injuste du patriciat d'Arras ; pour finir, elles s'acoquinent avec dame Douche dans de louches pratiques de sorcellerie. Dans les deux cents derniers vers, les acteurs se retrouvent à la taverne, théâtre de disputes, de tromperies, de nouvelles manifestations du dervé : chacun semble renoncer à ses illusions, voire à son idéal.

Très variée et très riche malgré ses dimensions restreintes, cette œuvre, où les confidences et la critique d'Arrageois connus se mêlent à la satire de types traditionnels et à la parodie de genres littéraires (chansons, romans arthuriens, jeux partis), a divisé les critiques : simple revue comique et satirique pour les uns (H. Guy, H. Roussel, Gr. Frank, R. Berger), jeu à but moral qui raille travers et vices sans espoir d'améliorer le monde (J. Frappier), pièce politique qui exprime le point de vue de l'opposition antipatricienne de la moyenne et petite bourgeoisie arrageoise (M. Ungureanu), expression des obsessions du poète et de ses efforts pour se reconnaître à travers la laideur qui donne la nostalgie du beau (A. Adler), alliance inconsciente d'ombres personnelles – hantise des mères terribles, angoisse de dépendance et d'abandon, fantaisie de triomphe sur le père… – et d'un théâtre profondément comique (Ch. Mauron).

Pour nous, c'est l'itinéraire moral et spirituel d'un poète qui n'a pas réussi à échapper à la vie arrageoise pour reprendre ses études à Paris, confession d'un échec que l'auteur essaie, çà et là, de minimiser, mettant en cause les autres : sa femme, sensuelle et possessive ; son père, avare, égoïste et lâche ; ses compères, bien connus à Arras et doubles impurs d'Adam, choisis sans doute en raison de la richesse sémantique de leurs noms. On peut même penser que c'est le jeu dramatique du poète dans la ville dont il se sent prisonnier plutôt que le drame d'un poète nommé Adam de la Halle. Il lui déplaît d'être seul à avoir échoué. Aussi, brûlant ce qu'il a adoré, s'en prend-il, à travers Robert Sommeillon, à Jean Bretel, le grand poète d'Arras, qu'il accuse d'être un mauvais versificateur, un hypocrite et un débauché, et qu'il rend responsable de sa propre dégradation. Il montre que chacun, médecin ou moine, échoue dans la voie qu'il a choisie. Pas d'issue : dans la vie conjugale, familiale ou sociale, il est impossible d'échapper au déferlement de la débauche, de la laideur et de la vulgarité d'un monde irrationnel que régit la Fortune sans tenir compte des mérites et qualités. Tente-t-on de retrouver la raison et la beauté ? Il faut très vite déchanter : la féerie révèle les mêmes tares que notre monde quotidien, les fées se muent en sorcières.

C'est donc, sous un aspect gai, une pièce amère, dans laquelle Adam a brouillé les pistes, utilisant des lieux communs (scènes de taverne, récit d'une tromperie, portrait contrasté, naissance de l'amour, satire des avares et des femmes, exhibitions des fous et des sots…), empruntant à des œuvres comme *le Jeu de saint Nicolas* de Bodel, *Courtois d'Arras* ou les *Chansons et Dits artésiens*, peut-être pour masquer son drame personnel, hypothèse que rejette G. Lütgemeier pour qui, dans cette pièce parodique, le texte dialogué a une double fonction : moyen de communication entre les personnages représentés ; message adressé à un public déjà informé. À travers une présentation déformée et aliénée de la réalité, c'est une remise en question des lois et des normes de l'homme raisonnable.

Recourant fréquemment à la polyvalence sémantique et à l'allusion, cette œuvre comporte plusieurs plans de signification et demeure ambiguë sur de nombreux points, ce qui lui donne une tonalité très moderne, que l'on retrouve dans son climat : n'est-ce pas une pièce de l'échec, de la captivité, de la mutilation, de l'absurde symbolisé par la roue que tourne la Fortune aveugle, muette et sourde ? Œuvre moderne aussi par les problèmes posés, puisque Adam s'interroge et nous interroge sur le mariage, l'autorité et le respect du père, sur la religion et ses pratiques, sur une société mauvaise qui pousse à la révolte, sur les relations avec le groupe, sur l'unité de l'homme, la personne et les masques, sur la tâche du poète : qu'écrire ? pour qui écrire ? comment écrire ? Mutilés, les hommes sont seuls, incapables de se connaître et de communiquer dans un univers en dissolution, où les mots n'ont pas le même sens pour tous et où l'argent vicie les rapports.

Dans ce théâtre de la lucidité, inspiré sans doute par l'aristotélisme, Adam, qui se fait en faisant sa pièce, intervient personnellement, s'engage dans les polémiques de son temps, prend position sur les problèmes qui divisent ses concitoyens, remet en question son passé littéraire et la tradition pour écrire une œuvre neuve. Cette pièce touffue est une expérience de théâtre total, enté sur la fête populaire du carnaval, lié aux coutumes du cycle de mai, théâtre dans le théâtre, théâtre de la rue, sans scène, sans rampe, sans salle, dont les acteurs sortent du public pour jouer leur rôle et, leur tirade achevée, rejoignent les spectateurs – sorte de psychodrame où les participants jouent des scènes de leur vie quotidienne et qui tend à exorciser les fantasmes et névroses de l'auteur et des acteurs-spectateurs.

J. Dufournet

ADAMOV Arthur

(1908-1970)

Parce qu'il a d'abord écrit des pièces pour les petites salles de la rive gauche, puis pour les théâtres de la banlieue « rouge », Adamov a été accusé de trahison par les uns – dont Ionesco –, cité en exemple par les autres – surtout les communistes. Il fait en réalité partie de ces auteurs qui n'ont pas sempiternellement exploité la même recette dramatique, tout simplement parce que la scène l'a fait vivre, dans tous les sens de l'expression.

« En exprimant mon mal, je m'en libère » (*l'Aveu*)

L'homme était sans racines. Né à Kislovodsk (Caucase), d'une famille de propriétaires de puits de pétrole qui devait être chassée puis expropriée par la révolution d'octobre 1917, il connut l'exil en Suisse (1914-1922), en Allemagne (1922-1924) et enfin en France. Maniant les langues allemande et russe, il traduira plus tard, surtout pour des raisons financières, les œuvres d'auteurs aussi différents que Büchner, Kleist, Max Frisch, Piscator, Jung, Rilke ou Tchekhov, Gorki, Gogol et Dostoïevski.

Il a raconté avec une impudeur qu'expliquait son espoir de se libérer par l'écriture, dans *l'Aveu* (1945), dans *l'Homme et l'Enfant* (1967) et dans *Ils* (1969), les événements qui l'ont marqué jusqu'à en faire un écorché vif : la curieuse influence de sa sœur aînée, qui s'amusait à le terroriser ; la rencontre d'Irène, en 1928, qui se termina par une tentative de suicide ; la révélation, à la même époque, de sa définitive impuissance sexuelle, que ne palliera pas le recours aux « rites » masochistes et qui lui donnera la conviction angoissée de ne jamais pouvoir rendre une femme heureuse ; le suicide, en 1933, de son père, dans une chambre voisine de la sienne, suicide dont il se sentira coupable, lui, le mauvais fils qui avait haï ce père passionné par les salles de jeu, et qui n'avait pas voulu suivre ses conseils et devenir ingénieur ; la mort enfin, en 1942, de sa mère, qu'il n'assista pas dans son agonie.

Mêlé très tôt à la bohème de Montparnasse, fréquentant Roger Gilbert-Lecomte, Antonin Artaud et Marthe Robert, il se contenta, avant guerre, de concevoir et de faire jouer, avec son ami Victor, une brève scène muette, *Mains blanches,* et de publier cinq courts poèmes en prose dédiés à Méret Oppenheim. En 1945, il fut de ceux qui, après bien des efforts, parvinrent à faire sortir Antonin Artaud de l'asile de Rodez. Après la parution de *l'Aveu,* il écrivit, de 1947 à 1953, six pièces que montèrent de jeunes metteurs en scène comme Jean Vilar, Jean-Marie Serreau ou Roger Planchon, tandis qu'il essayait de trouver un équilibre difficile avec sa nouvelle compagne, celle qu'il appelait le Bison et qu'il épousa en 1961. En partie sous son influence, il se rapprocha, dans les années 1960, du parti communiste et essaya de concilier son écriture et les objectifs dramatiques énoncés par Bertolt Brecht. Mais il ne parvint pas à se dégager de l'emprise de l'alcoolisme ; sa santé connut en 1966 et 1967 de sérieuses alertes, qui le conduisirent à l'hôpital, et lui qui, jusqu'au bout, avait espéré pouvoir mener une « autre » vie et avait finalement renoncé à n'habiter que des hôtels provisoires, mourut le 15 mars 1970.

« Ne plus regarder le monde à vol d'oiseau »

Lorsqu'il préfaça, en 1955, le second volume de son *Théâtre,* Adamov émit des jugements très critiques sur les pièces qu'il avait écrites jusque-là. Il remarqua très justement qu'elles prétendaient renoncer à un psychologisme traditionnel en mettant en scène, à peine grossies, la solitude humaine et l'absence de toute communication. Jamais les chemins des quatre protagonistes de *la Parodie* (1947), N., l'Employé, le Journaliste et Lili, ne se croisent. Dans *l'Invasion* (1950), Pierre, qui par fidélité travaille à décrypter les manuscrits laissés par son ami Jean, ne trouve aucun soutien chez ceux-là mêmes qui auraient dû l'aider. Le Mutilé de *la Grande et la Petite Manœuvre* (1950), un accidenté du travail, se laisse peu à peu détruire, comme d'ailleurs le Militant, par de terribles forces obscures, mais extérieures. Le héros du *Professeur Taranne* (1953), accusé d'exhibitionnisme, en essayant de se disculper s'aperçoit peu à peu que tout le condamne.

Toujours dans la même préface, l'auteur expliquait qu'avec *le Ping-Pong* (1954) il avait voulu échapper au piège de ce théâtre métaphysique qui transformait un sentiment ou un rêve personnels en une fatalité infligée à l'humanité. Deux amis, Arthur et Victor, passent leur existence à essayer d'améliorer le billard électrique, pour supplanter auprès de la belle Annette le fringant Monsieur Roger et pour soutirer au directeur du mystérieux Consortium, le Vieux, argent et puissance. Ils échouent lamentablement et finissent par jouer tous les deux à un ping-pong dont ils modifient constamment les règles. Dans *Paolo Paoli* (1956), Adamov entreprit de montrer, à travers les aventures d'un collectionneur de papillons, comment la société française, à partir de 1900, a progressivement préparé la mobilisation guerrière de 1914.

Après s'être abondamment documenté, il rivalisa avec Brecht, qui avait écrit *les Jours de la Commune* : dans *Printemps 71* (1961), utilisant des marionnettes du théâtre de guignol et multipliant les personnages, il tenta de rendre compte à la fois de l'extraordinaire gâchis d'espérances, du caractère internationaliste et de l'irréalisme généreux qui ont été les grands traits de la Commune de Paris. S'inspirant ensuite de *l'Exception et la Règle* de Brecht, dans *la Politique des restes* (1962), il dévoila comment la justice américaine avait acquitté l'industriel Johnie Brown, accusé d'avoir tué un ouvrier noir. Toutes ces pièces furent accueillies très favorablement par les militants communistes, après avoir été montées par de jeunes metteurs en scène, tel José Valverde.

Avec *Sainte Europe* (1966), une gêne se manifesta chez ces mêmes militants : volontairement mal travestis en hommes du Moyen Âge, nos dirigeants visent de pitoyables desseins, et le seul héroïsme qui éclaire la pièce est celui de Moeller Van der See et de Francesca, qui meurent comme Tristan et Iseut, alors qu'éclate une révolte ouvrière. *Monsieur le Modéré* (1967), qui conte la mésaventure d'un propriétaire d'hôtel épris du juste milieu, entouré d'une femme soumise et d'une fille polissonne, devenu chef d'État en Suisse, puis chassé par son chef de police, se présente explicitement comme une clownerie burlesque. Dans *Off limits* (1968), Jim et Sally, deux jeunes marginaux new-yorkais, essaient en vain de s'arracher au monde de l'argent, mais ils sont vaincus, comme les premiers héros d'Adamov. Enfin, dans *Si l'été revenait* (1969), la dénonciation de l'État-providence à la suédoise prend la forme inattendue d'une suite de rêves de quatre dormeurs, Lars, sa sœur Théa, sa femme Brit et une « amie », Alma.

« Le cri ne sera pas exclu, bien sûr. Comment le serait-il ? » (*l'Homme et l'Enfant*)

Même quand il se rapprocha explicitement du théâtre de Brecht, Adamov en demeura toujours éloigné. Seuls les autres (juges, témoins, femme et père) tentent de faire passer le geste meurtrier du héros de *la Politique des restes* comme un réflexe de défense sociale. Johnie Brown nous est présenté, à nous spectateurs, comme un cas pathologique : c'est un névrosé qui a peur de la prolifération des Noirs, qu'il accuse de déposer des ordures chez lui. Paolo Paoli souffre d'une curieuse manie de collectionneur, et les deux femmes de la pièce qui porte son nom, Stella et Rose, tout comme Annette dans *le Ping-Pong*, ont le comportement de prostituées complaisantes.

Quand bien même il les place dans un contexte social bien délimité, circonscrit notamment par des panneaux ou inscriptions inspirés du théâtre de Brecht, Adamov crée des personnages chargés de toutes ses préoccupations et surtout de ses fantasmes personnels. Ceux-ci donnent un air de parenté indéniable à N. (*la Parodie*), à Pierre (*l'Invasion*), à Taranne (*le Professeur Taranne*) ou à Lars (*Si l'été revenait*) : tous des enfants qui n'ont pas grandi, comme les héros du *Ping-Pong*, à qui la vie n'apprend rien parce que leurs comportements sociaux résultent d'obsessions qu'ils ne parviennent pas à surmonter.

Leur auteur a, bien sûr, lu et même traduit Jung. Mais l'explication n'est pas suffisante. Contrairement à Brecht, qui, pour faire œuvre réaliste et objective, se libérait de ses fantasmes en rédigeant en secret ce qu'il appelait ses « vers d'Achille », Arthur Adamov a mis en scène ses angoisses avec l'espoir d'en être un peu délivré. Hanté par l'idée d'une déchéance qu'il accélérait lui-même en abusant de l'alcool, il montre N., dans *la Parodie*, « balayé comme une ordure ménagère », ou Monsieur le Modéré finissant ses jours hémiplégique, dans une voiture encombrée de gadgets. Et ses héros se heurtent toujours à des personnages qui sont les figures où se combinent, avec de légères variantes, la mère, la sœur, le père, la femme, quatre manières de dire, pour Adamov – comme le croyait aussi Antonin Artaud –, que la Faute existe et nous menace.

D. Mortier

AGOULT Marie d'

Marie de Flavigny, comtesse d'Agoult *(1805-1876)*

Née à Francfort-sur-le-Main d'un émigré de l'armée de Coblence et d'une héritière de banquiers francfortois, Marie d'Agoult reçut une double culture. De sa liaison avec Liszt (qu'elle rencontra en 1834) naquirent deux filles : Blandine (1835), qui épousa Émile Ollivier, et Cosima (1837), qui épousa Hans de Bülow, puis Richard Wagner. Après sa rupture avec Liszt, de retour à Paris, Marie d'Agoult, sous le pseudonyme de Daniel STERN, collabora à *la Presse* d'Émile de Girardin, à la *Revue des Deux Mondes*, à *la Revue indépendante*. Auteur d'une autobiographie romancée, *Nélida* (1846, une « réponse » à *Béatrix*), de dialogues de *Dante et Goethe* (1866), de souvenirs : *Mes souvenirs (1806-1833)*, publiés en 1877, et de *Mémoires (1833-1854)* qui ne parurent qu'en 1927, Daniel Stern fit aussi œuvre de philosophie morale. Son *Essai sur la liberté considérée comme principe et fin de l'activité humaine* (1847) fut considéré comme subversif par la censure, et ses *Esquisses morales et politiques* (1849), où elle demande l'instruction égalitaire pour les femmes, préparent la réflexion de l'*Histoire de la révolution de 1848* (1850-1853).

Plus à l'aise dans le genre des Mémoires que dans celui de la fiction romanesque, Daniel Stern s'inscrivait, avec *Nélida* (anagramme de *Daniel*), dans la tradition du roman personnel et du roman à clé, où les aventures biographiques étaient transposées et l'héroïne idéalisée (« la Muse calme et pensive du Nord »), dans un style souvent très conventionnel (« Sa peau était transparente, et son regard n'avait rien perdu de sa virginale pureté »). En contrepartie, l'*Histoire de la révolution de 1848* constituait, sur les événements de 1848, le témoignage passionné, parfois ironique (« La nuit fut muette. Le pouvoir crut qu'elle était calme »), alternant le passé et le présent historique au travers de portraits et de narrations au jour le jour, de celle qui, dans son salon de la Maison-Rose, devait accueillir l'opposition à l'Empire.

A. Pierrot-Herschberg

Agravain *v.* Lancelot en prose

AICARD Jean

(1848-1921)

Né à Toulon dans un milieu républicain, admirateur des hommes de 1848. Aicard commença par une poésie prométhéenne, d'une fraternité mystique, *les Jeunes Croyances* (1867) [« Quand l'homme le voudra, c'est lui qui sera Dieu ! »], puis *les Rébellions et les Apaisements* (1871). Mais c'est dans l'évocation romanesque de la Provence que le poète des *Poèmes de Provence* (1874) et le dramaturge du *Père Lebonnard* (joué au Théâtre-Libre en 1889) trouva son inspiration avec *Roi de Camargue* (1890), *le Pavé d'amour* (1892), *Notre-Dame d'Amour* (1896), *Tata* (1901), et surtout l'invention du personnage de Maurin des Maures (*Maurin des Maures,* suivi de *l'Illustre Maurin*) [1908].
Contrepartie des burlesques aventures de Tartarin de Tarascon, l'épopée du braconnier provençal, « roi des Maures », « don Juan des bois », est presque aussi fabuleuse que la geste napoléonienne (« C'était un homme légendaire que ce Maurin, un homme qui faisait "sortir du gibier aux endroits où il n'y en avait pas". Et quel tireur mon ami ! »). C'est le prétexte au développement d'histoires merveilleuses, dans un langage pittoresque, qui emprunte un peu de sa couleur au provençal : « Le galant Maurin n'avait pas seulement la réputation d'être le premier chasseur et piégeur du pays – comme aussi le plus franc *galegeaïré* [ou moqueur et conteur d'histoires joyeuses] ». Avec Daudet, Arène et quelques autres, Aicard introduisit la Provence et ses histoires dans toutes les salles de classe de la IIIe République.

A. Pierrot-Herschberg

AIMARD Gustave

*Pseudonyme d'**Olivier Gloux** (1818-1883)*

Auteur de nombreux romans d'aventures et adaptateur en France d'un genre dont Fenimore Cooper fut l'inventeur, G. Aimard a eu lui-même une vie picaresque. Il s'engage comme mousse et passe sa jeunesse en Amérique du Sud ; là, s'il faut en croire sa légende, il vit « de la vie des nomades au milieu des fauves, côte à côte avec les Indiens, fils adoptif d'une de leurs puissantes nations [...], le rifle d'une main et la machette de l'autre » ! Attaché deux fois au poteau de torture par les Apaches, esclave des Patagons, il est chasseur, trappeur, peut-être même un peu bandit. Plus tard, revenu en Europe, il poursuit ses voyages en Turquie et dans le Caucase avant de revenir à Paris. En 1848, le voici officier de la Garde mobile avant de repartir aux Amériques où on le retrouve dans l'aventure de la Sonora, avec le comte de Raousset-Boulbon, improbable condottiere qui veut se tailler un royaume au Mexique.
De retour en France, Aimard commence vraiment à écrire : utilisant ses aventures passées, il donne une pièce (*les Flibustiers de la Sonore*, 1864, en collab.) et surtout des romans publiés en feuilletons dans les grands journaux de l'époque (*le Moniteur, la Presse, la Liberté*). Le premier est peut-être le plus célèbre (*les Trappeurs de l'Arkansas*, 1858, réédité très souvent, notamment dans des collections populaires et enfantines), mais des dizaines d'autres suivront : parfois écrits en collaboration (Jules-B. d'Auriac et un nommé Crisafulli), ils exploitent toujours la même veine, et parfois jusqu'à l'autoplagiat ! En 1870, Aimard, très patriote, part pour la guerre dans un corps de francs-tireurs, avant de retrouver Paris où il continue à se battre. Il meurt à Sainte-Anne, atteint d'une sorte de folie des grandeurs.
Les titres de Gustave Aimard se ressemblent souvent et indiquent bien les deux pôles de cette œuvre assez monotone : l'aventure et l'exotisme, combinés par exemple dans *les Trappeurs de l'Arkansas, les Forestiers du Michigan* (1867), *les Outlaws du Missouri* (1868) ou *les Bandits de l'Arizona* (1882). On pourrait aussi rapprocher *les Pirates des prairies* (1858) des *Rôdeurs de frontières* (1861), des *Chasseurs d'abeilles* (1864) ou des *Coupeurs de routes* (1879). Même chose avec *le Chercheur de pistes* (1858), *l'Éclaireur* (1859) et leurs successeurs, avec aussi l'exotisme linguistique et le mystère du *Grand Chef des Aucas* (1858), de *Curumilla* (1860), de *l'Araucan* (1864), des *Gambucinos* (1866)... En dehors de ce qu'Aimard appelle les « Drames du Nouveau Monde », on aurait enfin d'autres volumes où l'Océan et la grande ville sont un peu les équivalents des grandes plaines du Far West : des romans de pirates (la série des *Rois de l'Océan*, 1863-77) ou sur les bas-fonds parisiens (*les Invisibles de Paris*, 1867-68 ; *les Vauriens du Pont-Neuf*, 1878 ; *les Peaux-Rouges de Paris*, 1888-89).
La couverture de ces volumes brochés évoque certaines gravures à la Jules Verne : dans une forêt tropicale, dans un fouillis de palmiers et de lianes, des Indiens tirent leurs flèches, entourés d'aigles, de serpents et de fauves. Source de dangers et de découvertes, ce décor de nature sauvage ouvre d'emblée un champ infini à l'aventure et au fantasme : savanes immenses, montagnes escarpées, arbres remplis de miel, ours, castors, jaguars... Les Indiens sont cependant la curiosité principale et le ressort dramatique essentiel des romans d'Aimard, plus encore que les Mexicains ou les bandits. Le regard porté sur ces Indiens est double, échappant ainsi au manichéisme des films qui succédèrent à toute cette littérature. Certes, les Peaux-Rouges sont les adversaires irréductibles de « la race blanche » et ils pratiquent avec un art consommé le scalp et le poteau de torture. Ces scènes de cruauté reviennent d'ailleurs avec une belle régularité, faisant

souvent figure de morceaux de bravoure et rachetant les facilités ou les grincements du scénario.

D'un autre côté cependant, ces Indiens sont aussi victimes d'une colonisation menée par des brutes et des trafiquants, par ces « outlaws » sans foi ni loi qui sont, eux, les vrais méchants. Et cette colonisation est en fait un vol, la rupture aussi d'un univers harmonieux et bon. Car les Indiens ont à leur manière une sorte de morale, de sens chevaleresque qui leur fait respecter la parole donnée et l'adversaire malheureux. Malgré quelques pages « ethnologiques » ou didactiques, on est alors dans le registre de l'épopée avec grandes scènes et grands héros, au risque du stéréotype ! Est-ce une illusion, cependant, que de découvrir chez Aimard de la poésie ? Évocation d'un autre monde, ces romans grisaient leurs lecteurs d'aventure, d'espace et de liberté : peut-être les Peaux-Rouges d'Aimard ont-ils inspiré ceux de Rimbaud, clouant nus aux poteaux de couleurs tous les haleurs du Bateau ivre…

A. Preiss

AJAR Émile *v.* GARY Romain

ALAIN

*Pseudonyme d'***Émile CHARTIER** *(1868-1951)*

Fils d'un vétérinaire de Mortagne, dans le Perche, le jeune Chartier, doué pour les études, prépara l'École normale supérieure au lycée de Vanves, où il eut comme maître Jules Lagneau. Entré à Normale en 1889, agrégé de philosophie en 1892, il fut nommé professeur à Pontivy, puis à Lorient (1893-1900), à Rouen, où il eut le futur André Maurois comme élève, et enfin à Paris (1902). À partir de 1909, il est professeur de rhétorique supérieure au lycée Henri-IV, et il donne un cours au collège Sévigné pour les candidates à l'agrégation de philosophie. Quand il prendra sa retraite, en 1933, son enseignement aura marqué un bon nombre de ceux qui se sont fait un nom au cours de la première moitié du siècle, dans l'Université, la littérature ou la politique. Engagé volontaire à quarante-six ans, en 1914, il avait commencé la guerre comme simple soldat et l'avait terminée en 1917 comme maréchal des logis, soucieux de rester parmi ceux qu'on appelait, pour les distinguer des officiers, « les hommes ». Et ce n'est point pure coïncidence si ses élèves l'avaient surnommé « l'Homme ».

L'homme des « Propos »

De 1893 à 1904, Chartier avait donné à la *Revue de métaphysique et de morale* des articles publiés sous son nom et des dialogues signés CRITON. Mais il s'était surtout, au cours de ces années, tourné vers la politique et le journalisme, prenant parti pour Dreyfus dans le journal radical de Lorient et participant à la fondation d'une université populaire. À partir de 1906, il donne à *la Dépêche de Rouen* des articles quotidiens, intitulés « Propos d'un Normand », qu'il signe ALAIN et qui devaient, écrit-il, « relever l'entrefilet au niveau de la métaphysique » (*Histoire de mes pensées*). Plus de trois mille « Propos » parurent ainsi jusqu'en 1914, et certains commencèrent à être publiés en recueils à partir de 1908 (*Cent Un Propos d'Alain*, cinq séries parues en 1908, 1909, 1911, 1914 et 1928). Après la guerre, il continuera à écrire des « Propos » (deux mille environ), qui paraissent de 1921 à 1924, puis de 1927 à 1935, dans une petite revue fondée à cette intention par ses amis Michel et Jeanne Alexandre : *Libres Propos*.

Groupés par sujets, les « Propos » ont constitué des recueils qui représentent une part importante de l'œuvre d'Alain : *Propos sur le bonheur* (1928), *Propos sur l'éducation* (1932), *Sentiments, passions, signes* (1936), *les Saisons de l'esprit* (1937), *Esquisses de l'homme* (1938), *Minerve ou De la sagesse* (1939), *Vigiles de l'esprit* (1942), *Politique* (1952). Parallèlement, Alain composait des ouvrages suivis, toujours faits de courts chapitres. Les plus importants sont : *Quatre-Vingt-Un Chapitres sur l'esprit et les passions* (1917, repris en 1941 dans *Éléments de philosophie*), *Système des beaux-arts* (1920), *Mars ou la Guerre jugée* (1921), *les Idées et les Âges* (1927), *Entretiens au bord de la mer* (1931), *Idées* (1932), *les Dieux* (1934), *Histoire de mes pensées* (1936).

Aux yeux de ses élèves, Alain était non seulement un maître incontesté, mais aussi, bien évidemment, un philosophe. Les philosophes « officiels », en revanche, hésitaient à le considérer comme un des leurs et préféraient ne voir en lui qu'un essayiste.

Son style même semblait devoir renvoyer Alain à la « littérature » : écrivant d'abord dans des journaux de province pour un public de non-spécialistes, il n'a jamais recours à la terminologie philosophique, et, à aucun moment, le lecteur n'a besoin d'un dictionnaire pour comprendre son propos. Quand le texte est obscur, c'est que la pensée va trop vite et que les intermédiaires sont négligés : on a dit parfois que son art d'écrivain consistait à supprimer une phrase sur deux… Mais la forme même du « Propos » imposait une discipline qu'Alain comparait à celle du sonnet : tout le développement, limité par les nécessités typographiques, doit tendre au trait final, qui ne saurait être médiocre. Aussi l'œuvre d'Alain abonde-t-elle en formules frappantes qui fourniraient la matière d'un ample recueil de « maximes ». Ajoutons que ce fils de la campagne est un homme pour qui le monde extérieur existe, c'est-à-dire un poète, et que ses réflexions les plus abstraites sont toujours portées par le spectacle des choses, attentivement perçues et minutieusement mais légèrement décrites. Les « philosophes de métier » ne pouvaient s'y reconnaître.

Une pensée à contre-courant

Mais surtout la philosophie d'Alain allait à contresens des grands courants de son époque, ce qui le condamnait, au moins provisoirement, à n'être pas pris au sérieux. Il disait, en effet, à ses élèves que le bergsonisme était une « philosophie pour dîner en ville » ; il écrivait (en 1929) : « Il n'y a que les marxistes, aujourd'hui, qui aient des idées » (*Propos d'économie*) ; il soutenait que « la physique de ce temps-ci fera rire comme chasse aux lutins » (*Vigiles de l'esprit*), que « l'esprit faux est historien et l'historien esprit faux » (*Cahiers de Lorient*), que « vouloir que la société soit le dieu, c'est une idée de sauvage » (*Politique*), et il refusait d'adorer « à quatre pattes l'inconscient, le subconscient, le seuil de conscience et autres articles de la philosophie simiesque » (*Histoire de mes pensées*). Il était bien tentant de ne voir en Alain qu'un homme à paradoxes et d'ignorer l'authentique philosophie qui inspirait ces boutades.

Cette philosophie, il est vrai, ne pouvait prendre la forme d'un système, d'un ensemble de propositions rigoureusement démontrées et exactement ajustées les unes aux autres. C'est que le philosophe, aux yeux d'Alain, n'est pas l'homme qui raisonne, mais l'homme qui juge, c'est-à-dire qui examine, qui doute et qui décide. Les idées ne sont que des instruments, qui nous permettent de saisir le monde et de conduire notre vie. Nourri de Platon et d'Aristote, de Descartes et de Spinoza, de Kant, de Hegel et de Comte, Alain ne s'est jamais soucié d'accorder entre eux ces différents auteurs. Il prenait simplement en chacun ce qui lui permettait de mieux comprendre l'événement présent ou le problème actuel. Ce qui ne veut pas dire que la philosophie d'Alain se réduise à une mosaïque de pensées empruntées. Car, à travers tel thème inspiré de l'un de ses auteurs favoris, c'est Alain qui pense, et pour son propre compte. Aussi peut-on dégager, de l'ensemble des *Propos* et des autres ouvrages, une vision cohérente et originale de l'homme et du monde, qui constitue la philosophie d'Alain.

Au centre de cette philosophie se trouve sans doute l'idée que l'homme n'est pas essentiellement un animal raisonnable, mais un être d'imagination et de passion. De là l'intérêt qu'Alain a porté, plus que tout autre philosophe, aux arts et aux dieux et qui fait de lui, bien avant Bachelard, un précurseur des recherches contemporaines sur l'imaginaire. C'est, en effet, dans l'art et dans la religion plutôt que dans la science, œuvre de l'esprit séparé, que l'on voit apparaître l'humaine condition. Sur nos réels problèmes, un théorème nous instruit moins qu'un temple ou un mythe, et la connaissance, ou reconnaissance, de nos semblables est plus précieuse que la connaissance des choses. C'est l'esprit à l'œuvre qu'il faut saisir, c'est-à-dire l'entendement dans l'imagination même, et la raison aux prises avec les appétits et les passions, car « tout homme passe l'eau avec toute sa charge » (*les Dieux*).

Il reste que « l'esprit est la fonction propre de l'homme » (*Histoire de mes pensées*). La condition humaine est celle d'un être qui a charge d'âme, c'est-à-dire qui est en charge de lui-même. C'est à partir de là que l'on comprendra la morale d'Alain, comme sa pédagogie et sa politique : il s'agit toujours, pour l'homme, de sauver son âme, et le salut n'est pas dans l'évasion mais dans le refus de perdre l'esprit, car « la plus haute valeur humaine, c'est l'esprit libre » (*les Saisons de l'esprit*). Ainsi, « la morale consiste à se savoir esprit et, à ce titre, obligé absolument » (*Lettres sur la philosophie de Kant*) : il n'y a point de règles ; l'essentiel est de se conduire au lieu de s'abandonner. L'éducation a pour but la formation d'esprits libres, capables de résister aux suggestions et séductions de tous les « marchands de sommeil ». Tout l'espoir des citoyens, en effet, est dans l'indépendance du pouvoir spirituel par rapport au pouvoir temporel, car nul ne gouverne contre une opinion publique clairement exprimée. Bref, le grand principe de la politique, de la pédagogie et de la morale, c'est que l'homme doit être un homme ; et ce n'est pas peu : « Toujours l'homme, dit le prêtre. Vous êtes borné là. – Mais, lui dis-je, je ne vois point la borne » (*les Saisons de l'esprit*).

G. Pascal

ALAIN CHARTIER

(v. 1385-1433)

Écrivain et diplomate, Alain Chartier vit l'une des périodes les plus sombres du Moyen Âge, lors de la « grande pitié du royaume ». Clerc (notaire royal, chanoine de Paris en 1420), homme de cour, secrétaire du Dauphin à Bourges en 1422, ambassadeur qui a parlé devant Sigismond de Hongrie (1424), le pape Martin V (1425) et le duc de Bourgogne (1426), il participe à l'actualité autant par sa vie que par son œuvre. C'est donc surtout comme « écrivain engagé » qu'il nous est familier. Il a laissé des poèmes courtois, rondeaux et ballades : *Débat des deux fortunés d'Amour, Débat de Réveille-Matin, Lai de Plaisance, Complainte* ou la *Belle Dame sans merci*, et des écrits inspirés par la situation du pays : *Livre des Quatre Dames, Quadrilogue invectif, Débat patriotique, Lai de Paix, Traité de l'Espérance ou Consolation des Trois Vertus.*

Ses poèmes courts sont des variations sur les motifs obligés de l'amour courtois : « Inamorammento » (XXXI), protestation d'amour (XXI), « Timidité du poète » (« Comme osera la bouche dire ce que le cuer pas penser n'ose », II), imploration de la pitié pour l'amant (VII, IX, XV), séparation (X, XIII), rivalité (XI), mort de la dame (XXIV, XXVII, XVII). N'y cherchons pas l'originalité ou la sincérité que revendiquerait le moderne. L'art est ailleurs : dans la maîtrise de la forme du « couplet carré », dans l'antithèse systématique (« Triste plaisir et doloreuse joie »), dans le jeu des rimes, dans l'élaboration subtile et discrète de l'allégorie (« J'ay un arbre de la plante d'Amour/Enraciné en mon cuer »). Le débat fournit à la casuistique courtoise un cadre privilégié : l'amour apporte-t-il plus de bienfaits que de méfaits (*Débat des deux fortunés d'Amour,* 1412) ? Chez Alain prédomine le ton mélancolique : « Je suis dolent, triste et dessaisonné » (XXIV). Du *Lai de Plaisance,* opposant la joie des amoureux à la solitude du poète, à la *Complainte* (1424), il choisit le mode mineur. Ce « simple clerc », « Qui parle ainsi d'amours par ouïr-dire », va porter le scandale dans la fête courtoise, avec la *Belle Dame sans merci* (1424), débat en huitains qui le fit exclure de la cour d'Amour d'Issoudun. Cette cruelle Dame dénonce les conventions rhétoriques de l'amour, ramène à sa vraie portée la métaphore (la maladie : « si gracieuse maladie/Ne met gaires de gens a mort », XXXIV), fait d'Amour un « cruel losengier », réduit tout aux mots (« leurs serments durent… Tant comme les moz se disent », XLIV). Cette transposition de la « dame inaccessible », dont la liberté et l'intelligence nous étonnent face à la ferveur morbide de l'amant, porte au cœur du lyrisme la lucidité d'un Jean de Meung, déjoue les ruses du langage courtois et dénonce la complaisance masochiste de l'amant malheureux. La dame lointaine n'est plus ici prolongement du désir, mais réalité existentielle du refus.

La chevalerie est écrasée, l'ennemi est maître du pays. Le poète traduit le sentiment unanime, se fait le porte-parole de la conscience collective. Qui est la plus à plaindre, de celle qui a perdu son ami par la mort, de celle qui l'a perdu par la captivité, par la disparition ou la fuite ? demande le *Livre des Quatre Dames* (1415), répercutant les préoccupations de la défaite dans un cadre encore lyrique. Le *Quadrilogue invectif*, plus proche de l'événement, reproche à toutes les classes leur responsabilité ; France accuse ses enfants de tous les vices : l'histoire se lit à travers des catégories morales. Le *Débat patriotique* renouvelle l'opposition de la jeunesse folle et de la vieillesse sage par une discussion entre un vassal découragé et un héraut partisan des anciennes valeurs et de l'action ; mais un « vilain » trouble la conversation, invectivant la noblesse qui n'a pas fait son devoir.

Devant les horreurs de la guerre, un seul refuge : le rêve de paix. Le *Lai de Paix* appelle les princes à la réconciliation en 1426 : la « Paix, heureuse fille du dieu des dieux », n'est qu'utopie, car l'*Espérance ou Consolation des Trois Vertus* nous montre de tristes personnifications (Mélancolie, Indignation, Désespérance) et un sinistre tableau du pays. Tous ces maux ont deux causes essentielles : la méconnaissance de Dieu et la débauche. Progressivement se fait jour l'idée de la Nation, incarnée en Jeanne d'Arc (*Lettre sur Jeanne*, 1429), notion dont Alain Chartier se fait le premier interprète.

L'orateur a fait bénéficier la prose de l'assimilation des tournures latines et rhétoriques. Il se situe à la charnière d'une évolution qui fera du lyrisme un jeu de plus en plus détaché des réalités, mais du poète un témoin de son temps.

A. Strubel

ALAIN-FOURNIER

*Pseudonyme d'**Henri Alban Fournier** (1886-1914)*

Sa trop brève existence interdit peut-être autant à Alain-Fournier d'accéder à la plénitude de son art qu'elle conforte, par son imprévisible fulgurance, les mythologies dans lesquelles l'auteur du *Grand Meaulnes* va égarer sa vérité, sur les traces d'un personnage à qui, prétend-on, il ne devait pas survivre. Tombé au feu à vingt-huit ans (on retrouvera son corps presque 80 ans plus tard), quelques jours après Péguy, le lieutenant Fournier semble prouver par le martyre de sa chair l'impossibilité de vivre un besoin d'absolu égal à celui de Meaulnes, dont plusieurs générations sacraliseront l'intransigeante raideur, l'inaptitude fondamentale au bonheur.

Peu de vies, cependant, paraissent moins riches en aventures que ce destin à peine ébauché, franchissant tout juste les bornes paisibles et normatives de l'enfance et des études. Henri Fournier aura grandi dans le microcosme d'une école communale où vivent et enseignent ses parents, instituteurs dont les affectations contiennent les errances dans les sages limites du Berry et de la Sologne. Ils n'ambitionnent pour leur fils d'autre prouesse qu'une brillante carrière universitaire.

La préparation du concours d'entrée à l'École normale supérieure apporte à l'adolescent les passions tranquilles d'une amitié durable : celle de Jacques Rivière, son futur beau-frère, dont la correspondance avec l'écrivain fera en quelque sorte le dépositaire de sa mémoire. Un double échec sanctionnant ses trois années de « khâgne », Henri Fournier n'a que le temps d'essayer sa plume à des projets encore chaotiques et d'éprouver, en de furtives rencontres ou en des liaisons décevantes, les premiers émois d'une vie sentimentale impuissante à définir ses objets. Les fragments, essais ou poèmes (*Miracles*, publiés par Jacques Rivière en 1924) qu'il nous laisse, l'unique roman qu'il achève – et publie à la N.R.F. en 1913 – révèlent un homme encore en proie à tous ses doutes, n'ayant choisi aucun de ses possibles à la veille de disparaître.

Le Grand Meaulnes, itinéraire magique ?

SYNOPSIS

PREMIÈRE PARTIE. Tout change dans la calme existence de François Seurel, à l'école communale de Sainte-Agathe où enseignent et résident ses parents, dès l'instant où ils accueillent Augustin Meaulnes en qualité de pensionnaire. Un matin, sous prétexte d'aller chercher les grands-parents de François à Vierzon, l'étrange garçon part à l'insu de tous, dans une carriole, qu'un paysan ramène le soir, vide. Il revient au bout de quatre jours, auréolé de mystère, muré dans le silence. D'où tient-il le gilet de soie qu'il cache sous sa blouse ? En quel endroit veut-il repartir ? Son secret excite la curiosité de tous les écoliers, qui rêvent de conquérir, en s'en emparant, le suprême et impénétrable pouvoir de séduction détenu par leur camarade. Il se confie à François : égaré, il a découvert un vieux château, cadre d'une fête « étrange », mêlant enfants, paysans et bohémiens. Le maître des lieux, Frantz de Galais, devrait y présenter sa fiancée. Sa sœur, Yvonne, séduit Meaulnes dès qu'il la rencontre. Mais Frantz arrive seul, abandonné et désespéré. Le charme rompu, Augustin doit se résoudre à un pénible retour.

DEUXIÈME PARTIE. Dès lors, Seurel et Meaulnes ne songent qu'à retrouver le Domaine mystérieux. Leurs recherches sont épiées par leurs condisciples et par un étrange bohémien : il s'agit de Frantz, rescapé d'une tentative de suicide. Augustin lui a juré soutien et fidélité, mais Frantz disparaît, laissant ses amis dans le même embarras. Meaulnes décide de chercher seul Yvonne à Paris, mais ses lettres avertissent François de son échec.

TROISIÈME PARTIE. François, en vacances chez son oncle, découvre enfin la jeune femme et l'emplacement de la vieille demeure – détruite – où Meaulnes l'approcha pour ne plus l'oublier. Il prévient son compagnon. Augustin et Yvonne se revoient et presque aussitôt se marient. Pourtant, le soir des noces, Meaulnes s'enfuit sur les traces de Frantz, venu l'appeler conformément à leur ancien pacte. Restée seule, Yvonne met au monde une petite fille et meurt peu après. Dans le journal de Meaulnes, François Seurel lit de tristes aveux : tandis qu'il cherchait Yvonne, une femme a traversé la vie d'Augustin, Valentine Blondeau, celle que Frantz n'a pu épouser. Quand il prend conscience de cela, il la quitte, mais aussitôt le regrette : trouverait-il désormais le repos autrement qu'en parvenant à réunir Frantz et Valentine ? Sa tâche accomplie, il revient aux Sablonnières, bouleversant la solitude dans laquelle s'est installé François, seul tuteur de la fillette depuis la mort d'Yvonne de Galais et de son vieux père, et qui conclut : « La seule joie que m'eût laissée le grand Meaulnes, je sentais bien qu'il était revenu pour me la prendre. Et déjà je l'imaginais, la nuit, enveloppant sa fille dans un manteau et partant avec elle pour de nouvelles aventures. »

Parce qu'il est à la fois un roman d'amour et un roman d'enfance, histoire du désir et de l'innocence, quête de l'enfant exalté par la passion, mais aussi parole native d'un écrivain, plus dépendant d'un univers fantasmatique que d'un système esthétique qui reste à définir, *le Grand Meaulnes* vaut en premier lieu par le poids des troubles enjeux qui structurent sa trame imaginaire.

Curieuse recherche, en vérité, que celle de Meaulnes, de Seurel et de Frantz. Elle s'effectue sous le signe d'un épais mystère, d'une étrangeté radicale. Sur elle pèse un tel secret que la conscience individuelle ne peut à elle seule le porter, mais qu'elle doit en faire partager le murmure enfiévré par d'incessants et nécessaires aveux, qu'il faut toujours arracher à son frère d'aventure, avant que le silence ne le consume.

Là réside le fondement de cet éclatement de la personne dont le roman fait sa première loi. En se fragmentant dans les multiples présences de narrateurs et de héros, mais également de leurs doubles (François/Meaulnes, Meaulnes/Frantz, Yvonne/Valentine…), le sujet romanesque exprime confusément et sa peur et son refus d'assumer les errements de son discours en une parole unique et transparente. Conte initiatique où se révèlent les passions non dites, où veulent s'épancher les révoltes contenues, où cherchent à se commettre les infractions rêvées contre les normes du vécu, *le Grand Meaulnes* n'autorise la transgression des interdits, dans l'école, la famille ou l'affect, qu'au prix des alibis commodes offerts par la métamorphose en l'autre, le déguisement (motif récurrent du texte), l'échange d'identité, voire d'état civil.

Quand il découvre Augustin Meaulnes, François Seurel est d'abord fasciné par les relations étonnantes qui unissent ce garçon à sa mère, par l'admiration dont elle est pénétrée envers ce fils « aimant à lui faire plaisir ». Quel contraste avec les frustrations éprouvées par le narrateur, obligé, quand Millie s'enferme pour coudre dans « sa chambre obscure », d'attendre, « en lisant dans la froide salle à manger », qu'elle ouvre la porte pour lui montrer « comment ça lui allait » ! Douloureusement séparé du corps maternel, autorisé à le voir seulement à travers la médiation de l'habit qui l'enveloppe, François n'a pas plus tôt désiré être cet autre fils bienheureux qu'il se sent attiré vers lui. Ce désir, encore plus trouble que le premier qui l'a fait naître, va éclater dans l'épisode au cours duquel Meaulnes, revenu de son escapade, le soir venu, se déshabille dans la mansarde sous les yeux de son compagnon. À l'heure où il n'a encore rien confié de son aventure, seule la présence de ce corps, lentement dévoilé, atteste de la réalité d'une vie étrange, dont il revient pour en faire durer la substance. L'homosexualité latente aux lisières de laquelle évolue le récit verra pourtant son aveu toujours différé : on attendait la chair ; c'est le gilet de soie qui apparaît, faisant écran à toute exacerbation passionnelle.

C'est un fait, entre la pulsion et ses objets, l'écriture accumule à plaisir les obstacles : costumes dont le port, presque rituel, permet seul l'initiation aux mystères du Domaine perdu ; topographie tourmentée et indéchiffrable, semant la carte de Tendre d'embûches, de chemins tortueux, de haies infranchissables ; dérèglements climatiques, égarant les cœurs dans leurs rudes frimas : « Le grand vent et le froid, la pluie ou la neige, l'impossibilité où nous étions de mener à bien de longues recherches nous empêchèrent, Meaulnes et moi, de reparler du Pays perdu avant la fin de l'hiver » (II, 1).

Parallèlement, la femme semble toujours impuissante à combler l'insatisfaction du héros. Frantz arrive seul à ses fiançailles, pour mettre fin à une fête prévue pour lui, détournée par Meaulnes en la célébration de sa rencontre avec Yvonne de Galais. Il reviendra les séparer au soir de leurs noces. Bien vite, il apparaît que la femme ne saurait se conquérir hors d'une relation fautive, vicieuse. L'adultère se profile dans les chassés-croisés à la faveur desquels Meaulnes, cherchant Yvonne, trouve Valentine ; Seurel, son ami à nouveau disparu, devient auprès de son épouse le « compagnon d'une attente dont nous ne parlions pas ». Il faudra la mort d'Yvonne pour que s'accomplisse le geste d'une possession dérisoire, toujours souhaitée, jamais osée avant l'instant où François porte dans ses bras le cadavre de celle qu'il avoue enfin aimer : « Agrippé au corps inerte et pesant, je baisse la tête sur la tête de celle que j'emporte, je respire fortement, et ses cheveux blonds aspirés m'entrent dans la bouche – des cheveux morts qui ont un goût de terre » (III, 12).

L'inceste, lui, n'a jamais cessé ses appels. Tout concourt, dans l'univers romanesque d'Alain-Fournier, à supprimer le rival parental. Meaulnes n'a plus de père ; on constate que l'évanescence de M. Seurel trouve une contrepartie lumineuse dans l'investissement affectif présidant à la désignation de sa mère par François, « Millie ». Dès lors, l'obsédante revendication de « pureté » qui scande le texte trahit de vaines tentatives pour conjurer des hantises autrement indicibles.

Tous ces fantasmes se cristallisent dans la dernière forme que s'impose le désir du narrateur : en gardant la fille de Meaulnes, François Seurel voudrait donner réalité au rêve d'être son père et d'inverser positivement dans cette relation l'amour qu'il n'a pu vivre, quand s'éveillait sa personne sensible, avec Millie. Dans un roman dont le style se caractérise par la recherche constante et presque austère d'une simple et stricte élégance, le trouble qui préside à l'effondrement de ce songe, au retour d'Augustin, communique son désordre jusque dans l'ordonnance de l'écrit : «… comme Augustin, la tête penchée de côté pour cacher et arrêter ses larmes, continuait à ne pas la regarder, [la petite fille] lui *flanqua* une grande tape de sa petite main sur sa bouche barbue et mouillée »… (Épilogue). L'écart de registre manifeste ce que la langue romanesque ne parvient plus à contenir, à refouler totalement au cœur de son système sublimé.

Recherche d'un itinéraire magique qui ne conduirait pas au Monde perdu des mythes mais permettrait plutôt d'en sortir à jamais, *le Grand Meaulnes* demeure une réponse imparfaite à cette attente. L'exorcisme ne l'a pas encore emporté sur les enchantements. Tout est consommé lorsque enfin le narrateur accède à l'écriture pour tenter de corriger le terrible désordre du journal de Meaulnes : « Il avait noté des souvenirs sur un séjour qu'ils avaient fait tous les deux à la campagne, je ne sais où. Mais, chose étrange, à partir de cet instant, peut-être par un sentiment de pudeur discrète, le journal était rédigé de façon si hachée, si informe, griffonné si hâtivement aussi, que j'ai dû reprendre moi-même et reconstituer toute cette partie de son histoire » (III, 15). Mais il ne parvient pas, malgré cette usurpation qui le rend seul maître de l'univers de son discours et de ses songes, à la certitude d'une unité retrouvée en sa personne et en son imaginaire. Meaulnes, à nouveau, revient. Promesse de futures tentatives pour risquer encore la vérité de son destin au jeu sans fin de la littérature ?

D. Giovacchini

ALBERT-BIROT Pierre

(1876-1967)

Né à Angoulême, puis étudiant à Bordeaux, Albert-Birot s'installe ensuite à Paris, pratiquant la sculpture, la peinture, la typographie, puis la restauration de meubles. En 1916 il fonde la revue *Sic*, qui soutient les mouvements d'avant-garde (cubisme, futurisme…) et publie Apollinaire, Drieu, Reverdy, Aragon, Breton. Il organise en 1917 la représentation des *Mamelles de Tirésias* : « drame surnaturaliste », propose Apollinaire ; « surréaliste », répond Albert-Birot. Le mot est né, mais son inventeur se tiendra toujours à distance de Breton et du groupe : « Le réalisme n'est qu'une grosse ficelle », y compris peut-être le réalisme de l'inconscient. Or l'artiste doit montrer ces « ficelles » ; la poésie d'Albert-Birot, depuis *Trente et Un Poèmes de poche* (1917) jusqu'à *Deux Cent Dix Gouttes de poésie* (1952) et *Graines* (1965), en recherche constante de formes nouvelles, s'efforce, par la manipulation verbale, de traquer l'illusion réaliste : calligrammes, essais préfigurant les recherches lettristes, fusions de mots comme ces « couleursmouvantes en vertsoleil » (*la Lune ou le Livre des poèmes,* 1924), vers de 13 ou 18 pieds (*Amusements naturels,* 1945). D'où aussi la modernité formelle de son théâtre – *Larountala* (1919), *l'Homme coupé en morceaux* (1921), *le Bondieu* (1922) – qui traite des grands problèmes (incommunicabilité, injustice, vanité de la création…) et fait appel aux trouvailles du cirque, à l'acrobatie et à la pantomime, tout en s'appuyant sur une réflexion théorique (cf. le *Manifeste du théâtre nunique,* 1916) dans la ligne de Craig ou Meyerhold : « Je veux un acteur qui ne soit pas un homme. Celui-là seul sera magnifiquement humain » (revue *Paris,* 1924). Esthétique du jeu, du syncopé, de la discordance, celle-là même des « années folles ».

En marge de cette œuvre, dont Albert-Birot est à la fois l'auteur, l'imprimeur et l'éditeur, se développe une épopée tragi-comique en prose, longue coulée verbale sans ponctuation, *Grabinoulor* (livre I, 1921 ; livre II, 1933 ; édition revue et augmentée, 1964, puis définitive en 1991). Le héros, surhomme et double imaginaire de l'auteur, joue avec le monde et sa logique, le temps, l'espace ; fantaisie jaillissante où Albert-Birot, « l'un des poètes les plus libres et les plus inventifs de ce siècle » (Robert Abirached), transmue ses jeux langagiers d'héritier du dadaïsme en authentique création.

J.-P. de Beaumarchais

ALEMBERT Jean LE ROND d'

(1717-1783)

Homuncio cui pater non est, nec res (« un petit homme qui n'a ni père ni biens ») : c'est en ces termes peu charitables qu'au plus fort de la bataille de l'*Encyclopédie*, en 1754, le père jésuite Tolomas définissait celui qui était déjà reconnu comme un des plus grands savants de son époque. D'Alembert était en effet le fils naturel de Mme de Tencin et du chevalier Destouches. Abandonné à sa naissance sur les marches de la chapelle de Saint-Jean-le-Rond (d'où son nom), il fut élevé par la femme d'un vitrier. Après des études de droit et de médecine, il se consacra aux mathématiques. Admis dès 1741 à l'Académie des sciences en qualité d'« adjoint » (il devint « associé géomètre » en 1746 et membre titulaire en 1765), il publia coup sur coup une série d'études qui sont autant de dates importantes dans l'histoire des mathématiques pures et de la mécanique : *Traité de dynamique* (1743), *Traité de l'équilibre et du mouvement des fluides* (1744), *Réflexions sur la cause générale des vents* (1746), *Recherches sur les cordes vibrantes* (1747), *Recherches sur la précession des équinoxes* (1749). Élu à l'Académie française en 1754, membre de la plupart des académies européennes, ami et conseiller écouté de Frédéric II et de Catherine II, il exerça une influence déterminante sur la vie scientifique de son temps (c'est ainsi qu'il imposa Lagrange comme successeur d'Euler à l'Académie de Berlin).

Ce savant fut aussi un « philosophe » et un écrivain. Il fréquenta assidûment les salons, celui de Mme Geoffrin, puis celui de Mme Du Deffand, où il rencontra, en 1754, Julie de Lespinasse, à laquelle il voua, durant vingt-deux années, une amitié tendre et fidèle. Il prit, aux côtés de Diderot, une part capitale à la publication de l'*Encyclopédie*. Outre le célèbre *Discours préliminaire*, il rédigea ou révisa tous les articles de mathématiques et de physique du dictionnaire et se chargea d'un certain nombre d'articles philosophiques (« Académie », « Cartésianisme », « Causes finales », « Corps », « École »). Dans « Collège », il attaqua violemment l'enseignement des Jésuites, mais ce fut surtout l'article « Genève » qui provoqua des remous, entraînant la rupture définitive de Jean-Jacques Rousseau avec le clan encyclopédiste (*Lettre à d'Alembert sur les spectacles*, 1758).

Moins combatif que Diderot, plus soucieux de sa tranquillité, d'Alembert ne put supporter plus longtemps les persécutions et les crises qui traversaient sans cesse le travail encyclopédique, et il abandonna ses responsabilités au début de 1758. Le *Discours préliminaire* est le manifeste de la philosophie des Lumières. D'Alembert y dessine, d'après Bacon, l'arbre généalogique des sciences et des arts et, en mettant en évidence l'épanouissement méthodique du savoir humain, pose un jalon essentiel dans la constitution de la théologie du « progrès ». Les *Mélanges de littérature, d'histoire et de philosophie*, dont les deux premiers volumes parurent en 1753, et qui s'enrichirent sans cesse jusqu'en 1783, témoignent de la variété des intérêts de d'Alembert. L'*Essai sur la société des gens de lettres avec les grands* (1753) analyse de façon rigoureuse les rapports des intellectuels avec les différents pouvoirs, cependant que l'*Essai sur les éléments de philosophie* (1759) propose une théorie de la connaissance qui préfigure le criticisme kantien et le positivisme comtien. [Voir aussi **Encyclopédie, Lumières**.]

A. Pons

Alexandre (Roman d')

(XIIe-XIIIe siècles)

Cet ensemble de récits relate la vie et les exploits du conquérant macédonien Alexandre le Grand (356-323 av. J.-C.). Les différentes versions de la geste du héros relèvent de la matière antique, dont la redécouverte en langue vernaculaire reste inséparable de la naissance du genre romanesque. Leur évolution formelle et thématique, qui va de la chanson en courtes laisses monorimes d'Albéric de Pisançon (début du XIIe siècle) au roman en prose, en passant par des remaniements en laisses de décasyllabes et d'alexandrins comme celui d'Alexandre de Paris (fin du XIIe siècle) et des continuations en vers, retrace la genèse du genre romanesque dégagé progressivement de l'épopée et du récit hagiographique.

L'*Alexandre* médiéval se rattache à une tradition grecque, celle d'un « roman » du IIe siècle avant J.-C., dû à un auteur inconnu, le Pseudo-Callisthène, rassemblant une série de données orales et écrites, légendaires et historiques, concernant Alexandre. Cette matière a pénétré en Occident grâce à des recensions latines : les *Res gestae Alexandri Macedonis* (320-330 apr. J.-C.), attribuées à un certain Julius Valerius, la *Nativitas et Victoria Alexandri Magni*, traduction d'une branche du Pseudo-Callisthène par Léon de Naples au Xe siècle, et l'*Historia de Preliis* dont il existe plusieurs versions. À cette matière légendaire sont sans doute venues s'ajouter les « sources historiques » fournies par Justin, Orose et Quinte-Curce.

La version la plus ancienne (vers 1130 ?) du *Roman d'Alexandre* est due à Albéric de Pisançon ; il n'en reste que 105 vers rédigés en franco-provençal, répartis en quinze laisses, copiés sur les dernières pages d'un manuscrit consacré à Quinte-Curce. Le fragment rapporte l'éducation du héros jusqu'à son adoubement.

VERSION D'ALBÉRIC DE PISANÇON

Conforme à la rhétorique de l'exorde, la première laisse livre des considération morales sur la vanité des choses et signale que l'œuvre a été composée pour échapper à l'*acidia* [indifférence]. Les deux laisses suivantes vantent la gloire et la magnificence du héros ; la quatrième s'en prend à la tradition qui faisait d'Alexandre le fils d'un enchanteur ; les quatre suivantes font l'éloge de son lignage et des prodiges qui accompagnèrent sa naissance. Suit un portrait physique et moral du jeune Macédonien (laisses IX-XI). Les laisses XII à XV sont consacrées à son éducation intellectuelle et chevaleresque.

La facture du poème d'Albéric reste archaïque ; son style lapidaire et la brièveté de la laisse d'octosyllabes monorimes (de six vers le plus souvent) le maintiennent dans l'orbe des chansons de geste (le *Roland d'Oxford*, *Gormont et Isembart*) et des Vies de saints les plus anciennes (*Vie de saint Léger*, *Vie de saint Alexis*). Néanmoins, il cherche à définir un type de héros nouveau. Alexandre reçoit bien une éducation à la guerre et à l'exercice du pouvoir, caractéristique du personnage épique, mais elle ne se réduit pas à l'apprentissage du maniement de l'épée ou de l'équitation, de tout ce qui relève de la satisfaction des besoins féodaux ; elle se tourne, de manière nouvelle, vers la connaissance des langues, du droit, de la musique... Au chevalier, dont Roland était l'incarnation épique, se conjoint le clerc et au guerrier, le lettré. Humaniste avant la lettre, l'éducation reçue tourne Alexandre vers une conquête du savoir et du monde, là où le saint ne visait qu'à la découverte intérieure de soi qu'autorise un constant commerce avec Dieu. L'*Alexandre* d'Albéric ouvre une voie profane à la littérature, appelée à goûter comme l'auteur le plaisir d'une découverte de l'Antiquité (« Solaz nos faz'antiquitas » [l'Antiquité est source de plaisir], v. 7).

De l'*Alexandre décasyllabique*, composé dans le Poitou vers 1160-1165, il ne reste que 785 vers, répartis en soixante-seize laisses.

ALEXANDRE DÉCASYLLABIQUE

Puisant chez Albéric et dans l'*Historia de Preliis*, son auteur anonyme conte les « enfances » d'Alexandre qu'il suit de sa naissance jusqu'à ses premiers exploits et à sa victoire sur Nicolas. Le caractère aristocratique du personnage y est fortement affiché ; enfant, Alexandre entend n'être nourri que par une fille de chevalier et il ne se complaît qu'avec les chevaliers, qu'il honore de présents somptueux. Son éducation y est complète ; elle s'ouvre aux arts du *quadrivium*, aux jeux de société et à l'art de courtiser les dames. Héros mondain, Alexandre ne triomphe pas que dans la lice ; sa beauté et son élégance lui assurent quelques succès féminins et font de lui une incarnation de l'idéal courtois, importé de la culture occitane, que le roman arthurien s'approprie également à la même époque.

Formellement, l'*Alexandre décasyllabique* reste encore proche de la chanson de geste, mais l'amplitude variable donnée à la laisse monorime (de six à vingt-huit vers) confère au récit davantage de souplesse. L'auteur aime s'attarder à des descriptions (notamment celle de l'adoubement d'Alexandre) qui relèvent bien de l'art du roman. Son goût du merveilleux, attesté par la présentation des vêtements et des armes du héros, va fournir au *Roman d'Alexandre* une de ses principales caractéristiques.

Deux poèmes, composés entre 1165 et 1175, mais aujourd'hui perdus, semblent avoir constitué des étapes importantes dans l'histoire complexe du *Roman d'Alexandre*. Le premier, l'*Alexandre en Orient*, dû à un certain Lambert le Tort de Châteaudun, prenait le récit là où l'avait laissé l'*Alexandre décasyllabique* et le conduisait jusqu'à l'arrivée à Babylone ; anonyme, le second était une *Mort Alixandre*.

Ces textes perdus nous sont en partie restitués par le roman d'Alexandre de Paris (dit aussi Alexandre de Bernay) qui « rafraîchit », vers 1180-1190, la matière et compose la vulgate médiévale du *Roman d'Alexandre*. Ce clerc, originaire de Normandie, a rassemblé et remanié divers récits parfois autonomes ; il a conscience de synthétiser une matière disparate et d'achever ce que ses prédécesseurs – qu'il nomme – n'ont pu mener à terme. Composée de près de 16 000 vers, regroupés en laisses de dodécasyllabes (qui prendront au XVe siècle le nom d'« alexandrins »), l'œuvre d'Alexandre de Paris n'est pas homogène ; on a pris l'habitude d'y distinguer quatre « branches ».

VERSION D'ALEXANDRE DE PARIS

La première branche (3 284 vers) conte la naissance, la jeunesse et les premières conquêtes d'Alexandre jusqu'au siège de Tyr. La deuxième (3 100 vers) intègre un récit d'abord indépendant, le *Fuerre de Gadres*, dû à un certain Eustache ; elle rapporte la prise de Tyr, de Gaza, l'entrée dans Jérusalem et la défaite de Darius. De loin la plus longue (7 839 vers), la troisième branche emprunte à Lambert le Tort ; elle relate les conquêtes sur Darius et Porus, les voyages dans les airs et dans la mer, la description des merveilles de l'Inde, les amours avec la reine Candace, la rencontre des Amazones, et s'achève sur la trahison d'Antipater. La quatrième (1 701 vers) s'attache à la mort du héros, aux lamentations des douze pairs et aux funérailles d'Alexandre.

Prolixe, l'œuvre d'Alexandre de Paris offre le premier texte complet suivant le héros de sa naissance à sa mort en épousant les vicissitudes d'une vie prodigieuse et exemplaire. Même maladroit, le travail de synthèse opéré par cette version révèle le désir paradoxal tramant le corpus : saisir l'essence du romanesque dans la discordance avec son modèle épique. Pas plus que ses prédécesseurs, Alexandre de Paris ne renonce au moule formel de la chanson de geste ; néanmoins, en recourant à un nouveau mètre, il accentue le caractère de liberté et de modernité de son texte. Liberté et modernité à l'égard du modèle épique mais aussi du roman, déjà figé dans son couplet d'octosyllabes et ses « matières », antique ou arthurienne. L'adjonction du voyage en Orient, qui doit tout à une curiosité encyclopédique, permet aussi des croisements entre les « matières ». Les colonnes d'Hercule, qui marquent l'extrémité du monde, deviennent ainsi les bornes d'Arthur (III, v. 137-147 et v. 179 et sq.) ; le « val perilleus » (III, v. 148-163), dont il manque de rester prisonnier, n'est pas sans rappeler le « val sans retour » du roman arthurien, tout comme les femmes-fleurs (III, v. 187-200), dont la beauté s'épanouit à l'ombre des forêts, pendant gracieux des terribles ondines (III, v. 164-166) qui attirent les hommes au fond des eaux, ravivent le souvenir des fées celtiques par qui l'expérience du désir se conjoint à celle de la mort. Échos discrets, qui ne relèvent pas de l'emprunt, mais constituent la marque d'une liberté d'invention qui reste l'apanage du *Roman d'Alexandre* tel que le donne à lire Alexandre de Paris. De plus, l'expérience de l'Orient montre qu'Alexandre se refuse à être un héros épique dont l'itinéraire uniforme refléterait l'idéal de la féodalité et de l'Église ; c'est un voyageur, dont la prouesse échappe à toute mission sociale, qui résiste à l'idéologie féodale et ne représente pas un parangon de la monarchie ; utilisant la « largesse » au profit de la guerre et non de la pacification des relations féodales, il incarne le despotisme, une voie tierce que la chanson de geste et le roman, habitués à confronter les idéologies féodale et monarchique, n'empruntent guère.

Épousant le cours d'une vie, le récit d'Alexandre de Paris met en scène un destin : celui d'un homme guetté par la démesure, d'un héros qui, sans être un demi-dieu, s'identifie à Hercule dont l'histoire se trouve rappelée sur un des pans de sa tente. Démesure d'un désir de conquête qui le pousse à être le maître du monde, d'un désir à jamais insatisfait, renaissant après chaque triomphe, qui l'amène à visiter les fonds marins, à refaire l'expérience d'Icare, à constater que lui manque toujours quelque chose, à vouloir par exemple soumettre le royaume des Amazones dès que la prise de Babylone lui a offert la royauté du monde…

Alexandre se distingue des autres héros romanesques par son peu d'appétence pour les femmes. Symptôme, là encore, de son « roman familial » ? Certaines versions lui donneront une épouse, mais la femme n'est jamais l'objet d'un désir orientant sa quête. L'épisode des amours avec la reine Candace, rapporté par Alexandre de Paris (III, v. 246-271), est à cet égard révélateur. Le héros ne consent à partager l'amour de la reine que parce qu'elle lui renvoie l'image de sa gloire. Il n'entre d'ailleurs dans son lit, pour quelques heures, que sous le nom d'un autre. Bonne fortune plus que véritable objet d'amour, la reine Candace ne saurait arrêter Alexandre qui, de ce point de vue, n'a rien d'un héros courtois en dépit d'une éducation qui l'avait préparé à faire du commerce avec les femmes un signe d'excellence.

L'objet véritable du désir d'Alexandre est le savoir. Savoir mis au service d'une mégalomanie qui ne confère pas la sagesse, mais pousse à visiter le fond des mers pour découvrir, dans la violence des rapports entre les poissons, la loi qui soumet le plus faible au plus fort (III, v. 18-299), ou à parcourir le firmament attelé à des griffons ailés (III, v. 274-282). Dès Albéric de Pisançon, cette caractéristique du personnage avait été mise en avant, et la « clergie », ajoutée à la « chevalerie » ; elle est devenue la composante essentielle de l'héroïsme alexandrin. Le voyage en Orient, que rapporte la branche III d'*Alexandre de Paris*, est une épopée encyclopédique, une traversée des livres et de la géographie antiques, où l'imagination pallie le défaut d'information scientifique. Il peut se lire comme la rêverie engendrée par le savoir ; l'imagination y nourrit un merveilleux particulier, non celtique, non religieux, qui représente une manière de délire intellectuel, dénué de tout rapport avec la réalité, engendrant ces hybrides monstrueux, ou cette vermine qui ne semble grouiller que pour qu'on en dresse la taxinomie, ou bien encore le fantastique technologique des automates (III, v. 194-197) où s'inscrit le rêve de maîtriser le mouvement, le temps et de soumettre la nature à l'ordre du savoir. Cette volonté d'embrasser la totalité du savoir se matérialise dans la tente d'Alexandre (I, v. 194-198) : sur les quatre pans intérieurs sont représentés les jours, les mois, les ans, les trois continents, l'histoire d'Hercule et de Pâris… le savoir et les modèles d'Alexandre. Quatre pans à la tente, quatre branches au roman d'Alexandre de Paris. La tente serait-elle aussi métaphore d'un projet romanesque qui aurait pour ambition de rêver tout le savoir antique ?

La fortune du *Roman d'Alexandre* se mesure aux nombreuses continuations dont il a été l'objet. Dès 1190, Jean Le Névelon compose la *Venjance Alixandre* et Gui de Cambrai le *Vengement Alixandre*. D'abord indépendant de la vulgate, le *Roman de toute chevalerie* composé par Thomas de Kent s'y trouve rattaché au XIIIe siècle par des interpolations. D'autres poèmes, la *Prise de Defur* (vers 1250), le *Voyage d'Alexandre au paradis terrestre* (entre 1270 et 1350), les *Vœux du paon*, écrits par Jacques de Longuyon vers 1312 et objets eux-mêmes de continuations, montrent la fécondité de la matière alexandrine. L'*Alexandre en prose* date de la seconde moitié du XIIIe siècle. Conservée par dix-huit manuscrits et plusieurs éditions imprimées du XVIe qui soulignent son succès, la prose suit le roman d'Alexandre de Paris et l'amplifie à partir d'emprunts aux encyclopédies (le *Speculum naturale* de Vincent de Beauvais notamment), tout en cherchant à conférer à la geste du Macédonien un caractère plus historique et moins légendaire. La langue s'y dépoétise, non seulement par l'abandon du vers mais aussi et surtout par une volonté de créer une langue apte à rendre plus « scientifique » le regard jeté sur les merveilles dont s'éblouissait Alexandre de Paris. Animée aussi par un souci d'édification, la prose renouvelle véritablement le *Roman d'Alexandre*. Elle a été largement mise à profit au XVe siècle par l'*Histoire d'Alexandre* de Jean Wauquelin.

J.-C. Huchet

ALEXIS Jacques Stephen

(1922-1961)

Médecin et romancier, Alexis est né aux Gonaïves (au N.-O. d'Haïti) l'année où l'armée d'occupation des États-Unis écrasait le mouvement de résistance des paysans pauvres dirigé par Charlemagne Péralte. Son père, Stephen Alexis, d'abord avocat, enseignant, puis historien (*Vie de Toussaint Louverture*), romancier (*le Nègre masqué*, 1933) et diplomate, et qui mourra en exil en 1962, avait été arrêté pour sa participation à cette insurrection et avait passé deux ans en prison. La crise nationaliste provoquée par l'occupation américaine se traduisit pour de nombreux intellectuels haïtiens par l'éclosion d'un mouvement, l'« indigénisme ». Dénonçant à cette époque une conception élitiste de la culture soumise aux canons européens bourgeois, ses défenseurs prônaient la recherche systématique et la réhabilitation des éléments d'origine indienne et africaine qui modèlent profondément la vie quotidienne des paysans et ouvriers haïtiens.

Après des études secondaires commencées à Paris, puis poursuivies à Port-au-Prince, Alexis s'inscrivit à la faculté de médecine d'Haïti. Ayant adhéré en 1938 au parti communiste haïtien, fondé par J. Roumain et interdit depuis 1936, il poursuivra après la mort de ce dernier la lutte syndicale et politique ; les grèves de janvier 1946, qui amenèrent la chute du régime proaméricain et antipopulaire de Lescot, ne permirent toutefois pas, faute d'une mobilisation suffisante des travailleurs, l'émergence d'un régime démocratique. Alexis participa alors avec, entre autres, René Depestre à la création d'une organisation marxiste ; cette dernière, selon Depestre, décida fin 1946 leur départ pour la France afin qu'ils y poursuivent leurs études. Devenu médecin, Alexis, militant communiste, soutint en 1957 la candidature de Louis Dejoie, adversaire de François Duvalier à l'élection présidentielle. Opposant à la dictature duvaliériste, il fonda en 1959 le parti de l'Entente populaire, d'inspiration marxiste-léniniste. Après avoir visité la République populaire de Chine, il se rendit à Cuba, qu'il quitta en avril 1961 pour débarquer clandestinement au nord-est d'Haïti, avec un petit groupe de compatriotes ; arrêtés par les forces duvaliéristes, Alexis et ses compagnons furent torturés puis exécutés.

L'activité littéraire d'Alexis est indissociable de son engagement politique et de sa vision marxiste du monde. La parution de *Compère général Soleil* en 1955 fut un « véritable coup de tonnerre » (Ph. Décius). Par l'intermédiaire du personnage d'Hilarion, l'auteur y restitue la misère et la révolte des paysans haïtiens ; Hilarion finira assassiné par les fascistes, et on n'a pas manqué de remarquer le caractère prémonitoire de cette mort romanesque, celle de l'écrivain devant se produire dans des circonstances identiques.

Comme chez Roumain, la langue française chez Alexis est nourrie et enrichie par les expressions populaires créoles haïtiennes ; la beauté des images et le langage poétique illustrent la conception du *réalisme merveilleux* exposée par Alexis en 1956 : l'écrivain puise dans la mythologie populaire haïtienne, transposée dans le contexte politique et social de son temps, pour aider à la prise de conscience des paysans et ouvriers de son pays. Mais il ne s'agit pas pour lui d'encourager le mysticisme : « Faire du réalisme, écrira-t-il, correspond pour les artistes haïtiens à se mettre à parler la même langue que leur peuple ». Rejetant l'humanisme verbal, oratoire, il insiste sur la nécessité d'associer raison et sensibilité pour mieux participer « aux grandes luttes libératrices de notre temps ».

À sa mort brutale et tragique, Alexis avait publié trois romans : *Compère général Soleil* (1955), *les Arbres musiciens* (1957), et *l'Espace d'un cillement* (1959), premier tome d'une trilogie qu'il n'a pu achever. Sa dernière publication fut un recueil de nouvelles et de contes : *Romancero aux étoiles,* 1960. Il a laissé également de nombreuses œuvres encore inédites : deux romans, *l'Églantine* et *Étoile absinthe,* une pièce de théâtre, *les Dollars,* et deux essais, *De la création artistique* et *Chine miraculeuse.*

En situant la lutte des classes au cœur de son œuvre, Alexis a su dépasser l'antinomie race/classe que les idéologues haïtiens de la négritude considéraient comme fondamentale. Poète et romancier révolutionnaire, il peut être considéré à juste titre comme un des plus grands écrivains antillais.

N. Mêdjigbodo

ALEXIS Paul

(1847-1901)

Né à Aix-en-Provence, Alexis y poursuit des études de droit, tout en écrivant déjà articles et poèmes. Certaines pièces de son recueil *les Vieilles Plaies* ayant été publiées dans *le Gaulois* comme des inédits de Baudelaire (1869), la supercherie attire l'attention de Zola : c'est le début d'une amitié à laquelle Alexis restera fidèle toute sa vie, comme il restera fidèle à l'esthétique naturaliste qu'il fait désormais sienne.

Après un roman inspiré de Dumas fils, *Celle qu'on n'épouse pas* (1879, porté au théâtre en 1898), il collabore aux *Soirées de Médan* (1880) par une nouvelle : « Après la bataille », fait paraître plusieurs recueils de nouvelles – *la Fin de Lucie Pellegrin,* suivie de *l'Infortune de M. Fraque* et des *Femmes du père Lefèvre* (1880), *le Collage* (1883) –, un roman – *Madame Meuriot* (1890) –, et se lance dans l'adaptation théâtrale : *la Fin de Lucie Pellegrin* (1886), puis, d'après les romans des Goncourt, *les Frères Zemganno* (1890), *Charles Demailly* (1893).

Auteur d'une étude sur son maître – *Émile Zola, notes d'un ami* (1882) –, il collabore à divers périodiques : *le Réveil, le Gil Blas* et *le Cri du peuple* de Vallès (1883), où il tient la chronique naturaliste, défendant, sous le pseudonyme de TRUBLOT (l'un des personnages du *Pot-Bouille* de Zola), et dans un langage pseudo-populaire, les œuvres de ses amis et les siennes… Sa réponse, télégraphique, à l'*Enquête sur l'évolution littéraire* de Jules Huret (1891) est demeurée fameuse : « Naturalisme pas mort. Lettre suit. » Disciple de toujours, il sera, aux côtés de Zola, ardemment dreyfusard.

Même si un télégramme constitue aujourd'hui son texte le plus connu, l'œuvre d'Alexis n'est pas négligeable, elle qui se réclame avec tant de constance de la doctrine naturaliste. Admirateur de Duranty et surtout de Zola, qui lui accordait une protection fraternelle, Alexis manquait sans doute de puissance créatrice, mais il possédait un talent de conteur à la fois réaliste et fantaisiste. Exception faite du bon roman de « mœurs parisiennes » qu'est *Madame Meuriot,* son œuvre narrative est essentiellement composée de nouvelles : cadre limité, dans lequel il passe d'un réalisme morne et cruel (celui, par exemple, de *la Fin de Lucie Pellegrin,* où agonise une prostituée dans l'indifférence générale) à l'observation sarcastique et amusée des *Femmes du père Lefèvre.*

Cependant, plus que ses écrits, son rôle compta dans la vie des lettres : dévoué à la défense de ses idées et de ses amis lorsque ceux-ci venaient à être contestés, n'est-il pas exemplaire d'une certaine fidélité littéraire ? Voyant dans le naturalisme « la fin de toutes les écoles », il n'hésitait pas à affirmer, en réponse à Jules Huret : « Le naturalisme sera la littérature du XXe siècle. »

M.-O. Germain

ALLAIN Marcel

(1885-1969)

Rien, dans sa famille parisienne et bourgeoise, ne prédestinait Allain à devenir l'un des derniers véritables romanciers populaires. Malgré un père avocat et de sérieuses études à Janson-de-Sailly – révélant des aptitudes certaines pour les « humanités », à l'exclusion des mathématiques –, Allain se sent très tôt des goûts prolétaires, ainsi qu'une fringale d'espace qui le pousse à des fugues souvent réussies, dont il gardera toujours la passion des voyages et la nostalgie de la mer.

Quittant la demeure paternelle à vingt ans, avec 17 francs en poche et quatre faux cols, il inaugure son métier de journaliste judiciaire en réussissant, par une ruse digne de Rocambole, l'impossible interview de Casque d'or, dans sa cellule. Il rencontre bientôt Pierre Souvestre, né en 1874 (la même année qu'Arsène Lupin !), qui le fait entrer comme chroniqueur sportif à *l'Auto,* le quotidien d'Henri Desgrange. En même temps – ô ironie des compétences ! –, il est chroniqueur théâtral au *Soleil,* premier grand journal politique à 1 sou. Les deux compères publient dans *l'Auto,* à grand renfort de publicité bluffeuse, un feuilleton extravagant et démoniaque : *le Rour* (1909), puis, la même année, dans *le Vélo,* un pastiche vengeur du premier : *le Four,* le tout avec un succès tel qu'Arthème Fayard leur passe commande d'une série de romans fantastiques se faisant suite. C'est ainsi que naît Fantômas (32 vol., de février 1911 à septembre 1913) : *Fantômas, Juve contre Fantômas, le Mort qui tue, l'Agent secret,* etc.

Un mythe plutôt qu'un héros

D'après Littré, un mythe est un « récit relatif à des temps ou à des faits que l'histoire n'éclaire pas, et contenant soit un fait réel transformé en notion religieuse, soit l'invention d'un fait à l'aide d'une idée ». Or, dans une interview, Allain a déclaré :

« Notre méthode de travail était simple. On cherchait une idée en causant. Quand elle était trouvée, chacun apportait son imagination. »

Fantômas est une pure création (de l') imaginaire, très éloignée d'un quelconque réalisme. C'est une divinité défigurée, c'est-à-dire laïcisée, et, de plus, tout entière tournée vers le Mal. Si Dieu est mort – et quoi d'étonnant à ce qu'il soit mort, coincé dans l'étau des troubles balkaniques, des conflits franco-germano-marocains, des attentats de la Main noire ? –, Satan, lui, est plus vivant que jamais, et il trouve une inépuisable vigueur dans l'aveuglement de cette prétendue Belle Époque, qui court si allégrement à la catastrophe générale. Les exploits de cet ange maudit sont narrés à toute vitesse, dans une parole *dictée* (Souvestre et Allain travaillaient, à l'époque, au dictaphone à rouleaux de cire, à une cadence supérieure à celle des dactylographes !) échappant évidemment aux lentes normes du « bon usage » : ce qui aboutit à un immense récit, à un verbe épique sans fin, issu du papier journal et de la sourde inquiétude des masses, comme une déesse est née de la mer innocente.

Fantômas « fait peur » : c'est sa raison d'être, sa signification, son rôle essentiel. Sa grandeur sulfureuse vient du fait que la fonction infernale qu'il assume dépasse radicalement les ressources humaines, et ses multiples aventures sont l'illustration manichéenne de la toute-puissance corrosive du Mal sur ce qui l'environne. Ce génie du crime ne s'entoure que de comparses, comme le génie n'accepte à ses côtés que des valets. Lady Beltham, sa maîtresse, n'agit pas comme un renforcement de Fantômas, sinon de façon tout à fait indirecte et négative. Hélène, la fille du monstre, se contente d'empêcher la capture de son père…

Fantômas

SYNOPSIS

Assassinat de la marquise de Langrune, dans son château de Beaulieu, en Dordogne. Un de ses hôtes, le jeune Charles Rambert, est soupçonné, notamment par son père, Étienne Rambert, vieil ami de la marquise, arrivé par le train de Paris le lendemain de la nuit tragique. L'enquête est menée par le juge d'instruction M. de Presles et par l'inspecteur Juve, de la Sûreté. Ce dernier découvre à Paris, chez un nommé Gurn, le cadavre de lord Beltham, dans une malle. On trouve dans la rivière, près de Beaulieu, le corps mutilé d'un homme, qu'on croit être celui de Charles Rambert, qui aurait été « exécuté » par son père. Le procès de celui-ci se termine par un acquittement.

Dans un palace des Champs-Élysées, la princesse Sonia Danidoff est volée par un mystérieux et audacieux cambrioleur. L'inspecteur Juve est berné au cours de son enquête. Il retrouve Charles Rambert bien vivant, l'innocente et lui donne la personnalité de Jérôme Fandor, journaliste.

Gurn, amant de lady Beltham, tombe aux mains de la police en se rendant chez sa maîtresse. Juve découvre chez Gurn un indice capital, qui le persuade que Gurn = Rambert = Fantômas ; c'est aussi le voleur de la princesse Danidoff.

On apprend l'explosion du paquebot *Lancaster*, où aurait péri, avec cent cinquante personnes, Étienne Rambert : « Encore un coup de Fantômas », pense Juve.

Gurn s'évade provisoirement de sa prison pour assassiner, dans le train de Paris, l'intendant Dollon qui, du château de Beaulieu, venait témoigner contre lui. Ce meurtre n'empêche ni le procès ni la condamnation à mort de Gurn.

L'acteur Valgrand, dans une pièce à succès, s'est grimé en Gurn de façon frappante. Lady Beltham l'attire dans un faux rendez-vous d'amour, en face de la Santé. Il est drogué, échangé avec le véritable Gurn-Fantômas, puis guillotiné à sa place. Mais Juve, qui assiste à l'exécution en compagnie de Fandor, a deviné la vérité. La poursuite continue…

Porté aux nues par Apollinaire et les surréalistes, le *serial* noir d'Allain et Souvestre apparaît comme le dernier véritable roman populaire français. Il a passionné des millions de lecteurs, a été traduit dans vingt-deux langues. Aujourd'hui, il faut avouer qu'il a beaucoup et mal vieilli : on ne peut plus guère le lire qu'au second degré, comme un document, une précieuse trace des obsessions et des fantasmes d'avant la guerre de 1914 (« *l'Iliade* de notre époque », écrivait Cendrars). Du reste, disons à la décharge d'Allain que celui-ci, auteur de près de 600 ouvrages, ne s'est jamais pris pour un écrivain : personnage d'une simplicité et d'une bonhomie charmantes, il a toujours été surpris de son propre succès et n'a jamais cherché qu'à *amuser* un « bon public ». Il reste que cette étonnante fécondité, cette production invraisemblable qui s'étale sur plus d'un demi-siècle ne peuvent laisser indifférent l'historien des lettres, ni même l'historien tout court ou le sociologue.

À sa manière, Allain a été un témoin gouailleur de son temps, à travers ses écrits bâclés mais qui fourmillent comme la vie même : *Naz-en-l'air* (15 vol.), *Titi le Moblot* (5 vol.), *les Parias de l'amour* (6 vol.), *les Cris de la misère humaine* (12 vol.), d'une veine proche de celle de Zola, *Tigris* (26 vol.), *Fatala* (22 vol.), *David Dare* (12 vol.), etc. « Romancier-fleuve », comme on voit, Allain est le type même du créateur dépassé par son œuvre, dans la conscience collective. On ne sait plus qui il fut : seule demeure, planant au-dessus de Paris, l'ombre célèbre de Fantômas, qui, comme la tour Eiffel et le musée Grévin, fait aujourd'hui partie de notre théâtre d'ombres.

J.-P. Colin

ALLAIS Alphonse

(1854-1905)

Humoriste, poète à ses heures, Allais est né à Honfleur, et, qui pis est, dans une pharmacie : cela ne semblait pas le destiner immanquablement à la carrière d'amuseur. C'est pourtant ce qui se passe : après avoir montré tout jeune son sens de la blague, il passe son bac, fréquente au cours de quelques stages les Homais de la capitale, « fait son armée », s'inscrit enfin à l'École de pharmacie et y passe quelques examens.

Le potard s'émancipe

Là s'arrêteront les études du bon jeune homme. Allais, qui dès 1876 adressait à sa sœur un petit feuilleton épistolaire (*le Petit Marquoir*), choisit en effet d'écrire : à cette époque, il a déjà rencontré Charles Cros et Sapeck, une figure célèbre du quartier Latin – surtout, il a participé dès 1878 à la société des Hydropathes : il écrit d'ailleurs dans l'organe du « mouvement » avant de se séparer de celui-ci, ainsi que Sapeck, pour fonder l'école fumiste. Allais publie aussi des textes dans *les Écoles, le Tintamarre* et même *l'Anti-Concierge !*

En 1884, il participe à un Salon des incohérents, qui est une sorte de charge contre les écoles esthétiques du moment : on y « entendra », entre autres, une *Marche funèbre* composée pour les funérailles d'un grand homme sourd (une sublime série de mesures vides !). En 1885, il devient le rédacteur en chef du *Chat noir* : il était déjà l'un des animateurs principaux du cabaret lancé par R. Salis. Quelques monologues publiés entre 1887 et 1891 précèdent *À se tordre* (1891), le premier d'une longue série de recueils. Les œuvres « anthumes » comprennent en effet *Vive la vie !* (1892), *le Parapluie de l'escouade* (1893), *Pas de bile* (1893), *Rose et Vert-Pomme* (1894), *Deux et deux font cinq* (1895), *On n'est pas des bœufs* (1896), *le Bec en l'air* (1897), *Amours, délices et orgues* (1898), *Pour cause de fin de bail* (1899), *Ne nous frappons pas* (1900), *le Captain Cap* (1902), où Allais rassemble les meilleures de ses chroniques – celles, par exemple, du *Journal*, auquel il collabore en même temps qu'au *Sourire*.

Entre deux mystifications et trois apéritifs, Allais trouve encore le temps de faire représenter plusieurs pièces, de voyager aux États-Unis et au Canada, de se marier enfin – tout cela dans la seule année 1894. Par la suite, il quitte Paris en 1900 pour habiter dans le Midi, d'où il envoie ses articles chaque semaine. Cette vie plus calme ne lui rend pourtant pas une santé depuis longtemps compromise puisqu'il meurt en 1905.

La farce

Définir l'esprit d'Allais, c'est à coup sûr s'exposer au ridicule ; son humour se moque des définitions et de l'esprit de sérieux en général, de ces gens graves soufflant des « baudruches qu'ils considèrent ensuite tels des blocs de Paros ». Le premier agrément d'Allais, c'est en effet qu'il blague l'institution sous toutes ses formes, médicale, religieuse, militaire ou politique : il faut dire, sur ce dernier point, qu'un contemporain de Mac-Mahon et de Boulanger avait sous la main une matière incomparable. Ses cibles favorites, pourtant, ne sont pas l'Élysée et la Chambre : la satire allaisienne est à la fois plus large et moins banale. Comme Flaubert, Allais découvre que la bêtise apparaît universelle dès qu'on se met à la débusquer ; elle prolifère dans les officines des pharmaciens, qu'Allais connaissait bien, dans les casernes, où l'un de ses farceurs entre en annonçant : « Bonjour, messieurs et mesdames ! », dans les journaux : à la rubrique de ces faits divers dont Allais fait la parodie, dans la chronique de Sarcey, qui sera longtemps pour lui une réjouissante tête de Turc. Le personnage est d'ailleurs intéressant, car ce qui est visé, à travers lui, c'est en définitive le bon sens, pour lequel Allais n'a pas assez de sarcasmes.

Ne lui plaisent, au contraire, que la fantaisie et souvent une forme de folie douce un peu étrange. Les exemples de ce registre farfelu, incongru parfois, sont innombrables : cela va du dressage des sardines à l'huile, entraînées à chanter le chœur des soldats de *Faust*, jusqu'à la production de caoutchouc par le pistil des résédas, en passant par la Société générale de publicité dans les pissotières du Soudan..., ou encore cette société, pleinement loufoque, à la Pierre Dac, qui voulait éclairer les rues avec les yeux des tigres, ou enfin cette invention extraordinaire destinée à utiliser le mouvement oscillatoire du bras gauche chez les troupes en marche ! Il y a là, en effet, comme chez Jarry ou Roussel, une utilisation inattendue de la science, en tout cas d'une pseudo-science, qui rend logiques les choses les plus bizarres, les canulars, les farces. Avec aplomb, Allais nous fait prendre le faux pour le vrai, les vessies pour des lanternes, le Captain Cap pour un génie méconnu. L'une des expressions favorites de son talent est la mystification ; il imagine ainsi de signer ses textes SARCEY ou DUMAPHIS ; il participe aussi au Salon des incohérents et, avec un demi-siècle d'avance, invente les monochromes : la récolte de la tomate par des cardinaux apoplectiques au bord de la mer Rouge, entre autres, mérite de rester.

Les jeux de mots (laids)

La satire, la folie douce : ces deux mamelles du comique allaisien remontent, si l'on peut dire, à une source commune, la fantaisie verbale, tout un travail sur le langage, subverti avec allégresse ; brusquement l'équivoque s'installe comme dans ces poèmes holorimes dont notre auteur s'est fait une spécialité :

Alphonse Allais de l'âme erre et se f... à l'eau
Ah ! l'fond salé de la mer ! Hé ! Ce fou ! Hallo.

Ces vers ne sont pas qu'une plaisanterie, ils montrent que le véritable humoriste est aussi un poète ; Allais joue avec les mots et les significations ; il crée, disait Renard, à chaque instant. Chez lui, par exemple, le calembour n'est pas la « fiente de l'esprit », il en devient le ressort principal : Allais met en boîte l'occultisme fin de siècle avec le sâr Jean de Ville (allusion au sâr Péladan) ou le faux mage de Livarot, évoque ce moment « donné » qu'il faut rendre, cet appartement « à louer » qu'il couvre d'éloges, ces choses qui marchent comme sur Déroulède ou encore le célèbre curaçao de Reichshoffen.

Allaisiana

Il obtint sa main et en profita pour l'épouser.

C'était l'été dernier, sur une petite plage, dont je citerai volontiers le nom quand elle se décidera à payer sa publicité.

J'ai connu bien des filles de joie qui avaient pour père un homme de peine.

La preuve que Shakespeare n'a pas écrit lui-même ses pièces, c'est qu'il s'appelait Willy.

La statistique a démontré que la mortalité dans l'armée augmente sensiblement en temps de guerre.
Le tic-tac des horloges, on dirait des souris qui grignotent le temps.

Plus restreint encore, le nom propre offre des ressources insoupçonnées (vieux style). A. Jakovsky a évoqué Sarah Vigott, Cornélie Huss née Pausse et Harry Covayre ; il est bon aussi de connaître le général Sakapharine, le marquis de Lachaize-Persay, lady Namitt ou Nini Novgorod. Le cœur à l'aise, Allais est allé jusqu'au bout de sa rhétorique saugrenue : il ne recule pas devant l'oncle incarné ou devant cette hypothèse sur la ville natale du grand poète grec qui ferait venir Homère… d'Alaure. Un texte tout entier peut même être construit pour aboutir à un calembour, dépendre dans sa structure de la pirouette finale : c'est le cas dans ce récit où un vétérinaire, qui enlève leurs ovaires aux cochonnes, se fait émasculer – tout ça parce qu'il ne faut pas faire aux truies ce que vous ne voulez pas qu'on vous fasse.

On ne fera pas d'*À se tordre* le texte fondateur de toute la modernité littéraire ; on doit pourtant remarquer à quel point la liberté d'Allais le rend proche de ceux qui lui ont succédé – de Breton, par exemple. C'est que l'humour allaisien n'a que faire de la saine raison et du bon goût, il n'est pas inoffensif, et l'on y trouve des échappées vers l'humour le plus noir : passe encore qu'à la fête de Neuilly le narrateur découvre que les serpentins sont des ténias roulés, mais que dire de ce cocu « veuf » qui gagne au jeu parce que sa fiancée est déterrée puis violée ? Une telle férocité ne doit pas étonner ; elle révèle qu'Allais n'est pas seulement « plaisant » : sa drôlerie est, en fait, moins gaie, plus acide qu'on ne le croit ; elle fait rire et peut inquiéter, aussi, en installant l'absurde dans les univers les mieux réglés.

A. Preiss

Amadis de Gaule

(1540-1615)

Les *Amadis*, cette suite romanesque qui va se développer en France pendant soixante-quinze ans, manifestent pour la première fois la relation essentielle entre écriture, édition et public lorsque des fictions mettent en jeu les motivations profondes d'une société : comme aucun grand cycle médiéval n'avait pu le faire, ils font prendre conscience au libraire qu'on peut compter sur le suspens pour créer un besoin, facteur de mobilité et d'expansion du livre ; à l'écrivain, que ce suspens est dans l'écriture même ; au lecteur, qu'il trouve son plaisir dans la réalisation imaginaire de ses désirs – amour et guerre – au plus haut niveau de la société, sans qu'aucune de ces expériences soit, à un titre ou à un autre, moralisée ou même expliquée.

Le véritable inventeur en est Nicolas d'Herberay des Essarts. Quelle que soit l'origine du roman médiéval d'*Amadis de Gaule* (portugaise ou espagnole ou, pourquoi pas ? picarde, comme il l'a prétendu), il a compris le parti qu'il pouvait tirer de la version tardive de Rodriguez de Montalvo, que lui ont recommandée – dit-il toujours – des gentilshommes espagnols : par sa fonction de « commissaire ordinaire de l'artillerie du roi » en Picardie, il pouvait très bien, en effet, avoir été en contact avec certains d'entre eux ; et il s'était fait par ailleurs une spécialité de traductions de l'espagnol. Il a eu l'intuition de ce que devait être une traduction-adaptation ; or le domaine évolue vite : le véritable engouement de ses lecteurs fait du traducteur un écrivain bien rémunéré pour l'époque. Le premier livre d'*Amadis* sort en 1540 ; des Essarts a déjà un contrat pour les livres suivants avec les libraires Longis et Sertenas. Il traduira ainsi huit livres à un rythme régulier – un tous les ans – jusqu'en 1548 : les quatre premiers couvrent l'histoire d'Amadis et d'Oriane ; les quatre suivants, les aventures de leurs descendants. Mais, dès 1550, il ne veut plus – ou ne peut plus – intervenir, et il meurt avant octobre 1552.

À ce moment, le clan de la toute jeune Pléiade s'empare du secteur, d'autant que, pour les libraires, il s'agit d'exploiter rapidement ce filon, sans faire languir des lecteurs qui viennent de découvrir qu'ils ne pouvaient plus se passer de « connaître la suite ». Après un flottement très court, Claude Colet, qui est déjà spécialiste de littérature romanesque, donne un livre IX des aventures de Florisel, paru juste avant sa mort en 1553. Gohory produit un X^{e} et un XIe livre, des aventures de Diane, naturellement dédié à Diane de Poitiers (1552 et 1554), puis un XIIIe. Avec Aubert (le XIIe livre), les choses se gâtent, du moins du point de vue littéraire, car le succès populaire va durer, sous des signatures diverses, jusqu'au XXIIe livre, en 1615.

Tout est de l'invention de Des Essarts, aidé sans doute de ses libraires : depuis les introductions publicitaires, qui confirment à chaque volume le suspens des lecteurs, jusqu'aux illustrations ; celles-ci furent splendidement gravées dans le style de Jean Cousin pour les douze premiers livres de grand format : c'était choisir un public élégant et riche. Avec la popularité apparaîtront peu à peu des formats plus petits, plus commodes pour la promenade ou la lecture secrète, mais excluant ces œuvres d'art pleines de corps et d'armures magnifiques, de châteaux et de ruines à l'antique, de vaisseaux, de monstres marins.

Telle est l'histoire d'Amadis : une aventure moderne, profane, sans arrière-pensée morale ou religieuse, ni même symbolique. Positive en ce sens que le héros est un individu dont le seul mystère réside dans un anonymat provisoire : sous les masques successifs du Damoysel de la Mer, du Beau Ténébreux, du Chevalier à la verde espée, Amadis ne s'identifie que mieux dans la pleine lumière de ses exploits guerriers et amoureux. Positive parce que les monstres marins, les statues qui résonnent y sont plus de merveilleuses machineries que des êtres fantastiques. On entend le bruit de l'artillerie, on voit le grand escalier de Chambord dans le palais d'Apolidon du livre IV – l'un des plus beaux –, on chasse, on joute, on fait de l'escrime, et surtout on parle. Mais on n'analyse pas.

Produit d'une société de Cour (pour Des Essarts, celle de François Ier plus que celle de Henri II) mobile, active, guerrière jusque dans ses femmes, le récit ne s'attarde ni au malheur ni au bonheur : sinon, il se serait arrêté au mariage d'Amadis et d'Oriane. Sans scrupule mais raisonnables, instables mais non superficiels, les personnages demeurent dans la mémoire d'une civilisation dont ils sont la projection : les couples de Périon et d'Elisenne, de Florestan et de Corisande, la servante Dariolette, la fée Urgande, Estoilette et Mabile, le valeureux Agraies... Des Essarts est le premier à rapprocher Périon de François Ier et le séduisant Galaor du duc d'Orléans, le fils préféré du roi, auquel était précisément dédié le livre Ier. Point d'autres détails que ceux des coups portés dans les combats, quelques bruits, quelques vêtements, des demeures. Mais comme l'imaginaire du XVIe siècle savait s'y reconnaître ! Action et conversation se déroulent selon les règles de cette société polie dont le roman devient très exactement le manuel.

On se rend mal compte aujourd'hui du retentissement de cette écriture vigoureuse qui plut tant, même aux écrivains ; de ce texte concis et compact, sans alinéas. Des Essarts avait compris que traduire, c'était récrire complètement, dans une belle prose qu'on enrichissait en l'adaptant aux « mœurs et façons » françaises. Mais il ne prévoyait pas que le succès entraînerait les semonces les plus violentes des moralistes, inquiets pour le public féminin qui allait s'y corrompre, et les critiques des écrivains qui, d'abord séduits, décidèrent qu'il n'était vraiment pas sérieux de pouvoir, « après avoir un peu fantastiqué, faire filer en parlant un *Amadis* tout entier » (Jodelle). Malgré l'oubli qui a succédé aux critiques, le charme de Florestan, du Beau Ténébreux ou d'Oriane survit, assourdi, par la grâce des prénoms, chez Beethoven, Nerval, Proust ou Julien Gracq. Ce n'est pas une mauvaise lignée.

M. M. Fontaine

AMIEL Henri Frédéric

(1821-1881)

Professeur d'esthétique et de philosophie à l'académie de Genève, pédagogue effacé, auteur d'une œuvre poétique et critique mineure, au tirage modeste, Amiel ne doit la célébrité, de son vivant, qu'à un chant patriotique, « Roulez tambours ! », composé sous la menace de l'invasion prussienne (1857). Mais au lendemain de sa mort éclate la révélation du *Journal intime* : un manuscrit de près de 17 000 pages, témoignant des vraies dimensions d'une intelligence universelle, dessinant les méandres d'une vie intérieure marquée par l'irrésolution, en proie surtout à la passion du dénigrement de soi-même dans le supplice sans fin de ce qu'il appelle l'« autopsie morale ».

Un obscur professeur

L'enfance d'Amiel, né à Genève dans une famille aisée, est endeuillée par la mort de sa mère (1832) et, deux ans plus tard, par le suicide de son père. Recueilli par un oncle, l'orphelin fait de bonnes études qui le conduisent de l'académie de Genève (1838-1842) aux universités de Berlin et de Heidelberg (1844-1848), où il s'imprègne de l'idéalisme hégélien. Après un voyage en Europe du Sud et l'achèvement de sa thèse, *Du mouvement littéraire dans la Suisse romande et de son avenir* (1849), il obtient à Genève la chaire d'esthétique et de littérature française, vacante depuis que les radicaux en ont expulsé le titulaire conservateur. Le voilà politiquement marqué sans l'avoir voulu : ses collègues, la société genevoise lui battent froid. « Furieusement susceptible », Amiel échange sa chaire contre celle de philosophie (1854), qu'il occupera sans grand éclat jusqu'à sa mort tout en publiant son œuvre : recueils d'aphorismes et de poèmes exprimant sa misanthropie, *Grains de mil* (1854), *Il Penseroso* (1858), *la Part du rêve* (1863), traductions de Longfellow, Goethe, Schiller, limées « en maniaque », articles de critique littéraire. Ses loisirs se partagent entre d'innombrables et platoniques intrigues féminines, quelques voyages (Hyères, Paris), des randonnées au Salève avec une poignée d'amis (Edmond Schérer, Victor Cherbuliez), des rêveries solitaires dans la nature. Mais le silence de sa « mansarde », rue des Chanoines, le rend à ses vastes lectures et aux cahiers du *Journal intime*. La dernière « entrée » date du 29 avril 1881, précédant de dix jours la mort de l'écrivain, qui sera inhumé au cimetière de Clarens.

Le *Journal* mentor

Tribunal intime, le *Journal* est d'abord un dialogue entre un *tu* que le scripteur sermonne et un *je* qui s'accuse d'une insurmontable timidité, que ce soit devant l'écriture ou devant les femmes : confession à deux voix où se nouent délectation morose et résolutions toujours ajournées. Mais l'intention explicite du *Journal* est aussi de préserver l'intégrité d'un homme qui se sent « couler, disparaître, mourir tous les jours » (1861). D'où l'urgence de diriger « l'eau du torrent, le sable de la clepsydre » vers la mémoire-réservoir des cahiers. Ainsi s'articulent en un même discours le projet moral d'aliéner l'être dans des conduites objectives (ce « Mariez-vous et faites votre volume », que l'entourage d'Amiel lui serine quotidiennement) et celui d'immobiliser sous le regard de la conscience psychologique sa fugacité subjective.

L'HISTOIRE DU *JOURNAL INTIME*

Amiel lègue ses cahiers à Fanny Mercier, une institutrice genevoise qu'il connaît depuis vingt ans. Quelques feuillets, choisis par elle, copiés par Bernard Bouvier, sont expédiés à Edmond Schérer, alors professeur à Paris. Sceptique, Schérer hésite même à décacheter l'enveloppe. Puis : « Envoyez-moi tout ce que vous pouvez du Journal *d'Amiel » – écrit-il le lendemain à Fanny Mercier après une lecture qui s'est prolongée toute la nuit. En 1883, Schérer, avec le concours de Fanny Mercier, publie en les préfaçant des* Fragments d'un journal intime *– expurgés et corrigés, donnant de l'auteur une image idéalisée. Les deux tomes seront réédités cinq fois de 1883 à 1887, traduits en anglais, en allemand, en italien, en russe (avec une préface de Tolstoï).*

En 1923, Bernard Bouvier, héritier des manuscrits, devenu professeur à l'Académie de Genève, fait paraître deux volumes expurgés mais non corrigés, qui seront réédités et augmentés en 1927 et préfacés par lui-même. À partir de 1948, Léon Bopp lance une édition quasi intégrale : quatre tomes publiés en 1948, 1953, 1958, 1959, couvrant les années 1839-1848, 1849, 1850, 1866. En 1965, Georges Poulet publie et préface une édition intégrale de l'année 1857. En 1966, Bernard Gagnebin publie et postface une édition intégrale de l'année 1861 et de l'hiver 1874-1875. Enfin, sous la direction de Bernard Gagnebin et de Philippe M. Monnier, une édition intégrale de la totalité de l'œuvre a été publiée à Lausanne (12 volumes, 1976-1995)

Le dépérissement de la conscience morale

Pourtant le *Journal* échoue dans sa fonction disciplinaire : Amiel rature ses articles, « chaque mot s'arrête comme une épine au gosier » (1862). Reste un célibataire vétilleux, épluchant sans fin les candidates au mariage (cf. le portrait de Philine, 1866). N'enregistrant que des défaites, exagérées par un sentiment précoce de déclin physique, le *Journal* glisse de la morale à la psychologie. Le *tu* délaisse l'impératif du commandement pour le présent du constat ou le passé du regret : « Tu en es venu à te contempler au lieu de te gouverner » (1866), s'effaçant même derrière des interrogations : « Est-on tenu à l'action ? » (1874). Attiré par la sagesse stoïcienne, la contemplation orientale, Amiel se reconnaît dans « l'homme de Schopenhauer » professant en plein XIXe siècle une doctrine du détachement qui dévalorise l'espace de l'action en arène où luttent les appétits. Le *Journal* tourne ainsi à une rationalisation de l'impuissance.

Cataloguant les particularités d'une idiosyncrasie, le texte rend compte de cette plasticité psychique par quoi Amiel sait abolir sa personnalité au profit de mille fantasmes. Successivement « mère, enfant, jeune fille, mathématicien, musicien, érudit, moine » et même animal ou plante (1868), lanterne magique vivant de toutes les vies, le voilà dispensé de vivre la sienne : « Mon nom est légion, Protée, anarchie » (1866). Si une métaphore familière fait de lui un joueur de cartes avare de ses atouts, c'est implicitement qu'un tel joueur garde ses cartes en main. Il se livre aussi à des expériences mystiques : dépassant le stade « caméléonesque », des « rêveries » l'emportent dans l'« espace sans bornes », réserve infinie de déterminations, ou bien le réduisent au point géométrique, à l'embryon qui les promet toutes. Au-delà ou en deçà de toute entreprise temporelle, il est pur esprit, forme sans matière, « virtualité universelle », « univers latent » (1879). Après la métaphore des cartes, celle de la bulle de savon : matière infime, mais sphère parfaite, elle reproduit dans sa fragilité la « loi » de la sphère céleste (1880).

Parallèlement, le *Journal* définit un projet d'anthropologie rationnelle, que son immensité place hors d'atteinte : émule de Hegel, Amiel pense à « une histoire complète et concrète de l'esprit humain et des génies nationaux, s'épanouissant dans leur religion, leur littérature, leur destinée entière » (1856). Il dénigre en revanche la postérité française de Descartes, qui n'excelle que dans l'art de la composition, technique mineure qu'il ne maîtrise pas. En définitive, ce discours métapsychologique perpétue le suicide temporel d'Amiel. Figurativement « cadavérisé » sous le scalpel de l'autopsie quotidienne, l'auteur a échangé son être au monde contre une liberté en puissance désengagée de la vie.

La réconciliation

Tandis qu'Amiel s'acharne sur lui-même, le *Journal* commence son existence d'œuvre. Il destine ses cahiers à lui-même mais aussi aux lecteurs qui après lui pourraient « s'intéresser à l'itinéraire d'une âme » (1852). L'œuvre s'accroît ; l'auteur tient une comptabilité des pages : 3 749 en 1860… Enfin, baptisé « autobiographie », « histoire intérieure », lu partiellement à sa vieille amie Fanny Mercier, le *Journal* est promis par testament à la publication posthume. En même temps, le discours du *Journal* devient discours sur le *Journal*. Tantôt ennemi, « coulée de sève, fistule qui ruine, fuite de douve », « parlage » détournant de l'action ; tantôt ami et protecteur : le néant se sauve en se disant. Supplice exquis, « gourmandise » encore meilleure d'être interdite par la censure du *tu*. Discours aussi sur l'écriture du *Journal* : affranchi des règles de composition imposées aux articles, « il observe, dissèque, analyse, contemple, furète, tâtonne » (1877) d'une plume sans entraves. Discours enfin sur son contenu. Déplorant la pauvreté d'un Maurice de Guérin, Amiel définit le journal idéal qui donnerait « une idée précise de la culture, des idées et de la portée de l'homme qui l'écrit » (1866) ; pour son compte, il pratique le plus grand éclectisme : introspection, philosophie, religion, peinture à la Rousseau de paysages-états d'âme, notes politiques, psychologie des peuples à la manière de Hegel, portraits littéraires (Chateaubriand, Lamartine…), formules souvent humoristiques dégageant l'esprit d'une œuvre, comme le « laboratoire » de Taine, avec ses « grincement de poulies et cliquettement de mécanique » (1871).

Parvenu à son terme, le *Journal* a « recueilli » l'être éparpillé : la bulle de savon se transfigure en « océan au repos qui reflète le ciel dans sa propre profondeur » (1880). Réconcilié avec lui-même, Amiel dédramatise par l'humour la « Némésis » du sexe : confident aimé des femmes, le voilà « directeur laïque choisi spontanément par ses pénitentes », « abbé couru et relancé » (1880), ironisant aussi sur ces articles qui résument 80 tomes en 30 pages, dépensant ainsi « 10 000 francs à produire une botte d'asperges » (1878). Enfin déculpabilisé, Amiel se sent pardonné ; le stérile onanisme intellectuel s'est converti en inépuisable fécondité. D'où l'acquittement : « Les 14 800 pages du Journal intime sont un effet de ta vocation : tu as dialogué avec ton moi comme un pommier porte ses pommes » (1878). Une image de la liberté que retrouvera Bergson.

M.-A. de Beaumarchais

AMYOT Jacques

(1513-1593)

« L'un des meilleurs écrivains de son temps, le plus grand vulgarisateur des idées antiques » (R. Aulotte), Amyot, dont toute la réputation repose sur des traductions, est une figure typique du XVIe siècle, dont l'existence épouse les aspects sinueux.

Une brillante carrière

Seule une réussite sociale exceptionnelle a pu permettre au traducteur de travailler dans les conditions de sérénité qui sont celles des chercheurs modernes. Issu sinon « de fort petit lieu » – comme l'insinuaient ses ennemis –, du moins d'une famille médiocre de mégissiers, il sympathise tout d'abord, au cours de ses années d'études parisiennes, avec la Réforme. Après l'affaire des Placards, on le voit protégé de Jacques Colin, évêque et traducteur ; puis, après un bref passage à l'université de Bourges en qualité de lecteur (1536 ?), employé comme précepteur chez les Bochetel, famille de grands commis humanistes aux idées religieuses libérales (1540-1541). Déjà il songe à Plutarque. La mort de Georges de Selve fait de lui le traducteur chargé par François Ier de mettre les *Vies* en français. Dès 1547, il est abbé de Bellozane. Quelques mois plus tard, il publie sa version – ouvrage de circonstance et de commande – de l'*Histoire éthiopique* d'Héliodore (1548), suivie, en 1554, de celle de sept des livres de Diodore de Sicile. Entre-temps, il profite d'un voyage en Italie pour collationner plusieurs manuscrits grecs des *Vies*. Il est précepteur des Enfants de France en 1557, et son existence se partage entre l'éducation de ses élèves, la poursuite de ses recherches et les nombreuses interventions sociales que son rang, la faveur dont il est l'objet appellent. Les *Vies* voient le jour en 1559, et l'on aperçoit à peine, dans l'ombre de ces gros volumes, les *Amours pastorales de Daphnis et Chloé,* traduites de Longus, que Paul-Louis Courier tirera au XIXe siècle de l'oubli auquel Amyot les avait vouées. Les *Morales* ne seront publiées qu'en 1572. Pendant l'impression, Amyot, qui était grand aumônier de France depuis 1560, sera nommé évêque d'Auxerre (1570).

L'applaudissement des doctes et celui des lecteurs

À lui tout seul, l'immense succès qui accueillit le « Plutarque » d'Amyot mérite attention. La scrupuleuse méthode philologique avait favorablement prévenu les doctes ; les qualités de style ravirent les lecteurs. Notre opinion n'a guère changé : c'est dans la version d'Amyot que la « Bibliothèque de la Pléiade » a publié les *Vies*. Ordonnée par un souci constant d'exactitude, de clarté, mais aussi de pittoresque, sensible au rythme musical, la langue d'Amyot s'inspire des tours entendus « plus coustumierement en la bouche des bien-parlans ». Mais les qualités de forme eussent été sans écho si le public n'avait pas été disposé à lire Plutarque.

Or, depuis le XVe siècle, les humanistes ne cessent d'y recourir ; Amyot le met à portée de tous les candidats à l'écriture – c'est lui qui, selon l'expression de Lanson, « a rendu Montaigne possible ». Aux *Vies* et aux *Morales* on empruntera sujets de pièces et de romans, mais aussi anecdotes, dissertations, proverbes qui multiplieront les savants par brève étude. Car ce savoir en miettes (ou aisément sécable) encourage l'idéal latent de « cornucopie » littéraire ; il n'est pas jusqu'aux genres en faveur à la fin du siècle (l'*essai*, la *bigarrure*, le *banquet philosophique*) qui ne soient inspirés des *Morales*.

Et comment ne pas voir la convergence entre les idéologies en faveur à la fin du siècle et le stoïcisme tempéré, le platonisme souple de l'écrivain grec ?

M. Simonin

Anciens et des Modernes (querelle des) *v.* Querelle des Anciens et des Modernes

ANEAU Barthélemy

(vers 1510-1561)

Né peu avant 1510 à Bourges dans une famille modeste, mais Lyonnais d'adoption de 1537-1538 jusqu'à sa mort, Aneau a commencé ses études dans sa ville natale, puis à Orléans, et sans doute à Paris. Recruté comme régent par les consuls lyonnais en 1538 pour le Collège de la Trinité, il devient principal de ce haut lieu de l'humanisme pédagogique (1540) ; après une interruption dans cette charge (1551-1557), durant laquelle il reprend des études de droit à Bourges, puis essaie de se lancer dans l'imprimerie lyonnaise, il redevient principal du Collège jusqu'à son assassinat au milieu de ses petites élèves, au cours d'une « échauffourée religieuse ». C'est à Lyon, où il est en contact avec tout le milieu des imprimeurs et humanistes, qu'il publie la presque totalité de son œuvre. Il doit au *Quintil Horatian,* ouvrage anonyme qui lui est aujourd'hui attribué, une réputation de « pédant de collège »

que ne justifie pas du tout le reste avoué de son œuvre. Paru en 1550, ce texte, sous couleur de « correction amiable et modeste », reproche à la *Deffence et Illustration* de Du Bellay de ne pas défendre et de ne pas illustrer une langue qui a fait ses preuves, avant lui, avec les Rhétoriqueurs et les marotiques ; bref, d'être incohérent dans sa démonstration, de méconnaître sa langue, d'abuser de l'italien et des recherches étrangères. Quoiqu'elles soient souvent honorables et que leur ton polémique soit alors le fait de tous, y compris de Du Bellay, on devrait bien laisser de côté ces quelques notes hargneuses pour lire d'Aneau son théâtre, ses recueils emblématiques, ou encore *Alector ou le Coq, histoire fabuleuse* (1560), car l'auteur, imaginatif, cherche souvent des voies nouvelles, très conscient de tout ce que son siècle offre de curiosités et d'amusements à l'esprit sans même que le corps quitte l'étonnante ville de Lyon.

À sa ville il offre, en 1542, une sorte de chronique mystérieuse, mimée à dix personnages, avec des indications précises de décor, de costumes et de mouvements : *Lyon marchant, satire françoise.* Lyon, aidé de Rouen, y dispute, à Orléans et à Paris, l'honneur de servir la monarchie française ; il y est question de religion, de guerres, de Turcs, de tous les événements de ces années-là, et d'autres choses moins claires. Surtout, il montre une virtuosité réelle à multiplier les niveaux de sens, goût qu'ont satisfait ensuite ses recueils emblématiques.

Aneau s'essaie aux relations entre images et textes dans les *Décades de la description... des animaulx* (1549), qu'il justifie par le désir de voir et voyager par l'illustration et l'écriture ; ce bestiaire organise en cinq dizaines de dizains, et autant de figures, animaux fabuleux et familiers, licorne, écureuil, chat et lézard, etc., menés par un androgyne et des enfants. Mais ce recueil n'a pas encore l'habileté de l'*Imagination poétique* (*Picta Poesis*) de 1552, dans lequel il joue très savamment sur les degrés du visible et de l'intelligible, soucieux de « rendre parlantes et vives » les figures « muettes et mortes » dont disposait son imprimeur sans trop savoir qu'en faire.

Comme on se livrera plus tard au petit jeu des descriptions – plus ou moins commentées – d'un tableau ou d'une carte postale, Aneau s'adonne à la « tache difficile de suyvre autruy [l'auteur du dessin] » « par chemin incongneu et estroict », faisant, puisqu'il est dépendant des figures préexistantes, une expérience différente de celle d'Alciat ou de Corrozet : son imagination se projette dans de complexes petits exercices pratiques d'iconologie, révélant les niveaux pluriels de signification et d'interprétation des images et des textes, nous surprenant souvent par des décalages qui ne l'inquiètent guère, allant de la masse des petits tableaux quotidiens fort vifs à l'abstraction des mythes, fables et symboles philosophiques ou moraux, compliquant plus souvent qu'il n'explique par le titre et le poème, mais, paradoxalement, avec beaucoup de netteté.

Son chef-d'œuvre est sans doute *Alector* (1560). Mélange de roman de chevalerie et de texte utopique à la manière du Thomas More qu'il a préfacé, dans la veine des contes arabes, de Rabelais et de Till l'Espiègle, c'est une véritable fête du langage et de l'imaginaire. Épris des voyages qu'il n'a pas faits, Aneau campe son héros Franc-Gal (« Franc » comme « libéral », « Gal » comme « surmontant les eaux », dit-il ; et Franc-Gal comme tous les mythes d'origine gauloise) sur un hippopotame auquel il a fixé des ailes ; sous eux défile tout le monde connu : les déserts et les « terres où les gens sont noirs, les oyseaux verts et les arbres rouges ».

Franc-Gal apprend aux hommes sauvages à s'organiser en monarchies élues avec le consentement de tous, épouse une sorte de Mélusine, belle et souple, qui lui donne un fils, Alector (le coq), né tout armé d'éperons d'or dans un œuf de cristal couvé sous les fourrures. Après des combats étranges contre un mort, un monstrueux centaure et un serpent dans les arènes, Alector achève sa vie aventureuse, élu d'une ville merveilleusement construite à l'antique, et tuant (de joie !) son père. Dans ce récit libre, qui préfigure Cyrano de Bergerac et Charles Sorel, on peut être ébloui autant par la savante structure d'emboîtements successifs, par la sûreté et la richesse du lexique et les nombreuses réflexions sur le langage que par les excentricités des mouvements et des couleurs, par une imagination qui puise à tous les fantasmes, à tous les rêves.

Enfin, ce n'est pas l'un des moindres mérites d'Aneau que d'avoir été le traducteur averti d'œuvres importantes, comme les *Emblèmes* d'Alciat (1549) ou le traité *Des usures* d'un tout jeune juriste d'avenir, François Hotman (1552) ; il a aussi continué la traduction des *Métamorphoses* d'Ovide commencée par Marot (1556), édité des textes d'Érasme, de Platina et de Saint-Eucher. Aneau, qu'on ne saurait ranger ni du côté de la Cour, ni du côté de la Réforme, représente bien l'humanisme à la lyonnaise, fait de beaucoup de savoir, de beaucoup d'imagination et de beaucoup d'indépendance. Il fut vite oublié.

M. M. Fontaine

ANICET-BOURGEOIS

*Pseudonyme d'***Auguste Anicet Bourgeois** *(1806-1871)*

Né à Paris et mort à Pau, ce très fécond dramaturge laisse plutôt un nom qu'une œuvre. Figure marquante du théâtre de son temps, Anicet-Bourgeois, depuis le moment où il parvient à faire jouer *Gustave ou le Napolitain* (1825), signera près de 200 pièces, mais le plus souvent en tant que collaborateur d'Ancelot, Vanderbuch, Lockroy, Decourcelle, Dumanoir, Brisebarre, Pixerécourt, Dumas père (*Térésa,* 1832 ; *Caligula,* 1837), Labiche (*l'Avare en gants jaunes,* 1858), Paul Féval (*le Bossu,* 1862 ; *le Capitaine fantôme,* 1864), Ponson du Terrail (*Rocambole,* 1864). Faute de pouvoir apprécier l'exacte teneur de son style, on doit remarquer la diversité des genres dans lesquels il s'essaie : vaudevilles, comédies de mœurs, mais aussi drames très librement adaptés de l'histoire ou de l'actualité (*Napoléon,* 1830 ; *le Grenadier de l'île d'Elbe,* 1831 ; *la Dame de Saint-Tropez,* 1844 ; *les Fugitifs,* 1858), féeries burlesques (*le Mirliton,* 1840) ou mélodrames follement applaudis sur le « boulevard du Crime » (*les Orphelins du pont Notre-Dame,* 1849 ; *la Mendiante,* 1852 ; *la Dame de la halle,* 1852 ; *la Fille des chiffonniers,* 1861).

De fait, plus qu'à la gloire, Anicet-Bourgeois associe sa plume à une réussite toute commerciale sans précédent au théâtre. Certaines de ses pièces (*les Pilules du diable*, 1839 ; *Latude ou Trente-Cinq Ans de captivité*, 1834...) auront déjà connu en 1872 près de 2 000 représentations.

Combien de larmes *la Bouquetière des Innocents* (1862) n'arracha-t-elle pas à Margot, dont elle empruntait le prénom ? On pleure sur le bon roi Henri, on tremble pour le pauvre Dauphin et le brave Henriot, on approuve enfin le châtiment des affreux Concini. Naïve, empêtrée de péripéties, de récits pesamment chevillés à l'action dramatique, la transposition historique n'en a pas moins fourni au spectateur rêve, émotion et dépaysement au juste poids de ses deniers. Veut-il rire ? Il y est invité à coup sûr par *les Pilules du diable*, où sont accommodés de façon hâtive et négligée quelques souvenirs de Molière, Lesage ou Rabelais, dont on ressuscite à trois reprises le fameux Épistémon à la « coupe testée ». Fruits d'une collaboration plus soucieuse de quantité que de qualité, les discordances de registre abondent. Tel personnage du peuple s'exprime tantôt avec une vulgarité outrancière, tantôt d'une manière ridiculement affétée. Tel autre, au beau milieu d'une scène, change inexplicablement d'identité.

Avec Anicet-Bourgeois, l'économie veut parler plus fort que l'art au théâtre : à défaut de créer du rêve, il reste le lieu par excellence pour en vendre et en consommer.

D. Giovacchini

ANOUILH Jean

(1910-1987)

Jean Anouilh naît à Bordeaux. Son père est tailleur, sa mère violoniste. Il fait du droit, de la publicité qui, dira-t-il plus tard, lui a donné « des leçons de précision et d'ingéniosité ». En 1928, le *Siegfried* de Giraudoux décide de sa vocation d'homme de théâtre. Il devient secrétaire de Jouvet...

Sa seconde pièce, *l'Hermine*, montée en 1932 par Pierre Fresnay, suscite de vives controverses mais l'impose à l'attention. Grâce à Georges et Ludmilla Pitoëff, qui présentent coup sur coup *le Voyageur sans bagage* (1937) et *la Sauvage* (1938), il se voit consacré. Dès lors vont se succéder avec une grande régularité, et ce jusque dans ses dernières années (*Œdipe roi*, 1986), des pièces dont les tonalités oscilleront de la fantaisie à la noirceur, avec un goût de plus en plus marqué pour le trait appuyé et l'acrimonie.

Parallèlement, il écrit de nombreux dialogues de films, les plus notoires étant *la Ronde* et *Madame de*... de Max Ophuls, adapte en français des œuvres étrangères (*Richard III*, *Catherine de Heilbronn*), s'essaie à la mise en scène et permet ainsi de redécouvrir le chef-d'œuvre de Roger Vitrac, *Victor ou les Enfants au pouvoir* (1962). Sans doute Anouilh n'est-il pas insensible aux aventures et avatars du théâtre contemporain : à peu près seul à l'époque, il prend la défense d'*En attendant Godot* de Samuel Beckett (1953). Pourtant, le dramaturge n'a jamais cherché, semble-t-il, à combler le fossé qui le séparait chaque jour un peu plus des nouvelles générations.

D'entrée de jeu s'affirme une vision du monde teintée de nietzschéisme. Deux « races » s'y affrontent dans un combat sans issue ni réconciliation : les « médiocres » et les « purs ». Les premiers, englués dans le conformisme, la soumission à l'ordre établi, l'obsession du confort matériel..., sont des fantoches à la fois veules et suffisants, parfois ignobles. Héritiers sinistres des petits-bourgeois de Labiche, ils font, comme on dit, du théâtre – discours ronflants, affabulations, poses étudiées... – pour camoufler le sordide de leur existence et, pire, de leurs sentiments. En face, le camp vulnérable de la jeunesse et de la pureté. Ce sont des intraitables. Fût-ce au prix de leur vie, ils refusent de se compromettre, de pactiser (*Antigone*, 1944). En même temps, et c'est par là qu'ils peuvent toucher, leur intransigeance échoue, se brise contre les aspérités du réel, misère, tartufferie, renoncement... Plus tard, on les appellera des « marginaux ». C'est que la pauvreté leur a fait voir très tôt le monde et les humains tels qu'ils sont. La richesse, pour eux, n'a même plus d'attrait. Ils savent trop ce qu'elle recouvre de bassesse et de cruauté : « Je suis ta fille », déclare Thérèse à son père dans *la Sauvage*. « Je suis la fille du petit monsieur aux ongles noirs et aux pellicules ; du petit monsieur qui fait de belles phrases, mais qui a essayé de me vendre un peu partout, depuis que je suis en âge de plaire. »

Le temps, chez Anouilh, use les énergies, émousse les passions, amène la résignation. Les « médiocres » ont tous derrière eux « l'expérience de la vie ». Aussi les héros, conscients du péril, refusent-ils la durée. Mais peut-être ce faisant, refusent-ils la réalité. Ils rêvent d'un instant primordial où se concentrerait l'existence tout entière. L'instant des commencements émerveillés... « Je veux être sûre de tout aujourd'hui, proclame Antigone, et que cela soit aussi beau que quand j'étais petite ou mourir. »

Le héros d'Anouilh est donc pris à son propre piège. Son exigence morale, son rêve existentiel lui interdisent de se compromettre. C'est-à-dire, en fin de compte, de vivre. Des solutions ? Anouilh n'en propose guère. La fuite. Mais où ? Et pour quoi faire ? (*le Voyageur sans bagage* ; *la Sauvage* ; *la Répétition ou l'Amour puni*, 1950...). La mort, acceptée ou recherchée (*Eurydice*, 1942 ; *Antigone* ; *Médée*, 1953 ; *l'Alouette*, 1953...).

Certes, il arrive qu'Anouilh pare cet univers de couleurs riantes. Mais ces pièces qu'il nomme « roses » confirment, au fond, une vision du monde fondamentalement noire : le seul espace de bonheur et de fête, c'est celui du rêve, de l'illusion, du théâtre. C'est un monde « parallèle », piste de cirque, tréteau où passent des clowns légers, des jeunes filles dansantes. Les situations obéissent à une logique à la fois irréfutable et farfelue (*le Bal des voleurs*, 1938 ; *Léocadia*, 1939 ; *le Rendez-vous de Senlis*, 1941 ; *l'Invitation au château*, 1947). Les fantoches, ici plus ridicules que méchants, rappellent ceux de Musset ou de Giraudoux, et les jeunes gens finissent par être heureux. Convention oblige !.... *Le Rendez-vous de Senlis* tresse avec grâce les thèmes chers à Anouilh et devient une sorte d'éloge de l'illusion théâtrale : le héros, mécontent du réel, fabrique à l'intention de celle qu'il aime un environnement « faux » et séduisant. Entrant à son tour dans le jeu, la jeune fille, mystifiée mais consentante, contribuera à le perpétuer... On le voit, Pirandello, sous la fantaisie, n'est pas loin.

Le « métier » d'Anouilh témoigne d'une grande virtuosité. Il se plaît à mêler les registres. *La Répétition ou l'Amour puni* combine ainsi finement le pastiche de Marivaux, la « petite musique » de Musset, des éléments de drame bourgeois, une comédie de mœurs et de caractère... On conçoit qu'il se sente à l'étroit dans la division générique traditionnelle – tragédie, drame, comédie... Il préfère classer ses pièces selon une indication de tonalité qui ne préjuge pas d'un genre fixe. Pièces « noires », « roses », « brillantes » et « grinçantes » auxquelles il faut ajouter quelques œuvres dites « costumées » (*l'Alouette* ; *Becket ou l'Honneur de Dieu*, 1959) qui correspondent à une inspiration librement historique.

Les limites du dramaturge tiennent peut-être à cette virtuosité d'écriture. En regard, sa vision du monde apparaît singulièrement figée dans un moralisme qui aujourd'hui a vieilli, et la société qu'il dépeint semble d'autant plus irréelle qu'il a, dans le même temps, renoncé à la fantaisie et à l'onirisme de ses pièces « roses ». Sa misanthropie tournant à l'aigre, ses sarcasmes à l'encontre de toute utopie progressiste ne sont pas sauvés par ce souffle qui rend indulgent à l'égard des imprécations céliniennes.

Aussi bien le théâtre d'Anouilh souffre-t-il aujourd'hui d'un double discrédit : cette bourgeoisie qui, jadis, a assuré son succès, ne se reconnaît plus guère dans le miroir qu'il lui tend et dans cette image caricaturale d'elle-même étrangère à des évolutions dont d'autres auteurs du Boulevard ont su s'emparer. Quant à sa dramaturgie, elle l'éloigne des metteurs en scène et du public qui associent théâtre et modernité. Car, s'il est vrai qu'on lui a reproché un peu injustement de s'enfermer dans des formules éprouvées, il n'en reste pas moins que ses tentatives de renouvellement à partir des années 1950 sont restées dans la tradition du théâtre de texte bien « ficelé » qui prévalait entre les deux guerres. Mais tout ce qui a transformé l'écriture dramatique et la représentation contemporaines, la forme brechtienne, les recherches inspirées par Artaud, les expériences venues de l'étranger, tout cela semble avoir glissé sur Anouilh comme l'eau sur les plumes du canard...

J.-J. Roubine

Anséis de Mez v. *Lorrains (Cycle des)*

v. Lorrains (Cycle des)

ANTIER Benjamin

Pseudonyme de ***Benjamin CHEVRILLON*** *(1787-1870)*

Auteur dramatique né à Paris et dont l'existence tout entière se confond avec une féconde production d'où n'émerge plus aujourd'hui que *l'Auberge des Adrets* (1823). Et pourtant, en près de cent pièces, Antier a fourni les théâtres du « boulevard du Crime » au rythme de quatre à six pièces l'an. Pièces rapidement bâties sur des trames éprouvées (fréquemment des romans fournissent la matière de « fidèles » adaptations) ou s'inspirant de l'actualité la plus proche : son *Benjamin Constant* (1831) suit de quelques semaines la mort de l'auteur d'*Adolphe* ; *l'Incendiaire* (1831 aussi) s'inspire du sac de l'archevêché pendant les Trois Glorieuses... Pièces cédant parfois au goût romantique pour le passé et qui font revivre dans une histoire de fantaisie *Mandrin* (1827), Louis XV (*les Beignets à la Cour,* 1835), Charles VII (*les Tours de Notre-Dame,* 1834) ou même Pierre le Grand (*le Mannequin du prince,* 1844). Pièces, enfin, dont Antier n'était souvent que l'un des auteurs, tant il est vrai qu'il collabora aussi bien avec des inconnus (Couaillhac, Nézel, Violet d'Épagny...) qu'avec des célébrités comme Béranger (*Attila et le Troubadour,* 1824), Désaugiers (*la Lanterne sourde,* 1823), Paul de Kock (*la Maison blanche*), Frédérick Lemaître (*le Chasseur noir,* 1828), et même ses propres rivaux à la scène, tels Scribe (*l'Irlandais,* 1831), Pixerécourt (*Guillaume Tell,* 1828)...

Œuvre de collaboration (avec Paulyanthe et Charbonnier), *l'Auberge des Adrets* était, à l'origine, un banal mélodrame dans lequel le bandit Robert Macaire assassinait, en compagnie de Bertrand, le bon Germeuil. L'interprétation-charge de Frédérick Lemaître, qui transforma « un succès de larmes en un succès de fou rire », conduisit le comédien à récrire la pièce et à lui donner une suite, *Robert Macaire* (1836). Entretemps, le personnage avait acquis une telle célébrité qu'on vit Charles Potier écrire la *Suite de l'Auberge des Adrets* (1832), Maurice Alhoy proposer une *Auberge des Adrets* sous-titrée « Manuscrit de Robert Macaire trouvé dans la poche de son ami Bertrand » (1833), et que Daumier lui consacra une série de cent caricatures dans *le Charivari* (1836-1838). « Le plus grand symbole de l'époque », dira Flaubert du personnage ; et Gautier y verra « le grand triomphe de l'art révolutionnaire qui succéda à la révolution de Juillet » ! Reflet d'une époque, Robert Macaire s'est effacé de la conscience populaire ; seul subsiste aujourd'hui de cette épopée de brigands le nom de Monsieur Gogo, cet actionnaire parcimonieux que Paul de Kock allait transformer en prototype du niais grotesque et dont le langage familier devait s'emparer.

D. Couty

ANTOINE DE LA SALE

(1385-1460 ?)

Fils d'un chef de bande provençal, Antoine de La Sale a vécu essentiellement dans l'entourage des princes : page en Anjou, secrétaire de Louis III, qu'il accompagne en voyage, il prend du service en 1434 chez le roi René et devient précepteur de Jean de Calabre. C'est vers cette époque que se situe son voyage en Italie, dont nous retrouvons les échos dans la *Salade.* Louis de Luxembourg l'aura auprès de lui à partir de 1448.

Le pédagogue et le compilateur

C'est dans le cadre d'un projet didactique, et peut-être d'un travail de pré-humaniste, qu'il faut replacer ces recueils composites d'exemples, de souvenirs des Anciens ou d'histoires vécues que sont la *Salade* (1442) et la *Sale* (1451). Le premier texte, écrit « pour eschever oysiveté », comporte un récit troublant, fondé sur une légende rattachée au Monte della Sibilla, du lac de Pilate et du chevalier égaré chez une Vénus souterraine. L'intérêt de ce mélange de tradition classique et de folklore est de construire un mythe expressif d'une mentalité : le chevalier allemand entre dans le royaume de l'Âge d'or, mais ce monde souterrain enchanté est aux mains du diable, les fées s'y transforment en vipères et en crapauds ; à son retour, pris de remords, le chevalier demande l'absolution au pape qui la lui refuse ; il revient alors à la grotte pour y disparaître. Ici, le lien entre les fantasmes de la liberté sexuelle et les croyances occultes est net. Le reste de l'œuvre se compose d'anecdotes de voyage (excursion aux îles Lipari), de réflexions sur la généalogie et la chronique des royaumes de Sicile et d'Aragon, sur des questions de protocole ou d'organisation de la guerre. Le *Réconfort de Mme de Fresne* (1457-1458), consolation à une mère qui a perdu son fils, après la croisade de Ceuta, tente de renouveler un genre figé par l'insertion de véritables nouvelles (histoire de la dame qui doit choisir entre le salut de son fils otage chez l'ennemi et l'honneur guerrier du mari). *Des anciens tournois et faicts d'armes* (1459) donne à La Sale l'occasion de déployer ses connaissances dans le domaine de l'héraldique et de la cérémonie aristocratique.

Le Petit Jehan de Saintré (1456), « premier roman moderne » ?

SYNOPSIS

Un page de treize ans, « debonnaire et gracieux », suscite l'intérêt d'une jeune veuve, la Dame des Belles-Cousines, laquelle, dans une relation ambiguë, tente de faire son éducation courtoise. Elle se prend au jeu – parfois sadique – de l'humiliation et de la provocation, à travers des dialogues savamment ironiques, où elle s'offre tandis que le jeune homme ne comprend pas que la dame dont elle parle est son initiatrice. Elle lui enseigne ainsi l'art d'aimer et de servir, et celui de paraître. Avec l'argent qu'elle lui distribue largement, Jehan monte rapidement à la cour du roi, devient valet tranchant, puis possède lui-même valets et chevaux. La faveur du roi lui est acquise. Pendant seize ans se poursuit une idylle secrète, dans laquelle chacun donne le change aux autres et peut-être à l'autre. Quand il en a l'âge, Jehan se lance dans les joutes et les fastes de la chevalerie, que l'auteur évoque avec complaisance et compétence. Mais un jour, Jehan reprend sa liberté et quitte la Dame, qui en tombe malade et s'éloigne de la Cour. À la campagne, elle rencontre Damp Abbé, fils de bourgeois, âgé de trente-cinq ans, qui multiplie pour elle dîners, parties de chasse, séances de confession et messes. Le roman bascule : l'effet de la bonne chère, le désespoir font naître un « nouvel feu d'amours » pour cet « homme dissolut ». Jehan sera vaincu à la lutte par ce bellâtre qui sait faire jouer ses muscles, mais il se vengera sur son propre terrain, infligeant une cuisante défaite à l'abbé à qui il a fait revêtir une armure. Mais l'abbé, ses blessures guéries, continuera à voir la Dame.

La leçon d'amour est, dès le début, équivoque, et le dévolu jeté par la Dame sur cet adolescent fragile qu'elle veut initier ou déniaiser relève autant d'un appel du désir que de la tradition de l'éducation courtoise qui fait de la Dame la dépositaire de l'échelle des valeurs éthiques et sociales. Cette veuve qui donne des conseils de maîtrise de soi et de maintien ne résistera pas aux promesses charnelles d'un abbé plongé dans la matière, gras et papelard. Secret, fidélité, obéissance inconditionnelle, tous ces ingrédients de la situation romanesque classique sont là, mais inversés, car c'est la femme qui prend l'initiative, et, qui plus est, par l'argent et les cadeaux. Jehan serait-il retenu autant par les écus que par les baisers ? Il y a là un écart entre la façade et le déchaînement souterrain d'une sensualité – liberté de la femme qui met mal à l'aise –, entre le code et la réalité, que nous retrouvons au niveau du style même, d'abord de façon imperceptible, puis de plus en plus nettement dans le mélange de vocabulaire courtois et grivois de la dernière partie : « Les yeulx, archiers de cuer, peu a peu, commencerent l'ung des cueurs à l'aultre traire [tirer] », mais « les pieds commencerent de peu a peu l'ung l'aultre toucher », ajoute l'auteur...

La prouesse, la description des prestiges d'une chevalerie en déclin tiennent une grande place dans ce roman d'éducation. Mais le noble est vaincu honteusement par le plébéien, dont la sensualité peu sublimée triomphe aisément de la Dame. Et pourtant, La Sale a traité avec prédilection la vengeance sur le grossier personnage, qui se retrouve avec la langue et la joue percées, et sur la Dame, qui perd sa ceinture bleue.

Plusieurs traditions d'écriture se recoupent ici. L'histoire de *Jehan* n'est pas sans rappeler les biographies héroïques et les chroniques. Mais le roman s'en est emparé, introduisant la galanterie. La chronique se fait roman par l'amour, prend un tour humoristique par l'absence de merveilleux et la présence d'une réalité que nous sommes invités à lire autant entre les lignes que dans l'accumulation concrète des descriptions. L'ironie est partout et dessine une constante figure de feinte. Après avoir ramené l'histoire au roman, La Sale ramène le roman à la nouvelle, à ce registre du conte dans lequel domine la femme sensuelle et rusée. Le jeu de l'écriture nous empêche de prendre le texte au sérieux, d'y voir, par exemple, une satire de l'aristocratie et de ses artifices. Mais cette œuvre reste typique d'un imaginaire de la chevalerie finissante, dans lequel se mêlent la prouesse, la cérémonie, l'amour, la violence et la sensualité.

A. Strubel

Apollinaire

APOLLINAIRE Guillaume

Pseudonyme de ***Wilhelm Apollinaris de KOSTROWITZKY***
(1880-1918)

Bâtard, métèque et fauché, Wilhelm Apollinaris de Kostrowitzky était triplement qualifié pour devenir le liquidateur de l'héritage symboliste, le trouble-fête des ronrons académiques, l'explorateur des voies où s'engageaient les dadaïstes et les surréalistes et le plus grand poète français du début du XXe siècle. La bâtardise, on le sait, prédispose aux lettres. Faute d'identité génétique, l'enfant sans père se fait un nom, court, à travers masques et fictions, après une identité protéiforme qui se dérobe sans cesse, dans la hantise du morcellement et l'espoir d'une communion panique avec le cosmos. Ainsi fit Apollinaire, ballotté entre ses doubles romanesques et mythiques (Croniamantal et Saintariste, Merlin le fils du diable et Orphée le déchiqueté), mais animé par la soif gargantuesque de « Vendémiaire ». Cette fragilité fit de lui le sismographe de la rupture historique qui lézarda la « Belle Époque ».

L'origine étrangère de cet enfant, qui jusqu'à sept ans parla italien et polonais, redouble sa vulnérabilité et renforce sa vocation. Elle avive sa sensibilité aux singularités ethniques et culturelles (la Wallonie, la Rhénanie, le monde méditerranéen, Prague, les Balkans, la judéité) et au brassage cosmopolite de l'Europe. Elle lui confère l'étonnement devant la langue française nécessaire à sa poésie, l'attention de l'oreille aux possibilités combinatoires du signifiant, une sensualité gourmande devant la variété des vocables et les trésors du dictionnaire, le goût de surprendre et de se surprendre.

Enfin, l'impécuniosité d'Apollinaire l'excluait d'emblée du monde des nantis et des héritiers de l'institution littéraire, de ceux qui portent avec eux le cadavre de leur père et la littérature selon Sainte-Beuve. Elle le jetait à la rue, aux quartiers pauvres, aux bordels miteux, aux ateliers bohèmes, aux casernes et aux tranchées, aux simples gens, aux choses vues. Elle le condamnait sans doute à des piges perpétuelles et à des compilations hâtives, mais aussi à trouver, trouver sans cesse.

Écrits alimentaires et érotiques

Apollinaire n'était pas de ces rentiers qui peuvent mûrir une œuvre dans le silence et le confort, ni de ces fonctionnaires écrivains dont la matérielle est assurée. Pour vivre de sa plume, il lui fallut, comme Balzac, se plier à bien des travaux alimentaires. Sans parler du feuilleton *Que faire* ? qu'il rédigea comme nègre en 1900, on considérera comme tels son anthologie *le Théâtre italien* (1910), ses *Chroniques des grands siècles de la France* (1912) et la trilogie d'« histoire romanesque » parue chez Briffaut ; *la Rome des Borgia* (1913), signée de lui mais écrite par son ami René Dalize ; *la Fin de Babylone* (mars 1914), pot-pourri de plaisanteries et de citations érudites tirées de la Bible, d'Hérodote et d'une dizaine d'ouvrages d'histoire des religions ; *les Trois Don Juan* (1915), transcription sans vergogne de fragments empruntés à Félicien Mallefille, à Tirso de Molina, à Molière, à Mérimée, à Byron et autres : l'art d'Apollinaire tient ici dans le maniement habile du pot de colle et des ciseaux.

C'est également pour se renflouer qu'Apollinaire publia sous le manteau, en 1907, deux romans licencieux, signés de ses seules initiales. « Plus fort que le marquis de Sade », annonçait un catalogue clandestin à propos des *Onze Mille Verges*, de ses descriptions d'orgies dans l'Orient-Express, de son évocation des bordels de Port-Arthur et de l'éventail de perversions qu'y déploie le fougueux hospodar Mony Vibescu poursuivant la brune Culculine d'Ancône et la blonde Alexine Mangetout. *Les Exploits d'un jeune don Juan* sont un livre plus rudimentaire et plus laborieux. La psychanalyse montrera volontiers que le sadisme anal, l'attrait pour la flagellation et la sodomie, la peur du sexe castrateur, bref les fantasmes apollinariens, se manifestent ici clairement. Reste qu'ils sont tenus à distance par une surenchère commerciale, une démesure dans l'obscénité, une veine bouffonne et gauloise enfin, qui renvoient plus à Rabelais qu'au Divin Marquis : les poncifs du genre atténuent la confidence, l'énormité désamorce les aveux. Si ces livres inavoués trahissent leur auteur, c'est plus par l'amour des mots, le brio du style et la vivacité de la narration que par la perversité des épisodes.

Apollinaire a toujours assumé son goût pour le langage cru, l'allusion paillarde, la littérature libertine et, disons-le, une certaine façade de virilité fanfaronne sur quoi se fondent bien des complicités masculines. Les auteurs maudits attiraient l'érudit et le bibliomane. Il préfaça des éditions de l'Arétin, de Sade, de Nerciat, de Baffo, de Cleland, de Mirabeau et de quelques autres romanciers sulfureux, publia en 1913 avec Fernand Fleuret et Louis Perceau *l'Enfer de la Bibliothèque nationale*, « icono-bio-bibliographie », et regroupa en vue d'une publication ses préfaces aux érotiques (parues en 1964 chez Gallimard sous le titre *les Diables amoureux*).

Apollinaire journaliste et critique d'art

La Grande France, Tabarin, le Journal de Salonique, le Guide du rentier, la Plume, Messidor, la Culture physique, le Financier, Pan, la Phalange, le Beffroi, le Voile de pourpre, l'Intransigeant, Je dis tout, Paris-Journal, le Mercure de France, le Parthénon, Schéhérazade, le Petit Bleu, le Petit Niçois, les Marches de Provence, la Revue de Bourgogne, la Revue normande, Der Sturm, El Impartial, Lacerba, Portugal futurista, la Baïonnette, l'Éventail, SIC, Nord-Sud, l'Intermédiaire des chercheurs et des curieux : on pourrait faire un étrange poème des titres (nous n'en avons énuméré que quelques-uns) des quotidiens, hebdomadaires, mensuels et autres périodiques auxquels Apollinaire a fourni de la copie.

Pour vivre, pour s'imposer dans une institution littéraire dominée par des personnages qui étaient loin de le valoir, Apollinaire a placé sa prose partout où il l'a pu. Même si sa curiosité, son érudition, son originalité, son caractère sensible et spirituel, ses dons d'échotier et de conteur y transparaissent, l'inégalité de cette abondante production est évidente. Il a d'ailleurs conscience, il l'avoue à Madeleine Pagès, de gaspiller parfois son talent dans ces piges et de céder à la facilité. La presse lui est un premier dépôt, où il puise ensuite pour des œuvres plus élaborées. C'est ainsi qu'il emprunta à ses « vies anecdotiques » du *Mercure de France* pour composer *le Flâneur des deux rives* (1918) : les quais, les rues, les caves, les bouillons, les musées, les boutiques du bord de la Seine lui servent de prétexte à évoquer librement souvenirs et anecdotes. En 1926, *Anecdotiques* rassembla incomplètement ses chroniques du *Mercure*, que Marcel Adéma établit plus rigoureusement sous le même titre en 1955 et que Michel Décaudin compléta en 1966 dans les *Œuvres complètes* (Balland et Lecat) : le Douanier Rousseau, l'*Enchiridion* de Jalbaoth, gentilhomme australien, Fantômas, Stendhal et Wells, Nerval, les impromptus de Moréas, le menu d'un restaurant chinois, l'acrostiche, un testament bizarre, le français espagnolisé, *le Petit Cuisinier économe* et vingt autres sujets y alimentent une curiosité encyclopédique et une verve toujours à l'affût.

Sa bonne étoile, grâce à laquelle il se lia d'amitié avec les grands révolutionnaires de la peinture et qui le fit recruter comme chroniqueur d'art par *l'Intransigeant* en 1910, mais aussi et surtout l'absence de préjugés qui le rendait disponible, et l'intuition de la validité des recherches novatrices, ont fait de lui le défenseur des cubistes, en un temps où l'opinion ahurie les vomissait, et donc un critique incontournable.

Familier du « Bateau-Lavoir » et de Montparnasse, Apollinaire loue dès 1905 la « période bleue » de Picasso, et, en 1907, Matisse et Vlaminck ; en 1908, il préfaça une exposition de Braque. À partir de 1910, il rendit compte à *l'Intransigeant* des différents salons et expositions dans les galeries et fut aux premières lignes pour tenter de faire comprendre à ses contemporains l'ampleur de la révolution dont les protagonistes étaient Picasso, Braque, Derain, Léger, Metzinger, Gleizes, Delaunay, Picabia, Duchamp, auxquels il joignait sa chère Marie Laurencin.

Mi-plaisant, mi-sérieux, il attira l'attention sur le Douanier Rousseau en organisant son « triomphe », sur Giorgio De Chirico, sur les futuristes italiens comme Boccioni. En 1913, il tira de ses articles un livre, *les Peintres cubistes, méditations esthétiques*. En 1914, il fut évincé de *l'Intransigeant* où son audace déplaisait, mais passa à *Paris-Journal*, où il défendit Archipenko, Larionov, Gontcharova et Léger. La guerre l'écarta un temps des cimaises, mais dès 1916 il renoue avec l'actualité : il préface l'exposition Derain chez Paul Guillaume (octobre 1916), rédige le programme de *Parade* en 1917, loue Matisse, Picasso et Van Dongen en 1918.

Son premier article de critique d'art, publié en 1902, célébrait la gigantomachie, frise hellénistique du grand autel de Pergame qui glorifie le triomphe de l'humanisme grec sur la barbarie ; son dernier article célèbre les « christs inférieurs » de la plastique africaine et océanienne.

Las du monde ancien et de son réalisme répétitif, Apollinaire inventa en 1917, après Albert-Birot, le terme de « surréalisme » (auquel André Breton allait donner un contenu différent) pour qualifier l'art de son temps, dont il fut l'avocat et le poète plus que le philosophe et le théoricien, et l'art à venir qu'il appelait de ses vœux.

Apollinaire, poète difficile ?

Apollinaire fait partie de ces boulimiques du verbe pour qui tous les mots sont merveilleux ; il les thésaurise dès leur rencontre pour les ressortir un jour. D'où les argyraspides et les hématidroses, le Turbiasque et la kell nerine, la binameye et le chevalier du Papegaut, les pi-his, les cinyres, les alcancies, les pairles et les loulabim, les archaïsmes médiévaux, les dialectalismes, les mots forgés, les termes de botanique, de liturgie ou d'astrologie. Sans jamais en abuser, Apollinaire sait d'instinct où placer ces mots pour susciter un climat, et son lecteur doit souvent recourir au dictionnaire.

Une autre difficulté d'accès vient de la culture d'Apollinaire, culture de rat de bibliothèque, d'autodidacte qui cherche son bien chez les marginaux et les hérétiques plus que dans les monuments classés de la littérature universelle. Il emprunte à *l'Odyssée* et à la Bible, mais aussi à la kabbale, à *la Légende dorée*, au cycle arthurien, aux différents folklores. L'éclectisme prodigieux de ses lectures l'a fait qualifier de « brocanteur hétéroclite » par Georges Duhamel. C'était oublier que toutes ses trouvailles étaient refondues dans une mythologie personnelle, à vrai dire souvent hermétique.

Apollinaire cultive le sentiment confus de l'immortalité essentielle de la poésie à travers ses incarnations successives et se situe dans la lignée des enchanteurs et des prophètes. Sans se proclamer nettement devin, il laisse volontiers entendre qu'il est visionnaire et thaumaturge. Cette fierté qui lui promet la gloire n'ignore pas le doute. Bien plus vivace en lui est la certitude douloureuse de la fatalité de l'échec amoureux.

Le sens lyrique

Ce n'est pas dans le lourd héritage du fatras symboliste, fût-il déplacé par le goût baroque de l'insolite, l'hostilité à la mère et le complexe de castration, que se trouve le meilleur d'Apollinaire. Ce que des millions de lecteurs ont apprécié chez lui, c'est la simplicité des émotions, la nudité du lyrisme élégiaque, un sens savant du murmure plaintif, du soupir enfantin et du dépouillement essentiel, qui le rattache aux lais médiévaux, aux aveux de François Villon, aux confidences de Verlaine et aux naïvetés de la chanson populaire.

À jamais Apollinaire restera celui qui a donné au cri du cœur dolent une expression à la fois moderne et sans âge. Qu'importe qu'il ait dérouté Annie Playden par ses brusqueries possessives et ses jalousies insensées ; qu'importe qu'il ait lassé Marie Laurencin par son comportement machiste et ses infidélités ; qu'importe même qu'il ait abandonné Madeleine Pagès, sa petite fiancée d'outre-mer. Pour l'amour de sa poésie, nous sommes prêts à croire traîtresses toutes les femmes et destructrices toutes les amantes. Toutes les nuances du regret, les paradis perdus sitôt qu'entrevus, le tragique du jamais plus, le désespoir qui espère encore, la mélancolie douce, l'élancement poignant de la mémoire et les lentes convalescences trouvent place dans sa musique intime du mal-aimé.

Apollinaire dramaturge

La tentation du théâtre comique et/ou symbolique est constante dans l'œuvre d'Apollinaire, et les fragments dialogués qui s'intercalent dans ses proses et même dans ses poèmes lui permettent d'affronter les multiples instances de sa personnalité. En collaboration avec André Salmon, il composa vers 1906 deux pièces, *la Température*, comédie en un acte (du sous-Becque), un livret d'opérette, *le Marchand d'anchois*, et, en 1911, *Jean-Jacques*, mise en scène assez scolaire d'épisodes de la vie de Rousseau, commandée pour la célébration du deuxième centenaire de sa naissance. Seul, Apollinaire avait écrit en 1902 *À la cloche de bois* (texte perdu) et entrepris sans l'achever *la Colombelle*, qui transposait probablement le drame de Mayerling, ainsi qu'un livret d'opéra-bouffe, *Casanova*.

D'une tout autre importance sont *les Mamelles de Tirésias* et *Couleur du temps*, écrits à son retour du front. *Les Mamelles de Tirésias*, « drame surréaliste en deux actes et un prologue » joué le 24 juin 1917, sous la forme d'une fiction aristophanesque et farfelue, serine l'antienne de la repopulation. Canular, mystification ou conversion aux thèses natalistes ? La jeune avant-garde n'apprécia qu'à demi cette prédication qui lui paraissait témoigner de la diminution des facultés mentales du grand homme.

Couleur du temps, « drame en trois actes et en vers » joué deux semaines après la mort d'Apollinaire, promène de l'équateur à la banquise des aviateurs d'un pays en paix et des femmes enlevées dans un pays en guerre. Ces fantoches servent de support à un entrecroisement de voix lyriques sur les grands lieux communs, la guerre et l'avenir, la vie, l'amour et la mort.

La modernité ou l'épopée impossible

Apollinaire s'est voulu le chantre de la modernité. D'abord en incorporant le quotidien du XXe siècle au registre poétique, en acceptant de considérer les inventions nouvelles – les automobiles, les tramways, les avions, la publicité murale, les architectures métalliques, l'électricité, les machines, les canons et les shrapnells – comme des objets émouvants et poétiques au même titre que la rose ou la colombe. Il accomplissait ainsi le refus de toute discrimination quant à l'objet de la poésie, refus amorcé par Hugo et poursuivi par Baudelaire et Rimbaud. Cette révolution renoue le mince fil de la poésie impersonnelle dont parlait Lautréamont ; elle débouche sur le « il y a », les poèmes-conversations, les *ready-made*, bientôt sur les collages des surréalistes. Mais l'ambition d'Apollinaire visait plus haut. Il a voulu chanter l'héroïsme de son siècle ; il a cherché une certaine universalité épique tournée vers l'avenir ; ce fut sa grandeur et son échec.

S'il a rendu compte de la fracture définitive de l'humanisme renaissant et de la mort de la foi, il n'a pu identifier son sort à celui d'une communauté (les humiliés ? le prolétariat ? le tiers monde colonisé ?), ni désigner des valeurs nouvelles, ni déceler les germes de totalitarisme qui allaient ensanglanter la planète. Prisonnier avant guerre d'un cosmopolitisme assez superficiel, puis d'un patriotisme assez niais, Apollinaire tenta plus qu'il ne pouvait et, sans doute, qu'on ne pouvait en son temps. Il reste le témoin et le martyr disloqué d'une Europe en dislocation.

	VIE	ŒUVRE
1880	**26 août** : Angelica de Kostrowitzky, vingt-deux ans, fille d'un capitaine russe de petite noblesse polonaise, met au monde, à Rome, un garçon, qui est déclaré sous le nom de Dulcigni. **29 sept.** : sa mère le fait baptiser avec les prénoms de Guillaume, Apollinaire, Albert. **2 nov.** : Angelica reconnaît son fils devant notaire, ce que ne fait pas le père, Francesco Flugi d'Aspermont, quarante-quatre ans, ex-officier patricien et joueur.	
1882	Naissance d'un frère, Alberto (Angelica le reconnaîtra en 1888).	
1885	Pressé par sa famille, Flugi d'Aspermont abandonne Angelica qui s'installe à Bologne.	
1887	**Mars** : Angelica s'installe à Monaco, mais elle voyagera beaucoup.	
1888	L'enfant, grâce à la protection occulte de dom Romaric, frère de Francesco, est inscrit comme interne au collège Saint-Charles.	
1892	**8 mai** : première communion, foi vive, premiers vers.	
1896	**Rentrée** : Collège Stanislas à Cannes.	

	VIE		ŒUVRE
1897	**Févr.** : demi-pensionnaire au lycée de Nice (classe de rhétorique). **Juill.** : recalé à l'oral du baccalauréat, ne se représente pas.	**1897**	Fonde avec un camarade, Toussaint Luca, un journal manuscrit anarcho-symboliste.
1898	Vie de bohème à Monaco. Lectures abondantes.		
1899	**Janv.** : Angelica, ses fils et son amant, Jules Weil, quittent Monaco pour Aix-les-Bains, puis Lyon. **Avr.** : installation à Paris, avenue Mac-Mahon. **Juill.** : Angelica et l'« oncle Jules » tentent leur chance au casino de Spa. Guillaume, « comte russe », laissé avec son frère dans une pension de Stavelot, découvre la Wallonie et flirte avec « Mareye » (Marie Dubois). **Oct.** : les deux garçons déménagent à la cloche de bois.		
1900	En quête d'un emploi, Guillaume fait le « nègre » pour plusieurs écrivains, travaille comme commissionnaire…	**1900**	*Mirely ou le Petit Trou pas cher*, s.l.n.d. **Avr.-mai** : « Que faire ? », collaboration anonyme au feuilleton signé Desnar dans *le Matin (*16 avril au 24 mai).
1901	**Printemps** : cour vaine à Linda, sœur de son ami Molina Da Silva. Vit de leçons et de piges journalistiques. **22 août** : part pour l'Allemagne dans la voiture de la vicomtesse de Milhau, qui l'a engagé comme précepteur de sa fille. **Automne** : séjourne tantôt à Honnef, tantôt à la villa *Neu Glück*. Découvre la Rhénanie, s'éprend de la gouvernante Annie Playden ; émotions partagées.	**1901**	**Sept.** : trois poèmes à Linda publiés dans *la Grande France.* **26 oct.** : reportage « les Mauvaises Routes d'Allemagne » dans *Tabarin.*
1902	**Févr.** : carnaval à Cologne. Voyage : Hanovre, Berlin, Dresde. **Mars** : Prague, Vienne, Munich, où il retrouve Annie et les Milhau. **Avr.-mai** : rejoint seul Honnef par étapes. Annie le repousse. **24 août** : quitte *Neu Glück.* **Sept.** : la famille s'installe 23, rue de Naples. L'« oncle » Weil lui trouve une place d'employé de banque. Devient un assidu des « Soirées » de *la Plume.*	**1902**	**Mars** : *l'Hérésiarque* (premier texte signé Guillaume Apollinaire) dans *la Revue blanche.* **Juin** : « le Passant de Prague » dans *la Revue blanche.* **Automne** : *À la cloche de bois,* pièce de théâtre en un acte (texte disparu).
1903	Se lie avec André Salmon, Jean Mollet, André Billy, Alfred Jarry. **Avr.** : liaison sans lendemain avec une Yvonne peu farouche. **Nov.** : se rend à Londres. Les parents d'Annie s'opposent au mariage. Elle refuse de fuir avec lui.	**1903**	**Août** : « le Larron » dans *la Plume.* **Nov.** : fonde *le Festin d'Ésope.* **Déc.** : « l'Ermite », poème de 1900, dans *la Revue blanche.*
1904	Licencié dans la faillite de sa banque, Apollinaire devient rédacteur en chef du *Guide du rentier.* **Mai** : nouveau voyage à Londres. Annie, toujours indécise, finira par émigrer aux États-Unis. **Juill.** : la « comtesse » de Kostrowitzky et Jules Weil s'installent au Vésinet. **Automne** : fait la connaissance de Derain, Picasso, Max Jacob.	**1904**	**Août** : n° 9 et dernier du *Festin d'Ésope*, qui a publié « l'Enchanteur pourrissant ».
1905	Toujours au Vésinet. **Août-sept.** : voyage en Belgique et en Hollande.	**1905**	**Avr.** : unique numéro de *la Revue immoraliste.* **Mai** : unique numéro des *Lettres modernes.* **Déc.** : « l'Émigrant de Landor Road », « Salomé », « les Cloches », « Mai », dans le tome IV de *Vers et Prose,* la revue de Paul Fort.
1906	Année assez creuse. **Août** : séjour en Hollande. Emploi dans une banque.	**1906**	Écrit avec André Salmon une pièce bouffonne, *le Marchand d'anchois.*
1907	**15 avr.** : à vingt-six ans, Apollinaire quitte la maison maternelle du Vésinet et se met dans ses meubles, 9, rue Léonie (rue Henner), à Montmartre.	**1907**	*Mémoires d'un jeune don Juan,* s.l.n.d., érotique signé G. A. (devenu en 1911 *les Exploits d'un jeune don Juan*). *Les Onze Mille Verges,* s.l.n.d., érotique signé G. A.

	VIE		ŒUVRE
	(suite 1907) Louis de Gonzague Frick entraîne Apollinaire vers la néo-symboliste *Phalange.* Fréquente *le Bateau-Lavoir,* les bistrots de la Butte et se lie avec Marie Laurencin. Abandonne la banque. Il vivra désormais de sa plume. Picasso : *les Demoiselles d'Avignon.* Derain : *Baigneuses* aux Indépendants.		**Oct.** : articles sur le Salon d'automne dans *Je dis tout.* **Nov.** : « la Tzigane », « les Colchiques », « Lul de Faltenin » dans *la Phalange.*
1908	**Août** : Belgique et Hollande. **Nov.** : Banquet chez Picasso en l'honneur du Douanier Rousseau.	**1908**	**Févr.** : « Onirocritique » dans *la Phalange.* **25 avr.** : conférence sur *la Phalange nouvelle.* **4 mai** : « Le Pyrée » (« le Brasier ») dans *Gil Blas.*
1909	S'installe 15, rue Gros, à Auteuil. Delaunay : *Tour Eiffel.* **13 juill.** : mariage d'André Salmon. Début de sa collaboration comme préfacier aux collections libertines « les Maîtres de l'amour » et « le Coffret du Bibliophile » de la Bibliothèque des curieux. Elle durera jusqu'en 1914.	**1909**	**Mai** : grâce à Paul Léautaud, publie « la Chanson du mal-aimé » dans le *Mercure de France.* **28 nov.** : grâce à D. H. Kahnweiler, publie son premier livre, *l'Enchanteur pourrissant* (100 ex.), avec 12 bois de Derain.
1910	**Janv.** : déménage au 37, rue Gros. Picasso : *Portrait d'Ambroise Vollard, Portrait de D. H. Kahnweiler.* Braque : *les Usines de Rio Tinto à l'Estaque.*	**1910**	Prend la chronique artistique de *l'Intransigeant.* Il y défendra les cubistes. Compile une anthologie, *le Théâtre italien* (encyclopédie littéraire illustrée). **Oct.** : *l'Hérésiarque et Cie,* recueil de contes chez Stock, obtient trois voix au Goncourt.
1911	Braque : *l'Homme à la guitare, le Portugais.* Premier « Salon cubiste ». Notoriété grandissante d'Apollinaire. **7-12 sept.** : Apollinaire, inculpé de recel d'objets volés, est incarcéré à la Santé. Très déprimé, il redoute d'être expulsé de France.	**1911**	**15 mars** : *le Bestiaire ou Cortège d'Orphée* chez Deplanche, bois de Raoul Dufy (120 ex.). **1er avr.** : inaugure une chronique au *Mercure de France,* « la Vie anecdotique » ; il la tiendra jusqu'à sa mort.
1912	**Janv.** : non-lieu dans l'affaire de recel. **Févr.** : les amis d'Apollinaire créent *les Soirées de Paris* pour l'aider moralement. Il fréquente à nouveau Montmartre, se lie avec Serge Férat, Delaunay, Brancusi, Archipenko, les futuristes italiens. **Juin** : les infidélités et la jalousie de Guillaume conduisent Marie Laurencin à rompre avec lui. **Mi-oct.** : séjour dans le Jura avec Picabia, Duchamp et Gabrielle Buffet.	**1912**	**Févr.** : « le Pont Mirabeau », dans *les Soirées de Paris.* **Nov.** : « Cortège », dans *Poème et drame,* vol. I ; « Vendémiaire », dans *les Soirées de Paris.* **Déc.** : « Zone », dans *les Soirées de Paris.*
1913	S'installe au 202, boulevard Saint-Germain. **Janv.** : accompagne Delaunay à un vernissage à Berlin. **Août** : échec d'une tentative des amis d'Apollinaire et de Marie Laurencin pour les réconcilier. Séjour à Villequier et à La Baule. **Sept.** : Apollinaire prend la direction des *Soirées de Paris,* rénovées avec l'appui de Serge Férat. Nombreux projets. **24 déc.** : Apollinaire enregistre trois poèmes sur disque.	**1913**	**Janv.** : « les Fenêtres », catalogue de l'exposition Delaunay. **Févr.** : « la Peinture moderne », dans *Der Sturm.* **17 mars** : *les Peintres cubistes, méditations esthétiques,* chez Eugène Figuière. **20 avr.** : *Alcools,* au Mercure de France (567 ex.). **29 juin** : « l'Antitradition futuriste, manifeste synthèse », tract insolent. **Déc.** : « Lundi rue Christine », dans *les Soirées de Paris.*
1914	**Mars** : accusé d'égarer l'opinion par ses prises de position avant-gardistes et désavoué par son journal, Apollinaire démissionne de *l'Intransigeant.* Il encourage Giorgio De Chirico. **Juin** : fait la connaissance de Gontcharova et Larionov, et préface le catalogue de leur exposition. Marie Laurencin épouse Otto von Wätgen. **31 juill.** : la guerre surprend Apollinaire en reportage à Deauville et fait capoter le projet de publication des « Idéogrammes lyriques ». **5 août** : Apollinaire, sujet russe, signe une demande d'enrôlement qui reste sans suite.	**1914**	**Mai** : Apollinaire se voit confier la rubrique « Arts » de *Paris-Journal.* **15 juin** : premier idéogramme : « Lettre-océan », dans *les Soirées de Paris.* *La Fin de Babylone,* Bibliothèque des curieux.

	VIE		ŒUVRE
	(suite 1914) **Sept.** : hébergé à Nice par son ami Siegler-Pascal, il fait la connaissance de Louise de Coligny-Châtillon (la « Lou » d'Apollinaire) et s'enflamme pour elle. **Déc.** : dépité par les refus de Lou, il s'engage et rejoint le 38ᵉ régiment d'infanterie à Nîmes. La coquette cède et va passer une semaine avec lui.		
1915	**2 janv.** : Apollinaire rencontre dans le train de Nice-Nîmes une jeune fille, Madeleine Pagès. **Janv.** : Apollinaire présente une demande de naturalisation. **28 mars** : à Marseille, Lou met un terme à leur liaison. Un pacte de confidences mutuelles est toutefois scellé. **Pâques** : le deuxième classe canonnier-conducteur de Kostrowitzky, à sa demande, monte vers le front de Champagne. **16 avr.** : Apollinaire écrit à Madeleine Pagès. Une correspondance s'engage. **10 août** : Apollinaire demande Madeleine en mariage. **20 nov.** : promu sous-lieutenant au 96ᵉ régiment d'infanterie, il découvre l'horreur des tranchées. **30 déc.-9 janv. 1916** : en permission à Oran chez sa fiancée.	**1915**	**Mai** : Apollinaire polycopie *Case d'Armons* à 25 exemplaires sur papier quadrillé. **Oct.** : *les Trois Don Juan,* Bibliothèque des curieux.
1916	**14 mars** : apprend que sa demande de naturalisation est acceptée. **17 mars** : blessé à la tête devant Berry-au-Bac. **20-28 mars** : Hôtel-Dieu de Château-Thierry. **29 mars-8 avr.** : Val-de-Grâce, à Paris. **9 avr.** : Hôpital italien de Paris. **9 mai** : trépanation, villa Molière, pour abcès intracrânien. Convalescence à l'Hôpital italien. Croix de guerre. La correspondance avec Madeleine Pagès s'enlise. Apollinaire est traité en maître par la jeune génération : Reverdy, Soupault, Breton, Tzara, P.-A. Birot, Cocteau. **31 déc.** : banquet Apollinaire offert par ses amis.	**1916**	**Sept.** : *le Poète assassiné,* Bibliothèque des curieux. **Oct.** : « Voyage », dans le catalogue de l'exposition Derain.
1917	Travaille à *Paris-Midi* le matin et à la censure l'après-midi. Rassemble ses préfaces aux œuvres libertines. Mais *les Diables amoureux* ne paraîtront qu'en 1965. **11 mai** : classé inapte définitif par la commission de réforme. Lance les termes de « surréalisme » et d'« esprit nouveau ». **Juill.** : écrit un scénario de film, *la Bréhatine,* en collaboration avec André Billy. **Fin août** : séjour à Bénodet, en Bretagne. **26 nov.** : conférence sur « l'Esprit nouveau et les poètes » au Vieux-Colombier.	**1917**	**15 mars** : « la Victoire », dans le premier numéro de la revue *Nord-Sud* de Reverdy. **Avr.** : préface au catalogue d'une exposition de sculptures nègres. **18 mai** : première de *Parade* (Cocteau, Satie, Massine, Picasso). Le texte du programme est d'Apollinaire. **24 juin** : représentation des *Mamelles de Tirésias.*
1918	**1ᵉʳ janv.** : congestion pulmonaire ; soigné deux mois à la villa Molière, annexe du Val-de-Grâce. Jacqueline Kolb, dite « Ruby », est à son chevet. **Mars-avr.** : permission de convalescence. **2 mai** : Apollinaire épouse Jacqueline Kolb. Il est affecté au ministère des Colonies, avec des attributions vagues, et multiplie les piges journalistiques. **12 juill.** : témoin au mariage de Picasso avec Olga Koklova. **Août** : se repose dans le Morbihan, où il achève une opérette, *Casanova.* **Automne** : surmenage. **9 nov.** : meurt de la grippe espagnole.	**1918**	**Nov.** : *Vitam impendere amori* au Mercure de France (215 exemplaires). **15 avr.** : *Calligrammes* paraît au Mercure de France avec un an de retard (1 040 exemplaires). *Le Flâneur des deux rives,* aux Éditions de la Sirène. **24 nov.** : représentation de *Couleur du temps,* drame en trois actes.
		1920	*La Femme assise,* N.R.F.
		1925	*Il y a,* Messein, 1 630 exemplaires.
		1926	*Anecdotiques,* Stock. Recueil des chroniques du *Mercure de France.*
		1947	*Ombre de mon amour,* Pierre Cailler, Genève, 3 220 exemplaires. Repris en 1955 sous le titre, plus justifié, de *Poèmes à Lou.*

VIE	ŒUVRE	
	1952	*Le Guetteur mélancolique,* Gallimard.
	1956	*Œuvres poétiques* dans « la Pléiade ».
	1960	*Chroniques d'art* (1902-1918), Gallimard. Recueil des écrits d'art dispersés.
	1965	*Œuvres complètes,* Balland et Lecat, 4 vol.
	1977-1993	*Œuvres en prose complètes,* dans « la Pléiade ».

L'Enchanteur pourrissant

Peu diffusé, ce premier livre d'Apollinaire, récit en prose entrecoupé de poèmes publié en 1909 par Daniel Henry Kahnweiler avec des gravures sur bois d'André Derain, a suscité chez ses lecteurs des opinions contradictoires. Les uns y voient un légendaire livresque, indigeste, symbolard et juvénile, et se déclarent déçus, tel Julien Gracq. D'autres, tel Breton, y voient le foyer dont les œuvres ultérieures ne seraient que le reflet porté.

SYNOPSIS

Par amour pour Viviane, l'Enchanteur Merlin lui a dévoilé, en pleine lucidité, les paroles magiques qui peuvent faire de lui un mort-vivant dans son sépulcre, capable seulement d'entendre et de parler. La traîtresse prononce la formule. Alors, dans cette Brocéliande irréelle, défilent, pour s'entretenir avec l'Enchanteur pourrissant, les animaux chthoniens, maléfiques et nocturnes tels que crapauds et serpents, corbeaux, hiboux, chauves-souris, grenouilles, lézards, et des êtres fabuleux comme le monstre Chapalu, les guivres, les sphinx, Béhémoth, Léviathan. Viennent aussi les vieux druides qui hantent ces lieux, et une foule de personnages empruntés à toutes les mythologies : les sorcières, fées, démons femelles et amantes destructrices (Médée, Dalila, Hélène de Troie), Angélique (seule femme à être épargnée), les elfes, les anges, archanges, séraphins et hiérarchies célestes, Lilith, les Rois mages, et, pour finir, les six immortels (Énoch, Élie, Empédocle, Apollonius de Tyane, Simon le Magicien et Isaac Laquedem – le Juif errant). La leçon de ce capharnaüm de mythes est désolante : l'homme et la femme se tiennent réciproquement pour décevants et déloyaux ; l'amour partagé apparaît impossible en raison de leur dissemblance fondamentale.

Passionné par le Moyen Âge, Apollinaire a lu à dix-neuf ans les romans de la Table ronde, *Lancelot du Lac*, l'*Histoire de Raymondin et Mélusine*. La légendaire forêt d'Ardenne, qu'il découvre l'année même de ces lectures, renforce en lui le sentiment que la forêt est une « prodigieuse matrice », « créatrice de prestiges et de vies sans cesse renouvelés » (il prend ici *prestige* dans son sens vieilli de « fantasmagorie », « illusion surnaturelle »). Il s'assimile enfin à l'enfant sans père, au fils du diable qu'est l'Enchanteur Merlin, et compose de tous ces éléments, en 1901 puis en 1903, la première version de *l'Enchanteur pourrissant* (publiée en 1904 dans *le Festin d'Ésope*). C'est un cinéma intérieur étrange et grouillant ; la peur des séductions d'un sexe perfide et destructeur est au fond la vraie raison de la paralysie du héros. En 1909, Apollinaire corrigea l'ouvrage et l'inséra entre un premier chapitre, transcrit de *Lancelot*, qui le met à distance, et un dernier chapitre, « Onirocritique », qui affirme la victoire du poète sur le temps. Il tempérait ainsi le pessimisme et la misogynie qui marquaient la première version.

L'Hérésiarque et Cie

D'abord intitulé *Phantasmes*, ce recueil de contes, qui parut le 26 octobre 1910, obtint trois voix au Goncourt et reçut un accueil généralement favorable. Apollinaire avait rassemblé dix textes parus en 1902-1903, dix autres parus postérieurement et trois inédits. Divers par leurs sujets, leur atmosphère et leur ton, ces contes ont pour trait commun l'alacrité, la fantaisie et le jeu du vrai et du faux.

Quatre contes – « le Sacrilège », « le Juif latin », « l'Hérésiarque » et « l'Infaillibilité » – débattent, avec une curiosité amusée, de théologie et de casuistique. « Le Passant de Prague » métamorphose la légende du Juif errant. « Trois Histoires de châtiments divins » punissent un giton par où il a péché, Salomé dans la glace du Danube et un impie par la naissance d'un hermaphrodite. « Simon Mage » raconte le défi lancé à l'apôtre Pierre par le magicien devant Néron. « L'Otmika » évoque les rudes fiançailles balkaniques ; « la Rose de Hildesheim », une folie par amour. « Que vlo-ve ? » marie le réel à l'imaginaire : les notations ethnographiques et dialectales sur la Wallonie, la bagarre au couteau de deux gueux reçoivent une amplification épique et surnaturaliste. Le baron d'Ormesan invente, dans « l'Amphion faux Messie », un nouvel art, l'*amphionie,* qui consiste à se promener dans une ville de manière à faire éclore en soi une foule de sentiments esthétiques ; cinéaste, d'Ormesan, pour filmer un meurtre, contraint un passant à assassiner des inconnus ; inventeur enfin d'une machine qui permet le toucher à distance et lui confère l'ubiquité, il apparaît devant toutes les synagogues du monde, se fait passer pour le Messie et prêche le retour en Israël dont il veut devenir roi.

Hoffmann, Villiers de L'Isle-Adam et Poe parrainent ces histoires extraordinaires peuplées d'ivrognes, d'assassins, d'ecclésiastiques suspects et d'imposteurs ingénieux, nourries d'érudition et de pittoresque cosmopolite.

Le Bestiaire ou Cortège d'Orphée

Dès 1908, date de parution de dix-huit poèmes dans *la Phalange* sous le titre « la Marchande des quatre-saisons ou le Bestiaire mondain », Apollinaire promettait de mettre ces courts poèmes en regard de gravures sur bois. À défaut de Picasso, l'ouvrage sera illustré par Raoul Dufy, sous l'égide de Daniel Henry Kahnweiler (1911). Vingt-quatre quatrains, trois quintils et deux sizains font face aux trente planches (« le Condor » et « le Morpion », jugés trop libres, ainsi que « le Singe » et « l'Araignée », avaient été écartés). Apollinaire s'inspire de la tradition moraliste et emblématique des naïfs bestiaires médiévaux pour ciseler d'élégants madrigaux, de plaisantes maximes et de discrètes confidences.

Les Peintres cubistes, méditations esthétiques

De ce titre double, l'éditeur Eugène Figuière tenait à valoriser la première moitié : en 1913, le scandale cubiste aiguillonnait les curiosités ; ce qui pouvait faire figure de manifeste ou de manuel de vulgarisation se vendrait bien. Pour Apollinaire, il s'agissait bien de *méditer* sur l'œuvre des artistes du XXe siècle en fonction de sa propre esthétique, d'en transposer poétiquement le style, de cerner d'analogies les notions qui la sous-tendent. Il n'accepte d'ailleurs qu'à contrecœur le terme « cubiste », qu'il estime péjoratif, inadéquat et provisoire.

Ce livre n'est donc pas l'évangile du cubisme loué trop à la légère par Georges Lemaître, Robert Motherwell, Guillermo de Torre ou Lionello Venturi. Il n'est pas non plus le puzzle sibyllin que raillent les critiques de 1913, ni l'amphigouri fumeux qu'y voient Picasso et Braque, mécontents des pairs qu'Apollinaire leur assigne. En fait, les méandres, les absurdités et les contradictions de l'ouvrage s'expliquent quand on prend conscience qu'il fut écrit à vif, non seulement sans recul historique, mais encore en courant après l'actualité de chaque salon ou manifestation.

Le manuscrit remis à l'éditeur en août 1912 s'ouvrait sur une introduction générale qui combinait un éloge des « trois vertus plastiques » de 1908 et des essais de 1912 sur la fonction sociale de l'art, sur les préoccupations géométriques et l'indifférence au « sujet » ; suivaient un chapitre sur Marie Laurencin et le Douanier Rousseau, un autre sur Picasso, qui complétait un article de 1905 sur les époques « bleue » et « rose » par une méditation sur le labeur créateur, et des études plus brèves sur Braque, Metzinger, Gleizes, Léger, Gris, Picabia, Duchamp et le sculpteur Duchamp-Villon. En s'efforçant de coller à l'actualité, Apollinaire allait, par ses corrections sur épreuves, brouiller à plaisir son commentaire lyrique sur « les peintres nouveaux », où le mot « cubiste » figurait rarement.

L'« Exposition de la Section d'or », en octobre 1912, fit surgir une demande de théorisation à laquelle Apollinaire pensa pouvoir répondre ; l'évolution de son ami Delaunay vers la peinture pure l'amena à inventer pour lui l'étiquette d'*orphisme*. D'où les bizarres classifications nouvelles, qui écartèlent le cubisme en « cubisme scientifique », intellectuel et géomètre (Picasso, Braque, Gris), « cubisme orphique », plus abstrait et plus lumineux (encore Picasso, Delaunay, Picabia, Duchamp), « cubisme physique », trop visuel pour être pur (Le Fauconnier), et « cubisme instinctif », qui semble englober tout ce qui refuse le réalisme sans pour autant oser être cubiste (Matisse, Dufy...). De l'influence des conversations avec Delaunay, le texte ressort truffé de formules techniques mal assimilées et revalorise des termes comme « sujet » et « intellectuel » alors qu'ils sont péjoratifs lorsqu'il s'agit de condamner les futuristes.

Ces remaniements ont rendu plus ambiguës ces méditations ; peut-être était-ce le prix à payer pour rendre, malgré tout, sensible la scission qui s'amorçait, au second semestre de 1912, entre les artistes fidèles à la référence figurative (Picasso, Braque...) et ceux qui allaient évoluer vers l'abstraction (Delaunay, Picabia...). Apollinaire concevait mal, mais il sentait bien, et le souffle de la grande aventure de l'art moderne emporte ce « poème sur la peinture », dont les vues essentielles sur le passage d'un art d'imitation à un art de conception et de création restent incontestables.

Alcools

Paru à la fin d'avril 1913 au Mercure de France, maison ancienne et respectée, *Alcools* est le fruit d'une longue gestation et de transformations successives. À vingt-cinq ans, Apollinaire se proposait de publier une plaquette, *le Vent du Rhin* suivi de *la Chanson du mal-aimé*. Le thème rhénan et les poèmes qui en relèvent eussent ainsi assuré l'unité du recueil.

En 1909, le recueil projeté s'appelle toujours *le Vent du Rhin*, mais « Onirocritique », « le Brasier » et « les Fiançailles » témoignent de la recherche d'un « lyrisme neuf et humaniste à la fois » marqué par le néo-symbolisme et l'hermétisme.

En 1912, alors qu'Apollinaire rassemble ses poèmes sous le titre *Eau-de-vie*, son esthétique a encore évolué sous l'influence des avant-gardes littéraires et picturales ; son séjour à la prison de la Santé et une nouvelle désillusion sentimentale requièrent de nouvelles confidences. *Alcools* mêlera donc les strates successives de quatorze ans de création poétique, de 1898 à 1913, écartant les œuvres qu'il estimait imparfaites ou perfectibles.

Le Vent du Rhin est désarticulé : neuf poèmes resteront groupés, sous le sous-titre « Rhénanes », vers le milieu du recueil ; cinq ou six autres éparpillent la tonalité germanique au début du recueil : romantisme discret, mélancolie élégiaque, simplicité maîtrisée, pittoresque folklorique et demi-teinte verlainienne. Toutes ces qualités, qui ont fait le succès d'Apollinaire en rattachant sa poésie à la longue tradition lyrique de la chanson médiévale et du *lied*, culminent dans « la Chanson du mal-aimé » et se répercutent dans « À la Santé » (1911) et « le Pont Mirabeau ».

Elles masquent la victoire d'un certain classicisme sur une première veine tarabiscotée dont témoignent « l'Ermite » (vers 1898), reprise, par-delà le *Thaïs* d'Anatole France, du thème flaubertien de la tentation de saint Antoine, « le Larron », mise en scène insolite de débats théologiques, et « Merlin et la Vieille Femme », où le malaise œdipien, l'ambition et le fatalisme se parent des oripeaux de la légende.

Vers 1906-1909, le rapprochement avec les néo-symbolistes de *la Phalange* et de *Vers et Prose* (Jean Royère, Tristan Klingsor, les Belges), l'ascendant d'Alfred Jarry, la popularité croissante des visionnaires comme Nerval, Lautréamont et Rimbaud donnent une nouvelle inflexion à son inspiration ; l'abandon à l'imagination et à la vision irrationnelle fait à la fois le brillant et l'obscurité de poèmes comme « Lul de Faltenin », « le Brasier », « les Fiançailles », dont les énigmes n'ont pas fini de stimuler la sagacité des exégètes. La modernité cubiste et futuriste apparaît peu dans *Alcools*, et presque uniquement avec « Zone » (prépublié en décembre 1912 dans *les Soirées de Paris* et peut-être influencé par les *Pâques à New York* de Blaise Cendrars). Ce poème chante, certes, l'intensité et la stridence de la ville moderne, de l'activité industrielle, des avions, des autobus, des usines, des affiches, de la vitesse et de la machine ; mais cette exaltation, que symbolise l'architecture d'acier de la tour Eiffel, est en même temps la pathétique confidence d'une errance abandonnée parmi les souvenirs et d'une nostalgie de la foi consolatrice. Le spectre de l'alexandrin hante encore la liberté du vers ; c'est dans le simultanéisme de fragments de temps et d'espace juxtaposés que réside surtout la nouveauté d'un tel poème. Apollinaire en était assez conscient pour ouvrir sur cette pièce *Alcools*, qui allait se clore sur « Vendémiaire », hymne triomphal à la gloire de Paris.

Entre ces deux pôles, « Zone » et « Vendémiaire », entre le deuil et l'ivresse, les poèmes sont répartis au mépris de la chronologie, sans autre principe évident que celui de varier. Sur les épreuves, Apollinaire supprima la ponctuation, qu'il jugeait inutile : « Le rythme même et la coupe des vers voilà la véritable ponctuation » (lettre à Henri Martineau). Cette innovation, qui, en atténuant l'articulation logique, favorisait la fluidité de la parole et les voyages du sens, allait faire école et séduire la majorité des poètes.

Le Poète assassiné

Le Poète assassiné fut publié en octobre 1916, mais ce second recueil de contes, projeté à l'automne de 1913, avait été remis à l'éditeur en juillet 1914. Le conte d'une centaine de pages qui donne son titre au recueil est une sorte d'autobiographie picaresque et mythique d'Apollinaire, taillée à partir d'éléments disparates (une autobiographie entreprise vers 1900 et abandonnée, « Histoire de Nyctor », des chutes de *l'Enchanteur pourrissant*, des fragments d'un roman perdu sur la fin du monde, *la Gloire de l'olive*, des chroniques parues dans la revue belge *le Passant*, etc.).

SYNOPSIS

Macarée, engrossée sur le bord d'un chemin wallon par un musicien ambulant, épouse à Paris François, baron des Ygrées. Après avoir obtenu à Rome la bénédiction papale, ils visitent Munich, puis vont à La Napoule, où, le 25 août 1889, naît Croniamantal, coûtant la vie à sa mère. Le veuf se rend à Monaco, joue au casino sur le conseil d'un Mammon invisible, perd et se fait sauter la cervelle. Un voyageur hollandais, Janssen, recueille l'orphelin, lui enseigne les sciences, les langues, les lettres et l'amour de la nature. Adolescent, Croniamantal s'éprend vainement d'une jeune fille nommée Mariette. À la mort de son protecteur, en 1911, il se rend à Paris pour se consacrer à la littérature, fréquente les milieux du théâtre et des arts et rencontre Tristouse Ballerinette, qui devient sa maîtresse. Il l'immortalise en poèmes merveilleux, mais elle le trompe avec le *fopoïte* (faux poète) Paponat, avec qui elle part pour la Moravie. Croniamantal se lance à leur poursuite et manque les rejoindre dans un pittoresque couvent de Brünn. À la suite d'un article du savant Horace Tograth proclamant la nocivité de la poésie, la persécution des poètes commence sur toute la planète. Croniamantal retrouve Tristouse à Marseille. Le 30 mai 1912, il invective Tograth, qui vient de débarquer, mais se fait lyncher par la foule. L'Oiseau du Bénin lui sculptera « une statue en rien » – un cénotaphe – au bois de Meudon.

« Croniamantal est le lieu de rencontre et la résultante des efforts d'Apollinaire pour se donner une identité par l'écriture », écrit Michel Décaudin. De fait, les éléments autobiographiques sautent aux yeux, qu'il s'agisse des sites, « points chauds de sa géographie affective » (Décaudin), de l'insécurité accumulée autour de la naissance du héros, de ses fréquentations (« l'Oiseau du Bénin » renvoie à Picasso), de l'évocation stylisée du premier trouble amoureux ressenti pour Mareye, de la transposition de sa passion malheureuse pour Marie Laurencin.

Mais un puissant courant fantasmatique et mythique tord les références : les géniteurs du poète sont vivement liquidés, et Croniamantal est éduqué par un père idéal. Le lynchage final rappelle, bien évidemment, le sort d'Orphée. La verve, les jeux verbaux constants, le mélange de drôlerie parfois grasse et de gravité, voire de solennité, mettent, comme chez Rabelais, une distance ludique à l'égard d'enjeux vitaux.

Quinze autres contes, plus courts, complètent le recueil. Dans « le Roi-Lune », le narrateur découvre au fond d'une grotte bavaroise le palais souterrain de Louis II de Bavière, prince immortel, Roi-Soleil inversé. Dans ce domaine enchanté, des machines de fiction scientifique abolissent le temps et l'espace, permettent de faire l'amour aux belles du temps jadis et d'entendre les bruits de toute la planète. Le dernier conte, ajouté en 1915, « Cas du brigadier masqué, c'est-à-dire le Poète ressuscité », confère une certaine cohérence à l'ensemble de l'ouvrage, puisqu'on y apprend le sort pendant la guerre des personnages fictifs : Croniamantal ressuscité est artilleur ; le Roi-Lune rêve de détrôner le Kaiser ; Giovanni Moroni, volontaire garibaldien, meurt glorieusement ; et l'on attend la victoire.

Vitam impendere amori

Mince plaquette de dix-sept quatrains d'octosyllabes sages (1917). Illustré de dessins d'André Rouveyre, ce recueil, dont le titre s'inspire de la devise de Rousseau, *Vitam impendere vero,* « Faire dépendre sa vie de la vérité », murmure fort classiquement le regret de la jeunesse et de l'amour perdu qui s'éloigne.

Calligrammes

Et moi aussi je suis peintre ! Tel devait être le titre d'un recueil de cinq « idéogrammes lyriques coloriés » dont la parution, prévue pour août 1914, fut annulée du fait de la guerre. À la suite des réflexions de Thibaudet et de Gide sur le « Coup de dés » de Mallarmé, et de l'émancipation futuriste des mots en liberté, Apollinaire s'affranchissait de la disposition typographique traditionnelle et proposait au regard des parcours nouveaux sur la page devenue tabulaire. Tantôt le poème se fait figuratif (« Paysage », « la Cravate et la Montre »), tantôt il enregistre et dispose sur la page des bruits, des sons et des bribes de conversation en provenance de tous les points de la rose des vents (« Lettre-océan »). Le même simultanéisme se retrouve dans des poèmes conversations qui conservent une disposition linéaire (« Lundi rue Christine »). Cette disponibilité hertzienne explique sans doute le sous-titre « Ondes » mis par le poète en 1918 à la première partie de *Calligrammes* qui rassemble des textes antérieurs à la guerre.

La deuxième partie, « Étendards », rassemble neuf poèmes échelonnés du 31 août 1914 au départ d'Apollinaire pour le front en avril 1915. Le plus célèbre, le calligramme « la Colombe poignardée et le Jet d'eau », exprime la mélancolie devant les amours défuntes et les amitiés dispersées. « Case d'Armons », la troisième partie, fut tout d'abord polycopiée par Apollinaire en juin 1915 ; ici, comme dans les quatrième (« Lueurs de tir ») et cinquième (« Obus couleur de lune ») parties, le poète-soldat refuse de s'apitoyer sur les horreurs de la guerre : dans cette sanglante épreuve il voit la parturition d'un monde neuf, le tribut à payer pour le « nouveau langage » de l'avenir. En attendant, il fixe, pour ses correspondants et sa promise (qu'il imagine avec une grande débauche de sensualité cérébrale), les spectacles merveilleux et les sensations inouïes dont la guerre est prodigue ; il note, avec un tonus patriotique évident, les travaux et les jours de l'artilleur et du fantassin. La dernière partie, « la Tête étoilée », médite sur le sacrifice d'une génération (« Chant de l'honneur »), prophétise « la Victoire » et chante l'épithalame avec « la Jolie Rousse ». D'un bout à l'autre du recueil, la naïveté choisie, la féerie médiévale, le registre traditionnel de la nostalgie et la pureté formelle se mêlent aux audaces typographiques des calligrammes et du simultanéisme, dans un va-et-vient constant entre l'ordre et l'aventure.

La Femme assise

Il existe, de ce roman posthume, trois versions : celle de 1920, fondée sur un manuscrit remis à l'éditeur par Jacqueline Apollinaire, et perdu ; celle de 1948, fondée sur un second manuscrit que la veuve, se ravisant, estima plus conforme au génie d'Apollinaire ; celle enfin que choisit Michel Décaudin dans les *Œuvres en prose I* de la Bibliothèque de la Pléiade, vérifiée sur le dactylogramme de la bibliothèque littéraire Jacques-Doucet et donnant en notes les variantes des précédentes.

Le fait est qu'Apollinaire avait laissé inachevé un ouvrage qui présente d'évidentes faiblesses. *La Femme assise* fusionne deux chantiers distincts : un roman historique et exotique entrepris en 1912 et abandonné en 1914, *la Mormone et le Danite,* et une satire des mœurs contemporaines projetée en 1917 sous les titres *Irène de Montparnasse ou Paris pendant la guerre,* puis *les Clowns d'Elvire ou les Caprices de Bellone.*

Le premier retrace l'odyssée d'une lorette, Paméla, qui quitte le Paris du 2 décembre 1851 (décrit d'après Hugo) et émigre en Utah : elle y devient la quinzième épouse d'un mormon négociant et barbu. Apollinaire s'en donne à cœur joie pour évoquer les harems et les rites de cette religion singulière. Ces divagations sur la polygamie, la fécondité et les coutumes américaines sont assez artificiellement rattachées à la chronique contemporaine : Paméla est la grand-mère de l'héroïne, Elvire. Le personnage d'Elvire, femme peintre bisexuelle et polyandre, s'inspire d'Irène Lagut ; et l'on voit graviter autour d'elle Anatole de Saintariste et la jolie Corail (Apollinaire et Jacqueline Kolb), Pablo Canouris (Picasso), Moïse Deléchelle (Max Jacob), Ovide de Pont-Euxin (Cendrars), Nicolas Varinoff (Serge Férat) et quelques comparses fictifs ou réels, dans un ballet d'imbroglios sentimentaux qui n'exclut ni la jalousie ni la malveillance.

Le livre est maladroitement épaissi de passages transcrits des chroniques du *Mercure de France* (sur Gavarni, sur le bal de l'Opéra, sur le folklore des tranchées, sur les prophéties). Le titre fait allusion à l'Helvetia des monnaies suisses souvent contrefaites : Elvire est de mauvais aloi ; Apollinaire, plus suspicieux que jamais, voit dans les féministes et les garçonnes qui s'annoncent des femmes fausses et de fausses femmes.

Recueils poétiques posthumes

À la mort d'Apollinaire, nombre de poèmes publiés en revue ou confiés à des correspondants et à des inspiratrices restaient inédits en volume, voire inconnus. Un premier rassemblement fut opéré en 1924 par Jean Royère, directeur de *la Phalange,* sous le titre *Il y a.* Il réunit des poèmes de jeunesse inédits, en particulier « les Dicts d'amour à Linda » confiés à Jean Royère par la zézayante Portugaise, des poèmes écartés de divers recueils parce qu'Apollinaire les jugeait imparfaits, et enfin le désormais fameux « Onirocritique ».

Bernard Poissonnier et Robert Mallet réalisèrent en 1952 un second regroupement sous le titre *le Guetteur mélancolique*, classant les poèmes retrouvés en cinq groupes : *Stavelot* (1899), *Rhénanes* (1901-1902), *Poèmes à Yvonne* (1903), *Poèmes divers* (1900-1917), *Calligrammes*. En 1955, une édition intégrale en fac-similé regroupe soixante-seize *Poèmes à Lou*, adressés par le poète à sa capricieuse amante entre octobre 1914 et septembre 1915. Si le babil amoureux n'évite pas toujours la platitude, l'érotisme exacerbé par l'absence, joint à l'espoir d'une communion vraie, fait figurer certaines pièces (XLV, XLVIII, XLIX) parmi les plus belles d'Apollinaire.

Enfin l'édition des *Œuvres poétiques* dans « la Pléiade », établie en 1965 par Marcel Adéma et Michel Décaudin, ajoute, aux recueils déjà signalés, des *Poèmes à Madeleine*, distraits de la correspondance parue en 1952 sous le titre *Tendre comme le souvenir* (hymnes aux voluptés rêvées dans la rude symphonie de la guerre, de mai 1915 à février 1916) ; quatre *Poèmes à la marraine*, distraits de la correspondance avec sa marraine de guerre réunie en 1951 sous le titre *Lettres à sa marraine* ; et plus d'une centaine de poèmes retrouvés, fonds de tiroirs, mais aussi poèmes publiés en revue et non repris jusqu'alors, poèmes sertis dans des œuvres en prose, poèmes épistolaires égrenés dans la correspondance avec André Salmon, André Billy, André Rouveyre, Louis de Gonzague Frick et autres.

J.-Ch. Gateau

Apollonius de Tyr

(XIVe siècle)

Ce roman anonyme en prose nous a été transmis par dix manuscrits, et l'on en connaît deux éditions anciennes, aujourd'hui disparues.

L'histoire d'Apollonius remonte à un roman latin datant du Ve ou du VIe siècle, remaniement d'un récit grec ou latin du IIIe siècle. Une adaptation française en octosyllabes a été faite au XIIe siècle, et ce récit, sous sa forme versifiée ou dans sa version latine, était bien connu des écrivains français et occitans de cette époque, comme en témoignent des allusions, notamment chez Chrétien de Troyes (*Philomena*), chez Jean Renart (*l'Escoufle*) ou dans *Flamenca*. Mais c'est à partir du XIVe siècle qu'il jouit d'un grand succès et fait l'objet de différentes adaptations.

SYNOPSIS

À la mort du roi et de la reine d'Antioche, d'Arabie, d'Éthiopie et de Tarse, leur fils Apollonius n'a que sept ans. La régence du royaume est assurée par un grand et puissant chevalier, Antiochus.

La femme de ce dernier meurt ; il devient alors l'amant de sa propre fille, dont il écarte tous les prétendants en leur imposant de résoudre une énigme : toute erreur est punie de mort. Apollonius, qui a grandi, tue en Grèce un chevalier monstrueux, puis retourne à Antioche où il résout l'énigme. Pour échapper à Antiochus qui veut le faire périr, il prend la mer. Naufragé au large de Cyrène, il épouse la fille du roi du pays, séduite par ses dons de poète et de musicien, puis s'embarque avec elle pour son royaume, quand il apprend la mort d'Antiochus et de sa fille, foudroyés. Durant la traversée sa femme accouche d'une fille. On croit la reine morte : son corps, déposé dans un coffre, est jeté à la mer et dérive jusqu'à Éphèse où la jeune femme revient à la vie et se consacre au service de la déesse Diane. Apollonius arrive à Tarse, confie l'enfant qui vient de naître à son prévôt et à la femme de celui-ci ; puis il gagne Antioche où le frère d'Antiochus a usurpé le pouvoir. Il assiège la ville durant dix ans.

Tarsienne, la fille d'Apollonius, est devenue une belle jeune fille. Enlevée par des pillards sarrasins, elle est vendue à un souteneur de Mytilène. Livrée au roi de la ville et à ses chevaliers, elle les émeut par le récit de ses malheurs et préserve sa virginité. Pendant ce temps, Apollonius a repris Antioche et le pouvoir. Il décide alors d'aller revoir sa fille, mais le prévôt et sa femme lui déclarent qu'elle est morte. Il repart désespéré de Tarse. Une tempête le détourne sur Mytilène ; il y retrouve Tarsienne, ils se reconnaissent et Apollonius marie sa fille au roi du pays. Puis alerté par un songe, il se rend à Éphèse où il retrouve sa femme. Revenu avec elle dans son royaume, Apollonius règne paisiblement et met par écrit ses aventures.

Le motif qui lance le récit – le désir incestueux d'un père pour sa fille – est bien attesté dans la littérature française médiévale : il fonde l'intrigue dans le lai des *Deux Amants* de Marie de France et se retrouve dans *la Manekine* de Philippe de Beaumanoir, dans le *Roman du comte d'Anjou* de Jean Maillard ou dans le *Roman de la Belle Hélène de Constantinople*. Il apparaît toutefois ici sous un jour différent, puisque la jeune fille qui, traditionnellement, se dérobe est cette fois consentante. Double scandale, donc, de ce couple auquel le récit oppose deux autres couples père-fille au-dessus de tout soupçon, celui du roi de Cyrène et de la future femme d'Apollonius, et celui d'Apollonius et de Tarsienne. Pourtant tout n'est pas aussi limpide qu'il y paraît dans les retrouvailles d'Apollonius et de sa fille, c'est du moins ce que laisse penser le geste violent d'Apollonius qui fait tomber « la vierge Tarsienne » dont le genou se met à saigner. Enfin l'importance de ce motif ressort encore de son association avec une énigme, renvoyant ainsi à l'inceste primordial (Œdipe) où sont indissolublement liées énigme et amours interdites.

La séduction romanesque opère également par l'entrelacement de la légende primitive et de traits plus spécifiquement féodaux ou chevaleresques. Des données anciennes le récit a conservé l'organisation à partir des multiples navigations du héros, heureuses variantes des quêtes à cheval ; il a maintenu la présence de dieux antiques (Neptune, Apollon, Priape, Diane) ; enfin il a gardé certains usages, dont celui de l'incinération. Et il n'est pas exclu que cette coloration antique ait contribué, en des temps de préhumanisme, à un regain d'intérêt pour ce roman.

Mais l'histoire est remaniée en fonction du contexte et des goûts médiévaux. C'est par fidélité à l'engagement vassalique qui les liait au père d'Apollonius que les hommes chargés par Antiochus de faire mourir le fils de leur « droit seigneur » se contentent de lui faire affronter le chevalier qui sème la terreur en Grèce. Et comme il n'est guère de héros romanesque au Moyen Âge qui ne se distingue par sa vaillance, l'épisode du siège d'Antioche permet de confirmer la bravoure d'Apollonius. Un autre épisode déjà avait mis en valeur cette dimension guerrière, lors de la guerre que déclarent au roi de Cyrène les prétendants évincés de sa fille. Prouesse, dons de musicien, de poète (voir la naissance de l'amour chez la fille du roi de Cyrène) : Apollonius ressemble au Tristan du *Tristan en prose* comme un frère. Et pourtant, qui se souvient aujourd'hui d'*Apollonius de Tyr* ? Mais il n'en a pas toujours été ainsi. Au Moyen Âge, les aventures du héros ont été traduites en allemand, en italien, en espagnol, en anglais ; plus tard, elles ont inspiré à Shakespeare son *Périclès, prince de Tyr*.

M.-T. de Medeiros

Aragon

ARAGON Louis

(1897-1982)

Pour dessiner avec exactitude la courbe de la personnalité d'Aragon – et celle de son œuvre (critique, journalistique, poétique et romanesque) –, il faudrait la tresser avec toute l'histoire du XXe siècle : histoire de la littérature (et des conceptions de l'invention) ; histoire politique, avec tous les enthousiasmes et tous les leurres du parti communiste dans la société française de 1927 à nos jours.
On conçoit qu'il y ait un mythe Aragon, on dispute sur la leçon qu'il propose. Le mythe est celui de la diversité : c'est l'écrivain trop doué de l'époque surréaliste qui devient l'écrivain laborieux du « monde réel », puis le poète lyrique de la Résistance, enfin l'éblouissant scripteur des derniers romans ; c'est l'homme à femmes qui devient l'homme d'une seule – Elsa – puis retourne, âgé, au dandysme ; c'est l'homme de défi qui s'engage dans le militantisme communiste avec l'humilité de qui se cherche une famille, vivant toutes ses crises avec l'amertume de ceux pour lesquels l'idéologie est d'abord affaire de lyrisme. Et s'il est une leçon à tirer de l'œuvre d'Aragon, c'est paradoxalement du côté de la constance qu'il faudrait la chercher : car *il y a* une jointure entre l'œuvre surréaliste et l'œuvre réaliste (c'est la théorie et la pratique de l'*incipit* et du collage) ; *il y a* une jointure entre cette dernière et les grandes enquêtes intimes, la recherche d'une science romanesque : c'est la théorie du « mentir-vrai » et la pratique d'une écriture toujours éblouissante. Modulations subtiles ou agrafes artificiellement posées ? C'est la question.

La vie et ses masques

C'est d'abord le masque de l'enfant légitime que le jeune Aragon dut porter auprès de sa mère, Marguerite : elle n'avait pas été épousée par le père, déjà marié, Louis Andrieux – député de 1876 à 1924, qui fut aussi préfet de police à Paris et ambassadeur à Madrid. Enfance triste que celle de cet enfant entouré de femmes, où les hommes sont pesants (le père-« tuteur »), fantasques (l'oncle Edmond) ou encore irresponsables (le grand-père maternel, autrefois amateur de peinture, puis communard à Marseille, a abandonné de longue date sa femme, mais surgit de loin en loin pour demander une aide financière). Masque encore, celui de la bourgeoisie : à la pension de famille tenue par Marguerite, on se nourrit chichement pour s'offrir des vacances d'été.
Le masque de la littérature est plus sûr. Élève brillant à Saint-Pierre de Neuilly, puis au lycée Carnot, Aragon est bachelier en 1915 : il a tout lu (Dickens, Barrès...), mais il a aussi déjà écrit – dicté d'abord à ses tantes (et le tour oral de sa prose très « respirée » vient sans doute de là) – une série de « romans », détruits vers sept ou huit ans, puis de la poésie, à partir de la classe de sixième. Il est introduit par son oncle, qui se pique de littérature, dans les milieux du *Mercure de France* et poussé à l'admiration du « modern style ». Puis il lit *les Soirées de Paris* et partage avec Apollinaire le goût pour les livres scandaleux ou inclassables. Il fréquente la librairie d'Adrienne Monnier, où on le présente à André Breton qui, comme lui, commence des études de médecine. Mobilisé en juin 1917, il retrouve Breton en septembre 1917, soldat au Val-de-Grâce comme lui, et découvre la convergence de leurs goûts : entre eux s'installe une immense amitié. Dans cette exaltation naîtra le surréalisme. Cependant il est envoyé au front en juin 1918, où son courage lui vaut la croix de guerre, et, après avoir assisté, en Sarre, à la grève des mineurs, il est démobilisé en 1919.

Un surréalisme inventé par Aragon ?

L'audace – ou le défi – a toujours rapproché Breton et Aragon, qui fondent avec Philippe Soupault *Littérature* en mars 1919. Absent de Paris, Aragon ne participe pas à l'écriture des *Champs magnétiques*, mais de l'émulation avec Breton surgit le surréalisme, après l'épisode Dada (janvier 1920-août 1921). « Symétriques jusque dans leurs dissemblances les plus intérieures » (Alain Jouffroy), ils inventent chacun leur pratique de l'automatisme. Pour Aragon (*Une vague de rêves*, été 1924, qui est son « Manifeste »), ce qui se révèle *par* l'écrivain, dans l'automatisme, c'est une « matière mentale », dont l'investigation doit être hasardeuse, fantaisiste : alors l'esprit rencontre l'imaginaire, qui affleure dans le jeu même du langage. Pour Breton, l'automatisme doit être *d'abord* préservé des influences extérieures afin que, par son moyen, se révèle la personnalité du scripteur dans toute sa richesse *désirante.*

C'est leur conception du temps qui les oppose le plus radicalement. Quand Breton met au point peu à peu la théorie du « hasard objectif » où le temps s'humanise dans des plages de désir pur, puis s'accélère comme dans une « conduite forcée », Aragon s'interroge toujours sur le *sens* du temps et, par exemple, dans le titre *le Mouvement perpétuel,* annule par le mot de *perpétuel* ce qu'il y a d'humain dans le mouvement. Enfin, grâce à Breton, Aragon a trouvé un groupe humain d'élection ; mais il n'est pas un assidu des réunions quotidiennes, lui pour qui l'invention est beaucoup plus solitaire, promise qu'elle est par les grâces de l'instant et par l'arbitraire du langage.

Il reste que les poèmes de *Feu de joie* (1919) et du *Mouvement perpétuel* (1926), que les textes narratifs d'*Anicet ou le Panorama, roman* (1920), le pastiche *les Aventures de Télémaque* (1922), les nouvelles du *Libertinage* surtout (1924), ainsi que *le Paysan de Paris* (1926), proposent l'invention la plus éblouissante de l'avant-garde qui se trouve avec lui comme incluse dans le surréalisme naissant, tandis que *Traité du style* (1928) en est sans doute le texte polémique le plus violent.

La rupture avec Breton se fait par étapes, mais clairement sur deux plans. Sur le plan littéraire, Aragon a réinventé pour lui-même le roman par la pratique de l'*incipit,* du collage et du pastiche, mais, achoppant sur la longueur (avec *la Défense de l'infini,* plus de mille pages qu'il ne parvient pas à nouer), il détruit le manuscrit, certain qu'il était aussi que dans cette entreprise il était désavoué par le groupe. Sur le plan politique, Aragon, qui est entré au P.C.F. en 1927 avec Breton et quelques autres, se fait mandater par le Parti au congrès de Kharkov en 1930 ; il espère y faire reconnaître la vertu révolutionnaire du surréalisme… et finit par signer un texte qui le condamne pour idéalisme. La rupture est quasi inévitable ; elle adviendra en 1932, à l'occasion de l'affaire du poème « Front rouge » (dans le recueil *Persécuté persécuteur*).

Elsa et les années d'apprentissage d'un adulte

Aragon a rencontré Elsa en novembre 1928, après qu'abandonné par Nancy Cunard et acculé par l'absence d'argent il a tenté de se suicider à Venise. Elle cherche à connaître, par Maïakovski, l'écrivain du *Paysan de Paris* et emploie toute sa ténacité à se faire aimer de lui. Plutôt distante à l'égard du groupe surréaliste, elle ouvre Aragon à la culture de langue russe, sa langue natale, et, lorsque la rupture avec Breton est consommée en 1932, elle est la médiatrice du passage dans ce monde culturel de vieille tradition réaliste, désormais lié au socialisme. Elle et lui font de longs séjours en U.R.S.S., en 1932-1933, en 1934-1935, puis durant l'été 1936 ; fidèle à la tradition réaliste russe, elle y trouve aussi désormais l'idéal révolutionnaire, tel qu'il va être bientôt codifié par Jdanov. Cependant, Aragon, qui a rencontré Maurice Thorez dès 1933, développera, en conformité de vues avec ce dernier, une théorie *nationale* du réalisme (conférence en 1937, reprise dans *Europe* en mars 1938 : « Réalisme socialiste, réalisme français »).

Au printemps de 1933, retour d'U.R.S.S., Aragon commence le vrai apprentissage de sa vie, lui à qui tout semblait jusqu'ici avoir été donné : à *l'Humanité,* où on ne l'accueille pas à bras ouverts, puis à la revue *Commune,* il apprend le métier de journaliste – qu'il avait pratiqué dès 1921, à *Paris-Journal,* mais épisodiquement ensuite – et diversifie sa connaissance du monde ouvrier (grèves de 1933-1934). Après ces années de silence relatif, il publie en 1934 *Hourra l'Oural,* poèmes engagés, quasi pédagogiques, écrits durant son voyage en U.R.S.S., et *les Cloches de Bâle,* roman qui propose le modèle de trois femmes, œuvre d'une lucidité politique et sociale inégale.

Il se dépense sans compter dans la lutte antifasciste, organisant le congrès de l'Association des écrivains et artistes révolutionnaires (A.E.A.R.) [1935], convoyant des fonds en Espagne (1936). Entraîné par ce militantisme, il n'a voulu voir ni les évictions (Ossip Emilievitch Mandelstam…) grâce auxquelles s'est tenu sans opposition le Ier Congrès des écrivains soviétiques (1934) ni la monstrueuse machinerie des « procès de Moscou ». En 1937, il devient codirecteur, à sa création, du journal *Ce soir* et combat la politique louvoyante de Georges Bonnet en face des menaces fascistes, ainsi que les accords de Munich. Il écrit coup sur coup *les Beaux Quartiers* (1936, prix Théophraste-Renaudot), roman qui prend la suite du cycle du « monde réel », et *les Voyageurs de l'impériale* (achevé en septembre 1939, publié à Paris en 1942, mais dont l'édition intégrale, revue par l'auteur, parut en 1947). Dans *Ce soir,* il justifie le pacte germano-soviétique et, le journal interdit, doit se réfugier à l'ambassade du Chili.

La guerre retourne son image dans l'opinion publique : il participe à la retraite, puis, dès sa démobilisation, il organise avec Pierre Seghers une résistance intellectuelle dans le Midi, où il rencontre le peintre Matisse. En 1941, à Nice, Elsa et lui reprennent contact avec le P.C. clandestin, puis s'installent dans la Drôme, après un séjour à Lyon. Ils organisent les réseaux de résistance en zone Sud et la publication en volumes des poèmes de « contrebande » puis de la clandestinité – *le Crève-cœur,* 1941 ; *les Yeux d'Elsa,* 1942 ; *le Musée Grévin,* 1943. Ces poèmes, qui avaient été diffusés très tôt en revues ou en tracts, furent aussitôt sur toutes les lèvres – et valurent à leur auteur la réputation de grand poète de la Résistance.

Mais, deux ans après la Libération, le P.C.F. est de nouveau marginalisé. Aragon voyage dans les pays de l'Est, publie les poèmes du *Nouveau Crève-cœur* (1948) et prépare l'édition du roman *les Communistes* (1949-1951). Son réalisme critique, qui produit une œuvre abondante, veut être de type national (*Journal d'une poésie nationale,* 1954). Directeur des *Lettres françaises* à la mort de Staline, il cherche à faire traduire en France les grands écrivains soviétiques.

Poétique et histoire

L'entreprise romanesque du « monde réel » ne doit pas offusquer, par son ampleur, la veine poétique retrouvée durant la Résistance. Deux « périodes », ici : celle du symbolisme, où les textes, transmis « en contrebande », doivent dire et voiler à la fois l'amour pour la Patrie, à travers l'amour pour la

Femme ; puis celle de la colère, à partir de 1943, où, sous pseudonyme, Aragon écrit l'épopée d'une France torturée, aux valeurs bafouées – et, sous la rhétorique, on pense aux plus grands textes de d'Aubigné, de Hugo, de Dante.

En associant la Femme à la Patrie, Aragon renoue avec la tradition courtoise, de laquelle il s'est toujours senti proche par la famille de sa mère – originaire du pays toulonnais, descendant des Massillon et de nobliaux lombards. Il cherche aussi à retrouver les conditions qui ont permis à la poésie du XIIe siècle d'épanouir les valeurs civilisatrices. Il fait appel à toutes les légendes nationales, de Brocéliande à Jeanne d'Arc ou Du Guesclin, justifié qu'il est par Georges Politzer de faire appel à elles – qui ne doivent certes pas se confondre avec des mythes *raciaux.* La forme même de ces textes poétiques y puise ses rythmes, linéaires comme ceux de la chanson ou complexes comme ceux de la poésie la plus savante (rimes – dont le principe est fortement défendu – alternant en consonantiques et vocaliques ; rimes intérieures surajoutées). Cette vélocité – pour ne pas dire une certaine facilité parfois – et cette attention au rythme éloignent Aragon de ses tentatives poétiques de l'époque surréaliste, marquées par le rôle prééminent de l'*image.*

Il n'en est pas tout à fait de même dans la prose. Certes, la référence à l'Histoire cautionne la série romanesque du « monde réel » (des *Cloches de Bâle* aux *Communistes*) – une histoire conçue comme dialectique. Ébranlée cette croyance, durant la crise de 1950 à 1960, c'est le roman qui est à nouveau devenu difficile, comme il l'avait été de 1927 à 1933. Mais le rôle essentiel de l'*incipit* fait la jointure avec l'écriture surréaliste, non moins que le collage, appelé désormais « parenthèse ».

L'*incipit* dans le roman : découverte fortuite, exploitée avant d'être explicitée (en 1965 puis en 1969, seulement). Une tentative pour écrire un roman dans la veine du *Traité du style* avait avorté, durant les derniers temps du surréalisme. Après un long silence, la première phrase qui lui vint (« Cela ne fit rire personne quand Guy appela M. Romanet Papa ») prenait le caractère d'un *donné* – comme ces phrases de demi-sommeil dont parle Breton dans le premier *Manifeste.* Mais quand Breton se bornait à livrer ces pierres brutes comme des témoignages, Aragon en 1933 ressent la phrase donnée comme la note unique et précieuse d'un diapason, dont il s'agit de développer les harmoniques en un sens réaliste.

Il n'échappe à personne que « le caractère inconscient de cet *incipit* qui déverrouille le roman, c'est d'abord qu'il déverrouille l'aveu de l'enfance illégitime » (Pierre Daix). La suite du texte approfondit l'*incipit,* dans un rapport *nécessaire* avec lui – comme s'il était inévitable qu'il se développât –, mais aussi dans un rapport *arbitraire,* car ce qui s'écrira n'est pas contenu dialectiquement dans ce qui précède. Or, ce mode d'écriture avait déjà été rodé, surtout dans les nouvelles du *Libertinage* : l'auteur avait achoppé devant le problème de la durée du récit. Durée que le surréalisme d'Aragon fabriquait par le jeu avec l'espace : par des *collages.*

La réflexion sur le collage date, chez Aragon, de 1923, avec un article alors inédit sur Max Ernst (repris dans *les Collages,* 1965) : l'objet inutile, qu'à l'instar du peintre le narrateur introduit dans le cours de son texte, a pour fonction de *lester* le récit. Une conversation téléphonique réellement entendue est ainsi introduite dans *les Beaux Quartiers,* apportant la « lourdeur » nécessaire au genre. Le thème secondaire, ou parenthèse romanesque, généralisant la notion de *collage,* est plus tard l'objet d'une réflexion répétée, dans *les Collages, la Mise à mort, Aragon parle avec Dominique Arban, Henri Matisse, roman.* Car, pour finir, seule la métaphore entre le réel (collé) et l'imaginaire, métaphore d'essence poétique, introduit au cœur du concret : c'est, de fait, le rôle de la poésie.

La crise des années 1950 et l'épanouissement romanesque

Une crise couve dès 1951, lorsqu'Aragon décide de clore la série romanesque des *Communistes* : son désarroi est grand quand, accompagné d'Elsa, il découvre en 1952 en U.R.S.S. les signes sans équivoque du stalinisme. Les poèmes de *Mes caravanes* et *les Yeux et la Mémoire* (1954) ne laissent cependant rien paraître d'autre que l'angoisse de l'arme atomique et la conviction qu'il faut poursuivre la lutte pour la paix avec le Parti. La crise ne devient patente que devant les révélations qui transpirent du XXe Congrès du P.C.U.S., et devant l'intervention soviétique en Hongrie (1956).

La douleur est un tremplin pour l'art d'Aragon. *Le Roman inachevé* (1956) – autobiographique – et *la Semaine sainte* (1958) sont les premiers produits, baroques et fascinants, de l'arrachement à la poésie et de l'arrachement au roman. Le premier offre une diversité formelle extrême, depuis les vers les plus réguliers (souvent courts) jusqu'aux rythmes très longs et aux versets, soudain coupés de pages de prose rythmée, sans ponctuation. Ces éclats arrachés d'un passé conservent chacun leur respiration propre.

La Semaine sainte est un roman, fondé sur l'histoire – la semaine sainte de 1815, où Louis XVIII s'enfuit en Belgique, accompagné de Géricault, le peintre, qui acquiert dans ce voyage sa lucidité politique. Il offre surtout une profonde réflexion sur l'art dans ses rapports avec l'histoire. Les deux séries d'œuvres qui suivent sont ainsi profondément imbriquées les unes dans les autres. Poèmes, *Elsa* (1959), *les Poètes* (1960), *le Fou d'Elsa* (1963), *le Voyage de Hollande* (1964), *les Chambres* (1969) ? Certes, mais aussi réflexions sur l'art, sur la guerre (d'Algérie), sur la dualité dans l'amour – et constant aveu d'une vie. Les romans, *la Mise à mort* (1965), *Blanche ou l'Oubli* (1967), *Henri Matisse, roman* (1971), *Théâtre/Roman* (1974), constituent aussi une tragédie de l'histoire, jamais univoque ni délibérément « optimiste », comme le voudrait un marxisme schématique – tragédie de l'histoire individuelle, où mon passé m'échappe comme un *autre,* aux yeux d'une *autre* couleur ; pouvoir de l'imaginaire et de ses mots pour inventer le réel…

À côté d'une œuvre d'historien considérable (*Histoire parallèle de l'U.R.S.S. et des U.S.A.*, avec André Maurois, 1962) s'hypertrophie la réflexion théorique sur les rapports de l'imaginaire et de l'histoire, à l'occasion de la publication des *Œuvres romanesques croisées* d'Elsa Triolet et Aragon (1964-

1974, 42 vol.), puis de l'*Œuvre poétique* (commencée en 1974), enfin de la réécriture des *Communistes*, pourvus d'une « Postface » en 1967. Toutes ces introductions ou postfaces originales composent une vaste chaîne, dont le volume séparé *Je n'ai jamais appris à écrire ou les « Incipit »* (1969) est peut-être le moyeu organisateur. Autour de cette même réflexion tournent les nouvelles du *Mentir-vrai* (1980), en un volume qui regroupe des textes jusqu'alors disséminés.

Le « mentir-vrai ». Le Temps et ses pièges

Il s'agit désormais d'inventer les modes théorique et pratique d'un réalisme « sans rivage » (préface à l'ouvrage de Roger Garaudy, 1963). Or l'esprit dispose, pour comprendre le réel, d'un pouvoir d'*hypothèse,* autrement appelé « imagination » : « L'extraordinaire du roman, c'est que pour comprendre le réel objectif, il invente d'inventer. Ce qui est *menti* dans le roman libère l'écrivain, lui permet de montrer le réel dans sa nudité. Ce qui est *menti* dans le roman est l'ombre sans quoi vous ne verriez pas la lumière » (« C'est là que tout a commencé », *Œuvres romanesques croisées,* t. VII, 1965). Ainsi Marie-Noire est-elle un personnage inventé par Gaiffier pour comprendre Blanche (*Blanche ou l'Oubli*). Toute la vérité romanesque est là, de même que la science progresse en inventant des systèmes (plus généraux) dans lesquels l'« anomalie » originelle est désormais incluse.

Mais ce jeu est aussi jeu avec la mémoire, puissance d'oubli. Jamais Aragon ne semble avoir utilisé le schème mental d'un temps continu et irréversible. C'est de réversibilité qu'il rêve toujours, depuis la période surréaliste jusque dans la nouvelle *le Mentir-vrai* (1964, *Œuvres romanesques croisées,* t. IV) : « Que ne donnerais-je pour éprouver cette faculté de retour, cette disponibilité d'un recommencement. » Et de là naît la tragédie de *la Mise à mort,* réflexion anxieuse sur le vieillissement, où le jeune Alfred, qui est Anthoine jeune, est « à tuer » (par Anthoine précisément). Il semble qu'un système binaire serve de schème pour les jeux surréalistes sur le langage mais aussi pour l'image qu'Aragon dessine de son œuvre, gigantesque « grecque » où des contestations successives et décalées engendreraient la succession des œuvres – comme si le temps obéissait toujours au paradoxe de Zénon et devait toujours être *postulé,* jamais perçu sensiblement, ni même démontrable.

Durant la période du « monde réel », le concept de Temps, individuel et collectif, semble se confondre avec l'idée d'une dialectique de l'histoire. Mais on peut se demander si Aragon n'est pas finalement moins fasciné par l'histoire que par l'*absence de temps,* valeur positive pour quoi il faudrait inventer un mode grammatical particulier : et ce serait peut-être l'imaginaire (« Il me manque en particulier un temps [...] que j'appellerais l'*absent* [...], où la continuelle osmose de l'imagination et de la mémoire se ferait sans contorsions ni jongleries, puisqu'il n'y aurait d'aucun côté de murs », *Je n'ai jamais appris...*).

De cette œuvre, on voudrait faire remarquer seulement l'oscillation entre la postulation abstraite et le lyrisme. Tout son jaillissement semble naître parfois de l'ivresse de l'analyse quelque peu gratuite, de l'attention à l'Histoire et aux histoires dans leurs implications les plus détaillées, de l'arbitraire des mots comme signifiants et de l'arbitraire des procédés inventifs (collage, *incipit,* pastiche). Toute la tenue de l'œuvre semble venir, à d'autres moments, de l'abandon lyrique, et quasi mystique, des jointures du *moi,* comme si la découverte de sa contingence *ouvrait* à la connaissance objective, ouvrait aussi à la reconnaissance de l'Autre – et à l'amour.

Chacun de ces pôles contient une dialectique propre : par l'abstraction des mots, on doit retrouver le réel concret ; par l'abandon du *moi* narcissique, risquer de découvrir le *je.* Œuvre, ainsi, et de moraliste et d'épistémologue alerté. [Voir aussi **Surréalisme**.]

VIE		ŒUVRE
1897	**3 oct.** : naissance de Louis-Marie, fils de Marguerite Toucas, descendante indirecte de Massillon, déclaré sous le nom d'Aragon par son père, Louis Andrieux, ancien préfet de police, ancien ambassadeur en Espagne.	
1898	Après treize mois de nourrice en Bretagne, l'enfant est repris par sa mère qui, par crainte du scandale, le fait passer pour son « petit frère ». Installation avenue de Villars.	
1900	La mère d'Aragon ouvre une pension de famille avenue Carnot, aidée par la grand-mère, deux tantes et un oncle.	
1904	Installation rue Saint-Pierre, à Neuilly. À l'école, il rencontre les frères Prévert et Henry de Montherlant. L'enfant écrit des « romans ». Un de ces récits, conservé, sera publié dans *Littérature* en 1919, puis repris dans *le Libertinage.*	
1905	L'enfant écrit plutôt désormais des poèmes. **Séparation de l'Église et de l'État.**	
1906-1907	Vacances au château d'Angeville, dans l'Ain, qui deviendra « Sainteville » dans *les Voyageurs de l'impériale.*	

	VIE		ŒUVRE
1908	Lit en abondance Dickens, Gorki, Barrès… Son oncle Edmond, qui a dirigé une petite revue, publie un roman, après plusieurs autres (1903-1906).		
1910	Aragon écrit des pastiches de Nick Carter.		
1914	**Juill.** : premier baccalauréat. **Août** : **déclaration de la guerre entre la France et l'Allemagne.**		
1915	Second bac (philosophie).		
1916	Commence des études de médecine, qui dureront jusqu'en 1921.		
1917	Suit des cours de médecin auxiliaire au Val-de-Grâce, où il rencontre André Breton, puis Philippe Soupault. **Nov.** : **les bolcheviques sont au pouvoir en Russie.**		
1918	**Juin** : Aragon est envoyé au front. Il se voit décerner la croix de guerre. Participe à l'occupation de la Sarre et de la Rhénanie. Commence à écrire *Anicet ou le Panorama, roman.*	**1918**	Collabore aux revues *SIC* et *Nord-Sud.*
1919	**Juin** : démobilisé. Commence à écrire *les Aventures de Télémaque,* à Sarrebruck.	**1919**	Création de la revue *Littérature,* avec Breton et Soupault.
1920	Aragon visite la Belgique et l'Allemagne avec Théodore Fraenkel. Y fait la connaissance de l'éditeur Harold Loeb. Saison Dada à Paris. Été à Perros-Guirec, avec sa mère et sa grand-mère. Achève d'écrire *Anicet…,* qui paraît en « bonnes feuilles » dans *la N.R.F.* **Congrès de Tours** (scission au parti socialiste. La majorité forme le parti communiste [S.F.I.C.]).	**1920**	**Déc.** : publie *Feu de joie* aux éditions du Sans-Pareil, avec un dessin de Picasso.
1921	**Janv.** : Breton et Aragon décident d'adhérer au P.C.F., puis y renoncent. **Mai** : « Procès Barrès », qui sépare définitivement Tristan Tzara et les futurs « surréalistes ». Passe l'été en Angleterre.	**1921**	**Mars** : *Anicet ou le Panorama, roman.*
1922	**Janv.** : Aragon abandonne la médecine et doit subvenir à ses besoins. Breton le fait entrer avec lui chez le couturier Jacques Doucet, comme conseiller littéraire. Rencontre avec Eyre de Lanux, la « Dame des Buttes-Chaumont ». **Août** : vacances au Tyrol avec sa mère et sa grand-mère ; puis il gagne seul Berlin, où il écrit certains contes du *Libertinage.* **Automne** : séances de « sommeils » avec R. Desnos. Trouve son premier emploi « stable » chez Hébertot, au Théâtre des Champs-Élysées. Écrit les poèmes du *Mouvement perpétuel.*	**1922**	**Mars** : *Littérature,* nouvelle série. Publie *les Aventures de Télémaque* à la N.R.F. Publie à Berlin *Paris la nuit,* sous le titre *les Plaisirs de la capitale.*
1923	**Avr.** : directeur de *Paris-Journal* depuis janvier, il part travailler à Giverny. Il passe l'été à Dieppe avec la jeune Américaine Clotilde Vail et avec son frère, qui a épousé Peggy Guggenheim. Amour malheureux pour Denise Lévy, modèle de la Bérénice d'*Aurélien.* Commence à écrire le gros roman *la Défense de l'infini.*		
1924	Le « procès du roman » engagé par Breton oppose celui-ci à Aragon, qui commence à écrire *le Paysan de Paris.* **Été** : écrit *Une vague de rêves.* Lectures d'Engels, Lénine, Hegel, Schelling, Proudhon… Voyages incessants à l'étranger.	**1924**	**Oct.** : *Une vague de rêves* dans *Commerce.* Publication du *Libertinage.* Premier numéro de *la Révolution surréaliste.* Tract collectif « Un cadavre » (à propos de la mort d'Anatole France).

VIE		ŒUVRE	
1925	**Guerre du Maroc.** Rapprochement avec le groupe de *Clarté*. Rupture d'Aragon avec Drieu La Rochelle.		
1926	Fin de l'aventure avec la « Dame des Buttes-Chaumont ». Début de la liaison avec Nancy Cunard, richissime héritière de la « Cunard Line ». Lectures de Lawrence, Sade, Joyce, les Brontë…	1926	*Le Mouvement perpétuel,* poèmes, 1921-1924. *Le Paysan de Paris* (est suivi d'une « grève » de la critique).
1927	**Janv.** : adhère au P.C.F., après Paul Eluard ; il est suivi par André Breton, Pierre Unik et Benjamin Péret. **Été** : écrit le *Traité du style* (après l'exécution aux États-Unis de Sacco et Vanzetti). **Fin de l'année** : détruit *la Défense de l'infini* durant un séjour à Madrid.		
1928	Voyages en Italie. Rupture avec Nancy durant l'été. Tentative de suicide en septembre. **Nov.** : il rencontre Elsa Kagan, sœur de Lili Brik (compagne de Maïakovski), qui vit séparée de son mari, André Triolet.	1928	*Traité du style.* Préface à une exposition de Pierre Roy. *Le Con d'Irène* (illustré par A. Masson), attribué à Aragon.
1929	**Trotski est exclu du territoire soviétique.** **Mars** : réunion rue du Château, à Paris, des groupes « Clarté », « Esprit », « le Grand Jeu », à propos du sort fait à Léon Trotski. De graves dissensions se font jour. Échec.	1929	*La Grande Gaîté,* poèmes. *1929,* avec Benjamin Péret et Man Ray. Traduction de *la Chasse au Snark,* de Lewis Carroll.
1930	**Automne** : voyage en U.R.S.S. en compagnie d'Elsa Triolet et de Georges Sadoul, pour représenter les surréalistes au Congrès des écrivains révolutionnaires, à Kharkov.	1930	*La Peinture au défi.*
1931	**Été : Maurice Thorez devient secrétaire général du P.C.F.** **Hiver** : publication du poème « Front rouge » (« Feu sur Léon Blum », etc.), qui vaut à son auteur d'être inculpé.	1931	« Front rouge », publié en russe, à Moscou.
1932	Breton rédige un tract, *l'Affaire Aragon,* pour le défendre, puis *Misère de la poésie,* pour affirmer que le poème est « poétiquement régressif ». Rupture définitive entre eux. Aragon et Elsa partent pour l'U.R.S.S., où ils séjourneront du printemps 1932 au printemps 1933.		
1933	À son retour, Aragon devient journaliste à *l'Humanité,* puis secrétaire de rédaction à la revue *Commune,* qui vient d'être créée par l'Association des écrivains et artistes révolutionnaires (A.E.A.R.). Écrit *les Cloches de Bâle.*		
1934	**Fév.** : **émeutes fascistes à Paris.** **Été** : assiste au Ier Congrès de l'Union des écrivains soviétiques. Jdanov expose sa thèse du « réalisme socialiste ».	1934	Publication des *Cloches de Bâle,* roman. Publie *Hourra l'Oural,* recueil de poèmes.
1935	**Pacte d'assistance signé entre la France et l'U.R.S.S.** Nouveau séjour en U.R.S.S. (Aragon commence *les Beaux Quartiers).*	1935	*Pour un réalisme socialiste.*
1936	**Victoire du Front populaire.** Début de la guerre civile en Espagne. Premier « procès de Moscou » (août). Voyage d'Aragon et Elsa en U.R.S.S. Retour à Paris en automne ; voyage en Espagne pour convoyer les dons de l'Association internationale des écrivains pour la défense de la culture.	1936	**Automne** : *les Beaux Quartiers* (prix Théophraste-Renaudot).
1937	Aragon devient directeur de *Ce soir,* avec Jean-Richard Bloch. Il y est très actif.		
1938	Commence à écrire *les Voyageurs de l'impériale.*		

	VIE		ŒUVRE
1939	**28 févr.** : mariage avec Elsa Kagan. **Juin-juill.** : séjour aux États-Unis. **Août** : **pacte germano-soviétique**. Achève *les Voyageurs…* en août. **Sept.** : mobilisé.		
1940	Participe à la retraite de mai. Débarqué à Plymouth, puis à Brest. Retraite jusqu'à Périgueux. Capturé, s'échappe ; se trouve à Ribérac le jour de l'armistice. Rencontre Pierre Seghers à Carcassonne. Installation à Nice. Poèmes de résistance.		
1941	Organisation de la Résistance avec d'autres intellectuels (Seghers…). Rencontre d'Henri Matisse. Elsa Triolet écrit les nouvelles de *Mille Regrets*.	1941	**Avr.** : *le Crève-cœur*, poèmes, chez Gallimard. **Juin** : *les Voyageurs de l'impériale*, roman, édité à New York.
1942	Aragon entreprend la rédaction d'*Aurélien*. Mort de sa mère, Marguerite Toucas. **Nov.** : **débarquement des Alliés en Afrique du Nord**. Les Italiens occupant les Alpes-Maritimes, Aragon et Elsa s'installent à Dieulefit (Drôme).	1942	*Les Yeux d'Elsa*, poèmes. *Cantique à Elsa*, poèmes. *Le Crime contre l'esprit (les Martyrs)*. *Brocéliande*, poèmes. *Les Voyageurs de l'impériale*, chez Gallimard, dans une version corrigée par la censure.
1943	Aragon et Elsa constituent le Comité national des écrivains pour la zone Sud (C.N.E.).	1943	*En français dans le texte*, poèmes. *Le Musée Grévin*, poèmes, sous le pseudonyme de François La Colère. *Les Bons Voisins*, prose, sous le pseudonyme d'Arnaud de Saint-Roman.
1944	**Juin** : **débarquement allié en Normandie**. *Ce soir* reparaît.	1944	*Neuf Chansons interdites* (1942-1944), sous le pseudonyme de François Lacolère. *Aurélien*, roman.
1945	Suicide de Drieu La Rochelle. **Été** : Aragon et Elsa visitent la zone d'occupation française en Allemagne. **Août** : **Hiroshima. Fin de la Seconde Guerre mondiale.** Elsa Triolet reçoit le prix Goncourt pour *Le premier accroc coûte deux cents francs*.	1945	*Neuf Chansons interdites* (1944-1945), sous le pseudonyme de François Lacolère. *La Diane française*, poèmes. *En étrange pays dans mon pays lui-même*, poèmes. *Servitude et Grandeur des Français*, prose.
1946	**Début de la guerre d'Indochine.**	1946	*La Diane française* (édition augmentée). *Enseigne de Gersaint*, prose. *Les Poissons noirs*, prose. *L'Homme communiste*, tome I.
1947	Aragon reprend la direction de *Ce soir*. **Mai : les ministres communistes sont chassés du gouvernement.** **Juin** : **plan Marshall.** **Sept.** : **création du Kominform.**	1947	*Chronique du bel-canto*, prose. Préface à un recueil de *Dessins de Fougeron*.
1948	**Févr.** : **instauration d'un régime de démocratie populaire en Tchécoslovaquie.** Mort de Jdanov. **Été** : succès des thèses de Lyssenko en U.R.S.S., thèses défendues en France par Aragon.	1948	*Le Nouveau Crève-cœur*, poèmes.
1949	Aragon entre aux *Lettres françaises*. **Avr.** : **pacte Atlantique.** **Été** : **procès Rajk en Hongrie.** **Sept** : Aragon est privé de ses droits civiques sous l'accusation de propagation de fausses nouvelles. **Automne** : **victoire de Mao Zedong.**	1949	*Les Communistes*, roman. Première époque : 1939-1940.

	VIE	ŒUVRE
1950	Aragon élu suppléant au Comité central du P.C.F. Nommé vice-président des prix Staline. **Oct. : Maurice Thorez, frappé d'une congestion cérébrale, doit cesser toute activité politique.**	*Au jardin de Matisse.*
1951	Aux États-Unis, **exécution des époux Rosenberg.**	Fin de la publication du roman *les Communistes.*
1952	Affaire Marty-Tillon au sein du P.C.F. Mort de Paul Eluard. **XIXe Congrès du P.C.U.S. : apothéose de Staline.** Aragon est présent.	*Hugo, poète réaliste,* prose. *Avez-vous lu Victor Hugo ?,* anthologie commentée. *L'Exemple de Courbet,* prose.
1953	**Fév.** : Aragon et Elsa rentrent de Moscou, après une indisposition assez sévère d'Aragon. **Mars** : **mort de Staline.** Aragon, directeur des *Lettres françaises :* affaire du portrait de Staline par Picasso.	*L'Homme communiste,* tome II. *Le Neveu de M. Duval,* prose (défense d'André Stil et de la théorie du réalisme).
1954	**Févr.-mai** : **bataille de Diên Biên Phu. Fin de la guerre d'Indochine.** Aragon élu titulaire au Comité central du P.C.F. **Nov.** : **début de la guerre d'Algérie.** **Déc.** : Aragon assiste à Moscou au Congrès des écrivains soviétiques.	« L'Art de parti en France » (rapport d'Aragon au Congrès du P.C.F.). *À la lumière de Stendhal* (P. Mérimée, H. von Kleist, M. Desbordes-Valmore, J. de La Malène, É. Zola, M. Barrès). *Mes caravanes et autres poèmes,* poèmes. *Les Yeux et la Mémoire,* poème.
1955		*Littératures soviétiques.*
1956	**Févr. : XXe Congrès du P.C.U.S. et début de la « déstalinisation ».** **Oct.** : **insurrection en Hongrie et intervention soviétique.** Aragon crée chez Gallimard la collection « Littératures soviétiques ».	*Introduction aux littératures soviétiques* (avec un choix de contes et de nouvelles). *Le Roman inachevé,* poème (autobiographique).
1957	Aragon prix Lénine de la Paix.	
1958	**Mai : prise du pouvoir par le général de Gaulle.**	*La Semaine sainte,* roman.
1959	**Révolution à Cuba.**	*Elsa, poème.* « Il faut appeler les choses par leur nom », conférence. *J'abats mon jeu,* prose. *L'un ne va pas sans l'autre,* prose.
1960	**Févr.** : **explosion atomique française.** Rupture entre la Chine et l'U.R.S.S. **Nov. : Kennedy président des États-Unis.**	*Elsa Triolet choisie par Aragon,* préface et anthologie. *Les Poètes,* poème. *Poésies. Anthologie 1917-1960,* avec une introduction de Jean Dutourd.
1961	**Déc.** : XXIIe Congrès du P.C.U.S. Léo Ferré enregistre *les Chansons d'Aragon.*	
1962		*Histoire parallèle de l'U.R.S.S. et des U.S.A.* (en collaboration avec A. Maurois).
1963		*Le Fou d'Elsa,* poème.
1964	**Janv.** : mort de Tristan Tzara. **Juill.** : mort de Maurice Thorez.	Début de la publication des *Œuvres romanesques croisées d'Elsa Triolet et Aragon.* Avec Francis Crémieux : *Entretiens...* *Le Voyage de Hollande,* poème. *Il ne m'est Paris que d'Elsa,* anthologie de poèmes, avec des inédits.
1965	**Printemps** : mort de Nancy Cunard. Affaire Siniavski-Daniel en U.R.S.S.	*La Mise à mort,* roman. *Le Voyage de Hollande et autres poèmes,* poèmes (avec des inédits).

VIE		ŒUVRE	
1966	**Janv.** : mort de Giacometti. **Sept.** : mort d'André Breton.	**1966**	*Les Communistes,* édition définitive du roman. *Élégie à Pablo Neruda,* poème.
1967	**Déc.** : élection à l'académie Goncourt, dont il démissionne un an plus tard.	**1967**	Article « Lautréamont et nous », dans *les Lettres françaises* (sur André Breton). *Blanche ou l'Oubli,* roman.
1968	**Mai** : révoltes étudiantes ; grève générale. Aragon offre un numéro entier des *Lettres françaises* comme tribune aux enseignants et aux étudiants. **Août** : **l'U.R.S.S. intervient en Tchécoslovaquie**. Le P.C.F. prend position contre cette invasion.	**1968**	*Aragon parle avec Dominique Arban,* entretiens.
1969	Tous les abonnements soviétiques aux *Lettres françaises* sont annulés.	**1969**	*Les Chambres, poème du temps qui ne passe pas,* poème. *Je n'ai jamais appris à écrire ou les « Incipit »,* prose.
1970	Mort d'Elsa Triolet.		
		1971	*Henri Matisse, roman* (commencé en 1942).
1972	Automne : fin de la parution des *Lettres françaises.*		
		1974	*Théâtre/Roman,* roman. Aragon commence l'édition de l'*Œuvre poétique.*
1977	Aragon est à Moscou pour plaider la cause du cinéaste Paradjanov, emprisonné. Sa visite, manipulée par l'agence Tass, provoque la colère de l'écrivain qui menace de rendre toutes ses décorations soviétiques.		
		1980	*Le Mentir-vrai,* nouvelles.
1982	Mort d'Aragon, le 24 décembre.	**1982**	*Les Adieux et autres poèmes.*

Le Fou d'Elsa

Il y a un Aragon d'avant Elsa : c'est Aragon surréaliste. Il y a assurément un Aragon d'après Elsa, laquelle a assisté à l'apogée de sa carrière entre 1959 (*la Semaine sainte*) et 1970 (Elsa meurt en juin), mais non pas aux douze années encore fertiles qui ont suivi.

Mais c'est Elsa Triolet qui a conduit Aragon de l'éparpillement brillant de ses dons (en novembre 1927, il détruit le roman *la Défense de l'infini,* auquel il travaillait depuis plus de trois ans – parallèlement au *Paysan de Paris* et au *Traité du style* – et qui avait alors atteint les mille pages) à l'attention aux réalités sociales et quotidiennes et à la construction d'une œuvre gigantesque.

Née en 1896, dans une famille d'intellectuels juifs de Moscou, Elsa était liée à Maïakovski par sa sœur Lili Brik, ainsi qu'à Roman Jakobson et à Victor Chklovski. Elle avait épousé en 1917 André Triolet, officier français, qu'elle suivit en Sibérie, à San Francisco puis à Tahiti, avant de le quitter. Elle avait vécu à Berlin ensuite, où Chklovski et Gorki l'avaient incitée à écrire. Elle a voulu rencontrer Aragon à Paris et a voulu se faire aimer de lui. Le témoignage sans merci d'André Thirion (*Révolutionnaires sans révolution*), nuancé par Pierre Daix (*Aragon, une vie à changer*), ne laisse pas de doute à ce sujet. Il reste que non seulement Elsa a fait Aragon, mais que, à partir de la série du *Monde réel,* l'œuvre d'Aragon prend appui sur le jugement d'Elsa ou sur ses romans.

Elle-même avait en effet écrit, en russe, et publié trois volumes dans cette langue avant sa venue à Paris. Quand Elsa rencontre Aragon, elle attend de lui, qu'elle admire, un signe, un encouragement à écrire en français : « Je n'écrivais pas, dira-t-elle plus tard. Je m'entêtais, je me persuadais que pour écrire il m'aurait fallu t'entendre dire : écris ! Or, tu ne voulais toujours pas me le dire. Et quand j'ai recommencé à écrire, c'était contre toi, avec rage et désespoir, parce que tu ne me faisais pas confiance ».

Bonsoir, Thérèse, son premier roman en langue française, est publié en 1938, salué par Jean-Paul Sartre. Une volonté lucide de dire, avec des mots simples, des situations complexes et des rapports subtils d'idées rend sa prose aussi lointaine qu'on puisse rêver de celle d'Aragon, au rythme souple et varié, aux efflorescences baroques. Or, c'est cette prose dense, compacte, obstinée qui *inspire* Aragon, comme le fouette la jalousie de savoir Elsa entraînée par l'imaginaire dans un monde auquel il n'a point part – jalousie d'homme enfin, peut-être, éprouvée à la lecture du *Cheval blanc* et par le désir de découvrir qui se cache derrière le personnage de Michel Vigaud. D'où une réelle émulation entre eux, comme si Aragon voulait montrer à Elsa qu'il l'a suivie jusque dans le monde qu'elle a construit, sinon *contre* lui, du moins à côté de lui.

D'une légende entretenue par la grande presse, de l'ensemble de l'œuvre poétique inspirée par Elsa (depuis *les Yeux d'Elsa*, en 1942, jusqu'à *les Yeux et la Mémoire, Elsa, Il ne m'est Paris que d'Elsa, les Chambres*...), du témoignage apporté par la publication croisée de l'œuvre romanesque de l'un et de l'autre, on voudrait retenir ce chef-d'œuvre qu'est *le Fou d'Elsa* (1963), long roman épique où la qualité du rythme et du vers est à la hauteur de l'idée visionnaire. Aragon avait acquis auparavant une connaissance intime de la poésie courtoise, puis de la poésie française au temps des croisades et de la découverte par les troubadours des chants mozarabes. Mais l'idée autour de laquelle tourne le roman est celle de l'imminence prophétique de l'avenir, en même temps que son impossibilité.

Le tremplin, pour Aragon, a été ce passage du *Cheval roux* dans lequel Elsa, après la catastrophe atomique, raconte à des jeunes gens dont la survie est improbable « un roman qu'elle aurait écrit s'il n'y avait pas eu cette fin du monde, et, dans ce roman, la femme [...] parle de son tombeau à un homme de plus tard, c'est-à-dire d'un temps qui n'existera pas ». C'est dans ce temps qui n'existera pas que l'Elsa Triolet du *Cheval roux*, parlant de son tombeau au passé, s'adresse à un homme de l'impossible futur, de ce futur que les gens qui l'écoutent ne connaîtront pas parce qu'aucun être humain ne survivra. C'est cette idée singulière du futur renversé qui est à l'origine de l'Elsa du *Fou d'Elsa*, la femme à venir dont, en 1492, est épris le Fou, bien qu'elle vive après sa fin du monde à lui, la mort de l'Islam andalou » (*Aragon parle avec Dominique Arban*, 1968). Le Fou, ce Medjoun, crie la force de l'imagination créatrice en face des impossibilités logiques – et même grammaticales, puisqu'en arabe le temps futur « n'existe pas », n'est pas homologue aux autres temps de la conjugaison, de par sa morphologie. Dans les rues de Grenade, en 1492, il prophétise la venue d'une femme, Elsa, qu'il aime et dont le séparent les siècles – frère ainsi de tous les « damnés d'amour » :

Jean de la Croix je te reconnais tu ressembles
[À tous ceux pour qui le rite et le dogme étaient prisons
Et qui cherchèrent chemin droit vers Dieu laissant
[les lacets interminables de la raison...

[Voir aussi **TRIOLET**.]

Le Paysan de Paris : une fable surréaliste

C'est d'un Paris concret que parle Aragon, celui d'un « paysan » qui connaît ses terres pour les avoir maintes fois arpentées. Et la minutie suggestive de ces pages avait déjà de quoi enchanter leurs premiers lecteurs : le passage de l'Opéra allait être détruit, le présent devenait précaire et basculait dans le passé. Ce plaisir de la rétrospective, nous pouvons *a fortiori* toujours le ressentir ; mais il s'y ajoute toute la gouaille lyrique du texte surréaliste, lucide sur le mode de son expression (interruption du texte et prise à parti du mot « ainsi », chap. X du « Sentiment de la nature aux Buttes-Chaumont »). On y trouve une verve ironique, parfois agressive (adresse provocatrice à Philippe Soupault, même partie, chap. XVII, ou au lecteur, chap. XVIII), mêlée de façon heurtée à des pages d'un grand lyrisme : « La femme a pris place dans l'arène impondérable où tout ce qui est poussière, poudre de papillon, efflorescence et reflets devient l'effluve de sa chair et le charme de son passage. J'ai suivi du regard ce sillage infini d'un navire, et dis-moi seulement, Sinbad, ce que tu penses de l'aimant qui décloua ta coque au milieu de la mer ? [...] Je suis dépossédé de moi-même, et du développement de moi-même, et de tout ce qui n'est pas la possession de moi-même par toi. Toi, l'emprise du ciel sur mon limon sans forme. Tout m'est enfin divin, puisque tout te ressemble... »

Le texte a été édité en volume à la fin de l'été 1926, mais, en dehors du prologue, « Préface à une mythologie moderne », tout le reste avait été publié en livraisons dans *la Revue européenne* : « le Passage de l'Opéra », au printemps 1924 ; « le Sentiment de la nature aux Buttes-Chaumont », au printemps 1925 ; et même l'épilogue, « le Songe du paysan », avait été livré en partie dans *la Révolution surréaliste* en avril 1925. C'est dire que le texte est contemporain de la fondation même du surréalisme.

C'est donc toute la philosophie de vie du surréalisme naissant qui se retrouve, comme « paroles gelées » – et admirablement bruissantes –, dans « le Passage de l'Opéra ». Décrivant pas à pas les boutiques du Passage, Aragon peut se gausser de la réalité (« Ité ité la réa/Ité ité la réalité/La réa la réa/Té té La réa/Li/Té », etc.) : car le Passage est un lieu privilégié où le promeneur se délivre des conventions et des contraintes de la société ; le Passage est un archétype du transitoire, comme s'il « n'était permis à personne de s'arrêter plus d'un instant » ; « le Passage de l'Opéra » propose enfin un mélange troublant de subjectif et d'objectif en quoi le surréalisme trouve tout son bien : lumières *et* ombres, publicités du monde des affaires *et* oasis du rêve.

En ce sens, le *Discours de l'imagination* est un manifeste du surréalisme peut-être plus convaincant qu'*Une vague de rêves* (octobre 1924), dont on dit parfois qu'il est le « manifeste » d'Aragon.

C'est aussi la philosophie de la connaissance propre à Aragon qui s'exprime ici – philosophie très inspirée de l'idéalisme kantien. « Que le monde m'est donné, ce n'est pas mon sentiment. Cette marchande de mouchoirs, ce petit sucrier que je vais vous décrire si vous n'êtes pas sages, ce sont des limites intérieures de moi-même, des vues idéales que j'ai de mes lois, de mes façons de penser... ».

Or, entre 1924 et 1925, deux événements marquent la vie d'Aragon. Il lit Schelling et Hegel ; il rencontre la « Dame des Buttes-Chaumont ». On peut sourire du premier, il n'en marque pas moins tout l'itinéraire spirituel : car, avec Schelling, Aragon aura conscience de parcourir jusqu'en ses limites ultimes le chemin de l'idéalisme absolu. « Je n'avais pas compris que le mythe est avant tout une réalité, et une nécessité de l'esprit, qu'il est le chemin de la conscience, son tapis roulant. » Dans le système de Schelling, le mythe est un mode de la sensibilité, un stade nécessaire du processus selon lequel l'absolu se révèle à la conscience. Aragon substitue l'inconscient à l'absolu de Schelling. Devient alors mythe pour Aragon tout objet, tout spectacle apte à susciter au sein de la conscience le chatoiement trouble de l'inconscient : tel est le pouvoir de la colonne de bronze du parc des Buttes, ou des couples qui s'enlacent dans l'ombre. À ce jeu, Aragon croit ressentir plus fortement le « sens du mystère » – au lieu qu'il s'accuse d'avoir jusqu'alors trop exploité en lui le « sens de la possibilité logique ». « Le Songe du paysan », épilogue du texte, pousse encore plus loin en ce sens, pour établir une équivalence entre la *notion* et l'*image*. *Le Paysan de Paris* est bien une fable philosophique, « où l'histoire est celle d'un esprit, à partir d'une conception mythologique du monde, vers le matérialisme, qui ne sera point atteint aux dernières pages du livre, mais seulement *promis*... » (*Je n'ai jamais appris à écrire ou les « Incipit »*, 1969).

Mais c'est aussi une fable de la rencontre amoureuse. Car, abandonnant les femmes vénales et charmantes du « Passage de l'Opéra », Aragon a rencontré celle qu'il appelle la « Dame des Buttes-Chaumont », et qui semble avoir été liée auparavant à Drieu La Rochelle. Américaine comme, avant elle, Clotilde Vail et, après elle, Nancy Cunard, elle est une femme du grand large : « une femme si vraiment prête à tout qu'elle vaille enfin la peine de bouleverser l'univers ».

La « Dame » s'éloigne dès les premiers mois de 1926 ; pour Nancy, Aragon tentera de se suicider. Elsa n'est plus très loin, dont la rencontre mémorable eut lieu le 6 novembre 1928. Mais, en tout cela, le romantisme du *Paysan* n'est en rien romanesque : nul récit de ces rencontres, seulement invoquées par le lyrisme.

Enfin, sur l'ensemble du texte, on peut relever l'éblouissante utilisation faite par Aragon des « collages » : collages en fac-similés réduits des plaques publicitaires des différents commerçants du Passage, de l'affiche des consommations du café Certâ, mais aussi collages plus littéraires : pastiches, ici et là, de l'ample période de Lautréamont. Dans la publication en revue, il s'y ajoutait les portraits d'André Breton et de Marcel Noll, plusieurs portraits d'Aragon par André Masson, ainsi que le plan des Buttes-Chaumont. Tous ces fac-similés, dessins et croquis donnent au livre une allure de *dossier* disparate – tremplin de nos rêveries.

Les Voyageurs de l'impériale : le « monde réel »

Ce roman marque un net retour vers les sources individuelles de la personne humaine : son passé, sa terre d'enfance, sa lignée familiale. C'est qu'après deux longs romans Aragon a « réinventé » le genre pour son propre compte, et qu'il se sent désormais plus libre de rêver sur soi et sur ses origines. Il est plus difficile de raccorder cette intention à son militantisme durant ces années 1937-1939, où il écrit le roman : le ton, au P.C.F., est alors à la défense de la patrie : mais dans le sens de ce « ressourcement » va aussi, en quelque sorte la, réflexion des *Voyageurs*...

SYNOPSIS

C'est le « mentir-vrai » – l'histoire imaginaire, sous le nom de Pierre Mercadier – du grand-père maternel, Toucas, qui est au centre de ce roman, à travers trois croisées de sa vie : la fin des années de mariage avec Paulette et la rencontre de Blanche, qu'il aime en quadragénaire ébloui de la résurgence de la passion en lui, et qui croit, elle, ne pas l'aimer ; il s'enfuit après avoir réalisé tout son avoir ; les années où, à Monte-Carlo, il rencontre Reine dans les cercles de jeu, Reine à laquelle l'unit une amitié exaltée par le mythe de la fraternité amoureuse ; les années de déchéance enfin, après qu'en Égypte il a tout perdu, quand il devient professeur salarié dans un médiocre collège et que, las de tout, amer contre ses proches, il va observer son petit-fils au Bois sans se faire reconnaître, puis meurt victime d'une attaque, prisonnier d'une vieille tenancière de maison close qui s'est amourachée de lui.

Sur le jeu du « mentir » et du « vrai », Aragon apporte toutes sortes de lumières dans la préface aux *Œuvres romanesques croisées* : qui était, au vrai, le grand-père Toucas et son égoïsme, comment c'était Marguerite (et non « Pascal ») qui, toute jeune, avait pris en main les destinées économiques de la famille.

Mais on trouve ici, bien davantage, l'histoire d'une tricherie avec le jeu social. Pierre, professeur d'histoire issu d'une famille bourgeoise, a un modèle : Law, dont le génie a inventé la convention fondamentale de notre société, le papier-monnaie, et sur lequel il rédige, sans l'achever jamais, un mémoire de philosophie économique. Or, Pierre est la victime consentante des lois d'échanges économiques capitalistes ; la Bourse et le jeu sont pour lui le moyen de tricher avec ces lois et, loin de s'en libérer, de s'en faire le prisonnier. On le voit en effet boursicoter sur sa fortune familiale, durant les derniers beaux jours de sa vie de couple avec Paulette, et entamer peu à peu cet avoir ; on le voit perdre tout au jeu, le jeu qu'il aime « à cause du discrédit qu'il jette sur l'argent, c'est-à-dire sur la manière de l'acquérir par le travail ». Incapable d'être un Law, il refuse la règle des échanges, sans inventer autre chose à sa place.

Law est aussi l'homme sur la personnalité psychologique duquel on ne sait pratiquement rien. Cette opacité est celle de l'individualiste, et Pierre en est un. En 1938-1939, réfléchir sur l'individualisme, mettre en scène la persécution des juifs et la montée vers la guerre montre une lucidité non négligeable. L'arrière-plan d'analyse économique et politique est dessiné avec justesse.

Le titre du roman est la reprise d'une phrase de Pierre, philosophant sur l'impériale de l'omnibus : « Il y a deux sortes d'hommes dans le monde, ceux qui, pareils aux gens de l'impériale, sont emportés sans rien savoir de la machine qu'ils habitent, et les autres (comme Law), qui connaissent la mécanique du monstre, qui jouent à y tripoter. » Pierre, si pathétique soit parfois son aventure, s'est-il montré capable d'« inventer une façon d'affoler la machine » ? Il est lucide sur ce point : le jeu de Law est un jeu inventif ; le sien n'est qu'une ruse sans génie.

Blanche ou l'Oubli : un roman du roman

Ce roman complexe, irritant et admirable, forme avec *la Mise à mort* (1965), qui le précède, un miroir à deux faces, où se reflètent les deux angoisses d'Aragon : l'angoisse du temps, de sa discontinuité, devant l'étrangeté de notre passé individuel, dans le premier ; dans le second, *Blanche*... l'angoisse de la communication, l'étrangeté de l'Autre, et de celui-là ou celle-là d'abord qui nous paraissent les plus proches : ceux que nous aimons.

Le personnage principal, qui dit *je* (la plupart du temps, car parfois c'est « il »), est un linguiste, Geoffroy Gaiffier, spécialiste du malais, né le même jour qu'Aragon et ayant rencontré la femme qu'il aime la même année : 1928. Aragon lui aussi, vers 1927, avait appris à l'école Berlitz... le malais, pour la beauté du geste. L'analogie anecdotique s'arrête là, car Geoffroy, lui, a été abandonné par sa femme il y a dix-huit ans (le roman, écrit en 1965-1966, est daté par des collages historiques). Geoffroy essaie de comprendre les raisons de cette fuite alors inexpliquée et, incapable d'oublier, il rêve en linguiste sur l'oubli, en homme qui – comme Aragon autrefois – a lu Arsène Darmesteter, *la Vie des mots étudiée dans leurs significations* (1886). « Oubli ou catachrèse » : ce chapitre reproche aux grammairiens de n'avoir pas vu que « cet oubli de la signification première, étymologique, est la loi même qui dirige tous les changements de sens ». *Par* l'oubli, il va tenter d'imaginer sa femme Blanche, telle qu'il n'a pas su la voir : « Le pire oubli, qu'imaginer. C'est oublier jusqu'au fait de l'oubli même. »

Or le roman évolue comme la science en général, qui progresse aussi par l'oubli – « oubli de ce qui était jusque-là la règle, parce que la règle est mise en échec par l'irrégularité, l'anomalie, une seule » (ainsi la physique macroscopique était-elle mise en échec par les anomalies de l'infiniment petit...). Le roman, science de l'anomalie : comment, par Blanche, comprendre, par exemple, Elsa ?

Le roman du roman

Dévoilant à tout instant l'envers de la fiction, Aragon restitue au texte sa linéarité et son épaisseur de langage. *Entre* Gaiffier et Blanche, Aragon invente que Gaiffier invente le personnage de Marie-Noire, dont il souligne, en litanie, le caractère d'invention au second degré. Marie-Noire a vingt-quatre ans, l'âge de Blanche quand elle abandonna Gaiffier, et c'est un « appareil » à comprendre Blanche, « à la fois l'alliée de Blanche, et ma complice, pour épier Blanche dans notre passé » (chap. IX, IIe part.). C'est aussi la Mémoire en face de l'Oubli – que serait Blanche, oublieuse, et que Gaiffier a oubliée en sa présence même –, Marie-Noire, « l'imagination organisante ». Or Marie-Noire se pique au jeu, et, maladroite, elle écrit le roman que Blanche aurait pu écrire à Java *contre* l'indifférence de son mari ; ce roman est cruellement anachronique. Il n'y a plus qu'à la faire disparaître : elle sera étranglée par son amant.

Sur ces entrefaites, Blanche revient et, en une soirée, parle, parle à Gaiffier devenu sourd, qui reçoit ses paroles confuses comme la confirmation de toutes ses intuitions récemment acquises. Avant de s'enfuir, semblable à Mme Arnoux dans *l'Éducation sentimentale*, elle coupe une mèche de ses cheveux, maintenant mêlés de blanc, et la donne à Gaiffier. Collage d'une scène littéraire qui, comme dans le collage cubiste, fait effet de *certitude* : dans ce vertige des histoires et des hypothèses, cette mèche est le *cogito* d'Aragon-Gaiffier. « Une mèche de cheveux n'est pas une hypothèse. Reconstruire le monde à partir d'une mèche de cheveux. »

Qui parle ?

Dans *Je n'ai jamais appris à écrire*... (1969), Aragon affirme de la totalité de sa création romanesque : « Mes romans, je les ai lus », soulignant par là une transparence du *je* de l'écrivain, à quoi fait écho une autre litanie, dans *Blanche ou l'Oubli* : « Je ne suis que parole de Marie-Noire, "Marie-Noire m'imagine". Mais c'est une façon de dire que le *je* n'existe que dans le langage : l'homme qui ne parle pas donc ne saurait passer pour une première personne ; on ne peut le représenter que par la troisième, comme une chose. » Transparence et force du *je* qui n'est pas une chose.

Grâce à quoi le devenir de l'homme n'est pas la prolongation d'une ligne abstraite et continue, mais l'imaginaire de nos désirs et leur violence : « ce que nous cherchons est tout » (Hölderlin, cité dans *Blanche*...).

J. Chenieux-Gendron

ARÈNE Paul

(1843-1896)

Né à Sisteron d'une famille provençale, Paul Arène, poussé par le succès à l'Odéon de sa pièce *Pierrot héritier* (1865), abandonne après la licence ses études de lettres pour se consacrer à la littérature. Suivent d'autres pièces (*Un duel aux lanternes*, 1873 ; *Ilote*, 1875 ; *le Char* – en collaboration avec Daudet –, 1878...), une participation aux *Lettres de mon moulin* et à la parodie du *Parnassiculet contemporain* (« Je suis chanteur lyrique et je couche tout nu »), 1872.

Mais Arène trouva son expression la meilleure dans les récits et les contes provençaux : *Jean des Figues* (cinq éditions de 1870 à 1926), texte que reprend le recueil *la Gueuse parfumée* (1876), *Récits provençaux* (1876), *Contes de Paris et de Provence* (1887), *Nouveaux Contes de Noël* (1890), *les Ogresses* (1891), *Le Midi bouge* (1895), et dans le roman *la Chèvre d'or* (quatre éditions de 1888 à 1920).

Dans une prose concise, les récits de Paul Arène évoquent le monde provençal en empruntant des mots de langue d'oc, sans céder à une couleur locale de convention (« le pain de froment s'est durci à la chaleur et le vin a eu le temps de tiédir dans la petite fiasque garnie de paille tressée »). Ce qui prévaut, c'est comme dans *Jean des Figues,* dédié à Alphonse Daudet, le talent d'un conteur humoriste conscient de la saveur des mots (« Quand maître Cabridens s'en allait par les rues, le chapeau à la main, suant à gouttes comme un pot de grès et poussant de majestueux soupirs, on eût dit qu'il portait sur lui tous les domaines : bois, fermes, prés et clos, garennes et défends, terres arables et labourables ! Entre nous, je crois positivement qu'il les portait ») et capable de jouer malicieusement des aventures picaresques du héros, en prenant le lecteur à témoin (« Mais voyez-vous ce brave Jean des Figues au milieu du lit, le dos dans les coussins, son bonnet de coton droit sur une forêt de cheveux noirs, Jean des Figues inspiré, gesticulant, byronisant, ironisant… »).

A. Pierrot-Herschberg

ARGENS, marquis d'

Jean-Baptiste de BOYER, marquis d'ARGENS *(1704-1771)*

Philosophe, critique littéraire et romancier, le marquis d'Argens naquit à Aix-en-Provence, dans une famille de robe. D'abord militaire, il s'établit en Hollande et se consacra aux lettres. Remarqué par Frédéric II, nommé chambellan du roi, puis directeur de la classe des Belles-lettres à l'Académie de Berlin, il participa, en compagnie de Voltaire, Formey, Prades, La Mettrie, aux activités de la « coterie frédéricienne » : propagande déiste et divertissements anticléricaux. Chassé par son protecteur après vingt-cinq ans de bons services, il revint s'établir dans le midi de la France où il mourut.

Voltairien d'obédience, d'Argens n'a ni l'imagination ni la verve de son maître ; mais il excelle dans la fonction de diffuseur et de vulgarisateur. Sa *Philosophie du bon sens* (1737) s'adresse « aux cavaliers et au beau sexe » ; ses *Lettres juives* (1736), *cabalistiques* (1737), *chinoises* (1739), impressions de voyage fictives à la manière des *Lettres persanes,* traitent en vrac d'histoire, de littérature et de religion : ironie sur les miracles, banalisation du christianisme confronté aux autres doctrines. Sur le plan littéraire (*Mémoires secrets de la république des lettres,* 1737-1748), il s'efforce de concilier l'esprit nouveau et la déférence aux Anciens : écho d'une « querelle » mal éteinte. Imitant cette fois Prévost et Marivaux, d'Argens cultive également le genre des Mémoires fictifs : *le Solitaire philosophe* (1739), *les Mémoires du comte de Vaxère* (1749) mêlent avec habileté les détails réalistes et le romanesque le plus débridé. On lui attribue enfin la célèbre *Thérèse philosophe* (1748), dont « la violence subversive annonce les œuvres de Sade » (H. Coulet).

L'importance de d'Argens tient d'abord à l'écho rencontré : une douzaine d'éditions pour les *Lettres juives.* Grâce à ce « bon sens » opposé à « l'incertitude des connaissances humaines », le combat des Lumières devient l'affaire de chacun.

J.-P. de Beaumarchais

ARLAND Marcel

(1899-1986)

La carrière de Marcel Arland ressemble à ses recueils de nouvelles : dans sa diversité, on retrouve une cohérence, une harmonie de ton ; dans la variété d'un regard apte à saisir l'instabilité des choses, le don d'aller à l'essentiel.

Bien qu'il soit arrivé à Paris à l'âge de vingt ans, après avoir passé son baccalauréat de philosophie au collège de Langres, Marcel Arland a su toute sa vie garder le contact avec le monde de son enfance, celui des premières lectures et celui des champs et des bois, de la vie rurale qu'il connut dans son village natal de Varennes-sur-Amance (Haute-Marne). À Paris, il néglige vite ses études pour errer dans la ville, perfectionner son expérience des femmes et suivre un moment le mouvement dada. Il a la chance de se lier avec Malraux avant le départ de celui-ci pour l'Indochine. Mais il trouve très vite sa véritable voie : la littérature. En 1922, il publie un premier recueil de nouvelles, *Terres étrangères,* qui est remarqué par Gide et Valery Larbaud : c'est la porte de *la Nouvelle Revue française* (dirigée par Rivière de 1919 à 1925) qui s'ouvre à lui, ainsi que l'amitié de Jean Paulhan. Arland est dès lors lancé dans le monde des lettres, et Rivière donne un grand retentissement à l'article qu'il publie en 1924 dans *la Nouvelle Revue française* : « Sur un nouveau mal du siècle ». Arland y dissèque la crise de civilisation dont Dada est le signe ; et il voit dans la littérature un moyen de dépasser l'opposition entre les forces d'ordre et d'anarchie, en remplissant la place laissée vacante par la disparition de Dieu ; pour peu qu'elle s'appuie sur la sincérité dans l'analyse, la littérature permettra de renouveler la réflexion éthique.

Ce projet étant bien dans l'esprit de *la Nouvelle Revue française,* Arland en devient un collaborateur régulier : il y multiplie les notes jusqu'en 1933, date à laquelle lui est confiée la « Chronique des romans », relayée en 1937 par les « Essais critiques ». Sa position est telle qu'après la guerre, lorsqu'il s'agit de faire repartir *la Nouvelle Revue française* égarée sous l'Occupation par les choix politiques de Drieu La Rochelle, c'est à lui qu'on fait appel : il la dirige d'abord avec Jean Paulhan, puis seul, à la mort de celui-ci, avant de laisser la place à Georges Lambrichs, se contentant de faire partie du comité de rédaction.

Marcel Arland aurait donc pu ne garder, dans l'histoire des lettres, que la place d'un animateur efficace et d'un critique perspicace (son *Marivaux,* en 1950, a été très remarqué). En effet, ce n'est pas son grand roman, *l'Ordre,* où il met en scène un génie destructeur, Gilbert, qui cause le malheur de son demi-frère et de la femme qu'ils aiment tous deux, qui aurait pu lui valoir de passer à la postérité, malgré son succès de l'époque (*l'Ordre* obtint le prix Goncourt en 1929). Mais très vite il revint à ses premières amours, la nouvelle, genre dans lequel il excelle, et le roman court – *les Vivants* (1934), *les Plus Beaux de nos Jours* (1937), *l'Eau et le Feu* (1956), *le Grand Pardon* (1965) –, montage de séquences qui fait percevoir la dimension du temps. Il compose ainsi une œuvre immense, où la facilité de l'écriture contraste avec la difficulté de dire les choses : cela donne des récits sobres, empreints de noblesse et de dignité, parfois aussi de drôlerie, dans lesquels Arland domine son pessimisme devant la mort, devant la difficulté des êtres à communiquer (il a, en particulier, une façon très actuelle d'exprimer les exigeantes difficultés et la richesse des relations dans le couple), devant l'instinct de destruction qui habite tout homme, par l'attachement à la terre, par le sentiment chaleureux de la dignité des êtres, qui font que l'espoir subsiste malgré tout, grâce à la lumineuse mise en évidence des vertus de l'écriture et de la lecture.

C. Lesbats

ARLINCOURT, vicomte d'

Charles Victor Prévot, vicomte d'Arlincourt *(1789-1856)*

Romancier, poète et dramaturge, Arlincourt naquit près de Versailles dans une famille que, par assimilation facile – V(ictor)/v(icomte) –, il éleva lui-même au vicomtat. Pour se ménager les faveurs de l'Empereur, il publie un poème épique, *Charlemagne* (1810), qu'il retouche à peine pour chanter la monarchie restaurée (*la Caroléide*, 1818). Cette même monarchie qu'il allait stigmatiser dans ses romans historiques à clés (*les Rebelles sous Charles V*, 1832 ; *les Écorcheurs ou l'Usurpation et la Peste*, 1833 ; *le Brasseur roi*, 1834 ; *le Double Règne*, 1835) dès qu'elle devint bourgeoise, que « le sceptre ne [fut] plus qu'un hochet » et que « chacun [fut] en passe de devenir roi ». Attitude légitimiste dont le « vicomte » ne devait pas se départir, combattant jusqu'à la fin, en de violents pamphlets, cette souveraineté populaire qui « si elle n'est une sanglante vérité n'est qu'une mystification ridicule » (*Dieu le veut*, 1848).

Mais aucune de ces œuvres, pas même ses tragédies historiques (*le Siège de Paris*, 1827 ; *la Peste noire*, 1845), n'aurait sauvé de l'oubli le nom d'Arlincourt s'il n'y avait eu *le Solitaire*, l'un des grands succès romanesques du XIXe siècle naissant (1821) : douze rééditions la première année, des traductions dans une dizaine de langues (les railleurs prétendaient toutefois qu'il n'existait pas de version en… bon français), plus de quatorze adaptations à la scène, une demi-douzaine de transpositions lyriques. *Le Solitaire* devint aussi support commercial pour les marchands de papiers peints, qui éditèrent du « bleu Élodie » (nom de l'héroïne) ou du « brun Solitaire » !

L'œuvre n'était pourtant pas sans défauts : le style, d'abord, péchait par la syntaxe lourde et maniérée (Arlincourt ne reçut-il pas le surnom d'« Inversif Vicomte » ?), les tournures surannées (« le printemps, de son souffle créateur, avait rendu tout son éclat à la nature ») et les interventions permanentes du narrateur ; la psychologie, ensuite, fondée sur des oppositions massives (« Du côté d'Ecbert est [*sic*] le nombre et la vaillance ; mais en tête du pont est l'audace et la mort »), figeait les personnages dans des stéréotypes, qu'accusaient encore les désignations périphrastiques des personnages (ainsi l'héroïne est-elle plus souvent appelée « la vierge d'Underlach », « la fille de Saint-Maur », « la nièce d'Herstall » ou, tout simplement, « l'orpheline », qu'Élodie) ; la graphie, enfin, volontiers archaïsante, achevait d'enraciner l'ouvrage dans un passé de folklore bien au goût du jour. Car *le Solitaire* arrivait à son heure : Arlincourt proposait en effet un récit composite où se retrouvaient – de façon caricaturale bien souvent – les principales veines du romanesque d'alors, une trame historique (depuis 1817, les traductions de Walter Scott se multipliaient) mêlée aux flots du roman noir (dont la vogue venait d'être relancée par les adaptations des *gothic novels* d'Ann Radcliffe, Mathurin ou M. G. Lewis). Succès de circonstance ou de mode, donc, si l'on admet que la recette d'Arlincourt échoua aux tentatives ultérieures (*le Renégat*, 1822 ; *Ipsiboé*, 1823 ; *l'Étrangère*, 1825). Et plus encore si l'on retient le jugement de la *Revue des romans* (1831) pour laquelle *le Solitaire* « est aujourd'hui presque impossible à lire sans s'endormir, ou tout au moins sans bâiller à se rompre la mâchoire ».

D. Couty

ARNOUL GRÉBAN

(entre 1420 et 1425 [?]-v. 1495)

Théologien, pédagogue, chanteur et compositeur, Arnoul Gréban gagna d'abord sa vie comme maître des enfants de chœur et organiste à Notre-Dame de Paris, puis il enseigna la théologie à l'université de Paris ; il devint un familier de Charles d'Anjou, et sans doute vécut-il longtemps à Florence avant de revenir probablement finir ses jours en Flandre. Sa *Passion* fut écrite à la demande des échevins d'Abbeville et jouée, en cette ville, derrière l'église Saint-Gilles, le 23 mai 1455 et les jours suivants.

Le Mystère de la Passion

SYNOPSIS

PROLOGUE (v. 1-1510). Après la présentation du mystère, nous assistons successivement à la révolte de Lucifer, à la Création du monde et de l'homme, à la faute originelle, au crime de Caïn, à la mort d'Adam et Ève.

PREMIÈRE JOURNÉE (v. 1511-9943). « La Nativité et l'Enfance du Christ ». Après les plaintes des anciens dans les Limbes et un « procès » au Paradis, autour de Dieu, entre Miséricorde, Justice, Vérité, Paix et Sapience, on retrouve, selon l'ordre des Évangiles, avec des intermèdes infernaux, l'Annonciation, la Visitation, la naissance du Christ à Bethléem, l'adoration des bergers et des Mages, les inquiétudes d'Hérode, la purification au Temple, la fuite en Égypte, le massacre des Innocents, la mort du fils d'Hérode et d'Hérode lui-même qui est damné, le retour d'Égypte de la Sainte Famille qui se rend à Jérusalem où Jésus intervient dans les débats des docteurs de la loi jusqu'à ce que ses parents le retrouvent.

DEUXIÈME JOURNÉE (v. 9944-19907). « La vie publique du Christ ». Après un Prologue, et en alternance, au début, avec la prédication, l'arrestation et la décollation de Jean Baptiste, puis tout au long, avec des scènes infernales, Gréban reprend la plupart des épisodes évangéliques : baptême de Jésus ; tentations au désert ; appel des apôtres ; noces de Cana ; marchands chassés du Temple par Jésus, qui s'entretient avec Nicodème, puis avec la Samaritaine ; résurrection de la fille de Jaïre et du fils de la veuve de Naïm ; guérison de la fille de la Cananéenne et d'un paralytique ; parabole du semeur ; multiplication des pains ; transfiguration ; discussions des scribes et des pharisiens ; la femme adultère ; repas chez Simon et venue de Madeleine la pécheresse ; guérison de l'aveugle-né ; Jésus fils de Dieu ; maladie, mort et résurrection de Lazare ; Jésus à Béthanie chez Simon ; entrée à Jérusalem ; le figuier stérile ; préparation par les Juifs et Judas de la mort de Jésus ; préparatifs de la Pâque et Cène ; Jésus au jardin des Oliviers ; reprise du procès au Paradis ; arrestation du Christ qui est conduit devant Anne, moqué par les serviteurs et renié par Pierre. Conclusion de l'« acteur ».

TROISIÈME JOURNÉE (v. 19908-27299). « La Passion du Christ ». Après un Prologue et un résumé de la deuxième journée, Jésus comparaît devant Caïphe, puis devant Pilate, tandis que Judas, désespéré, se pend et est précipité en Enfer. Hérode renvoie Jésus à Pilate qui libère Barabbas et condamne le Christ. Scène infernale : Satan est envoyé auprès de la femme de Pilate. Commande des croix et des clous. Montée au Calvaire : Jésus rencontre Véronique ; la Vierge s'évanouit ; Dieu envoie saint Michel auprès de son fils. Mise en croix de Jésus et des deux larrons. Partage des vêtements. Satan enseigne le jeu de dés à Griffon qui gagne la tunique du Christ. Agonie et mort de Jésus. Denis d'Athènes et Empédocle dissertent sur l'éclipse qui vient de se produire. Pilate ordonne de donner le coup de grâce aux crucifiés. Guérison de Longin, le centurion aveugle. Joseph d'Arimathie, après avoir obtenu de Pilate l'autorisation d'ensevelir Jésus, achète un linceul et Nicodème se procure des onguents. Descente de croix, douleur de Marie, mise au tombeau. Pilate autorise la garde du tombeau, à la demande de Caïphe.

QUATRIÈME JOURNÉE (v. 27300-34429). « La Résurrection du Christ ». Après le Prologue, procès et emprisonnement de Joseph d'Arimathie, tandis que les saintes femmes, après avoir acheté des aromates, se rendent au tombeau. Jésus ressuscité apparaît à la Vierge, à Marie-Madeleine et aux saintes femmes, aux apôtres, enfin à Joseph d'Arimathie qui est délivré de sa prison. Jésus rencontre les pèlerins d'Emmaüs, apparaît aux apôtres, puis à Thomas. Pêche miraculeuse. Apparition au mont Thabor. Les saintes femmes vont retrouver les apôtres : Jésus leur apparaît. Annonce de l'Ascension et de la Pentecôte. Ascension. Le Fils retrouve le Père. Élection de Mathias par les apôtres en remplacement de Judas. Pentecôte. Fin du procès au Paradis. Épilogue.

Comme dans les autres *Passions*, la structure par tableaux subsiste, les mystères demeurent prisonniers de leur matière, qui est historique, et de leur mode de représentation, littéral et objectif. Ils ont des scènes à faire, à montrer, dans une succession d'images qui se déroule devant les spectateurs, et où le geste prédomine. Le travail du fatiste n'est pas d'expliquer, ni d'interpréter, mais de donner à voir « la chose sensible ». De là l'importance de la mise en scène et des effets à grand spectacle ; de là l'actualisation et les anachronismes des scènes évangéliques : les impôts sont appelés dîmes, tailles et gabelles, Pilate est un prévôt ; dans nombre de discussions, par exemple quand Marie, par quatre fois, essaie de convaincre son fils de renoncer à son sacrifice, se glisse le juridisme de la mentalité médiévale. Selon Henri Rey-Flaud, le mystère est un spectacle fermé où la société vient se fortifier dans la contemplation de l'Histoire éternelle et immuable. Le dialogue tend à représenter et à expliquer les tableaux offerts aux spectateurs. Mais Arnoul Gréban et, après lui, Jean Michel convertissent en une œuvre cohérente un récit aux multiples péripéties, et ils refusent à l'action la primauté absolue qu'on remarque dans les premiers mystères. La parole ne soutient plus seulement l'action des acteurs : indépendante du geste, qui garde tout son poids, elle exprime maintenant la profondeur individuelle du personnage, l'analyse intérieurement, comme lorsque Judas manifeste ses remords. Aussi le drame sacré, qui reste profondément religieux, est-il didactique et souvent lyrique, surtout dans les nombreux monologues où Notre-Dame, saint Pierre, les apôtres et même Judas expriment leur douleur et leur désespoir.

Par le style comme par le contenu, Gréban a tendu à faire de sa *Passion* une œuvre totale, la plus ample possible, une sorte de somme, ce qui explique sa longueur. Il ne s'agit plus d'une simple Passion : le drame s'élargit à la vie entière du Christ, voire à des scènes empruntées à la Genèse. Bien plus, la pièce se déplace au Paradis où Dieu délibère avec Miséricorde, Justice, Vérité, Paix et Sapience, et où se décide l'Incarnation du Fils pour le salut du genre humain ; nous retrouvons le ciel à la fin du mystère. Par ailleurs, des scènes infernales doublent constamment les scènes humaines pour montrer l'antagonisme constant entre Dieu et le démon qui ne cesse de penser à perdre les hommes, tout comme le monde féminin double le monde masculin. Si Gréban a une vénération toute spéciale pour la Vierge dont la présence prend une importance particulière tout au long de la *Passion*, il a étoffé tous les rôles féminins qu'il avait trouvés dans ses sources, non seulement Ève, Véronique, Madeleine, les saintes femmes et la Samaritaine, mais encore la femme de Pilate et les simples utilités, les voisines de Marie, les mères des Innocents, la nourrice du fils d'Hérode, etc. Gréban ne renonce pas aux emplois subalternes de messagers, de merciers, d'apothicaires, imposés par le sujet et acceptés d'autant plus facilement que le public souhaite retrouver le spectacle et les types de la rue, clientes qui marchandent, petit peuple qui récrimine contre la police, comme il aime, autour de la crèche, les scènes de bergers. Aussi Gréban a-t-il repris les composantes de cette bergerie qui s'ouvre par un éloge : « Fi de richesse et de soucy !/Il n'est vie si bien nourrie/qui vaille estat de pastourie. » Il énumère les occupations, les plaisirs et les menus objets qui font le bonheur de ses quatre bergers. Cette bucolique est développée parce que l'auteur s'applique à introduire ses personnages secondaires bien avant l'action et à les reconduire à leur « mansion » après qu'ils ont participé au drame. De surcroît, l'intrigue décrit une vie aux valeurs inversées et, par la négation des fausses valeurs, entraîne l'imagination vers la représentation d'une existence indifférente aux changements économiques et sociaux, et surtout indifférente au temps lui-même. S'opposent et se superposent les instants homogènes de la pastorale et le flux temporel des événements dramatiques, de larges coupes synchroniques et une perspective diachronique. Les bergers qui découvrent le sens plénier du mystère sont les premiers agents de la réflexion sur les faits sacrés.

Gréban a donné une telle ampleur à son mystère parce qu'il a voulu en faire un grave et poignant message d'espérance grâce à la Rédemption, au sacrifice du Fils : tout le monde peut être sauvé par l'humilité, la foi, le repentir et les larmes, comme le fut Pierre malgré son reniement, tandis que Judas, accablé par une lourde hérédité qui fera de lui un double d'Œdipe, a été damné pour avoir rendu hommage à Satan et cédé à Désespérance.

C'est sans doute à la *Passion* de Gréban que pensait l'auteur de *l'Instructif de la Seconde Rhétorique*, un art poétique de 1472, quand, en quatorze huitains octosyllabiques, il définissait le mystère, mis sur le même plan que l'histoire et la chronique, et ainsi dégageait les traits distinctifs, à ses yeux, de cette Passion. Le mystère « doit par ornées manières/traicter une grant chose », un sujet grave et important, fondé sur des faits connus par des sources authentiques. Les personnages d'un rang social élevé apparaîtront au milieu d'une escorte de serviteurs, de gardes, de soldats. Pour les passages chargés d'émotion, pour les regrets, les plaintes et les louanges, l'auteur recourra à des formes poétiques plus complexes telles que le lai et le virelai. Il utilisera aussi, pour chaque acteur du drame, le registre linguistique approprié à sa condition : « Se c'est de clergie persońnaige,/parler de clergé on lui donne » comme c'est le cas pour Jésus au milieu des docteurs de la Loi. Il faut introduire dans les pièces des personnages appartenant à toutes les classes de la société, même les plus basses, et des scènes réalistes où l'auditoire pourra reconnaître la vie quotidienne de tous les milieux. Si *l'Instructif* ne dit nulle part que les mystères sont des pièces religieuses, c'est que, pour lui, l'essentiel est de se fonder sur l'Histoire et qu'il existe des mystères profanes. D'autre part, le mot de comique n'apparaît pas, parce qu'il est implicite dans la recommandation de donner un langage adéquat aux personnages des classes inférieures.

La *Passion* de Gréban, qui est la somme de toutes les recherches des fatistes, a eu un succès considérable : il en reste dix manuscrits, et son texte a été remanié, plus profondément qu'on ne l'a dit, pour des représentations ultérieures, à Angers par Jean Michel (1486) qui en fait une méditation et une imitation de la vie du Christ tout en privilégiant l'aventure humaine, à Troyes (1482-1490), à Paris en 1490 et 1507, à Mons (1501).

J. Dufournet

ARRABAL Fernando

(né en 1932)

Écrivain d'origine espagnole, né à Melilla, installé à Paris depuis 1955, où il se partage entre trois passions : l'écriture, la peinture et les échecs (*Échecs et mythe*, 1984).

« Le théâtre, dit-il, est surtout une cérémonie, une fête, qui tient du sacrilège et du sacré, de l'érotisme et du mysticisme, de la mise à mort et de l'exaltation de la vie. » Tout le théâtre d'Arrabal est dans cette formule. Un théâtre fou, brutal, clinquant, joyeusement provocateur, qui a trouvé des metteurs en scène à sa démesure : Lavelli, Serreau… Un *potlatch* dramaturgique où la carcasse de nos sociétés « avancées » se trouve carbonisée sur la rampe festive d'une révolution permanente. Car, s'il écrit en français, Arrabal a passé son enfance en Espagne, et il a grandi en même temps que la dictature militaire : il a été témoin de la destruction des libertés, de la répression policière, de la corruption des armées et de l'Église, de la misère du peuple. Sans avoir cela à l'esprit on ne pourrait comprendre son œuvre. Pour Arrabal, l'Occident est en déclin, et il s'agit d'en précipiter la décomposition en accélérant celle-ci sur la scène, d'en souligner les contradictions dans un immense éclat de rire. Bien sûr, il n'est pas le premier à faire un tel diagnostic : il hérite de la lucidité d'un Kafka et de l'humour d'un Jarry ; il s'apparente, dans sa violence, à Sade ou à Artaud. Mais il est sans doute le seul à avoir poussé la dérision aussi loin. Sous la chaux vive de son cynisme guignolesque, le monde familier s'effrite comme un décor de carton-pâte. Le rire devient alors un rituel d'évasion, une catharsis capable de déjouer la peur qui hanta l'enfance du dramaturge : son père, arrêté en 1936, n'a plus jamais donné signe de vie (*Porté disparu*, 2000). Il y a là une énergie cannibale, un hédonisme de la confusion qu'Arrabal appelle volontiers le « panique » : tout à la fois un *happening* et un *opera mundi*, une tragédie et une farce, un mélange de répugnant et de sublime, de mauvais goût et de raffinement, de vulgarité et de poésie… C'est ce sens du paradoxe qui fait l'originalité d'Arrabal : le réel ici est toujours magique, et le rêve s'escamote sans cesse dans le sordide.

On pourrait donc, après Artaud, parler d'un théâtre – et d'un roman – de la cruauté, parce que tout y bascule en son contraire. L'amour, par exemple, de *Fando et Lis* (1955) à *Bestialité érotique* (1968), est ici toujours lié à la mort, à l'infirmité, à la violence sado-masochiste, à la destruction de l'autre. Ainsi, dans une pièce comme *le Grand Cérémonial* (1963), on assiste aux manies expiatoires d'un Casanova hideux qui sacrifie des proies sans défense : chez Arrabal, la femme est souvent à la fois une victime innocente et une putain, telle Mita dans *le Tricycle* (1953), sinon une meurtrière, telles plus tard les héroïnes des romans *la Reverdie* (1985) et *la Vierge rouge* (1986). Dans *le Jardin des délices* (1967), l'amour de l'homme et de l'animal (un gorille monstrueux) s'orchestre selon les pulsions d'un érotisme bestial qui semble sortir de l'enfer de Jérôme Bosch… L'imagination d'Arrabal suscite alors des délires baroques et surréalistes qui sentent parfois la surcharge, même s'ils sont traversés de splendides bouffées lyriques.

Quant aux personnages de ce théâtre, ils sont constamment déracinés, étrangers, décalés de leur propre destin : les deux petits vieux de *Guernica* (1959), par exemple, passent à côté du massacre comme si cela ne les concernait pas… Sans âge, sans identité véritable, souvent sans passé ni avenir, les héros d'Arrabal sont pris dans la mécanique d'une fiction qu'ils ne peuvent maîtriser. En eux, on retrouve parfois don Quichotte, mais un don Quichotte noir, bourré de culpabilité, un pantin victime de la Loi, du Père, du Sur-moi, de l'Ordre. Ce thème apparaît dans *la Bicyclette du condamné* (1959) et dans *le Labyrinthe* (1967), ou encore dans *l'Architecte et l'Empereur d'Assyrie* (1966), une gesticulation inouïe où s'entre-déchirent deux êtres condamnés l'un à l'autre comme dans un scénario à la Beckett. Mais parfois la plume d'Arrabal quitte le terrain de l'absurde pour des formes d'intervention nettement plus « engagées », directement révolutionnaires : c'est le cas avec *l'Aurore rouge et noire* (1968), une pièce qui intègre quantité de moyens audiovisuels, ou avec *Baal Babylone* (1959), un roman obsessionnel où défile toute la cruauté de l'Espagne franquiste – Arrabal en a tiré un film : *Viva la muerte* (1971) –, ou encore *la Tour de Babel* (1979), créée par la Comédie-Française.

Réalisme glacial ou onirisme débordant, on ne sait jamais, avec Arrabal, si l'œuvre appartient au fantasme, au ricanement ou au témoignage. Et c'est justement ce qui fait son attrait : elle désoriente, elle provoque. Profondément politique et joyeusement ludique, révoltée et bohème, syndrome d'un siècle de barbelés et de goulags auxquels désormais le sida a ajouté l'irrémédiable (*la Fille de King-Kong*, roman, 1988 ; *Comme un lys entre les épines*, 1996), elle est aussi une façon de se maintenir en sursis.

A. Clavel

Art pour l'art (l')

C'est dans la veine épurée du romantisme, celle qui se fait jour dans les *Odes et Ballades* (1826), puis dans *les Orientales* (1829), que se situe la tendance (car il ne s'agit pas d'une école) de l'art pour l'art, et l'admiration de Gautier pour Hugo en témoigne. La préface de *Mademoiselle de Maupin* (1834), qui fait figure de manifeste, reprend la préface d'*Albertus* (1832), le deuxième recueil de poèmes de Gautier ; manifeste qui n'en est pas tout à fait un, d'ailleurs : l'auteur, comme dans le roman, s'y amuse (parfois sérieusement), et le même élan, la même « impertinence » (Serge Fauchereau) s'y trouvent, la même fougue aussi. Mais il s'agit ici, comme dans un roman de cape et d'épée, de pourfendre l'adversaire : le bourgeois, qui, décidément, après les événements sanglants de 1830, tient le pouvoir et voudrait bien bâillonner les jeunes insolents, ceux qui forment le Petit Cénacle [voir **Romantisme**], tels Gautier, Nerval ou Petrus Borel. La préface raille les critiques de tout poil, et en particulier les critiques moraux, ces « Tartufes » qui flairent partout l'indécence, ces « eunuques » envieux qui louchent vers les muses-« odalisques » caressant leur « sultan »-poète ; elle pastiche tous les styles des criticaillons, mais surtout elle dénonce le moralisme bien-pensant qui entend subordonner l'art à ses propres visées. C'est au nom de ce même principe d'insubordination (déjà affirmé dans la préface des *Orientales*) que la morale socialisante, celle des « critiques utilitaires », est rejetée.

Œuvre de polémique avant tout, la préface de *Mademoiselle de Maupin* ne nous livre pas vraiment une position théorique ; tout au plus émet-elle un dogme, déjà énoncé dans la préface d'*Albertus*, celui de l'opposition entre le beau et l'utile : « Rien de ce qui est beau n'est indispensable à la vie », ou encore : « Il n'y a de vraiment beau que ce qui ne peut servir à rien. » C'est donc dans l'œuvre même, et en particulier dans le poème « l'Art » (1857, repris dans l'édition de 1858 d'*Émaux et Camées*), que l'on trouvera les bases d'une nouvelle poétique :

Oui, l'œuvre sort plus belle
D'une forme au travail
Rebelle,
Vers, marbre, onyx, émail.

La réhabilitation du travail poétique va à l'encontre de la théorie du poète inspiré, mage ou prophète, et Gautier renoue avec les grands versificateurs du Moyen Âge ; ne se dit-il pas l'émule d'un Villon ou d'un Gace Brulé ? Ce travail sur les mots devient aussi travail d'un peintre (que Gautier a songé à être) ou d'un sculpteur. On voit bien du marbre dans les poésies de Gautier, et bien de la blancheur glacée ; de là à écrire qu'il ne s'agit que d'« une poésie habile et assez insignifiante », une « bijouterie stérile », comme le fait Gaétan Picon, il n'y a qu'un pas, vite franchi. Certes, on peut distinguer, même si l'on est, comme Barbey d'Aurevilly, un adversaire farouche de l'art pour l'art, le feu ou le sang sous la glace : « Ses *Émaux et Camées,* tous ces bijoux qui devaient défier dans leur tranquillité sévère l'imagination microscopique qui les admire, ont parfois la vibration fougueuse de disques lancés, et sont teints de sang comme des flèches ».

Mais plutôt que de voir dans l'impassibilité le signe d'une haute pudeur, peut-être faut-il déceler dans cette glaciation du poème – et c'est en cela que résiderait l'originalité de l'art pour l'art – un principe, celui de l'impersonnalité. Peut-être qu'avant Flaubert Gautier a rêvé d'« un livre qui se tiendrait lui-même par la force interne de son style » ; et c'est pourquoi cette esthétique d'un seul homme, esthétique de l'art pur, de la plastique, de la perfection formelle, si imparfaitement mise en œuvre dans *Émaux et Camées,* où l'on trouve trop de sphinx, trop d'« implacable blancheur » et trop de pittoresque, ouvre bien des voies. Non seulement aux parnassiens, qui, vingt ans plus tard, reconnaîtront Gautier comme leur maître, mais encore à Baudelaire qui dédie au poète « impeccable » *les Fleurs du mal,* à Mallarmé, lui aussi hanté par le givre, et peut-être à Verlaine, qu'aurait séduit – qui sait ? – cet air du carnaval de Venise :

Le son en est si faux, si tendre,
Si moqueur, si doux, si cruel,
Si froid, si brûlant, qu'à l'entendre
On ressent un plaisir mortel.

F. Court-Perez

ARTAUD Antonin

*Pseudonyme d'**Antoine Marie-Joseph ARTAUD** (1896-1948)*

Indissociables, l'œuvre et la vie d'Antonin Artaud se situent à la fin d'un romantisme exacerbé, où la folie côtoie le génie, à moins qu'elle n'en passe pour synonyme. Rattacher le nom d'Artaud à ceux de Nerval ou de Poe, inscrire son histoire singulière dans une anthologie du délire métaphysique ne diminue en rien les souffrances qu'il a endurées ni l'authenticité d'un langage qu'il a voulu maîtriser dans la mesure même où il lui échappait : « Je souffre d'une effroyable maladie de l'esprit. Ma pensée m'abandonne à tous les degrés.

Depuis le fait simple de la pensée jusqu'au fait extérieur de sa matérialisation dans les mots. Mots, formes de phrase, directions intérieures de la pensée, réactions simples de l'esprit, je suis à la poursuite constante de mon être intellectuel. Lors donc que je peux saisir une forme, si imparfaite soit-elle, je la fixe dans la crainte de perdre toute la pensée. Je suis audessous de moi-même, je le sais, j'en souffre, mais j'y consens dans l'espoir de ne pas mourir tout à fait. »

Le théâtre comme thérapeutique

C'est avec cette lettre à Jacques Rivière, alors directeur de *la Nouvelle Revue française,* qu'en 1923 commence, paradoxalement, l'œuvre d'Artaud. Cette correspondance s'était engagée après que Jacques Rivière eut refusé des poèmes qu'Artaud lui avait adressés. Poèmes bien moins révélateurs, effectivement, que ces violents aveux qui, tout au long d'une vie tragique, vont constituer, grâce à une abondante correspondance, la trame visible d'une œuvre par ailleurs fragmentaire et déchirée. Sur la fin de sa vie, appelé à préfacer ses *Œuvres complètes,* Artaud écrivait :

Moi, poète, j'entends des voix qui ne sont plus du
[monde des idées
Car là où je suis, il n'y a plus à penser.

Ces rivages extrêmes, dilués dans la *noche oscura* d'une métaphysique où la subjectivité le dispute au prophétisme millénariste, Artaud y a été conduit inexorablement dès sa jeunesse. Ce fils d'un capitaine au long cours marseillais, tôt révolté contre son père, est soigné dès l'adolescence pour « neurasthénie ». Envoyé dans divers établissements de cure, il en vient à vivre à Paris chez un psychiatre qui ne le détourne pas du seul exutoire qu'Artaud ait d'abord trouvé : le théâtre. Très beau, le visage passionné, il est d'abord engagé chez Lugné-Poe – le découvreur de Strindberg et de Jarry – puis participe aux premières recherches chez Dullin et à la création de l'Atelier (1922). Il y rencontre l'actrice Genica Athanasiou, le seul grand amour de sa vie. Comédien excessif, trouvant Dullin trop timide, il ne tardera pas à rompre avec lui pour fonder, avec Roger Vitrac et Robert Aron, le théâtre Alfred-Jarry, où il créera, notamment, et sans l'autorisation de l'auteur, un acte de *Partage de midi,* de Paul Claudel – « un infâme traître » –, et *le Songe,* de Strindberg, provoquant la colère des surréalistes, qui accusaient Artaud d'avoir fait appel à l'ambassade de Suède pour monter le spectacle.

Le théâtre comme totalité

C'est qu'entre-temps Antonin Artaud a publié textes et poèmes au sein du monde clos et explosif de l'avant-garde parisienne : *Tric-trac du ciel* (1922), *le Pèse-nerfs* et *l'Ombilic des limbes* (1925). Cette même année, un an après la publication du *Manifeste surréaliste,* André Breton lui confie la rédaction du troisième numéro de *la Révolution surréaliste,* où il rédige quatre textes dont les titres cernent curieusement l'univers dans lequel il va se débattre : « Lettre aux recteurs des universités européennes » (« Dans la citerne étroite que vous appelez "Pensée" les rayons spirituels pourrissent comme de la paille ») ; « Adresse au pape » (« Pape confiné dans le monde, ni la terre ni Dieu ne parlent de toi ») ; « Adresse au dalaï-lama ; lettre aux Écoles du Bouddha » ; « Lettre aux médecins-chefs des asiles de fous » (« Nous n'admettons pas qu'on entrave le libre développement d'un délire, aussi légitime, aussi logique que toute autre succession d'idées ou d'actes humains »).

Exclu du groupe surréaliste au moment où Breton et ses amis s'orientent vers la politique, Artaud, que tout rejette vers la solitude, n'en poursuivra pas moins une œuvre littéraire : *l'Art et la Mort* (1929) ; un roman pseudo-historique : *Héliogabale ou l'Anarchiste couronné* (1934) ; *les Nouvelles Révélations de l'être* (1937). L'année suivante paraîtront divers textes et conférences réunis sous le titre *le Théâtre et son double*, son œuvre la plus connue.

Le Théâtre et son double

Publié en février 1938, *le Théâtre et son double* réunit des textes écrits par Artaud depuis 1932. Après une préface où il s'en prend à l'idée de culture, Artaud compare le théâtre à la peste, qui, comme ce fléau, « dénonce des conflits, dégage des forces, déclenche des possibilités ». Prenant ensuite exemple du tableau de Lucas de Leyde, *Loth et ses filles,* il réclame un théâtre qui ne serait plus seulement parole, mais « langage physique, matériel et solide ». La mise en scène, devenue métaphysique, devrait être capable d'organiser tout un monde souterrain d'analogies qui passeraient par les intonations, le geste et tout élément susceptible d'engendrer la notion de danger de rupture, fût-ce par le rire. Après la métaphysique, l'alchimie – tout comme le théâtre, art virtuel – nous conduisant à un « théâtre primitif » qu'illustre parfaitement le théâtre balinais qui « remet le théâtre à son plan de création autonome et pure, sous l'angle de l'hallucination et de la peur ». Les exemples dont se sert Artaud visent, en fait, à détruire la psychologie, qui, selon lui, est le principal ressort du théâtre occidental. Aussi ne s'étonnera-t-on pas de lui voir intituler un des chapitres suivants : « En finir avec les chefs-d'œuvre », c'est-à-dire en finir avec le respect passéiste des œuvres littéraires pour aboutir à ce qu'il nomme « le théâtre de la cruauté », favorisant une « action immédiate et violente » où les spectateurs, entourant le spectacle, seraient directement concernés. Artaud précise les techniques – musique, lumière, costumes, etc. – que nécessiterait un tel théâtre, ainsi que les textes – n'appartenant pas forcément à la littérature dramatique (récits bibliques, contes du marquis de Sade, histoire de Barbe-Bleue, etc.) – à exploiter. Lettres et manifestes précisent, non sans répétition, les exigences de ce « double » secret qu'un nouveau théâtre, ayant force de vie et de mort, pourrait mettre au jour.

À ce programme idéal, auquel il faut ajouter l'exemple à suivre des Marx Brothers et, à titre d'illustration, le premier spectacle de Jean-Louis Barrault, *Autour d'une mère* (1935), nombre d'hommes de théâtre se référeront après la mort d'Artaud – de Peter Brook à Jerzy Grotowski, du Living Theater à Andreï Serban –, comme antidote au brechtisme des années 1950. De New York à la Pologne, *le Théâtre et son double* servira de bible à toute une génération qui n'avait pas connu Artaud.

Encore ces pseudo-disciples n'ont-ils pu s'inspirer d'Artaud que de loin. Du *Théâtre et son double* et, plus particulièrement, des chapitres consacrés au « Théâtre de la cruauté », ils auront retenu surtout que le texte n'est pas intangible, que les œuvres du passé ne peuvent être transmises qu'avec des moyens actuels et pour un public d'à présent. Tout juste Grotowski, bien polonais en cela, a-t-il voulu que l'acteur devienne un *saint,* là où Artaud parlait de cruauté envers soi-même comme envers le public. « Je propose donc un théâtre, écrivait-il, où des images physiques violentes broient et hypnotisent la sensibilité du spectateur pris dans le théâtre comme dans un tourbillon de forces supérieures. » Et plus loin : « On ne peut continuer à prostituer l'idée de théâtre, qui ne vaut que par une liaison magique, atroce, avec la réalité et avec le danger. » Exemples majeurs ? Un tableau de Lucas de Leyde, *Loth et ses filles,* les peintures de Grünewald ou de Bosch, certains drames élisabéthains où s'amoncellent les cadavres, des événements historiques sanglants (hormis la peste, la sauvage « conquête du Mexique », les tremblements de terre, etc.) et, dans la réalisation théâtrale même, les cérémonies balinaises, « ce théâtre de quintessence où les choses font d'étranges volte-face avant de rentrer dans l'abstraction ».

Vers d'autres enfers

Ces exigences vitales, élaborées au cours des années, trouveront donc forme de livre en 1938. Mais c'est déjà en 1937 que se produit la terrible rupture que laissait prévoir une existence douloureuse, marquée par les prémices d'une maladie mentale mal diagnostiquée (Artaud a longtemps été soigné pour une syphilis prétendument héréditaire), dont il calme les souffrances par l'abus de toutes sortes de drogues, parmi lesquelles l'opium et le laudanum, qu'il consomme à des doses de plus en plus massives.

Jusqu'à cette date, Antonin Artaud a mené une vie prodigieusement active pour un homme malade jusqu'aux tréfonds de son être. Nous l'avons vu écrivain, acteur de théâtre, directeur de troupe. Il écrit aussi des chroniques dans *la Nouvelle Revue française.* Grâce à un cousin « producteur », il sera également acteur de cinéma. Entre 1924 et 1935, la plupart du temps pour des raisons alimentaires, il a tourné dans près de vingt films, nous laissant les images du Moine de *la Passion de Jeanne d'Arc,* de Carl Dreyer, et du Marat du *Napoléon* d'Abel Gance. Lui-même, d'ailleurs, écrira un film, *la Coquille et le Clergyman,* réalisé par Germaine Dulac en 1928 – qu'Artaud et ses amis iront siffler quand il sera présenté… N'oublions pas non plus, en 1935, ces *Cenci,* inspirés de Shelley et de Stendhal, qui, dans des décors de Balthus et avec Artaud lui-même pour interprète, figurent parmi les événements parisiens de l'avant-guerre.

Ces activités, plus consenties que voulues, ne lui suffisent pas. En 1936, il s'évade. Il part pour le Mexique, où il pense trouver « liée au sol, perdue dans les coulées de lave volcanique, vibrante dans le sang indien, la réalité magique d'une culture dont il faudrait peu de chose, sans doute, pour rallumer les feux ». Fêté à Mexico, où il publie nombre d'articles, Artaud part dans la sierra Madre pour « étudier » la tribu des Tarahumaras, qui se livrent à certains rites et danses sous l'effet du *peyotl,* qui, dit-il, devrait lui permettre de « sortir d'un monde faux ».

C'est bien plus tard, entre 1945 et 1947, que paraîtront les principaux textes qui composeront, en 1955, le recueil intitulé *les Tarahumaras.* Mais la célébration du « rite sombre » de « la nuit qui marche sur la nuit » date de cette année 1936 où Artaud, perdu de dysenterie, voit chez ces Indiens le dépassement qu'il a cherché jusque-là. La découverte des drogues hallucinogènes est pour lui liée à une approche métaphysique enfin vécue. Écrits beaucoup plus tard, ces beaux textes ont moins valeur ethnographique que, pour employer un autre titre d'Artaud, de « nouvelles révélations de l'être ». Aussi verra-t-on entre le premier texte, écrit en 1936, « la Montagne des signes », et les derniers, de 1947, une constance d'inspiration qui prouve assez que la pensée « éclatée » d'Artaud veut s'en tenir à une seule vérité – l'autre versant serait constitué par *le Théâtre et son double,* qu'il préface à son retour du Mexique, écrivant : « Le plus urgent ne me paraît pas tant de défendre une culture dont l'existence n'a jamais sauvé un homme du souci de mieux vivre et d'avoir faim que d'extraire de ce qu'on appelle la culture des idées, dont la force vivante est identique à celle de la faim. »

De nouvelles terreurs

À peine est-il revenu de l'aventure mexicaine qu'une autre « faim », pseudo-chrétienne celle-là, le pousse vers l'Irlande pour y trouver l'histoire de « la canne de saint Patrick » qu'il croit posséder : « Je pars, écrit-il à une amie, mais si je reviens, dans trois mois, ce sera pour une terrible besogne, et il faudra choisir d'être avec moi ou contre moi. Car il n'y aura plus de milieu. »

D'Irlande, les lettres à ses amis – dont Paulhan et Breton – mêlent aux demandes d'argent des délires qui auraient bien plus inquiété s'ils étaient venus d'un autre que lui. Un mois après son arrivée, à la suite d'un épisode obscur – scandale à la porte d'un couvent ? –, il est arrêté par la police de Dublin. Réexpédié en France, il est remis à la police du Havre, où on lui passe la camisole de force. Sur ordre du préfet, il est interné à l'asile psychiatrique de Rouen, puis à Paris, à Sainte-Anne, enfin à Ville-Évrard, d'où il sortira en 1943 pour l'asile psychiatrique de Rodez.

Abandonné de tous, sinon de sa mère – qu'il refuse de reconnaître –, ne subissant aucun traitement médical digne de ce nom, il connaîtra pendant six ans l'abjection des asiles d'aliénés. Après la débâcle de 1940, la situation de ces établissements est encore plus lamentable. On ne nourrira même plus les malades. À Ville-Évrard, des dizaines d'entre eux mourront de faim… Il faudra qu'en 1943 l'amitié de quelques fidèles découvre enfin à Rodez, dans l'Aveyron, un médecin compréhensif, ami des surréalistes, Gaston Ferdière, pour prendre soin d'Artaud, à qui néanmoins des séries d'électrochocs apporteront terreurs et souffrances nouvelles.

De cette vie concentrationnaire Artaud a laissé témoignage, notamment dans les *Lettres de Rodez* (1943-1946), qui se situent, comme presque tous ses autres écrits, aux confins de l'ontologie et de la pathologie, mais d'une écriture toujours maîtrisée : les visions les plus délirantes s'inscrivent dans un discours logique qui tient à l'être même dont, a-t-il toujours dit, on a voulu le priver.

Le malheur d'être né

Libéré à la fin de 1946, célébré publiquement par ses amis – d'Adamov à Gide –, Artaud devait encore écrire plusieurs textes-poèmes directement reliés à ses premiers écrits et, en particulier, ce *Van Gogh ou le Suicidé de la société* (1947) où nous ne pouvons nous empêcher de lire en filigrane le récit de son propre destin, teinté d'humour noir : « On peut parler de la bonne santé mentale de Van Gogh qui, dans toute sa vie, ne s'est fait cuire qu'une main et n'a pas fait plus, pour le reste, que de se trancher une fois l'oreille gauche, dans un monde où on mange chaque jour du vagin cuit à la sauce verte ou du sexe de nouveau-né flagellé et mis en rage, tel que cueilli à sa sortie du sexe maternel. »

Car, pour Artaud, et depuis longtemps, c'est le corps, c'est la sexualité, c'est la matrice, c'est la vie même qui provoquent épouvante et malheur. Cette œuvre, dont on ne peut séparer la correspondance, que la maladie n'a vouée à nulle sécheresse, nous parle surtout du malheur d'être né. Rejetant le monde tel qu'il est, l'œuvre d'Artaud ne laisse pas intact celui qui l'approche. Lorsque, après 1943 et à la suite des électrochocs, précocement vieilli, édenté, maniaque, plus que jamais esclave de l'opium, il sort de la nuit où il a été plongé pendant six ans et qu'il se remet à écrire, on s'aperçoit que rien n'a pu interrompre une recherche obsessionnelle qui, à d'autres époques que la nôtre ou sous d'autres cieux, aurait passé pour mystique. Mais à travers l'usage des drogues et le « dérèglement » – raisonné ou non – « de tous les sens », à travers les diverses religions (y compris le christianisme, tour à tour exalté et, plus souvent, rejeté), à travers l'expression littéraire ou théâtrale, Artaud n'a pu rencontrer que lui-même. Et c'est sa solitude qui fait sa déchirante grandeur.

Il ne s'est pas suicidé comme Van Gogh. Pensionnaire, à partir de 1946, de l'hôpital d'Ivry, où il avait toute liberté de mouvement et de recevoir ses innombrables anciens et nouveaux amis, « Artaud le Mômo », comme il s'est nommé dans un de ses derniers textes-poèmes, est mort deux ans après, d'un cancer de l'anus, que les médecins ont tardivement diagnostiqué. C'est le corps, tant haï, qui s'est vengé de l'esprit tenace qui prophétisait, un an avant sa mort :

Le temps où l'homme était un arbre sans organes ni
[fonction, mais de volonté
et arbre de volonté qui marche,
reviendra.
Il a été et il reviendra.

G. Dumur

ARVERS Félix

(1808-1850)

Poète et dramaturge parisien, Félix Arvers, après de brillantes études que couronna le concours général, entreprit son droit et fut placé comme clerc à l'étude de maître Guyet-Desfontaines :

Je me croyais poète et me voici notaire.

Ainsi s'exprime l'enfant de « la Vie », l'ultime poème de *Mes heures perdues* qu'Arvers publia en 1833, abandonnant définitivement l'univers juridique pour se consacrer à la littérature. Outre le « Sonnet imité de l'italien » (« Mon âme a son secret, ma vie a son mystère »), le recueil se composait d'une préface de deux cents vers pompeusement dédiée « À mon livre » et de deux œuvres scéniques versifiées : un drame historique en trois actes (*la Mort de François Ier*) et une comédie-proverbe en sept scènes (*Plus de peur que de mal*). Si l'on excepte le sonnet qui fut tout de suite célèbre, c'est au théâtre qu'Arvers dut sa popularité : de 1835 à 1849, il donna en effet dix-sept pièces, certaines écrites en collaboration avec Scribe (*les Dames patronnesses*, 1837) ou Avrecourt (*les Parents de la fille*, 1838 ; *les Vieilles Amours*, 1841 ; *Lord Spleen*, 1849), toutes pièces légères tenant à la fois du vaudeville et du mélodrame. Miné par une affection de la moelle épinière, il mourut en 1850, après une vie de dandy célibataire à la Musset, qui lui valut un mordant quatrain de l'auteur des *Nuits* :

C'est moi qui suis l'étoffe,
Ô Philosophe !
Et ton Arvers
N'est que l'envers.

Et de fait, si l'on ne s'arrête pas à une attitude épicurienne de surface :

Vivre c'est être libre, c'est pouvoir à loisir
Abandonner son âme à l'attrait du plaisir

qui l'apparente à son modèle, l'œuvre d'Arvers n'évoque que de fort loin celle de « l'enfant du siècle ».

Théâtralement, il monte des mécanismes aux ficelles trop grosses ou s'ingénie à construire une pièce sur une pointe d'aiguille : dans les deux cas, il se révèle incapable d'animer une intrigue. Celle-ci s'embourbe dans les situations conventionnelles (*les Anglais en voyage*, 1844), celle-là ne fait que répéter les aventures des bourgeois moliéresques (*Plus de peur…*) auxquelles sont empruntés d'ailleurs les noms des personnages (Valère), les servantes rusées (Lisette), et surtout un langage qui n'est qu'une pâle imitation du classicisme triomphant :

Pour moi, l'un des plus grands malheurs de l'exis-
[tence,
Lisette, c'est de voir […]
Que toujours un Damis, un Éraste, un Clitandre
Embarque nos moitiés sur le fleuve du Tendre,
Nous vole le trésor que nous tenions caché,
Et se moque de nous par-dessus le marché.

Poétiquement, l'originalité fait tout autant défaut : quelques thèmes rabâchés (l'amour contrarié, l'espoir d'un bonheur futur) forment, avec des sujets à la mode (les scènes « exotiques » faisant appel au merveilleux ou à l'horreur), toute l'inspiration d'un romantisme dérisoire auquel l'expression manque cruellement. La pensée demeure en effet constamment engluée dans le concret : le regard, incapable de percer la surface, ne peut que rester prisonnier d'apparences qui figent êtres et choses dans des rôles immuables :

Qui peut empêcher [...]
L'amant d'aimer, la fleur d'éclore,
Et le poète de chanter ?

(« le Poète »)

De telles questions ne soulèvent évidemment pas de vertiges métaphysiques ; pas plus que les pièces lyriques n'épuisent l'espoir de poésie : les textes paraissent en effet bien prosaïques, applications scrupuleuses des règles élémentaires de la métrique à un contenu pensé en termes quotidiens ; ainsi, la Saint-Barthélemy, qui jadis inspira *les Tragiques*, est-elle l'occasion d'un suspens des plus médiocres :

On ne sait. Mais enfin, quelque chose d'étrange
Dans l'ombre de la nuit se prépare et s'arrange.

On comprend dès lors la sévérité de la critique, qui, à l'image de Sainte-Beuve, n'a retenu que le sonnet « tendre et chaste » sur lequel « un souffle de Pétrarque a passé ». Et comme il faut bien dire quelque chose, l'érudition s'est acharnée à répondre à la question finale du poème : « Quelle est donc cette femme ? » En vain, semble-t-il, et les noms avancés (l'épouse de Victor Hugo ; la fille de Charles Nodier, sur le carnet de laquelle furent tracés les vers) se dérobent à la contre-enquête. Ainsi le seul « secret » d'Arvers pourrait bien être le sonnet lui-même, étincelle au sein d'une production d'ensemble que n'allume aucune flamme.

D. Couty

ASSOUCY, sieur d'

***Charles* COYPEAU *ou* COUPEAU, *sieur d'*ASSOUCY,** *dit aussi* **DASSOUCY** *(1605-1677)*

Fils d'un avocat parisien lettré, il apprit la musique, fut un musicien en vogue à la Cour et voyagea beaucoup en France et en Italie, où il avait du succès dans les cours princières. Il était libertin, et cela lui valut des déboires : célèbre pour son amour de la bonne chère et des petits pages, il fut, bien qu'il ne se mêlât guère de philosophie, emprisonné à Rome (1667-1669) pour athéisme, par l'Inquisition : il eut également des démêlés avec la justice en France. Ami (avant une brouille féroce) de Cyrano et de Chapelle, il le fut aussi de Molière et de La Fontaine.

En musique, s'inspirant des Italiens, il se voulait novateur ; son œuvre poétique appartient au burlesque – *le Jugement de Pâris* (1648), *l'Ovide en belle humeur* (1650), *le Ravissement de Proserpine* (1653) –, qui, pour lui, loin d'être un genre mineur, doit rivaliser avec l'héroïque pour le rythme, la concision, les figures. Plus largement, il tenait que la poésie, domaine de l'imagination, se devait d'être hors du commun tant pour la thématique que pour les structures. Les adeptes de la régularité et du purisme malherbien le jugeaient, pour ses vues comme pour ses mœurs, extravagant. L'histoire littéraire l'a rangé parmi les marginaux. En fait, il se rattache à un courant assez profond et l'on peut, dans une certaine mesure, le qualifier de « baroque ». On ne lit plus ses poésies, mais on peut trouver plaisir à sa « comédie en musique » *les Amours d'Apollon et de Daphné* (1650) ainsi qu'à ses *Aventures* (1676-1677), qui retracent de façon pittoresque ses souvenirs et donnent des aperçus sur sa poétique. [Voir aussi **Baroque**.]

A. Viala

AUBIGNAC, abbé d'

***François* HÉDELIN, *abbé d'*AUBIGNAC** *(1604-1676)*

Connu surtout pour sa *Pratique du théâtre* et pour ses *Dissertations*, l'abbé d'Aubignac est un des premiers critiques classiques à fonder sa réflexion sur l'étude du théâtre de son temps et non exclusivement sur les Anciens. C'est en cela qu'il demeure une figure importante.

De la chaire au cénacle : l'ascension d'un critique

Rien, dans la formation ni dans les débuts de François Hédelin, ne le prédispose à devenir un théoricien de l'écriture dramatique. Ce fils d'un avocat parisien nommé lieutenant-général en 1610 parcourt les étapes banales d'une carrière de fils de bourgeois de l'époque. D'abord avocat comme son père, prêtre ensuite (le titre *Aubignac* correspond à un modeste bénéfice du diocèse de Bourges), il a plaidé un peu, s'est exercé au prêche et a, dit-on, réprimé son goût pour le beau sexe.

On peut penser que l'abbé, devenu le précepteur de Jean-Armand de Maillé-Brézé, neveu du cardinal de Richelieu, tourne résolument ses ambitions vers le théâtre, que le cardinal aime avec passion. Il a constitué, par l'intermédiaire de Chapelain et Boisrobert, une sorte de « ministère de la Culture ». Aussi, en 1639, l'abbé élabore-t-il le plan de la tragi-comédie de *Palène*, rédigée ensuite par Boisrobert. Puis, en 1641, il assiste à la lecture d'*Horace* chez Boisrobert. Richelieu lui confie la tâche de remanier le quatrième acte et le dénouement de la *Penthée* de Tristan et le convie à une répétition de *Mirame*. Dès cette époque, l'abbé d'Aubignac entend devenir le « législateur du théâtre ». Il entreprend une *Pratique du théâtre* alors que la querelle du *Cid* est encore toute récente et que les partisans des Unités sont à la recherche d'un discours sur la méthode dramatique qui donne une assise à leurs idées. La Mesnardière (dont le premier tome de la *Poétique* paraît en 1639) et l'abbé d'Aubignac sont les candidats retenus. Il semble ne faire aucun doute que l'abbé attendait de cet ouvrage succès et consécration : la charge de haut commis-

saire du théâtre et l'accès à l'Académie. Mais ses espoirs furent déçus. Il commit la faute d'éreinter la *Roxane* de Desmarets, protégé et collaborateur de Richelieu. Une fois pour toutes, les portes de l'Académie lui furent fermées. La *Pratique* ne paraîtra que vingt ans plus tard, en 1657. Fut-il découragé ?
Après la Fronde, l'influence de l'abbé d'Aubignac augmente. Retiré chez lui, il fonde un cercle qui rivalise avec la déjà vieille Académie et que Charles Sorel appelle ironiquement en 1659 « l'Académie allégorique ». Cette coterie puriste se distingue dans les années qui suivent par des prises de position contre plusieurs modes du temps. Anti-précieuse, anti-romanesque, anti-pédante, l'« Académie d'Aubignac » se manifeste en faveur de la science et du rationalisme. On constate son influence chez les proches de l'abbé, comme Gilles Boileau et Furetière, et dans tous les grands débats littéraires du temps.

L'importance de *la Pratique du théâtre*

La *Pratique* a connu un réel rayonnement ; bilan doctrinal des vingt-cinq dernières années qui viennent de s'écouler, elle confronte la production de son temps aux doctrines aristotéliciennes. Les références à Corneille sont nombreuses et témoignent d'une grande admiration pour le « Maistre de la scène ». Or, trois ans plus tard, en 1660, Corneille, par la publication de trois *Discours* placés en tête de chacun des trois volumes de son *Théâtre*, entreprend, non point de répondre à la *Pratique*, mais de se définir, lui, en tant que « dramaturge » face au « théoricien », d'apporter le point de vue du professionnel. Il entend surtout contester la notion de « vraisemblance », et c'est le début d'une relation très tendue entre les deux hommes, relation qui se dégrade peu à peu. Faut-il voir là un conflit de doctrines ou seulement un peu de jalousie de la part d'un critique aux ambitions déçues ?
Si d'Aubignac fonde l'« essence du poème dramatique » sur la « vraisemblance », Corneille, en revanche, considère qu'elle restreint la liberté du créateur et que les modifications apportées par le poète à l'histoire pour la rendre plus conforme aux « nécessités » de son art sont beaucoup plus importantes que celles qui ne sont inspirées que par le souci de la vraisemblance. La confrontation de *la Pratique du théâtre* avec les trois *Discours* et l'œuvre de Corneille semble révéler, plutôt que des conflits sur des points de doctrine, deux visions opposées du tragique. D'Aubignac, dans sa *Pratique*, loue la beauté des chefs-d'œuvre de Corneille, qui ne dépend pas des actions mais « de la manière d'exprimer les violentes passions qu'il y introduit ». Or, après sa brouille avec Corneille, il reproche à ce dernier de surcharger l'intrigue de ses pièces, d'entasser les événements. Il n'y a point là contradiction dès lors que « le peintre qui ne veut représenter qu'une action dans un tableau ne laisse pas d'y en mêler beaucoup d'autres qui en dépendent ou, pour mieux dire, qui toutes ensemble forment son accomplissement et sa totalité ». La comparaison du poème tragique avec le tableau atteste une conception très statique de la dynamique dramatique. Aussi conçoit-on bien que d'Aubignac veuille que le poème commence « le plus près possible de la catastrophe afin d'employer moins de temps au négoce de la scène et d'avoir plus de liberté d'étendre les passions et les autres discours qui peuvent plaire ».
Si le tragique cornélien est celui du dépassement – transformer l'homme et le monde afin de les réconcilier –, chez d'Aubignac l'essence du tragique consiste dans la peinture « des agitations et des grands revers de la fortune des princes ». C'est déjà le profil de la tragédie racinienne. On dit d'ailleurs que Racine faisait grand cas de la *Pratique*, dont il avait un exemplaire annoté.
L'immédiate postérité ne fait pas grand cas de la *Pratique*. Quand elle est réimprimée en 1715, le goût a changé. L'ouvrage paraît sévère, excessif, tatillon, aux auteurs qui sont à la recherche d'un théâtre plus libre et plus coloré. Depuis l'édition critique de P. Martino en 1927, notre époque a découvert un ouvrage précis et solidement composé qui éclaire la conception du théâtre au milieu du XVIIe siècle. Et l'engouement pour la théorie dramatique n'est pas étranger à l'importance que d'Aubignac a prise, depuis, dans le paysage théâtral du XVIIe siècle. [Voir aussi **Classicisme**.]

J.-P. Ryngaert

Aubigné

AUBIGNÉ Théodore-Agrippa d'

(1552-1630)

La place de d'Aubigné – l'une des toutes premières dans la littérature européenne de l'âge baroque – est aujourd'hui encore sujette à contestation. Ignoré par ses contemporains en tant que poète, connu d'eux seulement comme capitaine et comme historien, l'auteur des *Tragiques* est un peu responsable, par une constante conduite d'échec, de cette méconnaissance obstinément attachée à son œuvre. Celle-ci est parvenue en grande partie manuscrite jusqu'au crépuscule du XIXe siècle, et l'engouement romantique pour le sombre univers des *Tragiques*, traversé des feux et des lamentations d'une époque que les critiques d'alors avaient tendance à qualifier un peu vite de médiévale, n'allait pas sans quelque réticence quant au style ni quelque malentendu quant au propos. Certes, d'Aubigné rencontre à ce moment sa véritable postérité littéraire avec *les Châtiments* de Victor Hugo et *la Légende des siècles* qui lui doivent, en plus d'un ton et d'un climat, des images et des thèmes précis : le poème « la Conscience » rappelle ainsi de très près tel passage célèbre de « Vengeances ». Cette adhésion proclamée avec enthousiasme n'était pas sans contrepartie, et l'on reprochait toujours à d'Aubigné, par un préjugé classique tenace, ses obscurités prétendues et son emphase. Le tort de celui-ci aurait été de n'avoir su égaler, dans le registre épique, ni les hauteurs rayonnantes de Milton ni les profondeurs abyssales de Dante.

Maintenant que l'œuvre entier s'est peu à peu dégagé de l'ombre où l'avait d'abord laissé son auteur, avec son *Printemps* lyrique et turbulent, son tragique été et ses sereines méditations hivernales, nous sommes mieux à même de cerner une création entre toutes cohérente en dépit de la diversité des formes qu'elle a tour à tour empruntées, de l'épopée religieuse à l'adagio lyrique, de la satire la plus corrosive au recueillement d'une prose poétique sans précédent. De plus, si l'on réinscrit cet œuvre dans le concert littéraire du baroque international, il apparaît pleinement solidaire d'un imaginaire d'une violence et d'une fécondité que les lettres ne retrouveront que rarement par la suite. En un mot, compte tenu de cette symphonie d'images qui s'accorde à celle de notre temps, les écrits du vieil huguenot nous sont devenus de part en part lisibles.

Un calviniste fougueux

S'il faut l'en croire, d'Aubigné est redevable de son prénom (Agrippa = *aegre partus*) à une naissance difficile qui coûta la vie à sa mère. D'où, peut-être, l'obsession de la mère sanglante et déchirée qui hantera l'œuvre, sous les figures contradictoires – présentes l'une et l'autre dans *les Tragiques* – de la femme piétinée et déchirée et de la mère dévoreuse de ses propres enfants. Son père, Jean d'Aubigné, juge à Pons, en Saintonge, et bientôt engagé dans le combat protestant, lui fait donner dès son plus jeune âge une éducation d'humaniste : à six ans, Agrippa « lisoit aux quatre langues », français, latin, grec, hébreu ; à sept, il aurait traduit le *Criton* de Platon. Placé sous la férule de Mathieu Béroald, il est élevé dans les principes de la Réforme. Cependant les horreurs de la guerre vont traverser cette enfance studieuse. Dès 1560, Agrippa est voué par son père à la défense de la Cause devant le spectacle des décapités d'Amboise. Dans Orléans assiégée, où Jean d'Aubigné commande en second (1563), l'enfant dédaigne l'étude et se mêle aux soldats des tranchées. Lorsque, peu après, son père meurt des suites de ses blessures, le jeune Agrippa est chassé de la maison paternelle. Dès lors, il poursuit à Paris, à Genève et à Lyon des études chaotiques, interrompues par des fugues, la tentation du suicide et quelques rencontres douteuses. À seize ans, il prend les armes, se distingue sous les drapeaux du prince de Condé, avant de devenir le compagnon fidèle et incorruptible d'Henri de Navarre. Sa carrière au service du parti protestant semble désormais toute tracée. Toutefois, à partir de 1572 – année cruciale de la lutte –, s'ouvre une assez longue parenthèse dans ce destin que l'on voudrait exemplaire. C'est la période de sa vie qu'Aubigné évoquera par la suite comme « un printemps de péchés ». Fort épris de Diane Salviati, nièce de la Cassandre de Ronsard, et dédaigné par celle-ci, il se précipite pour mourir entre ses bras, lorsqu'il est grièvement blessé à l'automne de 1572 dans une embuscade. Remis de ses blessures, mais non de son chagrin, il rejoint Henri de Navarre, prisonnier de la Cour à Paris (1573), et, durant trois années, partage l'existence oisive et passablement débauchée des « Princes » qu'il évoquera plus tard dans *les Tragiques*. Sans doute il s'agit d'organiser l'évasion du futur Henri IV, opération qui ne réussira qu'en 1576, mais, en attendant, le huguenot est en fort bons termes avec Henri de Guise, ennemi juré des siens, et il participe de bon cœur aux bals, joutes, mascarades, qui égaient la fin tumultueuse des Valois. Cet accroc dans sa destinée n'est réparé qu'en 1577, à l'occasion d'une nouvelle blessure grave, reçue au combat de Casteljaloux. C'est alors que, retrouvant la mort en face de lui, il dicte les premières « clauses » des *Tragiques*. Dans l'œuvre, Casteljaloux se confond avec Talcy, et le choc de l'inspiration initiale est repoussé au moment de la première agonie. L'intervalle des cinq années d'errements s'est résorbé dans la continuité d'un destin réécrit, qu'aucun écart ne viendra plus troubler jusqu'au dernier jour. D'Aubigné ne déposera l'épée qu'au moment de l'abjuration de Henri IV, qu'il aura tenté jusqu'au bout d'empêcher. Retiré sur ses terres de Maillezais, il poursuit par l'écrit le combat en faveur de la Cause : c'est la publication, longtemps différée, des *Tragiques* (1616), de l'*Histoire universelle* (1618-1619), des *Aventures du baron de Faeneste* (1617-19). Compromis dans la conspiration contre Luynes (1620), il se réfugie à Genève, où il s'occupe des fortifications de la ville et se remarie. Avant de mourir, au terme d'un « hiver » malgré tout serein, il voit son fils Constant, le père de la future Mme de Maintenon, se révolter contre lui, et il assiste, avec le siège de La Rochelle (1627-28), à la défaite du parti qu'il avait servi par l'épée et par la plume.

Un *Printemps* de péchés

Émule de Ronsard, qu'il révère en dépit d'un engagement politique diamétralement opposé au sien, admirateur de Jodelle et presque seul thuriféraire de celui-ci au moment de sa disgrâce et de sa mort, Agrippa d'Aubigné entre dans la carrière poétique avec une génération de retard sur le groupe de la Pléiade, dont il se veut néanmoins l'humble héritier. Jusque dans la Préface tardivement composée des *Tragiques*, il proclame son indéfectible attachement aux principes que définissait un demi-siècle plus tôt la *Défense et Illustration de la langue française* et que réaffirmait dans *la Franciade* le « bonhomme Ronsard ». Contre les afféteries de l'italianisme, il défend le style simple et les vocables familiers et dialectaux « qui sentent le vieux, mais le libre françois ». Cela ne l'empêche pas de suivre à son tour la mode pétrarquiste, illustrée, il est vrai, par Du Bellay et Ronsard.

La fidélité proclamée envers les modèles de la génération précédente se retrouve dans le projet même du *Printemps*, qui, comme tant d'autres recueils avant lui, semble répéter, sur le thème éprouvé de l'aimée inaccessible et déifiée, le premier livre des *Amours*. Il y a sans doute plus qu'un hasard – une coïncidence où se lit après coup le signe du destin – dans le fait que l'élue du poète, Diane Salviati, était la propre nièce de la fameuse Cassandre chantée par Ronsard. L'issue malheureuse de cette liaison ne pouvait que confirmer le parallèle avec la destinée du Vendômois et donner matière par là même à un rêve d'identification avec l'illustre aîné.

Voulant honorer « sa » Diane, dont le prénom, par une providentielle rencontre, est celui de la divine chasseresse qu'avaient célébrée Jamyn, Jodelle et Desportes, Agrippa dépose à ses pieds une « Hécatombe » de cent sonnets qui valent comme autant de dépouilles sanglantes. Suivent, dans le recueil, des « Stances » et des « Odes », où le poète chante plus au long les peines et les fièvres – bien réelles – que lui cause l'impétuosité insatisfaite de son amour.

De l'adorateur à la déité, tout un monde d'objets symboliques est chargé de remplir la fonction de truchements : le miroir, le portrait, les arbres jumeaux plantés par le soupirant dans le parc de Talcy – ou même les grains de beauté disposés symétriquement sur leurs deux corps… De proche en proche – et c'est là que l'imagerie pétrarquiste tourne bientôt au délire –, la réalité environnante ressasse indéfiniment l'obsession de Diane. La nature solitaire et sauvage et son antithèse tumultueuse, le champ de bataille pavé de mourants, disent le désespoir, la douleur, l'agonie de l'amoureux déçu. De la sorte, la convention des figures fait place à l'expression hallucinée d'une souffrance réelle. Diane l'impassible arrache le cœur du jeune Agrippa, mais c'est au moyen de « tenailles flambantes ». Ce cœur martyrisé, ailleurs est battu par des marteaux de forge. Quant au corps désirant et perpétuellement insatisfait, il s'élargit aux dimensions d'un sol piétiné, d'un champ de bataille fumant du sang répandu par les combattants.

La brutalité du soudard qui subsiste au fond de l'apprenti pétrarquiste fait irruption dans la boutique d'orfèvre du sonnet italien pour glisser tel « désir endurci » parmi les rites de célébration de l'aimée. Le fougueux soldat de l'amour « vole à la brèche », « se jette à coup perdu dans la porte » de cette citadelle imprenable autrement que par l'assaut, ou bien rêve, redevenu pacifique, de labourer le « jardin fructueux » de sa belle. Ce réalisme charnel confine à l'extase la plus éthérée, quand d'Aubigné emprunte au vocabulaire de la mystique pour décrire le premier baiser accordé et qu'il se pâme,

Savourant le plus doux de la divinité.

Par cette sincérité baroque qui mêle aux fleurs de l'ancienne poésie des hardiesses inusitées de langue et d'images, *le Printemps* ne trouve d'équivalent à la Renaissance que dans les brûlants *Sonnets* de Louise Labé. Le mysticisme dévoyé, ici appelé à célébrer Diane, déesse païenne que le poète confond volontiers avec le Dieu courroucé et jaloux de la Bible, trouvera son expression accomplie – et plus conforme à l'orthodoxie calvinienne – dans l'épopée huguenote des *Tragiques*.

La poésie à feu et à sang

L'unité de l'œuvre de d'Aubigné est-elle bien à découvrir dans le dévouement constant à la cause protestante, comme on l'a souvent prétendu ? *Le Printemps* y échappe totalement, et les guerres civiles n'y servent que de toile de fond à l'épanchement des souffrances amoureuses. Dans les pamphlets de la vieillesse, *Sancy* ou *Faeneste*, le service du parti paraît fournir un prétexte à un déploiement de verve et de facéties burlesques étrangères parfois à l'esprit de la Réforme. Dès lors, il se révèle nécessaire de chercher du côté de l'imaginaire poétique la cohérence d'une œuvre entre toutes polymorphe. Les images obsessionnelles du *feu* purificateur et sacrificiel et du *sang* des corps dépecés sont communes à l'érotique de « l'Hécatombe à Diane » et au « style tragique élevé » des derniers chants de l'épopée, « Fers », « Vengeances » et « Jugement ». De l'imitation de Pétrarque à celle de l'Ancien Testament, il n'est, pour d'Aubigné, nulle solution de continuité, et les mêmes motifs, voire les mêmes vers, se transmettent d'une œuvre à l'autre. Ici et là, le corps hyperbolique et martyrisé devient le champ où se déroule un choc d'armées : terre labourée par les tourments de l'amour dans tel sonnet du *Printemps*, territoire déchiré par la guerre que se livrent les deux frères ennemis sur le sein de leur mère dans l'allégorie célèbre de la France, au début du tableau des « Misères ». L'holocauste qui consume « cent amoureux sonnets donnés pour mon martyre » avec le sang et l'âme du jeune soupirant devient celui, élargi à la dimension collective des massacres de 1572, des apôtres de la foi réformée. La morbide mise en pièces du cadavre de l'amoureux transi, dont les dents, la peau, le cœur vont servir respectivement de collier, de gants et de pelote à épingles à l'« impiteuse » Diane qui sommeillera, triomphante, dans un lit

Enflé de mes cheveux et bâti de mes os

annonce la vaste « maison d'os » décrite dans « la Chambre dorée » : le Palais de justice de Paris, où des juges cannibales et vampires boivent le sang humain dans les crânes des protestants suppliciés, est bâti d'ossements, cimenté de cendres mortuaires, blanchi avec la moelle des victimes ; les meubles y sont marquetés d'esquilles d'os, les matelas gonflés du duvet des orphelins, les parchemins des arrêts confectionnés avec la peau des veuves. Une foule d'anatomies torturées a donc remplacé, en une sorte d'hyperbole que l'histoire contemporaine venait de concrétiser, l'unique corps souffrant de l'élégie pétrarquiste.

Ailleurs, *le Printemps* fournit, en termes érotiques, mais que l'épopée sera à même de transposer dans le langage de la mystique chrétienne, la liesse et l'extase du sujet comblé – ici, par la maîtresse au moment des premières faveurs ; là, par la rédemption en Dieu à l'heure finale du Jugement. La même posture du corps bienheureux recroquevillé au giron de l'amante et qui voudrait y mourir (sonnet XIX de « l'Hécatombe ») se retrouve, sublimée et magnifiée, dans une promesse enfin tenue, aux derniers vers de l'œuvre prophétique :

Tout meurt, l'âme s'enfuit, et reprenant son lieu
Extatique, se pâme au giron de son Dieu.

Répétition générale, exécutée sur le mode mineur, de l'ample symphonie des *Tragiques, le Printemps* expose un inventaire d'images violentes ou funèbres, partiellement héritées du pétrarquisme et de la Pléiade, mais retrempées dans l'expérience personnelle des guerres civiles et d'une agonie réelle plusieurs fois éprouvée. À ce passage par la mort, et à cette traversée du miroir des apparences charnelles, l'univers métaphorique de d'Aubigné a gagné une intensité et une vérité qui éclatent dans les sombres accords des *Tragiques*. En outre, dans l'intervalle des deux œuvres, il s'est opéré à l'intérieur de l'imaginaire aubignien une manière de renversement dialectique. Le référent et son image s'intervertissent. La guerre civile, le champ de bataille qui « fume d'âmes en haut », le « soldat terrassé » se débattant contre la mort ne servaient à l'auteur du *Printemps* que de termes de comparaison relégués à l'arrière-plan pour décrire les abominables souffrances du cœur épris. De là la chute quelque peu précieuse et dérisoire de poèmes d'une force et d'une violence indiscutables, s'achevant, après le carnage et le stupre, sur des pointes galantes bien émoussées. Désormais, dans la métaphore associant la guerre à la passion de l'âme, la première devient le terrain réel où s'exerce la poésie, dont l'auteur « avorte les chants au milieu des armées ».

	VIE		ŒUVRE
1550	**2 juin** : Jean d'Aubigné épouse Catherine de l'Estang.		
1552	**8 févr.** : naissance de Théodore-Agrippa d'Aubigné près de Pons en Saintonge. Sa mère meurt en lui donnant le jour.		
		1559	Âgé de sept ans et demi, Agrippa aurait traduit le *Criton* de Platon.
1560	**Avr.** : à Amboise, sur le chemin de Paris, Jean d'Aubigné montre à son fils les têtes des protestants suppliciés après l'échec de la Conjuration, et lui fait prêter serment de « venger ces chefs pleins d'honneur ».		
1561	**22 août-18 oct.** : **colloque de Poissy réuni à l'instigation de Catherine de Médicis.**		
1562	**Avr.** : d'Aubigné en pension chez l'humaniste protestant Matthieu Béroald, père de l'écrivain Béroalde de Verville. Juin : Après le début des hostilités de la première guerre de religion, Béroald et ses élèves se réfugient à Orléans que tient pour les protestants le prince de Condé.		
1563	**Janv.** : **siège d'Orléans par les troupes royalistes.** **Mars** : Jean d'Aubigné, qui commandait la place en second, meurt des suites de ses blessures.		
1566	**Fin de l'année** : d'Aubigné s'évade de Genève où il suivait des études sous Théodore de Bèze au collège de la ville. À Lyon, il s'initie à la magie auprès d'un aventurier aux mœurs douteuses, Loys d'Arza.		
1568	**Sept.** : nouvelle fugue, cette fois de chez son « curateur », Aubin d'Abeville, à Archiac en Saintonge. Combat dans les troupes protestantes lors de la troisième guerre de religion.		
1569	**13 mars** : participe à la bataille de Jarnac, lourde défaite pour les protestants. **25 juin** : contribue au succès militaire de La Roche-Abeille.		
1570	**8 août** : **paix de Saint-Germain.** D'Aubigné s'installe sur la terre maternelle des Landes-Guinemer, non loin de Talcy en Beauce où demeure Diane Salviati, nièce de la Cassandre de Ronsard.		

Année	VIE	ŒUVRE
1571	Début de la passion pour Diane.	Compose les sonnets – « Hécatombe à Diane » – et les « Odes » du *Printemps,* qui demeurera inédit jusqu'en 1874.
1572	**18 août** : il assiste aux fêtes du mariage d'Henri de Navarre et de Marguerite de Valois. **21 août** : ayant blessé un sergent du guet, il doit quitter Paris et échappe de la sorte à la Saint-Barthélemy (23-24 août). **Nov. ou déc.** : grièvement blessé à la porte d'une hôtellerie en Beauce, il gagne Talcy pour y « mourir » entre les bras de Diane, qui le soigne.	**Nov. ou déc.** : la « vision » de Talcy, d'où seraient sortis *les Tragiques.* Compose dans les fièvres de la maladie la brûlante élégie « À Diane », non insérée dans *le Printemps.*
1573	**Juill.** : rupture avec Diane, qui va épouser le Sieur de Limeuil, et mourra en 1575. **19 août-12 sept.** : appelé à la cour pour servir d'écuyer à Henri de Navarre, il partage dès lors la vie mouvementée de ce prince.	D'Aubigné écrit les stances les plus désespérées du *Printemps.* Projet (perdu) du ballet de *Circé.*
1574	D'Aubigné combat dans les rangs des armées catholiques contre Montgomery.	Publie des *Vers funèbres sur la mort d'Estienne Jodelle Parisien, prince des poëtes tragiques.*
1576	**4 févr.** : d'Aubigné favorise l'évasion d'Henri de Navarre de la cour où il était pratiquement retenu prisonnier depuis la Saint-Barthélemy.	
1577	**Juin** : grièvement blessé au combat de Casteljaloux, d'Aubigné connaît sa seconde « agonie ». **Sept.** : **édit de Poitiers.** D'Aubigné rompt avec Henri de Navarre	Il dicte, « estant au lict de ses blesseures », les premières « clauses » des *Tragiques.*
1578	Retraite aux Landes-Guinemer.	Élaboration des *Tragiques.*
1583	**6 juin** : il épouse Suzanne de Lezay.	
1587	**20 oct.** : il prend part aux côtés d'Henri de Navarre à la bataille de Coutras.	
1588	**31 déc.** : il reçoit la capitulation de Maillezais en Vendée dont il devient gouverneur.	
1593	**Abjuration d'Henri IV à Saint-Denis.** Opposé à cette abjuration qu'il aura contrecarrée jusqu'au dernier moment, d'Aubigné se retire sur ses terres. Il sera désormais, à l'intérieur du parti protestant, le plus intransigeant des « Fermes » face aux tentatives de conciliation des « Prudents ».	
1595	**17 sept.** : mort de Suzanne de Lezay, qui laisse à d'Aubigné trois enfants, Louis, Marie et Constant, le père de Françoise d'Aubigné, la future Mme de Maintenon.	Il compose la pathétique *Méditation sur le Psaume 88.*
1597		Début de la rédaction de *la Confession catholique du Sieur de Sancy,* augmentée jusqu'en 1617.
1600	**4 mai** : conférence théologique de Fontainebleau, où Duplessis-Mornay est mis en mauvaise posture par le catholique Du Perron. **Fin mai** : une autre discussion aurait mis aux prises Du Perron et d'Aubigné à Paris.	D'Aubigné écrit la *Lettre à Madame sur la douceur des afflictions,* qui contient un fragment des *Tragiques.*
1601		Début de la rédaction de l'*Histoire universelle.*
1607	D'Aubigné fait échouer, par son intransigeance, une tentative de compromis entre les deux religions.	

	VIE	ŒUVRE
1611	À l'instigation de d'Aubigné, l'assemblée protestante de Saumur essaie en vain d'obtenir de la Régente de nouvelles places de sûreté.	*Le Caducée ou l'Ange de la paix,* pamphlet dirigé contre les « Prudents ».
1615	D'Aubigné est maréchal de camp dans l'armée de Condé soulevé contre Marie de Médicis.	
1616		Édition originale des *Tragiques,* « au Désert, par L.B.D.D. » (= Le Bouc Du Désert).
1617		Publication des deux premiers livres des *Aventures du baron de Faeneste.*
1618		Publication du premier tome de l'*Histoire universelle* (datée de 1616).
1619		Troisième livre des *Aventures du baron de Faeneste.* Second tome de l'*Histoire universelle.*
1620	**2 janv.** : arrêt du tribunal du Châtelet à Paris condamnant l'*Histoire universelle* à être brûlée. **Avr.** : d'Aubigné est entraîné par Rohan dans le soulèvement des Grands contre le duc de Luynes, le favori de Louis XIII. **7 août : débâcle des Ponts-de-Cé.** **1er sept.** : d'Aubigné, proscrit, est accueilli à Genève.	
1621	**Guerre de Louis XIII contre les protestants.** D'Aubigné, membre du conseil de guerre constitué à Genève, est chargé d'inspecter les fortifications de la ville.	D'Aubigné compose des écrits politiques, le *Traité sur les guerres civiles* et *Du debvoir mutuel des roys et des subjects,* ainsi que deux pamphlets contre Luynes.
1623	D'Aubigné se remarie avec Renée Burlamachi, veuve de César Balboni.	Année présumée de la seconde édition augmentée des *Tragiques.*
1626		Publication à Genève, sous la rubrique d'Amsterdam, de la seconde édition refondue de l'*Histoire universelle* en trois tomes.
1627		Rédaction d'une suite (inachevée) à l'*Histoire universelle* relatant les guerres de Louis XIII contre les protestants.
1630	**9 mai** : mort d'Agrippa d'Aubigné à Genève.	Publication à Genève des *Petites Œuvres meslées* qui comprennent notamment les poésies religieuses de *l'Hiver* et les *Méditations sur les Psaumes.* Publication du quatrième livre des *Aventures du baron de Faeneste,* qui fait scandale et entraîne l'arrestation de l'imprimeur.
1660		Première édition, à Cologne, de *la Confession catholique du Sieur de Sancy.*
1729		Première édition de *Sa vie à ses enfants.*
1855		Huitième édition du *Faeneste,* par Prosper Mérimée.
1857		Troisième édition des *Tragiques.*
1874		Première édition du *Printemps.*

Les Tragiques

Le dessein des *Tragiques*

Œuvre inspirée, *les Tragiques* apparaissent comme le résultat d'une vocation ; ils sont la réponse tardive à un appel, deux fois prononcé, de la providence divine. À l'instar de Jonas, à qui il a fallu l'engloutissement dans la baleine pour répondre à la mission prophétique qu'il refusait, la double agonie de Talcy en 1572 et de Casteljaloux cinq ans plus tard constitue le préliminaire nécessaire à la conversion du poète et au tournant de l'œuvre. Rejetant alors « les feux d'un amour inconnu », pour ne plus céder qu'à l'embrasement de l'amour divin, d'Aubigné va exalter les martyrs de la Réforme, en appelant sur les bourreaux et les tyrans la colère de Dieu. Le mythe personnel de la vocation reçue à l'article de la mort sur la table de Talcy, où sa dépouille est exposée, est significatif du risque crucial désormais encouru dans l'écriture. La vérité, mortelle pour son détenteur, « porte un cousteau pour celui qui la porte », et l'écrivain s'abolit, jusqu'à en perdre le sens et la parole, dans la présence immédiate à Celui qu'il chante.

Les sept livres composant *les Tragiques* se distribuent en deux volets antithétiques qui animent le drame logique auquel se ramène en définitive le plan du Rédempteur : désordre et ordre ; « monde renversé » de la perversion actuelle où les « mères non-mères » mangent leurs propres enfants, où le roi saigne ses sujets et se gausse de leurs corps massacrés, et, par contraste, règne de la justice de Dieu, qu'appelle l'apocalypse imminente. C'est tout d'abord la fresque des misères présentes brossée dans les trois premiers livres du poème : « Misères », évoquant, dans une composition à la Callot, les malheurs de la guerre civile ; « Princes », où la corruption de la Cour et des Grands est stigmatisée ; « la Chambre dorée », qui dénonce la justice cannibale des juges royaux mués en inquisiteurs. À cet univers dénaturé s'oppose le dessein du Créateur, dont l'exposé fait la matière des deux derniers livres : « Vengeances » énumère les châtiments exercés par Dieu contre les persécuteurs de l'Église depuis Caïn ; « Jugement », terme et dénouement de cette Divine Comédie protestante, donne à voir, en une vision extasiée, la résurrection de la chair et le partage de l'humanité entre élus et réprouvés à l'heure dernière. Le désordre contemporain sert donc de contre-épreuve et d'annonce à l'ordre final que le poète prophétise. Dans l'intervalle, « Feux » et « Fers », de trame plus narrative, relatent, l'un l'époque des bûchers, l'autre les grandes persécutions culminant à la Saint-Barthélemy, où l'on voit, en une anecdote célèbre mais sans doute apocryphe, le roi Charles IX « giboyer aux passants » depuis la fenêtre du Louvre. Ce martyrologe, inspiré de Jean Crespin, assure la transition entre l'ici-bas et l'au-delà, entre la déploration du temps présent et le chant de la vie future. Vivantes hosties dans lesquelles le peuple élu découvre la preuve de sa Rédemption à venir, les martyrs huguenots accusent la férocité de leurs tortionnaires et, simultanément, préfigurent l'ultime « conversion » par quoi le royaume de Dieu appartient, selon la parole de l'Évangile, aux faibles et aux persécutés de ce monde.

La tragédie et son double

Le titre des *Tragiques,* œuvre placée sous l'invocation à Melpomène, fait explicitement référence au théâtre, et la métaphore baroque du monde comme sanglant « eschaffaut » où jouent des acteurs tour à tour pathétiques ou grotesques est filée au long des sept chants. De là l'introduction d'un dynamisme et d'un jeu dans l'antithèse structurante que nous venons de décrire de façon un peu rigide. En fait, à chaque moment du drame universel qui conduit l'humanité des « Misères » au « Jugement », l'opposition du désordre humain et de l'ordre divin se trouve tout entière condensée en des oxymores générateurs de scènes : mère devenue louve et qui déchire son rejeton, ris de celui-ci bien vite changés en cris, jour obscurci par le crime de Thyeste, lait nourricier remplacé par le sang qui dégoutte des mamelles... Chacune de ces visions atroces, où le pathétique macabre semble l'emporter, est à lire à la fois selon deux points de vue antagonistes. Ce qui apparaît comme une effroyable tragédie aux yeux des contemporains se résout, considéré depuis l'éternité par l'œil divin, en une comédie, drame dont la fin est heureuse. Ainsi, l'amiral de Coligny, au moment de la Saint-Barthélemy, riait du haut du ciel en voyant la foule

Qui de son tronc roulé se joüoit à la boulle.

L'ordre s'inscrit donc d'emblée dans le désordre, la liesse éternelle au milieu des pires supplices. Les victimes d'ici-bas sont déjà les spectateurs hilares d'en-haut, et le sens de la pièce ne peut être saisi que dans ce dédoublement qu'implique l'eschatologie calvinienne.

D'où, sur le plan littéraire, le mélange des genres et la simultanéité des registres les plus divers. La complexe mosaïque de style conçue par d'Aubigné et par lui décrite dans son prologue : style « bas et tragique », « moyen et satyrique », « tragique élevé », « théologique et historial », répond en quelque sorte au dynamisme de l'oxymore, figure clef qui opère la conjonction dialectique des contraires et renferme en puissance l'éternel dialogue de Dieu avec sa créature.

Le théâtre dédoublé des *Tragiques,* qui suppose constamment la présence de ces deux spectateurs diamétralement situés par rapport à la scène du monde, mêle l'intimité d'épisodes minuscules et la grandeur d'un cosmos embrassé d'un seul regard à la façon d'un atome. Par ce passage incessant de l'échelle humaine à l'échelle divine, d'Aubigné retrouve, conformément au modèle biblique, ce réalisme « créaturel », produit d'une indivision du sublime et du familier, où le critique E. Auerbach voyait la caractéristique principale des livres sacrés hébraïques. La finesse délicate de certains traits – « l'enfant de quatre ans » criant : « Vive le Roy ! » dans les bras de sa mère ; le petit Moïse jouant avec les trésors de Pharaon – n'est là que pour faire écho, sur le mode mineur, au vaste dessein du Créateur, ailleurs illustré en d'amples scènes de bataille ou de massacre. Le vers célèbre, trop souvent détaché de son contexte,

Une rose d'automne est plus qu'une autre exquise,

évoque les fleurs de sang des martyrs et se prolonge en une vision élargie au zodiaque et au temps qu'il fait, pour dire la paix consécutive à l'ire de Dieu et la douceur de l'air après la canicule :

Les grands feux de la chienne oubliaient à brûler,
Le froid du scorpion rendait plus calme l'air.

Le ciel apaisé de l'automne, après la période des bûchers (« Feux »), et dont l'expression atteint ici une sorte de dépouillement magique, relève de cette poétique des éléments par quoi la terre, ailleurs, se métamorphose en un corps mort, l'Océan en un vieillard courroucé qui repousse vers leurs sources les fleuves chargés de sang et de cadavres qui dévalent de la France, et le Soleil en un dieu offusqué qui se voile la face de nuages au vu des crimes de l'humanité. Autant de signes grandioses qui font du monde le théâtre paradoxal d'une parousie : au travers des figures du désordre qui corrompent, semble-t-il, jusqu'à la nature des choses, se révèle peu à peu l'ordre éternel de Dieu. Épopée du renversement, *les Tragiques* ont pour héros collectif la petite communauté des élus, assistés par le Dieu vengeur ici-bas et promis à la gloire et à la puissance dans l'au-delà. Ainsi, le destin de la minorité réformée s'identifie à celui d'Israël au désert, et *les Tragiques* puisent tout naturellement dans l'Ancien Testament le sens et les formes d'une aventure historique brutalement réactualisée.

D'AUBIGNÉ ET LA BIBLE

La Bible, livre de chevet et de combat de ce capitaine calviniste féru de grec et d'hébreu, fournit aux Tragiques *un cadre conceptuel, un mythe d'origine et de croissance, et tout un réseau d'images déjà constituées qui vont émigrer de la Palestine antique au « désert » moderne de la France. Ici et là règnent les tempêtes de la guerre contre l'« idolâtre » et les « feux » brûlants des persécutions. D'Aubigné, en plusieurs passages, se compare lui-même à Jonas, dépêché malgré lui vers la « puante » Ninive pour lui annoncer sa perte. Le ton prophétique de l'œuvre, et jusqu'au tableau apocalyptique d'une fin de l'Histoire commandée par la nécessaire vengeance de Dieu, et où il n'est nulle question de pardon, rappelle beaucoup moins l'esprit de l'Évangile que l'univers théocentrique de l'Ancien Testament.*

La dette de d'Aubigné à l'égard de la culture sacrée hébraïque s'étend à la langue imagée dont il use et jusqu'à certaines tournures syntaxiques : ainsi, le « génitif hébreu », dont le paradigme est fourni par l'image « vase d'élection » et qui confère au complément de nom une valeur superlative, déterminative ou qualificative, autorise des raccourcis éclatants : « arche d'élection », « trône de gloire », « bannière d'orgueil », qui parsèment les Tragiques*.*

L'« apophétie » – ou fausse prophétie, faite après coup – représente, quant à elle, une imitation quelque peu irrévérencieuse du modèle biblique et un écart amusé par rapport à celui-ci : elle permet à d'Aubigné, instruit par l'événement, de « prophétiser » par exemple l'assassinat de Henri IV, les troubles de la Régence et la reprise de la lutte contre les Réformés.

Par-delà les Tragiques*, la langue de la Bible imprègne l'austère poésie de l'*Hiver *et les recherches de rythme des* Vers mesurés *où l'on pourrait apercevoir, en une tentative proche de celle de Baïf pour accorder la parole au souffle et au chant, comme une anticipation du verset claudélien. Mais c'est peut-être dans les admirables* Méditations sur les Psaumes *que l'osmose apparaît la plus accomplie et la moins contrainte entre l'inspiration biblique et l'expression du lyrisme intime. La prose imite alors et dépasse l'ampleur de l'alexandrin pour dire, à la manière de Job, le scandale de la mort de l'être cher et ce corps « scié par la moitié » du poète veuf, dont la foi ne saurait apaiser la douleur. « Extatique en [ses] angoisses », et se tenant dans une impossible tension entre l'adoration et la révolte, d'Aubigné ne peut plus qu'exhaler un cri proche du mutisme.*

Les pamphlets et le picaresque : *Sancy* et *Faeneste*

La fin des « Misères » et les « Princes » mêlaient au style tragique la violence de la satire, au sang des héros le fard des mignons et des courtisanes. Contre Catherine de Médicis, nouvelle Jézabel, avorteuse et sorcière, contre le cardinal de Lorraine,

Adultère, paillard, bougre et incestueux,

d'Aubigné retrouvait la verve haineuse d'un Juvénal. Mais, ce faisant, il ne s'arrêtait pas à reprendre les calomnies abondamment diffusées par les libelles protestants de l'époque. *Les Tragiques* conjoignent sans cesse l'insulte et l'avertissement, l'injure et l'imprécation héritée des livres prophétiques de la Bible. C'est que, dans le contexte du règne des derniers Valois, où les bals succèdent aux carnages, la Saint-Barthélemy à la célébration d'un mariage dynastique, la caricature postule l'eschatologie comme sa fin dernière, et les fêtes scandaleuses de la Cour ont des lueurs de Jugement dernier.

Écrits après l'abjuration de Henri IV et le retour à la paix, les deux grands pamphlets d'Agrippa d'Aubigné, *la Confession catholique du sieur de Sancy* et les *Aventures du baron de Faeneste,* témoignent d'un état d'esprit un peu différent et évoquent moins l'univers dantesque que les facéties des auteurs de « joyeux devis ». *Sancy* dénonce les conversions en chaîne qui ont suivi celle du roi et prétend démontrer que le catholicisme est le seul moyen de faire son salut – à la Cour, s'entend. À la *Satire Ménippée,* de quelques années antérieure, il emprunte le procédé ironique consistant à prêter à l'adversaire des propos qui l'accablent. C'est ainsi que le contrôleur général des finances Harlay de Sancy, opportuniste malchanceux, et le « convertisseur-cardinal » Du Perron, que l'on voit dialoguer avec la « folle » Mathurine, exposent en toute naïveté les points les plus absurdes de la doctrine papale et les exactions – pour la plupart invérifiables – des grands catholiques du royaume. Cette « marqueterie », comme le veut l'auteur, doit au *Traité des reliques* de Calvin et à l'*Apologie pour Hérodote* d'Henri Estienne maintes anecdotes piquantes, voire graveleuses ou scatologiques. Mais ce ramas de calomnies joyeuses retrouve par moments, sur le mode de la facétie, la vision d'un monde dédoublé que développait le plan d'ensemble des *Tragiques.* Ainsi le chapitre « De la transsubstantiation » raccorde à l'exposé caricatural du dogme de l'adversaire le thème traditionnel du monde renversé, comme si la perversion du temps présent avait pour origine l'affirmation d'une doctrine criminelle et aberrante eu égard à l'ordre naturel. Par elle, en effet, les valets sont « transsubstantiés » en maîtres et les maîtres en valets ; « les putains des Princes [...] en femmes et les femmes en putains » ; « les maquereaux s'en vont Princes », etc.

Le même dédoublement critique, propre à accuser le désordre contemporain, commande la structure du *Faeneste.* Deux personnages antithétiques s'y trouvent confrontés durant les quatre livres de l'ouvrage, pour décrire, depuis des points de vue diamétralement opposés, les intrigues et les scandales de la régence de Marie de Médicis : *Enay* (l'« être », en grec) y donne la réplique à *Faeneste* (le « paraître »). Par-delà l'intention allégorique des noms, les deux protagonistes de *Faeneste* constituent un véritable duo romanesque, animé du même contraste dramatique que le couple Pantagruel-Panurge ou que celui, mis en scène par une fiction alors toute récente, de Don Quichotte et de Sancho Pança. En Enay, l'homme véritable – un gentilhomme protestant « consommé aux lettres » et rompu au métier de la guerre, d'une droiture et d'une franchise qui ne répugnent ni à la verdeur ni à l'insolence –, il est aisé de reconnaître d'Aubigné lui-même. Quant au baron de Faeneste, personnage couard et prétentieux qui traîne jusqu'en plein Louvre son attirail de Rodomont et un épouvantable accent gascon qui lui fait intervertir systématiquement les « b » et les « v », il incarne à merveille le type comique du soldat fanfaron hérité de Plaute et de Térence, à quoi s'ajoute la tare supplémentaire que représente un catholicisme superstitieux et invétéré. L'intrigue assez sommaire : une visite à l'improviste de Faeneste au château d'Enay, en Poitou, cède bientôt la place à un libre agencement d'anecdotes et de peintures, où il est question de mode, d'amour, d'honneur et, naturellement, de religion et de folâtres « nonnains ». La cohésion de l'ensemble est assurée par la permanence de deux caractères et de deux langages qui déterminent, par leur heurt, une suite de situations romanesques d'où découle, à défaut d'une texture serrée, un cheminement picaresque aux nombreux détours. La fantaisie de cet entrelacement culmine dans le livre IV, composé tout entier à Genève, où il fera scandale lors de sa parution en 1630, l'année même de la mort de d'Aubigné. Le vieillard encore vert y versait sans amertume le souvenir des déboires politiques et militaires qui l'avaient contraint à l'exil ; l'ouvrage s'achevait par la description de quatre tapisseries « bordées de grotesques » et parodiant en un rabaissement carnavalesque les célèbres *Triomphes* de Pétrarque : l'Impiété, l'Ignorance, la Poltronnerie et la Gueuserie ont désormais remplacé l'Amour, la Chasteté, la Renommée et l'Éternité. C'était dire là une dernière fois l'ambivalence constitutive de tout spectacle et de toute vision, et réaffirmer, en un tableau baroque qui renouait avec le comique populaire le plus éprouvé, le devoir de déjouer les apparences en commençant par les « mettre à l'envers ».

Le Printemps et *l'Hiver* : les deux saisons d'une œuvre

Écrit de l'automne 1570 aux premiers mois de 1573 au domaine des Landes-Guinemer, voisin de ce Talcy-en-Beauce où séjourne l'inflexible Diane Salviati, *le Printemps* ne sera jamais publié par son auteur et devra attendre plus de trois siècles sa parution. Recueil d'une ardeur inavouable qui brûle en l'« Hécatombe » de cent sonnets, en des « Odes » et « Stances » langoureuses, *le Printemps,* pieusement gardé à l'état manuscrit par d'Aubigné, recopié et corrigé par lui jusqu'en ses derniers jours, ne pouvait sans doute être livré au public, dès lors qu'avait pris corps le dessein des *Tragiques.* Il eût revêtu une portée blasphématoire – ou du moins parodique –, puisqu'il filait, sur le mode érotique et dans des termes très proches, certaines des métaphores que développaient les envolées mystiques les plus éthérées des « Feux » ou de « Jugement ».

En revanche, *l'Hiver,* qui évoque la saison où, à l'instar des « irondelles », « les desirs lassifs s'éloignent », fut publié parmi les *Petites Œuvres mêlées,* l'année même de la mort du poète. Empreint de recueillement, il rassemble diverses « Prieres » et pièces méditatives où s'élabore, sur le ton d'un mysticisme dépouillé et retenu, une lente et sereine préparation à la mort. Un poème du recueil, « Extase », anticipe le moment de l'accession à la félicité éternelle et constitue comme un écho atténué du dernier livre des *Tragiques.*

Histoire universelle

S'opposant aux *Tragiques,* œuvre férocement partisane, l'*Histoire universelle* – ainsi nommée car elle a pour théâtre le monde des guerres de Religion (c'est-à-dire surtout l'Europe) – se situe délibérément au-dessus de la mêlée. Dédiée par son auteur à la postérité et placée par lui sur « un échafaut si élevé », elle constitue à ses yeux son grand œuvre, celui que les générations futures, dégagées des querelles du présent siècle, seront à même de goûter. Historien « astorge [insensible] et véritable », qui vilipende à l'occasion un concurrent coupable, selon lui, de prévarication comme La Popelinière, d'Aubigné se refuse ici à juger ou même à interpréter. N'écrivant que les « actions » qu'il rapporte par le menu, se gardant de toute digression ou « exclamation » dans la description même des épisodes les plus sanglants de la guerre, il se contente d'exposer les prémisses, pour laisser le lecteur libre d'« amasser la judicieuse conclusion ». Ce volumineux ouvrage en trois tomes in-folio, qui absorbera toute l'activité de l'écrivain durant sa longue retraite à l'écart de la cour de Henri IV, et qu'il publie à ses frais à partir de 1618, sera dès 1620 condamné à être brûlé par le tribunal du Châtelet. La leçon d'objectivité que d'Aubigné avait prétendu donner n'avait pas été entendue.

Témoin de premier plan dans la lutte de Henri IV pour l'accession au trône, d'Aubigné a réservé le récit de son rôle personnel à la truculente – et parfois complaisante – narration de *Sa vie à ses enfants*. Ainsi, le rapport des faits se partage-t-il entre la grande histoire objective, où le capitaine n'est jamais directement nommé, et la chronique personnelle d'une autobiographie bigarrée, tumultueuse et, en plus d'un endroit, plaisamment controuvée.

F. Lestringant

Aucassin et Nicolette

(premier quart du XIIIe siècle)

Cette œuvre picarde d'un auteur demeuré anonyme est unique par sa forme, puisqu'elle est constituée par une alternance régulière de 21 parties en vers et de 20 parties en prose, de morceaux chantés et de morceaux récités, comme le *Guillaume de Dole* de Jean Renart. L'auteur la nomme *chantefable*, mot qu'il a sans doute forgé, comme plus tard Rutebeuf dira que les démons traiteront les damnés de *chantepleure*, de gens qui « pleurent après avoir chanté ».

Mais il faut aussitôt préciser que les parties en vers, laisses assonancées d'heptasyllabes à vers orphelins, ne peuvent être considérées comme de simples haltes lyriques, car elles contiennent trop d'éléments d'information nécessaires à la compréhension du récit. Seules, cinq laisses (3, 5, 17, 31, 37), que l'on peut appeler similaires, redoublent les séquences en prose qui précèdent. Pour le reste, les unes sont liées aux morceaux en prose tantôt par une formule d'introduction (33), tantôt par une formule de rappel (29, 37, 39, 41), tantôt par les deux (13, 15, 21, 25) ; les autres, tout en faisant partie du récit, ne sont pas encadrées par ce genre de stéréotypes. Les laisses, si elles informent, se distinguent de la prose par la manière de le faire ; plus lyriques, les regrets se terminent le plus souvent par un engagement définitif. En sorte que Jean Trotin a raison de conclure qu'« il serait imprudent de réduire *Aucassin et Nicolette* à un texte en prose troué de laisses, puisque la laisse a la double mission d'informer et de déformer ».

SYNOPSIS

Le vieux comte de Beaucaire, assiégé dans sa ville par Bougars de Valence, adjure son fils Aucassin de prendre la tête des défenseurs ; celui-ci n'acceptera que si son père lui donne en mariage Nicolette, une jeune esclave sarrasine, rachetée et élevée par le vicomte de la ville. Le père refuse avec indignation : il veut pour Aucassin une femme de haut parage.

Recluse dans une chambre, Nicolette songe à s'enfuir, tandis que le jeune homme la cherche en vain. Interrogé, le vicomte essaie de l'en détourner : Aucassin ne saurait faire de Nicolette sa femme ni sa maîtresse sans se condamner à l'enfer. À quoi le héros riposte qu'il préfère au paradis des bigots et des dévotes l'enfer des chevaliers, des clercs et des belles dames. Son père lui ayant adressé une nouvelle exhortation, Aucassin veut bien aller se battre, à condition de pouvoir, au retour, dire quelques mots et donner un baiser à Nicolette. Il part pour la bataille, mais songe si fort à son amie qu'il est capturé par les ennemis. Il se réveille brusquement, taille en pièces son escorte, rencontre Bougars, le fait prisonnier et le traîne aux pieds de son père, à qui il réclame son salaire ; mais le vieux comte refuse d'exécuter sa promesse ; aussi, de colère, Aucassin libère-t-il le captif en lui faisant jurer de reprendre la guerre. Le père jette son fils en prison, dans le bas d'une vieille tour.

Nicolette, qui s'est enfuie, entend par une crevasse les lamentations de son ami et échange avec lui de tendres propos. Avertie de l'arrivée des archers par le chant du veilleur, elle gagne la forêt, obtient de jeunes bergers qu'ils invitent Aucassin à y venir chasser, et construit une hutte de feuillage. Aucassin, délivré, va, sur les conseils d'un chevalier, chasser dans les bois, où il rencontre les pastoureaux qui lui transmettent le message de Nicolette. Il se désespère et se lamente ; mais un bouvier, qui a perdu un bœuf, lui démontre qu'il est bien plus malheureux que lui. Ayant découvert la loge de feuillage, il tombe et se démet une épaule que Nicolette, qui l'a rejoint, guérit sur-le-champ.

Les deux amis s'en vont vers la mer, et une nef de marchands les prend à son bord. Ils débarquent au doux royaume de Torelore, monde inversé où le roi garde le lit au moment de la naissance de ses enfants et où l'on se bat avec des pommes pourries, du fromage et des champignons. Ils y coulent des jours heureux. Mais des pirates dévastent le pays et les emmènent sur deux nefs différentes. Celle d'Aucassin, prise dans la tempête, s'échoue au rivage de Beaucaire où, le comte étant mort, le jeune homme lui succède aussitôt.

Nicolette débarque à Carthage où elle découvre qu'elle est la fille du roi sarrasin, qui veut lui faire épouser un prince de sa religion. Elle ne pense qu'à Aucassin. Aussi s'enfuit-elle, déguisée en jongleur, arrive à Beaucaire, chante sa propre histoire et son fidèle amour devant Aucassin qui lui demande d'aller chercher son amie. Retournée dans son ancienne demeure, elle se pare, et revient au palais au bout de quelques jours. Aucassin peut enfin l'épouser, et leur bonheur sera complet pendant de nombreuses années.

Ce climat idyllique de joie tendre et un peu mélancolique dans un monde plus ou moins irréel que les laisses imposent peu à peu à l'esprit est accentué par le retour de trois mots clés, *ami, amie / biax, bele / doux, douce,* employés dans des formules plus ou moins développées *(bele douce amie…, douce amie o le vis cler… Nicolete ma tresdouce amie, le riens en tot le mont que je plus amoie…)*, qui donnent, en particulier à Nicolette, la grâce aérienne et légère des héros imaginaires et féeriques qu'aucune médiocrité ne saurait atteindre : ne s'avance-t-elle pas pieds nus à travers un parterre de marguerites ? Il s'agit donc d'un récit romanesque où il serait vain de traquer les prétendues invraisemblances, qui sont en fait des commodités techniques du conte populaire. C'est ainsi que des lions vivent et que des lis fleurissent dans la forêt proche de Beaucaire ; Nicolette, qui s'évade sans peine par la fenêtre de sa prison, retrouve presque aussitôt Aucassin, avec qui elle communique par une providentielle fissure ; les deux héros rencontrent des bergers, qui leur servent de messagers, et se rejoignent dans une forêt impénétrable… Tous ces hasards, qui sont nombreux, ne gênent jamais le lecteur ; ils sont la compensation des malheurs qui s'abattent sur les deux héros, selon l'esthétique du conte populaire dont l'auteur a repris de nombreux éléments, tels que la femme guérisseuse, la « couvade », l'étoile de Vénus attirée par la Lune… L. Spitzer l'a bien vu : « *Aucassin et Nicolette* est, comme le voudrait Gaston Paris, un conte ou, je dirais plus particulièrement une espèce de *Märchen* (mâtiné de poésie épique, il est vrai), où les torts sont redressés ». Le travail qui s'impose maintenant est donc de dresser un inventaire complet des éléments folkloriques et de faire une étude approfondie des procédés de la narration populaire.

Ainsi évitera-t-on les excès de l'explication parodique qui a eu les honneurs de la critique et qui, de surenchère en surenchère, à partir des propositions raisonnables d'O. Jodogne et d'A. Micha, a fini par découvrir dans la chantefable une « comedy of language » (E. Vance) ou « un *divertissement* estetico » (M. Liborio). En effet, il ne faut pas exagérer la faiblesse d'Aucassin, dont nous-même avons fait un peu vite un antichevalier et un antihéros pleurnichard et fol : il ne manque pas aux devoirs chevaleresques, mais seulement aux devoirs filiaux, face à un père tyrannique et injuste ; il est capable d'initiative et de force de caractère ; innocent, vaillant, il devient un héros quand il défend une cause juste ; il ne s'efface pas constamment devant Nicolette, qui garde du modèle littéraire de la princesse sarrasine un indéniable esprit d'initiative et qui l'emporte par la force morale, en sorte qu'il faut plutôt admettre, avec Ph. Ménard, une alternance des héros, chacun devenant à son tour le protagoniste de la chantefable. Même si Nicolette a une personnalité marquée, il n'y a pas vraiment inversion des rôles de la femme et de l'homme. Seul, l'épisode burlesque de Torelore a une nette tonalité satirique : l'auteur y dénonce les mœurs efféminées et la vie facile d'une certaine aristocratie par l'entremise du motif folklorique de la couvade et par le pseudo-combat aux abords d'un gué, à coups de pommes, d'œufs et de champignons, Aucassin y restant pourtant fidèle à lui-même. Bref, *Aucassin et Nicolette* est plutôt l'histoire sentimentale d'un jeune héros plein de fraîcheur et de naïveté, présenté avec humour et sympathie.

Ce combat près du gué reprend, sur le ton burlesque, un motif littéraire que l'on trouve dans *la Chanson de Roland, Girart de Roussillon*, les *Saisnes*, le *Roman de Thèbes, Cligès*, et qui rappelle un autre motif, celtique et romanesque, le passage du gué – l'un et l'autre étant liés dans *le Chevalier à la charrette.* D'autres motifs manifestent une grande culture, une connaissance approfondie de l'œuvre de Chrétien de Troyes et peut-être davantage encore du *Tristan* de Béroul, dont nous retrouvons la crainte du bûcher, la hutte dans la forêt, le rôle de la femme. Mais surtout, comme *Tristan, Aucassin et Nicolette* est une œuvre ouverte où l'on peut déceler la justification d'attitudes morales différentes, qu'il s'agisse du père, qui refuse une union mal assortie, ou du fils, qui suivra le choix de son cœur sans souci du rang social. Mais faut-il parler de l'influence de telle ou telle œuvre ? Beaucoup de motifs et de formules appartiennent à la tradition littéraire épique et courtoise : homme hideux, princesse sarrasine, communication à travers une paroi, déguisement… La chantefable, qui présuppose une tradition déjà longue, a le charme équivoque d'une œuvre très raffinée, à une époque où l'on y croit plus ou moins. Faut-il aller jusqu'à parler d'une jolie fleur de la décadence courtoise ?

Il reste que l'auteur intègre tous ces motifs dans une œuvre unique, tantôt pathétique, tantôt comique, fondée sur de subtils parallélismes, encadrements et enlacements, dans un récit homogène, habilement construit en trois grands mouvements, de la séparation des amants à leur réunion, puis à la reconnaissance de leur amour et à leur mariage, le bonheur individuel finissant par trouver sa place dans la société. Toujours actuel, *Aucassin et Nicolette,* d'avatar en avatar, est même devenu en 1979 une sorte de comédie américaine, *la Belle Sarrasine.*

J. Dufournet

AUDE Joseph

(1755-1841)

Dramaturge né à Apt, celui qui devait devenir le chevalier Aude chercha diverses protections pour réussir rapidement une carrière que ses seuls mérites littéraires n'auraient pas suffi à assurer. Habitué de la Cour, où il fit jouer son premier acte (*la Fête des Muses,* 1776), il fréquentait aussi les Philosophes et, en 1778, donna une « comédie italienne » adaptée de Rousseau, *l'Héloïse anglaise ;* la même pièce sera rebaptisée *Saint-Preux* en 1787, *les Amants anglais* en 1791, *l'Héloïse américaine* en 1795 ! Secrétaire de Buffon (dont il rédigea la *Vie privée,* 1788), il entre ensuite au service du comte Caraccioli qui fut successivement ambassadeur puis vice-roi de Sicile, courant toujours après la gloire et la fortune.

C'est alors qu'il s'approprie le personnage de Cadet Roussel (ou Rousselle), popularisé par les chansons des armées révolutionnaires : du *Café des aveugles* (1793) à *Cadet Roussel troubadour* (1820), Aude multiplie, à travers parades et vaudevilles, les aventures de son naïf héros, que l'on retrouve *professeur de déclamation* (1798), *au Jardin turc* (1807), *aux champs Élysées* (1801), *mort* (1808) et même *ressuscité* (1811) ! Le succès dépassant la mise, Aude recommence en s'emparant de la Madame Angot que Maillot venait de porter à la scène : *Madame Angot dans son ballon* (1798) ouvre ainsi les aventures de la poissarde parisienne que l'on retrouvera *au sérail de Constantinople* (1800), *au Malabar* (1803) et dans bien d'autres endroits.

Les sujets importent peu ici, non plus que le style : Aude ne brille ni par l'invention ni par la distinction. Mais il a mis au point une technique qui lui permet de faire beaucoup avec peu : adaptant à la scène les personnages de la littérature romanesque (Manon, Saint-Preux) ou de la vie populaire (Cadet Roussel, Madame Angot, Fanchon la Vielleuse), jouant systématiquement de leur retour pour construire de dérisoires « sagas », il développe un théâtre de consommation où la linéarité de l'intrigue n'est que prétexte à mettre en évidence la figure d'un héros dont le petit peuple suit les aventures épisodiques à la manière d'un feuilleton.

D. Couty

AUDIBERTI Jacques

(1899-1965)

L'œuvre d'Audiberti, *Le mal court* excepté, connaît aujourd'hui une manière de « purgatoire ». Sans doute est-ce que la diversité des genres et des formes qu'elle affecte, sa complexité thématique, le foisonnement de son écriture en rendent l'abord malaisé. À une époque de haute spécialisation, Audiberti pratique avec la même souveraine aisance prose et poésie, théâtre et roman ; il apparaît comme un héritier des grands « producteurs » du XIXe siècle, égaré dans le XXe. C'est ainsi, d'ailleurs, que lui-même se voyait. Son propos, d'autre part, ne permet pas de le situer aisément. Il aime les travestissements historiques ou mythologiques, mais il aime aussi le monde moderne, sa science et sa folie. Il raconte des histoires compliquées et mystérieuses où reviennent, lancinants, quelques leitmotive peu actuels : l'horreur que suscite, en lui, une chair incompréhensible et condamnée à mort, l'amour panique du corps féminin, de la mer et du soleil, l'aspiration à (re)trouver un « ailleurs » qui pourrait bien être un « avant », un paradis perdu qui pourrait bien être le ventre maternel… Un substrat culturel complexe (la cabale, les gnoses voisinant avec une once de surréalisme et un zeste de Dada), une richesse d'écriture où se font entendre les voix de Rabelais et de Hugo, tout cela, on le voit, n'est pas fait pour faciliter l'approche d'une œuvre irréductible aux cadres qui permettent de « penser » rapidement la littérature du XXe siècle.

Des « chiens écrasés » au grand prix national des Lettres

Une enfance à Antibes, « coincée » entre une mère trop possessive et un père autoritaire et fantasque ; une adolescence solitaire peu avertie des grands soubresauts esthétiques de son temps, voilà pour la jeunesse d'Audiberti. En 1924, il « monte » à Paris. Journalisme au *Petit Parisien*. Expérience vécue du fait divers dérisoire et sordide. Des rencontres : Benjamin Péret, Léon-Paul Fargue… Jusqu'en 1940, il mène de front son métier de journaliste et son exploration de l'écriture. Son premier recueil poétique, *l'Empire et la Trappe* (1930), publié à compte d'auteur, suscite l'intérêt, voire l'enthousiasme des lecteurs avertis (Valery Larbaud, Jean Paulhan…). Il reçoit, en 1935, le prix Mallarmé, puis celui de la pièce en un acte (*l'Ampelour*, 1937), et, en 1938, Gallimard publie son premier roman, *Abraxas*.

Dès lors, et jusqu'à la fin de sa vie, vont se succéder, avec une grande régularité, poèmes, romans, essais et textes divers. Curieusement, le théâtre, qu'il aborde tardivement, lui apporte une notoriété que ses œuvres précédentes ne lui avaient pas value : dans le Paris théâtral de l'immédiat après-guerre, *Quoat-Quoat* (1945) et *Le mal court* (1946) font figure d'événements. Pour méritée qu'elle soit, la célébrité du dramaturge est peut-être fondée sur un malentendu : Audiberti, amuseur surréalisant, à la fois truculent et raffiné, dans la mouvance de Giraudoux et de Cocteau ? Au fond, la bourgeoisie cultivée des années 1950 ne se souciait guère d'inquiétude métaphysique. Elle laissait les « thèses » et « messages », les « grandes » questions, à Camus et à Sartre. Quant à l'art de faire jaillir et chatoyer les mots, c'était affaire de spécialistes. On lui reprochait d'ailleurs, à cet égard, d'en faire un peu trop ! En tout cas, le romancier, le poète et l'essayiste, pourtant aussi féconds que le dramaturge, resteront plus ou moins relégués dans son ombre. Audiberti en souffrira. Sur le tard, l'ensemble de cette œuvre sera salué par un grand prix national des Lettres (1964). Audiberti meurt l'année suivante. Il venait de terminer un récit autobiographique d'une admirable liberté de facture, *Dimanche m'attend*.

Le mal court

SYNOPSIS

Au XVIIe siècle, la princesse Alarica de Courtelande, fille du roi Célestininc, se rend en Occident afin d'y épouser le roi Parfait. Dans les cantons de l'Électeur de Saxe : un homme (Fernand) s'introduit dans la chambre où dorment la princesse et sa gouvernante Toulouse, en se faisant passer pour le roi Parfait. À l'entrée du Maréchal de la noblesse, qui ne le reconnaît pas pour tel, l'inconnu saute par la fenêtre. Il est blessé par balle et ramené dans la chambre. Arrive le roi (acte I). En compagnie du cardinal de La Rosette, son Premier ministre, il vient annoncer à Alarica que le mariage est rompu car il épouse la sœur du roi d'Espagne. Mais, touché par sa beauté et par son désespoir, il finit par lui révéler que leur prétendu mariage, machination du cardinal, n'avait pour but que de décider les Espagnols à cette alliance. Il lui propose alors de s'enfuir avec elle, mais Alarica refuse, se sacrifiant à la grandeur du roi d'Occident. En l'absence du cardinal, elle s'offre à lui. Parfait refusant à son tour, elle lui montre Fernand qu'elle prétend être son amant. Le roi décide alors de l'épouser, mais Alarica veut lui imposer Fernand. Il sort (acte II). Alarica a passé la nuit avec Fernand, avec qui elle a « perdu son honneur de femme ». Mais devant sa candeur agaçante, celui-ci ne peut se retenir de lui avouer qu'il est un policier du cardinal, chargé de la compromettre définitivement. D'ailleurs sa gouvernante elle-même est une espionne d'Occident. Arrive le roi Célestininc, qui semble satisfait du maigre dédit qu'on lui offre : même lui « triche »… Renonçant à une impossible pureté, Alarica promeut Ferdinand amant officiel et se découvre de grands projets pour la Courtelande. Elle renverse le roi son père, se joignant au passage à la course du mal (acte III).

Les mille visages de l'écrivain

Audiberti émule de Zola ? On serait tenté de l'affirmer : il y a, au moins chez le romancier, une veine naturaliste nourrie de son expérience des « chiens écrasés ». De Zola il a le souffle et la minutie lorsqu'il entreprend d'évoquer le grouillement d'un hospice (*Marie Dubois*, 1952), les coulisses d'un théâtre (*les Jardins et les Fleuves*, 1954), un lavoir à Ménilmontant

(*Carnage*, 1942), l'Italie de l'après-guerre (*le Maître de Milan*, 1950), etc. Mais ce naturalisme n'est que l'un des visages de ce Protée de la littérature moderne. *Abraxas* est une fresque somptueuse de l'Europe méditerranéenne à l'aube des grandes explorations, et *le Cavalier seul* (1955) nous fait voyager, dans un XIe siècle approximatif, du Languedoc à Byzance et de Byzance à Jérusalem. Écrire, pour Audiberti, semble être l'occasion d'un grand vagabondage dans l'espace et dans le temps. Mais, là encore, l'étiquette d'auteur « historique » lui va aussi mal que possible. Car son univers est peuplé de créatures étranges : ondine à la main palmée (Médie, dans *Carnage*), « hobereaute » mi-fille mi-oiseau (*Opéra parlé*, 1954). L'humanité la plus ordinaire, la voilà saisie d'un désir de mutation (*les Naturels du Bordelais*, 1953) et rien n'est si répandu, parmi les hommes que peint Audiberti, que le pouvoir de métamorphose (Mme Cirqué, dans *la Logeuse* ; le professeur Palmas Tirésias, dans *la Poupée*, 1956). Un des derniers auteurs, en somme, qui n'ait pas peur de s'égarer du côté du *merveilleux*.

Cette diversité n'est pas sans évoquer les surréalistes, dont Audiberti est contemporain. L'irruption du merveilleux dans le quotidien plaisait à l'auteur de *Nadja*, et les registres multiples d'Aragon, le versatile auteur des *Cloches de Bâle*, du *Fou d'Elsa* et de la *Semaine sainte*, font probablement de ce dernier la seule figure des lettres du XXe siècle qu'on puisse comparer à Audiberti. Moins l'*engagement*. Méfiant à l'égard de tout ce qui est « politique », Audiberti a toujours refusé de s'embrigader sous une bannière et de devenir le « monsignor » d'un pape. Pourtant il admirait Breton, et les recherches du groupe surréaliste l'intéressaient. Peut-être est-ce, au fond, que la littérature était d'abord, aux yeux d'Audiberti, exploration intérieure. Exploration des mythes que je porte en moi. Exploration de la langue dont je fais une écriture…

Questions sans réponse

Toute l'œuvre audibertienne pourrait se définir comme une inlassable mise en question de la réalité. Audiberti l'appelle l'*incarnation*, et il y voit la malédiction fondamentale. Cette terre n'est qu'un îlot d'horreur soumis aux forces du Mal. Rien ni personne ne saurait le transformer : le sacrifice du Christ n'a pas servi à grand-chose (*le Cavalier seul*), et la phraséologie politique ne fomente que des révolutions-mascarades (*la Poupée*). Il y aurait bien une solution : lever le camp ! Émigrer, inventer un monde nouveau, différent. Mais cela impliquerait une métamorphose généralisée… (*les Naturels du Bordelais* ; *l'Opéra du monde*, 1947). De fait, la plupart des héros audibertiens perdent le paradis (Médie, dans *Carnage* ; la Hobereaute, dans *Opéra parlé* ; Glaouvlos, dans *la Beauté de l'amour*, roman en vers, 1955…) ou errent à sa recherche (Caracasio, dans *Abraxas* ; Genio, dans *le Maître de Milan* ; Damase, dans *Monorail*, 1947).

L'expression « mise en question » est à prendre ici à la lettre : quelle que soit la forme de l'œuvre, quelle qu'en soit la fabulation constitutive, elle se donne à lire comme une interrogation sans réponse, voire comme une longue plainte devant le silence du Ciel, masquée seulement par la sensualité et l'exubérance de l'écriture. Une tentative de formulation doctrinale, l'*abhumanisme* : l'homme n'est guère plus qu'un ciron, mais ce ciron est une question. Toutes les réponses à cette question ne sont que fariboles mystificatrices… Audiberti fréquentait beaucoup la Bibliothèque nationale : c'est que tous les livres, à ses yeux, recelaient une part de réponse. Il était sans cesse fasciné et insatisfait. Par le christianisme et par le paganisme. Par toutes les formes d'hérésie et par l'athéisme. Par les religions orientales et par l'ésotérisme…

Une mystique de l'écriture

Peut-être la seule certitude d'Audiberti réside-t-elle dans la passion qu'il éprouve pour les mots. Dans une mystique de l'écriture. Mais, là encore, Audiberti valse à contretemps de la mode : les années 1950 voient le reflux du surréalisme et l'émergence d'une génération qui met le langage en accusation (Sartre, Beckett, Robbe-Grillet…). La phrase audibertienne, elle, fonctionne à plein régime ! Elle s'apparente à un creuset qui malaxe en des rythmes échevelés et syncopés toutes les langues, un français grand siècle et l'argot le plus débraillé, l'archaïsme et le néologisme, l'onomatopée et l'idiolecte, etc. Les sonorités cascadent les unes sur les autres et font bouger, comme par diffraction, le sens. Hermétisme ? Polysémie ? Audiberti laisse au lecteur le soin de répondre. Pour lui, le mot est d'abord pure énergie et matériau brut. D'où, peut-être, l'impression de puissance jubilatoire que donne la polyphonie audibertienne. Qu'on *écoute* seulement le début de la « Chanson pour mourir un jour » (dans *Race des hommes*, 1937) :

> *Toute morue, ah ! ah ! censément sans arête,*
> *désire une mairie, ah ! ah ! une amourette.*
> *Toute marée, avec ses anges raisonneurs,*
> *de la loupe d'amboine appète les honneurs.*
> *Ah ! ah ! toute ma rue obscurément abstraite*
> *regorge de Marie à la retorse crête.*
> *Que ma barbe s'y pique et ma bigue s'y prête !*

Des lecteurs peu attentifs ont pris ce jaillissement pour une logorrhée. Rien de plus contrôlé, en fait, et de plus calculé ! Autant que la puissance verbale de Hugo, Audiberti admirait la quête mallarméenne de l'Absolu, et il a dit, à maintes reprises, que ses vers étaient « profondément sués ».

Audiberti aujourd'hui

Il est sans doute encore trop tôt pour assigner à Audiberti une place précise dans la constellation des écrivains de son temps. Lui-même, d'ailleurs, ne souhaitait pas être enfermé dans un cadre, si large fût-il. Il aimait brouiller les genres, écrire des romans en vers (*la Beauté de l'amour*), les découper en actes (*l'Opéra du monde*)… Écrire, pour lui, était perpétuellement une aventure et une exploration, et son premier roman, *Abraxas*, pourrait, au fond, se lire comme la parabole de l'écrivain.

Il faudra quelque jour procéder à une réévaluation de l'œuvre poétique. Sa rigueur, son « souffle », sa singularité avaient été salués par des tempéraments littéraires aussi opposés – et aussi lucides – que Saint-John Perse et Jean Paulhan. Il est vrai que son « hermétisme », surtout dans les premiers recueils, n'en rend pas l'abord aisé. Mais, après tout, on pourrait en dire autant de la plupart des grands poètes contemporains… Quant aux romans, ils ne doivent rien aux modes de l'avant- ou de l'après-guerre. La multiplicité des registres qui les constituent – réalisme et fantastique, notamment –, les chatoiements de l'écriture devraient leur valoir au moins la fidélité de lecteurs plus curieux de la singularité des œuvres que de leur adéquation à des théories ou à des écoles.

Il manque assurément une édition moderne complète de cette œuvre. C'est en effet l'instrument qui permettrait de jeter sur elle un regard panoramique et de l'embrasser dans sa diversité et dans son foisonnement. Mais aussi dans sa continuité et dans sa cohérence.

J.-J. Roubine

AUDOUX Marguerite

Pseudonyme de ***Marguerite DONQUICHOTTE*** *(1863-1937)*

Romancière née à Sancoins (Cher). À cinq ans orpheline de sa mère, dont elle gardera le nom, et abandonnée par son père, un charpentier illettré, elle est envoyée à l'orphelinat de Bourges, puis est placée comme servante dans une ferme de Sologne. En 1881 elle part pour Paris, où, après des débuts difficiles et malgré une vue déficiente, elle exerce le métier de couturière, consacrant ses dimanches à l'amitié de Léon-Paul Fargue, Lucien Jean, Charles-Louis Philippe, et ses soirées à écrire l'histoire de sa vie. Ses cahiers, découverts par Philippe, enthousiasment Mirbeau, qui les préface et les fait publier : *Marie-Claire* (1910), prix Femina, traduit en sept langues, connaît un immense succès. Récit d'un apprentissage, à la fois du malheur et du monde compliqué des adultes, *Marie-Claire* séduit par la simplicité d'une écriture qui rejette tout pathétique, utilisant le regard enfantin pour décrire de l'extérieur un univers que le lecteur est appelé à décrypter : grossesse d'une sœur de charité perçue à travers une soudaine « maladie » qui la sépare des enfants ; poids des hiérarchies sociales révélé par la disparition soudaine d'un riche fermier, amoureux de l'héroïne. C'est dire la modernité du roman, qui valut à l'auteur le soutien de Gide et de Larbaud. Une « suite » racontant les années parisiennes de la couturière, *l'Atelier de Marie-Claire* (1920), reçut un accueil mitigé, de même que ses derniers ouvrages, au lyrisme un peu forcé, *De la ville au moulin* (1926) et *Douce Lumière* (1937). Écrivain « prolétarien », Marguerite Audoux sut aussi, le temps d'un chef-d'œuvre, réunir l'authenticité d'un témoignage vécu sur la vie ouvrière et la réussite formelle d'une narration à vision « externe » qui ajoute le mystère à l'émotion ; cela lui valut d'être revendiquée aussi bien par un Henry Poulaille que par les caciques de *la Nouvelle Revue française.*

J.-P. de Beaumarchais

AUGIER Émile

(1820-1889)

Né à Valence, il renonce à succéder à son père, avocat, et préfère courtiser les Muses. Protégé du duc d'Aumale, il publie un recueil de vers, les *Pariétaires,* puis cherche sa voie au théâtre et, en 1844, obtient un premier succès avec *la Ciguë.* Déjà s'y manifestent les choix d'un écrivain qui, en applaudissant la *Lucrèce* de Ponsard (1843), a rallié l'« école du bon sens » : retour à un classicisme tout formel (Augier situe dans l'antiquité athénienne une intrigue de Boulevard) et attachement à une morale aussi édifiante qu'opposée au nihilisme du héros romantique.

Si Ponsard reste le chef de file, Émile Augier devient le plus bouillant sectateur du « bon sens ». Dans *le Spectateur républicain* (1848), organe du mouvement, il parle en théoricien, accusant les romantiques de brader l'esprit français aux cultures étrangères. Membre de la maison civile de Napoléon III, élu conseiller général de Bourdeaux, Drôme (1852), il démissionne en 1855, laissant pour testament politique une brochure fort peu hardie, *la Question électorale* (1864), et acceptant la dignité de sénateur alors que l'Empire agonise (1870). Poursuivant assidûment son œuvre de dramaturge, il accumule les titres, écrit même en collaboration (il signe avec Musset *l'Habit vert* en 1849). Auteur à succès, il met invariablement le public de son côté par ses maximes simples et communes, exaltant le foyer, le père de famille et l'épouse honnête, stigmatisant la courtisane et le séducteur, menaces pour le bonheur légitime d'un couple. *Gabrielle* (1849) en est l'illustration parfaite, version moralisée avant la lettre de *Madame Bovary* : en Julien Chabrière, le sage et magnanime époux triomphe, ramenant à ses devoirs sa Gabrielle, momentanément égarée, et lui arrachant ce cri du cœur : « Ô père de famille ! Ô poète ! je t'aime ». Auguste Vacquerie ne peut que s'incliner avec aigreur : « Rien n'est d'un effet plus immanquable au théâtre que les maximes de morale courante, l'éloge de l'obéissance, l'exaltation du terre-à-terre, le lyrisme du pot-au-feu ».

Autant de traits qu'il aurait pu décocher dès 1848 à *l'Aventurière.* L'intrigante Clorinde y cherche à se faire épouser par le riche et vieux Monte-Prade. Mais on la démasque, et l'amour sincère qu'elle éprouve pour Fabrice ne suffit pas à l'absoudre ; ce dernier, fils prodigue et repenti du vieillard, se venge, à travers Clorinde, des sirènes qui l'ont meurtri :

Sans elles, Dieu puissant ! il me serait connu,
Le pur ravissement d'un bonheur ingénu ;
Ma jeunesse au soleil se fût épanouie,
Par un hymen fécond doucement réjouie.

Contre les Marion de Lorme, à qui l'amour « a fait une virginité », et pour la plus grande paix des ménages, Augier conçoit *Diane* (1852), *le Mariage d'Olympe* (solution radicale, la vile créature est assassinée à la fin) et *Jeunesse* (1855), préludes à son élection à l'Académie (1857), *les Lionnes pauvres* (1858) et *Un beau mariage* (1859). *Madame Caverlet* (1876) et *les Fourchambault* (1878), éloges du divorce et de l'enfant naturel, relèvent plutôt d'une tentative pour exploiter l'engouement créé par Dumas fils autour de ces thèmes que d'un reniement de ses principes.

Avec *le Gendre de Monsieur Poirier* (1854, en collaboration avec Jules Sandeau [voir **SANDEAU**]), qui connut un très grand triomphe, Augier se lançait dans la satire sociale et politique, opposant noblesse ruinée et bourgeoisie parvenue. Celle-ci devait être de nouveau la cible de *la Ceinture dorée* (1855).

Le Gendre de Monsieur Poirier

SYNOPSIS

M. Poirier, drapier retiré des affaires, a amassé par son négoce un magot de quatre millions. Pour pouvoir satisfaire ses ambitions sociales (il rêve de la pairie et du titre de baron), il a marié sa fille Antoinette à un jeune noble ruiné, le marquis Gaston de Presles, qu'il entretient grassement et dont il s'affiche ostensiblement le serviteur. Gaston, chatouilleux sur l'honneur nobiliaire, insolent, paresseux et fat, trompe sa femme avec une ancienne relation, Mme de Montjay, se goberge aux frais de son beau-père et se gausse insolemment de lui. Il fait découvrir cette vie de coq en pâte à l'un de ses amis en visite, Hector, duc de Montmeyran, lui aussi ruiné, mais qui a trouvé une nouvelle dignité dans l'armée (acte I).

Les choses se gâtent lorsque Poirier cherche à faire comprendre à Gaston qu'il devrait accepter un emploi ; celui-ci refuse avec hauteur puis se fâche contre son beau-père qui a négocié mesquinement avec ses créanciers ; Antoinette sauve une première fois l'honneur de son mari en acquittant l'ensemble de ses dettes. Fureur de Poirier qui décide de ralentir considérablement le train de vie d'un gendre qui, de plus, débusque si aisément ses ambitions secrètes (acte II).

Les événements soudain se précipitent. Une lettre indûment ouverte par Poirier révèle la liaison de Gaston et de Mme de Montjay : Gaston s'humilie alors devant son beau-père pour récupérer sa lettre qui, finalement, arrive dans les mains d'Antoinette, laquelle la jette au feu mais se déclare « veuve » (acte III).

Toutefois, apprenant que son mari a une affaire d'honneur à cause de sa rivale, elle exige de lui qu'il brise son orgueil et renonce à ce duel ; lorsqu'il a accepté, elle l'exhorte à aller se battre. Une telle noblesse d'âme révèle au marquis de Presles qu'il ne s'est pas mésallié et qu'il aime sa femme. Son adversaire s'étant poltronnement excusé, le duel est évité. Et grâce à Verdelet, l'ami de Poirier, Gaston, après l'amour et la dignité, retrouve le château de ses ancêtres, alors que Poirier, incorrigible, ne renonce pas à son projet « d'être député en quarante-sept et pair de France en quarante-huit » (acte IV).

Les Effrontés (1861) puis *Maître Guérin* (1864) visent les affairistes. Avec *le Fils de Giboyer* (1862) et *Lions et Renards* (1869), il prend pour cible les cléricaux, et surtout leur figure de proue, Louis Veuillot. Le cynisme du marquis d'Auberive (« Je l'aime, moi, cette honnête bourgeoisie qui a pris la Révolution en horreur depuis qu'elle n'a plus rien à y gagner ») fait sourire quiconque entend tonner *les Châtiments* (« Approchez-vous ; ceci, c'est le tas des dévots »). Il soulève pourtant des tempêtes : on n'hésitera pas à voir en Giboyer un nouveau Figaro ! L'histoire sera plus mesurée.

Émile Augier, par son appendice nasal et par son style, aura fait le bonheur des caricaturistes et satiriques de son temps. « Monsieur Jourdain parlant en alexandrins et le sachant » : ainsi l'exécute *la Vie parisienne* (1881). Ses vers pèsent d'un prosaïsme et d'une gaucherie souvent irrecevables. Dans *Jeunesse*, deux femmes confectionnent un bonnet. L'une s'exclame :

Gare à tes invités ! Tu vas les fasciner.
Mais le bonnet que t'a prêté madame Andelle
Est bien découragé de servir de modèle.

Puis Mme Huguet brosse ce portrait de son gendre :

Avant d'être un lourdaud, c'était un garnement,
Un mauvais employé sans aucune aptitude,
Rempli d'impertinence et d'inexactitude [sic].

Ses intrigues, embrouillées, diluent à plaisir le vitriol de la satire dans les amourettes les plus plates. Rien ne saurait le faire renoncer, enfin, pas même l'invraisemblance, au sacro-saint précepte « Tout est bien qui finit bien ». Augier, en somme, fait de Joseph Prudhomme le parangon de l'humanité moyenne, persuadé qu'« il s'établit au théâtre un nivellement des âmes ». C'est là un humanisme de bien peu d'envolée.

D. Giovacchini et J.-M. Thomasseau (synopsis)

AUGIÉRAS François

(1925-1971)

Écrivain et peintre, né à Rochester (États-Unis), d'un père français et d'une mère polonaise, mort à Périgueux, dans ce Périgord qui l'avait tôt accueilli, après le décès de son père. En 1950, alors qu'il est en Afrique du Nord après avoir été réformé de la marine nationale, il envoie à plusieurs écrivains français (dont Gide) de curieux petits fascicules qu'il a lui-même confectionnés, qu'il intitule *le Vieillard et l'Enfant* et qu'il signe Abdallah Chaamba (texte publié par les Éditions de Minuit en 1952, modifié par Augiéras en 1953 et 1954). Sorti de l'anonymat, il fera paraître plusieurs récits mais ne renoncera jamais à une vie nomade et misérable, avant de s'éteindre dans un hospice. De 1976 à 1982 (*Domme ou l'Essai d'occupation*), les éditions Fata Morgana et les Éditions du Rocher entreprennent la publication de la majorité de ses œuvres, et en 1984 Paul Placet donne aux Éditions Phalène les fragments d'un roman inachevé : *la Chasse fantastique*. Le lecteur reconstitue, de façon fragmentaire toutefois, l'itinéraire de cet homme d'aventure : son adolescence périgourdine (*l'Apprenti-sorcier*, 1964 ; *Une adolescence au temps du Maréchal*, 1968), ses voyages en Algérie et dans les oasis à la recherche d'un « oncle » fondateur d'un musée du Désert (*le Vieillard*... ; *le Voyage des morts*, 1953), sa visite aux moines orthodoxes (*Un voyage au mont Athos*, 1970), ses derniers mois dans le Périgord (*Domme*...). Augiéras est un méconnu majeur – peut-être parce qu'inclassable, même s'il évoque Rimbaud – de la littérature du XXe siècle. Ses livres vivent d'une écriture pathétique et fascinante, au service d'une spiritualité tout à fait personnelle. À l'exaltation païenne et panthéiste du *Voyage des morts* ou d'*Une adolescence*... répondent en écho le récit patient de la quête initiatique (*Un voyage au mont Athos*) ou le témoignage d'une reprise de possession mystique du cosmos (*Domme*...). À chaque page se trouvent convoquées les grandes forces de l'Univers, pour célébrer par l'ascèse, le pansexualisme et l'enchantement de l'écriture, les noces de l'homme avec le soleil, le désert, la création. L'émotion naît de ce chant lyrique, de la quête magique d'une virginité du monde, que traversent les sombres éclairs de l'isolement, de la haine pour la loi des hommes, de l'errance physique et mentale.

M. P. Schmitt

AULNOY, madame d'

Marie Catherine LE JUMEL de BARNEVILLE, baronne d'AULNOY

(1651-1705)

Femme de lettres née à Barneville, dans l'actuel Calvados. Le regain d'intérêt accordé aux contes de fées, après les travaux de Marc Soriano sur Perrault et de Bruno Bettelheim sur la *Psychanalyse des contes de fées*, devrait amener à redécouvrir la personne et l'œuvre de la baronne d'Aulnoy. L'une apparaîtrait peut-être moins scandaleuse que ne le prétend son médisant contemporain d'Hozier, qui prête, sans grandes preuves, une vie de débauche à une femme que le *Journal des savants* désignait comme une « excellente personne » ; l'autre moins fade que ne l'affirme La Harpe, qui reconnaît le mérite de « mettre du goût jusque dans les frivolités » à une œuvre qui valut à son auteur de figurer, sous les traits de Clio, parmi les neuf femmes de lettres élues, par l'académie des Ricovrati de Padoue, pour représenter les Muses.

Élevée au château de Barneville, elle vécut à Paris à partir de 1661, après le veuvage de sa mère, parente du marquis de Béringhem, lui-même allié aux Louvois. Mariée à l'âge de quinze ans à François de La Motte, baron d'Aulnoy-en-Brie, de trente ans plus âgé qu'elle, elle eut quatre filles et un fils. Elle passe pour avoir trempé dans une obscure machination politique dont la victime, son propre mari, se tira fort bien, tandis que les auteurs, le marquis Crux de Courboyer et le chevalier de La Moizière, étaient décapités les 12 et 13 décembre 1669, spectacle qui fit déserter la première représentation de *Britannicus*. Recluse, à la suite de cette affaire, pendant deux ans dans un couvent, elle voyagea, de 1678 à 1690, en Espagne, où sa mère était devenue marquise de Gudane, et en Angleterre, où elle fréquenta probablement Saint-Évremond, qu'elle avait connu, dans son enfance, comme hôte de Barneville.

En 1690, elle publie la *Relation du voyage d'Espagne* et les *Mémoires de la cour d'Espagne*, présentation, dans un style élégant et facile, des mœurs, de la vie politique et mondaine en Espagne à la fin du XVIIe siècle. La même année paraît l'*Histoire d'Hipolyte, comte de Duglas*, roman où se mêlent la réalité historique et la fiction, selon le modèle fourni par *la Princesse de Clèves*. Ces deux ouvrages connurent un succès considérable et ne cessèrent d'être réédités au cours du XVIIIe siècle. Mme d'Aulnoy y sacrifie déjà à la mode des contes de fées, apparue en France vers 1685. On trouve, dans la *Relation*, « l'Histoire de Mira », variation sur le thème de Mélusine, et, dans l'*Histoire d'Hippolyte*, « l'Île de la Félicité », un conte très beau et très triste, sur la fuite du temps, que le Tasse avait déjà raconté et qui sera repris par l'écrivain danois Œhlenschläger, au début du XIXe siècle.

Mme d'Aulnoy exploita encore le goût de l'anecdote historique dans les *Mémoires de la cour d'Angleterre* (1695), celui du roman historique dans l'*Histoire de Jean de Bourbon, prince de Carency* (1692), où abondent les exploits de pirates, captivités chez les Maures, délivrances romanesques, et dans *le Comte de Warwick* (1703). Elle travaillait, parallèlement, à des ouvrages de piété ou d'érudition comme *les Sentiments d'une âme pénitente*, paraphrase des Psaumes, et une célèbre *Anthologie*, dite « de Barbin », *des plus belles pièces des poëtes français depuis Villon jusqu'à M. de Benserade.* Mais surtout, de 1696 à 1698, elle publia huit volumes sous les titres de *Contes de fées, Contes nouveaux, les Fées à la mode, les Illustres Fées*, signés MADAME D.... Les fées y sont toujours belles, jeunes, élégantes et bienfaisantes, le merveilleux très raisonnable, l'intention très moralisatrice. Les vrais miracles y sont produits par les mérites des héros.

O. Biyidi

AUTON Jean d' *v.* Rhétoriqueurs

AYMÉ Marcel

(1902-1967)

Romancier, nouvelliste, dramaturge, journaliste, né à Joigny le 29 mars 1902, mort à Paris le 29 octobre 1967.

Dernier des six enfants d'un maréchal-ferrant, Marcel Aymé perd sa mère très tôt. Son enfance se passe dans la ferme et dans la tuilerie de ses grands-parents maternels à Villers-Robert (Jura). Il doit, pour raison de santé, interrompre ses études, commencées à Dole. Après son service militaire, qu'il accomplit en Allemagne occupée, il gagne Paris en 1923, où il exerce les métiers les plus divers. Il profite d'une convalescence pour écrire un premier roman (*Brûlebois*, publié en 1926), puis d'autres comme *Aller-retour* (1927) ou *la Table-aux-crevés* (prix Théophraste-Renaudot, 1929). Mais ce n'est qu'avec la publication de *la Jument verte*, en 1933, que ses difficultés matérielles seront aplanies. Il pourra entièrement vivre de sa plume jusqu'à sa mort. Sa production est abondante, puisque c'est, au total, deux essais, dix-sept romans, plusieurs dizaines de nouvelles, une dizaine de pièces de théâtre et plus de cent soixante articles que nous a laissés Marcel Aymé. L'ignorance dans laquelle la critique et les manuels de littérature tiennent cette œuvre relève du scandale culturel.

Le réel et l'insolite

Nombre des romans et nouvelles de Marcel Aymé peuvent être dits réalistes, au sens où ils offrent un tableau de mœurs assez complet de la France des années 20 aux années 60, même si *la Jument verte* se déroule sous le second Empire. Qu'il s'agisse du Front populaire (*Travelingue*, 1941), de l'Occupation (*le Chemin des écoliers*, 1946) ou de la Libération (*Uranus*, 1948), qu'on circule à travers les rues et les cafés de Paris (*Aller-retour*) ou dans la campagne franc-comtoise (*la Table-aux-crevés ; la Jument verte ; Gustalin*, 1937, etc.), on plonge dans la France profonde de la première moitié de ce siècle.

Marcel Aymé n'est certainement pas un théoricien de la lutte des classes, et sa peinture des mœurs françaises accorde une part inégale aux différentes couches de la société. S'il connaît mal les ouvriers (en dépit de *la Rue sans nom* qui reçut le prix Populiste en 1930), ses talents d'auteur régionaliste s'exercent en revanche pour décrire les paysans, dont il donne une représentation assez traditionnelle, d'avant 1914, aux prises avec l'âpreté de la vie rurale et divisés par les luttes entre cléricaux et républicains. Davantage encore, ce romancier qui prétendait ne pas avoir « le don d'observation » (il est vrai qu'il a peu de goût pour l'adjectif et le pittoresque), a un sens aigu pour rendre à travers le mot juste l'atmosphère propre à chacune des couches de la bourgeoisie de son époque. Le cadre social, le prosaïque et le quotidien, donnent de l'homme contemporain l'image désenchantée d'un anti-héros, résigné et impuissant à faire dévier un destin collectif qui le dépasse.

Mais au cœur de ce réalisme naît parfois une forme personnelle de fantastique, que l'écrivain adapte librement de légendes (*la Vouivre*, 1943), du merveilleux chrétien (*Clérambard*, 1950), ou qu'il crée à partir de son propre imaginaire (*les Contes du chat perché*, 1934, augmentés en 1950 et 1958 ; *Derrière chez Martin*, 1938 ; *le Passe-muraille*, 1943 ; etc.). Subtil composé de vraisemblable, d'insolite ou d'inattendu, l'imagination apparaît alors comme une issue dans un monde trop oppressant. L'écriture crée un univers où réel et imaginaire mêlés épousent avec naturel les contours de l'imaginaire des « jeunes de 4 à 75 ans » (*les Contes*), et c'est dans cet esprit qu'il faut interpréter les métamorphoses du temps et de l'espace dans des nouvelles comme « la Carte », « le Temps mort », etc.

La Vouivre

SYNOPSIS

Séduisante créature issue de la tradition celtique, la Vouivre est apparue à Arsène Muselier, en Franche-Comté : la légende veut que celui qui s'empare de son rubis inestimable succombe aux morsures des reptiles. Réprouvant son impudeur, Arsène n'en admire pas moins sa plastique et cède à ses charmes. Il est aussi attiré par Juliette Mindeur, mais une hostilité ancestrale oppose leurs familles. Il envisage d'épouser Rose Voiturier, riche fille du maire radical, tout en trouvant auprès de Belette, la servante, une douceur ineffable. Le curé refuse d'admettre qu'Arsène ait pu pécher avec une créature infernale mais envisage, non sans cynisme, de tirer parti de l'affaire pour ramener à Dieu ses ouailles trop paisibles, tandis que le maire, dévot refoulé, prétend s'opposer au cléricalisme comme à la superstition. Or, Rose est promise au fils Beuillat. Arsène suggère à celui-ci de s'emparer du rubis : les reptiles tuent l'imprudent, tandis que la Vouivre se moque d'Arsène, misérable mortel. Celui-ci découvre son frère Victor chez Belette : désespéré, il quitte la ferme familiale, renonce à Rose et demande Juliette en mariage. Alors que, Voiturier compris, la procession du curé parcourt le pays, Belette tente de s'emparer du rubis : en cherchant à la sauver, Arsène périt avec elle.

V. Anglard

Quel que soit le registre choisi, Marcel Aymé est d'abord un remarquable conteur d'histoires. Passé maître dans l'art du raccourci (ses premières phrases sont presque toujours des ellipses empreintes d'un rare bonheur), habile à tisser une intrigue à partir d'une situation cocasse (*le Bœuf clandestin*, 1939) ou à construire de véritables personnages de comédie humaine à partir de simples silhouettes, Marcel Aymé se montre néanmoins plus à l'aise dans le récit qu'au théâtre, qui constitue pourtant l'essentiel de sa production au milieu du siècle : la verve d'un commentaire ironique et l'impertinence du pastiche trouvent peut-être moins de facilités pour s'exprimer dans *Lucienne et le Boucher* (1947), *Clérambard* ou *la Tête des autres* (1952) que dans les nouvelles et les romans.

Clérambard

SYNOPSIS

« Assiégé par les créanciers », le comte de Clérambard voue sa famille aux travaux forcés, en l'occurrence confectionner des « pulovères » et manger du chat, pour sauvegarder son hôtel particulier, ultime bastion de la grandeur passée. Le curé vient offrir le secours d'un mariage intéressant pour le vicomte Octave : Évelyne, la fille aînée de Me Galuchon. Mais il faudrait accepter « d'avoir un oncle quincaillier ». On semble s'y résigner, quand saint François d'Assise apparaît au comte, lui laissant méditer le récit de sa vie (acte I). Impressionné et repentant, celui-ci renonce à tuer la moindre bête, même une araignée, et décide de lier son fils à la Langouste, prostituée notoire. Aux Galuchon venus présenter Évelyne et convenir de la dot, il annonce qu'il a « visé plus haut » (acte II). La pauvre chambre de la Ruelle-aux Brebis voit le comte s'extasier face aux vertus de celle qu'il veut pour « fille » en résistant de peu à la tentation ; Octave, croiser Me Galuchon, tous deux « rugissant de lubricité » ; enfin le comte, révéler, à l'incrédulité générale, ses projets d'avenir comme le miracle qui en est cause (acte III). Au seuil d'une vie de mendicité, devant la roulotte achetée par Clérambard, les illusions se dissipent : point de miracle pour le comte ; Octave suborne la dernière des Galuchon ; la Langouste, amère, réclame son dû. Mais l'apparition du Poverello en majesté les jette tous, même le médecin aliéniste mandé par la comtesse, dans la roulotte qui « s'ébranle ». Seul reste le curé qui, sans ses lunettes, n'a rien vu (acte IV).

B. Siot

Sourire ou rictus ?

Marcel Aymé pratique l'humour sous des modes très divers. Une pièce, *la Tête des autres*, choisit la forme du portrait-charge pour dénoncer les ridicules et les lâchetés des nantis. Ailleurs, c'est une plume acide et ironique qui stigmatise l'égoïsme, le snobisme, la suffisance et la bêtise. L'auteur mêle les niveaux de langage, le grossier et le délicat (volontiers parodiés), la langue du terroir comme celle de la ville, le français châtié ou les incorrections calculées ; et toujours le style veut caractériser tantôt un personnage, tantôt une attitude sociale. L'œuvre prise dans son ensemble dément la réputation trop rapide d'écrivain licencieux qui a été faite à l'auteur de *la Jument verte*, ou encore d'écrivain pour enfants (*les Contes*) : Marcel Aymé serait plutôt un moraliste malicieux et truculent, sombre parfois, qui adresse ses clins d'œil à qui sait reconnaître ses propres travers dans ceux des personnages. L'humour se teinte d'ailleurs de tendresse chaque fois que s'y manifeste la sympathie pour les gens simples et bons (Déodat, la Langouste…), les déclassés ou les originaux dérisoires et pathétiques (le cycliste Martin, Brûlebois, Watrin…), ou encore les enfants et les animaux.

Un homme de droite ?

Se pose la question des opinions politiques de Marcel Aymé. Si ses articles de presse des années 1930 témoignent plutôt d'une sensibilité de gauche (et si, par ses premiers romans, il semble s'apparenter aux écrivains populistes), la suite de son activité journalistique prit la forme d'une collaboration à des journaux de droite, voire d'extrême droite. Mais Marcel Aymé n'a jamais travaillé pour l'occupant allemand, ce que le Comité national des écrivains lui-même reconnut en ne l'inscrivant pas sur sa liste noire. L'écrivain a été en butte aux critiques de tous ceux qui, après guerre, acceptaient mal que ses romans peignent sans manichéisme les années 1940 et que l'épuration n'y soit pas plus épargnée que le marché noir. Si l'on ajoute que *le Confort intellectuel* (essai publié en 1949) le désignait comme un adversaire de l'engagement sartrien ou stalinien, de la poésie hermétique et des laboratoires du nouveau roman, on comprend mieux pourquoi il fut tenu à l'écart par les intellectuels de gauche, ces derniers préférant ranger sous l'étiquette « anarchistes de droite » les écrivains chez qui l'humour anticonformiste ou ricanant, la misogynie amusée et l'amère conscience du mal se mêlent au souci du style. Quoi qu'il en soit, Marcel Aymé ne ménage ses critiques à aucune famille politique : il ne fut jamais un écrivain engagé, ni à droite ni à gauche. Farouchement attaché, dans ses articles notamment, à « la liberté, la justice, la vérité » (M. Lecureur), à l'esprit de tolérance et à l'amitié (sa fidélité à Brasillach condamné à mort l'a bien montré), cet écrivain défend les valeurs humanistes contre les mensonges et les totalitarismes. Comme il l'affirmait dans une interview accordée aux *Nouvelles littéraires* en 1957, il préférait assigner plutôt à l'écrivain la tâche de « devenir la conscience de son temps ».

M. P. Schmitt

B

BÂ Amadou Hampaté

(1901-1991)

Né à Bandiagara (Mali), Amadou Hampaté Bâ, le sage de Bamako, a toujours conservé un certain mystère, qui n'est probablement pas pour rien dans le caractère vénérable qui s'attache à sa personne. Formé aux arcanes de la théologie islamique par Tierno Bokar, dont il décrira l'enseignement dans *Tierno Bokar, le sage de Bandiagara* (1957), texte qu'il reprendra et enrichira à la fin de sa vie, il a partagé ses activités entre des études des patrimoines culturels traditionnels bambara et foulani, dans le cadre de l'Institut français (ensuite Institut fondamental) d'Afrique noire (I.F.A.N.), en Guinée, au Soudan, au Sénégal, et des activités gouvernementales, secrétaire de cabinet du gouverneur de Haute-Volta, ambassadeur du Mali en Côte-d'Ivoire, membre du conseil exécutif de l'U.N.E.S.C.O.

Il a, en collaboration avec des chercheurs européens, transcrit des récits initiatiques peuls, *Koumen* (1961), *Kaydara* (1969), *Laaytere Koodal* (1974), *Njeddo Dewal* (1985), qui semblent plutôt réservés aux spécialistes, dans la mesure où le français n'y est que langue de transcription ; mais on pressent ce que peuvent avoir de fascinant ces textes qui ramassent tout un enseignement sur les mythes, l'histoire, la morale, la conception du monde d'un peuple. L'ésotérisme s'y joue en symboles remarquables qui passionneront les amateurs d'harmonie à décrypter : neuf os du crâne, trente-trois vertèbres, hiérarchie sociale en trois groupes d'individus, eux-mêmes subdivisés en trois. Collecteur de récits historiques dans *l'Empire peul du Macina* (1962-1965), il est également l'auteur d'un roman édifiant sur la corruption consécutive à l'européanisation, *l'Étrange Destin de Wangrin* (1973), de contes, *Petit Bodiel* (1977), de Mémoires, *Amkoullel, l'enfant peul* (1991) et d'essais théologiques, tel *Jésus vu par un musulman* (1976).

O. Biyidi

BACHAUMONT Louis Petit de

(1690-1771)

Publiciste né à Paris. Très tôt orphelin, il est élevé à Versailles par son grand-père, médecin à la Cour, et reçoit les leçons de l'architecte Le Nôtre. Aristocrate aisé, il quitte en 1730 son château de Breuilpont, dans le Vexin, pour s'installer à Paris. Voisin et peut-être amant de Mme Doublet, Bachaumont sera dès lors l'un des habitués de son salon, le « confessionnal du XVIIIe siècle » (Goncourt). On y verra au fil des années l'abbé Prévost, Voltaire, Voisenon, le mathématicien Mairan, le philosophe Mirabaud, le dramaturge Piron, l'abbé Legendre, le magistrat Durey de Meinières. La « paroisse » de Mme Doublet devient, à partir de 1740, un centre important de « nouvelles à la main », chacun apportant son écot d'informations et d'anecdotes analysées en commun puis distribuées à Paris et en province. Outre cette collaboration, Bachaumont se signale par des travaux d'esthétique et de critique d'art, notamment un *Essai sur la peinture, la sculpture et l'architecture* (1751). Mais il doit sa célébrité à son activité de publiciste. En 1777 – il est mort depuis six ans – paraissent six tomes de *Mémoires secrets* attribués à « feu M. de Bachaumont », journal des années 1762-1771 reprenant la substance des nouvelles à la main diffusées par la « paroisse » : une chronique de la vie sociale, de l'actualité politique et culturelle. L'œuvre de Bachaumont, qu'il faut considérer d'emblée comme collective, sera poursuivie par Pidansat de Mairobert (années 1771-1779) et Mouffle d'Angerville (années 1779-1787).

Généralement bien informés tout en prétendant n'être que l'écho de la voix publique, les *Mémoires secrets* ont le goût du scandale : liaisons entre des « filles d'Opéra » et les grands ou les princes de l'Église – l'évêque de Saint-Brieuc, si empressé « qu'il en conterait à la Vierge » ! –, mesquineries des gens en place ou à la mode, épigrammes et rosseries – le financier Lenormant a épousé Mlle Rem, danseuse, surnommée *Rem publicam* –, calomnies parfois – sur Beaumarchais, accusé d'avoir tué sa femme… Les gens de lettres ne sont pas mieux traités : jugements définitifs sur les œuvres et remarques désobligeantes sur les personnes (J.-J. Rousseau, Mercier, La Harpe surtout) y abondent. Mais, ce faisant, les *Mémoires secrets* jouent leur rôle dans l'entreprise de démystification qui a rendu possible la Révolution. Prenant violemment parti pour les parlements dans la querelle qui les oppose à la monarchie (1765-1774), sachant au besoin vulgariser leurs thèses (sur la « loi naturelle », les droits de la « nation », etc.), ils contribuent aussi à susciter un nouveau pouvoir : l'opinion.

J.-P. de Beaumarchais

BACHELARD Gaston

(1884-1962)

Philosophe et essayiste, né à Bar-sur-Aube, Gaston Bachelard, avec sa barbe de patriarche et son passé d'employé des P.T.T., fait honneur à la démocratie, aux lettres et à l'université françaises. Cette silhouette un peu fantastique, flottant poétiquement dans un univers imaginaire indécis, et qui tient autant du génie bienfaisant des contes ou des esprits malins du *Songe d'une nuit d'été* que du *Philosophe* de Rembrandt, a été définitivement adoptée par la Sorbonne, et c'est un peu dommage. On a tenté d'ériger en corps de doctrine un ensemble divers d'images, d'intuitions, d'aphorismes ou de raisonnements de simple bon sens qui se veulent plus un code poétique de la démarche philosophique qu'un enseignement universitaire. Seule la démarche de l'épistémologue et de l'historien des sciences apporte à cette œuvre un poids rationnel et une cohérence, d'ailleurs compromis de l'intérieur par l'attention portée à l'imaginaire.

Petit fonctionnaire de l'administration des Postes, Gaston Bachelard, autodidacte, entreprit tardivement des études de sciences et de philosophie. Licencié de philosophie en 1920, agrégé en 1922, docteur ès lettres en 1925, il fut chargé d'enseigner l'histoire et la philosophie des sciences à la faculté des lettres de Dijon (1930-1940), puis à la Sorbonne.

Deux pôles d'inspiration fort opposés sont à distinguer dans son œuvre. Le premier, se fondant sur la pratique épistémologique, tend, au contraire de Descartes, à établir, à partir des obstacles qui surgissent dans l'appréhension de l'objet de la connaissance et des errements de la raison, considérés comme étapes du processus de la découverte scientifique, une méthode dialectique conçue comme une véritable « psychanalyse de la raison » (*le Nouvel Esprit scientifique*, 1934 ; *la Formation de l'esprit scientifique*, 1938 ; *le Rationalisme appliqué*, 1948 ; *le Matérialisme rationnel*, 1953). Il y a là, en dépit du ton qui est un peu celui du rationalisme positiviste des instituteurs de la IIIe République, une recherche intéressante d'un processus inconscient du savoir : mais il s'agit autant d'une sorte d'actualisation des principes de l'alchimie que d'une logique de la connaissance scientifique.

C'est encore l'alchimiste qu'on retrouve, à l'autre pôle de son œuvre, parcourant l'univers de la représentation imaginaire des éléments naturels : l'eau, la terre, le feu. Peut-être est-ce la faiblesse d'une philosophie qui tenta de réconcilier dans une même démarche le rêve et la logique (*la Poétique de la rêverie*, 1960, « testament philosophique » de Bachelard) que de vouloir objectiver par l'analyse ce qui, par principe, échappe à l'objectivation. Mais la tentation rationnelle n'étouffe jamais la poésie. Littérairement, l'essentiel de Bachelard est dans l'allure presque dansante, au sens où l'entend Nietzsche, d'une écriture promenade, dans cette légèreté de la fable ou de l'apologue qui évoque parfois La Fontaine, où les éléments joueraient le rôle des animaux, figures d'une fable philosophique dans laquelle Bachelard lui-même jouerait le rôle du philosophe (*la Psychanalyse du feu*, 1937 ; *l'Eau et les Rêves*, 1941 ; *l'Air et les Songes*, 1943 ; *la Terre et les Rêveries de la volonté*, 1945 ; *la Terre et les Rêveries du repos*, 1948 ; *la Poétique de l'espace*, 1957). Dans l'histoire de la philosophie française, cette prose poétique, cette rêverie très littéraire d'un repos épistémologique, ce moment de paresse heureuse est peut-être en définitive le legs le plus précieux de Bachelard.

A. Le Pichon

BACULARD D'ARNAUD François de

(1718-1805)

Baculard d'Arnaud fait partie de ces auteurs auxquels leurs contemporains assurent le succès et que la postérité s'empresse d'oublier. Devant l'abondance de sa production et le nombre des rééditions que ses œuvres ont connues, l'historien de la littérature reste perplexe : il peut n'y voir qu'un phénomène sociologique ou se laisser gagner par les émotions et les manies d'il y a deux siècles.

De la philosophie à l'antiphilosophie

Né dans une famille bourgeoise qui avait ses entrées à la Cour (son père était secrétaire du roi, son grand-père maternel peintre du roi) et héritier d'une récente particule (d'Arnaud), Baculard tenta, de dix-sept à soixante-dix ans et avec des fortunes diverses, de vivre de sa plume. Dès 1736, il rime une *Lettre au sujet des tragédies de M. de Voltaire* qui attire l'attention de l'auteur de *Zaïre*. Sous la protection de celui-ci, il se lance dans le monde des lettres et publie *Coligny ou la Saint-Barthélemy* (1740), une tragédie philosophique qui stigmatise le fanatisme religieux, mais, parallèlement, il ne méprise ni la pornographie (*l'Art de foutre*, 1741) ni les poèmes de circonstance pour les grands. La reconnaissance sociale vient avec le succès des *Époux malheureux*, qui font pleurer la France en 1745, puis la charge de correspondant littéraire de Frédéric II et du duc de Wurtemberg, qu'il obtient en 1748 grâce à l'appui de Voltaire et qui est suivie d'une invitation à Berlin en 1750.

Une rivalité d'auteur avec Voltaire, attisée par la malice du roi, transforme ce séjour berlinois, qui aurait dû lui assurer la gloire, en débâcle. Il est renvoyé par Frédéric II et rejeté dans le camp des antiphilosophes. À son retour à Paris, il se spécialise dans la production larmoyante et bien-pensante, cherche à renouveler la réussite des *Époux malheureux* avec *les Amants malheureux ou le Comte de Comminge* (1764) et met au point le système des nouvelles paraissant périodiquement pour former collection : les *Épreuves du sentiment* (1764-1780), les *Nouvelles historiques* (1774-1784), les *Délassements de l'homme sensible* (1783-1787).

On le trouve mêlé aux divers remous de la république des lettres, à la recherche constante de protecteurs et de subsides. Après avoir été ridiculisé par Voltaire, il a l'inhabileté de s'opposer à Beaumarchais dans l'affaire Goëzman (1773-1774). Les rééditions de ses œuvres à travers l'Europe ne parviennent pas à lui assurer une vieillesse dorée.

Le goût des larmes

Sanglots, évanouissements, convulsions ponctuent la fiction de Baculard. La sensibilité doit s'extérioriser, se théâtraliser. Selon la leçon rousseauiste, c'est un fatal présent du ciel. L'être sensible est un élu, condamné ici-bas aux souffrances, qui trouve d'étonnantes consolations dans un dolorisme sans limites. Les *Épreuves du sentiment* racontées par Baculard ressemblent étrangement aux *Malheurs de la vertu* imaginés par Sade ; les convictions morales et religieuses se contentent de changer de signe.

Baculard exploite les sujets qui touchent son époque. *Les Époux malheureux* diffusent l'histoire des époux La Bédoyère, persécutés par un père hostile à leur mariage. *Les Amants malheureux* adaptent pour la scène le roman de Mme de Tencin, les *Mémoires du comte de Comminge* (1735), histoire d'un amour contrarié qui mène dans le même monastère l'amant et la femme travestie. Les châteaux, les églises, les cimetières servent de décor de prédilection à des scènes de violence morale, d'agonies bavardes, de crises de folie ou de reconnaissance. Le narrateur intervient fréquemment pour commenter son récit, dénoncer les préjugés, se lamenter sur le présent. Comme dans sa jeunesse, il stigmatise la métaphysique et en appelle à la nature ; mais la métaphysique, désormais, c'est la philosophie, et la nature se confond avec le respect des convenances sociales et religieuses : « Du sentiment résulte nécessairement l'amour de l'ordre. » Le sentimentalisme se retourne contre le sensualisme des Lumières et régresse vers un impossible passé idyllique où la chlorophylle se mêle aux odeurs d'encens.

La différence et la répétition

Sur scène ou dans le roman, Baculard reste fidèle au même principe : émouvoir et édifier. Pour ce faire, il privilégie le *tableau* et raconte sans cesse une seule histoire : la sensibilité vertueuse est mise à l'épreuve pour finalement triompher, le plus souvent dans la mort. Ce schéma est actualisé dans des décors variés selon les lieux et les époques. Les collections de nouvelles promènent des personnages stéréotypés à travers l'espace et le temps, avec une prédilection pour l'Angleterre, patrie de Young, le poète des *Nuits* (1742-45), et le Moyen Âge, époque des certitudes morales et sociales. Le pittoresque géographique ou historique est écarté au profit du seul expressionnisme du sentiment. La forme du recueil de nouvelles, où Baculard excelle, correspond à la conjonction de deux impératifs, économique et idéologique : assurer une vente régulière et glorifier l'universalité de l'homme sensible.

M. Delon

BADIUS *ou* BADE Conrad

(1510-1562)

Imprimeur et écrivain, il est le fils de Josse (en latin, Jodocus) Bade, l'imprimeur le plus fécond de son temps, qui avait édité notamment Érasme, Budé, Ange Politien, mais aussi des textes du Moyen Age tardif tels que *la Nef des fous* de l'Allemand Sebastien Brant. Conrad Badius poursuit d'abord à Paris l'œuvre d'édition de son père, mais, acquis aux idées de la Réforme, il doit chercher refuge à Genève en 1550. C'est là qu'il se lie avec Jean Crespin, le futur auteur de l'*Histoire des martyrs*, et surtout avec Robert Estienne. Il devient dès lors l'éditeur attitré des réformateurs de Genève, publiant les ouvrages de Théodore de Bèze et de Calvin (*Commentaires* sur l'Écriture, *Sermons*). Propagandiste et militant, il imprime, en marge de ces textes théologiques, une masse importante de libelles, souvent anonymes, auxquels il prête parfois la main. Il traduit ainsi l'*Alcoranus Franciscanorum,* pamphlet luthérien tournant en dérision la légende de saint François d'Assise (l'*Alcoran des Cordeliers,* 1556) et, d'après l'évêque anglais John Bale, *la Vie des évêques et papes de Rome* (1561), qui prend le contre-pied de l'hagiographie officielle.

Auteur lui-même, c'est dans la polémique que Conrad Badius va s'illustrer, avec les *Satyres chrétiennes de la cuisine papale* (1560), que l'on a attribuées aussi à Théodore de Bèze, et surtout avec la *Comédie du Pape malade et tirant à sa fin* (1561). Nommé pasteur à Orléans en 1562, il quitte Genève au moment où éclate en France la première guerre de Religion. Il meurt de la peste la même année, dans la ville de son ministère.

Les marmites du pape

Les deux œuvres les moins oubliées de Badius appartiennent au genre satirique et doivent l'essentiel de leur inspiration à cette tradition carnavalesque dont a parlé M. Bakhtine à propos de Rabelais. Les *Satyres* présentent, sur le mode de la farce, un rabaissement bouffon de la théologie au niveau de la cuisine. Métamorphose en tout point conforme à la tradition du rire médiéval que celle de cette Église catholique dont les piliers deviennent « chenets de cuisine », les cloches des « chaudrons » renversés, l'autel une table chargée de victuailles et les missels des tailloirs ! La nouveauté réside dans l'usage purement négatif et réducteur qui est fait de tels procédés. Si Badius recourt à la vieille panoplie des images culinaires, c'est dans le dessein de renverser tôt ou tard les « marmites grasses » du pape, autrement dit, de mettre fin, par la dérision et par l'appel à la révolte, au pouvoir temporel de celui-ci.

S'inscrivant dans le même registre de la parodie culinaire, la *Comédie du Pape malade* prolonge les *Satyres,* mais cette « comédie », en fait une « moralité » satirique, ajoute aux ingrédients de la farce le comique plus relevé de caractères bien typés. Au repas orgiaque a succédé l'indigestion. Le Pape, pour avoir englouti trop de bénéfices et « tant mangé d'orphelins », rend par la bouche le produit de ses exactions. C'est alors que divers personnages se présentent à la rescousse, et l'on reconnaît au passage quelques-uns des adversaires les plus acharnés de la Réforme, tels qu'Artus Désiré (l'Affamé), le chevalier de Villegagnon (l'Outrecuidé), de Mouchi (le Zélateur)…

L'intérêt principal de la pièce réside moins dans cette galerie de portraits contemporains que dans le réemploi de types empruntés à la comédie latine ou italienne : sous les masques du « fol », du pédant ridicule, du valet roué ou du soldat fanfaron, le caractère éphémère des victimes de Badius est oublié au profit de leur valeur exemplaire et générale. L'une des scènes les plus significatives de la *Comédie* met ainsi aux prises Villegagnon, avatar renaissant du *miles gloriosus* de Térence, et son serviteur Philaute, rejeton d'un Panurge plus préoccupé de son ventre que de vaine gloire. Dans le Brésil de 1555, hanté de reptiles et de « bestes mues », les deux personnages jouent, sur le fond d'une nature sauvage, immatérielle à force d'être stylisée, la comédie du pouvoir. Seigneur d'un empire imaginaire dont les sujets ne se nourrissent que de vent, Villegagnon tente de faire croire à son unique interlocuteur – et valet – à sa toute-puissance. Peine perdue, puisque la faim est là, qui pourchasse Philaute et, à ses basques, son maître, jusqu'en Europe, devant les marmites du pape !

La satire anticatholique et, dans le cas de la scène précédente, la charge anticoloniale qui vise le chef du Brésil français de 1555 à 1560 se sont élargies aux dimensions d'une sorte d'allégorie morale. Le « vide théâtre » où déambulent les zélateurs du pape apparaît comme l'image d'un univers que la folie des puissants a privé de sens. Tel n'est pas le moindre intérêt d'une des œuvres les plus originales – et les moins austères – qu'ait engendrées la Réforme française.

F. Lestringant

BAÏF Jean Antoine de

(1532-1589)

Poète, Baïf survit mal à son siècle, en partie parce que ses tentatives ont été trop exclusivement inscrites dans les modes érudites de son temps, qu'il a cru pouvoir influencer de l'extérieur et dont il a pourtant été dépendant ; en partie aussi parce qu'il était, comme l'a dit son contemporain Pasquier, « assez mal né à la poésie ».

Né à Venise d'une mère italienne au moment où son père, le grand humaniste Lazare de Baïf, y était ambassadeur de François Ier, il revient en France avec lui en 1534 et reçoit successivement de Charles Estienne, d'Ange Vergèce et de l'helléniste Jacques Toussain l'éducation la plus savante et la plus attentive qu'on ait pu concevoir dans ces années-là. Il n'a que douze ans quand son père le reprend avec lui et lui donne comme précepteur le fameux helléniste et poète néolatin Jean Dorat ; il a alors pour compagnon de travail, juste avant que son père meure (1547), le jeune Ronsard, qui vient de perdre son propre père. Ensemble ils rejoignent le collège de Coqueret, où enseigne Dorat, et leur amitié, assez houleuse, durera toute leur vie. Baïf voyage un peu en compagnie d'amis : à Poitiers avec Tahureau, en Normandie avec Vauquelin de La Fresnaye, à Tours avec Ronsard (qui évoque l'épisode dans l'un de ses plus beaux poèmes) ; il passe quelques mois à Trente, en Italie (1562-1563) ; pour le reste, il est parisien, et très bien en cour. Il demeure dans la belle maison que son père lui a laissée hors les murs, rue des Fossés-Saint-Victor, toute proche de l'ancienne abbaye Saint-Victor qui favorisait le courant platonicien depuis le Moyen Âge. C'est là qu'il fonde la première académie platonicienne de France, en 1570.

Auparavant, l'activité littéraire de Baïf est considérable, orientée à la fois vers la poésie et le théâtre. Son œuvre poétique comprend d'abord des recueils amoureux : les *Amours*, de 1552 – qu'il intitulera plus tard *Amours de Méline* –, l'*Amour de Francine*, de 1555, et les *Diverses Amours*, de 1573. Seul l'*Amour de Francine* semble avoir eu une inspiratrice réelle, Françoise de Gennes, rencontrée à Poitiers. Ces textes prolixes, surchargés de références antiques, italiennes ou néolatines, traitent indéfiniment les thèmes plus ou moins pétrarquistes du moment, d'une façon insipide propre à en décourager le lecteur. On chercherait en vain, dans ces vers de tous mètres, de tous agencements strophiques, une inspiration gênée par la recherche systématique, les chevilles. La seule variété relative est dans la répartition des formes choisies : ainsi de l'*Amour de Francine*, qui rassemble des sonnets dans ses deux premiers livres, des odes variées dans un autre, des poèmes à forme plus longue dans un dernier. Les *Passe-temps*, de 1573, et la poésie de circonstance – *Remonstrance*..., de 1557, *Neuf Livres de poèmes*, de 1573, qui n'oublient dans l'éloge aucun des Grands – ne valent guère mieux. Partout un « alexandrinisme » épris de mythologie, sans aucun goût pour les mots. Le recueil versifié des *Mimes, Enseignements et Proverbes* (1576), augmenté plusieurs fois, a connu un grand succès d'édition jusqu'aux premières années du XVIIe siècle, qui appréciait beaucoup cette poésie gnomique, déroutante dans son mélange de fables, d'apologues et de proverbes populaires, groupés en strophes régulières :

Le Porc enseignera Minerve.
Qui ne sait maistriser qu'il serve :
Chacun pour soy et Dieu pour tout :
Qui se pourra sauver se sauve.
Fortune par-derrière est chauve.
Prendre faut tout par le bon bout...

Imitant l'Italien Pontano, Baïf a aussi, dans le vaste poème des *Météores*, sacrifié au goût de son temps pour la poésie « scientifique ». Même travail énorme chez l'auteur de tragédies et de comédies. Influencé par le milieu de son père, qui a contribué à l'essor du théâtre humaniste, Baïf, enfant précoce, traduit des pièces – aujourd'hui perdues – du répertoire latin et grec ; il songe, avant Jodelle, à une *Cléopâtre*, adapte avec habileté l'*Antigone* de Sophocle, *l'Eunuque* de Térence, et surtout réussit, avec *le Brave*, tiré de Plaute, une des meilleures comédies humanistes ; il y donne un tour alerte aux vers et francise les situations et les noms propres : Taillebras, Bontams, Gallepain... La pièce obtint un vif succès devant la Cour en 1567.

Mais le plus grand mérite de Baïf, et qui lui valut son renom légitime, est d'avoir organisé en 1570 cette Académie de poésie et musique qu'Henri III remplacera, en 1574, par l'Académie du Palais. Si elle n'a pas fait prendre conscience la première de la complexité des rapports entre les deux arts – chose déjà bien évidente dans les plaintes des poètes devant le morcellement de leurs textes par la polyphonie –, elle a du moins établi des bases rigoureuses nouvelles pour cette collaboration, bases qui seront fort louées au XVIIe siècle par le spécialiste de ces questions, le père Mersenne. Au départ, tout est venu du travail de Baïf sur les *vers mesurés* ; pour lui, comme pour les poètes italiens et français qui s'y étaient précédemment essayés, il fallait retrouver le vers antique, qui s'accordait à la musique des Anciens dans l'alternance des syllabes longues et brèves. Plus n'était besoin du rythme syllabique régulier ni des rimes. La musique devait être servie plus librement par ces textes, et obtenir des effets moraux et psychologiques plus intenses sur l'auditeur. Baïf a intéressé les meilleurs compositeurs : Thibault de Courville, qui fonde l'Académie avec lui ; Claudin Le Jeune, qui met en musique ses vers pour le mariage du duc de Joyeuse (1581) ; Beaulieu ; enfin Jacques Mauduit, qui partage avec lui le projet d'une poésie religieuse catholique, mise en musique pour être chantée par tous. Si l'Académie de 1570 était plutôt une sorte de collège pour chantres, musiciens et compositeurs, financé par des auditeurs soumis eux-mêmes à des règles, l'Académie du Palais a réuni, autour de Henri III, Ronsard, Desportes, Tyard, Du Perron et des invités de marque, en compagnie de quelques grands de la Cour. Si l'on songe à l'extrême importance de la musique dans toute la vie du XVIe siècle, on comprend mieux que cet auteur « abondant », trop dispersé dans une œuvre pesante, ait donné le meilleur de lui-même dans ce qui, pour nous, est perdu, mais intéresse encore beaucoup les musicologues. [Voir aussi **Pléiade**.]

M. M. Fontaine

BAJU Anatole *v.* Décadence et Décadents

BALLANCHE Pierre Simon

(1776-1847)

Écrivain et philosophe né à Lyon, Ballanche voit sa vie marquée par deux événements : l'écrasement de l'insurrection lyonnaise par la Convention ; l'amitié de Mme Récamier, auprès de qui il s'installe à Paris en 1813. Il devient, avec Chateaubriand, un familier de l'Abbaye-aux-Bois. La tragédie de l'histoire et la fréquentation de l'auteur de *Génie du christianisme* motivent une pensée fondatrice de ce que l'on appellera le néo-catholicisme, qui combine une doctrine modernisée de l'exil terrestre et des signes divins, une esthétique qui appelle l'art à soutenir la religion et une interprétation de l'histoire humaine, ouverte sur un avenir qui intègre les valeurs de liberté, de progrès, d'émancipation des déshérités et d'assomption de l'humanité.

Dans *Antigone* (1814), l'*Essai sur les institutions sociales* (1818), *le Vieillard et le jeune homme* (1819), *l'Homme sans nom* (1820) et l'*Élégie* (1820), Ballanche affirme la sainte nécessité de la souffrance et du martyre dans le projet divin et le gouvernement providentiel de l'Univers. L'homme sans nom, régicide, se trouve absous au nom de la réconciliation, le roi devient « une victime mystique d'une transformation sociale » que l'*Essai* présente comme « un traité d'alliance entre le passé et l'avenir ».

Ballanche intègre donc le temps dans la loi divine et voit dans la morale de la société présente celle du christianisme même. Apôtre de la modernité chrétienne, opposé aux excès ultras, il constitue la théologie du progrès comme dogme d'un certain royalisme bourgeois. Pour cela, il lui faut étendre la doctrine à l'ensemble de l'évolution humaine, immense projet qui restera inachevé, jalonné par la publication des *Prolégomènes* (1827), d'*Orphée* (1829), de *la Vision d'Hébal* (1831), l'ensemble participant du concept élaboré dans les *Essais de palingénésie sociale,* dont l'*Épilogue* paraît en 1832. Les *Œuvres complètes*, publiées en 1830 et en 1833, comportent des *Réflexions diverses,* avec de nombreux ajouts aux textes précités.

Le terme de « palingénésie », emprunté à la philosophie stoïcienne et à Charles Bonnet (*Palingénésie philosophique,* Genève, 1769), désigne une renaissance des êtres et des sociétés conçue comme source d'évolution et de perfectionnement. Son emploi par Ballanche met l'accent sur la recherche de l'unité et de l'harmonie, et justifie l'orientation nouvelle proposée aux catholiques : l'alliance du *Credo* et de l'humanitarisme laïque. On comprend les résistances de l'Église catholique !

Ballanche espérera jusqu'au bout l'adhésion du peuple à la palingénésie. Sa mort, survenue à Paris en 1847, cinq ans après son entrée à l'Académie, ne lui permettra pas de suivre la diffusion de sa doctrine dans le seul milieu qui pouvait l'accueillir : celui des intellectuels chrétiens autour duquel prendra corps le christianisme social.

Par sa vision globale du monde et de son devenir, Ballanche s'inscrit dans l'épopée romantique, pour laquelle l'individu coïncide avec le sujet collectif (peuple ou genre humain) et peut en prendre conscience grâce à la médiation du Poète, nouvelle figure du sage : « L'univers est le plus sublime concert, et il n'est donné qu'aux Sages et aux Poètes d'entendre son harmonie ravissante. Linus, Orphée, Homère, Pythagore, hommes divins, sans doute votre organisation exquise vous permettait d'être sensibles à cette mélodie… » (*Du sentiment considéré dans ses rapports avec la littérature et les arts,* 1801).

L'attente fondamentale de la régénération de l'humanité sur laquelle repose toute l'œuvre de Ballanche est aussi (et surtout ?) attente d'une résurrection de la poésie, langue d'éternité et d'harmonie, résurrection proclamée par Victor Hugo dans « Ce qu'on entend sur la montagne » (*Feuilles d'automne,* 1831), alors même que le poète reste sourd au cantique sublime de la Création, surdité inconcevable pour Ballanche. [Voir aussi **Illuminisme et littérature**.]

G. Gengembre

BALZAC Jean-Louis Guez de

(1597 ?-1654)

On ne lit plus Guez de Balzac. Son œuvre, étroitement liée à son époque et à son milieu, n'est pas d'un accès immédiat pour le lecteur moderne ; en revanche, elle fut tenue, durant la première moitié du XVIIe siècle, pour le modèle de la prose éloquente et élégante, et constitue ainsi un objet d'étude privilégié pour l'histoire littéraire.

Les origines et les débuts de Balzac résument assez bien le cursus de l'homme de lettres de l'époque. Il est issu d'une famille en voie de promotion : son père, Guillaume Guez, de petite noblesse languedocienne, est devenu le secrétaire de confiance du duc d'Épernon et a épousé Marie Nesmond, de bonne famille angoumoisine, qui apporte en dot la seigneurie de Balzac. On le destine aux emplois de l'éloquence politique : il étudie chez les jésuites, puis à Paris, enfin à l'université de Leyde, où enseignent les maîtres les plus réputés de l'art oratoire, notamment Heinsius. Il y a pour compagnon Théophile de Viau et se trouve en contact avec la Réforme et le libertinage. Rentré en France, il est, dans la clientèle du duc d'Épernon, employé pour des écrits de polémique (le duc soutient les manœuvres de la reine mère Marie de Médicis). Puis il est (1620-1622) l'agent à Rome du cardinal de La Valette, fils du duc. Cependant, à son retour, sa carrière bifurque : malade, il se retire à Balzac. Il n'a pas renoncé à ses ambitions, mais il semble être tenu un peu en suspicion (par Richelieu notamment) à cause de ses premiers écrits polémiques. Mal satisfait de ce qu'il obtient (titres de conseiller et d'historiographe, pension fort mal payée – de 2 000 livres), il se cantonne dans sa retraite, tout en gardant des relations suivies avec les cercles littéraires parisiens. Dès lors, son œuvre reflète sa situation paradoxale : il se pose en ermite volontaire et en maître de l'éloquence mondaine, alors même qu'il rêve d'être un modèle de l'éloquence politique et d'occuper de hautes fonctions.

L'éloquence politique et religieuse correspond surtout à trois ouvrages : *le Prince* (1631), long panégyrique de Louis XIII, les discours du *Socrate chrétien* (1652), apologie du catholicisme le plus conformiste, et l'*Aristippe* (1658, publié posthumément mais entrepris sitôt après *le Prince*), critique des mauvais ministres dont nombre de traits peuvent s'appliquer à Richelieu et à Mazarin. Comme beaucoup d'écrivains de son temps, Balzac adapte ses opinions déclarées à la conjoncture : il loue le roi quand il espère encore des emplois ; il blâme les ministres (après avoir envisagé d'en faire l'éloge) quand il n'espère plus rien ; par le *Socrate,* il se défend des accusations de libertinage portées contre lui. Ses options idéologiques (vœux d'un pouvoir fort mais non tyrannique, de paix et d'unité nationale, respect de la religion établie et refus des controverses) correspondent à l'idéal de juste milieu de l'« honnête homme ». Pourtant, ces ouvrages n'eurent guère de succès : cela tient en partie à ce que le rétablissement de l'autorité monarchique ôtait à l'éloquence politique la possibilité d'une efficience immédiate.

À l'inverse, l'essor de la vie de société favorisait l'éloquence mondaine : c'est dans ce domaine que Balzac accède à la gloire, dès la publication de ses *Lettres* (1624). Ce genre était encore neuf en France. Balzac y apporte l'alliance de l'authenticité et d'une forme élaborée : ses lettres sont de vraies missives, mais en les rédigeant, il songe déjà à la publication ; aussi le dialogue avec le destinataire s'y efface au profit de l'exercice oratoire. Actualité mondaine, littéraire, politique, descriptions de Rome ou de l'Angoumois, éloge de la vie retirée et confidences personnelles ; la thématique en est d'ordre familier : un épicurisme modéré, fait de réflexion sur soi et d'un regard critique sur toute chose (il a médité Montaigne), perce souvent au milieu des formules conventionnelles imposées par le genre et l'époque. Balzac se place dans la lignée du plus illustre des épistoliers : aux lettres familières de Cicéron, il emprunte un ton, des thèmes, le goût des périodes bien construites. Le purisme, le souci de la clarté et la recherche de l'harmonie de la phrase caractérisent son style. Le public cultivé trouvait là un art épistolaire en accord avec l'idéal de l'honnêteté qui s'élaborait alors. Balzac puisera dans la même veine d'autres recueils de *Lettres,* ses *Œuvres diverses* (1644), ses *Entretiens* (1658). Il faisait figure d'autorité dans le domaine de la prose à la fois familière et soutenue, et son influence sur la formation du goût classique fut considérable.

Sa verve polémique eut l'occasion de s'exercer aussi dans diverses querelles littéraires. À ses débuts, Goulu (général de l'ordre des Feuillants) l'accusa d'impiété, de narcissisme, ainsi que de pillage des Anciens. À bien des égards, toute l'œuvre de Balzac est un plaidoyer sur ces divers points. Vis-à-vis des Anciens, il refuse le pédantisme et l'imitation servile. Il combat aussi toute éloquence artificielle, toutes les « fleurs de rhétorique », au nom de la clarté, de l'ordre, de la bienséance. Plus tard, lors de la publication des *Lettres* de Voiture (1650), les admirateurs de celui-ci placeront son style enjoué et libre au-dessus de la prose soutenue de Balzac. Il y a là l'indice d'une évolution du goût. Bien qu'il ait été, dès son vivant, considéré comme l'équivalent pour la prose de ce qu'était Malherbe pour la poésie, le succès et l'influence de Balzac déclinèrent sensiblement après sa mort, alors que se manifestait une génération nouvelle dont il avait pourtant largement contribué à façonner le goût.

A. Viala

Balzac

BALZAC Honoré de

(1799-1850)

Par son œuvre gigantesque, par son ambition démesurée, Balzac est certainement devenu, avec Molière et Hugo, l'écrivain le plus représentatif de la littérature française dans ce qu'elle a de plus saisissant et de plus universel. Comme Dante en Italie, Cervantès en Espagne, Shakespeare en Angleterre, Goethe en Allemagne et Tolstoï en Russie, son nom s'impose à notre époque pour désigner l'auteur qui, en France, a su imprimer sa marque au réel, a su dire la réalité du monde contemporain en exploitant au mieux toutes les ressources de la langue, et en investissant plus qu'un autre sa propre personnalité dans son œuvre, jusqu'à inaugurer des rapports étonnamment modernes entre la vie et la littérature. Plus que Rousseau, que Proust ou que Céline, il a fait corps avec son œuvre. Mêlant inextricablement vie et roman, mettant sur le même plan les « triomphes de la vie » et ceux de la « littérature », construisant « absolument de la même manière » (Proust) sa vie et ses romans, Balzac, en 1843, découvre dans ses œuvres les « grands événements » de sa vie.

Balzac et le monde

L'homme est d'une stature tout aussi impressionnante que ce qu'il écrit. Travailler, s'étonner, vouloir sont les maîtres mots de la vie de Balzac. Devant sa table de travail jusqu'à dix-huit ou vingt heures par jour dans ses périodes les plus actives, respectant scrupuleusement un emploi du temps de moine ou de forçat des lettres, il s'épuise à la tâche. Livre de bord du martyre vécu par l'écriture, la *Correspondance* de Balzac, et particulièrement les *Lettres à Madame Hanska*, laisse, derrière les exagérations et les déformations volontaires, un irremplaçable témoignage : « le cerveau halluciné n'obéit à rien ; il se couche comme un cheval fourbu qui se laisse tuer plutôt que de se lever » ; « la rapidité du travail m'ôte le sens de la composition, je n'y vois plus clair, je ne sais plus ce que je fais ». Tout en plaidant pour l'Antiquaire de *la Peau de chagrin*, qui a su conserver une égalité d'esprit en ménageant son capital énergétique, Balzac ne cesse de dissiper ses forces. Buvant des « torrents de café », il s'acharne sur ses pages, raturant beaucoup, corrigeant inlassablement épreuve sur épreuve, reprenant sans cesse les passages imparfaits, et lutte, sa vie durant, contre une monstrueuse fatigue, rapidement devenue le rythme propre de cette existence hallucinée. Toujours hanté par un irrésistible besoin d'argent, menacé par les créanciers, il doit satisfaire à toutes les exigences d'un « commerçant en livres ». À l'image de Vautrin, échappé du bagne et en danger perpétuel, de Lucien de Rubempré, vaincu par les puissances supérieures qu'il a libérées, de David Séchard lui-même, qui finira par succomber, mais aussi de Raphaël de Valentin et de Louis Lambert, de Balthazar Claës et de Mme de Mortsauf, l'écrivain, défiant la société au nom de son génie, meurt de sa dévorante passion. À la question de jeunesse : « Mes deux seuls et immenses désirs, être célèbre, et être aimé, seront-ils jamais satisfaits ? » répond l'amer bilan de la maturité : « La vie aura été pour moi la plus douloureuse des plaisanteries. Mes ambitions tombent une à une. Le pouvoir est peu de chose. La nature avait créé en moi un être d'amour et de tendresse, et le hasard m'a contraint à écrire mes désirs au lieu de les satisfaire » (à Mme Hanska, août 1836).

Avant d'être une obligation, puis un destin, la littérature s'affirme comme un véritable métier. Balzac, qui écrit d'abord pour vivre, propose une conception précise du travail littéraire. Malgré des dons évidents, nulle aisance dans l'élaboration de l'œuvre, mais une suite de reprises et de tâtonnements, une méthode. Quand il met en scène de grands artistes au travail, Balzac insiste toujours sur cette lucidité besogneuse inhérente à toute création : « L'art procède du cerveau et non du cœur [...]. Sentir trop vivement au moment où il s'agit d'exécuter, c'est l'insurrection des sens contre les facultés ! » (*Massimila Doni.*)

Au travail sur les mots correspondent un intérêt inépuisable pour les hommes et une curiosité toujours en éveil pour leur vie. Balzac incarne par avance l'image du « philosophe », défini par Nietzsche comme un homme qui « ne cesse pas de vivre, de voir, d'entendre, de soupçonner, d'espérer, de rêver des choses extraordinaires ». En témoigne sa disposition, dont certains personnages d'ailleurs héritent, à remarquer ce qu'il nomme fréquemment le « sublime » : le père Goriot est sublime pour Rastignac, comme Eugénie Grandet pour sa mère ; et une vieille paysanne, pour le commandant Genestas, représente le « sublime en sabots ». L'émerveillement suprême naît quand l'artiste se met à l'écoute de lui-même alors qu'il perçoit les correspondances entre les choses et qu'il porte, en pensée comme en imagination, les romans virtuels : « Je trouve en moi des textes à développer », dit Louis Lambert. Devant l'homme que fut Balzac, nombreux d'ailleurs furent les contemporains saisis par le magnétisme du personnage, admiratifs et enthousiastes, tels Théophile Gautier ou Baudelaire qui, dans le *Salon de 1846*, l'apostrophe ainsi : « Honoré de Balzac, vous le plus héroïque, le plus singulier, le plus romantique et le plus poétique parmi tous les personnages que vous avez tirés de votre sein. »

S'étonner revient aussi, pour Balzac, à imaginer. Or, l'imagination fait courir à l'écrivain un risque tel que, dès 1822, dans une lettre à Mme de Berny, il s'en déclare la « victime ». Mais Balzac ne confond réel et imaginaire que momentanément, par excès de travail ou faiblesse circonstancielle. Le mot célèbre « Revenons à la réalité, parlons d'Eugénie Grandet » n'est en rien exemplaire d'un homme toujours attentif à la densité et au jaillissement du réel. De fait, deux formes d'imagination se distinguent chez Balzac. L'une échafaude théories trompeuses et entreprises plus ou moins chimériques (fondation d'éphémères revues parisiennes, exploitation d'une mine argentifère en Sicile, culture des ananas à Ville-d'Avray) ; l'autre, féconde et active, perce les secrets et donne vie à l'œuvre d'art. De cette lutte avec l'imagination, la correspondance et l'œuvre portent témoignage. Avouant à sa sœur Laure qu'il se tient « en garde contre l'intempérance de l'imagination », Balzac fait dire à Louis Lambert : « Personne dans le monde ne sait la terreur que ma fatale imagination me cause à moi-même. Elle m'élève souvent dans les cieux, et tout à coup me laisse tomber à terre d'une hauteur prodigieuse. » Si l'imagination électrise la pensée et la porte à des visions sublimes en forme de crises bouleversantes, la période critique passée, l'individu reste pantelant et désolé. Balzac dénonce « le penchant qui porte les imaginations vierges à s'abandonner aux croyances », l'imagination du poète, qui « est sa plus cruelle ennemie ». Dans *la Peau de chagrin*, précisément, il est question de « cette excessive mobilité d'imagination, le malheur des poètes », de la « fatale imagination » qui dessine « mille projets sans base » et dicte des « résolutions impossibles ». Reconnaissant l'importance de cette faculté en l'homme, Balzac la tient à distance et l'exorcise en décrivant ses ravages chez certains personnages. Exagérant jusqu'à la tragédie les effets de la force destructrice, il en prend conscience et la maîtrise, s'affirmant ainsi écrivain-lecteur de lui-même.

Cette puissance qui surpasse la fatale imagination en corrigeant ses effets, Balzac la nomme volonté. Sans aucun doute, l'écrivain s'est fait une devise de la formule de Louis Lambert, qui ira, lui, jusqu'à mettre « la volonté avant la pensée » : « Tout est possible à celui qui veut tout. » Pour affermir et consolider le vouloir, les conditions de vie de l'écrivain jouent un rôle capital. La pauvreté, par exemple, dans sa nudité, est nécessaire aux grands hommes : c'est dans sa mansarde que Raphaël de Valentin écrit une *Théorie de la volonté*, que le jeune Honoré a imaginée – et peut-être même composée – au collège de Vendôme ; c'est le manque d'argent qui donne du génie à Bianchon ; et Émile Blondet s'interroge devant Raphaël : « Ne faut-il pas toujours des luttes, à nous autres ? »

La volonté, à la fois thème et moteur de l'œuvre, suppose une vision du monde et participe d'une véritable mythologie de l'homme d'après laquelle des forces surhumaines (la passion, la puissance, l'argent) mènent les personnages. Tout roman de Balzac est l'histoire d'une énergie, plus ou moins consciente, plus ou moins grande, qui se concentre puis se libère. Jacques Colin, par exemple, porte en lui la puissance considérable d'un homme révolté et donc démoniaque, qui incarne « le Mal, dont la configuration poétique s'appelle le Diable ».

Les personnages les plus attachants de Balzac sont guidés par une volonté ou une passion mortelles : l'abnégation de Mme de Mortsauf, l'avarice de Grandet, la volonté de puissance occulte de Vautrin ou de Ferragus. Mais c'est l'amour qui apparaît véritablement comme la plus dangereuse des passions. Lucien de Rubempré inspire à Clotilde de Granlieu un désir qui la conduit aux pires débordements, à Esther un sentiment si exclusif qu'elle en meurt, à Vautrin enfin, une passion maudite. Dans *la Peau de chagrin*, Pauline tue Raphaël en refusant de croire, par amour, à la fatalité du talisman.

L'œuvre

Balzac n'a pas commencé par le roman. C'est le théâtre, genre majeur à l'époque, qui l'attire d'abord et, dans le théâtre, le vers. Toute sa vie, d'ailleurs, il gardera la nostalgie d'un mode d'expression qui s'est refusé à lui. Dans le vers, il voit un outil littéraire des plus importants que tout grand écrivain se doit de maîtriser à l'égal de la prose : « De tous les poètes de ce temps, trois seulement, Hugo, Théophile Gautier, de Vigny ont pu réunir la double gloire de poète et de prosateur que réunirent aussi bien Racine et Voltaire, Molière et Rabelais, une des plus rares distinctions de la littérature française et qui doit signaler un poète entre tous » (*Modeste Mignon*).

L'œuvre romanesque s'échappe parfois vers le théâtre. *Les Employés* se composent, en grande partie, de longs échanges dramatiques, typographiquement présentés sous forme de dialogues scéniques. Une brève remarque suffit également à transmuer le roman en pure tragédie classique : « Ici se termine en quelque sorte l'introduction de cette histoire. Ce récit est au drame qui le complète ce que sont les prémisses à une proposition, ce qu'est toute exposition à toute tragédie classique. »

Balzac prend du théâtre, non la forme, mais la parole, qu'il laisse s'épanouir dans le roman. En choisissant ce dernier, il songe à Rabelais, à Rousseau, à Chateaubriand, au roman noir anglais aussi, et au roman historique de Walter Scott. Mais, tout en dialoguant avec ses devanciers, il renouvelle les lois du genre et invente un roman qui participe de tous les « genres » à la fois : « Quant à moi, je me range sous la bannière de l'éclectisme littéraire pour la raison que voici : je ne crois pas la peinture de la société moderne possible par le procédé sévère de la littérature du XVIIIe siècle… L'introduction de l'élément dramatique, de l'image, du tableau, de la description, du dialogue me paraît indispensable dans la littérature moderne ». Si, aux XVIIe et XVIIIe siècles, le roman n'était pas reconnu comme un genre littéraire, avec Balzac il acquiert non seulement ses lettres de noblesse, mais aussi une profondeur nouvelle par l'élaboration d'une théorie critique.

La forme de l'œuvre ne s'impose qu'après une patiente recherche : le sujet lui-même la détermine, non l'auteur. « Protée insaisissable », la forme est une donation de la matière qui lui est consubstantielle. « À chaque œuvre sa forme », dit Balzac dans la préface de l'édition originale du *Lys dans la vallée*.

Cette matière, c'est l'Histoire. Dans la préface d'*Une fille d'Ève*, Balzac compare l'Histoire (domaine de la vérité et de la rigueur) au roman (où s'affirme la royauté de l'imaginaire et du vraisemblable). Entre roman et Histoire règne une rivalité que Balzac ne tranche pas en choisissant l'un ou l'autre : il hausse les deux instances vers une troisième qui les résume et les dépasse. Le romancier peut exprimer l'Histoire, à condition d'« être vrai dans tous les détails quand son personnage est fictif » (*Lettres sur la littérature*, 1840). Mais l'Histoire n'offre que des faits. Or, l'auteur de roman ne doit pas entasser des événements, mais peindre les « causes qui engendrent les faits », autrement dit les « mystères du cœur humain ».

« Nous avons à saisir la vie, l'âme, la physionomie des choses et des êtres. Les effets ! Les effets ! mais ils sont les accidents de la vie, et non la vie » *(le Chef-d'œuvre inconnu)*. Exprimer la vie exige que l'on perçoive les deux versants du monde : l'ombre et la lumière, le superficiel et le profond, l'étrange et le mesurable. De là, l'embarras du critique privilégiant tantôt le Balzac « réaliste », tantôt le Balzac « visionnaire ». La vérité de l'écrivain est certainement à chercher par-delà cette opposition mutilante dans une vision à la fois unique et « bilatérale », selon le mot de d'Arthez dans *Illusions perdues*, dans une écriture où se mêlent inextricablement le réel et l'imaginaire : « Certaines intelligences *bifrons* embrassent tout, veulent et le lyrisme et l'action, le drame et l'ode, en croyant que la perfection exige une vue totale des choses. Cette école [...] demande une représentation du monde comme il est : les images et les idées, l'idée dans l'image ou l'image dans l'idée, le mouvement et la rêverie. »

Si l'Histoire apprend à Balzac l'importance de l'« observation » et le roman celle de l'« imagination », l'œuvre nouvelle ne deviendra elle-même que par la « construction ». Sans être assujetti à un réel contraignant, sans succomber aux charmes du romantisme fantastique, l'art affirme d'abord son autonomie par le travail du romancier, qui reconnaît et accepte ses exigences. Ainsi Balzac dénonce, dans certaines critiques de romans contemporains, les erreurs de l'auteur qui copie le réel sans permettre à l'œuvre de s'élaborer dans un univers proprement artistique : « C'est une des plus grandes fautes qui se puissent commettre que d'introduire au début d'un livre un personnage qui ne sert à rien et qu'on ne verra plus [...]. Ces incohérences, ces invraisemblances d'action que la nature se permet souvent sont funestes à la vie d'un livre [...]. Le vrai de la nature ne peut pas être, ne sera jamais le vrai dans l'art » (1840).

Le retour des personnages

La technique du retour des personnages, que Balzac découvre vers 1833, permet de regrouper les œuvres dans un vaste ensemble qui représente, non un reflet mais une analogie de la société française contemporaine, elle-même représentative de toute société et, plus généralement, de la condition humaine. Rastignac, par exemple, dont Balzac dresse la biographie fictive dans la préface d'*Une fille d'Ève* (1839), joue un rôle primordial dans *la Peau de chagrin* (1831). Il sera, différemment, l'un des héros du *Père Goriot* (1835), un des personnages secondaires de *la Maison Nucingen* (1838) et une figure parmi d'autres de *Splendeurs et Misères des courtisanes* (1843). Ne s'inquiétant guère de la minutie et de l'exactitude dans les réapparitions successives du personnage, Balzac ne procède pas à des réajustements chronologiques ou psychologiques qui feraient de Rastignac un prototype scrupuleusement fini, errant d'une œuvre à l'autre. Les personnages, silhouettes connues, mais riches en métamorphoses, cimentent l'édifice entier en réapparaissant et créent un monde où le lecteur pourra retrouver un écho de la résonance et de l'épaisseur du monde réel. « Il n'y a rien qui soit d'un seul bloc dans ce monde, tout y est mosaïque. Vous ne pouvez raconter chronologiquement que l'histoire du temps passé, système inapplicable à un présent qui marche » (préface d'*Une fille d'Ève*).

Grâce au retour des personnages, le monde de Balzac gagne en densité et en crédibilité, comme si un roman recevait la lumière qui l'éclairait d'un autre roman avant de la recevoir du monde réel. Les personnages ne se contentent pas d'assurer la liaison d'une œuvre à l'autre, ils fondent la cohérence et l'autonomie de l'univers romanesque, qui, toujours le même, est présenté au lecteur selon un point de vue, un angle d'attaque, une perspective chaque fois différents. Oubliant la « dimension » purement « verbale » de la littérature (Valéry), le lecteur circule dans le monde de *la Comédie humaine* avec l'impression que, derrière ce qu'on lui montre, la vie est là, dans toute sa profondeur, l'ensemble prenant la dimension d'un univers gigantesque et complet dont seule apparaît une petite partie.

Les romans de jeunesse

Outre *la Comédie humaine*, Balzac a écrit des romans de jeunesse et des œuvres diverses.

Après avoir rédigé des *Notes philosophiques*, inspirées par le rationalisme athée de son père, après quelques tentatives théâtrales rapidement découragées par l'entourage familial et des amis avertis, le jeune Balzac s'essaye au roman. Ces coups d'essai, qui appartiennent à l'archéologie balzacienne, témoignent d'une création qui cherche sa modernité dans le dialogue avec le passé et d'une promesse de l'œuvre à venir. Les premiers récits tentent de faire parler conjointement littérature et philosophie. *Sténie ou les Erreurs philosophiques* (vers 1820), roman par lettres inachevé, embarrasse de digressions philosophiques sur Dieu, le rêve et la pensée, l'histoire d'amour malheureuse de Jacob del Ryès et Sténie de Formosand, son amie d'enfance. Teinté de mysticisme, le premier *Falthurne* (1820) conte l'histoire d'une magnifique géante dont le nom signifie « tyrannie de la lumière », qui deviendra, dans la seconde version (1824), une mystérieuse jeune fille s'élevant vers Dieu « assise sur un nuage de belles actions ». Au centre des premières tentatives rayonne l'idée centrale de la volonté, née d'une force de caractère hors du commun ou d'un pouvoir magique tiré de quelque science occulte.

Les thèmes se mettent ainsi en place. *Le Vicaire des Ardennes* (1822), histoire d'un amour incestueux, ouvrage qu'il publia sous le pseudonyme d'Horace de SAINT-AUBIN et qui fut saisi par la censure, s'inspire du *Melmoth* de Maturin traduit en 1821. Balzac y développe le thème d'une longévité acquise au prix d'un pacte avec le diable. Et tout en écrivant dans la seule année 1822, en collaboration avec Le Poitevin de L'Égreville, quelques romans alimentaires bâclés, comme *l'Héritière de Birague* (« véritable cochonnerie littéraire », selon Balzac lui-même), *Jean-Louis ou la Fille trouvée, Clotilde de Lusignan ou le Beau Juif*, Balzac fait montre d'un art du récit emprunté tout à la fois à Rabelais, aux conteurs du XVIIIe siècle, à Sterne et à Cervantès.

La Dernière Fée (1823) représente certainement l'apport le plus important de Balzac à la nouvelle littérature. Cette œuvre affirme, derrière l'impossibilité de la féerie où tout s'achève heureusement, la nécessité d'un type de représentation beaucoup plus problématique du réel, interrogeant la littérature et le monde. Le conte de fées fini, commence le roman.

Les œuvres diverses

Les œuvres diverses comptent des pièces de théâtre qui n'ont jamais eu le succès escompté par Balzac, mais la dernière, *le Faiseur* (*Mercadet*), régulièrement montée, fait preuve d'une efficacité dramatique étonnamment moderne : la pièce met en scène un spéculateur professionnel qui, avec un cynisme clairvoyant et sympathique, se tire au mieux de situations fort précaires.

De nombreux articles de revues, croquis de mœurs, critiques littéraires, articles politiques, témoignent d'un intérêt très vif porté à la société de l'époque, embrassée par Balzac dans tous ses aspects.

Ses pensées, ébauches d'œuvres futures, réflexions nées de lectures ou d'entretiens, aperçus parfois géniaux sur la littérature, la morale et la philosophie, sont recueillies sous le titre de *Pensées, Sujets, Fragments*.

Enfin, pochade tant par les sujets – volontiers joyeux et paillards – que par la langue, imitée de Rabelais, les *Cent Contes drolatiques*, « colligez ès Abbaïes de Touraine et mis en lumière par le sieur de Balzac pour l'esbattement des Pantagruélistes et non autres », représentent, par-delà le délassement léger (trois dizains seulement furent composés), une œuvre de salubrité. En opposition à la politesse guindée de l'Angleterre, aux brouillards du romantisme allemand, Balzac veut restaurer un certain fonds gaulois, dont il a su tirer une vérité dans l'observation et une habileté dans l'art de conter que seul Barbey d'Aurevilly saluera, tandis que la *Revue des Deux Mondes* et la *Revue de Paris* jugeront ces contes « obscènes ».

	VIE	ŒUVRE
1797	**30 janv.** (11 pluviose an V) : mariage à Paris de Bernard-François Balzac, directeur des vivres de la 22e division militaire à Tours, âgé de cinquante et un ans, avec Anne-Charlotte Sallambier, âgée de dix-neuf ans.	
1799	**20 mai** (1er prairial an VII) : naissance à Tours d'Honoré Balzac, second enfant du couple. Le premier est mort à l'âge de trente-deux jours. Honoré est mis en nourrice à Saint-Cyr-sur-Loire.	
1800	**29 sept.** : naissance de Laure Balzac, qui est mise en nourrice avec son frère.	
1801	**6 janv.** : naissance en Ukraine d'Eveline Rzewuska, future Mme Hanska et qui deviendra « l'Étrangère » de la *Correspondance*.	
1802	**18 avr.** : naissance de Laurence Balzac. L'acte de baptême la déclare fille légitime de Bernard-François *de* Balzac.	
1803	Début de l'année : premier voyage d'Honoré à Paris, chez ses grands-parents Sallambier. Mort du grand-père Sallambier. B.-F. Balzac est nommé administrateur de l'Hospice général de Tours, puis adjoint au maire de Tours.	
1804	**Avr.** : Honoré entre comme externe à la pension Le Guay, à Tours, où il restera jusqu'en 1807.	
1807	**Juin** : Honoré entre au collège de Vendôme. Il y restera jusqu'en 1813. De 1807 à 1810, B.-F. Balzac publie différentes brochures d'utilité publique : *Mémoires sur les moyens de prévenir les vols et assassinats* ; *Mémoire sur le scandaleux désordre causé par les jeunes filles trompées et abandonnées* ; *De la grandeur des nations*, etc. **21 déc.** : naissance d'Henri-François Balzac, sans doute fils adultérin de Jean de Margonne, ami de la famille Balzac.	
1812		En quatrième, au collège de Vendôme, le jeune Balzac aurait rédigé un *Traité de la volonté*.

	VIE		ŒUVRE
1813	**Avr.** : Honoré quitte le collège de Vendôme pour raison de santé. Devient pensionnaire de l'institution Ganser, à Paris.		
1814	B.-F. Balzac est nommé directeur des vivres à Paris. Honoré devient élève de l'institution Lepître. Walter Scott : *Waverley*.		
1815	**Oct.** : retourne à l'institution Ganser.		
1816	Fin des études secondaires. Devient clerc chez l'avoué J.-B. Guillonnet-Merville. Inscription à la faculté de Droit ; suit également des cours à la Sorbonne et au Muséum. Hoffmann : *les Élixirs du Diable*.		
1817	Vacances à L'Isle-Adam, chez M. de Villers-La Faye. Mort de Mme de Staël.	**1817**	Consigne ses réflexions dans des *Notes philosophiques*.
1818	Clerc de notaire chez Me Victor Passez.	**1818**	Rédige des *Notes sur l'immortalité de l'âme*.
1819	Reçu au premier examen du baccalauréat en droit. Son père est mis à la retraite. Honoré refuse de devenir notaire et s'installe dans une mansarde, 9, rue Lesdiguières, près de l'Arsenal. Louis Balssa, frère cadet de B.-F. Balzac, est guillotiné à Albi. Walter Scott : *Ivanhoé*.	**1819**	Rédige une *Dissertation sur l'homme*. S'essaye à l'opéra-comique (*le Corsaire*), à la tragédie (*Scylla, Cromwell*).
1820	**18 mai** : Laure Balzac épouse Eugène Surville. **1er sept.** : ayant tiré un bon numéro, Balzac est libéré du service militaire. Quitte définitivement la rue Lesdiguières pour Villeparisis, où sa famille est installée. Articles d'Augustin Thierry sur Walter Scott.	**1820**	Écrit un roman médiéval, sous l'influence de Walter Scott : *Agathise*, qui deviendra *Falthurne*. *Cromwell* est accueilli très froidement. Entreprend un roman par lettres, qui demeurera inachevé : *Sténie ou les Erreurs philosophiques*.
1821	**1er sept.** : Laurence Balzac épouse Armand-Désiré Michaut de Saint-Pierre de Montzaigle. Balzac revoit la Touraine pour la première fois depuis 1814.	**1821**	Écrit *Jean-Louis* et le scénario d'un mélodrame : *le Mendiant*.
1822	Début de la liaison avec Mme de Berny, qui deviendra la Dilecta. **Fin oct.** : la famille Balzac s'installe à Paris, dans le Marais.	**1822**	**Janv.** : *l'Héritière de Birague*, sous les pseudonymes de A. de VIEILLERGLÉ (Auguste Lepoitevin) et LORD R'HOONE (Balzac). **Mars** : *Jean-Louis*, « par lord R'Hoone ». **Juill.** : *Clotilde de Lusignan*, « par lord R'Hoone ». **Nov.** : *le Centenaire* ; *le Vicaire des Ardennes*, « par Horace de Saint-Aubin ».
1823	Mort de la grand-mère Sallambier. Balzac fréquente les écrivains libéraux. Séjour en Touraine. Walter Scott : *Quentin Durward*.	**1823**	*Le Nègre*, mélodrame en trois actes, est refusé par le théâtre de la Gaîté. **Mai** : *la Dernière Fée*, « par Horace de Saint-Aubin ».
1824	Collabore au *Feuilleton littéraire* et à *la Lorgnette*. La famille Balzac retourne à Villeparisis. Honoré loue un appartement rue de Tournon. Il est envahi par un profond découragement.	**1824**	Ouvrages anonymes : *Du droit d'aînesse* ; *Histoire impartiale des Jésuites*. **Mai** : *Annette et le criminel*, « par Horace de Saint-Aubin ».
1825	Balzac s'associe avec l'éditeur Urbain Canel pour la publication des *Œuvres complètes* de Molière et de La Fontaine. Liaison avec la duchesse d'Abrantès. **11 août** : mort de Laurence de Montzaigle, sœur de Balzac. Balzac fait la connaissance de Zulma Carraud. P.-L. Courier est assassiné.	**1825**	*Code des gens honnêtes* (anonyme). Dernier « roman de jeunesse » : *Wann Chlore*, anonyme, puis mis en vente sous le nom d'Horace de SAINT-AUBIN.
1826	Balzac devient imprimeur, rue des Marais-Saint-Germain (rue Visconti). Difficultés financières. La famille Balzac s'installe à Versailles.		
1827	Crée une société pour l'exploitation d'une fonderie de caractères d'imprimerie. Entre en relation avec les écrivains des *Annales romantiques*, dont Victor Hugo.		

	VIE		ŒUVRE
1828	Liquidation de l'imprimerie. Déficit de 60 000 F, dus pour la plus grande part à sa mère. **Sept.-oct.** : à Fougères, chez le général de Pommereul. Vidocq : *Mémoires*.		
1829	**19 juin** : mort de Bernard-François, père de Balzac. Honoré est introduit dans les salons à la mode.	1829	**Avr.** : *le Dernier Chouan ou la Bretagne en 1800* (devenu *les Chouans ou la Bretagne en 1799*), « par M. Honoré Balzac ». **Déc.** : *la Physiologie du mariage*, « par un jeune célibataire ».
1830	Collabore à *la Silhouette*, à *la Mode*, etc. **Juin-juill.** : séjour chez Mme de Berny, à La Grenadière, près de Tours. Fonde avec Girardin le *Feuilleton des journaux politiques*.	1830	Nombreux articles et nouvelles : *Lettres sur Paris*. **Janv.** : *El Verdugo* (première publication sous la signature « Honoré de Balzac »). **Mars** : *Étude de femme*. **Avr.** : *Scènes de la vie privée* (six nouvelles, mises en vente chez Louis Mame). **Mai** : *Sur Catherine de Médicis*. **Mai-juin** : *Adieu*. **Oct.** : *l'Élixir de longue vie*. **Nov.** : *Sarrasine*. **Déc.** : *Une passion dans le désert*.
1831	Réputation d'écrivain à la mode. Balzac est tenté par une carrière politique. **Déc.** : « conversion » au carlisme.	1831	**Févr.** : *le Réquisitionnaire*. **Juill.-août** : *le Chef-d'œuvre inconnu*. **Août** : *la Peau de chagrin* ; *l'Auberge rouge*. **Sept.** : *Romans et Contes philosophiques*, précédés d'une « Introduction » de Philarète Chasles. **Déc.** : *Maître Cornélius*.
1832	**28 févr.** : première lettre de « l'Étrangère ». Nombreux voyages. **9 déc.** : première réponse de Balzac à « l'Étrangère » dans *la Quotidienne*, seul journal français autorisé en Russie. Balzac se rallie au parti légitimiste.	1832	Collaboration très active aux revues. **Févr.** : *Madame Firmiani*. **Avr.** : premier dizain des *Contes drolatiques*. **Sept.** : *la Femme abandonnée*. **Oct.** : *la Grenadière*.
1833	**Sept.** : rencontre Mme Hanska à Neuchâtel. Élargit le cercle de ses relations : marquis de Fitz-James ; baron James de Rothschild.	1833	**Janv.** : *Histoire intellectuelle de Louis Lambert*. **Juill.** : deuxième dizain des *Contes drolatiques*. **Sept.** : *le Médecin de campagne*. **Déc.** : *Eugénie Grandet* ; *l'Illustre Gaudissart* ; *le Curé de Tours*.
1834	Liaison avec la comtesse Visconti. Début de l'année à Genève avec Mme Hanska : le 26 janv., « jour inoubliable ».	1834	**Mars** : *Aventures administratives d'une idée heureuse*. **Avr.** : *Histoire des Treize* ; *la Recherche de l'Absolu* ; *la Femme de trente ans*.
1835	**Mai** : part pour Vienne rejoindre Mme Hanska. **24 déc.** : achète le journal *la Chronique de Paris*.	1835	**Mars** : *le Père Goriot*. **Mai** : *le Colonel Chabert*. **Juill.** : « Introduction » aux *Études de mœurs au XIXe siècle*, par Félix Davin. **Déc.** : *le Livre mystique* (*Séraphîta ; Louis Lambert ; les Proscrits*).
1836	**Avr.** : Balzac est incarcéré huit jours pour n'avoir pas satisfait à ses obligations de Garde national. **Juin** : procès avec l'éditeur Bulloz, qui a vendu les épreuves non corrigées du *Lys dans la vallée*. **26 juin** : Balzac atteint par un coup de sang, à Saché, chez les Margonne. **27 juill.** : mort de Mme de Berny (Balzac est alors en Italie). **Fin nov.** : Balzac est reçu par Talleyrand, en Touraine. Faillite de *la Chronique de Paris* : Balzac subit d'énormes pertes.	1836	**Janv.** : *la Messe de l'athée*. **Juin** : *le Lys dans la vallée*. **Du 23 oct. au 4 nov.** : *la Vieille Fille* paraît dans *la Presse* en douze fois ; c'est le début du « feuilleton-roman ».

	VIE		ŒUVRE
1837	**Avr.** : Balzac visite Gênes, Livourne, Florence, Bologne. **Juill.** : se réfugie chez la comtesse Visconti, qui lui prête de l'argent et lui évite ainsi la prison (il était poursuivi par son ancien associé de *la Chronique*, William Duckett). **Sept.** : achète une maison et des terrains, à Sèvres, au lieu-dit Les Jardies.	**1837**	**Févr.** : Ire partie d'*Illusions perdues*. **Déc.** : troisième dizain des *Contes drolatiques* ; *César Birotteau*.
1838	**Mars** : en Sardaigne, Balzac arrive trop tard pour obtenir la concession d'une mine d'argent. **Juin** : mort de la duchesse d'Abrantès. **Déc.** : Balzac adhère à la Société des gens de lettres, qui vient d'être créée.	**1838**	**Sept.** : *les Employés* ; *la Maison Nucingen*.
1839	**Janv.** : à nouveau emprisonné pour avoir manqué à ses obligations de Garde national. **Sept.-oct.** : affaire Peytel. **Oct.** : Balzac est élu président de la Société des gens de lettres.	**1839**	**Janv.** : *Une fille d'Ève*. **Févr.** : tentative théâtrale manquée avec *l'École des ménages* (refusée par le théâtre de la Renaissance). **Mars** : *le Cabinet des antiques*. **Juin** : IIe partie d'*Illusions perdues*. **Août** : *le Curé de village* ; *Massimila Doni*.
1840	L'expression « Comédie humaine » apparaît pour la première fois sous la plume de Balzac pour désigner son œuvre. **Avr.** : projet de *Code littéraire* présenté à la Société des gens de lettres. **Juill.** : Balzac lance *la Revue parisienne*, qui n'aura que trois numéros. **Oct.** : s'installe à Passy, 19, rue Basse (qui deviendra *la Maison de Balzac*, 47, rue Raynouard). **Déc.** : assiste au retour des cendres de Napoléon aux Invalides.	**1840**	**Janv.** : *Pierrette*. **Févr.** : *Vautrin*, drame de Balzac, est autorisé par la censure, mais interdit dès la première représentation. **Juill.** : *Z. Marcas*. **Août** : *Un prince de la bohème*.
1841	**Mai** : voyage en Touraine et en Bretagne. **3 juin** : assiste à la réception de Victor Hugo à l'Académie française. **Oct.** : signe un contrat pour la publication de l'ensemble de son œuvre sous le titre *la Comédie humaine*. **10 nov.** : mort de Wenceslas Hanski, époux de « l'Étrangère ».	**1841**	**Janv.** : *Une ténébreuse affaire*. **Sept.** : *Ursule Mirouët*. **Déc.** : *Mémoires de deux jeunes mariées* ; *la Fausse Maîtresse*.
1842	**Févr.** : le mobilier de son pied-à-terre parisien de la rue de Richelieu est menacé de saisie.	**1842**	**Mars** : échec des *Ressources de Quinola* à l'Odéon. **Mai** : *Albert Savarus*. **Juill.** : « Avant-Propos » à *la Comédie humaine*, écrit sur les instances de Hetzel.
1843	**Juill.** : Balzac part rejoindre Mme Hanska à Saint-Pétersbourg ; il la revoit après huit années de séparation. **Oct.** : retour à Paris. **Déc.** : renonce à se présenter à l'Académie française. David d'Angers fait son buste.	**1843**	**Janv.** : *Sur Catherine de Médicis*. **Mars** : *Honorine*. **Avr.** : *la Muse du département*. **Juin** : *Splendeurs et Misères des courtisanes* (Ire et IIe parties). **Août** : IIIe partie d'*Illusions perdues*. **Nov.** : nouvel échec théâtral : *Paméla Giraud*.
1844	Son médecin diagnostique chez Balzac une sorte de « méningite chronique ». **Oct.** : Gozlan dîne chez Balzac avec Vidocq. **Juill.** : conçoit un catalogue des ouvrages qui composent *la Comédie humaine* (125 ouvrages, dont 40 à faire).	**1844**	**Août** : *Splendeurs et Misères des courtisanes* (en entier). **Nov.** : *Modeste Mignon*.
1845	**Avr.** : part pour Dresde, où il rejoint Mme Hanska. Pendant toute l'année, nombreux voyages en Europe et en France avec elle. **Déc.** : Balzac goûte au hachisch en compagnie de Gautier et sans doute en présence de Baudelaire.	**1845**	**Sept.** : *Un homme d'affaires* ; *Béatrix*.
1846	**Mars** : à Rome avec Mme Hanska. Balzac est reçu par le pape Grégoire XVI. **Déc.** : le 1er, Mme Hanska fait une fausse couche. Profond désespoir de Balzac.	**1846**	**Oct.** : *la Cousine Bette*.

	VIE		ŒUVRE
1847	**Févr.** : Balzac va chercher Mme Hanska à Francfort et revient avec elle à Paris, où elle restera jusqu'en mai. **Mai** : s'installe rue Fortunée. **Sept.** : part pour l'Ukraine, où il passe l'hiver avec Mme Hanska.	1847	**Mars** : *le Cousin Pons*. **Avr.** : *Splendeurs et Misères des courtisanes* (fin).
1848	Balzac réagit négativement aux révolutions de 1848. **Sept.** : il part pour l'Ukraine.	1848	**Juill.** : *le Faiseur* (*Mercadet*), pièce de théâtre.
1849	Balzac passe l'année en Ukraine auprès de Mme Hanska. Sa santé se détériore.		
1850	**14 mars** : Balzac épouse Ève Hanska (née Rzewuska), à l'église Sainte-Barbe de Berditchev. **20 mai** : M. et Mme de Balzac arrivent à Paris. La santé de Balzac décline rapidement : à la fin de juin, il ne peut plus écrire. **18 août** : mort de Balzac. Victor Hugo l'avait visité dans l'après-midi. **21 août** : obsèques à Saint-Philippe-du-Roule. Balzac est inhumé au Père-Lachaise, où Victor Hugo prononce un éloge funèbre.		
		1854	Publication posthume du *Député d'Arcis*, « par M. de Balzac [...] terminé par M. Ch. Rabou ».
		1855	Publication posthume des *Paysans* et des *Petites Misères de la vie conjugale*.

La Comédie humaine

Le projet

Dans le texte capital, écrit en 1842, à la demande pressante de son éditeur, l'« Avant-Propos » à *la Comédie humaine*, Balzac, reprenant les idées développées par Félix Davin dans son « Introduction » aux *Études de mœurs au XIXe siècle* (1835), déclare que l'idée première lui est venue d'une « comparaison entre l'humanité et l'animalité », les « espèces sociales » devant correspondre aux « espèces zoologiques ». Si, dans le règne animal, il est permis d'opérer une classification à partir de l'expérience et de l'observation, dans la société la même entreprise est possible, à ceci près que l'homme offre un tableau de lui-même mouvant et ambigu, la nomenclature cédant le pas ici à l'affirmation d'une présence majeure, celle d'une vie insaisissable dans sa profusion même et toujours en projet. Relevant à la fois de l'analyse et du merveilleux, l'œuvre s'appuie sur le type, seule instance littéraire permettant de cerner les hommes au plus près sans les réduire à de trop faciles rubriques. En 1834, Balzac explique ainsi son projet à Mme Hanska : « Dans les *Études de mœurs* sont les "individualités typisées" ; dans les *Études philosophiques* sont les "types individualisés". Ainsi, partout, j'aurai donné la vie : au type, en l'individualisant ; à l'individu, en le typisant. J'aurai donné de la pensée au fragment ; j'aurai donné à la pensée la vie de l'individu. »

Dans cette œuvre immense, la plus ambitieuse qui ait été imaginée par un artiste – « Vous ne vous figurez ce que c'est que *la Comédie humaine* ; c'est plus vaste, littérairement parlant, que la cathédrale de Bourges architecturalement » (à Zulma Carraud, janvier 1845) –, Balzac, en voulant peindre « les deux ou trois mille figures saillantes d'une époque » (« Avant-Propos »), énonce un projet totalisant.

La structure

Dès 1834, Balzac conçoit l'ordre selon lequel *la Comédie humaine* doit se déployer. Les *Études de mœurs*, les *Études philosophiques*, les *Études analytiques* représentent trois étapes maîtresses, distinctes et précises. Mais la « cathédrale », telle que Balzac la laisse à sa mort, est disproportionnée : la première partie brasse une matière surabondante au regard de la deuxième, et celle-ci au regard de la troisième. Tout se tient, cependant, dans l'esprit de l'auteur, et le lecteur avance dans l'édifice, soigneusement guidé par le romancier. « Les *Études de mœurs* représentent les effets sociaux, base de l'édifice. La seconde assise est les *Études philosophiques*, car, après les effets viendront les causes [...]. Puis, après les effets et les causes, doivent se rechercher les principes. Les mœurs sont le spectacle, les causes sont les coulisses et les machines. Les principes c'est l'auteur, mais, à mesure que l'œuvre gagne en spirales les hauteurs de la pensée, elle se mesure et se condense. »

Reste que ces différentes perspectives ne figurent pas tant le plan de l'ouvrage qu'elles ne structurent chaque roman balzacien. Effets, causes, principes restent étonnamment présents dans chaque roman considéré en lui-même. Dans *le Lys dans la vallée*, par exemple, l'histoire d'amour entre Henriette de Mortsauf et Félix de Vandenesse se déroule au plan des « effets », l'analyse des « causes » de l'échec apparent de cet amour (psychologiques, sociales, métaphysiques) introduisant aux « principes » mêmes entrevus dans la peinture de l'enfance, comprise à la fois comme caractère et comme destin.

Les *Études de mœurs,* réparties en six livres (« Scènes de la vie privée », « Scènes de la vie de province », « Scènes de la vie parisienne », « Scènes de la vie politique », « Scènes de la vie militaire », « Scènes de la vie de campagne »), figurent l'« histoire générale de la société ».

Les « Scènes de la vie privée », comme *la Grenadière*, *Béatrix ou les Amours forcées*, *le Père Goriot*, peignent « l'enfance, l'adolescence et leurs fautes ».

Avec les « Scènes de la vie de province », entre autres *le Lys dans la vallée* (rattaché plus tard aux « Scènes de la vie de campagne »), *Eugénie Grandet*, *Illusions perdues*, est montré « l'âge des passions, des calculs, des intérêts et de l'ambition ».

Les « Scènes de la vie parisienne », principalement l'*Histoire des Treize* et *Splendeurs et Misères des courtisanes,* donnent le « tableau des goûts, des vices » qui galvanisent Paris, capitale moderne, excessive, extraordinaire.

Si les trois premiers livres décrivent la « vie sociale », les trois suivants sont consacrés aux « existences d'exception qui résument les intérêts de plusieurs ou de tous ».

Les « Scènes de la vie politique » offrent de « l'état le plus violent » de la société un tableau saisissant, à travers *Une ténébreuse affaire* ou *Z. Marcas*.

Avec les « Scènes de la vie militaire », essentiellement *les Chouans,* il s'agit de « peindre dans ses principaux traits la vie des masses en marche pour se combattre » (F. Davin).

Les « Scènes de la vie de campagne », notamment *les Paysans*, *le Médecin de campagne*, *le Curé de village*, au « soir de cette longue journée, s'il m'est permis de nommer ainsi le drame social », présentent « les plus purs caractères et l'application des grands principes, de politique, de moralité ».

Les *Études philosophiques,* qui comptent des romans et des contes auxquels Balzac accordait une importance capitale pour la compréhension de son œuvre, comme *le Chef-d'œuvre inconnu*, *Balthazar Claës ou la Recherche de l'Absolu*, *Louis Lambert* et *Séraphîta,* placent en premier *la Peau de chagrin,* véritable pierre angulaire de l'édifice puisque ce roman « relie en quelque sorte les *Études de mœurs* aux *Études philosophiques* par l'anneau d'une fantaisie presque orientale où la vie elle-même est peinte aux prises avec le Désir, principe de toute Passion ».

Les *Études analytiques* ne comptent que deux œuvres, mineures en fait : *la Physiologie du mariage* et *les Petites Misères de la vie conjugale.*

Le fantastique

Avant d'être une vision du monde, le fantastique s'impose à Balzac comme une mode. En 1828, année de publication des *Mémoires* de Vidocq, le nom d'Hoffmann est révélé au public dans la revue *le Gymnase,* éditée par Balzac lui-même. Dès lors commence la vogue parisienne du conteur allemand : Loève-Veimars traduit, de 1830 à 1833, vingt volumes de *Contes fantastiques.*

Sans que le terme ait encore un sens précis, c'est lui que Jean-Jacques Ampère, journaliste au *Globe,* accole le premier aux contes d'Hoffmann. Balzac réagit vite à un engouement qui prive le fantastique de sa profondeur et de sa fraîcheur initiales. Dans un article de *la Caricature* (16 février 1832) consacré aux *Contes bruns,* il loue les auteurs du recueil « de n'avoir pas glissé dans quelque coin de leur titre le mot "fantastique", programme malsain d'un genre [...] qu'on a déjà trop usé par l'abus du nom seulement ». En 1833, dans *l'Illustre Gaudissart,* il constate que « la librairie a tué le mot "fantastique" ».

Tout en reconnaissant sa dette vis-à-vis d'Hoffmann, « le poète de ce qui n'a pas l'air d'exister et qui néanmoins a vie » (*Une fille d'Ève*), Balzac invente un nouveau fantastique. Si, chez Hoffmann, le fantastique naît d'une perception faussée de la réalité et prend sa source dans le regard du personnage sur le monde, il vise, chez Balzac, à exprimer le mystère par excellence, enfoui au plus profond du réel quand celui-ci, de lui-même, se donne à voir. Balzac, le premier, a conçu le fantastique, non comme un genre littéraire, mais comme l'apparition même de la réalité. *La Peau de chagrin*, roman exemplaire, fait du talisman magique l'émanation de la société contemporaine. Le moment où Raphaël prend possession de la peau ne marque pas l'entrée du personnage dans un univers régi par des lois inconnues, mais bien sa retombée soudaine dans « le monde de la vie réelle », la société parisienne de 1830. Or, c'est justement dans le réel que le mystère et l'horreur triomphent. Le fantastique, échappant à la présence de l'objet magique, caractérise la seule réalité. Il se nourrit de réel et tient à la nature des situations, des lieux, des personnages décrits. Il ne résulte pas tant d'un vice du regard sur la réalité que du surgissement de celle-ci devant qui sait bien la voir. Balzac ne « transpose » pas la réalité qu'il a sous les yeux. La fusion du fantastique et du réel ne s'opère jamais par juxtaposition arbitraire. Le monde des joueurs évoqué au début de *la Peau de chagrin* s'impose de lui-même comme un univers de passion et de mort. Le rapport entre fantastique et réel est exactement celui qui, pour Balzac, relie l'effet à la cause, l'écriture permettant justement de saisir ce rapport.

Dans *Massimila Doni*, Balzac évoque « un de ces personnages à qui personne ne veut croire dès qu'on les fait passer de l'état réel où nous les admirons à l'état fantastique d'une description plus ou moins littéraire ». La littérature permet d'opérer le partage entre réel et imaginaire, chacun prenant sens et existence dans l'opposition qui le rive à son vis-à-vis incontournable. Par le moyen privilégié de l'écriture, Balzac dessille les yeux du lecteur et l'invite à mieux regarder ce qui est : « Dès que l'homme veut pénétrer dans les secrets de la nature, où rien n'est secret, où il s'agit seulement de voir, il s'aperçoit que le simple y produit le merveilleux » (*Séraphîta*). L'acuité du regard balzacien fait de l'œuvre une mine fabuleuse de descriptions vraies, un pur modèle de poésie didactique. Engels disait qu'il avait plus appris sur la société du XIXe siècle dans

Balzac que dans « tous les livres des historiens, économistes et statisticiens professionnels réunis ». Le réel, transmué en littérature, soulevé par un souffle épique jusqu'à une sorte d'incandescence, livre sa vérité cachée, sa part fantastique.

Paris

La capitale, qui, dans la première moitié du siècle, connaît un essor gigantesque, est le laboratoire rêvé du fantastique. La longue introduction de *la Fille aux yeux d'or* donne au monde parisien une dimension dantesque en le présentant sous cinq « physionomies », qui sont autant de sphères parcourues par le « mouvement ascensionnel de l'argent », cinq cercles de l'Enfer. Le « paysage parisien » décrit dans *Splendeurs et Misères des courtisanes* appartient à un quartier bien réel et facilement identifiable. Il demeure cependant inconnu de la plupart des Parisiens, qui ignorent combien une grande ville est envoûtante. Balzac, lui, découvre avec émerveillement que « le monde fantastique d'Hoffmann le Berlinois est là ». Contrairement au « caissier le plus mathématique » qui, parcourant ces ruelles, « n'y trouve rien de réel », Balzac, envisageant « en face » ce spectacle insolite, y voit la réalité elle-même, mesure les inépuisables richesses poétiques du Paris contemporain et éprouve par ailleurs la « nécessité de symboliser au cœur de Paris l'alliance intime de la misère et de la grandeur qui caractérise la reine des capitales » (*la Cousine Bette*).

Loin d'être un trait romantique du génie de Balzac et de s'opposer à la vérité de son univers, sa faculté de sentir la vie profonde des choses, d'éprouver le quotidien dans ses plus intimes palpitations, alimente le « réalisme » de ses descriptions. Le sens du fantastique de la société est une constante de l'œuvre de Balzac. Dans *Sarrasine,* par exemple, le mystère, dont il faut chercher la source dans la famille des Conty, laquelle a « tout l'attrait d'un roman de lord Byron », est proprement social. Tout autant présent dans un « conte fantastique » comme *le Chef-d'œuvre inconnu,* dans une « Scène de la vie privée » comme *Modeste Mignon,* dans une « Scène de la vie parisienne » comme *Sarrasine* ou dans un « conte philosophique » comme *la Peau de chagrin,* le fantastique apparaît comme l'essence même du réel : « Il n'y a rien de fantastique. Nous n'imaginons que ce qui est, sera ou a été » (*Pensées, Sujets, Fragments*).

Balzac rend possible un nouveau fantastique, échappant au schéma traditionnel selon lequel l'étrange naît du regard faussé que pose un personnage sur la réalité. Tout se passe comme si Balzac établissait un dialogue jamais rompu avec son lecteur sans passer par la médiation du personnage. Ce narrateur omniscient, au fait des secrets parisiens, se pose en véritable « peintre de la vie moderne ». Non seulement Balzac a trouvé le « fantastique de son époque », mais il l'a « vivifié » sans tomber dans « la froideur de l'allégorie » (Philarète Chasles).

Mode d'expression de la philosophie balzacienne, aboutissement de ses théories sur l'art, le fantastique est avant tout le produit et l'accomplissement de la société.

La société

En installant brutalement la société dans son œuvre, Balzac affirme sa beauté et sa terrible présence. Pour lui, dit E.-R. Curtius, « la société est plus réelle que Dieu, que la Nature, elle est devenue la réalité même ». Mais s'étonner devant la réalité sociale ne signifie pas privilégier un aspect parmi d'autres ; l'argent, la politique, l'armée, la province ne sont que des thèmes d'étude commodes. La société doit pouvoir apparaître d'elle-même, dans ce qu'elle a de meilleur comme dans ce qu'elle recèle de trouble et de malsain.

Une rupture – à la réflexion superficielle – se manifeste en 1831 dans les opinions politiques de Balzac. C'est parce qu'il croyait la société mauvaise que Balzac était jusqu'alors libéral. Après 1831, c'est pour la même raison qu'il se déclare partisan de l'autorité. Témoin – à distance – de la révolution de Juillet, il voit à l'œuvre la nouvelle équipe des libéraux : l'État continue d'exploiter le peuple au nom de « mots nouveaux et de vieilles idées » (*la Peau de chagrin*). Convaincu de l'immuabilité des lois du gouvernement, Balzac se préoccupe peu des différences entre les types de société. Il s'intéresse, plus généralement et plus essentiellement, au conflit de l'homme et du monde – sujet même du roman balzacien, dont le héros « ne dialogue pas avec soi-même [...], mais bien avec le siècle, en ce qu'il a d'inévitable et de contraignant » (P. Barbéris). Hugo, dans un discours qu'il prononcera au Père-Lachaise, saluera hautement, chez Balzac, l'effort pour aller « droit au but » : « Il saisit corps à corps la société moderne. Il arrache à tous quelque chose, aux uns l'illusion, aux autres l'espérance, à ceux-ci un cri, à ceux-là un masque. »

Organisée en une hiérarchie pyramidale, la société se résume et se concentre dans son sommet : la haute noblesse du faubourg Saint-Germain. Ces grandes familles (décrites dans *la Duchesse de Langeais*), aux fortunes exclusivement terriennes, vivent sur le mythe de la naissance. Entourant le roi, elles disposent du pouvoir politique et tyrannisent la noblesse de province (évoquée dans *le Cabinet des antiques*). Ce milieu connaît une vie ravagée par des passions qui risquent d'anéantir ceux qui s'y abandonnent, mais l'étiquette et les apparences protègent l'essentiel. Le monde des ducs s'est organisé en un système de signes que Lucien Chardon, entre autres, doit apprendre à déchiffrer puis à utiliser.

Balzac se prétend, dans l'« Avant-Propos » à *la Comédie humaine,* le « secrétaire » de la société, fonction qui, sous une apparente humilité, définit le pur génie. Une préface de 1839 au *Cabinet des antiques* affirme qu'« à toutes les époques, les narrateurs ont été les secrétaires de leurs contemporains » ; et un passage de *la Théorie de la démarche* précise la lignée dont Balzac se veut l'héritier : « Il y a dans tous les temps un homme de génie qui se fait le secrétaire de son époque : Homère, Aristote, Tacite, Shakespeare, l'Arétin, Machiavel, Rabelais, Bacon, Molière, Voltaire ont tenu la plume sous la dictée de leurs siècles. » Il faut, en effet, entendre le mot de « secrétaire » littéralement ; de même que Moïse écrivit les tables de la Loi sous la dictée de Dieu, de même que les surréalistes écriront sous la dictée de l'inconscient, de même Balzac écrit sous la dictée de la société. C'est en ce sens que, peintre de la vie moderne, il est en même temps critique de l'univers social : non par le biais d'une hypothétique morale qu'il livrerait à l'entrée ou au terme de l'œuvre (« J'écris à la lueur de deux Vérités éternelles : la Religion, la Monarchie », « Avant-Propos » à *la Comédie humaine*), mais par la mise au jour de puissances cachées.

La société se détermine par rapport aux personnages comme le silence par rapport au bruit. C'est dire qu'elle ne sert jamais de « toile de fond » et qu'elle fait partie intégrante de l'action romanesque. S'attacher de près à l'aventure des personnages revient inévitablement à analyser les formes et les structures sociales et politiques dans lesquelles ils se meuvent. Pour saisir ce qui est véritablement en jeu dans un roman de Balzac, il est toujours nécessaire de partir des personnages eux-mêmes, car « les nations sont des individus qui ne sont ni plus sages ni plus forts que ne l'est l'homme, et leurs destinées sont les mêmes. Réfléchir sur celui-ci, n'est-ce pas s'occuper de celles-là ? » (*Louis Lambert*).

L'amour

Le sentiment de l'individu sera donc révélateur du réel social. La passion amoureuse, par exemple, ne peut vivre et durer que dans la société ; elle a donc besoin du mariage pour s'épanouir. Amour et société s'éclairent et se dévoilent mutuellement. Toute l'existence de Balzac se lit d'ailleurs comme un perpétuel affrontement à l'amour. Son travail d'écrivain devait assurer une fortune lui permettant de vivre pleinement sa passion, ainsi maintenue à une hauteur d'où elle ne saurait choir sans s'évanouir, car, dira Baudelaire en écho à Balzac, « il est malheureusement bien vrai que, sans le loisir et l'argent, l'amour ne peut être qu'une orgie de roturier ou l'accomplissement d'un devoir conjugal ». Aimer, pour Balzac, signifie se donner les moyens idéaux de réaliser l'amour, et seule la réussite sociale peut les apporter. Pour persévérer et s'amplifier, l'amour demande une reconnaissance tacite des autres, une caution sociale, même si les amants doivent abattre les obstacles qu'un monde hostile dresse devant eux. Par essence et dans les faits, l'amour balzacien ne se conçoit pas hors des cadres sociaux, et, inversement, signe d'une réalité sociale précise, il est amour d'une époque.

L'amour révèle aussi bien l'individu que la société dans leurs causes premières. Faute de voir dans une femme autre chose qu'une consolatrice ou une maîtresse à « montrer » qui assouvisse le « désir de paraître, le vice principal du Français » (*Illusions perdues*), Raphaël de Valentin, Lucien de Rubempré et Félix de Vandenesse échouent tous trois devant cette épreuve décisive. Balzac condamne également toute fuite qui fait de la débauche, par exemple, une solution momentanée. Si, dans *la Peau de chagrin*, Rastignac et Raphaël élèvent un chant de gloire à la dissipation, Balzac, lui, insiste sur l'unité vitale de l'homme, sur la solidité indispensable et organique de l'individu : « Quelle pitié de voir l'opium, agent matériel, dominer ou déterminer le jeu d'une âme censée immatérielle ! » (*Pensées, Sujets, Fragments*) ; « L'ivresse est un empoisonnement momentané » (*Traité des excitants modernes*). Balzac compare même la débauche à une certaine forme d'imagination exaltée à tort par une illusion. Mettant en garde Mme Hanska contre la lecture des « mystiques », il dénonce la « mauvaise influence » de ce « poison » : « Il y a la folie de la vertu, comme les folies de la dissipation » (1er octobre 1836).

L'argent

La peinture de l'amour souligne, d'autre part, l'importance de l'argent dans la société contemporaine. Dans un article que Stendhal lira attentivement, Balzac s'étonne que *la Chartreuse de Parme* ne parle pas d'argent. Principe qui mène le monde, l'argent représente l'enfer de la vie moderne et le moteur inévitable de l'égoïsme social : « À Paris, dit Louis Lambert, le point de départ en tout est l'argent. Il faut de l'argent, même pour se passer d'argent ». Dans *la Peau de chagrin*, la description du rôle et des pouvoirs de l'argent stupéfia les contemporains, qui s'indignèrent des « infractions aux lois du genre ». Elle contribue pourtant, de façon primordiale, à la puissance suggestive du roman. En stylisant les méfaits de l'argent dans le martyre d'un jeune homme amoureux, Balzac accuse du même coup le monstre des temps modernes. Dans une page célèbre, Théophile Gautier a rendu hommage à Balzac pour avoir dénoncé cette puissance fantastique : « Avec son profond instinct de la réalité, Balzac comprit que la vie moderne qu'il voulait peindre était dominée par un grand fait – l'argent –, et, dans *la Peau de chagrin*, il eut le courage de représenter un amant inquiet non seulement de savoir s'il a touché le cœur de celle qu'il aime, mais encore s'il aura assez de monnaie pour payer le fiacre dans lequel il la reconduit. Cette audace est peut-être une des plus grandes qu'on se soit permises en littérature, et seule elle suffirait pour immortaliser Balzac. »

Le monde de l'argent est porteur d'une cruauté et d'une violence dévastatrice que rien n'égale : « Les assassinats sur la grande route me semblent des actes de charité comparés à certaines combinaisons financières », écrit Balzac dans *Une fille d'Ève*. L'origine des grandes fortunes, comme celle de Nucingen, peut d'ailleurs coïncider avec un crime atroce (*l'Auberge rouge*). Au-delà de son importance sociale, l'argent a, dans l'œuvre de Balzac, un rôle métaphysique. Il est la métaphore du désir de l'homme, et celui qui aspire à toujours plus d'argent est l'incarnation et l'illustration modernes de l'homme désirant. « De là vient peut-être la prodigieuse curiosité qu'excitent les avares habilement mis en scène. Chacun tient par un fil à ces personnages, qui s'attaquent à tous les sentiments humains, en les résumant tous… Où est l'homme sans désir, et quel désir social se résoudra sans argent ? » (*Eugénie Grandet*).

La philosophie

La distinction capitale entre les effets, les causes et les principes, qui assure la cohésion et la dynamique de l'œuvre, des contes philosophiques les plus éthérés aux études de mœurs les plus volontairement réalistes, repose sur l'idée de l'unité énergétique. Celle-ci explique, par exemple, les conceptions politiques de Balzac. Puisqu'il est nécessaire de concentrer l'autorité de l'État pour obtenir la plus grande énergie politique, Balzac en vient à défendre Napoléon, Catherine de Médicis, Robespierre. Dans *Autre Étude de femme,* Napoléon apparaît comme le « vrai roi » : « Un homme qu'on représente les bras croisés et qui a tout fait ! qui a été le plus beau pouvoir connu, le pouvoir le plus concentré, le plus mordant, le plus acide de tous les pouvoirs… Un homme qui pouvait tout faire parce qu'il voulait tout. » La concentration des forces représente, cependant, un véritable postulat métaphysique, exposé, entre autres, par l'Antiquaire de *la Peau de chagrin.* Chaque individu porte en lui une certaine quantité d'énergie, qui se dissipe sitôt qu'il en use par la volonté ou par l'action : « Vouloir nous brûle, et pouvoir nous détruit », alors que « savoir laisse notre faible organisation dans un perpétuel état de calme » et permet une longévité exceptionnelle. N'ayant de vie qu'intellectuelle, l'Antiquaire conserve une santé et une vigueur presque intactes en n'accordant dans sa vie qu'une part infime aux réalités du monde extérieur, qu'il contemple sans jamais l'affronter.

Au « théosophe » suédois Swedenborg, pour qui seul importe l'« homme intérieur », Balzac emprunte le terme de « Spécialité », qui désigne la vision de Dieu sans intermédiaire : « La Spécialité consiste à voir les choses du monde matériel aussi bien que celles du monde spirituel dans leurs ramifications originelles et conséquentielles. » Ainsi, pour Balzac, qui, dans *Louis Lambert,* se hasarde aux jeux hâtifs de l'étymologie en remontant à *species* (« voir tout, et d'un seul coup »), à *speculum* (« miroir ou moyen d'apprécier une chose en la voyant tout entière »), Jésus comme Napoléon étaient des « Spécialistes ».

Mais si l'héritage swedenborgien revit chez Balzac, dans les *Études philosophiques* notamment, son destin romanesque échappe largement aux présupposés philosophiques. Respectant la logique du récit ou du personnage, Balzac donne à son système des aboutissements imprévus mais révélateurs. L'Antiquaire cherche la vraie vie dans l'ailleurs mystique d'un monde supraterrestre, mais les véritables héros balzaciens refusent d'habiter « une sphère étrangère au monde », acceptent d'affronter le réel. En prenant la peau des mains de l'Antiquaire, Raphaël lance un défi à la sagesse : « Eh bien, oui !… je veux savoir. » Il s'apprête à connaître lucidement son destin et opte ainsi pour la condition mortelle.

Louis Lambert, à sa manière également, ne cesse de désirer, car, selon lui, « pour penser, il faut vouloir » : il meurt à vingt-sept ans, le corps vidé par l'esprit de toute substance vitale, alors que le « crétin », le végétatif dont Balzac voulait faire le héros de son *Ecce homo,* est supposé vivre cent ans, le corps ayant assimilé l'âme. En l'acceptant jusqu'à en mourir, après l'avoir un temps nié, Raphaël et Louis Lambert prouvent et leur grandeur et leur misère. Raphaël, à l'ultime instant de son agonie, succombe vraiment au désir de Pauline, mais aussi reconnaît en lui la part humaine qui se nomme désir. « Perdre la vie, c'est gagner la partie », dit Balzac, en une formule saisissante, dans *Pensées, Sujets, Fragments.*

L'art

Le désir, dans lequel Balzac reconnaît le principe même de l'homme, a quelque chose de diabolique. Il pousse certains personnages à signer un contrat avec le diable, comme Raphaël avec l'Antiquaire, avatar de Méphistophélès, ou comme Lucien de Rubempré, qui, selon d'Arthez, conclut « un pacte avec le démon ». Or, ce sont les artistes qui incarnent au mieux la puissance du désir. Dans l'« Avant-Propos » à *la Comédie humaine,* Balzac évoque le « Désir, principe de toute Passion » et ajoute : « La passion est toute l'humanité. Sans elle, la religion, l'histoire, le roman, l'art seraient inutiles ». Apparaissant dans l'œuvre vers 1831, avec *l'Enfant maudit*, *les Proscrits*, *le Chef-d'œuvre inconnu*, *la Peau de chagrin*, l'artiste représente l'homme hanté par l'idée de la beauté qui, comme Frenhofer, dans lequel Cézanne se reconnaîtra, arrache à l'incohérence du monde et de la toile un lambeau d'idéal. À cet égard, bien que sa production littéraire coïncide exactement avec la période du romantisme, Balzac n'est pas un écrivain romantique. Il cherche non pas l'infini, mais l'absolu.

Essentiellement fantastique, l'art, tel que Balzac le présente, ne cesse de s'équilibrer entre le possible et l'impossible. Dans son atelier, où règne une « noire atmosphère », Frenhofer initie Nicolas Poussin au culte secret de l'art. Une mystérieuse alchimie, portée par l'ésotérisme de l'expression, guide le jeune peintre vers l'« arcane de la nature » et l'« arcane de l'art ». Mais les artistes échouent parfois dans une recherche dévoyée. Le tableau de Frenhofer ne peut être, aux yeux de ses compagnons, que l'œuvre d'un dément. Gambara, dont l'opéra n'est qu'une « étourdissante cacophonie », exprime parfaitement les sentiments d'une femme imaginaire (l'épouse de Mahomet), mais ne parvient pas à discerner ceux d'une femme réelle (Marianna).

Balzac s'attarde longuement à décrire la vie du créateur, qu'il soit peintre, musicien ou sculpteur. Écrivains, artistes, chercheurs sont nombreux dans *la Comédie humaine.* Cependant, Balzac découvre chez un savant la figure authentique du poète : « Cuvier n'est-il pas le plus grand poète de notre siècle ? » Reconstruisant des mondes avec des « os blanchis », réveillant les hommes préhistoriques par son « regard rétrospectif », Cuvier voit le réel là où il n'est plus, grâce à une méthode inductive qui ne conçoit le particulier que pour le transcender dans le général. Ainsi Cuvier, comme Buffon salué en maître dans l'« Avant-Propos » à *la Comédie humaine,* prend-il le contre-pied de la science contemporaine que Balzac se plaît à tourner en dérision.

Dans son « Introduction » à l'édition de 1831 des *Romans et Contes philosophiques,* Philarète Chasles définit l'originalité d'un « poète » comme Balzac dans une époque que la science prétend domestiquer : « Où est le merveilleux ? Qu'est devenue la foi ? L'analyse ronge la société en l'expliquant ; plus le monde vieillit, plus la narration est une œuvre pénible [...]. Voici un conteur qui arrive à l'époque la plus analytique de l'ère moderne, toute fondée sur l'analyse : sociétés, gouvernements, sciences reposent sur elle ; elle s'empare de tout pour tout flétrir [...]. L'analyse, dernier développement de la pensée, a donc tué les jouissances de la pensée. »

Contrairement à Cuvier qui, en poète, « réveille le néant », les savants analystes modernes évoluent dans un univers figé, purement verbal, et nient les richesses de la vie. Ils défont, outre la substance de l'univers, son unité. Dans *Séraphîta,* Wilfrid et Winna reconnaissent « la puérilité des sciences humaines desquelles il leur avait été parlé ». C'est que la science moderne ne répond nullement à la grandeur de Cuvier. Tout se passe, en fait, comme si Balzac en appelait à une « science nouvelle » (l'expression est de Vico, traduit en 1827 par Michelet), à la fois science et poésie, dont lui-même, comme romancier, est l'un des représentants.

Balzac accorde à l'artiste un don de seconde vue et une pénétration peu commune. Il comprend, par exemple, les mystères du cœur féminin : « L'amour d'un poète tient un peu de la folie. Il n'y a que les artistes qui soient dignes des femmes, parce qu'ils sont un peu femmes. » Comme les individus, les sociétés se dévoilent au « voyant » ou au « visionnaire » qu'est le romancier. Car c'est l'individu qui permet à Balzac de révéler les mécanismes sociaux de l'époque et d'appréhender, dans une certaine mesure, le devenir de la société, à la manière dont Raphaël de Valentin, dans le magasin d'antiquités, s'incarne dans des personnages pour comprendre l'esprit des nations. Médiatisée par l'œuvre d'art, l'échappée visionnaire se solde toujours, chez Balzac, par un retour enrichissant à la réalité la plus concrète.

L'art tend même à devenir la seule réalité, le roman, par un procédé de contrepoint très fréquent, étant présenté comme le lieu même du vrai : « Par un de ces hasards qui ne sont invraisemblables que dans les livres... » (*la Recherche de l'absolu*). Ni réel ni imaginaire, ou les deux à la fois, l'art est vérité. Balzac a éprouvé son temps, comme les conteurs du XVIe siècle, comme La Fontaine – autant de « génies rares » qui, « au lieu de peindre une passion [...], peignaient leur époque » (*Contes drolatiques*) –, comme Rabelais surtout, qui « pénétra profondément le génie de son époque et fit alors ce qu'il devait faire en en donnant l'image, l'explication et l'avenir » (Philarète Chasles, « Introduction » aux *Romans et Contes philosophiques*).

Dans la préface à la première édition de *la Peau de chagrin,* Balzac assigne à l'art littéraire la tâche de « reproduire la nature par la pensée », visant ainsi l'universalité puisque « les idées comprennent tout ». Ainsi l'écrivain est-il obligé d'avoir en lui « je ne sais quel miroir concentrique où suivant sa fantaisie l'univers vient se réfléchir ». Par ailleurs, il faut, pour écrire, « se souvenir et empreindre ses impressions dans un certain choix de mots, et les parer de toute la grâce des images ou leur communiquer le vif des sensations primordiales ». Mais, si la réunion des deux composantes indispensables à l'art littéraire, l'observation et l'expression, fait l'« homme complet », elle ne parvient pas à définir le « génie ». L'œuvre d'art demande ses ressources à une troisième faculté qui permet aux écrivains « réellement philosophes » de « deviner la vérité dans toutes les situations possibles ». Ainsi, « ils inventent le vrai, par analogie, ou voient l'objet à décrire, soit que l'objet vienne à eux, soit qu'ils aillent eux-mêmes vers l'objet ».

Inventer le vrai ! L'art n'ambitionne pas la reproduction du réel, mais le « beau idéal », selon l'expression de l'« Avant-Propos ». La vérité est une invention, c'est-à-dire une création, défiant toutes les nomenclatures. Si inventer le vrai, c'est voir l'objet à décrire, la vision est bel et bien productrice et non reproductrice. D'où, chez Balzac, l'importance capitale de la vue : « Les cinq sens qui n'en sont qu'un seul : la faculté de voir » (*Louis Lambert*). Puisqu'elle est production de vérité, la vision balzacienne détermine la connaissance du réel. « Penser, c'est voir », dit Louis Lambert ; or voir, c'est savoir (*la Peau de chagrin*). La vue, c'est-à-dire l'imagination gouvernée, guide le poète sur les chemins de l'art, élabore des mondes imaginaires cohérents et signifiants. Balzac comprend la faculté d'imaginer, partie intégrante du « Spécialisme », comme l'aboutissement d'un processus idéal de développement chez l'homme. « Trois degrés pour l'homme : Instinctif, il est au-dessous de la mesure ; Abstractif, il est au niveau ; Spécialiste, il est au-dessus. Le Spécialisme ouvre à l'homme sa véritable carrière, l'infini commence à poindre en lui, là il entrevoit sa destinée » (*Louis Lambert*).

Le romancier, sans faire de choix dans le magma confus du réel, laisse apparaître, en l'écrivant, ce que celui-ci comporte de « typique ». Le type, à proprement parler, n'existe pas dans la réalité ; il en émerge et en devient la quintessence. Dans un article de *Répertoire I,* Michel Butor analyse le cheminement créateur qui part de la personnalité réelle pour la transfigurer en type. Sous certains noms fictifs percent avec évidence le visage d'illustres contemporains : dans *Modeste Mignon,* par exemple, Canalis représente Lamartine. L'originalité de Canalis se détache ensuite peu à peu de celle de Lamartine, Canalis n'est plus Lamartine, et, dit Michel Butor, « il se met à représenter non plus tel ou tel poète existant, mais justement une possibilité de poète qui n'existe pas dans la réalité et qui devrait y exister, il comble une absence qu'il décèle dans le réel, et il a cette particularité d'être bien plus clair que ses collègues existants, bien plus révélateur ». Parce qu'ils sont des types, les personnages fictifs apportent à la compréhension du réel quelque chose d'irremplaçable.

La Comédie humaine propose, pour l'essentiel, des personnages et des situations typiques. Dans l'« Avant-Propos », Balzac précise que « non seulement les hommes, mais encore les événements principaux de la vie se formulent par des types. Il y a des situations qui se présentent dans toutes les existences, des phases typiques, et c'est là une des exactitudes que j'ai le plus cherchées ». Le type, principe même de l'art balzacien, à la fois condensation et présentation du réel, est le pur produit de l'imagination. Il suppose une tension, de laquelle le roman lui-même participe : « Ainsi est une œuvre d'art. Elle est, dans un petit espace, l'effrayante accumulation d'un monde entier de pensées, c'est une sorte de résumé » (*la Silhouette*, mars 1830).

C'est pourquoi la plupart du temps, les personnages signifient plus qu'eux-mêmes. Dans *le Chef-d'œuvre inconnu*, Frenhofer devient, aux yeux de Nicolas Poussin, « l'Art lui-même, l'Art avec ses secrets, ses fougues et ses rêveries ». Gobseck est l'or dans toute sa puissance, César Birotteau la probité malheureuse, Goriot l'amour paternel. Le faubourg Saint-Germain représente la société tout entière dans ses intrigues et ses turpitudes. Fœdora, à elle seule, est, « si vous voulez, la Société ».

Mais le type balzacien se différencie de celui de Molière, qui reste essentiellement théâtral, en le nuançant et en l'individualisant par la description des lieux qui l'entourent en l'expliquant. Décrire, c'est, pour Balzac, non seulement reproduire les résultats de l'observation, mais surtout exprimer les exigences qu'une société donnée fait peser sur un individu. « Chez moi, dit Balzac, dans *Facino Cane*, l'observation était devenue intuition, elle pénétrait l'âme sans négliger le corps ; ou plutôt elle saisissait si bien les détails extérieurs qu'elle allait sur-le-champ au-delà ». Avant que n'arrive la troupe du commandant Hulot, la colline de la Pèlerine, décrite au début des *Chouans*, présente le paysage breton comme le creuset d'un combat inscrit d'avance, attendu par les choses, les « faisceaux » des gerbes de blé appelant et contenant déjà ceux des fusils.

Dans l'œuvre, le réel prend alors une présence énorme, brutale, intense, qui correspond à un surplus de présence. Balzac souligne la formidable « puissance de réalité » de l'*Adam* de Mabuse qu'admire Nicolas Poussin, comme, dans *Séraphîta*, il affirme du parloir de M. Becker qu'il est « sublime de réalité ». Hofmannsthal dira que Balzac a triomphé de la réalité « par la peinture d'une réalité devenue plus intense et comme soulevée par un ferment surnaturel ». Le véritable réalisme de Balzac est, au sens plein, un surréalisme.

Le style de Balzac

Captant du réel l'énergie romanesque, décantant et conservant le fantastique de la société, portant la quintessence de l'époque, le roman balzacien fait reculer les frontières du réel en donnant à voir son essence la plus intime de réel. Plus qu'un témoignage et qu'une expression de l'époque, l'œuvre en est le document et le monument. De ce « siècle de fantasmagories brillantes », on ne pourra « plus rien saisir dans cinquante ans, excepté *la Peau de chagrin* », souligne Philarète Chasles en 1831.

Pour dire l'époque, il faut, bien sûr, connaître la langue, mais « il ne suffit pas pour être un grand poète de savoir à fond la syntaxe et de ne pas faire de fautes de langue ! » (*le Chef-d'œuvre inconnu*). Les nombreuses corrections apportées par Balzac à son œuvre montrent qu'il s'attache de près à la précision des termes, à la texture des phrases, jusqu'à la configuration du mot, à l'instar de Louis Lambert qui rêve à la légèreté évocatrice du mot « vol » ou à la rectitude du mot « vrai ». De même, chaque mot de l'argot, auquel Balzac réserve un développement dans *Splendeurs et Misères des courtisanes*, « est une image brutale, ingénieuse ou terrible ».

Le style, pour Balzac, demande un travail et une attention plus sérieux que le simple respect de la grammaire ou de la rhétorique, car c'est justement le style qui fait défaut dans les œuvres contemporaines : « Notre époque si amoureuse du drame, et qui fait momentanément bon marché du style » (première édition des *Mémoires de deux jeunes mariées*), oublie que la langue doit conserver le présent en alliant intimement la forme à l'idée, la syntaxe à l'image, reconnaître et respecter ainsi le génie propre du français. « Un grand écrivain en France est toujours un grand homme, il est tenu par la langue à toujours penser. »

Pour Balzac, le poète est la figure achevée de l'artiste : « Le mot poète a une acception aussi large que le mot artiste ; et, selon nous, le peintre, le musicien, le statuaire, l'orateur et le faiseur de vers ne sont artistes qu'autant qu'ils sont poètes. »

Le « dire poétique » de Balzac est le conte, entendu étymologiquement comme ce que l'on raconte : « Qu'est-ce que le talent du conteur, sinon tout le talent ? Il renferme en lui la déduction logique dans sa rigueur, le drame avec sa mobilité, l'essence même du génie lyrique avec son extase intérieure. Le narrateur est tout. Il est historien ; il a son théâtre, sa dialectique profonde, qui meut ses personnages, sa palette de peintre et sa lampe d'observateur » (Philarète Chasles). Balzac s'est effectivement voulu le conteur de l'époque, et il tient liste de ses plus grands prédécesseurs : « Ceux qui ont conté sont rares ; bien conté, on les compte, et ce sont des hommes de génie : Lucien, Pétrone […], Rabelais, Boccace, l'Arioste, La Fontaine, Voltaire, W. Scott, la reine de Navarre, Sterne, Cervantès, Lesage » (*Pensées, Sujets, Fragments*).

Tout roman balzacien peut se lire comme un conte, et l'auteur privilégie hautement l'aspect oral de l'œuvre par les nombreux discours cités, l'adresse très fréquente au lecteur, les récits menés par un ou plusieurs personnages qui organisent le texte en une construction en abyme. En faisant appel à l'imagination du lecteur (« Figurez-vous », « Imaginez », « Voyez »), notamment à l'ouverture d'une œuvre, Balzac fait du conte un lieu de convergence où l'imagination du lecteur rencontre celle du narrateur, en donnant sens et vie à la « fable ». Dès lors, le réel se dit lui-même dans la langue, par-delà les pensées de l'auteur et la jouissance du lecteur. « Ce n'est plus ni les idées ni le langage, mais les choses qui parlent » (*Une fille d'Ève*). Les choses, en effet, « parlent d'elles-mêmes » et parlent « haut » (introduction à la première édition des *Chouans*).

Dans ce triomphe du conte et cette victoire de la forme, l'œuvre entière de Balzac trouve son principe. En 1834, expliquant *la Comédie humaine* à Mme Hanska, l'auteur définit l'œuvre en référence à un conte exemplaire : « L'homme, la société, l'humanité seront décrits, jugés, analysés sans répétitions et dans une œuvre qui sera comme *les Mille et Une Nuits* de l'Occident. » *La Comédie humaine*, comme tout roman de Balzac, forme un vaste « conte », un « poème » comparable à ceux d'Homère et, bien sûr, de Dante.

Le Père Goriot

Offert au public par la *Revue de Paris* en décembre 1834, janvier et février 1835, *le Père Goriot* est publié en mars 1835. Devenu pour nombre de lecteurs l'exemple même du roman balzacien, l'ouvrage, qui, au départ, ne devait être qu'une simple nouvelle, a connu d'emblée un succès sans égal qui ne s'est jamais démenti. Le texte, dont l'élaboration fut longue et exaltante, fut fréquemment repris et amélioré, Balzac supprimant de bonne heure, par exemple, la division en chapitres, afin de maintenir l'unité profonde. Étude de mœurs dédiée en 1843 « au grand et illustre Geoffroy Saint-Hilaire », le roman appartient d'abord aux « Scènes de la vie parisienne » puis passe, avec le « Catalogue des ouvrages que contiendra *la Comédie humaine* » de 1845, dans les « Scènes de la vie privée ».

SYNOPSIS

Dans la sordide et pourtant mystérieuse pension Vauquer, longuement présentée (quartier, façade, intérieur, habitants), un « drame » va se jouer. Novembre 1819 : la curiosité du jeune étudiant en droit Eugène de Rastignac est provoquée par l'attitude d'un mystérieux quadragénaire, Vautrin, et surtout par celle d'un locataire de longue date, le père Goriot, pitoyable vieillard qui secourt financièrement la comtesse de Restaud (« Une pension bourgeoise »). Chez Mme de Restaud, puis chez Mme de Beauséant, Rastignac apprend à connaître la personnalité du père Goriot : méprisé par ses filles, Anastasie (devenue comtesse de Restaud) et Delphine (baronne de Nucingen), cet ancien vermicelier se ruine pour satisfaire leurs caprices (« Les deux visites »). Refusant la morale cynique de Vautrin qui l'invite à courtiser la jeune Victorine Taillefer, Rastignac entreprend avec succès la conquête de Mme de Nucingen. À la pension, le soir, il parle de Delphine au père Goriot qui se prend alors d'amitié pour l'étudiant. Mais les difficultés d'argent de Delphine désespèrent le vieillard (« Entrée dans le monde »). Deux locataires de la pension, Poiret et Mme Michonneau, poussés par l'appât du gain, aident le policier Gondureau à percer à jour la véritable identité de Vautrin, un forçat évadé surnommé Trompe-la-Mort. Peu avant son arrestation, Vautrin réussit à faire tuer le frère de Victorine, assurant ainsi à la jeune fille un héritage considérable. Rastignac, aidé par Goriot que le bonheur de sa fille ravit, connaît avec Delphine des moments heureux (« Trompe-la-Mort »). Mais l'espoir de la félicité s'effondre. Épuisé par l'égoïsme de ses filles, impuissant à régler leurs dettes croissantes, le père Goriot tombe dans une hébétude où le jeune étudiant en médecine Bianchon lit les signes d'une fin prochaine. Leur besoin d'argent satisfait grâce à Rastignac, Anastasie et Delphine abandonnent leur père que soignent Bianchon et Rastignac. Ce dernier assiste à la triste et belle soirée d'adieu de Mme de Beauséant, délaissée par son amant (« Les deux filles »). L'état du père Goriot empire. Comprenant que ses filles ne viendront pas, il les maudit et les excuse tour à tour. Il meurt, au milieu de l'indifférence des pensionnaires et devant Delphine, enfin là, mais préoccupée par ses soucis d'argent. Obsèques du père Goriot, dont seuls Rastignac et Christophe, l'homme à tout faire de la pension, suivent le convoi funèbre. Du haut du cimetière du Père-Lachaise, Rastignac lance un défi à la capitale : « À nous deux maintenant ! » (« La mort du père »).

Le Père Goriot est le roman du mystère déchiffré progressivement par une conscience aux prises avec le monde contemporain. Lieux et personnages entretiennent la présence d'une énigme profondément tapie au sein du Paris de 1819. Les pensionnaires de la maison Vauquer, qui appartient elle-même au genre des « monstruosités curieuses », font « pressentir des drames accomplis ou en action ». Vautrin a « au fond de sa vie un mystère soigneusement enfoui ». L'attitude du père Goriot, inexplicable pour ses commensaux, intrigués particulièrement par les visites furtives de riches jeunes femmes, ne cesse de susciter questions et suppositions. C'est au prix de recoupements et de déductions qu'on parvient à expliquer les étranges démarches du vieil homme qui, pour satisfaire un pressant besoin d'argent de sa fille, vend un précieux ustensile de ménage, puis recourt aux services de l'usurier Gobseck.

C'est par Rastignac et pour lui que la vérité peu à peu se fait jour. Doté d'une lucidité tenace née du travail et de la misère, porté par une ambition qui lui impose de calculer « la portée de [ses] études » en « les adaptant par avance au mouvement futur de la société », l'étudiant est à même de « pénétrer les mystères ». Attentif au monde sur lequel il se propose d'agir, il découvre le père Goriot tordant sa vaisselle pour la convertir en lingots et soupçonne une réalité inaccessible aux autres pensionnaires. De Goriot, Rastignac dit à Bianchon : « Sa vie me paraît être trop mystérieuse pour ne pas valoir la peine d'être étudiée. » Menant sur son énigmatique voisin une enquête méthodique, il apprend de la duchesse de Langeais, de M. Muret, le successeur de Goriot, et du vieillard lui-même l'histoire de cette existence meurtrie.

Parallèlement, une autre vérité se dévoile – celle des hommes et du monde –, qui donne à lire l'œuvre comme un roman d'initiation et de formation. Les pas de Rastignac dans la société sont guidés par deux personnages qui, appartenant à des milieux totalement différents, ont pourtant du monde une même conception. Mme de Beauséant, amie digne et affectueuse, conseille à Eugène de ne jamais laisser parler son cœur : « Plus froidement vous calculerez, plus avant vous irez. Frappez sans pitié, vous serez craint. » Vautrin expose une morale sociale où les sentiments n'ont aucune place : « Il n'y a pas de principes, il n'y a que des événements ; il n'y a pas de lois, il n'y a que des circonstances. » Mais le forçat évadé, au regard « froidement fascinateur » et « magnétique », tout en faisant l'éducation du jeune homme, cherche à le prendre dans ses filets. Donnant la preuve d'une extraordinaire pénétration à son égard, il inquiète l'étudiant, qui tente de s'opposer aux agissements de ce « démon ». Seule la disparition de Vautrin, capturé par les policiers, évite à Rastignac un combat douteux auquel n'échappera pas Lucien de Rubempré.

Les yeux du jeune homme s'ouvrent sur une société gouvernée par l'argent : « Il vit le monde comme il est : les lois et la morale impuissantes chez les riches, et vit dans la fortune l'*ultima ratio mundi.* » De fait, le père Goriot, qui a lui-même bâti sa fortune pendant la Révolution en revendant des farines dix fois plus cher qu'il ne les avait payées, et qui proclame : « L'argent, c'est la vie » et « Monnaie fait tout », n'existe plus pour ses filles dès qu'il n'a plus rien. Vautrin invite Rastignac à courtiser Victorine Taillefer, qui ne peut manquer de devenir une riche héritière si son frère disparaît. À cette idée le jeune homme s'abandonne un moment. C'est bien l'argent qui lui fait défaut et qu'il quête auprès de sa mère et de ses sœurs pour se lancer dans un combat décisif avec la société, car, quand un étudiant a de l'argent, « il veut tout et peut tout ». L'idée de l'argent gouverne la vie de la sordide Mme Vauquer comme de la cupide Mlle Michonneau, celle de Nucingen comme celle des filles Goriot, qui semblent provoquer la mort de leur père en le vidant de sa substance vitale.

Rastignac, évoluant dans les deux mondes opposés de la pension sordide et des brillants salons aristocratiques, éprouve au mieux le principe de la société. Un pan de voile se lève chaque jour devant lui. En revenant du bal de Mme de Beauséant, tandis que le père Goriot agonise, il pressent que son « éducation » s'achève. Depuis le bas de la rue Neuve-Sainte-Geneviève jusqu'au cimetière du Père-Lachaise, d'où il contemple Paris, Rastignac effectue un trajet au cours duquel il abandonne ses illusions de jeunesse pour une connaissance désabusée du monde tel qu'il est.

Décrivant un personnage confronté à l'apprentissage du réalisme, Balzac ne juge ni la société ni les hommes, mais les laisse apparaître dans tout l'éclat de leur rayonnement. L'amour de Goriot, qui le porte à aimer dans ses filles « jusqu'au mal qu'elles lui faisaient », devient une passion si exclusive qu'elle l'aveugle sur le sort des autres et qu'il reste indifférent, par exemple, aux malheurs de Victorine. Le père Goriot n'est pas bon, il est « sublime », comme l'est, à sa manière, Vautrin : « Je suis un grand poète. Mes poésies, je ne les écris pas : elles consistent en actions et en sentiments. » Le critère moral est extérieur au roman. C'est pourquoi Balzac, dans la préface de l'ouvrage, se défend d'avoir écrit une œuvre immorale. Avant d'être bon ou mauvais, le monde est, tout simplement – l'enjeu du roman étant justement de faire sortir cette présence énorme à laquelle personne ne peut échapper : « Ce drame n'est ni une fiction, ni un roman. *All is true,* il est si véritable, que chacun peut en reconnaître les éléments chez soi, dans son cœur peut-être. » Le livre est « vrai » dans la mesure où il raconte une expérience qui met en jeu les limites mêmes de l'humanité. Les « larmes », évoquées par Balzac dans le préambule de l'œuvre, sont le signe d'une émotion authentique (l'agonie du père Goriot, longuement préparée, minutieusement orchestrée, compte parmi les scènes les plus poignantes de la littérature) à travers laquelle s'exprime une fatalité indépassable, inscrite au cœur même de la civilisation.

Ainsi *le Père Goriot* a-t-il la force et la pureté d'une tragédie classique, à laquelle il emprunte la concentration des effets dramatiques, l'unité des lieux, le resserrement de la durée et la construction qui, d'une exposition, mène, à travers une crise, à un dénouement fatal. Sans qu'une responsabilité d'ordre humain soit dénoncée, les trois personnages principaux du roman deviennent ce qu'ils sont : Rastignac un mondain ambitieux, Vautrin un « poème infernal », Goriot un martyr, et ils vivent jusqu'au bout l'accomplissement de leur destin.

Illusions perdues

« Œuvre capitale dans l'œuvre » (lettre à la princesse Belgiojoso), *Illusions perdues* prend place, chronologiquement et thématiquement, au centre de la production balzacienne. Les trois épisodes (« Les deux poètes », « Un grand homme de province à Paris », « Les souffrances de l'inventeur »), rédigés à plusieurs années d'intervalle (1836, 1839, 1843) et regroupés sous un titre phare qui pourrait convenir à presque tous les romans de Balzac, donnent à lire l'expérience d'un jeune homme dont l'apprentissage du monde s'effectue à travers un itinéraire problématique au sein d'une société à laquelle il se heurte sans jamais vraiment l'affronter.

SYNOPSIS

« LES DEUX POÈTES ». Pour le sauver du désespoir, David Séchard, qui a repris l'imprimerie vétuste de son père à Angoulême, prend comme prote un ancien camarade de collège, Lucien Chardon. Mai 1821 : Lucien est aimé de Louise de Bargeton, type même de la femme de province. Lors d'une soirée chez Mme de Bargeton, Lucien s'attire la haine des invités, notables mesquins, ridicules et ignorants. Projets de mariage entre David Séchard et Ève, la sœur de Lucien. Début septembre : Lucien travaille à un roman historique (*l'Archer de Charles IX*) et à un volume de poésies (*les Marguerites*). Louise et Lucien, épiés par la société d'Angoulême, se réfugient à Paris.

« UN GRAND HOMME DE PROVINCE À PARIS ». Aux yeux de Lucien, la beauté de Louise pâlit devant l'éclat de sa cousine, la marquise d'Espard. Méprisé par les jeunes lions de Paris, Lucien s'installe dans une petite chambre et travaille à son œuvre. Le Cénacle de jeunes gens épris de science, de philosophie et de littérature, où l'introduit Daniel d'Arthez, le réconforte. Peu après, rencontre avec le journaliste Lousteau qui lui expose les difficultés presque insurmontables que rencontre un écrivain débutant. Lucien se lance alors dans le journalisme mondain : articles de complaisance rapidement écrits, nombreuses compromissions, légèreté et papillonnage. Il brille dans le monde et excite les jalousies. Ses dettes s'accumulent. Sa maîtresse, l'actrice Coralie, dont la nouvelle création dramatique est froidement accueillie, tombe malade. Brouillé avec Lousteau, humilié par d'Arthez, abandonné de tous, Lucien connaît une profonde détresse. Au chevet de Coralie mourante, il écrit des chansons grivoises pour payer les obsèques de la jeune femme.

« LES SOUFFRANCES DE L'INVENTEUR ». Lucien revient à Angoulême où sa mère et sa sœur l'accueillent avec une certaine méfiance. David Séchard, qui s'est consacré à ses découvertes, est la victime des frères Cointet qui manœuvrent pour le ruiner ; traqué par les huissiers, il se cache chez une amie d'Ève. Lucien tente de venir en aide à David, mais, berné par les ennemis de l'imprimeur, il révèle sa cachette. Se sentant responsable de l'arrestation de David, il annonce son suicide par une lettre à sa sœur. Sur les bords de la Charente, il rencontre un voyageur, l'abbé Carlos Herrera, qui lui promet une vie de plaisirs s'il accepte de se laisser guider. Lucien succombe aussitôt à cette influence nouvelle.

À Angoulême, David, qui a rétabli au mieux sa situation, trouve une heureuse sérénité. La révolution de Juillet propulse les notables aux plus hautes fonctions. « Quant à Lucien, son retour à Paris est du domaine des *Scènes de la vie parisienne.* »

Balzac propose, dans ce roman composé en grande partie sous l'influence de *la Peau de chagrin* (remaniée en 1835), le portrait d'un enfant du siècle qui soulèvera de la part des critiques (*le Figaro*, *l'Artiste*, *le Charivari*) un véritable tollé. Lucien de Rubempré, élevé par son père « dans l'espérance de destinées brillantes », marqué par un irrépressible désir d'anéantissement, est accablé d'emblée par les illusions. Ses coquetteries et sa futilité (« Il était si séduisant ! Ses manières étaient si câlines ! Son impatience et ses désirs, il les exprimait si gracieusement ! Il avait toujours gagné sa cause avant d'avoir parlé ») désignent un héros romantique que la fatalité du destin conduit au suicide. Dès l'épisode de « la Torpille » (1838), qui appartient à *Splendeurs et Misères des courtisanes,* l'avenir de Lucien est fixé. Dès lors, et notamment dans « Un grand homme de province à Paris », Balzac peut en développer à loisir le caractère. Au cœur du personnage, Balzac repère une faiblesse rédhibitoire, qui le condamne, par exemple, à virevolter dans le monde de l'aristocratie où Mme de Bargeton veut l'imposer en développant chez lui un égoïsme latent. Les « vices secrets » de Lucien, qui dénoncent la « corruption de son cœur », trouvent dans la vie parisienne un terrain d'élection : « Insensiblement il renonça donc à la gloire littéraire en croyant la fortune politique plus facile à obtenir. » Proie désignée pour les influences les plus délétères, Lucien néglige les exigences du travail littéraire pour les signes de la réussite. Changer de nom équivaut pour lui à changer de personnalité. Se faire appeler « de Rubempré » et non « Chardon », c'est non seulement asseoir une position sociale flatteuse, mais surtout accéder à une existence et une identité nouvelles. Jusque dans l'imagination de la mort, il s'emploie à nier la présence des réalités concrètes : souhaitant que son corps confié à la Charente ne soit pas retrouvé, il espère « finir poétiquement ».

Soumis aux caprices du sort et aux mirages de l'illusion, il est la victime désignée des intrigants et des calculateurs : M. du Châtelet, son ennemi de cœur, le manœuvre comme un pion, de même que la marquise d'Espard, que des Lupeaulx et Finot, les maîtres d'œuvre de la « fatale semaine » à Angoulême : « Tout s'était trop heureusement succédé pour lui dans le monde et dans la littérature ; il avait été trop heureux, il devait voir les hommes et les choses se tourner contre lui. » Carlos Herrera le cueillera sans peine sur la route de Marsac : « Pris par cette conversation cynique, Lucien se raccrochait d'autant plus volontiers à la vie qu'il se sentait ramené du fond de son suicide à la surface par un bras puissant. » Si sa mort effective est retardée, Lucien est d'emblée absent du monde et ne cesse de vivre par procuration, comme une marionnette dont Vautrin remonte le ressort : « Vous brillerez, vous paraderez, pendant que, courbé dans la boue des fondations, j'assurerai le brillant édifice de votre fortune [...]. Je serai toujours heureux de vos jouissances qui me sont interdites. Enfin, je me ferai vous. »

Ce personnage est le faire-valoir d'une société qui l'écrase de toute sa puissance. Dans l'« affreux désert » de Paris, il fait l'expérience de l'isolement, contre lequel le Cénacle de d'Arthez apparaît comme un « refuge », puis de la déchéance, lorsqu'il accepte les compromissions du journalisme (« Travailler n'est pas le secret de la fortune en littérature, il s'agit d'exploiter le travail d'autrui »). Le monde du journalisme (Balzac dénonce la corruption par l'argent comme le danger crucial qui mine l'indépendance de la presse) et celui du théâtre, où tout se résout « par de l'argent », accaparent et séduisent rapidement Lucien : « La Presse, l'Intelligence étaient donc le moyen de la société présente. » Le personnage devient emblématique d'une société qui, depuis la Révolution, refuse la logique et la morale pour de nouvelles valeurs : « Le succès est la raison suprême de toutes les actions. »

Le monde corrompu de Paris prend tout son relief dans la confrontation qui l'oppose à celui de la province, dont le type achevé est Mme de Bargeton, pédante et romanesque égérie gagnée par les « idées étroites » et les « manières mesquines », les palpitations superficielles et les enthousiasmes stériles. Balzac croque férocement la province à travers M. de Bargeton, ridicule vieillard fait de platitude et de fatuité, M. du Châtelet, nouveau directeur des contributions indirectes d'Angoulême, qui possède « toutes les incapacités exigées par sa place », et les invités de Louise, réunis en quelques portraits charges qui composent une véritable zoologie de la société provinciale, « assemblée de personnages bizarres, aux costumes hétéroclites, aux visages grimés », insensibles même à la poésie la plus fade, haïssant Lucien, qu'ils craignent comme « un pouvoir hostile à leur ignorance ». Quand la province rencontre Paris, un monde s'écroule : « Il se préparait chez Mme de Bargeton et chez Lucien un désenchantement sur eux-mêmes dont la cause était Paris. » Lucien regarde désormais sa muse de province comme un « os de seiche ». Paris et la province sont dévoilés dans le même mouvement. Pris dans un « tourbillon de plaisirs et de travaux faciles », en compagnie d'hommes du monde « jaloux entre eux à la manière des femmes », Lucien incarne la vie parisienne, elle-même représentative de toute société. Balzac conçut d'ailleurs, dès 1833, *Illusions perdues* comme l'« anneau qui joint les deux âges de la vie et montre un des mille phénomènes par lesquels la province et la capitale se marient incessamment ».

L'illusion, cependant, naît ici précisément de la province. Le provincial Lucien de Rubempré se distingue ainsi radicalement du Rastignac du *Père Goriot,* à qui le monde se révéla, d'abord et avant tout, à Paris : « Moi, dit Lucien à Carlos Herrera, je me suis laissé aller à la poésie ; lui, plus habile, a donné dans le positif. » *Illusions perdues* est le roman de la province attirée par Paris comme une mouche par la lumière : elle y brûle ses yeux comme son âme. C'est ainsi que la troisième partie du roman, qui, comme la première, se déroule à Angoulême, assume, dépasse et élargit la nécessaire expérience parisienne.

Province et Paris entretiennent, dans le roman, un véritable rapport de révélation. À celle-ci, pourtant, Lucien échappe constamment. Ne devinant pas que chez Mme de Bargeton l'amour est « greffé sur l'orgueil », pleurant au théâtre d'amères larmes sur le Cénacle abandonné (« Eh ! mon cher, vous avez encore des illusions », lui dit Lousteau), retrouvant Mme de Bargeton, devenue grande dame depuis la mort de son mari (« En ce moment, Lucien et Louise avaient repris leurs illusions sur eux-mêmes »), Lucien subit Paris et la province sans jamais parvenir à les connaître. Successivement « hébété comme un homme à qui l'on vient de donner sur la tête un coup d'assommoir », tombé dans une « détresse absolue », il en arrive à se vendre au diable de la société moderne en acceptant de Bérénice, la servante de Coralie, un argent qui lui brûle les mains mais qu'il garde « comme un dernier stigmate de la vie parisienne ». Personnage de l'échec, Lucien est le type même de l'individu vaincu par la société, faute d'avoir su réellement la regarder.

Balzac, à son habitude, présente un univers qui trouve son unité dans la tension qui oppose les personnages comme les tableaux. À Mme de Bargeton répond Ève Séchard, comme à l'égoïsme le dévouement. Le personnage de Florine, actrice rouée et arriviste, se complète par celui de Coralie, qui n'a « que l'esprit des sens et la bonté des femmes amoureuses ». Avec Lucien contraste Daniel d'Arthez, qui « brûlait des mottes et supportait héroïquement la misère : il ne se plaignait point, il était rangé comme une vieille fille, et ressemblait à un avare, tant il avait de méthode ». De la confrontation naît la lumière. Les membres du Cénacle devinent rapidement Lucien : « Il y a chez toi, lui dit Michel Chrestien, un esprit diabolique avec lequel tu justifieras à tes propres yeux les choses les plus contraires à nos principes. » Et d'Arthez précise : « Tu ne seras jamais d'accord avec toi-même. » David Séchard lui-même, qui a su ne pas se laisser dévorer par sa passion d'inventeur (« Après avoir dit adieu sans retour à la gloire, il s'est bravement rangé dans la classe des rêveurs et des collectionneurs »), accuse l'erreur de Lucien.

Le motif du contraste fonde ainsi une technique narrative qui renvoie à l'art du peintre (auquel Balzac emprunte la « brosse ») et à celui du dramaturge (de longs dialogues relayant très souvent le récit proprement dit).

Avec *Illusions perdues,* Balzac témoigne, en romancier et en historien, d'une société dont le lecteur saisit l'essence à travers une série d'*illusions* vécues par les personnages et qui, à terme, ne peuvent que signifier la *perte* de l'homme et du monde.

Splendeurs et Misères des courtisanes

Composé entre 1835 et 1847, élaboré ainsi conjointement à nombre d'œuvres très différentes, ce roman est le produit exemplaire de la création balzacienne comme de la société contemporaine. Les principaux personnages du *Père Goriot* et d'*Illusions perdues,* notamment, voient leur destin se prolonger, s'épanouir et s'affirmer en dévoilant l'essence même d'une société dont Balzac est ici, par excellence, le « secrétaire ».

Balzac exploite le goût contemporain pour la peinture des milieux interlopes et rivalise avec Eugène Sue, dont *les Mystères de Paris* sont publiés en 1842. Mais voleurs et assassins sont, dans l'œuvre balzacienne, particulièrement énigmatiques et terribles ; ils fascinent, en les effrayant, une bourgeoisie et surtout une aristocratie qui ne peuvent les vaincre qu'en les absorbant. De ces forces profondes Jacques Collin, le Vautrin du *Père Goriot,* est l'émanation idéale et le type « individualisé ». Figure du Démon à qui Lucien vend son âme, prodigieux metteur en scène de la comédie humaine, il incarne la puissance même de l'existence. « Ignoble et grand, obscur et célèbre, dévoré surtout d'une fièvre de vie », il dresse, de l'enfer où il se meut, son impressionnante stature. Ce « Mal, dont la configuration poétique s'appelle le Diable », Balzac le fait non seulement voir mais admirer : Jacques Collin, « en qui se résument la vie, les forces, l'esprit, les passions du bagne, et qui [...] en présente la plus haute expression », est « monstrueusement beau ». En lui brille une lumière qui est celle de la vie, conçue essentiellement par Balzac comme volonté. Bien qu'il ait changé de visage, Rastignac le reconnaît à son magnétisme et obéit immédiatement à cette voix qui lui impose « silence et dévouement ». Traversant la société comme une force irréfragable, Collin affirme une volonté nécessaire aussi bien au bagnard évadé qu'il est qu'au policier qu'il devient en une « dernière incarnation ».

SYNOPSIS

« COMMENT AIMENT LES FILLES ». 1824, de retour dans la société parisienne, Lucien de Rubempré accueille au dernier bal de l'Opéra Esther Gobseck, dite La Torpille. Dans le masque qui suit Lucien, Rastignac devine, à sa voix, Jacques Collin, *alias* Vautrin. Le lendemain, sous le nom de Carlos Herrera, J. Collin se présente chez Esther et la sauve du suicide. Il la force à entrer dans une maison religieuse, puis, quelques mois plus tard, l'enferme dans un petit appartement en lui imposant une femme de chambre (Europe), une cuisinière (Asie), un serviteur (Paccard). Lucien, de son côté, mène la vie brillante d'un mondain à succès. Une nuit d'août 1829, le baron de Nucingen aperçoit Esther au bois de Vincennes et tombe amoureux de cette femme entrevue qu'il cherche, par tous les moyens, à retrouver. Carlos Herrera voit dans cette passion de vieillard l'occasion de se procurer l'argent nécessaire à la carrière de Lucien.

« À COMBIEN L'AMOUR REVIENT AUX VIEILLARDS ». Asie, sous le nom de Mme de Saint-Estève, manœuvre Nucingen et lui soutire des sommes de plus en plus importantes. Poussée par Carlos et pour aider Lucien, Esther accepte de se prostituer à Nucingen. Mais, désespérée par son geste, elle s'empoisonne, alors qu'elle vient d'hériter de la fortune léguée par son oncle Gobseck. Les malversations de Carlos, qui écrit un faux testament en faveur de Lucien, les mensonges de Lucien lui-même amènent l'arrestation successive des deux hommes.

« OÙ MÈNENT LES MAUVAIS CHEMINS ». Le juge Camusot, à qui est confiée l'affaire, doit compter avec la haute société pressée d'étouffer un scandale qui la compromet à travers Lucien. J. Collin, quant à lui, soutient devant Camusot être Carlos Herrera. Mais le faible Lucien se trahit et révèle au juge la véritable identité du forçat. Le 15 mai 1830, il se pend dans sa cellule, après avoir écrit lettres et déclarations.

« LA DERNIÈRE INCARNATION DE VAUTRIN ». Profondément ébranlé par la mort de Lucien, résolu à se venger de la société et obligé de se sortir d'une position difficile vis-à-vis de ses anciens compagnons de bagne, J. Collin avoue tout au directeur de la prison, puis négocie des lettres compromettantes contre la grâce de Théodore Calvi, un bagnard à qui le lie une profonde affection. Délibérément passé dans l'autre camp, il devient chef de la Sûreté : « Après avoir exercé ses fonctions pendant environ quinze ans, Jacques Collin s'est retiré vers 1845. »

Plus que l'illustration littéraire d'un type pittoresque incarné réellement par Vidocq, l'ancien forçat devenu sous l'Empire chef de la Sûreté, que Balzac a rencontré plusieurs fois et dont il connaît les ouvrages publiés entre 1829 et 1844, Jacques Collin représente la force détonante du roman. Balzac explique (Préface à la première édition, 1845) qu'« il n'y a plus d'énergie que dans les êtres séparés de la société. La littérature actuelle manque de contrastes, et il n'y a pas de contrastes possibles sans distances ». Si le monde de la pègre peut côtoyer, presque impunément, l'aristocratie et jouer avec elle une partie que ni l'un ni l'autre ne perd ni ne gagne, c'est parce que lui ne cache rien, dans ses agissements, des principes inavouables qui gouvernent aussi l'action des grands. Par-delà les oppositions circonstancielles, une même essence caractérise les deux sphères sociales : le « privilège d'être partout chez soi », par exemple, « n'appartient qu'aux rois, aux filles et aux voleurs ». C'est donc par Jacques Collin que le monde est amené à se révéler à lui-même, que sous la duchesse perce la fille et sous le policier l'assassin.

Dans ce monde de courtisanes splendides et misérables, Esther et Lucien tiennent les premiers rôles. Personnage de mélodrame, prostituée au grand cœur dont les fautes sont lavées par l'amour, victime désignée du bourreau, Esther n'a d'avenir que dans la mort. Mais, choisissant son destin, la « courtisane » se transforme en « ange », et elle actualise, dans le Paris du XIXe siècle, l'Esther biblique. Cette « femme sacrée par son amour », appelant la mort comme l'apothéose de sa passion, se présente comme une des plus pures figures de sainte de la littérature.

Aux deux personnages de Jacques Collin et d'Esther, éminemment présents, l'un par sa volonté, l'autre par sa sainteté, Lucien s'oppose comme le fond impersonnel à partir duquel deux couleurs vives se détachent et entrent en contraste. Lucien de Rubempré n'est plus le poète – faible mais charmant – d'*Illusions perdues*. Il n'agit pas, n'écrit pas ; il se contente de « rêver ». Cet « homme à moitié femme », qui ne vit que de veulerie et d'abandon, provoque par là même la pensée, l'action ou le sacrifice des autres. Dès l'ouverture de l'œuvre, Lucien suscite chez les participants au bal – et, par suite, chez le lecteur – une série de questions. Il fait naître le double amour de Carlos et d'Esther, métamorphosant l'une en « déesse », révélant chez l'autre, dans un dernier sursaut de lucidité, la « poésie du mal ». Avec lui, Balzac annonce une certaine forme, riche d'avenir, de dissolution du personnage romanesque.

Roman foisonnant, tortueux, inachevé, *Splendeurs et Misères des courtisanes* reste malgré tout une œuvre somme de Balzac, tant par sa longueur, par la durée de sa conception et de sa composition que par l'épaisseur de son univers. Le XIXe siècle est là. Les deux thèmes mêlés de l'amour, qui révèle son côté nocturne, infernal et désespéré, et de la société, qui, de la Conciergerie au salon du duc de Grandlieu, se donne à voir telle qu'elle est à travers ses masques et ses secrets, font de cette œuvre, au sens plein du mot, un véritable monument.

La Peau de chagrin

Aboutissement des nouvelles fantastiques, des articles et des contes à prétention philosophique des années précédentes, *la Peau de chagrin,* le premier ouvrage auquel Balzac doit sa renommée, est publié en août 1831. Véritable « porche » de *la Comédie humaine,* selon le mot de Pierre Citron, pierre angulaire assurément de la construction, salué aussitôt de Weimar par Goethe, le roman se voit assigner par Balzac une place de choix au sein du grand œuvre : *« La Peau de chagrin* relie en quelque sorte les *Études de mœurs* aux *Études* *philosophiques* par l'anneau d'une fantaisie presque orientale où la Vie elle-même est peinte aux prises avec le Désir, principe de toute Passion » (« Avant-Propos » à *la Comédie humaine*, 1842). Le fantastique exprime la société de l'époque, et Balzac se livre à une véritable recherche littéraire propre à dégager les rapports de l'homme et du monde.

Lecteur d'Hoffmann, dont le conte « l'Homme au sable » présente des analogies de construction avec *la Peau de chagrin*, Balzac ne fait cependant pas naître le fantastique d'une vision déformée de la réalité. La peau elle-même a un statut ambigu. Objet fantastique de droit et définie comme tel, elle ne présente pas, de fait, des propriétés magiques. Raphaël l'accepte, par désespoir et curiosité à la fois, comme l'ultime chance de comprendre la vie et son sens : « Votre suicide n'est que retardé », lui dit l'Antiquaire. S'il lui arrive de provoquer l'horreur, la peau symbolise avant tout la vie. Le talisman ne détermine pas vraiment le destin de Raphaël : il lui propose un miroir dans lequel il peut le connaître.

SYNOPSIS

« LE TALISMAN ». Fin octobre 1830 : un jeune homme d'environ vingt-cinq ans, Raphaël de Valentin, perd sa dernière pièce d'or au jeu et décide d'en finir avec la vie. Dans le magasin d'Antiquités où il est entré pour attendre le soir, il est pris d'une extase mystique devant les objets hétéroclites qui s'offrent à sa vue, puis accepte de l'Antiquaire une peau de chagrin susceptible de réaliser tous les vœux de son propriétaire ; mais, figurant la vie, elle se rétrécira progressivement. Dans la rue, Raphaël rencontre trois compagnons qui l'emmènent au dîner organisé par le banquier Taillefer en l'honneur d'un journal créé pour soutenir le nouveau gouvernement. Après un repas luxueux, l'orgie se déchaîne. Pressé par son ami Émile Blondet, Raphaël s'apprête à exposer les raisons qui l'ont mené au suicide.

« LA FEMME SANS CŒUR ». Histoire de la vie de Raphaël racontée par lui-même. Une sensibilité meurtrie et concentrée, une foi immense en sa destinée et son génie l'ont décidé à vivre frugalement et, pour écrire l'œuvre dont il rêve, à louer, en automne 1826, une chambre misérable dans un petit hôtel du quartier Latin, où il se lie d'amitié avec son hôtesse, Mme Gaudin, et sa fille Pauline. Trois ans plus tard, il rencontre Rastignac qui lui vante les vertus de la « dissipation » et le présente à Fœdora, riche veuve à marier, que Raphaël idéalise rapidement. Mais, dupé et repoussé par une Fœdora distante et calculatrice, il se lance dans une vie de débauche, s'endette et parvient rapidement au dernier terme de la misère. Fin du récit de Raphaël. La fortune que fiévreusement il appelle se donne à lui le lendemain sous la forme d'un héritage ; mais la peau de chagrin a rétréci…

« L'AGONIE ». Raphaël et Pauline, devenue riche, se retrouvent, s'avouent leur amour et, pendant quelque temps, vivent heureux. Mais la peau, dont la taille ne cesse de diminuer, résiste à tous les traitements que lui font subir les savants à qui Raphaël s'adresse. Malade, le jeune homme se réfugie à Aix, puis au Mont-d'Or où il mène une vie quasi végétative. Son état empirant, il revient à Paris. La peau de chagrin s'étant réduite à l'extrême, Raphaël, un soir, pris d'un dernier et sauvage désir pour Pauline, meurt sur son sein.

En acceptant la peau, Raphaël retombe d'ailleurs dans le « monde de la vie réelle », dans cette société parisienne de 1830, elle-même et elle seule mystérieuse et terrifiante. La société est, dans son fond, fantastique. Pour Raphaël, témoin privilégié, le quotidien devient exceptionnel et la réalité cauchemar. Dans le premier et le troisième tableau de la première partie, par exemple, par une lente métamorphose sensible à chaque phrase, par une construction musicale savamment maîtrisée, une maison de jeu apparaît comme une arène sanglante, et une orgie parisienne se donne à voir comme un champ de bataille. Bien qu'elle lui soit antérieure chronologiquement, la deuxième partie du roman (« La femme sans cœur »), étude de mœurs, reçoit l'éclairage particulier de la première (« Le talisman »), qui appartient au genre du conte fantastique. C'est que le fantastique innerve la vie de Raphaël bien avant sa découverte de la peau et infuse une vie profonde à la critique de la société.

Tout être doit affronter un dilemme philosophique : vivre vieux mais sans plaisirs ou exister intensément en épuisant rapidement son capital énergétique. La société, par essence, travaille à sa conservation. D'où son égoïsme généralisé, manifesté aussi bien par Fœdora, le faubourg Saint-Germain, le cercle mondain réuni aux eaux d'Aix, les huissiers, les créanciers, que par Raphaël lui-même luttant contre la mort. La froideur de Fœdora, notamment, révèle en même temps le caractère de la « femme sans cœur » et l'égoïsme d'une société gouvernée par l'*argent*, véritable monstre des temps modernes, et par l'*illusion*, moteur de la vie politique de l'époque. Mais nier le désir, c'est refuser la vie. Par l'intermédiaire de Raphaël, vaincu mortellement dans un dernier assaut du désir (Baudelaire fut fasciné par le « suicide étrange et merveilleux de Raphaël de Valentin »), Balzac montre qu'en risquant sa vie l'homme est véritablement humain : « Perdre la vie, c'est gagner la partie » (*Pensées, Sujets, Fragments*). L'existence authentique demande que l'homme prenne des risques et qu'il reconnaisse dans l'humain, non dans la vie, sa plus haute valeur. La vérité, ainsi, échappe à la science : les médecins ne manifestent qu'indifférence et ignorance devant ce qui se joue en Raphaël, et les savants – Planchette, par exemple – évoluent « dans une sphère tout intellectuelle ».

Les interprétations du roman foisonnent : psychanalystes, sociologues, philosophes, lecteurs attentifs sont toujours sollicités par une matière riche et inépuisable. Le sens ultime du roman reste, cependant, difficilement saisissable. Balzac dénonce-t-il les ravages de la passion chez l'individu ? Glorifie-t-il, au contraire, l'immense présence en l'homme du désir ? Le lecteur est finalement renvoyé au texte même de cette œuvre inachevée et troublante, dans laquelle l'auteur engage, dans un dialogue étonnamment moderne, philosophie et littérature.

La Cousine Bette

Regroupée avec *le Cousin Pons* sous le titre général *les Parents pauvres*, *la Cousine Bette*, « scène de la vie parisienne », paraît en feuilleton dans *le Constitutionnel* d'octobre à décembre 1846. Si Bette, comme Pons, est méprisée par sa famille, elle résiste cependant à ce mépris en lui opposant une jalousie et une haine qui contribuent à dévoiler autant les structures de l'âme humaine que les mécanismes sociaux contemporains. « La cousine Bette, dit Balzac, est la *parente pauvre, accablée d'injures*, vivant dans l'intérieur de trois ou quatre familles et prenant vengeance de toutes ses douleurs. »

SYNOPSIS

JUIN 1838. À cinquante ans, le baron Hulot, qui mène une vie de débauché, a presque ruiné sa famille. Adeline Hulot, malgré les nombreuses infidélités de son mari, lui est toujours restée dévouée. Adeline a fait venir à Paris, en 1809, sa cousine Lisbeth Fischer, surnommée Bette, vieille fille aigrie qui évoque devant Hortense, la fille du baron, son « amoureux », un jeune orfèvre de vingt-neuf ans, réfugié livonien, le comte Wenceslas Steinbock. Le baron entreprend la conquête de Valérie Marneffe, une voisine de Bette, dont le mari travaille sous sa direction. De son côté, Hortense s'est arrangée pour rencontrer Wenceslas. Les deux jeunes gens s'éprennent l'un de l'autre et leur mariage, au grand dam de Bette qui tente de s'y opposer, est célébré peu après.

TROIS ANS PLUS TARD. Valérie additionne le nombre de ses amants : Hulot, Crevel (qui courtise par ailleurs Adeline), le baron brésilien Montès, mais aussi Wenceslas. Alors que les affaires de Bette semblent florissantes (elle est sur le point d'épouser le maréchal Hulot, frère du baron), la situation de la famille Hulot se détériore. On découvre les frauduleuses opérations financières montées par le baron. Celui-ci quitte sa famille et s'établit avec une jeune ouvrière, Olympe Bijou, à la tête d'un établissement de broderie. Une intervention royale sauve *in extremis* la famille Hulot de la ruine ; mais le maréchal, qui s'estimait déshonoré, est mort.

MARS 1843. La baronne, devenue dame de charité, parcourt les quartiers misérables de Paris. Après la mort de Marneffe, Valérie épouse Crevel qui déshérite sa fille Célestine. Le mari de celle-ci, Victorien Hulot, fait intervenir Mme de Saint-Estève, une parente de Vautrin. Valérie et Crevel, atteints par une lèpre mystérieuse, disparaissent, dans des souffrances terribles et pitoyables. La baronne, qui a retrouvé son mari, le ramène chez leur fils. Devant le bonheur retrouvé des Hulot, Bette meurt de rage et de jalousie. Mais le baron ne s'est pas amendé, et une nouvelle et cruelle infidélité touche mortellement Adeline.

La vieille fille semble investie de forces telluriques qui, revenues du fond des âges, permettent de fréquentes comparaisons avec le primitif ou l'animal. Des cheveux « d'un noir luisant », des « sourcils épais et réunis par un bouquet », des « bras longs et forts », des « pieds épais », une « face longue et simiesque » laissent deviner derrière la paysanne des Vosges un « caractère de Corse et de Sauvage ». Le célibat – et c'est là une loi de la société, selon Balzac – nourrit dans les êtres une « énergie à escalader le ciel ». Douée d'une « volonté puissante », Bette subjugue Wenceslas par la « flamme magnétique » de son regard. Capable d'aller au bout d'elle-même, jouissant de la vie par Valérie Marneffe interposée, elle est l'incarnation femelle de Vautrin et atteint, dans le mal, une dimension sublime. Comme le forçat, elle puise sa force dans la vengeance, qui est, selon elle, le principe de toute vie (« J'ai vu la vengeance partout dans la nature »). Ainsi la haine semble-t-elle se détacher du personnage pour devenir un acteur romanesque de premier plan, un phénomène qui transcende l'humanité et la société, « une abstraction active, au-dessus des êtres et des choses ».

Mais cette « fille ardente » est passionnée « à vide ». Son énergie s'épuise avant de véritablement s'exprimer, la reléguant ainsi dans un rôle de parasite social auquel elle ne peut échapper. Bette n'existe que par autrui, confidente ou complice, elle est avant tout le « confessionnal de la famille ».

S'opposant à cette rage sans objet, à cette énergie qui se dissipe, la passion d'Hulot, destructrice mais toujours renaissante, prend rétrospectivement une tout autre dimension. Si Hulot, comme Bette, met toute son énergie au service de sa passion, en refusant de capituler devant les exigences d'une virilité faiblissante, il supplante progressivement dans le roman le personnage de la cousine, dont la passion, plus spectaculaire, s'affirme finalement moins dangereuse. Alors que Bette finit par disparaître, vaincue par une société qui la dépasse, Hulot poursuit sa quête passionnée des femmes jusqu'à la dernière ligne de l'œuvre, remettant par là même en cause l'institution majeure du mariage, sur laquelle repose, en grande partie, la société. L'intérêt, de fait, se déplace peu à peu de l'univers de la vie privée, où règnent les femmes, et donc la cousine Bette, à celui de la vie sociale, celui des hommes, menacé par le baron Hulot.

La société, pour le Balzac de 1846, se définit toujours par l'argent, mais ce dernier s'incarne dorénavant dans des types qui, comme le successeur de César Birotteau, M. Crevel, ce « commerçant parvenu », expriment de nouveaux rapports entre les individus. Autant Birotteau était généreux et inventif, autant Crevel est un calculateur sans génie, égoïste et grossier. L'appartement de ce « représentant si naïf et si vrai du parvenu parisien » regorge de « toutes les belles choses vulgaires que procure l'argent ». C'est qu'une nouvelle bourgeoisie triomphe, celle des négociants, qui gardent jusqu'à leur mort le même esprit commerçant. Leur ridicule, d'ailleurs, ne les empêche pas de triompher dans tous les milieux : ceux de la finance comme ceux de la vie publique. « Je suis de mon temps, dit Crevel [qui est maire de son arrondissement], j'aime l'argent. »

De ce monde, non plus vivifié fantastiquement, mais déshumanisé et abêti par le pouvoir de l'argent, la question de la cousine Bette reçoit l'éclairage décisif : « Que peut une parente pauvre contre toute une famille riche ? » Malgré la présence toujours inquiétante et fascinante de Paris (les personnages passent sans transition des appartements misérables aux riches hôtels particuliers, des nouveaux « boulevards », qui appellent vers eux le centre de Paris au détriment du faubourg Saint-Germain, aux vieux quartiers mal famés où échoue Hulot), le lecteur est moins sensible à l'« alliance intime de la misère et de la splendeur » qu'au changement de perspective opéré par le roman, l'un des tout derniers de Balzac. La société présente un nouveau visage, froid, massif, presque totalitaire.

Le roman-feuilleton, avec ses brusques retournements de situation et ses personnages énigmatiques, s'efface ainsi devant une forme d'expression littéraire beaucoup plus moderne. La tragédie classique, à laquelle Balzac se réfère parfois comme à un modèle, n'est plus ici que l'expression d'une impuissance radicale : les personnages échouent à sortir d'eux-mêmes pour exister comme individus, dans l'acceptation ou le refus de l'ordre social. Les grandes scènes qui se font écho tout au long de l'œuvre mettent toujours en présence deux êtres incapables, le plus souvent, de maîtriser un destin dont seuls les commerçants – M. Rivet, par exemple – sont à même de percevoir et d'expliquer la nouvelle configuration : « Notre temps est le triomphe du commerce, de l'industrie et de la sagesse bourgeoise qui ont créé la Hollande. »

Les Chouans ou la Bretagne en 1799

Chronologiquement le plus ancien roman de *la Comédie humaine*, *les Chouans*, publiés dans une première version en mars 1829 sous le titre du *Dernier Chouan ou la Bretagne en 1800*, composent presque à eux seuls les « Scènes de la vie militaire ». Ce roman historique, où Balzac exploite la veine de Walter Scott et de Fenimore Cooper, illustre cependant une vision très moderne du roman dans ses rapports avec l'Histoire.

S'appuyant sur une documentation précise et approfondie, l'auteur multiplie les notations (traduction du calendrier révolutionnaire en calendrier grégorien ; proclamations de Bonaparte reproduites fidèlement) qui visent à donner au temps et au lieu de l'action une réalité historique. « Ici, le pays est le pays, les hommes sont les hommes. » Mêlant l'évocation ponctuelle à l'explication d'ensemble, Balzac se plie à la technique du roman historique, dont Walter Scott est alors pour lui le représentant reconnu et admiré.

SYNOPSIS

« L'EMBUSCADE ». An VIII, commencement de vendémiaire (fin septembre 1799) : une troupe de conscrits, encadrés par les soldats de la République (les « Bleus ») que commande le chef de demi-brigade Hulot, sont délivrés, entre Fougères et Mayenne, par les Chouans dont le chef, un jeune aristocrate, le marquis de Montauran, est surnommé Le Gars. Les Chouans, contre l'avis du Gars, mais encouragés par une jeune femme, Mme du Gua, n'hésitent pas à se livrer au pillage. Hulot et sa troupe à Mayenne : les déclarations de Bonaparte, devenu Premier consul, qu'on affiche exhortent les Bleus à balayer la révolte chouanne.

« UNE IDÉE DE FOUCHÉ ». Derniers jours de brumaire : Hulot obéit à contrecœur à l'ordre d'escorter entre Mortagne et Alençon une voiture occupée par deux dames (Marie de Verneuil et sa suivante Francine) qu'accompagne un civil, Corentin. À Alençon, Marie partage son dîner avec un jeune homme élégant et sa mère qui prétendent se nommer du Gua-Saint-Cyr. Marie intervient pour empêcher Hulot de vérifier l'identité du jeune homme qu'elle aime déjà. Francine surprend dans la cour de l'auberge son ancien ami, Marche-à-Terre, et lui demande, quoi qu'il arrive, d'épargner Marie. Dans la voiture qui les emmène vers Fougères, l'attachement mutuel de Marie et du Gars grandit. Mais, à la faveur d'une embuscade, un aristocrate avertit le Gars de se méfier de la jeune femme. Au château de La Vivetière, où la troupe a fait halte, les Bleus sont massacrés par les Chouans. Marie parvient à s'échapper avec Francine et se réfugie à Fougères.

« UN JOUR SANS LENDEMAIN ». Combats autour de Fougères entre les Bleus et les Chouans. Marie revoit à plusieurs reprises le Gars : leur amour tente d'affirmer son authenticité, malgré une atmosphère de mensonge, de tromperie et de dénonciation. Mais Corentin fait croire à Marie qu'elle est trahie par le Gars. Comprenant trop tard qu'elle a été jouée, Marie tente de sauver le jeune homme en se faisant passer pour lui. Tous deux sont tués par les Bleus, peu après qu'un prêtre a célébré leur union.

1827 : un vieux paysan, dont on a oublié le surnom de Marche-à-Terre, marchande ses bêtes au marché de Fougères.

Paysans misérables, ignorants, superstitieux, les Chouans appartiennent à un pays dont Balzac souligne l'« incurie industrielle », à un monde où les passions s'expriment avec une violence immédiate : « C'était des Sauvages qui servaient Dieu et le Roi, à la manière dont les Mohicans font la guerre. » Le sentiment religieux, « fanatisme obscur », autorise la pire cruauté. Plongé dans une atmosphère de brume et de sang, où les soldats de la jeune République, à l'instar de Hulot, reconnaissent mal leurs valeurs, et qui sollicite constamment l'imagination du lecteur, l'univers romanesque se peuple de figures terrifiantes, comme celle de Marche-à-Terre, « sorte de demi-dieu barbare » qui, apparaissant soudain devant Hulot, manifeste la présence menaçante de sa région : émanation du paysage, il est surtout le « génie même de la Bretagne ». Types en action, personnages contrastés et symboliques (le Gars est une « gracieuse image de la noblesse française » et Hulot une « image vivante de cette énergique république »), Chouans et Bleus s'affrontent dans un combat qui les dépasse et les dévore.

Dans ce monde tourmenté, les femmes jouent un rôle déterminant. Reprenant le thème (qui n'est pas encore un poncif) de l'aventurière devenue amoureuse de l'homme qu'elle doit faire arrêter, Balzac fait de la femme un agent de l'Histoire – à l'inverse de Walter Scott, par exemple, chez qui la femme garde un comportement entièrement conventionnel. Progressivement, le roman historique traditionnel se métamorphose en histoire d'amour. Du théâtre d'ombres où évoluent les soldats, le couple formé par Marie et Montauran se détache. Son aventure devient l'unique ressort d'une action qui met en jeu des conflits sociaux et politiques auxquels les femmes, par l'acuité de leur perception comme par l'ambiguïté de leur position sociale, servent de révélateur. À travers les femmes, qui s'avancent voilées, le réel historique se donne à lire comme une suite de leurres et d'illusions : tout est « piège pour l'âme, piège pour les sens ».

Les deux camps, qui ne parviennent jamais à s'affronter en pleine lumière, connaissent un même pourrissement. Hulot, qui incarne la pureté de l'idéal révolutionnaire, doit faire avec les méthodes douteuses de Corentin. Montauran, royaliste sincère, est contraint de se commettre avec des pillards. Le véritable ordonnateur du combat est Fouché, qui n'apparaît jamais mais dont on suit l'« idée », et que l'on retrouvera dans *Une ténébreuse affaire*, manœuvrant seul contre Louis XVIII. La bataille militaire passe au second plan. Commencent le règne de la police, le temps du soupçon et de la trahison. Les véritables combats du monde moderne se mèneront effectivement dans l'univers de la vie privée, qu'investit la police.

Balzac, qui a tenté dans *les Chouans* de donner « l'esprit d'une époque », élabore un nouveau roman historique qui inclut aussi bien les événements de l'Histoire que la poésie, le drame et la « tragédie », « car c'est bien une tragédie ». L'œuvre, à travers 1799, donne à lire et à comprendre 1829, et contribue à installer le monde contemporain de *la Comédie humaine* dans une dimension proprement historique, où les luttes d'intrigue l'emportent sur les exploits guerriers, les traîtres sur les héros et le roman sur l'épopée.

Eugénie Grandet

Publiée en décembre 1833, *Eugénie Grandet*, la deuxième et la plus importante des « Scènes de la vie de province », mêle inextricablement l'histoire d'un destin de femme au XIXe siècle, la description d'une monomanie et l'évocation du milieu où l'un et l'autre se développent.

SYNOPSIS

« PHYSIONOMIES BOURGEOISES ». Saumur. Description de la rue, puis de la maison de M. Grandet dont la carrière est évoquée. Autour du vieillard, économe jusqu'à l'avarice : une ville de province, une famille (sa femme, sa fille Eugénie), une servante (la grande Nanon). Novembre 1819 : anniversaire d'Eugénie. Deux familles, les Cruchot et les Des Grassins, défendent chacune leur prétendant à la main de la jeune fille. Arrivée du cousin de Paris, Charles.

« LE COUSIN DE PARIS ». Charles est envoyé à Saumur par son père qu'une faillite récente pousse à mettre fin à ses jours. Eugénie, séduite par la jeunesse et les manières raffinées de son cousin, s'active auprès de lui. Le soir, tandis que Grandet s'enferme amoureusement avec son or, Charles laisse échapper son étonnement devant l'aspect misérable de la maison.

« AMOURS DE PROVINCE ». Grandet décourage rapidement les espoirs qui se lèvent chez Eugénie : une union avec le fils d'un homme déshonoré est exclue.

« PROMESSES D'AVARE, SERMENTS D'AMOUR ». Après avoir vu son père quitter mystérieusement la maison, Eugénie apprend, en lisant deux lettres que Charles vient d'écrire, la misère du jeune homme. Elle lui donne ses pièces d'or. Charles, en retour, lui confie un coffret ayant appartenu à sa mère.

« CHAGRINS DE FAMILLE ». Jour de l'an : fureur de Grandet à qui Eugénie n'a pu montrer son or. Il enferme sa fille dans sa chambre, au désespoir de Mme Grandet qui doit s'aliter. Octobre 1822 : mort de Mme Grandet. Eugénie renonce à sa succession : son père est comblé. 1827 : Grandet, dont l'obsession de l'or a grandi jusqu'à l'exaltation, meurt après avoir initié Eugénie aux affaires.

« AINSI VA LE MONDE ». Charles, revenu en France après avoir réalisé une fortune douteuse, annonce par lettre à Eugénie qu'il s'apprête à épouser Mlle d'Aubrion. Eugénie règle les dettes du père de Charles, puis, indifférente, épouse Cruchot.

Eugénie, veuve à trente-trois ans, revient dans la mélancolique maison de Saumur. Vivant frugalement, elle fait le bien autour d'elle.

De l'avare, tel que la tradition en a fixé le type, M. Grandet possède tous les traits. Appliquant les principes d'une épargne serrée, il voit dans la faillite « l'action la plus déshonorante entre toutes celles qui peuvent déshonorer l'homme », et concentre toute son énergie dans la passion qui est le principe de sa vie : « la vue de l'or, la possession de l'or ». Grandet, qui semble « économiser tout, même le mouvement », qui aime sa fille parce qu'elle est son « héritière », est dévoré par l'or qu'il vient, seul, dans son cabinet, « choyer, caresser, couver, cuver, cercler ». Sa passion envahit non seulement sa vie mais celle des autres : Nanon, par exemple, est devenue aussi avare que son maître, et, à la fin du roman, Eugénie respectera les mêmes principes d'épargne que Grandet. Ce dernier, cependant, satisfait sa manie en exploitant les possibilités que son époque lui offre : l'augmentation de son capital passe par une série de placements et de spéculations qu'ignorait Harpagon.

Puissant et dominateur (il tient du « tigre » et du « boa », alors que sa femme n'est qu'un « insecte »), Grandet exerce sur son entourage un pouvoir quelque peu magnétique. À force d'économies de bouts de chandelles, mais aussi de roueries, d'obstination et de passion, il a réuni une fortune de dix-sept millions (chiffre gigantesque à l'époque), qui lui donne une dimension fantastique. Personnage de l'ombre, d'ailleurs, il garde son or dans une cachette ignorée de tous, il ne laisse personne deviner la nature de ses entreprises avant qu'il ne les ait menées à bien, il prend le temps de calculer ses coups et sait manœuvrer plus habilement qu'un autre. Grandet est un Vautrin de province dont la volonté de puissance se coule dans la passion de l'or.

Il est fondamental que cette passion s'exprime en province. « Chaque département a son Grandet », écrit Balzac dans un épilogue qu'il supprimera après la première édition. D'autre part, Saumur est le type de « certaines villes de province ». Entre avarice et province, un lien très étroit existe, dont Balzac tente de percer la nécessité et le mystère.

« Si tout arrive à Paris, tout se passe en province : là, ni relief ni saillie [...] ; là, des mystères habilement dissimulés [...] ; là, d'énormes valeurs prêtées par le calcul et l'analyse aux actions les plus indifférentes. On y vit en public » (Préface). Cette vie publique détermine, en effet, le mystère. Puisqu'« il ne passe personne dans la rue qui ne soit étudié », il faut savoir, comme Grandet, agir dans l'ombre et le silence pour réussir. Lieu du clair-obscur, la province se concentre dans la maison Grandet, le seul décor du roman, fixé immuablement par le passé. Les descriptions, ici, par leur longueur et leur minutie mêmes, permettent de faire sentir au lecteur le poids du temps. Elles illustrent, dans leur forme comme dans leur fond, la lenteur, l'attente, l'ennui dont est faite la vie de province, où chacun s'engourdit et s'enlise. Entre décor et personnage, il y a donc plus qu'un lien de contiguïté ; le logis des Grandet ne se contente pas d'expliquer Eugénie, il la représente dans l'ordre de l'espace, il en est à la fois la métonymie et la métaphore : « La maison de Saumur, maison sans soleil, sans chaleur, sans cesse ombragée, mélancolique, est l'image de sa vie. »

Coincée dans le double carcan de l'avarice paternelle et de la tristesse provinciale, Eugénie vit une véritable passion, au sens christique du mot, dont Balzac souligne les étapes qui la mènent à la perte de l'espoir quand Charles l'abandonne (« Tout était consommé »), au veuvage à l'âge de trente-trois ans, à ce désert enfin qui s'ouvre devant elle : « Eugénie marche au ciel accompagnée d'un cortège de bienfaits. » La charité ne peut ici masquer l'échec de la vie terrestre : faite pour être « magnifiquement épouse et mère », Eugénie n'a « ni mari, ni enfants, ni famille ».

Présenté souvent comme l'exemple même du roman réaliste, *Eugénie Grandet* propose la vision pessimiste d'un monde déshumanisé, étouffant, où, de même que la narration le cède dans le roman à la description, les signes l'emportent sur les hommes. Avec ses personnages sans avenir autre que celui de la répétition et de l'échec, ses décors sans âme, sans amour, où les êtres s'animalisent et se réifient, l'univers d'*Eugénie Grandet* apparaît rétrospectivement beaucoup plus inquiétant que celui de la pègre parisienne, par exemple, où les individus – qui tendent ici à disparaître au profit de l'or et, plus généralement, des choses comme telles – ont encore un rôle à jouer.

Le Médecin de campagne

À l'heure où la politique saisit les principaux écrivains de l'époque, Balzac offre au lecteur de 1833 une œuvre originale qui, à travers la forme romanesque, témoigne des préoccupations de l'auteur. Dans cette deuxième « Scène de la vie de campagne », que Balzac présente à Mme Hanska comme « l'*Imitation de Jésus-Christ* poétisée », sont débattues les questions fondamentales de l'organisation sociale, du pouvoir politique et du rôle de la religion.

SYNOPSIS

« LE PAYS ET L'HOMME ». Printemps 1829. Un ancien officier de l'Empire, le commandant Genestas, arrive dans un village dauphinois situé près de la Grande-Chartreuse. Il trouve le docteur Benassis, qu'il vient consulter, au chevet d'un crétin qui se meurt.

Benassis raconte à Genestas, qu'il installe chez lui, l'expérience menée depuis dix ans ; premier « âge » : après avoir lutté contre le crétinisme, Benassis, devenu maire, améliore les habitations et les pâtures, crée une petite industrie de vannerie et fait construire une route qui relie le village à la grand-route de Grenoble. Les artisans s'installent (maréchal-ferrant ; métiers du bâtiment ; boulanger), l'activité économique se développe (culture du blé, des arbres fruitiers ; petits ateliers) ; deuxième « âge » : cinq ans plus tard, avec le « commencement du luxe », des commerces se montent : tannerie, boucherie... On construit une mairie, une école, une poste.

Benassis, accusant l'égoïsme de la société moderne, expose certains de ses principes politiques concernant les rapports entre la masse et le chef.

« À TRAVERS CHAMPS ». Le lendemain, Genestas accompagne Benassis dans sa visite. Le commandant fait la connaissance, entre autres, de deux anciens soldats de Napoléon qui vivent dans le culte de l'Empereur, Gondrin et Goguelat, d'une jeune fille intuitive et fragile, la Fosseuse, d'un braconnier au caractère sauvage et libre, Butifer. Les deux hommes retournent le soir au village : Benassis y est accueilli avec une ferveur qui frappe le militaire.

« LE NAPOLÉON DU PEUPLE ». Au cours du dîner qui réunit, avec Genestas, plusieurs personnalités du village, Benassis affirme son opposition au suffrage universel et démontre l'utilité de la religion. Benassis conduit Genestas à une veillée. À l'écart, les deux hommes écoutent Goguelat conter la légende napoléonienne.

« LA CONFESSION DU MÉDECIN DE CAMPAGNE ». De retour chez lui, Benassis raconte sa vie au commandant. Lors de sa jeunesse corrompue, à Paris, il a séduit puis abandonné une pauvre fille, Agathe, qui est morte en lui confiant leur fils. Pris de remords, il a élevé pendant plusieurs années l'enfant, qui est mort à son tour. Refusant la tentation du suicide et celle du monastère, il a décidé de vivre utilement, dans « l'ombre et le silence », en se consacrant au petit village dauphinois.

« ÉLÉGIES ». Genestas, qui dévoile le véritable but de son voyage, confie au médecin son fils adoptif, Adrien, malade de la poitrine. Quelques mois plus tard, Adrien est rétabli.

Peu après avoir reçu une lettre d'une femme qu'il a jadis aimée, Benassis meurt. Genestas, qui vient se recueillir sur sa tombe, avoue son intention de se retirer prochainement dans la petite ville.

Le « médecin de campagne » s'affirme d'emblée comme une figure christique. Vénéré dans son village à l'égal d'un dieu, inspirant chez son semblable la foi dans le progrès et une volonté sans faille dans l'accomplissement de celuici, Benassis fait preuve d'un désintéressement, d'une générosité et d'un optimisme de missionnaire. Dépassant l'amour humain, qu'il définit lui-même comme un

« égoïsme à deux », il atteint une certaine forme d'amour divin. Après avoir hésité entre la voie de « curé », celle de « médecin de campagne » et celle de « juge de paix », il opte pour la carrière qui résume à elle seule toutes les autres et lui permet de mener l'esprit de charité à sa plus parfaite réalisation.

Ce bâtisseur de cathédrale ne se contente pas d'une œuvre édifiante. Inventeur démiurge, comme la Véronique du *Curé de village*, d'une société où les métiers et les hommes semblent naître comme s'ils venaient d'être créés, il est avant tout constructeur, administrateur et conquérant. Ce meneur d'hommes évoque Napoléon, dont la figure hante l'œuvre. Comme l'Empereur, il domine les autres « en étendant les ailes de son esprit, le volume de sa voix et la pénétration de son regard », « en voyant non pas les détails, mais les conséquences de toute chose ». Sorte de Louis Lambert accroché aux réalités d'un village dauphinois, Benassis entraîne ses contemporains dans un mouvement d'en-avant épique et lyrique à la fois : « J'avais tout défriché, tout mis en germe dans les têtes et dans les terres ».

L'utopie du *Médecin de campagne* ne correspond pas à un retour à la nature ; elle se nourrit du réel et respecte les exigences économiques d'une époque confrontée au développement irrésistible de l'industrie. Le progrès se propage dans le bourg reculé comme une rivière merveilleuse et féconde (« Le besoin engendrait l'industrie, l'industrie le commerce, le commerce un gain, le gain un bien-être et le bien-être des idées utiles ») et bouleverse l'existence humaine en améliorant l'homme lui-même.

Le village s'épanouit harmonieusement. Les habitants forment une communauté idéale dont les liens, renforcés par la religion (Benassis se plaît à en rappeler l'étymologie), se manifestent particulièrement au cours de veillées qui, comme celle où Goguelat transmet le mythe napoléonien, s'organisent en tableaux où éclate « la prodigieuse influence exercée sur tous les esprits par la poésie ». Le braconnier Butifer, la Fosseuse, qui est « en harmonie flagrante avec les vicissitudes de l'atmosphère, avec les variations de la Lune », comme leurs concitoyens, participent du même équilibre dont la campagne est le visible symbole. Les descriptions de paysages, qui rivalisent avec celles de Rousseau et de Chateaubriand, insistent sur la paix et la poésie qui se dégagent des champs, des collines et des cascades. Mais la nature est ici maîtrisée par les hommes qui, en l'exploitant utilement, savent en capter l'énergie bienfaisante, comme la souffrance individuelle est surmontée par Benassis dans la compréhension des « grandes questions sociales » que la mort de son fils le conduit à méditer.

Il serait hâtif de confondre les principes politiques de Balzac et les convictions de Benassis (opposition au suffrage universel ; insistance sur le rôle de la religion, instrument de l'ordre social et contrepoids du pouvoir). L'interprétation doit nécessairement tenir compte du monde romanesque qui donne leur sens aux affirmations du personnage. Récit dont l'intrigue, très succincte, avance grâce à une série de conversations, d'exposés généraux, de prises de parole, *le Médecin de campagne*, dont aucun personnage ne réapparaîtra dans *la Comédie humaine*, occupe une place à part et inspire les exégèses les plus diverses. Significative est, par exemple, l'hésitation des critiques marxistes qui voient tour à tour dans Benassis un représentant caractéristique du libéralisme (A. Wurmser) et un précurseur du socialisme (P. Barbéris). La gestion des affaires, l'économie et l'organisation de la communauté humaine s'éclairent cependant à partir d'un même fonds *poétique*, que seul le roman – qui se présente ici comme un mythe – est à même de dévoiler.

Le Lys dans la vallée

Ce roman, achevé en 1835 et publié en volume en 1836, couronne le cycle des *Études de mœurs* et fait écho à *Séraphîta*, la dernière des *Études philosophiques*. L'attachement de Balzac à cette œuvre se mesure à la ferveur avec laquelle il l'a défendue dans un procès qui l'opposa à François Buloz, le directeur de la *Revue de Paris*, accusé d'avoir vendu à une revue de Saint-Pétersbourg le texte des premières œuvres, auquel Balzac déniait toute valeur littéraire. Par les rapprochements qu'il permet avec l'existence même de l'auteur, par son analyse subtile du phénomène amoureux dans ses rapports avec la vie, la société et la création, le roman témoigne du travail d'un écrivain qui se cherche et se construit par l'œuvre d'art.

SYNOPSIS

1827 : Félix de Vandenesse accepte de « livrer » son passé à Natalie de Manerville.

« LES DEUX ENFANTS ». Au sortir d'une enfance malheureuse et solitaire, Félix, qui a vingt ans (mai 1814), rencontre dans un bal à Tours une jeune femme dont la beauté l'émeut au point de l'égarer. Métamorphosé, il inquiète ses parents qui l'envoient à la campagne où il retrouve avec émerveillement l'inconnue dans une vallée au creux de laquelle coule l'Indre (« Elle était le lys de cette vallée »). Il fait alors la connaissance, au château de Clochegourde, de Blanche de Mortsauf, de son mari et de leurs deux enfants. Le comte de Mortsauf, marqué par les épreuves de l'émigration, fait souffrir son entourage par une irascibilité maladive. Des liens spirituels se créent entre Félix et la comtesse Blanche, que Félix est autorisé à appeler Henriette ; celle-ci se confie au jeune homme mais refuse d'entendre parler d'amour.

« LES PREMIÈRES AMOURS ». Henriette et Félix se plaisent à communiquer par le langage des fleurs. Le bonheur se poursuit pendant plusieurs mois et connaît son apogée dans la scène des vendanges. Octobre 1814 : Félix quitte Clochegourde pour Paris. Henriette lui remet une lettre où elle prodigue des conseils qui s'appuient sur son expérience de la société. Par sa fidélité et sa compétence, Félix se fait apprécier du roi. Après Waterloo, il devient maître des requêtes au Conseil d'État. 1817 : un congé de six mois le ramène en Touraine. Félix et Henriette renouvellent leur engagement et vivent des instants précieux. Le comte étant tombé malade, ils le soignent tous deux pendant près de trois mois avec un dévouement qui renforce la haute conscience qu'ils ont d'eux-mêmes. Retour de Félix à Paris.

« LES DEUX FEMMES ». Félix succombe aux charmes d'une riche et belle Anglaise, Lady Arabelle Dudley. La nouvelle de leur liaison parvient jusqu'à Mme de Mortsauf qui cesse d'écrire à Félix. À Clochegourde, elle l'accueille froidement, et exprime ses doutes envers l'existence vertueuse qu'elle a menée jusque-là. À Paris, les liens entre Félix et Arabelle se resserrent un moment, puis se défont rapidement. Apprenant qu'Henriette est mourante, Félix se précipite à Clochegourde. Après un bouleversant combat intérieur, la jeune femme meurt, vertueuse. Félix rentre à Paris. Il rencontre peu après Natalie de Manerville dont il s'éprend.

« RÉPONSE DE NATALIE À FÉLIX ». Incapable de rivaliser avec le souvenir de deux femmes exceptionnelles, Natalie préfère ne pas s'engager dans une union vouée, selon elle, à l'échec.

Le Lys dans la vallée, qu'Alain présentera un peu hâtivement comme « l'histoire des Cent-Jours vue d'un château de la Loire », est le roman de l'enfance et de l'amour. Félix et Henriette appartiennent tous deux au « petit nombre de créatures privilégiées », sensibles aux moindres palpitations du monde, qui, par leur « nature nerveuse », éprouvent les êtres et les choses avec une intense acuité, source de joies et de souffrances peu communes. Leur sensibilité cherche douloureusement à s'exprimer : « Déshérité de toute affection, dit Félix, je ne pouvais rien aimer, et la nature m'avait fait aimant ». Son aspiration à l'amour se heurte à la froideur et à la sévérité maternelles et ne s'ouvre finalement que sur le « néant », le « silence » et le « vide ». Henriette, elle, a eu la « même enfance ». Ainsi se tisse entre les deux personnages, « jumeaux du même sein », un jeu de correspondances qui fait de la maternité l'expression idéale du sentiment amoureux. Si le cœur de Mme de Mortsauf est « comme enivré de maternité », si Henriette se fait tour à tour mère, sœur et fille de Félix, c'est que l'enfance préserve, au sein même de la maturité, l'essence de l'amour dans ce qu'il a de plus pur et de plus universel : « Je sens bien des moi en moi ». L'enfance révèle le prix de la patience et du silence dont se nourrit, tout au long du récit, l'union d'Henriette et de Félix.

Le Lys dans la vallée a tous les traits d'un roman de l'éducation sentimentale. Un jeune homme fait l'apprentissage de la vie et de l'amour auprès d'une femme mariée qui reste résolument fidèle à son époux et à ses enfants en aimant comme une mère son protégé. C'est là une situation littéraire traditionnelle, dont le dernier exemple en date est offert en 1834 par le *Volupté* de Sainte-Beuve, que Balzac manifeste le désir de « refaire ». Mais Henriette – « Vierge Marie visible », selon un critique contemporain – est avant tout l'image de la « perfection sur terre », dit Balzac, comme Séraphîta est celle de la perfection dans le ciel. Face à Lady Dudley, la « maîtresse du corps », elle représente l'« épouse de l'âme ». En elle-même, en fait, se livre le combat de l'esprit et de la chair ; apprenant qu'Arabelle ne respecte pas religieusement, comme elle, la maternité, elle connaît « un moment de doute horrible », semblable à l'accablement du Christ au mont des Oliviers. Son cœur souffre une « passion », au terme de laquelle elle accomplit sa mission terrestre en catholique consommée, sa mort annonçant la victoire de l'« esprit » sur la « matière ». En affrontant ici ce qu'il nommera, dans l'« Avant-Propos » à *la Comédie humaine,* le « difficile problème qui consiste à rendre intéressant un personnage vertueux », Balzac, qui réussit à faire de la bonne littérature avec de bons sentiments, livre par là même, dans cette œuvre profondément inactuelle et subversive, ses plus intimes convictions religieuses qu'une lettre à Mme Hanska résume en une formule : « Je conçois le catholicisme comme poésie. »

Selon l'analyse que Théophile Gautier propose au lecteur de *la Presse* en 1853, *le Lys dans la vallée* occupe dans *la Comédie humaine* la même place que le Cantique des Cantiques dans la Bible. Les critiques contemporains, eux, ont presque tous été insensibles à la poésie de ce roman où ils ne virent que « charabia », « pâteux galimatias », « pire pathos ». Pourtant, laissant parler la langue française dans des phrases longuement travaillées, Balzac parvient à exprimer jusqu'à l'indicible. C'est ainsi qu'entre Félix et Henriette, la communication s'effectue par-delà le langage ordinaire : par la « voix » et non par les « paroles », par la médiation des fleurs, organisées par Félix en bouquets symboliques, par l'art et non par la nature. La vallée tourangelle de Clochegourde est surtout la source d'émotions esthétiques : Félix l'aime « comme un artiste aime l'art ». Si les lieux « communiquent à l'âme leurs paisibles douceurs », Balzac ne sacrifie ni au pittoresque ni à l'optimisme confiant de *la Nouvelle Héloïse.* Abordant « la grande question du paysage en littérature » (Préface), il chante la Touraine comme Chateaubriand la Bretagne. Là, l'émotion se prolonge par de très beaux moments de silence, et les déchaînements de la passion s'harmonisent avec de chastes et saintes pudeurs.

L'auteur Balzac tend à se confondre avec le *je* du récit, qui « sonde le cœur humain aussi profondément que le style épistolaire ». On a insisté à juste titre sur l'aspect autobiographique de l'œuvre, qui met en scène un enfant du devoir, victime d'une mère qui lui préfère l'enfant de l'amour, et la liaison d'un jeune homme avec une femme plus âgée (Laure de Berny, la Dilecta, avait vingt-deux ans de plus que Balzac). Mais tout se passe comme si l'auteur, dans ce roman par lettres, exorcisait ses propres « fantômes » grâce à la conscience du lecteur, dont le personnage de Natalie de Manerville est la figure emblématique. Le « poète » de l'enfance, l'« historien » qui sonde, pour en mesurer la profondeur et l'étendue, le cœur des êtres dont la noblesse est généralement méconnue, c'est Félix, et c'est, plus profondément, Balzac, écrivain qui se lit lui-même dans ce que Claudel défendra comme un « admirable poème ».

Les Paysans

Dernière grande œuvre de Balzac, *les Paysans* devaient dominer l'ensemble de la production, tant par le développement du récit que par l'ambition des thèmes abordés.

Balzac médita longtemps ce livre « considérable ». Après un premier jet en 1838, l'œuvre est reprise en 1844, puis encore une fois interrompue. En définitive, seul le quart du projet initial a pris forme : la première partie de l'œuvre est publiée en feuilleton dans *la Presse*, en décembre 1844. À partir du schéma laissé par Balzac, sa veuve bouclera le récit tant bien que mal, n'hésitant pas à rédiger elle-même les transitions. L'œuvre, retouchée, paraîtra en 1855.

SYNOPSIS

« QUI TERRE A GUERRE A ». 6 août 1823. Lettre de Blondet à Nathan, qui présente le domaine des Aigues, propriété d'un général de l'Empire, le comte Montcornet. Dans ce décor, aujourd'hui disparu, s'est déroulée une « histoire doublement horrible ».

Blondet rencontre dans la vallée de l'Avonne un « Diogène campagnard » (le père Fourchon, occupé à chasser la loutre), qui le dupe. François Tonsard a bâti une maison entre le château et le village, en exploitant la crédulité de l'ancienne propriétaire, la cantatrice Mlle Laguerre. Après avoir épousé la fille du père Fourchon, il crée le cabaret du Grand-I-Vert, où se réunissent quotidiennement les paysans, qui volent le comte en toute impunité.

VERS 1791, Mlle Laguerre fait de Gaubertin son intendant. Celui-ci, par des malhonnêtetés répétées, s'enrichit rapidement. Il est chassé par Montcornet, qui reconnaît en lui un fripon, mais, par ruse, il parvient à faire nommer comme intendant des Aigues Adolphe Sibilet, son parent, qui s'installe en automne 1817. En 1821, la vente du bois de sa propriété pose au général des problèmes qu'il ne sait résoudre.

1823. Pour sauver les Aigues du pillage, Montcornet va voir le procureur général, qui, craignant des catastrophes, lui conseille de fermer les yeux. L'attitude hostile des paysans, notamment des Tonsard, inquiète la comtesse. Le père Tonsard médite un plan destiné à l'effrayer pour la faire partir. Rigou, un usurier lubrique, a demandé à Sibilet d'obtenir l'interdiction de glaner. Certain que les paysans se révolteront devant une telle mesure, il prévoit la perte du général.

« LA PREMIÈRE SOCIÉTÉ DE SOULANGES ». Description de Soulanges dont le maire, Saudry, a épousé l'ancienne dame de compagnie de la comtesse. Du notaire Lupin au pharmacien Vermut, tous les bourgeois méprisent hautement les paysans de La-Ville-aux-Fayes. Avec Rigou, qui arrive, ils cherchent le moyen de perdre définitivement Montcornet. Avec le temps, malgré les tentatives d'apaisement du général, le mécontentement grandit chez les paysans, qui décident de passer à l'attaque.

SEPTEMBRE 1823. Blondet, après un séjour à Paris, revient aux Aigues. Le lévrier du garde Michaud est tué par un paysan surpris en train de détruire un arbre. Peu après, Michaud lui-même est assassiné par les paysans ; sa femme meurt en accouchant. Pour découvrir le coupable, Montcornet fait venir de Paris un agent de la Sûreté, qui, se faisant passer pour un ouvrier chassé par le châtelain, se mêle aux villageois.

MAI 1824. Le policier l'ayant averti des dangers qu'il court, le général se résigne à vendre les terres ; tous les lots vont à Rigou.

1837. Le général, qui a repris du service, meurt. La comtesse épouse Blondet. En passant près de l'ancienne propriété, les deux époux découvrent un paysage méconnaissable : la campagne, morcelée, ressemble à « la carte d'échantillons d'un tailleur ».

Les paysans, dans lesquels l'imagerie de l'époque voit des sous-hommes, violents, ivrognes et paresseux, ont la sauvagerie des Mohicans de Fenimore Cooper. À l'image des Tourangeaux qui, en 1825, ont assassiné Paul-Louis Courier, les Bourguignons de Balzac se définissent par le pillage et le meurtre banalisés. Ils braconnent sur les propriétés privées, font périr les arbres, tuent le garde Michaud et obligent Montcornet à vendre. Par leurs mœurs, les paysans appartiennent à une humanité dégradée : abrutis par l'alcool, ils se battent, hurlent, pratiquent l'inceste (les fils et les filles de Tonsard, par exemple, dorment dans le foin, « blottis comme des animaux »). Exception qui confirme la règle, Niseron est sobre, travailleur, honnête : à lui seul, il représente « toute la probité de la commune ». De cet avilissement, le peu d'intérêt porté à la religion est le signe. Préférant le café à l'église (le cabaret du Grand-I-Vert est un « vrai nid de vipères »), les villageois de La-Ville-aux-Fayes restent foncièrement étrangers aux valeurs morales : « comme les paysans sont sans principes religieux, il se passe des choses affreuses ».

La classe paysanne se jette comme un fauve sur l'aristocratie et lui vole tout autant ses richesses que sa substance vitale. Tonsard, par exemple, chez qui se décidera l'assassinat de Montcornet, bâtit sa maison avec les pierres des Aigues. Mais le propriétaire, par sa faiblesse (Montcornet paraît un « Titan », alors qu'il « recèle un nain ») et son manque de discernement, incapable de vivre en harmonie avec le peuple, est également responsable de cette situation malsaine. Aussi les paysans forment-ils un groupe humain mouvant, qui fait peser sur l'avenir une claire menace : « Cet élément insocial créé par la Révolution absorbera quelque jour la Bourgeoisie, comme la Bourgeoisie a absorbé la Noblesse. »

Le véritable vainqueur du combat qui oppose présentement paysannerie et noblesse est la bourgeoisie. Manœuvrant dans l'ombre les paysans, obsédés par les profits à réaliser, les maires et les notables des communes proches du château favorisent les exactions qui, à terme, vont engloutir, semble-t-il, les fondements de la civilisation : la propriété privée, l'État, mais aussi le sens de la beauté qui s'exprime alors dans les Aigues, séjour et rêve de « tous les amants du beau » (« L'Arcadie est en Bourgogne, dit Blondet, et non en Grèce ; l'Arcadie est aux Aigues et non ailleurs »). Les bourgeois qui achètent le domaine le parcellisent immédiatement, car il peut, selon Courtecuisse, le type des petits propriétaires, faire « vivre quatre cents familles ». Le développement de l'agriculture moderne, que seule permettrait la grande propriété, se voit freiné sinon interdit. La bestialité paysanne est accentuée par les bourgeois dans le sens d'une âpreté qui justifie constamment les moyens par la fin. L'ancien bailli de Soulanges, Gaubertin, organise une fausse émeute contre Mlle Laguerre pour que son fils, qui la sauve sans peine, gagne sa reconnaissance. Entre Tonsard et Rigou, la différence est de degré, non de nature : l'un vit de « vols en nature », l'autre s'engraisse « de rapines légales ». L'« usurier des campagnes » écrase le petit propriétaire et le paysan au profit d'une classe qui étend ses prétentions tentaculaires sur le monde de la campagne. Balzac dénonce le « népotisme » (*Pensées, Sujets, Fragments*) qui favorise la « louche domination de la bourgeoisie ». Selon Alain, *les Paysans* présentent « le tableau de la puissance de Gaubertin, des parents de Gaubertin, des alliés de Gaubertin, des clients de Gaubertin acheteur et vendeur de bois » (*Avec Balzac*).

Dans ce vaste roman, qui compte plus de cent vingt personnages, le héros, multiple et diffus, n'est finalement ni l'homme ni la nature, qui reste toujours « en proportion avec le personnage » et ne l'« écrase » pas par sa grandeur. Le narrateur, qui se veut ici « historien des mœurs » et non simplement « historien des faits », trouve en Blondet une incarnation romanesque : observateur de l'action, révélateur de la mentalité paysanne, le journaliste, hôte des Aigues, éclaire, par ses descriptions, ses narrations, ses réflexions, le sens de cette lutte entre le château et les chaumières qui « offre autant de péripéties que le siège de Troie » (Théophile Gautier). Mais Balzac, qui précise, dans la dédicace, son intention d'étudier « la marche de [s]on époque » afin d'« éclairer le législateur de demain », ne fait jaillir des *Paysans* qu'une lumière crépusculaire et sanglante, rendant bien incertaine l'aurore à venir. Antithèse du *Lys dans la vallée* et du *Médecin de campagne,* ce roman révèle le pessimisme très sombre d'un auteur qui, impuissant à envisager une solution aux maux du moment, constatant désespérément la ruine d'un monde qu'il aime, annonce le temps des Barbares et pose, par là même, les premiers jalons d'une littérature fondamentalement antibourgeoise.

G. Vannier

BANVILLE Théodore de

(1823-1891)

On ne lit plus guère Banville aujourd'hui ; ou plutôt on le lit mal. Non seulement son œuvre de dramaturge, de feuilletoniste et de conteur est totalement méconnue, mais son œuvre poétique même, abondante et variée, est trop souvent rassemblée sous les étiquettes partielles et partiales de « parnassienne », de « plastique » ou, pis encore, de purement « rhétorique ». Là où Baudelaire voyait « un original de l'espèce la plus élevée », la tradition littéraire n'a gardé que le souvenir d'un petit maître de la forme ou d'un rimailleur de circonstance. C'est faire peu de cas du talent d'un artiste qui, par son lyrisme authentique et ses innovations techniques, apparaît comme un trait d'union entre romantisme et Parnasse aussi bien qu'entre Parnasse et symbolisme.

Un poète à succès

Aristocratique mais ardemment républicaine, sa famille ne fut jamais pour Banville un obstacle à son dessein d'écrivain. Elle partagea sa haine du bourgeois, qu'il se nomme Scribe ou Guizot, et fut de connivence dans ses fréquentations de la bohème parisienne des années 1840. Bachelier en 1838, pétri des plus solides humanités, le jeune homme ne dédaigne en effet pas le contact des scènes fantaisistes et des individus débraillés qui hantent une capitale libérée de l'austérité guindée de la Restauration. Ses fréquentations le confirment dans son mépris pour l'« enrichissement » et dans sa révolte contre toute forme de matérialisme, y compris le réalisme littéraire naissant et les prétentions philosophico-scientifiques de certains écrivains de sa génération. Plus que la méfiance à l'égard d'un romantisme bientôt exsangue et englué dans les artifices de ce qu'il nomme un « faux lyrisme », c'est la volonté de « faire front » contre les impostures de la culture et de l'histoire qui anime l'écriture de son premier recueil, *les Cariatides* (1842), dont le programme ne manque pas d'ambition : « Attaquer les rois du siècle, folliculaires et coupletiers, les misérables qui déshonorent l'art… » Encouragé par Hugo, Vigny ou Gautier, salué par Baudelaire, avec lequel il entretiendra toujours des liens privilégiés, Banville va dès lors produire, en trente ans, une des œuvres poétiques les plus consistantes du siècle : *les Stalactites* (1846) ; *les Odelettes* et *Odes funambulesques* (1856-1857), rédigées malgré une santé déjà compromise par une grave affection pulmonaire ; *Améthystes* (1862) ; *les Exilés* (1867), dont il dira : « S'il devait rester un livre de moi, je voudrais que ce fût celui-ci » ; *Occidentales* (1869) ; *Idylles prussiennes,* au lendemain de la débâcle de 1870 ; *Trente-Six Ballades joyeuses* (1873) ; et enfin un superbe recueil de sonnets, *les Princesses* (1874). « Démentant le mythe romantique du poète maudit par les siens » (R. Fayolle), Banville, en dépit de quelques périodes de disgrâce qui le voient se retourner vers le journalisme ou le théâtre, fut très apprécié de ses contemporains. Témoin le succès de ses « salons » du jeudi soir rue de Buci, puis rue de l'Éperon, fréquentés par un ensemble très éclectique d'écrivains : Daudet, Mallarmé, Coppée, C. Mendès, Maupassant, Courteline… Mais, poussé par une inextinguible soif d'écrire, l'auteur des *Exilés* abusa sans doute trop de la « copie » dans les dernières années de sa vie, et les mots de « chroniqueur », d'« amuseur » ou de « versificateur » fleurissent déjà dans les articles nécrologiques au lendemain de sa mort, le 13 mars 1891. Une injuste légende est née.

Entre la lyre et la rime

Priver Banville des mérites et de la générosité du « cœur », c'est en effet le mutiler de ce qui fit d'abord sa force convaincante : son lyrisme, varié et vrai. Lyrisme descriptif de l'esthète fasciné par les perfections de l'art antique, mais aussi de l'homme ému au seul souvenir de son « vieux Moulins bâti de briques roses » ; lyrisme espiègle du « clown » au « cœur dévoré d'amour » ; lyrisme railleur et engagé de l'« exilé » qui prend parti pour « tous les pauvres, tous les rêveurs, tous les maudits ». Pas plus que son théâtre ne saurait se laisser réduire aux seuls tableaux d'une mythologie parfois naïve (*Déïdamia* [1876], *le Jugement de Pâris*) mais s'ouvre, dans *Gringoire* (1866) ou *Florise* (1870), aux dimensions de l'élégie et du tragique, sa poésie ne peut se résumer en une collection de bibelots futiles ou de marbres figés. Il demeure chez lui une qualité

d'émotion individuelle et une « universelle compassion » qui excèdent largement les limites d'un simple formalisme.
Sans doute sont-ce ses dons poétiques mêmes : précocité, fécondité, facilité, qui ont contribué à façonner l'image d'un Banville plus parnassien que le Parnasse, plus didactique qu'un Leconte de Lisle – lequel, d'ailleurs, ne l'appréciait guère. On ne lui pardonne pas aujourd'hui la maladresse de certains propos de son *Petit Traité de poésie française* (1872) : « La rime est l'unique harmonie des vers, et elle est tout le vers [...]. On n'entend dans un vers que le mot qui est à la rime. » Mais on oublie que, loin de considérer son art comme un exercice de bouts-rimés, il prône, en fait, une sorte d'impressionnisme rythmique et lexical : « La poésie a pour but de faire passer des impressions dans l'âme du lecteur [...] ; pour les susciter il lui suffit d'un mot. » On sourit de son obstination à ressusciter les vieilles formes fixes (triolet, rondel, ballade, villanelle, virelai), mais on ne dit pas quel avenir ces petits poèmes et leurs mètres allègres auront plus tard chez un Verlaine ou un Max Jacob.
Certes, Banville a abusé des pirouettes de la rime et a parfois trop joué sur « la corde roide » et dangereuse du mètre. Pour égaler les plus grands, il lui a sans doute manqué à la fois le sens du mystère et la conscience du véritable enjeu du verbe poétique. Mais cet écrivain pour qui « la poésie est la langue la plus facile à parler » (Baudelaire) ne fut pas un triste sire de l'éloquence. « On mourra de dégoût, disait-il dans ses *Odes,* si l'on ne prend, de-ci de-là, un grand bain d'azur ». Autrement dit « un grand bain » de mots et d'images. [Voir aussi **Parnasse**.]

D. Rincé

BARANTE Prosper de

Prosper Brugière, baron de Barante *(1782-1866)*

Littérateur, historien et homme politique né à Riom. Barante suit une trajectoire exemplaire qui lui fait épouser la plupart des grandes tendances significatives de la première moitié du XIXe siècle. Fils d'un diplomate, il suit son père à Genève, après un court passage à Polytechnique de 1799 à 1800 et sa démission pour cause d'allergie aux mathématiques. Il rencontre Mme de Staël, avec laquelle il a une liaison passionnée. Il appartient alors pleinement au groupe de Coppet, dont il adopte les idées. Collaborant à *la Décade philosophique* et au *Publiciste,* il concourt en 1805 pour un prix de l'Académie française avec un *Tableau de la littérature française au XVIIIe siècle,* publié en 1808, avec un immense succès.
Tout en dénonçant la caste des hommes de lettres, considérée par lui comme une puissance subversive, Barante y prône une critique de sympathie et de compréhension et y affirme des vues libérales. Il n'en sera pas moins nommé préfet de Vendée en 1809 – la même année, il épouse la petite-fille de Mme d'Houdetot, l'amie de Jean-Jacques Rousseau –, puis de la Loire-Inférieure en 1813, Napoléon ayant été favorablement impressionné par la lecture de son *Tableau.*
Nommé pair de France par Louis XVIII à la suite d'un ralliement éclatant à la monarchie, il est élu député et prend place parmi les Doctrinaires, c'est-à-dire les partisans d'une monarchie constitutionnelle et les thuriféraires de la Charte. Il se lie d'amitié avec Decazes et collabore à son ministère. Le doctrinarisme devient alors l'alliance d'un libéralisme modéré et d'une philosophie spiritualiste ; Barante y brille particulièrement, aux côtés de Guizot et de Royer-Collard. Il combat vigoureusement toute tentative rétrograde et tout ce qui procède du cléricalisme : il sera un adversaire intransigeant de Villèle.
Ces années de la Restauration le voient écrire des traités politiques : *Des divers projets de Constitution pour la France,* en 1814, *Des communes et de l'aristocratie,* en 1821, mettre en forme et publier, en 1815, les *Mémoires de Mme de La Rochejaquelein,* figurant ainsi parmi les premiers auteurs de mémoires – authentiques ou apocryphes – qui fleuriront pendant plus de trente ans, et entrer à l'Académie française en 1828. Cet adepte de l'idéologie tempérée par le spiritualisme, ce libéral royaliste convaincu de la nécessité d'une régénération spirituelle, indispensable complément de l'esprit critique rationnel, adhère à la révolution de juillet 1830 et renoue avec la carrière diplomatique : ambassadeur à Turin en 1831, il s'y lie avec des libéraux comme Cavour, puis il représente la monarchie de Juillet à Saint-Pétersbourg à partir de 1835. Il abandonne définitivement le service de l'État après 1848 et se consacre exclusivement à ses travaux d'historien.
En effet, Barante avait conquis sa plus grande notoriété en 1821-1824 par la publication des treize volumes de son *Histoire des ducs de Bourgogne de la maison de Valois* où se trouve illustrée une conception précise de la déontologie historienne : documentation rigoureuse et aussi complète que possible s'appuyant sur les chroniqueurs ; relation exacte, vivante et pittoresque des faits ; absence de jugements de valeur. L'historien rapporte fidèlement mais ne commente pas. L'histoire appartient donc au genre narratif et suit le précepte de Quintilien : *Scribitur ad narrandum non ad probandum* (« On écrit pour raconter, non pour prouver »).
Commynes, Froissart sont donc convoqués, puis transcrits, à la manière de Walter Scott, dans une compilation prétendument objective et impersonnelle. Cependant, Barante prend parti pour la liberté et la volonté, récusant par avance l'école fataliste représentée particulièrement par Mignet. N'écrira-t-il pas, en 1828 : « La race humaine n'est pas un corps privé de volonté et de vie, roulant dans les espaces du destin d'après les lois d'une gravitation morale » ? Pour lui, les individus et les peuples ne représentent pas une idée ou n'accomplissent pas une mission qu'ils ignoreraient, mais réalisent en actes leur volonté consciente.
Pendant les quinze dernières années de sa vie, Barante accumule les publications : *Questions constitutionnelles* (1849), *Histoire de la Convention nationale* (1851-1853), *Histoire du Directoire de la République française* (1855), *Études historiques et biographiques* (1857), *Études littéraires et historiques* (1857-1858), *Histoire de Jeanne d'Arc* (1859), *la Vie politique de Royer-Collard* (1861), *le Parlement et la Fronde* (1859, qui

n'est qu'une partie de ce qui aurait dû être une vaste histoire parlementaire de la France), *De la décentralisation* (1866). Ses convictions s'y maintiennent, et ses textes historiques conservent la même tonalité : une résurrection du passé en accord avec le goût romantique des années 1820-1840. Il laisse également huit volumes de souvenirs, qui seront publiés par son petit-fils entre 1889 et 1901.

G. Gengembre

Barbey d'Aurevilly

BARBEY D'AUREVILLY Jules-Amédée

***Jules-Amédée Barbey**, puis **Barbey d'Aurevilly** (1808-1889)*

Peu d'hommes au XIXe siècle ont autant fait parler d'eux, parmi ceux qui ont autant parlé des autres. Et ce fut, décidément, malgré d'autres ambitions, à propos de littérature. Il y consacra près de 1 300 articles, en soixante années d'une vie chaotique au cours de laquelle il fut intensément le contemporain et l'imprécateur des plus grands. Il s'y livra lui-même en une vingtaine de récits, dont les plus puissants (des romans comme *Une vieille maîtresse, l'Ensorcelée, le Chevalier des Touches, Un prêtre marié, Une histoire sans nom*, ou des nouvelles comme celles qui composent le recueil des *Diaboliques*) le placent au tout premier rang des constructeurs d'univers. Le monde aurevillien est étrange, de cette étrangeté qui n'est pas moins inquiétante d'être, au fond, familière : ensemble poétique sans référent à force de références, système moral unique et qui servit de repère à beaucoup, modèle idéologique terriblement déchiffrable parce qu'irréductiblement contradictoire.

« Une lente et pénible résignation à la littérature » (J. Petit)

Incontestablement il était noble, même si la famille de Théophile Barbey, son père, n'avait été anoblie qu'en 1756, par l'achat d'une charge, et si Ernestine Ango, sa mère, fille du dernier bailli de Saint-Sauveur-le-Vicomte, n'était décidément pas une descendante par bâtardise de Louis XV.

Incontestablement il était normand, même si, après une enfance austère à Saint-Sauveur, auprès de parents nostalgiques de l'ancien ordre, instructive à Valognes chez l'oncle Pontas-Duméril, un médecin libéral et athée, enchantée à Carteret, chez des cousins, par des récits chouans sur fond de lande et d'océan, il rompit avec sa famille, son pays, ses traditions, de vingt-quatre à trente-huit ans, et même s'il faudra attendre les résultats imprévus de la mystérieuse crise de Bourg-Argental (1846) pour que la Normandie prenne dans l'œuvre, en plein milieu du premier grand roman, la place que l'on sait, point du tout aussi immédiate ou instinctive que l'on croit.

Incontestablement il fut un grand écrivain, même si son goût d'étonner, son enthousiasme incontrôlé pour certains modèles et sa passion de la polémique provocatrice l'emportèrent souvent… nous ne saurons jamais sur quoi, car il n'existe pour nous de Barbey délivré de ce périlleux don d'excéder que, peut-être, Léon, le frère prêtre, Ernest, le frère réfugié « sur la frontière de Bretagne », Édouard, le frère mort.

Faut-il, pour la lisibilité d'une biographie, ordonner et finaliser une existence qui ne le fut guère ? On y dessinerait cinq périodes, jalonnées par les millésimes 1837, 1846, 1862, 1874 : on voit qu'ils ne correspondent pas du tout aux grandes ponctuations d'un siècle auquel Barbey tint sans doute à dédaigner de faire cet honneur.

La première période (1808-1837) est celle des liens que la formation intellectuelle et sociale d'un jeune homme tisse avec le monde de son temps ; elle est, en l'occurrence, celle de la rupture généralisée : avec un père froid et sombre, non sans raison ; avec une mère qui aurait enfanté son aîné malgré elle, le jour des Morts, et qui le trouve laid ; avec les timidités hautaines d'une petite aristocratie provinciale qui reste accrochée au XVIIIe siècle sans en avoir suivi le mouvement ; avec Saint-Sauveur au profit de Valognes, où l'oncle Pontas-Duméril lui apprend à regarder le dessous de cartes de la vie sociale ; avec Valognes au profit de Caen, où échoue par deux fois le projet de « réveiller la Normandie » en groupant dans une revue quelques amis sûrs et déterminés à faire avancer les idées libérales ; avec Caen (dont le contact est cependant gardé, grâce à l'ami Trebutien, pendant vingt ans) au profit de Paris, c'est-à-dire, en ces années 1833-1837, de Maurice de Guérin. Curieuse amitié que celle-là, entre le doux poète maladif et l'ambitieux aux manières brusques et au verbe haut. Ce qui est sûr, c'est que le premier donna au second à la fois le goût de lire La Fontaine et le moyen de reconnaître, un jour, le génie de Baudelaire, à la fois l'assise horizontale d'une culture classique inébranlable, à la Bossuet, et la verticalité d'une posture romantique incompressible, à la Byron : soit les coordonnées d'une courbe que Barbey, mieux portant, allait, lui, décrire tout au long du siècle. Elle a du mal pourtant, jusqu'en 1837, à trouver sa forme. Ce qui est écrit alors, non négligeable, est parfaitement négligé. L'héritage de l'oncle Montressel se révèle gravement insuffisant à satisfaire les ambitions mondaines, cependant que les ambitions journalistiques se heurtent à l'incrédulité amusée ou – déjà – à la simple prudence des directeurs.

La deuxième période (1838-1846) est celle du dandysme. Période de conquête et d'affirmation, non pas malgré mais par et sur les deuils et les paniques. Plus s'éloigne Louise et le délicieux frisson des rencontres clandestines avec « Elle », l'interdite, l'épouse du cousin, plus est insupportable la fuite de Paula, disparue aussitôt qu'aimée, plus est irremplaçable, à jamais, Guérin, et plus l'admirateur de Roger de Beauvoir, qui a nom d'Aurevilly, désormais, pour les habitués des salons de Mme du Fayet ou de la marquise du Vallon, puis de la baronne de Maistre, se raidit à exercer « l'ascendant inouï de la plus complète indifférence ». Et il est vrai qu'il l'exerce, car il plaît. Très brillant causeur, habile à composer autour de lui le halo éclatant du scandale et le halo d'ombre du mystère, capable d'entretenir en même temps un chaste et grave amour de tête et de souvenir avec Eugénie de Guérin et une liaison orageuse et sensuelle avec une Vellini qu'il n'a pas inventée, il est le héros involontaire mais probablement ravi d'une invraisemblable « bataille de dames » que remporte – à la Pyrrhus – l'impérieuse baronne de Maistre. Il est devenu banal de dire que le détachement souverain du dandy cache en général une sensibilité extrême : les deux premiers *Memoranda* en apportent ici une preuve. On verra qu'il révèle aussi autre chose, quant à la relation sociale : *Du dandysme et de George Brummel* (1845) pousse l'analyse assez loin dans ce sens. Pas très importante ni par sa durée, ni en production littéraire (*l'Amour impossible* et *la Bague d'Annibal*, variations brillantes et cyniques sur les difficultés et les pièges de l'amour mondain), ni par l'entrée dans la carrière journalistique (qui a lieu pourtant, dans le plus grand désordre, au *Nouvelliste*, au *Globe*, au *Moniteur de la mode*, aux *Débats*, à *l'Époque*...), cette période l'est en ce qu'elle fixe un modèle, un « style », une attitude qu'à travers toutes sortes de changements matériels, intellectuels, voire spirituels, Barbey n'abandonnera jamais plus.

La troisième période (1846-1862) est, de loin, la plus riche. Entre deux crises profondes, de trente-huit à cinquante-quatre ans, Barbey s'engage à fond dans deux causes politiques, déploie l'activité journalistique la plus intense et écrit l'essentiel de son œuvre romanesque. La première cause semble être celle du catholicisme, que nous appellerions aujourd'hui « intégriste », la seconde celle de l'Empire autoritaire ; en fait, c'est la même. Soudain, en 1846, sans que rien ait pu le laisser prévoir, sinon l'influence grandissante de Mme de Maistre et de son entourage, et la lecture passionnée de Joseph de Maistre, le dandy se fait militant, fonde une « Société catholique », anime comme rédacteur en chef *la Revue du monde catholique*. Son programme est identique à celui qu'il donnera, dix ans plus tard, au *Réveil* :

> *Le Pape.*
> *La Monarchie.*
> *Et, littérairement, la tradition de Louis XIV.*
> *Sur toute la ligne, l'Unité et l'Autorité.*

Son ton est incroyablement violent et sa logique est celle du fanatisme. La *Revue* disparaîtra vite dans les tourbillons de 1848, mais le programme, le ton et la logique demeureront longtemps : on les retrouve intacts dans la campagne que mène Barbey en 1852 en faveur du nouveau champion de l'« Unité » et de l'« Autorité » (pas du tout légitime, et si peu catholique !), Louis-Napoléon Bonaparte. Ainsi armée, l'écriture du journaliste s'exerce dans un grand nombre de journaux (outre *la Revue du monde catholique* et *le Réveil*, qu'il contrôle, *le Constitutionnel, la Sylphide, la Mode, l'Assemblée nationale, le Public*, et surtout, à partir de 1852, *le Pays*) et dans toutes les directions : politique, selon sa plus grande et durable ambition jamais vraiment satisfaite, littéraire (les grands articles contre Hugo, contre Michelet, contre Sainte-Beuve, sur la mort de Balzac, en faveur des *Fleurs du mal* et de *Madame Bovary*, mais aussi sur Banville et sur Leconte de Lisle, sur Poe et sur Gogol, datent de cette période), idéologique surtout, les deux premières instances n'étant apparemment pour lui que des occasions de manifester celle-ci, qu'il illustre en 1851 dans *les Prophètes du passé*. Car, au milieu de cette agitation, l'écrivain trouve le temps de se révéler aussi : il achève *Une vieille maîtresse* (1849), conçoit et publie *l'Ensorcelée* (1849-1855), commence *le Chevalier des Touches* (1852) et rédige encore les troisième et quatrième *Memoranda*. La crise de 1858-1862, qui clôt cette période, semble ne rien changer à toute cette activité ; en réalité, elle en inverse radicalement la signification. L'homme qui s'est affilié, pour la croisade, à tel groupe, à tel parti, à telle rédaction, s'en sépare et se drape dans une solitude superbe (rupture avec Sainte-Beuve, avec les catholiques, avec *le Pays*, avec le régime impérial...) ; les retrouvailles avec Trebutien aboutissent à une séparation définitive, aggravée d'une trahison (on lui enlève aussi Guérin !) ; et de même que, tout en jouant à l'espérer encore, il ne croit plus au mariage avec Mme de Bouglon (l'« Ange blanc », qui tente de l'assagir), de même il continue de défendre, désormais sans la moindre illusion, dans un mélange de dérision et de désespoir que seule peut faire « tenir » la raideur étudiée de l'ancien dandysme, les valeurs d'ordre, les dogmatismes répressifs, les réactions de rejet.

C'est ici, au seuil de la quatrième période (1862-1874), que prend tout son sens la formule de J. Petit qui sert de titre à ce synopsis biographique : la littérature n'est plus pour Barbey l'un des instruments de la réussite mondaine, de l'ambition politique, de la persuasion idéologique ; elle est devenue le lieu de la résignation ou, plutôt, le seul moyen de construire encore, dans la fiction, la possibilité de ce que le réel a pour jamais répudié. Et c'est tout Barbey qui se met alors à devenir fictif : le personnage excentrique et désuet qui arbore fièrement la cravate sang-de-bœuf et la canne à pomme aventurine et or des années 1830, le sigisbée de la mûrissante baronne de Bouglon, qui écrit pour elle (à sa demande !) le cinquième *Memorandum*, l'imprécateur qui s'en prend singulièrement à « cet animal de François Buloz », le tout-puissant directeur de la *Revue des Deux Mondes*, ou, en bloc, à toute l'Académie française, le collaborateur ricanant du *Nain jaune*, le « Canard enchaîné » de l'époque (rubrique : « les Ridicules du temps », 1866-1867), l'éditorialiste politique qui se déchaîne contre « les petits hurleurs de liberté » en 1869, dans *le Dix-Décembre*, et, la même année, dans *le Gaulois* et *le Parlement*, prend le parti des républicains contre l'Empire, quitte à relancer, en 1872 dans *le Figaro*, une violente polémique antirépublicaine..., et surtout, bien sûr, l'auteur des *Diaboliques*.

Autre indice d'une résignation à un nouveau mode d'exister, celui qui, dédaignant les gestes et les mots de l'activité quotidienne dans le monde, choisit d'en organiser les signes et met patiemment en œuvre la technique (re-)constituante du recueil : commencent à paraître chez Amyot les premiers volumes des *Œuvres et les Hommes*.

Dans ces conditions, la dernière période (1875-1889) ne fut probablement pas aussi sombre que l'ont voulu certains biographes. Barbey a beau jouer au dandy prolongé, à l'éreinteur inexorable, à l'homme de droite intraitable, au passéiste borné, il ne peut cacher qu'il joue, que le moindre de ses gestes est *écriture,* et que, si provocation il y a, elle est désormais provocation à lire, à déchiffrer dans l'œuvre d'une vie la destinée d'un siècle. Il ne cherche d'ailleurs guère à le cacher, lui dont la dernière compagne, Louise Read, tient principalement le rôle d'une secrétaire ; qui groupe autour de lui tout ce qui se destine à la littérature de l'avenir, et entretient avec chacun des rapports insolites, faits de fascination réciproque et de complicité profonde, malgré la différence des âges, des idées et des goûts ; qui, pendant les quinze dernières années, tout en assurant régulièrement la critique dramatique du *Triboulet* et la critique littéraire du *Constitutionnel* (« J'ai succédé à Sainte-Beuve ! »), multiplie les rééditions de ses romans et de ses essais, reprend des œuvres de jeunesse oubliées depuis longtemps *(Germaine, la Bague d'Annibal, Léa, Amaïdée),* s'épuise au tri et au regroupement de ses articles pour *les Œuvres et les Hommes* et trouve dans cette pratique systématique de la relecture et de la réflexion l'inspiration de deux purs chefs-d'œuvre, dont les titres ne se font sans doute pas écho en vain et qui constituent son vrai testament littéraire : *Une histoire sans nom* et *Une page d'histoire.* Que l'autre testament ait été âprement disputé entre tous les « héritiers » de Barbey, et qu'on ne sache pas très bien, de ce qui lui appartint en propre, ce qui doit revenir à la secrétaire ou à la baronne, au Mendiant ou au Sâr, à Jean Lorrain, à Paul Bourget ou à Octave Uzanne, voire à Barrès, D'Annunzio, Bernanos ou Mauriac, n'a évidemment ici qu'une portée tout à fait secondaire.

« Incohérent, bizarre et plein de trous » (F. Sarcey)

Pour régner, quand même, sur ce royaume introuvable qu'est le phénomène Barbey – personnage, carrière, œuvre –, on a le plus souvent cherché à le diviser ; pour tenter de métriser/maîtriser (selon le joli mot de M. Serres) cette lande, on a bien sûr projeté sur son immensité labyrinthique des repères, des axes, des grilles, des carrefours, tout un système de signalisation sans lequel ne passent ni la syntaxe de la critique littéraire, ni les chariots de la civilisation, ni les armées. On a distingué l'homme public (théâtral, masqué) de l'homme privé (simple, sensible), le critique (outrancier, maladroit) de l'écrivain (maître de lui et de ses effets), l'idéologue (fanatique, totalitaire) du penseur (lucide, ouvert), voire le narrateur (citoyen, officiant) du héros (joueur, transgresseur). Il faut au contraire probablement, pour avoir quelque chance de traverser la lande, la reconnaître pour ce qu'elle est, « lacune de culture », « soudaine interruption de mélancolie », « lambeaux, laissés sur le sol, d'une poésie primitive et sauvage », où il arrive que le cavalier et le cheval ne fassent plus « qu'un seul être, bizarre et monstrueux » (*l'Ensorcelée*). Ce qui fait l'unité du monstre, en cela parfaitement romantique, c'est la passion. Non l'aptitude générale à se passionner, comme il arrivait alors beaucoup, mais telle passion bien précise, et qui chevauche si bien son objet qu'elle finit par faire corps avec lui. Barbey fut l'homme d'une passion. Et il serait vain d'évoquer ici, malgré l'émotion bouleversante de l'adolescent, Louise du Méril, ou, malgré l'attachement mystique du « chevalier de Malte », l'Ange blanc, voire encore la fugitive Paula, la douce Eugénie, l'énigmatique Vellini, l'imposante marquise du Vallon ou l'exigeante baronne de Maistre ; tout aussi vain de songer à Maurice de Guérin, le délicat ami de collège et l'initiateur en poésie, ou à Trebutien le fidèle, car avec eux et avec quelques autres (Brucker, Baudelaire, Saint-Maur, Bloy) Barbey pratiqua l'amitié la plus vraie, celle précisément qui n'est pas une passion ; vain – et sot – de nommer l'Art, le Beau, l'Utile, ou la Mission du poète, qu'il laissa à d'autres et ne leur pardonna guère ; vain encore d'en appeler à l'Ancien Régime, aux formes, aux gestes, au langage d'une société respectueuse des valeurs de la vieille chevalerie, de la monarchie légitime, de la foi révélée ; ou même à la Normandie, pays de l'enfance, terre chouane, cadre idéal pour le bonheur, le souvenir et le rêve : lieux et temps favoris, en effet, encres hautes en couleur, où la plume se trempe, où le cœur se retrempe, mais si peu irremplaçables que c'est à l'autre bout de la jeunesse et de la France que se produit le choc révélateur, la vision soudaine, totale et définitive de l'objet, sous la forme d'un « cône renversé », d'un « profond et sombre entonnoir fermé par des montagnes », d'où l'on ne peut apercevoir le jour qu'« en regardant la lucarne bleue [...] à mille pieds au-dessus [des] têtes ». Cette image qui détermine le cadre du dernier roman est, à la position de l'observateur près, étrangement proche de celle qui servit à définir la première « diabolique » écrite : « l'Enfer vu par un soupirail ». L'instrument de la passion, c'est le regard ; l'axe qui détermine son champ, celui qui relie le regardant indifféremment au ciel ou à l'enfer, « ciel en creux » ; son objet, le désespoir. Toutes les poses que prit Barbey n'étaient que des adaptations de cette position fondamentale : contempler et décrire, passionnément, l'absolu désespoir d'un monde impuissant à être le ciel, incapable d'être l'enfer, mais ne pouvant détacher son regard ni de l'un ni de l'autre, comme d'un rideau cramoisi ; désespoir d'une distance désormais irréductible et douloureuse, mais qui seule permet, précisément, le regard... et la passion. D'où la fougue, d'où l'éclat, d'où l'incroyable élan de l'ironie, de l'indignation, de l'invective, de l'amour. Tout était possible, pour Barbey, parce que tout était déjà radicalement perdu.

C'est là probablement ce que les spécialistes de la pensée religieuse appellent son jansénisme. C'est là que les experts sourciers reconnaissent son byronisme. C'est le lieu de son accord profond avec Joseph de Maistre, avec la différence majeure que ce dernier annonçait et prêchait, à travers l'expiation, une renaissance du christianisme triomphant, à laquelle il est clair que Barbey ne croit pas. C'est aussi le ressort psychologique de son dandysme, fort révélateur en cela de la signification générale du phénomène : l'étonnant détour qu'entre George Brummel et Oscar Wilde ce comportement typiquement britannique fit sur le continent et l'acclimatation qu'il y réussit pendant tout le XIXe siècle manifestent, entre l'âge immémorial des certitudes chrétiennes et celui des perspectives positivistes, entre ce passé et cet avenir tous deux amplement pourvus de prophètes, un présent terriblement vide d'espoir.

Si c'est là ce qu'on appelle le romantisme, Barbey y occupe une place centrale, par la reconnaissance implacable de ce vide, par l'élégance raffinée dans la manière de l'affronter, par le refus hautain de tous les *placebo* (les « prophètes du passé », Chateaubriand, Bonald, Maistre, Lamennais, ne sont pas des voix pour nous, non plus que les prophètes de l'avenir, Hugo, Michelet, Renan... « L'avenir a ses spectres comme le passé a les siens »), enfin et surtout par la provocation. Car c'est la spécialité qu'il a choisie entre toutes, sans doute pour des raisons que la psychanalyse éclairerait : abandon de la mère, complexe de laideur, goût voyeuriste, besoin d'étonner... La provocation s'adresse essentiellement aux valeurs bourgeoises – qu'il ne fustige pas moins qu'un Flaubert, un Rimbaud ou un Villiers – mais elle traque systématiquement tout ce qui peut, de près ou de loin, être considéré comme solidaire de ces valeurs ou découlant de leur triomphe : démocratie, réalisme, scientisme, humanitarisme, socialisme, matérialisme... Ce faisant, elle oblige le siècle à se poser sur lui-même toutes les questions qu'il préférait éviter, à *nommer* son histoire, à en lire toutes les pages : forme de réalisme qui ne doit rien à Champfleury, mais qui révèle dans l'auteur de *Du dandysme*... et des *Prophètes*... le contraire du réactionnaire attardé ou du rêveur idéaliste qu'en ont volontiers fait les manuels.

Une « relation de la décadence » (J. Petit)

La carrière du journalisme était bien la plus apte à l'exercice inlassable et fracassant d'une telle provocation. Aussi Barbey la poursuit-il avec la plus durable obstination, fondant ou animant lui-même des revues (*la Revue de Caen*, 1831 ; *la Revue critique*..., 1834 ; *la Revue du monde catholique*, 1847 ; *le Réveil*, 1858), collaborant aux journaux existants, et autant que possible aux plus importants. C'est une activité qu'il n'interrompt à peu près jamais, de l'âge de trente ans jusqu'à sa mort.

Avec chacun des quelque quarante journaux ou revues auxquels il a affaire, le schéma est à peu près le même : jeu d'intrigues et d'influences pour y entrer ; succès immédiat dû à l'originalité et à l'absence de précautions qui tranchent sur les habitudes ; excès qui indisposent les lecteurs et mettent la direction dans l'embarras ; censure ; mise à l'écart temporaire ; exclusion définitive. Ce schéma s'applique entièrement à son aventure avec *le Pays* entre 1852 et 1865 (350 articles). Au *Globe*, au *Figaro* et au *Journal des débats*, la collaboration, conquise de haute lutte, tourna court beaucoup plus vite. Avec *le Pays*, c'est finalement *le Nouvelliste* (environ 100 articles, en 1838-1839), *le Nain jaune* (130 articles, 1863-1869), *le Constitutionnel* (250 articles, en 1845-1846, puis de 1869 à 1884) et *le Triboulet* (70 articles, en 1880-1882) qui le publièrent le plus longtemps. Or si *le Pays* et *le Constitutionnel* étaient des organes gouvernementaux, dévoués aux valeurs d'ordre et d'autorité qu'assumait l'Empire, *le Nouvelliste* passait pour un peu « jacobin », et *le Nain jaune* était une virulente feuille d'opposition politique, institutionnelle, morale.

À cet éclectisme dans le choix des journaux, Barbey joignit la plus grande diversité dans les rubriques qu'il y assurait : éditorial politique, critique littéraire, revue théâtrale, critique d'art, voire chronique mondaine de la mode ou feuilleton satirique. C'est qu'il ne s'agissait pas pour lui de se spécialiser dans tel domaine, d'y acquérir des connaissances organisées et de les défendre méthodiquement ; il ne s'agissait que de saisir toutes les occasions de faire entendre sa voix. On l'entend en effet, on la reconnaît entre mille, mais on ne reconnaît rien de la chose dont elle s'est emparée ; elle semble à dessein empêcher qu'on la reconnaisse, pour la donner à connaître. Syntaxe de l'effet, esthétique de l'étonnement, goût du paradoxe, sens immédiat de la caricature, haine instinctive du troupeau, du chemin tracé, du sentiment obligé, du mot attendu sont les caractéristiques de celui qui, en lançant *le Réveil*, prétendait tenir en respect la littérature avec « un caporal et quatre hommes ».

La contradiction est patente, ostensible, provocatrice encore, entre ces déclarations de principes qui lui font attribuer au discours du critique des fonctions dogmatiques, autoritaires, policières, et l'assimiler lui-même au soldat qui maintient l'ordre ou au bourreau qui en punit la transgression, et sa pratique journalistique, dépourvue de toute réelle rigueur. Ni sur les questions politiques ni sur les questions religieuses, malgré la netteté des positions qu'il a défendues (un exemple suffira : « Nos pères ont été sages d'égorger les huguenots et bien imprudents de ne pas brûler Luther. Si, au lieu de brûler les écrits de Luther, dont les cendres retombèrent sur le monde comme une semence, on avait brûlé Luther lui-même, le monde était sauvé, au moins pour un siècle »), il n'a pu être considéré par personne comme un chef de file, un axe de ralliement. Tour à tour, les royalistes, les catholiques, les bonapartistes ont éprouvé les torts que leur causait ce tonitruant héraut de leur cause.

Sur le plan de la critique esthétique, il demeure aussi rebelle à toute tentative de classification. À une époque où ce genre acquiert ses lettres de noblesse et participe de façon décisive à l'« institution littéraire », Barbey ne semble jamais réfléchir sur sa manière, ni tenter de l'élaborer en théorie, sinon pour revendiquer, justement, les droits permanents de la plus imprévisible liberté. Il se présente, de ce point de vue, avant Proust, comme l'anti-Sainte-Beuve, mais il refuse tout autant de se laisser enfermer dans les systèmes « scientifiques » qui s'expérimentent alors (autour de Taine, par exemple) ou dans les étroitesses partisanes d'un Pontmartin ou d'un Veuillot. Et si les inconséquences sont le prix à payer de cette liberté, si les contradictions n'y manquent pas, si les grossières erreurs en sont le risque permanent, ce sont les inconséquences, les contradictions, les erreurs mêmes du siècle. Critique d'humeur, si l'on veut, au sens où une intense capacité d'humour le met plus à même que quiconque de ressentir et de manifester le mouvement des idées, des croyances, des goûts, des mœurs du temps qui coule, comme le rocher au milieu du courant le rend visible, par l'écume, plus que le brin d'herbe qui en suit docilement le fil.

Ainsi l'œuvre journalistique de Barbey informe aujourd'hui notre histoire comme elle défraya en son temps la chronique, dans la mesure où il fut, comme critique, un révélateur inégalé, excellant moins à porter sur les œuvres le jugement juste ou celui, en tout cas, que l'avenir ratifie (encore qu'il y ait parfois montré quelque perspicacité : Baudelaire, Berlioz, Mistral, Michelet, Manet…) qu'à pousser les hommes à se révéler eux-mêmes : les catholiques à dire leurs principes et à en tirer toutes les conséquences, les républicains à préciser le contenu de leurs belles phrases et la philosophie de leurs beaux sentiments, les monarchistes à s'avouer lâches, les matérialistes à assumer vraiment la mort de Dieu, les poètes à ne pas s'excuser de l'être, les serfs à nommer leur maître. Maurras ne se trompe pas lorsque, avec une pointe de regret – ou de condescendance –, il écrit de Barbey : « Il fut d'instinct contre toutes les formes du désordre. Mais ce fut par instinct, impulsion, plutôt que par réflexion et par lumière. Ce fut pour la beauté de les combattre plutôt que pour les détruire ». Car c'est cette beauté-là qui fait Barbey plus grand que Maurras.

« Ouest » éclaté

De la nébuleuse normande dont il a rêvé vers 1849 et qui devait, dans son esprit, constituer une somme comparable, par la solidarité de ses éléments, à *la Comédie humaine* et, par la ferveur de la reconstitution, aux *Chroniques de la Canongate*, Barbey n'a finalement écrit que des fragments. Il n'en est pas moins considéré comme le plus grand poète régionaliste du Cotentin. Quelque chose en effet poussait Dorsay, Réginald, Aloys et Raimbaud de Maulévrier (les héros respectifs du *Cachet d'onyx*, de *Léa*, de *la Bague d'Annibal* et de *l'Amour impossible*) à mener une enquête serrée sur les causes de leur échec – douloureux malgré le masque cynique imposé par « le monde », et générateur de violence mortelle – dans la relation amoureuse. Il fallait que cette enquête eût lieu, et quel lieu lui était plus propre que le pays même où s'était produite cette double rupture : celle qui avait projeté l'aîné des Barbey de Saint-Sauveur au milieu des salons parisiens ; celle qui, plus spectaculairement qu'ailleurs grâce à la résistance des Chouans, avait séparé une France de l'autre et coupé en deux l'histoire ? Pour que nous en jugions, Ryno de Marigny nous ramène en effet, avec sa jeune et belle épouse Hermangarde, de Paris à Carteret. Là, le passé vient inexorablement le reprendre, sous les traits de la « vieille maîtresse », Vellini ; non seulement elle le « tient » par le double lien des sens et d'un pacte secret, mais c'est elle, l'étrangère, la « moricaude », qui semble avoir partie liée avec les forces obscures du lieu, l'océan, la grève, le « Criard », le fantôme de « la blanche Caroline »… Et c'est Hermangarde, l'« enfant » (innocence, pureté, sincérité, santé, grâce…), qui est délibérément sacrifiée aux pulsions sataniques : sensualité, domination, profanation, comme à l'éternel retour du crime et de son tourment. Pour le cas où l'on croirait avoir mal lu, et qu'il ne s'agit que d'une exagération de la couleur locale romantique, recouvrant une simple quête du bonheur à la Stendhal, à Vellini succède Jeanne Le Hardouey, l'« ensorcelée ». Cette fois, plus de doute. Le sang qui empourpre son visage est celui d'une race maudite et élue. Il témoigne à la fois du désir pour un homme, de la fascination pour le sacrilège (un prêtre !), pour l'horrible (son visage a été défiguré par les Bleus), pour l'impossible (il la dédaigne), d'une profonde complicité avec les forces occultes (des bergers errants quelque peu sorciers) et d'une pulsation incompressible du passé (Jeanne, mésalliée, est née de Feuardent). Tout ne s'achève pas dans le lavoir où l'on retrouve noyée cette victime – moins innocente que la précédente –, car on dit qu'aux neuf coups de Blanchelande, l'abbé de La Croix-Jugan revient et tente d'achever la messe au cours de laquelle il reçut en plein front une balle mortelle.

Ces créatures ne fascinent pas par la seule magie de leur charme propre et de leur mystère. Comme l'abbé, le chevalier des Touches est un combattant, héros et martyr d'une cause perdue. C'est elle, en même temps que lui, que veulent délivrer les « Douze » en prenant d'assaut la prison d'Avranches, puis celle de Coutances. Le fait d'armes est réussi, mais à quel prix ! Comme Aimée de Spens a perdu, avec M. Jacques, le seul amour de sa vie, comme le chevalier lui-même a perdu la raison, l'histoire a définitivement perdu sa réversibilité. La Révolution l'a engagée sur une pente dont on ne peut dire si elle représente le moyen de sa dynamique ou l'évidence de sa catastrophe. Et Sombreval, prêtre marié, qui a orienté sa vie vers la première hypothèse, à Paris, voit peu à peu, en terre normande, se vérifier la deuxième. Loin que les progrès de la science effacent progressivement les effets de son « apostasie » et « guérissent » Calixte, sa fille, marquée du signe de l'Expiation, les événements suivent pas à pas les malédictions de la Malgaigne : malgré l'amour de Néel, malgré les sacrifices de Sombreval lui-même, qui mime le repentir pour la délivrer, rien ne peut empêcher les sombres épousailles finales de l'enfant mort, du père ravagé et de l'« étang verdâtre du Quesnay ».

VIE		ŒUVRE
1730	Vincent Barbey, avocat à Valognes, épouse Marie-Anne Levaillant.	
1739	Naissance, à Versailles, de Louis Hector Amédée Ango.	

	VIE		ŒUVRE
1756	Vincent Barbey achète (55 000 livres) une charge de conseiller-secrétaire du roi, qui l'anoblit.		
1770	Louis Ango est bailli de Saint-Sauveur-le-Vicomte.		
1777	Le fils cadet de Vincent Barbey, Vincent Félix Barbey du Motel, épouse Jacqueline Lucas-Lablaierie (grands-parents paternels de Jules). Louis Ango épouse Marie-Anne Françoise Belloy (grands-parents maternels de Jules).		
1789	Louis Ango est élu député aux États généraux.		
1791	Jean-Baptiste Pontas-Duméril, médecin à Valognes, épouse Désirée Ango, fille du bailli.		
1808	**4 janv.** : Théophile Barbey, fils de Vincent Félix, épouse Ernestine Ango, autre fille du bailli. **2 nov. : naissance, à Saint-Sauveur-le-Vicomte, de Jules-Amédée Barbey**.		
1809	Naissance de Léon Barbey, premier frère de Jules.		
1810	Naissance d'Édouard Barbey, deuxième frère de Jules.		
1811	Naissance d'Ernest Barbey, troisième frère de Jules.		
1811-1816	Enfance austère, dans une famille repliée sur ses nostalgies d'Ancien Régime et d'une dévotion janséniste. Seules ouvertures : les contes normands de la bonne, Jeanne Roussel, et les récits chouans chez les cousins de Carteret.		
1816	Refusé dans une école militaire, Jules fait ses études au collège de Valognes et vit chez son oncle, Pontas-Duméril, médecin libéral et voltairien. Il subit l'influence de son cousin Edelestand, esprit sérieux, tourné vers l'érudition et la philosophie.		
		1823	Écrit « Aux héros des Thermopyles », élégie dédiée à Casimir Delavigne.
1824	À Valognes, fait connaissance avec les derniers chouans.	1824	Compose tout un recueil de vers..., qu'il brûle.
1825	Mort de l'oncle Pontas-Duméril.		
1827	Entre en rhétorique à Paris, au collège Stanislas. S'y lie avec Maurice de Guérin. Ils lisent ensemble Byron, Scott, Sterne et Musset.		
1829	Reçu bachelier, va faire son droit à Caen. Rapports orageux avec sa famille, dont il refuse les principes et les relations.		
1830	Rencontre Trebutien, libraire à Caen, qui devient son ami et restera pendant trente ans son correspondant favori et son « nègre ». Liaison « tempestueuse » avec Louise, épouse de son cousin Alfred du Méril : « amour impossible » ?	1831	Écrit sa première nouvelle, *le Cachet d'onyx.*
1832	Fonde, avec Trebutien et Edelestand, *la Revue de Caen*, qui se veut « libérale ». Un seul numéro paraît.	1832	Sa deuxième nouvelle, *Léa*, paraît dans *la Revue de Caen*.
1833	Soutient sa thèse de droit. Vient à Paris et y dilapide l'argent que lui a laissé son parrain, le chouan Henri de Montressel. Ses ambitions sont alors : 1. mondaines, 2. politiques, 3. littéraires.		

	VIE		ŒUVRE
1834	Fonde, toujours avec Trebutien et Edelestand, *la Revue critique de la philosophie, des sciences et de la littérature*, trimestrielle. Elle ne dépassera pas le 4e numéro.	**1834**	Écrit *la Bague d'Annibal*, curieux poème en prose par strophes, qui ne trouve pas d'éditeur.
		1835	Écrit *Germaine ou la Pitié*, roman qui ne paraîtra qu'en 1883, sous le titre *Ce qui ne meurt pas*. Écrit, pour Guérin, *Amaïdée*, poème en prose qui ne paraîtra qu'en 1889.
		1836	Écrit, pour Guérin, son premier *Memorandum* (sorte de Journal intime).
1837	Vie difficile. Brouille avec Trebutien. Essais infructueux dans le journalisme et auprès des éditeurs. Rupture consommée avec sa famille. Crise sentimentale (fin de la liaison avec Louise ; fugitif passage de Paula).	**1837**	Commence *l'Amour impossible* et *Ryno* (qui deviendra *Une vieille maîtresse*).
1838	Mariage d'Ernest. Léon entre au séminaire. Vrais grands débuts de Jules à Paris. Fréquente le salon de la marquise du Vallon, où il rencontre le vicomte de Brassard et Roger de Beauvoir. Mène une vie élégante et désordonnée de dandy. Prend le nom de son oncle, qu'il avait refusé en 1830 : d'Aurevilly (qu'il prononce, à la normande, « d'Or-vi-li »). Continue de lire beaucoup : Saint-Simon, Bassompierre, Machiavel, et surtout Stendhal et Joseph de Maistre.	**1838**	Écrit, pour Guérin, le deuxième *Memorandum*. Rédacteur politique et littéraire au *Nouvelliste* (journal jacobin qu'il quitte moins d'un an plus tard). Y éreinte « *Ruy Blas* et sa préface ».
1839	Mort de Maurice de Guérin. Jules entre en relations étroites avec la sœur de Maurice, Eugénie.		
1840	Se lie avec la baronne de Maistre, cousine de l'écrivain catholique et légitimiste Joseph de Maistre.		
1841	« Bataille de dames » autour de lui chez Mme de Maistre ; Eugénie s'éloigne. Se réconcilie avec Trebutien. Liaison avec la mystérieuse Vellini ?	**1841**	*L'Amour impossible*, chez Delanchy. *Lettres* à Trebutien, jusqu'en 1858.
1842	Vie difficile : dispersion, dettes, excès de toute sorte.	**1842**	Rédacteur politique au *Globe* (moins d'un an). *La Bague d'Annibal* y paraît en feuilleton.
		1843	Collabore au *Moniteur de la mode*. Commence une étude sur Brummel. *La Bague d'Annibal*, chez Duprey. Songe à un « Traité de la princesse », qui ne sera jamais écrit.
		1844	Collabore enfin au *Journal des débats* (grâce à Chateaubriand, Janin, Hugo...), mais pour deux articles seulement.
1845	Découvre et dévore Balzac.	**1845**	Collabore à *l'Époque*, grâce à Granier de Cassagnac. *Du dandysme et de George Brummel* en feuilleton dans *la Sylphide*, puis édité à Caen, chez Hardel (éd. Trebutien). Reprend le *Ryno* de 1837 et commence *Une vieille maîtresse*.
1846	« Voyage d'affaires ». Crise à Bourg-Argental. Fondation, avec des familiers du salon de Mme de Maistre, de la Société catholique. Devient soudain catholique engagé, monarchiste militant, ultramontain enthousiaste.		
		1847	Rédacteur en chef de *la Revue du monde catholique* : articles violents, d'une agressive orthodoxie, pour la défense, avant tout, du principe d'autorité.
1848	Vite « déçu » par la révolution. Se retire de *la Revue du monde catholique*, qui disparaît peu après.		

	VIE		ŒUVRE
1849	Travail intense. Lectures : histoire, religions, magie, Mémoires...	**1849**	Achève *Une vieille maîtresse*. Écrit *le Dessous de cartes d'une partie de whist*. Commence *l'Ensorcelée*. Premier article (sur Joseph de Maistre) des *Prophètes du passé*, dans *l'Opinion publique*.
		1850	Collabore à *la Mode*, où ses articles légitimistes font scandale. Y fait paraître « Ricochets de conversation I : Le Dessous de cartes d'une partie de whist ».
1851	Louis Veuillot le refuse à *l'Univers*. Rencontre, chez Mme de Maistre, la baronne Rafin de Bouglon (l'« Ange blanc »).	**1851**	*Les Prophètes du passé*, chez Hervé. *Une vieille maîtresse*, chez Cadot.
1852	Se rallie à Louis-Napoléon. Nourrit en vain des ambitions politiques.	**1852**	« La Messe de l'abbé de la Croix-Jugan » (*l'Ensorcelée*) en feuilleton dans *l'Assemblée nationale*. Articles en faveur de l'Empire, dans *le Public*. Commence *le Chevalier des Touches*. Critique littéraire dans *le Pays, journal de l'Empire* (pendant dix ans).
1853	Mort de son frère Édouard.		
1854	Se lie avec Baudelaire. Condamne Champfleury et le réalisme.	**1854**	*Poésies* : douze poèmes édités par Trebutien, tirés à 36 exemplaires hors commerce.
1855	Commence à s'intéresser vraiment à la critique littéraire. Revient à la pratique religieuse.	**1855**	*L'Ensorcelée* (avec *le Dessous de cartes...*), chez Cadot.
1856	Se réconcilie avec ses parents. Retrouve la Normandie, Caen, Trebutien. Sa situation au *Pays* se consolide.	**1856**	Écrit (pour Trebutien) le troisième *Memorandum*. Attaque *les Contemplations* dans *le Pays*.
		1857	Défend *les Fleurs du mal* et *Madame Bovary*.
1858	Mort d'Ernestine Barbey, mère de Jules. Fonde, avec Granier de Cassagnac, *le Réveil*, journal littéraire catholique et gouvernemental, qui ne dure qu'un an. Se fait beaucoup d'ennemis définitifs : Sainte-Beuve, Pontmartin, Veuillot, Rigault... Rompt avec Trebutien.	**1858**	2e édition, chez Cadot, d'*Une vieille maîtresse*, avec une préface-défi. Scandale et succès. Écrit, à Port-Vendres, le quatrième *Memorandum*.
1860	S'installe au 25, rue Rousselet, dans un « tourne-bride de sous-lieutenant », où il restera jusqu'à sa mort. Mort de Marie, fille de la baronne de Bouglon, qui fait encore reporter le mariage escompté. Les œuvres de Guérin sont, à l'insu de Barbey, éditées par Trebutien, avec une préface de Sainte-Beuve.	**1860**	Paraît, chez Amyot, le premier volume du recueil systématique de ses articles de critique : *les Œuvres et les Hommes*. Il y en aura 26 (le dernier paraîtra en 1909).
		1861	Réédition de *Du dandysme et de George Brummel*, chez Poulet-Malassis.
1862	Rupture avec *le Pays*, après un article sur Sainte-Beuve. Se réfugie auprès de Mme de Bouglon à La Bastide d'Armagnac. Revient au roman.	**1862**	L'éreintement, dans *le Pays*, des *Misérables* fait scandale.
1863	Entre délibérément dans l'opposition à l'Empire libéral.	**1863**	Collabore au *Figaro*. Article contre François Buloz. Donne, dans *le Nain jaune*, *les Quarante Médaillons de l'Académie* (satire) et, en feuilleton, *le Chevalier des Touches* (roman).
1864	Les liens se distendent avec l'« Ange blanc ».	**1864**	Écrit (« pour l'A... B... ») le cinquième (et dernier) *Memorandum*. *Le Chevalier des Touches*, chez Michel Lévy. *Un prêtre marié*, en feuilleton, dans *le Pays*. *Les Quarante Médaillons...*, chez Dentu.

	VIE		ŒUVRE
1865	S'ouvre une période très sombre. Hostilité profonde à l'égard du régime impérial et contre l'époque tout entière. Solitude.	**1865**	*Un prêtre marié*, chez Faure. Collabore régulièrement au *Nain jaune* : articles de critique dramatique. *Les Ridicules du temps* (satire), dans *le Nain jaune.*
1866	Est définitivement exclu du *Pays*.	**1866**	3e édition d'*Une vieille maîtresse* (avec une nouvelle préface), chez Faure. Le quatrième *Memorandum* paraît en feuilleton dans *le Nain jaune*. Travaille aux *Diaboliques*. Le plan du recueil est prêt. Attaque violemment *le Parnasse contemporain* et Zola.
1867	Rencontre Léon Bloy. Grande agitation. Collaboration éphémère à plusieurs journaux.	**1867**	Commence les *Disjecta membra*, qui ne paraîtront qu'en 1925.
1868	Mort de Théophile Barbey, père de Jules.		
		1869	Défend encore l'Empire autoritaire dans *le Dix-Décembre*. Rompt avec l'Empire dans *le Gaulois*, puis dans *le Parlement*. Au *Constitutionnel*, succède à Sainte-Beuve pour la critique littéraire, qu'il tiendra jusqu'à sa mort. Y éreinte *l'Éducation sentimentale*, *Nos fils*, Taine et Quinet.
1870	Mort de Trebutien.	**1870**	Première ébauche d'un travail sur Goethe.
1871	Après le siège de Paris, vient à Valognes, vend les terres et les maisons de l'héritage. Il fera désormais de fréquents séjours en Normandie. Mort d'Edelestand du Méril.	**1871**	Achève *les Diaboliques*.
1872	Se lie avec le jeune Landry et avec François Coppée. Loue un appartement à Valognes (hôtel Grandval-Caligny).	**1872**	Vive polémique antirépublicaine dans *le Figaro*, puis dans *le Gaulois*. Commence la critique d'art du *Gaulois* (le « Salon », où il défend Manet).
		1873	Critique littéraire très politique et violente dans *le Constitutionnel*. Se déchaîne en particulier contre Quinet, Hugo, Zola.
1874	Des poursuites judiciaires sont engagées contre *les Diaboliques*. Gambetta défend l'auteur.	**1874**	*Les Diaboliques*, chez Dentu.
1875	Non-lieu, mais avec retrait de l'ouvrage. Va de plus en plus en Normandie.		
1876	Mort de son frère Léon. Se réunissent autour de lui Landry, Bloy, Bourget, Coppée, Hello, Uzanne, Péladan, Lorrain, Richepin, Rollinat, Huysmans, qui l'admirent et qui l'aiment. Le critique se rapproche de Banville, Goncourt, Heredia, Taine. Seuls restent ses ennemis irréconciliables Flaubert, Hugo, Zola et Renan.		
1878	Difficultés grandissantes avec le clan catholique.		
1879	Rencontre, chez Coppée, Louise Read, qui va devenir son amie et sa secrétaire. L'archevêque de Paris interdit la mise en vente de la réédition d'*Un prêtre marié*. Commence à s'instaurer le rite des « dimanches de la rue Rousselet ».		
1880	Vive opposition au ministère Jules Ferry. Rupture avec les royalistes.	**1880**	*Goethe et Diderot* (recueil d'articles parus de 1872 à 1877), chez Lemerre. Écrit *Une histoire sans nom.* Reprend *Germaine* (écrit en 1835) pour en faire *Ce qui ne meurt pas*. Collabore au *Triboulet* pour la critique dramatique.

VIE		ŒUVRE	
		1881	*La Bague d'Annibal*, en feuilleton, dans *le Gaulois*.
		1882	*Une histoire sans nom* en feuilleton, dans le *Gil Blas*, puis édité chez Lemerre. Succès. *Retour de Valognes (Une page d'histoire)*, dans le *Gil Blas*. Attaques contre le comte de Chambord, dans le *Gil Blas*.
		1883	*Ce qui ne meurt pas*, en feuilleton, dans le *Gil Blas*. *Memoranda* (les troisième et quatrième, avec préface de Paul Bourget), chez Rouveyre.
1884	Personnage de vieil écrivain glorieux, à l'élégance désuète, adulé par quelques-uns et redouté par tous, très sollicité par les journaux et très visité (O. Mirbeau, Mallarmé, Verhaeren...).	1884	Derniers articles, consacrés aux amis : Bloy, Richepin, Péladan, Huysmans. *Les Vieilles Actrices. Le Musée des antiques*, à la Librairie des auteurs modernes. *Ce qui ne meurt pas*, chez Lemerre.
1886	Fréquente chez Coppée, chez Alphonse Daudet.	1886	*Une page d'histoire*, dans *l'Artiste* ; puis édité chez Lemerre.
1887	Dernier voyage en Normandie.		
		1888	*Le Chevalier des Touches*, dans *la Vie populaire*. *Léa* (de 1831), dans la *Revue de Paris et de Saint-Pétersbourg*.
1889	**23 avr.** : mort de Barbey d'Aurevilly. Batailles sordides autour de sa succession, entre Bloy et Péladan, Louise Read et Mme de Bouglon.	1889	*Pensées détachées. Fragments sur les femmes*, chez Lemerre. *Une vieille maîtresse*, dans *la Vie populaire*. *Amaïdée* (de 1835), dans le *Gil Blas*. *Polémiques d'hier*, chez Savine.
		1891	*Dernières Polémiques*, chez Savine.
		1892	*Théâtre contemporain*, nouvelle série, chez Stock.
		1896	*Théâtre contemporain*, dernière série, chez Stock.
		1897	*Poussières*, chez Lemerre. *Rythmes oubliés*, chez Lemerre.
		1903	*Lettres à Léon Bloy*, au Mercure de France.
		1907	*Lettres à une amie*, au Mercure de France.
		1913	*Goethe et Diderot*, chez Lemerre.
		1921	*Lettres intimes*, chez E. Joseph.
		1922	*Victor Hugo*, chez Crès.
		1925	*Disjecta membra*, à La Connaissance.
		1926-1927	Édition Bernouard des *Œuvres complètes* (17 vol.).

P. Malandain

L'Ensorcelée

Dès 1849-1850, Barbey d'Aurevilly conçoit le projet d'écrire une série de romans qui seraient regroupés sous le titre global d'*Ouest* : « Après *l'Ensorcelée*, [l'auteur] publiera *le Chevalier des Touches*, *Un gentilhomme de grand chemin*, *Une tragédie à Vaubadon*, etc. » (Préface de la seconde édition de *l'Ensorcelée*, 1858). L'entreprise se bornera aux deux premiers ouvrages prévus et le titre *Ouest* ne verra jamais le jour. Elle répond à deux objectifs explicites : l'un géographique – « Je tiens [...] surtout à faire *œuvre normande* » (lettre à Trebutien, décembre 1849) –, l'autre historique – « L'Histoire, en effet, manque aux chouans » (Préface de la seconde édition de *l'Ensorcelée*). Barbey se fait en outre le chantre de la cause royaliste et ne dissimule pas son engagement, comparant par exemple en 1850, dans *la Mode*, son travail d'écrivain à une « action militaire ».

SYNOPSIS

Le narrateur, que Barbey s'emploie, afin d'accréditer le caractère véridique de la fiction romanesque, à dessiner à son image, entreprend la traversée nocturne de la lande de Lessay, située dans la presqu'île du Cotentin et « théâtre des plus singulières apparitions », en compagnie d'un herbager normand nommé maître Tainnebouy (chap. 1). La « sinistre clameur » d'une cloche retentit soudain dans la nuit. Il s'agit, selon Tainnebouy, de « la messe de l'abbé de La Croix-Jugan » dont il relate l'histoire à la demande du narrateur (2). Après un suicide manqué – à la suite de la défaite de la chouannerie – et une atroce mutilation infligée par les Bleus, l'abbé de La Croix-Jugan est monstrueusement défiguré (3). Retiré à Blanchelande en attendant d'être officiellement absous par l'Église, il inspire une violente passion – ou bien s'agit-il d'un sort jeté par les bergers ? – à une jeune femme, la noble Jeanne-Madeleine de Feuardent, que la Révolution a réduite à devenir maîtresse Le Hardouey, c'est-à-dire l'épouse d'un riche paysan (4-7). Elle rencontre de temps en temps le prêtre, qui se borne à l'utiliser comme messagère pour la chouannerie moribonde, chez La Clotte, une vieille infirme farouchement « aristocrate » (8-9). Poussée à bout par la froide indifférence de l'abbé, Jeanne décide de se venger, semble-t-il en faisant appel aux pouvoirs surnaturels des bergers (10). Le même soir, Le Hardouey rencontre ces derniers sur la lande : ils lui tendent un miroir dans lequel il voit sa femme et l'abbé en train de lui brûler le cœur. Il s'évanouit (11). Au matin, il se rend chez l'abbé, parti depuis la veille chez une vieille amie et toujours absent, puis disparaît, et on retrouve Jeanne noyée dans le lavoir (12). La Clotte se rend à son enterrement et y meurt lynchée par les villageois qui l'accusent d'avoir envoûté Jeanne et ne lui pardonnent pas son royalisme fièrement affiché (13). Le Hardouey reparaît auprès des bergers – c'est du moins ce qu'ils raconteront ensuite – et leur demande à son tour un moyen de se venger de l'abbé : il n'y a « qu'une balle qui puisse tuer un La Croix-Jugan », répondent-ils. Plus tard, le jour de Pâques, alors qu'il célèbre de nouveau la messe pour la première fois et qu'il est sur le point de consacrer l'hostie, La Croix-Jugan, frappé d'une balle, s'effondre sur l'autel (14). Quant à la cloche entendue au début du roman par les deux voyageurs, elle appartient à « la légende [qui] vint après l'histoire ». Un forgeron nommé Pierre Cloud aurait entendu sur la lande une mystérieuse cloche et vu à travers les trous du portail de l'église de Blanchelande, fermée depuis la tragédie, le fantôme de La Croix-Jugan célébrant une messe impossible et désespérée : parvenu au moment de la consécration, l'abbé ne peut poursuivre et, tel Sisyphe, doit recommencer indéfiniment jusqu'au lever du jour (15-16).

L'Ensorcelée est bien un roman historique, mais les guerres de la chouannerie en sont plutôt, pour reprendre une distinction établie par Barbey, le théâtre que le sujet. Certes, l'Histoire est présente, mais peu sous la forme d'événements ou de personnages réels. En fait, il s'agit surtout de restituer l'atmosphère essentielle d'une époque et de contribuer à l'élaboration du mythe du Chouan. À l'image de son objet, la narration s'organise selon une structure qui répond à un cheminement mythique. Ainsi les deux premiers chapitres qui servent de « frontispice » (chap. 2) au roman relatent la transmission d'une information, le contenu de cette information étant le roman lui-même. Le lecteur assiste donc d'emblée à la perpétuation d'une tradition orale : Tainnebouy raconte au « je » une histoire que ce dernier racontera plus tard « à sa manière » (2). Or la connaissance qu'a Tainnebouy des événements est elle aussi médiate : il n'en a été que très rarement le témoin direct. Il s'inspire donc de multiples récits, « dieries » ou « jaseries », provenant d'informateurs divers tels que Pierre Cloud, les commères locales, ou d'autres encore. Cette forme de parole en circulation permanente, sans cesse reproduite et réappropriée, qu'est-elle sinon la forme même du mythe ? Pour Barbey, celui-ci livre l'Histoire en profondeur car il la dit poétiquement : « Les commères, après tout, sont des poétesses au petit pied qui aiment les récits, les secrets dévoilés, les exagérations mensongères, aliment éternel de toute poésie ; ce sont les matrones de l'invention humaine qui pétrissent, à leur manière, les réalités de l'Histoire » (4). La poésie du mythe naît de la distorsion qui se glisse dans l'espace de la répétition. Chaque protagoniste y infiltre sa part de transformation et enrichit ainsi le matériau collectif. Ce processus est celui-là même qui préside à la genèse fictive de l'histoire romanesque : « Je la raconterai à ma manière. [...] Donnera-t-elle à ceux qui la liront la même volupté de songerie ? » (3). Au lecteur de poursuivre à son tour la chaîne mythique.

Roman historique, l'Ensorcelée est aussi paradoxalement roman fantastique : « S'il y avait dans l'histoire de l'herbager ce qu'on nomme communément du merveilleux (comme si l'envers, le dessous de toutes les choses humaines n'était pas du merveilleux tout aussi inexplicable que tout ce qu'on nie, faute de l'expliquer !), il y avait en même temps de ces événements produits par le choc des passions » (2). Cet « en même temps » exprime toute l'ambiguïté du fantastique aurevillien : s'agit-il d'une histoire magique ou psychologique, d'un ensorcellement ou d'une passion ? Le texte joue sans cesse d'un surnaturel donné et refusé à la fois.

À propos de *l'Ensorcelée,* Barbey d'Aurevilly parle de l'« audacieuse tentative d'un *fantastique* nouveau, sinistrement et crânement surnaturel » (lettre à Trebutien, 22 novembre 1851). Toutefois, deux épisodes seulement sont véritablement surnaturels, et encore... Tout d'abord, ce mystérieux son de cloche entendu au début par les deux voyageurs (2) ne peut être mis en doute puisqu'il précède la fiction, c'est-à-dire est censé appartenir au réel. Mais rien ne garantit qu'il relève du surnaturel et les derniers mots du roman laissent volontairement persister cette incertitude : le narrateur renonce à son projet de vérifier par lui-même les dires de Pierre Cloud. L'autre épisode apparemment surnaturel est celui du miroir magique (11), mais l'hypothèse de l'hallucination de Le Hardouey, seul témoin narrateur, ne peut être tout à fait exclue. Remarquons surtout que le fantastique sert ici le genre historique et l'idéologie du roman. Le Hardouey se caractérise en effet par son « dédain grossier de toute croyance » (11), et le positivisme bourgeois de cet acquéreur de biens nationaux méprise le légendaire collectif : la « peur surnaturelle » qui s'empare de lui est ainsi comme une revanche infligée aux vainqueurs de l'histoire, ces hommes de « la Civilisation et du Progrès » (1) qui détruisent les croyances et les mythes, et menacent par là même la chouannerie de sombrer définitivement dans l'oubli.

La chouannerie est morte en effet, et c'est cette agonie désespérée que montre *l'Ensorcelée*, roman tragique car roman historique d'après la défaite, c'est-à-dire d'une période où il n'y a tristement plus rien à raconter sur le plan collectif. Mésalliée (Jeanne), défiguré (La Croix-Jugan) ou infirme (La Clotte), tous les personnages sont d'emblée déchus, comme des vestiges d'un autre temps portant visible sur eux la marque qui les voue à une mort certaine (Jeanne est aussi marquée physiquement sous la forme d'une rougeur croissante, à l'image de l'ardeur de sa passion mais aussi de ce noble nom de Feuardent qui fut tout d'abord le sien). Ce motif symbolique de la destruction se trouve d'ailleurs repris en mineur dans maint aspect du roman, par exemple dans la description de la lande comparée à des « lambeaux » (1) et qui donne à l'œuvre son unité de lieu.

Dans ses moindres détails (lieux, noms, corps, couleurs, etc.), *l'Ensorcelée* tisse de multiples réseaux symboliques qui confèrent à ce roman sa richesse et sa beauté. Laissons à Baudelaire le soin de conclure : « Je viens de relire ce livre qui m'a paru encore plus chef-d'œuvre que la première fois » (à Poulet-Malassis, 13 novembre 1858).

Le Chevalier des Touches

La rédaction de ce roman historique, maintes fois interrompue en raison du manque de documentation ou de la préférence accordée par l'auteur à d'autres travaux, dura douze ans. Cet ouvrage s'inscrit à l'origine dans le vaste projet *Ouest*. Barbey ayant renoncé à cette entreprise, *l'Ensorcelée* et *le Chevalier des Touches* sont désormais deux ouvrages autonomes.

SYNOPSIS

Durant les dernières années de la Restauration, quelques aristocrates âgés sont, comme à l'accoutumée, réunis pour la soirée dans le salon des demoiselles Touffedelys, à Valognes. L'un des arrivants annonce qu'il vient d'apercevoir dans la rue le chevalier des Touches dont Mlle de Percy conte alors l'histoire (chap. 1-3), qui constitue l'un des épisodes ultimes de la chouannerie moribonde. Messager intrépide assurant la liaison entre la Normandie et l'Angleterre, des Touches se rendit un jour au château de Touffedelys, refuge des femmes de la noblesse, en compagnie d'un gentilhomme, connu sous le nom de guerre de M. Jacques. Ce dernier partagea bientôt l'amour de la jeune et très belle Aimée de Spens – celle-ci est présente lors de cette soirée mais, rendue sourde par la vieillesse, elle n'entend pas le récit de Mlle de Percy – qui rougissait toujours de manière incompréhensible lorsque le nom de des Touches était prononcé en sa présence (4). En 1799, le chevalier fut pris par les Bleus et l'« expédition des Douze », organisée pour le délivrer à Avranches, échoua (5). Après les fiançailles d'Aimée et de M. Jacques (6), les Douze réussirent à libérer des Touches à Coutances mais cet exploit coûta la vie à M. Jacques (7). Avant de s'embarquer pour l'Angleterre, le chevalier se vengea cruellement d'un meunier qui l'avait trahi (8).

Un nouveau narrateur – « je » – complète alors ce récit grâce à des renseignements obtenus bien plus tard : interné à Caen, des Touches est désormais un vieillard fou. Dans un éclair de lucidité, il révèle au narrateur le secret de la rougeur d'Aimée : pour lui sauver la vie, elle s'était un jour dévêtue devant lui afin que les Bleus, apercevant cette scène à travers une fenêtre, croient qu'elle était seule (9).

Inspiré d'un fait réel, ce roman prend toutefois de grandes libertés avec la vérité historique. Bercé dès son enfance par des récits familiaux portant sur la chouannerie, Barbey d'Aurevilly cherche surtout à restituer l'atmosphère d'une époque qui lui importe plus que la véracité de telle ou telle anecdote. Tout comme dans *l'Ensorcelée*, c'est dans sa période d'agonie qu'il évoque ici la lutte royaliste, conférant ainsi une tonalité tragique à cette épopée héroïque. La présentation initiale des vieillards, tendrement satirique, offre un contraste avec le récit qui suit et place l'ensemble du texte sous le signe de la nostalgie et de la destruction : Aimée et le chevalier, ces deux créatures d'exception dégradées par les infirmités de la vieillesse – la surdité pour l'une, la folie pour l'autre – sont comme les emblèmes vivants d'une cause vouée à dépérir dans l'oubli. Lorsque Mlle de Percy sera « tout à fait dissoute en poussière », plus personne ne se souviendra de « ces noms qui méritaient la gloire et qui ne l'ont pas eue » (chap. 4). L'entreprise romanesque apparaît alors comme un mémorial, et c'est pourquoi il importe moins d'être fidèle à la vérité des faits particuliers que de dessiner d'inoubliables figures mythiques. Ainsi, tout comme Jéhoël de La Croix-Jugan, le héros de *l'Ensorcelée*, le chevalier des Touches est un être hors du commun, tant physiquement que moralement. Sa force surhumaine s'allie à une grâce féminine qui lui vaut d'être surnommé « la Guêpe ». Cette androgynie confère au personnage un caractère mystérieux, voire monstrueux, dans des épisodes tels que celui de la vengeance contre le meunier où la grâce du dandy s'allie à une cruauté sanguinaire et raffinée. Toutefois, l'héroïsme, dans ce roman, n'est pas totalement unilatéral grâce à la figure de la Hocson, cette geôlière qui fait échouer l'enlèvement du chevalier à Avranches, et l'on sent que la nostalgie aurevillienne, en cette fin d'un XIXe siècle embourgeoisé, est avant tout celle d'une vacance historique où l'héroïsme n'a plus cours.

A. Djourachkovitch

Les Diaboliques

L'histoire que racontent ces six nouvelles a les mêmes caractéristiques que les romans qui précèdent : personnages puissants, passions entières, profonde liaison du crime, du plaisir et du secret, impunité du sacrilège, profanation et punition de l'innocence, présence mystérieuse mais certaine de Satan…

SYNOPSIS

« LE RIDEAU CRAMOISI ». Logé chez des bourgeois de province, le sous-lieutenant de Brassard est intrigué par le manège de leur fille Alberte, qui lui prend la main sous la table mais affecte de l'ignorer et ne répond ni à ses regards ni à ses billets. Un soir, elle vient dans sa chambre et se donne à lui avec frénésie, mais sans un mot. La scène se répète jusqu'à la nuit où, soudain, le soldat n'étreint plus qu'un cadavre. Il s'enfuit.

« LE PLUS BEL AMOUR DE DON JUAN ». Le comte de Ravila de Raviles a inspiré de l'amour à la jeune fille de sa maîtresse. L'enfant lui témoigne une hostilité marquée, mais, un jour, elle avoue à sa mère qu'elle est enceinte de lui. La mère rit beaucoup en apprenant qu'elle s'est forgé cette idée après s'être assise dans un fauteuil qu'il venait de quitter.

« LE BONHEUR DANS LE CRIME ». Hauteclaire Stassin a remplacé son père comme maître d'armes à V… Maîtresse du comte Serlon de Savigny, elle le suit chez lui et travestie en femme de chambre, gagne la confiance de la comtesse… qu'elle fait mourir par empoisonnement. Les deux amants vivent ensuite ensemble sans soupçon ni remords.

« LE DESSOUS DE CARTES D'UNE PARTIE DE WHIST ». La comtesse de Stasseville est, en secret, la maîtresse de Marmor de Karkoël, un joueur de whist hors pair. Soupçonnant une liaison entre lui et sa fille Herminie, elle empoisonne cette dernière et, peu après, meurt en mâchant du réséda. On découvre plus tard chez elle, dans une caisse de résédas, le cadavre d'un enfant.

« À UN DÎNER D'ATHÉES ». Pendant la guerre d'Espagne, le major Ydow est suivi comme son ombre par une femme superbe et réservée, la Pudica. En fait, elle déchaîne les passions de tout le régiment et leur répond avec ardeur. Un jour, le major ne le supporte plus, l'injurie, lui jette à la figure le cœur embaumé de leur enfant, puis lui cachette le sexe avec le pommeau de son sabre trempé dans de la cire bouillante.

« LA VENGEANCE D'UNE FEMME ». Accusée à tort d'adultère, la duchesse de Sierra Leone a vu son ami, le jeune Esteban, tué, dépecé, livré aux chiens. Elle vient à Paris et se fait fille publique pour se venger hautement de son mari, grand d'Espagne, par le déshonneur porté à son nom.

Pourtant, selon un procédé déjà utilisé dans les romans et auquel la structure de la nouvelle donne toute sa signification, ce n'est pas tant, chaque fois, cette histoire – « diabolique » à un niveau fort primaire – qui nous est offerte que le récit qui en est fait, longtemps après, par un personnage, acteur ou témoin, dans un contexte qui en conditionne la réception et en fournit un commentaire. Et plus que le récit de l'histoire, c'est l'histoire même de ce récit qui importe, tant pour retrouver les obsessions, les manies et les aveux de Barbey dans ce jeu pervers du passage de parole, que pour apprécier la modernité de sa technique narrative et ressentir l'extraordinaire effet de cette écriture : le passage du diable, le frisson qu'il provoque se produisent en réalité non entre 1800 et 1830, date des histoires, mais entre 1850 et 1874, date des récits. La question est désormais de savoir ce qu'on va faire de ce diable-là. Et de l'enfant mort. À cette question, le narrateur a une réponse toute prête : il construit un récit, ménage ses effets, met en valeur son talent, sa voix, sa prestance ; c'est autant de gagné pour le littérateur, qui raffole de ce genre de succès, et pour la littérature, qui y puise un chef-d'œuvre. Mais les narrataires, eux, sous la forme collective des familiers d'un salon ou sous la forme individuelle du « je », ne les voit-on pas positivement réduits au silence, qu'ils laissent revenir à la fin du récit dans « une espèce d'horreur rêveuse », sans pouvoir trouver de nom, ni même de non à l'histoire ?…

P. Malandain

BARBIER Henri-Auguste

(1805-1882)

« Auguste Barbier a été un grand poète malgré lui, pour ainsi dire : il a essayé de gâter par une idée fausse de la poésie de superbes facultés poétiques » : face à ce jugement de Baudelaire (*l'Art romantique*), qui se pose en défenseur de la poésie pure – « la poésie se suffit à elle-même. Elle est éternelle et ne doit jamais avoir besoin d'un secours extérieur » –, la critique matérialiste moderne a dressé l'image d'un poète « représentant typique de l'époque prémarxiste, qui […] fait appel au cœur et à l'intelligence des possédants » (G. Cogniot). Et de fait, la gloire éclatante des *Iambes* côtoyant le reste d'une œuvre enfouie dans une obscurité presque totale pose la question de l'alliance en poésie de l'écriture et du sentiment et, par-delà le problème esthétique, celui de la relation de l'œuvre d'art avec ce que Baudelaire nomme l'« occasion » : ici les troubles de juillet 1830.

La tempête et le calme

C'est en effet au lendemain des Trois Glorieuses que ce fils d'avoué, lui-même diplômé de droit, explosa dans le monde des lettres avec un poème violent, « la Curée » (juillet 1830). C'est un hymne à la Liberté, mais une Liberté revivifiée, dépouillée des couleurs pastels que lui donnaient les tableaux du « noble faubourg Saint-Germain » pour se présenter sous les traits d'une femme

Qui ne prend ses amours que dans la populace,
Qui ne prête son large flanc
Qu'à des gens forts comme elle, et qui veut qu'on l'embrasse
Avec des bras rouges de sang.

Continuant de donner du peuple une vision édulcorée de toute imagerie sentimentaliste, il en fait un lion « vautrant tout du long sa fauve majesté » (« le Lion », décembre 1830) et se muant – dans « l'Idole » (mai 1831) – en une fille de taverne

[...] qui, dans son taudis, sur sa couche de paille,
N'a d'amour chaud et libertin
Que pour l'homme hardi qui la bat et la fouaille
Depuis le soir jusqu'au matin

ou en « pâle voyou » qui résume tout à la fois le libertinage (« Sur un front de quinze ans c'est le vice endurci ») et le courage (« Comme un vieux grenadier il mange de la poudre »). Cette figure symbolise une foule opprimée, prête à bondir à tout instant (« la Cuve », 1831), mais tout aussi prompte à se laisser bercer par de vaines paroles (« la Popularité », février 1831). Autant de portraits qui traduisent la sympathie – ou plutôt l'empathie – de l'écrivain à l'égard de sa muse plébéienne, tant il est vrai que la vision du peuple est ici moins objet d'épopée que sujet lyrique saisi de l'intérieur et retranscrit avec ses forces et ses faiblesses.

Mon vers rude et grossier est honnête homme au fond,

prévient Barbier dans le prologue des *Iambes,* recueil où se trouvent réunis une vingtaine de poèmes qui allient le « sentiment amer » et le « mouvement lyrique ». L'amertume néanmoins domine, comme s'il s'agissait ici davantage d'un thème modulé à l'infini parce qu'il est vécu intimement, à chaque instant, soit devant le spectacle de l'oppression infligée (« l'Idole » stigmatise en Napoléon « le Corse à cheveux plats » qui a fait de la France un bétail soumis à ses caprices et ses fureurs), soit devant l'abâtardissement du peuple lui-même :

Car nous sommes des nains à côté de nos pères [...]
Et quand parfois au cœur il nous vient une haine,
Nous devenons poussifs, et n'avons plus d'haleine
Que pour trois jours au plus.

(« Quatre-Vingt-Treize »)

Ainsi, on arrive à une vision tragique de l'humanité condamnée à vivre en un bourbier fangeux, au sein d'un univers néantisé que traduiront les plus purs des romantiques :

Tout est mort maintenant ; [...]
Et l'on ne trouve plus qu'un abîme profond,
Un vaste et sombre anneau sans chaton et sans [pierre,
Un gouffre sans limite, une nuit sans lumière,
Une fosse béante, un immense cercueil,
Et l'orbite sans fond dont l'homme a crevé l'œil,

clame le poète dans son désespoir (« Desperatio ») : un désespoir où l'homme enfermé dans un double malheur, celui du despote ou celui du prolétaire, n'assume pas encore sa solitude, d'où toute révolte paraît bannie.
Cette vision tragique de l'humanité, liée au présent, appelle donc le passé comme correctif : aussi, pour échapper à cet univers transformé en « hôpital », Barbier s'empare-t-il du passé latin qu'avait chanté Du Bellay dans *les Regrets* :

Ô vieille Rome ! ô Goethe ! ô puissances du monde !
Ainsi donc votre empire a passé comme l'onde...

(« le Campo Vaccino »)

pour en faire des pièces ciselées à la manière d'un Heredia (« Michel-Ange », « Raphaël », « Léonard de Vinci »...). Mais ces pages du *Pianto* (1833), où la parole se fige dans l'irréalité de l'art, demeurent isolées : en effet, d'un voyage outre-Manche Barbier rapporte des vers sombres, inspirés, comme ceux des *Iambes*, par l'« occasion ». *Lazare* (1837) tourne le dos à l'esthétisme rigoureux pour chanter en une suite de longues plaintes les « peines et les misères » de l'Angleterre : misère de « l'homme descendant à l'imbécillité » (« Bedlam ») ; misère des pauvres qui « trépassent sous l'effet de l'alcool » (« le Gin ») ou de ces travailleurs auxquels le fouet « déchire les reins noirs » (« le Fouet ») ; peine des mineurs « de la riche Angleterre qui vivent comme à six cents pieds sous terre » (« les Mineurs de Newcastle ») ; peine des prostituées qui « à toute heure, à tout prix, trafiquent de l'amour » (« le Minotaure ») ; peine des paysans frustrés du fruit de leur travail (« les Belles Collines d'Irlande »)... Et pourtant, nulle révolte dans ce tableau d'une Angleterre à l'opposé de celle des *Lettres philosophiques* ; tout au plus une timide interrogation scandée comme la mélopée d'un chœur grec :

Pourquoi d'autres que nous mangent-ils les moissons
Que nos bras en sueur semèrent dans nos plaines ?
Pourquoi d'autres ont-ils pour habits les toisons
Dont nos lacs ont lavé les magnifiques laines ?
Pourquoi ne pouvons-nous rester au même coin,
Et, tous enfants, puiser à la même mamelle ?

– interrogation qui s'élève parfois jusqu'à la prédiction d'un malheur futur, car, ainsi que l'annoncent les mineurs anglais, les « puissants de la terre » enfermés dans leur égoïsme oublient

Qu'en laissant dépérir les fondements du temple
Le monument s'écroule, et tout tombe avec lui.

Toutefois cette morale humanitaire ne parvient pas à voiler le pessimisme profond du poète ; et, tout comme les *Iambes* s'achevaient sur la négation du progrès en matière de relation sociale, *Lazare* se clôt sur l'absence de tout espoir pour améliorer le sort du peuple :

Dans les cités humaines
Il restera toujours
Assez de fortes peines,
De maux cuisants et lourds,
Pour qu'en sa plainte amère
L'éternelle douleur
Loin de ce globe espère
Quelque monde meilleur.

Conscient, sinon de l'impuissance de sa parole à « légiférer » ce « monde meilleur », du moins de l'inefficacité à déclarer la guerre « aux noirs excès du temps », Barbier déclare :

Quittant de Némésis la sublime folie
Je prends modestement le masque de Thalie.

(*Satires*, « Prologue », 1863)

S'il satirise encore, ce n'est plus guère qu'à la façon badine des moralistes, dressant en quelques petits poèmes ou quelques saynettes (« Un vieux moyen de s'enrichir ») le tableau des principaux travers de son temps ; se réclamant des classiques, auxquels il emprunte personnages et style, sinon propos, il stigmatise ses contemporains :

Il faut se départir des grands airs d'inventeur
Et faire volontiers métier d'imitateur,

renonce au romantisme fougueux de sa jeunesse, sombre dans de médiocres vers bucoliques (*Silves*, 1864) ou spiritualistes (*Chants civils et religieux,* 1841), s'adonne à de falotes pochades (*Trois Passions*, 1867), sans jamais parvenir à retrouver ni le ton ni le souffle de ses premières œuvres. Fut-ce pour récompenser sa nouvelle torpeur que l'Académie l'accueillit de préférence à Gautier en 1869 ? Ou fut-ce pour gêner l'empereur en raison de son fougueux passé ?

Une poésie de l'« occasion »

Toujours est-il que Barbier fut reconnu comme l'un des plus grands poètes par ses contemporains (ainsi qu'en témoigne sa présence, dans les manuels scolaires du XIXe siècle, tout de suite après les grands romantiques et les parnassiens, mais largement avant Baudelaire) ; mais il est un de ceux qui ont le plus déçu. Encensé par la vague romantique (Lamennais, Vigny, Hugo, qui trouvait dans les *Iambes* « des vers étonnants comme personne d'autre n'en refera jamais »), Barbier a vu toute sa carrière jugée en regard de sa première réussite. Musset prétendait que « quatre métaphores ont étouffé Barbier », Barbey accueillit l'auteur des *Silves* avec sarcasme : « Barbier n'est pas seulement un vieux. Ce n'est pas seulement un mourant. C'est un mort ! », tandis qu'Édouard Grenier, reprenant une opinion répandue, affirmait qu'« il avait reçu comme un coup de soleil de Juillet ». Certains iront même jusqu'à prétendre qu'il ne fut que le prête-nom de son ami Brizeux ! Néanmoins, il convient d'admettre que Barbier n'était pas un vrai poète, au sens, du moins, que le terme a pris depuis le romantisme : ni mage ni voyant, il demeure prisonnier du spectacle dans lequel son regard s'englue. Baudelaire lui reprochera également quelques faiblesses stylistiques (on peut, en particulier, penser à une utilisation trop fréquente de tournures présentatives) ; il est vrai que Barbier lui-même se faisait de son art une idée quelque peu différente de celle de ses condisciples : « Pour bien écrire, il faut que l'on ait un but sérieux ou soit mû par un sentiment profond. Il faut que [le poète] ne pense pas à l'effet de la phrase, sinon il n'est qu'un rhéteur, un joueur de mots plus ou moins habile qui vous étonne quelquefois par ses tours de force, mais qui ne vous entraîne pas. » But sérieux et sentiment profond s'étaient rencontrés dans le malheur populaire de Juillet : fidèlement, Barbier en avait fixé les scènes, moins à la manière d'un poète qu'à la façon d'un combattant ; ses vers avaient alors la vie de l'instant. Lorsqu'il voudra prolonger son souffle par un lyrisme plus traditionnel, il échouera, devenant le rhéteur qu'il dénonçait chez d'autres. Sainte-Beuve, faisant le bilan de « la Poésie en 1865 », classera Barbier parmi les grands poètes du siècle et, rejoignant pour une fois Baudelaire, expliquera cette carrière de météore par les limites mêmes d'une « âme douce, tendre, naïve, une âme cherchante ». La réussite était venue de l'événement offert ; l'échec, de la vaine recherche en soi d'un sujet à traiter.

D. Couty

BARBUSSE Henri

(1873-1935)

Henri Barbusse fut, avec Romain Rolland, le père spirituel de la gauche dans la génération d'après 1914. De nos jours, à l'occasion, on ressuscite l'écrivain militant qu'il fut pendant les vingt dernières années de sa vie, mais l'oubli semble avoir recouvert ses talents d'historien, d'essayiste et de romancier engagé. Le grand public ne connaît plus de lui que *le Feu, journal d'une escouade,* son admirable récit de la vie des tranchées, le premier roman de guerre à traiter des sentiments humains les plus simples des combattants. Paru en pleine guerre (1916), *le Feu* connut la censure, fit scandale, obtint le prix Goncourt et se vendit à plusieurs centaines de milliers d'exemplaires. Il demeure aujourd'hui un des plus forts tirages de la littérature française contemporaine.

Né à Asnières, fils d'un journaliste, Barbusse fit ses études au collège Rollin, où il eut pour maîtres Stéphane Mallarmé en anglais, Henri Bergson et Pierre Janet en philosophie. Il entra en littérature quand un de ses poèmes et une de ses nouvelles furent couronnés par un jury que présidait Catulle Mendès, son futur beau-père. Ainsi, il connut Marcel Schwob, alors directeur de *l'Écho de Paris,* qui l'introduisit dans les cercles littéraires symbolistes. Suivirent un recueil de poésies (*Pleureuses,* 1895), des nouvelles puis deux romans (*les Suppliants,* 1903 ; *l'Enfer,* 1908), témoignant d'une passion humaniste qui devait le conduire à la foi bolchevique.

Prophète à la recherche d'une vérité, Barbusse, malgré son âge, sa faible santé et son antimilitarisme, se porta volontaire en 1914 « pour voir ». Il avait 40 ans. La guerre fut pour lui une révélation. Devant ces « choses épouvantables faites par trente millions d'hommes qui ne les veulent pas » il se fit le défenseur de tous les pauvres gens, victimes de l'histoire. Il se consacra dès lors à dénoncer et à démonter le mécanisme qui les avait conduits à l'apocalypse de 1914 (cf., quelques années plus tard, *Paroles d'un combattant,* 1920). Il fonda l'Association républicaine des anciens combattants (l'Arac) en 1917, puis, deux ans plus tard, avec Romain Rolland, le groupe et la revue *Clarté.* Son roman du même titre (*Clarté,* 1919) reprit les thèmes principaux du *Feu* pour les situer dans une perspective plus nettement politique, car l'ennemi du genre humain portait un nom : le capitalisme.

Sa conversion au bolchevisme fut pourtant lente et réfléchie ; il n'entra au parti communiste qu'en 1923 après avoir publié un essai, *le Couteau entre les dents* (1922). Mais une fois établie l'équivalence entre le communisme et le salut humain, Barbusse fit preuve d'une fidélité absolue, et cela en dépit de la dictature stalinienne, qu'il n'ignorait pas et dont il devint, auprès de la gauche non communiste, l'apologiste. En dépit aussi des accusations proférées contre lui par les « apparatchiks » qui jugèrent les articles de l'hebdomadaire *Monde*, qu'il dirigeait, entachés de formalisme bourgeois. Car la défense et l'illustration du communisme soviétique auxquelles se réduisirent les écrits historiques, biographiques et romanesques des dix dernières années de sa vie n'en furent pas moins le travail d'un humaniste marxiste de la vieille garde, celle qui devait disparaître durant les procès de 1936. Sans abandonner la création narrative (*les Enchaînements*, 1925 ; et des nouvelles : *Force*, 1926 ; *Faits divers*, 1928), Barbusse se consacra surtout à des essais historiques ou sociaux (*les Judas de Jésus*, 1927 ; *Russie*, 1930 ; *Staline*, 1935). Mort en 1935, lors d'un voyage à Moscou, Barbusse connut un autre sort : celui de l'ancien combattant de la lutte des classes, du saint de la Nouvelle Église.

A. Greenspan

BARILLET Pierre *et* GRÉDY Jean-Pierre

(nés respectivement en 1923 et en 1920)

Auteurs dramatiques, nés à Paris. Après le triomphe du *Don d'Adèle* et d'*Ami-Ami* (1950), ils accumulèrent les succès parisiens, voire internationaux (*Fleur de cactus*, 1964 ; *Quarante Carats*, 1967, etc.) avec des comédies qui désamorcent par le rire la « difficulté d'être » contemporaine (vieillissement, problèmes du couple, problèmes de la relation interraciale, sujétion des femmes) en proposant des solutions miraculeuses que l'engrenage dramatique, le naturel du dialogue et l'abattage de « monstres sacrés » du boulevard (Jacqueline Maillan, Sophie Desmarets) rendent finalement vraisemblables. C'est dire aussi la vivacité d'un théâtre toujours attentif à esquiver la tirade et le mot d'auteur trop appuyés, fût-ce dans le tableau de mœurs ou la peinture de caractères (*Peau de vache*, 1974), et qui s'inscrit dans la filiation de Feydeau (en particulier *Lily et Lily*, 1985) ou de Flers et Caillavet, dont Pierre Barillet se fait l'attentif et affectueux biographe (*les Seigneurs du rire*, 1999).

J.-P. de Beaumarchais

BARJAVEL René

(1911-1985)

Écrivain né à Nyons. Après avoir exercé divers métiers, employé de banque, journaliste dans la presse régionale, chef de fabrication aux éditions Denoël, il se révèle comme un maître de la science-fiction avec trois romans, *Ravage* (1943), *le Voyageur imprudent* (1944), *Tarendol* (1944). Après la guerre, il devient dialoguiste de films, critique dramatique à *Carrefour* (1947-1950), chroniqueur au *Journal du dimanche* (1969-1975), tout en poursuivant une œuvre romanesque – *la Nuit des temps* (1968), *les Chemins de Katmandou* (1969) – à laquelle s'ajoutent des méditations sur l'avenir de l'humanité, *la Faim du tigre* (1966), *Si j'étais Dieu* (1979). Dans des récits d'anticipation, qui utilisent le procédé du voyage dans le temps grâce à une mystérieuse « substance » chimique, dans des essais philosophiques ou des romans-reportages, Barjavel propose toujours une vision discontinue de l'histoire : alternance d'apocalypses et de genèses brisant la continuité du « grand fleuve de la création », civilisations disparaissant sous les cendres d'un incendie grandiose (*Ravage*) ou bien s'engloutissant au fond des mers (*la Nuit des temps*), tandis qu'une poignée de rescapés garde en main le flambeau de la vie et invente un monde nouveau. Tantôt le prophétisme biologique de Barjavel exalte la vigueur des survivants, tantôt il dénonce le néant du sujet pensant : « Roméo à l'échelle, c'est l'élan irrésistible des cellules que son corps doit porter vers un autre corps pour faire jaillir la vie. » Pessimiste à l'égard du « progrès » scientifique et de l'individualisme contemporain, l'auteur réserve aux seuls prodiges de la vie une admiration qui le conduit, à la manière de Lecomte du Noüy, au seuil du surnaturel : « Il est bien difficile de croire que tant de merveilles soient l'effet du hasard et de la chimie. Dieu ? » (*la Faim du tigre*). Mais, en l'absence de réponse décisive, Barjavel voit dans le questionnement métaphysique, valorisé pour lui-même, la vraie dignité de la créature humaine, comme le montrent encore *l'Enchanteur* (1984) ou *Demain le paradis* (1986).

M.-A. de Beaumarchais

BARO Balthazar *v.* URFÉ Honoré d'

Baroque

« Ce qui reçoit trop de sens court le risque de n'en plus avoir aucun » : par cette formule, Jean Rousset s'inquiétait du « succès » du baroque (*l'Intérieur et l'Extérieur*, 1968). Il se demandait même s'il ne fallait pas faire ses « adieux » au genre, tant le concept lui semblait être devenu flou.

À l'origine, pourtant, le baroque existait comme une catégorie esthétique qui ne s'appliquait pas en littérature. L'usage du mot pour qualifier des œuvres littéraires du XVIIe siècle date de notre époque et répond à l'abus du mot « classicisme », qui ne suffisait plus à définir toute la production du siècle.

Après avoir été nié ou quasiment interdit d'usage par une partie de la critique universitaire, le mot « baroque » devient à la mode entre 1950 et 1960, se répand dans les livres et les revues. Apprécié un temps pour son utilité, le concept se fait plus vague à mesure qu'il prolifère. Nommant tout à la fois, il ne nomme plus rien. On « soutire » leur baroquisme aux « vrais baroques » pour en « asperger tous les siècles impartialement », regrette Lucien Febvre. Rien n'était baroque.

Tout l'était devenu, ou en recelait au moins des traces sinon des pépites. La mode passée, tous les gisements se sont-ils épuisés comme par enchantement ? Comme pour mieux se jouer des critiques, le baroque aurait-il fait de l'éphémère et de l'insaisissable sa propre essence, au point qu'en parler aujourd'hui relève de la gageure ? Même la vieille opposition baroque-classique, stable en apparence, se ressent de cette récente fragilité et devient friable pour avoir trop servi. Car, un temps, tout ce qui relevait d'une certaine « liberté » (de matière, de forme) reçut avec précipitation et dans l'enthousiasme l'étiquette de baroque. Avec pour définition principale de n'être point classique.

Pour ajouter au découragement et pour accroître l'effet de labyrinthe que toute approche du baroque semble produire, la notion ne s'applique en littérature qu'avec des précautions supplémentaires ou selon des systèmes analogiques critiquables. Pour prendre pied sur un terrain un peu plus ferme, il faut en revenir à la chronologie et préciser l'histoire du mot.

Définitions : histoire d'une perle irrégulière

Le mot « baroque » vient du portugais *barrocco*, employé pour désigner la perle irrégulière, comme le souligne Furetière en 1690 : « C'est un terme de joaillerie qui ne se dit que de perles qui ne sont pas parfaitement rondes. » Suivent en cascade des définitions relevées par V.-L. Tapié (*Baroque et Classicisme*, 1957), toutes péjoratives jusqu'à la seconde moitié du XIXe siècle. L'irrégularité de la perle pesait lourdement sur le destin du mot. Saint-Simon l'emploie dans ses *Mémoires* pour désigner une idée étrange et choquante. En 1740, le *Dictionnaire de l'Académie française* entérine le sens figuré : « irrégulier, bizarre, inégal ». Pour le *Supplément à l'Encyclopédie* de 1776 : « Une musique baroque est celle dont l'harmonie est confuse, chargée de modulations et de dissonances, l'intonation difficile et le mouvement contraint. » En 1788, à propos d'architecture, on écrivait que « l'idée de baroque entraîne avec soi celle de ridicule poussé à l'excès ». Dans toutes les définitions, le baroque demeure associé au bizarre, à ce qui ne correspond pas à la norme, et il est donc perçu négativement par rapport à la toute-puissance du classicisme. La méfiance ou le mépris subsistent pendant la plus grande partie du XIXe siècle, au point que même l'art baroque, souvent épanoui dans l'art religieux, était nié par des historiens qui ne voulaient rien connaître d'autre que l'art religieux du Moyen Âge. On parlait d'ailleurs parfois d'art et de style *jésuites* à propos du baroque, en plaçant dans l'adjectif une partie de l'hostilité traditionnellement marquée à l'égard de la puissante confrérie. En 1865, Jakob Burckhardt écrit, dans *Der Cicerone,* que « le baroque parle la même langue que la Renaissance, mais à la manière d'un dialecte sauvage ». Puis Heinrich Wölfflin, dans *Renaissance und Barock* (1888), propose enfin des éléments positifs pour déterminer une esthétique que beaucoup s'obstinent à analyser comme une décadence de la Renaissance, un sous-produit d'attardés et d'épigones.

V.-L. Tapié situe après la Première Guerre mondiale le véritable intérêt pour le baroque. La « redécouverte » s'opère en France pour la littérature par des critiques venus d'horizons différents (Marcel Raymond, Raymond Lebègue, Pierre Kohler...), qui comprennent que cette sensibilité particulière correspond à notre propre inquiétude, à un goût esthétique lié aux bouleversements de l'époque moderne. Le foudroyant succès du baroque s'explique en partie par cette rencontre entre des œuvres anciennes unies par des éléments communs et une sensibilité moderne à l'affût d'un effet de miroir, d'une sorte de vérification par le passé d'une expression esthétique de notre temps. Jusqu'à ce que le baroque, devenu transgression vague ou anarchie commode, se dissolve dans sa propre glorification.

Un « âge baroque » ou un concept universel ?

Le succès du baroque en a fait un concept tendant vers l'universalité, s'infiltrant dans tous les arts et dans tous les siècles. Cette vulgarisation de l'étiquette, encouragée par le snobisme et les à-peu-près du langage critique, trouve cependant des justifications imprévues dans les travaux d'Eugenio d'Ors. Dans *Lo Barocco* (1935), celui-ci affirme que le baroque est un éon, une permanence liée à un « système » où la dimension temporelle disparaît. Il présente les oppositions entre baroque et classique comme des constantes qui resurgissent régulièrement, comme une protestation renouvelée contre l'ordre chaque fois que celui-ci se durcit. Le baroque exprimerait une nostalgie, celle de la vie sauvage et du paradis perdu. Il serait la marque des réactions soudaines de l'inconscient s'opposant à l'excessive rationalisation du conscient. En application de cette théorie, d'Ors distingue plus de vingt sortes de baroque, marquant des résurrections successives.

D'une façon différente, Henri Focillon élabore dans *la Vie des formes* (1934) une théorie qui tend aussi à expliquer des réapparitions du baroque et une sorte de permanence de formes à toutes les époques. Pour lui, tous les styles, proches d'un modèle biologique, traversent successivement trois phases : une période incertaine d'ébauche archaïque ; une période de plénitude et d'équilibre ; une période d'exubérance et de fantaisie, qui correspondrait au baroque. Pendant cette dernière période, les créateurs lutteraient contre la sclérose qui les menacerait en multipliant les inventions et les détails enrichissant leur modèle initial. Cette théorie est critiquée dans certaines de ses applications, notamment en littérature. Pour tenir compte, par exemple, des importants décalages temporels entre l'histoire littéraire italienne et la chronologie française, comment justifier un baroque italien qui suivrait le classicisme et un baroque français qui le précéderait ? Comment ce qui serait exubérance et fantaisie dans le premier cas deviendrait-il ébauche dans le second ? L'apport de Focillon renforce cependant le sens extensif du baroque et trouve des développements dans la critique récente. Comme pour le mot « classique », nous nous trouvons devant deux acceptions, l'une large et l'autre étroite. Et nous dirons que le sens large de baroque se dilue encore plus (si c'est possible) que celui de classique. En réaction contre son ancienne acception péjorative, il tend à exprimer ce qui échappe à la loi, à la règle, au bon goût. Il entraîne avec lui des idées de liberté, de transgression, de sauvagerie, mais aussi de pureté primitive et d'invention permanente. Le « bizarre » autrefois décrié est désormais placé du côté du retour aux sources et de la créativité d'avant les normes. Tout comme le mot « classique » employé au sens large trouvait une utilisation pédagogique, cet « état sauvage » deviendrait une sorte de modèle du côté de l'antipédagogie créatrice !

Pourtant, des historiens de l'art, des chercheurs et des critiques, méfiants envers les généralités, s'efforcent de rester proches des œuvres et de donner à ce baroque des limites chronologiques et géographiques. La critique littéraire française du XIXe ignorait le baroque dans le tableau ordonné de l'histoire littéraire qu'elle nous a transmis. Entre la Renaissance et le classicisme, hormis les figures indispensables à la « transition », pas de place pour les baroques, qui viendraient casser l'harmonie. Pourtant l'ancienne catégorie des « irréguliers, indépendants et isolés » ne suffit pas à étiqueter les d'Aubigné, Saint-Amant et autres Théophile de Viau qui intéressent notre siècle. Elle devient extensible, grossit et éclate jusqu'à faire exister cet « âge baroque » dont parle Jean Rousset. Désormais, ce baroque littéraire existe entre 1560 et 1660 et n'est ni une décadence de la Renaissance ni une préparation au classicisme. Comme le dit Tapié : « Le baroque [...] ne mérite pas d'être appelé une décadence ou une altération de la Renaissance. Il en est plus exactement une dérivation, quand il a mis les leçons formelles de la Renaissance au service d'un idéal que celui-ci n'avait pas connu et dans de nouvelles conditions des États et des sociétés. » Voilà donc cette « sensibilité baroque » enfermée dans des limites historiques. Mais aucun étiquetage n'est jamais satisfaisant. Que faire du maniérisme, du rococo, du classique échappant au classicisme ? Que faire du baroque resurgissant tardivement en Europe, par exemple en Autriche au XVIIIe siècle ? L'habileté des historiens récents est d'avoir renoncé à se faire les chantres d'un style ou d'une époque. Une fois que la bataille du baroque n'avait plus de raisons d'avoir lieu, il leur était possible de travailler sur les manifestations particulières, les exceptions et les bizarreries de la chronologie. En prenant appui sur une tranche historique large, on admet désormais un schéma général selon lequel la Renaissance finissante engendre le maniérisme, puis le baroque et, plus tard, le rococo. Mais tout jeu d'étiquetage est vain quand il devient trop précis ou quand il est dicté par des intentions volontaristes. Les travaux des chercheurs ne s'arrêtent pas à la pose des bornes. L'étude des œuvres a mis à la disposition du plus grand nombre un concept dont l'intérêt réside moins dans la « nouveauté » que dans l'utilité. La définition d'un « âge baroque » a permis la redécouverte d'auteurs oubliés ou négligés (d'Aubigné, Théophile de Viau, Rotrou, Alexandre Hardy, Scarron) à la lumière d'une sensibilité moderne accordée à un moment du passé. Du même coup, elle a provoqué une nouvelle lecture d'auteurs connus, dans un autre éclairage, comme Montaigne ou Corneille. Le jeu du baroque et du classique perd tout sens s'il se transforme en guerre pour l'annexion de nouveaux territoires. En revanche, le frottement des deux concepts et leurs échanges réciproques ont créé un champ de forces où l'imagination critique s'est déployée avec une nouvelle vigueur. Une fois installé dans l'Histoire, il devenait possible d'examiner le baroque à la lumière d'une société.

Sur un terrain mouvant

Parce qu'il apparaît dans des périodes historiques troublées, qu'il développe une thématique volontiers « noire » et occupe le pôle de l'opposition dans le couple baroque-classique, le baroque se trouve classé du côté des idéologies opposées aux pouvoirs en place, comme le signe d'une « anarchie polymorphe », du côté des bannis et de la liberté. De bonnes raisons historiques vont dans ce sens. Confondu avec le style de la Contre-Réforme, le baroque apparaît en Italie peu après le sac de Rome par Charles Quint en 1527, date parfois retenue comme une rupture profonde dans la Renaissance. Il se développe avec le concile de Trente, qui entend régénérer le clergé dans tous les pays et lutter contre l'hérésie. À la fin du concile, en 1563, la France est d'ailleurs en pleine guerre de religion.

Le baroque continue à s'enraciner sous le règne de Louis XIII, pendant les luttes autour d'un pouvoir royal incertain et durant la Fronde, qui marque le milieu du XVIIe siècle de ses remous. Idées nouvelles en matière religieuse, luttes, passions, guerre et mort, voilà qui semble se prêter au développement naturel d'un baroque confondu parfois avec tout signe de contestation de l'ordre établi. Tapié enregistre avec précision les différents mouvements sociaux qui vont dans le sens des bouleversements. Mais il refuse d'adhérer arbitrairement à un découpage systématique de l'Histoire en périodes troublées et en périodes calmes, qui correspondrait trop mécaniquement à des tendances artistiques définies une fois pour toutes. Ainsi, on ne retiendrait de la Renaissance italienne que des œuvres harmonieuses et sereines, et on enregistrerait, en revanche, tous les frondeurs parisiens sous la bannière du baroque. Cependant, la France de la fin du XVIe et du début du XVIIe siècle connaît un réel bouleversement des anciennes valeurs, tandis que se développe un réseau d'oppositions dans le domaine de la pensée religieuse comme dans la compréhension de la société et du monde. Ces oppositions sont assez fortes pour que soient mises en doute l'image immédiate aussi bien que l'image cosmique que l'homme se fait du monde dans lequel il vit.

Bien qu'ils n'entrent pas directement en relation avec l'histoire du baroque, les conflits sont de nature à créer un climat d'incertitude. En religion, le protestantisme s'oppose au catholicisme, qui paraissait pourtant solidement fondé. La lutte des jansénistes et des jésuites se poursuit longuement dans une société secouée d'autre part par l'action des libertins contre l'Église officielle. En politique, outre le conflit principal entre les partisans du centralisme monarchique et le libéralisme régional, les aristocrates se défendent à la fois contre le pouvoir monarchique et contre celui de la bourgeoisie.

Ces événements ont pour toile de fond un univers qui change de forme et de dimensions. Avec l'idée de l'infini appliquée à l'univers, l'homme n'est plus au centre de la création, et la

Terre n'est plus au centre du monde, comme le souligne ironiquement Cyrano de Bergerac : « Ajoutez à cela l'orgueil insupportable des humains, qui leur persuade que la nature n'a été faite que pour eux ; comme s'il était vraisemblable que le Soleil, un grand corps, quatre cent trente-quatre fois plus vaste que la Terre, n'eût été allumé que pour mûrir ses nèfles et pommer ses choux [...]. Car comment, en bonne foi, s'imaginer que ces globes si spacieux ne soient que de grandes campagnes désertes, et que le nôtre, à cause que nous y rampons, une douzaine de glorieux coquins, ait été bâti pour commander à tous ? [...] Non, non, si ce Dieu visible éclaire l'homme, c'est par accident, comme le flambeau du roi éclaire par accident au crocheteur qui passe par la rue » (*l'Autre Monde ou Histoire comique contenant les États et Empires de la Lune,* 1657).

L'opacité du monde, son caractère incompréhensible pour un homme livré aux « caprices du vent » et qui ne devrait sa place dans la création qu'à quelque « accident » sont autant d'idées récentes qui traversent la littérature. De même, les déformations, les trompe-l'œil et les vides soudains de l'espace pictural reflètent, à leur manière, la stupéfaction devant un cosmos dont on ne fait que découvrir les nouvelles dimensions. « Ma foi [...], vous avez beau dire, je ne saurais du tout comprendre cet infini », s'exclame le gouverneur de la Nouvelle-France au début de l'ouvrage de Cyrano.

Ces tensions et mutations ne suffisent pas à expliquer l'apparition d'une littérature dite baroque, mais elles sont utiles pour situer une « sensibilité » nouvelle qui s'inquiète du changement au moment où elle en fait sa valeur la plus sûre. Si le globe terrestre n'est plus à la même place, il reste à l'homme à s'en accommoder ou à en jouer. Les artifices de la littérature sont un terrain merveilleusement ferme quand la « nature » se met à faire défaut.

Ni maître ni modèle

Si l'art classique peut notamment se définir comme un art du classement, la volonté de définir et d'imposer, fût-ce *a posteriori,* un code, une grille de lecture, comment classer l'inclassable, trouver des caractéristiques communes satisfaisantes aux auteurs baroques ? Il n'existe évidemment pas de « doctrine baroque », pas de théoriciens vers lesquels il suffirait de se tourner. On tente parfois d'examiner les catégories esthétiques venues de l'histoire de l'art et de l'architecture pour les adapter à l'étude de la littérature. Ainsi, dans ses *Principes fondamentaux de l'histoire de l'art,* Wölfflin proposait en 1915 cinq couples antithétiques permettant de définir ce qui relève du baroque et ce qui relève du classique. Depuis, ces oppositions entre « linéaire et pictural », « plan et profondeurs », « forme fermée et forme ouverte », « multiplicité et unité », « clarté et obscurité » ont été discutées et illustrées. Ces concepts peuvent être retenus comme des constantes, en dépit de leur abstraction. Mais Wölfflin soulignait que ces oppositions n'étaient jamais absolues et que chacune des dualités existait à la fois dans les œuvres classiques et dans les œuvres baroques.

On comprend la perplexité de Lanson, qui rangeait les écrivains du début du XVIIe siècle sous le titre d'« attardés » ou d'« égarés », créant ainsi une catégorie en refusant d'en ouvrir une. Les romantiques ne s'y étaient pas trompés et, tel le Théophile Gautier des *Grotesques* (1844), s'intéressèrent à ces auteurs maudits ou du « second rayon ». Ils créaient par-delà les siècles une confrérie de solitaires et trouvaient l'occasion de partager une modernité dirigée contre tous les classiques. L'originalité, la solitude orgueilleuse et douloureuse, la liberté sont revendiquées par Agrippa d'Aubigné dans sa préface du *Printemps* (composé en 1571), en tête de l'« Hécatombe à Diane ». Pas de maître, pas de modèle, pas même de frontispice :

Livre, celuy qui te donne
N'est esclave de personne ;
Tu seras donc libre ainsi
Et dedié de ton père
À ceux à qui tu veux plaire
Et qui te plairont aussi.

Avec une provocation tranquille, il insiste sur cette « différence » dont nous parlons aujourd'hui :

Si on trouve que ta face
N'ait les beaux traits et la grâce
Ny l'air de tes compagnons
Qui sentent le temps et l'aise,
La faveur, la feinte braise,
L'eur de leurs pères mignons [...]

Et il place son ouvrage sous un étrange parrainage de violence et de souffrance :

Tu es du fons des orages,
Des guerres et des voiages
Avorté avant les jours,
D'une ame plaine d'angoisse [...]

Une œuvre unique, différente, qui ne cherche à plaire à personne, ne ressemble à aucune autre, et qui est née de la souffrance intérieure et de la vision d'un monde déchiré, fera son chemin par elle-même. S'il s'agit d'une définition de l'œuvre baroque, son « projet » est suffisamment ambitieux et crée une dynamique assez forte pour que tous les écrivains puissent le revendiquer. Mais il ne s'agit cependant pas de critères qui puissent servir dans une classification. Nous proposons donc quelques constantes, centrées sur les structures du récit puis sur l'écriture, plutôt comme une invitation à la lecture qu'une édification d'un système de classement.

Le déploiement des volutes du récit

Dans le théâtre comme dans les romans, les intrigues surprennent par leur extrême complication. Leur bizarrerie passe parfois pour un contrôle insuffisant de la forme et, en fonction de critères classiques, pour une impossibilité à tendre vers l'unité et la clarté. Et, en effet, il s'agit bien d'une sorte d'impossibilité. Tout se passe comme si ces auteurs se déclaraient incapables de se satisfaire d'une histoire unique et de l'envisager d'un seul point de vue. Ambitieux, ils entendent dire le foisonnement du monde et sa complexité ; ils ne renoncent pas à tout dire, tout montrer dans un seul récit, et pour cela ils multiplient les facettes (les « fils ») de l'intrigue, les personnages et les lieux. La notion de digression n'existe pas pour un narrateur qui prend un égal plaisir à développer chacune des « parties » jusqu'à sa limite, avec la même jubilation et un plaisir de l'invention toujours renouvelé : témoin les *États et Empires de la Lune* de Cyrano de Bergerac, mais aussi *Clitandre* (1631) de Corneille, par exemple. La liste des personnages est inépuisable pour un imaginaire qui n'entend pas plus s'en tenir à la notion d'action principale que se limiter à des héros définis une fois pour toutes. Surgissent donc dans le cours du récit tous les décors, les personnages et les méandres non pas utiles à l'économie narrative, mais adaptés aux débordements indispensables d'une invention qui s'obstine à ne pas choisir entre les différentes pistes qui lui sont offertes. Ce fameux décentrement, cette propension aux extrêmes, se vérifient également dans la nécessaire multiplication des points de vue. Même une fable relativement simple, par exemple le siège d'une ville, éclate, par un effet de réfraction, en une série d'événements qui sembleraient répétitifs s'ils ne proposaient chaque fois une variation d'angle, nous dirions aujourd'hui de plan (*la Prise de Marsilly*, 1631, tragi-comédie d'Auvray).

Il arrive que ces systèmes narratifs soient décrits comme appartenant à une époque archaïque du récit, comme si leurs auteurs étaient incapables de « clarifier » leurs fables. C'est oublier que, pour cette esthétique, la structure de l'œuvre s'organise en fonction de volutes et de spirales, de canaux multiples dont la nécessité n'est jamais mise en doute ni reliée à l'obligation de faire avancer l'action. Aucune errance (toujours provisoire) n'est jamais ressentie comme telle. Comme il n'y a plus de choix hiérarchiques dans la matière même de l'action, tout devient bon à traitement puisque la machine narrative produit du sens et du plaisir. Rien d'étonnant que la quête soit une structure de la tragi-comédie (genre alors à la mode) comme du roman d'aventures inspiré du roman picaresque espagnol. Tout peut arriver par l'intermédiaire de la quête. Le hasard, son pouvoir d'étonnement et de surprise, devient le moteur principal des événements parce que rien n'est interdit dans un univers dont il n'est plus possible à l'homme de prévoir les mystères, faute de clefs. La pure fantaisie semble régner, car ce qui est hasardeux, accidentel, fortuit, se transforme paradoxalement en valeurs sur lesquelles on peut compter. Rien de mauvais ne peut en définitive en sortir, pour celui qui s'est forgé une conception du destin fondée sur l'événement immédiat, et sur lui seul. La roue de la Fortune domine le récit baroque et règle l'existence de personnages qui, incapables – et peu désireux – de s'inventer des projets à long terme, se réfugient dans l'instant et dans son corollaire : l'action immédiate. Devant une situation nouvelle, aussi inattendue soit-elle, les héros ne réfléchissent guère : ils tirent l'épée, se défendent ou attaquent sans même s'interroger sur l'identité de leurs adversaires. Ils fuient ou se battent, sautent par une fenêtre ou traversent un désert sans envisager les conséquences de leurs actes.

Ce goût pour l'action correspond au déchaînement brutal de passions instinctives que répriment des lois également brutales et sans nuances. Le récit baroque est un récit où les violences et les pulsions sexuelles, les désirs immédiats, le meurtre, la torture, le viol et la souffrance appartiennent en propre à l'action humaine. Faut-il parler pour autant de romans simplistes ou de théâtre grand-guignolesque, réduire hâtivement tous ces excès à des images naïves ? Même dans le cas du théâtre, incontestablement fait pour être joué – comme le prouvent les témoignages des « décorateurs » de l'époque –, la violence existe déjà dans les mots et dans leur charge poétique. Ils disent aussi le sang et la mort, la réalité de la chair somptueuse ou corrompue, l'éclatement du plaisir, avec précision et crudité. Proche du rituel, ce théâtre est écrit aussi pour être proféré, jusqu'à la surcharge, la surenchère et la folie.

L'action humaine est aussi une façon de répondre à l'incertitude de la perception. On l'a assez dit (et notamment Jean Rousset), ces récits utilisent le trompe-l'œil, le déguisement et le travesti, le jeu des sosies et de la méprise. Ces errances visuelles, mentales (bien des héros sont saisis par la folie), réelles (celles du héros dans le monde incompréhensible, celles du poète dans la forêt des mots) se révèlent toujours indispensables. Le héros ne va jusqu'au bout de sa quête que s'il accepte de descendre aux enfers, de connaître la souffrance et le doute. Il ne revient dans la société organisée et n'y retrouve son identité que s'il passe à travers la forêt inhumaine, survit dans les antres inquiétants peuplés d'animaux surnaturels. Les paysages ne sont jamais aussi effrayants que l'angoisse intérieure, dont on ne guérit qu'en apprenant à distinguer le réel de l'imaginaire – au moins provisoirement. Art du spectaculaire et de la surenchère, de l'ostentation et de la métamorphose, dit-on. Mais aussi art de l'inquiétude, de la découverte de l'inconscient et de ses abîmes. Les plus fortes œuvres baroques éclatent comme un défi de l'imaginaire lancé à l'incertaine réalité, de l'inconscient lancé au conscient.

Les artifices de l'écriture

Ha ! voicy le poignard qui du sang de son Maistre
S'est souillé laschement : il en rougit, le traistre.

(Théophile de Viau, *Pyrame et Thisbé*, V, 2)

Cette exclamation de Thisbé devant le cadavre de son amant est devenue pour la critique une sorte d'emblème de l'écriture baroque. Le poète baroque serait celui qui « ose » les images les plus rares et les plus hardies. Il ne reculerait devant aucune métaphore et se plairait à la filer jusqu'aux limites de l'obscurité. Les exemples de cette « opacité » ne manquent pas, et l'on cite à l'appui les « poissons ébahis » de Saint-Amant ou les « violons ailés » de Gongora. Comme la poésie fut un des terrains de prédilection du baroque littéraire, il est légitime de mettre l'accent sur les jeux du langage et sur les diverses hardiesses que les écrivains français, à l'instar de l'Espagnol Góngora (1561-1627) ou de l'Italien Marino (1569-1625), multiplièrent. Les fameuses antithèses et les pointes marinistes demeurent un modèle, tels ces vers dédiés à une esclave noire :

Là où tu es plus fort, Soleil, pour t'abaisser
Un soleil a surgi ; un soleil qui dans son beau [visage
Porte la nuit, et dans ses yeux le jour.

(« Schiava »)

Cependant, lorsqu'on s'attache de près aux questions d'écriture et de rhétorique, le problème de l'étiquetage resurgit. Existe-t-il des baroques pétrarquisants, « précieux » ? Comment classer les tentatives burlesques, celles d'un Cyrano de Bergerac ou certains vers de Saint-Amant – lequel ne dédaigne pas, à l'occasion, les anciens jeux de la rhétorique ? De Jean de Sponde (1557-1597) et Agrippa d'Aubigné (1552-1630), des héritages de la Renaissance à Saint-Amant (1594-1661) et Cyrano de Bergerac (1619-1655), la poésie française passe par des courants contradictoires. Le baroque touche à plusieurs tendances en s'étalant aussi largement, et il n'est jamais facile à caractériser.
Comme Malherbe, mais en se différenciant de lui, des poètes « modernes » tels que Théophile de Viau ou Saint-Amant revendiquent le droit de se libérer de l'influence des Anciens, de s'affranchir des thèmes mythologiques et de l'érudition obscure. Ils ne renoncent pas pour autant à des thèmes et à des jeux de métaphores venus de la Renaissance (ainsi, le thème de la flamme ou du poète renaissant de ses cendres). Mais ils les poussent jusqu'à leurs limites par la puissance des hyperboles, font naître le bizarre du jeu des mots et des formes inattendues. Pourtant, on ne saurait réduire leur inspiration à l'arsenal de la rhétorique, aux facilités des galimatias et des coq-à-l'âne. Plusieurs d'entre eux ont aussi retenu de Malherbe l'importance de la sincérité de l'inspiration, et il n'est que de relire Théophile de Viau pour être sensible au lyrisme personnel. Agrippa d'Aubigné avait montré le chemin dans *le Printemps* en développant son inspiration poétique à partir de son amour pour Diane :

Les lys me semblent noirs, le miel aigre à outrance,
Les roses sentir mal, les œilletz sans couleur,
Les mirthes, les lauriers ont perdu leur verdeur,
Le dormir m'est fascheux et long en votre absence.

(« Hécatombe à Diane », LXXI)

La pointe est à la mode sur tous les théâtres dans les années 1630 :

La honte sur ton front ne trouve point de sang ;
Ah ! viens pour le rougir en tirer de ce flanc.

(ROTROU, *l'Hypocondriaque*, V, 1)

Elle n'exclut pas toujours la sincérité. Les aspects rhétoriques de cette poésie, l'habileté de ces manieurs de mots qui dépassent les limites habituelles du vocabulaire poétique font conclure à une sorte de confiance des baroques dans le langage. Or, par leurs recherches mêmes, ces champions de la métaphore trahissent au moins autant de méfiance dans l'expression. Là où l'écrivain classique trouve le « mot juste » et s'en satisfait, l'écrivain baroque le redouble, le surcharge, procède par « séries », comme si la justesse ne pouvait naître que de la multiplication des essais ou de l'épaisseur du trait :

Diane, ta coustume est de tout deschirer
Enflammer, desbriser, ruiner, mettre en pieces,
Entreprises, desseins, espérances, finesses,
Changeant en désespoir ce qui fait espérer.

(« Hécatombe à Diane », LXXXIX)

Cette création d'un « réseau langagier », d'une sorte de tremblement destiné à entourer l'objet avant qu'il ne se dissolve, va parfois jusqu'à la répétition ou l'incantation, comme le relève C.-G. Dubois (*le Baroque*, 1973) dans une litanie de soixante-six vers de Montgaillard (1550-1605) :

Vieille ha, ha, vieille hou, hou,
Vieille chouette, vieux hibou,
Vieille grimace de marotte,
Vieille gibecière de juif,
Vieux chandelier noirci de suif,
Vieille robe pleine de crotte [...]

Fragilité de l'objet à décrire, fugacité du sentiment et inconstance de la pensée se mêlent et reviennent de manière obsessionnelle :

Je peindrais volontiers mes légères pensées,
Mais déjà, le pensant, mon penser est changé,
Ce que je tiens m'échappe, et les choses massées
Toujours par le présent se tiennent effacées,
Tant à ce changement mon esprit est rangé [...]

(Étienne DURAND)

Ce « tremblement baroque » trouve d'ailleurs sa source dans le désordre initial de l'Univers, comme tente de le saisir Guillaume Du Bartas :

Ce premier monde estoit une forme sans forme,
Une pile confuse, un mélange difforme,
D'abismes un abisme, un corps mal compassé,
Un Chaos de Chaos, un tas mal entassé,
Où tous les éléments se logeoyent pesle-mesle [...]

L'enjeu de l'écriture se situe au-delà d'une rhétorique habile. Arrêter la vie – et son mouvement – pour la saisir entre les mots est un projet hardi, qui engage l'écrivain tout entier dans sa lutte pour se situer dans l'univers et trouver le courage de contempler la mort. Et si l'écriture, en définitive, était plus satisfaisante dans son déploiement d'artifices – dont on est sûr, au moins, qu'ils sont artifices – que la douteuse réalité construite par l'intermédiaire de notre fragile perception ? [Voir aussi **Classicisme**.]

J.-P. Ryngaert

Barrès

BARRÈS Maurice

(1862-1923)

Comment imaginer aujourd'hui ce que Barrès représenta pour ses contemporains ? Adoré ou critiqué, il fut pendant près de trente ans de ceux qui tenaient le devant de la scène littéraire, et dont chaque livre faisait figure d'événement. Mais de sa personnalité complexe, de son évolution – si controversée –, de l'influence qu'il eut sur toute une génération, tant par son style de vie que par son style d'écriture, ne reste bien souvent qu'une image simpliste ou partiale. Peut-être souffre-t-il d'avoir été, en apparence du moins, trop bien accordé à son temps…

Une vie

Pour le jeune Barrès, né à Charmes dans les Vosges, où il passe son enfance, puis pensionnaire à Nancy, la Lorraine n'a pas encore valeur mythique : après les années d'internat, que ce petit garçon trop sensible supporte difficilement, mais dont il gardera longtemps le souvenir, après les premiers engouements littéraires de l'adolescence (Baudelaire, Gautier, Flaubert), partagés avec son ami Stanislas de Guaita, et les premières contestations intellectuelles face à son professeur de philosophie, Auguste Burdeau, c'est Paris qui l'attire… Paris où, sous prétexte de terminer ses études de droit, il arrive à vingt ans, impatient d'admirer et de réussir.

Là, cet étudiant ambitieux et désenchanté, qui fréquente le cénacle de Leconte de Lisle, les milieux symbolistes, Moréas et ses amis, va tenter d'exprimer le malaise d'une fin de siècle avec laquelle il se sent en harmonie. Déjà son éphémère revue *les Taches d'encre* (quatre numéros, 1884-1885), dont il est l'unique rédacteur, présente une étude sur le « nihilisme contemporain » ; mais elle révèle aussi une plume impertinente, dont Barrès se servira bientôt à l'encontre de ses maîtres préférés : Taine et surtout Renan. Puis vient le temps du succès : à la publication de *Sous l'œil des Barbares* (1888), chaleureusement soutenue par un article de Bourget, succède, l'année suivante, une double réussite littéraire – *Un homme libre* – et politique : le voilà, à vingt-sept ans, député boulangiste de Nancy. N'est-il pas alors un vrai « prince de la jeunesse », ce Barrès désinvolte et prodigieusement actif, qui achève sa trilogie du *Culte du moi* avec *le Jardin de Bérénice* (1891), exacerbe son individualisme dans *l'Ennemi des lois* (1893), siège à la Chambre sur les bancs de l'extrême gauche et poursuit ses voyages entre l'Italie et l'Espagne – qui lui inspireront un nouveau recueil, *Du sang, de la volupté et de la mort* (1894) ? La gloire ? Certes, mais après laquelle tout aura un peu goût d'amertume…

De successifs échecs électoraux ne le détournent pas pour autant de la politique : ayant consacré son unique pièce de théâtre (*Une journée parlementaire*, 1894) à la critique des mœurs politiciennes, il préside aux destinées d'un nouveau journal à l'éventail idéologique encore très ouvert, *la Cocarde* (1894). Mais, de plus en plus traditionaliste, il prétend s'enraciner dans sa province, prend violemment parti contre Dreyfus et devient, avec la publication des trois tomes du *Roman de l'énergie nationale* (1897-1902) – *les Déracinés, l'Appel au soldat, Leurs figures* –, un des maîtres à penser du nationalisme…

Écrivain engagé, défenseur des « bastions de l'Est » – *Au service de l'Allemagne* (1905), *Colette Baudoche* (1909) –, Barrès n'en poursuit pas moins, en une sorte de dédoublement, la recherche de ses harmonies personnelles : *Amori et dolori sacrum* (1903), *le Voyage de Sparte* (1906), *Greco ou le Secret de Tolède* (1911) et *la Colline inspirée* (1913). C'est alors qu'il s'éprend d'Anna de Noailles et, rêvant toujours de voyages, s'embarque pour l'Égypte, puis pour l'Orient, qui l'attire depuis si longtemps. Mais la guerre venue simplifiera tout, faisant de Barrès un écrivain au drapeau, exclusivement et volontairement asservi à défendre – par la plume – la cause nationale.

Le personnage, pourtant, ne peut totalement masquer la personne : chez cet homme de lettres prestigieux, académicien et de nouveau député depuis 1906, demeure une exigence de liberté qui, à travers le romanesque *Jardin sur l'Oronte* (1922), scandalisera certains lecteurs bien-pensants ; et c'est encore à l'Orient qu'il consacrera son dernier livre – *Une enquête aux pays du Levant* (1923) –, avant qu'une mort brutale ne l'empêche de rédiger ses Mémoires et les nombreux récits qu'il projetait encore.

Une vie multiple, apparemment comblée, mais sourdement tendue entre des aspirations contradictoires – où l'écriture ne semble qu'un possible parmi d'autres…

Contrastes et unité de l'œuvre

Statut paradoxal que celui de l'œuvre de Barrès : il y a un style barrésien, des pages barrésiennes, mais il est difficile de trouver un livre qui soit parfaitement barrésien… Comme si, dans une production abondante – sans doute encombrée par des écrits de circonstance –, cette écriture ne pouvait atteindre sa perfection dans les limites d'un texte, mais seulement se développer selon un rythme contrasté d'un texte à l'autre. La vérité de l'œuvre, il faudrait la rechercher dans un continuel va-et-vient, entre un morceau d'ironie et une méditation lyrique, un pamphlet politique et un essai sur l'art. Quand bien même une évolution se dessine – de l'égotisme au nationalisme, de la révolte au repli sur soi, du nihilisme au mysticisme –, elle n'est jamais caricaturale ni toujours définitive, car, tout au long des grands ensembles du *Culte du moi*, du *Roman de l'énergie nationale* et des *Bastions de l'Est*, court une série de textes qui n'ont pas de prétentions idéologiques, – et parfois même les démentent.

Mais ces contrastes par lesquels s'organise l'œuvre ne relèvent pas de la seule complexité d'un créateur, peu soucieux de rejeter une ambivalence fondamentale ; sans doute indiquent-ils aussi les hésitations de l'écrivain. Sensible à la crise du roman qui sévit dans l'entre-deux siècles, adversaire du naturalisme, Barrès caressa le rêve d'un livre qui « aurait sa forme à lui », et il l'essaya dans ses premiers « romans idéologiques », romans qui n'en sont pas vraiment et qui tiennent tout à la fois de l'essai, du poème en prose et de l'autobiographie déguisée. Romancier, il le deviendra pourtant, mais avec effort, et tout en continuant à écrire plus librement nouvelles, évocations de voyages, contes poétiques : écartèlement pleinement conscient entre les œuvres volontaires et celles qui satisfont son « goût de l'harmonie sans pensée » – mais non sans intelligence… Car n'est-il pas avant tout styliste admirable et, comme le dit Mauriac, « témoin-musicien plus que romancier » ?

De ces incertitudes témoignent les ébauches répétées, les rêveries sur des personnages qu'il parvient difficilement à faire accéder au statut de la fiction, tant c'est à lui-même et aux résonances de ses rêves qu'il s'attache : « J'écris en poète, en mystique, je me raconte toujours… » Le va-et-vient entre les tons, entre les genres se fonde sur la présence d'un moi multiple. Et si les avatars romanesques de ce moi ne manquent pas – le Je/Il, bientôt prénommé Philippe, du *Culte du moi,* André Maltère de *l'Ennemi des lois,* François Sturel des *Déracinés,* ou même, à demi rêvé, Guillaume, du *Jardin sur l'Oronte* –, Barrès n'a pu mener à bien ses propres Mémoires : aurait-il trouvé ainsi, dans un texte sans idéologie ni contrainte extérieure, l'unité de son être et de son œuvre ?

Ce sont donc *tous* ses livres qui constituent un vaste espace autobiographique, aux facettes contradictoires, et renvoient à celui qui les a réalisés sans s'y réaliser vraiment : « Qu'est-ce que mon œuvre ? Ma personne toute vive, emprisonnée. La cage en fer d'une des bêtes du Jardin des Plantes. »

Exister

Le nihilisme désenchanté qu'il partage avec toute sa génération et l'angoisse personnelle qu'il éprouve face à l'existence conduisent Barrès à sa première affirmation : la prise de conscience de soi en un acte volontaire. Sous des dehors désinvoltes, passe le rêve d'un moi démiurge, libéré de toute influence extérieure, devenant l'objet d'un culte et l'aboutissement d'un continu perfectionnement intime. « Sentir le plus possible en analysant le plus possible » : l'homme libre, à travers la recherche pathétique ou ironique de guides et de méthodes souvent pastichées des mystiques, n'ambitionne-t-il pas de concilier ainsi rationalisme et romantisme, en composant l'unité de son être avec la multiplicité de ses expériences ?

Et quand, dans cet univers solipsiste et morcelé, se fait sentir la nostalgie d'une permanence et d'une harmonie, c'est encore au fond du moi que le personnage barrésien croit découvrir les trésors de l'inconscient, par l'ouverture aux masses, aux vastes paysages et aux « petites secousses » de l'Univers. C'est qu'ici l'influence de Hartmann interfère avec celles de Fichte, de Hegel, de Schopenhauer – avec celle aussi de Renan.

Car l'individualisme barrésien mêle à son égotisme un dilettantisme hérité de Renan – cette leçon de scepticisme et de curiosité intellectuelle – et une recherche ambiguë de l'énergie, qui peut mener à l'attente du Maître – « Axiome, religion ou prince des hommes » –, au culte du héros (Napoléon) ou à la révolte anarchisante de *l'Ennemi des lois,* qui rejette les traditions et récuse l'intelligence pour ne se fier qu'à l'instinct : « Je m'accuse de désirer le libre essor de toutes mes facultés et de donner son sens complet au mot exister. »

Désir d'autant plus intense qu'il apparaît sur fond d'ennui fiévreux, et dans la hantise de la mort. L'élan partout recherché, dans le goût des émotions fortes, le voyage ou l'engagement, n'est peut-être qu'une image de la fuite : « Ma vie ne fut jamais une course vers quelque chose, mais une fuite vers ailleurs. » Ce tragique pourtant ne fait qu'affleurer ; mis à distance par l'ironie dans la phrase, il l'est par le dandysme dans la vie : le personnage barrésien, qui se veut à la fois « fanatique et dilettante », capable de concilier le besoin de l'action et le détachement de l'analyse, se fera fort de conjurer le vertige par toutes les « gymnastiques » que lui offre la vie sociale.

Un écrivain engagé ?

La politique en est un exemple : « Je lui dois la vie », reconnaît Barrès. Est-ce aspiration à la gloire ou secrète fascination pour un domaine d'échec ? Goût de l'action ou attrait du spectacle – en ces jeux du cirque qu'évoque le cruel polémiste de *Leurs figures,* en ces séances de la Chambre, dont ne peut se passer notre antiparlementaire ? Est-ce encore dilettantisme – « Peu m'importe le fond des doctrines, c'est l'élan que je goûte » – ou, plus profondément, recherche d'une discipline ?

Boulangiste de gauche, Barrès s'est bientôt tourné vers un socialisme national, curieux mélange de fédéralisme, de socialisme proudhonien, de protectionnisme et de déterminisme tainien. Puis, érigeant en termes de doctrine le retour du moi à la terre et aux morts, le voilà devenu nationaliste : un nationalisme qui emprunte à Taine, à Jules Soury, à Michelet, et dont l'affaire Dreyfus montrera qu'il n'est exempt ni de xénophobie ni d'antisémitisme. Mais le sectarisme n'est pas dans la nature de Barrès, et sa passion politique ne l'occupe pas tout entier : si le *Roman de l'énergie nationale* est un roman à thèse – mais aussi un constat d'échec du nationalisme –, s'il se croit obligé de sacrifier au culte des provinces perdues, dans ces textes de propagande que sont *Au service de l'Allemagne* et *Colette Baudoche,* et si les années de guerre le voient renoncer à toute expression personnelle au profit de sa tâche d'excitateur patriotique, combien de ses livres échappent heureusement à ces nécessités idéologiques ! Mais en un temps où les réalités politiques apparaissaient particulièrement médiocres, il n'était guère heureux d'en nourrir une partie de son œuvre et de donner à la littérature un autre but qu'elle-même… Barrès y trouva-t-il l'équilibre, ou se laissa-t-il prendre au piège d'une cause et d'un rôle dont il sentait les limites ?

Évolution et ambivalence

De l'égotisme au nationalisme, l'évolution relève plus de l'affectivité que du raisonnement : cet approfondissement – ou ce rétrécissement – du moi aux dimensions de la Lorraine natale, cette reconnaissance de ses déterminismes héréditaires, qui vont de pair avec la fascination des cimetières et du passé – « J'aime mieux un long passé qu'un long avenir » –, sans doute faut-il les voir comme une conjuration de la mort et du temps. Harmonisation de l'individu avec ce qui le précède et le dépasse, ou régression ? À cela s'ajoute le désir de se simplifier, de « se replier sur ses minima », en résistant aux tentations trop extérieures ou trop intimes.

Mais cet infléchissement de la position barrésienne ne va pas sans ambiguïté, et les contradictions de la maturité n'ont rien à envier à celles de la jeunesse. Prônant l'enracinement, Barrès n'a jamais résisté à l'appel du voyage et aux séductions de l'Orient ; professant l'énergie, il subit toujours la tentation du néant et de la dissolution de l'être : « Qui n'aimerait à perdre pied, à lâcher les joncs de la rive ? »... ; son désir du « mystère en pleine lumière » coexiste avec une rêverie nocturne ; et son mysticisme, qui s'affirme pour prendre la relève d'un nationalisme trop étroit, est quête d'un syncrétisme religieux, évoqué dans *la Colline inspirée* par le dialogue de la Chapelle et de la Prairie.

D'une telle ambivalence témoigne en effet ce thème si fréquent du dialogue : dialogue de Goethe et de Byron, dialogue de Goethe et de Pascal et, tout au long de l'œuvre, dialogue que le Lorrain établit avec l'Orient. Revivifié par ses amitiés, ses amours – et, entre autres, sa longue passion pour Anna de Noailles –, ses lectures et ses voyages, cet Orient barrésien est autant un monde intérieur qu'un appel vers des pays dont la poésie et la mystique le troublent : l'Autre – et tel sera souvent le personnage féminin de ses romans –, avec tous ses attraits et ses dangers.

Tension du dialogue, nostalgie de la complétude – ainsi le livre « impossible » sur l'hermaphrodite –, aspiration mystique : jusqu'à la fin, Barrès est homme d'inquiétude et d'insatisfaction, dont le désir d'harmonie reste lui-même interrogatif : « Faut-il l'unité ? Ne sera-ce pas, pour un tel que je suis, la mort ? »

Musiques

Cette recherche anxieuse, l'écriture la révèle ; car la phrase barrésienne, très dessinée, ne se trouve qu'à travers ébauches et ratures, comme si le rêve d'une perfection formelle était un ultime recours contre toute menace de dégradation. Mais cette langue « précise et fuyante » (A. France) est à l'image de l'écrivain, multiple : n'a-t-on pas évoqué la verve de Saint-Simon, l'ampleur de Chateaubriand, l'imagination de Michelet et même le dépouillement mélancolique de Nerval ? Tendue entre le raccourci impertinent et l'élargissement lyrique, entre l'hyperbole et la litote, elle cultive aussi bien la douceur un peu décadente que le pittoresque cruel, la pointe ironique que la sobriété limpide, avec une prose qui parfois s'infléchit en poésie, moins par l'emploi métaphorique que par son rythme, ces fameuses « cadences barrésiennes » : Barrès parle volontiers de son effort pour trouver son « rythme propre », et c'est souvent la musique qui lui permet d'écrire le mot juste.

Les prestiges du musicien, beaucoup de ses jeunes contemporains y furent sensibles : Aragon a évoqué son « enivrement » à la lecture de Barrès, Montherlant l'a imité à ses débuts, et Breton, qui ne péchait pas par excès d'indulgence pour l'homme, reconnaissait que sa phrase « satisfaisait l'oreille »... Sa séduction pourtant ne tenait pas à sa seule écriture, mais à cette tentative d'équilibre entre la littérature et la vie publique, entre le rêve et l'action, qu'il semblait incarner et qui lui attira les reproches de Proust (pour avoir soumis la littérature à des fins étrangères) et ceux des surréalistes (pour avoir renié, par souci de réussite, ses premières révoltes)...

Malgré ses défaillances, ses limites et ses métamorphoses, il fut le maître de la sensibilité d'une génération en quête d'elle-même ; dandy insolent de la décadence, professeur d'énergie du début du siècle, notable de l'après-guerre – tous ces masques n'empêchent pas quelques-uns des meilleurs écrivains du XXe siècle de se rattacher à lui, qu'ils reconnaissent ou non leur dette : Montherlant, Drieu La Rochelle, Aragon, Mauriac, Cocteau, Malraux, Camus – et même Gide, qui lui fut si souvent opposé. Les années passant, « dans ce purgatoire où il s'est lui-même condamné » (Cocteau), que reste-t-il de sa gloire et de son inquiétude ? De temps en temps, on s'interroge ou on affirme : « Barrès s'éloigne », « Barrès parmi nous », « Barrès est-il toujours vivant ? » Ces controverses sont encore signe de présence...

	VIE	ŒUVRE
1862	**19 août** : naissance de Barrès à Charmes (Vosges).	
1870	Occupation de Charmes par les Allemands.	
1873	**Oct.** : Barrès entre au collège religieux de la Malgrange, près de Nancy.	
1877	Il entre au lycée de Nancy, où il suivra en 1880 les cours de philosophie d'Auguste Burdeau.	

	VIE		ŒUVRE
		1881	Premières publications au *Journal de Meurthe-et-Moselle*.
1882	Installation définitive à Paris.	1882-1883	Barrès publie plusieurs articles dans *la Jeune France* dont une étude sur Anatole France.
1885	Mort de Victor Hugo.	1884-1885	Parution des quatre numéros des *Taches d'encre*.
1886	**Le général Boulanger est nommé ministre de la Guerre.**	1886-1888	Barrès collabore au *Voltaire*, aux *Chroniques*, à *la Presse*...
1887	**Printemps** : séjour en Italie.		
1888	**Printemps** : nouveau séjour en Italie.	1888	*Le Quartier Latin.* *Huit Jours chez M. Renan.* *Sous l'œil des Barbares.*
1888-1889	Activité boulangiste : Barrès, candidat à la députation, dirige *le Courrier de l'Est* à Nancy ; il est élu en octobre 1889.	1889	**Avr.** : publication d'*Un homme libre.*
1890	Séjours en Provence et en Italie.		
1891	Mariage de Barrès avec Mlle Paule Couche. Voyage en Bavière. **Sept. : suicide de Boulanger.**	1891	*Le Jardin de Bérénice.* *Trois Stations de psychothérapie.*
1892	Premier voyage en Espagne. **Attentats anarchistes et scandale de Panamá.**	1892	*Examen de trois idéologies.* *Toute licence, sauf contre l'amour.*
1893	Barrès connaît son premier échec électoral, à Neuilly.	1893	*L'Ennemi des lois.*
1894-1895	Barrès prend la direction de *la Cocarde*. **Déc. 1894 : condamnation de Dreyfus.**	1894	*Une journée parlementaire :* première en février au Théâtre-Libre. *Du sang, de la volupté et de la mort.*
1895	**Printemps** : deuxième voyage en Espagne.		
1896	**Janv.** : mort de Verlaine. **Févr.** : nouvel échec électoral à Neuilly-Boulogne. Barrès s'installe à Neuilly, boulevard Maillot, où naît son fils Philippe. **Sept.** : voyage en Italie.	1896	Barrès commence à tenir ses *Cahiers*.
		1897	*Les Déracinés.*
1898	**Mai** : échec électoral à Nancy. **Juin** : mort de son père.		
1899	Fondation de la Ligue de la patrie française ; conférence de Barrès sur la terre et les morts. Procès Dreyfus à Rennes, auquel Barrès assiste.		
1900	**Printemps** : voyage en Grèce.	1900	*L'Appel au soldat.*
1901	Mort de sa mère.		
1902	**Mai** : séjour à Venise. **Oct.** : séjour à Tolède.	1902	*Leurs figures.* *Scènes et Doctrines du nationalisme* (consacré, entre autres sujets, à l'affaire Dreyfus).
1903	**Avr.** : encore un échec électoral, à Paris. Barrès fait un séjour estival à Amphion, chez la mère d'Anna de Noailles.	1903	*Amori et dolori sacrum.* *Les Amitiés françaises.*
1904	Voyage en Italie, puis visite à Mistral ; premier séjour à Mirabeau, chez Gyp.		

	VIE		ŒUVRE
		1905	*Au service de l'Allemagne.*
1906	Barrès est élu à l'Académie française, au siège de Heredia ; en mai, il devient député du 1er arrondissement de Paris, qu'il représentera jusqu'à sa mort.	**1906**	*Le Voyage de Sparte.*
1907	**Déc.** : il s'embarque pour l'Égypte.	**1907**	Barrès prononce son discours de réception à l'Académie française sur Heredia.
1908	**Mars** : Barrès intervient à la Chambre contre le transfert des cendres de Zola au Panthéon.		
1909	**Juin** : interpellation à la Chambre sur le suicide de l'écolier Nény (débat sur l'enseignement). **Août** : le suicide de son neveu Charles Demange le bouleverse.	**1909**	Discours de réception de Jean Richepin à l'Académie française. *Colette Baudoche.* Conférence sur Pascal.
1910	Campagne en faveur des « églises qui s'écroulent ».	**1910**	*Adieu à Moréas*, brochure à l'occasion de la mort du poète.
		1911	*Greco ou le Secret de Tolède.*
		1913	*La Colline inspirée.*
1914	**Mai-juin** : voyage en Orient (Liban, Syrie, Asie Mineure, Constantinople). **Juill.** : Barrès succède à Déroulède à la présidence de la Ligue des patriotes.	**1914**	*La Grande Pitié des églises de France.* *Dans le cloaque*, brochure. Dès le mois d'août, Barrès écrira un article quotidien dans *l'Écho de Paris :* ces articles seront réunis, à la fin de la guerre, dans les *Chroniques de la Grande Guerre.*
1914-1918	Visites sur le front, multiples interventions.		
		1917	*Les Diverses Familles spirituelles de la France.*
1919	Campagnes pour la recherche scientifique, la politique rhénane, etc. Barrès est réélu en novembre sur la liste du Bloc national.		
		1920	Leçons à l'université de Strasbourg sur le *Génie du Rhin.*
		1922	*Un jardin sur l'Oronte.*
1923	Rapports en faveur des congrégations missionnaires. **4 déc.** : mort de Barrès. **8 déc.** : obsèques nationales.	**1923**	*Une enquête aux pays du Levant.*
		1926	Publication du *Mystère en pleine lumière*, recueil de nouvelles et d'essais.
		1927	*Les Maîtres*, recueil d'articles critiques.
		1929-1951	Publication des *Cahiers.*
		1958	*N'importe où hors du monde,* recueil de nouvelles, en grande partie inédites ou même inachevées.

Le Culte du moi

Trois volumes, dont la publication s'échelonne entre 1888 : *Sous l'œil des Barbares*, 1889 : *Un homme libre,* et 1891 : *le Jardin de Bérénice*, auxquels s'ajoute un *Examen* (1892) qui précise le sens et la portée de la trilogie : telle est la « somme » fondatrice de l'égotisme barrésien.

Trois étapes donc, sur lesquelles s'articule ce culte, ou plutôt cette culture du moi : défense contre « les Barbares » (qui ne représentent pas seulement le conformisme bourgeois, mais tout ce qui est étranger au moi), en un récit multiforme d'apprentissage ; puis exaltation de la sensibilité individuelle par une méthode volontaire et analytique et grâce à l'appui de quelques intercesseurs (dont la Lorraine et Venise), à travers la fiction d'un journal intime, soutenu par un plan démonstratif ; enfin ouverture aux forces profondes de l'inconscient universel, dans l'évocation, sur un lointain fond de campagne électorale, de la rencontre avec Bérénice et le paysage archétypal d'Aigues-Mortes... Si cette heureuse progression du moi n'est pas toujours convaincante, les trois livres expriment avec acuité des névroses fin-de-siècle et une sensibilité encore adolescente, qui mêle impertinence, préciosité et lyrisme sobre.

« Jalon de l'histoire littéraire » – comme le reconnaît Gide, qui leur doit beaucoup –, ces trois « romans idéologiques », proches de certains récits symbolistes, sont à leur manière des nouveaux romans : à l'encontre du roman naturaliste et de la narration objective, ils prônent jusqu'à l'ambiguïté le mélange des genres (journal intime, récit poétique, essai), le subjectivisme et la réflexion éthique ; récits qui s'éclatent entre différentes techniques narratives (ainsi, dans *Sous l'œil des Barbares,* la séparation entre les « concordances », chargées d'énoncer les faits ou leur quintessence, et les chapitres, qui n'expriment que les sentiments), cultivent la mise en abîme et, insérant des développements étrangers au fil du texte, ne se soucient guère de vraisemblance. Incertitude du personnage (malgré la progressive objectivation du Je/Il sous le nom de Philippe), mise en question du narrateur : toute une modernité se fait jour, encore accrue par le constant usage de l'ironie et les dédoublements de l'analyse.

Les Déracinés

Premier tome du *Roman de l'énergie nationale* – qui se poursuivra avec *l'Appel au soldat* (1900) et *Leurs figures* (1902) –, *les Déracinés,* d'abord publiés en feuilleton dans la *Revue de Paris* (1897), constituent un roman à part entière, et le plus fameux de cette nouvelle trilogie. Avec l'évocation des premières années parisiennes de sept jeunes Lorrains, anciens élèves du professeur de philosophie Bouteiller, Barrès se tourne volontairement vers la narration objective : rêvant d'écrire un « grand roman populaire », c'est à Balzac qu'il demande ses leçons.

Roman sociologique que ce tableau fort sombre de la vie des bacheliers parisiens et des mœurs de la presse et de la politique dans les années 1880. Ce portrait d'une génération, qui tendra ensuite vers la chronique (celle de l'aventure boulangiste, dans *l'Appel au soldat)* ou le pamphlet (avec la violente dénonciation de la corruption parlementaire et du scandale de Panamá, dans *Leurs figures*), est porteur d'une thèse qui ne se cache pas. À travers une histoire exemplaire, il s'agit de dénoncer l'action de Bouteiller, c'est-à-dire de l'Université, et de sa philosophie kantienne, ou plutôt cousinienne, élevée au rang de doctrine d'État : froide pensée abstraite qui dénature les jeunes intelligences au lieu de respecter les hérédités naturelles de leur milieu et les déracine en les jetant à Paris sans but, mais avec trop d'énergie inemployée. Des sept « déracinés », deux – les plus pauvres – se résoudront au crime, et l'un finira sur l'échafaud. *Les Déracinés* sont aussi un roman d'apprentissage, d'inspiration en grande partie autobiographique : à travers François Sturel, l'un des jeunes Lorrains, c'est Barrès qui revit son adolescence froissée, règle ses comptes avec son ancien professeur et, en apparence du moins, renonce à la tentation orientale incarnée ici par la belle Astiné Aravian...

Intelligent et inégal, s'appuyant sur une composition très polyphonique, le livre fit grand bruit à sa parution. On se souvient de la fameuse apostrophe de Gide : « Né à Paris, d'un père uzétien et d'une mère normande, où voulez-vous, monsieur Barrès, que je m'enracine ? » ; Léon Blum y voit, malgré des réticences, un « grand roman synthétique ou symboliste » ; et d'autres, pour qui *les Déracinés* serviront désormais de Bible, se réjouissent de l'évolution barrésienne. Malgré la partialité de la thèse et le poids de certains développements idéologiques, Aragon n'hésitera pas à voir en ce livre le premier « roman politique moderne ».

SYNOPSIS

Formés au lycée de Nancy par le professeur Paul Bouteiller, tartufe kantien (chap. 1-2), sept jeunes gens ne tardent pas à tirer les conclusions de son apologie du « déracinement » en quittant leur Lorraine natale pour tenter leur chance à Paris (3). Ce « prolétariat de bacheliers » associe ses énergies dans la fondation d'un journal, *la Vraie République* (8-13), paradoxalement financé par l'héritage du plus pauvre d'entre eux, Racadot. Les difficultés ne tardent pas à séparer les amis, et à mettre en lumière les différences que la jeunesse dissimulait : ruiné, Racadot tue Astiné – ancienne maîtresse de son ami François Sturel – pour lui voler ses bijoux, et finit sur la guillotine. Chacun est rattrapé par ses origines, puisque le bourgeois Suret-Lefort trouvera dans la défense de son condisciple sa première grande cause d'avocat (19), avant de collaborer à l'élection de son ancien professeur comme député de Nancy (20). Achevant le roman, l'ascension de Bouteiller prend figure d'emblème : seuls réussissent le déracinement le plus total et l'hypocrisie arriviste qu'incarne Bouteiller, le faux moraliste, « hussard » très « noir » de la récente République.

La Colline inspirée

La Colline inspirée, à laquelle Barrès a travaillé et rêvé pendant près de six années, paraît en 1913. C'est sans doute son œuvre la plus harmonieuse. Et pourtant, quel curieux sujet que cette histoire des trois prêtres lorrains que leur orgueilleux attachement à la colline de Sion-Vaudémont, à une religion enracinée dans la terre et un vieux fonds de paganisme celte pousse à l'hérésie et à la révolte contre l'Église romaine !

De cette aventure réelle, dont il s'instaure l'historiographe, Barrès veut faire un symbole : celui de l'affrontement entre mysticisme païen et religion instituée. D'où un ton ambigu, oscillant entre la sobriété ironique et nerveuse du chroniqueur de ces existences frustes et des moments de lyrisme où transparaît la nostalgie d'un mysticisme syncrétique : les fameuses invocations de l'exorde aux « lieux où souffle l'esprit » et les dernières pages sur l'éternel dialogue de la Chapelle et de la Prairie, de l'ordre romain et des dieux de la terre. Mélange de distance narrative et de présence affective : l'imaginaire barrésien s'y épanouit, jusqu'en son thème obsédant de l'hermaphrodite, signe de l'aspiration à l'unité primitive.

SYNOPSIS

Sur la colline de Sion-Vaudémont, en Lorraine, trois prêtres, les frères Baillard, commencent en 1837 une entreprise de restauration des monuments comme de la vie spirituelle locale. L'énergie de l'aîné, Léopold, les place rapidement à la tête d'un véritable empire religieux, qui déplaît à la hiérarchie : après une longue lutte, l'évêque de Nancy parvient à les faire céder (chap. 1-3). Léopold tombe alors aux mains d'un illuminé, Vintras (4) : de retour à Sion, il fonde une communauté au mysticisme frôlant l'hérésie. Avec l'interdiction de l'évêque (5-7) et l'arrivée d'un nouveau curé (8) commence une longue lutte inégale : excommuniés, ruinés, les anciens seigneurs spirituels devenus chefs de secte doivent quitter séparément leur terre (9-14). Ils referont cependant une tentative, vite avortée, avec leur dernier carré de fidèles (15). François mort, Quirin l'ayant quitté, Léopold reste seul, prophète flamboyant et dérisoire qui réintégrera juste avant sa mort le sein de l'Église (16-19).

« Paysages passionnés... »

Sans doute pourrait-on regrouper sous ce titre, éminemment barrésien, une série d'œuvres de caractère plus personnel, au statut générique ambigu (recueils de nouvelles, d'essais, de récits de voyages), qui jalonnent la carrière de Barrès et disent la séduction des terres étrangères : au Barrès voyageur l'analyse et l'émotion inspirent quelques-unes de ses plus belles pages, libérées des contraintes formelles et des pesanteurs idéologiques.

Lorrain épris du monde méditerranéen et, par-delà, de l'Orient islamique, il aime une Italie tendre et morbide, n'oubliera jamais la fascination de Venise, si belle de se défaire (« la Mort de Venise », *Amori et dolori sacrum,* 1903), mais reçoit sa révélation de l'Espagne (dont le souvenir préside au début de *Du sang, de la volupté et de la mort,* 1894, et à laquelle il revient dans son essai sur *le Greco,* 1911). Sa révélation, car, dans cette terre de contrastes, lyrique et tourmentée, tendue entre l'âpreté castillane et la langueur andalouse, il se reconnaît lui-même… Le voyage barrésien, étant le moyen de « se faire une âme avec des beautés étrangères », suppose ainsi des ressemblances profondes : « Tout beau voyage est un cas de mimétisme. »

Mais si la Grèce lui reste étrangère (*le Voyage de Sparte,* 1906), c'est de l'Orient qu'il attend les leçons : ce voyage au Proche-Orient (1914), officiellement entrepris pour étudier l'influence française et la situation des congrégations, mais répondant en fait au vieil appel de l'Asie – « Le mal de l'Asie ! j'en suis envahi ! » –, lui inspire son dernier livre, *Une enquête aux pays du Levant* (1923) : épais volume, qui, à côté de chapitres politiques, chargés de justifier l'ordre de mission du député, contiendrait, au dire de Malraux, « ce que Barrès a de plus beau » : l'histoire de la secte des Assassins, l'évocation des derviches tourneurs…, où le pittoresque s'efface derrière le désir de compréhension et l'attention à la quête mystique.

Mes cahiers

C'est en 1896 que Barrès prend l'habitude de jeter, au jour le jour, notes, réflexions, projets de livres, anecdotes, dans un cahier d'écolier : cette habitude, il la conservera jusque dans ses voyages et jusqu'à la mort. Une soixantaine de cahiers, matière de quatorze tomes publiés de 1929 à 1951, tracent ainsi le portrait d'un Barrès proche et inquiet, qui ne se sent pas obligé de prendre la pose.

Y passe le reflet de l'histoire d'un quart de siècle, des soubresauts de la vie parlementaire, des amitiés politiques – comme celle, inattendue, de Jaurès. Mais surtout s'impose la présence d'un homme, avec ses tentations, ses limites, ses lectures. Et la présence d'une voix, car, dans cette masse inégale, certains passages atteignent à une beauté dépouillée et profonde : la mort de sa mère, ses angoisses de la nuit, son attente…

Mais les *Cahiers* témoignent aussi des approches successives de l'écriture, des thèmes récurrents et de la longue gestation des œuvres, dont certaines resteront ébauches : tels ces *Mémoires,* aux fragments dispersés, qui auraient peut-être été le grand œuvre barrésien.

M.-O. Germain et O. Barbarant (synopsis)

BARTHES Roland

(1915-1980)

Né le 2 novembre 1915 à Cherbourg, il fut orphelin de père dès l'année suivante et passa son enfance à Bayonne, dans un milieu bourgeois et protestant, auprès d'une mère qui fut la grande passion de sa vie. Ses études secondaires, puis supérieures, à Paris, le menèrent à une licence de lettres classiques, et furent interrompues par la maladie. Après une retraite forcée au sanatorium (1941-1946), employée à la lecture et à la réflexion, Barthes entra comme chercheur au C.N.R.S. (1952).

La traque originale du sens

L'originalité de sa pensée s'affirme rapidement par *le Degré zéro de l'écriture* (1953) : dès 1947, il avait écrit un texte sur « l'écriture blanche » de Camus, qui mettait en cause les définitions universitaires de la littérature. « L'écriture est l'éthique de la forme » : cette affirmation situe déjà Barthes dans son espace, qui est celui de la morale, mais d'une morale de l'immanence, de la structure. *Michelet par lui-même* (1954) illustre une attitude critique adaptée à cette théorie de l'écriture : découvrir dans le texte les moteurs cachés de sa production ; ici, trouver les marques d'un réseau obsessionnel dans tout texte de Michelet. Lecture, « décodage » sont encore pour Barthes des opérations intuitives, mais l'acuité de son regard lui permet de toucher juste dans le démasquage des présupposés de la culture française et de leur organisation mythique. Ces *Mythologies* (1957), qui renouvellent le genre du propos fragmenté – elles parurent dans un hebdomadaire –, marquent la naissance d'un grand essayiste. Lorsqu'en 1963, revenant à la critique littéraire avec *Sur Racine*, il s'attaque au terrain le plus gardé de la critique institutionnelle, les réactions ne se font pas attendre. En Barthes, c'est la « nouvelle critique », le « structuralisme » tout entier qui sont visés par R. Picard (*Nouvelle critique et nouvelle imposture*, 1965). Ces attaques donnent d'ailleurs au perturbateur l'occasion de pratiquer l'autopsie d'une activité qu'il conteste (*Critique et Vérité*, 1966).

Plus importante dans son trajet : son initiation à la linguistique (lecture de Saussure, de Martinet, fréquentation de Benveniste, de Greimas, de Pierre Guiraud) et à l'anthropologie (il est directement influencé par Lévi-Strauss) le conduit à entreprendre la rédaction d'une thèse analysant le discours de la mode féminine (1957-1963), thèse non soutenue et publiée plus tard sous le titre *Système de la mode* (1967). Ce travail faisait de son auteur l'un des sémiologues français les plus en vue, dans le sillage direct et saussurien du grand théoricien danois Louis Hjelmslev. On le verra clairement avec les travaux arides mais élégants des *Éléments de sémiologie* (publiés dans la revue *Communications*, puis en volume, 1965) et sur la rhétorique et son histoire (in *Communications*). À la différence de tous les sémioticiens, y compris Jakobson, il exposait une théorie du sens comme englobé dans une vaste parole humaine, et de la sémiologie comme entièrement subordonnée à une sorte de linguistique généralisée. « Il n'y a de sens que nommé et le monde des signifiés n'est autre que celui du langage » (*Éléments de sémiologie*).

Après cette crise théorique, dont les produits lui conféreront auprès de l'institution le statut requis pour entrer au Collège de France une dizaine d'années plus tard (1976), Barthes revient à une lecture-écriture, frémissante et retorse, des textes qui l'excitent : une nouvelle de Balzac sur la transgression sexuelle et le vieillissement, *Sarrasine* (*S/Z*, 1970), puis les écrits obsessionnels, structuraux et fascinants de la trilogie *Sade, Fourier, Loyola* (1971), qui sont les prétextes à de superbes exercices herméneutiques. Aussi important, le déchiffrage d'un vécu flottant et profond, celui de l'aliéné culturel, du « barbare en Asie », l'essai *l'Empire des signes* (1970). De moins en moins marquée par la rigueur du discours théorique institutionnel – rigueur assumée en tant qu'objet de désir (« J'ai traversé un rêve – euphorique – de scientificité », in *Tel Quel*, n° 47) –, l'écriture de Barthes retrouve le contact charnel avec les horreurs de la socialité qui donnait aux *Mythologies* leur plus grand pouvoir. Une éthique hédoniste qu'on peut juger compensatoire, un recours probablement désespéré au plaisir – derrière lesquels on sent l'angoisse, l'ennui, la désillusion… –, un raffinement psychologique qui fait trop facilement évoquer Proust, ou Gide, donnent aux dernières œuvres leur ton de confidence imparfaite et leur vibration lucide – j'entends que la clarté y est hésitante, c'est-à-dire sans artifice – devant les écrits littéraires (*le Plaisir du texte*, 1973) comme devant le texte ambigu de la mémoire personnelle (*Roland Barthes par Roland Barthes*, 1975). Cette vibration devient tremblement devant le discours assez désespérant des tricheries du sentiment érotique (*Fragments d'un discours amoureux*, 1977). Barthes, après un banal accident de la circulation, se laisse entraîner par la persuasion de la mort, bien peu de temps après sa mère. Et son dernier texte, sur la photographie (*la Chambre claire*, 1980), est une méditation sur la trace iconique, sur le temps et sur la mort.

Écrire et lire : recherche du plaisir

« Avec des choses intellectuelles, nous faisons à la fois de la théorie, du combat critique et du plaisir » (*R.B. par R.B.*) : cette phrase est la meilleure définition de son projet. Théorique, en effet, la conception d'une écriture-lecture qui ne fait que « tisser autour de l'œuvre sa couronne de langage » (*Critique et Vérité*) ; mais aussi critique, car seule capable de dégager « le lieu où le sens se forme et "prend" – comme une crème, une sauce, mais aussi un ciment » (J. Rey-Debove, in *Semiotica*, 32-1). Cette « prise » est la *doxa*, somme des tautologies sociales et culturelles, qui se donnent pour naturelles et renvoient tyranniquement au Code. Enfin, cette conception vise au plaisir, équivoquement recherché, lié à la névrose et à la perversion, celles mêmes du sens qui circule de l'écrivain au texte et au lecteur.

Écrivain, ce théoricien de l'écriture l'est. Sa conviction d'impuissance historique se reflète en une démarche rompue, où le lexique est semé de plongées étymologiques, de savantes hésitations sémantiques, comme la phrase l'est de parenthèses correctives, pour aboutir à cette matité décapante, à cette évacuation de l'ineffable, du douteux, qui auraient pu faire de Barthes un grand classique. Ses exigences de critique, son savoir même le lui ont interdit – peut-être aussi son refus de la science, antivaléryen. Car la conception barthésienne du littéraire rend intenable la position de l'écrivain. Celui-ci est contraint de croupir dans le cachot du sens social, de l'idéologie, de s'engluer dans la sauce figée du langage hérité, s'il ne fait éclater ce sens en volant, en « maquillant » les signes ; en trichant, seul contre l'Histoire. « Tous ceux […] qui sont hors du Pouvoir sont contraints au vol du langage » (*R.B. par R.B.*). L'issue serait ce « discours debout […] plein de terreur » (*le Degré zéro*) qui est aujourd'hui le discours poétique le plus plein, et que Barthes n'a fait que côtoyer. L'écrivain, pour lui, n'existe que par la pluralité des lectures : « Celui qui agit le texte, c'est le lecteur, et le lecteur est pluriel » (« Sollers écrivain »). Le sens du texte n'est jamais la « propriété » de l'auteur, mais l'effet d'une action quasi physique (un « muscle », qui « courbe » l'esprit), et cet agir a un moteur, le plaisir, force individuelle qui permet de mettre en œuvre, dans le texte, une modernité propre, capable de défaire le joug du langage.

Barthes fut ce déchiffreur de tout discours, explorateur de cet « empire des signes » sous lequel nous vivons. En témoignent aussi ces neuf volumes d'*Essais critiques*, publiés entre 1964 et 1987. Mais il savait que l'on ne peut se libérer de la contrainte des signes qu'en usant d'eux : contre le poids des symboles, il évoquait le pouvoir d'autres signes, signaux – le fameux « message » à « décoder », vocabulaire d'ingénieur dont les imbéciles se gaussent sans avoir tenté de le comprendre – et peut-être surtout symptômes, révélateurs de l'homme total, avec son inconscient.

A. Rey

BASHKIRTSEFF Marie

(1860-1884)

Issue de la noblesse provinciale russe, Marie Bashkirtseff mena très jeune une existence errante et cosmopolite, parcourant l'Europe aux côtés de sa mère, avant de venir s'installer à Paris en 1877 – décidée à conquérir, par la peinture, la gloire dont elle rêvait depuis toujours. En quelques années, elle se vit accueillie dans la meilleure société parisienne, que séduisait sa jeunesse brillante et spirituelle ; et ses tableaux (*la Parisienne*, *Meeting*, etc.), influencés par l'œuvre de Bastien-Lepage, connurent un réel succès auprès du public (1883). Mais, atteinte de tuberculose, elle mourut à vingt-quatre ans.

Destin tragique qui aurait pu, à lui seul, frapper les imaginations. Or Marie Bashkirtseff laissait un *Journal* ; publié en 1887, il eut un retentissement immédiat. Modèle du genre que ce journal intime (doublé de *Cahiers intimes* publiés de 1925 à 1927), dont la sincérité tient sans doute à l'étonnant narcissisme de sa narratrice et à son obstiné désir de se survivre ; il reflète, non sans charme, une sensibilité personnelle : amour de soi, curiosité intellectuelle, attirance pour tout ce qui paraît hors du commun (ainsi s'explique une curieuse correspondance avec Maupassant) et perpétuelle oscillation entre le goût de la vie, la hantise de sa précarité et la nostalgie d'une perfection.

Mais il témoigne aussi de la sensibilité d'une époque : cette figure romanesque du nomadisme inquiet et de l'égotisme passionné ne pouvait que toucher la génération décadente, qui se reconnut en elle. À Barrès, évoquant ses errances et son insatisfaction, elle devra son surnom de « Notre-Dame du Sleeping-Car ».

C'est enfin un document sur une certaine « psychologie féminine », dont Marie Bashkirtseff fournit maints exemples à Simone de Beauvoir pour *le Deuxième Sexe* – ce qui lui confère une place dans des préoccupations très contemporaines.

M.-O. Germain

BATAILLE Georges

(1897-1962)

Les catégories traditionnelles se révèlent inappropriées ou encombrantes, dès lors qu'on prétend rendre compte de l'œuvre de Georges Bataille. Cette œuvre a quelque chose du tourniquet ! Les récits ne cessent de renvoyer à l'ontologie qui les sous-tend ; la pensée philosophique, loin de se condenser ou de se durcir en « système », ne cesse de rechercher le jaillissement formulaire qui l'apparente à une « poétique »… Le lecteur de Bataille est constamment projeté dans le champ d'une expérience – ou, plus exactement, d'une expérimentation – existentielle où se nouent obscénité (érotisme), quête de l'extase (mysticisme) et fascination de la mort…

Né dans le Puy-de-Dôme, l'enfant Bataille découvre la vie à travers la présence-absence tragique d'un père aveugle et paralysé. On peut voir là le point-origine d'une vision du monde gouvernée par la hantise de la dégradation, de la décomposition des corps… Jeune, il se convertit au catholicisme et songe un instant à embrasser la vie religieuse. Mais il optera finalement pour l'École des chartes. C'est qu'en 1920 sa foi s'effondre. Concurremment, il découvre le rire libérateur de Nietzsche… Une santé précaire l'a mis à l'abri des horreurs de la guerre de 1914. Une vingtaine d'années vont suivre, foisonnantes : à travers la psychanalyse, il échappe à la dépression qui le minait ; un moment, il croise le surréalisme, dont bientôt il devient l'un des plus célèbres « hérétiques ». Le voici, en 1929, directeur de *Documents*, une revue qui est le point de ralliement des surréalistes excommuniés par Breton. Il ne cesse d'approfondir, parallèlement, une réflexion philosophique et politique : il se nourrit de Hegel ; il étudie le fascisme ; il adhère au « Cercle communiste démocratique », qui jette sur Staline un regard fort critique…

Mais, peu à peu, il se détourne de l'engagement immédiat. Il fonde la revue *Acéphale*, où il va formuler quelque chose comme une ligne d'action existentielle, une orientation programmatique conditionnée par le refus, à la fois nietzschéen et surréaliste, des contingences d'un monde qui, « comparé avec les mondes disparus […], est hideux et apparaît comme le plus manqué de tous » (*Acéphale*, n° 1, 1936). Pour Bataille, le salut passera, désormais, par la conquête de l'extase. En 1934, il a rencontré Laure, qui, pendant quatre ans, sera sa maîtresse (elle meurt en 1938). Publiés en 1971, les *Écrits de Laure* révèlent une personnalité à la fois complexe et tourmentée, une expérience et une volonté d'expérimentation à tonalité masochiste et une réflexion gouvernée par le double thème de la souillure et de l'exaltation mystique… S'il ne fait pas de doute que Bataille a influencé Laure, il apparaît, dans l'autre sens, que Laure a été, pour l'auteur de *la Part maudite* (1949), une inspiratrice capitale.

La maladie, en 1942, contraint Bataille à s'installer à Vézelay. Une dernière période s'ouvre alors, entièrement consacrée à la réflexion et à l'écriture. Il contribue à fonder la revue *Critique*. Il est conservateur de la bibliothèque de Carpentras, puis de celle d'Orléans. Il meurt en 1962. Il est alors auréolé d'un prestige considérable, du moins dans les milieux intellectuels.

Vivre l'animalité de l'homme

D'une méditation qui traverse aussi bien la métaphysique que la sociologie ou l'économie politique, on retiendra quelques thèmes qui éclairent particulièrement les récits et les poèmes de Bataille. Qu'en est-il, par exemple, de l'animalité de l'homme ? Qu'en est-il de ce corps dont les pulsions et les fantasmes, les exigences et les actions signent à la fois une dérision et un défi : dérision au regard de cette aspiration à la pureté vers quoi tend l'esprit humain, défi aux démonstrations de la logique, rébellion contre l'intelligence… ?

De fait, Bataille n'a cessé d'interroger et d'explorer les implications de cette tension, voire de cette déchirure, que l'animalité introduit dans la vie de l'homme. L'obsession de la souillure étant, à ses yeux, incontournable, il s'agit de l'investir de positivité. Il s'agit d'en faire la condition même de l'accomplissement sexuel. C'est par elle, en effet, affirme Bataille, que j'éprouve ce vertige de la perdition sans lequel la sexualité demeure lettre morte. Dans cette perspective, aimer implique d'assumer comme valeur cette obscénité que matérialisent toutes les fonctions d'excrétion du corps. Autrement dit, l'extase amoureuse ne saurait, sans se condamner à l'échec, faire l'économie d'une traversée de la perversion. Dès lors, on le conçoit, dans l'érotique de Bataille, la notion de transgression occupe une position stratégique. Mais on s'abuserait à chercher dans cette œuvre une revendication de liberté : même si les tabous les plus fondamentaux (celui, notamment, de la séparation des morts et des vivants) sont battus en brèche, il s'agit de tout autre chose. « Pas de mur entre érotisme et mystique », proclame Bataille (*Sur Nietzsche,* 1946). L'expérience de l'abjection est en effet, à ses yeux, le seul lieu où, simultanément, je puis faire l'épreuve du sacré et celle du blasphème.

D'où l'ambivalence – fascination et épouvante – constitutive de l'extase érotique. D'où aussi l'obligation de vivre sa sexualité comme une quête, d'aller toujours au-delà de la répulsion et de la souffrance…

« La pratique de la joie devant la mort »

Ce titre, emprunté à un essai de Bataille écrit en 1939 et prévu pour le n° 5 d'*Acéphale*, pourrait bien être emblématique : car la plupart de ses récits ont le dépouillement du compte rendu expérimental ; ils retracent des itinéraires, ils relatent d'étranges quêtes… Les principales étapes en sont le viol des normes, la recherche sans fin de l'excès, l'extase dans le paroxysme. Mais on ne retrouve guère, ici, la jubilation sadienne : l'érotisme est ascèse ; il est aventure du corps et de l'esprit, à la fois alliés et irréconciliés, s'égarant délibérément du côté de ce *no man's land* où la souffrance n'est plus antinomique de la joie ni la vie de la mort. S'il est vrai que, depuis Platon au moins, la pensée occidentale de l'amour se fonde sur un rêve d'éternité, tout à l'inverse la mystique érotique de Bataille ne cesse de réaffirmer l'imminence de la mort et son caractère de fin absolue. Il la définit, au fond, comme cette jouissance suprême dont le corps ne cesse de rêver mais dont la violence excéderait ses possibilités. L'agonie, écrit-il dans le « plan d'une suite de l'*Histoire de l'œil* », « ce n'est nullement une joie érotique, c'est beaucoup plus. Mais sans issue. Ce n'est pas non plus masochiste, et, profondément, cette exaltation est plus grande que l'imagination ne peut la représenter, elle dépasse tout. Mais c'est la solitude et l'absence de sens qui la fondent ». Et, si l'érotisme selon Bataille est ascèse, c'est qu'au bout du compte, il est préparation à cette ultime déflagration de la chair, à cette jouissance absolue.

Aussi bien Bataille récuse-t-il ces représentations, toutes théoriques et comme aseptisées, qui rendent supportable l'idée de la mort : la mort n'est pas, pour lui, « néantisation », simple passage d'un état à un autre état ou à l'absence de tout état. C'est aussi, c'est d'abord tout ce qui précède et tout ce qui suit cet instant qu'on appelle la mort (faut-il préciser que l'athée Bataille s'en tient à une vision strictement matérialiste du phénomène ?). Avant la mort, voici l'agonie, le spectacle de la souffrance et de la dégradation (physiologique, spirituelle) du mourant. Après la mort viennent la putréfaction, la décomposition de ces chairs qui furent moi.

Or, dans la dépense sexuelle (*l'Érotisme*, 1957), Bataille voit comme la mise en scène prémonitoire de cette entropie de la chair : affranchi du contrôle de l'esprit, traversé par mille pulsions centrifuges, le corps érotique explose en une multitude de procès organiques sans récupération ni compensation – suer, uriner, vomir, déféquer, éjaculer… Et les normes, les interdits, les tabous constituent autant d'écrans destinés à filtrer l'intolérable, à me faire oublier que, par la frénésie sexuelle, mon corps me fait connaître (me rapproche de, m'initie à) la mort, m'apprend à subir et à désirer cette violence absolue qui, un jour, nécessairement, me foudroiera…

La femme médiatrice

La femme, dans cet univers (où, on peut le noter, l'un des rares tabous à demeurer inentamé est celui de l'homosexualité masculine), la femme donc occupe une fonction cardinale. Au narrateur (la plupart des récits de Bataille sont à la première personne), elle offre l'accueil d'une bienveillance, le matériau d'un corps tour à tour instrument et réceptacle, enfin, et peut-être surtout, la médiation d'une exigence et d'un exemple. À la femme il revient d'initier le héros, de le guider, quelquefois pas à pas, sur l'itinéraire de l'excès et de la transgression. C'est sous ce jour qu'il convient de replacer la frénésie de souillure, la quête de l'obscénité absolue qui animent, chez Bataille, des figures de femmes par ailleurs d'une apparence fragile et réservée… Nulle truculence, de fait, dans ce débridement des sens ! L'épuisement libidinal est ici vécu comme le supplice qu'accepte ou que s'impose, librement, la sainte. Sainteté paradoxale, inversée ; sainteté sans aucun Dieu pour demander ou justifier de telles oblations ! « La sainteté, écrit Bataille, demande la complicité de l'être avec la lubricité, la cruauté, la moquerie » (*Méthode de méditation*, 1954). Sainteté fragile aussi : constamment l'extase est menacée d'évanouissement, et les personnages de Bataille affrontent ce risque en toute lucidité. Douloureusement, difficilement – mais la souffrance n'est pas ici exclusive de la jubilation –, la femme assume ce rôle d'initiatrice : Simone dans *Histoire de l'œil* (1928), Dirty dans *le Bleu du ciel* (1935), Edwarda dans *Madame Edwarda* (1941), Éponine dans *l'Abbé C.* (1951), Hansi dans *Ma mère* (1955), ou B., qui, dans *Histoire de rats* (1962), va permettre « cette exploration du froid qu'est l'amour noir (lié à l'obscénité de B., scellé par une incessante souffrance – jamais assez violente, assez louche, assez proche de la mort !) ».

Bataille et l'écriture

L'écriture n'a jamais, pour Bataille, constitué une fin en soi ou un absolu. Elle n'est que l'ensemble des outils qui devraient lui permettre de rendre compte d'une entreprise dont on a vu la finalité. En somme, les mots ne sont rien d'autre que les marques qui jalonnent une progression, les repères qui balisent un itinéraire. Pourtant, il serait dangereux de réduire l'œuvre poétique et narrative de Bataille à la défense et illustration d'une thèse philosophique. Car son éclat, sa violence ne tiennent pas seulement au radicalisme d'une ontologie, mais aussi à la perfection glacée d'une écriture, écriture tout à la fois dense et elliptique, écriture volontiers éclatée (à l'image même du corps érotique), soit que la phrase se brise et s'évanouisse dans l'indicible ou dans l'innommable, symbolisés par des lignes de points de suspension, soit que le récit se fragmente en épisodes autonomes et lapidaires…

Comme celui d'Artaud, qui lui est contemporain, l'extrémisme de Bataille ne vise pas seulement à explorer un au-delà de la norme et du tabou, mais peut-être aussi un au-delà de la parole. D'où le tranchant de cette œuvre. Mais en même temps, elle ne cesse de rapporter qu'au-delà il n'y a rien. D'où le vertige qu'elle suscite.

J.-J. Roubine

BATAILLE Henry

(1872-1922)

Après un premier échec à la scène, *la Belle au bois dormant* (1894), Henry Bataille se tourne vers la poésie, rassemblant ses premiers essais lyriques dans *la Dame blanche* (1895) ; mais l'appel des planches était le plus fort, et, dès 1896, un drame symboliste, *la Lépreuse*, ouvre une longue série de succès – *l'Holocauste* (1897), *l'Enchantement* (1900), et surtout *Maman Colibri* (1904) dont le sujet fait scandale (une femme mûre séduit et abandonne un jeune homme, avant d'être rejetée par son mari et humiliée par ses enfants). Bataille ne se voulut pas un simple auteur du Boulevard ; ses œuvres remuent de grandes idées et expriment une philosophie qui, à travers diverses variations, se ramène à quelques thèmes essentiels : le culte de l'enfance pour « ce goût d'infini, cet accent de vérité fiévreuse », un certain romantisme, nourri de Musset, de Hugo, qui implique le rejet de la morale bourgeoise et rationnelle, et l'apologie de l'instinct. Dans *la Femme nue* (1908), le poète s'attache à exprimer la « nudité primitive et originelle d'une âme riche seulement de ses instincts », opposée aux « vêtus », ces « êtres enrichis non seulement de la force sociale, mais de toutes les cristallisations séculaires de l'esprit » (Préface). Dans *le Scandale* (1909) est montrée la toute-puissance de la fatalité, mais est suggéré aussi que la morale doit s'élever « peu à peu à une conception supérieure du bien et du mal […], il y a de petites et grandes morales […], pas de morale sans justice ni de justice sans charité » (Préface). La réflexion se nuance dans *les Flambeaux* (1913) et dans *l'Amazone* (1917), mais le fond reste le même, avec par-dessus tout ce romantisme de l'instinct et de l'amour, un culte de l'art et du théâtre.

Sans doute ces problèmes paraissent-ils maintenant démodés ou destinés à un autre cadre. Mais ce n'est pas la philosophie de Bataille qui l'a condamné à l'oubli ; c'est son style trop diffus, parfois messianique – trop didactique pour ce que ses idées ont d'élémentaire ou de flou. Les pièces à thèse vieillissent évidemment plus vite et plus mal que les autres.

A. Niderst

BATTEUX Charles

(1713-1780)

Né à Reims, il entra dans les ordres et devint professeur de rhétorique dans sa ville natale, puis dans des collèges parisiens, avant d'obtenir la chaire de philosophie grecque et latine du Collège de France. Il se fit connaître du public par un *Parallèle de la Henriade et du Lutrin* et surtout par *les Beaux-Arts réduits à un même principe* (1746). Au début du siècle, Étienne-Simon Gamaches avait déjà publié *les Agréments du langage réduits à leurs principes* (1718) : la démarche rationaliste fait chercher les fondements premiers du langage et de l'art. Mais l'ambition de Batteux est plus vaste que celle de Gamaches. Il ramène la peinture et la poésie, la musique et la danse au seul principe de l'imitation, c'est-à-dire à la production de l'illusion, par le biais d'une ressemblance artificielle avec les objets de nature. Un peu comme le Diderot du *Paradoxe sur le comédien*, Batteux insiste sur la distance critique que l'Art doit prendre par rapport à l'émotion et à l'inspiration. Il publia encore des ouvrages sur la philosophie antique (*Morale d'Épicure* en 1758, *Histoire des causes premières, exposé sommaire des pensées des philosophes sur le principe des êtres* en 1769). Sa volonté totalisante est sensible dans le *Cours de Belles-Lettres* (1765), les *Quatre Poétiques d'Aristote, d'Horace, de Vida et de Boileau* (1771), les *Principes de littérature* qui réunissent en 1774 *les Beaux-Arts réduits à un même principe* et le *Cours de Belles-Lettres*, enfin dans un immense *Cours d'étude à l'usage des élèves de l'École militaire* (1777). Plusieurs fois réédités, *les Beaux-Arts* furent diffusés à travers l'Europe comme l'incarnation du classicisme à la française, contre lequel se définirent les *Stürmer* puis les romantiques allemands.

M. Delon

Baudelaire

BAUDELAIRE Charles

(1821-1867)

Méconnu ou maudit durant son existence, dont on a trop souvent dit qu'« il ne l'avait pas méritée », Baudelaire s'est vu salué et reconnu par toutes les générations poétiques du XXe siècle, de Valéry et des surréalistes à Pierre-Jean Jouve et Yves Bonnefoy. Unanimité spectaculaire mais bien compréhensible, dans la mesure où la poésie de Baudelaire, par sa « situation » même, autorise un évident pluralisme de lectures. Lecture classique de l'œuvre d'un incontestable héritier de la grande tradition formaliste et esthétique ; lecture romantique du drame d'un homme dont le « spleen » n'est étranger ni à l'aliénation socio-historique du « mal du siècle » ni aux rêveuses divagations du « vague des passions » ; lecture « moderne » du discours d'un écrivain et d'un critique pour qui la poésie ne saurait être autre chose que *poïêsis,* instauration ou restauration de l'être dans le verbe, au gré des miracles ou des mirages de cette suprême puissance d'évocation et d'« élévation », l'imagination. La modernité de l'auteur des *Fleurs du mal* n'est sans doute d'ailleurs rien d'autre que l'expression et l'acceptation inconditionnelle du pluralisme : celui de l'existence déchirée entre ses fortunes diverses, celui de la conscience écartelée entre ses postulats contradictoires, celui de l'écriture « éprouvée », elle aussi, dans la multiplicité de ses tentations, mais chargée, au bout du « voyage », d'imposer l'évidence unique, heureuse et salvatrice du poème.

« Et s'il avait mérité sa vie... »

En commençant son essai de 1947, Jean-Paul Sartre posait en des termes crus, sans complaisance, les données du « cas » Baudelaire : « "Il n'a pas eu la vie qu'il méritait". De cette maxime consolante, la vie de Baudelaire semble une illustration magnifique. Il ne méritait pas, certes, cette mère, cette gêne perpétuelle, ce conseil de famille, cette maîtresse avaricieuse, ni cette syphilis – et quoi de plus injuste que sa fin prématurée ? Pourtant, à la réflexion, un doute surgit : si l'on considère l'homme lui-même, il n'est pas sans faille ni, semble-t-il, sans contradictions [...]. Est-il donc si différent de l'existence qu'il a menée ? Et s'il avait mérité sa vie ? Si, au contraire des idées reçues, les hommes n'avaient jamais que la vie qu'ils méritent ? Il faut y regarder de plus près. » À suivre le conseil du philosophe, que voit-on ? Une existence en effet constamment fissurée, lézardée, contradictoire. Si Baudelaire n'a pas su, ou pas pu, se peindre autrement que l'*homo duplex* qui hante d'un bout à l'autre son écriture, c'est que son destin d'homme et d'artiste est constamment parcouru du fil brûlant qui sépare le bonheur de la détresse, la réussite de l'échec, l'enthousiasme de la rumination, la grandeur aussi de la faiblesse. Sur le versant maudit de cette vie, sur son ubac ténébreux, il y a la souffrance de l'enfant orphelin de son père à six ans, la longue haine de l'adolescent pour sa mère, Caroline Baudelaire, remariée dès 1828 avec le fantasque chef de bataillon Aupick, la solitude renfrognée de l'écolier de Lyon et de Paris, la dépravation du bohème syphilitique de 1840, l'infortune de l'amant aussi volage que trompé, la servitude de l'adulte « en tutelle », l'amertume de l'écrivain traîné en justice, le supplice du malade muré dans le silence de sa paralysie et qui « regarde passer les têtes de mort » en attendant de faire, seul, son dernier « voyage ». Mais sur l'adret de cette vie, dans un contrepoint déconcertant, s'épand la lumière d'une volonté et d'une « ressource » peu communes. Ce sont celles du bambin dévoreur de la bibliothèque paternelle, du collégien brillant, du dandy élégant qui croit au défi de Rastignac, du voyageur impromptu, du critique audacieux et vigoureux, du poète ingénieux et obstiné, celles enfin de l'homme d'autant plus grand devant la souffrance et la mort qu'il est seul et, jusqu'au bout, incompris. Non seulement Baudelaire a mérité son existence, mais encore il l'a assumée pleinement, sans dérobade, au point que c'est son existence qui a mérité son œuvre. Une œuvre imprégnée dans la moindre de ses phrases ou le moindre de ses vers de cette dualité existentielle qu'il n'a pas cherché à fuir puisqu'elle était lui, puisqu'elle était le terreau et le terroir de son génie. Certes, d'aucuns diront que cette ténacité à assumer toutes les contradictions de son destin n'est pas sans évoquer la complaisance d'un Chateaubriand ou d'un Laforgue à vivre et à décrire leur « mal du siècle ». Mal à l'aise dans sa peau, mal à l'aise dans la société et l'histoire de 1848, l'auteur des *Fleurs du mal* devrait-il prendre place entre celui des *Martyrs* et celui des *Complaintes,* dans la longue et triste lignée de ces « malades moraux » que le XIXe siècle engendra si nombreux ? Non pas, car, à la différence des romantiques de 1830 comme des décadents de 1880, il fait preuve, par tempérament et par formation, d'une lucidité critique et d'une capacité d'autocritique souvent étrangères à ceux-là. C'est même cette étonnante qualité de jugement et de discernement qui fonde l'originalité de la « situation » littéraire de Baudelaire. Par son intelligence humaine, sa clairvoyance esthétique et sa « prévoyance » poétique, il a tout « mérité » dans son destin d'homme et d'artiste parce qu'il a su d'abord tout « méditer » et presque tout comprendre dans le grand tournant de notre histoire littéraire que fut la décennie 1850-1860, où l'âge classique bascule, avec la faillite du romantisme, dans l'ère de la modernité. Une modernité qui est d'abord son fait, puisque le premier, il l'a désirée et identifiée en tant que telle.

L'œuvre critique

Longtemps négligée, la somme des écrits journalistiques et critiques de Baudelaire (*Réflexions sur quelques-uns de mes contemporains, Salons de 1845, de 1846* et *de 1859, l'Exposition universelle de 1855,* « le Peintre de la vie moderne » et autres

Curiosités esthétiques) apparaît aujourd'hui décisive pour la bonne intelligence d'une œuvre poétique que, chronologiquement et, en tout cas, ontologiquement, elle précède pour une bonne part. Cette épreuve du goût et du jugement que lui imposèrent les aléas de l'existence, et particulièrement la gêne financière, est indiscutablement à l'origine de la rigueur et de la maîtrise qui caractérisent sa propre esthétique. Dans le domaine littéraire, outre l'intérêt de réflexions pertinentes et souvent définitives sur ses contemporains (sur le dandysme de Chateaubriand, la grandeur et l'« universalité » de Hugo, l'« ardeur vitale » et le « génie » de Balzac, sur l'« ironie » de Flaubert ou les « descriptions trop bien faites » de Leconte de Lisle), on retiendra de la critique baudelairienne qu'elle lui est un permanent prétexte à se situer dans le grand débat littéraire du demi-siècle qui voit se croiser les dernières voix déchirées du romantisme et les déclarations tapageuses du formalisme d'un côté, du réalisme et du positivisme de l'autre. Ses analyses répétées du phénomène romantique comme des tentations de l'« art pour l'art » ou de la science lui ont en effet permis d'en dénoncer les excès respectifs, d'en prendre la mesure et de se frayer une voie personnelle, à l'abri des pièges où certains, même parmi ses amis, allaient se fourvoyer.

Si Baudelaire accorde tant de place dans son œuvre critique au romantisme et aux romantiques, c'est que, par tempérament et parfois par conviction, il se sent proche de cette génération d'écrivains où se trouvent les plus évidents de ses inspirateurs : Chateaubriand, grande figure du « dandysme du malheur » ; Petrus Borel, le lycanthrope, dont les « élucubrations » comblent ses ardeurs de bohème débraillé dans les années 40 ; Balzac, chez qui, à la même époque, il s'initie au système idéaliste de Swedenborg ; Sainte-Beuve surtout, dont les *Poésies et Pensées de Joseph Delorme* s'imposeront longtemps à lui comme le modèle du recueil lyrique. Ce dernier engouement suffit à esquisser le profil psychologique et émotionnel du jeune critique des deux premiers *Salons* ou de *l'Art romantique* de 1851. Un frère jumeau probablement de Samuel Cramer, le héros de son unique nouvelle, *la Fanfarlo* (1847) : « une nature ténébreuse, bariolée de vifs éclairs – paresseuse et entreprenante à la fois –, féconde en desseins difficiles et en risibles avortements ». Un tel aveu de tourment, d'écartèlement entre les forces du désir ou de la volonté et l'impuissance de l'action ou de la création n'autorise pourtant pas une identification complète entre le jeune écrivain et ses aînés romantiques. L'admiration qu'il leur porte ne va pas sans son lot de reproches, parfois très durs. Le mépris qu'il affiche pour Musset, par exemple, témoigne assez tôt de la double distance qu'il prend sur les plans formel et thématique avec la plupart des poètes de 1830. Musset est « un croque-mort langoureux », écrit-il : entendons par là que le critique refuse l'épanchement systématique et larmoyant des émotions du cœur dans le langage. Et si Baudelaire dit encore de l'auteur des *Nuits,* sur le mode paradoxal, qu'il a « la faculté poétique » mais qu'« il est mauvais poète », c'est qu'il est aussi coupable à ses yeux du péché capital de laxisme formel, d'abus des licences et des « facilités » de l'écriture.

On comprend dès lors la fascination qu'a pu exercer un long temps sur Baudelaire un écrivain comme Théophile Gautier, qu'il connaît depuis ses années de collège à Louis-le-Grand. L'ancien militant du romantisme conquérant de Juillet, devenu à partir de 1840 le pionnier de l'art pour l'art, va l'initier aux vertus du formalisme, et c'est par lui qu'il approche les nombreux cercles et « écoles » (école plastique, école païenne, etc.) qui fleurissent sur les décombres du romantisme moribond. Auprès du « poëte impeccable », il prend une leçon de rigueur et de perfection formelles, dont l'écriture des *Fleurs du mal* restera profondément marquée. Mais, s'il salue en Gautier le « métier » de l'écrivain et le courage du théoricien qui fait front contre l'entreprise positiviste, Baudelaire, là encore, sait garder ses distances vis-à-vis de son « modèle » et des milieux littéraires qu'il fréquente. Ni le « matérialisme païen » de certains, qui heurte sa spiritualité, ni l'esthétisme gratuit ou le « naturalisme » de bon aloi des « écoles » à la mode ne peuvent combler son génie, plus enclin à soupçonner le beau et à dénoncer le naturel qu'à s'y complaire ou à l'encenser. La flatteuse dédicace des *Fleurs du mal* cachera mal ainsi une désaffection grandissante à l'égard de l'auteur d'*Émaux et Camées,* en qui il ne reconnaîtra plus le créateur passionné et pittoresque de *la Comédie de la mort.* Il est vrai que, dans le temps où celui-ci évolue vers un formalisme sclérosant, qui sera l'un des derniers pièges du classicisme, Baudelaire comprend, lui, qu'il ne saurait y avoir de perfection sans émotion, de beauté sans authenticité, de métier sans tempérament. L'un croit encore en l'éternité du style et en une rédemption purement esthétique ; l'autre parie déjà sur la modernité – c'est-à-dire sur la pertinence sociale – de l'écriture.

De ce pari, la critique esthétique de Baudelaire, et notamment la critique picturale, rend encore mieux compte que ses chroniques littéraires. Non seulement l'auteur des *Salons* accorde aux peintres une place primordiale dans ses écrits, mais il apparaît à leur lecture que c'est d'eux souvent qu'il se sent le plus proche, que c'est en leurs œuvres qu'il voit le plus nettement se dessiner le tracé de la modernité qu'il appelle de tous ses vœux. Quelles raisons ont favorisé cette connivence de l'écrivain et des peintres ? Outre l'ouverture d'esprit du poète, qui fait dire à G. Blin que Baudelaire est de ceux qui acceptent « que le chant n'appartienne pas toujours à la voix ni la poésie au poète », il est certain que celui-ci a reconnu dans la peinture de ses contemporains la qualité qui, pour lui, doit être au cœur de toute création : le mouvement, c'est-à-dire cette essentielle énergie qui « dynamise » l'œuvre et bouscule l'état émotionnel de qui la contemple. Une énergie qu'il retrouvera d'ailleurs plus tard chez certains musiciens, dans les envolées de Liszt, dans les grandes « houles » des symphonies de Beethoven, dans les « extases » wagnériennes, surtout, dont le compositeur, dira-t-il dans sa « Lettre à Wagner », excelle à « peindre l'espace et la profondeur ». La sculpture, en revanche, à propos de laquelle il commet sans doute ses seules graves fautes de jugement en sous-estimant Rude ou Pradier et en ignorant curieusement Carpeaux, « l'ennuie » parce que « brutale et positive comme la nature », trop immédiate et trop esclave de l'objet auquel elle s'attache.

De l'artiste « moderne » c'est donc le peintre – et, en l'occurrence, Constantin Guys, dans la célèbre chronique parue en 1863 dans *le Figaro* – qui est la meilleure incarnation : « Ainsi il va, il court, il cherche. Que cherche-t-il ? À coup sûr, cet homme, tel que je l'ai dépeint, ce solitaire doué d'une imagination active, toujours voyageant à travers le grand désert d'hommes, a un but plus élevé que celui d'un pur flâneur, un but plus général, autre que le plaisir fugitif de la circonstance. » Par le dynamisme de sa démarche, par son mouvement, le peintre échappe au dilemme qui était déjà celui de la confrontation entre romantisme et formalisme, entre le pur, mais contestable, épanchement de l'émotion et le fixisme injustifiable de la beauté éternelle. La modernité qu'impose « le Peintre de la vie moderne » est, au contraire, dépassement et résolution du dualisme puisqu'« il s'agit, pour lui, de dégager de la mode ce qu'elle peut contenir de poétique dans l'historique, de tirer l'éternel du transitoire ». La modernité, dit encore Baudelaire, « c'est le transitoire, le fugitif, le contingent, la moitié de l'art dont l'autre moitié est l'éternel et l'immuable ». Voici réconciliées d'un coup par ce « pari » l'exigence d'authenticité émotionnelle que seule garantit l'ancrage de l'œuvre dans le fugitif du quotidien, et celle d'éternité qu'assure le dégagement de l'invariable du relatif et du circonstanciel par le « travail » poétique.

On voit ainsi que la notion de modernité baudelairienne ne saurait se confondre ni avec celle d'actualité ni avec celle de contemporanéité : « Le mouvement de la modernité, écrit encore G. Blin, va toujours dans le sens de la spécification, introduisant les idiotismes de race, de province, de métier – et point seulement chronologiques. Baudelaire dépasse ainsi la "contemporanéité" balzacienne, qui magnifie naïvement son époque comme le sommet de l'Histoire ; lui, dégage de son temps ce qu'il tient d'épique et de transitoirement éternel, il réussit à se déprendre, à se situer déjà au futur passé. » Des peintres « modernes », ou tout du moins des initiateurs de la modernité, il en existe donc déjà dans le passé : Brueghel le Drôle (ou l'Ancien) et son chaos onirique et fantasmatique ; Watteau et ses artifices aussi délicieux qu'intrigants ; Goya, le maître du « monstrueux vraisemblable »... Parmi ses contemporains, s'il salue le talent d'Ingres et de David, ses préférences vont naturellement à Daumier, à Courbet et, plus tard, à Manet et Cézanne. Mais de tous, il en est un dont, à force de l'observer, de le commenter et de le « remodeler » dans son commentaire, il partage toute l'esthétique : c'est Eugène Delacroix, « peintre complet et homme complet ». L'auteur des *Femmes d'Alger*, moderne par sa volonté de rester passionné tout en maîtrisant dans l'œuvre le jeu des passions, le confirme dans son espérance d'une esthétique nouvelle. Chez lui, en effet, l'art semble se refuser à toutes les servitudes de l'imitation d'une nature dont on sait que Baudelaire la juge aussi laide que « coupable », pour se faire expression, ou plutôt suggestion, d'une émotion et d'une spiritualité résolument individuelles et originales. Delacroix, écrit Baudelaire, est un peintre « suggestif ; ce qu'il traduit c'est l'invisible, l'impalpable, c'est le rêve, c'est les nerfs, c'est l'âme ». Autrement dit, comme l'affirme J. Lacoste dans sa *Philosophie de l'art*, à partir de Delacroix « le vrai sujet, c'est le peintre lui-même et ses émotions ».

Ce n'est pas que l'artiste, salué aussi par Baudelaire comme le plus grand des romantiques, se complaise exclusivement dans l'évocation de son intimité. En rompant, par le choix de certains sujets et la hardiesse des couleurs de sa palette, avec les canons de l'esthétique classique (imitation, fidélité, vraisemblance, sobriété, etc.), Delacroix ouvre au contraire l'espace de la toile à l'imaginaire. Sans nier ni dédaigner le monde des choses et des apparences, il le remodèle dans l'acte même du regard qu'il porte sur lui. Et ce regard pour lui, pour Baudelaire comme pour Edgar Poe, autre initiateur de la modernité, a nom « imagination » ; non la *fancy* des fictions-impostures, mais la « constructive imagination », l'imagination combinatrice, celle qui décompose les données du réel pour les imposer dans l'évidence étrange et heureuse de l'œuvre. Si « le beau est toujours bizarre » pour Baudelaire, s'il apprécie tant les contrastes de Delacroix, les « chinoiseries » de l'Exposition universelle de 1855, les caricatures de Daumier, les croquis de C. Guys, les « mensonges » des décors de théâtre, s'il vante chez le dandy le raffinement et le goût des artifices et ne tolère dans la féminité que l'« art du maquillage », c'est qu'il ne conçoit pas le beau autrement que comme la tenace et active contestation du vrai. « Je préfère, écrit-il dans *le Salon de 1859*, contempler quelques décors de théâtre, où je trouve artistement exprimés et tragiquement concentrés mes rêves les plus chers. Ces choses, parce qu'elles sont fausses, sont infiniment plus près du vrai, tandis que la plupart de nos paysagistes sont des menteurs justement parce qu'ils ont négligé de mentir ». La poétique des *Fleurs du mal* et du *Spleen de Paris* ne sera pas autre chose que l'épreuve personnelle de cette grande leçon d'esthétique.

La poétique baudelairienne

Un classicisme de l'intelligence

La postérité littéraire et critique n'a d'ailleurs pas toujours été tendre pour cette poétique. Rimbaud, qui, dans sa célèbre lettre à P. Démeny du 15 mai 1871, saluait Baudelaire comme « le premier voyant, roi des poètes, un vrai Dieu », ajoutait cette dure restriction : « Encore a-t-il vécu dans un milieu trop artiste, et la forme si vantée en lui est mesquine : les inventions d'inconnu réclament des formes nouvelles. » Valéry, qui assurément ne badinait pas avec la prosodie, parle, dans *Variété*, de « l'attristante banalité de beaucoup de vers baudelairiens ». Et sous la plume des meilleurs critiques de Baudelaire, parfois même chez ses plus ardents défenseurs, les griefs pour un réquisitoire formel ne manquent pas : abus du prosaïsme, maladresses et « trivialités » (empruntées souvent à des romantiques comme Petrus Borel), manque de souffle ou « souffle court », raideur rhétorique et surtout versification sans originalité, prosodie sans génie.

Tout cela est en partie vrai ; encore ne faudrait-il pas attendre de la poétique baudelairienne ce qu'elle n'a jamais voulu ni prétendu donner. L'incontestable modernité du poète ne doit pas masquer son attachement certain aux grandes figures ou aux grands principes du classicisme, et Yves Bonnefoy voyait juste en affirmant qu'« il y a dans sa prosodie la même monotonie de l'âme que chez Racine ». N'est-ce pas l'auteur du *Salon de 1859* qui déclarait lui-même sans rougir : « Il est évident que les rhétoriques et les prosodies ne sont pas des tyrannies inventées arbitrairement, mais une collection de règles réclamées par l'organisation même de l'être spirituel. Et jamais les prosodies et les rhétoriques n'ont empêché l'originalité de se produire distinctement. Le contraire [...] serait infiniment plus vrai. » La « raideur » baudelairienne est donc, d'abord et surtout, de la rigueur, et, au nom de celle-ci, il choisit son camp : de Malherbe, chez qui il admire « un vers symétrique et carré de mélodie », à Gautier, qu'il vénère comme un « poëte impeccable », il sera toujours aux côtés de ceux qui ne prennent ni le mot ni le mètre à la légère, qui refusent le hasard dans l'art et veulent que « tous les systèmes soient intelligibles ».

La tradition chez Baudelaire affleure dans la résurrection de formes anciennes, « ronsardisantes » quelquefois, dans le grand travail de la rime en laquelle il persiste à voir un des « piliers » du vers, dans le souci constant de la musicalité et de l'euphonie qu'il instaure à force de répétitions harmoniques ou de refrains égrenés jusqu'à la litanie. Mais surtout, elle se manifeste dans le choix des strophes, formes et mètres poétiques, presque tous empruntés à l'arsenal de la poésie classique : vers pairs essentiellement, dont il se contente de bousculer ou d'annuler la césure auditive ; quatrains à rimes plates, qui se révèlent le meilleur espace pour son « ascèse » ; quatorzains et sonnets traditionnels enfin, où il se sent aussi à l'aise que les romantiques s'y sentaient contraints et gênés. Ce dernier et inconditionnel attachement pour le sonnet classique donne la pleine mesure de la rigueur baudelairienne : « Parce que la forme est contraignante, écrit-il à Armand Fraisse dans une lettre de février 1860, l'idée jaillit plus intense. Tout va bien au sonnet : la bouffonnerie, la galanterie, la passion, la rêverie, la méditation philosophique. Il y a là la beauté du métal et du minerai bien travaillés. » Les « jaillissements » de la pensée comme ceux du cœur ou de la rêverie ne seront légitimés, pour Baudelaire, que s'ils sont authentifiés par un travail « intelligent » de formalisation. Avant de saluer les mérites de la « sorcellerie évocatoire » et le brio de l'imagination de l'auteur des *Fleurs du mal,* n'oublions pas que cette dernière n'est que l'autre visage de son intelligence critique et méthodique : « Je dis, écrivait-il encore dans sa *Correspondance,* que le poète est souverainement intelligent, qu'il est l'intelligence par excellence, et que l'imagination est la plus scientifique des facultés. »

Les pouvoirs de l'image

Nous sommes dès lors au cœur de la poétique baudelairienne. L'intelligence perçoit les défaillances ou les insuffisances du réel, l'imagination seule les transgresse ou les métamorphose « puisque seule elle comprend l'analogie universelle ou ce qu'une religion mystique appelle la correspondance ». L'originalité de Baudelaire n'est pas ailleurs que dans le statut nouveau qu'il accorde à l'imagination combinatrice : non plus « mettre en images », « enluminer » le réel, mais en rassembler les fragments épars et reconstruire un ordre, redonner du sens. « La représentation allégorique du monde, écrit G. Blin, offre à Baudelaire un refuge contre la réalité de la vie séparée. » Toute son audace et son unique chance de salut résident en effet dans l'acte de foi en la puissance d'« ordonnancement » de l'imaginaire poétique, de ses mouvements et de ses figures. Loin de se dérober à la vision du monde naturel délabré, le poète impose à l'image mission d'exorciser cette ruine. La poétique ne saurait donc se passer ici d'une métaphysique. Sur ce point, Baudelaire n'a manqué ni de précurseurs ni d'initiateurs. L'idéalisme, dans lequel s'enracine finalement son symbolisme, est à la fois extrapolation du platonisme, résidu de l'illuminisme de Swedenborg découvert chez Balzac, *remake* du spiritualisme d'Hoffmann (à qui il emprunte la théorie des synesthésies) ou de Poe, avec qui il s'accorde à dire que la démarche poétique doit être un « effort exalté pour atteindre la Beauté supérieure ». Dans tous les cas, le présupposé philosophique reste le même : quelle que soit la corruption du réel, il existe « ailleurs » un espace sanctifié vers lequel il faut faire mouvement d'« élévation », tant par la méditation de l'âme que par les tensions conjointes du verbe et de l'imaginaire.

La fameuse théorie des « correspondances » n'est rien d'autre que la mise en œuvre poétique de ce présupposé : « C'est cet admirable, cet immobile instinct du Beau, écrivait-il en 1859 à propos de Gautier, qui nous fait considérer la Terre et ses spectacles comme un aperçu, comme une correspondance du Ciel. La soif insatiable de tout ce qui est au-delà et que révèle la vie est la preuve la plus vivante de notre immortalité. C'est à la fois par la poésie et à travers la poésie, par la musique et à *travers* la musique, que l'âme entrevoit les splendeurs situées derrière le tombeau... » Qu'il s'agisse des simples correspondances « horizontales » (synesthésies ou autres harmonies) qui retissent entre les choses et les êtres, par le biais d'une savante magie sensorielle, la trame déchirée du quotidien, ou des plus essentielles correspondances « verticales » qui réalisent le mouvement sublime « d'une nature exilée dans l'imparfait et qui voudrait s'emparer immédiatement sur cette terre même d'un paradis révélé », l'intention est identique : substituer le bonheur du verbe aux faillites de l'existence en substituant l'unicité réconfortante de l'image à la multiplicité désolante du réel. Un réel moins irrémédiablement mauvais qu'absolument « hiéroglyphique ». « Or, qu'est-ce qu'un poète, affirme Baudelaire, si ce n'est un traducteur, un déchiffreur », autrement dit un manipulateur qui dispose de « chiffres » et de grilles de décodage universelles et infaillibles, les images.

L'« infaillibilité » des images poétiques, comparaisons, métaphores et oxymores principalement, est en effet garantie par leur appartenance originelle à l'« universelle analogie », dans laquelle il suffit de choisir avec maîtrise et clairvoyance :

« Chez les excellents poètes, affirme l'auteur de *l'Art romantique*, il n'y a pas de métaphore, de comparaison, d'épithète qui ne soit d'une adaptation mathématiquement exacte dans la circonstance actuelle, parce que ces comparaisons, ces métaphores et ces épithètes sont puisées dans l'inépuisable fonds de l'*universelle analogie*, et qu'elles ne peuvent être puisées ailleurs. » Pour réconcilier l'imparfait et le sacré, le présent mesquin et le passé purifié, l'image, avec sa force combinatrice rassurante, est l'instrument absolu. « Dans le présent le passé restauré », chantait Baudelaire ; « dans le réel l'imaginaire convoqué », faudrait-il ainsi ajouter puisque toute reconnaissance et toute régénérescence ne se font chez lui que par l'ingénieux truchement des productions de la vieille « maîtresse d'erreur et de fausseté » promue au rang de « reine des facultés ».

L'héritage baudelairien

Au début de sa « Fusée XV », Baudelaire écrit : « Je crois que le charme infini et mystérieux qui gît dans la contemplation d'un navire, et surtout d'un navire en mouvement, tient, dans le premier cas, à la régularité et à la symétrie, qui sont un des besoins primordiaux de l'esprit humain, au même degré que la complication et l'harmonie, et, dans le second cas, à la multiplication successive et à la génération de toutes les courbes et figures imaginaires opérées dans l'espace par les éléments réels de l'objet. » Voilà bien merveilleusement décrit l'espace poétique d'un créateur qui n'aime pas moins « la régularité et la symétrie » que les plus incertaines « figures imaginaires ». Classique par conscience et par formation, moderne par tempérament et par conviction, Baudelaire lègue à ses successeurs l'héritage d'une poétique de conciliation : de la rigueur traditionnelle et de l'audace moderne, de la fougue romantique et de la patience formaliste. Précurseur du symbolisme des années 1870 (même s'il n'emploie lui-même que trois fois le mot « symbole » dans *les Fleurs du mal*), par sa foi en l'imagination réconciliatrice, celle qui symbolise, « accouple » les réalités dispersées ; initiateur du surréalisme de 1920 par son goût du « bizarre » et du « merveilleux » ensevelis au tréfonds du quotidien comme enfouis dans le chaos onirique ; inspirateur encore, par son pari sur la spiritualité du langage, des grands manieurs de verbe du XXe siècle, de Paul Claudel à Michel Deguy, il a ouvert un âge poétique qui est encore aujourd'hui le nôtre. Celui de la confiance totale en la vertu cathartique du Poème ; celui de l'affirmation optimiste du primat ontologique d'une Poésie qui « n'a pas d'autre but qu'elle-même et ne peut en avoir d'autre » ; celui, pour tout dire, de l'Art pur, pensé et vécu comme « configuration » complexe, figuration réciproque et simultanée du Moi, du Monde et du Signe : « Qu'est-ce que l'art pur ? » écrivait déjà Baudelaire dans son « Art philosophique » en 1859. « C'est créer une magie suggestive contenant à la fois l'objet et le sujet, le monde extérieur à l'artiste et l'artiste lui-même. » La grande leçon, généreuse mais difficile, a été entendue. Elle n'est pas près d'être oubliée.

VIE		ŒUVRE	
1819	Joseph-François Baudelaire épouse Caroline Archenbaut-Defayis (Dufaÿs ou Dufays, par corruption).		
1821	**9 avr.** : naissance de Charles-Pierre Baudelaire, au 13, rue Hautefeuille à Paris. **7 juin** : baptême de l'enfant à Saint-Sulpice.		
1822	Naissance d'Apollonie Sabatier.		
1827	Mort du père de Charles.		
1828	Sa mère se remarie avec le chef de bataillon Aupick. Naissance de Marie Daubrun.		
1831	Aupick, retour d'Algérie, est nommé lieutenant-colonel. Il est muté à Lyon.		
1832	Charles est mis en pension au collège royal de Lyon.		
1834	Il prend part avec ses camarades aux émeutes du quartier de la Croix-Rousse.		
1836	Aupick, promu colonel, est nommé chef d'état-major à Paris. Baudelaire devient interne au lycée Louis-le-Grand. Brillantes études.	**1836**	Premières grandes lectures : Chateaubriand et Sainte-Beuve notamment.
1838	Séjour auprès de son beau-père dans les Pyrénées.	**1838**	Premiers vers bucoliques.

	VIE		ŒUVRE
1839	Réussit son baccalauréat, malgré un renvoi du lycée. Son beau-père est nommé au grade de général de brigade.	1839	Plusieurs prix en vers latins.
1840	Charles s'est inscrit à la faculté de droit. Fréquente une pension au 11, rue de l'Estrapade. Tendance au dandysme. Liaison avec une prostituée juive, Sarah, dite la Louchette. Contracte une maladie vénérienne. Brouille avec son beau-père.		
1841	**9 juin** : embarquement sur le *Paquebot-des-mers-du-Sud* à destination de Calcutta. Baudelaire débarque à l'île Maurice et séjourne 45 jours sur l'île Bourbon.	1841	A déjà composé et rapporté de son voyage « À une dame créole » et « À une Malabaraise », qui paraîtra en 1846.
1842	Retour en France dès février. Majeur, il entre en possession de l'héritage paternel. S'installe successivement quai de Béthune, rue Vaneau et à l'hôtel Pimodan. Fréquentation de Banville, de Gautier et des « formalistes ». Rencontre la mulâtresse Jeanne Duval.	1842-1843	Compose une vingtaine des futurs poèmes des *Fleurs du mal*.
1844	Sa famille lui impose, en la personne de Me Ancelle, un conseil de tutelle : il est donc privé de sa fortune.		
1845	**30 juin** : tente de se suicider d'un coup de couteau.	1845	Collaboration journalistique au *Corsaire-Satan*. Publie le *Salon de 1845* et sa traduction du *Scarabée d'or* d'E. Poe.
1846	Parle à ses amis d'un recueil qu'il intitulerait *les Lesbiennes*.	1846	Publie « Don Juan aux Enfers », *Conseils aux jeunes littérateurs*, un *Choix de maximes consolantes sur l'amour*, et le *Salon de 1846*.
1847	Participe à l'agitation parisienne sociale et politique. Rencontre Marie Daubrun. Aupick, nommé général de division, devient commandant de l'École polytechnique.	1847	Publie une nouvelle, *la Fanfarlo*, et la traduction du *Chat noir* de Poe.
1848	Fonde, avec Champfleury et Toubin, un journal révolutionnaire, *le Salut public*. S'inscrit à la Société républicaine centrale. Participe aux journées de Juin.	1848	Traduit la *Révélation magnétique* de Poe. Publie « le Vin de l'assassin ».
1849-1850	Déçu par la « révolution », se retire trois mois à Dijon, où le rejoint Jeanne.		
1851	Dénonce le coup d'État du 2 décembre. Semble renoncer à toute activité politique.	1851	Fait paraître « Du vin et du haschisch » et onze sonnets dans *le Messager de l'Assemblée*.
1852	Début de sa passion pour A. Sabatier. Nombreuses lectures d'E. Poe.	1852	*Edgar Allan Poe, sa vie et ses ouvrages*.
1853-1856	Suite de sa liaison platonique et anonyme avec la Présidente. Amour pour Marie Daubrun.	1854	Publie dans *le Pays* les *Contes extraordinaires* de Poe.
		1855	Donne l'*Exposition universelle* et dix-huit poèmes des futures *Fleurs du mal* dans la *Revue des Deux Mondes*.
		1856	Début de la traduction des *Histoires extraordinaires* de Poe.
1857	**Avr.** : mort du général Aupick. **Août** : condamnation de Baudelaire et de son éditeur en justice. Réquisitoire du procureur Pinard. Rupture avec Mme Sabatier après la « possession » décevante.	1857	**Juin** : *les Fleurs du mal* sont publiées chez Poulet-Malassis. Édition des *Nouvelles Histoires extraordinaires* de Poe.
1858	Séjour auprès de sa mère à Honfleur. Grosses difficultés d'argent.	1858	Traduit *les Aventures d'Arthur Gordon Pym* de Poe et donne le « Poème du haschisch ».
1859-1861	Inquiétude mystique grandissante.	1859	Écrit le *Salon de 1859*.
		1860	Publication en volume des *Paradis artificiels*.

VIE		ŒUVRE	
1861	**Déc.** : candidature avortée à l'Académie française.	**1861**	Deuxième édition augmentée des *Fleurs du mal*. Publie en avril *Richard Wagner et Tannhäuser à Paris*. Travaille à *Mon cœur mis à nu*.
1862	Aggravation de son état de santé. Aggravation des séquelles de sa syphilis.	**1862**	Diverses publications de poèmes en prose, généralement sous le titre de *Spleen de Paris*.
1863	Projet de voyage en Belgique.	**1863**	« Le Peintre de la vie moderne » : étude sur Constantin Guys.
1864	**Avr.** : arrive à Bruxelles. Séjournera deux ans à l'hôtel du Grand Miroir. Tournée de conférences. C'est un échec moral et financier.	**1864-1865**	Traduit *Eurêka* de Poe. Travaille à *Pauvre Belgique*. Publie sa traduction des *Histoires grotesques et sérieuses* de Poe.
1866	Malaise à Namur en mars. En juillet, rentre à Paris dans une maison de santé, atteint d'hémiplégie et d'aphasie.	**1866**	*Le Parnasse contemporain* édite ses « Épaves » et ses « Nouvelles Fleurs du mal ».
1867	**31 août** : meurt dans la clinique du Dr Duval. **2 sept.** : inhumation au cimetière du Montparnasse.		

Les Fleurs du mal

« Un commencement et une fin »

Dans sa *Correspondance* comme dans ses divers projets de Préface aux *Fleurs du mal*, Baudelaire a toujours exigé de son lecteur potentiel une attention particulière à l'architecture de son recueil. S'il reconnaît que celui-ci est bien le déversoir de toutes ses humeurs et convictions (« Dans ce livre atroce, j'ai mis tout mon cœur, toute ma tendresse, toute ma religion [travestie], toute ma haine... »), il désire que *les Fleurs du mal* soient perçues comme le fruit d'une exigeante recomposition qui a dessiné un « itinéraire » signifiant là où la vie et l'histoire n'avaient tissé qu'une suite de hasards ou d'incohérences : « Le seul éloge que je sollicite pour ce livre, écrit-il à Vigny en 1861, est qu'on reconnaisse qu'il n'est pas un pur album et qu'il a un commencement et une fin. » En feuilletant l'ouvrage, la perception des étapes de l'itinéraire est d'ailleurs évidente. Répudiant le principe, cher à Musset et à Hugo, de la classification chronologique – vraie ou fausse – des poèmes, Baudelaire a regroupé les siens en six parties qui sont autant de « stations » de sa démarche poétique.

SYNOPSIS

L'édition définitive (1861) offre la structure suivante :

I. « SPLEEN ET IDÉAL » (poèmes I à LXXXV), où le poète décrit avec autant de patience que de cruauté la double postulation de son être déchiré entre sa soif d'une idéalité et d'une pureté perdues et son enlisement dans les tourments du quotidien qu'il nomme « ennui », « guignon », « tristesse », en un mot, « spleen », puisque c'est à l'unicité de ce vocable anglais qu'il a donné mission de traduire le pluralisme de ses souffrances morales et physiques.

II. « TABLEAUX PARISIENS » (poèmes LXXXVI à CIII), où la ville, la « fourmillante cité pleine de rêves », impose à la fois au créateur le miroir multiplié de sa laideur et de son mal et le mirage d'un lieu magique, fantasmatique, où se perdre, c'est aussi se retrouver.

III. « LE VIN » (poèmes CIV à CVIII), première des grandes tentations de la chair. Gros rouge des chiffonniers et des assassins, nectar des femmes galantes et des amants, il cristallise les rêves imposteurs de libération et d'arrachement vers le « paradis » perdu.

IV. « FLEURS DU MAL » (poèmes CIX à CXVII), autre florilège des vices et « péchés » de la chair, où les « femmes damnées » voisinent avec les Béatrice et les Vénus pour le désespoir d'un être qui n'a jamais trop de courage pour « contempler [son] cœur et [son] corps sans dégoût ».

V. « RÉVOLTE » (poèmes CXVIII à CXX), où l'homme, revenu de toutes les tentations et écœuré de toutes les tentatives avortées, s'adonne aux imprécations de l'esprit et aux reniements de l'âme : injures, blasphèmes, suppliques et litanies dédiées à cette autre grande figure de la marginalité et de la déchéance, Satan, « prince de l'exil » et « dieu trahi par le sort ».

VI. « LA MORT » (poèmes CXXI à CXXVI), dernier pari, mais peut-être aussi dernière tentation et suprême artifice, où le « pauvre », l'« amant » et l'« artiste » confient au miracle d'un dernier « voyage » l'espérance d'une réconciliation et d'un salut.

La linéarité de cet itinéraire des *Fleurs du mal* ne saurait pourtant masquer deux points essentiels à sa compréhension. D'une part, et en dépit des six parties mentionnées, le rythme profond du livre est ternaire. Le premier temps, correspondant à la très longue partie « Spleen et Idéal » (85 poèmes sur 126), est celui du constat, de la description d'un état intenable parce qu'instable, toujours vacillant entre les caprices d'une sensibilité et les exigences d'une intelligence ou d'une âme. Le deuxième, correspondant aux parties II à V, embrasse tous les « paradis artificiels », depuis les plus innocents jusqu'aux plus pervers, que s'invente l'homme désespéré de ne pouvoir assurer la « maintenance » de l'autre paradis, toujours perdu, toujours dérobé. Le troisième enfin, qui tient dans la VIe et dernière partie du livre, « la Mort », est celui d'un fragile apaisement conquis par le créateur sur sa détresse au prix d'une très problématique aliénation de tout son être dans l'« inconnu » et le « nouveau ». S'il y a bien « commencement et fin » dans cette démarche, on voit donc également qu'il ne saurait y avoir dialectique dans son déploiement. Rien n'est même sans doute plus étranger à la poésie de Baudelaire que cette notion de dialectique. La dualité qui fait son drame, et qu'il identifiait aussi dans le *Tannhäuser* de Wagner comme « la lutte de deux principes qui ont choisi le cœur humain pour principal champ de bataille, c'est-à-dire de la chair avec l'esprit, de l'enfer avec le ciel, de Satan avec Dieu », n'est pas plus effacée par les artifices de l'existence qu'elle n'est dépassée par la mystique de l'outre-tombe. Malgré la systématisation manichéenne de la première partie, les deux suivantes n'apportent ni transgression ni résolution définitives.

Comme l'écrit H. Friedrich, la poésie des *Fleurs du mal* s'en tient à « une dynamique de tensions irrésolues entre le mal satanique et l'idéalité vide ». Disons qu'elle vit même de cette tension et de cette irrésolution qui s'éprouvent non seulement à l'intérieur de tel ou tel poème mais encore dans la totalité de l'œuvre, clôturée et comme recroquevillée sur ce qui la ronge et la féconde à la fois. L'analyse de la thématique du livre confirme pleinement, par ses ambiguïtés et ses contrastes, cette incoercible fatalité des contraires.

De la répulsion du naturel à la tentation des artifices

Si Baudelaire a voulu se démarquer clairement quelque part tant de ses aînés romantiques que de ses contemporains formalistes et parnassiens, c'est bien sur le plan de l'approche de la nature et du naturel. *Les Fleurs du mal* sont probablement le premier grand recueil poétique fondé sur une esthétique ouvertement « contre nature ». Dénonçant aussi bien la « bonne nature », figée dans les poses ou les tableaux éternels des tenants de l'« art pour l'art », leur auteur impose au contraire la double image d'une nature et d'une nature humaine lépreuses, viciées, coupables, lieu ou cause d'une perdition certaine. Peignant des « charognes », des cerveaux gangrenés et des « fontaines de sang » là où d'autres voyaient des trésors de fraîcheur, d'innocence et de grâce, Baudelaire, qui n'a pas la duplicité d'un Verlaine capable de vivre « parallèlement » sa bonne et sa mauvaise nature, orchestre le cruel ballet de tous les monstres minables ou abominables du naturel. Son obsession de se perdre, de se dissoudre dans ce que Sartre appelle l'« énorme fécondité molle de la nature », n'est pas moindre que la hantise balzacienne de la dépense du plaisir et des rétrécissements de la pensée. Ni sa sensibilité, qui le prévient contre le « vampirisme » du naturel, ni son intelligence critique, qui lui désigne partout la corruption, ni sa « foi », qui lui dénonce le mal qui « se fait naturellement » et le crime « originellement naturel, dont l'animal humain a puisé le goût dans le ventre de sa mère », ne lui autorisent la moindre compromission.

Ainsi, puisqu'il n'aperçoit dans le giron de l'infâme « marâtre » que malignité ou perversion, « la première affaire de l'artiste est-elle de substituer l'homme à la nature et de protester contre elle ». Trois ans avant la parution des *Paradis artificiels,* Baudelaire n'hésite donc pas à réaliser dans la poésie des *Fleurs du mal* les leçons ambiguës de Thomas De Quincey en cherchant à combler son « goût de l'infini » par le recours aux artifices les plus divers : « C'est pourquoi, ne considérant que la volupté immédiate, [l'homme] a, sans s'inquiéter de violer les lois de sa constitution, cherché dans la science physique, dans la pharmaceutique, dans les plus grossières liqueurs, dans les parfums les plus subtils, sous tous les climats et dans tous les temps, les moyens de fuir, ne fût-ce que pour quelques heures, son habitacle de fange. » Qu'on ne s'y trompe pourtant pas. Si les poèmes du « Vin » et les chants de la drogue, comme le fameux « Rêve parisien », illustrent trop bien dès 1857 les mots de « liqueurs » et de « pharmaceutique », l'essentielle artificialité du poète n'est pas seulement dans ces pratiques qu'il sait, par expérience, aussi dangereuses que provisoires. Tout au plus sont-elles les métaphores du désir d'« élévation » ou de dépaysement que l'être oppose à l'opacité sclérosante du réel. Baudelaire, qui ne fut vraiment ni alcoolique ni toxicomane, est bien davantage lui-même quand il s'abandonne à ces autres artifices que sont les raffinements sophistiqués de certaines sensations ou rêveries : l'envoûtement du « Parfum exotique », la tiédeur engourdie des soirées au « Balcon », la mollesse magnétique des « Chats », le vertige langoureux d'une « Harmonie du soir », l'inconsistante divagation d'une « Invitation au voyage ». Les vraies drogues, et les plus efficaces, des *Fleurs du mal* sont en réalité celles du langage, quand le poète arrive à fixer dans la nébuleuse de ses mots et de ses vers les fantaisies des sens et les fantasmes de l'imaginaire. Un simple « mangeur d'opium », pour Baudelaire, reste coupable d'une impardonnable « dépravation du sens de l'infini » s'il n'est aussi un fou du langage, ivre de mots et de rythmes.

La femme : trois profils pour un visage absent

Où mieux éprouver dans *les Fleurs du mal* cette ivresse verbale que dans le discours amoureux ? Et n'est-ce pas pourtant un paradoxe que de voir au centre des courbes et des « cycles » du langage de Baudelaire celle que, dans *Mon cœur mis à nu,* il giflera de l'anathème le plus dur : « La femme est naturelle, c'est-à-dire abominable. Aussi est-elle toujours vulgaire, c'est-à-dire le contraire du dandy ». Les femmes de son existence et de sa poésie, à l'exception de la mère « impossible », ne seront donc jamais « naturelles ». Pour trouver grâce à ses yeux et dans ses mots, elles auront d'abord sacrifié à l'impératif catégorique de l'« éloge du maquillage » : « La femme accomplit une espèce de devoir en s'appliquant à paraître magique et surnaturelle ; il faut qu'elle étonne, qu'elle charme ; idole, elle doit se dorer pour être adorée ». Aussi bien, chacune des trois grandes figures féminines des *Fleurs du mal* sera-t-elle une variation sur le thème de la « grandeur artificielle » que le critique admirait déjà chez les mondaines de La Bruyère : Jeanne Duval, la « Vénus noire », rencontrée dès 1842, et qui, malgré ses caprices et ses infidélités, troublera encore les cauchemars du malade de 1866, cristallisera en sa chair exotique, parfumée et sensuelle tous les sortilèges du « maquillage » invoqué ; Marie Daubrun, la « femme aux yeux verts », entrée dans la vie de Baudelaire vers 1846 avant de devenir la maîtresse de Banville, lui apportera les plaisirs plus subtils et plus équivoques de l'innocence perverse, de la trouble « fraternité » ; Apollonie Sabatier enfin, la « Présidente », adulée platoniquement et anonymement de 1852 à 1857 avant de voir son image sombrer dans ce que M.-A. Ruff appelle le « dénouement lamentable de la possession », aura régné sur l'âme du poète de toutes les grâces éthérées de son profil angélique et apollinien, qui contraste, dans les contrepoints de l'écriture du recueil, avec celui de Jeanne, satanique et dionysiaque.

Artificielles par sensualité, ambiguïté ou idéalité, ces trois « passantes » privilégiées de l'âme et de la poésie de Baudelaire, qui jouent, tour à tour, les trois rôles imparfaits de la mère, de la sœur et de l'amante, dans l'impuissance qu'elles sont d'être jamais l'épouse, ne sont pas même les lointaines cousines des muses ou inspiratrices romantiques. Suzeraines du cœur et du corps du poète, elles imposent ou refusent l'amour au rythme d'une tyrannie capricieuse qui fait maudire le plaisir « empoisonné » qu'elles distillent. Loin d'apporter à l'être déchiré le réconfort d'une présence unique et généreuse, les femmes du recueil ne font qu'exacerber le supplice de sa dualité en n'étant elles-mêmes que « duplicité » : violentes derrière leurs câlineries, perfides derrière leur tendresse, « traîtresses » derrière leurs larmes ou leurs sourires. L'amour, « fleur du mal » par excellence, état mental et poétique imposé par les nécessités de la vie et de l'écriture, est ainsi de tous les artifices baudelairiens le plus raffiné et le plus cruel. Artifice puisqu'il exclut, par essence, l'équilibre apaisant de la vertu et de l'authenticité ; cruauté puisque son jeu constamment faussé ravive les hantises de l'aliénation et de la dépossession de soi en un « autre » aussi mutilant que fascinant. Cet « autre », au regard « brouillé » de sphinx et de chimère, Baudelaire sait bien d'ailleurs qu'il n'est sans doute qu'« une des formes séduisantes du Diable ».

« Enfer ou Ciel, qu'importe… »

Le Diable ! Encore lui au détour des vers des *Fleurs du mal* ! Que n'a-t-on pas dit du conflit baudelairien entre satanisme et mysticisme, qui paraît devoir prendre la relève de celui du spleen et de l'idéal quand l'écriture se fait plus grave, plus désespérée encore ? Le satanisme de Baudelaire n'est, en effet, pas plus simple que n'est transparente et orthodoxe sa « foi ». Appellera-t-on également satanisme le « satyrisme » (Prévost) de certaines pièces « damnées » et condamnées, l'atroce amertume des chants de la déchéance, où « la prière, dit Friedrich, s'effondre dans l'impuissance », ou encore ces rébellions verbales et ces exploits de « sorcellerie évocatoire » quand, dans un élan quasi faustien, le poète défie Dieu et le sacré ? Certes, il y a tout au long des *Fleurs du mal* un débat « majeur » entre le divin et le diabolique, débat qui englobe et excède à la fois tous les conflits « mineurs » du livre (nature corrompue, paradis artificiels, femme impossible, etc.). Mais ni l'archange déchu ni le *deus absconditus* ne sont sauveurs et rédempteurs : tout au plus sont-ils, eux aussi, les figures poétiques, donc rhétoriques plus qu'existentielles, de la dualité de celui qui parle. Pierre-Jean Jouve formulait clairement cela en affirmant, dans son *Tombeau de Baudelaire*, que le poète « ne peut aimer religieusement l'Essence, dont il est épris, sinon en empruntant les voies qui découvrent le démoniaque ». S'il y a chez lui une imposture du satanisme, c'est bien parce qu'il y a une impossibilité du divin, et les derniers vers des *Fleurs du mal* ne sont pas là pour trancher entre les deux, mais pour repousser à l'extrême du dicible les termes de l'obscure alternative.

L'analyse des poèmes de « la Mort » montre assez que l'ultime pari baudelairien ne procède en rien d'un choix définitif de Dieu contre Satan, et les quatrains solennels du « Voyage » ne sont pas un démenti apporté aux distiques révoltés des « Litanies de Satan ». Baudelaire a, dans maints poèmes, éprouvé et décrit la mort comme une fatalité qu'impose le spectacle même de la nature. Mais s'il s'obstine à faire de cette seule et effrayante certitude d'homme l'unique espérance du poète, c'est à condition qu'elle ne soit Rien : « Enfer ou Ciel, qu'importe… », puisque ce qui importe désormais c'est le « nouveau » et l'« inconnu ». L'outre-tombe baudelairien, chanté ici comme le florilège éternel de tous les artifices, « lotus parfumé » et « vendanges » miraculeuses, ou psalmodié là comme un paradis « fait de rose et de bleu mystique », n'est réductible à aucune de ces deux images mais est à deviner dans l'intervalle innommé et innommable qui sépare les « limbes » de la béatitude des enfers du plaisir. C'est dans ce lieu banalisé et introuvable, qu'il ne veut d'ailleurs, à la différence de Rimbaud, ni trouver ni explorer, que Baudelaire, écrit admirablement Yves Bonnefoy, « va chercher à faire dire au poème cet extérieur absolu, ce grand vent aux vitres de la parole, l'*ici* et le *maintenant* qu'a sacralisés toute mort ». En renvoyant dos à dos Dieu et Satan dans l'anonymat du verbe poétique, l'auteur des *Fleurs du mal* réinvente la mort comme suprême puissance ontologique, comme imminence salutaire de l'être total et unifié. « Baudelaire a fait plus, écrit encore l'auteur de *l'Acte et le Lieu de la poésie*. Je tiens qu'il a choisi de mourir – d'appeler la mort dans son corps et de vivre sous sa menace – pour mieux saisir dans sa poésie la nuée aperçue aux limites de la parole. »

Le Spleen de Paris

La thématique des *Fleurs du mal* est largement reconduite dans les cinquante petits poèmes en prose du *Spleen de Paris* de l'édition posthume de 1869. Cette reconduction ajoute d'ailleurs à l'ambiguïté d'un recueil resté inachevé où certains voient l'aboutissement de la poétique baudelairienne et d'autres, au contraire, un échec dans un genre encore balbutiant. Baudelaire lui-même, qui a rédigé ses premières proses poétiques en 1855, puis les a données à la presse dans des livraisons chaque fois plus étoffées (six textes dans *le Présent* en 1857, neuf dans *la Revue fantaisiste* de novembre 1861, vingt dans *la Presse* de juillet-août 1862), est resté très critique à l'égard de cette partie de son œuvre : « Ah ! ce *Spleen*, écrit-il, quelles colères, et quel labeur il m'a coûté[s] ! Et je reste mécontent de certaines parties. » Les hésitations sur le choix du titre définitif du recueil (*Poèmes nocturnes*, *le Rôdeur parisien*, *Rêvasseries*, *Petits Poèmes en prose*, *le Spleen de Paris*, etc.) traduisent bien la difficulté de l'auteur à maîtriser une entreprise qui, à la différence de celle des *Fleurs du mal*, très rigoureuse, paraît manquer d'unité et de finalité : « Tout, au contraire, écrit-il à Arsène Houssaye, y est à la fois tête et queue, alternativement et réciproquement. »

La disparate du livre fait sans doute en effet sa force et sa faiblesse. Cette marqueterie de nouvelles, de dialogues, d'allégories, de scènes de rue, de fictions fantastiques ou policières à la manière d'Edgar Poe et de rêveries lyriques plus conventionnelles peut séduire comme elle peut irriter. À l'origine du projet, Baudelaire s'était pourtant fixé un but et un modèle : tenter des « essais de poésie lyrique dans le genre de *Gaspard de la nuit* d'Aloysius Bertrand », mais en appliquant « à la description de la vie moderne [...] le procédé qu'il avait appliqué à la peinture de la vie ancienne, si étrangement pittoresque » [voir **BERTRAND**]. Il n'est pas niable que *le Spleen de Paris* a répondu au moins pour moitié à ce dessein. Jamais Baudelaire n'a mieux traduit que dans ces textes la présence du créateur au monde du quotidien, à ce « grand désert d'hommes » où il est contraint d'errer solitairement, débusquant l'ignoble, guettant le grotesque, soupçonnant le mystérieux et suggérant le sublime. Par leur souplesse formelle, les poèmes en prose réussissent à traduire évidemment mieux que les vers l'univers discordant et étrange du Paris qu'Haussmann est en train d'ériger et donnent toute liberté d'épanchement au regard critique d'un poète qui réagit cette fois à « un monde et à une société historiquement situés » (Raymond Jean).

Mais cette réussite d'une poétique de la discontinuité ne peut dissimuler les limites de l'utilisation que Baudelaire fait de la prose. Est-ce obsession de son « mystérieux et brillant modèle » ? Est-ce plutôt inadaptation de son génie intime, si profondément dualiste, à une forme plus disponible aux élans et délires de l'imaginaire qu'aux conflits ressassés d'un cœur et d'une intelligence ? En tout cas, l'auteur du *Spleen de Paris* paraît constamment rester en deçà de ce qu'il pouvait obtenir d'un pareil instrument poétique.

Même si on laisse de côté le problème des doublets en prose des poèmes versifiés (« le Crépuscule du soir », « l'Invitation au voyage », « la Chambre double », « Un hémisphère dans une chevelure », etc.), tous probablement ultérieurs aux vers des *Fleurs du mal*, mais tous rédigés aussi parmi les premiers textes du *Spleen de Paris*, on ne peut se défaire de l'impression que la phrase baudelairienne souffre de l'« antériorité », sinon chronologique du moins ontologique, du vers. Même si Baudelaire évite la raideur du vers blanc et de la « phrase nombreuse » chers à Maurice de Guérin, il parvient rarement au « dépouillement miraculeux » qu'il souhaitait dans sa dédicace de 1862 : « Quel est celui d'entre nous qui n'a pas, dans ses jours d'ambition, rêvé le miracle d'une prose poétique, musicale, sans rythme et rime, assez souple et assez heurtée pour s'adapter aux mouvements lyriques de l'âme, aux ondulations de la rêverie, aux soubresauts de la conscience ? » Chez lui, la prose n'est sans doute encore qu'une modalité de l'écriture parmi d'autres, et l'habile versificateur des *Fleurs du mal* n'imagine pas qu'elle puisse ouvrir à la poésie un champ d'investigation et d'expression radicalement étranger au vers. S'il rêve de sa « musique » et admire sa souplesse, il ne paraît pas soupçonner les vrais « miracles » que Rimbaud, Lautréamont et, plus tard, les surréalistes feront « exploser » en elle. D'une manière générale, cette « timidité » de la prose du *Spleen de Paris* pose le problème de la poétique d'un auteur plus classique qu'on ne le pense souvent mais fondamentalement novateur là où il y paraît le moins.

D. Rincé

BAYLE Pierre

(1647-1706)

Pierre Bayle est considéré comme l'un des pères de la philosophie des Lumières ; son nom est communément associé à celui de Fontenelle, comme s'ils s'étaient tous deux voués à la même œuvre, s'étaient obstinément attachés à promouvoir (et, plus souvent peut-être, à ruiner) les mêmes valeurs. En fait, ce parallèle doit plus à la rhétorique qu'à l'histoire exacte : un abîme sépare les deux hommes.

La passion de la vérité

Pierre Bayle naquit en 1647 à Carla-le-Comte (aujourd'hui, Carla-Bayle). Éduqué d'abord par son père dans la religion réformée, il fut ensuite envoyé à l'académie de Puylaurens, mais, en 1669, il abjura le calvinisme et entra au collège de jésuites de Toulouse. Conversion sincère ou opportunisme ? Nous n'en savons rien. Mais, un an plus tard, Bayle revint au protestantisme. Il était désormais un « relaps » – définitivement rejeté par les catholiques, suspect aux yeux des huguenots.

Sa vie est dès lors celle d'un aventurier, qui court l'Europe. Précepteur à Genève en 1670, puis à Coppet, puis à Rouen en 1674, il est, de 1675 à 1681, professeur de philosophie à l'académie de Sedan. Il est ensuite appelé en Hollande et enseigne la philosophie et l'histoire à Rotterdam.

Les Provinces-Unies sont alors divisées en deux camps : les grands bourgeois libéraux, pacifistes et tolérants, et le peuple, attaché d'ordinaire au *Stathouder* Guillaume d'Orange, lequel représente l'intransigeance religieuse et la guerre contre la France. Bayle sera hostile aux orangistes. Cela se discerne dès ses premières œuvres, les *Pensées diverses sur la comète* (1682) et la *Critique générale de l'Histoire du calvinisme du P. Maimbourg* (1682) : il y montre, en effet, que la superstition est le pire des maux, pire même que l'athéisme, et il y affirme que la conscience est libre et qu'on ne peut, sans sacrilège, tenter de la contraindre.

En mars 1684, il fonde les *Nouvelles de la République des lettres,* un journal littéraire mensuel, dont il assure la direction et la plus grande part de la rédaction jusqu'en février 1687, date à laquelle le surmenage l'oblige à renoncer à ce travail. Cette feuille est interdite en France. C'est, en effet, l'époque de la révocation de l'édit de Nantes. Jacob Bayle, le frère de Pierre, meurt, en 1686, dans une prison de Bordeaux ; maints réfugiés huguenots affluent dans les Provinces-Unies. Ces malheurs inspirent au philosophe deux ouvrages : *Ce que c'est que la France toute catholique sous le règne de Louis-le-Grand* (1686), et le *Commentaire philosophique sur ces paroles de Jésus-Christ : « Contrains-les d'entrer »* (1687).

Jusqu'ici, Bayle et Jurieu étaient amis. Ils avaient travaillé ensemble à Sedan, comme ils enseignaient ensemble à Rotterdam. Mais une furieuse polémique va les opposer. Alors que Jurieu préconise une lutte acharnée contre la France et réprouve toute tolérance, Bayle suggère aux réformés une politique plus conciliante, des ménagements, des compromis. Il s'efforce de montrer, dans le *Commentaire philosophique,* que plusieurs confessions chrétiennes peuvent coexister sans trouble ni combats. Jurieu réplique dans un libelle, *Des droits des deux souverains en matière de religion, la conscience et le prince* (1687) : la prétendue tolérance, que prône son adversaire, ne lui paraît qu'un « déisme tout pur et tout net ».

En 1690 parut anonymement l'*Avis important aux réfugiés sur leur prochain retour en France.* L'agressivité des protestants français réfugiés en Hollande y était sévèrement blâmée : que n'imitaient-ils la patience des catholiques anglais soumis à Guillaume d'Orange ? Jurieu voulut voir dans cet *Avis* une machine de guerre contre tout le Refuge, ou même tout le calvinisme : c'est la thèse qu'il soutint dans son *Examen d'un libelle*... (1691), où il prétendit que Bayle en était l'auteur. En fait, Daniel de Larroque déclara avoir écrit cet opuscule, mais Bayle y avait certainement une part de responsabilité : sans doute avait-il au moins recopié et corrigé le texte de Larroque...

Cette polémique se poursuivit ; en 1693, Bayle fut dénoncé par Jurieu comme un traître, et on lui interdit d'enseigner, mais cette sanction ne semble guère l'avoir gêné, le libraire Leers lui assurant une pension régulière pour rédiger le *Dictionnaire historique et critique,* auquel, délivré des tâches universitaires, il put se vouer entièrement. Le premier volume parut en août 1695 ; le second en octobre 1696. Une deuxième édition, considérablement augmentée, vit le jour en 1702. Cet ouvrage n'était d'abord destiné qu'à corriger les erreurs des autres dictionnaires, en particulier celui de Louis Moreri. Mais les discussions philosophiques et théologiques en constituèrent bientôt la plus grande part. Ce fut l'occasion pour Bayle de nouvelles polémiques. Contre Jurieu d'abord, qui écrivit le *Jugement du public [...],* auquel Bayle répliqua dans les *Réflexions sur un imprimé qui a pour titre « Jugement du public »,* puis dans la *Suite* des *Réflexions sur le prétendu « Jugement du public »* (1697). Mais c'est surtout contre les pasteurs favorables à l'arminianisme, Jean Le Clerc, Jacques Bernard, Isaac Jaquelot, que le philosophe dut alors lutter. Ces conflits nourrissent ses derniers ouvrages : les quatre tomes de la *Réponse aux questions d'un provincial* (1703, 1705, 1706, 1707) et la *Continuation des Pensées diverses* (...) [1704].

Bayle était déjà mort quand parut l'ultime volume de la *Réponse.* Épuisé par le surmenage, accablé de douleurs, il s'était éteint le 20 décembre 1706. Ses ennemis l'épiaient en ses derniers instants : allait-il appeler un pasteur à son chevet ? Il répliqua d'abord par des plaisanteries, mais, finalement, se fit assister par son fidèle ami, Jacques Basnage.

Ce philosophe ne ressemble guère, on le voit, au brillant neveu des Corneille. Il n'a ni ses appuis, ni sa facilité, ni sa gloire mondaine. Indifférent, semble-t-il, à l'argent et aux honneurs, Bayle ne paraît habité que par une seule passion : celle de la vérité, qui l'amène à un inlassable labeur, à de continuelles recherches, et aussi à d'épuisantes et fort pénibles polémiques. Délivré par son exil et par sa misère de toute attache temporelle, il s'est entièrement voué à la défense et à l'illustration de ce qui était sa vérité ; il la trouvait souvent dans le doute, et les dogmatiques de tous les bords se liguaient contre lui ; mais ces combats le distrayaient : ils lui servaient – il l'avoue lui-même – d'« amusement dans la solitude ». Plus qu'à Fontenelle ou à Saint-Évremond, Bayle fait penser aux humanistes et aux théologiens de la Renaissance.

Une méthode historique

Pierre Bayle ne partage pas le mépris de l'histoire enseigné par Descartes et ses disciples. Comme beaucoup de ses contemporains, tel Huet, ou Fontenelle même, il réhabilite l'érudition, et il est persuadé qu'une vérité est accessible en histoire, aussi exacte, plus exacte peut-être, que dans les sciences de la nature, et même que dans les mathématiques. La méthode qu'il préconise pour y parvenir n'a évidemment rien de cartésien : l'évidence du fait remplace l'évidence intellectuelle.

Il importe, en tout cas, pour chaque événement, pour chaque personnage étudié, de faire la part de ce qui est certain et de ce qui est douteux. Ainsi s'explique d'abord, quelle qu'en ait été ensuite la portée, la présentation du *Dictionnaire* : les faits font la matière des articles ; les doutes et les discussions emplissent les remarques.

Une telle méthode pouvait être de tous acceptée, quand elle s'appliquait à l'histoire laïque. Mais Bayle l'utilise également en face des figures et des récits de la Bible. Il s'efforce, autant que possible, de la rationaliser, d'y « faire l'économie des miracles ». Cette démarche n'était pas trop choquante ; Richard Simon l'avait déjà pratiquée. Mais, comme l'écrit Antoine Adam, « si le *Dictionnaire* devait scandaliser les croyants, c'était moins par les idées que par le ton ». On a parlé, en effet, de l'« obscénité insupportable » de certains articles du *Dictionnaire* consacrés à la Bible. Est-il permis d'accumuler les grivoiseries plus ou moins franches, plus ou moins sournoises, quand on parle des prophètes et des rois d'Israël ? Cette pratique est-elle innocente ? Ne témoigne-t-elle que d'un souci pédagogique : le désir, en s'amusant, d'amuser le lecteur ? En tout cas, le public était convié à la méfiance ; il convenait de n'être pas trop crédule ; une part de la Bible était certainement inauthentique. Cette critique avait une portée précise, à l'époque où Jurieu annonçait, éclairé par la lecture de l'Apocalypse, que la France allait bientôt revenir de ses erreurs et embrasser tout entière la religion réformée…

Philosophie et théologie

On a vu souvent en Bayle un pyrrhonien. C'est ainsi que le considère Jurieu : « Un de nos sceptiques qui n'avait d'autre but que de jouer de la vérité et défendre le pour et le contre […] à dessein de faire voir […] qu'on peut douter de tout, assurer, défendre et combattre… ». Ce portrait n'est pas absolument faux. Bayle reste, en effet, toujours un « professeur » qui aime la discussion, les objections, les réfutations. Le plaisir qu'il y éprouve fait d'ailleurs l'un des charmes de ses livres. Mais il n'est pas pour autant un pyrrhonien. Il admet d'abord la valeur du cartésianisme et y voit la philosophie la plus propre à soutenir certains articles du dogme – au moins l'existence de Dieu et l'immortalité de l'âme. C'est ainsi qu'il défendra le système des « causes occasionnelles » proposé par Malebranche et, dans l'article « Rorarius » du *Dictionnaire,* manifestera une certaine faveur pour l'automatisme animal que soutient Descartes.

Mais par-delà ce cartésianisme, qui demeure fort prudent, Bayle est fidéiste. Ainsi s'expliquent ses querelles contre Jaquelot et Le Clerc. Ceux-ci, que l'on appelle alors les rationaux, considèrent que la raison est le souverain juge de la parole de Dieu ; par là, ils sont des sociniens. Mais ils en concluent que tous les dogmes qui choquent la raison doivent être écartés – par exemple, la prédestination –, et cette attitude les rapproche des arminiens. Ils proposent ainsi une religion libérale, dépouillée de toute absurdité, réconfortante pour l'esprit et le cœur. Bayle pressent qu'une telle attitude aboutit logiquement à un déisme qui n'a rien de proprement chrétien. Il pense également qu'on affaiblit la religion en voulant la rationaliser. Il faut donc revenir à la foi toute pure. C'est-à-dire qu'il faut restaurer le doute et le tragique au cœur de l'expérience religieuse. En ce sens, Bayle est tout le contraire d'un homme des Lumières : il est l'héritier de Pascal, le précurseur de Rousseau et de Kant ; comme eux, il verra le véritable absolu dans la conscience morale, dans la « bonne intention », et non dans la raison, qui, pour être brillante, persuasive, tranquillisante même, n'en est pas moins fragile.

Lectures de Bayle

Le philosophe se montre bien peu soucieux des agréments, de la fluidité, de la grâce des prosateurs de son temps – Fénelon et Fontenelle. Il écrit « mal ». Ses phrases sont lourdes, embarrassées de digressions, de parenthèses, de considérations annexes. D'ailleurs, nous l'avons vu, ses œuvres et sa pensée sont étroitement liées au milieu du Refuge. C'est d'abord aux exilés de Rotterdam qu'il s'adresse ; il leur déconseille à la fois l'intolérance de Jurieu et le rationalisme de Le Clerc : Jurieu est trop dogmatique et trop optimiste ; les modernes sociniens déifient la raison, où toute foi semble s'évanouir…

Une œuvre écrite de si singulière façon et destinée à un public si restreint n'avait guère de chances de survie. Or, jamais les lecteurs n'ont manqué ; ni le didactisme de Bayle ni ses polémiques avec ses coreligionnaires ne les ont effarouchés. Le XVIIIe siècle s'est nourri des gros in-folio du *Dictionnaire* ; Voltaire et ses contemporains y ont trouvé un encouragement à critiquer les fables juives et chrétiennes, à « écraser l'infâme »… Au XIXe siècle, Bayle devint un père de la pensée républicaine et laïque ; le *Dictionnaire* fut assimilé à l'*Encyclopédie* : on y vit une arme de guerre contre la religion. Il fallut notre temps pour que le *Dictionnaire* fût enfin pris pour ce qu'il est – une somme de recherches historiques, un ouvrage où l'érudition précède et soutient la réflexion ; en même temps, il nous semble approcher du véritable visage de Bayle : professeur caustique, parfois grivois, mais sûrement pas sceptique, calviniste sincère, préoccupé non pas de ruiner sa religion, mais, au contraire, de la fortifier, en la rendant à elle-même, purifiée de tout obscurantisme et de tout rationalisme impudent.

À travers toutes ces lectures, l'essentiel demeure : culte de l'érudition, amour de la dialectique, respect de la diversité des croyances et des idéologies, intrépidité intellectuelle, tel est le message que le philosophe de Rotterdam adresse à toutes les générations.

A. Niderst

BAZIN Hervé

Pseudonyme de ***Jean-Pierre Hervé-Bazin*** *(1911-1996)*

Petit-neveu de l'académicien René Bazin, Hervé Bazin est né à Angers dans une famille terrienne. Le futur auteur de *Vipère au poing* connaît une enfance tourmentée : il a six ans lorsque ses parents partent pour la Chine, le confiant à sa grand-mère. À leur retour, il se heurte à sa mère qui semble s'être montrée d'une grande dureté (*Entretiens avec J.-C. Lamy*, 1992). La rigueur des précepteurs cléricaux et des professeurs de collège n'arrangera rien : l'adolescent fait des fugues, se rebiffe, se voit imposer des séjours en maison de santé. Dans la poésie, Hervé découvre vers 1932 son premier havre. Il s'y abandonnait avec un certain succès (*Jour*, prix Apollinaire 1947) quand Paul Valéry, alors maître des jeunes consciences littéraires, l'invite à quitter les vers pour la prose. Ce qu'il fait. Tandis que sa vie personnelle se complique (il divorce, connaît la dépression, voit mourir son père…), il rédige quatre romans qui ne paraîtront jamais. Hervé Bazin l'écrivain naît en 1948 lorsqu'il publie *Vipère au poing*, un face-à-face romanesque, douloureux et féroce entre une mère dévoreuse, Folcoche, et son fils, Brasse-Bouillon. En réglant ses comptes avec son histoire familiale, Bazin accède au premier rang des écrivains à succès de sa génération. L'ascension sociale commence : grand prix de littérature de Monaco en 1957, élu membre (1960) puis président (1973) de l'académie Goncourt, enfin, prix Lénine de littérature en 1980.

Dans son œuvre, on peut distinguer plusieurs périodes : la première, avec *Vipère au poing* (1948), *la Tête contre les murs* (1949), est celle où le romancier part en guerre contre la société bourgeoise et les familles carcérales qu'elle engendre, surtout en province. Dans une deuxième période, en revanche, avec *la Mort du petit cheval* (1950), *Lève-toi et marche* (1950), *Qui j'ose aimer* (1952), *le Matrimoine* (1967) jusqu'à *Ce que je crois* (1977), l'écrivain rentre ses griffes, adoucit ses personnages et prône une morale de paix et de fraternité qui n'étonnera pas de la part d'un homme qui, en 1949, adhère au Mouvement mondialiste et se préoccupe du sort des opprimés. Enfin, dans un troisième temps, *l'École des pères* (1991) sonne la réconciliation définitive d'Hervé Bazin avec une famille plus « démocratique », née après la secousse de 1968, où des parents compréhensifs (Abel Bretaudeau et son épouse Mariette) cherchent vaillamment à s'adapter aux mœurs modernes de leur progéniture. À ce romancier « naturaliste », maître dans l'art des portraits psychologiques et des peintures du couple, on doit des personnages qui ont assuré le succès constant de cette œuvre (Folcoche et Brasse-Bouillon ; Abel Bretaudeau et Mariette, également présents dans *le Matrimoine*). Mais elle tire aussi sa popularité de son accès facile : la narration limpide, parfois présentée sous forme de journal (*l'École des pères*), est classique et linéaire.

Ni l'homme ni l'écrivain n'abdiqueront jamais en Hervé Bazin. Marié quatre fois, père de nombreux enfants, à plus de quatre-vingts ans, il écrit encore un roman (*le Neuvième Jour*, 1994) à la gloire d'un courageux personnage aux prises avec une terrible épidémie. Dans *le Démon de minuit*, en 1988, il proposait le portrait d'un homme âgé décidé, tel Faust, à jouir le plus longtemps possible du « paradis sur terre » aux dépens même de sa santé. Ainsi, concluait l'écrivain, pensant peut-être à lui-même, son héros « n'aura jamais été vieux ».

J. Garcin

BAZIN René

(1853-1932)

Romancier, né à Angers, où il fut étudiant puis professeur de droit à la faculté catholique, Bazin se laissa bientôt gagner par le goût de l'écriture : après la publication en feuilleton de *Stéphanette* (1883) dans le journal royaliste *l'Union*, le voici qui collabore au *Correspondant*, au *Journal des débats*, à la *Revue des Deux Mondes*, pour de gracieux récits – *Ma tante Giron* (1885), *Une tache d'encre* (1888), *la Sarcelle bleue* (1892) –, dont certains annoncent les futures préoccupations du romancier – *les Noëllet* (1889), *Donatienne* (1894) –, et pour diverses chroniques de voyages : *les Italiens d'aujourd'hui* (1893), *Terre d'Espagne* (1895)...

Si sa manière propre se manifeste déjà clairement dans *De toute son âme* (1897), roman social exaltant la charité, c'est avec *La terre qui meurt* (1899) qu'il accède à la célébrité. Puis *les Oberlé* (1901), *l'Isolée* (1905), *Le blé qui lève* (1907), *la Barrière* (1909), *Davidée Birot* (1911)... sont autant de succès pour cet écrivain traditionnel et traditionaliste, qui, membre de l'Académie française à partir de 1903, écrit aussi des nouvelles, des essais, des biographies – dont un *Charles de Foucauld* (1920) –, avant de consacrer son dernier roman, *Magnificat* (1931), à une apologie de la vocation ecclésiastique.

Un roman populaire, capable d'aborder des problèmes sociaux et/ou moraux, en dédaignant les habituelles intrigues mondaines et préciosités sentimentales : telle semble avoir été l'ambition de Bazin... D'où un choix fréquent de sujets d'actualité, situés dans des cadres souvent provinciaux, mettant en scène d'humbles protagonistes et supposant une étude attentive de leur réalité sociologique. C'est le drame des Alsaciens-Lorrains, divisés par l'annexion allemande (*les Oberlé*), ou celui des religieuses expulsées de leurs couvents par la loi de séparation de l'Église et de l'État (*l'Isolée*), sans oublier les difficultés des institutrices laïques, quoique catholiques (*Davidée Birot*)... C'est l'évocation du milieu ouvrier (*De toute son âme*) ou celle d'un monde rural en crise que Bazin dépeint à plusieurs reprises, et notamment dans ses deux romans les plus connus : *La terre qui meurt* et *Le blé qui lève*. Cette prédilection pour le roman rustique se justifie par un amour profond de la terre, dont le romancier sait rendre la présence substantielle, et par une sincère sympathie à l'égard des paysans, même si les problèmes de la campagne se limitent, selon lui, aux dangers de l'exode rural : face à la dignité du labeur rustique menace la tentation de la vie citadine – et la rupture du lien ancestral qui, dans les provinces de l'Ouest, unit pour leur salut le noble et le métayer.

Vision manichéenne, puisque toutes les crises de la société moderne trouvent leur solution dans cet attachement à la terre, ou dans le recours aux valeurs de tradition qu'elle incarne : travail, famille, patrie et catholicisme intransigeant. Dès lors, l'étude sociologique s'efface derrière un discours moralisateur : le roman à thèse n'est pas loin, avec une psychologie souvent conventionnelle, une mise en scène pathétique et un lyrisme volontiers prêcheur.

Fort appréciés par un public bourgeois et catholique, les romans de Bazin comptèrent parmi les succès de librairie de l'avant-guerre ; l'écriture en était claire et alerte – Mauriac vantait sa « pureté » –, la lecture facile et rassurante.

M.-O. Germain

BEAUCLAIR Henri *v.* Décadence

BEAULIEU Eustorg de

(avant 1500-1552)

Poète et musicien. De bonne noblesse limousine, issu d'une famille nombreuse besogneuse et agitée, ce gueux presque aussi génial et paradoxal que le Neveu de Rameau vagabondera, à force de leçons de musique et de frasques diverses, de Lectoure (1522) à Tulle (1523), de Bordeaux (1529) à Lyon (1534 ?-1537), pour finir dans le sein (plutôt indulgent, en l'occurrence, et ce n'est pas le moindre sujet d'étonnement de cette vie aventureuse) de la calviniste république de Genève. Répétiteur de musique dans le beau monde des villes traversées, ami des plus grands, prêtre et finalement ministre évangélique turbulent, il aura, par-dessus tout, aimé l'atmosphère des compagnies savantes et aimables où s'élabore la musique, où l'on chante et joue jusqu'à minuit. Rien ne le satisfait mieux qu'une fillette qui

[...] ne faict que penser
À la leçon de l'espinette [...]
Elle y vague plus qu'à danser...
Elle ne fait que commencer,
Mais s'elle ne s'en veult lasser
(Sans trop fort s'y rompre la teste)
En ce jeu tant beau et honneste
On fera maistresse passer
Francillon.

Ce personnage très contrasté est aussi porté, dans ses si bien nommés *Divers Rapports* (1544), sur la veine rabelaisienne – celle des vérolés, des torche-culs, etc. – comme sur la critique de tous les états de la société, à la manière de la Grande Rhétorique. Son très vertueux *Espinglier des filles* (1550), chargé de l'« instruction des filles chrétiennes », a adapté, à fin de pédagogie sans doute, l'ordre des parties du corps féminin, qu'il connaissait bien pour s'être illustré auparavant dans *Sept Blasons anatomiques*, dont certains des plus équivoques : « le Nez », « la Joue », « la Langue », « les Dents », « la Voix », « le Cul » et « Pet et Vesse ». La verve de sa saine réponse aux détracteurs, qui n'ont pas manqué de se manifester, n'a d'égal que l'enthousiasme et le piquant de l'éloge du « nez », de « la voix » ou de « la joue ».

M. M. Fontaine

BEAUMANOIR Philippe de
v. PHILIPPE DE BEAUMANOIR

Beaumarchais

BEAUMARCHAIS Pierre-Augustin CARON de

(1732-1799)

Considéré avec méfiance par les Philosophes du XVIIIe siècle, Beaumarchais apparut bientôt comme leur chef de file : « Figaro a tué la noblesse » (Danton). Éclatante revanche pour un ancien horloger devenu affairiste mondain, coupable aux yeux de ses contemporains d'écrire des chefs-d'œuvre sans prendre la littérature au sérieux et de tenir un discours déjà révolutionnaire sans mépriser pour autant la *dolce vita* des aristocrates. Sans doute y a-t-il de sa part quelque optimisme à décrire l'affrontement social en termes de comédie d'intrigue ; pourtant *le Mariage de Figaro* pose déjà dans son ampleur la question des droits de l'homme, et ses mots d'auteur, qui résument d'une phrase les aspirations confuses d'une époque, ont déjà la force de ces slogans dont toute révolution a besoin.

La passion d'entreprendre

Sans jamais cesser d'écrire, Beaumarchais investit sa prodigieuse énergie vitale dans les activités les plus différentes : l'horlogerie, métier qu'exerçait son père André-Charles Caron, la magistrature, la police secrète, l'édition, le trafic d'armes, et toutes sortes d'opérations financières plus ou moins grandioses et honnêtes, de la Compagnie des eaux de Paris à la colonisation de Madagascar, de l'aide aux « Insurgents » américains à la promotion de l'« aérambule ». On conçoit que l'écriture, ces milliers de lettres, ces dizaines de rapports, de requêtes, de mémoires qu'il a laissés, ait d'abord été pour lui une arme d'usage quotidien, un instrument de combat ou de séduction ; et la littérature, un « délassement », un « amusement ». Non négligeable, cependant : car la fiction, qui reproduit en la transposant l'expérience vécue de l'intrigant, aplanit miraculeusement les difficultés de la vie réelle ; après le « travail forcé des affaires », elle donne l'illusion d'un pouvoir soudain absolu sur le monde : les contraintes dramaturgiques sont légères à côté de celles qu'imposent le négoce et la finance. Écriture en liberté, elle permet aussi de changer de masque, d'échapper à cette « réputation détestable » qui lui colle à la peau, celle d'un aventurier sans scrupules. D'où le silence pudique qu'il garde sur ses premières productions, des « parades » érotiques destinées au théâtre de société du financier Lenormant d'Étioles (1757-1763) ; l'ardeur avec laquelle il crée, après *le Barbier de Séville* (1775), la Société des auteurs dramatiques (1777) avec Barthe, Sedaine, Marmontel, authentiques gens de lettres, afin d'obtenir une meilleure rémunération de la part des comédiens ; peut-être aussi ce goût persistant pour le drame bourgeois, larmoyant et moralisateur, qui lui vaut des demi-échecs, d'*Eugénie* (1767) à *la Mère coupable* (1792). À l'inverse, cette soif de considération le conduit, dans ses écrits politiques ou judiciaires, à dissimuler son intérêt personnel en tentant de mobiliser l'opinion sur des thèmes ou des aspirations à la mode : les *Mémoires contre Goëzman* (1773-1774), un juge qui l'avait accusé de tentative de corruption, posent le problème des droits du « citoyen » face à une justice vénale et incapable, et cela au moment même où les parlements venaient de faire l'objet d'une réforme discutée (« parlements Maupeou ») ; *les Six Époques* (1793), lors de l'affaire dite des « Fusils de Hollande », s'alarment de la situation de vide législatif que la Convention a laissé se développer. Et ses opérations commerciales, l'édition des œuvres complètes de Voltaire ou l'équipement des « Insurgents », s'abritent toutes derrière de grands principes, le combat pour la tolérance, la liberté des opprimés. « Faire à la fois le bien public et particulier : chef-d'œuvre de morale, en vérité » (*le Barbier de Séville*, I, 2). Habileté, mais aussi désir d'être applaudi, sinon estimé. De fait, cet homme qu'on dit intéressé demeure un dilettante impénitent qui mélange discussions d'argent et débats d'idées, conduit de front une demi-douzaine d'entreprises et semble souvent préférer l'intrigue au profit, le jeu au résultat. Au risque, dans les moments de doute, d'éprouver une sorte de vertige existentiel, auquel fait écho *le Mariage de Figaro* (1784) : « Je dis ma gaieté sans savoir si elle est à moi plus que le reste, ni même quel est ce moi dont je m'occupe ». Tel est le prix à payer pour échapper à la spécialisation forcée des gens du peuple et rivaliser avec ces nobles qui savent tout sans avoir rien appris. Dédoublement ou duplicité ? « Persécuté sous la république comme aristocrate après avoir été emprisonné comme factieux sous la monarchie » (Loménie), à la fois Caron et Beaumarchais, Figaro se moquant des Almaviva et rêvant de leur ressembler, il montre aussi ce que peut faire de sa vie, dans un Ancien Régime finissant, un fils d'horloger dévoré par la passion d'entreprendre.

« Je me presse de rire de tout… »

« Homme de lettres » : ainsi est désigné, sur son faire-part d'obsèques, le « citoyen Caron Beaumarchais ». *Le Barbier de Séville* et *le Mariage de Figaro* ne sont pas en effet des coups de maître isolés dans une carrière d'affairiste, mais les sommets d'une production dramatique abondante et diverse dont tous les éléments composent une vision du monde. Tout d'abord les parades : *Jean-Bête à la foire*, *les Bottes de sept lieues*, *Zizabelle mannequin*, etc., œuvrettes bâties sur des schémas de *commedia dell'arte* avec barbons, galants et ingénues libertines. Pour le plus grand plaisir des gens du monde, s'y trouvent associées l'obscénité du contenu et une pratique pseudo-populaire du langage (cuirs et à-peu-près), liaisons moralement dangereuses et grammaticalement fautives : « J'aurai donc l'honneur de vous faire-t-enlever par mon valet-z-Arlequin » (*Jean-Bête*). Cette double indécence apparaît encore dans les brouillons des comédies sous la figure de rapports de force exploités avec impudence (« Ce n'est pas votre avis que je veux, c'est votre concours », osait dire Almaviva au juge Brid'oison dans un manuscrit du *Mariage*), d'une tentation constante de se faire justice entre soi, par les voies brutales du troc et du talion, et enfin d'une créativité verbale qui disparaîtra par la suite : dans *le Mariage*, Figaro parlait d'abord de « dessuzanniser » sa fiancée Suzanne et, dans un moment de fureur, s'emportait contre « le matou cornu d'imbécile qui épousa la première chatte miauleuse de femme ». En un second temps, la comédie vient imposer l'ordre de la culture, c'est-à-dire un langage et des comportements, à cette confusion par trop proche de l'anarchie primitive. En témoigne encore la genèse du *Barbier de Séville*, qui fut d'abord, sous le nom du *Sacristain*, un très libre intermède « imité de l'espagnol ».

Filles socialisées des parades, les comédies de Beaumarchais apparaissent aussi comme l'autre face, indissociable, de ses drames : *Eugénie*, *les Deux Amis*, *la Mère coupable*. Car la frontière est fragile entre le rire et les larmes : Eugénie a été séduite et se trouve enceinte hors mariage, drame qui pourrait menacer la Rosine du *Barbier* si les intentions de Lindor-Almaviva n'étaient si conjugales ; le face-à-face du « puissant vicieux » et de l'« époux outragé » finit, dans *le Mariage*, par des « chansons », mais, trois ans plus tard dans le sombre et sanglant *Tarare* (un opéra « oriental » mis en musique par Salieri), se termine par la mort du séducteur. Face noire de la comédie, le drame en est aussi comme l'aboutissement nécessaire : les lampions à peine éteints, la *Lettre modérée* qui sert de préface au *Barbier* évoque déjà la rupture du couple Almaviva, qui donnera sa mélancolie à la Comtesse du *Mariage* ; et celle-ci, dès la préface du *Mariage*, malgré la sérénité retrouvée sous les « grands marronniers », se voit déjà promise à son destin de « mère coupable ». Tel est le sens de cette trilogie de la « famille Almaviva », dont Beaumarchais rêvait de voir les trois journées représentées consécutivement : les dénouements des comédies ne sont que des armistices provisoires, bientôt rompus par les jeux du hasard, de l'occasion et du désir, auxquels seule l'épreuve du drame peut enfin mettre un terme : « Je me presse de rire de tout, de peur d'être obligé d'en pleurer » (*le Barbier de Séville*).

Une morale, deux écritures

« Pour suivre l'ordre moral, on fait partout violence à l'ordre physique », déplore Beaumarchais dans ses *Notes et réflexions* (publiées en 1961). Mais cet hédoniste prudent, obsédé par les conséquences sociales de l'inconduite féminine (l'enfant naturel est un thème omniprésent dans son théâtre), corrige aussitôt : « L'engagement d'une femme est d'être fidèle ; la femme d'honneur fait plus, elle est chaste. » Avec les Philosophes, Beaumarchais affirme la légitimité, fondée en nature, d'un droit au bonheur qui donne son prix et sa gaieté à l'aventure humaine : « L'intérêt ou le désir du bonheur est l'unique mobile de toutes les actions » (d'Holbach, *Système de la nature*, 1770). Projet périlleux, cependant, car il risque d'inciter l'individu à faire fi de la norme sociale. Ce serait là, du reste, moins une faute qu'une erreur, car chacun a besoin d'autrui pour assurer son propre bonheur. D'Holbach, encore : « Le méchant est un mauvais calculateur. » Libre-échangisme dont Sade dénoncera bientôt l'optimisme, et qui, dans les drames, implique l'indéfectible solidarité du moi et des autres, fût-ce devant des comportements objectivement scandaleux : avoir un enfant hors mariage et se jouer des sacrements (*Eugénie*), détourner des fonds pour sauver un ami (*les Deux Amis*), commettre un adultère à la suite d'une « surprise nocturne » (*la Mère coupable*) : erreurs de calcul incontestables, mais qu'un effort collectif de compréhension mutuelle doit permettre d'effacer ; car, dans le conflit ouvert entre l'individu guidé par une impulsion « naturelle », l'amour, l'amitié, l'occasion, et une société respectable mais sclérosée, il ne saurait y avoir ni vainqueur ni vaincu. Il serait contre nature qu'Eugénie épousât le vieillard que lui destinait son père, que Mélac laissât périr le vertueux Aurelly (*les Deux Amis*), que la comtesse Almaviva abandonnée par son mari pût résister à l'ardent Chérubin (*la Mère coupable*). Mais le « coupable », en échange de sa réintégration, n'en doit pas moins afficher clairement son repentir : l'échec du drame vient de ce qu'il se déroule après le « crime », en un temps où le héros, paralysé par le remords, ne peut plus agir ni parler, mais seulement se donner à voir : « tableaux » pitoyables (« Eugénie, s'élançant vers le Baron et le retenant à bras-le-corps »...), déplorations interminables qui s'intègrent mal dans une écriture dramatique demeurée traditionnelle. Le langage, dès lors, n'a plus ici que le statut secondaire d'un commentaire, voire d'une légende : « Mon frère, par pitié, suspendez vos reproches ! Ne voyez-vous pas l'état où elle est ? » (*Eugénie*). L'on comprend l'importance que Diderot et Beaumarchais, dans leur pratique du drame, attachaient à la « pantomime »... Échec du drame ou drame de l'échec : le héros est précisément celui qui n'a plus rien à dire.

Ce discours haché, douloureux, contraste fortement avec celui de la comédie, fluide et proliférant : nous voici « avant », en un temps où le héros croit encore, même s'il « se hâte » de rire, savoir jusqu'où on peut aller trop loin. Voie étroite qui se définit par une stratégie et par une attitude : l'intrigue et l'insolence. Ce compromis subtil entre l'intérêt personnel et le respect de l'ordre établi, entre la révolte et la soumission, implique à son tour un langage spécifique : des maximes caustiques où le moi affirme bien haut son droit à la différence, sans pourtant mettre en cause sa connivence avec un adversaire qui souvent lui tend la perche :

> *LE COMTE. – Paresseux, dérangé...*
>
> *FIGARO. – Aux vertus qu'on exige dans un domestique, Votre Excellence connaît-elle beaucoup de maîtres qui fussent dignes d'être valets ?*
>
> **(*le Barbier de Séville*, I, 2)**

Et, d'autre part, un dialogue qui consiste à « jouer au fin », à « manier » l'interlocuteur en lui opposant ses propres paroles mais déplacées, remaniées de façon à mettre au jour une vérité qu'il dissimule :

> *LE COMTE. – Si c'est Suzanne, d'où vient le trouble où je vous vois ?*
>
> *LA COMTESSE. – Du trouble pour ma camariste ?*
>
> *LE COMTE. – Pour votre camariste je ne sais, mais pour du trouble assurément.*
>
> *LA COMTESSE. – Assurément cette fille vous trouble...*
>
> **(*le Mariage de Figaro*, II, 12)**

Ronde des signifiants qui atteint le sommet de la virtuosité avec le « Allez vous coucher, mon cher Bazile » du *Barbier de Séville* (III, 2). Mais l'art de Beaumarchais consiste à justifier cet « esprit » de l'intérieur même du texte, comme une revanche et une conquête toujours à défendre, lorsqu'on est, comme Figaro, « perdu dans la foule obscure ». Un esprit qui « peut tout changer », et dont, heureusement, barbons et grands seigneurs sont dépourvus... Ainsi, du reste, que les « coupables » des drames, pour avoir trop joué avec le feu ; on comprend dès lors ce théorème dramaturgique de Beaumarchais, énoncé dans la *Lettre modérée* : « Le genre d'une pièce, comme celui de toute action, dépend moins du fond des choses que des caractères qui les mettent en œuvre. »

Théâtre et vérité

C'est, paradoxalement, aux comédies de Beaumarchais que l'on s'adresse pour trouver le portrait d'une époque, alors que ses drames prétendent bien davantage reproduire la réalité sociale et politique du temps ; mais toujours sur le mode de la fuite, le lieu scénique étant conçu comme un refuge où règnent des vertus intemporelles menacées par une extériorité mauvaise : le monde dur de l'argent (*les Deux Amis*), l'agitation révolutionnaire (*la Mère coupable*), que la pièce tente artificiellement d'effacer alors même qu'elle prétend les dire. En revanche la comédie, malgré le caractère conventionnel de l'intrigue (surtout celle du *Barbier*) et des jeux de scène à l'italienne, quiproquos, déguisements, etc., offre une structure « ouverte » que le monde réel vient investir par des personnages extérieurs comme les « vassaux » et « travailleurs » du *Mariage*, soit, plus subtilement, par des formes de discours antithéâtrales (longs monologues, mots d'auteur), qui subvertissent cette convention initiale et suggèrent une expérience humaine plus concrète et moins gaie. La situation de départ du *Barbier de Séville*, dont Beaumarchais souligne la banalité (« Un vieillard amoureux prétend épouser demain sa pupille... »), se trouve peu à peu affectée d'une série de décalages qui fonctionnent comme autant d'effets de réel : le barbon est « un peu moins sot que tous ceux que l'on trompe au théâtre » ; Rosine échappe par sa rouerie au stéréotype de l'ingénue ; le galant, juvénile et spontané sous son masque théâtral de Lindor, devient un grand d'Espagne solennel sous son identité « réelle » d'Almaviva ; Figaro, enfin, va et vient entre la scène et sa boutique, sa fonction théâtrale de valet et sa liberté de moraliste, son statut de personnage fictif et celui de porte-parole de l'auteur... De même, *le Mariage de Figaro* se présente-t-il comme une partie à deux voix : celle du théâtre, avec son dialogue vif et rapide, ses procédés traditionnels, et celle de la « vie », proférée par Marceline sur une scène explicitement devenue tribunal, et surtout par Figaro dans l'obscurité des « grands marronniers » : voix *off*, sortie des ténèbres et qui, un instant, laisse deviner d'autres lueurs à l'arrière-plan de la « Folle Journée ». Telle est sans doute la plus grande audace de la pièce : rejeter vers l'artifice et le « théâtre » tout ce qui, formellement, se trouve dans la pièce du côté d'Almaviva, du seigneur. Deux voix qui se juxtaposent et parfois se retrouvent dans des jeux apparemment hérités de la *commedia dell'arte*, mais qui deviennent ici porteurs d'une vérité nouvelle : Suzanne, la « camariste », et la comtesse Almaviva échangent leurs vêtements, et le Comte s'y laisse prendre : déguisement et quiproquo, mais aussi « affirmation de la valeur égale, interchangeable, des deux femmes » (A. Ubersfeld), la servante et l'aristocrate.

DU THÉÂTRE À L'OPÉRA

Adapté à l'opéra, le théâtre de Beaumarchais a suscité des chefs-d'œuvre : Il Barbiere di Siviglia *de Paesiello (1780) et surtout celui de Rossini (1816),* Le Nozze di Figaro *de Mozart et Da Ponte (1786). Plus tard, Darius Milhaud a connu un succès moindre avec* la Mère coupable *(1966). Y aurait-il, du moins dans les comédies, une « musicalité » intime qui expliquerait le phénomène ? Sans doute l'on chante beaucoup dans* le Barbier *et dans* le Mariage *; mais l'important est d'abord un rythme : dialogues rapides brusquement interrompus par des tirades où chacun tente de se retrouver soi-même, en prenant ses distances par rapport à une action qui va trop vite et où le « moi » risque de se dissoudre. Tempo existentiel que l'opéra italien, alternant les récitatifs et les airs, reproduit dans sa forme, voire dans son contenu : « Non so più cosa son cosa faccio… »* (Nozze). *Créateurs de génie, Mozart et Rossini étaient aussi de fidèles lecteurs de Beaumarchais.*

Un message ambigu

On a peine à imaginer l'inquiétude suscitée en son temps par *le Mariage de Figaro* : « Il faudrait détruire la Bastille pour que la représentation de cette pièce ne fût pas une inconséquence dangereuse », aurait dit Louis XVI après une lecture privée. Ce serait oublier le contrôle qu'exerce alors la censure sur toute représentation, tandis que l'édition, grâce à la clandestinité et à la contrebande, tend à s'émanciper. Dès lors, l'autorité assume plus ou moins ce qui se dit sur une scène ; et, détachées de leur contexte, certaines formules ont l'évidence corrosive d'une maxime de Chamfort ou de Rivarol : « Vous vous êtes donné la peine de naître, et rien de plus », « Il n'y a que les petits hommes qui redoutent les petits écrits ». Il est vrai, comme le remarque Stendhal, que le mot d'esprit vieillit vite, que seul l'effet de surprise peut donner l'illusion de la profondeur, et qu'« un jour Beaumarchais sera ennuyeux ». Il ne l'était pas encore assez pour le gouvernement de Vichy, qui interdit le *Mariage* entre 1940 et 1944 ; ni peut-être en 1958, quand le journal *le Figaro* titrait en gros caractères sur des articles caviardés par la censure : « Sans la liberté de blâmer, il n'est point d'éloge flatteur. »

Mais le contexte, précisément, affaiblit la portée de la satire : les « abus » de l'Ancien Régime peuvent-ils se dire au travers d'un seigneur brouillon et velléitaire dont toute l'ambition est de trousser ses « camaristes » ? Quant à Figaro, son adversaire, il oublie ses griefs à peine la crise passée : « Ma femme et mon bien mis à part… » De même, dans les *Mémoires contre Goëzman* l'intérêt personnel du plaideur rendait-il suspectes ses fières proclamations « patriotiques » (*sic*), telles que « Ma cause est celle de tous les citoyens », « L'outrage public du magistrat au citoyen importe à toute la nation », etc. On comprend dès lors le succès de Beaumarchais sous la IIIe République, drapée dans la phraséologie révolutionnaire et courant aux pièces de Feydeau… Mais, pour être circonstancielles, les indignations de Beaumarchais n'en sont pas moins authentiques : il n'a jamais prétendu à la belle âme du philosophe légiférant depuis Sirius, et la forme même de ses pièces, de longs monologues insérés entre des répliques rapides et enjouées, donne aussi à voir la facticité d'un jeu social, d'un « dialogue » auquel il est parfois tentant de se soustraire. Champ de bataille pour l'intrigant qui réussit (« Ma vie est un combat »), le monde apparaît soudain, dans les moments de doute, à la fois lointain et dérisoire. En ce sens, l'héritage de Beaumarchais n'est pas tant à chercher parmi les faiseurs de rosseries et saillies bien françaises, Scribe, Sardou ou Guitry, que chez un grand romancier dont l'œuvre propose également l'énergie comme valeur et l'ironie comme remède au désespoir, Stendhal, qui pour décrire l'hôtel de La Mole, donnera du *Mariage de Figaro* un étincelant pastiche : « Pourvu qu'on ne plaisantât ni de Dieu, ni des prêtres, ni du Roi, ni des gens en place, ni des artistes protégés par la Cour, ni de tout ce qui est établi ; pourvu qu'on ne dît du bien ni de Béranger, ni des journaux de l'opposition, ni de Voltaire, ni de Rousseau, ni de tout ce qui se permet un peu de franc-parler ; pourvu surtout qu'on ne parlât jamais de politique, on pouvait librement raisonner de tout » (*le Rouge et le Noir*).

	VIE		ŒUVRE
1732	**24 janv.** : naissance, à Paris, de Pierre-Augustin Caron, fils d'André-Charles Caron, horloger.		
1742-1745	L'enfant est placé comme pensionnaire à Alfort.		
1745-1753	Rentré à Paris, apprend l'horlogerie. Lectures (Richardson...), musique et amourettes.		
1753-1754	Affaire Lepaute. « Caron fils » invente un échappement de montre, que lui dispute le célèbre horloger Lepaute.	1753	**13 nov.** : *Mémoire à l'Académie des sciences,* pour faire reconnaître son invention.
1754	**23 févr.** : déclaré par l'Académie seul inventeur du procédé. **Juill.** : clients illustres : le roi, la Pompadour.		
1755	Acquiert la charge de Contrôleur de la bouche, à Versailles.		

	VIE		ŒUVRE
1756	Épouse Mlle Aubertin, veuve Francquet (décédée en 1757). Prend le nom de Beaumarchais, qu'il partagera avec sa sœur préférée, Julie (1735-1798).		
1757-1763	Rencontre Lenormant d'Étioles, époux de la Pompadour ; compose des « parades » pour le théâtre privé d'Étioles.	**1757-1763**	Parades : *Colin et Colette* ; *les Bottes de sept lieues* ; *les Députés de la Halle et du Gros-Caillou* (genre « poissard ») ; *Léandre marchand d'agnus, médecin et bouquetière* ; *Jean-Bête à la foire* (actualisé en 1774) ; *Zizabelle mannequin.*
Vers 1757	**Guerre de Sept Ans.**		
1759	Maître de harpe des filles de Louis XV.		
1760 (?)	Rencontre le financier Pâris-Duverney, qui le fait entrer dans ses affaires.		
1761	Achète la charge de Secrétaire du roi.	**Vers 1761**	Premières esquisses d'*Eugénie.*
		Après 1761	*Laurette,* comédie mêlée d'ariettes, d'après Marmontel.
1763	Achète la charge de Lieutenant-général des chasses (juge des délits de chasse sur le domaine royal). Idylle avec une jeune créole, Pauline Le Breton.		
1764-1765	Voyage d'affaires en Espagne, pour le compte de Duverney. Il s'occupe aussi des problèmes matrimoniaux de sa sœur Lisette, modiste à Madrid, délaissée par son fiancé, José Clavijo. Il racontera l'aventure, fortement romancée, dans le *Quatrième Mémoire* contre Goëzman (1774), et Goethe en tirera un drame, *Clavigo* (1774).	**Vers 1765**	*Le Sacristain,* « intermède imité de l'espagnol », première ébauche du *Barbier de Séville.*
1766	Rupture avec Pauline Le Breton. Organise l'exploitation de la forêt de Chinon.		
		1767	**29 janv.** : première d'*Eugénie,* drame, à la Comédie-Française. Demi-échec. Publication d'un texte théorique sur le drame, l'*Essai sur le genre dramatique sérieux.*
1768	Remariage avec une riche veuve, Mme Lévêque.		
1770	**17 juill.** : mort de Duverney. D'après un « arrêté de comptes » signé entre eux, Beaumarchais possède sur la fortune du financier des droits qui lui sont contestés par l'héritier de celui-ci, le comte de La Blache. Mort de Mme Lévêque ; difficultés financières.	**1770**	**13 janv.** : première des *Deux Amis,* drame, à la Comédie-Française. Échec complet.
1771	**Exil des anciens parlements et réforme de la justice par le chancelier Maupeou (« parlements Maupeou »).**		
1772	Début des procès contre La Blache.	**1772**	*Le Barbier de Séville,* opéra-comique, est refusé par les Italiens.
1773	**28 févr.-8 mai** : emprisonné au For-L'Évêque (affaire Chaulnes). **Avr.** : sur le rapport du juge Goëzman, le parlement de Paris déclare nul l'arrêté de compte passé avec Duverney. Début de l'affaire Goëzman : Beaumarchais et le juge s'accusent mutuellement de corruption. Procès, qui rallume la guerre des parlements et éclabousse des célébrités, le censeur Marin et l'écrivain d'Arnaud.	**1773**	**3 janv.** : *le Barbier de Séville,* comédie, est reçu par les Comédiens-Français. **Sept.** : premier mémoire contre Goëzman *(Mémoire à consulter...).* **Nov.** : deuxième mémoire *(Supplément au Mémoire à consulter...).* **Déc.** : troisième mémoire *(Addition au Supplément...).*
1774	**26 févr.** : épilogue. Beaumarchais est « blâmé » (civilement mort) et Goëzman « mis hors de cour ». **Printemps** : rencontre Mlle de Willermaulaz. **Printemps, été** : missions secrètes pour le roi.	**1774**	**10 févr.** : *Quatrième Mémoire.* 6 000 exemplaires vendus. **Oct.** : *Idées élémentaires sur le rappel des parlements.*

	VIE		ŒUVRE
1775	**Été** : Londres ; tractations avec le chevalier d'Éon. S'intéresse au conflit naissant entre l'Angleterre et ses colonies américaines.	1775	**23 févr.** : première du *Barbier de Séville,* porté à cinq actes. Échec. **26 févr.** : ramenée aux quatre actes primitifs, la pièce triomphe. **Fin juill.** : édition, avec une *Lettre modérée sur la chute et la critique du Barbier de Séville.* **Déc.** : important *Mémoire au roi* sur les relations franco-anglaises.
1776	**Févr.** : contacts à Londres avec Lee, émissaire des « Insurgents ». **Juin** : Vergennes remet un million à Beaumarchais, qui crée la société Roderigue Hortalez pour équiper les « Insurgents ». **4 juill.** : **déclaration d'indépendance américaine.** **6 sept.** : Beaumarchais relevé de son blâme.	1776	Première ébauche du *Mariage de Figaro* (?).
1777	**3 juill.** : Beaumarchais fonde la Société des auteurs dramatiques, pour obtenir une meilleure rétribution de la part des comédiens. Liaison avec une aventurière, Mme de Godeville.		
1778	**Juill.** : épilogue de l'affaire La Blache : la cour d'Aix-en-Provence donne raison à Beaumarchais.	1778	Mémoires contre La Blache : *Réponse ingénue [...], le Tartare à la légion.*
		1779	Affaires d'Amérique : *Observations sur le Mémoire justificatif de la Cour de Londres.*
1780	Paesiello entreprend la composition d'*Il Barbiere di Siviglia,* opéra-bouffe. **Déc.** : Beaumarchais fonde la Société littéraire et typographique, à Kehl, pour éditer les œuvres de Voltaire (mais aussi Rousseau, La Bruyère...).	1780	*Compte rendu de l'affaire des auteurs dramatiques.*
1781	**Janv.** : Beaumarchais finance la Compagnie des eaux des frères Périer. **Oct.** : débuts de l'affaire Kornmann. Beaumarchais prend la défense de l'épouse persécutée du banquier Kornmann, protégée par le prince de Nassau-Siegen.	1781	**Sept.** : *le Mariage de Figaro* reçu à la Comédie-Française. Six passages successifs devant la censure (1781-1784) ; polémiques ; lectures privées.
1782	**Avr.** : opérations immobilières avec Choiseul.		
1783-1789	Parution des 70 volumes de l'« édition de Kehl » de Voltaire. Désastre financier.		
1783	**13 juin** : interdiction royale du *Mariage.* **3 sept.** : **traité de Versailles : indépendance des États-Unis.** **27 sept.** : le *Mariage* représenté chez le duc de Fronsac.		
		1784	**27 avr.** : première du *Mariage de Figaro.* Triomphe.
1785	**8-13 mars** : emprisonné à Saint-Lazare. Polémiques avec Mirabeau au sujet de la Compagnie des eaux.	1785	Édition du *Mariage,* avec une Préface de l'auteur.
1786	Épouse sa compagne, Mlle de Willermaulaz. **1er mai** : première à Vienne des *Nozze di Figaro* de Mozart et Da Ponte.		
1787	**Juin** : achat d'un terrain près de la Bastille. Beaumarchais y fait construire une somptueuse demeure.	1787	Première de *Tarare,* opéra « oriental », sur une musique de Salieri.
		1788	*Mémoires* contre Bergasse, avocat de Kornmann.
1789	**14 juill.** : **prise de la Bastille.**	1789	*Requête à MM. les Représentants de la Commune de Paris.*

VIE		ŒUVRE	
1792	**Mars** : début de l'affaire « des fusils de Hollande ». Beaumarchais tente d'acheter des armes pour l'armée française. **Août** : enfermé à l'Abbaye. Échappera de justesse aux massacres de septembre.	**1792**	Première de *la Mère coupable* au théâtre du Marais. Demi-échec. **Déc.** : *Pétition à la Convention nationale,* depuis Londres.
1793	**Juin** : départ pour la Hollande ; placé sur la liste des émigrés ; vie errante, installation à Hambourg.	**1793**	*Les Six époques,* mémoire récapitulatif sur l'affaire des fusils. **20 mars** : représentation à Paris d'un *Mariage* où sont intercalés des airs de Mozart. Échec.
1796	**5 juill.** : retour de Beaumarchais à Paris. Activités multiples, vaines réclamations financières auprès du Congrès américain.		
		1797	Reprise triomphale de *la Mère coupable.*
1799	**18 mai** : mort de Beaumarchais.	**1799**	**Avr.** : *Lettres sur Voltaire et Jésus-Christ* (adressées au *Journal de Paris*).

Mémoires contre Goëzman

L'affaire Goëzman est d'abord un procès d'intention : avec son or, Beaumarchais a-t-il cherché à corrompre le juge Goëzman ou à obtenir simplement le droit de lui parler ? Le verdict dépend moins du fait que du jugement porté sur la moralité des adversaires. C'est aussi un débat politique où s'affrontent ennemis et partisans du « parlement Maupeou », Conti derrière Beaumarchais, le ministre d'Aiguillon derrière Goëzman. Enfin un événement littéraire, avec, contre Beaumarchais, le romancier d'Arnaud et le censeur-historien Marin. La tactique de Beaumarchais est tout entière guidée par un principe : en appeler à l'opinion pour éviter un huis clos où le parlement l'étranglerait sans bruit. Car il risque ici *omnia citra mortem*, « tout sauf la mort ».

Le premier mémoire (*Mémoire à consulter pour P.-A. Caron de Beaumarchais*) respecte en gros les lois du genre. Le plaideur tente d'y démontrer son innocence à partir des faits et de maximes de comportement bien choisies : « C'est sur la main qui reçoit que la Justice doit avoir l'œil ouvert, et non sur la main qui donne. » Mais les faits ennuient, et surtout leur vérité devient aléatoire dès qu'autrui les recompose différemment. Aussi, avec le deuxième mémoire (*Supplément au Mémoire*...), Beaumarchais renverse-t-il son système de défense. Prudemment, le juge a chargé sa femme d'être son porte-parole. Il s'agit donc de la discréditer en la constituant en personnage de comédie : chacun de ses propos est rapporté avec des jeux de scène adéquats (« l'éventail apaisait à coups redoublés le feu qui lui montait au visage »), qui frappent son discours de nullité. Et derrière cette ingénue l'on devine un traître de mélodrame qui agit « dans les ténèbres » ; le procès devient une « noire intrigue » dont il faut découvrir l'auteur : « Donnez-moi la main. » Mais ce vraisemblable de comédie conduit Beaumarchais à broder trop librement sur son thème, et la forme théâtrale risque à son tour de constituer en fiction son propre discours. Il a « sacrifié la vérité à l'envie d'amuser le public », dit *la Gazette de France* de François Marin (déc. 1773). D'autre part, la bataille devient sans merci : Beaumarchais est accusé d'avoir assassiné ses deux premières femmes, falsifié des lettres. Le troisième mémoire (*Addition au Supplément*...) réplique par d'autres attaques personnelles ; on sent Beaumarchais désorienté, mais toujours capable de retourner les coups. On lui a rappelé son origine horlogère : « J'avoue avec douleur que rien ne peut me laver du juste reproche [...] d'être le fils de mon père [...], mais je m'arrête car je le sens derrière moi qui regarde ce que j'écris et qui rit en m'embrassant. » Pourrait-il écrire des mensonges sous les yeux de ce bon vieillard ?

« Tous les genres d'éloquence », écrit Voltaire du *Quatrième Mémoire,* à propos duquel Sainte-Beuve évoquera *les Provinciales.* Effectivement, l'on y trouve pêle-mêle comptes rendus d'audience, portraits, indiscrétions, une prosopopée de l'Être suprême, sans oublier des appels répétés au « tribunal du public ». Beaumarchais a surtout découvert une notion clé pour établir son innocence : la sensibilité. L'homme sensible, déchiré entre la gaieté d'un « moi courageux » et les plaintes d'un « moi souffrant et malheureux », ne rit qu'à travers ses larmes ; habité d'intentions pures, il ne les exprime qu'au travers de conduites socialement inadéquates. Et le récit de l'affaire Clavijo, avec un Beaumarchais travesti en frère dévoué, larmoyant et vengeur, vient ainsi nuancer dans l'opinion l'image d'un homme trop gai et transformer une duplicité inquiétante en un déchirement respectable.

Admirateurs, comme Voltaire (« Il n'y a point de comédie plus plaisante, point de tragédie plus attendrissante »), et adversaires, comme le poète Gilbert (« Le mémoire en drame ou le drame en mémoire »), s'accordent sur un point : ces *Mémoires* échappent à la norme par un jeu des codes d'écriture qui leur donne leur efficacité ou, du moins, les constitue en œuvre littéraire. À ce titre, ils constituent peut-être la meilleure biographie formelle de leur auteur, dont la carrière n'est précisément qu'une juxtaposition de pratiques sociales sans cesse « déplacées ».

Le Barbier de Séville

« Un vieillard prétend épouser demain sa pupille ; un jeune amant plus adroit le prévient et ce jour même en fait sa femme, à la barbe et dans la maison du tuteur » *(Lettre modérée)*. La banalité de l'intrigue du *Barbier de Séville*, ainsi affirmée par l'auteur lui-même, rend vaine toute recherche des sources. Sinon pour souligner, à côté de la généalogie « française » de la pièce, depuis *l'École des femmes* de Molière jusqu'à *la Précaution inutile* de Fatouville (1717) et au *Tuteur dupé* de Cailhava (1765), la place de l'influence espagnole : celle de l'*entremés* (intermède comique), plus visible encore depuis la publication en 1974 du *Sacristain*, ce premier ancêtre du *Barbier*. L'important est l'écart que Beaumarchais instaure entre ses personnages et la tradition dont ils semblent se réclamer, de façon que le spectateur ne puisse déterminer où se trouve leur vérité : dans leur conformité à une convention théâtrale ou dans la distance prise par rapport à celle-ci. Où est le « vrai » Almaviva ? Est-ce du côté de la réalité sociologique, de l'aristocrate solennel qui apparaît au dénouement, ou du côté de la fiction, du déguisement, du joyeux « Lindor » des premiers actes ? Bartholo, sot comme un « Baloardo » de *commedia dell'arte*, ne reconnaît pas sous son déguisement d'écolier un Almaviva qui s'est déjà introduit chez lui costumé en officier : nous sommes au théâtre. Mais il remarque fort bien le doigt de Rosine taché d'encre, qui lui révèle une correspondance réglée entre celle-ci et le galant : effet de réel. Figaro est barbier par nécessité dramaturgique, pour occuper Bartholo au bon moment ; c'est là aussi un vrai métier, quasiment inconnu au théâtre (même sur la scène espagnole, le *barbero* est un personnage peu courant en dehors des intermèdes), qui lui donne son indépendance par rapport à son « maître » Almaviva, lui confère un poids d'être par rapport aux autres, simples marionnettes d'une comédie d'intrigue. Mais au troisième degré ce métier n'est que le sens propre d'une métaphore : Figaro est barbier parce qu'il « fait la barbe », se moque de tout le monde. Détermination psychologique qui le constitue à nouveau en personnage de théâtre. Enfin le sous-titre de la pièce, *la Précaution inutile*, qui appartient à une demi-douzaine d'ouvrages contemporains, rejette la comédie vers la fiction. Mais c'est aussi le titre d'une chanson de Rosine, qui sert de signe de reconnaissance entre les deux amants : dès lors, cette « précaution inutile » comme métatexte circulant à l'intérieur du *Barbier de Séville*, transforme la comédie en aventure réelle.

SYNOPSIS

Las des « plaisirs faciles », le comte Almaviva a rencontré l'amour dans une escapade à Séville sur les traces de Rosine, une beauté naguère entrevue à Madrid. Il y retrouve Figaro, son ancien valet, devenu barbier, et le gagne à son projet d'enlever et d'épouser la jeune fille également convoitée par son tuteur, le vieux Bartholo. Coup de foudre ou désir d'échapper au barbon, Rosine répond aux avances du comte, déguisé en « bachelier » sous le nom de Lindor, et lui fait passer un billet (acte I). Bartholo, aidé par le musicien don Bazile, qui vante les mérites de la calomnie, déjoue les manœuvres du comte, déguisé en soldat (acte II). Nouvelle offensive : « Lindor » s'introduit cette fois sous l'apparence d'un élève de Bazile et, pour gagner la confiance du tuteur, lui remet le billet de Rosine. Figaro ménage un tête-à-tête aux amoureux, mais Bazile surgit : « Allez vous coucher, Bazile », et Bartholo comprend bientôt qu'on le dupe : le comte est de nouveau chassé (acte III). Bartholo persuade Rosine de la trahison de « Lindor » en lui montrant le fameux billet : par dépit, la jeune fille consent à l'épouser. Mais Almaviva et Figaro dissipent le malentendu, et le mariage est conclu séance tenante grâce à l'absence providentielle du tuteur, qui reçoit en compensation la fortune de sa pupille (acte IV).

Cette déconstruction subtile d'un schéma traditionnel implique évidemment une grande rigueur d'écriture. D'où l'échec du *Barbier*, en cinq actes, représenté le 23 février 1775, Beaumarchais ayant cru bon d'ajouter au texte primitif de 1772 une série de grosses bouffonneries et des allusions à ses malheurs personnels : don Bazile, l'agent double, devenant « don Gusman Colmaro » par allusion au juge alsacien Goëzman (voir supra : *Mémoires contre Goëzman*), etc. Il n'en restera guère, dans la pièce qui, ramenée aux quatre actes de 1772, triomphe le 26 février, que l'illustre tirade de la Calomnie. « Plus d'esprit que d'intelligence profonde », dira Gide à propos du *Barbier de Séville*. Sans doute ne faut-il pas y chercher une philosophie explicite, mais plutôt la démonstration *in vivo* des pouvoirs de la gaieté et de l'intrigue sur une réalité parfois amère : la vie peut devenir un théâtre, tout comme, à l'inverse, le théâtre peut dire la vérité du monde.

Le Mariage de Figaro

Comment « faire *échouer* dans son dessein un *maître absolu* que son rang, sa fortune et sa prodigalité rendent *tout-puissant* pour l'accomplir » (nous soulignons). Telle est, résumée dans la Préface, la gageure du *Mariage de Figaro* ; gageure d'autant plus difficile à tenir que le projet de l'auteur est à la fois de faire œuvre réaliste en peignant « une foule d'abus qui désolent la société » et de demeurer pourtant dans le registre de la franche gaieté. La réussite de la pièce consiste précisément à courir pendant cinq actes entre ces deux périls : celui de la fiction mystificatrice avec un Almaviva trop inoffensif pour être vrai ; celui de la violence, qui transformerait la « Folle Journée » en drame, voire en journée révolutionnaire. D'où la complexité extrême de l'action ; « un monstre », dira Sarcey. Car le conflit principal, celui du maître et du valet, ne peut jamais s'y montrer que de biais.

SYNOPSIS

Jour de noces au château d'Aguas Frescas entre Figaro et Suzanne, « camariste » de Rosine, laquelle est devenue Comtesse Almaviva. Mais le Comte entend exercer un droit du seigneur auquel il a pourtant officiellement renoncé, ou à défaut contraindre Figaro à épouser la vieille Marceline. Jeu d'adultes auquel vient se mêler le jeune page

Chérubin, en qui Almaviva croit trouver un rival. Mais, sous la pression de ses « vassaux », Almaviva doit confirmer la pureté de ses intentions ; quant à Chérubin, le gêneur, il partira pour l'armée (acte I). Complot entre Figaro, Suzanne et la Comtesse. Celle-ci reçoit le page, qui avoue son amour : émotion partagée, puis troublée par l'arrivée du comte, dont Suzanne parvient à égarer les soupçons malgré l'intervention inopportune du jardinier Antonio. Marceline vient rappeler ses droits sur Figaro (acte II). Passe d'armes sans résultat entre Figaro et le Comte, auquel Suzanne feint d'accorder un rendez-vous. Éventant la ruse, il décide de se venger en obligeant Figaro à épouser Marceline. Procès, coup de théâtre : Figaro est le fils de Marceline ! (acte III). Le plan de la Comtesse : elle ira au rendez-vous du Comte sous les habits de Suzanne. Figaro, tenu dans l'ignorance, se croit trompé (acte IV). Sous les « grands marronniers », Figaro, seul, dresse un bilan amer de son existence. Mais l'obscurité et les déguisements provoquent une série de quiproquos où se réconcilient le désir et la loi : le Comte redécouvre sa femme, et Figaro conquiert enfin la sienne. « Tout finit par des chansons » (acte V).

Premier décalage : de lui-même, le « maître absolu » a renoncé officiellement à son droit de cuissage. Démagogie ou preuve d'amour pour son épouse, le voici d'emblée prisonnier de sa propre décision et de l'image libérale qu'il entend donner à ses « vassaux ». L'Almaviva du *Mariage* n'est pas un tyran féodal, mais un noble de progrès habité par la mauvaise conscience, comme ceux-là mêmes qui viennent applaudir la pièce. Dans la France de 1784, au règne aristocratique du bon plaisir s'est déjà substitué celui, bourgeois (d'où les costumes louis-philippards choisis par J. Lavelli pour sa mise en scène des *Nozze* en 1979), de l'argent et de la ruse. « Réalisme » de Beaumarchais, qui permet en même temps de déminer le terrain ; entre l'argent et l'amour, la partie est désormais égale, et à malin malin et demi : « J'ai voulu ruser avec eux, ils m'ont traité comme un enfant » (Almaviva).

Second décalage : dès qu'il risque de prendre un tour aigu, l'affrontement de Figaro et d'Almaviva est relayé par d'autres, qui excluent la violence : Chérubin, Suzanne, la Comtesse, images de douceur et de fragilité, doublent ou remplacent Figaro dans sa lutte – au point de le mettre finalement hors jeu au moment précisément où il profère son grand monologue… Et, grâce à ces figures féminines et enfantines, le *Mariage* devient aussi une histoire d'amour, ou d'amours. À travers les couples qui se font, se défont ou se rêvent, Beaumarchais explore tous les possibles du sentiment : Chérubin et Fanchette, la Comtesse et Chérubin, Suzanne et Almaviva, Marceline et Figaro. Amours esquissées, interdites, non partagées, rejetées enfin au néant par le couple triomphant et « patrimonial », Suzanne et Figaro : « Ma femme et mon bien mis à part… ».

D'où cette pluralité de lectures possibles, qui donne à la pièce son chatoiement. Est-ce le tableau réaliste d'un Ancien Régime finissant marqué par la dilution des pouvoirs et où l'« esprit seul peut tout changer » (le fils de l'horloger Caron devait aisément s'en persuader) ? Ou faut-il considérer *le Mariage* comme une entreprise de mystification posant artificiellement en termes de comédie, c'est-à-dire de dialogues et d'affrontements symboliques (gifles et baisers), le problème de la violence et du désir des maîtres ? Mais le théâtre est aussi le lieu du jeu et de l'apparence : et combien faut-il de conditions, de présupposés (jusqu'à une « reconnaissance » miraculeuse) pour qu'enfin tout finisse par des chansons ! « Jouons-nous une comédie ? » demande Almaviva. « Tout finit par des canons », répondront les spectateurs de 1792.

UN ÉVÉNEMENT LITTÉRAIRE ET MONDAIN

La première publique du Mariage de Figaro *eut lieu le 27 avril 1784 à la Comédie-Française : Molé jouait Almaviva, Saint-Val cadette la Comtesse, Mlle Contat Suzanne, Dazincourt Figaro et Mlle Olivier Chérubin. La curiosité du public était attisée par les réticences royales et par les six censures qu'avait dû subir la pièce ; voici comment la* Correspondance littéraire *rapporte l'événement : « Jamais pièce n'a attiré une affluence pareille au Théâtre-Français ; tout Paris voulait voir ces fameuses* Noces *[sic], et la salle s'est trouvée remplie presque au moment où les portes ont été ouvertes au public ; à peine la moitié de ceux qui les assiégeaient depuis huit heures du matin a-t-elle pu parvenir à se placer ; la plupart entraient par force en jetant leur argent aux portiers… Plus d'une duchesse s'est estimée ce jour-là trop heureuse de trouver dans les balcons, où les femmes comme il faut ne se placent guère, un méchant petit tabouret à côté de Mmes Duthé, Carline et compagnie. » La pièce eut soixante-huit représentations consécutives – un record pour l'époque. Témoignage du succès de la pièce, le nombre de parodies et de « suites » qu'elle inspira :* le Repentir de Figaro, *par Parisau (1784) ;* le Mariage de Glogurrio *(1784) ;* la Folle Soirée, *par Bonnefoy de Bouillon (1784) ;* le Mariage de Chérubin *;* le Mariage de Fanchette *(1786), par Olympe de Gouges ; par Martelly,* les Deux Figaro *(1794), etc.*

J.-P. de Beaumarchais

BEAUVOIR Simone de

(1908-1986)

Essais, études sociologiques, romans, théâtre, autobiographie : tout entière marquée par l'existentialisme, l'œuvre multiple de Simone de Beauvoir dit la conquête de l'autonomie par le travail et le projet de susciter, par l'analyse des mœurs et des mentalités, une « volonté de changement ». À la fois juge et partie, cette praticienne exemplaire d'un credo philosophique imposant une lucidité implacable à l'égard de soi-même en sera également l'historiographe ; son autobiographie confère l'unité du vécu à une attitude de pensée qui fut aussi, dans l'immédiat après-guerre, un phénomène de société.

L'engagement

Née à Paris, Simone de Beauvoir connaît une enfance studieuse et choyée, entre un père « à mi-chemin entre l'aristocrate et le bourgeois » et une mère, fervente catholique, qui lui donne un sens intransigeant du devoir. Une violente passion pour son amie du cours Désir, Suzanne Mabille, dite Zaza, lui révèle le piquant d'une certaine désinvolture dont elle se sent elle-même dépourvue. Mais ses succès scolaires la rassurent : baccalauréat, mathématiques générales à l'Institut catholique, licence de philosophie à la Sorbonne (1926), agrégation (1928) avec des camarades qui se nomment Maurice Merleau-Ponty, Claude Lévi-Strauss, Raymond Aron. Période un peu folle : la jeune émancipée, en froid avec sa famille, se livre au « narcotique » du travail, buvant des gin-fizz dans les cafés du quartier Latin « en disant n'importe quoi », assez convenable néanmoins pour décourager la « lubricité ». En 1929, elle se lie avec le trio Herbaud, Nizan, Sartre. « Intellectuellement dominée » pour la première fois, elle reconnaît en Sartre ce « double… répondant aux vœux de [ses] quinze ans », avec qui elle pourra « toujours tout partager ». Mais au mariage qu'il lui propose, elle préfère un « pacte renouvelable » qui préserve sa liberté. Enseignante à Marseille, à Rouen, à Paris, Simone de Beauvoir, à l'inverse de ses amis Nizan et Colette Audry, se tient jusqu'à la guerre à l'écart de la politique, malgré sa sympathie pour le Front populaire et les républicains espagnols. Des voyages avec Sartre en Italie et en Allemagne n'entament pas son optimisme, conforté par les accords de Munich. En revanche, la vie du couple est mise à l'épreuve par la présence en tiers d'une jeune Rouennaise ; surmontant sa jalousie, elle utilise la situation comme trame de son premier roman, *l'Invitée* (1943). Avec la guerre, l'exode, le retour dans Paris occupé, l'« irruption de l'Histoire » déchire brutalement de tenaces illusions. À son retour d'un camp de prisonniers, tout en écrivant *l'Être et le Néant,* Sartre anime un cercle de résistants souvent réuni chez sa compagne, alors professeur au lycée Victor-Duruy. En 1943, elle quitte l'Université ; fréquemment installée au café de Flore, futur haut lieu de la mode « existentialiste », elle travaille à un essai : *Pyrrhus et Cinéas* (1944).

Voici « les cloches de la Libération » et, du jour au lendemain, la célébrité. Dans l'esprit du public se produit un amalgame entre les tenants de la philosophie de l'existence (Sartre, Simone de Beauvoir, Camus), disciples de Husserl, Heidegger, Kierkegaard, et la foule des jeunes intellectuels ou jeunes tout court qui se presse aux terrasses des cafés et dans les caves (le Tabou, le Lorientais) de Saint-Germain-des-Prés. Ses amis sont alors Bost, Queneau, Leiris, Giacometti, Camus, Vian ; elle se partage désormais entre des voyages à l'étranger – notamment aux États-Unis, où elle vit un grand amour (*l'Amérique au jour le jour,* 1948) – et la poursuite acharnée de son œuvre : théâtre (*les Bouches inutiles,* 1945), romans (*le Sang des autres,* 1945 ; *Tous les hommes sont mortels,* 1946), essai (*Pour une morale de l'ambiguïté,* 1947). En 1948, la revue *les Temps modernes,* dirigée par Sartre, publie *le Deuxième Sexe,* une étude sur la condition féminine ; les bien-pensants de tous bords l'accueillent par un tollé général, compensé par un grand succès de librairie et une vaste et émouvante correspondance. En 1954, *les Mandarins,* roman qui évoque « certaines manières de vivre l'après-guerre », reçoivent le prix Goncourt.

Témoignant contre toutes les oppressions, le couple Sartre-Beauvoir parcourt le monde ; en France, se situant résolument à gauche en dépit de relations houleuses avec le parti communiste, ils participent régulièrement aux manifestations dites alors antifascistes. Partisan de l'indépendance algérienne, Simone de Beauvoir publie, en collaboration avec Gisèle Halimi, un témoignage sur la torture : *Djamila Boupacha* (1962). Passionnément présente à son temps, l'essayiste n'en néglige pas des aspects plus frivoles (*Brigitte Bardot et le syndrome de Lolita,* 1960). À la découverte de continents entiers, parcourus lors de nombreux voyages, elle ajoute celle de la Chine, « le seul peuple sous-développé qui ait triomphé de la faim », conclut-elle hâtivement (*la Longue Marche,* 1957). Puis paraissent les trois tomes d'une monumentale autobiographie, entreprise dès 1954 : les *Mémoires d'une jeune fille rangée* (1958), *la Force de l'âge* (1960), *la Force des choses* (1963), éphémérides d'une période s'étendant de la guerre de 1914 aux années 1960, galerie de portraits, récit de voyages, réflexions philosophiques, roman d'amour ; le succès est immense. Mais son chef-d'œuvre, selon Sartre, sera *Une mort très douce* (1964), récit de la dernière maladie de sa mère et, en même temps, méditation sur l'âge et sur la mort, thème qu'elle reprendra dans une étude sociologique, *la Vieillesse* (1970), complétée par un bilan personnel, *Tout compte fait* (1972). En 1980 s'abat l'épreuve la plus redoutée : la mort de Sartre, qui lui inspire la bouleversante *Cérémonie des adieux* (1981). Retirée, entourée de quelques amis, elle s'éteint au printemps 1986 ; ses *Lettres à Sartre* ont été publiées en 1990.

Un discours moral

L'apport de Simone de Beauvoir à la pensée existentialiste est sans doute le contenu moral qu'elle lui a constamment donné. Analysant les grands thèmes existentialistes dans la ligne de *l'Être et le Néant,* ses textes théoriques (*Pyrrhus et Cinéas, Pour une morale de l'ambiguïté*) sont d'abord des plaidoyers passionnés pour une liberté toujours en alerte dans une éthique de la responsabilité. Sous l'apparence de romans traditionnels, ses œuvres de fiction posent aussi dans les nouveaux concepts de l'existentialisme des problèmes de conduite. Il y est question du « salut », dont l'idée a survécu chez elle à la « disparition de Dieu » (*Entretiens avec Francis Jeanson,* 1966) : comment une conscience peut-elle échapper à l'anéantissement sous le regard d'autrui, c'est le problème de *l'Invitée,* posé à l'échelle de la cité et dans la perspective de l'engagement politique par *les Mandarins.* D'où ces deux lectures possibles du roman beauvoirien, deux discours fondus en un seul, ce que le public ne perçoit pas toujours : *les Mandarins* ont été pris pour un roman à clefs, et *le Sang des autres* – une étude du décalage entre le sujet pour soi et son image pour les autres –, reçu comme une œuvre sur la Résistance.

Peut-on cependant parler de romans à thèse ? Simone de Beauvoir récuse cette classification : « Le roman à thèse impose une vérité qui éclipse toutes les autres et qui arrête la ronde infinie des contestations » (*la Force des choses*). Or, ajoute-t-elle, « je ne propose pas de solution aux problèmes qui inquiètent mes héros ». Dans ses romans, en effet, tout est agencé pour créer l'illusion de la liberté, celle des personnages et celle du lecteur. Jamais d'intrusion d'auteur explicite, qui mette sur la voie d'une conclusion vers laquelle progresserait le récit. Qui plus est, agités de passions, se débattant dans les dilemmes de l'action, les héros beauvoiriens ne ressemblent guère à d'inconsistants porte-parole. Si une thèse se dégage cependant, elle surgit du refus même que l'auteur oppose à l'idée de thèse. Un roman de Simone de Beauvoir est d'abord une manière d'« accéder à l'être » *(Entretiens avec Francis Jeanson),* de prendre la parole. Puis de faire appel à la liberté d'autrui. Il y a du prosélytisme dans ce projet : l'écrivain veut sauver aussi bien que se sauver, « rendre service » à ses semblables engagés comme lui dans l'« entreprise de vivre » *(id.).* Sous cet angle, les romans beauvoiriens se donnent comme des exercices théoriques proposés au lecteur pour aguerrir sa liberté. Aux prises avec des situations ambiguës, dans un monde complexe, sous un ciel vide de toutes valeurs *a priori,* l'être moral du héros, voire son être tout court, est sans cesse mis en question. Françoise est-elle le « traître » que Xavière voit en elle, ou une femme fidèle, aimant brièvement un autre homme dans la spontanéité du désir *(l'Invitée)* ? Henri est-il un homme de compromis ? Un homme d'obstination et de courage *(les Mandarins)* ? Au lecteur, au sujet libre d'en décider. Simone de Beauvoir met un soin jaloux à ne pas imposer de sens, sinon celui du « non-sens » : « aucune interprétation définitive ne sera jamais donnée, car personne ne détient la vérité. » Même si transparaît quelque antipathie pour certains personnages – Élizabeth dans *l'Invitée,* Paule dans *les Mandarins,* suspectes du crime suprême de « mauvaise foi » –, l'intention s'affiche de dévoiler au lecteur un monde devant lequel, seul juge, il doit assumer la responsabilité de ses jugements.

Une écriture banalisée

Mais ce discours moral ne fait pas éclater le discours romanesque. Soumise aux « conventions traditionnelles » *(la Force de l'âge),* Simone de Beauvoir se borne à acclimater dans le roman français quelques nouveautés empruntées au roman américain (Hammett, Hemingway) ou russe (Dostoïevski). Sans affecter pour autant une narration strictement chronologique, le temps se fait durée intérieure des consciences invitées à dire le monde, « paysages, décors, objets », à travers leurs subjectivités. Durée remplie d'événements dont l'enchaînement ne suit pas « les rapports univoques de causalité » *(la Force de l'âge),* mais se produit dans la contingence, comme dans la vie. Enfin, à l'exemple d'Hemingway, elle demande au dialogue de servir l'action en modifiant « les rapports des personnages et l'ensemble de la situation » *(id.).* Une seule véritable innovation : le déplacement du centre de gravité du réalisme. Celui-ci n'est plus situé dans le regard d'un narrateur omniscient, comme chez un Mauriac, dont Sartre critiquera violemment la méthode et les présupposés *(Situations I,* 1947) : distribué entre les « consciences multiples » des héros, le réel devient du « vécu ».

Du côté de l'écriture non plus, aucun renouvellement spectaculaire. La prose de Simone de Beauvoir est d'une clarté classique ; réparties avec soin, les répliques s'échangent dans un ordre qui ne crée aucune hésitation chez le lecteur. Irréprochable syntaxe, brisée seulement (et avec quelle timidité) quand il faut suivre le discours intérieur du sujet. Le « réalisme » impose alors quelques libertés grammaticales : « Toi et moi, on ne fait qu'un » *(l'Invitée).* Enfin, à l'instar de Hemingway, les dialogues s'efforcent de suivre « le rythme du langage parlé, sans crainte des redites et des futilités » *(la Force de l'âge),* avec quelques « je m'en fous » discrets, des « c'est trop con » plaqués ici ou là pour imiter le langage du quotidien. Le résultat obtenu est un effacement de l'écriture, volontairement neutralisée (peu de pittoresque, rares images).

En fait, cette rhétorique de la transparence correspond au projet moral de l'auteur. La soumission aux conventions romanesques, la neutralité de l'écriture, un « ton oral » emprunté au naissant audiovisuel favorisent une large diffusion de la « parole ». Pourquoi dès lors les remettre en question ? La structure formelle des romans beauvoiriens répond à la visée d'un écrivain qui veut « essentiellement pouvoir se dire et se faire entendre » (F. Jeanson), assurer son propre salut et, par ricochet, celui des autres. En conséquence, pointilleuse sur l'indétermination du sens, Simone de Beauvoir se garde au contraire de dresser entre elle et son lecteur l'obstacle de l'écriture. Le seul problème proposé au public est, sans l'aide du moindre clin d'œil, ce jugement moral qu'il doit porter ; une barrière stylistique le rendrait inutilement plus difficile. Montrer le monde, « interpeller » le lecteur dans la nudité de l'écriture, tel est le dessein qu'une narration par ailleurs trop habile dessert parfois.

L'exemple et l'échec

Après le succès des *Mandarins,* la romancière s'oriente presque exclusivement vers l'autobiographie, et ses dernières œuvres de fiction *(les Belles Images,* 1965 ; *la Femme rompue,* 1967) marquent plutôt un déclin de son talent et de son audience. L'autobiographie répète un message déjà lancé auparavant, mais qui devient ici une incitation par l'exemple. Le titre du premier volume l'indique bien : pour une « jeune fille rangée », devenir Simone de Beauvoir, quel travail, quelle libération ! Chronique de jeunesse, le livre lance aussi un défi. Mais l'ambiguïté des *Mémoires* réside dans l'intérêt même qu'ils suscitent auprès du public impatient d'apprendre la suite, comme dans un feuilleton. D'autant plus que, libéré des servitudes du roman existentialiste, le discours de Simone de Beauvoir n'ayant plus à imiter le réel au travers des autres, mais à le dire tel qu'elle l'a vécu, se fait chaleureux, personnel, réintégrant le pittoresque des récits de voyages, les images, les métaphores, les portraits, les digressions philosophiques ou politiques conduites à bâtons rompus. L'œuvre connaît le succès d'un ouvrage de fiction, et l'incontestable « réussite » de l'auteur devient un sujet d'admiration « mondaine ». Ce que la jeune fille rangée a jeté par-dessus bord a été compensé au centuple : une carrière littéraire réussie (même *le Deuxième Sexe* a répondu aux aspirations d'une classe de femmes assez indépendantes matériellement pour prétendre à une libération radicale), le prix Goncourt, le couple uni qu'elle forme avec Sartre, des amants, l'aisance maté-

rielle, la « reconnaissance » internationale – bref, tout le palmarès de l'ambition bourgeoise et, par surcroît, le cœur à gauche…
Mais simultanément l'autobiographie dévoile au fil des pages la face la plus tragique de l'existentialisme : la contingence, clef de toute existence. « Il n'y a pas de commune mesure entre l'espoir vide et absolu de mes vingt ans et une œuvre faite » (*la Force de l'âge*). La plus libre, la plus responsable des vies n'est jamais qu'une ride imperceptible sur l'océan de l'absurde : « Mais non. Rien n'aura eu lieu » (*la Force des choses*). D'où les controverses autour de la phrase finale : « J'ai été flouée », les bien-pensants s'enchantant du sentiment d'échec qui assombrit, croient-ils, les souvenirs de Simone de Beauvoir. Elle s'en est expliquée dans un entretien avec Francis Jeanson, précisant l'intention philosophique, mais l'enracinant, comme il convient à un tenant de la philosophie du sujet, dans sa propre expérience. La contingence est une épreuve vécue dans l'expérience de la mort (voir *Une mort très douce*), de cette antichambre de la mort que sont la vieillesse, la décrépitude et le malheur qui, avec l'âge, vient rôder : « La seule chose à la fois neuve et importante qui puisse m'arriver, c'est le malheur » (*la Force des choses*). Si bien qu'une vie peut avoir tenu toutes ses promesses – Simone de Beauvoir confie avoir été comblée par la sienne –, elle n'échappe pas au néant au regard de l'infini.
En définitive, à mesure que cette œuvre se développe, comme la vie, vers son terme, l'apostolat de la liberté qui caractérise les premiers écrits philosophiques et les romans s'efface graduellement. Un discours empreint de noblesse et de pitié, ouvert à la misère humaine (à la torture, à la faim, à l'horreur d'exister sans avoir pu au moins « exister sa vie »), dit le bilan de l'humanité plus encore que celui d'une vie.

M.-A. de Beaumarchais

BECK Béatrix

(née en 1914)

Romancière d'origine belge, fille du poète et polémiste Christian Beck (1879-1916). Elle accomplit en France de bonnes études, qu'elle achève à Grenoble. Son mari, Juif russe et militant communiste, est tué à la guerre en 1940, lui laissant une petite fille, qu'elle élève seule en travaillant comme ouvrière, domestique, employée de ferme, avant de devenir secrétaire de Gide (1950-1951). Années difficiles, notamment celles de l'Occupation, qui donneront matière à un cycle romanesque largement autobiographique : *Barny* (1948), *Une mort irrégulière* (1950), *Léon Morin, prêtre* (prix Goncourt 1952, film de J.-P. Melville en 1961), *Des accommodements avec le Ciel* (1954), *le Muet* (1963). Sa notoriété lui vaut d'entrer au jury Femina (1959), dont elle démissionnera, et d'être appelée par des universités américaines et québécoises (voir *Noli*, 1978). Dans ce cycle de « Barny », chaque roman se veut procès-verbal d'une crise : mort de « Vim » ; passion de Barny pour l'abbé Morin, provoquant chez l'héroïne une focalisation brutale, douloureuse, sur un problème ou sur un être, et l'irruption simultanée dans sa vie psychique de rêves qui expriment ses désirs ou ses angoisses (voir aussi : *Un(e)*, 1989). D'où une désintégration du moi conscient dont rend compte une narration elliptique, fragmentée, miroir brisé que le lecteur est appelé à recomposer. Barny apparaît encore dans *Cou coupé court toujours* (1967), accompagnée d'une petite fille que l'auteur s'emploie à faire parler : discours à la Queneau que l'on retrouve dans *l'Épouvante, l'Émerveillement* (1977) et surtout *la Décharge* (1979), face-à-face tragique entre le beau style et le paternalisme d'une institutrice et la spontanéité ravageuse d'une nouvelle Zazie rédigeant ses Mémoires. Substitué à celui du moi autobiographique, le déchirement de l'écriture se résout pourtant dans l'unité du roman et par ce lien pervers qui unit Mlle Minnier et son élève : la « décharge », dépotoir où vit la jeune Noémi, c'est aussi, pour Béatrix Beck elle-même, « la délivrance » (B. Beck, interview au *Monde*, 1980). Également auteur de nouvelles, l'écrivain sait créer en quelques lignes un univers à la fois quotidien et fantastique (*Guidée par le songe*, 1998), marqué par une constante invention langagière.
Confidences de gargouille (1998) est le compte-rendu d'un parcours littéraire et spirituel tourmenté. Béatrix Beck a obtenu en 1997 le grand prix de littérature de l'Académie française pour l'ensemble de son œuvre.

J.-P. de Beaumarchais

Beckett

BECKETT Samuel

(1906-1989)

L'œuvre de Beckett est une œuvre-limite. Elle s'avance dans une totale solitude : elle ne semble hériter de rien, n'a ni voisinages ni épigones. Elle ne vient de nulle part. Elle ne cesse de tarauder un espace infime, totalement clos sur lui-même, saturé et bouclé, et pourtant elle est d'une densité étonnante : nouvelles, romans, pièces de théâtre, montages de radio, cinéma, textes pour magnétophone… Paradoxalement, c'est l'œuvre la plus commentée de ce siècle, mais c'est aussi une de celles qui font porter la plus grande suspicion à l'égard de la démarche critique et des mécanismes de l'interprétation. Ce long et rigoureux sabordage lui confère peut-être sa seule vraie portée : celle de l'humour. Vouloir la commenter sans la trahir consiste donc, à l'arpenter le dos tourné à toutes les herméneutiques. Fidèle aux migrateurs beckettiens, la lecture doit ainsi se laisser porter au fil d'un certain vagabondage.

Un « lamentable gâchis »

La vie de Beckett est elle aussi une longue dérive. Naissance en 1906 dans la petite bourgeoisie protestante de Dublin, enfance feutrée, adolescence studieuse, et pourtant, déjà, cette intuition d'être « peu doué pour le bonheur »... C'est que l'Irlande natale, avec sa langue et son décor, est trop étouffante. Très tôt, Beckett fuira donc le nid familial : à vingt-deux ans, en 1928, on le retrouve à Paris, où il devient lecteur d'anglais à l'École normale supérieure. Commence alors une longue amitié avec Joyce, dont les livres ne cesseront plus de l'interpeller. À cette époque, il découvre aussi Descartes, Arnold Geulincx, Giordano Bruno, Vico, Proust. Tout cela avec le même enthousiasme que celui qui lui avait fait dévorer Dante, pendant l'adolescence.

Après deux années de vie parisienne, c'est le retour à Dublin, et le début des années noires. Beckett se sent de plus en plus mal dans sa peau, il ne parvient pas à se sédentariser, épuise son temps à « partir » (France, Allemagne : toute sa vie, il aura ainsi la bougeotte). De 1933 à 1937, le voici à Londres : c'est là qu'en pleine misère il s'attaque à *Murphy*, qui trouve difficilement un éditeur (1938). « Maintenant, je me détériore avec la plus grande rapidité », dira-t-il de cette période.

À la veille de la Seconde Guerre mondiale, Beckett est à Paris. Pour échapper à la Gestapo, il s'enfuit dans le Vaucluse, où il compose un autre récit, *Watt*. L'après-guerre correspondra à la plus intense phase de création. Coup sur coup, il écrit en français sa grande trilogie romanesque : *Molloy* (1951), *Malone meurt* (1951) et *l'Innommable* (1953). Aux Éditions de Minuit, Jérôme Lindon est séduit. Beckett semble pouvoir enfin sortir de son enfer. Entre-temps, fin 1948, il se met au théâtre, écrit *En attendant Godot*, qui sera monté cinq ans plus tard par Roger Blin avec le succès que l'on sait. Pour Beckett, une seconde vie commence : il lui faudra désormais échapper sans cesse à son mythe et à sa célébrité. Les choses vont alors très vite : première de *Fin de partie* et de *la Dernière Bande* à Londres en 1957-1958, *Oh les beaux jours* à New York en 1961, à Paris avec Madeleine Renaud en 1963, puis un foisonnement de textes entre 1960 et 1970, le tout couronné par le prix Nobel en 1969. Malgré le succès, Beckett restera un étranger, tournant le dos à sa vie, « lamentable gâchis ».

Quant à l'œuvre, elle n'est qu'une tache sur le silence, comme il l'a dit. Depuis le ressassement étouffant des premiers récits jusqu'aux borborygmes des derniers textes, Beckett n'a pas cessé de radiographier la misère humaine. Mais cette plongée a connu des avatars bien différents, dont il faut préciser les principales étapes.

Le cycle romanesque : le fiasco de la parole

Le premier volet de l'œuvre, qui va des années 1935 au seuil des années 1950, est aussi le plus impressionnant, celui qui descend sans doute le plus profond dans cette archéologie de la débine qu'est l'écriture beckettienne : il s'agit des textes romanesques. Une demi-douzaine de récits, à mi-chemin entre la nouvelle et le roman. Beckett les a écrits alors que son existence oscillait entre la misère et l'exil intime. Exil au large de l'Irlande natale d'abord, exil de la langue maternelle ensuite, et, surtout, exil de l'intérieur, comme si l'écrivain était chassé de lui-même. Cette déportation commence avec *Murphy*, écrit en anglais pendant les années noires. C'est un récit lacunaire, qui nous montre un reclus prisonnier de la Cité et de ses mirages. Enfermé dans un asile psychiatrique où il attend la mort, Murphy, qui est « né-retraité », s'irréalise peu à peu du monde des vivants. Il s'installe alors dans une posture qui reviendra très souvent chez Beckett : la position fœtale, cette « supination » où l'être revêt soudain l'aspect d'une larve. *Murphy* est donc le livre du solipsisme intégral, et si nous ne sommes qu'aux tout premiers moments de l'œuvre, celle-ci pourtant semble déjà close, définitivement close. C'est cela, Beckett : un achèvement qui n'en finira pas.

Les deux romans qui suivent, et qui ne seront publiés en français que beaucoup plus tard, *Mercier et Camier* et *Watt*, ne feront qu'amplifier la déréliction. *Watt* est la chronique fantasmatique d'une dérive clochardesque. On y suit un « tortigrade emballé » qui déblatère d'interminables litanies afin de meubler le silence et de saturer une réalité devenue insensée. Quant à *Mercier et Camier*, il faut y voir l'odyssée aberrante d'un couple déchiré qui parle, parle et parle encore pour ne pas mourir : pour Beckett, le langage est le seul matériau capable de boucher ces chiffes vides que sont le corps et l'esprit, le seul qui puisse en colmater les trous. Comme si les mots n'étaient plus les instruments du sens ou de la communication, mais une sorte d'hypertrophie du gâchis existentiel. Une hypertrophie qui sape la parole à son fondement pour la liquider en parlotes, bavardages et babils ; si le réel n'est pas rationnel, au moins est-il saturable.

Voilà donc plantés les décors pour que puisse s'écrire la grande trilogie romanesque : *Molloy*, *Malone meurt* et *l'Innommable*. Plus acculée que jamais à l'aporie généralisée, c'est une voix ininterrompue qui parle ici, à la première personne désormais. Et, à ce moment précis où Beckett rencontre le « je », face au miroir, il se trouve définitivement expulsé de cet *ego* qui constitue la sécurité de toute littérature. Aussi, derrière ce « je », faut-il entendre sourdre l'anonymat d'un « il » sans amarre : comme chez Rimbaud, les personnages assistent, impuissants, à leur propre éclosion, l'éclosion de la négativité en eux. La première personne n'a donc rien d'une maîtrise spectaculaire : c'est une aliénation, une écoute passive, un abandon à *ça* qui parle : « Quelque part on parle », dira plus tard le narrateur des *Textes pour rien* (1955).

En ce sens, les récits de cette époque, d'un point de vue strictement textuel, sont d'une remarquable modernité : passage d'une littérature réaliste à une fiction sérielle, télescopage de la linéarité traditionnelle, écriture du fragment, utilisation des virtualités ludiques du langage, crise du narrateur et de son identité, rupture de l'économie générale du texte, qui va jusqu'à s'autoréférer, multiples mises en abyme, écoute des voix neutres du dehors, exhibition des mécanismes de la production romanesque – Molloy, par exemple, est à la fois le héros d'une histoire et l'écrivain en train d'écrire cette histoire. Mais il y a plus encore. Ces livres mettent en scène la littérature en une zone frontière au-delà de laquelle il ne serait plus possible d'écrire. Paradoxalement, en accumulant les mots jusqu'à la dérision, ils célèbrent la mort de toute narration. « Dire je. Sans le penser. Appeler ça des questions, des hypothèses. Aller de l'avant, appeler ça aller, appeler ça de l'avant », tels sont les premiers mots de *l'Innommable,* long monologue d'un sbire coincé dans sa jarre : l'échec comme procédé heuristique. Et, plus loin, on peut lire : « Cependant, je suis obligé de parler. Je ne me tairai jamais. Jamais. »

On comprend que l'œuvre de Beckett atteigne à ce moment-là son degré zéro : nous sommes dans les années 1950, et de cette époque datent aussi les *Textes pour rien,* le dernier maillon de la chaîne romanesque où le rien s'installe pour toujours. Maintenant, ce n'est plus seulement l'aventure humaine qui est invalidée, mais c'est aussi l'entreprise de raconter. La parole ne décrit pas le fiasco en le surplombant de sa cohérence sécurisante, elle est elle-même rongée, décapitée. Elle ne saurait être un séjour. Une seule issue : se laisser porter au hasard de ce langage auquel nous sommes condamnés. « Il faut dire des mots, tant qu'il y en a », lit-on dans *l'Innommable.* Mais les mots n'ont plus cette extériorité qui assurait les bases de l'édifice littéraire, ils se retournent sur eux-mêmes, livrés lamentablement à leurs propres redondances. D'abord profération, l'œuvre devient accumulation, elle se voue maintenant à l'écoute. Une écoute médicale, stéthoscopique des micropulsations du dedans. Tout ne sera que répétition, ressassement, lambeaux de syntaxe, litanies interminables. Un disque rayé. Commencé avec *Murphy* en 1935 et poursuivi jusqu'aux *Textes pour rien,* le cycle romanesque ne peut pas aller au-delà. Non qu'il soit « accompli » ni achevé : il s'est irrémédiablement détruit.

La tentative orale

C'est alors au théâtre de prendre le relais, pour tenter de sortir de l'ornière. Après l'aventure écrite, l'aventure orale. L'œuvre connaît à ce moment-là une sorte de pause, et peut-être même de régression, par rapport à la violence du cycle romanesque. Avec des récits comme *Molloy* ou *l'Innommable,* le garde-fou spatio-temporel était radicalement fracassé, au point de donner à l'ensemble une structure schizoïde : espace démagnétisé, temps désorienté sous la fuite des mots. Le recours à la théâtralité permettra donc de recoller pour un instant les morceaux : la topologie stable de la scène est une reconquête spatiale, et le dialogue une adhérence appréciable au présent. Et puis le théâtre beckettien est un théâtre du couple. Vladimir et Estragon, dans *En attendant Godot* (1952), Hamm et Clov dans *Fin de partie* (1957), Willie et Winnie dans *Oh les beaux jours* (1963), voilà autant de lueurs en direction d'une fraternité brièvement entrevue, chose qui eût été bien difficile à concevoir dans la solitude romanesque. Solitude à laquelle demeure pourtant condamné Victor, nouveau Molloy, dans *Eleutheria*, ce vaudeville parodique et surréalisant à la manière de Vitrac composé peu avant *Godot* et publié seulement en 1995... Malgré cela, ce théâtre reste noir, somptueusement nocturne : le discours au présent est ici une illusion, et, quand on croit l'avoir enfin capturé dans les rets d'une dramaturgie salvatrice, on se rend vite compte qu'il s'enferme en une rigoureuse tautologie. Au lieu de déboucher sur une présence, il s'engloutit dans l'absence.

Ainsi, *En attendant Godot,* construit sur une série de matrices circulaires, s'abîme parmi les échos d'une temporalité immobile. Même perversion du support espace-temps dans *Fin de partie.* Quant à une pièce comme *Oh les beaux jours,* elle vient à son tour rebondir sur cette parole impossible où s'était fracassée la tentative romanesque : comme dans *l'Innommable,* Winnie et Willie n'auront plus qu'à s'abandonner au mouvement perpétuel d'un lexique déstructuré. Hurlant, haletant, il leur faudra ramper en suivant les sursauts d'une langue étranglée qui ricoche à l'infini : « Tout... ta-la-la... tout s'oublie... la vague... non... délie... tout ta-la-la tout se délie... la vague... non... flot... oui... le flot sur le flot s'oublie... replie... oui... le flot sur le flot se replie... », tel est le « récitatif » de Winnie.

Mais Beckett va faire un pas encore. Si le matériau de l'écriture (récit ou comédie) est consumé, au moins lui reste-t-il la voix. Une voix nue, dépouillée des vraisemblances existentielles. Une voix, des voix, toutes surgies d'une extériorité affolante. Rien à voir, on le devine, avec cette petite musique du dedans que certains ont voulu appeler la conscience. Aucun appel ici, aucune stéréophonie des profondeurs, mais tout simplement cette « inquiétante étrangeté » dont a parlé Freud : elle galope sur les surfaces vitrifiées de la monade. Écoutons *la Dernière Bande* (1959) : dans sa turne sinistre, Krapp débobine ses spasmes lamentables devant un magnétophone. Il ne parle pas, il s'écoute, et seul le ricochet de sa voix lui laissera un bref sursis. Là encore, Beckett convoque les hasards d'une parole « qui sort du noir ». Nous ne sommes pas des sujets parlants, mais des objets parlés. Même psittacisme dans des pièces radiophoniques comme *Cendres* ou *Tous ceux qui tombent,* une farce qui rappelle parfois *Watt.* Seul ici l'écho permet de remplir la surface mentale, mais pour peu d'instants : prisonnière d'un espace carcéral et d'une temporalité décalée, la voix renaît d'abord de ses propres échos, mais elle s'étouffe peu à peu, prise au piège de ce qui la produisait. Beckett va alors s'essayer à la musique, afin de remailler les accrocs de la tentative orale : ce sera *Paroles et musique* (1962) puis *Cascando* (1963). Mais le point d'orgue est de courte durée, et l'oralité bien détruite.

C'est au souffle que Beckett s'accrochera désormais, aux rythmes somatiques et pulmonaires du gisant. Le souffle comme avatar ultime de la voix. L'œuvre descend un nouveau degré, et s'expatrie davantage encore. De cette phase « respiratoire » témoigne un des textes les plus étonnants de Beckett, un des plus durs, *Comment c'est* (1961). Ce livre est l'épopée grotesque d'une larve rampante allongée dans la boue qui tente d'extraire quelques râles d'un corps pétrifié, d'un corps-ordure comme on en rencontre tant chez Beckett. Cette « voix quaqua » est au paroxysme de la solitude, même si un instant elle trouve un « frère » qui deviendra vite une victime – ce « frère », c'est Pim, que le narrateur sadique tyrannise avec un ouvre-boîte, libérant ainsi de magnifiques flambées d'humour noir ! Pareille solitude annonce un texte tardif de Beckett, *le Dépeupleur* (1970) : on y écoute un être blotti dans un immense et dantesque cylindre. Peu à peu, la température se fixe au voisinage de zéro, et le narrateur n'est plus qu'une marionnette vide... De cette période – les années 1960-1970 – datent encore de très brefs « récits » – *Bing*, *Sans*, par exemple, recueillis dans *Têtes mortes* (1967) –, où se cognent de minuscules phrases soudées ensemble comme du mâchefer. Phrases sans verbe, mortes, syndromes de la glaciation du dedans : c'est la toute dernière autopsie du corps en ruine.

Le rideau peut tomber. Un à un, tous les alibis ont dégringolé : le temps, l'espace, l'identité, l'organisme. L'écriture narrative a été invalidée, puis le théâtre. La voix à son tour s'est tue, et les derniers souffles se sont éteints. Réduit à l'inertie d'une chute cosmique, l'être désormais ne tient plus à rien, pas même à ses prothèses grotesques. C'est cela, la loi beckettienne, une loi physique, quantitative, plus mathématique que symbolique. Une sorte de positivisme de la déréliction qui suit la débâcle du sujet et la mesure au millimètre. Rien à voir avec une fable métaphysique, comme trop l'ont dit : ce serait réamorcer l'œuvre à l'hameçon sécurisant des idéologies de la quête. « Honni soit qui symboles y voit », a dit Beckett. Et il ajoutait, dans *Malone meurt* : « Vase, gamelle, voilà les pôles. »

Une fois refermées les dernières pages de *Comment c'est* ou du *Dépeupleur*, il semble cependant que l'œuvre ménage un suspense supplémentaire, qui la fera définitivement tressaillir. Le sujet, nous l'avons dit, ne tient plus à rien, il est une place vide et n'émet plus aucun magnétisme. Mais on peut encore le voir : il n'existera alors que d'être regardé. Pour cela, Beckett a recours à l'œil artificiel : c'est ainsi qu'on voit certains de ses personnages s'agiter sous le minuscule pinceau de la lumière, qu'il s'agisse de la caméra de *Film* (1965) et de *Dis Joe* (monstrueuse, la machine s'approche de plus en plus de Joe) ou du projecteur qui balaie *Comédie* (1964) en isolant trois têtes enfouies dans des jarres... Hors ces petites orbites lumineuses, c'est le noir absolu, la mort définitive. Mais le mince rayon surgi de la rampe donnera aux derniers errants l'illusion d'un espace reconquis, il parviendra à ressouder l'aire nécessaire à leur survie en leur fournissant une « réalité objective » par témoins interposés. Et s'ils ne parlent plus, ils peuvent encore être entendus. Si leur regard n'articule plus rien, le voyeurisme auquel ils s'abandonnent peut être le truquage de la dernière heure. *Esse est percipi*, disait Berkeley, que cite Beckett au début de *Film* : être, c'est être perçu. Cela dit, il ne saurait plus y avoir d'autre alibi : la spirale de la trajectoire est maintenant vissée à sa propre tautologie. L'œuvre est prise dans son moule, qui se rabat comme une chape.

On le voit, depuis les premiers récits jusqu'à ces tentatives audio-orales, la production de Beckett a suivi une évolution fort précise. Elle s'est orchestrée selon un synopsis aussi charpenté que la fresque dantesque ou la cathédrale proustienne. Et si elle est l'expression d'une sauvagerie intérieure, elle n'en est pas moins maîtrisée : un travail de logicien.

Panoplies du corps

Par ailleurs, la diachronie beckettienne est balisée de points forts qui dessinent les figures d'un vaste réseau thématique. Le premier noyau obsessionnel, c'est évidemment autour de la question du corps qu'il gravite. À ce propos, Beckett est en rupture avec les autres esthétiques de son temps : pour lui, l'homme n'est ni une conscience historique ni un sujet métaphysique, encore moins un champion du dieu caché, comme dans les existentialismes ; il n'est pas davantage un rêveur ni un berger de l'inconscient à la façon surréaliste, même si l'on peut évidemment constater l'importance du fantasme et son rôle générateur ; il n'est pas non plus un réseau de relations, selon les schémas du « nouveau roman », bien que, là encore, on puisse relever certaines parentés. Non, pour Beckett, l'homme n'est que son corps : un matérialisme brut. Et quel corps ! Un tas de membres souvent paralysés et ankylosés, une somme de cavités, d'orifices, de pustules, un organisme désorganisé, un véritable défi à l'anthropologie : tout fonctionne ici en surface, comme s'il n'y avait rien – surtout pas de « subjectivité » – à l'intérieur de ce tissu scatologique couvert de dermatoses et d'eczéma... Et pour ce qui est du sexe, il ne dépasse guère la sordide industrie du plaisir solitaire : chez Beckett, la sexualité conjugale apparaît toujours dérisoire et dégoûtante, prisonnière qu'elle est du trauma de la procréation – ne pas être né, tel est le grand désir, au sein d'une œuvre qui est sans doute une longue enquête prénatale.

De cette microanalyse du corps morcelé, il n'est pas un livre de Beckett qui ne dresse la panoplie. On voit alors s'y brancher toutes sortes de prothèses, rares références au monde familier des objets : la bicyclette ou les béquilles de Molloy, le crochet de Malone, la longue-vue de Clov dans *Fin de partie*, voilà quelques-uns des rouages de cette immense machine souffrante qu'est le corps.

Quant aux positions de ce corps, elles apparaissent symptomatiques : toutes aussi larvaires et inhumaines. Qu'il s'agisse de la terrible « supination » (le retour au tassement fœtal), ou encore des interminables stations dans la boue (de l'ambulation reptilienne de Molloy à l'enlisement définitif de Winnie dans *Oh les beaux jours*), on retrouve toujours le même fantasme, la même peur : la menace de la matière, de l'inerte, de la mort. Aussi, nombre de livres font-ils passer leurs personnages de la position verticale à la posture horizontale : le vivant est un rampant. C'est à la terre et à la fange qu'il est voué. Comme si Beckett, qui pourtant exècre si fort les matrices génitales, recherchait un moule définitif. Un moule élémental, où ce qui reste de vie au gisant puisse pour toujours se pétrifier. Tel est le sens de tous les réceptacles si insolites qui forment le seul paysage de l'œuvre, topologie carcérale d'un devenir méta-humain, à commencer par les jarres où sont coincés les personnages de *Comédie* ou de *l'Innommable,* sans oublier les innombrables chapeaux vides de tout *cogito,* ni les poubelles-refuges de *Fin de partie,* ni encore le cylindre du *Dépeupleur*…

La crise des langages

Cette désacralisation des conditions somatiques de l'existant s'accompagne, chez Beckett, d'une critique radicale du langage. Une des plus acharnées de la littérature occidentale. Il se pourrait bien, d'ailleurs, que l'essentiel à retenir soit là. Lire Beckett, c'est faire ce constat : le langage, et lui seul, est l'objet de l'entreprise.

Deux axes, dans cette exploration. Un axe ludique, d'abord : puisque le narrateur ne peut plus maîtriser cette parlote qui le traverse et fuit de toutes parts en une logorrhée lamentable, il lui reste à s'y abandonner, sans intimité, comme nous l'avons dit. Il lui reste à laisser jouer cette musique étrange qui suinte de sa bouche et à accélérer le processus, aux antipodes de tout réalisme. Aussi les textes de Beckett sont-ils gorgés de jeux qui laissent l'initiative aux mots. Calembours, néologismes, mots-valises, la langue entreprend alors une gigantesque dérive accumulative. Totalement inaugurale, elle chemine, mais de ce chemin le narrateur ne sait rien. Dans ce *work in progress,* le procédé le plus fréquent est sans doute l'écho. Tout le théâtre vient de là. Quant aux noms des héros beckettiens, ils sont le produit d'une longue allitération, un bégaiement syllabique qui, au monde du sens, substitue le télescopage de signifiants sans signifiés : ainsi, Mercier et Camier, Molloy et Moran, Nagg et Nell, Winnie et Willie ne sont peut-être que le recto et le verso d'un même décollement phonétique. La langue s'y détache des garde-fous sémantiques : Beckett n'a pas lu Joyce inutilement. Le verbe est donc condamné à parler pour toujours, verbiage s'accouchant lui-même en une maïeutique dérisoire. Beckett prend un plaisir sadique à gaspiller le lexique jusqu'à l'onomatopée : un roman comme *Watt* est littéralement saturé de combinatoires, de permutations, de jeux formels, d'explorations sérielles, afin de mener à l'épuisement le cheminement littéraire.

À ce compte, bien sûr, la littérature se détruit. Insensé, tel est l'espace du livre. C'est le second axe : l'œuvre entre ainsi dans sa phase critique la plus ample. Bien souvent, et surtout dans l'écriture romanesque, le lecteur voit en effet le récit se morceler, s'essouffler, bifurquer en reprises, hésitations, tâtonnements. Il le voit sortir de son lit, s'interroger lui-même, se dédoubler, porter la conscience de soi à son ultime degré. *L'Innommable* est le livre qui pousse le plus loin cette « réflexion » sur la littérature – « réflexion » au sens spéculaire : miroitement. Mais c'est pour constater aussitôt sa paralysie, sa ruine, son échec. Comme si l'hypertrophie linguistique se faisait à partir d'un silence antérieur, d'une absence insupportable. Parler reviendrait à se taire, et l'excroissance verbale conduit finalement à s'exiler hors du langage, de même que Beckett s'était exilé de sa langue maternelle pour « renaître » à travers une langue étrangère superbement maîtrisée et vaincue : le français. Et pourtant, pareil exode ne peut se faire que par les mots… C'est dire le caractère in-terminable de l'œuvre : elle s'écrit sans fin et commence sans faillir son propre échec. Le besoin de l'œuvre ne peut s'apaiser que dans l'œuvre elle-même, jusqu'à « épuiser l'infini », comme l'a dit Blanchot. Aussi les livres de Beckett sont-ils progressivement aspirés (et non inspirés) et obnubilés par l'hypothèse de leur disparition.

À ce point, l'œuvre aurait pu s'enrayer, se figer sur un fétichisme de la parole et devenir une sorte d'Hiroshima littéraire. Mais il n'en est rien, car l'écriture beckettienne dément, comme par avance, tout risque de fixation. Même aux instants les plus tragiques, elle conserve une liberté suffisante pour retourner son drame intérieur en farce : toujours un cran de négativité supplémentaire. La désacralisation y est permanente, jusqu'à l'autodérision, jusqu'à l'autodestruction. Même le rire doit savoir « rire du rire », dit Watt. On touche là à une grande qualité, qui fait le génie de l'œuvre : l'humour.

Il semble, à ce niveau, que Beckett ait parfaitement deviné quelle serait la manie de notre temps : celle d'interpréter, celle de fabriquer de l'exégèse. Et l'on pourrait presque dire que ses livres se sont écrits pour provoquer ironiquement le geste herméneutique (qu'il soit symbolique, psychanalytique ou religieux, tel ce tic ridicule qui voudrait assimiler God et Godot…), mais qu'en même temps, ils en sapent toute possibilité. Aussi, pour cette raison, dégradent-ils en eux tout ce qui risquerait de s'empoisser dans quelque fable définitive. Beckett ou l'autodémolition. Et c'est bien ce que l'on retient finalement de cette œuvre (si quelque chose doit être retenu) : une écriture en marche, sans cesse relancée de son propre fiasco, perpétuellement.

VIE		ŒUVRE
1906	**13 avr.** : naissance dans la banlieue de Dublin, petite bourgeoisie protestante.	
1923	Trinity College. Étudie le français et l'italien. Découverte de Dante.	
1926	Premier voyage en France.	
1927	Séjour à Florence.	

	VIE		ŒUVRE
1928	**Oct.** : se rend à Paris, où pendant deux ans il sera lecteur d'anglais à l'École normale supérieure. Devient l'ami d'Alfred Péron. Rencontre Joyce, ils seront très liés.		
1929	Écrit *Dante..., Bruno..., Vico..., Joyce.* Rencontre Pound.		
1930	Commence la traduction d'une partie de *Finnegans Wake* de Joyce. Lit le philosophe cartésien Geulincx, et écrit sur Proust.	1930	À Paris, publication par Nancy Cunard d'un poème, *Whoroscope.*
1931	Assistant de français au Trinity College de Dublin ; ce sera très vite l'échec.	1931	Publication de *Proust* (Londres, Chatto and Windus). [Traduction en français : 1990.]
1932	Voyage en Allemagne, puis s'installe à Paris avant de retourner en Irlande.		
1933	Compose de courts textes, qui seront rassemblés dans *More Pricks than Kicks.* Après la mort de son père, il s'établit à Londres, où il vit chichement.		
		1934	Publication, sans succès, de *More Pricks than Kicks* à Londres.
1935	À Londres, période très pénible. Il écrit *Murphy* dans la solitude.	1935	Publication à Paris de *Echo's Bones* (Europa Press).
1936	Pour fuir la détresse londonienne, il part pour l'Allemagne.		
1937	Nouveau retour à Paris, où il se lie avec Bram et Geer Van Velde et fréquente la famille Joyce. Fait ses premiers essais d'écriture en français. Rencontre Duchamp et Giacometti.		
1938	Traduit *Murphy* en français. Rencontre Suzanne Dumesnil, qui deviendra son épouse.	1938	Publication à Londres de *Murphy* (Routledge).
1940	La France est occupée. Vit à Paris, où il fait un peu de résistance sans vraiment y croire.		
1941	**13 janv.** : mort de Joyce à Zurich.		
1942	Pour échapper à la Gestapo, Beckett se réfugie dans le Vaucluse et vit de petits travaux agricoles. La nuit, il compose *Watt,* en anglais.		
1945	À la Libération, retour à Paris, puis voyage éclair en Irlande.	1945	Publication d'un article dans les *Cahiers d'art,* « la Peinture des Van Velde ».
1946	Écrit *Mercier et Camier, Premier Amour, l'Expulsé, Suite, le Calmant.* Tous ces ouvrages en français.		
1947	Compose *Eleutheria,* pièce en trois actes qui ne sera publiée qu'en 1995, après parution d'une traduction anglaise aux États-Unis.	1947	Les Éditions Bordas publient la traduction française de *Murphy.*
1948	Écrit *Molloy* en français, puis *Malone meurt* et *En attendant Godot.*		
1949	Écrit *l'Innommable,* toujours en français, qui devient désormais sa langue d'expression.	1949	« Three Dialogues with Georges Duthuit » (sur Tal Coat, Bram Van Velde et Masson), dans la revue *Transition.*
1950	Compose les nouvelles qui deviendront les *Textes pour rien.* **Sept.** : mort de la mère de Beckett.		
		1951	Publication de *Molloy* et de *Malone meurt* aux Éditions de Minuit, où paraîtront la plupart de ses ouvrages en français.

	VIE		ŒUVRE
		1952	Publication d'*En attendant Godot.*
1953	Se met de plus en plus à traduire en anglais ses livres écrits en français.	**1953**	**5 janv.** : première d'*En attendant Godot* au théâtre de Babylone, que dirige J.-M. Serreau ; mise en scène de Roger Blin. Publication de *l'Innommable* et de *Watt* en anglais.
1954	Se lance dans *Fin de partie*, dont il écrit une première version.		
		1955	*Molloy* paraît dans sa traduction anglaise.
1956	Écrit en anglais *All that fall (Tous ceux qui tombent)*, une pièce radiophonique, et termine *Fin de partie.* Écrit *Acte sans paroles.*	**1956**	Après la publication des *Nouvelles et textes pour rien*, *Malone meurt* paraît en anglais. *En attendant Godot* est repris au théâtre Hébertot.
1957	Commence un nouveau texte en anglais : *From an Abandoned Work.* Traduction de *Tous ceux qui tombent* en français par R. Pinget.	**1957**	*Tous ceux qui tombent* à la B.B.C. **3 avr.** : première à Londres de *Fin de partie*, en français ; mise en scène de R. Blin. **27 avr.** : la pièce est montée à Paris. Publication de *Fin de partie.*
		1958	*From an Abandoned Work* qui deviendra *D'un ouvrage abandonné.* Publication de « Krapp's Last Tape » *(la Dernière Bande)* dans l'*Evergreen Review.* **Oct.** : première à Londres de *Krapp's Last Tape.*
1959	Traduction de *la Dernière Bande* en français par P. Leyris. Écrit *Cendres*, une pièce radiophonique. Premières ébauches de *Comment c'est.*		
1960	Termine *Comment c'est* en français et se met à *Happy Days* en anglais *(Oh les beaux jours).*	**1960**	Première française de *la Dernière Bande*, au théâtre Récamier.
1961	Prix international des éditeurs (avec Borgès).	**1961**	Publication de *Comment c'est.* **25 févr.** : *Krapp ou la Dernière Bande* en opéra (M. Mihalovici), à Bielefeld, en Allemagne. *Happy Days* est publié à New York et joué dans cette même ville.
1962	Traduit en français *Happy Days* et écrit une pièce radiophonique, *Words and Music (Paroles et Musique).*		
1963	Écrit une autre pièce radio, *Cascando* (musique de M. Mihalovici) et, en anglais, compose *Play (Comédie).*	**1963**	Publication de *Oh les beaux jours* en français. **23 janv.** : *Tous ceux qui tombent* à la télévision française. **13 oct.** : *Cascando* à la R.T.F. **Oct.** : *Oh les beaux jours* à Venise et à Paris avec Madeleine Renaud.
1964	À New York, Alan Schneider tourne *Film* avec B. Keaton ; Beckett y participe.	**1964**	**14 juin** : première de *Comédie* à Paris.
1965	Écrit *Dis Joe.*	**1965**	*Film* est présenté à Venise (prix de la Jeune Critique). Publication de *Comédie et actes divers.* Première d'une adaptation pour la scène de *Molloy* à Genève.
		1967	Publication de *Têtes mortes.* Beckett fait sa première mise en scène : *Fin de partie*, à Berlin.
		1968	Première française de *Dis Joe.*
1969	Prix Nobel de littérature.	**1969**	Publication de la traduction de *Watt* en français.
		1970	Publication du *Dépeupleur* et de *Mercier et Camier.*
		1971	Publication de *Pas moi.*
		1975	Met en scène *En attendant Godot* à Berlin. À partir de cette période (les années 1970-1980), Beckett publie de nombreux textes brefs dans la revue *Minuit.*

VIE		ŒUVRE	
		1976	Publication de *Pour en finir encore et autres foirades.*
		1978	Publication de *Pas.*
		1980	Publication de *Compagnie.*
		1981	Publication de *Mal vu mal dit.*
		1982	Publication de *Catastrophe et autres dramaticules.*
1989	Mort à Paris de Samuel Beckett.	1989	Publication de *Soubresauts.*

Molloy

Molloy, le deuxième roman écrit en français par Beckett après *Mercier et Camier*, est de loin le plus célèbre. Il est constitué de deux parties apparemment hétéroclites, mais en fait profondément symétriques. Dans la première, on suit les déambulations de Molloy, un clochard à moitié paralysé, écrivain et héros à la fois de sa propre histoire. Triste chose que ce Molloy : il est à la recherche d'une mère « impossible », avec, pour seuls fétiches, une paire de béquilles, une vieille bicyclette et quelques cailloux qu'il suce selon un rituel démentiel. Une larve, plutôt qu'un humain. Guidée par une voix intérieure, son aventure le conduit au cœur d'une forêt. Il a à peine la force de s'y traîner en s'accrochant aux arbres avec ses béquilles, qui lui serviront d'ailleurs à tuer un vieillard rencontré là par hasard… Un beau jour, le gisant qu'il est devenu atteint la lisière de la forêt, mais ses membres, totalement atrophiés, ne lui permettent plus de continuer. Il finit au fond d'un fossé.

Moran est le héros de la seconde partie. On lui a donné une mission : retrouver Molloy. Il part donc avec son fils, et, peu à peu, sa trajectoire va se superposer, en miroir, à celle de Molloy : lui aussi deviendra progressivement paralysé, lui aussi fantasmera des désirs de bicyclette et tuera un inconnu… Il ira même, dans sa métamorphose larvaire, jusqu'à ramper sur le sol en s'accrochant à son parapluie : comme si Molloy s'était réincarné en lui. Curieuse rédemption par le bas, dans une épopée sans étoile.

Roman gigogne, roman du dédoublement spéculaire, *Molloy* est un de ceux qui mettent le mieux en scène l'autoboulimie narrative qu'on trouve partout chez Beckett : une sorte de complexe de Pénélope où l'on voit le livre se défaire dans le mouvement même qui le fabrique. Et cela est d'autant plus sensible que les déboires de Molloy-acteur sont également ceux de Molloy-écrivain. Au lieu d'avancer, le récit remonte donc ici, en un perpétuel recommencement, vers sa propre source, mais c'est pour constater qu'elle est tarie. La fin du texte est aussi son origine, la progression de la lecture équivaut à une régression, selon une spirale étourdissante. Aussi Molloy-Moran, les deux versants du livre, sont-ils les étaux d'une double mâchoire qui finalement annule l'espace littéraire par strangulation : sur ce fond d'aphasie généralisée, le discours romanesque se détruit.

C'est pourquoi *Molloy* est un roman totalement dépouillé, écrit sans le moindre effet de style. Et plus les séquences sont absurdes, plus elles sont grotesques ou insolites, moins le narrateur s'y implique : d'un bout à l'autre, il reste un étranger et décline le cauchemar avec une précision d'entomologiste, comme si cela allait de soi. L'humour naît de ce décalage. En fin de compte, ce roman de la dérision et de l'impossible verticalité pourrait bien être le renversement le plus impitoyable de toutes ces idéologies du salut que Beckett exècre tant, de la morale à la religion. Et il est aussi une étonnante plongée dans l'univers quotidien de l'aliénation et de la bêtise, au sens flaubertien : « J'ai connu Molloy et la suite le jour où j'ai pris conscience de ma bêtise », a écrit Beckett.

Malone meurt

Très vieux, en l'espace totalement clos d'une chambre-prison, Malone n'en finit pas de mourir dans son lit. Bien sûr, comme toujours chez Beckett, il ignore pourquoi il est là. Une femme lui apporte régulièrement sa gamelle et vide son pot en se jouant de lui comme d'une mécanique. Et c'est tout. Dans l'indifférence la plus totale, Malone voit son corps peu à peu l'abandonner : paralysie progressive. À peine s'il lui reste la force de se glisser dans l'écriture, de gribouiller des pages en s'inventant des doubles, des doubles aussi aberrants que sa propre image… Le tout dans une solitude sinistre.

Comme dans *Molloy*, Beckett met ici en scène l'écrivain au travail. C'est une façon de démystifier les rituels « sacrés » de l'écriture et, surtout, de montrer que toute entreprise de fiction est sapée à la base, parce qu'elle est condamnée à parler sur fond de silence : l'invalidité progressive de Malone est donc symétrique de son agonie d'écrivain. Et pourtant, si l'on veut survivre, il faut continuer à raconter. C'est pourquoi cette gestation suicidaire est en même temps un sursis par les mots, une course contre la montre avec la mort : « Je nais dans la mort », dit Malone, et il précise : « C'est fini sur moi, je ne dirai plus je. »

L'Innommable

L'Innommable est un récit qui se déroule en saccades, une interminable rature jonchée de reprises annulées, de silences réamorcés, d'hésitations différées : le livre où Beckett a poussé le plus loin sa « méditation » sur le langage. Le langage comme manque, comme négativité. Ce long monologue est le scénario d'une parole dégradée, privée de tout espoir de raconter ou d'inventer, et pourtant condamnée à se fabriquer éternellement. Une oralité panique, une saturation par le signifiant, le roman rongé par des velléités bavardes : « Je ne peux pas continuer, il faut continuer, je vais donc continuer, il faut dire des mots, tant qu'il y en a, il faut les dire, jusqu'à ce qu'ils me trouvent, jusqu'à ce qu'ils me disent, étrange peine, étrange faute, il faut continuer, c'est peut-être déjà fait. Ils m'ont peut-être déjà dit, ils m'ont peut-être porté jusqu'au seuil de mon histoire, devant la porte qui s'ouvre sur mon histoire, ça m'étonnerait, si elle s'ouvre, ça va être moi, ça va être le silence, là où je suis, je ne sais pas, je ne le saurai jamais, dans le silence on ne sait pas, il faut continuer, je ne peux pas continuer, je vais continuer. »

En attendant Godot

Deux clochards, Estragon et Vladimir, attendent un certain Godot. Pourquoi ? Ils ne le savent pas. Qui il est ? Ils l'ignorent… Ils restent donc là, pris entre la tendresse et la répulsion, dérisoires pantins d'un cirque vide : pour tout décor, un seul arbre décharné. Et le temps n'en finit pas de finir. Ils parlent de ce Godot absent, dans une étrange bouillie verbale qui ressasse tout en échos. En même temps, ils évoquent leur misère par petites formules, sans rien dramatiser. Peut-être Godot viendra-t-il demain ? Peut-être, mais le lendemain, toujours rien. Bien sûr, ce dialogue pitoyable n'est qu'un double monologue encombré de gags irrésistibles… Mais soudain, voici que surgit un second couple, encore plus dérisoire : un maître sadique, Pozzo, qui traîne Lucky, son larbin, au bout d'une corde, en l'injuriant et en le frappant. La pièce repose sur leur impossible rencontre, elle trace le va-et-vient sordide de ces attelages de la misère mentale. Et elle se referme sur un grand vide : Godot n'est pas venu…

Pièce totalement statique et cyclique, *En attendant Godot* n'est pas seulement, pour les spectateurs, une des plus belles réussites théâtrales du XXe siècle. C'est une parodie du théâtre, dans laquelle le tragique lui-même se met en scène pour mieux se mettre en dérision : les *Pensées* de Pascal jouées par les Fratellini, a dit Anouilh. Comme si Beckett avait utilisé tous les ingrédients de ses contemporains (thèmes de l'absurde, du néant, de l'attente, du silence…) pour les invalider et les jeter au feu de leur propre négativité. En quoi il a toujours un temps d'avance. Son théâtre, extrêmement construit et rigoureux, déboute par avance toutes les spéculations qui tendraient à le figer en moralité définitive, cette moralité fût-elle noire ou pessimiste. En ce sens, il y a là un magnifique exemple de théâtre de la cruauté : une machine à détruire les images. D'où la beauté ironique de cette œuvre, toujours soucieuse de se consumer au lieu de renaître de ses cendres. S'il y a un sens à *Godot*, il est là : une vigilance têtue qui nargue les symbolismes et dégoupille les tentations de l'exégèse. Il n'y a pas de clés, chez Beckett, il y a du jeu : la mort du métalangage. Vouloir trouver des alibis philosophiques, ce serait nier la spécificité de ce théâtre, dont il faut savoir jouir au premier degré.

Fin de partie

« Fini, c'est fini, ça va finir, ça va peut-être finir », tels sont les premiers mots de cette pièce, qui, comme l'a dit Beckett, est « encore pire » qu'*En attendant Godot* : l'univers, cette fois, est saturé, bouché. Rien ne se passe, et presque rien ne bouge. Nulle attente, nul espoir. Le temps arrêté sous des décors absents : « toute la maison pue le cadavre »…

Quant au scénario, il se résume au chassé-croisé sadomasochiste de quatre épaves enfermées dans une chambre grise : Hamm, le bourreau, cloué sur son fauteuil, tyrannise Clov tout en le suppliant de l'achever. Devant eux, deux poubelles : Nagg et Nell y sont enfermés, les « maudits progéniteurs » de Hamm. Entre l'humour noir et le silence blanc d'une mort qui n'en finit pas de rôder, la pièce piétine et ressasse : « La fin est dans le commencement, et cependant on continue ». Si les personnages de *Godot* pouvaient encore compter sur une improbable arrivée, ceux de *Fin de partie* en sont à guetter la mort, qui, bien sûr, ne viendra pas. L'attente d'une fin différée, telle est la pire des damnations. D'où le malaise qui s'empare du spectateur devant cette farce macabre qui se nourrit des débris d'une temporalité figée et d'une parole usée jusqu'au murmure.

Oh les beaux jours

Oh les beaux jours reprend l'impossible enlisement dans la mort que *Fin de partie* avait ébauché. Enfouie dans la terre jusqu'au cou, Winnie fait l'inventaire de sa misère en détaillant le menu du quotidien : sac à main, lime à ongles, brosse à dents, ombrelle, boîte à musique. Elle joue à imaginer un bonheur qu'elle n'aura pas. Près d'elle, Willie, son vieux compagnon, est réduit à quelques grognements. Dans ce « couple », le babil est à son comble. Un espoir peut-être : celui de voir Winnie totalement minéralisée, tel Molloy suçant ses cailloux, totalement unie à cette terre qui l'aspire : *Oh les beaux jours* célèbre peut-être des amours marmoréennes, ultime clin d'œil au vieux mythe de la Méduse. Une manière très beckettienne de remplacer la vie par la matière, de vider la conscience de ses illusions humanistes ou humanitaires et de la remplir avec les données immédiates du réel. Si l'on a pu voir dans cette pièce le drame absurde de l'incommunicabilité, il serait sans doute plus honnête d'y lire la réconciliation de l'homme et du cosmos : chez Beckett, la boue ne saurait être un symbole de la chute ; elle est le plaisir de la renaissance.

En ce sens, parce qu'elle tourne totalement le dos à nos codes et à nos valeurs, cette pièce serait peut-être la plus « optimiste » de Beckett : c'est-à-dire la plus provocatrice. [Voir aussi **Nouveau roman**.]

A. Clavel

BECKFORD William

(1760-1844)

William Beckford est un des rares écrivains anglais d'expression française et sans doute, avec Beckett, le meilleur. Son chef-d'œuvre, *Vathek* (1782), « conte oriental » écrit en français, s'inscrit dans la tradition des *Mille et Une Nuits* ; peut-être son exotisme barbare procède-t-il également de la mode néogothique qui saisit l'Angleterre à la fin du XVIIIe siècle.

L'Orient et le gothique

Orphelin de père, élevé par une mère puritaine et possessive, héritier d'une immense fortune coloniale, William Beckford s'évade dès l'enfance dans d'innombrables lectures : récits de voyages, contes orientaux, histoires exotiques et cruelles. Bientôt, il voyage pour de vrai, notamment en Suisse ; les sites alpins lui inspirent sa première œuvre, *the Long Story* (1777). Il fait également de longs séjours à Fonthill, l'austère demeure familiale, et la nuit, au clair de lune, rêve de devenir un nouvel Ossian. Quatre ans plus tard, à Noël 1781, cloîtré à Fonthill avec un groupe d'amis, Beckford met en scène pendant trois jours une sorte de messe gothique avec musiciens, brasiers, ombres jouant sur les murs de grandes salles emplies de trésors. « Je composai *Vathek*, écrit-il, aussitôt après mon retour en ville, entièrement sous l'empire de ce qui s'était passé à Fonthill. Je l'ai écrit dans une seule séance et en français, et cela m'a coûté trois jours et deux nuits de grand travail. » En fait, il fallut encore cinq mois pour que l'œuvre fût totalement achevée (mai 1782).

Rejeté par sa famille pour sa vie scandaleuse (des liaisons homosexuelles, malgré deux mariages successifs), Beckford séjourne de plus en plus souvent à l'étranger. Commence alors l'affaire du *Vathek* anglais. Il confie en effet la traduction de son conte à un certain Samuel Henley, professeur d'histoire orientale. Quatre ans plus tard, ayant achevé son travail et ajouté un copieux apparat critique, Henley publie en 1786 à Londres un *Vathek* en anglais, qu'il présente comme un conte arabe authentique, découvert, traduit et annoté par ses soins. Beckford réplique en publiant dès 1787 son *Vathek* en français, l'original. À Londres, la supercherie de Henley ne trompa guère ; néanmoins, le *Vathek* anglais connut un vif succès d'estime. Beckford donnera une suite à son conte, toujours en français, sous le titre d'*Épisodes* (1815).

Mais la grande affaire de la vie de Beckford, c'est l'architecture néo-gothique. Il fait démolir Fonthill et construire à sa place une abbaye en ruine où seuls auraient résisté au temps le réfectoire, le dortoir et le cloître. Il ajoute bientôt une tour de quatre-vingt-dix mètres de haut et s'installe, avec ses trésors, ses collections et ses livres, dans son domaine ainsi « gothicisé ». En 1822, pourtant, Fonthill est vendu ; trois ans plus tard, la tour s'effondre. Il ne reste rien aujourd'hui de cet édifice. Beckford s'installe alors dans un autre domaine, lui aussi surmonté d'une tour : Landsdown Tower, qu'il quitte fréquemment pour sillonner l'Europe, d'où il rapporte de nombreuses relations de voyages (*Italy with Sketches of Spain and Portugal*, 1834). Il meurt à Bath en 1844.

Vathek, un itinéraire symbolique

L'histoire de Vathek, calife de Samarah, est un des romans les plus étranges et les plus difficiles à classer du XVIIIe siècle. Conte arabe, geste héroïque, confession voilée, pamphlet antireligieux sous couvert d'exotisme, autant de lectures possibles. Au fil des épisodes alternent les scènes de farce, de sadisme ; des descriptions contrastées, ici de somptueux palais orientaux, là de paysages désertiques au-delà du Tigre. Soudain, le conte rompt avec ce qui n'est finalement qu'une turquerie conventionnelle. Les vingt dernières pages du récit, d'une écriture miltonienne (mais on pense aussi au *Manuscrit trouvé à Saragosse*, de Jan Potocki), font apparaître « en un final grandiose » (Mallarmé) et fantastique le domaine souterrain d'Eblis : lieu enchanté où les audacieux, après avoir un instant accédé à la connaissance suprême, aux talismans et aux secrets de la kabbale, deviennent bientôt des damnés au regard phosphorescent, errant dans d'immenses salles et des corridors pareils à ceux de Fonthill…

Beckford a découvert les personnages de *Vathek* dans les ouvrages savants de Barthélemy d'Herbelot (*Bibliothèque orientale*, 1697) : en particulier, la figure sanguinaire du calife Vathek, et celle de Carathis, son impitoyable mère. C'est encore chez d'Herbelot qu'il trouve Samarah, petite ville de l'actuel Irak, dominée par la légendaire tour de Nemrod. Beckford accuse les traits relevés par d'Herbelot et introduit le merveilleux dans l'histoire déjà légendaire : il imagine en effet le personnage du Giaour, tour à tour vieillard miséreux, boule de feu ou voix venue des entrailles de la terre, envoyé par Allah pour éprouver et mesurer l'orgueil et la cruauté de Vathek.

Vathek se présente comme un récit de voyage : une expédition partie de Samarah, sa capitale, mènera le calife jusqu'à Ishtakar, l'antique Persépolis. Entraîné d'abord à commettre différents crimes par le Giaour tentateur, Vathek s'arrête en chemin chez un pieux émir, dont il enlève la fille, Nouronihar, sur le point d'épouser son fiancé Gulchenrouz. Arrivé enfin à Ishtakar, Vathek est attendu par le Giaour devant le portail fabuleux du temple d'Eblis, où il pénètre pour être, après un instant d'illumination, condamné à perdre « le don le plus précieux du ciel : l'espérance ». Ce voyage, conté avec un réalisme minutieux, comporte une évidente signification symbolique : l'itinéraire de Vathek est celui qui conduit à la damnation un homme possédé du désir de jouir et de savoir. Mais Vathek est aussi cet esprit libre et hautain qui défie les dieux, exècre la religion abêtissante du père de Nouronihar, méprise la servilité de ses sujets, victimes trop complaisantes de sa cruauté ; le héros « en proie au mal d'un destin supérieur » (Mallarmé) rejette une morale étroite et vile dans un monde où la force d'âme est punie par la solitude et le désespoir. Quant à Gulchenrouz, le fiancé de Nouronihar, il n'est que douceur et pureté mais sa mollesse le destine au vide d'une existence sans passions, au néant d'une ombre qui vit la vie d'un mort.

M.-A. de Beaumarchais

BECQUE Henry

(1837-1899)

Auteur dramatique, né à Paris. Henri Becque fut un homme secret, sensible et caustique, dont la vie, après qu'il eut achevé des études médiocres et tenu divers emplois administratifs, se confondit avec l'œuvre. Débutant comme librettiste d'un opéra de son ami Joncières, *Sardanapale* (1867), qui n'obtint guère de succès, il s'essaya ensuite au vaudeville – alors fort à la mode – avec *l'Enfant prodigue* (1868) ; puis il donna un mélodrame d'inspiration socialiste, aux intentions généreuses et au ton grandiloquent, *Michel Pauper* (1870), qu'il fut obligé de monter à ses frais, louant le théâtre de la Porte-Saint-Martin et engageant le célèbre acteur Taillade ; il connut un complet échec avec une autre pièce à thèse, sur le divorce cette fois, *l'Enlèvement* (1871).

Premières tentatives dramatiques qui ne laissaient guère prévoir la force et l'originalité de ses deux chefs-d'œuvre à venir : *les Corbeaux* et *la Parisienne*. Achevés en 1877, *les Corbeaux* durent attendre jusqu'en 1882 pour être enfin joués, à la Comédie-Française – le temps pour Becque d'écrire deux comédies en un acte : *la Navette* (1878) et *les Honnêtes Femmes* (1880). Sans être un triomphe, la création des *Corbeaux* fit date dans la vie théâtrale ; la critique était divisée, mais, dans l'ensemble, favorable ; le public, choqué, mit plus longtemps à se laisser convaincre.

Les Corbeaux

SYNOPSIS

Touchant tableau que celui de la famille Vigneron : un brave homme de père, qui, à la force du poignet, a redonné vie à une fabrique ; une mère saine et robuste ; Gaston, le fils, cœur d'or, étourdi et déluré ; et les trois filles, Judith, Marie et Blanche, fragile et passionnément attachée à Georges de Saint-Genis, petit jeune homme à particule qu'elle doit épouser. Tandis que se prépare la rencontre des diverses parties, on parle beaucoup de M. Teissier, l'associé de Vigneron que n'aiment ni Blanche ni Mme de Saint-Genis, pleine de suffisance mondaine et attachée à défendre les intérêts pécuniaires de son fils. Suivent Merckens, le musicien persifleur, Bourdon, le notaire vénal, Teissier, l'associé véreux : « les corbeaux ». Au milieu d'une scène désopilante où Gaston, revêtu de la robe de chambre de son père, accueille les invités en le mimant, on apprend la mort soudaine du maître de maison (acte I).

Un mois après le drame, les rapaces commencent leur travail de sape. S'appliquant, en toute légalité, à rendre inextricable la situation financière, saine mais compliquée, laissée par Vigneron, malgré l'opposition d'un autre charognard, l'architecte Lefort, Bourdon et Teissier cherchent à persuader Mme Vigneron de vendre fabrique et terrains. L'acte se termine par la découverte, par toute la famille, du dénuement où elle se trouve, et par la lecture d'une litanie de factures (acte II). Devant cette gêne soudaine, le mariage de Blanche et de Georges se défait, à l'instigation de Mme de Saint-Genis qui signifie à Blanche la rupture et qui, apprenant que celle-ci a eu la faiblesse de céder à son fils, la traite comme une fille perdue. Blanche sombrera alors dans la folie. Dans le même temps, Teissier propose à Marie de l'entretenir en échange de ses faveurs (acte III). Marie s'en offusque, mais finalement, devant la misère qui pointe, après l'entremise de Bourdon qui plaide pour son compère, elle se résout au mariage avec ce barbon maniaque qui connaît un brusque retour de flamme pour cette jeune fille honnête et rangée. Par ce sacrifice, la famille sera ainsi préservée de la gêne et de la persécution de nouveaux prédateurs (acte IV).

Quant à *la Parisienne*, écrite en 1883, créée en 1885 – avec succès – au théâtre de la Renaissance, elle fut difficilement acceptée à la Comédie-Française en 1890. Dès lors sembla se tarir la verve du dramaturge : la satire politique des *Polichinelles* (posth., 1910) resta inachevée ; et absorbé par les articles, les conférences et les nécessités de la vie mondaine, Becque ne produisit plus que des essais et des souvenirs : *Querelles littéraires* (1890), *Souvenirs d'un auteur dramatique* (1895).

Une nouvelle esthétique dramatique

Dans cette œuvre restreinte, deux pièces auront donc suffi pour faire de Becque le grand auteur dramatique du dernier quart du XIXe siècle et l'imposer comme un novateur : quitte à heurter les goûts du public, il refuse les conventions où se complaisait le théâtre, souvent médiocre et factice, des Scribe, Augier, Dumas fils et Sardou.

Refus des conventions techniques ; et c'est l'abandon des intrigues compliquées, riches en péripéties, coups de théâtre et dénouements toujours heureux, au profit de la simplicité et de la rigueur de la construction. Avec une grande économie de moyens, mais un art subtil de la préparation et de la création d'une atmosphère par petites touches successives, se dessine, dans *les Corbeaux*, la sourde et irrésistible montée du tragique – au fur et à mesure que l'étreinte des hommes d'affaires se resserre sur la famille Vigneron, livrée à leur merci par la mort du père. Plus audacieuse encore, dans son dépouillement même, est l'intrigue de *la Parisienne* : une absence presque totale d'action (« ni sujet, ni conduite, ni épisode saillant, ni commencement, ni crise, ni dénouement », se lamentait le critique Jean-Jacques Weiss), mais une structure et un rythme serrés, tant les personnages de cette comédie amère (la Parisienne, son mari et son amant) s'efforcent justement d'éviter toute transformation de la situation de départ.

Même rejet de l'artifice dans la recherche d'un nouveau langage dramatique, qui supprime les tirades à effet et les mots d'auteur pour privilégier une parole plus naturelle, où sous-entendus et silences ont leur rôle.
Refus enfin des conventions morales et sociales de l'époque : le théâtre de Becque, pessimiste et d'une ironie souvent cruelle, reflète sur la scène l'univers romanesque des Balzac, Flaubert et Zola. Dans une société où l'argent est roi, les gens d'affaires se révèlent des « corbeaux » dénués de scrupules ; et, pour les petits-bourgeois du ménage à trois de *la Parisienne,* la quiétude est la seule valeur qui mérite d'être préservée. Par cette âpreté de l'observation, Becque renoue sans doute avec toute une tradition venue de Molière et de Lesage. Il demeure pourtant un isolé, qu'on ne peut rattacher à aucun mouvement. Parce qu'au même moment les écrivains naturalistes se tournaient sans succès vers le théâtre, il fut parfois tenu pour l'un des leurs : « Oui, le naturalisme dans la maison de Molière ! » dit-on quand *les Corbeaux* entrèrent à la Comédie-Française. Mais si les naturalistes l'admiraient, Becque, qui goûtait peu leurs théories et leurs partis pris, s'irrita toujours de cette confusion.
Et, malgré la sympathie qu'il manifesta pour le Théâtre-Libre d'Antoine, et qui le fit considérer comme un précurseur des drames réalistes et des comédies « rosses », son œuvre proposait moins un modèle à suivre qu'une remise en question des artifices dramatiques.

M.-O. Germain et J.-M. Thomasseau (synopsis)

BELLEAU Rémy

(1528 ?-1577)

Peut-être le plus aimable, mais non le moins savant, des poètes de la Pléiade, Belleau est surtout connu pour *la Bergerie* qui lui a fait, depuis cent ans, une réputation de mignardise. Son « Mois d'avril »,

Avril, l'honneur et des bois,
Et des mois,
Avril, la douce espérance
Des fruictz qui, sous le coton
Du bouton,
Nourrissent leur jeune enfance...

a peuplé les mémoires écolières presque autant que « Mignonne, allons voir si la rose... ». Mais les succès ont parfois des causes inconscientes (peut-être simplement une belle écriture ?), et les malentendus déplacent parfois un auteur, avant de le préparer à l'oubli. Dans le cas de Belleau, un regain d'intérêt pour sa seule poésie « scientifique », dite plus savante, ne serait sans doute qu'un nouveau malentendu.

Le poète de l'amitié

Issu d'une famille de Nogent-le-Rotrou dont on ignore presque tout, il est d'abord protégé par l'abbé de Mureaux, Christofle de Choiseul, qui sera toujours pour lui un mécène et un ami et qui l'introduira certainement auprès de la famille de Lorraine. Helléniste déjà confirmé, il a dû commencer à traduire Anacréon lorsqu'il arrive à Paris et s'intègre – peut-être sur le conseil de Denisot – au collège de Boncourt, où professe Marc-Antoine Muret (1553). Ses élèves savants et passionnés – Jodelle, La Péruse, Jean de La Taille – deviennent les amis de Belleau, et lui-même tient un rôle dans la *Cléopâtre captive* de Jodelle (1553), première manifestation et premier succès du groupe, au moment où il rejoint celui du collège de Coqueret pour former la « Brigade ». Dorénavant, Belleau sera de toutes les fêtes et labeurs de la Pléiade. Il est salué de tous lorsque paraît sa traduction des *Odes d'Anacréon* (1556), livre important pour lui (il s'y exerce aux sujets « légers » : descriptions d'objets, chansons à boire) et pour ses amis poètes, qui y trouveront longtemps des modèles, quoique Ronsard l'en plaisante :

Tu es un trop sec biberon
Pour un tourneur d'Anacréon.

De cette époque datent les *Petites Inventions,* « le Papillon » (1554), « l'Heure », « l'Escargot », « la Cerise » (1555), « le Corail », « l'Huître », « le Pinceau », « l'Ombre », « la Tortüe », « le Ver luisant » (1556), dont certaines ont paru dans des œuvres de Ronsard.
Malgré tout, tenté par le métier des armes, il s'engage dans la cavalerie du marquis d'Elbeuf – le frère du duc de Guise et du cardinal de Lorraine – au moment où une nouvelle guerre d'Italie (1556-1557) appelle beaucoup de jeunes nobles. Belleau se souviendra de Tivoli, de certains paysages italiens, de Rome (sans nous dire s'il y a rencontré Du Bellay) ; il rentre, sans doute précipitamment, avec le marquis.
De nouveau à Paris, il semble avoir été compté un moment parmi les réformés (1561 : pamphlet non signé de *l'Innocence prisonnière* et de *la Vérité fugitive*), mais revient dès l'année suivante à une position critique à l'égard des deux clans, dans un récit macaronique cruel et drôle, dans la veine d'Arena, qu'il imite (*Dictamen De Bello Huguenotico et Reistrorum Piglamine ad sodales*). Il devient peu à peu très hostile aux réformés à mesure que se précisent ses attaches avec la famille de Lorraine. À la fin de 1563, il arrive au château de Joinville, à la limite de la Champagne, comme précepteur du fils du marquis d'Elbeuf. Après la mort de celui-ci (1566), il continue à y demeurer, entrecoupant ce séjour de nombreuses visites à ses amis parisiens, dans les collèges et à la cour. Joinville a permis à Belleau de concentrer son œuvre et de faire paraître ses plus importants recueils, *la Bergerie* (1565, augmentée en 1572) et les *Amours et Nouveaux Eschanges des pierres précieuses* (1576).
Sa vie a été vouée à l'amitié, et plus d'un poète aurait pu se dire, comme Scévole de Sainte-Marthe, son « frère d'alliance » et se reconnaître « et de mœurs et d'humeur quelque similitude » ; durant toute sa vie, il échange lettres et poèmes d'amitié avec Baïf, Magny, Jamyn, Pasquier. La mort de Belleau a été l'occasion d'une véritable manifestation littéraire : Ronsard, Baïf, Desportes et Jamyn transportent son corps sur leurs épaules jusqu'au couvent des Augustins, où il est enterré. Ils lui offrent un *Tombeau* poétique et

surtout, dès 1578, rassemblent et publient tous ses papiers, faisant ainsi connaître sa comédie de *la Reconnue* (écrite en 1563 ?) et quelques traductions.

Un rapport privilégié avec Ronsard

Ils sont restés très proches depuis leur rencontre dans le cours de Dorat. Certainement, Ronsard a beaucoup influencé, voire corrigé, Belleau. Mais le respect mutuel suscite l'admiration. Lorsque Ronsard fait paraître ses *Amours* de 1560, le commentaire que leur adjoint Belleau est plus visible sur la page de titre et dans la mise en pages générale que les poèmes de Ronsard lui-même : commentaire attentif, affectueux et distant à la fois, qui suffit à faire comprendre comment ces deux poètes concevaient la création ; il y a bien un sens (souvent très précis et concret) reconnu d'abord, mais ils attachent plus d'importance au plaisir des lectures – fort impressionnantes – qui ont inspiré le poète et au traitement « naturel » du vers : le motif de la « naïveté du langage » est constant. À quel point les idées d'imitation ou, au contraire, d'invention sont dénuées pour eux de toute valeur autre que celle de « plaisir » est tout à fait étonnant. Ils savourent les mots, jusqu'aux plus précis, qu'ils donnent l'impression de découvrir : « hameau, banc de sable, essaim, chenille, martinet, pervenche, neufard [nénuphar]… ». Guillaume Des Autels précise que seul un poète peut en « interpréter » un autre et en « ouvrir le style », puisqu'il est pris dans le même vol ascendant.

Le « Peintre de la nature »

La formule est de Ronsard, mais tous ont loué Belleau d'être ce « peintre » des « formes naturelles », celui qui rivalise avec tous les arts pour « représenter à l'esprit toutes choses mortelles ». Ses trois chefs-d'œuvre – les *Petites Inventions*, les *Pierres précieuses*, la *Bergerie* – manifestent ce talent au plus haut degré. Sa « Cerise » ou son « Pinceau » s'attachent à la description minutieuse et savoureuse de toutes les analogies qui peuvent satisfaire tous les sens, annonçant à plus d'un titre un Francis Ponge. Son escargot orgueilleux porte sur la tête

Le morion bien escaillé,
Bien cizelé, bien esmaillé

qui lui fera, dans un récit étrange, combattre les dieux. La recherche des mots, des symboles, des mythes s'élabore dans des vers menus et attentifs. Plus ambitieux – en apparence –, le recueil des *Pierres précieuses* veut, à la manière des anciens lapidaires, donner une sorte de somme savante des qualités de l'améthyste, du diamant, de la perle, du rubis… – bref, de toutes ces pierres que le XVIe siècle a recherchées autant pour le pouvoir magique qu'il leur accordait que pour leur beauté. Belleau en a fait un curieux ouvrage aux rythmes variés, où s'entrecroisent mystérieusement les récits mythiques, les descriptions, les conseils et les invitations, les dédiant aux plus grandes dames qui, dans ces années-là, aimaient la poésie.

La Bergerie, dans la lignée des grands textes italiens qui, à partir de Dante, surent mêler prose et poésie pour que celle-là commente celle-ci et la reconstruise, et surtout derrière la pastorale de Sannazar (*l'Arcadie*, qui eut tant de succès dans sa traduction française), reprend les poèmes déjà composés par Belleau pour les intégrer au tissu de la description du château de Joinville, où ils deviennent tapisseries, tableaux, objets divers. Pour la première fois, un texte littéraire se donnait pour objet un lieu réel, décrit avec une exactitude qui montre assez le plaisir que l'auteur y trouvait, et en fait le support de son imaginaire. Au lieu de penser, comme Baïf, imposer à la langue française des mesures et des arrangements venus du grec ou du latin, il a créé une véritable prose poétique, celle qui relie continûment dans son ouvrage des morceaux en vers, eux-mêmes très variés. Élancée et rythmée, elle étudie sans flou, sans laisser-aller et sans gravité un bâton, un parc, une volière, une tapisserie, un miroir… Il s'agit d'une sensibilité extrême à tout ce qu'on entend – la voix de la bergère, le rossignol, le lait qui coule, le ruisseau –, à tout ce que l'on sent – l'aubépine, la framboise, la rose, le thym –, à tout ce que l'on savoure – le miel, les fruits, les baisers –, et surtout que l'on dévore des yeux – un corps, des couleurs, des mouvements –, tout ce qui est fin, menu, comme tout ce qui a du ventre, de la rondeur, de la grâce accomplie. On a rarement voulu à ce point tout dire et plaire.

Tel semble être aussi le propos de *la Reconnue*, une pièce bourgeoise et parisienne, dans la continuité de l'*Eugène* de Jodelle, dont Belleau a eu bonne connaissance, mais plus amusant, précis et nuancé, et d'un style plus facile (plus tardif sans doute). Avec eux apparaît une comédie « française » qu'on ne peut plus qualifier d'« humaniste » tant elle a prise sur la vie réelle : dans le cas de *la Reconnue*, les guerres de Religion, dans le lointain (1563), et, plus proches, les mœurs de la justice, les occupations intimes d'une maison bourgeoise et ses objets familiers. Faisant passer au théâtre certains sujets propres à la nouvelle, comme le fera encore Molière, Belleau sait utiliser les intrigues à la manière de la comédie latine – ici la *Casina* de Plaute – ou italienne. *La Reconnue* fait aussi penser à *l'École des femmes*, et la jeune Antoinette à Agnès : convertie à la Réforme après sept ans de couvent, et devenue le butin de guerre d'un matamore, disputée par trois ou quatre personnes, mais vertueuse, et amoureuse de celui qui ne lui est pas destiné, elle se fait heureusement reconnaître (d'où le titre) par son père, qui lui permet le mariage selon son cœur.

Si l'on excepte cette dernière pièce – et encore n'est-ce pas exact –, l'œuvre de Rémy Belleau a beaucoup plus d'unité et correspond à un projet beaucoup plus constant, mais certainement moins facile, que l'ensemble des productions contemporaines. Cela ne l'a pas toujours servi.

M. M. Fontaine

BELLEFOREST François de

(1530-1583)

L'un de nos premiers (le premier ?) écrivains professionnels, « astreint aux travaux forcés littéraires : comme Balzac, moins le génie » (V.-L. Saulnier). La production de Belleforest, largement commandée par les tâches mercenaires confiées par les libraires, dit mieux qu'une reconstitution ce que lisait et aimait la France catholique de la seconde moitié du XVIe siècle.

Une carrière de polygraphe nécessiteux

Gascon attiré par les lumières de la Pléiade, Belleforest monte à Paris vers la fin des années 1550, dans le dessein avoué de réussir par sa plume, si possible comme poète. Il y restera jusqu'à sa mort, pourvoyant à ses besoins par un travail acharné et ininterrompu qui ne lui apportera pas la quiétude d'une charge permanente et sans doute à peine de quoi vivre : malgré plus de quinze mille pages imprimées, il mourra pauvre. C'est là la condition d'auteur au XVIe siècle, quels que soient les succès de librairie, et Belleforest en connut plus d'un mais il n'était pas intéressé au tirage !

Partagé entre la nécessité et l'ambition, Belleforest renonce vite à cette dernière pour répondre aux commandes : traductions de traités religieux (Victor de Vite, saint Cyprien, Antonio de Guevara, Louis de Grenade, Cacciaguerre...), d'ouvrages techniques (Gallo, pour l'agriculture, Rocca, pour l'art militaire), de livres pédagogiques (Cicéron, Érasme). Deux domaines auraient pu lui apporter la consécration d'une reconnaissance royale, la cosmographie et l'historiographie. Mais il se heurte alors aux spécialistes jaloux, Thevet et Du Haillan, qui ne toléreront pas des empiétements surtout voulus par les libraires ; et, malgré une éphémère charge confiée par Charles IX, il sera renvoyé à son humble labeur mercenaire.

Le règne des *Histoires tragiques*

Seul territoire propre, la série des *Histoires tragiques,* qu'il entreprend à la suite immédiate de Boaistuau en 1559 et poursuivra jusqu'à la mort en 1583, permet à l'écrivain d'exposer ses hantises, tout en rencontrant l'immense faveur d'un public qu'il ne laisse pas pourtant de morigéner. Que le récit soit pris de Bandello ou d'un historien médiéval, il laisse toujours la place à de copieux enrichissements où les jeunes filles sont sommées d'obéir à leurs parents, les humbles aux Grands et tous à l'Église catholique. N'étaient plusieurs scènes un peu vives – mais pour châtier le vice ne convient-il pas de le montrer ? –, on se persuaderait que Belleforest a inventé, avant Jean-Pierre Camus, l'*histoire édifiante.* Pour mieux instruire, tous les moyens de plaire lui sont bons : l'exotisme, les paysages pastoraux, les allusions à la politique ou aux scandales du temps. Des vers, donnés pour des complaintes ou des « chansons », rompent longuement une prose lente, sinueuse, qui refuse – comme trop souvent à la même époque – de choisir et succombe aux charmes des détails et de la répétition. Au passage, l'adaptateur – on ne peut le tenir sans jouer sur les mots pour un traducteur – glisse les connaissances qu'il vient de recueillir dans les ouvrages auxquels il travaille simultanément. Ce mixte sut plaire, tenta bien des imitateurs, et l'on ne compte plus, sans mettre en avant l'influence en Angleterre ou en Espagne, les pièces de théâtre qu'il inspira chez nous. L'influence sur le genre narratif est énorme : ni le roman sentimental de la fin du siècle ni les « canards criminels » n'auraient été possibles sans les six volumes d'*Histoires tragiques,* si goûtés que c'était « une honte, entre les filles bien nourries et entre les mieus apprins courtisans de les ignorer » (J. Yver).

M. Simonin

BELLETTO René

(né en 1945)

Romancier, essayiste et poète né à Lyon. Après avoir poursuivi des études littéraires dans sa ville natale, au lycée du Parc, puis à l'université, Belletto se consacre à la littérature et au journalisme ; il publie un premier ouvrage en 1974, *le Temps mort*, recueil de nouvelles qui obtient le prix Jean-Ray. Il s'installe à Paris en 1978, et connaît la notoriété littéraire avec *Sur la terre comme au ciel* (1982), grand prix de littérature policière 1983, adapté au cinéma par Michel Deville sous le titre de *Péril en la demeure* (1985), puis avec *l'Enfer* (prix Femina 1986).

Si l'on excepte les poèmes de *Loin de Lyon* (1986), un essai littéraire (*les Grandes Espérances de Charles Dickens*, 1994), les recueils de pensées et d'aphorismes que constituent les *Remarques* (1991) et *Histoire d'une vie* (*Remarques II*, 1998), René Belletto témoigne d'une nette prédilection pour le récit de fiction. De prime abord, son œuvre romanesque peut apparaître comme une habile synthèse des codes narratifs les plus populaires des XIXe et XXe siècles. Le roman et le film noirs américains sont les modèles implicites d'une première trilogie policière que constituent *le Revenant* (1981), *Sur la terre comme au ciel* et *l'Enfer* ; dans chacun de ces ouvrages, un narrateur solitaire, dépressif, manipulant volontiers la comparaison ironique, se voit contraint de mener une enquête désespérée, sous l'accablant et tragique soleil de l'été lyonnais, pour dénouer les fils d'un destin incompréhensible qui détruit famille, amis ou maîtresses. Les personnages de David Goodis, William Irish, voire Raymond Chandler, ressemblent fort aux héros en déréliction de Belletto qui errent, possédés « par ce goût pervers de l'extraordinaire et du désastre, par ce goût du pire que nous avons tous » (*Sur la terre comme au ciel*). Le récit d'anticipation, hérité du romantisme et de l'univers « gothique », est aussi présent dans *la Machine* (1990) qui fait du docteur Marc Lacroix, inventeur de tragiques transmutations cérébrales sur son « psycho-ordinateur », le moderne avatar de Frankenstein. Le feuilleton à rebondissement se mêle au roman de série noire, avec ses figures de tueurs en série, dans une seconde trilogie policière, qui de surcroît, en son dernier volet, vire à la science-fiction interplanétaire (*Régis Mille l'éventreur*, 1996 ; *Ville de la peur*, 1997 ; *Créature*, 2000).

Ce kaléidoscope de formes narratives possède cependant ses motifs récurrents et structurants. Le protagoniste type de tous ces récits est un homme d'origine espagnole, d'une trentaine d'années, épris de pureté sonore, de musique – baroque, pour l'essentiel –, amoureux d'une figure féminine idéalisée. Il est commode de voir dans les héros des deux trilogies – David Aurphet, Michel Soler ou Michel Rey – les doubles fantasmatiques de l'auteur lui-même ; mais ces figures marquent également les différentes étapes d'un cheminement mystique, dont *Créature* constitue l'apogée : comme chez les poètes de l'âge élisabéthain, les héros de Belletto aspirent à l'harmonie suprême, qui unirait dans la même Idée les ondes sonores, le cosmos et le corps féminin ; car chez l'écrivain, les personnages de musiciennes, par la révélation de leur délicate sensualité, représentent au mieux l'âme secrète de l'Univers. Ainsi les enquêtes policières se muent-elles en quête de la perfection, « un principe essentiel installé au cœur même de l'être de la jeune femme » (*Créature*), – que celle-ci soit la sœur ou la maîtresse. Avec Belletto, le roman populaire contemporain est devenu la voie d'expression privilégiée – et paradoxale – d'un idéalisme néoplatonicien.

J.-P. Damour

BELON Pierre

(1518-1564)

Écrivain et naturaliste, originaire du Maine. Après une jeunesse passée en Bretagne, il est reçu licencié en médecine à Paris et à Montpellier. Ses nombreux voyages le mènent en Flandre, en Angleterre, à Wittemberg en Saxe, et surtout au Moyen-Orient où, protégé par le cardinal de Tournon, il séjourne de 1546 à 1549, faisant moisson d'observations sur les « simples » qu'il recueille « sur les lieux de leur naissance ». Il se lie avec Ronsard, Pierre Gilles et André Thevet. En 1564, il est assassiné par des voleurs.

Traducteur de Théophraste et de Dioscoride, Belon témoigne, dans ses propres ouvrages sur *l'Histoire naturelle des estranges poissons marins* (1551), *l'Histoire de la nature des Oyseaux* (1555) ou encore les *Portraits d'oyseaux, animaux, serpents* (1557), d'un sens critique très supérieur à celui d'un Ambroise Paré, qui l'imitera par ailleurs. Sans refuser pour autant la tradition antique, non plus que les merveilles d'une nature fertile en monstres, il se fonde avant tout sur l'expérience, assujettie aux règles de la raison. Ses essais d'anatomie comparée, qui l'amènent à proposer une nouvelle taxinomie, en font un novateur en matière d'ornithologie.

Le génie pittoresque de Belon écrivain éclate dans les *Observations de plusieurs singularitez* (1553), écrites au retour de l'Orient, où les remarques sur les animaux et les plantes se mêlent aux incidents d'un voyage fertile en surprises : séance de massage dans un bain turc, au cours de laquelle le patient est « empoigné et poignassé », match de lutte, interminables parties d'échecs… Les chapitres qui se succèdent en une bigarrure extrême, évoquant pêle-mêle les vertus de l'opium, la beauté des Orientales « nettes comme perles », l'art des bouquets ou le ramadan annuel, constituent le témoignage le plus complet sur le monde turc à la Renaissance.

F. Lestringant

BENDA Julien

(1867-1956)

« Les hommes dont la fonction est de défendre les valeurs éternelles et désintéressées, comme la justice et la raison, et que j'appelle les clercs, ont trahi cette fonction au profit d'intérêts pratiques » (*la Trahison des clercs*).

Ces lignes datent de 1927. À cette époque, beaucoup de « clercs » trahissaient, selon Benda, mais ni plus ni moins que ceux qui les avaient précédés ou devaient les suivre. Si l'anticonformiste Benda n'est guère lu aujourd'hui, s'il ennuie maint lecteur, il le doit sans doute à son opposition radicale à tout ce qui est à la mode, et d'abord ce manque de rigueur, ce goût moderne pour l'affirmation sans preuves qui faisaient partir en guerre ce mathématicien de formation (« Mon drame sera d'être un mathématicien égaré parmi les gens de lettres »). Dans *la France byzantine* (1945), il avoue préférer Racine ou Molière aux contemporains, parce que les premiers ont mené des « enquêtes proprement scientifiques ». La seule vraie passion de Benda est d'essayer de n'en pas avoir, hormis celle de la raison et de la logique.

Cependant ce rationaliste, amant des concepts, maladroit face au réel quotidien, ce célibataire de vocation a connu et aimé plusieurs femmes, qui le lui rendirent bien ! La chair le « fascinait » (*Jeunesse d'un clerc*, 1936), mais il entend demeurer libre. Sous le surnom d'Éleuthère, il signe ces lignes : « la maîtrise en amour est la même qu'en art : discipliner son émotion sans la perdre » (*Dialogue d'Éleuthère*, 1911). Il ne cesse de harceler cette « civilisation perdue par l'amour » (*les Cahiers d'un clerc*). Dès *Belphégor* (1918), il dénonce la recherche de l'émoi, l'abandon de l'idée claire, l'intuitionnisme, tout ce qui peut conduire à la sentimentalité confuse et à l'esthétique vulgaire. Et puisque les choix politiques doivent leur existence au mépris où l'on tient la raison, il accuse le « lyrisme idéologique », dans *la France byzantine*. Il condamne les particularismes individuels, culturels, nationaux, tout ce qui retranche l'homme, le penseur, l'artiste de l'universel. En pur républicain, il craint pour la civilisation, quand l'instinct l'emporte sur le pensé. Né juif et bourgeois, il n'a guère de faiblesses pour ces contingences.

Il connaît admirablement son temps ; il lit avec soin ce qui paraît, mais tout ce qu'il y découvre le confirme dans son opposition. Il a réussi ce rare exploit de s'attirer la haine de pratiquement tous les écrivains et penseurs de son époque. Les plus grands noms du siècle ont été malmenés par la violence froide et l'ironie savante de ses écrits : il fustige l'incompétence, le manque de sérieux, la confusion des esprits, la trahison des valeurs, le mépris de l'humain. Toute image disparate (surréalisme), toute tentative de fusion entre le sujet et l'objet, toute littérature qui serait sa propre fin, voilà ce qu'il combat. On peut lui reprocher d'avoir peut-être manqué de nuance, d'avoir un peu trop vite condamné. Cependant, dans l'immense majorité des cas, rien n'est plus sain que cet éloge de la distance critique : « Les hommes de l'an 3000 ! Le propre de mon esprit est de se placer naturellement en

l'an 3000 » (*Exercice d'un enterré vif*, 1946). C'est un persécuté qui écrit ces lignes, en pleine guerre.
Mathématicien de la justice, l'équité étant pour lui une équation, il maintient la valeur si haut, fait de la cléricature quelque chose de tellement supérieur à l'engagement, que rien n'échappe à sa terrible lucidité : la contradiction hégélienne n'existe pas, le marxisme est la négation de la raison, toute sécularisation de la valeur trahit la valeur. Benda ou la tentation de la règle de l'ermite athée. Beaucoup de grandeur dans ce petit homme – Étiemble l'a bien vu : « Au vrai, j'aurai écrit pour Dieu, tout en le sachant parfaitement insensible à mon œuvre. » Et de l'esprit révolutionnaire, il déclare : « Je l'honore militant, non triomphant », trente ans avant Mai 68. Lire Benda pour ne pas démissionner, pour croire en l'homme, mais sans folie.

Y. Le Gars

BEN JELLOUN Tahar

(né en 1944)

Poète, romancier, essayiste, prix Goncourt pour *la Nuit sacrée* (1987), le Marocain Tahar Ben Jelloun est l'héritier d'une double culture, française et arabe. Après des études secondaires à Tanger puis philosophiques à l'université de Rabat, il collabora de 1968 à 1970 avec A. Laâbi et M. Khaïr-Eddine à la revue marocaine *Souffles* dont le rôle fut déterminant dans l'élaboration de nouvelles perspectives littéraires. Certaines rencontres culturelles furent très importantes pour le futur créateur : la poésie surréaliste avant celles de Baudelaire, Rimbaud et Verlaine, mais aussi Nietzsche (*Zarathoustra*), Maïakovski, Nazim Hikmet et surtout des cinéastes comme Buñuel, Fellini, Ozu. Paradoxalement c'est en France qu'il découvrit la poésie arabe. Venu à Paris, il soutint en 1975 une thèse en psychiatrie sociale qui lui donna la matière des deux œuvres qui attirèrent sur lui l'attention du public français : un essai, *la Plus Haute des Solitudes* (1977) – histoire des fantasmes sexuels de l'émigré interprétés comme manifestation d'une totale solitude affective – et une œuvre de fiction, *la Réclusion solitaire* (1976), chant du désespoir où les rêves s'enchaînent aux souvenirs. Dans ce roman-poème, articulé sur la structure onirique qui caractérise ses premières œuvres, réapparaît le réseau métaphorique des recueils poétiques antérieurs.
En effet *Cicatrices du soleil* (1972), *le Discours du chameau* (1974), *Les amandiers sont morts de leurs blessures* (1976) comme plus tard *À l'insu du souvenir* (1980) ou *la Remontée des cendres* (1991), ce dernier recueil publié avec la traduction en arabe, poèmes et proses poétiques, racontent la blessure du corps arraché à sa terre, la tension du désir, les fissures de la mémoire d'où surgit l'image des villes aimées. Toute cette poésie joue sur un matériau infiniment riche : variations sur le thème de la déchirure, bestiaire symbolique, espace du sens (de l'arbre de l'enracinement au « nuage bleu » du désir). Une géographie affective s'organise au fil des pages entre les pôles de Fès, la ville matricielle, Tétouan, monde de l'ennui, Tanger, lieu par excellence de l'évasion et de l'imaginaire, qui lui donna la possibilité d'écrire. Déjà surgissent des personnages mythiques, contrefigures de l'écrivain : la sorcière Harrouda, Moha le fou, le conteur, le scribe, l'écrivain public, curieusement éponymes des principaux romans (*Harrouda*, 1973 ; *Moha le fou, Moha le sage*, 1978 ; *l'Écrivain public*, 1983).
Progressivement la poésie s'intègre à la prose pour donner naissance à des récits comme à des pièces de théâtre (*Entretien avec M. Saïd Hammadi, ouvrier algérien*, 1982, et *la Fiancée de l'eau*, 1984) dont la thématique obéit à une double exigence : tout d'abord la dénonciation des violences historiques subies par les peuples du Maghreb, colonisés, émigrés, victimes des nouvelles féodalités nationales (*Moha le fou* ou *l'Homme rompu*, 1994) aussi bien que du racisme dont Tahar Ben Jelloun précise l'analyse dans son essai *Hospitalité française* (1984) ou dans son récit *les Raisins de la galère* (1996). Avec *l'Ange aveugle* (1992), qui a pour ambition d'être le « roman de la Mafia », *Labyrinthe des sentiments* et *l'Auberge des pauvres* (1999), il étend ses investigations à l'Italie du Sud. Son activité de journaliste lui permet d'ailleurs d'élargir sa réflexion à toutes les formes de l'oppression (problème palestinien, famine en Éthiopie) tout en refusant d'être « l'Arabe de service, le spécialiste de l'immigration ». C'est aux écrivains et aux cinéastes de la deuxième génération d'émigrés comme Mehdi Charef qu'il passe maintenant le relais de cette parole.
Un autre type de recherche engendre en effet ses grands romans (*la Prière de l'absent*, 1981 ; *l'Enfant de sable*, 1985 ; *Jour de silence à Tanger*, 1990 ; *les Yeux baissés*, 1991 ; *la Nuit de l'erreur*, 1997) : la quête de soi. Quête de son identité, de ses racines, de son rôle d'écrivain. Quel que soit le prétexte (traversée imaginaire du Maroc, semi-autobiographie, détournement d'identité), ce sont toujours les mêmes questions que l'auteur tente d'approfondir : quel est le pays de ses racines sinon celui de ses affections, ce « pays intérieur » de l'amour, de la mémoire et du rêve ? Pour qui et pourquoi écrit-il en cette langue française qui lui donne une liberté que ne permettrait pas la langue du Coran ? Qu'est-ce que l'écriture sinon un point d'ancrage dans la réalité, la possibilité de maintenir le réel dans l'irréversibilité de la parole ? Mais cette enquête angoissée est tout enveloppée du bonheur d'écrire. Et ce qui séduit le lecteur, de livre en livre, c'est bien avant tout une voix particulière, faite de poésie et d'authenticité, murmurée, pudique et lumineuse.

P. Renard

BENOIT Pierre

(1886-1962)

Né à Albi (Tarn), Pierre Benoit vécut d'abord dans les Landes, puis en Afrique du Nord. Il prépara ensuite l'agrégation d'histoire à Paris avant de se consacrer définitivement à la littérature. Produisant régulièrement, à partir de *Kœnigsmark* (1918), un roman par an, il obtint le grand prix du roman de l'Académie pour *l'Atlantide* (1919), entra à l'Académie française en 1931 et mourut en laissant un roman inachevé : *Aréthuse,* publié en 1963.

Pierre Benoit n'est plus connu aujourd'hui pour les recueils poétiques de ses débuts (*Diadumène,* 1914 ; *les Suppliantes,* 1920), mais est considéré comme un des maîtres du roman d'évasion. De fait, il ne faut pas chercher dans ses romans à succès autre chose qu'une lecture distrayante (péripéties plus ou moins bien agencées, imbroglio, coups de théâtre, sens du suspense et de la clôture des chapitres sur un temps fort). La langue a la correction et la limpidité sans saveur de la bourgeoisie éprise de noblesse à laquelle il tend un miroir flatteur, orné d'un cadre de bon goût (les seuls lieux nommés dans *Aréthuse* sont, par exemple, outre les paquebots de luxe, le Fouquet's, Maxim's, la Tour d'argent, l'hôtel Bristol, la place Beauvau, le Pré-Catelan). Pierre Benoit ne craint pas les situations invraisemblables : substitution de personnages, envoûtements, maléfices, dans *Aïno* (1948) notamment ; mais il a le sens du mystère : dès les premières pages, une énigme est posée (par exemple, dans *Kœnigsmark,* le secret qui entoure l'étrange baron de Boose). La culture, dans le meilleur des cas, ou simplement le savoir-faire du héros permettront de s'acheminer patiemment jusqu'au dénouement, qui est, au sens propre, le fin mot de l'énigme. Pierre Benoit fut adulé par la génération de l'entre-deux-guerres à qui il proposait la dose d'aventures dont elle se sentait frustrée (cf. les titres des chapitres de *l'Atlantide* : « Un poste du Sud », « l'Inscription », « le Pays de la peur », « les Inconvénients de la laitue » – où un personnage meurt proprement empoisonné par celle-ci –, « la Salle de marbre rouge », etc.). Il n'hésite pas à recourir aux arguments de l'érudition philologique, à l'historicisme encore à la mode, au bric-à-brac scientiste, à la « méthode galvanoplastique », pour justifier les coups de théâtre les moins crédibles. Son érotisme rétro peut laisser froid le lecteur insensible au charme d'héroïnes figées dans le seul mot de « beauté » et qui sont la récompense inévitable du héros méritant.

L'Atlantide

SYNOPSIS

8 novembre 1906 : le lieutenant Olivier Ferrières est décidé à suivre dans le Hoggar, au péril de sa vie, le capitaine de Saint-Avit, en compagnie d'un certain Cegher-ben-Cheïkh. Pourquoi ? (lettre liminaire).

Saint-Avit arrive à Hassi Inifel le 6 juin 1903, entouré de mystère et d'une réputation ambiguë. Il commence le récit de ses aventures survenues en 1899 : il est bien coupable du meurtre dont on le soupçonne. Parti avec le sage Morhange, il est, avec lui, arrêté par une suite de péripéties dans le désert : en particulier, ils sauvent la vie de Cegher-ben-Cheïkh ; ils sont bientôt prisonniers d'Antinéa, descendante de Neptune, pour laquelle ils s'aperçoivent qu'ils devront mourir après l'avoir possédée, à l'instar des cinquante-trois explorateurs précédents dont ils découvrent les corps momifiés. Mais Morhange, sur qui la reine de l'Atlantide a d'abord jeté son dévolu, lui résiste. Saint-Avit, dissimulé dans l'alcôve, succombe à la jalousie. Subjugué par Antinéa, il assassine son compagnon sur les ordres de celle-ci. Pris de remords, il veut la tuer à son tour mais n'y parvient pas et fuit avec une de ses suivantes, qui meurt dans le désert.

Tandis que Saint-Avit termine son récit, le Targui Cegher-ben-Cheïkh réapparaît.

Aventures rocambolesques certes, et non analyse psychologique ; mais le tragique et le burlesque, et même une certaine distanciation ironique, comme dans *l'Oublié* (1922), sont toujours intimement liés chez Pierre Benoit, et, s'il faut attribuer une signification morale à sa vision du monde, c'est sans doute ce mélange désabusé d'héroïsme et de dérisoire qu'il convient de retenir. Par-delà les situations stéréotypées d'une mécanique narrative trop minutieusement agencée, reste donc l'inquiète errance de personnages semi-conventionnels qui trouvent encore dans les institutions que la société leur offre un exutoire à leur malaise devant l'existence, une possibilité de se réaliser tout en se fuyant dans l'aventure extérieure.

B. Valette

BENOÎT DE SAINTE-MAURE

(XIIe siècle)

Clerc tourangeau (Sainte-Maure est une localité située entre Tours et Poitiers), Benoît de Sainte-Maure fait partie de la nuée d'intellectuels et d'hommes de lettres qui gravitait autour d'Henri II Plantagenêt. C'est à la cour de celui-ci qu'il composa, aux alentours de 1165, le *Roman de Troie* (le plus long des romans antiques avec ses 30 316 octosyllabes) qui comporte un vibrant éloge d'Aliénor d'Aquitaine. Il est possible qu'avec ses prédécesseurs, le *Roman de Thèbes* et le *Roman d'Énéas* [voir ***Énéas (Roman d')*** et ***Thèbes (Roman de)***], le *Roman de Troie* constitue un énorme prélude au *Roman de Brut* ou *Geste des Bretuns* de Wace [voir **WACE**] et fasse ainsi partie de la préhistoire de la maison des Plantagenêts. En effet, ces trois romans antiques ont pu revêtir pour la maison anglo-normande une valeur politique en s'opposant aux prétentions des rois de France qui se réclamaient d'ascendances troyennes : on sait qu'Énéas, troyen, est le grand-père du Brutus de Geoffroy de Monmouth (le *Brut,* de Wace).

À la différence des auteurs de *Thèbes* et d'*Énéas* qui s'appuient sur d'illustres sources littéraires, la *Thébaïde* et l'*Énéide,* Benoît préfère avoir recours à deux récits alors considérés comme véridiques : le *De excidio Trojae Historia,* du Phrygien Darès (VIe siècle ap. J.-C.), et l'*Ephemeris belli Trojani,* du Crétois Dictys (IVe siècle ap. J.-C.). Darès et Dictys auraient été tous deux des témoins oculaires des événements, le premier chez les assiégés, le second dans le camp des Grecs. La caution de ces deux relations pourtant fort sèches lui paraît préférable à celle d'Homère ; ce choix relève d'une préoccupation d'historien.

La plus grande partie de ce roman consiste en une succession de batailles interrompues par des trêves et des scènes de conseil, mais Benoît ne fait pas que développer, d'une manière qui fait encore songer aux chansons de geste, les maigres indications de ses sources. Il a enrichi son canevas de nombreuses additions où il manifeste une profonde érudition et une réelle inspiration romanesque. Parmi ses apports les plus notables, il faut évoquer ce qui relève du registre amoureux. Plus que les auteurs de *Thèbes* et d'*Énéas*, Benoît exploite jusqu'à l'extrême les diverses virtualités que peut présenter la relation amoureuse. Dans le *Roman de Troie*, l'amour peut être décrit à ses débuts, lorsque Medea s'éprend de Jason. Ce peut être une passion réciproque comme celle qui unit Paris à Heleine, et finalement Briséida à Diomedès, mais il peut décevoir (Briséida trahit Troïlus) et même être tragique et fatal comme celui d'Achillés pour Polixena. La peinture de l'amour est à la fois influencée par Ovide et par certains éléments propres à la *fin'amor*. Mais en même temps, cette œuvre aux dimensions colossales possède un caractère encyclopédique avec, par exemple, la description de l'Orient et des Amazones. Benoît ne manque pas une occasion de faire étalage de ses connaissances en matière historique, géographique, cosmologique. Il accorde en même temps une place très importante au surnaturel et à l'extraordinaire : les éléments magiques pour Medea, la présence du « Saietaire » au combat, les « merveilles » comme la « Chambre de Beautés » avec ses automates, le tombeau d'Hector.

La vogue du *Roman de Troie* est attestée pendant tout le Moyen Âge, et son succès fut immédiat puisqu'il valut à Benoît de supplanter Wace comme historiographe de la dynastie anglo-normande. Wace avait été chargé en 1160 d'écrire l'histoire des ducs de Normandie, qui deviendra la *Geste des Normans* connue sour le nom de *Roman de Rou*. En 1174, il doit céder sa place de poète de cour à Benoît de Sainte-Maure, dont le style plus raffiné est désormais à la mode. Dans sa *Chronique des ducs de Normandie*, Benoît s'inspire à son tour des chroniques latines de Dudon de Saint-Quentin et de Guillaume de Jumièges, ainsi que d'Orderic Vital, de Guillaume de Malmesbury et même de Wace. Il développe et amplifie les données de ses sources en romancier. Cette œuvre gigantesque (elle compte 44 544 octosyllabes) se termine à la mort d'Henri Ier, elle est donc inachevée. L'hypothèse de L. Constans, qui se refusait à voir dans l'auteur de la *Chronique* celui du *Roman de Troie*, doit être abandonnée, après les travaux de C. Fahlin. Benoît sait d'ailleurs faire preuve de son talent de romancier pour donner vie et couleur à un ouvrage plus explicitement historique pour nous que le précédent, où il lui arrive à plusieurs reprises de s'exprimer en courtisan en faisant le panégyrique de son souverain. On retrouve dans la grande introduction de cette *Chronique* la démarche encyclopédique déjà sensible dans le *Roman de Troie*, les deux œuvres de Benoît illustrant l'indissociabilité de l'histoire et du roman au XIIe siècle.

A. Petit

BENSERADE *ou* BENSSERADE Isaac de

(1613-1691)

Pendant sa longue carrière, Benserade, poète et dramaturge, s'est fait admettre successivement par la cour de Louis XIII et par celle de Louis XIV, en s'appuyant sur ses talents multiples. D'une famille de petite noblesse, il se passionne tôt pour le théâtre, préfère l'Hôtel de Bourgogne à la Sorbonne, et brûle pour une grande actrice du temps, la Bellerose. C'est peut-être de là que vient cette réputation de galanterie faite au « beau Benserade », que son image d'amuseur et de faiseur de vers amoureux éloigne définitivement de la carrière ecclésiastique.

Protégé de Richelieu, il fait partie de la Brigade, groupe d'écrivains où l'on rencontre notamment Chapelain et d'Aubignac. Il est reçu, dit-on, en 1634 à l'Hôtel de Rambouillet. Mais il aime se mêler à des groupes très différents, il s'intéresse aux beaux-arts sans jamais perdre de vue ses intérêts. Il cumule plusieurs bénéfices et pensions qui font de lui un homme « à l'aise ».

Il se consacre d'abord et surtout au théâtre, écrit *Cléopâtre* (impr. en 1636), *la Mort d'Achille et la Dispute de ses armes* (impr. en 1637), *Gustaphe ou l'Heureuse Ambition* (1637), *Méléagre* (1641) – toutes des tragédies, à l'exception de *Gustaphe*, tragi-comédie. Mais c'est *Iphis et Iante*, sa première pièce, jouée à l'Hôtel de Bourgogne en 1634, qui passe pour sa meilleure œuvre. Cette comédie, tirée des *Métamorphoses* d'Ovide, raconte l'histoire d'une mère obligée de déguiser le sexe de son nouveau-né, une fille, pour faire échec au meurtre prémédité par son époux. Iphis, sa fille, se fera donc passer pour un garçon jusqu'au final de sa « métamorphose ». Benserade s'était, d'autre part, intéressé depuis longtemps à la poésie. Au milieu du siècle, son sonnet « Job » rivalisa avec l'« Uranie » de Voiture. Plus tard, il eut l'idée d'adapter en rondeaux les *Métamorphoses* d'Ovide. Cette édition, assortie de gravures, provoqua la risée de ses adversaires.

Mais la réputation de Benserade et sa situation à la Cour viennent surtout des vers qu'il écrivait pour les arguments des ballets présentés devant le roi. Associé à Lully, dont on connaît l'habileté, il savait, lui, glisser dans les ballets des vers allusifs qui plaisaient beaucoup. On ne s'étonne donc pas de le trouver à l'Académie française en 1674, où il prend le parti des Modernes et soutient la candidature de La Fontaine.

En dépit de sa longévité, rare pour le siècle, il a su triompher des modes successives. [Voir aussi **Préciosité**.]

J.-P. Ryngaert

BÉRANGER Pierre-Jean de

(1780-1857)

Chansonnier et poète, Béranger naît à Paris le 19 août 1780 dans un milieu de petite bourgeoisie proche du prolétariat. Ses parents, séparés, ne lui portent qu'un intérêt épisodique et le confient à des grands-parents parisiens. Il imagine, plus qu'il n'observe, les événements de juillet 1789, car il est très vite envoyé en Picardie, chez une tante qui l'élève dans une religion simple, l'amour des livres, de la nature et de la République. Son instruction est celle d'un autodidacte spontanément conventionnel. Il revient à Paris en 1796 : collaboration éphémère et peu glorieuse aux finances paternelles, participation à un cabinet de lecture, procréation fortuite d'un fils qu'il ne reconnaît pas, rencontre de Judith, qui sera la compagne de toujours, tels sont les faits marquants d'une période où il s'emploie surtout à perfectionner ses dons littéraires. Quelques vers, adressés à Lucien Bonaparte, lui valent une pension et, en 1809, un emploi sûr et peu accaparant d'expéditionnaire aux bureaux de l'Université, qui lui laisse tout loisir de s'essayer, sans bonheur hélas !, dans des genres nobles tels que le théâtre ou la poésie. Il mise sur la chanson vers 1812 et obtient ses premiers succès dans un style fidèle au répertoire épicurien : « Lisette », « la Bacchante », « la Gaudriole ». Toutefois, il prend ses distances par rapport aux protections officielles et se distingue des chansonniers de l'époque en émaillant ses refrains d'une philosophie faite d'humilité et de bonté. Il compose en 1813 « le Roi d'Yvetot », sa première chanson contre l'Empire. C'est un succès : la France entière, toutes classes confondues, rêve d'un tel souverain, débonnaire et pacifique.

Une carrière glorieuse

Cependant, une fois la monarchie restaurée, la patrie, humiliée par l'occupant, regrette, en l'Empereur qu'elle a jadis abominé, le défenseur de l'indépendance nationale. Au nom de la liberté, Béranger se fait alors le chantre de l'épopée impériale et de l'armée de la Révolution en lutte contre les féodalités d'Europe. *Chansons morales et autres* (1815) mêlent aux premiers refrains des chansons hostiles au roi et aux transfuges : « la Censure », « les Vieux Habits ». Ses coups de patte renouvelés aux émigrés et aux traîtres (« le Marquis de Carabas », « Paillasse ») font de lui le porte-parole des antibourboniens et l'artisan de la légende napoléonienne (« Plus de politique »). 1821 voit la parution d'un deuxième recueil, ouvrage de combat qui s'en prend au roi, au clergé et incite au port du « vieux drapeau » tricolore. Condamné à trois mois de prison, Béranger reçoit, pendant son séjour à Sainte-Pélagie, des témoignages vibrants d'admiration et de sympathie qui lui révèlent l'importance de son personnage. La critique le sacre poète national. C'est la gloire !

Malgré un ton plus modéré et plus prudent, le recueil de 1825 obtient un éloge unanime et ajoute encore à sa popularité. En 1828, l'opposition faiblit. Béranger, que les muses commencent à bouder, voit peut-être là l'occasion d'un magistral coup de publicité. Il s'enhardit, sort, malgré la saisie prévisible, un quatrième recueil et provoque un procès que le gouvernement tente prudemment d'esquiver. Condamné à nouveau, il acquiert les palmes du martyre et un mérite désormais incontesté. Vers la prison de la Force, où il est détenu, convergent les hommages des plus grands anciens comme des jeunes romantiques (La Fayette, Dumas, Hugo, Sainte-Beuve, Nerval…). Largement diffusé en province et à l'étranger, relayé par la transmission orale et l'iconographie populaire, il a conquis, en 1830, une célébrité unique.

À la chute de Charles X, avec cet instinct très sûr de l'opinion dominante qui fait son génie, Béranger se prononce en faveur du duc d'Orléans, puis se tait, prétendant que l'oppression a cessé. En fait, désorienté par l'agitation révolutionnaire permanente, il a conscience de ne plus pouvoir soutenir sa réputation de poète militant. Il fait ses adieux en 1833 avec *Chansons nouvelles et dernières,* album contenant des œuvres écrites à la Force, des chansons sociales généreuses mais naïves, et une préface qui peaufine son image de patriote. Il semble, d'après ses ultimes écrits, s'accommoder assez bien de la monarchie de Juillet, et évolue vers une sorte d'évangélisme social. Sa bienfaisance devient légendaire. Les plus grands écrivains s'adressent à lui comme à un ami : Chateaubriand, Lamartine, Michelet…

Élu député malgré lui en 1848, sa gloire culmine ; mais, débordé par les événements, il déserte et retourne à sa vie de rentier. Toutefois, les soucis d'argent et les premières critiques désobligeantes affectent ses dernières années : peut-être le très complaisant récit *Ma biographie* (1852) avait-il pour objet de répondre à celles-ci en arrangeant ceux-là ? Il meurt le 15 juillet 1857. Napoléon III, qui n'a pas craint de récupérer le vieux chansonnier et ses textes à la gloire de l'Empire, déploie toute la pompe nécessaire à des obsèques nationales et répand l'idée que le poète patriote est mort en parfaite communion de pensée avec le régime impérial. S'engage alors une macabre course à la publication posthume : *Dernières Chansons* (1857), *Correspondance* (1860). Mais l'opinion, lassée, condamne Béranger au nom de l'art, de la morale, de la religion, de la République. Dès 1860, le débat paraît clos. Le poète national a été largement surestimé, tous l'admettent.

Un témoin à hauteur d'homme

Il est vain de comparer Béranger aux plus grands poètes. Son art est celui des chansonniers. Comme eux, il compose sur des airs déjà existants et suffisamment brefs pour être retenus facilement. Ce cadre supporte mal les vers de plus de huit ou dix pieds, ainsi que les effets d'enjambement ou de césure. Ses textes, à lire, souffrent de l'absence de musique et suent souvent l'ennui. Pourtant, au-delà des chevilles, de la lourdeur et de la verve grossière de certains vers, de l'embarras des refrains, reconnaissons que ce chansonnier a su perfectionner un genre mineur avec un talent certain. Il varie les sujets à l'infini, multiplie les formes (narratives, énumératives, descriptives, dialoguées…). Il possède le sens du détail juste, du raccourci qui situe le décor et l'action. Il excelle à créer des types. Ses trouvailles sont accessibles d'emblée et surent sans doute établir, jadis, auprès d'un peuple inculte, voire illettré, le climat de complicité nécessaire à l'impact recherché.

Plus qu'un phénomène littéraire, le cas Béranger est donc essentiellement sociologique. En cette première moitié du XIXe siècle, la fin des grandes aventures révolutionnaire et impériale laisse nombre de Français disponibles et désenchantés. Des salons aux goguettes, Béranger a répondu à l'exigence de ces insatisfaits, de ces exaltés, qui se sont reconnus dans son libéralisme, sa quête de justice, son désir de vie intense, sa haine de l'absolutisme. Il a compris, un peu mieux que ses contemporains, les idées de Charles Fourier et de Saint-Simon, mais, à aucun moment, il n'a remis en cause le système capitaliste ou eu la moindre idée de la lutte des classes. Béranger n'est pas un grand penseur, mais les thèmes de sa politique, de sa religion et sa contribution à la légende napoléonienne sont une source indispensable pour l'étude des représentations collectives d'une époque et d'une société qui ont vu éclore, rayonner, puis ternir une telle gloire.

F. Bagot-Mignonnat

BÉRAUD Henri

(1885-1958)

Romancier et journaliste, né à Lyon et mort à Saint-Clément-des-Baleines (île de Ré), Henri Béraud raconte, dans *la Gerbe d'or* (1928), son enfance passée dans la boulangerie de ses parents. *Qu'as-tu fait de ta jeunesse ?* (1941) fait le récit de l'époque où il s'essaie sans succès à de nombreux petits métiers. Il engage une carrière de journaliste qui l'amène progressivement à devenir grand reporter au *Journal* (*Ce que j'ai vu à Moscou* ; *Ce que j'ai vu à Berlin*, 1925-1926) ou au *Petit Parisien* (*les Rendez-vous européens*, 1928) ; en 1927, il reprend dans *le Flâneur salarié* des articles rédigés entre 1919 et 1925. Sa carrière romanesque avait commencé dès 1922 avec *le Vitriol de lune* et *le Martyre de l'obèse* (prix Goncourt 1922) et sera marquée par de nombreux titres importants, pendant la décennie suivante. Sa fonction d'observateur politique, qui lui fait détester l'Angleterre (*Faut-il réduire l'Angleterre en esclavage ?*, 1934-1936), et son républicanisme populaire en font un ennemi de la gauche d'avant guerre. Ses articles parus dans *Gringoire* pendant l'Occupation entraînèrent sa condamnation à mort pour intelligence avec l'ennemi (1944), alors qu'il n'avait jamais collaboré. Il fut gracié par de Gaulle.

Ne pas avoir été du côté des vainqueurs coûta à Béraud l'oubli dans lequel l'après-guerre rejeta ses œuvres. On ignora de la sorte un des romanciers les plus marquants du premier demi-siècle. Le ton passionné de ses grands reportages se retrouve avec plus de force encore dans ses romans historiques, où il excelle à faire revivre les grands événements nationaux (*Mon ami Robespierre*, 1927 ; *le Quatorze-Juillet*, 1929, etc.). Trois romans retracent avec force, et dans un style chaque fois différent, l'histoire imaginaire mais exemplaire d'un village dauphinois (Sabolas) et de ses habitants : *le Bois du templier pendu* (1926), *les Lurons de Sabolas* (1932), *Ciel de suie* (1933). Lyon, « ville singulière », et le Dauphiné reçurent à travers l'écriture de Béraud, tour à tour épique, pathétique ou secrète, l'une des descriptions les plus attachantes qui en aient été faites.

M. P. Schmitt

BERGER Yves

(né en 1931)

Romancier et essayiste né à Avignon. Professeur d'anglais, il commence en 1959 une carrière d'homme de lettres : il devient critique à *l'Express* et à la *N.R.F.*, et, à partir de 1960, assume aux éditions Grasset la fonction de directeur littéraire. Depuis lors, Berger s'est consacré à l'écriture, aux travaux d'édition et à quelques fonctions officielles de la culture : membre du Haut Comité de la langue française de 1972 à 1978, membre du Conseil supérieur depuis 1993, il est devenu en 1996 président de l'Observatoire national de la langue française. Yves Berger a publié des ouvrages historiques sur les États-Unis (*America*, 1975 ; *La Nouvelle-Orléans*, 1982 ; *Louisiane : entre ciel et terre*, 1989), mais c'est son œuvre romanesque qui lui vaut la notoriété : *le Sud* (1962, prix Femina), *le Fou d'Amérique* (1976), *les Matins du Nouveau Monde* (1987), *la Pierre et le Saguaro* (1990), *l'Attrapeur d'ombres* (1992, prix Colette), *Immobile dans le courant du fleuve* (1994, prix Médicis), *le Monde après la pluie* (1997).

La fascination pour l'Amérique du Nord préindustrielle, ses paysages, ses ethnies et son évolution, génère tous les romans d'Yves Berger ; car, par ses pouvoirs oniriques, le « Nouveau Monde » permet de transfigurer la réalité quotidienne, vouée à la solitude, à la temporalité, à la mort : les mots qui le décrivent, « ce sont des phares qui projettent, éclairent les plus belles images du monde, où je suis bien, où je doute que je mourrai » (*le Fou d'Amérique*). Le récit devient initiatique, la découverte de l'Amérique possédant une signification allégorique : le moi reçoit la révélation d'un réel « véritable » – univers qu'il réinvente au gré des fantasmes suscités par la parole. Figure du désir, la narration se mêle parfois à l'érotisme : l'initiation s'effectue alors par l'écrit – le Livre – et par un personnage féminin doté d'une puissante fonction langagière, parlant ou invitant à produire de la parole, à créer « la merveille des mots » (*id.*).

De la sorte, l'écriture de Berger s'inscrit dans la descendance du roman proustien : les mots, la force poétique des noms propres signifient mieux que les choses mêmes – « j'ai passé mes jours à pleurer l'âme première et unique à jamais perdue des mots, non seulement Wisconsin et Winnipeg, mais encore Chamcook et Restigouche », déclare le narrateur dans *les Matins du Nouveau Monde*. La quête d'un temps stable, absolu, passe par l'élaboration d'une langue qui doit s'étirer en longueur, mêler espaces, durées et styles pour composer une suite d'éléments sémantiques « promus à l'éternité d'une phrase sans points, d'une vie hors du temps » (*le Sud*). Que le roman d'Yves Berger narre sa propre élaboration (*id.*), qu'il décrive, à travers un voyage, l'itinéraire métaphorique d'une création (*Immobile dans le courant du fleuve*), ou qu'il devienne « métarécit », récit d'un récit historique – par exemple l'histoire des États-Unis (*le Fou d'Amérique*) –, il s'inscrit moins dans la tradition des narrations exotiques que dans les problématiques de la modernité : le texte se confond ainsi avec le réel, et l'imaginaire devient la vérité de l'existence.

J.-P. Damour

BERGOUNIOUX Pierre

(né en 1949)

« Si quelque fin nous est assignée, elle consiste à revenir à l'origine » : ces mots du *Grand Sylvain* (1993) pourraient résumer le projet d'une écriture consacrée tout entière à la résurgence d'un passé évanoui. Ou plutôt de plusieurs passés, chacun des livres de Pierre Bergounioux se donnant à lire comme un fragment d'un vaste projet autobiographique, qui embrasse autant des souvenirs d'enfance que le destin d'une famille et l'histoire d'une région rurale bouleversée par l'intrusion brutale de la modernité. Cette écriture du ressassement voit néanmoins son renouvellement assuré par un tiraillement entre plusieurs exigences contradictoires qui ordonnent toujours différemment les motifs obsédants des divers récits : mêlant impressions sensuelles et digressions philosophiques, la prose rigoureuse de Bergounioux est parfois bousculée par de soudains surgissements d'oralité, tandis qu'elle égare le lecteur dans les méandres d'une mémoire tout à la fois embrouillée et étonnamment précise.

Ce n'est certes pas sans attendrissement que sont évoquées les « quelques images de l'époque où s'éveille en nous le sentiment de l'existence », selon les mots du *Matin des origines* (1992). Mais le retour du sujet sur lui-même est d'abord pour l'écrivain une ouverture à l'autre – ainsi le cousin de *C'était nous* (1989) ou les aïeux de *la Maison rose* (1987). Car les livres de Bergounioux ne cessent d'exprimer le sentiment d'une dette qui commande le mouvement présent de l'écriture. Aussi le narrateur découvre-t-il généralement qu'il est devenu le dépositaire des désirs condamnés et des ambitions empêchées de ses ancêtres, comme dans *l'Orphelin* (1992) ou *la Toussaint* (1994). Même le rapport à l'enfance est appréhendé comme une relation avec une altérité qui ferait de l'adulte un débiteur hanté par ces « jours inaccomplis dont la traîne s'étire derrière nous ». De fait, *le Grand Sylvain* rappelle que les engagements de l'adulte ont souvent pour secrète motivation les désirs inassouvis de l'enfance.

Mais, à travers l'expérience d'un sujet cherchant à préciser le dialogue toujours vif entretenu avec son enfance et ses ancêtres, Bergounioux s'attache également au passé d'un monde rural confronté à la révolution industrielle, thème central de *Miette* (1995). Plus généralement, les grands mouvements de l'Histoire se devinent derrière les événements infimes qui fondent une histoire familiale : des évocations poignantes des deux guerres mondiales traversent *la Maison rose*, tandis que *la Mort de Brune* (1996) décrit le bouleversement d'une petite ville s'adaptant aux exigences nouvelles de la vie moderne. En effet, l'écrivain doit aussi répondre à une dette et témoigner pour ceux qui, absorbés par une vie de sacrifice et de labeur, « se sont gardés des réflexions inutiles ». Ce projet rejoint en ce sens la réflexion sur l'écriture présentée par l'essai *la Cécité d'Homère* (1995) qui étudie, principalement chez Flaubert et Faulkner, les rapports conflictuels entre l'immédiateté de l'action et le recul nécessaire à l'élaboration d'une œuvre. Proches à la fois des « vies minuscules » de Pierre Michon et des destins brisés évoqués par François Bon, les personnages traversant l'œuvre de Pierre Bergounioux révèlent la dimension éthique de son écriture, animée par le souci de donner une voix aux hommes qui, à l'image du photographe de *la Mort de Brune*, ont été privés de toute expression artistique par leur appartenance à un monde trop exigeant.

V. Hugotte

BERGSON Henri

(1859-1941)

Né à Paris d'un père juif polonais et d'une mère irlandaise, le philosophe Henri Bergson appartient à une génération hantée par la menace ou le souvenir de la guerre : « Encore enfant en 1871, écrit-il dans *les Deux Sources de la morale et de la religion* (1932), j'avais [...] considéré une nouvelle guerre comme imminente pendant les douze ou quinze années qui suivirent. Lorsque, le 4 août 1914, dépliant un numéro du *Matin*, je lus en gros caractères "l'Allemagne déclare la guerre à la France", j'eus la sensation soudaine d'une invisible présence que tout le passé aurait préparée et annoncée à la manière d'une ombre précédant le corps qui la projette. » Dans le même texte, Bergson évoque les « massacres » des conflits modernes dont l'horreur ira jusqu'à l'extermination de l'adversaire. Lorsque la guerre de 1939 éclate, le philosophe, que ses méditations avaient conduit au seuil du catholicisme, reste fidèle au judaïsme par solidarité avec ses coreligionnaires menacés ; il s'en expliquera dans son testament.

Une longue suite de succès, de charges et d'honneurs jalonne sa vie universitaire. Reçu à l'École normale dans la même promotion que Jaurès, agrégé de philosophie, il publie en 1889 sa thèse de doctorat, l'*Essai sur les données immédiates de la conscience*, puis *Matière et mémoire* (1896). Il restera dès lors fidèle au principe selon lequel « un philosophe digne de ce nom n'a jamais dit qu'une seule chose » : l'être est durée, invention, liberté (*la Pensée et le Mouvant*, 1934).

En 1897, il est nommé maître de conférences à l'École normale ; de 1900 à 1914, il occupe successivement les chaires de grec et de philosophie au Collège de France. Élu en 1901 à l'Académie des sciences morales et politiques, il entre en 1914 à l'Académie française. En 1928, le prix Nobel de littérature couronne son œuvre, à laquelle se sont ajoutés *le Rire* (1900), *l'Évolution créatrice* (1907), *l'Énergie spirituelle* (1919, recueil d'essais et de conférences), *Durée et simultanéité* (1922). Mais cet universitaire travaille aussi au rapprochement entre les hommes. Président de la Commission internationale de coopération intellectuelle à Genève, il attend de la Société des Nations « l'abolition de la guerre ». Témoin impuissant du conflit dont la S.D.N. n'a pas su protéger l'humanité, il mourra en 1941.

L'objet de la métaphysique est pour Bergson « principalement l'esprit », c'est-à-dire le surgissement libre et inventif de la conscience, qu'elle soit en nous-mêmes durée, flux de notre vie intérieure, ou, à l'échelle cosmique, l'élan qui anime l'univers. Or, l'intelligence ne peut penser ce mouvement, elle qui tient de sa destination pratique l'habitude de chercher

« partout la fixité ». L'essence du bergsonisme se trouve dans cette interrogation : peut-on réconcilier le « mouvant » et l'inerte ? Selon la réponse, ou bien le rationalisme scientifique envahira tout le champ de la connaissance, la liberté se perdra dans le déterminisme, l'esprit dans la matière, ou bien une ontologie dynamique, qui ne se veut pas supérieure à la science mais « autre » que celle-ci, réhabilitera le mouvement avant que l'*homo faber* ne le fige dans une logique et un langage utilitaires. L'« intuition » n'est rien d'autre, pour Bergson, que cette coïncidence avec le mouvement même de l'être : « vision de l'esprit par l'esprit » (*la Pensée et le Mouvant*), antérieure au « tournant décisif » (*Matière et mémoire*) qui le canalise vers les besoins de l'action.

Mais se pose alors un problème d'expression. À la même époque, l'architecte du « modern art » tente de capter en volutes l'élasticité du mouvement : qu'on pense aux grilles du métro parisien d'Hector Guimard. Le philosophe, lui, a pour matériau l'analyse et le langage : l'art de Bergson (le philosophe et l'artiste, dit-il dans *le Rire*, partagent le privilège d'écarter le « voile » de l'utile pour dénuder l'impression première dans sa pureté « virginale ») tente d'emprisonner dans la souplesse de ses analyses et la richesse de ses métaphores l'être pris à sa source, cet être que la philosophie scientiste de la fin du XIXe siècle (Herbert Spencer, Th. Ribot) voulait immobiliser dans ses catégories. Dès lors, la recherche philosophique est aussi une invention d'écriture : l'écrivain « tentera [...] de réaliser l'irréalisable [...], il faudra violenter les mots, forcer les éléments ». Chaque analyse sera une « réussite partielle », comme les tangentes d'un cercle, et le philosophe, comparable à un « faiseur de calembours » (*les Deux Sources*), usera de métaphores fortement contrastées [voir ci-dessous] pour suggérer ce que l'analyse n'aura pas réussi à étreindre. Et cela dans des domaines aussi différents que la psychologie (*les Données immédiates*), la vie sociale (*le Rire*), la théorie de l'univers (*l'Évolution créatrice*), enfin la religion et le mysticisme (*les Deux Sources*).

Métaphores

Mon état d'âme, en avançant sur la route du temps, s'enfle continuellement de la durée qu'il ramasse ; il fait pour ainsi dire boule de neige avec lui-même.
Où il y a une fluidité de nuances fuyantes qui empiètent les unes sur les autres [l'intelligence] aperçoit des couleurs tranchées et, pour ainsi dire, solides, qui se juxtaposent comme les perles variées d'un collier.

(*L'Évolution créatrice*)

Mais l'être bergsonien, en création continuelle, ne se laisse jamais capter par les mots. Dès lors, le bergsonisme serait-il surtout une écriture ? Du moins confirme-t-il l'axiome suivant lequel toute philosophie qui n'est pas une philosophie du concept ne peut être qu'une philosophie de la métaphore...

M.-A. de Beaumarchais

BÉRIMONT Luc

*Pseudonyme d'**André LECLERCQ** (1915-1983)*

Poète et romancier, originaire de Magnac-sur-Touvre (Charente). Après des études poursuivies au collège de Maubeuge et à la faculté de droit de Lille, où il obtient une licence, Luc Bérimont entreprend une carrière de journaliste. C'est en 1940 qu'il fait ses débuts d'écrivain, composant aux armées des recueils inspirés par des situations de guerre : *Épinal, me voici, Lyre à feu,* puis, en 1943, *la Huche à pain.* Dans le même temps, il participera au groupe amical de l'« école » de Rochefort, qui réunira, autour de René-Guy Cadou et Jean Bouhier, des poètes soucieux de « réhumaniser » le langage lyrique. Après la Libération, Bérimont ne va cesser de mener de front son métier de journaliste et sa carrière d'écrivain ; producteur d'émissions radiophoniques et télévisées (« La parole est à la nuit » ; « la Fine Fleur »), il tente de réunir poésie et chanson, qui lui paraissent complémentaires ; parallèlement, les recueils poétiques (*l'Herbe à tonnerre*, 1959 ; *les Accrus*, 1963 ; *Demain la veille*, 1978) et – à partir de 1949, date de son premier récit, *les Loups de Malenfance* – les romans se succèdent régulièrement.

Éloigné de toute métaphysique, Bérimont cherche à élaborer une littérature « concrète » où s'exprimerait une poésie « vérifiée par les doigts avant de s'adresser à l'imagination ». À l'image de ses romans, dans lesquels les personnages, placés au centre d'une nature quelque peu mythique, sont initiés à la sensualité (*le Bois Castiau*, 1964 ; *les Loups de Malenfance*), ses poèmes ont une forte résonance humaniste : le monde « parle » à l'être humain, qui apprend à connaître son corps en déchiffrant les symboles naturels :

Par les tiges souples du feu
Je connais le vent cru
l'Ouest
Je vois par un ramier
J'entends par un renard.

(*Demain la veille*)

Les enchâssements métaphoriques de Bérimont ne surprennent guère, après l'âge surréaliste, ni les quelques irrégularités formelles de ses vers qui doivent beaucoup à Apollinaire. On peut cependant remarquer une prédilection personnelle pour certains motifs, comme l'oiseau, la femme ou la mer. En eux, l'homme, dans un monde sans dieu ni au-delà, perçoit les signes d'une jouissance périssable, mais féconde et universelle :

Les hommes sont de l'eau qui ruisselle
un moment
aux cuisses des collines.

(*Demain la veille*)

J.-P. Damour

BERL Emmanuel

(1892-1976)

Journaliste, historien et essayiste, né au Vésinet. Sa « vie d'écrivain » commence en 1912, avec un diplôme d'études supérieures de lettres sur le quiétisme chez Fénelon. Après avoir pris part à la Première Guerre mondiale, au front pendant deux ans, il se retire dans le Béarn pour écrire son premier livre : *Recherches sur la nature de l'amour,* où il tente de répondre à la question : « Les sentiments répondent-ils à la réalité ou à rien ? », qui avait entraîné la rupture de son amitié avec Marcel Proust. En 1924, Drieu La Rochelle vient le chercher dans sa retraite, et ils font ensemble *les Derniers Jours* (1925), hebdomadaire qui reçoit ce titre car ses fondateurs croient que « l'Apocalypse est pour bientôt ».

Paraissent en 1925 *Méditations pour un amour défunt,* en 1927 *la Route n° 10.* En 1929, *Mort de la pensée bourgeoise* essaye de montrer que les littérateurs modernes sont « inactuels » et traduit le dépit suscité par le retour au pouvoir de Poincaré. *Mort de la morale bourgeoise* marque l'entrée de l'auteur à *la Nouvelle Revue française* ; en 1932, il prend la direction de *Marianne,* hebdomadaire politique et artistique très influent. De 1937 à 1939, il rédige et publie, seul, *Pavés de Paris,* car son attitude munichoise l'a coupé de ses amis de gauche. Entre-temps ont paru *le Bourgeois et l'Amour, Lignes de chance* (1935), *Discours aux Français* (1935), *le Fameux Rouleau compresseur* (1937).

En juin 1940, il rédige les deux premiers discours de Pétain, mais il rompt avec le régime de Vichy dès août de la même année. Réfugié alors en Corrèze avec le compositeur Mireille, sa femme, il se consacre à une *Histoire de l'Europe* (1945). Viennent ensuite *Sylvia* (1951), à la fois confession et rêveries d'un solitaire, *Présence des morts* (1955), *Rachel et autres grâces* (1965), *la Chute de la IIIe République* (1968), *À contretemps* (1969), *le Virage* (1972), *À venir* (1974), enfin *Interrogatoire par Patrick Modiano,* suivi de *Il fait beau, allons au cimetière* (1976).

Sur ce dernier livre, Pierre Nora a écrit : « Ce n'est pas un hasard si ces deux ouvrages jumeaux d'Emmanuel Berl s'achèvent chacun sur la tuerie qui a emporté la moitié de sa génération. Là est leur lien puisque c'est l'expérience tragique de la guerre qui se révèle avoir été l'axe d'une vie ». À travers cet *Interrogatoire,* le pamphlétaire nourri dans le sérail de Bergson et de Proust, le déroutant directeur de *Marianne* qui, pendant deux mois, crut à Pétain tout en trouvant ridicule la seule idée de la Révolution nationale, le juif munichois intime de Malraux, tout cet itinéraire déconcertant d'intellectuel aux aguets et de pacifiste forcené s'éclaire du récit de son enfance et de sa formation.

F. Nassery-Warburg

Bernanos

BERNANOS Georges

(1888-1948)

Bernanos ne s'est jamais considéré comme un écrivain professionnel, encore moins comme un romancier. Pourtant, la postérité a essentiellement retenu ses romans. Écrits entre 1926 et 1936, ce sont eux qui ont su rester fidèles à cet esprit d'enfance que Bernanos revendique à travers toute son œuvre. La polémique n'en est pas exclue pour autant. Le ton du pamphlétaire réapparaît sans cesse chez celui qui, dès sa vingtième année, s'est engagé sur la voie d'un journalisme militant, agressif, à jamais rebelle à la satisfaction du confort intellectuel.

La fidélité à l'enfance

Aussi mouvementée qu'ait été la vie de Bernanos, elle semble tout entière guidée par cet idéal qui revient comme un leitmotiv sous sa plume : « J'ignore pour qui j'écris, affirme-t-il dans *les Enfants humiliés* (1949), mais je sais pourquoi j'écris. J'écris pour me justifier. Aux yeux de qui ? Je vous l'ai déjà dit, je brave le ridicule de vous le redire. Aux yeux de l'enfant que je fus. » Cela en écho aux *Grands Cimetières sous la lune* (1938) : « Qu'importe ma vie. Je veux seulement qu'elle reste jusqu'au bout fidèle à l'enfant que je fus. »

Quel est cet enfant ? C'est d'abord un être rêveur, épris de solitude et de liberté, qui savoure le bonheur de sillonner le pays d'Artois dont le souvenir servira de cadre à la plupart de ses romans. C'est aussi un grand lecteur, essentiellement de Balzac. Mais les années de collège seront surtout marquées par l'accroissement d'une anxiété maladive qui explique en partie le sens que Bernanos a voulu donner à sa vie et à son œuvre. « Depuis longtemps, écrit-il en 1905, dans une lettre à l'abbé Lagrange, à cause de ma jeunesse maladive – et des précautions qu'on me faisait prendre –, je crains la mort, et, par malheur, peut-être mon ange gardien dirait-il par bonheur, j'y pense toujours. »

Cette méditation sur la mort comme but ultime de la vie, ou plutôt cette préparation à la mort, est le sujet principal des *Dialogues des Carmélites* (1949), mais elle se trouve déjà dans *Madame Dargent* (1922), par exemple. Le récit de l'agonie se retrouvera chez de nombreux personnages : les uns « ne se voient pas mourir » ; les autres, ceux qui ont su garder la fidélité à la naïveté et à l'humilité de l'enfance, se sont engagés dans l'aventure du salut et participent au mystère de l'agonie du Christ en répétant le cycle originel de la Chute et de la Rédemption.

Un itinéraire spirituel

L'aventure commence elle-même, pour Bernanos, sur les routes, qu'il s'agisse des routes de l'Artois (« Chemins du pays d'Artois, à l'extrême automne, fauves et odorants comme des bêtes, sentiers pourrissants sous la pluie de novembre, grandes chevauchées des nuages, rumeurs du ciel, eaux mortes… »), dont on retrouvera la sauvage beauté dans la quasi-totalité de ses romans, ou de celles d'Europe, d'Amérique ou d'Afrique que ses perpétuels voyages l'ont amené à parcourir désespérément : journaliste à Paris, puis assureur, Bernanos, à partir de 1926, année où il se consacre exclusivement à la littérature, connaîtra des soucis d'argent constants qui l'amèneront à se fixer successivement à Clermont-de-l'Oise, sur la Côte d'Azur, à Palma de Majorque, au Brésil, enfin en Tunisie. Ce vagabondage constant est sans doute lié aussi à l'inquiète errance de celui qui appelait Rimbaud son « vieux camarade ». Cette quête perpétuelle anime la plupart des personnages de l'œuvre romanesque de Bernanos, et Albert Béguin note très justement qu'« il y a du Rimbaud enfant dans beaucoup de ses personnages, garçons et filles, aventurés sur les routes, toujours prêts au départ ».

Gêne matérielle, inquiétude morale, mais surtout aventure spirituelle : journaliste, pamphlétaire, écrivain, contempteur des mœurs du siècle, Bernanos ressent avant tout son engagement comme une vocation laïque. C'est à une sorte d'accomplissement ascétique que correspond chez lui le choix de l'écriture, qu'il vit le plus souvent comme un tourment. Les héros de ses romans ou même de ses essais hagiographiques : *Saint Dominique* (1926), *Jeanne, relapse et sainte* (1934), sont tous temporairement réprouvés, bafoués, humiliés au niveau des valeurs habituelles de la société : Donissan, Chevance, Chantal de Clergerie, le curé d'Ambricourt sont incompréhensibles pour les profanes. Le sens de leur présence se situe à un autre niveau : celui de la sainteté – ou de l'enfance. C'est une quête identique, sinon une même situation, qui conduit les deux Mouchette au suicide, l'une par abandon à Satan, l'autre par désir inconscient de l'amour divin. Dans tous les cas, on trouve dressés des personnages humbles, dépouillés, pauvres, au double sens qui est donné à ce mot dans l'Écriture, en face d'une société provinciale pusillanime, hypocrite, uniquement animée de préoccupations matérielles. Bernanos n'a pas plus de tendresse pour Gallet, le médecin jouisseur mais soucieux des convenances (*Sous le soleil de Satan*, 1926), que pour la hiérarchie religieuse dans *l'Imposture* (1927) ou l'autosatisfaction intellectuelle d'un M. Ouine.

La révolte contre le mal

La référence au mal apparaît à plusieurs reprises dans l'œuvre de Bernanos : la maladie puis la mort de son père (« Dieu m'éprouve de nouveau. Mon pauvre vieux papa est atteint d'une de ces ignobles tumeurs qui m'ont toujours paru, plus qu'aucun autre mal, la figuration de Satan, le symbole de sa monstrueuse fécondité dans les âmes. Il a un cancer au foie »), la Grande Guerre, la guerre d'Espagne inspirent directement au moins deux de ses romans ; ses derniers essais de combat découlent partiellement de la situation mondiale à partir de la Seconde Guerre. C'est aussi contre le déclin des valeurs traditionnelles – le sentiment aristocratique de l'honneur, l'attachement à la France de l'Ancien Régime – qu'il n'a cessé de lutter, quitte à rompre avec la droite maurrassienne classique et l'Action française lorsqu'elles lui semblent trahir leur idéal.

Mais ce ne sont pas les seules figures du mal dans l'œuvre de Bernanos. La médiocrité et le conformisme bourgeois, l'arrivisme, la sotte vanité sont les défauts qu'il attaque le plus fréquemment. Qu'il s'agisse des deux amants de Mouchette – « Le village de Campagne a deux seigneurs. L'officier de santé Gallet, nourri du bréviaire Raspail, député de l'arrondissement. Des hauteurs où son destin l'a placé, il contemple encore avec mélancolie le paradis perdu de la vie bourgeoise, sa petite ville obscure, et le salon familial de reps vert où son néant s'est enflé. […] Dans le même temps, M. le marquis de Cadignan menait au même lieu la vie d'un roi sans royaume » (*Sous le soleil de Satan*) – ; des fantoches qui s'agitent dans l'entourage de Cénabre (*l'Imposture*) : Pernichon, qui « obtint de signer chaque semaine, dans un bulletin paroissial, des nouvelles édifiantes, puis "des Lettres de Rome" rédigées chez un petit traiteur de la rue Jacob » ; Mme Jérôme dont « c'étaient là ses dernières poésies, éditées grâce à la générosité d'un amant » ; M. Guérou, qui « fut un auteur à la mode, et chaque aube le vit sommeillant dans un de ces lieux de plaisir où se tient le sabbat de tous les démons de l'ennui. L'ancien chroniqueur fit la loi dans les cabarets où il n'était jadis que toléré. Il y rendit des arrêts sans recours, et son ventre pointait déjà sous la nappe ». Toujours, le ton du polémiste perce derrière le romancier, et le portrait se mue en une caricature incisive.

Le mal, c'est encore la curiosité de l'esprit lorsque l'intelligence n'est pas soutenue par la foi : Antoine Saint-Marin, M. Ouine ou Cénabre sont de piètres figures malgré leur vivacité intellectuelle et leur prestige social, à côté du saint de Lumbres, du curé de Fenouille ou de l'abbé Chevance : s'ils coïncident avec ce que la société attend de son élite, ils ont perdu tout contact avec les valeurs spirituelles, la joie, cette grâce à travers laquelle émerge, dans l'âme des humbles, ce qu'il y a de divin en l'homme.

Aucun personnage n'est d'ailleurs à l'abri de l'enfer ; le mal, tant physique (l'image du cancer parcourt toute l'œuvre romanesque et polémique de Bernanos) que moral (l'ennui, le désespoir), est omniprésent. Tous les critiques ont souligné la fréquence des suicides ou des meurtres dans les romans de Bernanos. C'est la représentation métaphorique de l'esprit du mal attaché à la destruction de l'homme. Ni les prières, ni les simples forces humaines ne permettent de résister à la séduction de Satan. Aussi Bernanos ne se soucie-t-il ni de psychologie ni de morale. Dans la perspective métaphysique qui est la sienne, le Bien et le Mal se confondent. Les deux Mouchette en sont la meilleure illustration : l'abandon à Satan peut être une forme de rébellion contre l'hypocrisie du monde adulte.

C'est la réaction des opprimés auxquels tout espoir est matériellement interdit. Seule une intervention miraculeuse permet de sauver l'homme de sa fatalité tragique.

Un romancier aux confins du romanesque

Bernanos est donc amené à parler de langage de l'ineffable. La présence du surnaturel, de l'invisible, imprègne son univers. Le rire de Satan perçu par le seul Donissan (*Sous le soleil de Satan*), le mysticisme de Chantal (*la Joie*, 1929), les hallucinations de Mouchette (*Nouvelle Histoire de Mouchette*, 1937) appartiennent à l'indicible. Encore exubérante dans son premier roman, la représentation du fantastique s'épure progressivement mais se retrouve jusque dans les scènes les plus réalistes de *Monsieur Ouine* (1946), tels l'enterrement du petit vacher et le lynchage de Jambe-de-Laine. C'est qu'écrire représente d'abord pour Bernanos le besoin d'exprimer « cette accumulation de rêves, d'images, de figures dont la surabondance [l']étouffait ». On comprend que, dans ces conditions, sa technique narrative n'ait rien de classique. Si, au niveau de l'intrigue – souvent énigmatique ou même policière –, il a pu apparaître comme le dernier romancier du XIXe siècle, dans la tradition de Balzac ou de Léon Bloy, il a surtout fait éclater le dogme du réalisme positiviste en lui substituant la logique de l'irrationnel : « Rien n'est plus réel ni plus objectif que le rêve. Mais il y a beaucoup de gens bornés qui n'admettent que les réalités de Zola ». Inversant les valeurs du romanesque conventionnel, il y a donc à la fois, dans son univers, un réalisme du surnaturel et une vision hallucinatoire de la réalité quotidienne.

Le lecteur peut se sentir dérouté par la labilité des points de vue : tantôt celui des personnages, tantôt celui du narrateur lui-même, qui emprunte aux hagiographies le style du témoignage ultérieur, ou par les intrusions lyriques de l'auteur (« Ô Merveille ») qui scandent le récit sur le mode d'un poème en prose (cf. notamment l'« écriture » très peu romanesque de *Sous le soleil de Satan*). Mais le plus surprenant est sans doute la fréquence des ruptures dans l'emploi des temps. Tantôt la narration bernanosienne suit le cours du récit historique, au passé simple (« Le vicaire de Campagne prit la route de Beaulaincourt et descendit vers Étaples à travers la plaine »), tantôt elle passe soudain au présent, voire au futur, pour s'insinuer à leur insu dans la conscience – ou dans l'imaginaire – des personnages, dévoilés ainsi dans toute leur profondeur : « Sous ses yeux, la petite ville s'assombrit, semble descendre sous l'horizon. Il hâte le pas. Que ne peut-il atteindre, inaperçu, le coin sombre où, jusqu'au souper, puis dans la nuit, il restera seul – seul derrière la frêle muraille de bois, l'oreille penchée vers des bouches invisibles ! » Cette dimension n'est plus celle de la chronologie narrative, événementielle, mais fait un brusque saut dans un autre ordre : elle introduit le lecteur dans une temporalité différente, celle de la méditation et de la spiritualité.

En dépit des conventions du romanesque, Bernanos laisse donc entrevoir le mystère des âmes et la possibilité, pour ceux dont la lucidité dépasse les limites de la logique traditionnelle, d'en percevoir la signification secrète.

VIE		ŒUVRE	
1888	**20 févr.** : naissance de Georges Bernanos à Paris, 26, rue Joubert. Son père est tapissier-décorateur. Une partie de son enfance se déroule à Fressin (Pas-de-Calais) où son père possède une grande maison.		
1898-1901	Études chez les Jésuites, rue de Vaugirard.		
1901-1903	Interne au petit séminaire de Notre-Dame des Champs.		
1903-1904	Rhétorique à Bourges.		
1904-1906	Redoublement à Aire-sur-la-Lys (Pas-de-Calais).		
1906-1913	Études de droit et de lettres à Paris.		
1908	Adhère aux Camelots du roi.		
		1909	**Mars** : article dans l'hebdomadaire *Soyons libres* : « les Effets du préjugé démocratique dans le monde des lettres ».
1913-1914	Dirige l'hebdomadaire monarchiste de Rouen *l'Avant-garde de Normandie*.	1913	Collabore à l'Action française.
1914	**Août** : s'engage. Fiançailles avec Jeanne Talbert d'Arc, descendante du frère de Jeanne d'Arc.	1914	Nombreux articles et chroniques : premiers essais romanesques (*la Tombe refermée ; la Mort avantageuse du chevalier de Lorges*).

VIE	
1917	**11 mai** : mariage à Vincennes. Entre 1918 et 1933 naîtront six enfants.
1919	Abandonne le journalisme pour les assurances. Rencontre l'écrivain Robert Vallery-Radot.
1927	**3 janv.** : mort de son père. Abandonne le métier des assurances pour l'aventure de la littérature. S'installe pour trois ans à Clermont-de-l'Oise.
1930	**8 mars** : mort de sa mère. Cures pour des crises d'angoisse à Vesenex (Ain) ; puis réside sur la Côte d'Azur.
1932	Rupture avec Maurras.
1933	**Juill.** : grave accident de motocyclette ; situation matérielle très précaire.
1934	Début du séjour aux Baléares.
1938	**20 juill.** : départ pour l'Amérique latine.
1945	**Juill.** : retour en France.
1947-1948	Séjour en Tunisie.
1948	**5 juill.** : mort à l'hôpital américain de Neuilly.

ŒUVRE	
1922	Sa nouvelle *Madame Dargent* est publiée dans la *Revue hebdomadaire.*
1926	**Mars** : son premier roman, *Sous le soleil de Satan,* paraît chez Plon. Très vif succès, grâce notamment à un article élogieux de Léon Daudet. **Nov.** : *Saint Dominique* est publié dans la *Revue universelle.*
1927	**Nov.** : *l'Imposture* paraît chez Plon.
1929	**Avr.** : *la Joie* paraît chez Plon ; obtiendra le prix Femina-Vie heureuse (5 déc.).
1931	**Avr.** : *la Grande Peur des bien-pensants* paraît chez Grasset.
1935	*Un crime* (Plon).
1936	**Mars** : *le Journal d'un curé de campagne,* grand prix du roman de l'Académie française.
1937	**Mai** : *Nouvelle Histoire de Mouchette* (Plon).
1938	**Mai** : *les Grands Cimetières sous la lune* (Plon). Rupture définitive avec l'Action française. Pendant la guerre, ses « écrits de combat » sont publiés au Brésil et édités clandestinement en Europe : *Scandale de la vérité* (Gallimard, 1939) ; *les Enfants humiliés* (1940, Gallimard : 1949) ; *Lettre aux Anglais* (1942, Gallimard : 1946). Certains seront réunis en volume : *Français, si vous saviez !* (Gallimard, 1961).
1946	**Avr.** : *Monsieur Ouine* (Plon).
1947	*La France contre les robots* (Laffont).
1948	*Le Chemin de la Croix des Ames* (Gallimard).
1949	*Dialogues des Carmélites* (Le Seuil).
1950	*Un mauvais rêve* (Plon).
1953	*La Liberté, pour quoi faire ?* (Gallimard).
1956	*Le Crépuscule des vieux* (Gallimard).
1969	*Le Lendemain, c'est vous !* (Plon).

Essais et œuvres polémiques

Parue en 1931, *la Grande Peur des bien-pensants* n'est pas seulement – heureusement – un éloge de l'antisémite Édouard Drumont, battu à l'Académie française par Marcel Prévost. C'est aussi l'histoire partisane des faiblesses de la IIIe République. Mais ce livre touffu, qui comporte d'admirables pages au style acide, des caricatures sarcastiques, des raccourcis brillants, s'il rencontra un vif succès au moment de sa parution, grâce notamment à la virulence de l'engagement du polémiste, n'offre plus maintenant qu'un intérêt anecdotique : la philosophie de Bernanos y manque de clarté ; la forme l'emporte sur le fond.

C'est le même reproche qu'on pourra faire, en 1938, aux *Grands Cimetières sous la lune* : certes, l'auteur de *l'Imposture* s'y élève avec une juste colère contre les crimes commis au nom de l'Église par la politique franquiste. Mais la pratique de l'accusation systématique et de l'emportement – fût-il particulièrement brillant – ne permet à Bernanos ni de prendre véritablement parti aux côtés des victimes de l'injustice, ni de convaincre ses anciens alliés de l'Action française. La *Nouvelle Histoire de Mouchette* fera beaucoup plus pour la défense des innocents persécutés, et *l'Espoir* d'André Malraux, bien qu'écrit par un partisan, paraîtra plus objectif et passera, du moins, à la postérité.

Déjà suspecté de « gauchisme » à la suite des *Grands Cimetières,* Bernanos n'hésite pas à rompre avec la droite maurrassienne et avec le parti clérical à la suite des accords de Munich. Dans *Scandale de la vérité,* écrit au Brésil en 1939, il exprime sa honte d'appartenir à une nation dégénérée : « On a volé aux Français sinon la Patrie, du moins l'image qu'ils en avaient dans le cœur. [...] C'est de froid que le monde va mourir ».

Les protestations indignées se multiplient dans les écrits de combat, auxquels il se consacre exclusivement à partir de la guerre. Les prophéties apocalyptiques, présentes dès *la Grande Peur des bien-pensants,* se trouvent ainsi, dans un univers en proie au chaos, forcément vérifiées. Et, dans *la France contre les robots* (1947), Bernanos aura beau jeu de dénoncer les méfaits de la civilisation moderne et de prédire les dangers du progrès technique : « La paix venue, vous recommencerez à vous féliciter du progrès mécanique. “Paris-Marseille en un quart d'heure, c'est formidable” [...] Que fuyez-vous donc ainsi, imbéciles ? Hélas ! c'est vous que vous fuyez. »

Cependant les prédictions de mauvais augure (« La France est en train de mourir d'un cancer généralisé ») sont rachetées par une confiance irrépressible dans le génie français, par l'espoir irrationnel d'une rédemption inscrite dans la tradition culturelle de la race : « La France sera demain, comme elle ne le fut jamais, la tête et le cœur d'une humanité renouvelée » (*le Chemin de la Croix des Âmes,* 1948).

Sous le soleil de Satan

Commencé en 1918, ce premier roman est achevé en 1923. Il est publié en 1926 et connaît immédiatement un grand succès, étayé entre autres par deux articles élogieux de Léon Daudet. La critique se plaît à reconnaître ce que Bernanos doit au sens du mystère, à l'intrication fantastique du surnaturel et du vraisemblable chers à Barbey d'Aurevilly et à la nostalgie des valeurs spirituelles propre à l'univers de Léon Bloy. À ces sources d'inspiration, il faut ajouter le souvenir toujours présent de *la Vie du curé d'Ars* auquel Donissan emprunte certains traits : pauvreté (matérielle et intellectuelle), humilité, fragilité, dédain des conformismes clérical et rationnel. Enfin, au lendemain de l'armistice, Bernanos a voulu, par fidélité aux morts de 1914-1918, porter un témoignage violent contre le retour au pharisaïsme de l'après-guerre.

SYNOPSIS

PROLOGUE : « Histoire de Mouchette ». La jeune Germaine Malorthy (Mouchette) révèle à ses parents qu'elle est enceinte (1). Persuadé qu'elle a été séduite par le marquis de Cadignan, son père va tenter d'obtenir réparation de celui-ci (2). Il n'y parvient pas. Multipliant les maladresses, il pousse Mouchette à se révolter et à fuir. Elle se réfugie chez le marquis, mais, devant son incompréhension, Mouchette s'enferme dans l'entêtement et le mensonge. Sa déception est telle qu'elle tue le marquis (3). Quelque temps plus tard, devenue la maîtresse de l'officier de santé Gallet, elle sonde la pusillanimité de ce nouvel amant qui refuse de la faire avorter. À la suite d'une crise de démence, elle doit passer un mois dans une maison de santé (4).

PREMIÈRE PARTIE : « La tentation du désespoir ». L'abbé Donissan s'accuse auprès du chanoine de Campagne, l'abbé Menou-Segrais, d'être intellectuellement et moralement trop fragile pour accomplir la modeste tâche qui lui est confiée (1). Mais, conscient de ses possibilités réelles, le chanoine n'accède pas à son vœu de retraite. Il le maintient dans ses fonctions (2). C'est au cours d'une promenade nocturne que l'abbé Donissan est assailli par Satan en la personne d'un maquignon. Il lui résiste puis rencontre Mouchette (3). On apprend que Mouchette vient de se suicider, mais que, moribonde, elle a brusquement retrouvé la foi : contre l'avis de tous, Donissan porte la mourante sur les marches de l'église. Après cinq ans de retraite à la Trappe, il est nommé curé à Lumbres.

SECONDE PARTIE : « Le saint de Lumbres ». La vie quotidienne de Donissan est celle d'un ascète (1). Aussi le maître du Plouy, espérant un miracle, vient-il le chercher en dernier recours pour sauver son jeune fils, qui est en train de mourir (2, 3). La rencontre avec l'enfant, la possibilité de le ressusciter un instant entrevue, la lutte avec le mal et le triomphe final de Satan sont relatés à travers le témoignage de Sabiroux, curé de Luzarnes (4, 6), la narration directe de l'auteur (5, 7), enfin les notes de Donissan lui-même (8). Les pèlerinages se multiplient auprès du « saint » de Lumbres (9). Sabiroux et le docteur Gambillet introduisent Antoine Saint-Marin, « de l'Académie française » (10, 11), caricature du positivisme triomphant d'Anatole France. En pénétrant dans la chambre de Donissan, qu'ils cherchent en vain, les trois personnages sont frappés par les traces visibles du sacrifice que celui-ci s'impose (12). Saint-Marin, resté seul (13), visite l'église (14), où il découvre le corps du saint, qui a été foudroyé par une crise cardiaque dans son confessionnal (15).

Trois narrations, écrites à des époques et dans un ordre différents, composent ce récit apparemment hétérogène : le destin de Mouchette ; l'itinéraire spirituel de Donissan – qui croise celui de Mouchette au point le plus bas de sa chute ; la mort de Donissan. Quel est le personnage principal ? À qui le titre ambigu renvoie-t-il ? Autant de questions qui demeurent sans réponse, et sans importance : ce qui ressort essentiellement de ce récit, c'est la similitude de deux destins hors du commun, privilégiés l'un dans le bien, l'autre dans le mal et réunis par une sensibilité hypertrophiée, rebelle aux normes du siècle, torturée par une angoisse directement issue de la propre inquiétude de Bernanos.

Face à un univers de misère et de bassesse, face à la pusillanimité ou à l'hypocrisie de ceux en qui elle avait cru, Mouchette réagit par la fuite, puis par la violence. Sa révolte l'amène à tuer son premier amant, puis à se détruire elle-même ; sa déchéance passe par le mensonge, la mythomanie, l'enfoncement progressif dans le vice. Mais Bernanos ne s'arrête pas à cette « crise » de l'adolescence : l'explication psychologique n'est qu'une propédeutique au sens métaphysique, l'enjeu du roman est avant tout celui de la spiritualité, voire de l'ineffable. Ainsi le monde profane se trouve-t-il pénétré par la présence diffuse des forces surnaturelles que Donissan catalyse malgré lui : pouvoir miraculeux de la foi, incarnation du diable, transparence de la conscience.

Ce que Bernanos rend donc visible dans *Sous le soleil de Satan*, c'est le mystère même des confins de la psychologie, le surgissement d'une spiritualité dérangeant la léthargie habituelle de l'ordre établi. S'il n'ouvre pas encore le cœur au cheminement de la grâce, du moins ferme-t-il définitivement la porte au confort dans la médiocrité.

L'Imposture et *la Joie*

Il s'agit, au départ, d'une intrigue unique qui aurait eu pour titre *les Ténèbres* et dont Bernanos avait entrepris la composition dès la parution de *Sous le soleil de Satan*. Retardé par d'autres travaux, des problèmes personnels et diverses difficultés, Bernanos dut, à contrecœur, renoncer à son projet initial et le scinder en deux parties.

À sa sortie, en novembre 1927, *l'Imposture* est accueillie de façon assez réservée par la critique, lasse, comme Léon Daudet, de retrouver encore « une histoire de prêtres ». Le public est, de même, moins favorable qu'au roman précédent. Ce livre permet à Bernanos de brosser le portrait (sans doute partiellement inspiré du célèbre abbé Brémond, jésuite et académicien, éminent critique littéraire) d'un être supérieur – sur le plan de l'intelligence –, mais qui, dévoré par l'orgueil et l'hypocrisie, est sur le point de perdre la foi. Autour de l'aventure satanique de l'abbé Cénabre, Bernanos dessine encore d'autres caricatures des milieux « bien-pensants » : l'arriviste Pernichon ; le cauteleux évêque de Paumiers ; M. Guérou, l'auteur à la mode ; M. Catani, monstre de scepticisme cynique.

Achevée en 1928, publiée en 1929, *la Joie* est mieux accueillie par le public, et la critique lui décerne le prix Femina-Vie heureuse. Le livre est dominé par le personnage de Chantal de Clergerie, inspiré à Bernanos par les écrits de sainte Thérèse de l'Enfant-Jésus. Bien qu'elle se trouve affrontée à la médiocrité de son père et à la sottise ou à la méchanceté d'un environnement hostile et d'un univers de violence, Chantal, aidée par ce qu'elle ressent comme le sacrifice de l'abbé Chevance, parvient à sauver l'âme de Cénabre, délivré de la tyrannie du mal par la Grâce, ainsi que, indirectement, son meurtrier : Fiodor.

Pour cette petite sainte laïque, comme pour Donissan, comme pour Blanche des *Dialogues des Carmélites*, l'inadaptation au monde humain, les maladresses, la gaucherie, la naïveté apparente sont donc autant de signes qui permettent de communiquer avec un univers supérieur, dont ils révèlent l'existence : celui de l'héroïsme – ou de l'enfance.

Un crime

Alors que *Un mauvais rêve* et *Monsieur Ouine* sont déjà en chantier, la précarité de sa situation financière contraint Bernanos à écrire un roman policier. *Un crime* est commencé en août 1934. Lorsque Bernanos part pour les Baléares, le plan du livre et la première partie sont achevés. Mais en 1935, pour respecter les lois du genre, il doit récrire une seconde version de la seconde partie, plus narrative, moins psychologique que celle qu'il avait déjà élaborée. Ainsi remanié, le livre paraît en juillet 1935. Il ne rencontre ni les suffrages de la critique, ni ceux du public, ni même ceux de son auteur.

L'intrigue, féconde en meurtres de toutes sortes, est pourtant digne des meilleurs romans policiers (et des meilleurs romans de Bernanos) : meurtrière d'une vieille rentière, une jeune femme, surprise par un jeune prêtre qui arrive de nuit dans sa nouvelle paroisse, le tue, revêt sa soutane et, pour détourner les soupçons, assure le ministère pendant quelques jours. L'univers tragique est aussi celui que l'on retrouve dans les autres romans. Le réalisme pathétique de Bernanos ainsi que l'obsession de la pauvreté, de la solitude et de la mort coïncident parfaitement avec l'ambiance générale de la narration policière. Mais, à la différence des autres œuvres, aucun personnage ne vient illuminer, par sa révolte ou par sa pureté, cette société de province, croulant sous le poids de l'ennui, des intrigues sordides, et de préoccupations purement matérielles.

Un mauvais rêve

La composition de ce roman s'étend sur une longue période, de 1931 à 1935, année ou Bernanos réutilise, entre autres, la seconde partie initialement prévue pour *Un crime*. Achevé en août 1935, le livre ne sera cependant pas publié du vivant de Bernanos. Lors de sa parution, en 1950, il suscita des réactions très diverses de la part de la critique.

De fait, le matériau est hétérogène : il s'agit d'un drame policier progressivement transformé en roman d'analyse. On retrouve à la fois la structure d'*Un crime* – un meurtre commis par une femme – et le point de départ de *Monsieur Ouine* : le personnage central est un homme de lettres écrasé par la notoriété, et sa froideur dessèche les êtres qui gravitent autour de lui. « Je pourrais intituler ce roman-là, écrivait Bernanos, *Au bout du rouleau.* Ce ne sont pas des épaves, comme les bonshommes de Green. Ce sont des êtres qui ont perdu leurs raisons de vivre, et qui s'agitent désespérément dans le vide de leurs pauvres âmes avant de crever. Déchets des vieilles générations, ou produits avortés des nouvelles – on ne rencontre que ça, quand on sait voir. »

L'univers de Bernanos est ici, comme dans *Un crime*, privé de toute transcendance : l'homme s'y trouve réduit à ses seules forces, c'est-à-dire à sa misérable condition.

Le Journal d'un curé de campagne

Bernanos travaille à ce livre essentiellement pendant l'année 1935, à Palma de Majorque, alors qu'il mène de front d'autres romans : *Monsieur Ouine*, *Un crime*, *Un mauvais rêve.* L'ouvrage est publié en mars 1936. Son succès dépasse celui de *Sous le soleil de Satan*, et il obtient le grand prix du Roman de l'Académie française.

Une des sources du *Journal d'un curé de campagne* est sans doute constituée par les souvenirs d'enfance de Fressin et d'un châtelain de la région qui a inspiré à la fois les personnages du comte d'Ambricourt et du curé de Torcy. D'autre part, Bernanos emprunte pour son curé d'Ambricourt plusieurs traits au curé de Fenouille de *Monsieur Ouine* : même enfance malheureuse, mêmes difficultés devant une paroisse stérile, dévorée par l'ennui et hostile à la bonne volonté de son prêtre.

Si Donissan proposait, dans *Sous le soleil de Satan,* une conception héroïque de la sainteté, le curé d'Ambricourt offre au contraire l'image de l'humiliation, du sacrifice, voire du martyre. Victime de sa propre naïveté, de la faiblesse de sa nature, d'une santé très faible qui s'aggrave jusqu'à la mort, il accumule en apparence les maladresses, malgré un zèle ardent et l'intensité d'une foi qu'il redoute cependant de perdre tant il se sent gagné parfois par la contagion du désespoir.

Ses ennemis sont en effet redoutables : au cynisme captieux de l'aristocratie, à l'impureté éhontée d'une jeune fille, au rire démoniaque de Chantal, à toutes les épreuves matérielles que lui impose encore la gestion de son ministère, le curé d'Ambricourt ne peut opposer que l'amour quasi instinctif des âmes. Mais cette charité, elle aussi, est contagieuse, et les derniers mots du roman peuvent être considérés comme le testament spirituel de Bernanos : « Qu'est-ce que cela fait ? Tout est grâce ».

SYNOPSIS

I. Le nouveau curé d'Ambricourt, un jeune prêtre plein de zèle, s'installe dans sa paroisse. La fragilité de sa santé est largement compensée par son énergie morale et son ardent désir d'aider ses paroissiens à sortir de l'ennui qui les ronge. Mais, accaparé par les multiples soucis de sa vie quotidienne – dont le manque d'argent n'est pas le moindre –, incapable d'accomplir son ministère avec une autorité suffisante, il accumule les maladresses.

II. Sa naïveté, son inexpérience, sa simplicité même lui valent d'être très critiqué, voire conspué dans un diocèse peu réceptif à la spiritualité. L'hostilité des paroissiens devient de plus en plus ouverte. Les projets du prêtre ne peuvent aboutir. Cependant, sa santé continue de s'altérer et les problèmes vont en s'aggravant. Une de ses jeunes catéchistes, Séraphita Dumonchel, multiplie les provocations. Les châtelains d'Ambricourt, loin de l'aider, lui font découvrir des abîmes de perversion insoupçonnés : Chantal est révoltée contre son père, le comte d'Ambricourt, qui a pour maîtresse Mlle Louise, la gouvernante du château ; mais la haine de Chantal s'exerce aussi à l'égard de sa mère. Celle-ci, qui est longtemps restée silencieuse, finit par révéler son âme au prêtre lors d'une scène extrêmement violente. Elle meurt la nuit qui suit ces aveux.

III. De plus en plus atteint par la maladie, le prêtre se résout à aller consulter à Lille. Il se rend par erreur chez un médecin qu'il surprend en train de s'injecter de la morphine. Celui-ci – le docteur Laville et non Lavigne, qui lui avait été recommandé – est aigri et cynique : il lui révèle qu'il est condamné. Le curé d'Ambricourt meurt en effet quelques jours plus tard, hébergé à Lille par Louis Duprety, son ancien camarade de séminaire, prêtre défroqué, devenu représentant de commerce et qui vit maintenant avec une femme.

Monsieur Ouine

Commencé en 1931, *Monsieur Ouine* n'est achevé qu'en 1940. Retardé par la guerre, il est d'abord publié au Brésil, en 1943, dans un texte très fautif que reprendra Plon en 1946. Ce n'est qu'en 1955 que le livre paraîtra, grâce à Albert Béguin, dans une édition intelligible qui déconcertera moins la critique. Ce livre particulièrement désespéré (l'auteur avait d'abord songé au titre *la Paroisse morte*) est d'ailleurs, pour A. Béguin, « le chef-d'œuvre de Georges Bernanos, celui de ses livres où il est allé le plus loin dans l'exploration de son monde intérieur et où il s'est risqué à inventer les formes d'expression et de composition les plus aptes à traduire sa vision personnelle ». Mais c'est aussi le livre le plus proche de Dostoïevski, comme se plaît à le remarquer Pierre de Boisdeffre, le plus « onirique » et, en un sens, le plus hétérogène, le plus désordonné de l'œuvre de Bernanos. Certaines pages sont admirables (les apparitions fantastiques de Jambe-de-Laine, l'enterrement du petit vacher, l'agonie de M. Ouine), mais le problème qui s'est posé à Bernanos était insoluble : comment représenter avec art l'aridité de l'esprit, l'ennui, la haine, le désespoir qui déferlent sur l'ensemble du récit ? Il est impossible, pour le chrétien, de donner une âme au diable.

SYNOPSIS

Fenouille, petit village du pays d'Artois. Steeny, un jeune adolescent maladif, vit avec sa mère, Michelle, et une gouvernante. Michelle a vu mourir son père, auquel elle était très attachée, alors qu'elle avait huit ans. Puis ce fut le tour de sa mère. Enfin son mari, Philippe, disparut en 1916, « englouti » par la guerre. Le fils s'appelle en fait Philippe, lui aussi : c'est sa mère qui lui a donné le surnom de Steeny, emprunté à un roman anglais. L'inquiétante Mme de Néréis, châtelaine locale, vient « enlever » Steeny avec sa voiture tirée par une non moins redoutable jument baie. Au château, il rencontre Anthelme de Néréis, personnage falot, aristocrate décrépit, et surtout M. Ouine. Professeur à la retraite, cet homme est cynique, étrange ; sa réputation est douteuse mais il fascine Steeny. Un valet de ferme est envoyé auprès de Michelle pour l'avertir de l'absence de son fils. Le valet sera retrouvé mort. Arsène, le maire de Fenouille, et le docteur Malépine sont réunis autour du cadavre. Il s'agit bien d'un meurtre, ce qui dérange particulièrement le magistrat, soucieux de la paix de sa commune et surtout de la reconduction de son mandat. Steeny veut fuir les maléfices de ce village. Il prend la route. Soudain, il voit foncer sur lui la fantastique voiture, l'effrayante jument de Mme de Néréis. Il échappe de peu à l'« accident ». Steeny retrouve sa gouvernante, une jeune fille anglaise marquée par un destin familial tragique. Elle l'interroge sur ses relations avec la châtelaine et lui révèle que son père n'est pas mort : il s'est enfui, abandonnant sa famille. Entre Steeny et la gouvernante s'engage un corps-à-corps bestial où le désir se mêle au sadisme, l'amour à la haine.

Le délire s'empare peu à peu de tout le village. La justice resserre, mais en vain, son étau. Les esprits s'échauffent. Un double suicide : celui de la fille de Vandomme et d'Eugène, son amant, bûcheron suspect, brouille des pistes qui demeureront à jamais obscures. On ne saura pas qui a tué le jeune valet de ferme. Cette énigme va devenir le cancer dont mourra la commune. Le jour de l'enterrement du petit vacher, tout le village est au cimetière, dans un état d'excitation que rien ne peut contenir. Le prêche du jeune abbé, mettant chacun face à ses contradictions, déclenche l'émeute. Les comportements d'hystérie se multiplient. Mme de Néréis, dont la jument bouscule quelques villageois, devient le bouc émissaire d'une foule assoiffée de vengeance : elle est lynchée. Le maire est devenu fou. Ennemi déclaré du clergé, il vient se confesser au jeune prêtre qui tente de l'enfermer dans le presbytère le temps de joindre le médecin. Le maire s'échappe et disparaît : nouveau suicide ? M. Ouine est au seuil de la mort, veillé par Steeny. L'approche de l'agonie ne lui apporte aucun sentiment de peur, aucune révélation. Il part comme il a vécu, aspiré par le néant, aussi étranger à l'angoisse qu'à l'espérance.

Nouvelle Histoire de Mouchette

Composé au cours du second semestre 1936, publié en mars 1937, ce livre, qui appartient encore à l'époque des Baléares, est directement issu des atrocités de la guerre d'Espagne. Le nom de Mouchette revient spontanément sous la plume de Bernanos pour désigner le personnage de l'humilité bafouée et de la solitude dont la guerre multiplie les images tragiques. Bernanos confie lui-même, dans une interview de juin 1937 : « J'ai commencé à écrire la *Nouvelle Histoire de Mouchette* en voyant passer dans des camions là-bas, entre des hommes armés, de pauvres êtres, les mains sur les genoux, le visage couvert de poussière, mais droits, bien droits, la tête levée, avec cette dignité qu'ont les Espagnols dans la misère la plus atroce. »

SYNOPSIS

Rentrant chez elle après l'école, la jeune Mouchette, surprise par l'orage, s'égare dans les bois. Arsène, le beau braconnier, la rencontre et l'abrite dans une cabane isolée. Il est soûl. Ayant entendu deux coups de fusil au loin, il avoue à Mouchette qu'il a, la veille, mortellement blessé Mathieu, le garde-chasse, au cours d'une rixe puis enchaîne sur le « cyclone » qui fait rage au-dehors. Il tombe alors dans une crise d'épilepsie. Mouchette le soigne de son mieux. Il la viole.

Arrivée chez elle, dans la nuit, elle trouve sa mère mourante. Elle s'occupe à sa place du dernier bébé, puis, ne pouvant trouver le sommeil, elle songe à Arsène, qu'elle ne peut considérer comme son bourreau, tant elle l'a, une fois pour toutes, idéalisé. Elle souhaite au contraire la mort de Mathieu. Mais les événements qu'elle a vécus ont-ils bien eu lieu comme elle le croit ? Ce qu'elle a pris pour un cyclone n'était qu'un léger grain. Elle n'en veut pas moins confier son secret à sa mère, mais celle-ci expire. Son père et ses frères rentrent ivres. Mouchette répond par une insulte aux propos incohérents de son père et s'enfuit.

Une force irrésistible la pousse alors jusqu'à la maison du garde : il n'est pas blessé ; il n'a eu qu'une légère altercation avec Arsène, mais la police le recherche. Croyant le sauver, Mouchette, pour lui fournir un alibi, déclare qu'il est son amant. En ce dimanche matin, après avoir repoussé la protection – sincère, semble-t-il – que lui proposait la femme du garde, Mouchette continue à errer. Elle se rend chez Philomène, étrange personnage, sacristine qui veille aussi les morts, infirme et énigmatique conteuse, qui lui fait don d'une magnifique robe jadis portée par une jeune fille très riche, morte à la fleur de l'âge.

C'est à ce mystérieux personnage, puissance des ténèbres, que Mouchette a confié le secret qui l'oppresse. Il ne lui reste plus, après avoir une dernière fois caressé le don symbolique qui lui a été fait, qu'à se suicider en se laissant silencieusement glisser dans l'eau d'un étang désert.

En dehors du prénom de « Mouchette », il n'y a rien de commun au personnage principal de ce livre et à l'héroïne de *Sous le soleil de Satan*. Nouvelle ou roman, ce récit, le dernier qu'ait écrit Bernanos, est aussi considéré comme le plus achevé, le plus émouvant dans sa concision tragique, de son œuvre romanesque. Réduite à son intrigue, cette histoire, tout entière concentrée autour des tribulations ultimes du personnage principal, pourrait apparaître comme un mélodrame : une enfant battue qui fait une fugue est violée le jour même où sa mère agonise. Son père, ivre mort, la rejette. Révoltée, mais misérable, affreusement solitaire, Mouchette est acculée au désespoir, puis, tandis que sonnent, joyeusement pour les autres, les cloches dominicales, il ne lui reste plus qu'à se suicider. En fait, l'intérêt – et le charme – de l'histoire de Mouchette se trouve moins au niveau narratif que dans l'ascèse mystique au seuil de laquelle conduit le lyrisme qui se dégage des aspects les plus bourbeux d'une réalité humble et cruelle. La quête de la spiritualité affleure derrière chaque échec, chaque tentative pour échapper à la boue du monde matériel illuminé par la grâce : ici le désir d'un Bien idéal que Mouchette ne connaîtra jamais mais vers lequel elle marche.

Dans ces conditions, on comprend que le style de Bernanos se fasse particulièrement dépouillé, à la limite de l'abstraction. Les quelques rares objets y ont une dimension symbolique : un piège maléfique semble se refermer sur Mouchette alors que la fange du chemin happe une de ses galoches trop grandes d'enfant misérable. Son destin funèbre se tisse ainsi autour d'elle, à son insu, jusqu'à ce qu'il s'effiloche à l'instar de la robe de mousseline dont « la trame est devenue aussi fragile qu'une toile d'araignée », seul don qu'elle ait jamais reçu de la vie (ou de la mort). Tout est significatif, et cependant énigmatique : la tempête que Mouchette a affrontée n'était-elle pas une hallucination ? « C'était un vent de mer ; tout au plus, un fort vent de mer. La voisine, dont c'est le jour de lessive, n'a même pas décroché ses draps », lui révèle sa mère. N'a-t-elle été victime que d'elle-même, non pas « dupe d'un homme, mais d'un rêve » ? La narration de Bernanos, en suivant constamment le point de vue, le vocabulaire, les hésitations ou les brusques sursauts du personnage, semble se couler au fond même de la pensée de Mouchette, dont elle traduit le monologue désespéré et muet, emmuré dans sa « sauvage solitude ».

Dialogues des Carmélites

Il s'agissait, à l'origine, de dialogues pour le scénario d'un film imaginé par le R.P. Brückberger à partir d'une nouvelle de Gertrud von Le Fort, *la Dernière à l'échafaud* (1931). Achevés en 1948, ces dialogues seront en fait refusés par le cinéma au moins dans un premier temps, mais, publiés en 1949 par Albert Béguin, ils rencontreront un vif succès au théâtre. Francis Poulenc en fera un opéra (1957).

Considéré par certains comme le chef-d'œuvre de Bernanos, l'ouvrage est dominé par la figure de la petite sœur Blanche de la Force (sœur Blanche de la Sainte-Agonie du Christ). Être fragile, d'une sensibilité frémissante, bloquée par l'abîme qui la sépare, physiquement, de l'idéal qui l'anime, poursuivie par une peur maladive comme elle s'entêtera dans une témérité aveugle, cette jeune fille correspond sans doute, malgré le schématisme imposé par les nécessités de la mise en scène, à l'analyse « psychologique » la plus poussée de toute l'œuvre de Bernanos. Mais cette héroïne incarne aussi le combat de la mort et du salut, l'affrontement de l'angoisse et de la foi, le triomphe de la grâce sur la peur (cf. l'épigraphe, extraite de *la Joie* : « En un sens, voyez-vous, la peur est tout de même la fille de Dieu, rachetée la nuit du Vendredi saint »). Enfin, personnage symbolique à plus d'un titre, Blanche représente encore, sur le plan politique, une certaine vision de l'histoire : le sursaut de l'honneur en face des exactions commises par les révolutionnaires. Bernanos exprime donc ici, indirectement, la philosophie royaliste qui anime ses écrits de combat. Relisant la Révolution française à partir d'un des épisodes les moins louables de la Terreur, Bernanos montre qu'en s'attaquant aux privilèges de l'aristocratie, ce sont en fait les fondements des valeurs sociales et religieuses que l'on détruit.

SYNOPSIS

1774. La marquise de La Force donne naissance à Blanche, mais, ébranlée par une violente jacquerie, elle meurt à la suite de l'accouchement (Prologue).

1789. Le marquis et le chevalier de La Force, respectivement père et frère de Blanche, s'entretiennent de l'hypersensibilité de la jeune fille dont le tempérament est maladivement craintif. Leur surprise est grande lorsqu'ils apprennent que celle-ci souhaite renoncer au monde et entrer au Carmel (tableau 1).

Quelques semaines plus tard, chez la prieure du Carmel de Compiègne. Blanche a choisi, en dépit de sa faible nature et des avertissements de la prieure (« Ce n'est pas la Règle qui nous garde, ma fille, c'est nous qui gardons la Règle »), un destin héroïque. Elle se consacrera corps et âme au service de Dieu et à la vie monacale (tableau 2).

La prieure est morte. Pour lui succéder, la communauté a désigné une bourgeoise portée au compromis, de préférence à l'intransigeante mère Marie de l'Incarnation. La Révolution gronde aux portes du couvent. Des commissaires du peuple, fanatisés par les idées démocratiques, ont déjà révoqué l'aumônier. Soupçonnant le prieuré de séquestrer des jeunes filles contre leur volonté, ils exigent de le fouiller. Pour les religieuses s'annoncent des jours difficiles (tableau 3).

Le temps des persécutions est venu. L'Assemblée nationale a suspendu les vœux monastiques. Les cérémonies se déroulent dans la clandestinité. Les sœurs vivent dans leur propre chair la Passion du Christ. Pour finir, le couvent est dévasté et pillé par les révolutionnaires. Alors que l'engagement est solennellement pris d'aller jusqu'au martyre, Blanche fuit la communauté (tableau 4).

Paris. Le père de Blanche a été guillotiné ; elle doit se cacher pour échapper au Tribunal révolutionnaire. Mais lorsqu'elle apprend que ses sœurs sont conduites à l'échafaud, toute peur envolée, elle court les rejoindre et va partager la gloire de leur exécution. Ironie du destin : seule mère Marie de l'Incarnation échappera au supplice (tableau 5).

B. Valette

BERNARD Catherine

(1662-1712)

La fin du XVIIe siècle fut une époque de littérature féminine, et souvent féministe. Parmi toutes ces dames – les comtesses de Murat, d'Aulnoy, Mlle de La Force –, le nom de Catherine Bernard a gardé un certain rayonnement.

Une carrière banale

Pourtant, sa biographie est fort mal connue. Est-elle vraiment de la famille des Corneille ? Ce n'est peut-être qu'une légende. Elle naquit à Rouen. Nicolas Pradon guida ses premiers pas en littérature, puisqu'il collabora plus ou moins à *Frédéric de Sicile,* le roman historique qu'elle publia en 1680. Née dans la religion réformée, elle abjura en octobre 1685. Fontenelle, qui était peut-être son parent, l'aida – on ne sait jusqu'à quel point – à écrire trois nouvelles historiques : *Éléonor d'Ivrée* (1687), *le Comte d'Amboise* (1688), *Inès de Cordoue* (1696) ; et deux tragédies : *Laodamie* (1689) et *Brutus* (1690). Il rédigea aussi une lettre, qui parut dans *le Mercure galant* de septembre 1687, pour lancer *Éléonor d'Ivrée* et en expliquer l'esthétique. Catherine Bernard fut également une poétesse. Fort pauvre, elle obtint des pensions du roi et de la chancelière de Pontchartrain, des prix de l'Académie française (1691, 1693, 1697) et des jeux Floraux de Toulouse (1696, 1697, 1698). Elle célèbre, dans ses vers, les succès de Louis XIV, qui « seul en toute l'Europe, défend et protège les droits des rois », qui « par la paix de Savoie a rendu la tranquillité à l'Italie et a donné à toute l'Europe l'espérance de la paix prochaine ». Vers la fin du siècle, elle se fit dévote et sacrifia nombre de ses vers, dont certains, inédits, se retrouvent dans des recueils manuscrits des bibliothèques de Paris et de la province (B.N.F., Arsenal, de Castelnaudary, etc.). Elle mourut le 6 septembre 1712.

Une carrière, au fond, assez banale, qui pourrait n'avoir d'autre intérêt que de nous éclairer sur la condition des femmes, en particulier des femmes-auteurs, à cette époque : des alliés influents (Pradon et Fontenelle) ; une activité presque fébrile (romans, tragédies, poèmes), qu'encourage la misère ; la consécration des prix académiques ; la protection du roi et des ministres ; enfin, avec la réussite, le repentir, le silence et la dévotion.

Une littérature « à la Fontenelle »

Catherine Bernard a produit des œuvres qui ne sont pas sans mérite. Obsédée par *la Princesse de Clèves,* elle nous donna avec *Éléonor d'Ivrée* et *le Comte d'Amboise* deux nouvelles assez désolantes, qui visent à nous représenter, sur un arrière-fond historique plus ou moins exact, les faiblesses du cœur et « les malheurs de l'amour » (sous-titre d'*Éléonor d'Ivrée*). Le style est tendu, comme l'explique Fontenelle dans la lettre de septembre 1687 : « Les paroles y sont épargnées, et le sens ne l'est pas. Un seul trait vous porte dans l'esprit une idée vive, qui, entre les mains d'un auteur médiocre, aurait fourni à beaucoup de phrases ». D'ailleurs, d'une œuvre à l'autre, se discerne une évolution : *Éléonor d'Ivrée* est « peu chargée d'intrigue », mais les sentiments y sont « traités avec toute la finesse possible » (*id.*) ; la seconde nouvelle est « plus naturelle que l'autre par les sentiments [...], plus extraordinaire par l'action » (Avertissement du *Comte d'Amboise*) ; l'histoire n'y conserve qu'un rôle secondaire. À travers ces nuances, la même esthétique et la même morale se retrouvent dans les deux ouvrages : un style concis, des nappes d'émotion qui affleurent parfois et, finalement, l'échec de l'amour, l'impossibilité du bonheur, que notre faiblesse et la cruauté sociale interdisent également.

L'évolution qui apparaît d'*Éléonor* au *Comte* se prolonge avec *Inès* : l'intrigue y est plus complexe encore, voire plus bizarre ; l'histoire y est traitée avec plus de désinvolture encore, et le pessimisme moral s'y affirme sans nuance ni réserve. L'héroïne ne trouve la paix que dans le renoncement total. Cette nouvelle contient deux contes de fées, *le Prince-Rosier* et *Riquet à la houppe,* beaucoup plus âpres, plus pessimistes – malgré quelques agréments et quelques atours fleuris – que ceux de Perrault. Comme si toute l'œuvre romanesque de Catherine Bernard, en se détachant progressivement de l'histoire et même de la vraisemblance, devait logiquement aboutir à ces féeries désespérées, qui ne sont plus qu'une méditation, à peine ornée, sur les misères de la vie et l'injustice sociale. Dans le même volume qu'*Inès de Cordoue* se lisait un récit de quelques pages, l'*Histoire de la rupture d'Abénamar et de Fatime* ; les noms arabes ne doivent pas nous abuser : aucune couleur locale, aucun exotisme dans ce conte glacé, où les malentendus et la séparation de deux amants semblent réglés comme dans un ballet...

Laodamie et *Brutus* doivent beaucoup à Corneille – et pourtant ces tragédies politiques présentent de curieux mouvements, d'originales notations psychologiques, qui évoquent plutôt la haute comédie, ou même Marivaux. D'ailleurs, peignant l'une et l'autre un monarque légitime qu'une révolution dépossède, contenant de longues discussions sur les droits de la naissance et les droits du peuple, ces pièces nous rappellent la chute de Jacques II et l'avènement de Guillaume d'Orange : Catherine Bernard paraît, surtout dans *Brutus,* donner raison au stathouder ; sa politique évoque plutôt celle de Locke que celle de Bossuet... Le style de ces deux tragédies est assez morne et incolore, et, à vrai dire, elles nous semblent presque incohérentes, unissant des passages « sublimes », des attitudes cornéliennes et parfois une psychologie assez « bourgeoise » ou « romanesque ». Ces défauts n'empêchent que *Brutus,* au moins, eut un succès retentissant, et, lorsque Voltaire voulut traiter le même sujet, *le Mercure de France* de mars 1731 s'amusa, dans un article probablement inspiré par Fontenelle – ou peut-être même écrit de sa main –, à relever tous les emprunts que l'auteur de *Zaïre* avait faits à la pièce de Catherine Bernard.

Les poésies sont fort conformistes, souvent flagorneuses ; on ne saurait donc y trouver de thèmes bien hardis, mais on y découvre un intéressant effort pour renouveler le merveilleux. Sacrifiant la mythologie classique, refusant l'inspiration biblique ou évangélique, Catherine Bernard anime des allégories, la Raison, la Foi, la Renommée – et, surtout, sa poésie devient parfois une sorte de « philosophie condensée » : on y remarque maints raccourcis expressifs, « la pensée » y importe plus que le sentiment et l'artiste ne cherche pas à nous émouvoir, mais à nous découvrir des aperçus singuliers, exprimés avec éloquence et netteté...

Ces œuvres correctes, mais peu enthousiasmantes, dépassent souvent la production contemporaine. La qualité maîtresse en est, au fond, la rigueur – peu de complaisances, peu de mollesse ou de facilité. Il est probable que cette rigueur doit quelque chose à Fontenelle. Il est évident, en tout cas, que romans, tragédies, poèmes de Catherine Bernard sont également conformes aux théories du philosophe. C'est sa morale, telle qu'il l'exprima dans le traité *Du bonheur,* ce sont ses réflexions *Sur la poétique* et *Sur la poésie,* en général, qui se retrouvent dans tous ces écrits et en expliquent la cohérence et l'originalité.

A. Niderst

BERNARD Marc

(1900-1983)

Romancier et dramaturge, né à Nîmes. Après une enfance pauvre passée dans sa ville natale, il connaît la vie d'ouvrier et prend part à la lutte syndicale. À Paris, il milite au parti communiste, dont il ne se séparera que beaucoup plus tard, par antistalinisme (*Salut, camarades,* 1955). Il commence une carrière d'écrivain : acteur et dramaturge malchanceux, il donne en 1929 *Zig-Zag,* un mixte de roman et de poème en prose que suivront une quinzaine d'autres jusqu'en 1979 (dont *Anny,* prix Interallié 1934 ; *Pareils à des enfants,* prix Goncourt 1942), ainsi que des essais et des articles de presse (il collabore à l'hebdomadaire *Monde*). Si son amour pour Jeanne n'avait duré que six ans, celui qu'il voua à Else Reichmann – une émigrée juive autrichienne rencontrée en 1938 – l'engagera jusqu'à la mort de celle-ci en 1971.

L'œuvre de Marc Bernard a parcouru un itinéraire en *Zig-Zag.* S'il y avait du surréalisme dans ce premier roman, les suivants se rapprocheraient plutôt de la veine populiste. *Pareils à des enfants,* par exemple, raconte une vie d'enfant pauvre dans le décor d'un quartier populaire. Quelques études de mœurs (*Sarcellopolis,* 1964 ; *les Marionnettes,* 1977), des travaux critiques (*Zola par lui-même,* 1952) laisseront progressivement la place à un sentimentalisme panthéiste qui donne sa pleine mesure avec la trilogie finale : *la Mort de la bien-aimée* (1972), *Au-delà de l'absence* (1976) et *Tout est bien ainsi* (1979). Inspirés par le décès de son épouse, ces trois récits sont un hymne à la nature (Majorque), en même temps qu'une méditation sur la mort et la présence mystique de l'autre en soi. Marc Bernard est resté fidèle à un style modeste et (faussement ?) naïf, qui laisse « les souvenirs remonter au hasard : les redites ont peut-être un sens obsessionnel qui [m']échappe, un ordre qui [m']est inconnu ». On publie après sa mort *Au fil des jours* (1984), récit d'un vieil homme qui revient une dernière fois sur ses souvenirs et ses déchirements.

M. P. Schmitt

BERNARD Tristan

*Pseudonyme de **Paul BERNARD** (1866-1947)*

Écrivain, né à Besançon. D'abord avocat à Paris, il fut directeur d'une usine d'aluminium à Creil, puis du vélodrome Buffalo, à Montrouge. Ses premiers textes parurent en 1891 dans *la Revue blanche,* qui publia en 1899 son roman *les Mémoires d'un jeune homme rangé,* et dans l'*En-dehors* de Zo d'Axa, où écrivent Mirbeau et Saint-Pol Roux. Son œuvre dramatique, commencée en 1895 avec *les Pieds Nickelés,* illustre à merveille les théories de son contemporain Bergson (*le Rire,* 1899). Évoluant du vaudeville à quiproquos à la comédie de mœurs, elle tire son efficacité comique du contraste entre le mécanique et le vivant, le comportement social attendu d'un personnage et celui qu'induisent sa situation « réelle » ou son caractère : interprète d'hôtel qui, en fait, ignore tout des langues étrangères (*l'Anglais tel qu'on le parle,* 1899) ; fiancé malgré lui, cherchant à fuir sa prétendue (*Triplepatte,* 1905) ; bourgeois respectable que sa passion des affaires acoquine avec une cocotte (*Monsieur Codomat,* 1907) ; garçon de café à qui un héritage permet de mener dans le « civil » une vie de millionnaire (*le Petit Café,* 1911) ; nouveau marié profitant de son voyage de noces pour vendre des goudrons (*Jules, Juliette et Julien,* 1927). Ni dédoublement ni duplicité, mais simplement un « engrenage de circonstances » qui contraint l'individu à sortir d'un rôle sans qu'il ait le courage d'en inventer un autre, à flotter dans une sorte d'indétermination : on reste marié « par paresse », on est « acculé » à la grandeur d'âme. D'où la trivialité systématique des métaphores ou des comparaisons qui réduisent le sentiment au paraître, l'esprit à la matière : une liaison, c'est « son pain sentimental cuit pour quelques semaines », et, dans telle maison à louer, « les locataires étaient introduits du jour au lendemain au milieu des souvenirs tout chauds d'une famille, comme dans un lit dont on n'a pas changé les draps » (*Mémoires d'un jeune homme rangé*).

La durée de vie de ces pantins naïfs ou ridicules, « timides canailles ou héros sans vaillance », ne saurait, sauf exception, dépasser quelques dizaines de pages. T. Bernard les insère dans des histoires courtes, *Contes de Pantruche et d'ailleurs* (1897), *Amants et voleurs* (1905), *Auteurs, acteurs, spectateurs* (1909), dont le contenu narratif est parfois déterminé par de rigoureux paradigmes : décidant de réaliser tous les possibles de la paternité, adultérine, incestueuse, adoptive, un « collectionneur » se donne la mort pour engendrer un enfant… posthume (*Contes…*). Ce refus d'être dupe, fût-ce de l'illusion réaliste, sous-tend un humour qui s'exprime aussi bien dans des sketches radiophoniques, des définitions de mots croisés, que par des « mots » célèbres dont le pessimisme ironique (« L'homme n'est pas fait pour le travail, la preuve, c'est que ça le fatigue ») touche parfois au sublime. Emprisonné comme juif en 1943, T. Bernard eut cette formule : « Nous vivions dans la crainte, nous vivrons maintenant dans l'espoir ». Le rire de l'humoriste qui avait fait s'esclaffer la Belle Époque devenait ainsi l'ultime défense de l'homme seul face à tous les totalitarismes.

J.-P. de Beaumarchais

BERNARDIN DE SAINT-PIERRE Jacques-Henri

(1737-1814)

Ses admirateurs l'ont sans doute plus desservi que ses détracteurs. Ils ont réduit une production complexe et hétérogène à un seul récit, *Paul et Virginie* (1788), et fait de ce texte un conte moral aux couleurs de chromo et aux situations saint-sulpiciennes. Des autres œuvres, on ne retenait qu'un finalisme affligeant qui découpait le melon en tranches pour aider les pères de famille dans leur partage. L'opération assurait le succès du roman dans la France bien-pensante, qui en multiplia les éditions, mais elle risquait de faire du livre l'expression d'une société paternaliste et cléricale. Elle compromet sa lecture aujourd'hui. L'ensemble de la production de Bernardin, connue à travers l'arrangement suspect qu'en a fait Aimé Martin au début du XIXe siècle, reste à découvrir.

La recherche d'une place

L'homme a de quoi déplaire. Il hérita d'une prétention à la noblesse, sans la fortune qui lui aurait permis de la soutenir. Il parvint à imposer à la postérité la transformation de son patronyme *Saint-Pierre* en un plus aristocratique *Bernardin de Saint-Pierre,* mais il indisposa longtemps ses contemporains par ses requêtes, quémanderies et ce qu'Anatole France nomme son « humilité impérieuse ». Sa jeunesse d'enfant né au Havre se partagea entre les études et l'aventure maritime qui le mena à douze ans à la Martinique, entre l'aisance et la misère. Fort de son titre de chevalier, de son savoir d'ingénieur des Ponts et Chaussées et de ses projets foisonnants, il frappa à toutes les portes et bourlingua, dans des postes variés, du régiment du comte de Saint-Germain, durant la campagne d'Allemagne, à l'île de Malte ; de la Hollande à la cour de Catherine II, de la Pologne à l'île Maurice, alors île de France. Moins que des expériences, il semble accumuler durant ces années rancœurs et ressentiments. Nulle part, il ne fut reconnu, ni ses multiples projets de réforme pris au sérieux.

La célébrité lui vint par la littérature, non pas de son premier livre, le *Voyage à l'île de France,* publié en 1773, mais des *Études de la nature,* qui parurent de 1784 à 1788 et furent accueillies par des applaudissements dans les milieux antiphilosophiques. Les adversaires des encyclopédistes virent en Bernardin leur champion, qui collectionna dès lors gratifications et pensions. *Paul et Virginie,* publié à la fin des *Études,* remporta un large succès dans le public. Après le temps des épreuves était venu celui des honneurs. Sensibles aux accents antiesclavagistes de l'œuvre, les gouvernements révolutionnaires nommèrent l'écrivain, qui avait perdu ses pensions de l'Ancien Régime, intendant du Jardin des Plantes en 1792, professeur de morale républicaine à l'École normale supérieure en l'an III, membre de l'Institut dès sa fondation. Napoléon à son tour tenta d'annexer Bernardin, mais, prudent, celui-ci préféra gérer sa fortune et sa renommée. Il épousa la fille des imprimeurs Didot, appela ses enfants Paul et Virginie, exploita le succès du roman en organisant une souscription pour une édition de luxe, augmentée d'un préambule inédit et illustrée par Girodet, Moreau le Jeune et Prud'hon (1806). Mais il ne parvint pas à empêcher les éditions pirates. Il s'identifia au sage vertueux et solitaire dont il avait véhiculé l'image. À la dispersion géographique du jeune homme en mal de carrière s'oppose un repli, savamment publicitaire, sur quelques arpents de terre.

La recherche d'un style

Le *Voyage à l'île de France* appartient à la littérature des voyages qui prospère au XVIIIe siècle, mais il fait également la critique du genre. Tandis que les voyageurs des Lumières, confiants dans la connaissance et le commerce, s'empressaient de mesurer le monde, d'accumuler les renseignements sur chaque lieu et d'exporter la civilisation occidentale, Bernardin hésite entre les charmes du dépaysement et une nostalgie qui valorise la mère patrie, entre la constitution d'un savoir positif et l'abandon à la sensibilité. L'information scientifique voisine avec la critique d'une science incapable de voir la main de Dieu derrière la beauté des choses. De telles contradictions expliquent la discontinuité du texte et l'émergence d'un style neuf qui, au détail concret de l'observateur scientifique, mêle l'impression de l'homme sensible. L'auteur du *Voyage* prépare sa palette, essaie des couleurs et des nuances que notre littérature ignorait et que révèlent les *Études de la nature.*

Les paysages ne sont plus prétexte à expérience scientifique et à exploitation économique, ils donnent d'abord à voir une providence et parlent à l'âme. À une histoire naturelle qui décompose et isole les éléments, Bernardin oppose une approche globale de la nature comme un tout indivisible, tissé d'harmonies, de convenances et de proportions. De la description objective on glisse au souvenir personnel, de l'hypothèse théorique à l'effusion lyrique. Le modèle privilégié de cette écriture nouvelle est Jean-Jacques Rousseau, dont Bernardin se vante d'avoir été le compagnon durant ses dernières années. Philosophe en lutte contre la philosophie établie, Rousseau lui sert de référence. Le disciple se réclame de sa foi inébranlable en Dieu, de son style qui est aussi style de vie.

En faisant de Jean-Jacques un apôtre du renouveau spiritualiste, il refoule son propre passé encyclopédiste. Leurs herborisations communes ne sont plus que rêveries de promeneurs solitaires. Mais la dénonciation du savoir institutionnalisé dans les académies soutient les prétentions scientifiques de Bernardin, qui polémique, par exemple, pour défendre sa théorie des marées. Au XXe siècle, Lyssenko soutiendra les thèses biologiques les plus aberrantes au nom d'un marxisme érigé en dogme. Deux siècles plus tôt, Bernardin défend ses fantaisies scientifiques au nom de sa conviction intime.

Son œuvre demeure en suspens entre le projet encyclopédiste et une écriture de fiction. L'évocation des pays visités (les îles tropicales, mais aussi la Hollande, la Prusse, la Pologne ou la Russie) est incessamment animée d'anecdotes. Inversement, la fiction reste souvent prisonnière du projet idéologique ou de l'allégorie morale. Des pages du *Voyage* pourraient passer dans *Paul et Virginie* et dans les *Etudes.* L'auteur est toujours présent comme caution morale et sentimentale de la narration ou de l'argumentation. Il prend parfois le visage d'un vieillard vénérable. Ses propositions politiques suscitées par l'effervescence de 1789 se présentent comme *les Vœux d'un solitaire.*

Le genre de l'utopie a été systématiquement utilisé au XVIIIe siècle pour marier la réflexion philosophique et la fiction. Il sert à Bernardin pour imaginer une société idéale au cœur de l'Amazonie, mais l'écrivain éloigne l'impossible utopie dans le passé, dans l'Arcadie. Tous ces projets restent inachevés. *Paul et Virginie* répète à sa manière l'impossibilité de constituer un modèle social fixe. On peut encore songer au genre du conte philosophique, qui, à la fin du siècle, s'est infléchi en conte moral. *La Chaumière indienne* (1790) ou *le Café de Surate* en ont le schématisme, mais la réalité sensorielle des paysages leur confère une dimension nouvelle. Les contradictions de l'homme partagé entre les aigreurs de ses premiers déboires et la réussite ultérieure, entre évangélisme et réalisme bourgeois, sont masquées et dépassées par l'invention d'un style qui détourne au profit du spiritualisme toutes les ressources du sensualisme.

Les tentations du système

L'œuvre se présente comme une nébuleuse que travaillent ces contradictions. Les Lumières avaient dénoncé la métaphysique et refusé les systèmes au nom du réel et de l'efficacité. Bernardin leur retourne la critique, les accuse de construire des abstractions intellectuelles. Mais il est à son tour habité par la tentation du système. Chacun de ses textes se donne comme fragment d'une synthèse toujours à venir. Les conjectures et les idées, rassemblées dans le *Voyage à l'île de France,* affirme-t-il en 1773, sont des matériaux destinés à un édifice considérable. De cet édifice, les *Études de la nature* ne forment encore que l'ébauche. L'« Histoire générale de la nature » mise en chantier à l'image de l'*Encyclopédie* ou de l'œuvre de Buffon et de ses collaborateurs s'en distingue par son refus de la démarche analytique. Dans sa solitude, Bernardin ne peut proposer que des études, au sens pictural du terme, c'est-à-dire les esquisses d'un impossible tableau de la nature.

Paul et Virginie, « une espèce de pastorale », et l'*Arcadie,* « une espèce de poème épique », sont adjoints au quatrième tome des *Études.* Les figures individuelles du premier épisode et les forces collectives du second complètent une entreprise qui cherche à tirer de la nature des lois sociales. Les malheurs de Virginie, les destins de l'Arcadie exposent sur le mode de la fiction les intuitions des *Études.* En 1789, les *Vœux d'un solitaire* entendent leur servir de suite. Les propositions politiques concrètes, répondant à l'urgence de l'actualité, monnayent au fil de l'événement les mêmes certitudes. Réflexion théorique, invention fictionnelle, intervention politique se relaient pour exprimer un même refus de l'analyse, une même volonté de synthèse. Si aucune œuvre humaine ne peut prétendre épuiser la nature, le mouvement d'une écriture tente du moins d'en approcher la plénitude. Il est symptomatique que les éditeurs de *Paul et Virginie* aient hésité sur les textes à adjoindre au roman, sur l'ensemble auquel le rattacher. Certains ont choisi des extraits de l'*Arcadie* et des *Études*, d'autres *la Chaumière indienne* et *le Café de Surate.*

À la manière dont Sade, vieillissant à Charenton, composait les *Journées de Florbelle* pour reprendre et dépasser les *Cent Vingt Journées de Sodome,* Bernardin consacra la fin de sa vie à rédiger une somme destinée à élargir les *Études* : ce sont les *Harmonies de la nature.* Aimé Martin, qui les édita après la mort de l'écrivain, reconnaît : « Sans doute un plan aussi vaste ne pouvait jamais être rempli, mais il eût été comme le tableau complet de la science depuis les temps antiques jusqu'à nous. » Aveu d'une nostalgie encyclopédique. Mais le goût du système entraîne Bernardin à échafauder d'étranges hypothèses et à lier les harmonies en gammes fantastiques. Chaque élément du monde prend place dans un système de 13 harmonies :

– **l'harmonie céleste ou soli-lunaire**

– **les six harmonies physiques**

élémentaires	*organisées*
aérienne	végétale
aquatique	animale
terrestre	humaine

– **les six harmonies morales :**

élémentaires	*organisées*
fraternelle	spécifiante
conjugale	générique
maternelle	sphérique

Les explications finalistes que l'on a données pour des arguments apologétiques sont d'abord des fictions poétiques, contemporaines de celles de Rétif et de Fourier. Le moralisme frileux de Bernardin contraste avec le pansexualisme débridé de *la Philosophie de M. Nicolas* (1796) ou de la *Théorie des quatre mouvements* (1808), mais ses harmonies appartiennent au même univers mental que les gradations rétiviennes, la loi des séries fouriériste ou encore les compensations d'Azaïs et les analogies de Delisle de Sales. Cet ultime effort de Bernardin ne parvient pas à fondre théorie et fiction. Des dialogues comme « la Mort de Socrate » ou « Empsael » étaient destinés à alterner avec les développements philosophiques.

Paul et Virginie : les tentations de la fiction

Le succès de *Paul et Virginie* tient peut-être à une cohérence interne qui lui permet d'échapper à l'impossible système décrit précédemment. Une première version, intitulée *Histoire de Mlle Virginie de La Tour,* nous est connue sous forme manuscrite. Elle aide à suivre le travail de l'écrivain, qui surveille son style, hésite sur les dates, transforme les noms avant de s'arrêter au texte que nous connaissons. Le titre définitif établit entre les héros un parallélisme qui constitue le principe d'organisation du livre. Entre les mères passe la différence sociale : d'origine aristocratique, Mme de La Tour a un nom, la plébéienne Marguerite n'a qu'un prénom. Les deux enfants tentent de recréer l'égalité entre eux. La symétrie des deux fautes originelles, le mariage des deux domestiques, tout laisse attendre l'union des jeunes gens. Elle se heurte alors au devoir de virginité, inscrit dans le nom de l'héroïne. Les contradictions sociales ne se laissent pas oublier si simplement. Elles existent dans l'île sous la forme de l'esclavage, et les autorités locales, civiles et religieuses, font exécuter l'ordre qui rappelle aux réfugiés leur appartenance à la civilisation. La fuite idyllique ne consomme pas la rupture avec la culture.

Les deux enfants, confondus durant leur prime jeunesse comme les gémeaux mythiques, sont séparés par l'interdit de l'inceste et la culpabilisation de la sexualité. Les cocotiers plantés à leur naissance s'enlacent. La nature, qui les pénètre de ses odeurs, de ses couleurs et de ses bruissements, semble inviter à l'accouplement, mais elle énonce également la loi sociale. À l'éveil pubertaire de Virginie répond en écho l'ouragan dévastateur. Le départ pour l'Europe suspend momentanément le problème. L'ouragan final, la pudeur de l'héroïne et sa disparition permettent de l'évacuer définitivement.

SYNOPSIS

Le narrateur rencontre dans une plaine protégée de l'île de France (actuelle île Maurice) un vieillard qui lui raconte l'histoire de Paul et de Virginie, enfants de deux femmes ayant fui le déshonneur dans la colonie. Une existence paisible devrait assurer le bonheur de cette microsociété. Mais Virginie est rappelée en Europe par une riche parente qui lui promet richesse et considération. Sous la pression du gouverneur et du prêtre, elle répond à cette invitation, mais elle ne peut s'adapter à la vie européenne. Sur le chemin du retour, au moment d'aborder dans l'île, elle est prise par la tempête. Plutôt que de se déshabiller et de se jeter à l'eau, elle préfère sombrer, sous les yeux de Paul. Le vieillard entreprend la consolation du jeune homme, mais la mort emporte Paul ainsi que les mères des deux jeunes gens.

Ces effets de symétrie fondent la structure du livre. Les interventions du narrateur à la première personne le divisent en deux parties. La première décrit avec lenteur une vie heureuse faite pour durer, dans un décor exotique chatoyant et protecteur. La seconde réintroduit le temps dramatique dans l'espace utopique. Les transgressions qui avaient fait quitter l'Europe aux deux femmes ne sont pas réassumées. L'échec final désigne l'aporie, l'impossibilité de concilier nature et culture, critique des injustices sociales et respect de l'ordre. L'apologie de la pudeur et de l'obéissance a permis d'utiliser *Paul et Virginie* comme un livre pieux, mais, à considérer combien l'oppression sociale y est destructrice et mortifère, on ne peut réduire le récit à cette morale édifiante. Le secret de Virginie n'est pas celui d'Atala. L'édulcoration moralisante explique les réactions d'humeur comme celle d'Étiemble décrétant *Paul et Virginie* « un des livres les plus médiocres et les plus lus de la littérature française ». Le critique était plus inspiré quand il rapprochait Bernardin et Sade, dont les dates coïncident à quelques années près. Le bourgeois enrichi et l'aristocrate appauvri marquent l'achèvement des Lumières, ils mènent à sa limite l'idée de nature et en révèlent les violences. La mise à mort de Virginie n'est que l'envers de celle de Justine, et la béatification saint-sulpicienne de Bernardin l'envers de la condamnation sulfureuse du marquis.

M. Delon

BERNART DE VENTADORN

En français, ***BERNARD DE VENTADOUR*** *(XIIe siècle)*

Èbles II de Ventadorn avait, aux côtés de son suzerain et ami le duc d'Aquitaine Guilhem IX, inauguré la chanson d'amour en langue vulgaire. Cette révolution dans les mœurs et dans l'art avait eu le temps de se répandre dans la société féodale, quand un disciple d'Èbles, à Ventadour même, Bernart, se fit poète à son tour. Qui est ce troubadour qui suscita envie et admiration de son vivant, en qui les Modernes voient l'un des plus grands poètes de l'Europe médiévale ? Une allusion de Pèire d'Auvergne, qui n'est peut-être qu'une médisance, fait de lui le fils d'un serviteur et d'une femme qui cuisait le pain au château. Son biographe Uc de Saint-Circ reprend le thème et s'en sert pour donner à cet homme de l'origine la plus humble une destinée des plus illustres, par la grâce de la poésie, allant jusqu'à en faire le héros d'un amour partagé avec Aliénor (ou Éléonore) d'Aquitaine.

Il est difficile de distinguer le vrai du faux dans cette élaboration mythique, sauf qu'évidemment sous le nom d'Aliénor, il y a confusion entre la dédicataire du chant et l'amie chantée. Bernart de Ventadorn a, de toute façon, symbolisé la place que le génie poétique occupait dans la civilisation courtoise, équivalente du plus haut degré de la hiérarchie sociale.

Ce génie s'établit sur un héritage solide et qui n'est pas remis en question. Vers 1147, quand Bernart commence à composer, le *trobar lèu* des aristocrates – que Marcabru dénonce – est tout entier construit comme une thématique de l'absence de la Dame, du tremblement amoureux, de la longue attente d'une hypothétique récompense, de l'affinement du désir par la patience, mais aussi comme un art de la strophe et de la langue, de formes récurrentes et goûtées autant pour leur fidélité au modèle que pour leurs innovations de détail ; et, finalement, comme un chant, comme une structure mélodique.

En reprenant ce triple schéma, on voit bien comment Bernart se hausse au premier rang. D'abord, il est un incomparable musicien, un inventeur de belles mélodies (nous en possédons vingt), encore qu'elles ne présentent que peu de complexité. Certaines, comme celle de la chanson dite « de l'Alouette », vont connaître une immense célébrité, dont fait foi la tradition manuscrite.

Il est aussi un artiste des mots : le poncif se renouvelle chez lui de trouvailles verbales, toutes évidentes d'apparence, qui y développent l'image ou y font rebondir l'émotion. Son texte est une sorte de mine poétique : qu'il s'agisse de l'expression du sentiment ou de la peinture d'une nature déréalisée par le rêve, le désir, élevée en beauté par la saison du cœur, il fournit les citations des anthologies universelles.

Bernart place donc son originalité dans l'approfondissement d'une leçon reçue. Il ne change rien à l'amour courtois. Mais il aime mieux que quiconque. C'est dans une vérité de l'émotion amoureuse que réside, selon lui, le secret de son art. Vérité qu'il ne faut pas prendre au sens banal de la passion anecdotique pour telle ou telle dame, mais dans un abandon

sans réserve au sentiment lui-même, à la fois volupté et douleur intérieures.
Cette ambiguïté, il la développe dans des chansons qui font fi d'une cohérence psychologique et traversent la mobilité d'états successifs en un balancement qui va de l'espoir à l'accablement, du pôle de la mort au pôle du *jòi* (l'exaltation animique). C'est cette chronique du vécu amoureux, devenue philosophie de l'existence en même temps qu'art poétique, qui permet de reconnaître Bernart de Ventadorn parmi tous ses confrères.

R. Lafont

BERNIS, cardinal de

François Joachim de Pierres, cardinal de Bernis *(1715-1794)*

Poète, homme politique et prélat, né à Saint-Marcel-en-Vivarais (aujourd'hui Saint-Marcel-d'Ardèche). Cadet de grande famille, Bernis est destiné à la prêtrise. Envoyé à Paris, mais préférant le monde aux jésuites de Saint-Sulpice, il commence à vingt ans une brillante carrière d'abbé de cour. Spirituel, avenant, il débute par une *Épître sur la paresse* (1735), suivie d'innombrables œuvrettes de circonstance, madrigaux, impromptus qui le feront surnommer par Voltaire « Babet la Bouquetière ». Mais il compose aussi des poèmes descriptifs, *les Quatre Parties du jour* (1760), *les Quatre Saisons* (1763), et un grand ouvrage didactique en dix chants, *la Religion vengée* (1737-1740, publié en 1795). Décidément à la mode, « Babet » entre à l'Académie (1744), fréquente les philosophes, Fontenelle, Diderot, Marmontel... En 1745, une conquête décisive : Mme de Pompadour. Devenu son confident, peut-être davantage, Bernis reçoit en 1751 l'ambassade de Venise, puis, au début de la guerre de Sept Ans (1757), les Affaires étrangères. Habile, diplomate, mais hostile à l'alliance autrichienne, il est nommé cardinal et exilé un an plus tard : frondeur, désabusé, Bernis renoue avec un autre proscrit célèbre, Voltaire, dont il devient le correspondant régulier. La guerre se termine, la faveur revient : il est nommé archevêque d'Albi (1764), puis ambassadeur à Rome (1769). C'est là qu'il meurt en 1794, destitué puis ruiné par la Révolution.
Bernis fut un personnage calomnié. Sa carrière politique en dents de scie, ses relations avec la favorite excitent les malveillances. Sade en fera, dans *Juliette* (1797), l'exemple même du prélat romain vicieux et débauché ; Casanova se vante, dans ses *Mémoires*, de lui avoir enlevé sa maîtresse... Mais la plus grave erreur serait de le considérer comme un simple rimeur mondain. Bernis sait, le cas échéant, élargir son registre, réfléchir sur son art et son époque. Bien sûr, son œuvre poétique (terminée en 1750) comprend beaucoup de ces vers faciles qui donnent à la vie sociale son air de fête. Tel ce madrigal à la Pompadour : « Qu'est-ce qu'Amour ?... Il est fait comme vous, il pense comme moi. Mais il est plus hardi peut-être. »
Trop engagé dans le monde pour jouer les moralistes – sinon parfois dans ses *Mémoires*, composés pendant son exil –, Bernis trouve pourtant, grâce à la poésie, une certaine distance critique face à la cour (« Les cœurs y sont émus, mais les fronts y sont calmes »), aux modes, aux mœurs du temps (*Épîtres*). Plus loin encore du « Babet » de Voltaire : théoricien perspicace, Bernis énonce en principe dans son *Discours sur la poésie* (1743) que « la Nature entière est l'objet de la poésie ». La Nature, c'est-à-dire ce vivier de sensations et d'images que la poésie seule est capable de fixer et d'exprimer avec exactitude. Mythologie et périphrases trouvent alors leur nécessité, comme le trait qui sépare les couleurs et leur donne un sens. Dans *les Quatre Saisons*, le cadre mythologique accueille ainsi l'expérience vécue : « On passe le jour sans rien faire... » Partage qui s'abolit un instant, comme il arrive du rêve et du réel : est-ce un songe que ce sylphe galant qui au printemps donne aux jeunes filles « les plaisirs les plus doux » ?
« La poésie est une peinture » ; cette règle d'Horace implique pour Bernis un devoir d'authenticité : que penser de ceux qui « ne connaissent de la campagne que les jardins de la ville » ? C'est là ce qui fait la force de son chef-d'œuvre, *la Religion vengée*. En apparence, une lourde apologie du christianisme ; mais aussi des images vigoureuses, une poésie nourrie du contact vécu avec la nature, celle du Vivarais natal. Témoin cette évocation du Dieu spinoziste, « avant-goût des fantasmagories hugoliennes » (E. Guitton) :

Sa tête est à mes yeux une montagne horrible,
Ses cheveux des forêts, son œil sombre et terrible
Une fournaise ardente, un abîme enflammé ;
Je crus voir l'univers en un corps transformé...

Dans le monde policé des Lumières, la Nature est le référent obligé – mais déjà fécond – de toute évasion dans l'imaginaire : les romantiques retiendront la leçon. Plus modestement, la poésie du XVIIIe siècle trouve avec Bernis son exacte fonction : point de passage nécessaire entre la sensation et l'intellect, la nature et la culture. Car elle « donne à l'esprit la couleur des corps, et aux corps le feu et la vivacité de l'esprit » (*Discours sur la poésie*).

J.-P. de Beaumarchais

BERNSTEIN Henry

(1876-1953)

Fils d'un banquier parisien, Henry Bernstein, né à Paris, connaît une jeunesse dorée. Dreyfusard, antimilitariste, il quitte son régiment après sept mois de service et s'enfuit en Belgique. Le 12 mars 1900, Antoine monte sa première pièce : *le Marché*. Ainsi débute le « règne Bernstein » : dorénavant, il sera présent sur la scène française d'une façon quasi permanente, exception faite de la période 1940-1945, défrayant la chronique tant par sa production théâtrale que par ses prises de position politiques, ses amours donjuanesques, ses duels, ses éclats retentissants, et cela pendant un demi-siècle. Durant la Première Guerre mondiale, il s'illustre comme aviateur dans l'armée d'Orient. La paix revenue, il prend la direction du théâtre du Gymnase. L'idéal fasciste l'abuse un moment, mais, dès la formation de l'axe Rome-Berlin en 1937, il renvoie au Duce ses décorations italiennes. En 1940, il se réfugie aux États-Unis et emploie ses années d'exil à faire connaître le général de Gaulle et à légitimer son action en faveur de la France libre. Après la guerre et le retour en France vient l'heure des derniers bilans ; on l'entend dire devant le beau portrait de lui, enfant, peint par Manet : « C'est peut-être tout ce qui restera de moi ». Henry Bernstein s'était fait un point d'honneur d'être juif presque autant que d'être français. Et, tout au long de son existence, il s'est battu pour mériter ces deux titres.

L'unité de son théâtre est d'abord fondée sur la permanence d'un décor et d'un thème : dès *le Marché*, un salon luxueux où s'entre-déchirent des êtres qu'opposent des conflits passionnels. Il élabore des intrigues magistralement charpentées, qui constituent autant de variations sur un même sujet : l'adoration du veau d'or.

Ses héros sont franchement antipathiques : Forou, ancien maquignon émergé à la force du poignet (*le Marché*) ; Courtelon, journaliste puis homme politique, trahit la cause de son parti et trafique de son influence pour retenir sa femme (*la Griffe*, 1906) ; Brachart, banquier parvenu, provoque sa propre débâcle financière pour ruiner son rival (*Samson*, 1907). Auprès de ces nouveaux bourgeois au langage cru, les derniers aristocrates sont tous des faibles, lâches, dévoyés, luxurieux. Dans *la Rafale* (1905), le plébéien Lebourg tente de dissuader un fils de famille de se suicider : « Lutter, foncer, trembler, frémir, triompher, prendre conscience de soi, des êtres, de sa puissance, faire suer aux choses leurs bienfaits, profiter de leur éclat et de leur parfum, tout de même, on n'a rien inventé de mieux ! »

On retrouvera ce même face-à-face entre le banquier Gutlieb et le jeune Thibault de Croucy dans *Israël* (1908), pièce courageuse écrite après l'affaire Dreyfus. Les femmes, elles, sont vénales, lubriques, menteuses, frivoles. Désabusées, elles songent à quitter leurs maris (*le Détour*, 1902 ; *le Bercail*, 1904 ; *Samson* ; *Après moi*, 1911 ; *la Galerie des glaces*, 1924). Les figures teintées de tendresse sont rares (*Joujou*, 1912 ; la duchesse de Croucy, dans *Israël*) et apparaîtront plus tard, lorsque l'auteur tempérera ses violences.

Bernstein trace à gros traits le portrait de cette société où l'honneur est remplacé par l'argent et l'amour par la sensualité : « un monde sans Dieu », dira François Mauriac. Il faudrait peut-être chercher dans la jeunesse de l'auteur l'origine de cet alliage complexe de l'argent et de l'érotisme qui anime ses créatures, damnés qui cherchent la souffrance dans la haine comme dans l'amour. Dans *le Voleur* (1906), une jeune femme de la bonne société n'hésite pas à voler ses hôtes pour s'acheter robes et lingerie coûteuses et mieux exciter le désir de son mari. Par le choix même de son sujet biblique, *Judith* (1922) tient une place à part dans l'œuvre de Bernstein ; c'est, avec *Israël*, la seule pièce dont le thème traite du problème juif.

Si le célèbre *Secret* (1913) amorce déjà un virage vers le théâtre de caractère – Gabrielle a l'âme noire et tortueuse des héroïnes de Mauriac avant la lettre –, c'est *la Galerie des glaces* (1924) qui marque l'évolution définitive de Bernstein. Renonçant aux conflits issus d'une question matérielle, il s'attache aux conflits de l'âme. Son nouveau héros, dont l'anxiété va jusqu'à la névrose, trahit l'esprit de désarroi de l'après-guerre. Suivront *Félix* (1926), *le Venin* (1927), *Mélo* (1929), *le Jour* (1930), *le Bonheur* (1933), *le Messager* (1933), *Espoir* (1934), *le Cœur* (1935), *le Voyage* (1937), *le Cap des tempêtes* (1938), où Bernstein étendra son analyse de la sensualité du cœur, s'efforçant au dépouillement et à la sincérité.

De 1900 à 1917, sa montée vers la gloire semble irrésistible, mais si le succès continue à se perpétuer bien au-delà avec la même régularité, le prestige de l'écrivain, consacré à 25 ans, se voit de plus en plus remis en question. Paris découvre Pirandello et ses angoisses métaphysiques, auprès desquelles les digressions romanesques de Bernstein semblent soudain superficielles et futiles. Puis c'est Giraudoux qui invente une nouvelle poésie et lui porte le second coup. Rejeté par la jeune critique, qui l'accuse de n'être plus qu'un « bon faiseur », Bernstein ne s'en remettra pas. Pourtant, il luttera jusqu'au bout, essayant sans y parvenir de renouveler son inspiration. Début 1940, il se saisit, non sans courage, de l'actualité pour dénoncer dans *Elvire* les atrocités nazies. Avec *la Soif* (1949), *Victor* (1950), *Évangéline* (1952), il connaîtra les ultimes faveurs du public, mais comme un homme du passé.

Aujourd'hui, ces drames bourgeois, avec leurs personnages emphatiques exhibant leur ego sous le regard d'un valet de chambre stylé, nous semblent anachroniques. Pourtant, quelques-uns mériteraient d'être tirés du purgatoire auquel l'ostracisme et la mode intellectuelle ont condamné leur auteur. Ne serait-ce que parce qu'ils sont essentiellement représentatifs de la genèse du XXe siècle.

P. Barillet

BÉROALDE DE VERVILLE

*Pseudonyme de **François Brouard** (1556-1629 ?)*

Né à Paris, il est le fils de l'humaniste protestant Mathieu Béroald, qui comptait parmi ses élèves Agrippa d'Aubigné et Pierre de l'Estoile, et qui sera, lors du siège de Sancerre de 1573, le compagnon d'armes de Jean de Léry. Dès son jeune âge, François est précipité dans la tourmente des guerres civiles. En 1562, il est à Orléans, où sa mère meurt de la peste qui ravage la ville. Par les étapes de Montargis, Sancerre et, derechef, Orléans, il gagne vers 1572 le Refuge de Genève. C'est là qu'après la mort de son père (1576), il achève des études de médecine, tout en menant à bien des travaux d'héraldique et de géométrie. Il s'installe en 1583 à Paris, où s'établit bientôt le règne de la Ligue. En quête d'improbables mécènes, et vivant, en attendant, de son métier fort lucratif de médecin alchimiste, il compose une œuvre aussi abondante que disparate, qui va de l'alchimie (*la Pierre philosophale*) et de l'institution juridique (*l'Idée de la République*, 1584) à la poésie scientifique (*les Cognoissances nécessaires*) ou amoureuse, voire libertine (*les Soupirs amoureux*, 1583). Après avoir pris les armes au cours de la huitième guerre de Religion et ayant abjuré la foi réformée, il se fixe à Tours, ville loyaliste où séjournent alors la Cour et le Parlement. Il y achève son grand cycle romanesque des *Aventures de Floride* (1593-1596) et rassemble des volumes de mélanges philosophiques et littéraires, dont *le Cabinet de Minerve* (1596) et *le Palais des curieux* (1612). C'est au cours des dernières années de sa vie qu'il compose l'œuvre facétieuse qui devait lui assurer quelque renommée posthume, le célèbre *Moyen de parvenir*.

Polygraphe talentueux, Béroalde a illustré tous les genres avec succès : la poésie lyrique, où il cultive la pointe précieuse et annonce Voiture : « Vos beaux dédains seront l'éventail de ma flamme », mais aussi la fresque scientifique à la Du Bartas, réussite dont témoigne cette « petite cosmogonie portative » que constituent les *Cognoissances nécessaires,* la prose un peu pompeuse de *l'Idée de la République,* mais encore le ton badin avec lequel, dans le *Palais,* il feint de se demander très sérieusement s'il y a, de par le monde, « plus de pieds que de testes » ou si la tortue couve bien ses œufs de son seul regard. Manifestant les curiosités les plus diverses, des mathématiques à la philologie ou à la physique, Béroalde voyait dans l'alchimie, cette science des sciences, le principe d'une connaissance exacte et empirique des éléments. *Le Moyen de parvenir,* pour lequel on a pu dénombrer plus de trente sources, de Pogge et Bandello à Marguerite de Navarre et Guillaume Bouchet, rassemble, dans le cadre traditionnel du banquet, des facéties et des contes qui s'enchaînent en de continuels coq-à-l'âne. Faux lapsus (concupiscence pour conscience, fariboles pour paraboles) et collage pataphysique de noms éminents (Socrate, Pythagore, Démocrite) sur des trognes de francs-buveurs font de ce recueil haut en couleur l'un des exemples les plus accomplis du genre « ménippé » : mélange libre et satirique présenté sous la forme de reparties dialoguées. Une sagesse moyenne s'en dégage : aimable pantagruélisme du samedi soir, comme l'a joliment qualifiée V.-L. Saulnier, et qui a peut-être autant fait pour le succès de l'œuvre que les contes libertins (p. ex., les piquantes et savoureuses « Cerises de Marciole ») dont elle est parsemée.

F. Lestringant

BÉROUL *v. Tristan et Iseut*

BERTRAND Aloysius

Pseudonyme de ***Jacques Louis Napoléon Bertrand***

(1807-1841)

Écrivain né à Ceva (Piémont), le plus connu sans doute des méconnus de la littérature française du XIXe siècle : 1) comme un de ceux qu'on a coutume de classer parmi les « petits romantiques » (aux côtés de Petrus Borel ou de Marceline Desbordes-Valmore) ; 2) comme un des héros-martyrs de ce qu'on a appelé la « bohème littéraire » (aux côtés d'Hégésippe Moreau, de Charles Lassailly, mais aussi de Gérard de Nerval) ; 3) comme un pionnier de la recherche formelle (qu'on situe dans la lignée de Rémy Belleau, La Fontaine, Joubert et Courier) et de la fraternité des arts (aux côtés de Gautier, Nodier, Hugo), et, à ce titre, comme l'un des initiateurs de l'art pour l'art et du symbolisme ; 4) comme l'un des créateurs, en France, du poème en prose (avec Alphonse Rabbe, Maurice de Guérin, et avant Baudelaire). Aucune de ces rubriques dans lesquelles l'a tour à tour rangé une critique classificatrice, préoccupée de hiérarchies et de filiations, ne suffit à définir l'originalité de sa présence dans l'histoire littéraire. Car, s'il est romantique, bohème, pionnier et précurseur, c'est à la manière dont il fut dijonnais, sans la moindre fatalité, mais par un choix, par une adoption qu'il a hautement revendiquée, et par une passion dont il ne nous a à peu près rien livré, sinon un maître livre, auquel il travailla toute sa vie et qui ne parut qu'après sa mort, en 1842 : *Gaspard de la nuit.*

Étranger à sa propre vie

Vouloir retracer la vie d'Aloysius Bertrand a l'air d'une plaisanterie inspirée par un Satan moqueur. C'est imaginer que cette existence s'est, à la manière de tant d'autres, constituée comme la trame même d'une œuvre étendue, ouverte aux suggestions d'une expérience renouvelée (de la vie, de l'amour, du voyage, du monde…), alors qu'elle s'est pour ainsi dire résumée, consumée et évanouie dans un livre sans date. « Romantique raté », « aiglon avorté » ou, suivant la formule de Sainte-Beuve, « grand général tué sous-lieutenant », Bertrand est évidemment étranger à sa propre vie. Les deux seuls portraits qu'on ait de lui en sont un éloquent symbole : l'un est le portrait d'un vivant, l'autre celui d'un mort, mais ils entretiennent d'étranges affinités, ayant été dessinés à quelques jours de distance par David d'Angers, auprès d'un lit d'hôpital. À Paris, on le croit provincial ; à Dijon, on le croit parisien, et tel critique le fait, à tort, dijonnais. Partout il échappe, et dans l'écriture même, où s'épuise volontiers la recherche des traces. Mais on n'échappe pas à Satan, ni aux rubriques des dictionnaires.

Naître en Piémont, au hasard des garnisons paternelles, d'un soldat de l'Empire et d'une Italienne, découvrir à huit ans la pittoresque capitale des anciens ducs de Bourgogne, étudier au collège royal de Dijon avec Antoine de Latour et Lacordaire, s'affilier à dix-neuf ans à la Société d'études de Théophile Foisset, modérément catholique et monarchiste, mais préoccupée de libéralisme et d'éducation du peuple, y lire avec succès ses premiers textes en vers et en prose, collaborer activement à sa revue, *le Provincial,* recevoir les encouragements de Chateaubriand, Nodier, Hugo, songer à la publication d'un recueil de *Bambochades romantiques* et, à vingt et un ans, « monter » à Paris, paraître aux cénacles de Nodier et de Hugo et y recevoir un accueil chaleureux : autant d'étapes d'une carrière prometteuse, dont devaient rêver tant de jeunes gens au seuil des années 1830. La timidité, la misère, la maladie et cette fierté ombrageuse et gauche qu'ont décrite tous ceux qui ont rencontré Jacques, *alias* Louis, *alias* Ludovic, *alias* Aloysius, en décidèrent autrement. Et d'abord l'Histoire. Entre 1830 et 1832, à Dijon, Bertrand se lance dans un activisme politique pour lequel il n'est manifestement pas fait. Son enthousiasme pour le drapeau tricolore, ses articles dans *le Patriote de la Côte-d'Or* en faveur de la guerre contre les tyrans de l'Europe, ses protestations contre la « normalisation » entreprise par Casimir-Perier après la révolte des canuts, ses probables sympathies fouriéristes, sa revendication du titre de prolétaire, ses polémiques violentes avec les conservateurs, un duel avec l'un d'eux, un toast démocratique au « banquet fédératif » offert aux leaders dijonnais de l'opposition manifestent plus la générosité courageuse d'un républicain convaincu que la capacité à convaincre d'un homme public responsable. Même ses textes d'alors, à quelques exceptions près (« le Père Chancenet »), ne se distinguent guère de la masse des productions polémiques contemporaines. Ainsi, ce n'est pas seulement l'échec de son vaudeville *le Sous-Lieutenant de hussards* qui le chasse de Dijon, au début de 1833, pour Paris où, pendant huit années, il va se battre seul contre la maladie (la phtisie l'a frappé en 1829 et le mènera d'hôpital en hôpital de 1838 à 1841), la misère (il est le seul soutien de sa famille depuis 1828, avec une pension de 300 francs par an), les éditeurs et directeurs de théâtre (Renduel, qui a accepté le manuscrit de *Gaspard de la nuit* en 1833, ne se décide pas à le publier ; *le Lingot d'or,* drame en 3 actes, est refusé en 1835 au théâtre des Jeunes Élèves de M. Comte ; remanié, sous le titre *Peeter Waldeck ou la Chute d'un homme,* il est refusé à la Gaîté en 1836 ; encore modifié, sous le titre *Daniel,* drame-ballade en 3 actes, il est encore refusé par Harel à la Porte-Saint-Martin en 1837), et surtout contre deux diables familiers : tout en lui promettant une mort horrible, Scarbo, le « nain railleur » qui hante ses nuits, lui souffle à l'oreille de refuser les places qu'on lui offre et de fuir les rares amis disposés à l'aider (Antoine de Latour, David d'Angers), cependant que Gaspard n'en finit pas de lui faire payer le don de son livre, en le tourmentant d'une continuelle insatisfaction artistique. Jusqu'au dernier jour, Bertrand corrigea, réorganisa, illustra, « blanchit » son manuscrit, devenu la vivante métaphore des hantises et des obsessions qu'il contenait. Le dernier jour, David d'Angers arriva trop tard à l'hôpital Necker, suivit seul, sous un violent orage, le convoi funèbre et décida de tout faire pour que paraisse, enfin, *Gaspard de la nuit.* Il y parvint en novembre 1842, avec l'aide de Sainte-Beuve et de Victor Pavie. Victor Hugo avait superbement déclaré : « Je tâcherai d'écrire quelques lignes durables sur son linceul. » Il n'en fit rien. Le livre passa à peu près inaperçu : il venait décidément trop tard. Ou trop tôt.

Une position nouvelle face au langage

Il n'est pas indifférent qu'à celui qui cherche à définir le fruit poétique de cette bohème insolite s'imposent d'abord des termes négatifs, des mises à distance, des indéterminations. Même les caractéristiques visibles – et partout ailleurs ostentatoires – se révèlent inaptes à rendre compte de l'ensemble du recueil, d'ailleurs placé sous tant de patronages (Rembrandt et Callot, Sainte-Beuve et Hugo, sans parler du jeu croisé des épigraphes) qu'il échappe à l'évidence à chacun d'eux. L'auteur ? celui qui parfois dit « je » ne nous livre de lui que son expérience, toujours ponctuelle, de l'invasion poétique, et le récit liminaire lui substitue Gaspard (le Roi mage ? le mime des Funambules ? le personnage du *Freischütz* ? Hauser ? ou le Diable ?...). Le parti pris d'« école » ? la Préface refuse net toute justification théorique. L'inspiration « gothique » ? une quinzaine de pièces seulement, surtout au livre IV (« les Chroniques »), renvoient explicitement au Moyen Âge. L'imitation de l'art pictural ? si « la manière de Rembrandt et de Callot » (sous-titre du livre) se reconnaît bien aux livres I (« École flamande ») et II (« le Vieux Paris »), « Un rêve » (III, VII) ou « le Gibet » (pièces détachées) sont entièrement construits à partir de sons, et « Madame de Montbazon » (*ibid.*) se résout et se prolonge dans « le parfum d'une jacinthe ». Le fantastique ? un tiers seulement du recueil, et en particulier le livre III (« la Nuit et ses prestiges »), relève de ce genre, où l'on a peine à distinguer ce qui réfère à Jean Bodin ou à Nicolas Flamel, à Nodier ou à Hoffmann.

Plus sans doute que les thèmes et les modèles de référence, c'est le travail de Bertrand sur le discours poétique qui permet de saisir la puissance et l'unité de son intervention. À contre-courant de l'abondance romantique, ce travail va toujours dans le sens de la restriction, du choix et de la suspension. Qu'il décrive un spectacle pittoresque, anime un dialogue truculent ou malicieux, dessine les fantaisies d'un rêve ou les horreurs d'un cauchemar, il procède le plus souvent – sur le modèle formel de la ballade en six (ou cinq, ou sept) couplets – par touches juxtaposées dont chacune se fond dans l'autre avant d'avoir épuisé son champ. L'usage du tiret, de l'adverbe long, du substantif rare, du participe présent, de la phrase nominale, de l'adjectif déplacé, de la répétition, de la structure cyclique, des ruptures de rythme, est chaque fois renouvelé, et l'effet en est tout à la fois surprenant et indiscutable. Art de l'intervalle, aussi apte à la suggestion, au surgissement multiforme du sens, qu'à l'humour, la poésie de Bertrand, plus encore que sa vie, illumine notre modernité de ce que Charles Asselineau appelait son « obscurité légendaire ». À la suite de Baudelaire, nombreux sont, en effet, les écrivains qui ont invoqué – ou à propos desquels on a pu invoquer – le patronage de Bertrand : Verlaine, Lautréamont, Huysmans, Villiers, Laforgue, Stuart Merrill, Rodenbach, Moréas, A. France, Maeterlinck, Schwob, Apollinaire, P. Louÿs, J. Renard, Colette, Saint-Pol Roux, Reverdy, M. Jacob, Eluard, Robbe-Grillet, voire Flaubert, Rimbaud, Gide, Claudel, et même Nietzsche ! Au nom de tous les poètes, Mallarmé le déclare « par sa forme condensée et précieuse, un de nos frères » ; et quand il affirme qu'« on y trouve tout », il ne désigne pas tel genre particulier dont Bertrand aurait inventé la formule, tel compromis heureux, à mi-chemin entre la prose poétique d'un Chateaubriand et l'éloquence nombreuse du lyrisme romantique, mais une position radicalement nouvelle en face du langage, qui renvoie tout exercice du genre et du compromis à ce que Verlaine appelait dédaigneusement « littérature ». Sans doute est-ce là la « pierre philosophale » dont Breton savait gré à Bertrand d'avoir poursuivi et encouragé la recherche.

Il ne faudrait pas pourtant que cette fortune posthume fausse la perspective. Bertrand n'est pas un « moderne », né trop tôt et que son génie prémonitoire exile dans l'histoire de son temps. Précisément parce qu'elle est isolée, son œuvre est un carrefour du romantisme, et elle se livre à nous comme une de ses clés. Son diable n'est ni celui de Nodier ni celui de Baudelaire, mais, pour reprendre l'antithèse du texte liminaire du recueil, cette part d'idée (ô Hegel !) qu'il y a dans toute production humaine, au revers de la médaille un peu trop miraculeuse du sentiment. Et quand on le cherche, on ne le trouve, en fin de compte, dans aucune des magies dépaysantes où il feint de se dérober pour que nous feignions de nous y perdre, mais aux points vitaux et majuscules de la vie sociale : « Il pérore à la Chambre, il plaide au Palais, il agiote à la Bourse… » Il faut peut-être reconsidérer à cette lumière la période d'engagement politique de Bertrand autour de 1830 ; il faut sans doute recevoir dans cet esprit les appels apocalyptiques de ce qui devait être le dernier poème du recueil, « le Deuxième Homme » (VI) ; il faut à coup sûr lire *Gaspard* comme un des sommets du réalisme romantique, un des succès majeurs de cette désymbolisation qui orienta l'effort de tout le siècle.

P. Malandain

BÉRULLE Pierre, cardinal de

(1575-1629)

Entre la Renaissance et le classicisme, Bérulle est un parfait représentant de l'insaisissable période baroque qui, dans la spiritualité comme ailleurs, se caractérise par le foisonnement, la diversité, les contrastes. Sa formation se fait, d'une part, sous le signe d'une riche influence humaniste – il compte dans son ascendance maternelle Pierre Séguier, moraliste mineur du XVIe siècle – mais, d'autre part, sous celui d'un catholicisme mystique et ligueur, représenté par sa parente Mme Acarie. Celle-ci exerce sur le jeune Bérulle, à partir de 1594, une influence déterminante qui se prolongera jusqu'à leur brouille en 1618. C'est dans ce climat qu'il écrit le *Bref Discours de l'abnégation intérieure* (1597), dont la théologie affective a été qualifiée de « préquiétisme » (J. Dagens), et qu'il participe à l'affaire Marthe Brossier, où se manifeste l'effervescence catholique contre l'édit de Nantes. Bérulle écrit alors un curieux *Traité des énergumènes* (1599), suivi d'un *Discours sur la possession de Marthe Brossier*, dirigé contre le médecin Marescot qui avait formulé un diagnostic célèbre : *Nihil a daemone, multa ficta, a morbo pauca.* Contre l'explication médicale, qui inaugure l'âge de la folie (dont Michel Foucault a fait l'histoire), Bérulle présente une explication, fondée sur l'Écriture aussi bien que sur Épictète et Empédocle, qui est loin d'être dénuée d'intérêt pour les sciences humaines.

Parvenu dans l'entourage du roi par sa nomination comme aumônier en 1601, il va déployer, pendant un quart de siècle, une intense activité, où sont étroitement mêlées politique et religion. Il participe, par ses *Discours de controverses* (éd. 1609), aux rencontres organisées à Fontainebleau par Henri IV entre catholiques et protestants, conduits respectivement par Du Perron et Du Plessis-Mornay.

Par la fondation du Carmel, il introduit en France le mysticisme espagnol, exubérant et sensuel. Il entretient une précieuse correspondance avec les compagnes de Thérèse d'Avila qu'il a obtenu d'amener comme fondatrices. Alors qu'un moment, en 1602, il a failli se faire jésuite, il va, en fondant l'Oratoire, congrégation de prêtres séculiers, susciter dans le clergé un important mouvement de réforme, dans le sens d'une exigeante austérité, qui se trouvera, à diverses reprises, opposé à la Compagnie de Jésus. L'abbé de Saint-Cyran, Duvergier de Hauranne, subit fortement l'empreinte de la piété bérullienne au cours des entretiens qu'il a avec Bérulle entre 1620 et 1622. À ce moment, Bérulle publie ses *Discours de l'état et des grandeurs de Jésus* (1623), où s'affirme le caractère christocentrique de sa théologie.

Parallèlement, Bérulle assume des négociations politiques : mariage d'Henriette de France avec le roi d'Angleterre (1624), paix avec l'Espagne (1625). Ses réussites diplomatiques lui valent d'être nommé cardinal mais ne lui évitent pas la disgrâce de la part de Richelieu en 1629.

Son œuvre s'achève par l'*Élévation sur sainte Madeleine* et surtout par une étonnante *Vie de Jésus* (1629), située tout entière avant la naissance de Jésus, qui est, en fait, une méditation sur la Vierge et l'Incarnation, dont l'herméneutique traduit des thèmes majeurs de la culture occidentale.

Les écrits de Bérulle, entièrement rédigés en français, dans une langue d'une ordonnance et d'une pureté déjà classiques, affranchie de la terminologie scolastique, sont nourris d'une mystique tout à fait originale, dont l'allégresse poétique est probablement due à l'accord singulier entre l'épanouissement humain et l'exaltation divine, accord bientôt rompu, au XVIIe siècle, par le divorce entre jésuites et jansénistes.

O. Biyidi

BESSON Patrick

(né en 1956)

Écrivain français, né à Paris de père russe et de mère yougoslave. Poursuivant des études de lettres, d'anglais et de chinois, ce jeune homme « insolent » débute à dix-sept ans avec un premier livre remarqué par la critique, *les Petits Maux d'amour* (1974), le roman très parisien d'adolescents tourmentés. Un second roman, *Je sais des histoires* (1974), et bientôt *l'École des absents* (1976) permettent ensuite au jeune romancier de poursuivre son expérience de l'écriture. Il obtient, en 1975 puis en 1977, deux bourses d'aide à la création, délivrées par le Centre national des lettres. Devenu auteur de dramatiques pour la radio et la télévision, il entre comme chroniqueur au *Point* et à France-Culture, et compose en 1979 un récit, *la Maison du jeune homme seul*. Toutefois, c'est avec sa déchirante *Lettre à un ami perdu* (1980), histoire d'amour fou et de suicide, que Patrick Besson affermit vraiment son talent, son écriture souple et directe. La même année, il publie un étrange et savoureux roman intitulé *Vous n'auriez pas vu ma chaîne en or ?* Il reçoit en 1981 la bourse littéraire de la fondation del Duca et, refusant la spécialisation, se lance alors dans une épopée moderne, *Nostalgie de la princesse* (1981), dont l'histoire embrouillée à souhait, imitée des Marx Brothers, est un pétillant hommage à la littérature d'action. Besson obtient alors le prix Dumarest de l'Académie française (1982), la bourse Europa (1983), puis la bourse Kléber-Haedens et le prix des nouveaux talents radio (1985). En 1982, il signe un roman policier farfelu, *le Deuxième Couteau*, qui met en scène la faune éditoriale parisienne et qui sera adapté pour la télévision par Josée Dayan. Cette année-là, Patrick Besson réalise encore, en collaboration avec Danièle Thompson, l'adaptation romanesque du film de Claude Pinoteau, *la Boum*. Auteur fécond (*Dara*, 1985 ; *la Paresseuse*, 1990 ; *Julius et Isaac*, 1992 ; *les Braban*, 1995, prix Renaudot et prix populiste ; *Didier dénonce*, 1997), il donne, avec *Dara*, le livre tendre et ferme de l'émigration serbo-croate à la fin de la Seconde Guerre mondiale, couronné par le grand prix de l'Académie française. Composition en miroirs, narration à plusieurs voix, *Dara* débute comme une intrigue policière qu'on oublie bientôt pour ne plus percevoir que le fascinant portrait de la délicieuse héroïne – allégorie de l'Histoire. Ses multiples fonctions de critique littéraire au *Figaro* (1985) et à *Paris-Match* (1992), de chroniqueur politique à *l'Humanité* (1986), de conseiller littéraire chez Albin Michel (1985) et aux éditions Fixot (1987), ont fourni à Patrick Besson l'occasion d'observer les milieux du journalisme, de la télévision ou de la littérature ; l'écrivain y puise son inspiration pour composer des chroniques ou des fictions romanesques (*Insolences*, 1985 ; *Amicalement de François Mitterrand*, 1993 ; *le Dîner de filles*, 1994 ; *Haldred*, 1996 ; *Vacances en Bosnie*, 1999 ; *Accessible à certaine mélancolie*, 2000). Besson distille ainsi alternativement sentimentalité, causticité, réflexions politiques, nostalgies ou futilités de circonstances.

N. Blaise

BETI Mongo

*Pseudonyme d'**Alexandre Biyidi** (né en 1932)*

Originaire de M'Balmayo près de Yaoundé (Cameroun), il réussit le parcours colonial du bon élève : études primaires à l'école de la mission, lycée de Yaoundé, études supérieures en France à l'université d'Aix-en-Provence, puis agrégation de lettres classiques à la Sorbonne en 1966. Il enseigne le grec et le latin dans les classes préparatoires du lycée Corneille de Rouen. À sa retraite, en 1994, il retourne à Yaoundé où il ouvre une librairie à l'enseigne de *Peuples noirs, Peuples africains*, le titre de la revue qu'il a fondée à Paris en 1979.

La description critique de la situation coloniale, puis celle de la décolonisation ratée et des convulsions de l'Afrique contemporaine constituent le sujet de tous les livres de Mongo Beti. Mais les préoccupations politiques y sont toujours liées à des préoccupations littéraires. D'un bout à l'autre de son œuvre, Mongo Beti recherche des formes narratives dans lesquelles puissent se refléter les conflits et les tensions de sociétés africaines enracinées dans une culture orale.

Sa première tentative, *Sans haine et sans amour* (1953), entreprise sous le pseudonyme d'Eza Boto, se situe dans la veine du récit épique. *Ville cruelle* (1954) est au contraire un roman presque intimiste, construit autour d'un seul personnage, où la vie quotidienne d'un Africain colonisé dans les années 1930 est décrite dans sa banalité et son aliénation. *Le Pauvre Christ de Bomba* (1956) explore une troisième voie, celle du journal, du récit autobiographique, de la chronique, voie qui sera encore exploitée dans les romans plus complexes que sont *Mission terminée* (1957, prix Sainte-Beuve) et *le Roi miraculé* (1958).

Toutes ces tentatives laissent l'auteur insatisfait. L'accession des peuples africains à l'indépendance modifie les données de sa réflexion. Pendant seize ans, le romancier Mongo Beti se tait. Seul le militant et le polémiste s'expriment. En 1972, *Main basse sur le Cameroun* dénonce la dictature d'Ahmadou Ahidjo et les nouvelles formes de pillage de l'Afrique par le néocolonialisme français. Le livre est interdit, son auteur menacé de perdre sa nationalité française – et donc son travail. Empêché de s'exprimer directement, Mongo Beti revient au roman pour traduire dans la fiction ce qui ne peut être écrit comme réel. La trilogie *Remember Ruben* (1974), *Perpétue et l'habitude du malheur* (1974) et *la Ruine presque cocasse d'un polichinelle* (1979) se présente comme une chronique de la vie camerounaise entre l'immédiat avant-guerre et 1970, mais chacun des tableaux est traité de manière différente : l'épopée encore, le réalisme tragique, enfin la verve, presque médiévale, de la farce grinçante et de la sotie.

La farce, le burlesque, l'horreur décrite dans un hurlement de rire, la fiction la plus échevelée et la plus folle toujours dépassée par la folie de la réalité, l'abandon au cynisme, la perte de toutes les valeurs morales : les derniers romans de Mongo Beti, *Trop de soleil tue l'amour* (1998), *Branle-bas en noir et blanc* (2000) parlent d'une Afrique qui semble avoir échappé à toutes les formes de la rationalité romanesque.

P. Lepape

BÈZE Théodore de

(1519-1605)

Né à Vézelay d'une famille d'ancienne noblesse, il commence à Bourges ses études universitaires sous la direction de son précepteur Melchior Wolmar, qui l'initie aux principes de la Réforme. Il poursuit l'étude du droit à Orléans, puis mène à

Paris une existence mondaine, couronnée en 1548 par la publication des *Poemata.* Ce recueil de poésie latine à la manière de Catulle, où se trouvent quelques pièces libertines dédiées à la belle Candide, fille d'un tailleur, le rend immédiatement célèbre. La même année, il s'enfuit de Paris avec sa promise, sans doute sous le coup d'une accusation d'hérésie, et trouve refuge à Genève, où Calvin l'accueille. Nommé professeur de grec à Lausanne (1549), il entreprend une seconde carrière littéraire, tout entière engagée au service de la Réforme. La tragédie d'*Abraham sacrifiant,* représentée en 1550, le pamphlet du *Passavant* (1553), rédigé en latin macaronique et où l'influence de Rabelais est patente, indiquent assez que la rupture avec l'Humanisme n'est pas totale. Achevant l'œuvre entreprise par Marot, il publie en 1561 une traduction française des Psaumes. Chef de la délégation protestante au colloque de Poissy, il y formule la doctrine calvinienne de la Présence réelle dans sa *Déclaration* et ses trois *Harangues,* qui restent des modèles d'argumentation théologique. Il prêche aux portes de Paris à l'hiver 1562 et donne ainsi à Ronsard l'occasion d'un portrait-charge non dénué de sympathie, en plus d'une apostrophe pressante à l'ancien amoureux devenu « prédicant » (*Continuation du discours des misères*, 1563). De retour à Genève en 1563, après avoir pris une part directe à la première guerre civile, il recueille quelques mois plus tard la succession de Calvin. Chef de l'Église réformée, il coordonne l'action des huguenots face aux nouvelles persécutions. Ce labeur considérable, qu'il poursuit conjointement avec l'enseignement et la prédication, se traduit par une *Correspondance* échangée avec les hommes politiques, les théologiens et les intellectuels de l'Europe entière. Ses derniers ouvrages – deux rééditions expurgées des *Poemata,* un traité de la prononciation du français (1584, en latin) – montrent que les préoccupations esthétiques et littéraires sont restées chez lui sous-jacentes au combat religieux. Les *Vrais Portraits des hommes illustres en piété et doctrine,* dont la version française date de 1581, placent François Ier et Marguerite de Navarre, Guillaume Budé et François Vatable, en tête de la longue théorie des martyrs de la foi réformée. En cette vision reconstruite de l'Histoire, telle que l'a voulue de Bèze, la filiation s'effectue sans heurt de l'Humanisme à la Réforme. L'exilé de Genève n'est-il pas l'héritier spirituel de la génération d'Érasme et de Rabelais ? C'est là toute la différence qui oppose, en dépit d'une même affirmation doctrinale, de Bèze à Calvin. Si le fondateur de la Réforme a considéré ce « diable de Pantagruel » ou les libertins spirituels de l'entourage de Marguerite de Navarre comme ses ennemis en Dieu, de Bèze, tout en manifestant à l'occasion une raideur comparable, n'en a pas moins pratiqué dans ses écrits une manière et un style qu'il devait à la période profane et mondaine de sa vie. Par les libelles où il met volontiers la main et qui, sous la plume de Simon Goulart et de Conrad Badius, récupèrent au service de la Cause les plaisanteries traditionnelles du carnaval (*les Satyres chrétiennes de la cuisine papale*, 1560), il s'inscrit encore dans une culture que n'a pas réprimée totalement l'austérité calvinienne.

Le point d'équilibre semble être atteint avec l'*Abraham sacrifiant,* de 1550, l'œuvre littéraire la plus accomplie que de Bèze ait laissée. Définissant, dans l'« Épître aux lecteurs », les fondements d'une nouvelle poétique qui tournerait le dos à l'inspiration, toute profane et idolâtre, des pétrarquistes et des auteurs de la Pléiade, il puise son sujet dans la Genèse. Il refuse les néologismes savants, qui, loin d'« enrichir notre langue, l'accoutrent à la grecque et à la romaine », pour adopter la manière de parler du commun. Au fonds populaire des Mystères, il emprunte l'ange et le diable, quitte à affubler ce dernier d'un froc de moine. Il s'adresse par là à un large public, peu connaisseur en matière d'Antiquité, mais fort curieux, en revanche, de « merveilles ». C'est ainsi du reste que, dans le Prologue, le metteur en scène appâte le spectateur :

Petits et grands, je vous diray merveilles :
Tant seulement prestez-moy vos aureilles....

avant d'expliquer, sur un ton badin, le mécanisme théâtral qui fait, d'un même lieu, une maison de Lausanne et le « pays des Philistins ». Par cette désinvolture et l'aisance d'une intrigue qui mêle la farce à la tragédie la plus élevée, les allusions d'actualité à l'intemporel biblique, de Bèze crée une œuvre sans précédent véritable, comme sans postérité. Cependant, le modèle du théâtre humaniste n'est guère loin : le thème du sacrifice d'Isaac par son père Abraham rappelle d'assez près l'*Iphigénie* d'Euripide. Quant à la troupe des bergers qui ponctue l'action de ses cantiques, elle reproduit, sous une forme francisée, la fonction de l'ancien chœur tragique. Le caractère isolé de cette synthèse dramatique dans l'histoire du théâtre tient sans nul doute à la trajectoire unique de son auteur, qui, l'espace d'une tragédie, a réconcilié paganisme et calvinisme, héritage humaniste et conscience chrétienne.

F. Lestringant

BIANCIOTTI Hector

(né en 1930)

Cet Argentin de Córdoba, né dans une famille originaire du Piémont, quitte l'Amérique pour l'Europe, s'installe à Rome en 1955, puis à Paris en 1961. Il a longtemps écrit dans les pages littéraires du *Nouvel Observateur* et intervient désormais dans celles du *Monde*. Après un passage aux éditions Grasset comme auteur mais aussi comme éditeur, il est retourné aux éditions Gallimard où il fut de nombreuses années durant le responsable des littératures de langues italienne et espagnole, et dont il est à présent membre du comité de lecture. Il a été élu à l'Académie française en 1996.

Hector Bianciotti est de ces écrivains résidant en France qui ont changé de langue d'écriture. Lorsqu'il rédige ses premiers livres – *les Déserts dorés* (1967), *Celle qui voyage la nuit* (1969), *Ce moment qui s'achève* (1972), *le Traité des saisons* (prix Médicis étranger 1977) –, Bianciotti utilise tout naturellement sa langue scolaire, l'espagnol, qui n'est pas tout à fait, aime-t-il à préciser, sa langue maternelle, celle-ci étant le piémontais à la consonance si proche du français. Il est alors le romancier, le nouvelliste, l'auteur de théâtre qui met en scène une société brillante et menacée, l'écrivain au style ample qui flirte avec une certaine splendeur baroque et décadente. Mais soudain, au début des années 1980, alors qu'il travaille à un recueil de nouvelles : *L'amour n'est pas aimé*, il sent que s'éloigne de lui la langue et le vocabulaire espagnols. En revanche, le français s'impose au point qu'il écrit l'un des récits du recueil, le plus intime, celui consacré à sa mère, directement dans cette langue. Le saut est fait. Irréversible.

Dans les deux romans suivants, *Sans la miséricorde du Christ* (1985) et *Seules les larmes seront comptées* (1989), on retrouve l'ampleur de la phrase, le souffle baroque et l'écriture classique qui caractérisaient le style « espagnol » de Bianciotti. Au point que certains critiques français ont dit que ses paroles étaient françaises mais sa musique espagnole. Et l'on peut considérer que ces deux livres – *Seules les larmes*..., surtout, est un merveilleux roman de la ville et de la solitude – sont une charnière entre le temps de la fiction et de la langue de Cervantès et celui de l'autobiographie et de la langue de Proust.

En 1992, Hector Bianciotti fait paraître le premier des trois volets de ses Mémoires : *Ce que la nuit raconte au jour*. Sans impudeur, sans forfanterie, avec cette distance, cette sérénité que donnent le temps, le travail et la reconnaissance littéraire, Bianciotti raconte sa jeunesse dans la pampa argentine, ses études au séminaire, son désir de se rendre dans cette vieille Europe de ses origines, ses difficultés et ses doutes. Délié du poids de la fiction, poussé, voire grisé par le plaisir de manier cette langue française conquise et dominée, Bianciotti donne le meilleur de lui-même. L'écriture est fluide, le récit s'anime, la recherche du temps perdu s'accomplit. Les deux ouvrages suivants, *le Pas si lent de l'amour* (1995) et *Comme la trace de l'oiseau dans l'air* (1999), complètent ce récit recomposé d'une vie qui trouve sa cohérence dans les mots. Dans le sillon proustien, à l'ombre tutélaire de ses admirations littéraires anciennes – Borges, Cortázar –, le narrateur Bianciotti trouve ses propres marques. Il déploie une phrase riche, musicale, romanesque qui cohabite en toute harmonie avec le désir de dire si ce n'est la vérité d'une existence, du moins une vérité à ses yeux essentielle : ce n'est pas la vie qui fait l'écriture, c'est l'écriture qui fait la vie.

M. Gazier

BIÈVRE, marquis de

François-Georges MARESCHAL, marquis de BIÈVRE

(1747-1789)

Écrivain et humoriste, petit-fils du célèbre chirurgien de Louis XIV Georges Mareschal, le marquis de Bièvre fut surnommé le « père du calembour » – jeu de mots qu'il remit effectivement à la mode à la fin du XVIIIe siècle. Son coup d'essai, en 1770 : la *Lettre écrite à Madame la comtesse Tation par le sieur de Bois-Flotté, étudiant en droit fil*. Un grand succès (rééditions, réponses et « suites » par divers émules) qui annonce son chef-d'œuvre, *Vercingentorixe*, tragédie burlesque en vers (1770), drame de l'anthropophagie durant le siège d'Alésia : « Une secrète horreur me glace au chocolat. » Son inspiration prend un tour plus libertin avec les *Amours de l'ange Lure* (1772), amant de la « fée Lure » et père de l'« ange André ». Si l'on en croit des *Bièvriana* publiées en 1799, notre marquis trouve aussi matière dans l'actualité immédiate. Irrité contre la Compagnie des Indes orientales, il en propose l'anagramme : « Atelier composé d'ânes indignes » ; et le nom du prince de Condé devient pour lui « le jeu de l'amour et du hasard » ! Hommage rendu au spécialiste : en 1777, le marquis de Bièvre est chargé de rédiger l'article « Kalembour » dans le *Supplément* à la grande *Encyclopédie* : « Abus que l'on fait d'un mot susceptible de plusieurs interprétations. »

Car ce joyeux drille est aussi un aristocrate respectable et lettré. Colonel de cavalerie, chevalier de Saint-Louis, écuyer de Monsieur, frère du roi, il prend parti pour la Comédie-Française dans sa lutte contre les auteurs (1777-1778), étudie de près, lors d'un voyage en Italie (1779-1782), les monuments et les peintures de la Renaissance. En 1783, la page est définitivement tournée : le marquis de Bièvre fait jouer avec succès une « grande » comédie en cinq actes et en vers, *le Séducteur*, critique du libertinage mondain et satire du snobisme philosophique. Mais, après l'échec d'une nouvelle pièce, les *Réputations* (1788), effrayé de surcroît par le climat politique, il part pour l'Allemagne, où il meurt en 1789, à Triesdorf, chez son ami le margrave d'Anspach.

J.-P. de Beaumarchais

BILLETDOUX François

(1927-1991)

Billetdoux a été tenté par la création romanesque avant d'écrire pour la scène et d'y remporter un vif succès, notamment en 1961 avec *Va donc chez Törpe*, monté par Antoine Bourseiller au Studio des Champs-Élysées. Comme son aîné Jean Tardieu, il a eu une brillante carrière à la Radiodiffusion française, jusqu'à devenir en 1957 le directeur des programmes de la France d'Outre-Mer. Mais cet ancien étudiant de lettres en Sorbonne a aussi une formation originale, puisqu'il suivit à la fois les cours de l'école Charles-Dullin et ceux de l'Institut des hautes études cinématographiques. L'itinéraire de l'homme suscite ainsi de multiples rapprochements qui ne sont jamais entièrement satisfaisants, et il en va de même pour son œuvre théâtrale.

On n'évoquera en effet que rapidement ses trois romans : *l'Animal* (1955), *Royal garden blues* (1957) et *Brouillon d'un bourgeois* (1961). Peut-être parce qu'il fait preuve d'humour, le narrateur de *Royal garden blues* ne parvient pas à faire partager sa fascination pour le personnage de la scandaleuse vicomtesse Georges Marie de..., surnommée Georges, et les aventures dans lesquelles le plonge la « kermesse aux poulets » sont prétextes à une satire morale des milieux artistiques et journalistiques qui paraît bien anodine aujourd'hui. Dans *Brouillon d'un bourgeois*, le fait que Fernand Jouhasse

rédige une véritable confession destinée à sa femme Margot complique et alourdit le récit de sa dépendance par rapport à François-Marie Canavaggio, thème que Jean-Marc Roberts reprendra dans *Affaires étrangères* (1979).
Les pièces de François Billetdoux mettent toutes en scène des personnages qui ne peuvent pas aisément communiquer avec les autres. La prostituée marseillaise Marthe, dans *À la nuit la nuit* (1955), s'obstine à considérer Benoît comme un banal client ; Rébecca, dans *le Comportement des époux Bredburry* (1960), se résout à vendre son mari Jonathan, parce qu'elle estime qu'ils sont devenus étrangers l'un à l'autre ; Karl Töpfer, le policier de *Va donc chez Törpe,* doit admettre qu'Ursula-Maria Törpe est pour lui un rébus ; Hubert et Job, les héros de *Comment va le monde, Môssieu ? Il tourne, Môssieu* (1964), s'opposent à peu près sur tout, alors qu'ils vivent les mêmes horreurs. Personne ne comprend que Claire, la grande bourgeoise d'*Il faut passer par les nuages* (1964), décide brusquement de se retirer de ses affaires pourtant florissantes, et le policier Casserole avoue au « parleur audio-visuel Ouaoua » qu'il est incapable de percer le mystère de l'attitude de son suspect, Marco Paulo, dans *Rintru pa trou tar, hin !* (1971).
Mais contrairement à ce qui se passe dans le théâtre d'Eugène Ionesco ou les premières œuvres d'Arthur Adamov, on ne peut relever aucune méfiance, ni des personnages ni de l'auteur, par rapport au langage, qui n'est même pas le révélateur privilégié de l'absence de communication. Chacun, dans l'univers dramatique de François Billetdoux, entretient des rapports simples et confiants avec les mots, et les longues tirades sont relativement fréquentes. Le plus loquace de ses personnages est probablement Cesareo Grimaldi, le riche entrepreneur devenu ivrogne après le départ de sa femme, dans *Tchin-Tchin* (1959).
D'autre part, il ne s'agit pas d'une opacité presque métaphysique des êtres, car, sauf devant Bougre de Jacques, dans *la Nostalgie, camarade* (1974), le spectateur a le sentiment, lui, d'être en présence de personnages qui sont simplement un peu plus compliqués que des types psychologiques.
À l'exception de *Comment va le monde...*, qui raconte comment le Français Hubert a suivi jusqu'au Texas l'Américain Job, rencontré dans un camp de concentration allemand, les pièces de François Billetdoux privilégient les relations familiales ou amoureuses. Les constats désabusés abondent. « On ne sait rien de ceux qu'on aime – Mais qui peut connaître quelqu'un ? » (*la Nostalgie, camarade*). Les héros, heureusement, gardent une certaine pureté et ne se résignent pas. Claire dit d'elle-même : « Je suis comme la goutte d'eau qui a fait déborder le vase » (*Il faut passer par les nuages*), et ce n'est pas un hasard si, au dénouement, elle n'a plus pour seul allié qu'un enfant, son petit-fils Pitou.
Même si les deux derniers tableaux de *Pour Finalie* (1962) parodient les mœurs amoureuses modernes et si, dans *Il faut passer par les nuages,* Claire est, malgré tous ses efforts, « condamnée » à passer pour une femme d'affaires, François Billetdoux n'exprime pas le parti pris réactionnaire d'un Jean Anouilh. Ses héros ne sombrent pas non plus dans l'égoïsme, sans doute parce qu'ils ne sont jamais radicalement coupés des êtres qu'ils ont aimés, quand ceux-ci sont morts. Marco Paulo, par exemple, est capable de sentir encore la chaleur du corps de sa femme, pourtant morte dans l'explosion de l'immeuble (*Rintru...*).
Ce qui distingue enfin ce théâtre, c'est la très grande ambition qui l'anime, et qui est particulièrement visible dans les pièces du second recueil et ses dernières œuvres. *La Nostalgie, camarade*, *Il faut passer par les nuages*, *Rintru pa trou tar, hin !*, *Réveille-toi Philadelphie* (1988) nous montrent le rêve et le réel, sans toutefois abolir la frontière qui les sépare. Pas plus que l'abbé Duvent, l'énigmatique Bougre de Jacques ne parvient à éviter que le vieux théâtre ne soit détruit par des promoteurs voraces.
L'auteur, d'autre part, opte pour des constructions variées en n'oubliant pas de retenir l'intérêt du spectateur : *Comment va le monde...* est une chronique historique fertile en rebondissements, *la Nostalgie, camarade* s'organise en « figures », pour dessiner un ballet. François Billetdoux exploite en outre toutes les ressources que lui offrent l'éclairage, le décor, les objets scéniques, l'enregistrement des voix et même la télévision, concevant ainsi avec minutie sur le papier des spectacles qu'il n'hésitera pas à réaliser ensuite en qualité d'interprète et de metteur en scène.
Les contemporains ont parlé de « théâtre total », et, sous prétexte que des pièces telles que *Comment va le monde...* intégraient des chansons ou qu'*Il faut passer par les nuages* se présentait comme une « épopée bourgeoise en cinq mouvements », ils ont pensé un peu vite à Brecht. Mais la circulation des marchandises n'intéresse guère Billetdoux, et, dans *le Comportement des époux Bredburry,* la transaction commerciale dont est l'objet Jonathan est reléguée au second plan, au profit de l'analyse psychologique d'un curieux comportement amoureux.
Mieux vaut donc renoncer à toutes ces comparaisons et admettre une fois pour toutes que François Billetdoux est un auteur dramatique original. Il a su en effet concilier le souci de plaire avec celui de faire un théâtre qui ne se réduise pas à une simple expérimentation du pouvoir ou de l'impuissance des mots.

D. Mortier

BLAIS Marie-Claire

(née en 1939)

Née au Québec, Marie-Claire Blais a publié plus d'une vingtaine de titres, dont une majorité de romans, sans compter les éditions françaises, les rééditions et les nombreuses traductions, sans compter non plus les œuvres dramatiques, comme *Sommeil d'hiver* (1985) ou *l'Île* (1988), radiophoniques et télévisuelles (*Textes radiophoniques*, 1999). Sa carrière, d'une constance rare au Québec, a été favorisée à ses débuts par les remous que *la Belle Bête,* son premier roman, publié en 1959, causa jusqu'au Canada anglais, lui assurant dès lors une réputation de jeune prodige ou d'écrivain maudit ; par la rencontre, en 1962, du célèbre critique Edmund Wilson, qui l'aida à conquérir le public américain ; et par l'obtention, en 1966, du prix Médicis pour son roman

Une saison dans la vie d'Emmanuel, paru en 1965, qui fit d'elle un écrivain consacré, de rayonnement international (il fut traduit en treize langues), à vingt-sept ans. La fortune littéraire de l'œuvre a été telle, jusqu'à ce jour, qu'on peut chiffrer à deux mille au moins le nombre des livres, thèses, articles, comptes rendus, interviews s'y rapportant. Il est piquant de constater qu'au total cette masse d'efforts critiques a eu pour résultat de mettre en évidence, simultanément, séparément ou contradictoirement, réalisme (naturalisme même) et lyrisme, christianisme et impiété, « québécitude » et valeur universelle, art et hasard, maturité et jeunesse, valeur inventive de l'écriture et maladresse, etc. Toute la panoplie critique a été utilisée à son sujet, et l'on sera certes tenté de croire que cela est dû à l'ambiguïté de son écriture et à la richesse multivoque de ses goûts et de sa culture (cf. *Parcours d'un écrivain*, 1994).

De *la Belle Bête* à *Visions d'Anna ou le Vertige* (1982), *Pierre. La guerre du printemps 1981* (1984) jusqu'à *Soifs* (1996), qui rassemble autour de l'héroïne une humanité disparate partageant un instant le même destin, les romans de M.-C. Blais fouillent sans relâche le problème que pose, pour le genre humain, la transformation vécue ou imaginaire de la souffrance inéluctable en rédemption matérielle, morale ou spirituelle. Dans ses premières œuvres, en particulier dans *Le jour est noir* (1962), la langue, les images faisaient autant fonction de filtre, d'écran, de paravent, de dérobade, de réticence pudique, que d'instrument de communication littéraire ; mais avec *Une saison dans la vie d'Emmanuel* et *David Sterne* (1967) d'abord, puis l'importante trilogie comprenant *Manuscrits de Pauline Archange* (1968), *Vivre ! Vivre !* (1969) et *les Apparences* (1970), l'écrivain allonge, assouplit, contorsionne, violente la phrase jusqu'à la transformer à la manière des Joyce, Proust, Virginia Woolf. Dans *les Nuits de l'Underground* (1978), elle devient une machine rhétorique où narrateur et personnages jouent à se distinguer pour mieux se confondre dans le flux verbal du monologue intérieur. Parallèlement, l'affabulation, un temps abstraite sinon évanescente, évolue en adoptant avec une certaine timidité, par la transposition et la concentration (*Une saison dans la vie d'Emmanuel*), les techniques de l'illusion référentielle, et s'y maintient ensuite, comme dans *Une liaison parisienne* (1975), plus résolument encore, en prenant couleur de chronique, de journal, d'aveu, de confession (suivant en cela la tendance d'un courant de la littérature occidentale), mais en conservant la fraîcheur joyeuse, tourmentée et inattendue de l'affleurement de l'inconscient par la recréation en texte d'une sorte de libre association : plus fausse, sans doute, que vraie, plus vraie que nature.

Une saison dans la vie d'Emmanuel

SYNOPSIS

Né sans bruit par un matin d'hiver, Emmanuel écoute la voix de sa grand-mère : « Elle semble diriger le monde de son fauteuil. » C'est un bien mauvais moment pour naître, la famille n'a jamais été aussi pauvre. La mère est silencieuse, le père violent, tandis que la grappe d'enfants s'accroche aux jupes de grand-mère Antoinette : Jean le Maigre, tuberculeux qui lit frénétiquement et écrit des poèmes, le Septième, voleur aux cheveux orange et qui boit, les petites A (Héléna, Maria...), les grandes A (Aurélia, Anita, Anna), et puis Pomme, Alexis, Héloïse qui sort du couvent – seize en tout –, et tant d'autres qui sont morts. Jean le Maigre et le Septième s'enferment dans la cave pour boire. Jean le Maigre est envoyé au noviciat (chap. 1-3). Il tousse et crache le sang. Bientôt cloué au lit, il écrit son autobiographie : « Dès ma naissance... mon regard brillait déjà d'un feu sombre et tourmenté. » Incendiaire et suicidaire, il a hérité de l'exemple de son frère Léopold qui s'est pendu dans sa robe de séminariste. À l'école, M. le curé avait appris à Jean la géographie, l'orthographe, et il laissait traîner dans la maison ses versions grecques, ses fables, ses tragédies, que le père faisait disparaître à mesure dans les latrines. Avec le Septième, il avait aimé Marthe, la petite bossue, puis mis le feu à l'école avant de partir pour la maison de correction où il avait été enfermé dans une cellule réservée aux pyromanes. Cette nuit-là, Jean le Maigre meurt tandis qu'Héloïse se consume en d'étranges noces. Grand-mère Antoinette, Pomme et le Septième arrivent au noviciat, pour entendre la messe dite à la mémoire de Jean. Héloïse, après un dernier regard sur le berceau où dort Emmanuel, quitte la maison (4-5). Depuis la mort de Jean, grand-mère Antoinette, muette, est plongée dans la lecture des manuscrits laissés par le poète. Pomme et le Septième sont placés comme apprentis en ville (6). Héloïse, qui travaille chez Mme Octavie à l'auberge de la Rose, écrit chaque jour à grand-mère Antoinette à qui elle prétend être cuisinière, et envoie de l'argent pour Pomme hospitalisé, qui a perdu ses doigts dans une machine de la manufacture où il travaille avec le Septième. Une saison s'est écoulée dans la vie d'Emmanuel. Grand-mère Antoinette le tient dans ses bras et lui murmure à l'oreille que le printemps sera beau (7).

V. Nadeau et C. Pont-Humbert (synopsis)

BLANCHOT Maurice

(né en 1907)

Solitaire et souterraine jusqu'à l'obstination, l'œuvre de Maurice Blanchot est une des plus fascinantes de l'après-guerre. Par l'exigence de sa recherche, elle fait autorité auprès des théoriciens de la littérature, mais également auprès des écrivains qui sont soucieux d'interroger leur propre pratique, à savoir l'espace littéraire. Lancinante, ressassante, sans cesse remodelée et répétée, c'est toujours la même question qui semble rebondir à travers près de quarante années de réflexion : qu'en est-il de l'écriture ? Une question que Blanchot, lecteur inégalé, a posée comme critique, d'abord, puis comme romancier : ses récits sont autant de tests où la fabrique textuelle se met à l'épreuve pour interroger son propre fondement.

Aussi, entre la vague phénoménologique des années 1945-1950 et les recherches structurales des années 1970, l'œuvre de Blanchot a-t-elle été une des principales références pour tous ceux qu'a concerné la réflexion sur le langage et sur l'écriture, de Sartre à René Char et de Barthes à Foucault. Influence qui n'a pas manqué de porter la crise dans les discours : après des auteurs comme Valéry ou Bataille, Blanchot a mis en jeu l'existence même de la littérature, sa fonction esthétique, philosophique, idéologique et sociale. Il a mis le feu dans les bibliothèques, illustrant ainsi cette parole de Hölderlin que commente Heidegger : « Le langage est le plus dangereux de tous les biens. »

Une écriture entre affirmation et négation

Il y a deux types d'écrivains. Ceux dont les mots servent à colmater les angoisses de l'être et les obscurités du réel : ceux-là rabattent sur le chaos la chape d'une écriture qui se protège derrière les garde-fous de l'ordre et de la représentation, du réalisme et du vraisemblable. Et puis il y a les écrivains dont les mots sont autant de scalpels pour fracturer les choses et les pensées. Du *Très-Haut* (1948) au *Dernier Homme* (1957), les récits et les romans de Blanchot appartiennent à ce second courant : ils n'« utilisent » pas le langage comme s'il était l'instrument didactique d'une maîtrise, mais ils s'abandonnent au contraire à sa logique dérivante, à sa rumeur intransitive. Ils laissent « l'initiative aux mots ». Pour Blanchot, la littérature est donc une expérience inaugurale, une pratique ourlée à même la matérialité verbale. Pratique toujours paradoxale : tous les livres de Blanchot se détruisent dans le mouvement même où ils se construisent, comme si l'échec était leur propre étai. Sans cesse ici l'écriture se livre et s'efface, elle est masque, fuite, détour, frayage. « Le langage, dit Blanchot, est obscur parce qu'il dit trop, opaque parce qu'il ne dit rien : l'ambiguïté est partout. » Tel est le risque de la poésie, le poète étant celui qui « entend un langage sans entente ».

Comme dans les pages magnifiques de *Thomas l'obscur* (1941), l'écrivain et son lecteur sont toujours à hésiter sur l'infime lisière d'une page devenue plage : c'est là que la rumeur anonyme des vagues vient détruire les signes tracés sur le sable, c'est là que la terreur du grand fond vient saper les certitudes du visible et du lisible. Et l'on retrouve toujours chez Blanchot cette syncope binaire, ce balancement entre l'affirmation et la négation : le oui et le non dans *l'Attente, l'oubli* (1962), le cercle des mots qui s'ouvre et se ferme dans *Celui qui ne m'accompagnait pas* (1953), l'ombre et la lumière dans *Thomas l'obscur*… Réalité de l'irréel, présence de l'absence, bruissement d'un roulis désolé qui déporte la langue en deçà d'elle-même, telle est la musique blanchotienne. Des phrases grises comme chez Sade, déhanchées, reptiliennes, interminable hésitation où s'essouffle la pensée. Aussi, dans leur détresse, les récits de Blanchot sont-ils parfaitement labyrinthiques et désertés. C'est que l'expérience littéraire est une perte, une dissémination, comme si l'on visionnait l'au-delà de la mort à travers les minuscules lézardes d'une prose fendillée, raturée et fragmentaire ; d'où cette topologie de l'égarement qui revient si souvent chez Blanchot : la chambre vide d'où tombe l'étrange loterie d'*Aminadab* (1942), les couloirs d'*Au moment voulu* (1951), la cave borgne et la tour sinueuse du *Ressassement éternel* (1951), le curieux « sanatorium » du *Dernier Homme*…

Thomas l'obscur

Résumer un récit blanchotien – parole de l'absence dans la parole, narrateur en marge de sa narration – est plus qu'une gageure : un contresens. De *Thomas l'obscur* (seconde version, 1950), comment dégager le fil narratif d'une non-fiction, d'un récit vacillant qui porte l'inessentiel, quand c'est l'expérience de l'écriture qui inscrit dans les blancs du texte les figures du sens ?

SYNOPSIS

Thomas nage dans la mer soudain déchaînée ; revenu sur le rivage, il suit l'évolution d'un nageur à l'horizon (I). Angoisse et méditation dans la nuit (II). De retour à l'hôtel, il observe les gens qui l'entourent, notamment une jeune fille : Anne. Quand elle l'appelle, il ne répond pas (III). Tandis qu'il lit dans sa chambre, il a la sensation d'être lu par le livre ; malgré sa fuite, il doit lutter avec une bête toute-puissante, lui-même (IV). Un chat miaule et interpelle la nuit ; Thomas creuse une fosse pour y descendre (V). Il marche sur une route où « chaque homme qu'il croisait mourait » ; Anne lui apparaît en araignée (VI). Bonheur des amants, suivi d'une profonde incompréhension (VII). Difficultés d'Anne pour s'exprimer et parler à Thomas ; elle pénètre dans sa vie, avant de s'abolir elle-même (VIII). Métamorphose, mutisme et sommeil d'Anne ; indifférence pour Thomas, déclin physique (IX). Extase et agonie, devant Thomas impuissant (X). Monologue de Thomas : méditation sur la mort d'Anne, retour sur soi, l'absence, l'absurde (XI). Il marche dans le printemps sans odeur, la ville sans bruit ni silence, conduisant les hommes étoiles vers l'océan où il se précipite (XII).

M. P. Schmitt

À travers tous ces romans de Blanchot, on voit l'écriture sortir de sa propre litière, s'expatrier et se saturer. Elle se définit alors comme une dépense expiatoire du romancier. Comme une mise à mort du scripteur, toute écriture étant finalement posthume. La littérature, explique Blanchot dans *la Part du feu* (1949), est un droit à la mort. Et dans un très beau chapitre de son essai le plus élaboré, *l'Espace littéraire* (1955), il montre comment l'art et la mort ont partie liée. En ce sens, le langage est comparable au regard d'Orphée vers Eurydice, car il réduit l'œuvre au néant. Il est cette puissance par laquelle s'ouvre la nuit au cœur de la fiction. Pour évoquer l'irruption de cette étrangeté dans la littérature, Blanchot utilise un mot : le neutre. Tonalité mate d'un « au-delà » qui ne se réfère à aucune métaphysique, le neutre n'est pas celui dont parle Heidegger : il n'a rien d'une transcendance qui viendrait replâtrer les failles du moi ou du monde. Au contraire, il faut le comprendre comme un renversement de nos schémas ontologiques, une force qui ébranle toute pensée et toute possibilité de synthèse, un chaos qui déleste l'univers. Pour cette raison, l'expérience nietzschéenne est capitale chez Blanchot. Écrire le neutre, c'est écrire l'inconnu, et l'on est ici en dehors des catégories du *cogito*, dans un non-lieu emblématique où l'écriture est toujours soucieuse d'effacer ses traces et de revenir sur ses « faux pas ».

Une critique de rumination

Cette conception se retrouve dans tous les textes critiques de Blanchot, depuis *Faux Pas* (1943) jusqu'à *la Communauté inavouable* (1984) : Lautréamont, Sade, Kafka, Rilke, Hölderlin, Artaud, Bataille, René Char, Marguerite Duras, tels sont les noms qui reviennent le plus souvent dans ses essais qu'il faut placer à la proue de notre modernité. L'intuition fondamentale qui se révèle dans toutes ces pages, c'est que l'écriture littéraire est irréductible au discours : elle est un espace inenglobable livré à cet « ouvert » dont parle Rilke. Toute œuvre digne de ce nom doit donc comporter en elle une part maudite, une part de désœuvrement. Écrire revient alors à faire chanter l'effroi de la mort, de ce neutre qui gronde derrière le rideau du *logos* et qui pourtant habite toute parole. Pour reprendre une métaphore de Georges Bataille, la littérature selon Blanchot est semblable à la flamme : la flamme est vie dans la mesure où elle est mort, s'épuisant de sa propre vitalité. Il y a chez Blanchot un sens évident du tragique, de plus en plus net à mesure qu'on s'approche des derniers livres, *le Pas au-delà* (1973) ou *l'Écriture du désastre* (1980). Ce sont des textes fragmentaires, troués, ébréchés. Ils décentrent l'espace littéraire et le font scintiller vers la polyphonie de ce que Michel Foucault a appelé la « pensée du dehors », « une absence qui se retire au plus loin d'elle-même et se creuse dans le signe qu'elle fait pour qu'on avance vers elle ». Ce mouvement du dehors, il faut le préciser à tous ceux qui ont voulu faire de Blanchot un bonze de la page blanche, n'a rien d'une mystique du silence. Il exprime le ruissellement anonyme et continu du langage, ce par quoi le sujet trouve à disparaître dans la transparence de la mort : l'oubli meurtrier d'Orphée, l'attente d'Ulysse enchaîné, la fascination de Don Juan pour sa propre disparition. Déployant une telle machinerie de dissémination, la démarche de Blanchot n'a rien d'un « commentaire » littéraire, car ce serait museler l'œuvre dans une rationalité éclairée. Elle ne vise pas non plus à élaborer une théorie de la littérature : ce serait encore prétendre à une maîtrise de l'écriture. Aussi faut-il définir le regard de Blanchot comme un regard « critique », au sens kantien : il interroge les conditions par lesquelles la littérature est possible, et il la met en crise. « La critique, écrit Blanchot dans son *Lautréamont et Sade* (1949), n'est plus le jugement extérieur qui met l'ouvrage en valeur. Elle est devenue inséparable de son intimité, elle appartient au mouvement par lequel celui-ci vient à lui-même. » Obsédante et tournoyante, elle doit donc ruminer le texte initial et accaparer ses radiations, y résonner au lieu d'y raisonner. À la limite, elle s'y efface en le « musiquant ». Circulaire, la lecture finit toujours par se diluer dans la page qu'elle commente. C'est alors qu'on assiste à une sorte d'osmose entre l'écrivain et le critique : Blanchot coule sa propre écriture dans le moule des citations originales, qu'il parvient ainsi à ne jamais trahir.

On pense à ces prêtres de Dionysos dont parle Hölderlin : une errance sans fin dans la nuit sacrée. En ce sens, à la manière du rêve mallarméen ou pénélopéen, tout livre est « à venir », parce qu'en lui l'érosion se creuse toujours plus profondément, en ondes concentriques. Toute critique est donc inachevable, mais, en même temps, cet inachèvement l'épuise. Condamnée à rechercher sans fin une origine manquante, elle fait de l'échec le vecteur essentiel de la littérature. L'œuvre de Blanchot vient ainsi rappeler à notre temps que le « jeu insensé d'écrire » n'est pas une amusette et que la littérature ne saurait être l'institution qu'elle est devenue. Bien au contraire : elle est une entreprise de destruction, un espace désastreux qui livre le sujet aux fêlures de la mort.

A. Clavel

BLOCH Jean-Richard

(1884-1947)

Né à Paris, fils d'un ingénieur des chemins de fer alsacien réfugié à Paris après l'annexion, il s'engage dès l'adolescence dans le combat socialiste. Au cours de son service militaire, il rencontre Martin du Gard et Massignon puis, agrégé d'histoire (1907), fonde la revue *l'Effort libre* qui, sous l'influence de Romain Rolland, de Jules Romains et de l'unanimisme, s'oriente vers la recherche théorique d'une nouvelle culture populaire (*Carnaval est mort*, 1920, recueil des articles de Bloch publiés dans sa revue avant 1914). Ses dons multiples se révèlent aussi dans des contes et des nouvelles : croquis de silhouettes juives (*Lévy*, 1910), d'hommes simples, paysans ou chauffeurs de locomotive (*les Chasses de Renaud*, composé à partir de 1910, publié en 1924), dessinés avec un sens de l'observation qui s'étend à la description de la nature : « Une tourterelle fauve ourlée de blanc barre l'espace d'un vol bas qui se confondit bientôt avec la couleur des champs ». Un roman réaliste, saga d'une famille d'industriels alsaciens, *Et Cie* (1918), fait alterner les épisodes dramatiques et l'analyse des conflits psychologiques, économiques et sociaux surgis de la civilisation industrielle. Après la guerre, où il est blessé trois fois, Bloch publie encore des poèmes et des contes, *Offrandes à la poésie* (1920), *la Nuit kurde* (1921), *Dix Filles dans un pré* (1922), des notes de voyage en Afrique, *Cacaouètes et bananes* (1929). Parallèlement à son engagement communiste après le Congrès de Tours (1920), il reprend ses recherches dans la ligne de *Carnaval est mort* : *Destin du siècle, seconds essais pour mieux comprendre mon temps* (1924-1930) ; *Offrande à la politique, troisièmes essais*… (1931-1933) ; *Naissance d'une culture, quatrièmes essais*… (1936), confiant ses textes aux périodiques *Clarté*, *Europe*, *Ce soir* qu'il fonde avec Aragon (1937). Théoricien d'une « dramaturgie de l'actuel », après *le Dernier Empereur* (1920), tentative de faire entrer dans un drame humain les conflits du monde moderne, il écrit pour la scène *Naissance d'une cité* (1937) et *Toulon* (1943), sur le thème du sabordage de la flotte française en 1942. Pendant la Seconde Guerre mondiale qu'il a pressentie en visitant l'Espagne (*Espagne ! Espagne !*, 1936), recherché par la Gestapo, il accepte l'hospitalité de l'U.R.S.S. (1941) et parle à Radio-Moscou pendant toute la durée du conflit. De retour en 1945, directeur d'*Europe* et de *Ce soir*, il poursuit le combat politique : son dernier ouvrage *l'Homme du communisme*, analyse complaisante de la personnalité et de l'œuvre de Staline paraît après son décès brutal en 1947.

Sous la variété formelle, le discours de Bloch garde son unité. Partout affleure la nostalgie des époques de foi « classiques », où l'unanimité des consciences formait le soubassement d'une culture éclatant en œuvres puissantes, en pénitences collectives ou en réjouissances partagées : cathédrales, carêmes et carnavals. Concurremment, décrit maintes fois, réservoir inépuisable de métaphores, le réseau de chemin de fer fait figure, chez Bloch, de moderne paradigme idéalisant un monde industriel harmonieux où le travailleur transcendé par les contraintes du service public ressemble à ce chauffeur heureux, auréolé par « les rayons des grandes roues » de sa machine (*les Chasses de Renaud*). Mais ce discours reflète aussi le malaise de l'« entre-deux-mythes », caractéristique d'une époque déchristianisée avant d'avoir adhéré à une nouvelle espérance. D'où ces recherches plastiques, allant de pair avec le progrès escompté de la révolution, visant à réaliser le « regroupement esthétique » qui correspondra à sa victoire définitive. Dans la période intermédiaire, toute littérature artiste ou consacrée au plaisir exclusif d'une caste (Tristan Bernard, Hervieu, Hermant) est condamnée par l'écrivain. Il salue en revanche chez Paul Fort une poésie accordée à la sensibilité populaire : « Paul Fort ne chante pas le peuple. Le peuple chante en lui ».

De critique militant, Bloch devient créateur lorsqu'il invente à son tour une esthétique théâtrale : soit formelle comme dans *Naissance d'une cité,* spectacle de masse qui brasse public, acteurs et machinistes, pour culminer en fête générale ; soit thématique, par le choix d'un sujet assez chargé d'émotion récente pour générer une communion au moins momentanée des esprits (*Toulon*). Recours à l'actualité qui refuse cependant le réalisme, car Bloch ne s'appuie sur le réel que pour en extraire « les symboles qui unissent ». Ce qui explique sa prédilection pour le théâtre, « lieu d'une symbolique extrême » (préface de *Toulon*), où se dit « une vérité plus vraie que la vérité occasionnelle ».

Ce discours tendu, sincère, dédaigne toute emphase. Sa précision donne naissance, dans l'argumentation, à de synthétiques formules (« d'autres carnavals renaîtront pour peu que renaissent d'autres carêmes »), et sur la scène, au souci de reproduire le parler quotidien et les idiolectes de chacun, la fusion des esprits ne devant s'opérer qu'au niveau des symboles, comme l'« esprit de Toulon ». D'où l'honnêteté d'une écriture dont la justesse est la seule ambition : « Toute poursuite d'une parole exacte est recherche de communication ».

M.-A. de Beaumarchais

BLONDIN Antoine

(1922-1991)

Né à Paris, fils de la poétesse Germaine Blondin, Antoine Blondin appartient, avec Roger Nimier et Jacques Laurent, à cette génération de romanciers néo-classiques dont la désinvolture tranche avec l'esprit de sérieux attaché à l'engagement existentialiste et aux recherches formelles du « nouveau roman ».

Très bon élève, Blondin fait ses études au lycée Louis-le-Grand et passe une licence de lettres. Sous l'Occupation, le S.T.O. l'expédie en Allemagne ; les aventures tragi-comiques de son rapatriement lui inspirent un premier roman d'allure picaresque, *l'Europe buissonnière* (prix des Deux-Magots, 1949). Simultanément, sa passion du cyclisme le lance sur les routes comme reporter du Tour de France pour un journal sportif dont il régale les lecteurs de calembours (cf. *les Joies de la bicyclette,* 1977 ; *l'Ironie du sport,* 1988). Il poursuit cependant une carrière littéraire, servie par un talent de conteur que saluera le prix Goncourt de la Nouvelle (*Quat'Saisons,* 1975). S'exprimant souvent à la première personne dans des récits à mi-chemin entre la fiction et l'autobiographie, accumulant les jeux de mots sans se départir jamais d'une écriture classique, Blondin crée des personnages à la silhouette frêle : mari léger (*les Enfants du Bon Dieu,* 1952), père alcoolique et tendre (*Un singe en hiver,* 1959, prix Interallié), fuyant d'auberges en hôtels borgnes, « petites filles modèles » épousées trop jeunes et situations établies.

Entraînés dans la ronde de l'errance, de la fête, des amours passagères, ces héros toujours plus ou moins en marge font quelques dégâts sur leur passage (le Noël manqué de deux fillettes dans *Monsieur Jadis,* 1970). Pourtant, leur humilité, une sorte de grâce désarment et séduisent. L'amertume traverse parfois un discours discrètement pessimiste, attentif aux misères des défavorisés et des asociaux : solitude des petites gens mourant dans les soupentes, « jeu de l'oie » de ses nocturnes compagnons de panier à salade dont les cases sont « l'indifférence, l'hôtel, l'hôpital, la prison » (*l'Humeur vagabonde,* 1955). Les valeurs pétrifiées, mausolées trop grandioses du Père-Lachaise ou monuments littéraires écrasants (cf. *Certificats d'études,* 1977), y sont contestées avec impertinence.

M.-A. de Beaumarchais

BLOY Léon

(1846-1917)

Léon Bloy est moins un épigone qu'un phénomène étranger au « rituel » des lettres françaises. Certes, il est passé dans la mouvance de la réaction antiréaliste ; la manière de son premier roman évoque l'écriture artiste. La création bloyenne déborde cependant le protocole d'une littérature, réglée jusque dans ses révoltes. Sur les quelque quarante titres publiés – la plupart inconnus du grand public –, rares sont les textes de fiction. L'œuvre est un combat – contre la société, l'Église catholique, le matérialisme –, et l'auteur s'engage dans une parole qui ignore la loi des genres. Au vrai, il s'agit d'exprimer une rupture, et, paradoxalement, l'intérêt de cet écrivain est de n'avoir pas été reçu : Léon Bloy met en question les valeurs littéraires de ses juges.

Un « pèlerin de l'absolu »

En 1864, Léon Bloy quitte sa ville natale, Périgueux, pour prendre un emploi auprès d'un architecte parisien : il a dix-huit ans, et son instruction est sommaire ; il renie la foi catholique de son enfance et devient un « communard » avant la Commune. La rencontre de Barbey d'Aurevilly, trois ans plus tard, devait être décisive. Ce dandy inquisiteur favorise sans doute la conversion de Bloy en 1869. Il l'encourage aussi à compléter sa formation intellectuelle ; il lui fait lire Joseph de Maistre, Louis de Bonald, le guide dans ses premiers essais littéraires. Surtout, il fournit à son disciple un modèle d'écrivain, farouchement solitaire et armé de quelques principes – qui sont autant de glaives – : violent et indépendant, épris d'absolu et de vérité, extrême dans l'éloge comme dans l'éreintement. La pose littéraire du catholique Léon Bloy, adversaire implacable de l'école réaliste et du bourgeois, a trouvé chez Barbey le ferment de sa démesure.

La rencontre, en 1874, d'Anne-Marie Roulé, jeune grisette qui sombrera dans la folie mystique, éloigne pour un temps Bloy de ce vieil ami. Cet épisode, dont *le Désespéré* offrira une transposition littéraire, correspond à la période la plus sombre de l'existence de Léon Bloy, celle aussi qui semble avoir été la plus déterminante pour le futur écrivain : en 1879, l'abbé Tardif de Moidrey lui découvre Notre-Dame de la Salette ; le message de la « Vierge qui pleure », joint aux illuminations d'Anne-Marie Roulé, établit Bloy dans l'attente d'un « événement inimaginable » et la conviction de quelque mission mystérieuse ; c'est à cette époque enfin que Bloy renonce à mener une vie religieuse et choisit, comme à regret, de devenir un « homme de lettres ».

1882 marque les véritables débuts de la carrière littéraire bloyenne. Les premiers articles, publiés dans le *Chat-Noir*, seront féroces. Bloy les réunit en 1884 dans les *Propos d'un entrepreneur de démolitions*. Après une brève collaboration au *Figaro*, il fonde, en 1885, un hebdomadaire, *le Pal*, dont le ton annonce les pages les plus vigoureuses du *Désespéré*, son premier roman qu'il publie en 1886 ; Bloy fréquente alors Huysmans, Villiers de L'Isle-Adam, qui documentent sa satire des milieux parisiens.

Le Désespéré

SYNOPSIS

PREMIÈRE PARTIE : « Le Départ ». De Périgueux, où il assiste à l'agonie de son père, Caïn Marchenoir écrit à son ancien ami Alexis Dulaurier, romancier à succès, et lui demande de l'argent, car il ne peut lui-même payer l'enterrement. Dulaurier répond en prodiguant de bons conseils : Marchenoir devrait rester dans sa paisible province plutôt que de revenir à Paris où il gagne si mal sa vie dans le journalisme littéraire. Marchenoir est en effet un pamphlétaire d'une terrible violence. En même temps que la lettre hypocrite de Dulaurier, il reçoit l'argent salvateur de son ami Leverdier, à qui il n'avait rien demandé (Leverdier n'est pas riche) et qui lui suggère une retraite à la Grande-Chartreuse.

DEUXIÈME PARTIE : « La Grande-Chartreuse ». Plutôt que de rentrer à Paris où il retrouverait Véronique, prostituée sauvée par lui de la déchéance, Marchenoir se rend donc à la Grande-Chartreuse : la majesté du lieu et l'accueil que lui font les religieux redonnent un semblant d'espoir à celui qui « était né désespéré ». La grandeur de la règle de saint Bruno le touche, et Marchenoir reprend son grand travail entrepris sur le symbolisme de l'Église. Mais, lui explique son conseiller, le P. Athanase, sa place n'est pas au monastère, car tout montre qu'il aime Véronique. Cette révélation brise Marchenoir, qui pensait que leurs liens étaient simplement mystiques tant leur exaltation religieuse leur a fait repousser l'amour charnel.

TROISIÈME PARTIE : « Le Retour ». Après un cauchemardesque retour en train, Marchenoir arrive à Paris. Avant de se rendre chez lui à Vaugirard, il rend visite à Leverdier qui lui apprend une terrible nouvelle : Véronique s'est défigurée pour n'être plus objet de tentation. Elle conserve pourtant une étonnante beauté.

QUATRIÈME PARTIE : « L'Épreuve diabolique ». La vie continue avec Véronique et dans la même misère. Leverdier, à la suite d'une rencontre imprévue, apprend qu'un grand journal, *le Pilate*, dirigé par Properce Beauvivier, voudrait la collaboration de Marchenoir : ce pourrait être, enfin, le succès. Marchenoir accepte, sans illusions. Au cours d'un grand dîner chez Beauvivier, auquel prennent part les célébrités littéraires, il se retrouve assiégé par la médiocrité de ces êtres nuls. Il fait scandale et s'enfuit.

CINQUIÈME PARTIE : « La Fin ». Marchenoir s'enferme chez lui pour terminer son étude sur le symbolisme. Véronique est saisie d'un mysticisme de plus en plus intense. Lorsque lui parvient – enfin – le maigre héritage paternel, Marchenoir décide de lancer un pamphlet : *le Carcan*, échec financier malgré un « succès retentissant ». La misère noire continue, d'autant que le bienfaisant Leverdier a dû quitter Paris. La fin arrive brutalement : folle, Véronique doit être internée à Sainte-Anne ; en revenant de l'asile, Marchenoir est écrasé par un camion. Il meurt dans l'horreur et sans pouvoir obtenir l'assistance d'un prêtre.

P. Besnier

La violence pamphlétaire du *Désespéré* en masque cependant les autres aspects et provoque, selon Bloy, cette « conspiration du silence » dont l'auteur se défia à chaque nouvelle publication. Bloy n'obtient pas les succès littéraires attendus, et vit à Paris chichement. Il fait la connaissance, en 1890, de Jeanne Molbech, une Danoise, qui se convertit au catholicisme pour l'épouser. La production bloyenne sera désormais ininterrompue. Le pamphlétaire reste fidèle, sinon à ses sympathies et antipathies, du moins au ton violent de ses premiers essais avec *Je m'accuse* (1899), pages impitoyables contre Zola, l'*Exégèse des lieux communs* (1902), satire du discours stéréotypé du « bourgeois », *Belluaires et Porchers* (1905).

Il poursuit une lecture symbolique de l'Histoire, telle qu'elle lui avait été enseignée par Tardif de Moidrey, en s'attachant à quelques grandes figures, *le Fils de Louis XVI* (1899), *l'Âme de Napoléon* (1912), *Jeanne d'Arc et l'Allemagne* (1915). Il recueille, dans *Sueur de sang* (1893) et *Histoires désobligeantes* (1894), des nouvelles parues au *Gil Blas*, avant de publier *la Femme pauvre* (1897), second roman autobiographique, qui trouve de nombreux échos dans le *Journal*. Celui-ci, tenu fidèlement pendant vingt-cinq années (1892-1917), relate les grandes amitiés : celles de Jacques et Raïssa Maritain, Georges Rouault… Il redit surtout la haine du bourgeois, l'existence pauvre, la méditation religieuse, thèmes d'une vie qui devinrent ceux de l'œuvre.

La Femme pauvre

SYNOPSIS

PREMIÈRE PARTIE : « L'Épave des ténèbres ». Clotilde Maréchal, à trente ans, n'a guère connu que des malheurs, élevée par une mère indigne et abominable et son concubin, le père Chapuis, alcoolique de surcroît. Seule lumière : un jour dans une église, un mystérieux missionnaire a adressé à Clotilde des paroles à la fois réconfortantes et prophétiques.

Chapuis l'envoie poser pour le peintre Gacougnol, afin d'en obtenir de l'argent. L'artiste s'émerveille et prend pitié de cette créature misérable et douloureuse. Grâce à son aide, Clotilde connaît le bonheur et fréquente les amis de Gacougnol : Marchenoir, héros du *Désespéré*, vrai prophète, et Léopold, enlumineur fasciné par le Moyen Âge.

SECONDE PARTIE : « L'Épave de la lumière ». Cinq ans après. Chapuis a tué Gacougnol, et Clotilde connaît de nouveau la misère, fuyant l'amour de Léopold. Un jour au Luxembourg, dans l'horreur d'un 14-Juillet, elle le rencontre ; ils unissent leurs misères et se marient. Les catastrophes s'accumulent : maison malsaine, enfant mort, voisins odieux ! La vocation mystique et prophétique de Clotilde s'accomplit à travers ces épreuves, que couronne la mort héroïque de Léopold dans l'incendie de l'Opéra-Comique. Elle vend tous ses biens et, illuminée, accomplit sa vocation de pauvreté : « Il n'y a qu'une tristesse, dit-elle, c'est de n'être pas des saints. »

J.-P. Goujon

Un « spécimen de tératologie littéraire »

À l'exception peut-être de *Sueur de sang* et des *Histoires désobligeantes,* contes noirs dans la plus pure tradition des nouvelles fantastiques, l'œuvre de Bloy échappe à une classification par genre. *Le Désespéré* et *la Femme pauvre* se jouent des conventions de l'énonciation romanesque : l'auteur se substitue au narrateur, le récit est arrêté par une méditation générale sur l'Histoire, sur la pauvreté, ou par une tirade prophétisant un châtiment futur. Cette technique rappelle *À rebours* de Huysmans et une certaine esthétique décadente. Elle appartient en propre cependant à l'œuvre bloyenne, qui privilégie toujours des formes de composition libre, peu acclimatées dans la littérature française. Souvent de courts chapitres se succèdent sans lien logique rigoureux pour appréhender le mystère des personnages historiques ou, dans les *Méditations d'un solitaire,* en 1914, approcher le sens des événements. L'absence de contrainte autorise les digressions et dispose dans le discours de nombreux « blancs », lieux du sous-entendu et du non-dit.

Cette manière s'accorde parfaitement avec la forme du journal, mais elle produit aussi quelques opuscules uniques dans leur genre : *le Salut par les Juifs* (1892) et *le Sang du pauvre* font entendre une voix inouïe de satire et de prophétie mêlées ; l'*Exégèse des lieux communs,* surtout, alliant la fantaisie et l'ironie au sarcasme le plus glacial, réalise l'entreprise avortée de Flaubert et dévoile le sens réel de plus de trois cents lieux communs. La liberté de Bloy à l'égard des genres expliquera, par-delà la multiplicité apparente, l'unité d'une œuvre qui se donne elle-même comme un seul et même discours. Des thèmes identiques soutiennent les quelque quarante titres publiés. La pauvreté et la souffrance distinguent les héros bloyens, personnages historiques ou personnages romanesques. La phrase de Paul de Tarse : « Nous voyons comme dans un miroir, en énigme » ponctue de nombreux textes, dont le but est de contempler le mystère. Mystère de l'histoire humaine qu'il faut déchiffrer, mystère de la parole – celle de la Bible et celle des lieux communs – soumise à l'exégèse. Toute chose visible n'est que le symbole d'une réalité supérieure : l'entreprise littéraire est une quête de l'absolu, de la réalité derrière les apparences.

La cambrure du style de Léon Bloy tire sa singularité de cette exigence à la fois morale, spirituelle et poétique. La parole est violente, par la férocité de ses métaphores ou de ses périphrases, la surenchère des hyperboles, la vigueur des contrastes, par le mouvement discursif toujours maîtrisé jusqu'à la chute implacable d'un aphorisme. L'amplification verbale confère « à la moindre des thèses », selon le mot même de Bloy, « un élargissement prodigieux ». La débauche lexicale des néologismes et des termes rares est soutenue par un respect scrupuleux de la syntaxe et du mouvement oratoire traditionnel. Si cette manière sert admirablement le pamphlétaire, elle est toujours, quelle que soit l'œuvre, l'expression d'une rupture. Le choix d'une écriture oratoire – attachée au romantisme et à la rhétorique des sermonnaires – et d'une écriture abondante – peu prisée dans les lettres françaises depuis Rabelais – signe la réaction bloyenne. Surtout, la démesure dont il investit cette écriture dénonce la tentative de l'école réaliste : la parole bloyenne se tend jusqu'aux limites du possible pour finir sur une énigme, un non-dit, un silence ; l'inflation rhétorique en vient à désigner un manque ou une absence, et le langage, torturé à l'extrême, dit son impuissance : « Mon art d'écrivain serait un cytise à moitié chemin du fond d'un gouffre ». L'outrance lyrique et verbale prétend ici donner forme à l'absolu et au mystère.

La « conspiration du silence »

« Entrepreneur de démolitions », « pèlerin de l'absolu », « mendiant ingrat », Léon Bloy pouvait-il être reçu ? Cette œuvre, qui méprisait les goûts d'une époque et prenait sens dans cette rupture même, ne sollicitait-elle pas la conspiration du silence dénoncée amèrement par l'auteur ? L'étiquette de pamphlétaire a suffi alors pour le désigner et l'exclure du monde officiel des Lettres. Plus tard, l'auteur du *Désespéré* et de *la Femme pauvre* est cité à l'ombre d'écrivains réputés mineurs – Villiers de L'Isle-Adam, Huysmans, Barbey d'Aurevilly – mais la diversité de sa production reste ignorée et, malgré la modernité de son propos, soulignée ici et là, Léon Bloy est réservé à l'amateur de choses rares, qui en goûte les excès et les audaces de style. À l'intérieur du cercle des fervents, en revanche, l'œuvre provocatrice du catholique fustigeant l'Église catholique, de l'écrivain méprisant la littérature, du prophète qui veut n'être qu'un poète, suscite des controverses passionnées. Le style lui-même pose question : insupportable, lourd et pompeux pour les uns, il est pour les autres magnifiquement oratoire, d'une verve inimitable. À défaut de faire l'unanimité, l'œuvre bloyenne est du moins un champ privilégié pour observer la constitution des valeurs littéraires françaises.

M. Dereu

BOAISTUAU Pierre

(1517-1566)

Premier éditeur des nouvelles de Marguerite de Navarre, inventeur de deux des genres les plus caractéristiques de la seconde moitié du XVIe siècle, l'*histoire tragique* et l'*histoire prodigieuse*, auteur d'un des plus grands succès européens de son temps, le *Théâtre du Monde* (1558), Boaistuau n'a dû son long purgatoire qu'à l'incompréhension d'une critique trop occupée du génie personnel pour goûter un écrivain constamment tapi derrière les livres des autres, dont il forge les siens.

Une existence discrète...

Né à Nantes, dans la petite bourgeoisie, Boaistuau s'exile semble-t-il assez tôt de son pays. Il fréquente diverses universités (Poitiers, Valence, Avignon) où il étudie le droit (1545-1550). Entré ensuite au service de l'ambassadeur du roi « aux parties de Levant », il voyage alors à travers l'Europe (Allemagne, Italie). De retour à Paris (1555), il entreprend la rédaction ininterrompue de la plupart des ouvrages que nous avons conservés de lui. Après l'*Histoire de Chelidonius Tigurinus* (1556) voient tour à tour le jour : le *Théâtre du Monde* et le *Bref Discours de l'excellence de l'homme* (1558) ; sous le titre *Histoires des amans fortunez* (second semestre de 1558), l'édition originale des nouvelles de Marguerite de Navarre ; les *Histoires tragiques* (1559), traduction de six des *Novelle* de Bandello ; une version retouchée du *Chelidonius* (1559) ; et, au retour d'un bref voyage en Angleterre – où il a offert à Élisabeth un exemplaire de chacun de ses ouvrages –, les *Histoires prodigieuses* (1560). Ses dernières années sont consacrées à l'étude et à la mise au point de divers travaux demeurés – sauf un – inédits et aujourd'hui perdus.

Une « création parasitaire » : rien ne s'applique mieux à l'œuvre de Boaistuau que cette définition du caractère de Diderot par Jean Fabre. « Les abeilles pillottent de çà de là les fleurs, mais elles en font le miel qui est tout leur » (Montaigne) : ainsi vont le *Chelidonius* et le *Théâtre du Monde*, donnés l'un comme l'autre pour des traductions, alors qu'ils sont en réalité des compilations cousues d'emprunts de toutes sortes jetés dans des moules familiers : l'*institutio principis* pour le *Chelidonius*, les « états du Monde » et la *miseria hominis* pour le *Théâtre*. Éditer ce qui sera plus tard l'*Heptaméron*, traduire sans trop d'astreinte un conteur lombard, c'est encore insinuer sa création entre celles des autres.

Le jeu de l'« entre-glose » est toutefois trop commun à ce moment pour assurer le renom à son entrepreneur. Boaistuau sait l'art d'élire les passages à copier, il pratique la technique du fondu enchaîné qui évite l'impression de disparate ; il polit ses modèles, d'où il chasse archaïsmes et mots techniques. Ses contemporains lui reconnaîtront de l'élégance – nous dirions du discernement –, un goût sûr de ce qui plaît.

... et une pensée timide

Boaistuau ne délivre aucun message ; il nous fait visiter sa bibliothèque, et, de l'éclectisme de ses préférences, il serait hasardeux de prétendre tirer un tableau de ses convictions ; tout au plus, des développements récurrents permettent-ils de surprendre ses obsessions. Il sait les maux infinis qui procèdent de l'amour, les désordres personnels et sociaux qu'il engendre (c'est lui qui contribuera à faire connaître à l'Europe l'histoire de Roméo et Juliette) ; la guerre lui fait horreur, la mort lui inspire de la peur. Les dangers du monde le hantent sans qu'il songe pourtant à la vie cloîtrée. Au moment où s'achève le concile de Trente, son œuvre semble sonner le glas du beau XVIe siècle, dont il pratique encore les auteurs et les témoins les plus précieux : Érasme, Josse Clichtove, H.C. Agrippa, Dolet.

Un titre fait exception à cette timidité : les *Histoires prodigieuses*. Les livres précédents l'ont préparé, et, bien que son plan porte encore la marque d'une incertitude, c'est lui qui nous livre la préoccupation la plus constante de Boaistuau : interroger la nature et, surtout, qu'il s'agisse des choses, des bêtes ou des hommes, s'arrêter à ce qu'elle offre de rare. Pourquoi ? Parce que « la rareté signale avec une singulière netteté la présence intime de Dieu » (J. Céard). Et ce que les mots ne sauront dire, les gravures, comme dans le *Prodigiorum ac ostentorum Chronicon* de Conrad Lycosthenes, dont il s'inspire, le montreront. Par là s'établit la synthèse entre les « cas » des nouvelles de Marguerite ou des *Histoires tragiques*, les tableaux du *Théâtre du Monde* et les prodiges des *Histoires prodigieuses*, tandis que la foi en la *dignitas hominis*, présente dans le *Chelidonius* et le *Bref Discours*, trouve ici son fondement herméneutique.

M. Simonin

BODEL Jean *v.* JEAN BODEL

BODIN Jean

(1529-1596)

Ce fondateur de la science politique moderne est aujourd'hui considéré comme l'égal d'un Machiavel – qu'il a du reste combattu par ses œuvres. Le premier, il a défini de manière autonome le principe de souveraineté. Dans sa *Méthode de l'histoire* et dans sa *République*, il a posé les fondements de la théorie du déterminisme par le milieu, dont s'inspirera Montesquieu pour tel passage célèbre de l'*Esprit des lois.* Dans le domaine économique enfin, il a apporté dans sa *Réponse aux paradoxes de M. de Malestroit* (1568) la première analyse rigoureuse du mécanisme de l'inflation, alors nouveau en Europe. La modernité révolutionnaire de cette pensée ne doit pas dissimuler cependant le caractère archaïque de pans entiers de l'œuvre. La fameuse *Démonomanie des sorciers* condamne avec une violence inquisitoriale des rituels venus, semble-t-il, d'un autre âge. Quant au *Théâtre de la Nature universelle* (traduit du latin en 1597), qu'inspire ici et là la Kabbale juive, il prétend reconstruire l'univers et ses lois éternelles en fonction d'un symbolisme qui, d'étage en étage, unifie la Création selon le jeu infiniment repris des similitudes. Dans cet ouvrage ultime, il semble bien que les principes du droit se soient élargis, dans une tentative visionnaire pour retrouver l'unité du réel, aux règles d'une poétique généralisée.

La situation de Bodin au cœur d'une des périodes les plus mouvementées de l'histoire européenne explique pour une part cette discontinuité inscrite dans l'œuvre, voire ces contradictions flagrantes entre des productions exactement simultanées.

Un juriste militant

Natif d'Angers, et après avoir été carme dans sa jeunesse, il fait son droit à Toulouse, où il commence à donner des leçons. C'est alors qu'il entre en relation avec Cujas, dont il critiquera plus tard la méthode exégétique pour lui opposer celle, plus novatrice, du droit comparé. Dans des circonstances assez obscures, il a, à plusieurs reprises, frôlé le bûcher, et, une fois au moins, pour ses sympathies à l'égard de la Réforme. Il fut par exemple détenu à la Conciergerie de Paris du 6 mars 1569 au 23 août 1570, durant toute la troisième guerre de Religion, soit pour hétérodoxie foncière, soit au contraire, et paradoxalement, par mesure de protection, en un temps où régnaient la chasse aux suspects et les exécutions sommaires. Il devint ensuite conseiller et maître des requêtes de François d'Alençon, frère du roi Henri III et chef du parti des Malcontents, dont la maison était ouverte à des éléments d'un catholicisme douteux. Sa carrière de juriste se poursuivait cependant sans encombre : inscrit comme avocat au barreau de Paris en 1561, il publia en 1566 sa *Méthode de l'Histoire* et, dix ans plus tard, son principal ouvrage, *la République,* qui définit le pouvoir royal à la fois contre les « machiavélistes » de l'entourage de Catherine de Médicis et contre les réformés partisans – depuis la Saint-Barthélemy – du tyrannicide et du gouvernement populaire. L'ouvrage était achevé pour l'ouverture des États généraux de Blois (1576), auxquels Bodin prit part en tant que député du Tiers du Vermandois. C'est alors qu'il lui est donné de s'opposer aux catholiques intransigeants, dont il combat, au nom des principes du droit, l'intolérance religieuse.

Cette prise de position et surtout le succès immédiat de son livre font de Bodin l'un des inspirateurs du courant des « Politiques » qui se développe au cours des années suivantes. À Laon, où il s'est marié la même année, il occupe les fonctions de lieutenant général, puis de procureur au présidial. Dans la période d'incertitude politique qui s'ouvre sous le règne de Henri III, Bodin, par crainte sans doute d'être inquiété en raison de son passé, embrasse publiquement le parti de la Ligue. En 1589, il appelle les habitants de Laon à se rallier au duc de Mayenne, « leur remontrant qu'un tel soulèvement ne devait pas être appelé rébellion, mais révolution ». Il meurt de la peste dans cette ville en 1596.

Entre Aristote et Montesquieu

Cependant, la pensée véritable de Bodin n'avait cessé de s'approfondir dans le sens d'un universalisme qui l'inclinait à la tolérance mutuelle, comme en témoigne le *Colloquium heptaplomeres* – ouvrage laissé manuscrit et dont la paternité a été discutée. Les sept sages qu'on y voit converser en toute quiétude représentent les diverses options religieuses ou philosophiques du temps, y compris les moins publiables : un catholique, des protestants, mais aussi un juif, un chrétien converti à l'Islam, un syncrétiste et un adepte de la religion naturelle confrontent leurs dogmes respectifs sans prétendre tomber d'accord sur l'unité d'une vérité acceptable par tous. Au terme du débat, où nul n'a converti l'autre, les devisants, « après s'être embrassés dans un mouvement de charité mutuelle, se retirèrent ». Conclusion tout aussi éloquente qu'exceptionnelle. Mais le rêve de l'unité des connaissances et des principes que tout l'œuvre bodinien s'était employé à réaliser s'y trouve définitivement perdu. Et, de fait, depuis la *Méthode* jusqu'au *Théâtre de la Nature,* tel semble avoir été le sens de la démarche du philosophe et du juriste : trouver à l'universelle disparité des choses et des coutumes un centre et un sol, autrement dit conférer à l'apparent désordre du monde naturel et humain la cohérence d'une unité principielle.

C'est ainsi qu'il faut comprendre, par exemple, le rôle nodal dévolu dans un tel système à la théorie des climats. Poser qu'il convient d'« accommoder l'État au naturel des citoyens et les édits et ordonnances à la nature des lieux » ne signifie pas seulement, comme plus tard chez Montesquieu, que le climat détermine le caractère et donc le régime politique du peuple qui y réside ; cela implique surtout que l'œuvre du législateur est destinée à achever, sur le plan de la société, une harmonie d'emblée livrée par la Nature. Si les Méridionaux intellectuels et lascifs supportent aisément la tyrannie ; si, inversement, les Septentrionaux brutaux et courageux ne sauraient tolérer que l'État démocratique et populaire, c'est qu'ils se trouvent situés, sur la carte, de part et d'autre de la région moyenne et tempérée d'où résulte l'harmonie de l'ensemble et où résident les citoyens du plus accompli des régimes, la monarchie. La recherche d'un centre, situé non par hasard en France, et d'une périphérie, désormais élargie à l'orbe du monde nouvellement découvert, permet de reconnaître un équilibre et de transporter dans la culture un modèle unitaire, d'emblée perçu dans la Création. La théorie climatique multiplie dès lors les correspondances entre la géographie, la médecine et le droit. L'univers, mais aussi l'État bien policé, est un corps, avec son foie chaud et humide, sa rate sèche et froide, et son cœur intermédiaire. Sanguins et cardiaques sont les peuples de la région moyenne, appelés à être les législateurs et comme les régulateurs du reste du monde. Le foie est nordique, comme le prouvent l'humidité de l'Allemagne et du Danemark, et l'ivrognerie constante de leurs habitants. Productrice de bile noire – la fameuse mélancolie saturnienne –, la rate préside au Sud, poussant les gens du Midi aux pires débauches comme aux plus géniales inventions.

F. Lestringant

BOILEAU Nicolas

***Nicolas Boileau**, dit **Boileau-Despréaux** (1636-1711)*

Malgré une jeunesse frondeuse et peu disciplinée, Nicolas Boileau obtint de son vivant le certificat de juge suprême en matière de goût littéraire. Ses choix, ses préjugés, ses exclusives, ses admirations et ses incompréhensions – souvent sur les mêmes objets –, reflets des positions esthétiques triomphantes sous Louis XIV, furent considérés comme intangibles et présidèrent à la constitution de l'image pédagogique, explicitement bourgeoise, de notre littérature dite « classique » au cours du XIXe siècle. Aujourd'hui, longtemps après la révolte romantique, après les redécouvertes de la littérature préclassique et du baroque, nous tendons à rejeter la loi dont Boileau fut le greffier dans l'insignifiance, sinon dans l'abjection objective des « poubelles de l'histoire ». La loi, mais pas forcément ses législateurs.

Une carrière littéraire réussie

Né le 1er novembre 1636, quinzième enfant d'un « commis au greffe de la cour du parlement », Boileau voulut accréditer plus tard une aristocratie ancienne. En fait, Gilles Boileau, le père, n'est qu'un bourgeois de robe enrichi par son travail. À sa mort (1657), Nicolas hérite d'un revenu qui le met en partie à l'abri du besoin. Il avait perdu sa mère, seconde épouse du greffier, un an et demi après sa naissance. Sa petite enfance fut pénible, triste, souffreteuse. L'enfant était atteint de la pierre, et une opération malencontreuse le priva « des dons de la nature ». On ne saurait surestimer l'effet de cette terrible disgrâce sur la vision du monde, misogyne, janséniste, amère, moraliste, de l'écrivain ; ni sur la force des sublimations dans sa vie comme dans son œuvre. *L'Année littéraire* (1756, 3e volume) attribue l'impuissance de Despréaux à une bataille enfantine avec un dindon castrateur. Helvétius (*De l'esprit*, III, chap. I, note 1) voyait dans l'anecdote la cause de « l'aversion qu'il eut toujours contre les jésuites, qui [...] ont apporté [les dindons] en France ». On évitera ici, malgré son charme, cette méthode critique.

Après d'excellentes études au collège d'Harcourt, Boileau s'initia au droit de 1652 à 1656 ; admis avocat, il n'exerça guère. La théologie ne l'avait pas plus retenu. Dès qu'il hérite, devenu clerc tonsuré, il balance entre l'Église et la mondanité littéraire, où il se laisse entraîner par ses frères, Jérôme, Pierre (Puymorin), Jacques et surtout Gilles, critique redouté, protégé de Chapelain, qui l'impose à l'Académie en 1659. Voilà Despréaux (ce nom le distingue) engagé dans le jeu des coteries, aux côtés de l'abbé Cotin, de Furetière, dans les cercles puristes et antiprécieux. Antoine Adam a finement analysé ces milieux et leurs débats : le primat cartésien de la raison, la tradition malherbienne en poésie, l'hostilité à l'égard du romanesque, de la galanterie, des précieux, la dénonciation du culte de l'argent ont pour finalité assumée une morale. « Un sens vif des devoirs de l'écrivain, de sa dignité et de sa vocation [...], une exigence de pureté et d'exactitude dans l'expression, voilà ce que Despréaux a surtout retenu de la fréquentation de ses amis » (A. Adam). Derrière ce noble programme, une idéologie montante de l'efficacité et de sa justification morale, un goût personnel irrépressible pour l'ordre, les classifications claires, les modèles (les Anciens), une profonde angoisse devant les risques de la liberté, incarnée par le dynamisme dangereux du baroque, qu'il repère dans le foisonnement du XVIe siècle, dans le burlesque, dans le « mauvais goût » galant et précieux.

Les *Satires* que Boileau compose alors sont le fruit d'un faisceau d'influences : celles de Régnier ; celle, immédiate et difficilement appréciable, de Furetière, ami de son frère Gilles ; celle, rassurante, des Anciens. Les sept premières *Satires*, surtout dans leur forme initiale, que conserve l'édition pirate de 1666 – immédiatement dénoncée par l'auteur comme « monstrueuse » –, manifestaient une verve, une vitalité rares dans la littérature critique de l'époque, et surtout une maîtrise technique exceptionnelle. Ces pièces se transmettaient oralement, de variante en allusion, et suffirent à établir la notoriété de leur auteur. Boileau fut dès lors caractérisé comme un écrivain de premier plan, comme un partisan de Molière et de Racine, comme un ennemi impitoyable de la poésie à la mode et, s'agissant de ridiculiser ses ennemis, comme un redoutable farceur. Cette image pouvait être fatale à sa carrière ; il s'employa dès lors à la corriger.

À la fin des années 1660, le satiriste, le mauvais esprit, le pilier de cabaret, l'auteur – ou le collaborateur – de la parodie du *Cid* dirigée contre le dispensateur des pensions littéraires (*le Chapelain décoiffé*, 1665) est un personnage à faire oublier. Les écrivains classiques, bourgeois et aristocrates mêlés, se rallient à Colbert, délégué de la classe montante dans l'élaboration de la culture louis-quatorzienne. C'est, pour Boileau, qui se veut l'émule d'Horace, l'heure des *Épîtres*. La première (« Au Roi », 1668) manifeste un louable désir de moraliser les relations entre l'écrivain et le pouvoir, par la dénonciation de la guerre. Mais, otage volontaire, Boileau apportera rapidement sa caution d'homme intègre à la politique de conquête (*Épître IV*). Puis les échos vulgarisés de Descartes, déjà sensibles dans l'*Arrêt burlesque* de 1671, qui brocardait la faculté de théologie et son aristotélisme, se font entendre dans l'*Épître III*, dédiée au grand Arnauld, idole intellectuelle et morale de Boileau.

À cette époque, Despréaux est au plus vif de son activité créatrice. Il termine *l'Art poétique* (1674), dont les vers circulaient depuis deux ans déjà, à la grande admiration du Tout-Paris littéraire. Il achève la traduction du *Traité du sublime* de Longin, qui fonde et justifie ses idées (assez peu) personnelles, et utilise peut-être un travail antérieur de son frère Gilles, mort en 1669, et avec qui Nicolas s'était brouillé.

Pour balancer ces importants textes théoriques, Boileau met la dernière main aux quatre premiers chants du *Lutrin* – 1669 ?-1674 –, jeu rhétorique qui dévoile les possibilités ludiques du classement en genres et en tons.

Couronnant sa réussite sociale, il parvient enfin à se faire présenter au « plus grand des monarques », grâce à de puissantes protections (Mme de Montespan, puis Mme de Maintenon). Il est immédiatement pensionné. Il publie en 1694 un troisième et dernier volume d'*Œuvres diverses* du sieur D*** [Despréaux], indiquant par là que l'ensemble de ses textes, sous une forme définitive, est digne d'être rassemblé. De fait, les écrits postérieurs, à part trois *Épîtres* et les *Satires* tardives, n'apporteront rien à sa gloire.

Absorbé par de dures polémiques avec les Perrault [voir **Querelle des Anciens et des Modernes**] et par ses hautes fonctions d'historiographe du roi (depuis 1676), qu'il partage avec son ami Racine – cet honneur insigne et stérilisant est sans doute dû à la Montespan –, Boileau vieillit dans l'amertume et une relative solitude. Il est fort critiqué, et la maladie, qui le prive de sa belle voix, l'empêchant de déclamer ses vers, l'attriste avant de l'accabler. Il se défend du désespoir avec une dignité où entrent quelque hauteur et une extrême vanité d'auteur. Celle-ci, avec une naïveté parfois touchante, se révèle dans sa correspondance, par d'innombrables mises au point sur sa noblesse prétendue, sur son passé, que le digne Brossette se charge de transmettre à la postérité.

Sa dernière activité littéraire porte sur la religion : une *Satire* dirigée contre les jésuites (XII, « Sur l'équivoque »), qu'il ne peut faire publier, malgré tous ses efforts ; le roi s'y oppose. Après ce dernier combat au service du jansénisme, il meurt pieusement, dans la chambre qu'il occupe au cloître Notre-Dame, le 13 mai 1711.

Une œuvre critique

Faire le point sur Boileau est devenu chose difficile et quelque peu ingrate. En effet, installé depuis deux siècles au sommet de la réputation classique, aux côtés des créateurs, Boileau passe pourtant aujourd'hui pour un versificateur à la pensée aussi influente que plate. Son œuvre, où une importante articulation critique affecte l'apparence du poétique, déçoit, irrite, ennuie le lecteur moderne. Pourtant, elle peut, elle devrait le réjouir et souvent l'inviter à la sagesse, à la vertu, à la pudeur, à l'honneur, toutes conceptions dont l'avilissement, sinon la perte, hante notre modernité.

Hormis de courts poèmes de circonstance, où surnagent quelques facéties dont la plus inepte est évidemment la plus célèbre (« Après l'*Agésilas,* hélas ! » etc.), l'œuvre versifiée se ramène aux *Satires,* aux *Épîtres,* à *l'Art poétique* et au *Lutrin.* Dès les premières *Satires,* une thématique et une rhétorique s'installent. De la peinture allègre des ridicules sociaux, dans la veine de Régnier ou de Furetière (*Satires* III et VI) à la réflexion morale et quasi politique (I, IV), l'intérêt passionné pour la littérature est toujours moteur. Continuées au long de sa vie, les *Satires* de Boileau n'ont d'autre unité qu'intentionnelle : le projet est de redonner sa force à un genre illustré par les Anciens (une traduction de Perse a paru en 1653), en fustigeant les travers moraux et esthétiques du temps, et de faire entrer dans l'honorabilité d'un beau discours les règlements de comptes les plus occasionnels. L'ambiguïté du propos se retrouve dans les *Épîtres.* Redresseur de torts ou moraliste, Boileau ne se prive guère de mener son combat personnel. *L'Art poétique* même, malgré son objet général et noble, s'ouvre par une méchanceté de circonstance contre Saint-Amant. Ce côté journaliste d'humeur, qui nous échappe parfois, transparaît souvent dans l'œuvre.

Ce n'est pas par ses attaques que Boileau, qui contrôle assez prudemment ses effets, peut être dit non conformiste. Mais sa reconnaissance immédiate et franche des nouveaux écrivains : Molière ou Racine *(Épître VII)* le compromet davantage. Despréaux, en effet, est un critique de la modernité : ses jugements sur ses contemporains sont pour nous moins choquants que ceux de Sainte-Beuve sur les siens ; c'est le passé – Ronsard, Théophile – qu'il méjuge. D'autres paradoxes nous frappent, par rapport aux images scolaires. La violence de l'homme est attestée (on cite toujours un passage de Mme de Sévigné à cet égard) : ce qui importe est la répression de cette violence dans l'écriture. Autocenseur plus que censeur des autres, Boileau jouit de ce contrôle ; il aime à se présenter comme « un esprit doux, simple… » *(Épître X).* Théoricien de la contrainte, il vante aussi la sincérité, la passion éprouvée (« C'est peu d'être poète, il faut être amoureux… », *l'Art poétique,* II), et la légèreté, la simulation du désordre (« Chez elle [l'ode] un beau désordre est un effet de l'art », *id.*). Il loue l'« artifice agréable » qui transfigure le réel sans en écarter les aspects choquants (« Il n'est point de serpent ni de monstre odieux… », *id.*, III). C'est précisément pour atteindre tout le réel, pour exprimer l'excès et la passion que le créateur en langage doit s'adonner avec obstination au travail formel et respecter les lois de chaque genre. L'art classique, selon lui, est d'abord un art classificateur, c'est-à-dire définitoire : Boileau croit au concept, au « sens » avant toute chose. Mais ses classifications impliquent la perception du désordre qu'il aime à évoquer (la satire des « Embarras de Paris », *le Lutrin*) ; ses disciplines, une reconnaissance de l'inspiration toute-puissante ; sa répression, une violence sous-jacente. Ajoutons qu'une lecture moderne affadit et déforme bien des formulations (« Ainsi, pour nous charmer, la tragédie en pleurs… » ; « Que toujours le bon sens s'accorde avec la rime… », *l'Art poétique,* III).

Cependant, ce discours critique est élaboré sur la lecture admirative des Grecs et des Latins : son application à la littérature française constitue une grille analogue à celle de la grammaire de l'époque, qui analysait « le langage » par les structures latines. Cette grille raye et rend illisible toute vraie nouveauté : non seulement celle des exclus, mais aussi bien celle de Malherbe ou de Molière, que nous percevons tout autrement que Boileau (et aussi bien Perrault) ne faisait. Lui en faire procès serait vain.

Comme la poésie du XVIIIe siècle, qu'il prépare, le discours versifié chez Boileau est le revers et le complément de ce qui fait pour nous l'essence du poétique : une forme langagière émouvante par sa résistance au sens. Cette poésie à la Boileau n'exalte les mots, leurs assemblages, leur musique, que pour les noyer dans le (bon) sens, les soumettant soit aux exigences de la narration, soit aux projets du didactisme. Par jeu, Boileau sait d'ailleurs montrer les limites de son système. Dans l'*Épître II*, ironisant sur la cacophonie et les rimes détestables que le roi fournit aux poètes lorsqu'il envahit la Hollande, il forge ce vers pré-hugolien :

Zutphen, Wageningen, Hardervick, Knotzembourg.

Conter, expliquer, exposer, « peindre », telles sont, pour l'instituteur du classicisme, les finalités du verbe poétique. Toute forme devient pour lui la forme nécessaire d'un contenu qui sécrète ses propres lois. Le poète doit découvrir ces contenus possibles, genres et sujets, les lier au réel tel qu'il apparaît au lecteur-spectateur (le « vraisemblable »), plier à leurs exigences les sonorités du langage, par un travail obstiné, que métaphorise une image célèbre d'économie artisanale (« Vingt fois sur le métier remettez votre ouvrage », *l'Art poétique*, I). C'est peut-être là, dans les suggestions révélatrices de sa rhétorique, dans le jeu, dans les glissements entre les structures de l'expression et l'appréhension d'un contenu familier ou risible (*le Lutrin*), dans les interférences du théorique et du vécu, du fantasme littéraire et de la réalité des discours, que réside la force véritable d'une œuvre que la tradition a réduite à des apparences pédagogiques.

Le poète suicidé

Si Boileau, comme l'a dit Vauvenargues, était d'abord un violent, comment ne fut-il pas sauvé par son naturel ? Son goût de la raison et de l'ordre, il est vrai, s'exprime passionnément, mais ce goût instinctif, parfois furieux et, justement, déraisonnable, est canalisé par une technique sans complaisance. Le pouvoir poétique est ici étranglé par l'analyse, par l'ironie méchante ou bonasse, par la narration appliquée ou vive, par une rhétorique contrôlée. Cet étranglement, sans doute émouvant, a efficacement coupé un souffle poétique dont seules quelques inadvertances portent témoignage.

En revanche, le programme qui veut, à tous discours, et même à ceux

[...] de la rusticité
Donner de l'élégance et de la dignité,

est assez bien rempli.

La dignité, Boileau la trouve dans un choix syntactique et lexical approprié à l'objet principal de la rhétorique de chaque morceau. Hautain et cadencé quand il s'adresse au roi (« Du salpêtre en fureur l'air s'échauffe et s'allume »), familier et souple lorsqu'il dialogue avec un ami, usant alors ironiquement des métaphores les plus nobles (« Ou d'un plomb qui suit l'œil et part avec l'éclair/Je vais faire la guerre aux habitants de l'air », *Épître VI*, « À Lamoignon »), le style de Boileau est surtout tendu vers quelques objectifs. La clarté analytique et l'aisance, souvent au service de la critique littéraire et morale (*l'Art poétique* ; *Épîtres*), le pittoresque narratif (*le Lutrin*, quelques *Satires*), puis, vers la fin de sa vie, l'atténuation rhétorique de l'indignation et de l'amertume. Comme à plaisir, Boileau centre alors son discours sur de pseudo-objets généraux, abstraits, vidant ansi la force émotive convoquée. Ainsi de l'« équivoque », à l'origine tant du galimatias que de la casuistique (*Satire XII*) ou de la fausse honte et du respect humain (*Épître III*), où Sainte-Beuve, sans trop de bienveillance, voyait des « thème[s] propre[s] à enchâsser deux ou trois petits tableaux ».

Cette esthétique du tableau, reconnue et admirée dès les premiers commentaires, est en effet active chez Boileau, qui est en cela aussi un véritable classique. Il faut y joindre le goût pour l'allégorie, en général à peine indiqué (il n'aurait pas le mauvais goût de persister dans cette manière périmée), et surtout une extrême science à jouer des registres que classe et définit *l'Art poétique*. Ainsi la parodie, maniée avec une souveraine adresse dans *le Lutrin*, est-elle plus discrètement à l'œuvre un peu partout.

Et les meilleures pièces de Boileau sont pour nous celles où plusieurs rhétoriques concourent, se confrontent et se compromettent. Ainsi de l'*Épître XI*, où, sous prétexte d'exposer à son jardinier Antoine le métier de poète, il décrit en termes assez pompeux la simple activité d'un naïf personnage (« Tu fais du sable aride une terre fertile/Et rends tout mon jardin à tes lois si docile »), et en termes exceptionnellement lyriques l'activité inlassable et technique du créateur en langage. C'est là, à propos de la cadence, de la rime, de l'expression, etc., qui sont les vraies amours de cet homme sans amour, que se dévoilent des images inattendues qui le rapprochent, le temps d'un éclair, de Saint-Amant et... de Valéry. Là sont évoquées, à propos des poètes, des

Sorcières dont l'amour sait d'abord les charmer

Là, mystérieusement,

Sans cesse poursuivant de fugitives fées
On voit sous les lauriers haleter les Orphées.

En contraste, l'oisif est classiquement et froidement dépeint (« D'une lâche indolence esclave volontaire »), mais il est l'occasion d'un vers inquiétant :

De monstrueux désirs le viennent émouvoir...

Jean Tortel a eu raison de saluer les plus étonnants de ces vers, dont la fulgurance sourde permet de déplorer le sacrifice minutieux d'un poète trop habile, et sans doute incommode à lui-même.

Les Satires

SYNOPSIS

I. 1661. Portrait de Damon, poète misanthrope, « rustique et fin », « d'une vertu sauvage », qui affirme : « Je ne puis rien nommer, si ce n'est par son nom ». Contre le milieu parisien et la puissance de l'argent (la première version attaque Fouquet). Remaniée en 1663. Éd. 1666.

II. 1662. À Molière. À propos de l'affaire de *l'École des femmes*. Oppose la facilité heureuse (Molière) à la difficulté vaincue (Boileau lui-même) et à la facilité misérable de « Scutari » (Scudéry). Molière apporte la « rime » à la « raison ». Éd. 1665.

III. 1663-1665. « Le Repas ridicule ». Réussite comique à la Régnier, mais occasion d'attaques contre Théophile, La Serre, Quinault. Éd. 1666.

IV. 1664. À La Motte Le Vayer. Contre le rationalisme dogmatique. Éd. 1665.

V. 1664. Au marquis de Dangeau. La noblesse. Contre les mauvais nobles. Révèle la situation ambiguë de la vertu bourgeoise, scandalisée par la pratique sociale, mais encore assurée de la légitimité du titre (Boileau le revendique pour lui-même). Éd. 1666.

VI. 1660. « Les Embarras de Paris ». Comique de situation, dans la veine du « Repas ridicule », avec un zeste de critique sociale (« Paris est pour un riche un pays de Cocagne »). La moins littéraire des satires, par le sujet. Éd. 1666.

VII. 1663. Le genre satirique. Autocritique du créateur : « Je sais coudre une rime au bout de quelques mots : Souvent j'habille en vers une maligne prose ». Éd. 1666.

VIII. 1667-1668. À M*** [Moreau]. Sur l'absence de raison chez l'homme (le thème vient directement du poète Perse). Éd. 1668.

IX. 1667-1668. « À mon esprit ». « C'est à vous, mon esprit, à qui je veux parler/Vous avez des défauts que je ne puis celer ». Le retour sur soi-même est prétexte à redoublement d'acidité. Éd. 1668.

X. 1692. Les femmes. Misogynie traditionnelle et obsessions personnelles. Cette satire fut très attaquée, et défendue par Arnauld comme par La Bruyère. Éd. 1694.

XI. 1698. A. M. de Valincourt. «… Que ce n'est qu'en Dieu seul qu'est l'honneur véritable ».

XII. 1705. Sur l'équivoque. Pièce violemment antijésuite. Éd. « subreptice », 1711.

Les dates de composition sont indicatives et contestées. Les sept premières satires ont été remaniées ; leur premier état est celui de l'édition de 1666, dénoncée par Boileau.

Épîtres

SYNOPSIS

I. 1668. « Au roi ». Composée après le traité d'Aix, pour détourner Louis XIV de la guerre, selon le vœu de Colbert. Éd. 1670.

II. 1669. « À M. l'abbé des Roches ». Contre la chicane. Éd. 1674.

III. 1673 ? « À M. Arnauld ». Des méfaits de la « mauvaise honte », qui, depuis le premier homme jusqu'aux protestants rétifs à l'argumentation janséniste, a banni de la terre « l'honneur et la vertu ». Éd. 1674.

IV. 1672. « Au roi ». Sur le passage du Rhin et la conquête des Pays-Bas. Éd. 1672.

V. 1674. « À M. de Guilleragues ». « L'argent en honnête homme érige un scélérat. » Éd. 1674.

VI. 1677. « À M. de Lamoignon ». Le misanthrope en exil. Éd. 1683.

VII. 1677. « À M. Racine ». À la gloire de Racine et de Molière (« De Phèdre malgré soi perfide, incestueuse… »). Éd. 1683.

VIII. 1675 (paru en 1677). « Au roi » (pour le remercier de la pension). « Grand roi, cesse de vaincre, ou je cesse d'écrire » Éd. 1683.

IX. 1675 (composée avant la VII). « À M. le marquis de Seignelay ». «… Et mon vers, bien ou mal, dit toujours quelque chose. » Éd. 1683.

X. « À mes vers ». Autocritique et justification d'un homme « ami de la vertu plutôt que vertueux ». Éd. 1698.

XI. 1696. « À mon jardinier » [Antoine]. Contient les vers les plus poétiques de l'œuvre. Éd. 1698.

XII. Vers 1695. « Sur l'amour de Dieu ». Éd. 1698.

L'Art poétique

SYNOPSIS

CHANT I. Le poète doit sentir « du ciel l'influence secrète ». La rime doit être l'esclave du sens, de la raison. Le juste milieu. « Évitez la bassesse ». La prosodie. Critique et flatterie.

CHANT II. Les genres. L'idylle, l'élégie, l'ode, le sonnet, l'épigramme et la pointe, le rondeau, la ballade et le madrigal, la satire, le vaudeville.

CHANT III. Le théâtre. La tragédie, les trois unités, le vraisemblable. Le héros : critique du roman. Sujets antiques et sujets chrétiens, la fable, Homère. La comédie et le comique (Molière, trop « ami du peuple »).

CHANT IV. Contre Claude Perrault. La critique. La morale et les devoirs de l'écrivain. Un programme : exalter la politique guerrière de Louis XIV. Boileau, censeur, joue à s'avouer « plus enclin à blâmer que savant à bien faire ».

[Voir **Classicisme, Querelle des Anciens et des Modernes**.]

A. Rey

BON François

(né en 1953)

Formé aux Arts et Métiers, François Bon a travaillé pendant quatre ans comme technicien d'usine avant de se consacrer pleinement à une activité littéraire qui restera profondément marquée par cette expérience initiale. C'est dire que pour le romancier ont coïncidé entrée dans l'écriture et *Sortie d'usine*, selon le titre de son premier livre paru en 1982. Cependant, au-delà des seules résonances autobiographiques, son œuvre s'attache au déclin d'un monde industriel en déshérence, comme dans *Temps machine* (1993) qui portera le deuil d'une classe ouvrière sacrifiée et fera l'amer constat d'« une fin de monde ». Plus largement encore, l'attachement à une réalité crue et principalement urbaine est le propre d'une écriture qui peut ainsi résumer son projet : « Nous avons, nous, à dire des routes et des parkings. » De fait, de *Décor ciment* (1988) à *Paysage fer* (2000), se manifeste le même désir de répondre à un réel qui nous échappe et défie le langage par sa banalité même. Non que l'écrivain se réclame de quelque réalisme périmé. Il convient plutôt de saisir « la ville dans ses franges les plus symboliques », de laisser pressentir au lecteur ce qui oriente toute perception du réel jusqu'à lui conférer une dimension fantasmatique. Ce travail sur la représentation l'amène à conjuguer un heurt brutal avec le monde moderne et un questionnement des grandes œuvres de la littérature dont le souvenir traverse l'ensemble de ses textes, de Baudelaire à Michaux. Le style même de l'écrivain n'est d'ailleurs pas sans suggérer une déstabilisante collusion du discours oral et de la prose la plus rigoureuse. Et l'on comprend qu'il se soit particulièrement attaché à l'auteur de *Gargantua*, auquel il a consacré l'essai *la Folie Rabelais* (1990) et dont il a édité les textes, puisque « c'est aussi notre lecture du monde qui nous reconduit à son œuvre ».

Ses romans, largement consacrés à « l'acharnement stérile du malheur ordinaire », évoquent le tragique moderne de l'exclusion, de ce châtiment arrêté avant même la faute qui le justifiera, de sorte qu'il peut rapprocher l'histoire sordide d'un *Fait divers* (1994) et « ces très vieilles tragédies » où l'on « sait l'histoire et son dénouement avant même que cela commence ». Fréquemment, un enchevêtrement des discours à la manière de Faulkner semble traduire à la fois une désagrégation sociale et une dislocation de l'esthétique romanesque traditionnelle qui force le lecteur à reconstruire une histoire fragmentée. S'affirme également, à travers cette polyphonie qui est d'abord une « symphonie de gris », l'impossibilité de réduire le réel à la ligne simplificatrice d'une intrigue que des jeux complexes de distanciation obscurcissent davantage encore, comme dans *le Crime de Buzon* (1986).

Plusieurs livres prolongent sur d'autres modes cette interrogation du réel et des représentations qui nourrit son œuvre romanesque : Bon a ainsi écrit des essais consacrés au peintre Edward Hopper et au graveur Jacques Muron, des livres pour la jeunesse et des récits autobiographiques largement nourris par une longue expérience d'animateur d'ateliers d'écriture dont témoigne *Tous les mots sont adultes* (2000). C'est que toujours il lui importe de rendre la parole aux exclus du langage, de la jeunesse désœuvrée de *C'était toute une vie* (1995) aux délinquants de *Prison* (1998). Comme si, à travers une écriture exigeante et complexe, François Bon gardait avant tout le souci d'accorder sa respiration avec « cette poésie fruste des mots simples et justes ».

V. Hugotte

BONALD Louis, vicomte de

(1754-1840)

Philosophe et écrivain politique, né à Monna, près de Millau dans une famille de petite mais ancienne noblesse provinciale, Louis de Bonald semble suivre une carrière sans problème : études chez les oratoriens de Juilly, mousquetaire du roi, maire de Millau en 1785. Tranquille et modeste ascension qui s'accélère avec les débuts de la Révolution, qu'il accueille favorablement, récoltant au passage une popularité qui le porte à la présidence de l'assemblée départementale.

La Constitution civile du clergé (1790) marque sa rupture avec le nouvel ordre politique. Il démissionne, émigre en Suisse et rédige dans la solitude et la gêne son ouvrage fondamental : la *Théorie du pouvoir politique et religieux dans la société civile* (1796), publié à Constance en Souabe, mis au pilon par le Directoire, mais lu cependant par Chateaubriand, Fontanes, La Harpe, Sieyès et… Bonaparte.

Le Consulat le voit revenir en France, le sollicite, l'Empire aussi, mais de sa retraite du Monna (où se trouvent encore ses inédits), il n'accepte qu'un poste au grand conseil de l'Université en 1810, après avoir refusé d'être le précepteur du roi de Rome. Retraite studieuse au demeurant, puisqu'il publie un *Essai analytique sur les lois naturelles de l'ordre social* (1800), *Du divorce* (1801), *Législation primitive considérée dans les derniers temps par les seules lumières de la raison* (1802).

La Restauration, qu'il a appelée de ses vœux, le consacre officiellement, sans que les honneurs (pair de France et académicien en 1816) lui confèrent une réelle faveur politique, bien qu'il soit considéré comme l'oracle des ultras. On ne lui confie que le poste ingrat de président du Comité de surveillance de la presse (1827). Il multiplie discours, articles et opuscules, en alternance avec les ouvrages de fond : *Recherches philosophiques sur les premiers objets des connaissances morales* (1818), *Mélanges littéraires, politiques et philosophiques* (1819). La chute de Charles X en 1830 met fin à sa carrière politique. Il se retire « dans ses rochers » et se tient à l'écart de la monarchie de Juillet, écrivant sans relâche, ne publiant plus que de rares articles. Il entretient cependant une abondante correspondance jusqu'à sa mort en 1840, à Millau.

Un novateur « prophète du passé »

L'influence de Bonald ne se mesure pas seulement par la triple publication de ses *Œuvres complètes* (15 volumes chez Leclère de 1817 à 1843, 7 volumes chez le même de 1847 à 1854 et 3 volumes par l'abbé Migne de 1859 à 1864), mais aussi par la renaissance de la pensée religieuse qu'il inaugure avec Joseph de Maistre. Les dogmes catholiques sont nécessaires parce que prouvés par l'évolution des sociétés, évolution à laquelle ils sont indispensables. Une Révélation originaire pourvoit l'homme social d'une législation primitive, à laquelle le langage donne corps. Bonald souligne ainsi le caractère institutionnel de la langue.

L'Histoire s'organise autour d'une médiation, celle de Jésus-Christ, dont le sacrifice constitue l'acte et le témoignage, fondant le modèle de tout service public. Cette doctrine religieuse ne le conduit pas à la théocratie, mais elle lui permet d'énoncer les principes qui régissent la vie sociale : une Constitution primitive et naturelle issue de Dieu ; une Conservation imitant l'éternité ; une Société civile unissant la société religieuse (l'âme) et la société politique (le corps) ; une Nature humaine et sociale qui est l'état de maturité vers lequel il faut tendre ; un Rythme ternaire fondamental : père-mère-enfant, cause-moyen-effet.

Toute l'œuvre de Bonald s'écrit en fonction de la Révolution, qu'il faut comprendre et réfuter en l'intégrant au projet divin : des agents corrupteurs, comme la Réforme, et des fautes de gouvernement viennent perturber la maturation sociale ; une véritable catharsis régénère alors le pouvoir, et la société, qui reprend sa maturation, marche vers la nouvelle Jérusalem.

Bonald n'est donc pas qu'un « prophète du passé », comme l'affirme Barbey d'Aurevilly, même si son style austère et rocailleux, chargé de réitérations, indispose quelque peu le lecteur. Cela n'empêchera pas les théoriciens de l'Action française d'y puiser de nombreux concepts ni la postérité d'enregistrer une heureuse formule : « Le style est l'expression de l'homme ; la littérature est l'expression de la société » (*Législation primitive*, 1802, thème développé dans « Du style et de la littérature », *Journal des débats*, août 1806, repris dans les *Mélanges*).

G. Gengembre

BONNEFOY Yves

(né en 1923)

Poète consacré par la célébrité, Yves Bonnefoy constitue cependant une manière d'exception par son refus d'être assujetti à une place précise dans la poésie moderne. Et c'est au cœur même de cette contestation de toute « étiquette », nécessairement fallacieuse selon l'auteur, que le lecteur doit apprécier ses perspectives philosophiques, critiques et poétiques.

Né à Tours le 24 juin 1923, d'un père contremaître dans un atelier de construction de matériel ferroviaire et d'une mère institutrice, Bonnefoy connaît une enfance studieuse, entrecoupée de vacances émerveillées dans le Lot où son grand-père lui fait découvrir le pouvoir rassurant du concret. Il effectue, à Tours, de solides études au lycée Descartes où il témoigne d'une certaine fascination pour les disciplines abstraites et rigoureuses (le latin, les mathématiques) ; il obtiendra en 1943 un certificat de mathématiques générales, mais il abandonne alors ce domaine pour la philosophie et la poésie. Il se lie, à Paris, aux milieux surréalistes, et rencontre les peintres Victor Brauner, Raoul Ubac et Hans Bellmer ; il prépare un diplôme sur Baudelaire et Kierkegaard (1944), mais, après une rencontre décevante avec André Breton, il décide de s'engager sur une voie originale. Lors d'un voyage déterminant en Italie en 1953, il se laisse séduire, après tant d'autres, par la plénitude ensoleillée de l'univers méditerranéen et surtout découvre une richesse artistique inconnue jusqu'alors. Quelques peintres, dont Piero della Francesca, certains sites (le mausolée de Galla Placidia, à Ravenne), les églises baroques agissent sur le poète comme de véritables révélations, et l'analyse des œuvres d'art ne cessera plus de l'occuper. Parallèlement, il écrit son premier recueil *Du mouvement et de l'immobilité de Douve* (édité en 1953) qui fut salué unanimement par la critique pour sa tonalité originale et fit connaître au poète une immédiate célébrité. Son second volume, *Hier régnant désert* (1958), obtint le prix de la Nouvelle Vague décerné par le journal *l'Express* ; ensuite, paraîtront notamment : *Pierre écrite* (1965), *Dans le leurre du seuil* (1975), *Rue Traversière* (1977), *Poèmes 1946-1974* (1978), *Une autre époque de l'écriture* (1988), *Début et fin de la neige* (1991), *la Vie errante* (1993), *l'Encore aveugle* (1998), *la Pluie d'été* (1999). Bonnefoy développe aussi une réflexion sur les traductions – et, au premier chef, celles des œuvres de Shakespeare, qu'il entreprend dès 1957, et qui ont fait l'objet de nombreuses représentations, au Théâtre de France, au Festival d'Avignon, au théâtre des Amandiers ou à la Comédie-Française. Il s'intéresse à la critique et à l'histoire des formes poétiques et picturales, et élabore une réflexion dont l'essentiel est contenu dans *l'Improbable et autres essais* (1959), *la Seconde Simplicité* (1961), *Arthur Rimbaud* (1961, nouvelle éd. 1994), *l'Arrière-pays* (1972), *Entretiens sur la poésie* (1981), *la Présence et l'Image* (1983), *Dessin, couleur et lumière* (1995), *Théâtre et poésie : Shakespeare et Yeats* (1998).

En 1967 paraît le premier numéro de *l'Éphémère*, que l'écrivain fonde avec Louis-René Des Forêts, Gaëtan Picon et André Du Bouchet. Sa carrière dans l'enseignement supérieur, en France comme à l'étranger, se voit couronnée en 1981 par son élection au Collège de France à la chaire d'Études comparées de la fonction poétique : le recueil *Lieux et destins de l'image* (1999) présente les « résumés de cours » de poétique qu'Yves Bonnefoy a dispensés, de 1981 à 1993, dans le célèbre établissement parisien. Les travaux multiples de l'écrivain ont en outre reçu la consécration de nombreux prix ; parmi ceux-ci : le grand prix de poésie de l'Académie française (1981) et le grand prix de la Société des gens de lettres (1987) pour l'ensemble de son œuvre, le grand prix national de poésie (1993) et le prix Prince-Louis-de-Polignac (1998).

Les insuffisances de la raison

À y bien réfléchir, la question à laquelle Bonnefoy se trouve confronté n'est pas sensiblement différente de celle que se posa Pascal : le vertige existentiel surgira ainsi de la faille entre le réel et un mode d'appréhension qui ne suffit pas à en rendre toute la complexité. La faillite de l'intellect rejoint bien ici celle de « l'esprit de géométrie ». Les systèmes qui font du concept leur principal opérateur ne sont cependant pas dénués d'un charme ensorcelant : la pensée qui ordonne crée, en effet, un espace pur, aseptisé, où un réel bien codifié, transparent, ne suscite ni angoisse, ni excès, ni déséquilibre. L'être humain accède ainsi, comme Paul Valéry, à cette « Méditerranée de l'esprit, pays où la sensation est si faible, si élémentaire, si pure qu'elle semble conduire au cœur des choses : à une mer éternelle, au soleil, au vent » (« Paul Valéry », dans *l'Improbable*). Et Yves Bonnefoy, ici, d'opposer à l'idéalisme platonicien – qui suppose l'adéquation du concept à la forme qui en constitue le support, et qui fait de la symétrie le principal critère de l'harmonie – la position de Plotin pour qui cette même harmonie suppose la division, l'éparpillement du vivant, et qui conçoit la vérité comme acceptation de ce fourmillement et de cette diversité. L'art qui se voue à atteindre l'unité de la transcendance ne peut que faillir à sa mission : ainsi en est-il des statues grecques et de certains peintres primitifs italiens qui participent de la volonté d'exprimer l'éternel. Mais ce temps de l'éternité ne peut naître que d'une « pensée de la mort », et l'être humain se pétrifie dans l'extase de la conscience :

> *Et vois, tu es déjà séparé de toi-même...*
> *Es-tu celui qui meurt, toi qui n'as plus d'angoisse,*
> *Es-tu même perdu, toi qui ne cherches pas ?*
>
> (*Hier régnant désert*)

La raison, au bout du compte, ne mènerait qu'à une absence de savoir.

Une initiation à la logique du vivant

Pour que la vie renaisse, il faut donc échapper à l'unité de l'Être, accepter la fragmentation ; ayant compris après Hegel que l'Être pur, c'est le Néant pur, l'homme doit chercher « la fraîcheur de la mort envahissante » (*Anti-Platon*, 1962), « triompher aisément d'une éternité sans jeunesse, et d'une perfection sans brûlure ». Ce n'est qu'au prix de sa propre mort que l'homme saura accéder au règne du plaisir : « Et je t'aime rompue, et jouir d'être morte, ô plus belle ! » (*Du mouvement et de l'immobilité de Douve*). Il acquerra ainsi le sens de la vie : « Il te faudra franchir la mort pour que tu vives ». La figure centrale du recueil, Douve, revêt la forme d'une Ménade, en proie aux feux du désir dionysiaque et qui se laisse glisser au vertige de la mort par démembrement, selon la tradition héritée d'Euripide. Elle sera ensuite assimilée au Phénix : comme cette créature mythique, Douve a le pouvoir de se recréer éternellement après son immolation par le feu (« Car rien ne peut grandir une éternelle force qu'une éternelle flamme et que tout soit défait »). Bonnefoy joue ici sur les signifiés traditionnels de la poétique des éléments, conforme à la philosophie présocratique, et que reprirent plus tard les alchimistes : si au feu correspond le moment rituel de la purification, c'est dans l'élément terrestre que s'opérera la renaissance définitive. Douve, métamorphosée en salamandre, a traversé l'épreuve du feu, sorte d'ordalie, et se fait minéral (la houille, promesse de nouvelles flammes). Figure antithétique du « camaïeu du concept » (« les Tombeaux de Ravenne », dans *l'Improbable*), la pierre évoque sous toutes ses formes (murs, falaises, tombeaux, etc.) la virtualité de la mort et signifie la substance dans toute sa pesanteur et son inertie. Et, au terme de ce voyage initiatique, émerge enfin le sujet qui parle ; le poète est, d'ailleurs, défini comme « celui qui brûle » (« l'Acte et le lieu de la poésie », dans *l'Improbable*), et c'est la vertu des terres nues et des ruines qu'elles enseignent qu'« affirmer est un devoir absolu » (« les Tombeaux de Ravenne » dans *l'Improbable*). Mais si l'homme est fasciné par sa passion de la nuit de l'inconscient, il est condamné à la vivre sans l'assouvir totalement, sauf à verser dans l'irrationnel pur, comme la *Nadja* de Breton : il ne pourra qu'en apercevoir les confins dans le *Leurre du seuil*, position limite entre raison et déraison qui constitue la vraie place du poète.

L'exploration des limites

Seules les instances qui parviennent à concilier, en un fragile équilibre, les tendances contraires de l'Être sans les annuler fournissent un certain bonheur, résultat d'une dialectique sans faille, héritée peut-être de Hegel, sous le signe de qui Bonnefoy a placé son premier recueil. L'acte poétique se situe dans l'intervalle entre le réel et le désir, en d'autres termes dans l'espace d'une frustration qui donne naissance à la création. À la pensée essentialiste qui exclut toute finitude et toute précision – car toute conquête de l'Être ne peut se situer que dans un absolu qui récuse toute limite –, Bonnefoy répond par l'étude de ces situations mêmes où l'Homme peut accéder à la connaissance, sans céder totalement à son élan, à sa pulsion, payant de sa souffrance renouvelée le droit à une certaine maîtrise de soi et conquérant par là même le droit de créer. Le poème se constitue alors comme le récit d'une lutte paradoxale, sans vainqueur ni vaincu ; le créateur, sans cesse en quête,

> *Heurte*
> *Heurte à jamais,*
> *Dans le leurre du seuil*
> *À la porte, scellée,*
> *À la phrase vide.*
>
> (*Dans le leurre du seuil*)

L'angoisse étreint alors celui qui cherche le sens sans jamais le trouver définitivement :

> *Achever, achever*
> *Nous ne le savons plus.*
> *Entre l'œil qui s'accroît et le mot le plus vrai*
> *Se déchire la taie de l'achevable.*
>
> (*id.*)

Mais, au cœur même de la défaite, de l'échec qui guette le poète en proie au vertige de l'autodestruction, « prédateur » qui « se recourbe sur soi et se déchire » (*id.*), surgit le moi qui « consent » enfin à s'abandonner à l'emprise des choses, « qui trouve et touche doucement, dans le flux qui va, à une épaule ». Ainsi le réel peut-il s'épanouir et se faire accepter par la conscience qui saura assumer sa chatoyante diversité (« Oui, par la Mort, Oui, par la Vie sans fin »). Et tout au long de l'œuvre de Bonnefoy, on notera une prédilection pour les lieux « frontières », glacis privilégié et protecteur d'où l'on peut percevoir *l'Arrière-pays* (crêtes, lignes, bords, carrefours, rivages, quais de canal, aube, etc.).
L'Art constituera un moyen d'accès privilégié à cet au-delà angoissant et séducteur, que nous sommes condamnés à interpréter : « Quelle misère que le signe ! Quelle certitude pourtant, à des heures, d'y avancer comme à l'avant d'un bateau, ou d'un autocar dans les dunes, existant plus que lui, puisqu'on peut le voir se former, puis s'ouvrir, puis se perdre » (*l'Arrière-pays*). L'esthétique baroque, qui par son essence même rend compte de la multiplicité inquiétante du réel, tout en figeant son mouvement dans l'Œuvre, trouvera donc en Bonnefoy un admirateur fervent, tout comme il se penchera sur les peintres qui s'inscrivent dans les mêmes problématiques. La grande vertu du baroque réside en ce qu'il sait « exprimer la tension qui fait l'unité du monde, la grande forme spirale qui et rassemble et transcende les mille formes ouvertes qui sont tournées vers la mort » (*id.*) ; « Monde humainement truqué où le désir accepte de se faire attente » (J.-P. Richard dans *Onze Études sur la poésie moderne*), il ressemble à un théâtre où le désir vient se matérialiser.

Une poétique du paradoxe

Bonnefoy s'est-il attaché à recueillir l'héritage des mythologies antiques, tout en usant des acquis modernes de l'expérience psychanalytique ? On peut, en tout état de cause, justifier par là sa défiance de toute forme d'interprétation qui ne s'appuierait que sur le formalisme des méthodes linguistiques. La critique, quels que soient sa démarche et son cheminement, ne peut se passer de concepts et de nomenclatures. Discours qui fige la poésie dans la mort d'une signification univoque, et le lecteur dans l'extériorité d'une expérience analysée avant que d'être vécue. Ainsi Bonnefoy reproche-t-il à Roland Barthes d'avoir méconnu une des composantes essentielles de l'écriture : la liberté, dans laquelle s'investit l'irréductibilité du désir.

Désir qui pousse à la création : « Il en vint à penser que tout langage est un ordre, tout ordre une agression, toute parole un instrument qu'un pouvoir emploie » (*la Présence et l'Image*, leçon inaugurale au Collège de France, 1981). Au contraire, le lecteur se doit d'oublier « l'inscription que l'auteur essaie de faire de soi dans sa turbulence verbale » *(id.)*, et la meilleure voie pour comprendre le livre est de le quitter pour aller vivre soi-même les sensations dont le poème a éveillé le désir : critique paradoxale s'il en est, puisqu'elle suppose la négation de l'œuvre, qui reste sacrifiée à l'issue du voyage. Il reste à la poésie à bien remplir son office : rendre compte des éternelles reviviscences du désir et les communiquer à son lecteur afin qu'il les vive lui-même à son tour. L'œuvre n'a donc aucune fin en soi, car la poésie « sait que toute représentation est un voile qui cache le vrai réel » *(id.)*. Comment, dès lors, l'enfermer dans un réseau de sens, fût-il pluriel ?

Aucun poème de Bonnefoy n'a du reste de signification en lui-même, tant chaque pièce est liée aux autres par la récurrence des images et de la thématique, le recueil se constituant comme un itinéraire à suivre de bout en bout. Peut-être cet aspect explique-t-il que la poésie soit vécue comme une incessante bataille entre « la forme et le non-formel » ? Bonnefoy a, en effet, fort logiquement opté pour une solution qui synthétise des exigences traditionnellement opposées ; le langage poétique ne saurait être sans un travail rigoureux et attentif de l'écriture, mais, pour être authentique, il doit garder quelque chose de cette tension qui l'a fait naître : « Son œuvre s'est voulue un moment de l'histoire de la poésie, et un moment de l'histoire tout court, Bonnefoy ayant conçu celle-ci comme la demeure que l'effort spirituel, s'il veut la transfigurer, doit assumer » (Jérôme Thelot, *Poétique de Bonnefoy*). Il ne s'agit donc pas d'adhérer à une quelconque école, de suivre un quelconque modèle, mais bien plutôt d'explorer les structures existantes de la versification dans toutes leurs virtualités, sans exclure aucune combinaison possible.

On se doit de souligner l'importance de cette pensée originale qui a pu, bien à tort, prêter à contresens parce qu'elle récusait les méthodes dont on use aujourd'hui pour interpréter les œuvres littéraires. Au contraire, elle propose une voie nouvelle qui pourrait peut-être régler les sempiternelles et stériles disputes entre « Anciens » et « Modernes » de la critique, en faisant porter l'accent sur ce qui reste, au-delà des débats théoriques, essentiel : la relation de l'œuvre à son lecteur.

A.-C. Bruneval

BONNETAIN Paul

(1858-1899)

Romancier, né à Nîmes d'une famille pauvre, P. Bonnetain s'engage dans la marine, puis vivote de sa plume. Après un bref passage par le naturalisme (*Charlot s'amuse*, 1883), il se démarque du groupe de Médan en prenant l'initiative du « Manifeste des Cinq » (avec Paul Margueritte, J.H. Rosny, Gustave Guiches et Lucien Descaves) contre *la Terre* de Zola (*le Figaro* du 18 août 1887), au nom « d'ambitions saines et viriles » et d'un « suprême respect de l'Art ». Correspondant du *Figaro* au Tonkin, plus tard commissaire du gouvernement au Laos (où il se suicida), Bonnetain est l'auteur de toute une production « maritime et coloniale » (*Au Tonkin*, six fois réédité entre 1885 et 1892 ; *Au large*, 1888 ; *Marsouins et Mathurins, id...*), dont seul *l'Opium* (1886) mérite encore une mention – à côté d'une œuvre théâtrale (*Au bord du fossé*, 1884 ; *Après le divorce*, 1890, et, en collaboration avec L. Descaves, *la Pelote*, 1889).

Mais c'est surtout avec *Charlot s'amuse* que le signataire du « Manifeste » contre *la Terre* retient encore l'attention. Le roman n'était certes pas sans défauts, et, si le thème de l'onanisme pouvait faire scandale (l'ouvrage dut être publié en Belgique, chez Kistemaeckers), il ne suffit pas à assurer un succès de librairie. De fait, le causalisme physiologique était lourdement appuyé (« De l'épilepsie alcoolique de sa mère, il gardait d'ailleurs une sensibilité nerveuse, une sensuelle lascivité et une religieuse exaltation », « Fatale, la névrose héréditaire qui le prédisposait à la chute allait pouvoir éclater... »), de même que l'anticléricalisme tournait à la bouffonnerie (« l'ignoble nymphomane ensoutané »). Mais ce qui marquait l'écriture dans une époque en fait aujourd'hui l'intérêt : le roman, qui outrait la « manière naturaliste », traitait d'un « cas » : « C'est ce côté physiologique qui fait toute la chasteté, toute la morale de votre livre, moral et sensible comme le musée Dupuytren lui-même », remarquait Henry Céard ; il s'inscrivait ainsi dans le champ des discours de la fin du siècle sur l'onanisme, dont l'article du *Larousse du XIXe siècle* est un exemple représentatif.

M.-O. Germain

BOREL Petrus

Pseudonyme de **Joseph Pierre Borel d'Hauterive** *(1809-1859)*

Petrus Borel fut sans conteste la figure la plus marquante du groupe des Jeunes-France des années 1830. Ce n'est pas un hasard si Théophile Gautier voyait en lui « une individualité pivotale, autour de laquelle les autres s'implantent et gravitent ». Le « lycanthropique » auteur des *Rhapsodies*, de *Champavert* et de *Madame Putiphar*, s'il compte parmi les plus grands des nombreux « minores » qu'engendra le romantisme, est aussi de la race de ces obscurs génies qui, de Villon à Tzara, ont pensé et vécu la littérature comme une permanente et scandaleuse révolution dans le langage.

La vie d'un « homme-loup »

Né à Lyon, le 30 juin 1809, dans une famille d'aristocrates émigrés et ruinés, Joseph Pierre Borel d'Hauterive entreprend, au sortir du collège, des études d'architecture. Il donne, dans cet art, libre cours à sa passion du Moyen Age, à son goût pour les styles originaux et le dessin haut en couleur que lui enseigne le peintre Eugène Devéria. Mais ses innovations audacieuses n'ont pas le don de plaire à la société rangée de la Restauration, qu'il a déjà plus envie de scandaliser que de servir. Aussi, à la veille de la révolution de Juillet, celui qui se fait désormais appeler Petrus Borel se tourne-t-il vers le journalisme et les cercles littéraires, où il découvre la chaleureuse atmosphère du romantisme militant en affinité avec ses convictions d'artiste et d'ardent républicain. Il devient même assez vite l'« individualité pivotale » du « Petit Cénacle » qui regroupe, dans l'atelier du sculpteur Jehan du Seigneur, les artistes Jeunes-France du moment : P. O'Neddy, Bouchardy, A. Maquet, C. Nanteuil, J. Vabre mais aussi Gautier et Nerval, autrement dit tous les fantassins de la bataille d'*Hernani*. En 1832, à vingt-trois ans, Borel publie sa première œuvre, un recueil poétique intitulé *Rhapsodies,* où s'expriment les « symptômes d'une nature morbide, amoureuse de la contradiction pour la contradiction » (Baudelaire), et dont la Préface, hargneuse, crie les convictions du lycanthrope révolté : « Je suis républicain parce que je ne puis être Caraïbe. » L'année suivante, dans son volume de sept « contes immoraux », *Champavert* (1833), l'écrivain affine son profil d'« homme-loup », rusé, mystificateur, cynique, hanté par la triple thématique du crime, du viol et du suicide.

Si l'on excepte sa belle traduction du *Robinson Crusoé* de Defoe (1836), quelques pamphlets remarqués (comme *l'Obélisque de Louqsor,* 1833) et son activité à la tête de *la Revue pittoresque,* il faut attendre 1839 pour voir Borel donner de nouveau une œuvre d'importance, qui sera d'ailleurs sa dernière, *Madame Putiphar.* Dans ce « roman », qui est, avec *les Roueries de Trialph,* de Charles Lassailly, le chef-d'œuvre de cette littérature qualifiée de « frénétique » par Charles Nodier, le lycanthrope-misanthrope se fait aussi « basiléophage », dénonçant pêle-mêle, dans une fiction extravagante, tous les abus, turpitudes et corruptions de la monarchie absolutiste emportée par le grand déferlement révolutionnaire. L'échec de cette épopée romanesque, dans laquelle Baudelaire saluera « l'expression la plus outrecuidante et la plus paradoxale de l'esprit des Bousingots », renverra Borel au journalisme dans les années 1840. Il dirigera notamment, avec son frère Francisque, les publications des fameux *Journal Satan* et *Corsaire-Satan,* tout en donnant des critiques théâtrales ou littéraires au *Commerce* et à *l'Artiste.*

Sans un sou, déçu et épuisé, il accepte en 1846 une place d'inspecteur à la colonisation en Algérie que lui obtiennent les bons offices de Gautier et de Mme de Girardin. Pendant dix ans il s'efforcera, au risque de conflits graves avec ses supérieurs, de mener à bien sa mission sans rien renier de ses convictions politiques et de son idéal humanitaire. Destitué en 1856, il se retire alors jusqu'à sa mort, par insolation, le 14 juillet 1859, dans le castel gothique qu'il s'était fait construire dans les environs de Mostaganem. Cette fin de « l'homme-loup », mourant fièrement au désert, était à l'image de toute la destinée de celui en qui Paul Eluard verra par excellence l'homme « surréaliste dans la liberté ».

Une poésie discordante

« Ces Rhapsodies sont de la bave et de la scorie. [...] C'est un tout, un ensemble, corrolairement juxtaposé, de cris de douleur et de joie jetés au milieu d'une enfance rarement dissipée, souvent détournée et toujours misérable » : ces propos de la Préface du seul recueil poétique de P. Borel donnent bien le ton et la manière d'un ouvrage aussi inégal que déconcertant. Collation de poèmes de jeunesse, de vers de circonstance, de satires politiques, le livre, malgré une métrique parfois vigoureuse et quelques réussites dans le registre de la couleur locale et des images réalistes, ne surmonte pas toujours les poncifs thématiques et les clichés formels d'un romantisme à la mode. Pourtant, par-delà les *remakes* du style troubadour ou les boursouflures de la rhétorique militante, perce ici et là l'originalité déchirée de celui qui affirmait : « Nul ne peut me dire son apprenti ».

Quand il s'abandonne à sa nature, sensible et chaleureuse derrière la violence, Borel sait faire aussi bien que Chénier dans l'imprécation élégiaque, aussi bien que Vigny dans le chant lyrique d'une âme fière et solitaire. Il y a même, dans ses meilleurs poèmes (« Doléance », « Rêveries », « Heur et malheur »), l'expression d'un conflit entre les contraintes de la faim, de la souffrance ou de la mort et l'espérance d'un regain, d'un idéal et d'un salut, qui n'est pas sans annoncer les tensions de l'écriture baudelairienne ou rimbaldienne. Enfin, l'authenticité de ces « rêveries du lycanthrope aux couleurs du néant » (Clancier) tient peut-être surtout à leur inégalité même, aux distorsions entre elles, quand ce n'est pas à leur caractère chaotique. Comme chez Forneret, ce qui frappe en effet, dans la poésie de Borel, c'est sa difficulté d'être, sa réduction à n'être souvent, dans le tissu « sauvage » de ses vers, que la métaphore obsédante des rapports conflictuels que le créateur entretient, sur le mode de l'humour ou de la violence, avec un langage toujours impropre ou insuffisant.

Une prose « frénétique »

Les sept nouvelles des « contes immoraux » de *Champavert* témoignent des mêmes distorsions de l'écriture borélienne. Sur le plan thématique, une prolifération quasi sadienne ou maldororienne des motifs du crime et de la perversion, une exacerbation de la conscience des oppressions et des injustices, une extension des procédés de l'humour et de l'humour noir, un festival de dépaysement spatio-temporel (des fioritures médiévales à l'exotisme jamaïquain). Sur le plan rhétorique, un goût immodéré pour les camouflages (pseudonymes, cryptocitations des *Rhapsodies*), une langue épicée et baroque (néologismes, latinismes, anglicismes), une complaisance dans la glose (épigraphes obscures, autocommentaires

paradoxaux) et, comme dans *Rhapsodies,* un discours turbulent qui s'impose précisément par la discontinuité de ses séquences et l'émiettement de ses images.
C'est d'ailleurs la même singularité stylistique et rhétorique qui attirera l'attention de Breton sur *Madame Putiphar* (1839), roman rédigé par Borel en pleine détresse matérielle, dans lequel l'auteur de *Nadja* verra « un ouvrage traversé des plus grands souffles révolutionnaires qui furent jamais », et ce, en raison de son écriture dont les procédés « tendent à provoquer chez le lecteur une résistance relative à l'égard de l'émotion même qu'on veut lui faire éprouver, résistance basée sur l'extrême singularisation de la forme et faute de laquelle le message par trop alarmant de l'auteur cesserait humainement d'être perçu ». Il est vrai que le « message » de ce monumental roman noir, qui combine toutes les haines du violent bousingot (de l'aristocratie pervertie, de la bourgeoisie vénale et de la jeunesse dorée) avec les fantasmes de l'écrivain marginalisé, ne pouvait s'accommoder d'une paisible linéarité narrative. Les amours contrariées d'un couple de jeunes et fidèles Irlandais, Deborah Cockermouth et Patrick Fitzwhyte, forment le cœur de l'intrigue d'un long récit débridé. Mais elles ne sont que prétexte à une mise en pièces systématique et fantasmatique du despotisme dissolu et sanguinaire de Pharaon (*alias* Louis XV) et de Mme Putiphar (*alias* Antoinette Poisson, la Pompadour). Ne reculant devant aucun des motifs spectaculaires du romantisme noir (cachots moisis, souterrains piranésiens, culs-de-basse-fosse ensanglantés...), Borel met ainsi en place le réseau fatal de tous les pièges où viennent se prendre et se perdre ses héros jusqu'à ce qu'une révolution formidable et vengeresse les en délivre. Mais trop tard pour eux, défigurés par le tourment carcéral au point de ne plus se reconnaître et d'en mourir. Cette fin cruelle de l'un des derniers romans noirs du siècle, et des plus audacieux par l'enjeu révolutionnaire des conflits individuels ou sociaux qu'il met en scène, sonna aussi le glas des espérances d'un Petrus Borel, indésirable dans le paysage littéraire bien-pensant de la monarchie de Juillet. En attendant la réhabilitation des surréalistes de 1920, il ne restait que le désert pour ce « génie manqué plein d'ambition et de maladresse » (Baudelaire).

D. Rincé

BORON Robert de *v.* ROBERT DE BORON

BORY Jean-Louis

(1919-1979)

Romancier, historien, chroniqueur, critique, journaliste, né à Méréville dans la Beauce, où il s'est donné la mort. Fils d'un pharmacien « original » (évoqué dans *Ma moitié d'orange,* 1972), il reçoit de son milieu libéral de gauche le sens de la liberté et de la tolérance. Agrégé de lettres, professeur jusqu'en 1961, il garde le goût de l'enseignement même dans son travail de critique : « Écrivant, je continue de faire ce que je faisais en parlant de Balzac au lycée : partager ce que j'aime ». Il commence sa carrière littéraire à 26 ans avec un roman imprégné de son expérience de la Résistance : *Mon village à l'heure allemande* (prix Goncourt 1945). Sa prodigieuse vitalité s'exercera ensuite dans les entreprises les plus variées. Amoureux de cinéma, il est critique au *Nouvel Observateur,* à la radio (*le Masque et la Plume*), dans les festivals. Passionné par le XIXe siècle (*Eugène Sue,* 1962), il adapte pour la télévision Balzac, Barbey d'Aurevilly... Au cours de débats et dans plusieurs ouvrages (dont *Comment nous appelez-vous déjà ?* [1977] écrit en collaboration avec Guy Hocquenghem), il est, avec fougue et beaucoup de drôlerie, le défenseur des homosexuels.
Écrivain, il s'illustre dans des genres variés : des ouvrages d'histoire (*la Révolution de Juillet,* 1966 ; *les Cinq Girouettes,* 1973), des essais critiques ou polémiques (*Tout feu, tout flamme,* 1966), un livre pour enfants (*Va dire au lac de patienter,* 1969). L'œuvre romanesque de Bory se compose, en fait, d'un seul cycle, *Par temps et marées,* qui réunit une vingtaine de romans ou de récits tous différents par le sujet ou le ton. L'unité de l'ensemble est assurée par une récurrence balzacienne des personnages et des lieux (Jumainville, le VIe arrondissement, François-Charles, Félicien...), et un enlacement « proustien » de la mémoire et de l'imaginaire qui permet de relier les unes aux autres des fictions situées de 1799 (*l'Odeur de l'herbe,* 1962) à nos jours (*Tous nés d'une femme,* 1975). Bory tente de peindre la société de ces différentes époques sans négliger la passion et le caractère individuel de ses personnages. La structure romanesque emprunte parfois à Faulkner ou à Dos Passos. La forme traditionnelle du récit se trouve bousculée : « Pas de héros miraculeusement élu, pas d'action rectiligne [...], mais une diversité de destinées individuelles qui cheminent chacune pour leur compte en s'ignorant la plupart du temps ». Usant d'une grande liberté de forme et de langage, Bory se glisse aisément dans l'un ou l'autre de ses personnages. Essentielle est dans cette œuvre la quête de « la moitié d'orange », cet autre moi impossible à trouver, qui serait à la fois un frère, un fils, un père, un ami, un amant. Bavard parfois, jouant jusqu'au canular (*le Pied,* 1977) de toutes les ressources du langage parlé, Bory crée une polyphonie qui répond à l'image qu'il se faisait du monde : celle d'une mosaïque impossible à rassembler, mais où tout se tient.

M. P. Schmitt

BOSCO Henri

(1888-1976)

Né en Avignon, Henri Bosco, après une enfance campagnarde, fit des études de lettres. Agrégé d'italien, il enseignera en France et en Afrique du Nord – cf. son livre de souvenirs *Sites et mirages* (1951) – jusqu'en 1945, année où il obtiendra le prix Théophraste-Renaudot pour *le Mas Théotime.* Le prix des Ambassadeurs lui sera décerné en 1948 pour *Malicroix.*

Les romans de Bosco sont hantés par le souvenir de son enfance et de sa terre natale : une Provence mystérieuse, lourde de significations secrètes.

Le mystère de la création

La nature est au centre de l'œuvre de Bosco. Les paysages de Provence, entre la Camargue et les Basses-Alpes, la transhumance des troupeaux, l'alternance des saisons, les caprices du climat, la pluie, le soleil et le vent lui inspirent de longues descriptions justement célèbres qui sont devenues des morceaux d'anthologie. Mais curieusement rien n'est moins matérialiste que cette fascination qu'il éprouve pour la nature. Celle-ci est toujours vue sous un angle métaphysique qui révèle une profondeur cachée, voire un pouvoir occulte, en tout cas un faisceau de correspondances avec une surnature spirituelle. C'est donc le symbolisme des quatre éléments, le temps cyclique des saisons, un bestiaire sacré, une géographie magique dont le centre est marqué par la demeure ancestrale, que met en scène le réalisme apparent de Bosco. La vie rurale, la description des activités liées au travail de la terre sont à peine évoquées, sauf lorsqu'elles revêtent une valeur mythique. Les personnages eux-mêmes sont plutôt des allégories, en tout cas des êtres hors du commun que leur aisance matérielle ou leur situation sociale met au-dessus des contraintes immédiates de la vie. Grâce à leur oisiveté, ils peuvent donc se consacrer soit à une quête intérieure, soit à la conquête du monde qui les entoure. Les bergers et autres nomades, dans la mesure où ils sont, par définition, conduits à un perpétuel dynamisme, occupent évidemment une place privilégiée parmi les personnages secondaires. L'œuvre de Bosco offre cependant l'originalité de pouvoir se lire aussi comme n'importe quelle narration figurative. Si la présence de forces occultes introduit le lecteur de *Hyacinthe* (1940) et surtout de *l'Antiquaire* (1954) dans un univers fantastique, les éléments « surréalistes » de *l'Ane Culotte* (1937) ou de la série des *Balesta* (1955) sont suffisamment discrets pour apparaître comme de simples énigmes liées aux nécessités de l'intrigue, si bien que certains romans peuvent passer pour des contes réservés à la jeunesse au même titre que *le Renard dans l'île* (1967) ou *l'Enfant et la Rivière* (1960), par exemple.

Bien plus cependant qu'à évoquer un univers simplement étrange, Bosco se plaît à susciter le mystère même d'un monde tout imprégné d'animisme, la vie secrète des choses, le pouvoir magique de certains êtres. L'inquiétude devant la nature se mue en une angoisse cosmique face à la sauvagerie des éléments, et plus particulièrement de l'air ; le sortilège qui enchaîne le narrateur à sa demeure ancestrale est au centre de *Malicroix* ; l'existence d'un don secret plus ou moins diabolique, sujet traité avec un humour parfois caustique dans *Sabinus* (1957), revient dans plusieurs autres romans ; les animaux eux-mêmes ont une signification symbolique (qui peut s'interpréter conformément à diverses gnoses – on a parlé notamment de symbolisme rosicrucien) : il faudra l'intervention « [des enchantements mineurs] de la Syrinx magique » pour venir à bout de la force du serpent, le « génie du mal », dans *l'Âne Culotte* par exemple ; le temps humain lui-même est en correspondance microcosmique avec le rythme des saisons et le rite des fêtes religieuses.

Sabinus

SYNOPSIS

Pierrelousse, petite bourgade du sud de la France, est divisée en deux clans. À l'un appartient Philomène Balesta, à l'autre Ameline, sa rivale malfaisante. L'équilibre relatif de cette situation est rompu par l'arrivée de Sabinus, vieux corsaire, qui s'installe bruyamment dans la propriété de Bruissanne, depuis longtemps désertée par la lignée des Balesta. Ses premières visites seront pour Méjemirande, le « prince » de la ville haute, et pour sa cousine, Philomène.

L'ancien loup de mer et sa petite-fille, orpheline, s'illustrent par leurs scandales et marquent par là la force de leur caractère. Cependant Ameline découvre dans les papiers de Melchior les secrets du « don ». Elle se rend toutes les nuits dans la propriété de Sabinus, fait une action d'éclat en offrant à la source de Perlefontaine, au lieu d'une madone, la statue que Melchior avait faite d'Élodie, son premier amour, contrarié.

Au cours d'une scène nocturne semi-fantastique, Christine, la petite-fille de Sabinus, surprend Ameline nue, dans l'eau de Perlefontaine, puis aux genoux de Sabinus. Cependant Philomène est cernée par le feu, avec ses troupeaux, dans les alpages. À partir de cet instant les événements se précipitent : le maire, M. de Sébisse, est frappé de paralysie, conséquence d'un sort que lui a jeté Ameline ; un autre personnage disparaît de même. Christine manque se noyer en se jetant dans l'eau de Perlefontaine, qui exerce sur elle une irrésistible fascination. Puis elle est enlevée par Ameline, mais libérée par un personnage secondaire. Sabinus sauve Philomène des flammes. Le calme revient : une vraie Vierge est substituée à la statue d'Élodie ; Ameline, qui aimait secrètement Sabinus, se suicide.

Un univers chargé de sens

Un tel syncrétisme peut rappeler l'œuvre nervalien, dont on sent l'influence jusque dans l'écriture d'allure autobiographique du *Mas Théotime* : l'amour toujours contrarié du narrateur pour Geneviève y est proche du ton d'*Aurélia*. Dans tous les cas, la recherche, sinon la présence, d'une signification sacrée est la préoccupation constante de Bosco. Pansymbolique, l'univers de Bosco l'est d'abord sur les plans psychologique et psychanalytique. Il obéit aux cheminements du rêve et aux pulsions du désir et échappe ainsi partiellement à l'emprise de la réalité. La nature adresse ses signes à l'homme : « Je crois aux puissances du ciel. Les orages qui le traversent ne laissent pas que de soulever en nous des tempêtes », écrit le narrateur de *Sabinus*. La violence dionysiaque qu'elle déchaîne contre lui – ou en lui (orages, fleuves menaçants, incendies, fléaux) – apparaît comme un rite de passage nécessaire pour accéder à la sagesse : après avoir franchi avec succès les épreuves de la peur, de la patience, du silence, de la confrontation avec la mort, Mégremut, le héros de *Malicroix* (1948), sera enfin initié à la vraie lumière, à la fois héritage de la terre ancestrale, récompense de la valeur de la race et sérénité personnelle. De même, Dérivat, après avoir triomphé de la violence des passions incarnées par Geneviève, « créature aérienne », retrouve la paix de l'âme en rejoignant l'harmonie apollinienne du patrimoine recouvré : « Il est à moi, je suis à lui ; le sol et l'homme ne font qu'un, et le sang et la sève ». Plus qu'à un naturisme épicurien, la philosophie de Bosco correspond donc à une ascèse mystique.

B. Valette

BOSQUET Alain

*Pseudonyme d'**Anatole Bisk** (1919-1998)*

Poète et romancier, né à Odessa. Si beaucoup de lecteurs ignorent l'œuvre entière de Bosquet – qui doit bien compter près d'une centaine de volumes –, beaucoup ont lu, qui *Une mère russe* (Prix du roman de l'Académie française, 1978), qui les *Quatre Testaments* (1967), qui ses anthologies (en particulier, de la poésie américaine, 1956), qui ses articles hebdomadaires… Jusqu'à sa mort, et même après (*Un départ*, posth., 1999), il n'est pas d'année, en effet, où n'ait paru en librairie un titre de lui ; il est peu de jeunes poètes qui n'aient eu de lui un jugement pertinent sur leurs premiers vers.

Plus mystérieuse, sa vie intrigue : né en U.R.S.S. au lendemain de la Première Guerre mondiale, dans une famille dominée par la figure énigmatique du père, l'intellectuel Alexandre Bisk (cf. *Lettre à mon père qui aurait eu cent ans*, 1986), il fait ses études supérieures à Bruxelles, est secrétaire de rédaction de *la Voix de la France* à New York en 1941, s'engage ensuite dans l'armée américaine, combat aux côtés des Alliés, est chargé de mission au Conseil quadripartite à Berlin et, en 1951, lorsqu'il s'installe à Paris, se fait… poète.

Traducteur, il est l'auteur de nombreuses anthologies, dont *les Plus Beaux Poèmes du monde* (1979), où il navigue avec brio dans des eaux qui, semble-t-il, lui sont familières : Italie, Angleterre, Allemagne, U.R.S.S., Chine, États-Unis. Critique, il a rassemblé dans plusieurs volumes, dont *la Poésie française depuis 1950* (1979), le fruit de ses lectures (plus de 6 000 recueils, confesse-t-il) qui réunissent les grands noms de la poésie française contemporaine, mais aussi de plus obscurs. Poète lui-même, il a publié de nombreux recueils : *Quel royaume oublié* (1955), *Maître objet* (1962), *Notes pour un pluriel* (1974), *Sonnets pour une fin de siècle* (1982), *le Livre du doute et de la grâce* (1987), *Capitaine de l'absurde* (1990), *Je ne suis pas un poète d'eau douce* (1996), où il oppose à son angoisse face à un monde littéralement innommable (« J'ai dit "pomme" à la pomme ; elle m'a dit "mensonge" ») un cynisme souverain et une causticité qui ne s'abaisse jamais au niveau prosaïque. Romancier, enfin, Alain Bosquet s'affirme comme un écrivain profondément attaché au réalisme de la fiction. Il a évoqué la guerre dans *la Grande Éclipse* (1952) et *les Bonnes Intentions* (1975) ; les écrivains et les artistes dans *Un besoin de malheur* (1960), *la Confession mexicaine* (1965) et *Un amour bourgeois* (1974) ; le milieu médical dans *Jean-Louis Trabart, médecin* (1980) ; le monde des affaires dans *Portrait d'un milliardaire malheureux* (1997).

Dans *Poèmes, Un* (1979), Alain Bosquet a écrit ce vers : « Je ne dirai plus rien, tout se fera sans moi. » Mais ce n'était alors qu'une boutade, de la part d'un écrivain demeuré jusqu'au bout l'intarissable observateur de son siècle, tant politique (*la Russie en lambeaux*, 1991) que littéraire (*la Mémoire et l'Oubli*, 1990-1996), tout en affirmant son lien consubstantiel avec la poésie (*Stances perdues* ; *Le verbe est un navire*, 1998).

J. Garcin

BOSSUET Jacques Bénigne

(1627-1704)

« Planté au milieu du siècle de Louis XIV comme un marbre, d'autres disent comme une borne… » (Alfred Rébelliau), Bossuet nous glace de respect ou d'ennui. L'homme nous semble toujours avoir eu les traits impérieux que lui donna Hyacinthe Rigaud (portrait du Louvre, 1701), et l'œuvre, immense (7 volumes de prédication, 15 de lettres, 31 d'œuvres dites complètes), nous écrase. Si bien que notre temps se détourne volontiers de Bossuet. À tort, comme le prouvent les travaux récents de l'histoire et de la critique. « Sera-t-il permis aujourd'hui d'ouvrir un tombeau ? » (*Sermon sur la mort*) et de rêver d'une résurrection de Bossuet au cœur de notre modernité ?

L'homme et son existence

« Bossuet n'a pas besoin de biographie », disait malicieusement Henri Bremond en 1913. Voire ! Oublions les légendes : Bossuet ne méritait ni les excès d'honneur que lui vouèrent les gallicans au XVIIIe siècle, puis les ultras (J. de Maistre, Chateaubriand, dans son *Génie du christianisme*, 1802), l'Église catholique du XIXe siècle, l'Université (Ferdinand Brunetière, Gustave Lanson, Victor Giraud) et enfin la droite nationaliste (Louis Dimier, Gonzague Truc), ni les indignités dont l'accablèrent Voltaire (qui pourtant admirait l'écrivain), les protestants, les anticléricaux de la IIIe République et, plus récemment, le modernisme catholique. La vie de Bossuet, cent fois racontée, nous intrigue depuis que des historiens l'explorent sans passion ; nos connaissances profitent aussi des travaux consacrés à l'ensemble de la Contre-Réforme au XVIIe siècle, aux adversaires de Bossuet (Richard Simon, Malebranche, Jurieu et le protestantisme, Leibniz, Fénelon) comme à ses alliés (le « parti dévot », Arnauld et Port-Royal). Ainsi nous cernons mieux et sa personne et son personnage.

Issu de petite mais vieille bourgeoisie bourguignonne, bon élève des jésuites de Dijon, étudiant modèle au collège de Navarre à Paris (1642-1652), il fait, avec l'appui des siens, carrière dans l'Église, et son ascension est exemplaire : très pieux, ordonné en 1652, il devient à Metz l'un des agents majeurs de la Compagnie du Saint-Sacrement ; dès 1659, il multiplie les séjours parisiens, et il acquiert célébrité par son zèle auprès des protestants et par sa prédication (carêmes des minimes ; des carmélites ; du Louvre, enfin, devant la Cour, 1662) ; protégé par Anne d'Autriche, il est récompensé par un évêché (Condom, 1669) et, mieux, par le préceptorat du Dauphin (1670-1680) ; tout en s'acquittant avec conscience de cette tâche ingrate, il approfondit sa culture et écrit (*Exposition de la doctrine catholique,* 1671 ; *Discours sur l'histoire universelle,* 1681) ; il prêche en de grandes occasions (*Oraisons funèbres* de Henriette-Marie de France, de Henriette-Anne d'Angleterre). Louis XIV, qu'il a servi lors des affaires gallicanes (1681), lui confie alors l'évêché de Meaux, petit et de médiocre revenu, mais proche de Paris et de Versailles. Prélat exemplaire, Bossuet se dépense dans la controverse contre le protestantisme, lutte contre le cartésianisme de Malebranche, contre l'exégèse moderne de Richard Simon, contre le théâtre (*Maximes sur la comédie*, 1694), contre le quiétisme et Fénelon (1695-1699), contre la casuistique relâchée et l'insubordination janséniste. Prodigieusement actif jusqu'à sa mort, il nous paraît mériter ce titre de « Père de l'Église » que lui donna son ami La Bruyère.

Cette vie si remplie abonde pourtant en échecs. Bossuet n'obtint ni l'archevêché de Paris ni le cardinalat ; Mme de Montespan se joua de lui ; le roi et Mme de Maintenon l'utilisèrent plus qu'ils ne l'écoutèrent. Et Bossuet perdit les combats qu'il livra : le protestantisme français subsista, même après la révocation de l'édit de Nantes (1685) ; l'union des Églises, à laquelle il œuvra, ne se fit pas ; Malebranche, Richard Simon ou Fénelon eurent enfin, chacun dans son ordre, infiniment plus d'influence sur les temps à venir que lui-même. Le *Journal* de l'abbé Ledieu, secrétaire de Bossuet, nous révèle comme fut triste, sinon sordide, la vieillesse du grand homme, grugé par sa famille, importun à tous, impuissant devant la « crise de la conscience européenne » (Paul Hazard), qu'il mesurait et qu'il combattait ; il mourut « les armes à la main » (Saint-Simon), mais tragiquement vaincu, et réduit à n'espérer plus qu'en Dieu ; d'où ses *Élévations sur les mystères* et ses *Méditations sur l'Évangile* (posthumes). Son destin, en ce sens, n'est pas indigne de notre curiosité. Quant à sa vie spirituelle, la belle étude de J. Le Brun nous a révélé toute son intensité, et surtout sa complexité : on ne peut plus dire, comme Gustave Lanson en 1891 : « Pourquoi Bossuet croyait-il ? Parce qu'il croyait ». Et, s'il osait braver les modes, le catholicisme d'aujourd'hui trouverait encore chez Bossuet de quoi alimenter sa foi et sa réflexion.

L'écrivain

Déjà au XIXe siècle, lors des polémiques livrées autour de Bossuet, un accord se faisait sur l'incomparable qualité de son style. En 1930, Paul Valéry pouvait avancer son célèbre paradoxe : « Dans l'ordre des écrivains, je ne vois personne au-dessus de Bossuet [...]. Quant aux pensées qui se trouvent chez [lui], il faut bien convenir qu'elles paraissent aujourd'hui peu capables d'exciter vivement les esprits » (*Variété II*). L'écrivain Bossuet devrait donc ravir les modernes « amants de la forme », et surtout ceux qui ont intérêt à décider que le sens d'une telle œuvre est indifférent. S'il est vrai qu'après Désiré Nisard et Sainte-Beuve la plupart des auteurs de petits ou gros *Bossuet* restés classiques (Gustave Lanson, 1891 ; Alfred Rébelliau, 1900 ; Ferdinand Brunetière, 1913 ; Henri Bremond, 1913 ; Victor Giraud, 1930 ; Jean Calvet, 1941) ont à l'envi fait de Bossuet l'un des plus grands prosateurs du XVIIe siècle et qu'il a longtemps joui du statut ambigu d'auteur « scolaire », en revanche les nouvelles critiques, et même, curieusement, les plus formalistes, ne s'intéressent guère à l'œuvre de Bossuet. Même l'Université, qui compte pourtant, depuis une cinquantaine d'années, de grands spécialistes de son œuvre (Th. Goyet, J. Truchet, J. Le Brun), le boude un peu. Son style a cependant besoin d'être réévalué, et les qualités qu'y notait, par exemple, Gustave Lanson devraient susciter autant d'études nouvelles : simplicité résultant d'une exacte adéquation de la phrase et de l'idée, plénitude énergique allant parfois jusqu'au sublime, discrétion des effets, variété, abondance verbale, enfin puissance de suggestion fondée sur le lyrisme ou le pathétique. Les travaux de Th. Goyet et de J. Truchet ont aidé à mesurer chez lui la part de la spontanéité et celle de la rhétorique. Mais notre redécouverte du baroque, non plus que l'attention que nous portons désormais aux formes n'ont guère profité à Bossuet. De même, aucune grande étude n'a encore estimé à sa juste valeur le polémiste (redoutable, et en français comme en latin), l'écrivain spirituel ou l'épistolier. Surtout, dans la mesure où chez lui « la pensée n'est pas tout à fait au niveau de l'expression littéraire, ni pour la puissance ni pour la profondeur » (L. Cognet), on aimerait que fussent précisées les fonctions, complexes, d'un style constamment et consciemment tendu vers l'expression de l'idée ou du sentiment, mais les dépassant parfois.

La prédication

Ce grand style, qui vaut à Bossuet d'être devenu « l'une des religions de la France » (Sainte-Beuve), nous le goûtons surtout dans ses œuvres oratoires, que nous prenons parfois pour la part la plus importante de sa production. À tort. Bossuet ne voua jamais à la prédication, encore moins à ses formes solennelles, toute son activité ; il s'en détourna lors de son préceptorat et, du reste, n'obtint de ses contemporains qu'un succès mitigé ; lui-même eût été indigné qu'on y vantât un art dont il n'usait que pour mieux instruire (cf. sermon *Sur la Parole de Dieu,* 1661). S'il commence à Metz sa carrière oratoire, avec des sermons encore baroquisants, c'est à Paris qu'il prononce ses premiers chefs-d'œuvre (sermon *Sur l'éminente dignité des pauvres,* 1659) et ses grandes stations (ou séries de sermons dits en un même lieu pour un carême ou un avent) : le *Carême du Louvre* (1662) surtout est célèbre, avec ses sermons *Du mauvais riche*, *Sur l'ambition* et *Sur la mort.* Précepteur du Dauphin, il prêche en 1675 pour la profession de Louise de La Vallière au Carmel, et, en 1681, devant l'Assemblée du clergé de France, où il expose les thèses gallicanes officielles. À Meaux, il prêche beaucoup, mais familièrement, et sans rédiger ; il n'écrit plus que les pièces solennelles qu'il lui faut proférer à Paris ou à Saint-Denis : *Oraisons funèbres* de la reine Marie-Thérèse d'Autriche (1683), d'Anne de Gonzague de Clèves (1685), de Michel Le Tellier, chancelier de France (1686), du Grand Condé enfin (1687).

Les *Sermons* que nous lisons ne sont pas ceux que Bossuet disait ; en effet, il aimait à improviser à partir de manuscrits qu'il ne destinait pas à la publication, et qui offrent un inachèvement ou une confusion tels que la critique en est délicate. Encore que d'importants progrès de lecture et d'édition puissent encore être espérés (cf. J. Truchet, édition critique de *Trois Sermons du carême des minimes,* Nancy, 1965), le texte des *Sermons* établi par Lebarq, Urbain et Lévesque (1914-1926) permet de mesurer le génie du prédicateur. Ses premiers sermons, trop savants, sont parfois gauches ; mais, à l'école de saint Vincent de Paul, dont il suivit les leçons à Paris, Bossuet renonça vite à un style trop orné, ou trop violent, et, au moment même où dans les lettres profanes se constituait contre le baroque l'esthétique classique, il apprit à se défier de la rhétorique. Désireux de n'être que l'humble serviteur de la Parole divine, et cherchant à convertir, non à éblouir, ses auditoires, il conquiert la simplicité : pas de subtilités théologiques ou morales, peu d'ornements profanes, pas de plans compliqués, nulle mondanité – mais, en fonction des divers publics auxquels il veut s'adapter, il offre des raisons logiquement serrées quand il lui faut rappeler le dogme, ou d'amples effusions, ou encore de véhéments appels, quand il veut émouvoir ; il cite toujours avec abondance l'Écriture, source presque exclusive d'images qu'il exploite parfois avec hardiesse.

La conviction est chez lui si vive que souvent le développement tout entier est rythmé, et la prose devient alors poème. Les thèmes de ces *Sermons* ne paraissent communs que parce qu'ils sont fondamentaux à toute vie chrétienne ; mais, même pour un lecteur irréligieux, ils sont intéressants : en effet, Bossuet prédicateur ne cesse de conduire une enquête sur l'homme, son intériorité et ses mœurs. Moraliste donc, Bossuet ne partage cependant pas avec ses contemporains ce parti pris de menue observation qui fera la gloire d'un La Bruyère ; quitte à moins briller par l'évocation pittoresque des apparences, il descend plus bas, au cœur, aux racines de l'être – aux principes, comme il dit. « Il connaît ainsi l'homme universel bien mieux qu'il ne connaît les hommes et qu'il ne se connaît lui-même », prétend Bremond, non sans exagération, car Bossuet sait être au besoin un psychologue très précis, et, polémiste ou directeur de conscience, il touche très exactement son interlocuteur dans son intimité ; mais il est vrai que Bossuet tient que les existences n'ont de sens qu'en rapport avec des essences, les hommes participant tous d'une commune nature. Le psychologique, avec lui, n'est jamais que l'effet du métaphysique.

Ce qui lui vaut de passer pour dogmatique, car, fort de sa foi catholique, Bossuet explique évidemment tout l'homme, et tous les hommes, à ceci près qu'il convient qu'existent des mystères du Mal et de la Grâce. Telle quelle, cette psychologie des *Sermons* reste puissante, et profonde. Allant et venant sans cesse des effets aux causes, de la surface à l'intérieur de l'homme, Bossuet pourrait par son exemple rappeler à notre époque qu'une métaphysique qui s'applique à la psychologie va toujours plus loin, dans cet ordre même, qu'une simple psychologie. À ce titre, sur la mort, l'ambition, l'égoïsme, la vanité, la bonne ou la mauvaise conscience, les diverses sortes de paresse, Bossuet a quantité de pages, admirablement intelligentes, qui séduisent encore.

Oraisons funèbres

En 1689, Bossuet fit imprimer le recueil des six plus notables oraisons funèbres qu'il prononça : celles de Henriette de France, de Henriette d'Angleterre, de Marie-Thérèse, d'Anne de Gonzague, de Le Tellier et de Condé. Il ne goûtait pas ce genre, trop académique, et l'estimait « peu utile ». Pourtant son renom littéraire jusqu'à la fin du XVIIIe siècle reposa presque exclusivement sur ces pièces ; elles n'ont pas vieilli. Étudiées aussi bien par les historiens des idéologies, qui y voient exposés des *exempla* héroïques intéressant la politique, que par les historiens des mentalités, qui y trouvent un reflet de cette grande mise en scène de la mort qui caractérise la Contre-Réforme au XVIIe siècle (cf. les travaux de Ph. Ariès, de P. Chaunu ou de M. Vovelle), elles retiennent aussi les historiens de l'art, qui y mesurent les derniers feux de l'ostentation baroque. Elles nous prouvent aussi le génie de Bossuet dans un genre ardu : très illustrée et copieusement codifiée quand Bossuet l'aborde, l'oraison funèbre est périlleuse par ses composantes mêmes : il est banal de déplorer la mort ; louer un mort revient souvent à raconter sa vie, mais toute vie a ses ombres ; instruire les fidèles à l'occasion du décès d'un être trop exceptionnel ou peu exemplaire est chose malaisée ; enfin, comment dire religieusement ce qui dans une vie ou dans une mort intéressa surtout la politique ?

Bossuet trouva, pour dire la mort, ou pour relater une agonie, comme celle de Madame, qu'il avait assistée, des accents inouïs ; il osa se faire l'historien très exact des grands dont il devait parler, et ses *Oraisons* offrent de grands morceaux historiques (la Révolution anglaise, la bataille de Rocroi) ; il sut tirer de fortes leçons de la vanité ou de l'impiété des uns, du courage des autres, et, avec un tact souverain, quand il ne pouvait entrer dans le détail des existences, il raconta de « bonnes morts » ou évoqua le dogme ; surtout, il ne renonça jamais à parler en prêtre, ainsi qu'en homme qui avait connu, parfois intimement, les héros qu'il exaltait. D'où une ferveur recueillie et, psychologiquement, une authenticité dans le témoignage qui font de ces oraisons tout autre chose que des discours d'apparat. Composées du reste et écrites avec puissance et variété, ces pièces donnent raison aux théoriciens du classicisme qui, comme Boileau, voulaient que la grandeur vraie reposât sur la simplicité.

SYNOPSIS

« Oraison funèbre d'Yolande de Monterby » (1655). Les mortels pensent pour la plupart que rien n'est aussi désirable qu'une longue vie, cependant qu'un petit nombre méprise des jours qu'un dernier moment viendra de toute façon anéantir. Une troisième maxime permet d'accorder ces deux sentiments : il faut « estimer la vie non par sa longueur, mais par son usage ». Le temps, qui n'est rien en lui-même, peut toutefois produire du fruit pour l'immortalité si l'on y attache « quelque chose de plus immuable que lui ». C'est ce qui a rendu vénérable la singulière longévité de l'abbesse du Petit-Clairvaux (morte nonagénaire).

« Oraison funèbre d'Henri de Gornay » (1658). La distance infinie que l'on met entre le noble et le roturier s'abolit à la mort, révélatrice de leur égalité naturelle. La noblesse pourtant n'est pas qu'un vain avantage, puisque Jésus-Christ a voulu naître du sang de David. Le Lorrain Henri de Gornay est le type du gentilhomme chrétien en ce qu'il a cherché dans ses ancêtres non un prétexte à s'enorgueillir mais des exemples de sainteté. Il a trouvé chez saint Livier le modèle des vertus qu'il a pratiquées dans le métier des armes, d'ordinaire peu favorable aux exercices de la piété.

« Oraison funèbre du père Bourgoing » (1662). Premier point : il a vécu à la perfection l'esprit du sacerdoce tel que pouvait le concevoir un compagnon et disciple de Bérulle, s'appliquant à l'oraison, à la prédication et à la direction de conscience. Deuxième point : en tant que supérieur de l'Oratoire, le P. Bourgoing a conservé la vocation de cet institut qui est de travailler, par le service zélé de « tout l'ordre épiscopal » (à savoir le pape et les évêques), à approfondir l'unité de l'Église catholique.

« Oraison funèbre de Nicolas Cornet » (1663). « Avoir mérité les dignités et les avoir refusées, c'est une nouvelle espèce de dignité » – telle est la grandeur de N. Cornet, qu'il faut louer de sa science et de sa sagesse (premier point) et plus encore de l'humilité qui les lui a fait tenir cachées (second point). Ce syndic de la faculté de théologie de Paris, nourri à la fois de saint Augustin et de saint Thomas, a défini le juste milieu entre les deux erreurs opposées du laxisme qui « fait porter des coussins sous les coudes des pécheurs » et du jansénisme qui désespère les consciences par l'excès de ses rigueurs.

« Oraison funèbre d'Henriette-Marie de France » (1669). L'existence de cette reine – « fille, femme, mère de rois » – est une illustration des vicissitudes de la fortune chrétiennement assumées. Épouse de Charles Ier, elle connaît d'abord seize années de prospérité pendant lesquelles elle suspend la persécution des protestants contre les catholiques anglais et s'emploie à réconcilier les deux royaumes de France et de Grande-Bretagne. Mais des « infortunes inouïes » lui sont réservées : la révolution d'Angleterre emporte l'Église et l'État, jette la reine dans de périlleuses et infructueuses expéditions, la réduit enfin à l'exil en France où il lui faut attendre seize ans encore le rétablissement de la monarchie des Stuarts au profit de son fils Charles II. Mais le malheur lui apporta cette grâce que « dédaignant les trônes qui peuvent être usurpés, elle attacha son affection au royaume où l'on ne craint point d'avoir des égaux ».

« Oraison funèbre d'Henriette-Anne d'Angleterre » (1670). C'est le triomphe de la mort que d'avoir replongé dans le néant une princesse (fille de la précédente) qui à la grandeur du rang joignait l'élévation du mérite, et la soudaineté du trépas (« Madame se meurt, Madame est morte ! ») oblige plus encore à redire après l'Ecclésiaste : « Vanités des vanités, et tout est vanité. » Mais l'espérance n'est pas éteinte. Seul le corps retourne à la terre, tandis que ce qui, en nous, est capable de s'unir à Dieu est rappelé auprès de lui. Ainsi la mort de Madame, qui l'arrache aux périls de la cour, est un couronnement de la grâce : après lui avoir donné celle de la vocation en lui permettant de fuir l'Angleterre hérétique, Dieu lui a accordé la plus précieuse de toutes, celle de la persévérance finale.

« Oraison funèbre de Marie-Thérèse d'Autriche » (1683). « Il n'y a rien que d'auguste en sa personne » (première partie) parce que Dieu, qui prédestine les familles, a principalement formé pour gouverner l'Europe les deux maisons de France et d'Autriche d'où est sortie Marie-Thérèse ; c'est elle qui, par son mariage avec Louis XIV, a réconcilié la France et l'Espagne. Mais aussi « il n'y a rien que de pur dans sa vie » (seconde partie). Marie-Thérèse a su conserver son innocence parmi les illusoires grandeurs du monde. Cette digne descendante de Saint Louis était toujours en garde contre le péché, même véniel, et par ses prières a obtenu les succès de Louis le Grand. La sainteté de sa vie a été la meilleure préparation à la mort.

« Oraison funèbre d'Anne de Gonzague » (1685). Destinée primitivement à l'état religieux, Anne de Gonzague devint, par son mariage avec Édouard de Bavière, princesse Palatine. Son veuvage la laisse libre de plaire au monde, où le tourbillon des intrigues sentimentales et politiques la détourne de Dieu. Elle revient à lui cependant, en deux étapes marquées chacune par un songe symbolique. Dans le premier, un aveugle lui fait comprendre « qu'il manque un sens aux incrédules comme à l'aveugle » ; grâce au second, elle surmonte la crise de désespoir où l'avait jetée la conscience de ses fautes. Désormais, la Palatine ne déviera plus d'une conduite à la fois sévère pour elle-même et confiante dans la miséricorde de Dieu.

« Oraison funèbre de Michel Le Tellier » (1686). Dans la vie de ce grand serviteur de l'État, trois caractères d'une authentique sagesse. D'abord, une « modération » dans les plus hauts emplois qui place Le Tellier, secrétaire d'État puis chancelier de France, « au-dessus de sa propre élévation ». Ensuite, la préférence donnée au bien public sur l'intérêt particulier : pendant la Fronde, il est le seul ministre à n'avoir aucun engagement de parti ; dans l'administration de la justice, il assiste le faible et l'étranger, il défend les droits de l'Église, il scelle la révocation de l'édit de Nantes. La sérénité, enfin, de Le Tellier à l'heure de mourir montre avec quel détachement intérieur il possédait ses richesses et exerçait son pouvoir.

« Oraison funèbre du prince de Condé » (1687). Dieu a donné à Louis de Bourbon les qualités du cœur et de l'esprit qui font les héros. Parmi les premières, un courage indomptable à la guerre, illustré de Rocroi (1643) à Seneffe (1674) ; le sens de l'honneur conservé jusque dans ses égarements au temps de la Fronde ; la tendresse de l'homme privé dans sa famille et avec ses amis. Au nombre des secondes, la prévoyance, la rapidité du stratège – auxquelles seul est comparable le génie d'un Turenne –, mais aussi la vigueur intellectuelle du passionné de philosophie et de théologie. Ces qualités naturelles, toutefois, ne seraient rien sans la piété : or, depuis sa conversion et particulièrement dans sa dernière maladie, Condé n'a cessé de faire l'édification de son entourage. Que tous trouvent dans son souvenir une consolation et un exemple !

« Ce débris inévitable des choses humaines »

Nous estimons aujourd'hui caduque la plus grande partie de l'œuvre de Bossuet, et au nombre de ces « débris » figurent presque tous les grands livres auxquels il peina. La philosophie du *Traité de la connaissance de Dieu et de soi-même* (posth., 1722), les ouvrages de controverse et d'exégèse, la *Politique tirée des propres paroles de l'Écriture sainte* (1709) n'intéressent plus que l'historien. Pourtant, le *Discours sur l'histoire universelle* (1681), en dépit de ses lacunes, de ses erreurs et, surtout, de son providentialisme abusif, non seulement offre de superbes pages (par exemple sur la Rome antique), mais encore peut proposer à tout croyant une leçon de valeur : ne pas faire du politique ou de l'histoire des absolus, mais toujours en appeler à Dieu. Les *Considérations sur ces paroles de saint Jean : « N'aimez pas le monde »*, éditées en 1731 sous le titre de *Traité de la concupiscence*, et les *Maximes sur la comédie*, publiées contre le P. Caffaro, qui avait imprudemment pris parti pour le théâtre, si elles illustrent le rigorisme de Bossuet attestent aussi ses dons d'écrivain : poète quand il exalte la vie en Dieu, et ailleurs digne rival du Pascal des *Provinciales*, tant il donne d'âpreté à sa polémique, Bossuet réserve à qui daigne entrer dans son œuvre bien des émerveillements. Mais oserons-nous prétendre, contre Paul Valéry, que l'œuvre nous paraît avoir un sens autre qu'esthétique ? Sans doute répète-t-elle, pendant un demi-siècle, sur tous les tons et contre bien des adversaires, une conviction, celle du chrétien qui oppose à un monde qui change une foi qu'il veut immuable. Ses massives certitudes nous lassent, qui nous semblent parfois simplistes, ou forcées ; mais comment n'être pas touché par ce défi que toute une œuvre lance avec constance et ardeur : « C'est une entreprise hardie que d'aller dire aux hommes qu'ils sont peu de chose » (*Sermon sur la mort*). Bossuet l'osa ; sa voix obstinée devrait nous être proche.

A. Lanavère et G. Ferreyrolles (synopsis)

BOUCHET André du
v. DU BOUCHET André

BOUCHET Guillaume

Guillaume Bouchet, sieur de Brocourt *(v. 1513-v. 1594)*

Écrivain né à Poitiers, où il résidera sa vie durant. Son métier de libraire-imprimeur, dans lequel il succède à son père et à un oncle également prénommé Guillaume, le met en rapport avec de nombreux écrivains. C'est ainsi qu'il fréquente, vers 1544, un groupe de jeunes poètes qui s'essaient, selon la mode du temps, au pétrarquisme. Jacques Tahureau, l'une des principales figures de cette école provinciale, célèbre les amours malheureuses de son ami libraire, épris d'une beauté prénommée Ange, aussi insensible qu'immatérielle. Lié à Jean Bastier de La Péruse, qui meurt prématurément, Guillaume Bouchet rassemble et édite les œuvres de celui-ci en 1556. Lui-même a goûté au jeu des Muses, comme en témoignent quelques épigrammes et vers latins épars, et sa *Complainte du cerf*, œuvre cynégétique en rimes. En 1583, il est élu juge-consul, autrement dit président du tribunal de commerce, par les marchands de Poitiers. C'est à ceux-ci qu'il dédie, l'année suivante, le premier livre des *Serées* [ou « Soirées »], augmenté de deux suites qui paraissent à titre posthume en 1597 et 1598. L'ensemble, qui comprend trente-six « serées » réparties en trois livres, connaît plusieurs rééditions au siècle suivant.

Plutôt qu'un recueil de contes à proprement parler, les *Serées* appartiennent au genre du commentaire dialogué, si fréquemment illustré à la Renaissance depuis *les Propos rustiques* de Noël Du Fail jusqu'aux *Après-Dînées* du seigneur de Cholières. Le prétexte en est donné par une série de veillées réunissant, chez l'un ou l'autre, quelques joyeux bourgeois poitevins, dont chacun apporte au « convis » sa quote-part de victuailles et de bons mots. La seule règle imposée aux devisants, et qui sent quelque peu l'artifice, est de traiter un sujet défini par soirée. Le thème choisi : « Du vin », « Des chiens », « Des accouchées », « Des barbiers et du mal des dents », etc., autorise, il est vrai, de nombreuses digressions. Cet art du décousu, tout en rappelant les *Essais* du « Sieur de La Montagne *(sic)* », que Bouchet cite ou pille indifféremment, se manifeste dans la polyphonie discordante des convives. Chacun reproduit une thèse, se fait le messager d'un livre ou l'avocat d'un auteur, sans qu'on puisse attribuer la moindre personnalité à ce porte-parole occasionnel. Le caractère prétendument oral de tels « joyeux devis » ne résiste pas, dès lors, à l'étalage bibliographique. Bouchet puise trop volontiers dans son fonds de libraire-humaniste pour que les *Serées* soient autre chose qu'une compilation en action, rehaussée ici et là de traits comiques attendus. Cependant, le résultat apparaît fort révélateur de la culture du XVIe siècle à son déclin : peu soucieux d'un « ordre du discours », l'auteur confronte les matières et les niveaux de langage les plus hétérogènes en d'incessants coq-à-l'âne. Parlant des femmes, il mêle à la tradition misogyne du fabliau (« Conte du berceau de Croutelle », où l'épouse acariâtre est endormie de force par son mari) des remarques très modernes sur la légitime révolte du sexe faible, ou sur la beauté du corps féminin que dérobe une mode vestimentaire plus hypocrite que véritablement décente. Ces réflexions, qui font écho à celles de Montaigne ou de Jean de Léry, témoignent d'une ouverture d'esprit peu commune, qui porte ailleurs Bouchet à se pencher sur les mœurs, qu'il juge excellentes, des Cannibales ou sur la langue verte des « mattois » ou truands, dont il établit le premier glossaire.

F. Lestringant

BOUCHET Jean

Jean Bouchet,* dit *Le Traverseur des Voyes Périlleuses

(1476- entre 1557 et 1559)

Poète. Né à Poitiers, Jean Bouchet a laissé une œuvre considérable. Encore se plaint-il, écrivant une heure tous les jours, d'avoir composé trop peu de pages… Tout influencé encore par les Grands Rhétoriqueurs [voir **Rhétoriqueurs**], Bouchet leur survit fort longtemps, et il reste édité et lu pendant tout le siècle. Dix ans avant sa mort, Rabelais, qui lui fut reconnaissant de l'avoir initié dans sa jeunesse à la poésie, l'évoque sous les traits du « Traverseur des Voyes Périlleuses » : c'était le pseudonyme que Bouchet s'était choisi dès ses premières œuvres, vers 1500. Périls tout moraux, cependant, car sa vie fut paisible. Il fait, à Poitiers, des études de droit ; en 1497-1498, il fréquente assez la cour de Charles VIII pour rappeler plus tard qu'il a été « courtisan ». Il semble qu'il rédige à Paris (1497-1504 ?) *les Angoysses et Remedes d'amours* (publié en 1537), poèmes fort réussis de rhétorique amoureuse : l'Amoureux et sa Dame s'y plaignent en longues élégies, mais l'auteur et Pallas révèlent en rondeaux, ballades ou longs discours qu'amour humain n'est que folie et qu'il faut s'élever vers l'amour de Dieu. Cette même folie règne dans *les Regnars traversant les périlleuses voyes des folles fiances du monde,* paru aussi à Paris (1503-1504), dans la lignée de la *Nef des fous* de Sébastien Brandt : dans un grand paysage vide se succèdent les renards, les chiens, les poules et les loups de tous les États et de toutes les activités de la société humaine. Publié malgré l'opposition de Bouchet, sous le nom de Brandt, ce livre provoqua les premiers débats entre auteurs et imprimeurs-libraires. Mais Bouchet est déjà rentré à Poitiers, où il devient procureur et se marie, menant une vie de bourgeois aisé, qui ne connaît, en dehors des redoutables épidémies de peste, que les soucis du ménage.

Il ne quitte la ville que pour les cénacles littéraires et savants de Fontaine-le-Comte et de Ligugé, où il rencontre les d'Estissac, ses amis Rhétoriqueurs tel Jean d'Auton, le « noble Ardillon », tout le milieu qui entoure aussi le jeune Rabelais. En rapport avec Louis de Ronsard, le père du poète, il accepte de se rendre par moments à la cour de Louis XII, ou de François Ier ; enfin, passionné de théâtre – mais non de tragédies ou de comédies, qui ne montrent que les crimes et les vices… –, il dirige à Saumur et à Bordeaux la représentation de mystères, dont il s'est fait une véritable spécialité ; il est, à ce sujet, en relation avec le groupe des poètes dieppois et rouennais. Avant sa mort, il aura côtoyé beaucoup de poètes et de savants, sans prendre parti dans les querelles. Surtout, cette vie raisonnable et prolifique, satisfaite de se dérouler au milieu de la « petite académie » des « livres naturels, philosophaux, moraulx et évangéliques » qui l'inspirent, a été au service de la grande famille poitevine des La Trémoille, dont Bouchet s'est fait l'historiographe, lorsque ses chefs meurent à Marignan et Pavie ; pour eux, il édifie *le Temple de bonne renommée* (1516) et *le Panegyric du Chevallier sans reproche* (1527), architectures déploratives louant les héros morts, les vertus morales et chevaleresques, les arts et sciences qu'ils aimèrent. Au moment où naît le « patriotisme » français, il s'intéresse aussi aux rois de France et à sa province : *les Annales d'Acquitaine,* véritable succès de librairie, sont une mine de renseignements historiques, qu'il ne cesse d'augmenter à partir de 1524.

Ses *Épîtres morales et familières,* rédigées surtout entre 1524 et 1534, montrent encore, depuis le travail du vers jusqu'au souci moral, tout ce que Bouchet doit à la Grande Rhétorique ; elles peuvent apparaître comme un manuel versifié qui stigmatiserait tous les états de la société et établirait une morale de l'État et de la famille selon les principes évangéliques de « foi conjointe à charité », mais la monotonie du décasyllabe est continuellement rompue par les remarques vives et touchantes, par les échanges bien réels avec ses correspondants, et finalement par l'indulgence de cet homme paisible pour un monde « plein de mal et folie ».

Il est bien représentatif de ce courant, si profond au XVIe siècle, d'une littérature morale, chrétienne, satirique, austère et pourtant familière, dépourvue des fictions de la mythologie, et installée dans la rigueur des formes poétiques longues.

M. M. Fontaine

BOUDARD Alphonse

(1925-2000)

Romancier, scénariste, critique né à Paris et mort à Nice. On suit le fil de sa vie à travers ses romans, largement autobiographiques : après une enfance pauvre dans le XIIIe arrondissement, il prend le maquis en 1943 et participe à la libération de Paris (*les Combattants du petit bonheur,* prix Renaudot 1977) puis fait la campagne de France avec la colonne Fabien (*Bleubite,* 1975, ex-*les Matadors,* 1966 ; *le Corbillard de Jules,* 1979). Il n'est pas communiste pour autant, et choisit de mener la vie des malfaiteurs. La chance ne lui sourit guère : jusqu'en 1962, il partagera sa vie entre la prison (*la Cerise,* prix Sainte-Beuve 1963) et le sanatorium (*l'Hôpital,* 1972). Il se « range » alors et se consacre à une tâche d'écrivain, de scénariste (cf. *Cinoche,* 1974) et de journaliste. Son passé de détenu, qui nourrit ses romans (*la Métamorphose des cloportes,* 1981 ; *Chère Visiteuse,* 1999), et sa connaissance de la langue verte (*la Méthode à Mimile,* avec Luc Étienne, 1970 et 1974) font qu'on le sollicite pour participer à des manifestations publiques : témoignage lors du procès d'un jeune délinquant, conférences sur l'argot, participation à un film sur le milieu pénitentiaire, etc. En 1980, il publie *le Banquet des léopards,* en 1982 un recueil de nouvelles (*les Enfants de chœur*) puis, en 1983, *le Café du pauvre* et *les Sales Mômes* (théâtre). Il reçoit en 1995 le grand prix du roman de l'Académie française pour *Mourir d'enfance,* histoire d'un gamin de Paris des années 1930 qui grandit entre une grand-mère philosophe et une mère peu farouche.

Cet admirateur des Pieds-Nickelés ne milite pas pour l'anarchisme, ne dénonce pas les institutions, ne se plaint même pas : il raconte. Mais à travers ses récits populistes se fait jour une perception de la vie où la méfiance et le désenchantement alimentent un fort sentiment de solitude, dans *l'Éducation d'Alphonse* (1987) par exemple. Sa lucidité cynique, cruelle parfois, son sens de la scène ou du personnage grotesques (*l'Âge d'or des maisons closes*, 1990 ; *Madame de Saint-Sulpice*, 1996), mais où passent quelques éclairs de tendresse (*les Trois Mamans du petit Jésus*, posth., 2000), se donnent à lire dans un style constamment inventif, qui emprunte à l'argot et à la langue populaire. Anarchiste de droite ? On l'a prétendu. Soulignons plus simplement sa dette littéraire envers Céline, ainsi que sa parenté affective et morale avec cet auteur.

M. P. Schmitt

BOUDJEDRA Rachid

(né en 1941)

Dans la jeune littérature algérienne – postérieure à la Révolution –, Rachid Boudjedra fait un peu figure d'iconoclaste. Ses deux premiers romans, qui ont suffi à l'imposer, s'insurgent avec une violence extrême contre des maux archaïques qui paraissent survivre aux changements sociaux.

Le premier de ces ouvrages est *la Répudiation* (1969) : roman autobiographique d'une « enfance saccagée », où le premier traumatisme est la répudiation de la mère, à travers qui le fils se sent lui-même exclu, humilié par un patriarcat terrible. Il retourne sa haine contre tout le clan familial, dont la promiscuité étouffante exacerbe le désir incestueux pour les sœurs et les cousines. Ce monologue véhément, souvent superbe jusqu'au délire, est dévidé sur un grabat d'hôpital psychiatrique. Même violence de cauchemar dans *l'Insolation*, parue en 1972 (l'année même où il écrit le scénario du film de Lakhdar Hamina, *Chronique des années de braise) :* cette fois, la mère n'a pas été répudiée, mais violée à seize ans ; le narrateur, lui-même soupçonné de viol, lance ses imprécations contre les structures castratrices, célèbre la beauté ambiguë du sang ; il apparaît tour à tour comme un fabulateur, un halluciné, un maniaque sexuel et la victime d'une folie de la persécution. Par la démesure de leur propos, ces deux livres ont provoqué en Algérie des réactions politiques. Mais Boudjedra, qui vit alors à Paris (où il a soutenu un diplôme sur Céline), tourne son intérêt vers la condition d'émigré : *Topographie idéale pour une agression caractérisée* (1975) décrit – en s'inspirant des stratégies d'écriture du nouveau roman – les déambulations d'un Arabe dans les couloirs du métro, sans renoncer à ce goût d'une prose complexe, charriant fantasmes et terreurs. Il publie ensuite *l'Escargot entêté* (1977), *les Mille et Une Années de la nostalgie* (1979), *le Vainqueur de coupe* (1981). À partir du *Démantèlement* (1982), Rachid Boudjedra poursuit son œuvre en arabe. Il publie un recueil de poèmes, *Greffe* (1984 pour la version française), et quatre romans qui reprennent et amplifient les thèmes des blocages de la société musulmane en essayant de les replacer dans une perspective historique large (*la Macération*, 1985 ; *la Pluie*, 1987 ; *la Prise de Gibraltar*, 1987 ; *le Désordre des choses*, 1991). Il revient au français au cours des années 1990, pour s'opposer violemment à la montée de l'intégrisme islamique (*FIS de la haine*, 1992), tout en s'interrogeant sur la condition de l'intellectuel algérien, porteur d'une double culture (*Lettres algériennes*, 1995) et, dans son pays, condamné à se cacher et à subir l'indifférence d'un peuple que seul le football fait sortir de son apathie (*la Vie à l'endroit*, 1997).

B. Visage

BOUFFLERS, chevalier de

***Jean-Stanislas, chevalier de* BOUFFLERS** *(1738-1815)*

Écrivain, né à Nancy. Sa mère, la marquise de Boufflers, maîtresse du roi Stanislas, joue les Sanseverina à la cour de Lunéville : brillante, spirituelle, amie de Voltaire et de Saint-Lambert, elle entretient autour d'elle un climat de gaieté et de galanterie fort apprécié du jeune Jean-Stanislas. Mais on le destine à la prêtrise, et il part en 1759 pour le séminaire de Saint-Sulpice à Paris. Triste séjour, bientôt interrompu par un scandale : le séminariste publie un conte érotique, *Aline, reine de Golconde* (1761). Succès, félicitations de Grimm. Boufflers quitte Saint-Sulpice et, avec le statut plus souple de chevalier de Malte, court les femmes et le monde. On le trouve en 1764 voyageant en Suisse, visitant Ferney et enchantant Voltaire : « Il y a peu de peintres qui riment comme lui et peu de rimeurs qui peignent aussi bien ». Le temps est venu, pourtant, de faire carrière. Tout en donnant des poèmes à *l'Almanach des Muses*, Boufflers le charmeur devient officier. Mais l'amour l'attend sous la figure d'une douce veuve, Delphine de Sabran ; une liaison de vingt-cinq ans, avec cependant une séparation en 1785 : promu maréchal de camp, Boufflers est nommé gouverneur du Sénégal. Pour Delphine, il tient un journal de sa vie et de ses expériences ; on le voit créer un hôpital, des plantations de café, mais aussi se livrer en toute sérénité à d'atroces expéditions punitives : « Tu sais que j'avais eu le projet de brûler un grand village nommé Rufisque, dont les habitants nous avaient manqué ». Ce qui n'empêche pas de soudains accès de sensiblerie pour avoir tué deux tourterelles ou fait pleurer une jeune esclave… Au retour, il entre à l'Académie française (1788), puis siège aux états généraux. Plutôt favorable aux idées nouvelles, il émigre pourtant après le Dix-Août (1792). Rentré en France grâce à Bonaparte (« Qu'on le fasse revenir, il nous fera des chansons »), il se rallie au nouveau régime, se range définitivement avec un pesant traité sur *le Libre Arbitre* (1808), un conte oriental édifiant, *le Derviche* (1810), des articles de critique littéraire au *Mercure de France* et termine sa vie comme bibliothécaire à la Mazarine.

Rarement, au XVIIIe siècle, la frontière apparaît aussi fragile que chez Boufflers entre la conversation, la vie et l'écriture conçue comme formalisation fugitive en poème ou en conte d'un discours social tourné vers le plaisir des sens ; les mots eux-mêmes sont comme des voiles transparents tout juste posés sur des corps désirables ; ainsi doit s'entendre l'habillage « littéraire » qui couvre l'aventure amoureuse. *Aline*, le chef-d'œuvre de Boufflers, dit une quadruple rencontre entre le narrateur et une belle inconnue, toujours la même : laitière au pot au lait, ensuite femme du monde, puis reine de Golconde, enfin vieille et philosophe : « Nous étions autrefois jeunes et jolis ; soyons sages à présent, nous serons plus heureux ». Bergerie, roman mondain, conte oriental se relaient comme autant de masques d'une même réalité physique, mal dissimulée sous les ellipses et les métaphores ; jeu du propre et du figuré qu'on retrouve dans *le Cœur* (1763), « mot honnête au lieu d'un mot qui ne l'est pas » :

J'en ai vu de toutes les formes,
Grands, petits, minces, gros, médiocres, énormes [...]
On fait partout d'un cœur tout ce qu'on en veut
[faire ;
Il s'élève, il s'abaisse, il s'ouvre, il se resserre...

Jeu de voiles et de dévoilement où le désir se dit sous la légère enveloppe des codes littéraires et d'un style policé : telle est la face rose de l'érotisme du siècle. À l'inverse de Laclos ou de Sade, nulle morale n'y est impliquée ; nulle hypocrisie, tout juste un art de l'ambiguïté. Ce qu'on appelle alors, dans la vie et l'écriture, l'esprit.

J.-P. de Beaumarchais

BOUHOURS Dominique

(1628-1702)

Jésuite et homme de lettres, né à Paris. Avec Rapin et Bourdaloue, il concourt au prestige de la Compagnie de Jésus dans la seconde moitié du XVIIe siècle. Après des études au collège de Clermont, il poursuit sa formation en province : à Bourges, pour la théologie ; à Tours, comme régent de rhétorique ; à Rouen, où il prononce ses vœux en 1662. Précepteur chez les Longueville (en particulier de Charles-Paris, fils de La Rochefoucauld et de la duchesse de Longueville), puis du fils aîné de Colbert, il s'installe, à partir de 1666, au collège de Clermont et devient un familier des cercles mondains. Le P. Rapin l'introduit chez les Lamoignon, il fréquente les samedis de Mlle de Scudéry et se lie ainsi avec Boileau, Bossuet, Racine, La Fontaine, Mme de Sablé, Bussy-Rabutin (dont il publiera la correspondance en 1697), Mme de Sévigné, qui dit de lui : « L'esprit lui sort de tous les côtés. » Stimulé par toutes ces rencontres, il partage sa carrière littéraire entre plusieurs genres. Il n'oublie pas qu'il est un religieux (ses supérieurs, au besoin, le lui rappelleraient). On a de lui plusieurs biographies : de saint Ignace de Loyola (1679), de saint François-Xavier (1682), de Mme de Bellefonds (1686) ; des *Pensées chrétiennes* (1669, plusieurs fois réédité) ; des traductions, dont celle du Nouveau Testament (pour s'opposer à la « Bible de Mons » de Port-Royal) ; des ouvrages de controverse (*Lettre à un seigneur de la Cour* et *Lettre à MM. de Port-Royal* en 1668). D'ailleurs, alimentée aussi bien par les escarmouches théologiques que par les querelles de langue ou de grammaire, la polémique antijanséniste l'occupera toute sa vie.

En 1671, il mêle la critique, les formules précieuses et des réflexions sur le langage dans les *Entretiens d'Ariste et d'Eugène* (sur « la mer », sur « la langue française », sur « le secret », sur « le bel esprit », sur « le je-ne-sais-quoi », sur « les devises »). Aussitôt le janséniste Barbier d'Aucour lui envoie des piques dans les *Sentiments de Cléante sur les Entretiens d'Ariste et d'Eugène* (1671). Bouhours poursuit ses réflexions sur le bon usage dans les *Doutes sur la langue française* (1674), puis dans les *Remarques nouvelles sur la langue française* (1675 et 1692), où il se souvient de Vaugelas et rivalise avec Ménage (qui, d'ailleurs, se fâche). Dans la *Manière de bien penser dans les ouvrages d'esprit* (1687), il adopte une nouvelle fois le genre du dialogue pour s'exercer à la critique littéraire en honnête homme : par le biais de ses personnages Eudoxe et Philanthe, il prône l'idéal du vrai, du naturel et de la politesse. Saint-Évremond, La Bruyère reconnaissent son mérite. Plusieurs écrivains lui soumettent leurs ouvrages pour avoir son avis. Devenu l'arbitre du bon goût, il aura une grande influence sur la manière d'écrire des jeunes jésuites. La fin de sa vie fut assombrie par l'animosité des jansénistes et par d'atroces maux de tête. Il aurait confié : « J'ai quelque scrupule du plaisir que je trouve à mourir ». Son œuvre, peu rééditée aujourd'hui, a eu le mérite en son temps de définir la langue française moderne.

M. Gérard

BOUILHET Louis

(1821-1869)

Poète et auteur dramatique, né à Cany (Seine-Maritime). Condisciple de Flaubert au collège royal de Rouen, Bouilhet étudie la médecine sous la direction du docteur Achille-Cléophas Flaubert, père de l'auteur de *Madame Bovary* ; mais il abandonne cette voie au bout de quatre ans et doit alors tirer ses ressources de l'enseignement. C'est en 1846 qu'il retrouve Flaubert et que commencent leur amitié et leur collaboration littéraire. Ils écrivent, avec Maxime Du Camp, un pastiche de comédie classique, *la Découverte de la vaccine.* Bouilhet travaille chaque dimanche avec Flaubert à un long poème, *Melænis, conte romain,* qui paraît dans la nouvelle *Revue de Paris* (nov. 1851), avec une dédicace « À Gustave Flaubert ». Installé ensuite à Paris (nov. 1853), Bouilhet se lie avec Edma Roger des Genettes (la « Diva », la « Sylphide »), rencontrée chez Louise Colet, et se consacre à la poésie : « les Fossiles » paraissent dans la *Revue de Paris* en 1854 (le poème sera repris dans *Festons et Astragales,* 1859), tandis qu'il poursuit parallèlement une carrière dramatique, non sans difficultés. En 1867, sa situation matérielle est assurée : il devient conservateur de la bibliothèque de Rouen. À sa mort, il laisse un drame achevé, *Mademoiselle Aïssé,* que Flaubert fera représenter en janvier 1872, ainsi

que des poésies réunies et préfacées par le même et qui paraîtront sous le titre *les Dernières Chansons* (1872).
Pour Bouilhet, comme pour ses contemporains, le théâtre représente le modèle préimposé de la réussite. Son originalité, en ce domaine, a peut-être consisté à maintenir la formule romantique des *Burgraves*, à une époque où triomphait l'école du « Bon sens » (Ponsard, Scribe…). De fait, ses principaux succès (*Madame de Montarcy*, 1856, et surtout *le Château d'Amboise*, 1866) sont des mélodrames historiques. Mais, à côté de l'œuvre dramatique, la poésie constitue l'aspect véritablement personnel de son œuvre. Avec Flaubert, puis Leconte de Lisle, il prend ses distances à l'égard de la poésie utilitaire : « Le chariot de Thespis n'est pas une locomotive sur le chemin de fer du progrès social. » Refusant parallèlement l'élégie et l'engagement romantique, il récuse toute facilité d'écriture et préconise « la sévérité de la forme et la lenteur de l'exécution ». Aux poèmes personnels et humanitaires des premières années succède ainsi une poésie descriptive, fondée sur l'érudition, qui s'inspire de sujets historiques, telle la Rome de Commode dans *Melaenis*, ou scientifiques, comme les « Fossiles », poème des âges de la terre, à la manière de Lucain. Par ailleurs, Bouilhet s'intéresse à la langue et à la littérature chinoises, allant jusqu'à écrire des poèmes chinois, fragments d'une œuvre qu'il rêvait plus vaste. C'est ainsi que, par sa recherche de sujets philosophiques modernes, par son intérêt pour les civilisations anciennes, par son goût de la forme achevée, Bouilhet ouvre la voie à l'école parnassienne, de même que par une poétique nostalgique du passé il se rattache aux *Rêveries d'un païen mystique* de Louis Ménard (1876). Et de fait, Bouilhet participe d'une génération qui, malgré une rhétorique traditionnelle, eut l'intuition des thèmes décadentistes, « de ces grandes et mélancoliques pensées que nourrirent les écrivains de la fin du siècle : succession ininterrompue des civilisations, mort fatale de notre espèce, tristesse d'une destinée qu'ils considéraient d'un point de vue cosmique et non plus individuel » (M.-C. Bancquart).

A. Pierrot-Herschberg

BOULANGER Daniel

(né en 1922)

Élève au petit séminaire de 1933 à 1939, il est arrêté le 11 novembre 1940 par les Allemands pour sabotage. Envoyé au S.T.O., il parvient à s'échapper. À la Libération, il part sur les routes, découvre le monde, exerce les métiers les plus divers. En 1958, il met fin à sa vie d'aventure, s'installe dans son ermitage de Senlis et commence à écrire. Deux livres par an au moins, dans les genres les plus divers, romans, nouvelles, théâtre, poèmes – auxquels il faut ajouter une soixantaine de scénarios pour le cinéma et pour la télévision qui ont valu à l'auteur un public plus vaste que ses œuvres littéraires : *l'Homme de Rio*, *Cartouche*, *les Mariés de l'An II*.
Daniel Boulanger fait écrit de tout, comme les poètes du XVIIIe siècle faisaient rime de tout. Des objets les plus humbles de la vie quotidienne, d'un rayon de soleil sur un compotier, d'une conversation entendue chez le buraliste, des personnages d'un jeu de cartes, d'une sonate, d'un portrait de fille dans un cadre doré. Il n'y a rien de secondaire, de fugitif, de superficiel dont il ne sache mettre en valeur l'importance, la permanence et la profondeur.
Cela fait de lui un nouvelliste fort séduisant. Il est impossible de citer tous ses recueils, du *Chemin des Caracoles* (1966) à *l'Été des femmes* (1985) en passant par *Fouette cocher !* (prix Goncourt de la nouvelle 1974), *le Chant du coq* (1980) ou *les Jeux du tour de ville* (1983), tant la production est abondante et d'égale qualité. Le temps de quelques pages, Boulanger fait naître des personnages légèrement extravagants, des événements presque ordinaires, des figures à peine pittoresques et les poudre d'un rien de mystère. À la manière d'un prestidigitateur qui, sous le prétexte d'expliquer ses tours au public, lui présente d'autres tours beaucoup plus énigmatiques, Boulanger manipule l'insolite et pratique l'ellipse jusqu'à perdre ses lecteurs dans les délices de l'incertitude.
Il est plus difficile d'exercer cette magie dans le temps long du roman que dans le bref éclat de la nouvelle. Certains des romans de Boulanger ressemblent d'ailleurs à des nouvelles que l'on aurait battues à la manière d'un jeu de cartes (*la Dame de cœur*, 1979 ; *Caporal supérieur*, 1995). Mais la thématique reste la même, celle d'une mise en soupçon de la réalité. Partant de situations banales – les lettres de lecteurs que reçoit un écrivain, la double vie d'un pharmacien, la découverte d'un détail incongru dans un tableau –, Boulanger, de trompe-l'œil en glissements, opère une tranquille et souriante démolition du monde tel qu'il apparaît. Plus rien n'est certain, tout peut à chaque instant changer de signe et de sens, se métamorphoser, s'évaporer, s'ouvrir sur une autre réalité, plus inquiétante, plus émouvante, plus vivante. L'opérateur du passage peut être un livre (*Miroir d'ombre*, 1978), un tableau (*le Rétable Wasserfall*, 1994), une femme désirée et inaccessible (*la Rose et le Reflet*, 1968 ; *Un été à la diable*, 1992), un héros de roman. Boulanger ne s'installe pas dans la logique du fantastique qui tend à nier la frontière entre le réel et l'imaginaire. Plus subtilement, il fait miroiter la réalité jusqu'à faire apparaître des images qui étaient demeurées invisibles sous la lumière étale de la raison.
Par ce biais, certains des romans de Boulanger atteignent, au-delà du brillant littéraire et de la virtuosité du peintre, à une profonde humanité. Le dévoilement des apparences laisse entrevoir le jeu dramatique des fantasmes, des vies trop lourdes, des rêves avortés, des identités troubles, des appartenances menacées, des folies latentes, l'angoisse de la mort. Comme dans *le Téméraire* (1962), *les Portes* (1966), *Connaissez-vous Maronne ?* (1981), *Mes coquins* (1990) ou *Clémence et Auguste* (2000).
Chaque instant peut voir le monde basculer dans ce qu'il n'était pas. Chaque instant doit donc être retenu, savouré, comme s'il devait être le dernier habitable, le dernier vivable. Ce qui explique sans doute l'abondance des écrits de Boulanger : un jour que l'on n'a pas saisi par l'écriture est un

jour qui a fui sans trace. Boulanger est aussi un poète du fugitif qui écrit des poèmes à la manière dont d'autres écrivent un journal, pour retenir la saveur même du temps. Textes courts, souvent lapidaires, proches parfois dans leur concision de la poésie orientale, poèmes-instants : *Tchadiennes* (1969), *Intailles* (1986), *À la marelle* (1987). De l'humour, de la tendresse et une manière d'épurer le style jusqu'à obtenir la plus parfaite illusion de transparence.

P. Lepape

BOULLE Pierre

(1912-1994)

Après une jeunesse tranquille dans sa ville natale d'Avignon, puis à Paris, où il fait des études scientifiques consacrées par un diplôme d'ingénieur, Pierre Boulle connaît en Extrême-Orient une vie d'aventures qui constitue la matière et la trame de son œuvre de romancier. Planteur en Malaisie, il est mobilisé en 1939 en Indochine ; il rejoint les Forces françaises libres, se bat en Birmanie après l'invasion japonaise. C'est cette période et l'expérience de guerre qu'il a vécue qui alimenteront l'essentiel de sa production littéraire.

Le romantisme héroïque qui agrémente la recette de ses intrigues habilement ficelées a envahi, par l'écran, l'imaginaire d'une génération, sans lui apporter plus qu'un refrain allègrement sifflé (*le Pont de la rivière Kwaï*, 1959, prix Sainte-Beuve). Les ingrédients descriptifs et narratifs ne manquent pourtant pas : une imagerie britannique de carte postale où le major Thompson se prend pour Kipling, la tension et le suspense du roman d'espionnage (*Un métier de seigneur*, 1960), l'exaltation de l'épopée de la colonisation et du « fardeau de l'homme blanc », avec, en contrepartie, le péril jaune et le mystère exotique des jungles d'Extrême-Orient (*le Sacrilège malais*, 1951 ; *l'Épreuve des hommes blancs*, 1955), un pathos tragique faisant largement usage, dans une atmosphère de soufre et de vapeurs méphitiques, des intentions perfides et des bons sentiments (*les Vertus de l'enfer*, 1974 ; *la Baleine des Malouines*, 1983 ; *le Malheur des uns*..., 1990). Enfin, un conte philosophique où le moralisateur se fige, entre Voltaire et Camus, dans un rictus amer qui n'atteint jamais à l'humour mais frise parfois le grotesque : *la Planète des singes* (1963), qui connut la notoriété mondiale par une remarquable adaptation au cinéma.

M. P. Schmitt

BOURDET Édouard

(1887-1945)

Auteur dramatique né à Saint-Germain-en-Laye. Bourdet débute fort jeune au théâtre (*le Rubicon*, créé en 1910), mais c'est essentiellement à partir de 1926, avec *la Prisonnière*, qu'il trouve sa voie, celle de la comédie satirique. Son nom devient alors le synonyme d'un théâtre de boulevard de bonne qualité. Il donne successivement *Vient de paraître* (1927), *le Sexe faible* (1929), *la Fleur des pois* (1932). *Les Temps difficiles* (1934) tracent le portrait acide, face à la crise économique qui fait rage, d'une bourgeoisie industrielle épuisée, décadente ou tarée. Son inspiration semble fléchir avec *Margot* (1935), *Hyménée* (1941) et *Père* (1942), exception faite de *Fric-frac* (1936), comédie qui se déroule dans le milieu des cambrioleurs professionnels à l'argot savoureux. Nommé administrateur de la Comédie-Française (1936-1940), il sait la régénérer en s'entourant des membres du Cartel. Il meurt prématurément en janvier 1945.

Ce qui explique, au moins en partie, le succès des pièces de Bourdet, c'est la solidité de leur facture et, plus généralement, le « métier » qu'elles attestent. Les intrigues en sont agencées avec une précision méticuleuse, sans laisser pour autant la moindre impression d'effort. Et une logique irrésistible semble entraîner le déroulement de l'action. Le dialogue est vivant, et les répliques font mouche.

On saura gré à l'auteur d'avoir élargi le champ de la satire en s'intéressant à des milieux jusqu'alors négligés, celui des éditeurs (*Vient de paraître*), celui des palaces parisiens d'après 1918 (*le Sexe faible*), ou à des thèmes scabreux : l'inversion féminine (*la Prisonnière*) ou masculine (*la Fleur des pois*), qu'il traite avec tact mais sans rien esquiver.

La saveur particulière de son comique émane de l'impassibilité avec laquelle il peint des comportements jugés atypiques ou scandaleux, tel celui de gigolo (*le Sexe faible*). Certes, l'auteur sacrifie parfois à certains artifices théâtraux, ce qui nuit à la vigueur de sa peinture. L'œuvre solide de Bourdet, si elle date un peu (ce qui était « audacieux » dans les années 1930 l'est-il encore de nos jours ?), mérite encore relectures et reprises. Elle représente probablement ce que le Boulevard a créé de meilleur entre les deux guerres.

Les Temps difficiles

SYNOPSIS

Un château à la campagne. Les Antonin-Faure attendent le retour de Jérôme, patron de la société familiale, engagé dans une difficile négociation avec ses concurrents lyonnais. Si Charlotte, l'épouse, pressent le péril, la mère, elle, ne songe qu'à son chien tandis que Loulou, la bru, ne rêve qu'à l'oncle Armand. Les questions d'une visiteuse, la richissime Mélanie Laroche, suivie de Bob son fils bègue et taré, permettent d'en savoir plus sur la dynastie : Lucy, la femme d'Armand, est folle ; le gentil Marcel, frère cadet de Jérôme, a été banni pour avoir épousé Suzy, une comédienne, et leur fille Anne-Marie, championne de natation, excite la convoitise de Bob qui a vu sa photo dans le journal. Arrivée de Jérôme : pour sauver sa société, il a dû en laisser la moitié aux Lyonnais, et se résout, pour contrôler du moins la part restante, à renouer avec Marcel (acte I).

Chez Marcel, à Bois-Colombes. Un intérieur modeste, où Suzy, maintenant assoiffée de respectabilité, tente de régenter son mari Marcel, et ses enfants : Anne-Marie, la sportive, et Jean-Pierre, décorateur de cinéma. Débarque Jérôme, qui propose à Marcel d'oublier le passé et de venir pour les vacances au château. Suzy tient sa revanche (acte II).

L'été au château. La jeunesse et la gaieté d'Anne-Marie irritent les uns, mais séduisent les autres – notamment Bob Laroche, qui veut l'épouser. Pour Jérôme, dont les affaires vont de plus en plus mal, il s'agit là d'une chance inespérée : appâtée par des bijoux somptueux, Anne-Marie accepte ; Suzy, secrètement flattée, laisse faire, Marcel et Jean-Pierre sont atterrés (acte III).

Chez les Laroche. Le mariage a transformé Bob en obsédé sexuel, qui martyrise sa femme. Appelés au téléphone, Marcel et Suzy arrivent affolés ; on apprend au même moment la faillite de la société Laroche, victime de l'insouciance de Mélanie. Celle-ci accueille sa ruine avec panache, et les reproches de Jérôme avec fatalisme. Tandis que les deux familles s'enfoncent dans le malheur, Anne-Marie décide de refaire sa vie en allant tourner un film en Grèce, abandonnant ainsi Bob à son destin (acte IV).

H. Gidel et J.-P. de Beaumarchais (synopsis)

BOURGEADE Pierre

(né en 1927)

Romancier, auteur dramatique et poète. Originaire de Morianne (Basses-Pyrénées), Pierre Bourgeade poursuit ses études à Orthez et Bayonne avant d'entrer à la faculté de droit puis à l'Institut d'études politiques de Bordeaux. Il entreprend ensuite, de 1954 à 1974, une carrière juridique et administrative : directeur de cabinet à la préfecture de l'Oise, chargé de mission à l'état-major de la Défense nationale, secrétaire général adjoint du Haut Comité de la jeunesse. Mais, en 1966, après la publication d'un recueil de nouvelles érotiques, *les Immortelles*, qui reçoit le prix Hermès, Bourgeade commence à bifurquer vers la littérature, à laquelle depuis lors il consacre l'essentiel de son activité. Tandis qu'il compose ses premiers romans, d'un érotisme toujours plus prégnant (*la Rose rose*, 1968 ; *New York Party*, 1969 ; *l'Aurore boréale*, 1973), il s'adonne également à la poésie (*A. Noir corset velu*, éd. illustrée, 1972), au scénario (*le Corps de Diane*, 1968), et surtout au théâtre : dans les années 1970, Bourgeade y voit un « moyen de combat politique » contre les dictatures (*Orden*, 1969, stigmatise le franquisme, et *Deutsches Requiem*, 1973, le nazisme), l'instrument d'une « révolution formelle », mêlant sur scène textes, musiques et images projetées (*Fragments pour Guevara* et *Palazzo Mentale*, 1976, édités en 1980). Mais, si dans les deux décennies suivantes adaptations et œuvres dramatiques originales alternent (*Antigone toujours*, d'après Sophocle, 1982 ; *le Passeport*, 1984 ; *les Oiseaux*, d'après Aristophane, 1985 ; *le Camp*, 1989 ; *l'Autorisation*, 1995), les publications les plus nombreuses – et les plus remarquées – sont vouées à la fiction romanesque. Ces textes souvent concis, à l'écriture précise, réduisant le cadre de l'action à quelques descriptions suffisamment stylisées jouent volontiers avec les catégories du roman, quand ils n'en opèrent pas la synthèse ambitieuse (*l'Empire des livres*, 1989) : Bourgeade a parcouru tous les genres, des récits merveilleux ou fantastiques (*la Fin du monde*, 1984 ; *Mémoires de Judas*, 1985) aux romans policiers (*la Rondelle*, 1986), dont certains figurent dans la célèbre « Série noire » des éditions Gallimard (*Pitbull*, 1998, grand prix Paul-Féval de littérature populaire ; *Téléphone rose*, 1999). Cependant, quelles que soient ces métamorphoses romanesques, deux motifs hantent, alternativement ou simultanément, l'œuvre de Bourgeade : la sexualité et l'histoire, à partir desquels l'écrivain construit ses récits et ses personnages.

De l'empire d'Éros...

L'érotisme chez Bourgeade est en grande partie héritier de Bataille, Klossowski ou du surréalisme. De l'auteur de *Madame Edwarda* tout particulièrement, le romancier retient ces moments d'intensité, où le corps se fait volontiers obscène, où l'animalité se montre au sein même d'un univers bourgeois, raffiné et délétère ; la relation de la scène érotique révèle ainsi brutalement les failles existentielles, les hantises esthétiques et les abîmes moraux de personnages que tout semblait vouer à la banalité du réel. Ainsi, délaissant les effets baroques ou burlesques naguère présents dans les portraits féminins des *Immortelles*, Bourgeade a composé des nouvelles de quelques pages, voire de quelques lignes, qui constituent *Éros mécanique* (1995), *Cybersex et autres nouvelles* (1996), *l'Argent* (1998), ou *l'Autre face* (2000, cosigné avec « Marie L. ») ; comme chez Buñuel ou Breton, Éros s'y fait profanateur pour mieux dévoiler, aù-delà des mythes traditionnels qui s'attachent à évoquer la sexualité féminine, les pulsions profondes de l'être humain. Car si la femme demeure chez Bourgeade le centre optique du spectacle amoureux, et le point de focalisation majeur d'un récit net, parfois anguleux, débarrassé de tout amphigouri métaphorique, c'est qu'elle incarne pour tous les narrateurs – et en dernière instance pour l'auteur même – l'altérité fondamentale du lien amoureux, ce grand Autre qui hante l'imaginaire de l'homme ; le lecteur reconnaît alors, dans les scènes de prostitution bourgeoise de *l'Empire des livres* ou les orgies de *l'Argent*, des motifs et des fétiches déjà vus ou lus ailleurs, tout un ensemble de signes culturels émis par les femmes vers les hommes voyeurs.

... à celui de Clio

L'histoire ne représente pas chez Bourgeade un autre pôle d'inspiration romanesque, mais le versant tragique, funèbre d'Éros : le jeune narrateur de *la Rose rose* est initié à l'amour en 1945, lorsque, dans le même paragraphe, on révèle au monde les charniers de Ravensbrück et au moment où, sous la bombe atomique, « quelques habitants d'Hiroshima devinrent ombre ». De même, pour le moraliste et vieillissant protagoniste du *lac d'Orta* (1981), épris d'une toute jeune fille alors que s'amorce la débâcle de l'Italie fasciste, la guerre « délie les tendres monstres qui habitent en nous ». De fait, l'écrivain a composé chacun de ses livres comme une variation particulière des bizarreries ou des monstruosités que l'histoire du XXe siècle a pu générer dans l'esprit humain ; ses romans renvoient généralement aux vicissitudes contemporaines : le printemps de Prague (*Une ville grise*, 1978), les relations entre les deux Allemagnes avant la chute du Mur de Berlin (*l'Armoire*, 1977 ; *Le football, c'est la guerre poursuivie par d'autres moyens*, 1981), la guerre d'Algérie (*les Serpents*, 1983), les rafles nazies et leurs conséquences sur deux générations d'une famille de juifs parisiens (*les Âmes juives*, 1998). Cependant, Bourgeade s'occupe peu de restituer toutes les dimensions d'un événement historique : ce qui l'intéresse, c'est la manière dont tout un jeu de forces plus ou moins obscurément perçues conduit un individu à douter de son être, à se transformer en un autre personnage qu'il ne devinait pas en lui-même. Ainsi dans *les Serpents*, Albin, l'instituteur rappelé en Algérie, perçoit-il au sein de la « sale guerre » la désagrégation de l'humanisme : « J'ai l'impression que tout s'effrite… les choses… les mots… et même moi. » De même le nazisme, même vaincu, a-t-il fait de la « judéité » un facteur de désarroi pour les descendants des martyrs de l'antisémitisme : « comme si par le simple fait qu'on était Juif on perdait nécessairement son individualité pour devenir le simple élément d'un ensemble, "les Juifs" ». Par les déterminations de l'histoire, les mondes qu'évoque Bourgeade sont devenus autant de pièges mortels, dont le ressort est l'aliénation des consciences.

Ainsi Pierre Bourgeade, au fil de ses œuvres concises, semble-t-il illustrer les avatars modernes d'Éros et de Thanatos, dont la littérature constituerait le réceptacle ambigu ; comme le démontre *l'Empire des livres*, le plus allégorique des romans de l'écrivain, le texte littéraire peut être à la fois le lieu de tous les fantasmes, et la zone protégée qui les tient à l'écart de la vie, les enferme dans l'« oublieuse mémoire » de la fiction.

J.-P. Damour

BOURGES Élémir

(1852-1925)

Romancier né à Manosque. Après avoir passé sa jeunesse en Provence, Bourges monte à Paris (1874), où il devient l'ami de Barbey d'Aurevilly et de Bourget, tout en se tenant en marge des groupes littéraires. Amateur de musique, il se passionne pour Wagner ; lecteur immensément cultivé, il est critique au *Parlement*, au *Gaulois*, et fonde *la Revue des chefs-d'œuvre* (1883) ; mais, dans cette existence toute vouée à l'art, où le seul événement notable est son mariage d'amour avec une jeune Tchèque, Anna Braunerova, le romancier publie peu, n'hésitant pas à détruire ses premiers manuscrits.

En 1883 paraît en feuilleton *Sous la hache*, roman historique évoquant la révolte des Chouans, mais c'est *le Crépuscule des dieux* (1884), son chef-d'œuvre, qui le consacre auprès de quelques-uns. Bourges, alors, se retire à Samois, pour ne plus fréquenter qu'un petit nombre d'amis : Mallarmé, Schwob, Paul Margueritte et le peintre Armand Point, sous l'influence duquel il adhère un temps à la Rose-Croix de Péladan. Pendant ces années de lecture, de méditation et de travail, il compose un nouveau roman : *Les oiseaux s'envolent et les fleurs tombent* (1892), et le drame philosophique de *la Nef* (1904-1920), passant du nihilisme à un idéalisme apaisé. Élu à l'académie Goncourt en 1902, il ne sera vraiment reconnu que par un étroit cénacle et quelques jeunes lecteurs, dont Claudel.

Œuvre rare que celle de Bourges, et injustement oubliée. *Le Crépuscule des dieux* et *Les oiseaux*… ne sont qu'en apparence des romans historiques ; romans du symbole, ils témoignent, en fait, des tendances profondes de la fin du siècle : à travers les passions crépusculaires où sombre une famille princière d'Allemagne, dans un romanesque puissamment orchestré par les thèmes wagnériens, s'inscrit le sentiment de décadence ; et les rebondissements de l'intrigue des *Oiseaux* traduisent un pessimisme nihiliste qui débouche sur une grandiose invocation au néant.

Symbolisme plus philosophique qu'esthétique, où le passage à l'évocation mythique – celle d'un nouveau Prométhée dialoguant, dans *la Nef*, avec les idéologies et les religions – n'est qu'une étape naturelle de la réflexion, toute remplie de réminiscences culturelles. Le souvenir des tragiques grecs, des poètes élisabéthains, des musiciens romantiques allemands, l'influence de Saint-Simon, de Flaubert ou de Barbey d'Aurevilly se joignent à une mystique de l'art qui conduit Bourges à un constant souci de perfection : d'inspiration romantique, de construction classique, ses œuvres, au style très travaillé – qui abuse parfois de l'archaïsme –, sont emportées par une imagination flamboyante.

M.-O. Germain

BOURGET Paul

(1852-1935)

Romancier et essayiste, Bourget mena une longue et brillante carrière littéraire, où ne manquèrent ni les honneurs ni les succès de librairie. Son œuvre, fêtée tour à tour par la jeunesse d'avant-garde, les milieux mondains et la bourgeoisie la plus conservatrice, ne s'est sans doute pas maintenue à la hauteur de ses ambitions ; elle n'en offre pas moins des aperçus révélateurs sur les réactions d'une classe sociale et, dans les meilleurs textes, sur les contradictions d'une époque que Bourget distinguait d'autant mieux qu'il les éprouvait comme siennes.

Du dilettantisme au conformisme

Issu de la bourgeoisie amiénoise intellectuelle, Bourget connut une enfance provinciale, studieuse et trop sensible, dont le souvenir persiste dans plusieurs de ses romans. À Paris, où, étudiant en lettres, il assista aux événements de la Commune et pencha un temps du côté des fédérés, il n'allait pas tarder à débuter dans la carrière d'écrivain : comme poète d'abord, avec *la Vie inquiète* (1875), à la manière de Coppée, *Edel* (1878), poème réaliste, et *les Aveux* (1882), à la lisière du symbolisme – trois recueils qui le montraient attentif aux tendances de son temps et lui valurent des succès d'estime. Tout en collaborant à diverses revues, le voilà ainsi, jeune dandy élégant et inquiet, épris de dilettantisme et de voyages (Angleterre, Italie), introduit dans les milieux littéraires et les salons de la haute finance.

Les *Essais* et *Nouveaux Essais de psychologie contemporaine* (1883 et 1885), série d'études critiques consacrées aux écrivains majeurs de l'époque, révélèrent l'intelligence aiguë qu'il avait de la sensibilité moderne et firent de lui le chef de file de sa génération [voir **Décadence**]. Mais ce fut surtout dans le domaine romanesque qu'il choisit d'appliquer son talent d'analyste : il donna coup sur coup *Une cruelle énigme* (1885), *Un crime d'amour* (1886), *André Cornélis* (1887), *Mensonges* (1887), romans psychologiques qui assurèrent, en même temps que sa renommée, un certain renouvellement de la littérature postnaturaliste. *Le Disciple* (1889), où s'affirmaient des préoccupations d'ordre moral, marqua dans cette production une étape importante.

Les nombreux voyages qu'il continuait à entreprendre donnèrent matière à quelques livres : recueils d'impressions ou de nouvelles – *Sensations d'Italie* (1891) ; *Voyageuses* (1897) –, ou réflexions de plus en plus traditionalistes – *Cosmopolis* (1892), étude romancée et critique des mœurs cosmopolites, et *Outre-Mer* (1895), reportage sur son voyage aux États-Unis dans lequel il conclut en faveur de la monarchie.

Élu à l'Académie française en 1894, Bourget est antidreyfusard, se proclame maurrassien, avant de se convertir au catholicisme (1901). Ses romans – *l'Étape* (1902) ; *Un divorce* (1904) ; *l'Émigré* (1907) – lui servent désormais à défendre une idéologie étroitement nationaliste, royaliste et catholique, de même que ses essais – *Pages de critique et de doctrine* – ou ses pièces de théâtre : *la Barricade* (1910) ; *le Tribun* (1911). Bien que son prestige reste grand dans les milieux conservateurs et que son œuvre romanesque continue à s'accroître régulièrement pendant les années de guerre et d'après-guerre – *le Démon de midi* (1914) ; *le Sens de la mort* (1915) ; *Nos actes nous suivent* (1927) –, ses créations se figent dans trop de conventions et de partis pris contestables, son public se restreint, et l'écart irrémédiablement se creuse entre le romancier et son temps.

Un « moderne »

Moderne, Bourget le fut, autour des années 1880, quand la modernité avait nom « décadence », et qu'il tentait de l'analyser dans ses *Essais* et *Nouveaux Essais de psychologie contemporaine*.

Car, en étudiant l'un après l'autre les écrivains qu'il s'était choisis pour maîtres, le jeune critique entendait moins s'occuper d'esthétique que déceler à travers leur œuvre la sensibilité individuelle qui s'y exprimait, puis faire l'inventaire de cet « héritage d'idées et d'émotions », dont l'influence ne pouvait que marquer le lecteur contemporain. « La littérature est une psychologie vivante », disait Taine, et Bourget pensait y appréhender les symptômes du malaise général propre à cette fin de siècle.

De Baudelaire, considéré comme le poète exemplaire de la décadence, du spleen et de l'artifice, à Amiel, type extrême du mal de vivre, en passant par Renan, Flaubert, Taine, Stendhal…, la double série d'études s'articule sur quelques thèmes récurrents : le pessimisme qui règne en maître ; l'abus de l'esprit d'analyse, d'où découlent impuissance, dessèchement ou douloureux dédoublement ; le cosmopolitisme, qui, par le heurt de différentes cultures, ajoute aux contradictions personnelles… Le dilettantisme d'un Renan, « art de transformer le scepticisme en instrument de jouissance », apparaît comme un possible recours, tandis que Stendhal est redécouvert, si proche par son égotisme lucide, si dissemblable par son goût de l'énergie, et que l'évocation d'Amiel, dans sa multiplicité contradictoire et son incapacité à concevoir aucune réalité positive, débouche sur celle d'Hamlet. Hamlet, figure emblématique de cette génération d'analystes inquiets et impuissants, pour qui le rêve est préférable à la vie…

Constat compréhensif et souvent pénétrant, qui n'en inclut pas moins quelques prises de position déjà conservatrices contre la science ou la démocratie, les *Essais* s'achèvent sur des interrogations sans réponse, et toute une jeunesse intellectuelle, sensible à ces analyses et à ce questionnement, en fit son livre de référence.

Les ambiguïtés du roman psychologique

Pour Bourget, admirateur de Stendhal, de Constant, mais aussi de Balzac, l'écriture romanesque se fonde d'abord sur une opposition au naturalisme – tant sont manifestes, à ses yeux, les insuffisances de cette école déclinante en matière de psychologie des personnages ; c'est donc, par-delà les romans de mœurs, avec la lignée du roman d'analyse qu'il souhaite renouer.

Mais son souci d'expliquer sentiments et caractères en intégrant les développements théoriques les plus récents – notion d'inconscient révélée par Hartmann, nouvelle psychologie de Ribot sur la multiplicité de la personne, positivisme déterministe et associationniste de son maître Taine – n'aide pas forcément à la création romanesque : en dépit de leurs cas de conscience et de leurs contradictions, ses personnages n'ont guère d'épaisseur, et l'analyse aboutit à des raffinements superficiels, sans parvenir à suggérer une profondeur, et moins encore une liberté.

D'autant que Bourget succombe aux conventions du roman idéaliste : ce ne sont qu'aristocrates ou grands bourgeois assez oisifs pour s'offrir le luxe de problèmes psychologiques, s'abandonnant aux passions illégitimes, aux drames familiaux ou à l'avilissement de la vie mondaine. Égarements du cœur et désarrois de l'âme, qui, sous prétexte d'études – fort pessimistes – de pathologie sociale, semblent décrits avec quelque complaisance…, ce qui n'était pas pour déplaire au public féminin.

Et cet acquiescement aux valeurs établies, au règne de l'argent, n'indique-t-il pas que le recours au roman psychologique correspond à un refus délibéré de penser le problème social ? Le choix d'une fiction où la maladie psychologique reste affaire individuelle, et dans une classe bien limitée, n'est pas un choix innocent.

Le Disciple

Rien d'étonnant à ce que *le Disciple* reste le livre le plus connu de Bourget : il fit date dans son évolution personnelle comme dans la vie intellectuelle de cette fin de siècle, où il ouvrit un véritable débat sur la responsabilité morale de l'écrivain. À travers la sombre histoire de Robert Greslou, fervent lecteur du philosophe Sixte, il s'agissait de dénoncer l'influence néfaste de la pensée scientiste et de son déterminisme athée et amoral. Mais il s'agissait aussi pour Bourget de clarifier et d'ordonner sa propre expérience : par la création du personnage de Greslou, si semblable à ce qu'il fut enfant et adolescent, et dont l'autobiographie constitue le cœur du roman ; par le cheminement de Sixte, découvrant, en même temps que sa responsabilité, une sorte de paternité intellectuelle : reflet des inquiétudes de l'ancien porte-parole de la décadence ?

Quand bien même la démonstration, mal étayée par l'intrigue (la responsabilité du drame incombe plus au caractère du « disciple » qu'à l'œuvre du maître), serait fort contestable – et dangereuse pour la simple liberté d'écrire –, *le Disciple* est plus qu'un document : en mettant en question les rapports de la pensée et de l'action, c'est, paradoxalement, une œuvre novatrice, à la source de toute une tradition romanesque bien française, qui fera de l'intellectuel son héros.

SYNOPSIS

La vie du philosophe déterministe Adrien Sixte, toute consacrée à la réflexion théorique, est soudain troublée par une convocation chez le juge d'instruction (I) : un de ses « disciples », Robert Greslou, qu'il connaît à peine, est accusé d'avoir empoisonné une jeune fille (II). La mère de l'inculpé lui demande son aide et lui remet un manuscrit, écrit en prison par Robert (III). Cette « confession d'un jeune homme d'aujourd'hui » évoque l'enfance (IV, 1), l'évolution intellectuelle (IV, 2), puis l'entrée de Robert comme précepteur dans une famille noble, et son projet de séduire – à titre « scientifique » – la jeune Charlotte (IV, 3), dont il devient finalement amoureux (IV, 4), d'autant qu'elle doit en épouser un autre (IV, 5) ; mais, après une nuit d'amour et la révélation des premiers desseins de son amant, Charlotte se suicide (IV, 6). Découvrant dans ce drame l'influence de son œuvre, Sixte décide de se rendre au procès (V). Greslou y est acquitté grâce à la déposition du frère de Charlotte, qui le tue à la sortie de l'audience ; au cours de la veillée funèbre, le philosophe s'abandonne à la prière (VI).

Les tentations du roman à thèse

La dernière manière de Bourget est celle d'un romancier étroitement attaché aux intérêts d'une classe, pour laquelle il fait figure de maître à penser. Se voulant, comme Balzac, docteur ès sciences sociales, le voici qui passe de l'examen clinique à la thérapeutique et propose ses remèdes à la crise contemporaine – remèdes hérités de Taine, de Le Play et de Bonald, et qui ne cherchent qu'à sauvegarder, en tous domaines, les principes les plus traditionnels.

Bien qu'il refuse de se considérer comme un romancier à thèse – seulement comme un romancier à idées… –, il ne s'embarrasse guère de nuances dans le combat idéologique : défense de l'ordre établi contre tout mouvement d'ascension sociale trop rapide, dans *l'Étape,* où un fils de paysan devenu professeur de lycée connaît les pires déboires pour avoir sauté une « étape » ; défense de la cellule familiale, dans *Un divorce,* qui met en scène une famille désolée par les néfastes conséquences de la violation du mariage ; défense du catholicisme le plus rigide, contre les méfaits du modernisme, dans *le Démon de midi*… Attitude de repli, que le romancier cherche à faire partager à son public, dans un manichéisme reposant et simplificateur.

Le parti pris d'un déroulement narratif à la limite de la vraisemblance, la place excessive faite aux exposés didactiques ou à d'interminables soliloques : autant de signes de la prééminence des idées sur l'action. Le récit n'est plus agencé qu'en vue d'une démonstration ; et le souci de la composition, dont témoigne une fameuse controverse avec Thibaudet – composition concentrée de type dramatique –, contribue à fermer le jeu narratif dès les premiers chapitres, en soumettant l'histoire à un ordre explicatif et causal, d'où l'imprévu est banni. L'intérêt toujours vif que Bourget porte à l'analyse des âmes lui fera découvrir d'assez bonne heure Freud et la psychanalyse, mais ces nouveautés ne sauraient compenser une conception romanesque de plus en plus desséchante.

De l'analyse de la modernité à cette défense de la réaction, une vie s'étend dont l'évolution s'est confondue avec la recherche et la reconnaissance – peut-être illusoire – de certitudes : enfermement, tant idéologique qu'esthétique, qui condamne finalement l'œuvre à ne pas tenir ce qu'elle semblait promettre.

M.-O. Germain

BOURNIQUEL Camille

(né en 1918)

Écrivain, né à Paris. Musicologue (*Chopin*, 1994), amateur d'art (*Cathelin*, 1994), ami et contemporain de Bazaine, Manessier, Hartung, Camille Bourniquel collabore dès 1946 à la revue *Esprit,* dont il devient le directeur littéraire (1953). Plusieurs romans : *Retour à Cirgue* (1953), *le Blé sauvage* (1955), *les Abois* (1957), précèdent *le Lac* (« Plume d'or » du *Figaro* 1964) et *Sélinonte ou la Chambre impériale* (prix Médicis 1970), lui apportent la notoriété ; paraîtront ensuite *Tempo* (1977), *l'Empire Sarkis* (1981), *le Dieu crétois* (1982), *le Jugement dernier* (1983), *le Manège d'hiver* (1986) et *le Jardin des délices* (1987), un polar situé dans une communauté édénique en pays cévenol. L'image mallarméenne du lac, « réfractions, mobilités, radiances » *(le Lac)* dissimulant de mystérieuses profondeurs, se trouve au centre de cette œuvre à la rhétorique ornée, dont le vocabulaire, avec ses noms de héros antiques, de lieux légendaires, de minéraux précieux, brille d'un éclat baroque. « Tentative de restituer un être » par la multiplicité des discours, récits à la première personne, témoignages, lettres, enquêtes, confessions, un roman de Bourniquel est tout entier en miroitements : reflets qui rappellent la mise en abyme borgésienne renvoyant l'image brisée du héros à travers mille souvenirs « qui s'effacent, se traversent, se composent, disparaissent à nouveau » comme les vaguelettes à la surface d'une nappe d'eau *(le Lac)*. Mais les personnages se défont à ces jeux de miroirs, se réfléchissant l'un dans l'autre en d'énigmatiques échanges d'identité : transmutation simulant la « métempsycose » lorsque, à une génération d'écart, les personnalités de deux joueurs d'échecs deviennent presque indistinctes (*Tempo*). D'où, au terme du roman, une incertitude que l'auteur ne cherche pas à dissiper, y trouvant plutôt prétexte à un questionnement de l'écriture : dessinant la « ligne tremblée des apparences », les mots ne découvrent qu'une île, quelques rochers à fleur d'eau, laissant Corinne *(le Lac)*, Géro *(Sélinonte)*, Mansour *(Tempo)* à leur mystère. Bourniquel cherche moins à saisir la « réalité » par l'observation des comportements qu'à suggérer la « vérité » de ses héros, leur « présence » floue, alarmante, dans des décors à la manière de Devéria, surgissant du fond des mémoires confondues. En 1999, Bourniquel se souvient de son enfance dans *Karma*.

M.-A. de Beaumarchais

BOUSQUET Joë

(1897-1950)

Écrivain et poète, né à Narbonne, Joë Bousquet a vécu jusqu'à sa mort à Carcassonne, dans l'atmosphère opiacée d'une chambre aux volets clos, entouré d'amis, de femmes, de livres, de tableaux de Miró et de Tanguy, recherchant une « poésie qui se dégage aux dépens de la réalité ». La balle qui le cloua infirme sur le champ de Vailly, dans l'Aisne, mit trente-deux ans à le tuer, lui, ce poète de l'engagement physique.

« On n'échappe à ce qu'on est que par ses actes »

Ce Languedocien issu d'une famille bourgeoise (le père et l'oncle sont médecin et chirurgien) reçoit, enfant, les soins attentifs dus à un être chétif (« Avant d'avoir appris à lire, j'ai vu mon nom sur une plaque de marbre, devant la niche de la madone couleur de nuit »), tandis que chaque été ramène des vacances à Lapalme, « d'où l'on voit la mer entre les tamaris », lieu qui, avec Villalier, façonne de ses ocres et de ses bleus un imaginaire méditerranéen. Vive et indisciplinée (« On m'appelait l'homme-chien. Ma cruauté m'avait acquis ce sobriquet »), l'adolescence de ce bourgeois mauvais garçon est surprise par la guerre : avec l'accord de son père, il devance l'appel en 1916 ; son courage, sa morgue devant la mort lui valent plusieurs décorations et une première blessure. Un soir, convalescent encore, il rencontre à l'opéra de Béziers Marthe, « la Belle Biterroise » : hanté par cet amour fulgurant mais défendu (« la colère de ma mère quand elle aurait su que je voulais épouser une divorcée »), le lieutenant Bousquet réclame sa réincorporation, retrouve le front, et bientôt, lors d'une offensive allemande (où se trouve Max Ernst !), défend désespérément sa position de fortune : « Alors, j'ai compris que c'était fini et je suis resté debout. »

« Je n'ai été que l'ombre d'un fait à revêtir de sa perfection et de son éclat »

Touché aux vertèbres et devenu infirme à vie, il se constitue un terreau littéraire par les lectures de Mallarmé, Gide, Novalis, et l'apprentissage d'ouvrages philosophiques que lui conseille son ami Estève. Sans ambition littéraire précise, il commence à rédiger son *Journal intemporel* et un texte pseudo-historique qui, sous le titre de *la Fiancée du vent*, sera publié en 1929. Mais Eluard l'a remarqué : « Votre façon de conter est vraiment adorable. J'ai retenu plusieurs expressions très pures et très neuves ». Dans la revue *Chantiers*, fondée en 1928, où il publie *Retour*, le surréalisme prend une place majeure, quoique équilibrée par la présence de Carlo Suarès : Bousquet semble au-dessus des doctrines ; « son cœur sera d'aimer », telle Didi, dans *Il ne fait pas assez noir* (1932). Au reste, la présence dans *les Cahiers du Sud* d'écrivains non révolutionnaires distend ses liens avec le mouvement de Breton au moment où, enthousiasmé par la lecture de la *Nouvelle Création* de Suarès, il rédige, avec ce dernier et Philippe Lamour, *Voix libre* (1930), manifeste du « présentisme », qui est une métaphysique expérimentale issue des méthodes ascétiques hindouistes et de la drogue.

« La poésie est ma prison »

Ayant donc choisi la voie de l'inconnaissance (celle des mystiques), Bousquet traverse entre 1934 et 1939 une période très fructueuse (*Lumière infranchissable pourriture, les Petits Papiers de monsieur Sureau,* 1935 ; *la Tisane de sarments, le Mal d'enfance,* 1936 ; *Le passeur s'est endormi,* 1939) et accède à la notoriété : Valéry et Gide sont venus le voir, Jean Cassou le fait connaître à Paris, tandis que le poète subjugue ses belles consolatrices : Isel, Poisson d'or, la Blanche-par-amour. La guerre fait refluer chez lui une partie de l'intelligentsia parisienne (le groupe de la *N.R.F.*, Aragon notamment), et la revendication occitane du *Génie d'oc et l'Homme méditerranéen* (numéro spécial des *Cahiers du Sud* établi en codirection avec Jean Ballard), en 1943, est une protestation voilée contre l'occupant nazi. Jean Paulhan lui suggère les vers et bouts rimés de *la Connaissance du soir* (1945), où les deux aspects dionysiaque (surréaliste) et apollinien (réaliste) de sa poésie trouvent un équilibre ; des contes prolongent cette recherche des formes brèves et contenues : *Le fruit dont l'ombre est la saveur* (1947). Mais déjà, « ou mes rêves mentent, ou ma fin est proche », l'opium seul permet de calmer les douleurs de crises d'urémie, de plus en plus fréquentes, et d'entreprendre la rédaction des *Notes d'inconnaissance* (publ. en 1967) et ce dernier hommage à Jean Paulhan, *les Capitales* (publ. en 1952).

« Ne pas être celui que je suis »

Ainsi, l'aventure des textes se confond avec la biographie de Bousquet, elle est caractérisée par cette posture de l'écrire où le corps se palpe de mots, « tapi dans un coin, tassé, les yeux ouverts », mais qui est, toujours déjà, attitude métaphysique : « Tous les feux, sur la mer, chantent qu'un homme est seul, après tout, et seul avec ce qui le mène ». Car ce regard, fenêtre interne sur le monde, affirme un être souverain dans sa solitude ; la vérité que dit la poésie est atteinte par l'effet boomerang de la conscience sur la réalité extérieure : « Mon âme est comme la présence d'un amour dont je toucherais le fond dans les choses ». Dans cette cascade d'images où la comparaison situe le moi dans une relation érotique au monde, s'ouvre « la vie sans bords » : tout est dans tout puisque, réceptacle à fleur de page, la subjectivité devient elle-même ce « réel » qu'elle recrée. Les femmes tant aimées ne sont elles-mêmes, en fait, qu'un relais nécessaire aux émotions du monde ; elles s'inscrivent, au fond, toutes sur une même liste donjuanesque : « Les femmes dont j'écris ici le nom ou le pseudonyme n'ont aucune réalité… C'est de l'autre côté de leur réalité, à contre-jour, que je les ai rencontrées ». La différence sexuelle est englobée et dépassée par un amour vécu au-delà du plaisir physique ; l'identification à l'autre manifeste la subversion du moi, qui, dans sa poursuite d'un double à la fois androgyne et « frère d'ombre », n'existe que par ses mots, comme une matrice ou une simple machine animant l'énergie des objets : « J'ai vécu comme une femme, souhaitant d'enfanter des esprits et de les nourrir de ma substance ».

Malgré les touches parfois insistantes d'idéalisme, ce mystique est un auteur profondément moderne : une lecture structurale fait affleurer les différents degrés de signification ; et si la simplicité lexicale des poèmes contraste avec la prolifération verbale des morceaux de prose, un même usage du fragment fonde cependant l'une et l'autre écriture, et, pour notre émotion, ce grain de la voix, inoubliable, qui apparaît dans ses manques, convie, nomme et dévoie la rupture : « Je veux recueillir mon néant à l'ombre d'une réalité digne de la lumière et forger de mes mains un objet qui efface mes traces ».

Y. Mézières

BOVE Emmanuel

*Pseudonyme d'**Emmanuel BOBOVNIKOFF** (1898-1945)*

Des rééditions récentes ont sorti du purgatoire ce romancier un peu oublié qu'aimèrent pourtant Rilke, Max Jacob et Beckett. Quelques éléments biographiques permettent de cerner cette figure originale, pour ne pas dire marginale : des parents étrangers, d'abord, avec une mère domestique et un père ukrainien, vivant « d'expédients » (R. Cousse), que l'on retrouvera dans les interrogations inquiètes de son fils. La gêne matérielle également (qui touchera souvent ses personnages !), des voyages et peu de liens avec le milieu littéraire établi. Enfin et surtout un engagement personnel qui l'amènera à siéger à Alger au Comité national des écrivains. Emmanuel Bove meurt jeune dans un accident.

Sa première chance en littérature, il la doit à Colette et aux frères Émile-Paul. La première fait éditer *Mes Amis* (1924) chez Ferenczi, tandis que les seconds feront confiance un peu plus tard à ce jeune auteur, calme et souriant, recruté par Edmond Jaloux. En quelques années, la production d'E. Bove est considérable : elle comprend essentiellement des romans et des nouvelles, encore que la distinction soit un peu artificielle dans la mesure où il s'agit parfois de romans composés de nouvelles ou de formes intermédiaires, longues nouvelles et courts romans. Après *Mes Amis*, très remarqué à l'époque, il y aura *Armand* (1926), *Un soir chez Blutel* (1927) suivi de *Bécon-les-Bruyères* (1927), un essai poétique. Pour la seule année 1928, *Un père et sa fille*, nouvelle-roman, *la Mort de Dinah*, *la Coalition*, *Cœurs et Visages*, *Une fugue*, *l'Amour de Pierre Neuhart* et *Henri Duchemin et ses ombres*, recueil de nouvelles. Toujours des nouvelles avec *Petits Contes* (1929), *Monsieur Thorpe* et *Un malentendu* (les deux en 1930). La même année, *Journal écrit en hiver* (réédité depuis), avant *Un Raskolnikov* (1932), *Un célibataire* (1932) et *Un suicide* (1933). On notera encore *le Beau-fils* (1934), *le Pressentiment* (1935), *Adieu Fombonne* (1937) ainsi que deux romans policiers (1933 et 1935). Parmi les derniers textes, *le Piège*, *Départ dans la nuit*, deux romans, et *Une offense*, nouvelle (les trois titres en 1945), avant *Non-lieu* (1946).

Les lieux et les personnages de Bove pourraient évoquer le naturalisme dont Dabit et Céline sont un peu les continuateurs entre les deux guerres : banlieues grises, jardins déserts, peintures écaillées et chambres sales. Il y a souvent dans ces textes une esthétique du médiocre, du banal et du cassé. Reste cependant qu'il ne s'agit pas d'exhiber un décor pittoresque, mais de créer un climat. D'où la réussite de l'écrivain dans l'art de la nouvelle, conduit par le choix même de la forme à suggérer plutôt qu'à dire explicitement : les silhouettes passent et gardent une part de leur mystère. Même effet au niveau de la phrase, souvent pauvre ou brève, avec un grand usage de la litote et de la description « neutre » : « Ma maison, elle, n'est pas neuve. Le plâtre de la façade tombe par morceaux. Des barres d'appui traversent les fenêtres. Le toit sert de plafond au dernier étage. Un crochet retient chaque volet au mur, quand il ne vente pas. L'architecte n'a pas gravé son nom au-dessus du numéro » (*Mes Amis*).

Ces objets et ces êtres sont à la fois présents et lointains, ils nous interrogent plus qu'ils ne nous expliquent le monde et l'on comprend le rapprochement souvent établi avec le Nouveau Roman. Les rencontres du narrateur sembleraient pourtant ouvrir un échange, une échappée hors de la solitude et de la tristesse, mais à chaque fois c'est bien l'incommunicabilité qui triomphe : « Je cherche un ami. Je crois que je ne le trouverai jamais […] Est-ce donc si difficile de se comprendre sur la terre ? » (*id.*)… Si bien que le monde de Bove, peuplé et désert, énigmatique et obscur, n'offre finalement rien à comprendre ou à aimer : il n'est que le lieu d'une détresse au lyrisme contenu.

A. Preiss

BOVELLES Charles de v. Humanisme

BOYLESVE René

Pseudonyme de ***René TARDIVEAU*** *(1867-1926)*

Écrivain né à La Haye-Descartes. Sa vie se confond avec son œuvre : des vers, en 1891, *Proses rythmées,* puis une vingtaine de romans d'allure fort diverse – un recueil de contes galants de style XVIIIe siècle, *les Bains de Bade* (1896), et, dans la même lignée, la fameuse *Leçon d'amour dans un parc* (1902) ; des « études provinciales », issues du Balzac d'*Ursule Mirouët* et du *Curé de Tours* : *le Médecin des dames de Néans* (1896), *Mademoiselle Clocque* (1899), *la Becquée* (1901), *l'Enfant à la balustrade* (1903), *la Jeune Fille bien élevée* et *Madeleine jeune femme* (1912) ; des « œuvres de passion » : *le Parfum des îles Borromées* (1898), *Mon amour* (1908), *le Meilleur Ami* et *Élise* (1909).

Cette œuvre paraît témoigner de dons très différents. L'observation de la vie provinciale (en particulier, de la Touraine) est sans illusions : Boylesve montre la sécheresse de ce milieu étouffant. Romancier de la passion, il chante des extases qu'illuminent les exaltants paysages des lacs italiens et de Venise. Mais, à travers cette diversité, quelques constantes demeurent. Les héros de René Boylesve font preuve – et souffrent – tous d'une sensibilité affinée, qui leur fait ressentir douloureusement les contraintes et les bassesses de la vie. Leurs destins sont souvent ratés, leurs existences flétries. Pour exprimer ce pessimisme, le romancier cherche des innovations techniques : il oppose, dans *Je vous ai désirée un soir* (1925), les souvenirs du narrateur, les documents et la vision objective des faits ; il présente, dans les *Souvenirs d'un jardin détruit* (1924), le récit presque impersonnel d'un observateur.

Ces livres offrent, si l'on veut s'y plonger, des délices et des surprises. Mais Boylesve était trop timide. Il rêvait, à la fin de toutes ses recherches, de juxtaposer l'observation du réel et une méditation personnelle dans le fil des *Essais* de Montaigne. Ce programme qu'il n'osa réaliser, il vit que Proust le menait à bien. Il eut l'élégance de ne pas montrer de jalousie, mais enfin la *Recherche du temps perdu* lui faisait voir ce qu'il eût pu faire s'il s'était affranchi à la fois du moule balzacien et des conventions du « roman artiste ».

A. Niderst

BRANTÔME Pierre de

Pierre de BOURDEILLE, seigneur et abbé de BRANTÔME *(1540 ?-1614)*

L'ouvrage qui a assuré la fortune littéraire de Brantôme est aussi responsable de l'oubli dans lequel a sombré – injustement – le reste de l'œuvre. Les *Dames galantes,* ainsi nommées par un éditeur avisé du XVIIe siècle, ne formaient pourtant, à l'origine, que la seconde partie du recueil des *Dames,* lui-même moins développé que celui des *Hommes.* Reléguées dans les bibliothèques parmi les livres dits de « second rayon », elles n'ont cessé de faire flotter autour de l'auteur un parfum de scandale. Constamment réimprimées depuis la première édition, elles ont été récemment traduites en italien, en suédois, en finnois, en polonais et en japonais. Rien, pourtant, ne prédisposait Pierre de Bourdeille à laisser un nom en littérature.

« Ceux de ma race n'ont jamais estez cazaniers »

Né dans une ancienne et noble famille du Périgord, il est voué par son père, en sa qualité de cadet, à l'état ecclésiastique et pourvu très jeune de plusieurs bénéfices, parmi lesquels l'abbaye dont il tire le nom qui le rendra célèbre. Il s'y prépare, à Paris puis à Poitiers, par des études plus longues qu'il n'est de coutume chez un jeune aristocrate. Mais l'appel de l'aventure est le plus fort : il renonce à l'Église et quitte sa province natale ; comme tant d'autres, il passe les monts et se trouve à Rome pour l'élection de Paul IV. En 1561, il est de la troupe des gentilshommes qui accompagnent Marie Stuart en Écosse. À son retour, les premiers affrontements des guerres civiles (Blois, Bourges, Dreux) lui permettent de s'essayer au métier des armes. Désormais, il prend part à tous les combats, vivant à la Cour pendant les intermèdes ; mais l'inaction lui pèse, et toutes les occasions lui sont bonnes pour entreprendre des « voyages » : une expédition sur la côte nord du Maroc (1564) ; une autre jusqu'à Malte, menacée par les Turcs (1566). Au regret d'avoir manqué la bataille de Lépante, il rassemble à Brouage une flotte pour le Pérou quand lui parvient la nouvelle du massacre de la Saint-Barthélemy.

Les années passent. Comme la Cigale de la fable, il s'aperçoit qu'il a négligé ses affaires ; autour de lui, ses compagnons, bien en cour, richement pourvus, sont « avancez comme potirons » ; pour lui, en récompense des services rendus, de bonnes paroles et de belles promesses – mais de faveurs concrètes, point. Lorsque, malgré la parole royale, le sénéchalat de Périgord est accordé à un autre, Brantôme décide de reprendre sa liberté et d'offrir ses services au roi d'Espagne. Une malencontreuse chute de cheval met fin à ce projet. Réduit à l'immobilité, il se réfugie dans l'écriture pour oublier son malheur : « Ce sera récupération du militaire inachevé par le courtisan et l'homme de plume » (V.-L. Saulnier). Vocation accidentelle s'il en fut.

« Il me plaist ainsin d'en retenir et resjouir ma mémoire de ce que j'ay veu »

Désormais, le seigneur de Brantôme ne quittera plus guère sa retraite périgourdine ; notons une visite à Marguerite de Navarre, en exil à Usson, dédicataire (avec le duc d'Alençon) de ses *Discours.* Pour peupler sa solitude et tromper son ennui, il évoque la foule des personnages rencontrés, suivis à la Cour et dans les camps. Une étonnante mémoire lui restitue les événements auxquels il a été mêlé, les anecdotes, les bons mots et les confidences, matériaux engrangés pendant un tiers de siècle. Il ne s'agit, au début, que de souvenirs entassés sans trop d'ordre. Mais, au fil des années, les additions se succèdent, l'œuvre s'épaissit et prend forme. L'auteur s'avise que son « Recueil d'aucuns discours, devis, contes, hystoyres, combatz, actes, traitz, gentillesses, mots, nouvelles, dictz, faictz, rodomontades et louanges » aurait belle allure s'il était organisé en deux séries de discours, l'une touchant les hommes et l'autre les femmes. Telle est l'origine des sept volumes manuscrits annoncés dans son testament (1609).

En dépit de son souhait, la première édition ne paraît – posthume – qu'en 1665-1666. Bien qu'incomplète et fautive, elle obtient un vif succès. On loue l'auteur de sa peinture simple et « naïve », on lui sait gré des « particularités » qu'il apporte sur le règne des Valois. Mme de La Fayette s'en inspire pour *la Princesse de Clèves* ; Saint-Simon le lit, l'annote et, dans ses *Notes sur les duchés-pairies,* l'imite ; Rousseau s'enthousiasme pour les récits héroïques qu'il y trouve. Au tournant du siècle, le ton change. Si on reconnaît le mérite historique de l'œuvre – Balzac et Mérimée y puisent sans vergogne –, les critiques républicains et bourgeois ne parviennent plus à détacher leur regard de ces fameuses *Dames galantes* qui n'avaient pas autrement troublé les lecteurs de l'Ancien Régime ; sous couleur de sévérité à l'égard des choses du sexe, un intérêt se manifeste qui entend se faire dire la vérité du plaisir, la saisir et la questionner. Le livre scandaleux apparaît alors comme la preuve irréfutable de la dépravation des mœurs sous la monarchie, de l'indignité des rois. Aujourd'hui même, l'œuvre souffre de certains préjugés ; elle est parfois soumise à des lectures superficielles et orientées qui y cherchent une « couleur Renaissance » de pure convention : héroïsme et corruption, raffinement et grossièreté, sang et poison, etc.

« Ce que j'escris est plain de vérité... »

Brantôme est convaincu d'avoir connu un âge d'or ; tout naturellement, la sphère de ses souvenirs se borne à la Cour – forme institutionnalisée de la noblesse –, ce « vray paradis » ; sont exclues de ses livres les personnes de basse condition. Cette réserve – importante – faite, il est un précieux témoin de son temps, intéressé par les aspects les plus divers de la vie humaine. Qu'il s'agisse d'assauts livrés sur les champs de bataille ou dans la chambre des dames, il s'informe, observe, compare avec le même souci de précision. Quand il décrit, interminablement, les cheminements du désir et les ruses de l'amour, c'est moins de sa part vice ou obsession que volonté encyclopédique de ne rien omettre de ce qu'il sait, par expérience ou par ouï-dire. C'est avec la même application qu'il recueillera les serments et jurements espagnols : le XVIe siècle est l'époque des recensements et des inventaires.

Cette curiosité est au service d'une objectivité et d'une impartialité assez rares. L'œuvre n'obéit à aucun dessein apologétique, à la différence des *Commentaires* de Monluc ; elle n'est pas soumise aux variations d'un *moi* envahissant comme celui de Montaigne. À une époque de fanatismes, Brantôme se refuse à être un homme de parti ; sans passion et sans haines, il accueille les idées et les hommes avec tolérance. Où pourrait-on lire à cette époque, sous une même plume, un éloge de Coligny et un éloge de Guise, une condamnation indignée de la Saint-Barthélemy et un panégyrique de Catherine ? Ce Français n'hésite pas à marquer son admiration pour la bravoure des Espagnols, ce gentilhomme se plaît à reconnaître les mérites de simples soldats issus du peuple. Paradoxalement, cette indépendance d'esprit va de pair avec un grand respect pour les aspects conventionnels de l'existence et les grandeurs d'établissement. Ébloui par les splendeurs et les fastes de la Cour, il s'enivre d'éloges hyperboliques dès qu'il évoque les grands personnages qui ont pu lui accorder attention ou caresses.

Ce n'est pas un moraliste ni un penseur. Il s'en remet volontiers à l'avis des doctes et des mieux « discourans », non qu'il manque d'idées, ou qu'il soit naïf ; son credo est simple : c'est l'idéal chevaleresque adapté avec pragmatisme aux réalités du temps. Il admire la bravoure et l'exploit individuels, mais il sait que la discipline et l'organisation déterminent la victoire ; il remarque que, dans les duels, les vainqueurs n'ont pas toujours le bon droit pour eux ; il est catholique de naissance et d'habitude, mais juge sans indulgence les hommes d'Église ; dans son œuvre l'amour courtois s'est dégradé en exercices physiques : les jeux auxquels se livrent ses personnages sont purs divertissements du corps, ni l'esprit ni le cœur n'y ont leur place, car il s'agit surtout de satisfaire aux exigences de la nature.

« C'est assez demeuré en ceste digression... Retournons au grand chemin »

Installé au cœur de ses Mémoires comme conteur, comme acteur ou comme témoin, ce discoureur ne peut se résoudre à clore un chapitre ou un récit. La répétition et la digression sont ses figures favorites. En l'absence de toute philosophie de l'Histoire, de tout système général d'explication, un fait ne saurait s'expliquer par une seule cause déterminante ; il faut donc se résoudre à les mentionner toutes. Lorsque les souvenirs se pressent en foule, la narration linéaire devient impossible, une discontinuité fondamentale est inhérente au récit ; le lecteur progresse néanmoins sans difficulté dans un discours simple et précis, avec peu de néologismes, mais un certain nombre d'emprunts à l'espagnol et à l'italien. Moins dépendant de la rhétorique que celui de beaucoup de ses contemporains, le style de Brantôme abonde en métaphores qui témoignent d'une imagination poétique tournée vers la nature et les activités de la vie humaine.

« Je sçay qu'il y a plusieurs qui diront que je faictz beaucoup de petits fatz contes... ouy bien pour aucuns, mais non pour moy, me contentant d'en renouveller la souvenance et en tirer autant de plaisir ». Rarement une œuvre aura tenu à ce point ses promesses. Le plaisir du lecteur rejoint, par-delà les siècles, le plaisir de l'écrivain. Avec le passé récupéré s'est élevé un monument pour l'avenir.

M. Chopard

BRAUDEAU Michel

(né en 1946)

Romancier français, né à Niort. Après des études supérieures de sciences politiques et linguistiques, il se tourne vers le journalisme, traduit Chomsky (*Structures syntaxiques*) et Cooper (*Psychiatrie et anti-psychiatrie* ; *Grammaire à l'usage des vivants*), et publie en 1966 un récit, *l'Amazone*, aux Éditions du Seuil où, à partir de 1977, il sera conseiller littéraire. *Le Monde des livres,* plus tard, lui confiera un feuilleton hebdomadaire, et, en 1999, il deviendra rédacteur en chef de la *Nouvelle Revue française*. Mais ses véritables débuts dans la littérature naissent de l'écriture de son premier roman, les aventures d'un « petit prince au pays des merveilles », l'intrépide *Vaulascar* (1977), où apparaissent pêle-mêle les thèmes qui deviendront les constantes de son univers romanesque : des personnages-illusionnistes qui, quelque part entre Lima et la place des Vosges, perdent le sens du réel, dans les milieux troubles du cirque ou du cinéma. Ce premier roman-livre de contes, déconcertant, conduit Braudeau à définir son œuvre idéale : « Autrefois je rêvais d'un livre qui s'ouvrirait comme un vertige, où je pourrais entrer… » En 1980, il publie un roman qui démarre comme un roman policier pour finir plutôt en roman fantastique, *Passage de la Main d'Or.* Le style « prise de vues » de cette écriture minutieuse, pour l'histoire du kidnapping d'un cinéaste, Rochel Foster, devenu la proie d'une fiction, est tout en détails révélateurs. Avec *Fantôme d'une puce* (1982) – du titre d'un tableau de Blake –, Braudeau choisit à nouveau l'infime et le dérisoire, racontant les minuscules aventures d'Alex Galardine, journaliste-cartomancien amoureux transi d'une Pauline disparue… En 1985, cet univers littéraire, où se mélangent hardiment les influences de Vian, Boileau-Narcejac, Lacan, Lewis Carroll et Mandrake, est augmenté d'un superbe roman d'amour, *Naissance d'une passion* (prix Médicis), avec lequel l'écrivain change de cap : renonçant au fantastique, ce roman de la maturité, aventureux et érotique, de l'amour d'Axel pour sa cousine, dans le décor classique des enfances provinciales, révèle l'avenir littéraire de Braudeau – on peut en effet y rattacher *l'Objet perdu de l'amour* (1988) et *le Livre de John* (1992) –, qui nous distille cette folie de l'amour incestueux et impossible avec son habituelle « sollicitude d'insecte ». Dans les années 1990, Braudeau a composé chacun de ses romans comme une « fenêtre du regret », ouverte sur un monde évanoui : ainsi, *Esprit de Mai* (1995) décrit le décalage poétique ou tragique d'anciens soixante-huitards ; *Mon ami Pierrot* (1993) tente de recomposer l'image fragmentaire d'un père disparu sous les traits de l'enfant qu'il fut ; *Pérou* (1998) retrace l'amour sans lendemain du narrateur pour une toute jeune fille péruvienne. Ces plongées dans le temps perdu et dans l'art, qui fondent encore toute l'ambition de *Loin des forêts* (1997), constituent des récits empreints d'étrangeté : la fonction du roman est de reconstruire dans ses phrases « cet instant fragmenté de centaines de secondes insoutenables et féeriques, l'instant où enfin et pour toujours quelque chose se passe » (*Mon ami Pierrot*).

N. Blaise

BRAULT Jacques

(né en 1933)

Poète né à Montréal. Son œuvre prend sa source dans le souvenir d'une enfance assez pauvre : les trottoirs boueux du printemps où joue le garçon, la ruelle du premier amour pour la petite fille du voisin, le frère mort à la guerre, le père humilié par le chômage, la mère brisée par les corvées. Cette origine urbaine et populaire conférera à sa poésie son authenticité, son dépouillement. Brault s'est attaché à ce paysage urbain, à cette pauvreté de gens qui ont peut-être de quoi manger mais à qui on a volé les mots pour se penser, la langue pour se dire, la mémoire pour se reconnaître. L'aliénation socio-économique et culturelle d'un peuple bâillonné au sein de l'Amérique du Nord anglo-saxonne, cette aliénation se vit quotidiennement dans la dépossession de son passé comme de son présent, dans l'image du père battu qui ne se défend pas, comme au théâtre, dans celle du commis de bureau incapable de trouver les phrases convenables pour rédiger sa lettre de démission.

La « Suite fraternelle » (*Mémoire,* 1965 et 1968), poème le plus célèbre de Jacques Brault, commence par une longue transcription en images négatives de ce manque existentiel, de ce non-être collectif ; puis s'opère un « retournement total » autour du geste absolu du frère mort durant la campagne de Sicile : c'est le geste qui dit non à l'asservissement, qui dit oui à un avenir à construire, le geste de l'homme qui se met debout et qui revendique son identité. La « Suite fraternelle » est portée par un souffle lyrique remarquable par sa grandeur calme et déchirée, sa simplicité un peu rugueuse, la générosité qui l'anime.

Après *Mémoire,* ce souffle lyrique semble cassé. Le quotidien est plus puissant que le lyrisme, le temps grignote les idéaux, le vide des jours emporte tout, même la passion. Puis, face à la pauvreté de la vie, collective ou individuelle, la richesse du lyrisme apparaît un mensonge ou du moins une illusion. Pour demeurer en contact avec la réalité, la poésie ne doit pas masquer le non-sens sous des oripeaux de théâtre, mais dire ce non-sens, avec humilité, avec stoïcisme, avec dépouillement. *La Poésie ce matin* (1971) puis *l'En dessous l'admirable* (1975) et *Agonie. Récit* (1984) s'enfoncent dans un monde de grisaille et de désespérance. L'avenir s'est obscurci, l'eau de la vie, symbole prépondérant dans l'œuvre de Brault, s'est figée, le matin est glacé par un hiver opaque. Le poète peut seulement risquer quelques maigres mots qui décrivent ce quotidien, qui rappellent des images plus chaudes du passé. Renonçant aux phrases à la syntaxe élaborée, aux mots-outils, il ne trace sur la page que quelques signes entourés de néant.

Mais Jacques Brault poursuit sa marche dans la lumière de ce faux jour. Sa route le rapproche du taoïsme : faire du vide du quotidien le chemin de la sagesse, suivre la voie du bas, celle de l'eau, de la féminité, du contact fécondant avec les choses (*Moments fragiles*, 1995 ; *Au bras des ombres*, 1997). Son détachement n'est pas de l'impassibilité car sa poésie, sous des formes épurées proches de celles de l'Orient, vibre toujours d'amour et de fraternité, car le silence vers lequel elle se dirige est bruissant de la vie à venir. Un recueil de ses poèmes, *Poèmes I,* a été publié en 1986. *Poèmes des quatre côtés* (1975) « non traduit » le silence et la solitude nordique de John Haines, les « rythmes en spirale » de la Septentrionale Gwendolyn MacEwen, la peur ironique et la sensualité frileuse de l'Occidentale Margaret Atwood, la fascination du pur lyrisme chez E.E. Cummings. Une écriture « nontraduisante » qui se veut plus « pratique ouverte à son autocritique » que théorie nouvelle. C'est la fraternité du critique qui n'est ici que poète, réinventeur de la langue, à peine étrangère, de l'autre poète qu'une fausse barrière éloignait. L'œuvre de Brault prosateur est également importante. C'est en poète qu'il a pratiqué la critique. C'est de *Miron le magnifique* (1969) que Brault a le plus splendidement parlé, de son amour, de son combat, de son acharnement, de son « espérance historique ». Les essais réunis sous le titre *Chemin faisant* (1975) reprennent des articles dispersés. Brault les coordonne ; surtout, il les commente dans la marge. Réflexion qui montre et parfait un cheminement. Recul d'évaluation, du plus grand dépouillement. Texte sans rien de savant. Plutôt une lecture du genre barthésien, qui cultive le plaisir de lire, d'écrire et de réfléchir, qu'on retrouve dans *Au fond du jardin* (1996). Pour le théâtre, Brault a signé *Trois Partitions* (1972), courtes pièces où se signale le souci de retraduire en langage et en situations simples les problèmes de l'amour et de la mort, du bonheur et de la misère.

J. Bonenfant et M. Lemaire

BRÉBEUF Georges de

(1616-1661)

De vieille noblesse mais pauvre, Brébeuf fut précepteur de Bernardin Gigault, marquis de Bellefonds – le futur maréchal –, dont la protection ne lui fit jamais défaut. Ami de Corneille, il fréquentait, lors de ses séjours parisiens, le salon de Mlle de Scudéry, mais restait attaché à sa province normande, où la vie littéraire était d'ailleurs très active.

Son œuvre, ambiguë, contradictoire même, relève du courant baroque. Des poèmes burlesques (parodie de *l'Énéide, chant VII,* 1651 ; *Lucain travesti,* 1656), genre qu'il déclarait ne pas aimer mais vouloir rendre digne et de bon ton, y voisinent avec une imitation, libre mais soutenue, de *la Pharsale* (1653). Dans celle-ci, il se montrait très hostile à la tyrannie ; or, en reprenant le même modèle sur le mode burlesque, il en fit une apologie de Mazarin et une satire des Frondeurs : application inattendue qu'explique – pauvreté faisant foi – non le sentiment de l'auteur mais le besoin d'obtenir une pension. Sa poétique ne se laisse pas aisément analyser. Dans sa *Pharsale,* qui connut un grand succès, le style est souvent hardi et pittoresque, ce dont Corneille et Chapelain le félicitaient, tandis que les « beaux esprits » parisiens raillaient son emphase. Ses *Poésies* (1658) abondent en pointes et figures outrées, que Molière ridiculisera dans ses *Précieuses* : mais on ignore à quel public exactement il s'adressait, et il se peut que, lus dans des salons provinciaux complices de l'auteur, ces textes révélaient en eux-mêmes leur propre dérision. Mais surtout il composa, malade et retiré chez son frère, curé de province, ses *Entretiens solitaires* (1660), qui méritent d'être connus pour leur élan mystique, exceptionnel dans la poésie religieuse pourtant abondante alors, et qui donnent à son œuvre une résonance originale dans le XVIIe siècle. [Voir aussi **Baroque.**]

A. Viala

BRÉBEUF, saint Jean de

(1593-1649)

D'ancienne noblesse normande, Jean de Brébeuf, futur saint et martyr du Canada, naît le 25 mars 1593 à Condé-sur-Vire, dans le diocèse de Bayeux. En novembre 1617, il entre dans la Société de Jésus. Reçu d'abord en tant que frère lai, il enseigne la grammaire au Collège de Rouen. Ordonné prêtre en 1622, il est membre de la mission jésuite envoyée en Nouvelle-France au printemps 1625, pour y prendre la relève des pères récollets alors présents depuis une dizaine d'années sur le terrain. Débarqué à Québec à la mi-juin, il passe l'hiver suivant dans une tribu d'Indiens montagnais, afin de se familiariser avec la langue et les mœurs de ceux qu'il est appelé à convertir. À l'été 1626, une flottille de canots hurons l'emmène après de longues tractations en terre de mission, dans la région des Grands Lacs. Il étudie la langue, compose une grammaire et un dictionnaire hurons, mais n'obtient aucune conversion. Rappelé à Québec en 1629, il y est fait prisonnier par les Anglais qui viennent de s'emparer de la ville, et se trouve ramené de force en Europe. Après le traité de Saint-Germain-en-Laye (1632) qui rend la Nouvelle-France à l'Ancienne, il retourne chez les Hurons pour y rencontrer son tragique destin. Dès ce moment, il a fait le vœu solennel de « ne jamais refuser pour sa part la grâce du martyre ».

Un nouvel échec missionnaire auprès de la nation dite des « Neutres » en 1640 précède le début des guerres iroquoises qui voient à partir de 1642 l'extermination des Algonquins et l'encerclement progressif des Hurons alliés des Français. Prisonnier des Iroquois qui détruisent en 1649 les postes de Saint-Ignace et de Sainte-Marie, au cœur de la Huronie dont l'agonie est dès lors consommée, Jean de Brébeuf meurt après de longues tortures et sans un cri à quatre heures de l'après-midi, le 16 mars de la même année. Lui et sept de ses compagnons de martyre seront béatifiés en 1925. La canonisation suivra, le 29 juin 1930.

Les *Relations de ce qui s'est passé au pays des Hurons*, qui couvrent la période 1635-1648, relèvent d'un genre apologétique bien codifié. Destinées à illustrer et à promouvoir l'action missionnaire des jésuites dont elles exposent le programme et s'efforcent de démontrer l'efficacité, les *Relations* joignent à la propagande l'édification. « Réussite de haute vulgarisation » qui masque un retentissant échec sur le plan stratégique (J. Warwick), les *Relations de Nouvelle-France* donnent en outre matière à exercices spirituels pour les chrétiens d'Europe à même de communier par la lecture avec les souffrances des intrépides pères missionnaires. À cela s'ajoutent des informations de toute première main sur des peuples encore mal connus, et dont des explorateurs comme Champlain avaient eu tendance à négliger la culture et les mœurs. Chez Brébeuf, l'alliance intime entre la passion ethnographique et le vertige d'une souffrance propédeutique atteint une sorte de perfection. Hanté par le sang du Christ dont il imite la passion, en un chemin de croix qui le mène, haletant et brisé, de portage en portage, jusqu'au sacrifice de sa chair, il étudie avec une prédilection marquée les rites funéraires collectifs qu'il a lui-même observés en 1636 chez les Hurons de la nation de l'Ours. De la piété minutieuse avec laquelle les femmes décharnent les os, les enferment dans des sacs qui seront portés jusqu'au lieu du festin solennel, et les parent de manteaux de castors, il tire des leçons d'humilité chrétienne. Une telle pédagogie de la charogne, par Indiens interposés, se rattache indéniablement aux rituels macabres et baroques de la Contre-Réforme. Relevant du genre pénitentiel, elle engage l'enquête scrupuleuse de l'ethnographe en terre huronne au service de la plus grande gloire de Dieu.

F. Lestringant

Breton

BRETON André

(1896-1966)

Sur la personnalité et l'œuvre d'André Breton – poète, théoricien et guide du groupe « surréaliste » français [voir **Surréalisme**], homme d'aventure et de lucidité politique –, les jugements sont encore très passionnés, cernés par une profusion de souvenirs bruissants, derrière lesquels les contours de l'œuvre semblent parfois s'estomper. Que cet homme de passion exigeante ait suscité la passion, on ne saurait s'en étonner. À sa mort, en 1966, Jean Paulhan évoque sa voix, capable de « prononcer, comme sans l'avoir prévu, des phrases [...] propres à faire de nous les égaux de Dieu, proprement divines », et Julien Gracq, la figure d'un « homme *entier*, fondamentalement allergique à toutes les entreprises de restriction, à toutes les formes de résignation » (*la Nouvelle Revue française*, nº 172, 1er avril 1967). Or, cette voix poétique et cette figure individuelle se sont volontiers confondues pour les contemporains, tant il est vrai que l'originalité de Breton nous semble aujourd'hui avoir été surtout d'instaurer une éthique qui fût *en même temps* une esthétique : sont indissociables la théorie de l'*écriture automatique* – qui pourrait apparaître comme exclusivement esthétique – et celle du « hasard objectif » – dont le versant éthique est plus évident puisqu'aux « signes » qui nous sont faits, il convient seulement d'obéir. On convient désormais que l'approche des textes de Breton doit impérativement tenir compte d'une pratique poétique qui consiste à réinventer secondairement une mentalité « magique » pour obéir à des impératifs visionnaires ou éthiques. Encore faut-il *lire* Breton. Son écriture, impérieuse, éclatante, ne se laisse pas si facilement pénétrer. Il faut lire Breton : on a presque tout encore à découvrir.

Le cristal, la vie...

« Le cristal... La maison que j'habite, ma vie, ce que j'écris : je rêve que cela apparaisse de loin comme apparaissent de près ces cubes de sel gemme » (*l'Amour fou*).

C'est avec son entrée en poésie que la vie de Breton prend toute sa clarté. Sur ses origines familiales et sa première jeunesse, il s'est peu étendu durant sa maturité : il en garde un souvenir d'étouffement. Il est né le 19 février 1896 à Tinchebray, dans l'Orne, mais, en 1900, la famille Breton s'installe à Pantin. La poésie lui sera révélée, par l'intercession d'un professeur suppléant au collège Chaptal et dans un échange fructueux avec son ami Théodore Fraenkel : celle de Baudelaire, de Mallarmé, des symbolistes, de Huysmans. Ses goûts le portent aussi vers la peinture, surtout celle de Gustave Moreau. Ses choix évoluent : Valéry, lu d'abord comme le fils spirituel de Mallarmé, puis rencontré – et les premiers poèmes publiés portent sa marque –, mais les lectures de Rimbaud (été 1914), puis de Jarry (1915) et, grâce à Aragon, de Lautréamont (en 1917) l'éloignent définitivement de la poétique mallarméenne. La rencontre d'Apollinaire (déc. 1915), qu'il fréquente jusqu'à sa mort en novembre 1918, le conforte dans le besoin de définir une idée *moderne* de la vie poétique.

Il est inscrit en octobre 1913 à la faculté de médecine, et, si la guerre vient interrompre ses études, elle les prolonge aussi, et les nourrit de rencontres décisives. C'est à Nantes, en 1916, qu'il fait la connaissance de Jacques Vaché (« la Confession dédaigneuse », dans *les Pas perdus*). Dès son séjour à Saint-Dizier, il prend connaissance des théories de Freud, non par l'œuvre même de Freud, dont peu d'ouvrages sont alors traduits, mais par l'intermédiaire du *Précis de psychiatrie* du Dr Régis et de *la Psychoanalyse* de Régis et Hesnard (1914). Breton, d'ailleurs, pratiquera avec les malades qu'il rencontre la méthode des associations libres. C'est donc bien par la théorie freudienne que Breton s'initie à la pensée psychanalytique et non auprès de Myers et de Janet, en dépit de convergences plus apparentes. Enfin, c'est en 1917, au Val-de-Grâce, qu'il rencontre Louis Aragon et s'émerveille de la convergence de leurs goûts.

Mont de piété (1919), son premier recueil de poèmes, montre le glissement des goûts signalé plus haut : de Mallarmé et Valéry à Rimbaud, Apollinaire et Reverdy ; mais surtout de la poésie à la nature de son avènement. Cette interrogation sur la nature de l'inspiration et sur son aspect peut-être collectif préside à l'aventure des *Champs magnétiques*, menée en mai 1919 avec Philippe Soupault, en compagnie duquel Breton découvre l'« écriture automatique ». Elle préside aussi à l'organisation du volume *les Pas perdus* (1924), recueil d'articles parus de 1918 à 1923 : la poésie y est présentée à la fois comme refus de ce qui est et désir de ce qui pourrait être, mais sa nature pourrait ne pas être essentiellement langagière – « Elle émane davantage de la vie des hommes, écrivains ou non, que de ce qu'ils ont écrit ou de ce que l'on suppose qu'ils pouvaient faire » (« Clairement »). En revanche, c'est plutôt l'affirmation brute de la force poétique qui s'exprime dans *Clair de terre* (recueil de poèmes, 1923), par réaction contre la tentation du silence.

Cependant, avec la création de revues, la vie d'André Breton se confond peu à peu avec l'activité d'un groupe qui, en 1924, prend le nom de « surréaliste ». La première de ces revues, *Littérature* (mars 1919-juin 1924), se veut d'abord en rupture avec « la littérature », ses modes, son monde, sa bonne conscience : le titre est à entendre par antiphrase. Le passage par Dada (janvier 1920-août 1921) et l'influence de Tristan Tzara consacrent cette rupture avec le projet littéraire. Puis c'est *la Révolution surréaliste*, dont le premier numéro, en décembre 1924, suit le retentissant *Manifeste du surréalisme* (oct. 1924), publié en même temps que les proses automatiques de *Poisson soluble*. Dans cette « défense et illustration » du surréalisme, où *Poisson soluble* est d'ailleurs plus qu'une « illustration », le *Manifeste* place Breton en position de leader du groupe (auquel se sont joints Eluard, Péret, Desnos, Crevel), malgré le texte séduisant *Une vague de rêves* qu'Aragon avait de son côté mis au point durant l'été. Le groupe est présenté, dans le *Manifeste*, d'une façon moins descriptive, moins historique ; le surréalisme est défini moins comme une révélation que comme une conquête : conquête du merveilleux par l'exercice de l'écriture automatique, par le procès sans cesse recommencé contre le « monde réel » ; l'homme doit redevenir ce « rêveur définitif » que son enfance promettait. Après le douzième numéro de *la Révolution surréaliste* et l'exclusion d'Artaud, de Desnos et de Soupault, c'est dans *le Surréalisme au service de la révolution* (1930-1933) que s'exprime le groupe, se faisant, par ce titre même, l'écho des angoisses politiques croissantes et de la nécessité d'un engagement clair.

Or, tout se passe comme si, dans les récits et réflexions théoriques que sont l'« Introduction au discours sur le peu de réalité » (1925, dans *Point du jour*), *Nadja* (1928), *les Vases communicants* (1932), *l'Amour fou* (1937), puis, après la guerre, *Arcane 17* (1944), la vie d'André Breton se présentait sous son aspect le plus accidentel en même temps que le plus généralisable, comme s'il s'agissait « de superposer vive à l'enregistrement de la vie quotidienne l'écriture progressive d'un destin » (Julien Gracq) : s'y profile l'attente de « la rencontre », avec une disponibilité intime indispensable et la croyance magique en l'efficace de la pensée ; s'y profile aussi la reconnaissance du « hasard objectif », dans un climat où le désir est coloré d'une indifférence qu'on dirait mystique (« l'indifférent seul est admirable… », *Point du jour*, « Introduction… »). Sous l'éclairage de cette généralisation constante doivent être lus les événements privés que sont les années heureuses avec Simone Kahn, la rencontre de Nadja et de son pouvoir d'errance, celle de Suzanne, qui l'abandonne en 1929 – d'où le désarroi perceptible dans *les Vases communicants* –, celle de Jacqueline et de l'« amour fou » en 1934, celle d'Elisa en 1943 : Elisa rencontrée à New York, où il est en exil, pendant la Seconde Guerre mondiale (*Arcane 17*).

Une théorie complexe de l'histoire individuelle est mise en place dans ces textes, mais aussi une théorie de la fonction de l'écriture par rapport à « la vie ».

Aux alentours de 1935, le groupe surréaliste s'est renouvelé : les préoccupations politiques, que l'on évoquera plus loin, se dissocient des projets poétiques, abordés dans *Minotaure*, revue où Breton assume un rôle de plus en plus important depuis 1933. Le surréalisme a essaimé aussi en divers lieux du monde, ce qui amène Breton à entreprendre divers voyages. Sa rencontre avec Trotski à Mexico le conduit à la proclamation « Pour un art révolutionnaire indépendant » (*la Clé des champs*), qui définit, contre le « jdanovisme » naissant, les conditions d'un art authentiquement novateur *et* révolutionnaire.

En 1940, toute possibilité d'expression lui étant retirée, il s'exile : de passage à la Martinique, il rencontre Aimé Césaire ; de passage aux États-Unis, il crée, là encore, une revue, *VVV*, cette fois avec Marcel Duchamp. Et, de retour à Paris, en 1946, entouré de nouveaux jeunes poètes et de Benjamin Péret, c'est encore par des revues et des expositions collectives que se manifeste la vitalité du mouvement. Cependant la vogue de l'existentialisme l'emporte, et pas seulement en réputation délétère dans la grande presse, sur celle du surréalisme. Ferdinand Alquié compare leurs enjeux dans une conférence essentielle, publiée sous le titre *Humanisme surréaliste et humanisme existentialiste* (Cahiers du Collège philosophique, 1948).

Breton est amené à se tourner vers l'ésotérisme, vers la civilisation celtique, à élaborer le mythe des « Grands Transparents ». Les *Entretiens* (1952) jettent un regard sur le passé. Mais le pouvoir d'émerveillement n'est pas mort en Breton : ses préfaces accordées à de jeunes poètes le disent. Son pouvoir de polémiste ne l'est pas non plus : il polémique avec Albert Camus, qui a publié en 1951 *l'Homme révolté*, à propos de la notion même de révolte. Il renouvelle ses conceptions esthétiques dans son dernier grand ouvrage *l'Art magique* (1957) et demeure fidèle à la vocation de l'automatisme dans les *Constellations* (1959).

La lucidité politique

En apparence, les textes évoqués jusqu'ici laissent passer comme un crible l'aspect politique de l'activité de Breton. Par exemple, n'apparaissent dans *l'Amour fou* ni l'image du

6 février 1934 – qui, pourtant, détermina Breton à s'allier à tous les hommes de gauche – ni quelque écho direct des grandes scènes du Front populaire. Il faut s'attacher à certains articles repris en volumes (*Point du jour*, *la Clé des champs*, *Perspective cavalière*) et surtout aux *Tracts surréalistes et déclarations collectives* (1922-1940 [t. I], puis 1940-1969 [t. II], Losfeld, 1980, puis 1982) pour percevoir cette activité. Mais il faut lire aussi, à travers le poétique, le symbolisme politique : ainsi, l'*Ode à Charles Fourier* a été déchiffrée par Jean Gaulmier, et le sens politique du thème de l'Orient (par exemple dans les textes apparemment les plus idéalistes comme l'« Introduction au discours sur le peu de réalité », où l'Orient évoque le Maroc et la guerre du Rif) a été révélé par Marguerite Bonnet. Car enfin l'éthique surréaliste implique au premier chef la révolte politique – qu'elle englobe, il est vrai.

Chez le jeune Breton, la tentation libertaire l'emporte. Dans sa lecture du symbolisme, il a trouvé des points de tangence avec l'anarchie : chez Saint-Pol Roux, chez le Barrès de *l'Ennemi des lois*, chez Mallarmé, dans les paroles de la *Monelle* de Marcel Schwob, chez Jarry, bien sûr. L'année de l'affaire Bonnot (1913) avait remis en mémoire « la terreur noire » de l'année 1892. Or cette tendance, Breton la retrouva durant la période de 1951-1953, dans « la Claire Tour » (*la Clé des champs*) ou dans sa collaboration au *Libertaire*.

La lecture du *Lénine* de Trotski, en 1925, lui fait désigner à ses amis le communisme comme « le plus merveilleux agent de substitution d'un monde à un autre qui fut jamais ». Ainsi commencent et la fascination et le malentendu à l'égard du Parti communiste : rapprochement avec le groupe communiste de *Clarté*, à la faveur d'une commune protestation contre la guerre du Maroc ; adhésion, en 1927, au P.C. Mais cette adhésion oblige à de constantes mises au point (« Légitime Défense », dans *Point du jour* ; « Au grand jour », dans *Tracts surréalistes*…). La rupture avec Aragon en 1932 est un des moments de ce chemin pénible. Breton est exclu en 1933 de l'Association des écrivains et artistes révolutionnaires (l'A.E.A.R.). Il se dresse contre la montée fasciste dès le 6 février 1934, mais aussi, après sa rupture avec le P.C. en 1935 (*Position politique du surréalisme*), il est un des premiers à dénoncer les procès de Moscou (1936). En 1936, lorsqu'il rencontre Trotski à Mexico, le texte commun « Pour un art révolutionnaire indépendant » (*la Clé des champs*) met en évidence le jeu dialectique de l'art et de la révolution. Position théorique assurée, position de l'affût.

Après la guerre et l'exil forcé, ses prises de position politiques sont constantes, en faveur de la libération du Viêt-nam puis de l'Algérie, contre le gaullisme et, dans une nette distance par rapport aux partis existants, en faveur du mouvement mondialiste (1948), du R.D.R. (1948), en faveur du droit à l'insoumission dans la guerre d'Algérie (1960). En fait il est trop alerté et trop tenace pour abandonner cette position de guetteur, mais aussi il est trop lucide pour trouver des raisons d'agir dans des groupes tout formés. La révolte, toujours, contre les conditions faites à la liberté humaine. C'est ce qu'on pourrait appeler une politique du signe ascendant.

Une poétique du signe ascendant

En matière de poétique comme, on l'a vu, en matière narrative ou politique, la fonction *anagogique* de la parole est mise en évidence : c'est là le sens du texte « Signe ascendant » (1948, repris dans *la Clé des champs*). « L'image analogique, dans la mesure où elle se borne à éclairer, de la plus vive lumière, des *similitudes partielles*, ne saurait se traduire en termes d'équation. Elle se meut, entre les deux réalités en présence, dans un sens déterminé, qui n'est aucunement réversible. De la première de ces réalités à la seconde, elle marque une tension vitale tournée au possible vers la santé, le plaisir, la quiétude, la grâce rendue, les usages consentis. Elle a pour ennemis mortels le dépréciatif et le dépressif ». Ces lignes ont donné lieu à de violentes attaques. Le groupe de *Tel quel*, notamment dans le n° 46 (été 1971), a pourfendu ce en quoi il voyait une résurgence idéaliste, s'attachant à l'image du haut et du bas (ce qui permettait de reprendre l'argumentation de Georges Bataille contre ces hiérarchisations). Or, ces phrases renvoient à la conception du temps chez Breton, et surtout elles exigeraient une réflexion sur le fonctionnement de la métaphore – et de son *plaisir* – qui n'a pas encore été menée. Le texte de Breton, en tout cas, complète la théorie de l'image exprimée dans le premier *Manifeste* : l'image « la plus forte est celle qui présente le degré d'arbitraire le plus élevé », et cela par opposition à la définition de Pierre Reverdy : « Plus les rapports des deux réalités rapprochées seront lointains et justes, plus l'image sera forte – plus elle aura de puissance émotive et de réalité poétique ». L'image, chez Reverdy, part des choses ; le critère de beauté en est la justesse. L'image, chez Breton, part des mots ; elle doit être arbitraire. Double différence.

Analogie, anagogie : tels sont les maîtres mots de la poétique de Breton.

De là, une poésie de la révolte, que l'automatisme nourrit et qui doit « changer la vie » :

Les comètes s'appuieront tendrement aux forêts
[avant de les foudroyer
Et tout passera dans l'amour indivisible.

Et cette poésie adopte un timbre sourd, « un peu en dessous de ce que sera la sonorité moyenne du poème » (Gérard Legrand) : « Les pieuvres ailées guideront une dernière fois la barque dont les voiles sont faites de ce seul jour heure par heure » (« la Mort rose », dans *le Revolver à cheveux blancs*).

Mais cette révolte est aussi défi désespéré devant le silence, dont la tentation menace : que l'on songe au découragement qui saisit Breton en 1923 et au défi que constitue la publication de *Clair de terre*. Que l'on songe aussi à une certaine distance entretenue avec le public pendant toute la fin de sa vie, et, en contraste, à l'admiration profuse qu'il peut déployer à écrire des préfaces pour des écrivains alors inconnus.

Vivre et écrire

Dans ce sursaut qui saisit Breton contre la perte d'énergie et contre la tentation du silence se trouve peut-être une des clés de son orgueil tenace et de son écriture « divine ». Chez lui,

« le contemplatif est en rage » (Élisabeth Lenk), comme si le temps devait être réinventé à tout instant, par la force anagogique de l'imagination visionnaire. C'est ce que signifie sa demande insistante de convertir « l'imaginé au vécu ou plus exactement au devoir-vivre » (*les Vases communicants* ; voir aussi *Il y aura une fois*). Rarement dans la prose et la poésie du XXe siècle, le jeu du désir et de la mort a été aussi serré, combiné avec la tension antithétique de vivre *ou* d'écrire. Chez Breton, les prétentions ontologiques de la poésie composent une véritable « métaphysique immanente » (Ferdinand Alquié) : l'imaginaire est sommé de se réaliser. Là réside ce que Breton appelait la « mission prométhéenne de la poésie » : « une émancipation totale de l'homme qui puiserait sa force dans le langage mais serait tôt ou tard réversible à la vie » (« Le Merveilleux contre le mystère », dans *la Clé des champs*).

	VIE		ŒUVRE
1896	**19 févr.** : naissance d'André Breton à Tinchebray (Orne). Ses parents sont d'origine bretonne et lorraine. Il est élevé chez son grand-père maternel, à Saint-Brieuc.		
1900-1905	La famille Breton s'installe à Pantin. Élève chez les religieuses de la maison Sainte-Élisabeth, puis à l'école communale de Pantin.		
1907	Entre au collège Chaptal, où il a pour ami Théodore Fraenkel. Il découvre avec lui la poésie.		
1913	S'inscrit au certificat de P.C.N., pour des études de médecine.		
1914	Première visite à Valéry (mars). **Août 1914 : début de la « Grande Guerre ».** Lecture de Rimbaud.	**1914**	Premiers poèmes publiés dans *la Phalange*, revue de Jean Royère.
1915	**Févr.** : incorporé au 17e régiment d'artillerie. Classes à Pontivy. Été : infirmier militaire à Nantes. **Déc.** : première lettre à Apollinaire.		
1916	À Nantes, rencontre Jacques Vaché. **Mai** : première rencontre d'Apollinaire. **Juill.-déc.** : affecté au Centre psychiatrique de Saint-Dizier. Découvre les théories de Freud. **Déc.** : brancardier sur le front.		
1917	Attaché au centre neurologique de la Pitié, à Paris, dans le service du professeur Babinski. Rencontre Philippe Soupault dans l'entourage d'Apollinaire. **Sept.** : stagiaire au Val-de-Grâce, où il rencontre Louis Aragon.	**1917**	Publie dans *Nord-Sud*, au *Mercure de France*, etc.
1918	Découverte de Lautréamont. Termine la guerre à Fontainebleau. **11 nov. : fin de la guerre.**	**1918**	Publie dans *SIC*, etc.
1919	**Janv.** : mort de Jacques Vaché. Découverte de l'« écriture automatique », en mai, date où il écrit avec Philippe Soupault la plus grande partie des *Champs magnétiques*. En relation épistolaire avec Tristan Tzara.	**1919**	**Mars** : fonde la revue *Littérature*, avec Aragon et Soupault. **Juin** : publication de *Mont de piété*, recueil de poèmes écrits entre 1913 et 1919. **Août** : publication des *Lettres de guerre* de Jacques Vaché.
1920	Le groupe de *Littérature* se rallie au mouvement Dada, avec l'arrivée à Paris de Tzara. Manifestation Dada. **Troubles économiques et sociaux.**	**1920**	**Mai** : publication des *Champs magnétiques*.
1921	**Mai** : « procès » intenté à Barrès par le mouvement Dada. Le groupe se désagrège définitivement en août. Breton devient bibliothécaire et conseiller du couturier Jacques Doucet. Mariage avec Simone Kahn. À Vienne, visite (décevante) à Freud.	**1921**	**Août** : dernier numéro de la première série de *Littérature*.

	VIE		ŒUVRE
1922	**Début de l'année** : tentative d'organisation d'un Congrès international pour la détermination et la défense de l'esprit moderne. Échec en mars. Rupture ouverte avec Tzara et le mouvement Dada. **Sept.** : conférence à l'Ateneo de Barcelone : « Caractères de l'évolution moderne et ce qui en participe ». **Sept.-déc.** : époque des « sommeils » hypnotiques, où s'illustre Robert Desnos.	**1922**	**Mars** : *Littérature,* nouvelle série.
1923	**Janv. : entrée des troupes françaises dans la Ruhr.** Dans le groupe, activités de jeux, « cadavres exquis ». **Juill.** : la « soirée du Cœur à barbe » marque la disparition du mouvement Dada en France. Tentation du silence poétique.	**1923**	**Nov.** : *Clair de terre,* deuxième volume de poèmes.
1924	À la suite de la publication d'*Un cadavre* (pamphlet contre Anatole France), Breton perd son emploi chez Doucet. **Victoire électorale du Cartel des gauches.**	**1924**	**Févr.** : publication des *Pas perdus*, recueil d'articles parus de 1918 à 1923. **Oct.** : *Manifeste du surréalisme*, suivi de *Poisson soluble.* **Déc.** : premier numéro de la revue *la Révolution surréaliste* ; directeurs : Pierre Naville et Benjamin Péret.
1925	Lecture du *Lénine* de Trotski.	**1925**	**Févr.** : « Introduction au discours sur le peu de réalité », dans *Commerce.* **Juill.** : prend la direction de *la Révolution surréaliste* (n° 4). **Juin-juill.** : protestation contre la guerre du Rif, en commun avec le groupe communiste *Clarté.* **Juill.** : manifeste *la Révolution d'abord et toujours* (en commun avec le groupe *Clarté* et d'autres).
1926	**Mars** : ouverture de la *Galerie surréaliste.* **Juill. : ministère Poincaré (chute en juillet 1929).** **Oct.** : rencontre de Nadja.	**1926**	**Sept.** : *Légitime Défense.*
1927	Adhère au parti communiste. **Été** : écrit *Nadja.* **Déc.** : rencontre Suzanne et écrit le dernier chapitre de *Nadja.*	**1927**	Tract *Au grand jour*, avec Aragon, Eluard, Péret, Unik, sur l'adhésion au P.C.
		1928	**Févr.** : *le Surréalisme et la Peinture.* **Mai** : avec Aragon, « le Cinquantenaire de l'hystérie », dans *la Révolution surréaliste*, n° II. **Mai** : *Nadja.*
1929	**Mars** : réunion rue du Château, à Paris, à laquelle sont convoqués les groupes *Clarté, le Grand Jeu, Esprit*, sur le thème « Examen critique du sort fait à Léon Trotski ». De graves dissensions se font jour. **Automne** : se sépare de sa femme Simone. Abandonné par Suzanne. **Nov.** : début de l'expérience Tardieu (1932).	**1929**	**Juin** : *Variétés*, numéro spécial « le Surréalisme en 1929 ». **Déc.** : « Second Manifeste du surréalisme », dans *la Révolution surréaliste* (en volume, en juin 1930).
1930	En butte à l'hostilité d'anciens surréalistes, qui publient contre lui *Un cadavre.* Solitude affective.	**1930**	**Juill.** : fonde la revue *le Surréalisme au service de la révolution,* qui publie « Il y aura une fois », n° 1. **Sept.** : *Ralentir travaux*, en collaboration avec René Char et Paul Eluard. **Nov.** : *l'Immaculée Conception*, en collaboration avec Paul Eluard.
1931	Commence à écrire *les Vases communicants.* Difficultés de collaboration avec le P.C.	**1931**	*L'Union libre*, sans nom d'auteur ni d'éditeur.
1932	Breton soutient Aragon poursuivi en justice pour son poème *Front rouge* (nov. 1931). **Mars** : rupture d'Aragon avec le surréalisme. **Les élections législatives marquent un retour de la gauche.**	**1932**	**Juin** : *le Revolver à cheveux blancs*, recueil de poèmes 1916-1932. **Sept.** : *This Quarter*, numéro spécial de la revue sous la direction de Breton. **Nov.** : *les Vases communicants.*

	VIE		ŒUVRE
1933	**Juin** : Breton est exclu de l'Association des écrivains et artistes révolutionnaires, d'obédience communiste.	**1933**	**Mai** : *le S.A.S.D.L.R.*, n°s 5 et 6 (derniers numéros). **Juin-déc.** : contributions de Breton à la revue *Minotaure*. **Déc.** : *Violette Nozières*, en collaboration avec Char, Eluard, etc.
1934	**6 févr. : manifestations fascistes.** **Févr.-mars** : démarche auprès de Léon Blum, participation au Comité de vigilance des intellectuels antifascistes. **29 mai** : rencontre Jacqueline Lamba. **14 août** : épouse, en secondes noces, Jacqueline Lamba.	**1934**	**Mai** : « La beauté sera convulsive », dans *Minotaure*, n° 5. **Juin** : conférence à Bruxelles, *Qu'est-ce que le surréalisme ?* **Juill.** : publication de *Point du jour*, recueil d'articles de 1925-1933. **Déc.** : *l'Air de l'eau*
1935	**Mars-avr.** : séjour à Prague, pour une exposition internationale du surréalisme. **Mai** : voyage aux Canaries, pour une autre exposition surréaliste. **Juin** : Congrès international pour la défense de la culture. **Déc.** : naissance de la fille du poète, Aube.	**1935**	**Nov.** : *Position politique du surréalisme.*
1936	**Janv.-mai** : activité du groupe *Contre-Attaque* avec Georges Bataille et divers. **Mai** : **victoire électorale du Front populaire.** **Juin-juill.** : exposition internationale du surréalisme à Londres. **Sept.** : meeting de protestation « la Vérité sur les procès de Moscou ».	**1936**	**Juin** : « le Château étoilé », dans *Minotaure*, n° 8. **Juin** : conférence à Londres « Limites non frontières du surréalisme ». **Oct.** : « le Merveilleux conte le mystère », dans *Minotaure*, n° 9.
1937	**Déc.** : entre au comité de rédaction de *Minotaure*.	**1937**	**Févr.** : *l'Amour fou.*
1938	**Janv.** : exposition internationale du surréalisme à Paris (galerie des Beaux-Arts). **Mars** : **invasion de l'Autriche par Hitler.** **Avr.-juill.** : séjourne à Mexico. Y rencontre Léon Trotski. **Sept.** : **accords de Munich.** **Sept.** : tract *Ni de votre guerre ni de votre paix !* **Oct.** : rupture avec Eluard.	**1938**	**Janv.** : *Dictionnaire abrégé du surréalisme* (avec Éluard) : présentation de l'exposition internationale. **Mars** : numéro spécial des *Cahiers G.L.M.*, « Trajectoire du rêve ». **Avr.-juill.** : *Pour un art révolutionnaire indépendant* (avec Trotski, mais signé Diego Rivera).
1939	Premiers bulletins (*Clé*) de la Fédération internationale de l'art révolutionnaire indépendant (F.I.A.R.I.). **3 sept.** : **entrée en guerre de la France.** Breton est mobilisé à Poitiers.	**1939**	**Mai** : dernier numéro de *Minotaure* (« Souvenir du Mexique », etc.).
1940	Démobilisé, séjourne à Salon-de-Provence, puis à Marseille. **Déc.** : écrit *Fata Morgana*.	**1940**	**Juin** : *Anthologie de l'humour noir* (édition différée par la censure).
1941	**Mars** : s'embarque pour la Martinique. **Avr.** : rencontre Aimé Césaire. **Août** : arrive à New York. **Oct.** : numéro spécial de *View* (n° 7) sur le surréalisme.	**1941**	**Mars** : *Fata Morgana* (mais l'édition est différée par la censure).
1942	**Oct.-nov.** : exposition internationale du surréalisme à New York, organisée avec Marcel Duchamp.	**1942**	**Juin** : fonde, avec Marcel Duchamp, David Hare et Max Ernst, la revue *VVV* (triple V), où paraît « Prolégomènes à un troisième manifeste du surréalisme ou non ». **Déc.** : conférence à Yale : « Situation du surréalisme entre les deux guerres ».
1943	Rencontre à New York Élisa Bindhoff.		
1944	**Été-automne** : voyage en Gaspésie, avec Élisa.	**1944**	« Les États généraux », dans *VVV*, n° 4. Publication d'*Arcane 17.*
1945	**Mai** : **Armistice.** **Été** : visite aux réserves indiennes des Pueblos. Commence l'*Ode à Charles Fourier.* Épouse Élisa. Séjour à Haïti, de déc. 1945 à févr. 1946. Y prononce des conférences, sur l'invitation du docteur Mabille, attaché culturel.		

	VIE		ŒUVRE
1946	**Printemps** : retour en France.	**1946**	**Juin** : conférence « Hommage à Antonin Artaud », au Vieux-Colombier. Réédition d'*Arcane 17 enté d'ajours.*
1947	Tract *Rupture inaugurale*, définissant l'indépendance politique du surréalisme. **Juill.-oct.** : exposition internationale du surréalisme à la galerie Maeght.		
1948	**Avr.** : allocution de soutien au mouvement mondialiste. **Nov.-déc.** : soutien à l'action de Garry Davis et du Rassemblement démocratique révolutionnaire (Claude Bourdet, Albert Camus, Jean-Paul Sartre).	**1948**	« Signe ascendant », dans *Néon*, n° 1, janvier. **Août** : *Martinique charmeuse de serpents.* **Oct.** : *la Lampe dans l'horloge.* **Nov.** : *Poèmes.*
1949	**Oct.** : intervention pour la libération de tous les objecteurs de conscience.	**1949**	**Janv.** : lettre-préface au livre de J.-P. Duprey *Derrière son double.* **Juill.** : *Flagrant Délit. Rimbaud devant la conjuration de l'imposture et du truquage.*
1950	Passe l'été à Saint-Cirq-Lapopie, où il reviendra tous les ans jusqu'à sa mort.	**1950**	**Mars** : « Pont-Neuf » dans l'*Almanach surréaliste du demi-siècle.* **Juin** : « Lettre ouverte à Paul Eluard », dans *Combat*, à propos de la condamnation à mort, à Prague, de Kalandra.
1951	**Févr.-mars** : affaire Carrouges-Pastoureau, au sein du groupe surréaliste. **Mai** : *Haute-Fréquence*, tract.	**1951**	**Oct. 1951-janv. 1953** : collaboration au journal *le Libertaire.* **Oct. 1951-déc. 1952** : collaboration à la revue *Arts.*
1952	**Déc.** : ouverture de la galerie *À l'Étoile scellée*, rue du Pré-aux-Clercs.	**1952**	**Févr.-juin** : diffusion des *Entretiens* radiophoniques avec André Parinaud. Publication en juillet. **Nov.** : *Médium,* « feuille », n° 1.
		1953	*La Clé des champs,* recueil d'articles 1936-1953. **Nov.** : *Médium,* « revue », n° 1. **Déc.** : hommage à Picabia, cimetière Montmartre : *Adieu ne plaise.*
		1954	Préface à *Melmoth* de Maturin. **Janv.** : « Du surréalisme en ses œuvres vives », dans *Médium,* n° 4. **Mai** : *Darien le maudit.*
1955	Exclusion de Max Ernst.		
1956	**Oct.** : tract *Hongrie, soleil levant.*	**1956**	**Oct.** : premier numéro de *le Surréalisme, même,* nouvelle revue. Préface au livre *les Grands Bardes gallois,* « Braise au trépied de Kéridwen ».
		1957	*L'Art magique,* en collaboration avec Gérard Legrand.
1958	**Juin** : **le général de Gaulle revient au pouvoir.** Breton s'affirme contre le régime gaulliste. **Déc.** : intervient en faveur des objecteurs de conscience.	**1958**	**Nov.** : *Bief,* n° 1, nouvelle revue.
1959	**Déc.** : exposition internationale du surréalisme, sur le thème de l'érotisme, préparée par Breton et Duchamp.	**1959**	*Constellations,* proses parallèles à des gouaches de Joan Miró.
1960	**Sept.** : signe la « Déclaration des 121 » sur le droit à l'insoumission dans la guerre d'Algérie. **Nov.** : participe à l'organisation d'une exposition surréaliste à New York, d'Arcy Galleries.		
1961	**Mai** : exposition surréaliste à Milan.	**1961**	*Le La,* P.-A. Benoît. **Oct.** : *la Brèche,* n° 1, nouvelle revue.
1962	**Janv.** : hommage à Natalia Sedova Trotski. **Indépendance de l'Algérie.**		

VIE		ŒUVRE	
		1963	*Nadja,* nouvelle édition revue par l'auteur, précédée d'un *Avant-dire.*
1964	Estime que n'est pas représentative l'exposition « le Surréalisme » organisée à la galerie Charpentier par Patrick Waldberg.		
1965	Prépare la XIe Exposition internationale du surréalisme à la galerie de l'Œil, *l'Écart absolu.*	1965	*Le Surréalisme et la Peinture,* nouvelle édition revue (1928-1965).
1966	Atteint d'une crise cardiaque à Saint-Cirq-Lapopie, meurt à Paris le 28 septembre.		
		1970	*Perspective cavalière,* recueil d'articles 1952-1965.

Les Champs magnétiques

Ce texte, publié sous la double signature de Breton et Soupault en mai 1920, est le résultat d'une activité intense mais brève (huit ou quinze jours, selon les témoins), essentiellement au cours du mois de mai 1919. C'est le produit d'une expérience – dans laquelle Breton a peut-être hésité à se plonger seul – de pratique d'une écriture « automatique » (voir « Entrée des médiums », dans *les Pas perdus,* et le premier *Manifeste,* 1924). Dès 1913, Breton était vivement intéressé par l'obsession auditive de Mallarmé (« la Pénultième est morte »), et, pendant la guerre, à Saint-Dizier, il avait été frappé par la qualité poétique des associations verbales spontanées des malades mentaux. Le résultat fut si hallucinatoire que les deux expérimentateurs l'interrompirent, pris d'une sorte d'effroi. L'organisation des textes obtenus et le choix des titres sont dus à Breton, qui, par la suite, distingua la part respective de chacun des participants dans deux exemplaires autographes – il est vrai à usage privé. Par ces deux moyens, une certaine rationalisation du produit non moins que du projet a été tentée.

Deux conditions furent posées *a priori,* outre celles qu'énonce le *Manifeste* : 1° le genre du passage à écrire fut posé arbitrairement (ainsi, « Saisons » devait être et se présente en effet comme des souvenirs d'enfance) ; 2° la vitesse d'écriture fut différente, par une décision elle aussi arbitraire, la conséquence étant qu'elle était « de nature à influencer le caractère de ce qui se dit ».

Quels espoirs étaient placés dans l'écoute de « ce murmure qui se suffit à lui-même » ? Un témoignage sur l'invention, qui tendrait à prouver que l'abandon le plus total à la subjectivité parvient à faire se dissiper l'individualité puisque la confusion des plumes est possible aux yeux les plus alertés. Malgré l'angoisse de l'écriture, c'était aussi la fin rêvée de la malédiction jetée sur le travail, et, sur le plan du marché littéraire, un jeu de « dumping » qui eût nettoyé définitivement « l'écurie littéraire » (« Le Message automatique », 1933, dans *Point du jour*).

Une série de textes furent ainsi écrits. « La Glace sans tain » (surtout de Soupault) est une sorte de poème du désarroi. Le titre de « Saisons » vient de Rimbaud, et son projet (des souvenirs d'enfance) avait été défini à l'avance. « Éclipses » fut écrit à plus grande vitesse, et la syntaxe s'abolit parfois. « En 80 jours », ainsi que le début de « Gants blancs », est surtout de Soupault. En 1930, Breton jugera sévèrement ces textes, trop romanesques à son gré. « Barrières » est constitué de « dialogues » entre Breton et Soupault : s'y manifeste le malentendu inhérent à toute conversation, que le titre symbolise. « Ne bougeons plus », le plus souvent de Breton, est constitué pour partie de souvenirs. La dernière page, en « vers », conteste l'ensemble par un retour à la conscience (texte repris dans *le Revolver à cheveux blancs,* donc assumé comme « poème »). Enfin « le Pagure dit I » et « II » tentent de se ressourcer à un automatisme plus « pur » : le pagure est ce crustacé qui se glisse dans des coquilles vides, comme si Breton et Soupault « voulaient décliner la responsabilité, la paternité des poèmes » (Aragon). Ici la syntaxe se disloque. Le volume se clôt par trois pages de titres. « La fin de tout » et « A.B. et Ph. S., Bois et charbons » évoquent les hallucinations qui accompagnèrent la période d'écriture la plus intense. Mais le livre, dédié à la mémoire de Jacques Vaché, montre le dépassement de cet instinct de mort puisque, contre le suicide, est proposé quelque chose qui se présente comme un livre.

Nadja

Ce livre, un des plus accessibles et pourtant des plus émouvants de Breton (1928), a été souvent lu comme un roman. Il ne l'est en aucune manière, puisqu'il rapporte des événements authentifiables par les proches de Breton et localise par des photographies le lieu de ces événements. Les phrases mêmes de Nadja et les dessins signés d'elle peuvent être retrouvés dans sa correspondance.

Récit, le projet répond à une intention autobiographique. « Qui suis-je ? » se demande Breton dès la première ligne d'un prologue. Et, très vite, se profilent les conditions de la réponse : se connaître, c'est se connaître dans la relation, c'est se révéler dans sa généralité, c'est anticiper sur ses virtualités. À cela nous aident les « faits-glissades », événements marquants d'une vie qui se manifeste par de

« pétrifiantes coïncidences », et dont on se retrouve souvent le « témoin hagard » : Breton en évoque quelques-uns de sa vie, entre 1918 et le mois d'août 1927, où il écrit le récit de *Nadja*. Puis il entreprend le récit d'un « fait-précipice », de même nature que les « faits-glissades » mais autrement plus bouleversant qu'eux : c'est la rencontre de Nadja, jeune femme errante, à l'esprit parfois errant, et d'une lucidité toute magique sur le monde. Les quelques mois durant lesquels ils se retrouvent sans cesse sont émaillés de telles « merveilles » que l'esprit peut difficilement les assumer. Quelques mois plus tard, on vient apprendre à Breton que Nadja a été internée : l'irréversible de cette situation confère un climat de fatalité à toute la fin de la seconde partie, où Breton médite sur le rôle de la psychiatrie et du dénuement économique dans ces cas ambigus de jointure entre folie et non-folie.

Autobiographie de Breton : à ceci près qu'au lieu de tenter de déjouer les illusions propres à ce genre (comme le font Sartre dans *les Mots*, ou Michel Leiris dans *l'Âge d'homme*), Breton les assume autrement. L'illusion rétrospective transforme les rapports de succession en rapports de causalité et présente comme suite logique ce qui fut juxtaposition chronologique ; l'illusion « ontologique » préjuge l'existence d'un passé en soi. Or, l'art de Breton est de poser la théorie de ces illusions ; de confirmer la première, dans certains cas, en lui donnant le statut de « hasard objectif », et de dissiper la seconde pour lui substituer une théorie de l'écriture dans son rapport avec la vie.

En effet, après le mois d'août 1927, où Breton a écrit les deux premières parties, il a rencontré Suzanne (qu'il ne nomme pas et qu'il évoquera par X dans *les Vases communicants*), en laquelle il lui semble voir se réaliser l'espoir placé dans Nadja : Nadja dont le nom est, en russe, le début du mot « espérance » – et n'en est que le début. Tout se passe comme si la vie individuelle, accidentelle, devait se linéariser dans l'écriture, pour canaliser les énergies qui, sans elle, brûleraient à ciel ouvert, et pour que le désir appelle et rencontre plus sûrement son objet. Ce rapport original du temps de la vie au temps de l'écriture a été souligné pour la première fois par René Daumal, dès 1928 (voir *l'Évidence absurde*).

En même temps, la poursuite par le désir de son objet retentit sur la définition de la beauté : non pas statique, elle sera « convulsive », par essence.

Les *Manifestes du surréalisme*

Le *Manifeste du surréalisme* devait, à l'origine, constituer la Préface de *Poisson soluble*. Le texte contient d'ailleurs une trace de ce projet initial, Breton y parlant des « lignes serpentines, affolantes, de cette Préface ». Au printemps 1924, Breton se consacre activement à la pratique de l'écriture automatique, déjà expérimentée dans les *Champs magnétiques*, et le *Manifeste du surréalisme*, composé entre mai et juillet de la même année, correspond à la volonté de mener une réflexion théorique à ce sujet. Il participe également d'un souci de structurer le groupe qui s'est constitué, en 1919, autour de la revue *Littérature*. De l'aveu même de Breton, le *Manifeste du surréalisme* fut « un grand succès » (lettre à sa femme Simone du 11 novembre 1924). L'affirmation publicitaire de Kra n'est guère excessive : « Toute la jeune littérature parle du Manifeste du surréalisme et de Breton. »

MANIFESTE DU SURRÉALISME

Breton instruit tout d'abord le « procès de l'attitude réaliste », laquelle se traduit, dans le domaine littéraire, par l'« abondance des romans » et, dans le domaine plus général de l'esprit, par le « règne de la logique ». Sous l'égide de Freud et au nom de la liberté de l'imagination qui « est peut-être sur le point de reprendre ses droits », il se livre ensuite à quelques réflexions sur le rêve et sur le merveilleux en littérature, puis il relate son propre trajet poétique et la naissance de l'écriture automatique. Il nomme « surréalisme » ce « nouveau mode d'expression » qu'il s'attache à décrire. Il montre que l'automatisme est un riche pourvoyeur d'images, et il examine la spécificité de l'image surréaliste. Le collage, tant pictural que poétique, constitue également une pratique surréaliste privilégiée, et Breton en donne quelques exemples. Il s'interroge enfin sur « les applications du surréalisme à l'action », et affirme avec vigueur le « non-conformisme absolu » du groupe.

Le *Second Manifeste du surréalisme* se présente comme une suite de l'essai publié en 1924, mais le ton et le propos en sont assez différents. Il reflète les tensions très vives qui règnent dans le groupe à la fin des années 1920. Le bilan dressé de cinq années de pratique du surréalisme n'y est guère optimiste. Ce nouvel ouvrage procède également d'une volonté de faire le point sur les rapports entre surréalisme et marxisme, Breton revendiquant fermement l'« adhésion » du groupe « au principe du matérialisme historique ». Ceux que Breton avait attaqués, Georges Bataille en tête, répondirent par la publication, le 15 janvier 1930, du pamphlet intitulé *Un cadavre*.

SECOND MANIFESTE DU SURRÉALISME

Approfondissant les investigations de l'essai précédent, et témoignant de l'influence exercée sur lui par la réflexion marxiste menée à partir de la dialectique hégélienne, Breton revendique sa quête d'« un certain point de l'esprit » qui abolit toutes les contradictions. Très vite, cependant, le texte prend des allures de règlement de comptes. Après avoir remis en question de prestigieux modèles – « En matière de révolte, aucun de nous ne doit avoir besoin d'ancêtres » – tels que Rimbaud et Baudelaire (seul Lautréamont est épargné), Breton s'en prend à ses contemporains ; rares sont ceux qui, à ses yeux, n'ont pas trahi le surréalisme. Il affirme également son attachement à la « Révolution », dont il tente de montrer que le surréalisme est indissociable. Tel n'a pourtant pas été l'avis du parti communiste, et Breton retrace ses démêlés avec celui-ci. Finalement, l'agressivité et la détresse vont de pair : « Je cherche autour de nous, avec qui échanger encore, si possible, un signe d'intelligence, mais non : rien. »

Le premier *Manifeste du surréalisme* constitue la profession de foi et l'acte de baptême du mouvement. « Je crois à la résolution future de ces deux états, en apparence si contradictoires, que sont le rêve et la réalité, en une sorte de réalité absolue, de *surréalité*, si l'on peut ainsi dire. C'est à sa conquête que je vais » : le ton de l'essai est enthousiaste et prosélyte, voire prophétique. Le surréalisme, en effet, est loin de se limiter à des principes d'ordre esthétique concernant la seule création artistique : il requiert un engagement total qui concerne l'ensemble de l'esprit et de l'existence. Ce postulat explique la virulence polémique du *Second Manifeste du surréalisme* – que Breton, repenti, cherchera à tempérer dans l'Avertissement joint à la réédition de 1946 –, l'auteur jugeant que trop de membres du groupe ont failli à travers tel ou tel de leurs comportements. Il s'agit en effet, pour reprendre la formule du *Manifeste du surréalisme*, de faire « acte de surréalisme absolu ». Le surréalisme est davantage une éthique qu'une esthétique.

La définition que Breton donne du surréalisme dans le *Manifeste* de 1924 préfigure la volonté de totalisation, voire le totalitarisme dans l'extrême intransigeance du *Second Manifeste*. Cette définition mérite d'être citée dans son intégralité : « SURRÉALISME, n.m. Automatisme psychique pur par lequel on se propose d'exprimer, soit verbalement, soit par écrit, soit de tout autre manière, le fonctionnement réel de la pensée. Dictée de la pensée, en l'absence de tout contrôle exercé par la raison, en dehors de toute préoccupation esthétique ou morale. ENCYCL. *Philos*. Le surréalisme repose sur la croyance à la réalité supérieure de certaines formes d'associations négligées jusqu'à lui, à la toute-puissance du rêve, au jeu désintéressé de la pensée. Il tend à ruiner définitivement tous les autres mécanismes psychiques et à se substituer à eux dans la résolution des principaux problèmes de la vie. » Le projet est universel et le surréalisme, sous des aspects souvent provocateurs et destructeurs, est un véritable humanisme. Il a foi en la capacité humaine d'échapper aux carcans intellectuels, moraux et sociaux qui l'oppriment, et il vise à une libération de l'homme. Il y a donc bien là une entreprise révolutionnaire, et ce n'est pas un hasard si le groupe, ainsi qu'en témoigne le *Second Manifeste du surréalisme*, a cherché à intégrer à sa réflexion et à sa pratique la pensée marxiste, celle-ci étant à l'époque l'incarnation majeure de la révolution politique et sociale. Ce rapprochement n'a cependant pas été chose simple. Il a conduit à de nombreux heurts au sein du groupe et finalement à son éclatement, avéré dans l'essai de 1930. En outre, Breton, qui a dû défendre le surréalisme de l'accusation portée par le parti communiste contre son orientation jugée « anticommuniste et contre-révolutionnaire », n'a jamais abdiqué ses principes, ce qui n'a pas été le cas de tous les membres du groupe. Pour Breton, le surréalisme est toujours demeuré l'exigence première. Il place Freud avant Marx, et il refuse la notion d'« art prolétarien » : « Je ne crois pas à la possibilité d'existence actuelle d'une littérature ou d'un art exprimant les aspirations de la classe ouvrière » (*Second Manifeste*).

A. Djourachkovitch

Les Vases communicants

Ce texte « carrefour » (1932) tend à la fois à examiner la question du rêve – son importance dans l'alternative philosophique de l'idéalisme et du matérialisme – et, sur le plan idéologique, à rendre compatibles l'activité surréaliste et l'engagement communiste. En effet, le surréalisme est accusé par les marxistes de faire la part trop belle à la critique du monde réel et aux activités irrationnelles.

« Que deviennent dans le rêve le temps, l'espace, le principe de causalité ? » Pratiquant dans une première partie l'autoanalyse de quelques-uns de ses rêves, Breton conclut à la similitude entre pensée onirique et pensée de la veille, dans la mesure où se retrouve à l'intérieur du rêve un principe de causalité, certes non linéaire – de type « dialectique ». Dans la deuxième partie du livre, Breton raconte les épisodes d'un « rêve éveillé » de plusieurs jours, où, dans une période de désarroi affectif, son désir inconscient disposait « des données extérieures en tendant égoïstement à ne retenir d'elles que ce qui [pouvait] servir sa cause ». Des raisons d'ordre social expliquent selon lui l'échec de sa liaison amoureuse. Ainsi, démontrait-il par ce double raisonnement, c'est bien le désir qui exige la transformation de la société. C'est pourquoi, dans la troisième partie, Breton peut protester contre l'urgence prétendue de l'activité révolutionnaire, qui, au nom de l'efficacité, abandonnerait le dessein « d'ouvrir les plus belles routes de la connaissance ». Il faut surmonter l'« idée déprimante du divorce irréparable de l'action et du rêve ».

Ce livre ambitieux apporte des éclairages essentiels sur la dualité du freudisme et du marxisme. Breton propose, non sans séduction, de concilier ces deux systèmes de pensée : en poussant Freud du côté de la révolution (pour Breton, analyser un rêve revient à rendre plus insupportable le monde réel et plus nécessaire une révolution) et Marx-Engels du côté de l'interprétation du monde, dans une « attitude synthétique » avec le projet impératif de sa transformation.

J. Chenieux-Gendron

Brigade (la) *v.* Pléiade (la)

BROSSES, président de

Charles de Brosses, *dit* ***le Président*** *(1709-1777)*

Magistrat et écrivain, Charles de Brosses naquit à Dijon dans une famille de robe. Condisciple de Buffon chez les jésuites de sa ville, il devint en 1730 conseiller au parlement de Bourgogne, puis président à mortier (1741). Libéral, partisan de Turgot et des « économistes », il sut aussi se battre contre les empiétements du pouvoir royal : exilé à Gannat en 1744 et à nouveau en 1771 lors de la réforme Maupeou, il termina sa carrière en apothéose comme premier président du parlement de Bourgogne après le rappel des anciens magistrats (1775).

Ce cursus honorum austère ne livre pourtant qu'un aspect du personnage. Ami de Buffon, de Crébillon, lié aux encyclopédistes, Charles de Brosses est de ces hommes qui, presque par système, vivent pleinement par leur esprit et leur corps. « Une petite tête gaie, ironique et satiresque », écrit Diderot ; « guère plus grand qu'un Lilliputien », mais pourvu par la nature d'« un mérite si étonnant, si prodigieux, si inattendu »...

En 1739, un coup de foudre : l'Italie, terre de plaisir et de culture. La raison ou le prétexte du voyage est un projet d'*Histoire de la République romaine dans le cours du* VII*e siècle*, d'après Salluste (publiée en 1777). Le futur Président défriche les bibliothèques (Florence, Rome), visite Milan, Venise, Bologne, descend jusqu'à Naples, s'amuse d'une vie sociale essentiellement baroque. Il en rapportera la matière de ses *Lettres familières écrites d'Italie*, qui ont l'apparence de croquis pris sur le vif et envoyés tels quels à ses amis de Dijon, mais qu'il ne rédigera en réalité qu'à son retour, entre 1745 et 1755. Cette « fiction épistolaire », qui dès lors circulera dans les milieux lettrés, ne sera publiée qu'en 1799.

Ainsi le grand public du temps ne connaîtra-t-il que le savant : une *Histoire des navigations aux terres australes* (1756), où il se prononce en faveur d'une colonisation à la fois économique (établissement de bases et de comptoirs), missionnaire (comme celle des jésuites du Paraguay) et « sociale » (colonies-déversoirs recueillant les fortes têtes et... les enfants trouvés de la métropole) ; une étude comparative des religions de l'Égypte ancienne et de l'actuelle « Nigritie », *Du culte des dieux fétiches* (1760), où de Brosses crée le mot « fétichisme » ; un *Traité de la formation méchanique des langues* (1765), qui définit les règles de l'enquête étymologique, rapporte l'origine de toute langue à des « racines primitives » communes, les diverses conventions linguistiques étant la conséquence de l'éclatement d'une langue première, chantante, gestuelle et passionnée « comme celle des Italiens » : on pense à l'*Essai sur l'origine des langues* de J.-J. Rousseau. Au passage, de Brosses critique les néologismes, un « parler grec » obscur et à contre-courant de l'évolution : pourquoi pas un « mesure-chaleur » au lieu de thermomètre ? Déjà les *Lettres familières* nommaient les gondoles « fiacres aquatiques » !

Fréquemment rééditées, ces *Lettres* demeurent un chef-d'œuvre d'humour et de drôlerie. L'Italie de notre Président est un monde à l'envers où les amants sont plus jaloux que les époux, où des jeunes filles soutiennent un débat en latin, où les courtisanes veulent être aimées et où l'on donne des *intermezzi* bouffons au milieu des tragédies. Un jeu d'apparences également, où tout semble factice : Livourne, « petite ville de poche toute neuve, à mettre dans une tabatière » ; quant à la campagne florentine, « il n'y a point de décoration d'opéra plus belle ni mieux ornée ». Le voyageur a la chance d'assister à un conclave, et la farce devient sinistre : les cardinaux se déchirent, saisis par la *rabbia papale,* et le camerlingue fait des bons mots devant la dépouille de Clément XII. « Le Voltaire des voyageurs en Italie », dira Stendhal (*Promenades dans Rome*). Les « promenades » du Président le conduisent dans les palais et les églises, qui provoquent des jugements à l'emporte-pièce : les dômes de Saint-Marc de Venise, aux mosaïques obscures et défraîchies, « ressemblent bien mieux à des chaudières qu'à des coupoles » ; Cimabue et Giotto ne font que de « méchants ouvrages » qui prouvent combien l'art s'est « perfectionné » jusqu'à Raphaël, le maître incontesté. Car, pour de Brosses comme pour Rousseau, le Moyen Âge n'est qu'un trou noir entre l'Antiquité et la Renaissance.

Les *Lettres familières* ont la gaieté des grandes vacances, malgré une spontanéité parfois un peu travaillée, à la manière de Mme de Sévigné. Elles ont aussi le mérite de s'efforcer à une description globale, depuis les jeux de cartes jusqu'au *Persée* de Cellini ; Charles de Brosses se refuse au découpage, quel qu'il soit ; tout ce qui est humain a pour lui valeur de témoignage. De cela encore Stendhal se souviendra.

J.-P. de Beaumarchais

Brut (Roman de) v. Wace

Budé Guillaume v. Humanisme

Buffon, comte de

***Georges Louis Leclerc, comte de Buffon** (1707-1788)*

De son vivant, il fut entouré d'une admiration presque unanime, et il put voir sa propre statue orner le Jardin du roi. Rousseau baisa le seuil de son cabinet de travail quand il lui rendit visite, à Montbard. Plus de vingt mille personnes suivirent son enterrement à Paris, quelques mois avant que n'éclate la Révolution. Le XIXe siècle ne cessa de rééditer sa monumentale *Histoire naturelle* et le plaça sans hésiter, avec Montesquieu, Voltaire et Rousseau, au rang des quatre plus grands auteurs français du siècle précédent.

Mais lit-on encore Buffon aujourd'hui ? La rencontre miraculeuse, chez lui, d'un grand naturaliste et d'un grand écrivain (« C'est la plus belle plume de son siècle », disait Rousseau), qui émerveillait ses contemporains, éveille plutôt la méfiance, en un temps où culture scientifique et culture littéraire semblent s'être définitivement séparées. Un grand style plaqué sur une science approximative et en tout cas bien dépassée, telle est l'image qui s'impose aujourd'hui quand on évoque le nom de Buffon. Mais a-t-on le droit de dissocier ainsi la forme et le fond chez celui qui a écrit que « le style est l'homme même », et aussi que « la singularité des faits, la nouveauté des découvertes ne suffisent pas pour faire vivre un livre s'il est écrit sans goût, sans noblesse et sans génie » ? Poète et naturaliste, lui aussi, Goethe savait qu'on ne peut pas opposer poésie et vérité. Avec génie et patience, pendant quarante années d'un labeur quotidien, Buffon s'est fait le savant, le poète et le métaphysicien de la nature. Les hommes de son siècle avaient compris la singularité et la grandeur de l'entreprise. Aujourd'hui, nous sommes surtout sensibles à l'humain dans ce qu'il a de social et d'historique, et nous nous sentons plus proches de Montesquieu et de Rousseau, de Voltaire et de Diderot, que de Buffon. Sans doute faut-il un esprit d'enfance que nous avons perdu pour prendre plaisir à la description du cheval (« c'est une créature qui renonce à son être pour n'exister que par la volonté d'un autre [...], qui sent autant qu'on le désire, et ne rend qu'autant qu'on veut ; qui, se livrant sans réserve, ne se refuse à rien, sert de toutes ses forces, s'excède, et même meurt pour mieux obéir »), ou du chat (« le chat est un domestique infidèle qu'on ne garde que par nécessité, pour l'opposer à un autre ennemi domestique encore plus incommode »). Mais ne réduisons pas le naturaliste à un fabuliste et restituons-lui ses ambitions, qui n'étaient pas minces.

Maréchal de France ou philosophe ?

Hume disait de Buffon que « dans sa figure, son air et son maintien, il répond plutôt à l'idée d'un maréchal de France qu'à celle d'un philosophe ». Le paradoxe apparent de la carrière de l'auteur de l'*Histoire naturelle,* c'est qu'elle est celle d'un homme comblé par le succès, la richesse et les honneurs, et qui pourtant a été dès le début, et est toujours resté, un « philosophe », au sens même que son siècle donnait à ce mot, c'est-à-dire quelqu'un qui consacre sa vie à chercher librement, et par les seules forces de sa raison, la vérité sur l'homme et sur le monde. Comment cette recherche a-t-elle pris la forme d'une grande enquête sur la Terre, sur la vie animale, et sur l'homme en tant qu'il est animal et dépasse infiniment l'animal, c'est ce que seule la biographie peut éclairer.

Né à Montbard, en Bourgogne, près du village de Buffon, dont il prendra plus tard le nom, Georges Louis Leclerc est le fils d'un modeste percepteur de la gabelle, mais sa mère fait, en 1714, un très riche héritage. Après des études de droit à Dijon, il se rend à Angers, où il s'initie aux mathématiques et à la physique. De 1730 à 1732, il voyage dans le sud de la France, en Suisse et en Italie, en compagnie de deux Anglais, le duc de Kingston et le précepteur de celui-ci, Hinckman, qui font le traditionnel Grand Tour des aristocrates anglais. À son tour, il assure sa fortune en revendiquant, contre son père, l'héritage maternel, qu'il saura d'ailleurs faire fructifier par la suite, non seulement grâce au succès de ses ouvrages, mais aussi par des investissements agricoles et industriels (en 1767, il se lancera même dans la métallurgie). Ses activités scientifiques sont alors très variées, il s'intéresse à des questions de mathématiques et de physique, et présente des mémoires à l'Académie des sciences, à laquelle il appartient depuis 1734 en tant que membre adjoint de la section de mécanique. En 1734, il traduit la *Statique des végétaux*, du botaniste anglais Stephen Hales, et, en 1740, la *Méthode des fluxions et des suites infinies*, de Newton.

En 1739, Dufay, l'intendant du Jardin du roi, meurt brusquement. Buffon est choisi pour le remplacer. Jusqu'à sa mort, il se consacrera à la direction de cet étonnant complexe scientifique qui réunit des collections botaniques, zoologiques et minéralogiques, des jardins et des parcs d'animaux, des laboratoires de chimie et d'anatomie, des amphithéâtres pour les conférences, et il contribuera à lui donner l'aspect qui est encore le sien aujourd'hui. L'entreprise d'une *Description du cabinet du roi,* c'est-à-dire d'un catalogue raisonné des collections de spécimens botaniques et zoologiques, en s'amplifiant va donner naissance à l'*Histoire naturelle, générale et particulière,* dont les trois premiers volumes sortent des presses de l'Imprimerie royale. Désormais la grande œuvre de Buffon s'étendra régulièrement et majestueusement et la mort même de son auteur ne l'interrompra pas, puisqu'elle sera continuée et achevée par Lacépède. Reçu à l'Académie française, sans avoir fait acte de candidature, en 1753 (son discours de réception n'est autre que le fameux *Discours sur le style*), membre des plus célèbres académies européennes, Buffon organise son existence entièrement en fonction de son travail. Partageant sa vie entre Paris et Montbard, régnant sur le petit monde de ses collaborateurs et « correspondants » bénévoles, il observe, fait des expériences, recueille les notations et polit patiemment son texte (certaines pages ont été reprises jusqu'à dix-sept fois). Son secret, il le livrera, peu de temps avant sa mort, au jeune Hérault de Séchelles venu lui rendre visite à Montbard : « Le génie n'est qu'une grande aptitude à la patience ; j'ai passé cinquante ans à mon bureau ».

La Terre, l'animal, l'homme

La nouveauté et l'audace du projet de Buffon ne doivent pas être sous-estimées. Il a été le premier à tenter la synthèse des recherches et observations accumulées par un siècle de plus en plus fasciné par la nature vivante, et à s'émanciper, sans provocations inutiles, des liens contraignants de la tradition biblique. Disciple de Bacon et de Newton plus que de Descartes, il refuse de plier le réel aux règles de la déduction *a priori,* et il affirme, dans le chapitre « De la manière d'étudier et de traiter l'histoire naturelle », qui ouvre son ouvrage, le rôle capital de l'expérience. Les hypothèses que l'on forme à partir de l'expérience peuvent présenter des degrés divers de probabilité, jamais elles ne peuvent être érigées en affirmations dogmatiques et absolues : « L'absolu n'est ni du ressort de la nature ni de celui de l'esprit humain. »

La *Théorie de la Terre,* reprise et modifiée dans les *Époques de la nature,* est un exemple des hypothèses cosmogoniques et géologiques, aventurées et fécondes, auxquelles Buffon a pu se livrer. La Terre a une histoire. Née, avec les autres planètes, du choc oblique d'une comète contre le Soleil, elle a pris lentement (au nom du principe des « causes lentes », opposé à celui des « catastrophes ») la figure que nous lui connaissons. C'est ainsi que Buffon a pu affirmer, contre Voltaire, l'origine animale ou végétale des fossiles, l'origine végétale du charbon de terre et, par là même, la possibilité de dater le passé du globe.

La description des espèces animales (quadrupèdes et oiseaux), qui forme l'essentiel de l'*Histoire naturelle,* obéit à des principes constants. Si Buffon décrit sans définir ni classifier, ce n'est pas pour des raisons littéraires. Il n'existe réellement, pour lui, dans la nature, que des individus, qui sont les espèces. D'où son hostilité à la classification de Linné, qu'il juge artificielle et inutile. Les espèces sont ainsi décrites dans leurs caractères physiologiques, leurs mœurs, leur habitat, leur processus de reproduction. « Personne en Europe n'a mieux que lui su représenter au vif ou, pour mieux dire, su peindre les qualités du corps et celles de l'instinct chez les quadrupèdes et les oiseaux » : l'hommage de Spallanzani vaut d'être cité, car il vient d'un biologiste qui n'a pas épargné les critiques à Buffon, en particulier à sa théorie des molécules organiques. Si la Terre a une histoire, la vie animale en a-t-elle une aussi ? En parlant de la « dégénération des espèces », en réunissant des espèces voisines en « familles » issues d'une espèce unique, Buffon s'est-il fait le précurseur du transformisme ? On en a beaucoup discuté, mais il semble bien qu'il n'en soit rien. Seules certaines espèces « dégénèrent » et, en tout cas, l'homme ne saurait « descendre du singe ». Il y a, dit Buffon, entre le singe et le plus borné des Hottentots une différence fondamentale et une distance infranchissable.

C'est cette différence que l'anthropologie buffonienne tente d'analyser. Elle étudie l'homme en tant qu'espèce et non en tant qu'individu, et elle affirme l'unité de l'espèce humaine par-delà les différences raciales. En ce sens, on peut à bon droit faire de Buffon le père de l'anthropologie moderne. Mais, là encore, le « philosophe » des Lumières ne s'efface pas derrière le « savant » : animal social, doué du langage, donc de la raison, l'homme est bien, pour Buffon, la merveille de la nature, qui ne l'a créé que pour qu'il devienne un jour son « maître et possesseur ».

L'Histoire naturelle

Avec l'*Encyclopédie*, l'*Histoire naturelle* a été la plus grande entreprise de librairie du XVIIIe siècle, mais, alors que la première était une œuvre collective, la seconde a été avant tout l'œuvre d'un seul homme. Buffon a eu, certes, des collaborateurs et des correspondants qui lui envoyaient leurs observations. Dans l'*Histoire des Quadrupèdes*, il a été aidé par Daubenton, dans l'*Histoire des Oiseaux*, par Guéneau de Montbeillard et par l'abbé Bexon, mais il a tout revu lui-même et imposé son style à l'ensemble.

L'*Histoire naturelle* a été publiée par l'Imprimerie royale de 1749 à 1789, en 36 volumes in-4°. Elle se décompose en quatre séries : 1° *Théorie de la Terre, Histoire de l'Homme, Histoire des Quadrupèdes* (15 volumes, 1749-1767) ; 2° *Histoire naturelle des Oiseaux* (9 volumes, 1770-1783) ; 3° *Suppléments à l'Histoire naturelle* (7 volumes, 1774-1789, le dernier volume ayant été publié par Lacépède après la mort de Buffon). Les *Suppléments* traitent de sujets divers ; on y trouve, entre autres, le *Discours sur le style*, prononcé le 25 août 1753 à l'occasion de la réception de Buffon à l'Académie française, l'*Essai d'arithmétique morale* et les *Époques de la nature* (vol. V, 1778) ; 4° *Histoire des Minéraux* et *Traité de l'aimant* (5 volumes, 1783-1788). L'ouvrage de Buffon a été complété par Lacépède : *Histoire des Quadrupèdes ovipares et des Serpents, Histoire naturelle des Poissons, Histoire naturelle des Cétacés*, 8 volumes (dont le dernier parut en 1804).

L'entreprise connut dès le début (les trois premiers volumes furent épuisés en six semaines) un succès qui ne se démentit à aucun moment. Du vivant même de Buffon, outre l'édition princeps in-4°, six éditions furent publiées. On compte en tout cinquante-deux éditions de l'*Histoire naturelle* complète en français, huit en allemand, quatre en anglais, une en espagnol, une en néerlandais et plus de trois cent vingt-cinq éditions partielles en diverses langues.

Discours sur le style

Prononcé lors de la réception de Buffon à l'Académie française, ce discours (« le seul discours de réception que la postérité n'ait pas oublié », selon Barbey d'Aurevilly) propose moins une stylistique, au sens précis du terme, qu'une rhétorique, le style étant défini au XVIIIe siècle comme la manière d'exprimer les pensées. Le classicisme et le rationalisme qui y sont défendus font de Buffon le contemporain de Boileau et de Bossuet plutôt que de Marivaux, Voltaire, Montesquieu et Diderot dont il critique le style par des allusions transparentes.

SYNOPSIS

L'éloquence véritable n'est pas l'art d'émouvoir les affections par des moyens physiques (c'est alors le corps qui parle au corps), elle suppose l'exercice de l'esprit. Le style, c'est donc d'abord l'ordre mis dans les pensées, tel qu'il doit se trouver dans un plan général qui soutiendra et dirigera le texte. Ceux qui écrivent comme ils parlent (Diderot ?), quoiqu'ils parlent très bien, écrivent très mal. Le discours doit être un et continu, sans interruption ni sections (Montesquieu), car l'unité et la continuité sont les marques des œuvres de la nature, que les œuvres des hommes doivent chercher à imiter. Quand le plan est trouvé, le style devient naturel et facile, intéressant et lumineux.

La recherche de la pointe et du brillant (Marivaux ?), de la singularité, de l'équivoque, de la plaisanterie (Voltaire ?), éloigne du beau naturel, donc du vrai style. Ceux qui s'y adonnent travaillent sur les mots, alors que le style doit graver des pensées. Un style précis et simple, égal et clair, vif et suivi, est sans effort majestueux et noble : sa force vient de la vérité qu'il exprime plus que de la chaleur que l'on y met. Le style suppose la réunion et l'exercice de toutes les facultés intellectuelles. Sa convenance à la nature du sujet lui donne le ton qui lui est propre. Sa valeur ne dépend pas de l'observation de règles ou de l'imitation de modèles.

Seuls les ouvrages bien écrits passent à la postérité. Le fond, le contenu, les connaissances pourraient être exprimés par d'autres. Par contre, « le style est l'homme même ».

A. Pons

BUSSY-RABUTIN Roger de

Roger de RABUTIN, comte de BUSSY,** dit **BUSSY-RABUTIN
(1618-1693)

Homme d'épée et de plume, né à Épiry (Nièvre). Études chez les jésuites d'Autun, puis au collège de Clermont (1627-1634). Dès l'âge de seize ans, il commence une belle carrière de soldat. Il se distingue sur le Rhin, en Flandre, en Catalogne sous les ordres de Condé (avec qui il se brouilla en 1651), comme lieutenant du roi en Nivernais ou comme « mestre de camp » général de la cavalerie. Mais il accumule aussi les imprudences : enlèvement de Mme de Miramion (1648) ; médisances graves dans la *Carte du pays de Braquerie* (1654) ; débauche de Roissy avec des libertins (1659).

Malgré le succès de ses *Maximes d'amour,* la parution subreptice à Liège, en 1665, de l'*Histoire amoureuse des Gaules* (satire de plusieurs personnages de la cour) lui vaut d'être embastillé alors qu'il vient d'être élu à l'Académie française. Sa carrière de courtisan ruinée, il reçoit en 1666 l'ordre de se retirer sur ses terres à Bussy-en-Chaseu (Bourgogne). Il y retrouve sa plume et entreprend, en 1667, la rédaction de ses *Mémoires,* tout en correspondant avec de nombreuses relations, dont Mme de Sévigné, sa cousine. Son ton caustique (le fameux « rabutinage »), ses jugements politiques et littéraires font l'intérêt de ses lettres, que le père Bouhours éditera en 1697. Sans doute, dans le propos de revenir en grâce auprès du roi – mais c'est en vain –, il composera aussi une *Histoire en abrégé de Louis XIV* (posth., 1699), une *Histoire généalogique de la maison de Rabutin,* un *Discours à ses enfants sur l'usage des adversités* (posth., 1694). Ce sont les œuvres diverses d'un gentilhomme devenu gendelettre, resté cavalier dans l'âme.

M. Gérard

BUTOR Michel

(né en 1926)

« Aujourd'hui encore, dans les manuels scolaires ou les dictionnaires, Butor, c'est le nouveau roman ! On dirait que mon travail s'arrête en 1960… » : c'est ainsi que dans son *Curriculum vitae* (1996) l'auteur d'une œuvre complexe, polymorphe, foisonnante, déplore l'étiquetage dont est victime sa production. Une production de plus de six cents écrits, qu'on limite souvent à un seul ouvrage ; car, pour le grand public, Michel Butor demeure avant tout l'auteur de *la Modification*, un roman qui apparaîtrait donc comme son livre le plus « achevé ». Pourtant, les réalisations et les innovations majeures de l'écrivain sont nées après 1960, mais restent encore mal connues, voire négligées, pour deux raisons presque antinomiques : d'abord parce qu'elles n'ont pas cessé de remettre en cause les distinctions établies entre fiction et autobiographie, roman et poésie, et de bousculer les conceptions mêmes du texte, du livre, de la lecture, mais aussi parce que les très nombreux essais critiques du grand chercheur que n'a jamais cessé d'être Michel Butor se sont tenus à l'écart des influences sémiologiques ou socio-linguistiques qui, dans les deux dernières décennies du XXe siècle, ont investi le discours universitaire français. Les ouvrages théoriques de l'écrivain ne se sont jamais départis d'une grande lisibilité, demeurant accessibles aux moins spécialistes des lecteurs, alors même qu'ils rendaient compte des univers romanesques les plus difficiles et les plus monumentaux – ceux de Proust, de Joyce, de Flaubert et, plus récemment, de Balzac. Toutes ces métamorphoses, cette insouciance des « courants » et des « tendances » – y compris celles du nouveau roman – ne révèlent pas un écrivain dogmatique, mais une sorte d'alchimiste, toujours en quête de nouveaux matériaux littéraires.

Chercheur et voyageur

Michel Butor est né en 1926 à Mons-en-Barœul, près de Lille ; son père était inspecteur aux Chemins de fer du Nord – un métier dans lequel bien des commentateurs voient l'origine, non seulement du cadre de *la Modification*, ce « roman ferroviaire », mais aussi du goût de l'écrivain pour les voyages, les bifurcations, la mobilité sous toutes ses formes. Cependant c'est à Paris que Michel Butor va se former : il reçoit l'enseignement des jésuites et fréquente ensuite, jusqu'en hypokhâgne, le lycée Louis-le-Grand. Il se passionne pour la philosophie et obtient, dans cette discipline, une licence à la Sorbonne. À partir de 1947, il prépare l'agrégation, mais des échecs successifs à ce concours le détournent d'une classique carrière universitaire. En 1950, il rompt avec la vie parisienne, effectue un remplacement dans un lycée de Sens, puis accepte un poste de professeur de français à Minich, en Haute-Égypte. Commence alors une existence où enseignement, voyages et écriture seront intimement mêlés. Michel Butor séjournera successivement à Manchester (1951-53), Salonique (1954-1955), Genève (1956-1957), puis, aux États-Unis, à Bryn Mawr (banlieue de Philadelphie), à Middlebury, dans le Vermont (1960), Buffalo (1962), Evanston (1965), Albuquerque (1969-1970, 1973-1974) ; pendant cette période, il écrit ses quatre romans (*Passage de Milan*, 1954 ; *l'Emploi du temps*, 1956, prix Félix-Fénéon ; *la Modification*, 1957, prix Théophraste-Renaudot ; *Degrés*, 1960), genre qu'il dépasse ensuite avec des œuvres inspirées par les séjours en Amérique (*Mobile*, 1962 ; *6 810 000 litres d'eau par seconde*, 1965), ou par des situations autobiographiques (*Portrait de l'artiste en jeune singe*, 1967). Il commence à composer ses recueils de critiques littéraires (*Répertoire I à IV*, 1960-1974), des textes inspirés par l'architecture (*Description de San Marco*, 1963), la peinture (*Illustrations I à IV*, 1964-1976), la musique (*Dialogue avec 33 variations de Ludwig van Beethoven sur une valse de Diabelli*, 1971) et les voyages (*le Génie du lieu*, 1958 ; *Où, le génie du lieu II*, 1971), rassemble des poèmes (*Travaux d'approche*, 1972). Il revient en France comme professeur associé à la faculté de Nice (1970-1973), mais, malgré la soutenance d'une thèse de doctorat, une nomination à la Sorbonne lui est refusée ; grâce à une proposition de Jean Starobinski, c'est à Genève que Butor mènera jusqu'à sa retraite la fin de sa carrière universitaire (1975-1991). Mais les voyages n'ont pas cessé ; Butor continue d'explorer le monde et de poursuivre ses expériences littéraires : il a prolongé la série du *Génie du lieu* par des textes très novateurs, qui remettent en cause le processus même de la lecture et de la circulation dans l'œuvre (*Boomerang*, 1978 ; *Transit A, Transit B*, 1993 ; *Gyroscope*, 1996) ; il publie des entretiens (*le Retour du Boomerang*, 1988 ; *Curriculum vitae*, 1996), et, après les avoir remaniés, les contenus de ses cours et conférences universitaires (notamment ses *Improvisations – sur Flaubert*, 1984 ; *sur Henri Michaux*, 1985 ; *– sur Rimbaud*, 1989 ; *– sur Michel Butor*, 1993 ; *– sur Balzac : I, le Marchand et le Génie ; II, Paris à vol d'archange ; III, Scènes de la vie féminine*, 1998) ; il rassemble de nouveau des recueils poétiques (*Envois*, 1980 ; *Herbier lunaire*, 1984 ; *À la frontière*, 1996 ; *Ici et là*, 1997)... Les publications se sont succédé à un rythme étourdissant, témoignant de l'intérêt que Butor porte à l'imaginaire, au savoir, à tous les domaines de l'art : l'appétit de lecture, le plaisir de chercher et de découvrir sont indéfectibles, et « la folie d'écrire est toujours là » (*Curriculum vitae*).

Roman et poésie romanesque

Les quatre livres que Michel Butor a associés au genre romanesque paraissent effectivement correspondre aux démarches qui ont rassemblé les « nouveaux romanciers » dans les années 1950, et dont Butor s'est lui-même fait l'écho dans quelques-uns des textes critiques publiés à cette époque ; en 1955, il écrit en effet que le roman « est le domaine phénoménologique par excellence, le lieu par excellence où étudier de quelle façon la réalité nous apparaît ou peut nous apparaître » (« le Roman comme recherche », repris dans *Essais sur le roman*, 1960). En quête d'une forme narrative appropriée, « le romancier est alors celui qui s'aperçoit qu'une structure est en train de s'esquisser dans ce qui l'entoure, et qui va poursuivre cette structure, la faire croître, la perfectionner, l'étudier, jusqu'au moment où elle sera lisible pour tous » (« le Roman et la poésie », *Répertoire II*, 1964). De fait, les quatre romans de Butor constituent quatre expérimentations formelles différentes, dont le principal objet n'est pas de raconter une « histoire » exceptionnelle qui appellerait la curiosité du lecteur, ni de viser l'originalité des situations, des événements, des personnages ; en cela, Michel Butor s'accorde avec le Robbe-Grillet des années 1950, qui voyait dans l'élaboration de personnages pourvus d'un « caractère » et de récits « sans heurts » ou clairement linéaires des « notions périmées », typiques de l'académisme. Dès *Passage de Milan*, qui décrit douze heures de la vie des résidents d'un immeuble parisien de six étages, l'espace et le temps deviennent le matériau même du roman, bien que le récit ménage encore un axe événementiel : au quatrième étage, les Vertigues donnent une fête d'anniversaire en l'honneur de leur fille, qu'on découvre morte au terme de cette nuit d'ivresse et de rêveries collectives. Par son titre même, *l'Emploi du temps* affirme son principe structurel : à travers le journal de Jacques Revel se déploient une sorte d'intrigue policière, une quête affective et une recherche philosophique dans la cité peu engageante de Bleston. Le narrateur tente d'orienter son existence à travers la production écrite d'un minutieux itinéraire spatio-temporel ; mais la ville, honnie, devenant de plus en plus mythique au fil des pages, semble renvoyer la conscience à l'abstraction de ses propres architectures : « chaque événement faisant en résonner d'autres antérieurs qui en sont l'origine, l'explication ou l'homologue, chaque monument, chaque objet, chaque image nous renvoyant à d'autres périodes qu'il est nécessaire de ranimer pour y retrouver le secret perdu de leur puissance bonne ou mauvaise » (chap. V).

Ainsi le romanesque chez Butor apparaît-il comme l'ensemble des constructions topographiques et chronologiques qui génèrent dans la conscience d'un personnage – et, surtout, d'un lecteur – réflexions contiguës, impressions parallèles, rêveries inattendues ; de là naît la poésie particulière au roman, et ces notions de mobilité et de voyage, consubstantiels à la fiction : le monde décrit dans la structure spécifique d'un roman peut de la sorte introduire « des modifications tout à fait originales » (« l'Espace du roman », *Répertoire II*). C'est en cela que consiste la force poétique du roman lui-même intitulé *la Modification*, récit par excellence du transfert et de la bifurcation existentielle.

La Modification

SYNOPSIS

PREMIÈRE PARTIE (chap. I-III). Léon Delmont, un directeur commercial de quarante-cinq ans, prend à 8h10 le train Paris-Rome, après avoir acheté un roman pour le voyage ; il a décidé ce départ soudain pour rejoindre à Rome sa jeune maîtresse, Cécile. Pendant le début du trajet, il songe à ses quatre enfants et à Henriette, sa femme vieillissante, qu'il a l'intention de quitter ; il a obtenu pour Cécile un travail à Paris ; au cours de ses réflexions, il observe dans le compartiment ses compagnons de voyage, ébauche le roman de leur vie. Le train s'arrête à Dijon.

DEUXIÈME PARTIE (chap. IV-VI). Le train repart, traverse Bourg, Aix-les-Bains, parvient à la douane de Modane. Pendant ce temps, Belmont revoit des images de Paris et de Rome ; les situations s'inversent, il pense à sa femme, au cours d'un voyage à Rome, à Cécile, à l'occasion d'un séjour parisien de la jeune fille : les deux femmes se sont même rencontrées et appréciées au cours d'un dîner. Des doutes commencent à s'insinuer en Delmont, qui croit déceler chez ses compagnons de voyage les signes de fissure et d'échec qu'il ressent en lui-même.

TROISIÈME PARTIE (chap. VII-IX). Après la frontière, Delmont s'aperçoit qu'il n'a pas pu lire le roman qu'il a acheté ; divers souvenirs lui reviennent à l'esprit, et sa vie semble bifurquer de nouveau : il découvre que Cécile n'est que « le visage de Rome », qu'il serait vain de l'aimer hors de la Ville éternelle, elle ne serait alors qu'une femme ordinaire. Le train s'approche de la station Termini, mais Delmont décide de ne pas aller voir Cécile. À l'arrivée, il pense raviver son lien conjugal, et concevoir un « livre futur » décrivant le cheminement de ses voyages mentaux entre Paris et Rome.

On peut déceler dans *la Modification* un schéma classique de vaudeville – un mari adultère renonçant à une jeune maîtresse pour revenir à son épouse –, et surtout un « roman psychologique » : les longues phrases de Butor, rebondissant parfois sur plusieurs alinéas dépourvus de majuscules, mettent en relief la mauvaise foi de Delmont : celui-ci, malgré ses velléités poétiques et ses rêveries romaines, reste attaché à son statut bourgeois, à ses culpabilités mal refoulées. Mais *la Modification* établit surtout des connexions inédites, par le jeu de la deuxième personne du pluriel, entre le narrateur et le lecteur, et de constantes communications entre l'espace du voyage et les lieux qui hantent l'imaginaire du narrateur : de la sorte, Butor fait du Temps le véritable sujet du récit. Immédiateté des sensations, anamnèses des précédents trajets, fantasmes de scènes à venir définissent Léon Delmont plus sûrement que son être physique, ses conversations ou son métier : personnage sans importance, Delmont se perd dans une pure conscience subjective des choses et du monde. *La Modification* affirme d'autre part ce « génie du lieu » qui constitue l'un des motifs les plus autobiographiques de l'écrivain ; « Rome n'est plus dans Rome », mais se superpose à Paris, efface même l'image de Cécile, car Delmont ne désire en elle qu'une représentation de la Ville éternelle : le livre, au-delà d'une banale psychologie de personnage, explore, après Proust, la façon dont l'esprit reçoit le réel et le configure dans ses rêveries, car « traverser certaines rues, c'est passer d'un temps à un autre, d'un monde mental à un autre » (*le Génie du lieu*).

Degrés porte ce principe d'expansions et de communications spatio-temporelles à son niveau le plus complexe. Pierre Vernier, un professeur d'histoire, entreprend le compte-rendu d'une heure d'enseignement consacrée à la découverte et à la conquête de l'Amérique ; mais le récit s'amplifie, doit prendre en considération tout le savoir et la culture nécessaires à l'exacte appréciation de ce court laps de temps. Il faut aussi décaler l'instance de perception – le « sujet » du récit – : les trois personnes du singulier sont convoquées pour exprimer le point de vue de Pierre, qui parfois recoupe celui d'autres personnages. Un immense réseau de communications entre les personnes présentes ou absentes, les lieux, les temporalités se développe peu à peu ; l'épisode initial est l'objet d'une constante fragmentation en histoires annexes, et les derniers mots énoncés, au-delà de la fiction particulière du livre, sont ceux que la modernité littéraire n'a cessé d'opposer à toute la littérature : « qui parle ? ».

Après *Degrés*, le travail de Butor, selon ses propres termes, « s'est étoilé » ; le roman ne peut que disparaître, pour cause d'anachronisme : « notre société a beaucoup trop évolué – sur le plan sociologique, moral, sexuel, affectif – pour que le roman puisse désormais l'appréhender » (*Curriculum vitae*). Michel Butor s'est depuis lors orienté vers des techniques plus expérimentales qui pour lui relèvent davantage de la poésie, « car c'est elle qui offre le plus de mobilité à la fiction : on peut jouer à l'infini, multiplier les variations et les procédés de construction » (*id.*). Il faut donc entendre le terme de « poésie » dans son acception étymologique : art de la fabrication, de la composition. De fait, l'écriture de Butor communique souvent avec d'autres formes de langage : la musique, notamment, dont l'arithmétique, les « séries » ou les structures se combinent avec les textes de l'écrivain. *Portrait de l'artiste en jeune singe* obéit explicitement au libre développement du « capriccio », tout comme un article critique peut apparaître comme une « Fantaisie chromatique sur Stendhal » (*Répertoire V*, 1982). Inspiré par les chutes du Niagara, *6 810 000 litres d'eau par seconde*, sous-titré « étude stéréophonique », joue de polyphonie et de polysémie, établit des communications avec des textes de Chateaubriand et le principe de la vitesse et de la précipitation.

Texte et textures

À partir de 1960, l'écrivain préfère procéder par transpositions, juxtapositions de fragments, collages de mots et de styles. La notion d'écriture est peu à peu dépassée par le concept de « texte », sorte de creuset alchimique où des paroles générées par des discours, mais aussi des sons, des rythmes picturaux ou mathématiques, vont s'assembler sous l'effet d'une lecture aléatoire : « le Blues des projets », qui clôt les *Travaux d'approche*, est constitué de lettres fictives à l'intention de destinataires différents mais symétriques, de bribes de traductions, de bouts de réponses métaphoriques à la question : « qui es-tu Michel Butor ? », de l'amorce d'un hypothétique développement sur « la vendeuse des Galeries Lafayette : son sourire et les raisons de celui-ci », et d'autres éclats multiples d'écrits antérieurs, de phrases lues ailleurs ou inventées. Le collage est encore plus large, plus vaste dans *Mobile*, livre dont la reliure doit être placée horizontalement, empli de patronymes réitérés comme les cellules fondamentales d'un rythme musical, d'énumérations de faune et de flore, d'extraits de traductions. Butor affirme y avoir travaillé « à la façon d'une couturière », en projetant « un filet de mots sur ce continent indomptable » (*Curriculum vitae*) : les États-Unis deviennent un texte géant, qu'il faut lire verticalement, et que le regard du lecteur anime comme une œuvre de Calder. En dépit d'une construction différente, la même conception s'exprime dans *Transit A, Transit B* : « l'Amérique est une métaphore de l'écriture, et l'écriture est une métaphore de l'Amérique, de tout nouveau monde » (*id.*).

Une telle « écriture » est donc l'instance par laquelle le réel apparaît dans sa « textualité » essentielle. Le grand voyageur qu'est Butor signale, dans « la Ville comme texte » (*Répertoire V*, 1982), combien l'espace géographique – et notamment l'espace urbain – est saturé de signes à déchiffrer, de mots, de pictogrammes, de codes, et à quel point il nous met en communication avec des textes – ceux qu'on a lus à son sujet, qu'on a en partie retenus : articles de journaux, bribes de littérature, guides touristiques. Ainsi les cinq livres de *Génie du lieu* proposent-ils des modes de composition et des processus de lecture géographique différents : la fin du premier volume décrit l'Égypte en une prose poétique parfois proche du verset ; *Où* évoque l'Amérique en cinq récits dépendant d'observations météorologiques, et emplis de « citations-échos » ; *Boomerang*, imprimé en trois couleurs, propose de parcourir sept régions ; les deux parties, opposées tête-bêche, de *Transit A, Transit B*, permettent de circuler librement entre Mexique, Égypte ou Japon et de reconsidérer l'utilisation de l'objet qu'est un livre (les tables des matières constituent les charnières centrales du volume).

Le Texte se confond avec une signifiance mouvante où s'expriment toutes les formes de représentation d'un monde en voie de « repicturalisation » (*Quant au livre*, 2000). Chez Butor, loin de toute socio-psychologie, un texte constitue une architecture de mots, une arithmétique de formes, qui établissent un contact direct entre le réel et le rêve qu'il induit : le dispositif et l'emboîtement des citations assurent ainsi, pour le lecteur, le passage entre les différents niveaux oniriques qui constituent les cinq volumes de *Matière de rêves* (1975-1981). Le discours critique de Michel Butor participe de la même esthétique ; la mise en regard des citations et le « collage » que l'ancien professeur effectue dans ses *Improvisations* réinventent Rimbaud et Flaubert, ou fabriquent un Balzac virtuel. Il importe naturellement de faire apparaître dans l'œuvre abordée les réalités de l'histoire ou de la biographie ; mais il est aussi essentiel, par exemple, de conférer aux *Improvisations sur Balzac* « une mobilité un peu comparable à celle des titres balzaciens » (*III, Scènes de la vie féminine*). De fait, les *Scènes de la vie féminine*, en même temps qu'elles éclairent les typologies féminines qui structurent *la Comédie humaine*, fabriquent un texte potentiel : le nouveau roman balzacien que le lecteur peut créer sous l'égide du critique.

Toutes ces conceptions supposent naturellement la remise en cause du statut de l'écrivain ; plus Butor invente, plus s'efface la figure romantique de l'« Auteur », ce théoricien particulier, garant de son « génie » intérieur et de la singularité de son « style ». Michel Butor est peu à peu devenu une sorte d'artisan de la communication, un homme d'intervalles, de limites et de « frontières ». Car ce chercheur définitif ne cesse de travailler à l'évolution du livre – que celui-ci soit objet concret ou prestigieuse métaphore de la littérature ; sa quête toujours renouvelée du texte futur est un combat : « Contre les préjugés, contre la sottise, contre les conventions » (*Curriculum vitae*). C'est aussi l'affirmation d'une philosophie personnelle, qui consacre le moment où « l'on s'éveille comme d'un songe douloureux et compliqué avant de recommencer à couvrir l'espace de nos écritures et de nos dessins » (*À la frontière*) : Butor est un artiste optimiste, qui circule dans le mouvement perpétuel du monde et de son synonyme, la littérature – cet « instrument de renaissance et de survie » (*Curriculum vitae*).

J.-P. Damour

C

Cabanis José

(1922-2000)

Pour connaître José Cabanis ou, plutôt, pour le découvrir, il faut lire *les Profondes Années* (1976) et *Petit Entracte à la guerre* (1981), ses journaux intimes des années 1939-1945, véritable introduction à une œuvre orientée dans plusieurs directions, que ce soit le roman, l'essai littéraire ou le document historique. À l'époque de ce journal, Cabanis a seize ans, et, déjà, toute la personnalité de l'homme éclate au grand jour : stendhalien de cœur et mauriacien d'âme, il est partagé entre sa passion pour la littérature et son goût prononcé pour le droit, déchiré entre l'angoisse de la mort et la ferveur spirituelle. Né à Toulouse, José Cabanis, après des études de philosophie et de droit, part pour l'Allemagne en 1943 au S.T.O. Période qu'il décrit, dans sa complexité et sa souffrance, dans ce journal. Au lendemain de la guerre, Cabanis trouve un rythme de vie qui lui convient : avocat ou expert près des tribunaux le jour, écrivain la nuit.

Académicien, lauréat de nombreux prix (*la Bataille de Toulouse* est couronnée par le Renaudot en 1966, l'Académie française récompense son œuvre du grand prix de littérature en 1976, un an après qu'il eut reçu celui de la Critique littéraire), Cabanis est l'auteur d'une dizaine de romans teintés bien souvent d'autobiographie (*l'Âge ingrat*, 1952, *l'Auberge fameuse*, 1953, *le Bonheur du jour*, 1960, en sont la meilleure preuve), de plusieurs essais littéraires, où se lisent ses affinités électives (*Saint-Simon l'admirable*, 1935 ; *Jouhandeau*, 1960), et de quelques documents historiques, où s'expriment ses passions secrètes (*le Sacre de Napoléon, 2 décembre 1804*, 1970). Comblé, mais solitaire. À condition de considérer que la solitude est une philosophie nécessaire à la création : dans le tome II de *Plaisirs et lectures* (1968), Cabanis ne s'est-il pas définitivement dévoilé en affirmant qu'« écrire [lui] paraît inséparable de la solitude et d'un profond secret » ?

J. Garcin

Cabet Étienne

(1788-1856)

Théoricien socialiste, né à Dijon dans une famille de tonneliers, Cabet commence une carrière d'avocat après son doctorat en droit. Interdit en 1815, il monte à Paris, où Dalloz lui confie la direction du *Recueil périodique de jurisprudence générale*. Il fréquente La Fayette, Dupont de l'Eure, d'Argenson, et joue un rôle important en 1830 : il se fait élire député de la Côte-d'Or en 1831, mais, vite déçu par la monarchie de Juillet, il se lie avec les républicains et les diverses sociétés secrètes, dont la Charbonnerie.

Il écrit en 1832 un lourd et fumeux ouvrage sur la révolution de 1830, se fait condamner, acquitter, puis se lance complètement dans l'action politique : publication en 1833 des *Moyens d'améliorer l'état déplorable des ouvriers*, lancement en 1834 du *Populaire*, qui atteindra un chiffre de vente de 27 000 exemplaires, exil en Belgique, puis en Angleterre, où il rédige une *Histoire populaire de la Révolution de 1789 à 1830* (1840), ouvrage que sous-tend l'affirmation d'une doctrine « communiste ».

Rentré en France, il publie son texte majeur : *Voyages et Aventures de lord William Carisdall en Icarie* (1840), devenu peu après *Voyage en Icarie* (1842). Cet ouvrage se présente comme un roman – « Pour faire lire ma description à toutes les classes de la société et surtout aux femmes, j'eus la hardiesse de lui donner la forme d'un roman ou d'un voyage » (*Credo communiste*, 1845) – au cours duquel un certain lord Carisdall se rend en Icarie, pays parfaitement organisé et heureux, où « tout le monde est ouvrier national et travaille pour la république », où « les avantages de l'uniformité » se concilient avec « les agréments de la variété », où l'« on donne à l'enfant les habitudes les plus pudiques » – et ce dans l'harmonie de tous les cultes, dont une religion républicaine. Travail et famille dans une patrie bien ordonnée.

Cette utopie engendre de nombreux disciples (on évaluera les partisans de Cabet à un demi-million) ; puis c'est l'aventure des « Icariens » au Texas, leur échec, une nouvelle tentative en Illinois, la mort de Cabet, enfin, à Saint-Louis (Missouri), au milieu d'un dernier carré de fidèles. Triste fin au terme d'un processus devenu classique : le chef promu au rang de père des peuples, les purges, la dissidence, les bannissements, les scissions et, pour finir, la « décabétisation ».

La faillite des « Icariens » est sans doute celle d'un communisme évangélique, non-violent (« Je suis communiste avec Socrate, Platon, Jésus-Christ…, avec les hommes qui sont la lumière et l'honneur de l'humanité »), mais qui, cependant, envisage une société à la fois étatique (l'État prend tout en charge et permet la gratuité généralisée) et autogestionnaire (travail volontaire fondé sur la répartition démocratique des aptitudes et la prise en compte des exigences de la production), véritable carrefour prophétique des problèmes du socialisme. Cabet occupe donc une place non négligeable entre Babeuf et Marx, entre Saint-Simon et Fourier.

G. Gengembre

CADOU René-Guy

(1920-1951)

Poète français, né à Sainte-Reine-de-Bretagne, mort à Louisfert (Loire-Atlantique). Fils d'instituteur, Cadou suit ses parents de Sainte-Reine-de-Bretagne à Saint-Nazaire puis Nantes. Il perd sa mère en 1932. Très tôt, il compose des poèmes. Jeune homme, après un emploi de trieur postal, il connaît la vie pauvre et errante d'instituteur suppléant, et traverse de la sorte de nombreux villages du pays charentais. Son père meurt en 1940. Il a noué des contacts avec Reverdy, Jean Follain, Max Jacob dont il fera un modèle, mais surtout il se lie avec de jeunes poètes appelés pour la plupart à se regrouper dans l'« École de Rochefort ». Les dix dernières années de sa vie sont marquées par une production poétique régulière (*Morte-Saison*, 1941 ; *Bruits du cœur* et *Lilas du soir*, 1942 ; *la Vie rêvée*, 1944 ; *Hélène ou le Règne végétal*, écrits de 1945 à 1950 ; *les Visages de solitude*, 1947 ; *les Biens de ce monde*, 1951, etc.). En 1946, il s'installe à Louisfert et épouse Hélène, l'inspiratrice, la femme aimée. Il meurt de maladie à trente et un ans.

Cette mort prématurée a conduit à retenir de sa poésie son poids de ténèbres. La volonté pathétique d'écrire pour « témoigner du passage de l'homme et de son éternité », la nostalgie qui marque l'exploration de son enfance et de ses souvenirs, le témoignage d'une époque douloureuse, donnent à l'œuvre sa couleur « surromantique », solitaire, tourmentée :

Les chiens qui rêvent dans la nuit
Il y a toujours un poète qui leur répond par une
[petite lueur
Tirée comme un bas jaune sur une maigre lampe.

(« Les chiens qui rêvent »,
dans *Hélène ou le Règne végétal*, 1947)

Mais on ne peut mésestimer l'élan vital qui anime les évocations de sa Brière natale, auxquelles se mêlent les accents de la joie religieuse. Ce goût pour les rythmes essentiels de la nature impose un lyrisme simple et fort que de nombreux interprètes ont transposé en musique. La vie de Cadou fut marquée par un sens fraternel de l'amitié : le dénuement dont il souffre et qu'il appelle en même temps de ses vœux, c'est celui du poète seul face au Temps qui le broie.

L'ÉCOLE DE ROCHEFORT

Cadou n'est pas le seul poète important de l'« école de Rochefort », et on ne peut méconnaître le lyrisme de Jean Rousselot ou de Marcel Béalu, de Luc Bérimont ou de Guillevic. Mais dès la mort de leur ami, les jeunes gens d[u] groupe qu'on désigne de la sorte reconnurent en la personne et l'œuvre de Cadou le plus précieux et le plu[s] significatif de ce qu'ils partageaient. L'animateur du groupe, ce fut d'abord Jean Bouhier, pharmacien à Rochefort-sur-Loire. Plus qu'un mouvement littéraire à proprement parler, l'École prit l'amitié pour ciment, et tous la vénérèrent avec ferveur, comme en témoigne le[ur] abondante correspondance. Pendant la guerre, tandis qu[e] « la France de la poésie est un désert », ces poètes (parm[i] lesquels on compte aussi Michel Manoll, Jean Follain, L[uc] Decaunes, de même que Pierre Béarn, Sylvain Chiffolea[u] ou Lucien Becker...) ont en commun le souci de ne pa[s] mêler leur écriture au débat politique et de chanter un monde à hauteur d'homme et l'amour charnel des choses [de] la terre. Comme le rappelle Pierre Béarn, ils « se présente[nt] comme les héritiers de Rimbaud ; mais ils le sont aussi d[e] Reverdy, de Max Jacob, de Milosz, d'Eluard ».

M. P. Schm

CAILLAVET Gaston Arman de
v. **FLERS Robert de**

CAILLOIS Roger

(1913-1978)

Rémois d'origine, normalien de formation, surréaliste [de] goût, haut fonctionnaire à l'Unesco de profession et aca[dé]micien de consécration, Roger Caillois a laissé son œu[vre] s'aventurer dans tant de chemins qu'elle couvre un cadas[tre] apparemment impraticable. En effet, on y trouve, d'un cô[té] les allées droites de la positivité moderne, de l'autre, les s[en]tiers fuyants des onirismes les plus surprenants : cela va [de] la physique lucrécienne et de la table de Mendeleïev aux [té]ratologies d'un Borges, du mythe de la Méduse aux son[ges] fusionnels du romantisme allemand en passant par les mi[roi]tements de l'agate, les cases de l'échiquier, les ailes du [pa]pillon, ou encore le mimétisme animal...

Une curiosité inépuisable

Aussi cette œuvre est-elle autant cohérente qu'elle est av[en]tureuse, dure et fragile comme l'arête du quartz. En ce se[ns] Caillois est peut-être le dernier alchimiste égaré dans no[tre] siècle. Pour lui, toute vérité est quelque part invraisembla[ble] et toute évidence participe d'une dérobade. Reprenant [le] grand projet hégélien et le courbant un moment du côté [du] surréalisme, il n'a cessé d'ausculter les lois de l'univers, s[ans] rien négliger jamais de cette étrangeté qui grouille derrière [les] miroirs. Du rêve et de la déraison qui hantent le visible [il a] fait les instruments d'une logique flexible, transversale, m[ais] très strictement organisée. Décrypteur de l'inconnu, Cail[lois] a tenté de soumettre l'univers à une traduction généralis[ée ;] toute sa vie, il a jeté des ponts entre les branches cloisonn du savoir et de la sensibilité, faisant ainsi apparaître des nervures inédites que nos taxinomies trop sèches sont souvent incapables de découvrir. Caillois, c'est Hermès aux carrefours, livrant le connu aux contagions de l'étrange.

Pareille alchimie, bien évidemment, n'a rien d'une métaphysique nostalgique ni d'une théologie attardée. Elle paraît procéder plutôt d'une volonté encyclopédique, incroyablement curieuse mais jamais définitive, livrée aux principaux courants démystificateurs de notre époque : Caillois a pratiqué toutes les avant-gardes théoriques issues de Marx et de Freud, sans jamais pourtant s'y enfermer. Et ses livres ont touché à tous les domaines imaginables : l'étude du mythe, la sociologie, le sacré, la guerre, le jeu, l'esthétique, le fantastique, la minéralogie et la zoologie, les sciences parallèles, la poésie...

Caillois fut aussi un découvreur : intrigué par l'Amérique latine (où il séjourna entre 1940 et 1945), il fit connaître en France Borges et quelques autres qu'il publia dans la collection « la Croix du Sud » qu'il dirigeait chez Gallimard.

C'est par la sociologie que son œuvre s'inaugure : *le Mythe et l'Homme* date de 1938, l'année même où Caillois fonda le Collège de Sociologie avec Michel Leiris et Georges Bataille. Un an plus tard, Caillois publie un autre texte important consacré à l'anthropologie, *l'Homme et le Sacré.* Dans un chapitre du *Mythe et l'Homme,* traitant de la mante religieuse, Caillois montre comment toute fabulation humaine s'enracine dans la plus stricte matérialité du réel. La thèse est nouvelle : au lieu d'isoler la production culturelle dans le ciel de l'humanisme, elle la rabat du côté du végétal, de l'animal, du minéral. Pour Caillois, l'imagination a des conditionnements biologiques : de la mante à l'homme, par exemple, de la vie élémentaire à la croyance et aux mythes, « la route est sans coupures ».

Au-delà du visible

Les livres suivants ne cesseront d'étayer ces intuitions ; intuitions dangereuses, qui remettent en cause les limites habituellement imparties à la nature humaine pour la diluer, l'effacer. La voici désormais qui régresse *a contrario,* telle la légende du fleuve Alphée, vers l'appel in-humain d'un morceau de quartz ou d'un fragment caillouteux d'univers. L'homme, dira Caillois à la fin de sa vie, « est un être précaire, membre interchangeable d'une espèce provisoire ». Cette formule se trouve dans *le Fleuve Alphée* (1978), un des derniers livres de Caillois et qui est un peu son testament intellectuel.

Entre ce texte et *le Mythe et l'Homme,* quarante ans se sont écoulés. Le temps, pour Caillois, de confirmer son hypothèse, de jeter des passerelles entre le silence atomique et la fébrilité onirique, afin de faire rêver la matière et, peut-être, de minéraliser le rêveur. À cette veine appartient *Méduse et Cie* (1960), une réflexion où l'homme est restitué aux données immédiates du concret à partir des phénomènes du travesti, du camouflage et de l'intimidation. Y appartiennent encore *Esthétique généralisée* (1962), *Au cœur du fantastique* (1965), *Images, images...* (1966), *Cases d'un échiquier* (1970) et *la Pieuvre* (1973) : dans tous ces ouvrages, toujours la même idée que le fantastique est une catégorie de la nature, un simple accroc fait aux lois cosmiques. Pour Caillois, c'est donc la même innervation qui court de la matière inerte à l'imagination, au mythe et au fantasme, ces derniers n'étant qu'un « prolongement de la nature ». Pour comprendre nos productions culturelles, il suffit alors de les réintégrer à leurs syntaxes physiques et souterraines, selon les connivences redondantes d'une *mimèsis* récurrente.

Et c'est encore sur cette poétique généralisée que s'appuient les magnifiques livres sur les pierres, méditation et aphorismes mêlés : *Pierres* (1966), *l'Écriture des pierres* (1970), *Pierres réfléchies* (1975) et *Récurrences dérobées* (1978). Porte ouverte à l'universel : « La pierre me restitue, écrit Caillois, à une longue et obscure histoire, antérieure à l'homme, qui ne le concerne en rien, et dont je suis issu en fin de parcours. » L'essentiel de l'œuvre est dans cette éthique lapidaire et rupestre. Mais d'autres thèmes s'entrecroisent : la poésie critiquée et exaltée (*les Impostures de la poésie*, 1945 ; *Poétique de Saint-John Perse*, 1954 ; *Art poétique*, 1958 ; *Approches de la poésie*, 1978), la politique (*Description du marxisme*, 1950), l'activité ludique (*les Jeux et les Hommes*, 1958), la poétique de l'imaginaire et de l'onirique (*L'incertitude qui vient des rêves*, 1956 ; *Approches de l'imaginaire*, 1974 ; *la Nécessité d'esprit*, posth., 1981). Une œuvre, on le voit, toute tissée de résonances obliques et de raisons diagonales – des titres en témoignent : *la Dissymétrie*, 1973 ; *Obliques*, 1974 –, œuvre qui accorde beaucoup plus de crédit au réel qu'au mystère : c'est que l'univers dissimule un plan quadrillé balisé d'échos et de répétitions périodiques. Au lieu de se laisser aller aux poétiques évanescentes, il suffit donc de classifier, de trouver les analogies et les correspondances, de repérer l'identité sous la différence : rien n'est infini, tout est dénombrable. Recherche du fantastique dans l'ordre et de l'ordonnance dans la fantaisie, le plaisir à lire Caillois vient de ce paradoxe : une « ivresse sévère », comme il disait.

A. Clavel

CALAFERTE Louis

(1928-1994)

Né à Turin, Louis Calaferte n'a guère quitté l'agglomération lyonnaise, où sa famille s'était installée peu après sa naissance. Enfant, il y connut l'univers de la « zone » et du bidonville ; puis, de 1942 à 1946, il y exerça divers emplois de manœuvre et de manutentionnaire, tout en commençant parallèlement une formation d'autodidacte. Dès lors, la passion de la lecture et de l'écriture n'a plus cessé de l'occuper et, à partir de 1952, malgré de continuelles difficultés financières, Calaferte s'est uniquement voué à la création littéraire. Ses premiers ouvrages (*Requiem des innocents*, 1952 ; *Partage des vivants*, 1953), qui transposent dans le roman l'expérience misérable de son enfance, lui ont valu l'attention des critiques. Ensuite, si l'on excepte une pause de cinq ans, de 1963 à 1968, l'écrivain n'a plus cessé de publier. En 1992, le grand prix national des lettres a été attribué à l'ensemble de son œuvre.

Écrivain fécond, Calaferte a abordé tous les genres de la littérature : roman, poésies, Mémoires, essais, entretiens.

Mais c'est l'autobiographie qui catalyse son œuvre (« Mon travail littéraire n'est qu'un journal déguisé », *Lignes intérieures*, 1985). Ses récits sont menés par une subjectivité excessive et délirante : insectes rongeurs, puissance de la nuit, vision omniprésente du sang qui coule, obsessions sexuelles placent le narrateur au centre d'un conflit mystique insoluble entre l'appétit de jouissance et les pulsions de mort. Lieu scandaleux, dérisoire et tragique – « Chaque mot écrit est une tombe ouverte » (*Septentrion*, 1963) –, le texte joue alors pour le moi un rôle cathartique décisif, l'entraînant par ses excès au-delà de l'angoisse. La singularité de cette écriture relève cependant moins des thèses existentielles qui s'y déploient que d'une étonnante synthèse des pratiques littéraires les plus diverses. Le théâtre de Calaferte, de facture plus simple que les récits, révèle parfois nettement ses références sous-jacentes. Les interrogations politiques et existentielles de monarques dont la conscience de soi se dédouble au fil de l'action (*la Mort du prince* ; *Créon*, 1965, édité en 1999) font écho, dans une langue fort classique, aux drames de Sartre, de Camus, voire de Giraudoux. L'angoisse de personnages perpétuellement en attente (*Chez les Titch*, 1973 ; *Trafic*, 1976 ; *les Miettes*, 1978) fait songer à Beckett, et la progressive dérive du *logos* absurde de *Mégaphonie* (1972) rappelle *la Cantatrice chauve*. Cependant, les romans, qui allient curieusement le trait moraliste d'un Chamfort ou d'un La Rochefoucauld, le style lapidaire d'un Stendhal – que Calaferte rend omniprésent dans ses sept volumes publiés de *Carnets* (1956-1983) – à la parole éclatée du Rimbaud des *Illuminations*, voire aux ruptures syntaxiques d'un Céline, ou aux créations sémantiques d'un Michaux, constituent un apport original à l'écriture contemporaine.

De la sorte, Calaferte a, depuis *Septentrion*, élaboré un tissu narratif extrêmement souple, unissant le flux lyrique et l'aphorisme abrupt (*Paraphe*, 1974) en un texte souvent fragmentaire et elliptique (*Portrait de l'enfant*, 1969 ; *Limitrophe*, 1972 ; *Épisodes de la vie des mantes religieuses*, 1976 ; *l'Incarnation*, 1987 ; *la Mécanique des femmes*, 1992) qui escamote la linéarité et tout ce qui suscite à l'excès l'« effet de réel ». De là, des textes où la dénonciation des lâchetés et des noirceurs humaines surgit, crûment ou implicitement, des éclats du style (*Droit de cité*, 1992 ; *C'est la guerre*, 1993). De là, une œuvre à la fois classique et baroque, où l'« histoire » fait place à une succession spectaculaire de séquences narratives dans lesquelles se superposent récits hyperréalistes, fantasmagories, situations érotiques et maximes philosophiques.

J.-P. Damour

CALET Henri

*Pseudonyme de **Raymond BARTHELMESS** (1904-1956)*

Romancier, nouvelliste, chroniqueur, journaliste, né à Paris. Fils d'un Parisien et d'une Flamande, il passe son adolescence en Belgique occupée, où il exerce des métiers variés. Installé à Paris, il consacre l'essentiel de son activité à la littérature. De 1935, date de son premier roman *la Belle Lurette*, jusqu'à sa mort, survenue en 1956, c'est une vingtaine d'ouvrages qu'il compose, dont aucun ne connaîtra de grand succès de librairie. Les années 1980 redécouvrirent cette œuvre injustement méconnue, ses romans : *le Bouquet* (1945), *le Tout sur le tout* (1948), *Monsieur Paul* (1950), etc. ; ses nouvelles : *Trente à quarante* (1947) ; les chroniques d'*Acteur et Témoin* (publiées en 1959), ou encore les notes que Calet avait réunies entre 1951 et 1956 pour un roman qu'il n'eut pas le temps d'écrire (*Peau d'ours*, posthume, 1958). On publiera aussi en 1989 et 1992 : *Cinq Sorties de Paris*, *Poussières de la route* et *Contre l'oubli*.

Cette œuvre appartient à la tradition populiste par l'intérêt qu'elle porte aux tragédies quotidiennes des « pas grand-chose, des moins que rien », et c'est avec des accents presque naturalistes que Calet, ce « piéton sentimental », évoque parfois, sous la forme de véritables études de mœurs, les petites gens des quartiers de Paris (*les Grandes Largeurs*, 1954). Sans qu'il s'agisse de textes autobiographiques, les romans de Calet sont inspirés par sa propre existence. À travers le « je » de *la Belle Lurette* ou du *Tout sur le tout*, ou encore par le biais du personnage de Germain Vaugrigneuse dans *Un grand voyage* (1952), Calet part à la recherche de lui-même. Cet homme, discret dans la vie, compose des romans où il fouille l'âme de ses anti-héros pour y débusquer, avec une tendresse mêlée d'un léger écœurement, leurs faiblesses, leur platitude, mais aussi parfois une forme de grandeur. Calet attend du roman qu'il l'aide à construire sa vie : « En somme, j'écris dans la mesure où je n'existe pas », note-t-il dans *Acteur et Témoin*. *Peau d'ours* présente d'ailleurs toute son œuvre comme une entreprise de « narcissisme de longue haleine ».

L'œuvre se nourrit de mélancolie, du désenchantement devant les promesses du temps jamais tenues. Mais ce temps qui passe et cette tristesse, elle, qui ne « passe pas » sont chez Calet la clef de l'humour. L'émotion et le cocasse naissent du quotidien en porte à faux, puisque rien n'allant jamais de soi, l'absurde peut se tourner en poésie (*Rêver à la Suisse*, 1948). *La Belle Lurette* traduit un amour acide de la vie, une révolte contre la médiocrité de l'existence. Mais *le Croquant indiscret* (1955) ou *Trente à quarante* offrent l'exemple d'une écriture sur le mode mineur, doux-amer ; la parole hésite entre le sourire et l'envie de pleurer (*le Tout sur le tout, Monsieur Paul*). L'angoisse d'une mort prochaine sourd dans les pages des dernières années (*Acteur et Témoin*). « Ne me secouez pas, je suis plein de larmes » sont les derniers mots écrits par Calet dans ses notes. Des phrases dépouillées, faussement simples, « à ras d'homme », l'esquisse ou la brève notation ironique, de pathétiques éclairs donnent à cette œuvre sa tonalité.

M. P. Schmitt

CALVIN Jean

(1509-1564)

Auteur d'une œuvre théologique, polémique et épistolaire monumentale et fondateur d'un des deux principaux courants de la Réforme, où son audience égalera celle d'un Luther, Calvin est aussi – et peut-être d'abord – l'un des grands prosateurs français de la Renaissance. Son traité de l'*Institution de la religion chrétienne,* publié en latin en 1536, mais assez rapidement traduit par lui-même pour servir au « simple peuple » (1541), est sans nul doute le livre français le plus lu dans l'Europe du XVIe siècle. Calvin y inventait un style et une langue qu'admirera, au siècle suivant, même un adversaire comme Bossuet. Style fait de simplicité, de clarté et de rigueur syntaxique ; langue déjà classique par son dépouillement et surprenante de modernité par la « délatinisation » qui s'y accomplit. Cette révolution littéraire apparaît intimement liée au bouleversement idéologique qu'implique la Réforme. C'est parce que le débat théologique et philosophique cesse d'être le privilège d'une caste de clercs, qu'il ne peut plus s'écrire dans la langue de la scolastique mais doit recourir au parler vulgaire et revêtir « telle simplicité rude, et quasi agreste ».

« Contraint par la Grâce »

Né à Noyon et fils d'un procureur ecclésiastique de cette ville, Jean Cauvin (en latin, *Calvinus*) est envoyé à l'âge de quatorze ans à Paris. Il y reçoit une solide formation d'humaniste, au collège de la Marche tout d'abord, puis dans l'austère et traditionnel collège de Montaigu. Licencié ès arts (1528), il s'oriente, sur l'ordre de son père, vers des études juridiques, qu'il poursuit à Orléans, puis, sous André Alciat, à Bourges. Ayant obtenu sa licence de droit, mais renonçant, sitôt la mort de son père (1531), à la carrière juridique, il apprend le grec, puis l'hébreu auprès des humanistes Danès et Vatable. C'est vers cette époque qu'il donne sa première œuvre : une édition commentée du *De clementia* de Sénèque, où se révèle une profonde connaissance de la rhétorique, dont la terminologie technique sera abondamment utilisée dans ses traités ultérieurs. Converti aux nouvelles idées en 1533 au plus tard, il devient d'emblée « réformateur malgré lui », suscitant à son corps défendant des vocations et des martyrs. Commence alors le temps des persécutions et de l'errance. Il s'enfuit à Angoulême, fief de Marguerite de Navarre, visite Lefèvre d'Étaples à Nérac, puis se rend en Italie auprès de Renée de Ferrare, la protectrice de Marot. Auparavant, l'affaire des Placards (sept. 1534) et la violente répression qui s'ensuivit l'ont contraint à un exil définitif. À Bâle, il achève la première version de l'*Institution*, précédée d'une *Épître au roy* (août 1535) où il demande l'arrêt des persécutions et distingue les réformés, loyaux sujets, des anabaptistes anarchistes de Munster, auxquels le pouvoir tendait à les assimiler. De passage à Genève en 1536, il y est retenu par les « adjurations épouvantables » du réformateur Guillaume Farel, mais il doit s'exiler avec celui-ci en 1538, à la suite du conflit qui les oppose au Conseil de la ville. Calvin se rend à Strasbourg, auprès de Bucer, où il poursuit, avec l'*Épître au cardinal J. Sadolet* (1540) et la deuxième édition, augmentée, de l'*Institution*, son travail de théologien. Un renversement de majorité au Conseil de Genève le rappelle, malgré lui, dans cette ville, où il va demeurer de 1541 jusqu'à sa mort. Il y affirme peu à peu une autorité incontestée, ajoutant à une activité pastorale continue – il prononce un sermon par jour – l'organisation juridique et politique d'un État théocratique, dont il se veut l'humble gérant. Le principal événement de cette période est le procès doctrinal intenté le 27 octobre 1559 à Michel Servet. Sa conclusion sera l'exécution par le feu de l'accusé.

Calvinisme et littérature

Du destin exemplaire du réformateur de Genève, on peut dire qu'il a servi de modèle à des générations entières de calvinistes. La vie de Calvin est aussi un mythe illustrant de façon éclatante la thèse de la toute-puissance de la Grâce, qui contraint malgré lui le pécheur à embrasser la voie du salut et le prend en quelque sorte « par la main ». Ce mythe de la vocation forcée aura, dès le XVIe siècle, en dehors de ses applications pastorales évidentes, d'immédiates conséquences sur le plan de la création littéraire. Il est ainsi à l'origine d'œuvres aussi différentes que celles de D'Aubigné, de Bèze, Jean de Léry ou Du Bartas : écrire apparaît comme une contrainte irrésistible, à laquelle le sujet pressenti ne saurait se dérober. La fortune postcalvinienne de l'histoire de Jonas, prophète à son corps défendant, témoigne du sentiment de cette urgence. Au XVIIIe siècle encore, la brutale conversion à l'écriture du Genevois Jean-Jacques Rousseau répète par bien des aspects la biographie mythique calvinienne. Plus près de nous, comment ne pas voir dans la destinée d'écrivain d'un Jean-Paul Sartre, outre certains aspects doctrinaux procédant du calvinisme, la même immolation du sujet à la nécessité – ou, ce qui revient au même, à l'extrême liberté – de témoigner et d'écrire ?

L'Institution de la religion chrestienne et la question du sens

« Clef et ouverture pour donner accès à tous enfants de Dieu » à l'Écriture sainte, l'*Institution* est l'œuvre d'une vie entière. Au fil des quatorze éditions françaises (1541-1560) qui se succèdent du vivant de Calvin, le travail du texte initial ne connaît pas de cesse. Il s'agit d'adapter au mieux l'outil de la langue à la rigueur de la démonstration théologique. Par cette transparence du signe qu'elle requiert et sa parfaite adéquation à la pensée, une telle langue, classique dans sa fonction et dans sa forme, apparaît aux antipodes du langage-univers d'un Rabelais, où l'épaisseur du signifiant autorise tous les errements du sens. La véritable révolution sémiologique à l'œuvre dans l'*Institution*, dont les présupposés remontent à saint Augustin et qui a pour conséquence de désymboliser le langage et de le soumettre à une économie de la rigueur et du rendement, trouve son illustration la plus connue dans le différend sur la Présence réelle, problème repris par Calvin dans un traité séparé. Dans la parole fameuse du Christ lors de la Cène « Ceci est mon corps », le réformateur découvre, non pas un rapport d'essence, « Ceci est réellement », mais un rapport de signification : « Ceci signifie. » Au lieu d'identifier le pain et la chair, le vin et le sang du Christ, comme le faisait l'Église traditionnelle, l'*Institution* distingue un signifiant et un signifié unis et « scellés » – mais non plus confondus – dans une relation de sens. En cette liaison nécessaire, l'objet signifiant apparaît subordonné à la chose signifiée qu'il exprime, mais dont il reste distinct. Le débat de l'Eucharistie, essentiel dans la Réforme calviniste, ramène la théologie à la question rhétorique du sens. Il anticipe, au-delà des prolongements polémiques de l'exégèse évangélique, un mode d'analyse du langage que la linguistique saussurienne reprendra à son compte.

Les deux styles

Exposé dogmatique, l'*Institution* peut se lire aussi comme une « tragédie grandiose », selon le mot d'Abel Lefranc, où, de la corruption originelle à la rédemption finale, se déroule la destinée de l'homme chrétien. Tout commence par le clair-obscur de la caverne platonicienne. La prise de conscience s'opère quand le sujet détache son regard de la terre pour l'élever vers le soleil, qui l'éblouit et l'aveugle instantanément. Vérité insoutenable contrastant avec la « blancheur obscure » du monde ; gloire divine accusant par différence la « vermine et corruption » de l'humanité. Cette opposition initiale – et fondamentale quant aux conséquences théologiques que Calvin va en tirer – est représentative d'un art dépouillé, qui ne recourt à des images topiques, héritées de la Bible ou de l'Antiquité, que pour introduire dans la sécheresse de l'exposé, aux articulations décisives, des moments de pathétique austère.

Ce style solennel du sermonnaire a son complément et son envers : les nombreux traités polémiques de Calvin *Contre les anabaptistes* (1544), *Contre la secte phantastique et furieuse des libertins, qui se nomment spirituels* (1545), sur *les Reliques* (1543), sur *l'Astrologie judiciaire*, etc., usent d'une langue plus imagée, volontiers familière, où l'injure et la plaisanterie scatologique ne paraissent jamais déplacées. Ainsi les « nicodémites », ou « tièdes » de l'Église, sont-ils assimilés aux vidangeurs et « cureurs de retraits », qui, à force de « remuer l'ordure », deviennent insensibles à sa mauvaise odeur. Rabelais, taxé d'épicurisme, devient un chien enragé « dégorgeant son ordure » à la face de Dieu. Les catholiques « mange-Dieu » se métamorphosent en bouchers et en cyclopes. Tout se passe comme si le refoulé du calvinisme se débondait alors sur la personne de l'adversaire, immolant avec le corps de celui-ci les vestiges d'un langage n'ayant plus cours entre « chrestiens réformés ».

F. Lestringant

CAMI Pierre

(1884-1958)

Humoriste né à Paris. Après des débuts malheureux au théâtre, il se tourna vers le journalisme : d'abord à son compte avec *le Petit Corbillard illustré* (1910), puis au *Journal* sous la houlette de Paul Reboux et un temps de Charles Muller (1911-1934), collaborant enfin à diverses publications comme *Paris-Soir* et la pourtant sérieuse *Illustration* où paraît, à partir de 1933, la « Semaine camique ». Auteur de romans, de scénarios, de chansons, Cami excella surtout dans les « fantaisies » à la manière d'Alphonse Allais, d'abord publiées en feuilletons puis réunies en recueils et souvent illustrées par lui-même : *Pour lire sous la douche* (1913), *l'Homme à la tête d'épingle* (1914), *Dupanloup ou les Prodiges de l'amour* (1923). Il suivit aussi les voies plus classiques de la parodie « littéraire » avec *les Aventures de Loufock-Holmès* (1926) et son chef-d'œuvre, *les Exploits galants du baron de Crac* (1925), en ajoutant parfois un sel politique : M. Rikiki, descendant très petit-bourgeois de M. Fenouillard, rencontre à Moscou « l'Homme-au-couteau-entre-les-dents » ; mais ce n'est qu'un représentant en quincaillerie (*la Famille Rikiki*, 1928).

Tout sacrifier à la « chute » : telle est ici la règle d'or. Pour la plupart, ces textes sont découpés en séquences brèves structurées autour d'un élément disjoncteur qui fait voler en éclats la logique traditionnelle : l'« Écho patriote », fonctionnant « normalement » avec les Français, répond « Merde ! » aux Prussiens qui crient « Vive l'Allemagne ! » (*Pour lire sous la douche*). L'œuvre de Cami vaut par cette rigueur formelle et son économie de moyens : quelques données initiales, et se déclenche l'engrenage qui conduit, de toute nécessité, à un dénouement absurde. Curieusement ignoré par Breton, Cami reçut l'hommage de Chaplin et surtout de Prévert, enchanté par « ces magnifiques contes à dormir debout qu'on peut opposer aux contes à dormir couché, *les Contes du lundi* par exemple »…

J.-P. de Beaumarchais

CAMP Maxime Du *v.* DU CAMP Maxime

Camus

CAMUS Albert

(1913-1960)

Malgré les apparences, l'œuvre de Camus n'est pas de celles qui se laissent facilement circonscrire. Prise entre deux silences – celui du premier livre, inédit de son vivant, *la Mort heureuse*, et celui du manuscrit inachevé, *le Premier Homme*, qu'on retira de la voiture où son auteur trouva la mort –, elle présente la fausse unité des œuvres soudainement interrompues. Camus a, il est vrai, maintes fois affirmé la cohérence de son œuvre, progressant par cycles successifs à travers la trilogie du récit, de l'essai et du théâtre : au cycle de l'Absurde (*l'Étranger*, *le Mythe de Sisyphe*, *Caligula*) succède celui de la Révolte (*la Peste*, *l'Homme révolté*, *les Justes*), que devait suivre le cycle de Némésis, seulement ébauché. Ses livres les plus connus ayant, de fait, été l'objet d'une assez longue maturation, Camus a pu dire qu'il ne croyait pas, en ce qui le concernait, « aux livres isolés » ; mais ce fut en partie sous l'effet d'une illusion rétrospective : autant que de projets mûris, son œuvre est faite de courtes nouvelles, de récits juxtaposés et parfois disparates, ceux qui composent *l'Envers et l'Endroit*, *Noces*, *l'Été*, *l'Exil et le Royaume*.

La diversité et la fragmentation des livres, le nombre des ébauches inabouties, sont caractéristiques d'un homme pour qui le fait d'écrire n'allait pas de soi. Admirateur de l'œuvre concise et fulgurante de son ami René Char, Camus éprouvait les plus grandes peines à mettre au point un manuscrit (l'achèvement de *la Peste* lui demanda des efforts inouïs), et il se débattit, en pleine période de consécration littéraire, contre une crise d'impuissance créatrice dont les personnages de Grand (*la Peste*) et Jonas (*l'Exil et le Royaume*) donnent assez la mesure. « Vivre, bien sûr, c'est un peu le contraire d'exprimer », écrivait-il dans *Noces* ; à quoi répondra, dans *la Chute*, le procès de la parole fausse de Clamence, manipulateur de mots conscient de sa mystification : « Le style, comme la popeline, dissimule trop souvent de l'eczéma. » Ce soupçon porté sur le langage, l'œuvre de Camus tente souvent de le déjouer en déléguant la responsabilité du récit à un personnage : dans *l'Étranger*, comme dans *la Peste* et *la Chute*, c'est un narrateur intradiégétique qui se charge de raconter l'histoire – à la limite, d'écrire le livre. Les personnages parlent, parce que la tentation de Camus serait de se taire, comme si la vérité ne pouvait s'accorder qu'au silence : « Un homme est plus un homme par les choses qu'il tait que par celles qu'il dit » (*le Mythe de Sisyphe*). Cette fascination du silence traverse toute l'œuvre de Camus, comme une fidélité à sa propre enfance : « les Muets » et « le Renégat » (un missionnaire à qui on a coupé la langue) sont dans *l'Exil et le Royaume* les avatars ultimes de la mère silencieuse, cette mère énigmatique « qui se taisait toujours » et dont *l'Envers et l'Endroit* dit la présence muette. La tentative la plus secrète de Camus est peut-être de restituer au monde son silence, de le délivrer du vacarme des signes, et d'écrire, comme Rousseau, contre l'écriture.

La conscience déchirée

À l'inverse de celle que Sartre relatera dans son autobiographie, l'expérience première de Camus n'est pas en effet celle du langage, mais celle d'un monde qui se passe de mots. Les « Noces à Tipasa », rédigées dès 1936-1937, disent un émerveillement devant l'accord vécu avec une terre désirable, une révélation païenne et sensuelle dont l'œuvre ultérieure ne cessera de convoquer le souvenir ou de dire la nostalgie : cet « accord », ce « silence » qui, du monde au jeune Camus, « faisait naître l'amour » (*Noces*), il sera le seul bonheur véritable de Meursault ; sa perte expliquera en partie la folie lucide de Caligula ; ses images remonteront en bouffées de regrets, à travers les brumes d'Amsterdam, dans l'esprit de J.-B. Clamence. C'est parce qu'il y trouvait ses racines affectives, et le secret d'un tel accord de l'homme avec l'univers, que Camus a situé dans le monde méditerranéen la plupart de ses récits, au point que, si l'on excepte le théâtre, il n'est aucun de ses ouvrages ou recueils qui ne s'y réfère. Cette quête d'un monde solaire, cette « nostalgie [...] de lumière » qui « me donne raison » (*l'Été*), se double d'une fascination pour le désert et pour l'île, ces deux espaces contraires pourtant réunis dans une même invitation faite à l'homme de jouir de sa seule présence au monde. Toute une éthique du bonheur est ainsi fondée. Contre la morale héroïque d'un Malraux, contre les idéologies généreuses qui, selon lui, ne peuvent conduire qu'au meurtre légalisé, Camus n'aura de cesse d'affirmer cette exigence première. À la fin de *la Peste*, Rieux en fera la seule réalité véritable, face aux vaines espérances métaphysiques. L'importance que Camus accorda toujours au sport et au théâtre s'explique dans une large mesure par cet hédonisme naturaliste qui lui fait dire dans *la Chute* par la bouche de son personnage, que « les matches du dimanche » et « le théâtre » sont « les seuls lieux où [il se] sente innocent ».

Le bonheur s'éloigne cependant au fur et à mesure que progresse l'œuvre de Camus ; à portée de la main dans *Noces*, il se voit repoussé dans le temps par la peste, avant d'apparaître à J.-B. Clamence comme un rêve impossible. À vrai dire, le désenchantement était déjà constitutif de l'expérience primitive de Camus, tôt prêt à recevoir la leçon des *Îles* de Jean Grenier, par qui il sut définitivement que « les apparences étaient belles, mais qu'elles devaient périr et qu'il fallait alors les aimer désespérément ». À ce sentiment de la finitude s'ajoute dès les premiers textes celui de l'épaisseur et de l'opacité du monde, qui renvoie la conscience à elle-même et la confronte à sa propre solitude ; la vie dès lors apparaît « comme un bloc à rejeter ou à recevoir », et le monde a donc deux faces, cet « envers » et cet « endroit » qui, dès son premier recueil, placent l'œuvre de Camus sous le signe d'une conscience déchirée. Si la lumière heureuse du monde peut devenir, dans *l'Été*, « un éblouissement obscur », c'est que la transparence est aussi une opacité, dans une expérience de la déception qui fonde la dialectique, récurrente chez Camus, de l'« exil » et du « royaume ».

On s'explique alors la hantise de la mort, qui traverse cette œuvre. Non seulement l'auteur de *la Peste* y projetait ses propres angoisses d'homme malade, constamment victime de rechutes de tuberculose, mais encore il y voyait l'épreuve-limite à partir de laquelle la vie peut prendre ou perdre son sens, se constituer en royaume ou tomber dans l'exil. Posant la question du suicide au début du *Mythe de Sisyphe*, celle du meurtre au début de *l'Homme révolté*, Camus n'a cessé d'interroger le visage des victimes (*les Justes*, *la Peste*), et celui des condamnés (*la Peste*, *Réflexions sur la guillotine*), comme si toute vie n'était que l'histoire momentanément différée d'une condamnation à la peine capitale. Le mal dont il est obstinément question dans cette œuvre se réduit au seul scandale de la mort.

La tentation philosophique

Dans un monde sans Dieu, l'interrogation que pose la mort – et surtout la mort des enfants à laquelle, après Dostoïevski, Camus n'a cessé de revenir – n'obtient pas de réponse satisfaisante. De cette interrogation qui fonde définitivement l'impuissance de l'homme naît le sentiment de l'absurde, cette « confrontation entre l'appel humain et le silence déraisonnable du monde » (*le Mythe de Sisyphe*). Camus restera toujours soumis à cette intuition première, même lorsque, dans le cycle de la Révolte, il tentera de la dépasser. Est-ce un hasard si ses récits s'organisent toujours comme la quête d'un sens à partir de signes incertains ? Meursault à son balcon, les Oranais confrontés à un fléau d'abord énigmatique, les personnages de *l'État de siège,* tous sont d'abord à la recherche d'indices et de significations ; quant à J.-B. Clamence, c'est sur lui-même qu'il mènera l'enquête, à partir d'un rire entendu un soir sur le Pont des Arts, et qui ne cessera de le poursuivre comme un appel mystérieux. L'expérience de l'absurde conduit à une double défaite de la sensibilité – qui se sent exilée – et de l'intelligence – qui se découvre impuissante.

Cependant, dès *le Mythe de Sisyphe*, Camus en tire la leçon d'une vigueur nécessaire qui exalte en retour l'existence, par la triple conquête de la révolte, de la liberté et de la passion. C'est que, contrairement au Sartre de *la Nausée*, Camus est toujours resté celui qui consent ingénument à s'émerveiller du monde, celui pour qui l'absurde conserve son « envers » d'enchantement. De ce fait, si pour Roquentin la nausée est un défi lancé à l'intelligence, poussant celle-ci à reconquérir ses droits, l'absurde est pour Camus ce qui permet d'en appréhender les limites, et invite à une salutaire modestie intellectuelle : la haine du monde pouvait conduire Sartre à élaborer une philosophie, fût-ce celle de la liberté, l'amour des biens terrestres empêchait Camus de donner une telle légitimité à l'intelligence.

C'est donc bien à tort que le grand public a voulu voir en Camus un « philosophe de l'absurde » ou un porte-parole de l'existentialisme. Les limites de la pensée viennent pour lui de ce que « ni le réel n'est entièrement rationnel ni le rationnel entièrement réel » (*l'Homme révolté*). Pour cet homme qui ne faisait pas entièrement confiance à la raison, les rapports entre pensée et action ne pouvaient être que dialectiques ; ainsi la révolte est-elle d'abord un acte, ou une protestation, avant de prendre conscience de sa justification – les personnages de *la Peste* en font l'expérience. C'est le statut même de la vérité qui est alors en cause, car la vérité du monde passe peut-être par la nécessaire défaite de l'intelligence : « Il est des lieux où meurt l'esprit pour que naisse une vérité qui est sa négation même » (*Noces*). On comprend donc que Camus ait tenu à réaffirmer qu'il n'était pas philosophe et qu'il n'avait jamais prétendu l'être : dans ses deux essais de nature philosophique (*le Mythe de Sisyphe* et *l'Homme révolté*), il tente moins d'élaborer une philosophie qu'il ne se comporte en héritier, compilant les références et cherchant surtout à gérer le patrimoine de la philosophie occidentale. C'est aux confins de la pensée grecque et de la pensée chrétienne qu'il tentera de se placer : dans une « pensée de midi » permettant de réduire l'exil auquel le christianisme nous a habitués, par la mesure grecque faite d'une conciliation entre le sacré et la raison. L'« envers » et l'« endroit » doivent donc se réconcilier dans une « philosophie des limites, de l'ignorance calculée », comme sous le regard de Némésis, « déesse de la mesure, non de la vengeance » (*l'Homme révolté*).

Dans et contre l'Histoire

En appeler à l'Olympe grec pour penser la situation de l'homme dans le monde, c'est, de la part d'un homme qui a voulu « s'engager » dans son temps, pondérer cet engagement d'un singulier refus, initial, de l'historicisme. Le temps n'existe pas pour l'homme absurde, qu'il s'agisse de Dom Juan ou de l'acteur, personnages exemplaires du *Mythe de Sisyphe* voués à l'intensité brève de l'instant. La notion de tragique, fondée sur la prééminence du Destin, a permis à Camus de penser ce temps fait de moments successifs mais dont la succession ne porte pas en elle-même de signification. S'il se réfère avec une telle constance aux figures de Sisyphe et de Prométhée, ce n'est pas seulement qu'il y voit l'image d'une culpabilité innocente qui rend compte de la situation de l'homme ; c'est aussi parce que pour eux le temps est arrêté, saisi hors de l'Histoire. « Il ne suffit pas de vivre, il faut une destinée », et c'est l'intérêt du roman, selon Camus, que de fabriquer ainsi « du destin sur mesure » (*l'Homme révolté*).

Le tragique est certes ambivalent : s'il dit la condition de l'homme, il lui permet aussi de se rassurer à bon compte, en fournissant par exemple à J.-B. Clamence un alibi facile pour sa mauvaise conscience : « Il est trop tard maintenant, il sera toujours trop tard. Heureusement » (*la Chute*). Celui qui refuse une telle fuite ne se trouve pas pour autant réintégré dans l'Histoire ; plutôt soumis à une suite d'événements, d'accidents, de surprises qui, introduisant des fractures dans la durée, sont autant de chances données à un regard ouvert : il faut que la continuité du temps se déchire pour que se produise un éveil philosophique, à tout le moins une prise de conscience. Il n'est pas de livre important où Camus ne mette en scène ce basculement soudain, par l'irruption imprévue d'un événement qui conditionne la possibilité même de l'intrigue. La prédilection de Camus pour le journal intime (*l'Étranger*), la chronique (*la Peste*), ou l'autobiographie orale (*la Chute*), s'accorde à cette saisie d'un temps fracturé que le narrateur ne tente pas de réorganiser.

Camus ne pouvait donc voir qu'une folie – souvent meurtrière à ses yeux – dans toutes les philosophies de l'Histoire : « La raison historique est une raison rationnelle et romantique, qui rappelle parfois la systématisation de l'obsédé, l'affirmation mystique du verbe » (*l'Homme révolté*). Du christianisme à Hegel, la civilisation occidentale n'a cessé, selon lui, de renier l'héritage grec, d'historiciser l'homme et de justifier toutes les entreprises de l'idéologie sur le réel ; nous en sommes ainsi arrivés à une ère du procès, où règnent en maîtres des « censeurs qui n'ont jamais placé que leur fauteuil dans le sens de l'histoire » (*Actuelles, II*). C'est à partir de telles affirmations que s'est produite la rupture, retentissante, avec Sartre, et que Camus est devenu pour ses contemporains la mauvaise conscience de l'intellectuel engagé. Approuvant puis condamnant l'épuration qui suivit la Libération, et choisissant finalement de ne pas prendre parti dans la question algérienne, Camus semble s'être toujours engagé de façon ambiguë (sauf à l'époque de la Résistance et de *Combat* clandestin), parce que son engagement a toujours été fondé sur une éthique du « dégagement », par laquelle la conscience morale cherche à incarner dans l'Histoire des valeurs qui nient l'Histoire.

Art et révolte

Il ne peut y avoir d'innocence historique, puisque « La violence est à la fois inévitable et injustifiable » (*Actuelles, I*). À cette aporie, Camus ne cesse de rechercher des issues. Il stigmatisa toujours les conduites inauthentiques qui se donnent des alibis faciles pour accepter le mal, ou le justifier : les magistrats de *l'Étranger* rejoignent le père Paneloux de *la Peste* et les patriciens de *Caligula*, qui fuient l'évidence irrécusable du mal dans les contraintes rassurantes de l'ordre social, de la foi religieuse ou d'une rationalité faite d'évidences superficielles. La position du cynique a au moins pour elle la lucidité ; elle ne fuit pas le mal mais en fait une loi d'existence provocante. Caligula, Nada (dans *l'État de siège*) et J.-B. Clamence cultivent ainsi une forme de complaisance dans la méchanceté, dont « Le Renégat » (*l'Exil et le Royaume*) formule la loi : « feu sur la pitié, feu sur l'impuissance et sa charité, feu sur tout ce qui retarde la venue du mal ». Mais le cynisme est une attitude – il a besoin de spectateurs autant que de victimes –, il n'est pas une réponse au désir d'innocence de l'homme. Si le mal ne peut être évacué, et s'il n'est pas question pour Camus de s'en rendre complice, la tentation existe de s'en faire à l'inverse la victime exemplaire. Une telle morale sacrificielle a manifestement hanté Camus. Elle apparaît à la fin de *l'Étranger*, des *Justes*, et même de *la Chute* : impuissant à combattre le mal, le héros l'exorcise par une mort spectaculaire qui, à la façon de la catastrophe tragique, mêle crainte et pitié, et fait surgir l'innocence d'un châtiment immérité. La figure du Christ n'a cessé de présenter à Camus le visage de cette innocence crucifiée. Hors du christianisme institutionnel, Camus fait de Jésus « l'homme parfait » : « comme lui, chacun de nous peut être crucifié et dupé » (*le Mythe de Sisyphe*) ; car il n'est « qu'un innocent de plus » (*l'Homme révolté*), le contre-exemple de J.-B. Clamence qui, ayant choisi d'être du côté des juges, ne peut s'empêcher pourtant de s'écrier : « Ô l'injustice, l'injustice qu'on lui a faite et qui me serre le cœur ! » (*La Chute.*)

Ne voulant être ni le complice ni la victime du mal, il restait à Camus à prendre la position du témoin. « Témoin de la liberté » (*Actuelles, I*), il le fut au premier chef par son activité de journaliste, qui le fit connaître du grand public à la Libération, et qui montre d'abord en lui un homme attentif aux grands problèmes de son temps, ceux de la misère dans ses premiers articles consacrés à la Kabylie (*Actuelles, III*), ou ceux que posaient, après la Seconde Guerre mondiale, les rapports Est-Ouest (*Actuelles, I*). Pratiquant un « journalisme critique » (*id.*), Camus avait choisi très tôt de placer l'éthique dans l'acte même du regard : le témoin est celui qui, n'agissant que par son seul regard, l'élève au niveau d'une protestation de la conscience lucide contre un monde qu'il réprouve. *L'Homme révolté* se chargera d'expliciter cette position, contemporaine dans les faits de la rédaction du *Mythe de Sisyphe.* Dès ce premier essai d'ailleurs, Camus tenait à relativiser la notion d'absurde, la considérant non comme une « conclusion » mais comme un « point de départ » ; la place était ainsi ménagée pour la révolte, que Camus oppose à la révolution – « Tout révolutionnaire finit en oppresseur ou en hérétique » (*l'Homme révolté*) – et qui, contre la tentation du nihilisme, restaure l'intégrité morale de l'homme en n'enfermant sa protestation dans aucun système historique susceptible de trahir sa pureté première. La spontanéité de la révolte conduit du même coup « au soupçon qu'il y a une nature humaine » ; chacun, se révoltant, témoigne pour un ordre qui le relie aux autres : « Je me révolte, donc nous sommes » (*l'Homme révolté*).

Cette conjonction, dans la révolte, du regard accusateur, de la revendication morale, et de l'intuition fraternelle, éclaire avec assez de justesse l'œuvre de Camus à partir de *la Peste.* Alors que *le Mythe de Sisyphe* faisait de la simple description l'ambition ultime de l'artiste, parce que « l'œuvre absurde naît du renoncement de l'intelligence à raisonner le concret », *l'Homme révolté* définit le monde romanesque comme « la correction de ce monde-ci, suivant le désir profond de l'homme » : le romancier, ne voulant ni consentir au monde ni le nier, est pris entre un mouvement d'adhésion et un mouvement de refus, entre le « oui » et le « non » que prononce tout révolté. Cette ambivalence définit peut-être le mieux l'art littéraire de Camus. Art de la lucidité, et de la prise de conscience, assurément : Camus ne cesse de dire le monde « réel », de confronter ses personnages à des expériences-limites – celle de la mort en particulier – qui les forcent à la lucidité. « Nous ne voulons pas d'une force qui se sépare de la clairvoyance », écrivait-il dans *le Mythe de Sisyphe.*

Réfléchissant des thèmes semblables à travers la trilogie du récit, de l'essai et du théâtre, faisant d'incessants retours sur elle-même par le biais des *Carnets* et des articles, l'œuvre de Camus s'impose aussi cette exigence. Ce qui ne l'empêche pas d'assumer, contradictoirement et explicitement, sa part de stylisation. Si, très tôt, Camus a tenu à montrer l'importance du symbole dans l'œuvre de Kafka (dernier chapitre du *Mythe de Sisyphe*), c'est que dès le début toute une part de son écriture tend à la transposition emblématique du réel. Son goût pour le récit bref qui, à la façon d'un apologue, se charge de condenser toute une existence ou d'en extraire un moment significatif ; son choix de personnages représentant une fonction, sociale ou idéologique, précise ; le recours à des représentations symboliques comme la peste ou le « malconfort » (*la Chute*) : tout atteste le désir de ne prendre en charge le réel qu'à travers la distance d'une figuration symbolique qui permette de poser toujours la question du sens ou des valeurs. La fascination que les mythes ont exercée sur son esprit, et l'usage qu'il en fait, s'explique alors ; des figures de Sisyphe et Prométhée au mythe final de « la chute », l'imagination de Camus a tenté de redonner vie à des destins exemplaires, tout en les privant du contexte idéologique d'où il les tirait : faire revivre des mythes sans le secours de la mythologie, c'était, à travers la représentation du réel, faire naître des significations qui ne s'intègrent à aucun ordre rassurant et restent à l'état de questions, d'interrogations ou de protestation.

	VIE		ŒUVRE
1913	**7 nov. :** naissance d'Albert Camus à Mondovi, près de Bône (Algérie). Son père est ouvrier caviste ; sa mère n'apprit jamais à écrire.		
1914	Le père d'Albert Camus, blessé à la bataille de la Marne (« le crâne ouvert. Aveugle et agonisant pendant une semaine », *l'Envers et l'Endroit*), meurt à Saint-Brieuc. Les Camus s'installent chez la grand-mère maternelle, dans le quartier populaire de Belcourt, à Alger, et vivent dans la pauvreté.		
1923	Albert Camus est remarqué et aidé par un instituteur, Louis Germain, à qui il dédiera son *Discours de Suède*.		
1923-1930	Camus est élève boursier au lycée Bugeaud. Il fera partie de l'équipe de football du Racing Universitaire d'Alger.		
1930	Première atteinte grave de la tuberculose. Après un bref séjour à l'hôpital, il quitte la maison familiale pour vivre chez un oncle.		
1932	En lettres supérieures, Camus a pour professeur Jean Grenier, à qui le liera jusqu'à la mort une amitié fidèle et affectueuse, et dont *les Îles* exercèrent sur lui une profonde influence.	**1932**	Quatre articles de Camus sont publiés par la revue *Sud*, de mars à juin.
1933	Études de philosophie à la faculté d'Alger ; lecture de Proust.		
1934	**16 juin :** Camus épouse Simone Hié.		
1935	Malgré le prêt d'honneur qui lui est accordé par l'université, Camus doit continuer à occuper de petits emplois pour vivre. Il commence à écrire *l'Envers et l'Endroit,* et adhère au parti communiste.		
1936	Camus rédige un diplôme d'études supérieures consacré aux rapports de l'hellénisme et du christianisme. Responsable de la Maison de la Culture d'Alger et fondateur-animateur du Théâtre du Travail, qui se veut populaire et révolutionnaire, il sera engagé comme acteur dans la troupe itinérante de *Radio-Alger*. Au terme d'un voyage en Europe centrale, Camus et sa femme se séparent.	**1936**	Parution, chez l'éditeur Charlot, de *Révolte dans les Asturies,* « essai de création collective » rédigé par Camus et quelques amis du Théâtre du Travail, et dont le maire d'Alger a interdit la représentation.
1937	Camus travaille à son premier roman, *la Mort heureuse,* qui, interrompu par la rédaction de *l'Étranger,* ne sera jamais publié de son vivant. Il ne peut se présenter à l'agrégation de philosophie pour raisons de santé, et refuse le poste qu'on lui propose dans un collège. Il anime le Théâtre de l'Équipe, qui succède au Théâtre du Travail, et en conserve le principe d'élaboration collective. Il est exclu du parti communiste.	**1937**	Parution, chez Charlot, de *l'Envers et l'Endroit.*
1938	Camus est journaliste à *Alger Républicain,* journal de gauche que vient de fonder Pascal Pia, et travaille à ses premières grandes œuvres (*l'Étranger, le Mythe de Sisyphe, Caligula*). Un article qu'il publie sur *la Nausée* de Sartre manifeste déjà la différence d'attitude philosophique qui séparera les deux hommes.		
1939	**5-15 juin :** Camus publie une série d'articles sur la « Misère de la Kabylie » dans *Alger Républicain.* Lorsque la guerre éclate, désireux de s'engager, il est ajourné à cause de son état de santé.	**1939**	Parution de *Noces,* chez Charlot.

VIE		ŒUVRE	
1940	*Le Soir Républicain,* qui a remplacé *Alger Républicain* et qui refuse de se soumettre à la censure, doit cesser de paraître le 10 janv. Camus arrive à Paris en mars et entre à *Paris-Soir* comme secrétaire de rédaction. Il suit l'équipe du journal à Clermont-Ferrand puis à Lyon. Il achève en mai la rédaction de *l'Étranger,* qui ne paraîtra que deux ans plus tard. **3 déc.** : il épouse Francine Faure.		
1941-1942	Licencié de *Paris-Soir,* Camus retourne à Oran où il occupe un emploi d'enseignant. Il achève *le Mythe de Sisyphe* en 1941 et écrit *le Malentendu* au Chambon-sur-Lignon où, contraint par la maladie, il est venu se reposer. Au cours de cette période, Camus, qui est toujours resté discret sur cette question, est entré dans le réseau de résistance « Combat ».	1942	Parution chez Gallimard de *l'Étranger* (en juin) et du *Mythe de Sisyphe* (en oct.).
1943	Camus, qui a suivi la rédaction de *Combat* clandestin à Paris, entre comme lecteur chez Gallimard. Rencontre de Jean-Paul Sartre.	1943	La première *Lettre à un ami allemand* paraît dans *la Revue libre* clandestine.
1944	À la libération de Paris, première diffusion libre du journal *Combat,* dont Camus est alors rédacteur en chef. Il y publiera environ cent trente articles signés de son nom.	1944	*Caligula* et *le Malentendu* paraissent chez Gallimard. La première du *Malentendu* est donnée en juin, avec Maria Casarès. La seconde *Lettre à un ami allemand* paraît dans *les Cahiers de la Libération.*
1945	Camus retourne en Algérie alors que se produit le soulèvement de Sétif, sur lequel il tente d'alarmer l'opinion métropolitaine. Naissance des jumeaux Catherine et Jean.	1945	**26 sept.** : création de *Caligula*, avec Gérard Philipe et Michel Bouquet. Parution des quatre *Lettres à un ami allemand,* chez Gallimard.
1946	**Mars-mai :** voyage aux États-Unis. Camus achève la rédaction de *la Peste.*	1946	Il crée chez Gallimard la collection « Espoir » qui publiera V. Leduc, S. Weil, R. Char, etc.
1947	Il quitte la rédaction de *Combat.*	1947	Parution de *la Peste*, chez Gallimard. Le succès est immédiat.
1948	Voyage en Algérie.	1948	**27 oct.** : création par la Compagnie Madeleine Renaud-Jean-Louis Barrault de *l'État de siège,* qui est un échec. La pièce est publiée la même année chez Gallimard.
1949	**Juin-août :** voyage en Amérique du Sud. Son état de santé s'aggrave. Il devra s'imposer un repos forcé pendant deux ans.	1949	**15 déc.** : création des *Justes*, avec Maria Casarès, Serge Reggiani et Michel Bouquet.
1950	Camus travaille à *l'Homme révolté.* Il séjourne près de Grasse, puis dans les Vosges, avant de s'installer à Paris, rue Madame.	1950	Parution d'*Actuelles I – Chroniques 1944-1948,* et des *Justes,* chez Gallimard.
		1951	Parution, chez Gallimard, de *l'Homme révolté* qui suscite immédiatement une violente polémique.
1952	Voyage en Algérie, qui inspirera à Camus « Retour à Tipasa », dans *l'Été.* Rupture avec Jean-Paul Sartre, dont la revue *les Temps modernes* avait malmené *l'Homme révolté.*		
		1953	Parution d'*Actuelles II – Chroniques 1948-1953,* chez Gallimard. En juin, création, au Festival d'Angers, de *la Dévotion à la Croix,* de Calderón, et des *Esprits* de Pierre de Larivey, que Camus a adaptés et dont le texte est publié la même année chez Gallimard.
1954	**1er nov. : début de la guerre d'Algérie.** Camus, qui n'arrive pas à travailler, voyage en Italie.	1954	Parution de *l'Été,* chez Gallimard.
1955	**Mai :** voyage en Grèce. Il entre comme journaliste à *l'Express,* où il publiera une trentaine d'articles.	1955	Création de l'adaptation théâtrale de *Un cas intéressant,* de Dino Buzzati ; le texte paraît la même année dans *l'Avant-scène.*
1956	Revenu à Alger, Camus lance un appel à la trêve civile qui est accueilli avec hostilité par ses compatriotes. En février, il cesse de collaborer à *l'Express.*	1956	Parution de *la Chute,* chez Gallimard. **20 sept.** : création de *Requiem pour une nonne,* adapté de Faulkner, avec Catherine Sellers ; le texte paraît chez Gallimard la même année.

Année	VIE	ŒUVRE
1957	**17 oct. :** l'Académie suédoise lui décerne le prix Nobel de littérature « pour son importante œuvre qui met en lumière les problèmes se posant de nos jours à la conscience humaine ».	Parution de *l'Exil et le Royaume,* chez Gallimard. En juin, Camus met en scène son adaptation du *Chevalier d'Olmedo* de Lope de Vega, au Festival d'Angers ; le texte paraît chez Gallimard la même année. Publication de *Réflexions sur la guillotine* dans *la Nouvelle Revue française.*
1958	Ennuis de santé. Voyage en Grèce, en juin. Camus achète une maison à Lourmarin.	Parution des *Discours de Suède,* chez Gallimard. Réédition de *l'Envers et l'Endroit,* avec une préface substantielle. Parution d'*Actuelles III - Chroniques algériennes, 1939-1958,* chez Gallimard.
1959	Camus éprouve de grandes difficultés à travailler, mais parvient à rédiger une partie du *Premier Homme* (inachevé, et resté inédit). Il tente vainement d'obtenir la direction d'un théâtre.	Camus met en scène son adaptation des *Possédés* de Dostoïevski, créée le 30 janv. ; la pièce est publiée la même année chez Gallimard.
1960	**4 janv. :** Albert Camus est tué sur le coup à Villeblevin, près de Montereau, dans un accident d'automobile.	
1971		Publication de *la Mort heureuse.*
1994		Publication du *Premier Homme,* roman inachevé.

L'Étranger

Le plus connu et le plus étudié des livres d'Albert Camus reste aussi le plus énigmatique, et d'abord par sa genèse : c'est alors qu'il travaillait à son premier roman, *la Mort heureuse,* resté inachevé, que s'imposa à lui la nécessité de ce nouveau récit, qui en reprend les éléments principaux (le meurtre, la mort, le personnage principal, Mersault, devenu Meursault) et les organise dans une forme brève et un style dépouillé.

SYNOPSIS

Le récit, à la première personne, est organisé en deux parties de longueur équivalente, articulées autour de l'épisode central du meurtre, et divisées en brèves séquences.

PREMIÈRE PARTIE. Nous sommes à Alger. Meursault, qui a appris sans émoi la mort de sa mère, se rend à l'asile où celle-ci repose, participe à la veillée mortuaire et, le lendemain, suit le convoi funèbre, dans une chaleur torride. La cérémonie terminée, il est heureux de rentrer chez lui.

Le lendemain samedi, Meursault s'inquiète du congé qu'il a dû demander à son patron, va se baigner avec son amie Marie Cardona, qu'il accompagne au cinéma et avec laquelle il passe la nuit. Il passe l'après-midi du dimanche à son balcon et se rassure de penser qu'« il n'y avait rien de changé ».

Lundi : journée ordinaire de travail. Le soir, Meursault discute avec deux de ses voisins : le vieux Salamano, toujours accompagné de son chien malade, et Raymond Sintès, qui a été blessé par le frère de la femme qu'il « entretient », et qui demande à Meursault, qui accepte, de rédiger une lettre.

Meursault passe le samedi suivant avec Marie. Le lendemain, il sympathise avec Raymond, qu'il a entendu peu avant frapper une femme, et à qui il a accepté de servir de témoin. Le soir il retrouve Salamano, inquiet, et il l'entend pleurer à travers la cloison.

Raymond, qui a été suivi toute la journée par un groupe d'Arabes où se trouvait le frère de son ancienne amie, invite Meursault à passer le dimanche dans un cabanon près d'Alger. Meursault accepte de se marier avec Marie. Le soir, il retrouve Salamano, qui lui apprend que son chien est condamné.

Le dimanche, Meursault, Marie et Raymond vont au cabanon. Ils rencontrent sur la plage deux Arabes, dont l'adversaire de Raymond ; une courte bagarre s'ensuit. Une nouvelle rencontre a lieu un peu plus tard, les deux Arabes se retirent. Meursault, qui a pris le revolver de Raymond pour que celui-ci ne s'en serve pas, rencontre peu après sur la même plage le « type » de Raymond, qui sort son couteau ; la plage est « vibrante de soleil » ; Meursault tire plusieurs fois : « J'ai compris que j'avais détruit l'équilibre du jour. »

DEUXIÈME PARTIE. Meursault est en prison. Face à son avocat, il ne manifeste pas de chagrin de la disparition de sa mère. Face au juge, il ne montre pas de regrets de son geste.

Meursault s'adapte à la vie de la prison. Il ne se trouve « pas trop malheureux ». En dehors de la visite de Marie, il « tue le temps » par ses souvenirs, en se réfugiant dans le sommeil, ou dans la contemplation d'un vieux morceau de journal.

Le procès de Meursault débute en été. Le tribunal apprend par les témoins qu'il n'a pas pleuré à l'enterrement de sa mère, que sa liaison avec Marie date du lendemain des funérailles, et qu'il s'est fait complice de Raymond. Le procureur conclut : « J'accuse cet homme d'avoir enterré une mère avec un cœur de criminel. »

Meursault écoute avec détachement les plaidoiries ; le procureur l'accuse de préméditation, d'insensibilité, et d'ignorance des « règles les plus essentielles » de la société ; l'avocat défend les qualités morales de son client, qui l'écoute à peine. Meursault est condamné à la peine capitale.

L'attente du châtiment aiguise la conscience de Meursault, qui se révolte contre le caractère implacable et arbitraire de la justice. Il a une altercation violente avec l'aumônier qui, malgré le refus de Meursault, est venu dans sa cellule. Meursault s'ouvre à la « tendre indifférence du monde » et souhaite qu'« il y ait beaucoup de spectateurs le jour de [son] exécution et qu'ils [l']accueillent avec des cris de haine ».

Ce récit qui accumule dans leur discontinuité les faits les plus insignifiants d'une existence dominée par la mort (de la mère, de l'Arabe, du héros) a donné lieu aux interprétations les plus diverses : du conte philosophique (Sartre voulut y voir une illustration du *Mythe de Sisyphe*) à la critique sociale, en passant par l'analyse psychologique, la dimension ontologique et la perspective coloniale. Pourtant ce « roman » (le seul qu'ait revendiqué Camus comme tel) s'impose d'abord comme un *récit* singulier : écrit au passé composé alors que le registre littéraire habituel aurait dû appeler le passé simple ; mis au compte d'un narrateur qui, s'analysant, utilise cependant la technique américaine du roman de comportement ; hésitant entre la rédaction successive du Journal et la reconstruction *a posteriori* des Mémoires, le récit est construit sur des tensions narratives qui perturbent le statut du lecteur et font de celui-ci, en premier lieu, l'« étranger » au texte.

Camus n'a disposé dans son roman aucun réseau d'indices suffisamment développé et cohérent pour permettre de définir la « psychologie » de son personnage. C'est que sa vérité n'est pas là : Meursault est d'abord non pas le héros éponyme qu'il aurait pu être mais « L'Étranger », celui qui n'a pas de nom ; cette ellipse d'identité est à l'image d'une conscience vacante qui ne structure ni ne réorganise la perception du réel, mais qui tente plutôt d'en saisir les échos. Là s'originent l'« indifférence », la passivité de Meursault, sa soumission aux moments successifs de sa conscience : dans un désir de comprendre qui fait sa sincérité. C'est pourquoi il tente à l'infini de capter, par ses sens comme par l'écriture, les signes du monde, même les plus dérisoires en apparence : pour une conscience ouverte, tout peut être message.

Cette « écoute » est doublement déçue : par le monde immédiat de la nature, de l'amitié ou du désir, qui substitue une complicité indicible à la question du sens ; et par le monde des autres, dont le regard et le discours sont porteurs de culpabilité : la deuxième partie du récit est l'illustration de cet univers du procès où tout est récupéré dans une herméneutique totalitaire et devient signe accusateur. La mort, qui ponctue le récit, semble là pour intensifier au maximum cette question du sens : étant de l'ordre de la nature, tout en suscitant un discours et une pratique sociale, elle participe du sens absent et du sens imposé, et devient le meilleur révélateur de l'absurde, ce « divorce entre l'homme et sa vie » (*le Mythe de Sisyphe*).

Par-delà les questions toujours ouvertes qu'il pose, *l'Étranger* doit peut-être son pouvoir de fascination au sentiment de tragédie qui s'en dégage : l'incessante recherche d'un sens qui se dérobe toujours, l'opposition structurelle entre la conscience et l'univers social, la certitude chez Meursault d'une totale innocence, liée à un désir de lucidité, l'omniprésence, de bout en bout, de la mort et du châtiment, font de *l'Étranger* une « cérémonie » tragique avec Dieu absent. Écrire, c'est peut-être pour Meursault la seule façon de répondre à cette absence, en transformant rétrospectivement sa vie en un destin.

La Peste

Parue le 6 juin 1947, *la Peste* obtint immédiatement un immense succès et se vit attribuer, une semaine plus tard, le prix des Critiques. Pourtant, Camus n'était guère satisfait de son manuscrit, qu'il avait désespéré de jamais achever (« De toute ma vie, jamais un tel sentiment d'échec », *Carnets*). Destiné à proposer une réponse au sentiment de l'absurde en faisant pendant à *l'Homme révolté* dans le cycle de la Révolte, le roman était en préparation depuis 1939 ; les circonstances de l'Occupation n'avaient fait qu'infléchir le projet initial, inspiré sans doute d'Artaud (« le Théâtre et la peste », repris en 1938 dans *le Théâtre et son double*), et qui prit forme sous l'influence de Melville – dont Camus admirait *Moby Dick* –, et du *Journal de l'année de la peste* de Daniel Defoë.

SYNOPSIS

I. Le narrateur se propose de relater le plus fidèlement possible les « curieux événements » qui se sont produits « en 194., à Oran » : inexplicablement, les rats sont sortis de leurs cachettes et venus mourir dans les lieux publics ; dans la ville où l'angoisse monte, les habitants sont frappés et meurent à leur tour, en nombre croissant. Le docteur Rieux, qui d'abord se refuse à croire à la peste, presse les autorités d'agir. L'état de peste est déclaré, la ville fermée.
II. Les Oranais étant tous confrontés au même drame de l'isolement et de la séparation, le narrateur peut témoigner pour eux tous. Le nombre des victimes ne cesse de croître ; Rieux cherche à combattre le fléau de façon pragmatique, tandis que le journaliste Rambert tente de quitter la ville pour rejoindre sa femme. Le père Paneloux, dans un sermon qui clôture une semaine de prières collectives, voit dans le fléau l'avertissement lancé par Dieu aux pécheurs. Quant à Tarrou, qui ne croit pas en Dieu, il organise des équipes sanitaires, au nom d'une morale de la « compréhension ».
III. En plein été, le fléau redouble de violence. Les enterrements sont expédiés comme des formalités administratives. Dans la ville sillonnée chaque nuit par des tramways emportant les cadavres vers les fours crématoires, on crée des camps d'isolement ; des révoltes éclatent.
IV. Alors que le travail des équipes sanitaires se poursuit dans la fatigue et l'accablement, Rambert, à qui s'offrait une chance de quitter la ville, décide de rester. Au terme d'une agonie pathétique, le jeune fils du juge Othon meurt de la peste. Rieux crie sa révolte à Paneloux qui, dans un second prêche, confus, formule la nécessité d'aimer Dieu sous peine d'avoir à le haïr, face au scandale de la mort ; lui-même meurt peu après. Tarrou explique à Rieux son attitude : il a décidé de n'être jamais du côté des meurtriers, et recherche une forme de sainteté laïque. Un nouveau sérum, efficace, ayant été mis au point, la peste commence à reculer.
V. Les cas de guérison se multiplient. Cependant, la mort frappe encore le juge Othon, et Tarrou. Les portes de la ville s'ouvrent enfin ; le bonheur est à nouveau possible. Mais certains se retrouvent encore plus seuls ; ainsi le docteur Rieux, qui a appris la mort de sa femme – partie au début se soigner dans une station de montagne – et qui révèle finalement être l'auteur de cette chronique, rédigée pour témoigner de la lutte des hommes, et appeler à la vigilance.

« Chacun la porte en soi, la peste, parce que personne, non, personne au monde n'en est indemne », dit Tarrou : *la Peste* est avant tout l'histoire de cette prise de conscience. Alors que *l'Étranger* montrait le soudain basculement d'une existence à partir d'un meurtre inexpliqué, Camus s'est attaché dans ce récit à mettre en scène une progression continue du mal – progression chronologique et chiffrée, qui s'observe aussi sur le corps des malades. Perturbant un univers clos où ils ne sont pas « à leur place », les indices s'accumulent jusqu'à ce que l'évidence s'impose ; si l'« étrangeté » continue de fasciner Camus, elle ne reste donc plus à l'état d'énigme, et prend ici la forme angoissante et identifiable du fléau.

Celui-ci agit d'abord comme un révélateur. Enfermés dans une ville coupée du monde, les Oranais deviennent des « prisonniers » (Camus avait d'abord songé à ce titre). Séparés des êtres qui leur sont chers, découvrant que leur mémoire n'est d'aucun secours, ils sont tout à coup placés dans un dénuement extrême qui les force à appréhender lucidement leur existence.

Dans une première version du récit, très proche du *Mythe de Sisyphe,* Camus s'était proposé de montrer « l'équivalence profonde des points de vue individuels en face du même absurde ». Il a progressivement abouti à une vision inverse : les personnages de premier plan représentent en effet, dans la version définitive, autant de réponses différentes au mal. Les fausses solutions sont du côté des deux ordres factices qui se conjuguaient déjà pour accabler Meursault : l'ordre social, représenté par le juge Othon, totalement désespéré par la mort de son fils – mais « comment aider un juge ? » demandera Tarrou ; l'ordre religieux, représenté par Paneloux : justifiant d'abord le mal comme une punition avant de l'accepter dans un « fatalisme actif », le prêtre est en lui-même le meilleur argument d'une condamnation que Camus voulait absolue et qui faisait de *la Peste,* selon lui, son livre « le plus antichrétien ».

Tarrou est sans doute le personnage dans lequel Camus s'est, affectivement, le plus projeté ; son désir de comprendre, l'alliance en lui de la passion et d'un désespoir lucide en font un homme de l'absurde. Porté par le désir d'être un « saint sans Dieu », son engagement reste cependant problématique : proche d'un athéisme mystique, il se présente comme la recherche d'un héroïsme paradoxal qui trouverait son exaltation dans l'absence des valeurs susceptibles de le fonder.

Ce sont plutôt les personnages dont l'engagement est fait de courage, de modestie et de pragmatisme, qui incarnent les vraies valeurs du livre : Rieux assurément, et Grand, l'employé de mairie, ce « héros insignifiant et effacé qui n'avait pour lui qu'un peu de bonté au cœur et un idéal apparemment ridicule ». Cette morale explicitement anti-héroïque s'appuie sur une triple certitude : l'universalité du mal, qui rend dérisoire l'exaltation individuelle ; l'impuissance de l'intelligence à rendre compte du fléau ; et le sens de la fraternité qui, sous l'influence du mal, rend, souvent malgré eux, les hommes solidaires.

On n'a pas manqué de reprocher à Camus sa « morale de Croix-Rouge » qui, au prix d'une confusion entre le mal humain et le mal naturel, le porte à soulager les victimes d'un fléau sans se préoccuper des conditions historiques de celui-ci : « Vous avez pu [...] faire tenir le rôle de l'Allemand par des microbes, sans que nul ne s'avisât de la mystification », lui dira Sartre. La transposition symbolique limite en effet la portée philosophique du livre. Mais elle lui donne aussi sa puissance de mythe : la ville enfermée devient un lieu tragique où l'homme est confronté à son destin ; et si Camus reprend l'image biblique du fléau de Dieu, et cède parfois à l'amplification épique, c'est pour mieux assurer la portée symbolique du récit, dont il livre la clé à la fin : « Qu'est-ce que ça veut dire, la peste ? C'est la vie, et voilà tout. »

Cependant, le mythe reste vivant, et échappe au didactisme de l'apologue, grâce au choix judicieux de la « chronique », explicite dès la première phrase du livre ; rendant compte des événements successifs sans chercher à les réorganiser, le chroniqueur est le témoin par excellence, celui pour qui l'ordre – ou le désordre – du réel s'impose avant l'ordre du langage. De ce fait les tâtonnements de l'expression, explicables de la part d'un écrivain occasionnel comme Rieux, prennent une valeur essentielle : contre la tentation du lyrisme – que Camus se reconnaissait et voulait combattre –, et contre la fausse rationalité que tout langage crée, ils disent l'affrontement d'une conscience lucide et d'un monde qui se dérobe à toute signification rassurante. Rieux ne dit-il pas aux responsables de la ville : « Ce n'est pas une question de vocabulaire » ? Il comprendra plus tard qu'« on ne peut pas en même temps guérir et savoir ». Si le narrateur se met en scène à la fin du récit, ce n'est donc pas, à la façon de Proust, pour fonder rétrospectivement l'œuvre écrite, c'est au contraire pour laisser au langage la part modeste qui est la sienne, et renvoyer le lecteur au réel, c'est-à-dire à l'action.

La Chute

La Chute devait initialement faire partie des nouvelles composant *l'Exil et le Royaume.* Mais le récit se développa à un point tel que Camus le publia à part. C'est à Amsterdam, dans l'exil du « plus beau des paysages négatifs » où le royaume est réduit à la présence dérisoire des « dames, derrière ces vitrines », que Jean-Baptiste Clamence, avocat brillant devenu « juge-pénitent », livre sa « confession dédaigneuse » (Maurice Blanchot) à un interlocuteur absent dans lequel le lecteur est contraint de se reconnaître. Nouvel Œdipe qui ferait le récit de son aventure, il raconte comment le souvenir d'une lâcheté (une jeune suicidée qu'il a refusé de secourir) a fait basculer sa vie d'une certitude triomphante d'innocence dans le drame de la mauvaise conscience et le sentiment universel de la culpabilité.

J.-B. Clamence est le dernier avatar d'une réflexion qui traverse toute l'œuvre de Camus, mais il en prend le contre-pied. Meursault opposait la conviction de son innocence à la culpabilité qu'on voulait lui faire reconnaître ; Tarrou, conscient d'avoir toujours été un « pestiféré », avait décidé de n'être jamais complice du mal ; Clamence revendique au contraire une culpabilité généralisée : c'est la nature même de l'homme qui est en cause, et la « chute » n'est que dans cette reconnaissance. À partir de celle-ci, tout est double : si le paysage néerlandais est pris entre le ciel et l'eau, si tel tableau volé et remisé dans un placard a sa copie au musée, c'est que le monde est le miroir de « la duplicité profonde de la créature ».

Toutes les valeurs sont alors piégées, sinon inversées : la vérité est moins séduisante que le mensonge, l'amour des autres n'est qu'un narcissisme déguisé, et l'innocence qu'une bonne conscience factice. Dans cette ère du soupçon généralisé, le jugement des autres ne laisse pas cependant d'être douloureux ; il faut donc se hâter de juger soi-même, pour ne pas l'être ; et comment s'y autoriser mieux qu'en s'accusant d'abord ? Clamence est ainsi devenu tout naturellement un « juge-pénitent », piégeant des auditeurs complaisants à sa confession pour mieux retourner contre eux son accusation.

Le cynisme du personnage, qui manie la dérision autant que l'exhibitionnisme pervers, avait sans nul doute valeur cathartique pour Camus, désireux de récuser l'image d'humaniste simpliste qu'on avait donnée de lui après *la Peste* et *l'Homme révolté*. Mais Clamence est aussi le double accusateur des détracteurs de Camus, pharisiens moralistes de l'existentialisme qui, par peur de leur liberté, « inventent de terribles règles », et « courent construire des bûchers pour remplacer les églises » ; car « ils ne croient qu'au péché, pas à la grâce ». C'est aussi le procès de la parole fausse qu'instruit Camus : son personnage est un sophiste qui plaide et parle toujours – l'anonymat de son interlocuteur est comme le signe d'une mort qu'il lui impose –, il est l'homme enfermé dans les fausses raisons de la parole.

Si *la Chute* échappe à l'univocité du texte polémique, c'est par l'emploi de la première personne, qui autorise dans une certaine mesure l'assimilation du locuteur à l'auteur, de Camus à ses cibles ; c'est aussi par le déchirement intérieur du personnage, sans doute le plus intensément vivant et le plus pathétique de l'œuvre de Camus, avec Caligula. Clamence n'est pas seulement le prisonnier pitoyable de son désir d'échapper au jugement des autres – il a « le complexe du verrou », avoue-t-il ; il est aussi celui qui, dans l'exil qu'il s'est construit, clame la perte de son royaume. Nouveau Jean-Baptiste, il appelle dans le désert ; « prophète vide pour temps médiocres », il crie sa pureté impossible et sa culpabilité sans rémission, hanté qu'il est par l'image souffrante du Christ innocent.

Dans cette confession, une triple dérive commande le rappel des souvenirs, les promenades qui emmènent l'interlocuteur muet dans un monde sans repères, et le langage. La parole mêle dans sa fuite éperdue les tons les plus variés – du sarcasme à l'aveu pathétique –, s'enroule et se déroule au rythme des rappels, incidentes reprises, dans le tourbillon d'un monologue de l'impuissance. Les notations extérieures, emportées par ce flux, deviennent à leur tour des réalités de langage ; et l'interlocuteur-lecteur, embarqué malgré lui dans cette odyssée de la mauvaise conscience, est sommé, à la fin, d'en continuer le périple. À voir le brio avec lequel ce récit est mené, on ne peut s'empêcher de regretter que l'œuvre de Camus ait été accidentellement interrompue : *la Chute* annonçait incontestablement un renouvellement de son art.

Œuvres théâtrales

Camus s'est reconnu du nombre de « ceux que le théâtre passionne à l'égal d'une seconde vie » (« Sur l'avenir de la tragédie », conférence prononcée à Athènes en 1955). Quand il cherchait, dans ses dernières années, à se voir confier la direction d'un théâtre parisien, il restait fidèle à l'animateur du Théâtre du Travail et du Théâtre de l'Équipe qu'il avait été à Alger. Il fut acteur et metteur en scène autant que dramaturge, adaptateur autant que créateur, aimant par-dessus tout le travail collectif que requiert tout spectacle, et trouvant dans la création théâtrale l'occasion de cristalliser simultanément les aspects les plus profonds de sa pensée et de son esthétique : sur une scène, son goût de la tragédie pouvait se donner libre cours, son désir de stylisation littéraire se voyait justifié jusque dans les contraintes spatio-temporelles de la représentation, la présence physique des acteurs imposait l'ordre du corps contre les prétentions hégémoniques de l'esprit, le privilège de la situation et l'impossibilité pour le dramaturge d'intervenir directement autorisait une mise à l'épreuve permanente du langage par le réel ; pour toutes ces raisons, le théâtre fut sans doute pour Camus une expérience-limite de la création littéraire en même temps qu'une source d'exaltation renouvelée.

Force est pourtant de constater que son œuvre dramatique reste limitée, et de qualité médiocre : en dehors des adaptations (Calderón, Faulkner, Dostoïevski…) qui lui permirent de s'approprier certaines œuvres qu'il admirait, conformément à une démarche mimétique qui lui était familière, et qui servirent parfois de palliatifs dans des périodes de stérilité littéraire, son œuvre théâtrale se réduit à quatre pièces : *Caligula*, créé en 1945 mais écrit dès 1938, la seule pièce qui eut un réel succès ; *le Malentendu* (1944), qui fut un demi-échec ; *l'État de siège* (1948), un échec complet ; et *les Justes* (1949), qui obtint un succès d'estime. D'une pièce à l'autre, l'esthétique théâtrale de Camus semble hésiter entre les deux pôles de la stylisation épurée (*le Malentendu, les Justes*) et du foisonnement baroque (*Caligula, l'État de siège*), soit entre un théâtre du langage et un théâtre du corps, entre le dépouillement dramaturgique et l'expressionnisme gestuel autant que verbal. Seul le théâtre pouvait éclairer à ce point l'une des tensions littéraires les plus fortes de Camus, d'autant plus sensible que ces pièces accompagnent par ailleurs l'évolution de sa réflexion : *l'État de siège*, qui montre la nécessité d'une lutte collective contre le mal, et *les Justes*, où se trouve posée la question du meurtre politique, prennent naturellement place dans le cycle de la Révolte, alors que *le Malentendu* est une tragédie de l'absurde : revenu dans sa famille après une longue absence, un homme est tué par les siens qui ne l'ont pas reconnu, et s'aperçoivent trop tard de l'identité de leur victime.

C'est de la même inspiration désespérée que participe *Caligula*, la première pièce de Camus (en dehors des œuvres collectives et des adaptations), la plus réussie, et celle à laquelle il est le plus revenu puisqu'il l'a remaniée jusqu'en 1958.

CALIGULA

Le rideau s'ouvre sur le palais de Caligula, dont on attend le retour : absent depuis trois jours, il a, pense-t-on, été égaré par la mort de sa sœur-amante Drusilla. Lorsqu'il paraît, c'est pour confier à ses proches qu'il s'est « senti tout à coup un besoin d'impossible », car « les choses ne sont pas ce qu'elles devraient être ». C'est pourquoi il exerce le pouvoir comme une tyrannie désespérée : s'il peut sans problème remplir les caisses de l'État par le meurtre, il se sait impuissant à « mêler le ciel à la mer, confondre laideur et beauté, faire jaillir le rire de la souffrance » (acte I). Trois ans se sont écoulés. Humiliés et menacés dans leur existence, les patriciens montent un complot ; si le littérateur Cherea se joint à eux, c'est parce qu'il comprend l'authenticité dévastatrice de Caligula, qui « met son pouvoir au service d'une passion plus haute », et dont le nihilisme militant représente une menace pour le sens même de la vie. Cependant, l'empereur ne cesse de donner cyniquement, à ses proches et à ses victimes, le spectacle de son despotisme ; appliqué à faire de tout homme un coupable, à montrer que « tout disparaît devant la peur », il confie néanmoins au jeune poète Scipion sa soif déçue de bonheur et de tendresse (acte II). Le pouvoir de Caligula devient blasphématoire : dans une représentation digne des tréteaux de foire, l'empereur se donne à voir comme l'incarnation burlesque des dieux de l'Olympe. Alors qu'il répond par l'indifférence à l'annonce du complot qui se trame contre lui, il s'explique sur la logique de sa conduite : à Scipion il dit agir par compensation « à la bêtise et à la haine des dieux » ; face à Cherea, il affirme que toutes les actions sont équivalentes ; l'intelligence doit accepter de payer le prix de cette vérité ou se nier : « la sécurité et la logique ne vont pas ensemble » (acte III). Le complot éventé, les patriciens s'attendent à être torturés et mis à mort. Alors que le cynisme de l'empereur se donne encore libre cours dans un concours de poésie qu'il a organisé, le personnage gagne en humanité, et en lucidité ; connaissant la force meurtrière de la bêtise, mais sachant aussi « la loyauté de ceux qui veulent être heureux », il se voit à présent défendu, comme un être faible et acculé, par Scipion, qui partage depuis peu sa lucidité sans pouvoir totalement y répondre, par son esclave Hélicon et sa vieille maîtresse Caesiona. C'est alors qu'il vient de se confier à celle-ci qu'il est assassiné par les conjurés. Lui qui s'est reconnu coupable dans un monde privé de sens où il a choisi « (le bonheur) des meurtriers », s'abat en s'exclamant : « Je suis encore vivant ! » (acte IV).

Ce n'est pas par scrupule historique que Camus s'est attaché à mettre en scène les caractères les plus marquants du personnage dont les écrivains romains nous ont laissé le portrait : son despotisme, sa folie sanguinaire, son cynisme et son histrionisme cruel. Caligula est d'abord pour Camus l'une des figures exemplaires de l'humanité ; il l'interroge comme il interroge Dom Juan ou Prométhée, désireux de saisir, derrière ses multiples images (n'est-il pas tour à tour un « fou », un « idéaliste », un « enfant », un « comédien » ou un « impuissant » pour ceux qui l'observent ?), le drame d'une existence qu'il tente d'élever à l'universel. Caligula lui-même vit et meurt devant un miroir, Narcisse ivre d'une liberté qu'il met au service d'une soif absolue de puissance. Il rêve de commander à l'univers, mais sa tyrannie politique et métaphysique n'est que l'envers d'un désenchantement qu'a précipité la mort de Drusilla : la liberté est totale pour qui a reconnu que « ce monde est sans importance » et que « les hommes meurent et [...] ne sont pas heureux ». L'amour et la souffrance étant privés de signification dans un monde sans dieux, Caligula vit jusqu'à la démesure la passion désespérée d'une existence qui se sait absurde.

Sa déraison aurait pu être le support d'une fable politique sur le totalitarisme ; Camus en fait à l'inverse une raison supérieure ; proche par certains aspects de la folie d'Hamlet et de Lorenzaccio, retrouvant la joie nietzschéenne de l'exaltation dionysiaque, elle est une conduite authentique guidée par une ambition prométhéenne. Du même coup, elle a valeur de révélateur et de provocation permanente pour ceux qui entourent Caligula : celui-ci « force tout le monde à penser », reconnaît Cherea ; il lève les masques, dénonce les facilités de la bonne conscience, contraint ses victimes à s'avouer leur lâcheté, leur absence d'idéal, et révèle leur liberté en les humiliant : l'exercice de sa tyrannie est une maïeutique permanente. Il est cependant condamné à une protestation impuissante ; face à la mesure d'un Scipion qui pense que « la haine ne compense pas la haine », ou d'un Cherea pour qui « il y a des actions qui sont plus belles que d'autres », il est l'homme de la démesure : mime pathétique d'un univers qu'il n'arrive pas à changer, il retourne contre le monde la violence que celui-ci lui inflige.

Néanmoins la logique implacable dans laquelle il s'enferme ne masque qu'imparfaitement les contradictions qu'elle tente de fuir : Caligula cultive la cruauté par impossibilité de vivre la tendresse, et conserve au milieu de sa démence la nostalgie d'un bonheur impossible. La dramaturgie de la pièce s'accorde à cette tension des contraires qui fait l'unité profonde du personnage : la farce se mêle à la comédie d'intrigue, le drame sanglant voisine avec des scènes de Grand-Guignol. Rythmée par cette alternance de registres comme par les répliques rapides qui se mêlent aux développements lyriques, l'intrigue progresse avec rapidité et emporte le spectateur vers le dénouement tragique. *Caligula* échappe par là à l'« esprit de lourdeur » et à la contrainte symbolique dont pâtiront les pièces ultérieures de Camus : dans cette mise en scène d'une existence confrontée à l'absurde, la créature du dramaturge échappe à la récupération idéologique et gagne par son autonomie un mystère nourri de contradictions qui en font un personnage pleinement théâtral.

D. Bergez

Le Premier Homme

Le projet du *Premier Homme* apparaît en 1953 (mois non précisé) dans les *Carnets*. Camus ébauche à cette date un plan en six parties et fournit quelques indications sur la première d'entre elles, « Recherche d'un père ». Le titre réapparaît dans les *Carnets* sous la mention « Roman » le 6 décembre 1954. Camus y travaille au cours de l'année 1955 avant de le délaisser sans doute en 1956, année de *la Chute*. « Ai avancé dans première partie *Premier Homme* », note-t-il à nouveau en mai 1959, après un voyage à Alger. Lorsqu'il meurt dans un accident de voiture, le 4 janvier 1960, on trouve dans sa sacoche cent quarante-quatre pages manuscrites, début du *Premier Homme*, que ses héritiers n'accepteront de publier qu'en 1994 avec, en *Annexes* (*Notes et plans*), la transcription d'un carnet qui ne donne qu'une vague idée de ce que l'ouvrage aurait pu devenir si Camus l'avait poursuivi.

Le héros du livre s'appelle Jacques Cormery – nom de jeune fille de la grand-mère paternelle de Camus. Mais, à l'exception du premier chapitre, évidemment reconstitué par l'imagination puisqu'il se situe avant la naissance du héros, le texte se lit comme un exemple rare, presque unique, d'autobiographie à la troisième personne. Il est dédié à la mère de l'auteur, qui était illettrée : « Veuve Camus. À toi qui ne pourras jamais lire ce livre. » L'émotion suscitée par les confidences d'un écrivain qui avait, dans les derniers mois de sa vie, choisi de garder le silence sur la tragédie de la guerre d'Algérie autant que la qualité d'écriture d'un texte pourtant inachevé contribuèrent à l'immense succès de l'ouvrage, traduit en anglais aussitôt après sa publication et, depuis, en une vingtaine de langues.

SYNOPSIS

PREMIÈRE PARTIE. « Recherche du père ». Octobre 1913. Un couple se dirige, dans une carriole conduite par un Arabe, vers un village d'Algérie où l'homme doit prendre une petite ferme en gérance. La femme a hâte d'arriver, car elle est sur le point d'accoucher. L'enfant naît dans la ferme ; c'est un garçon, Jacques.

Plus de quarante ans après, Jacques Cormery se rend à Saint-Brieuc sur la tombe de son père, mort à la guerre en 1914. Il prend conscience que l'homme qui repose ici était, lorsqu'il a cessé de vivre, plus jeune qu'il n'est lui-même aujourd'hui. Jacques s'entretient en Bretagne avec Malan [J.G.], un sexagénaire qui lui a, quand il était tout jeune, ouvert les portes de tout ce qu'il aime en ce monde, et qui lui déconseille de poursuivre son enquête sur son père. Dans la cabine d'un navire qui le ramène à Alger, Jacques se rappelle son enfance : l'appartement de la rue de Lyon, la grand-mère tyrannique, Pierre son ami avec qui il courait à la plage. Son émotion quand, revenant à Alger, il retrouve sa mère, vieillie mais belle encore. Elle répond aux questions de Jacques sur son père, mais mélange un peu les dates. C'est son instituteur qui lui a, en fin de compte, appris le plus de choses sur Henri Cormery. Soudain, un attentat au coin de la rue : Jacques protège un Arabe que la foule s'apprêtait à lyncher. Jacques se rappelle encore les sévérités de sa grand-mère et la douceur de sa mère. Les séances du cinéma de quartier. Ernest (ou Étienne), l'oncle de Jacques, brave homme, sourd, pouvant à peine s'exprimer, l'emmenait à la chasse et à la plage. En visite aujourd'hui chez la mère de Jacques, l'oncle évoque le passé. M. Bernard, l'instituteur, lui a donné le goût de la lecture. Le catéchisme, l'entrée au lycée. Jacques retourne à la ferme où il est né et il s'entretient avec M. Veillard, seul colon français demeuré au village. Personne ne se souvient d'Henri Cormery.

SECONDE PARTIE. « Le fils ou le premier homme ». Les humiliations que sa pauvreté vaut à Jacques auprès de ses camarades. Les rentrées du lycée en compagnie de Pierre, les parties de football. L'égorgement de la poule. Jacques regarde sa grand-mère procéder au rituel. « Il a le courage. » Les trésors de la bibliothèque municipale, les vacances dans la chaleur de l'été algérois, les emplois de bureau temporaires. Il rapporte de l'argent à la maison, il est gardien de but de l'équipe du lycée, il vient d'embrasser pour la première fois une jeune fille. Il est devenu un homme. Comme Jacques espère trouver des raisons de vivre et de mourir sans révolte.

Tel qu'il se présente, s'achevant par le récit des premières expériences d'homme de Jacques avant de s'ouvrir à une méditation sur la manière dont son passé l'enrichira pour l'avenir, le *Premier Homme* impose, si on laisse de côté les *Annexes*, une forme de plénitude. Ce sont plutôt les notes de régie incluses par l'auteur au fil du texte et les incohérences de noms qui signalent au lecteur l'inachèvement de l'ouvrage. Comme par inadvertance, Camus redonne progressivement leurs vrais noms aux figures qu'il a masquées : « Catherine » (la mère) se substitue à « Lucie » ; le chapitre consacré à « Ernest » est intitulé « Étienne » (vrai nom de l'oncle de Camus) ; « M. Bernard », l'instituteur, redevient parfois « M. Germain ». Malan, administrateur des Douanes en retraite, garde son nom tout au long du chapitre, mais Camus a indiqué entre parenthèses les initiales de son modèle, Jean Grenier, son ancien professeur de philosophie et ami. Camus aurait-il corrigé profondément le style de son ouvrage ? Il est vrai que le manuscrit est, dans l'état où il l'a laissé, fort peu raturé. Mais ceux de ses précédents romans ne le sont guère plus ; au moins leurs modifications ne concernent-elles jamais l'allure et le rythme de ses phrases. Si, dans le dernier chapitre du *Premier Homme*, celles-ci prennent une ampleur surprenante (l'une d'elles atteint soixante lignes), on l'attribuera plutôt à un épanchement lyrique auquel, même dans *Noces*, il ne nous avait pas habitués.

Roman ou autobiographie ? Les figures familiales, dont certaines étaient déjà présentes dans sa première œuvre, *l'Envers et l'Endroit* (1937), sont ici moins reflétées qu'organisées en fonction d'un récit centré, dans sa première partie au moins, autour d'un thème (la recherche du père) et infléchies à cet effet. En somme, comme Stendhal, Camus utilise l'autobiographie pour composer ce que les psychanalystes nommeraient son « roman familial ». Plus que l'auteur de *Brulard*, il juxtapose au sein de certains chapitres le présent (temps de l'enquête) et les souvenirs d'enfance. Quant à la fidélité à la réalité, si on tient à part les déguisements des noms, on ne voit que la profession prêtée à Malan (Jean Grenier) pour la trahir. Il est vrai que les lieux sont le plus souvent évoqués sans grande précision alors même que Camus Cormery les revisite à l'époque où il travaille à son livre, mais ce flou traduit une volonté, permanente dans l'œuvre de Camus, de faire appel aux symboles : Belcourt est, comme dans *l'Envers et l'Endroit*, le « quartier pauvre » plutôt que le cœur sensible d'une géographie reconstituée à des fins égotistes.

Ceux qui espéraient découvrir grâce au *Premier Homme* des sentiments sur l'Algérie que Camus avait tus dans les derniers mois de sa vie purent s'estimer déçus. On retrouve dans ces lignes l'auteur de l'appel pour une trêve civile, lancé à Alger en janvier 1956, refusant également le terrorisme arabe et une violence européenne qui prétend recourir aux mêmes armes. Sur l'avenir du pays, on devine que Camus est proche de Veillard, le colon qui a choisi de demeurer sur ses terres, persuadé qu'au-delà des atrocités Français et Arabes sont faits pour s'entendre. À la tragédie à laquelle il assiste, Camus répond en définitive par l'appel à l'enfance, temps retrouvé qui ouvre des horizons de fraternité, mais nulle solution n'est proposée au problème politique. Cette ouverture du cœur, puisant ses sources à la tendresse du milieu familial ou à l'image du père, situe le dernier ouvrage aux antipodes de *la Chute* (1956). À Clamence, prédicateur pour les temps modernes, qui prenait prétexte de sa chute pour annoncer celle de l'humanité entière, s'oppose le « premier homme », expression qui désigne le père du héros (l'homme des origines) aussi bien que le héros lui-même dans la mesure où Jacques renoue avec les vertus attribuées à celui qu'il recherche afin d'inaugurer à son tour une ère de générosité. Après avoir illustré par ses ouvrages un cycle de l'Absurde, puis un cycle de la Révolte, Camus programme en 1956 : « Le troisième étage, c'est l'amour : le Premier Homme [...] » (*Carnets*). De l'amour, *l'Étranger* et *la Chute* présentaient le négatif ou une image nostalgique, Meursault souhaitant, plutôt que l'indifférence, des cris de haine pour saluer son exécution tandis que Clamence regrettait parfois, comme malgré lui, l'époque où il croyait encore à l'amitié. Dans les longues phrases du *Premier Homme* où se pressent sensations, perceptions et émotions, Camus se montre sensible non seulement, à l'instar du narrateur de *Noces*, aux odeurs de la flore méditerranéenne, mais à celles des quartiers populaires où l'on respire une solidarité et une tendresse à jamais vivaces.

P.-L. Rey

CAMUS Jean-Pierre

(1584-1652)

Prélat et romancier, J.-P. Camus fut un évêque exemplaire et l'un des écrivains les plus féconds de la littérature française. Issu d'une famille de robe fidèlement attachée au service de la monarchie (son père, tout dévoué à Henri IV, fut gouverneur d'Étampes) et élevée à la noblesse au XVIe siècle, il fut placé comme page auprès du maréchal de Bellegarde (personnage politique influent et protecteur des écrivains – de Malherbe, notamment). Ce fut peut-être à la suite d'un amour malheureux qu'il se tourna vers la vie religieuse et devint prêtre (1608). En récompense des services rendus par sa famille, il fut la même année nommé à l'évêché de Belley. Il accomplit très consciencieusement sa tâche. En 1628, Louis XIII lui donna l'abbaye d'Aunay, près de Caen, puis l'archevêque de Rouen en fit son vicaire général. Sur la fin de sa vie, retiré aux Incurables de Paris, il se consacrait aux œuvres de charité lorsqu'il fut nommé, sans l'avoir souhaité, à l'évêché d'Arras.

Son œuvre littéraire, extrêmement abondante, compte près de 200 titres (et il s'agit, en général, de volumes de plusieurs centaines de pages). Il était doué d'une mémoire prodigieuse, d'une grande facilité de plume, et avait acquis une vaste culture humaniste. Il composa de nombreux livres de piété, théologie et spiritualité, où se manifeste l'influence de François de Sales, dont il écrivit la biographie (*l'Esprit de saint François de Sales*, 1639), participant ainsi au renouveau de la spiritualité catholique au début du XVIIe siècle. Prédicateur actif, il se montra un controversiste virulent à l'égard des protestants. Il fut aussi historien, et moraliste : ses *Diversités* (1610-1614, 10 volumes) sont une série d'observations et de réflexions autobiographiques, inspirées par le stoïcisme chrétien et par les *Essais* de Montaigne.

Enfin, Camus fut romancier. Pour lui, l'écriture de fiction est un plaisir : plaisir d'auteur, qui donne libre cours à sa verve inventive ; plaisir édifiant pour le lecteur, dont ces récits orientent l'esprit, à travers le divertissement, vers un enseignement moral. Les intrigues de ses romans font volontiers place aux conventions et stéréotypes du genre (voyages, enlèvements, catastrophes, reconnaissances, etc.). Mais un certain réalisme n'en est pas absent, par transposition d'éléments autobiographiques ou d'anecdotes contemporaines : *Agathonphile ou les Martyrs siciliens* (1621), transporte à l'époque des persécutions antichrétiennes de Dioctétien (IVe s.) « ce qui est advenu en notre France », sans qu'il y ait, dans cette « *Astrée* chrétienne », comme dans le roman pastoral de l'époque, déguisement des personnages en bergers. Dans *Alexis* (1622), par exemple, il transpose sa propre expérience de jeunesse et décrit les intrigues de cour. Et pour être un romancier édifiant, Camus n'est pas un écrivain bégueule. Au contraire, il se plaît à décrire des caractères bien trempés, convertis après une vie de débauche. Ainsi, dans *Hermiante* (1623), il relate la vie de deux ermites : l'un, ayant embrassé la vie érémitique très jeune, ne discerne pas le sens profond de sa vocation ; l'autre, aventurier, soudard des guerres de religion non par conviction religieuse mais par goût de la violence, séducteur d'une religieuse, se convertit, touché par l'exemple d'une jeune fille qu'il désire épouser, et devient un ermite exemplaire. Quant aux nouvelles de *L'amphithéâtre sanglant où sont représentées plusieurs actions tragiques de notre temps* (1630), qui visent à terrifier les « méchants » par les conséquences de leurs vices, elles ne reculent pas devant les descrpitions les plus crues : « Le sang commença à en ruisseler avec une telle abondance que le plancher de la chambre en fut tout arrosé. »

Le style de Camus ne manque pas, comme on voit, d'images, de verve, voire d'agressivité. Témoin, dans un autre registre, ces lignes où il dénonce la vénalité des offices, qui met les charges publiques aux mains de riches ignorants : « Que reste-t-il plus, sinon d'agréger, comme cet empereur ancien, des chevaux au Sénat ? Et pourquoi non, puisque tant d'ânes y ont entrée ? » (*Homélie aux états généraux de 1614*.)

Camus est donc un esprit profondément religieux, mais ouvert, ami des jésuites et pourtant disculpant Théophile de Viau accusé d'athéisme, romancier édifiant mais capable, pour le bien de sa cause, de sensualité ou d'horreur. La critique l'a longtemps dédaigné (Sainte-Beuve méprisait « les pauvres romans chrétiens de l'évêque de Belley »), mais accorde aujourd'hui davantage d'intérêt à cet esprit humaniste et optimiste et à son œuvre de romancier baroque.

A. Viala

CAMUS Renaud

(né en 1946)

Né à Chamalières (Puy-de-Dôme), Renaud Camus a suivi dans les facultés parisiennes des études de droit, de sciences politiques et de philosophie ; diplômé de l'Institut d'études politiques, il a également obtenu une maîtrise de philosophie, puis a effectué deux séjours, en qualité de lecteur, dans des universités américaines. En 1975 paraît son premier roman, *Passage*, et depuis lors Camus se consacre presque entièrement à l'écriture, explorant simultanément le récit romanesque, la chronique autobiographique ou l'essai ; et depuis son installation (1992) à Plieux, dans le Gers, il anime sur place des manifestations d'art contemporain pour lesquelles il rédige catalogues et préfaces.

Nourri des écrits de Roland Barthes, Renaud Camus en reprend les concepts et les problématiques, qu'il prolonge en une sorte de sagesse du soupçon, de morale du Signe : avec le regard du sémiologue, il observe, dissèque, analyse les niveaux de signification, non seulement des faits culturels ou littéraires, mais aussi du comportement social quotidien. De *Buena Vista Park* (1980), qui développe la « bathmologie » – science des degrés signifiants suggérée par Barthes – aux *Notes sur les manières du temps* (1985), à *l'Éloge du paraître* (2000) ou au *Répertoire des délicatesses du français contemporain* (2000), l'essayiste explore et dénonce tous les signes d'agression ou de rejet que l'opinion courante – la *doxa* – et ses notions essentialistes et réductrices (la « sincérité », le « naturel », la « spontanéité ») imposent au Moi – lors d'une discussion érudite, de propos échangés dans des situations quotidiennes. Dans tous ces langages codés, Camus débusque minutieusement les représentations sociales qui se dissimulent derrière le verbe ou le geste anodins, cerne les réflexes de la petite-bourgeoisie, ce « creuset de la grande unité idéologique et langagière » (*Répertoire des délicatesses du français contemporain*) qui, selon lui, est devenu après 1968 la mesure de toute chose. De même le chroniqueur tente-t-il de « dire l'homosexualité » qu'il vit, non pas en dehors des lois sociales (« Je suis un intégrationniste [...] je m'appuie sur [la société et la morale] dans l'idéal pour critiquer la société et la morale en place [...]. Les marges sont pleines de petits-bourgeois : réinvestissons la page », *Notes sur les manières du temps*), mais dans le refus d'une typologie de l'homosexuel et de son pseudo « en-soi » ; de là l'invention du néologisme « achrien », dépourvu d'étymologie et de niveau connotatif précis ; de là des textes (*Tricks*, 1979 ; *Notes* et *Chroniques achriennes*, 1982 et 1984) qui ne sont ni apologies ni états d'âme de l'homosexuel, mais tentent de situer l'achrien dans une histoire de la norme et des fantasmes sexuels, de dire sa vérité dans une énonciation « simple », sans effet de fiction.

Car toutes ces chroniques, tous ces essais fragmentaires, et même la longue prose aléatoire du *Journal d'un Voyage en France* (1981) reproduisent une écriture stylistiquement si codifiée, si « classique », que l'on perçoit bien l'éthique littéraire de Camus. C'est au sein même du discours de la norme qu'il entend élaborer une morale susceptible de restaurer ce qu'a nié le code social : la bienveillance, la reconnaissance de l'Autre, de sa liberté d'agir et de penser. Aussi le texte critique devient-il l'espace de l'institution littéraire et de l'idéologie, dans lequel celles-ci voient leurs propres lois se dissoudre et leur signifiant (la rhétorique et ses niveaux d'analyse) dénoncer leur signifié (les valeurs de la *doxa*).

Ce refus de concevoir une écriture univoque, sûre de ses degrés limités de signification – « Il faut mettre au point contre [la *doxa*] des machines cafouilleuses, des appareils polymorphes, des textes insincères, sédimentés, contradictoires » (*Tricks*) – explique *a posteriori* l'expérience des quatre romans constituant les *Églogues* (*Passage*, 1975 ; *Échange*, 1975 ; *Travers*, 1978 ; *Été*, 1982). Dans ces récits qui s'élaborent parallèlement à leur propre critique, qui rompent toute chronologie, rendent improbable toute entité psychologique de « personnages » délibérément empruntés à Robbe-Grillet, Duras, voire *Histoire d'O*, Camus instaure une forme de pastiche supérieur, d'artificialité distanciée : textes qui résolument, par leurs « décrochages », « leurs glissements progressifs de sens », leurs rétrogradations narratives, se réfèrent aux techniques du Nouveau Roman.

Abolir toute subjectivité intra- ou extra-diégétique devient au reste le propos ultime du pastiche ; tout « moi », celui des figures romanesques comme celui de l'hypothétique narrateur, se fragmente dans la pluralité des styles. C'est la culture, le fonds littéraire qui « parle le personnage », qui s'impose au locuteur par un carrousel de réminiscences ou d'anamnèses ; ainsi le dénotent les multiples citations d'écrivains qui surgissent dans le discours narratif, ou les noms des pseudo-auteurs de ces textes : Renaud Camus, Denis Duparc, Tony Duparc, etc. Pour Camus, toute figure de récit et l'auteur lui-même sont le produit du Texte ; de la sorte naît un écart décisif entre l'écrit et l'écrivain : « C'est pendant l'été solitaire que le narrateur passe à la campagne tandis que s'élaborent et se contredisent les versions provisoires du récit qui nous occupe » (*Passage*). Même le très diégétique *Roman Roi* (1983) – pastiche de récit historique que prolongera *Roman Furieux* en 1987 – sécrète peu à peu son narrateur, son « Je » ; plus que l'histoire de l'entre-deux-guerres et la vie de Roman II, ci-devant souverain d'une « Caronie » qui emprunte là encore à toute une fantasmagorie littéraire, de *Tintin* à Maeterlinck, son onomastique et son folklore, le livre décrit l'instauration progressive, par le romanesque, d'une subjectivité.

Avec *Roman Roi*, les *Églogues* ou encore *l'Épuisant Désir de ces choses* (1995), Camus a composé des récits dont l'univers particulier importe sans doute moins que l'allégorie de l'Écriture qui les sous-tend. De fait, l'écrivain continue d'explorer des modes inédits de fiction : *P.A.* (1997), constitué de 999 paragraphes, prend la « petite annonce » comme source de l'imaginaire et du désir ; *Etc.* (1998) se constitue en « abécédaire » de l'œuvre potentielle de Camus ; *Ne lisez pas ce livre* (2000), niant la linéarité traditionnelle du texte, reconstruit l'espace virtuel que peut occuper une littérature à l'âge de la cybernétique. Cependant, une perspective plus classique de moraliste apparaît dans les *Journaux* des années 1987-1993 (*Vigiles*, 1990 ; *Aguets*, 1990 ; *Fendre l'air*, 1991 ; *l'Esprit des terrasses*, 1994 ; *la Guerre de Transylvanie*, 1996 ; *le Château de Seix*, 1997 ; *Graal-Plieux*, 1998) : éthique et modernité représentent toujours les deux pôles fondamentaux des écrits de Renaud Camus, qui dut cependant se défendre (*Corbeaux*, 2000) d'accusations d'antisémitisme lors d'une affaire qui défraya la chronique.

J.-P. Damour

CARCO Francis

*Pseudonyme de **François CARCOPINO-TUSOLI** (1886-1958)*

La célébrité dont jouissait Francis Carco pendant l'entre-deux-guerres devait autant à son personnage de boulevardier et de voyou dilettante qu'à ses talents d'écrivain. Habitué des cabarets de la Butte et des bas-fonds de Pigalle, il incarna pour toute une génération l'irrévérence recherchée de la bohème artiste et devint, par l'intermédiaire de son œuvre romanesque, le peintre des mœurs de la pègre parisienne. Son travail de dramaturge, d'essayiste et de critique d'art est, depuis, tombé dans l'oubli, mais sa poésie, ses Mémoires et surtout ses nombreux romans semblent avoir conservé quelque popularité, du moins auprès du grand public.

Carco naquit et grandit à Nouméa, en Nouvelle-Calédonie, alors colonie pénitentiaire, où fut muté son père, haut fonctionnaire. La famille regagna la métropole en 1897, s'établissant d'abord à Châtillon-sur-Seine, puis à Villefranche-de-Rouergue, où Carco, encore adolescent, commença à façonner sa vie d'artiste libertin. En jeune bourgeois révolté, il abandonna les lieux consacrés par l'institution pour le théâtre et les cafés-concerts de province et gagna sa vie en chantant, en dansant et en récitant des vers grecs. Admirateur d'Henri Bataille, de Francis Jammes et, pendant sa prime jeunesse, d'Albert Samain, il débuta par des vers pleins de nostalgie et d'images puisées dans la nature, dont bon nombre parurent dans des revues (*la Revue jeune*, *Pan*, *les Petites Feuilles*) qu'il fondait lui-même avant d'être rassemblés en recueil (*la Bohême de mon cœur*, 1912).

Ce fut en 1910 qu'il « monta » à Paris et prit place parmi les « Montmartrois » (Max Jacob, Charles Vildrac, Pierre Mac Orlan, Roland Dorgelès) du Lapin agile, cabaret qu'ils rendirent célèbre. Pour subsister, il travailla à l'« usine » littéraire de Willy et fit du journalisme, tenant pendant de courts moments la rubrique de critique d'art de *l'Homme libre* et du *Gil Blas*. Des portraits incisifs de ses connaissances de province et de ses amis de la Butte (*Instincts*, 1910), puis des poésies « fantaisistes » composées selon les principes de Paul-Jean Toulet furent les premiers livres qu'il signa de son nom ; mais c'est *Jésus-la-Caille*, roman édité au Mercure de France en 1914, qui fit de lui un auteur réputé. Dans le style qui devait caractériser la plupart de ses romans, Carco mariait à une étude pénétrante de la psychologie du milieu la description lyrique du paysage parisien, et accordait à l'argot – qu'il maniait en expert – une place jusqu'alors inégalée.

La Première Guerre mondiale interrompit à peine son destin. Bien que mobilisé, il n'en poursuivit pas moins sa vie amoureuse et sa carrière d'homme de lettres, sa liaison intense mais passagère avec Katherine Mansfield inspirant *les Innocents* (1916) et plus tard un livre de *Souvenirs* (1934). Rentré à Paris, il reprit son travail de critique d'art, attaqua cubisme et futurisme – qu'il jugeait par trop dénués de sentiment humain –, pour faire l'éloge d'Utrillo et de Modigliani, auxquels il consacra plus tard de longs essais. Mais c'est en tant qu'observateur fasciné de la pègre urbaine que son personnage s'affirma. Sa production littéraire de l'entre-deux-guerres compte une douzaine de romans dont le lyrisme populaire traduit la psychologie et l'atmosphère étouffante des milieux proscrits : *l'Homme traqué* (1922), *l'Ombre* (1933), *Brumes* (1935). Pourtant, ces romans à cadre si peu conventionnel, écrits en grande partie dans un argot authentique, n'en sont pas moins d'une pureté classique quant à leur structure et à l'acuité de leurs analyses ; si bien que Paul Bourget put en vanter le mérite et appuyer la candidature de leur auteur à l'Académie. Et Carco, comme bien d'autres de ses amis révoltés du Lapin agile, s'agrégea au Tout-Paris et s'y complut.

Période littéraire féconde, l'entre-deux-guerres, par ses événements politiques et sa remise en question des valeurs éthiques, eut peu de résonance chez Carco, qui semblait se survivre, nourri du souvenir et de l'ambiance d'un monde aboli. Les thèmes principaux de ses romans se retrouvent dans nombre de ses écrits non romanesques ; ses reportages sur l'Égypte, *Palace-Égypte* (1933), et l'Espagne, *Printemps d'Espagne* (1931), relèvent du fantastique social ; ses biographies romancées font revivre Villon (1926), Nerval (1953) et Verlaine (1939), poètes « maudits ». Et une suite de souvenirs (*Mémoires d'une autre vie,* 1934) et de poésies (*Romance de Paris*, 1934 ; *Montmartre à vingt ans,* 1938), habilement teintés d'une nostalgie aigre-douce, sont autant d'airs d'accordéon du Montmartre de la Belle Époque. Parmi les derniers écrits de Carco, certains évoquent la guerre de 1940 ; plusieurs révèlent de nouvelles fascinations : la mort, les institutions correctionnelles ; mais aucun ne connut le succès de ses ouvrages du premier tiers du siècle. Au moment de son décès, l'écrivain avait déjà été enseveli par le temps.

A. Greenspan

CARDINAL Marie

(1929-2001)

Romancière née à Alger. Professeur de philosophie, elle interrompt sa carrière d'enseignante en 1960 pour se consacrer à la littérature et au journalisme.

En 1962, elle obtient le prix international du premier roman pour son ouvrage *Écoutez la mer*. Dès ses débuts, Marie Cardinal s'affirme comme un écrivain féministe attaché à montrer les différents combats que mènent les femmes de tous âges. Dans *la Mule du corbillard* (1964), une vieille dame discrète nourrit une haine sourde pour celui qui l'a recueillie mais dépossédée de son domaine ; sa passion pour sa terre se confond depuis lors avec son désir de vengeance. Après la naissance de son enfant, Camille ne peut se soustraire à *la Souricière* (1965), ce piège sournois qui la condamne à la peur, à la haine des autres et d'elle-même, à la solitude ; elle tente d'échapper au déchirement et justifie son existence avec François par un nouvel amour. Plus insouciante apparemment serait cette mère de trois enfants qui laisse *la Clé sur la porte* (1975), donc un appartement ouvert à toutes les surprises, à toutes les découvertes pour comprendre une jeunesse déroutante : chronique familiale où l'humour n'exclut pas l'émotion, comme dans le jeu étrange qu'elle imagine pour dénouer la vérité du couple d'*Une vie pour deux* (1978). Son engagement politique et ses activités de militante féministe la disposaient à recueillir les propos de Gisèle Halimi et à publier *la Cause des femmes* (1973). Mais le bouleversant roman pour lequel elle reçoit le prix Littré en 1976, celui qu'elle ose écrire parce qu'elle a enfin trouvé *les Mots pour le dire*, c'est le récit de sa vie : le chant d'une douleur le temps d'une glissade dans la folie ; l'urgence de se reconquérir dans le silence du cabinet du psychanalyste, sans détour par la fausse pudeur pour avouer les déchirures mal cicatrisées. En 1977, elle donne, en collaboration avec Annie Leclerc, un prolongement à cet ouvrage : *Autrement dit*. Il restait pour Marie Cardinal une nécessité à accomplir : « Nécessité de partir là-bas. D'y retourner. Là-bas, y : l'Algérie, Alger. Pourquoi ? » Elle propose une réponse dans *Au pays de mes racines* (1980), un journal de voyage émouvant, la rencontre d'une mémoire et d'un pays qui a tant changé, dont elle ressuscite à nouveau le souvenir, voilé de nostalgie et d'émotion contenue, cette fois sur le mode romanesque dans *Amour… amours* (1998). Les mots délivrent, et permettent de restaurer avec le passé, avec les autres, une relation pacifiée : c'est ce que découvrent les anciens amants Charles et Lula (*Les Jeudis de Charles et Lula*, 1995) alors que la jeune droguée des *Grands Désordres* (1987) n'a pas trouvé, elle, avec sa mère « les mots pour le dire » – pour se dire.

C. Lavigne

CARMONTELLE

Pseudonyme de **Louis CARROGIS** *(1717-1806)*

Né à Paris, fils d'un cordonnier, sa vie reste mal connue jusqu'en 1758 : il est alors maître de dessin d'un petit-fils du duc de Luynes. Pendant la guerre de Sept Ans (1757-1763), il dessine encore, mais cette fois sur le terrain, des cartes et des relevés pour le général de Pons-Saint-Maurice qu'il accompagne en qualité d'officier ingénieur et qu'il distrait en organisant des représentations théâtrales. De retour à Paris, Carrogis devenu Carmontelle est engagé comme lecteur du duc d'Orléans dont il dessinera, au fil des ans, les relations et l'entourage : Grimm, Boufflers, Mme du Deffand. Amuseur attitré du duc, il utilise aussi son talent de peintre à la confection de « transparents », petits tableaux sur papier fin défilant devant une source lumineuse.

Surtout, il s'initie au genre qui lui vaudra sa célébrité littéraire : le proverbe, courte pièce en un acte dont le spectateur doit deviner la moralité. Ces petits textes sont destinés au théâtre du duc dont il devient le pourvoyeur, supplantant dans cette fonction Charles Collé. La fécondité de Carmontelle est prodigieuse. Huit volumes de proverbes paraissent entre 1768 et 1781, avec plus de cent titres. Il publie aussi des comédies plus élaborées, réunies en recueils : le *Théâtre du prince Clenerzow* (1771), le *Théâtre de campagne* (1775). Il donne encore des romans, des dialogues sur la peinture, *le Coup de patte* (1779), *la Patte de velours* (1781), *le Triumvirat des arts* (1783), des *Conversations des gens du monde pour tous les temps de l'année* (1786). Mais, en 1785, le duc est mort, et son fils « hérite » de Carmontelle qui dessine pour lui les jardins du parc Monceau. En 1793, le nouveau duc, devenu Philippe-Égalité, est guillotiné, et le vieil amuseur tombe dans la misère. Il saura pourtant, quelques mois avant sa mort, se trouver un nouveau protecteur : Talleyrand. Mais c'est une autre fidèle du clan d'Orléans, Mme de Genlis, qui lui rendra le dernier hommage en publiant, en 1825, trois volumes de *Proverbes et comédies posthumes*.

Carmontelle n'est pas l'inventeur du proverbe. Avant lui Mme de Maintenon pour les pensionnaires de St-Cyr, Mme Durand s'y étaient exercées ; enfin Mme de Montesson, la maîtresse du duc d'Orléans, avait mis le genre à la mode dans les salons. Mais Carmontelle a su transformer un jeu de société en véritable tableau de mœurs. Au fil de ces petits dialogues, on pénètre chez des artisans, des boutiquiers (M. Frac le tailleur, Mme Savon la blanchisseuse, Rasignac le barbier) aux prises avec les problèmes de la vie quotidienne : l'argent, la fidélité conjugale, les relations de voisinage. Le projet d'écriture est en parfaite concordance avec la forme même du proverbe dramatique : l'important est moins, en effet, le développement d'une intrigue ou d'une psychologie que l'exposé d'une situation, de rapports simples immédiatement réductibles à des aphorismes courants : « Qui trop embrasse mal étreint » (*les Voisins et les Voisines*), « À l'impossible nul n'est tenu » (*le Chanteur italien*). Simultanément le plaisir du spectateur procède de ce qu'il détient, lui, cette vérité proverbiale vécue inconsciemment par les personnages. D'où la nécessité formelle de représenter une « humanité médiocre et mesquine » (F. Gaiffe), mais surtout dépassée par l'événement, par l'« incident farfelu » (J. Truchet) qui vient donner un autre sens à la situation initiale. Le jaloux d'*Alménorade* veut tuer son rival ; soudain le souffleur intervient dans la pièce et c'est lui que l'on poignarde. Moralité : « Souffler n'est pas jouer. » Le proverbe vient donner une caution réaliste à la fantaisie la plus débridée : Alphonse Allais n'est pas loin.

Diderot a été sévère pour Carmontelle : « À regarder ses proverbes de près, on n'y trouve ni chaleur ni verve. » Il est vrai que l'auteur répugne à la trop facile gauloiserie, que le genre impose une démarche rapide, des caractères à peine esquissés. D'où une insatisfaction permanente du lecteur, à moins de considérer le texte comme un jeu et non comme une comédie. Il reste que la variété des silhouettes évoquées, militaires (*le Prisonnier*), gens de lettres (*l'Auteur avantageux*), métiers de la rue (*le Peintre en cul-de-sac, les Deux Amis*), les références directes à des événements d'actualité, le souci de faire ressortir les habitudes de langage d'un petit peuple que Carmontelle connaît bien permettent de souscrire au jugement de Mme de Genlis : « Ce recueil sera toujours précieux aux yeux de ceux qui veulent avoir une idée juste d'une partie de la société du XVIIIe siècle. »

J.-P. de Beaumarchais

CARRÈRE Emmanuel

(né en 1957)

Fils d'Hélène Carrère d'Encausse – secrétaire perpétuelle de l'Académie française –, journaliste et critique cinématographique avant de se consacrer au roman, Emmanuel Carrère représente une génération d'écrivains qui ont été davantage marqués par les imaginaires de la science et du cinéma que par l'héritage littéraire. Son univers romanesque est celui des paradoxes logiques, de la théorie des jeux et d'une réalité qui se résorbe, chassée par l'omniprésence des images et du monde virtuel. Son originalité est d'exprimer le malaise de cette civilisation des apparences dans une langue parfaitement classique, rigoureuse, à la limite de l'impersonnel.

Les romans de Carrère sont encadrés par deux essais qui en donnent la tonalité. Le premier, *le Détroit de Behring* (1986), est un traité de l'uchronie, ce jeu du réel et de l'imagination qui consiste à réécrire l'histoire en modifiant certains événements secondaires du passé. Le second, *Je suis vivant et vous êtes morts* (1992), est une biographie du romancier-gourou de la contre-culture américaine, Philip K. Dick, explorateur de la conscience que sa quête mena à la folie. L'œuvre romanesque de Carrère explore la mince frontière entre le réel et le cauchemar, entre la logique et l'absurdité. Il suffit d'un rien, d'un hasard, d'un choix anodin, d'une infime rupture dans les rites sociaux de la vie quotidienne pour que tout bascule dans la démence et dans l'horreur.

C'est ce que raconte *Bravoure* (1984), évoquant les jeux pervers de Byron et de ses amis. *La Moustache* est un très bref récit, tranchant comme un rasoir : un geste anodin, une moustache qu'on coupe, suffit à faire perdre au héros les marques de son identité. Dans *Hors d'atteinte ?* (1988), c'est la passion du jeu et des casinos qui ravage une existence sans histoire. Avec *la Classe de neige* (prix Femina 1995), Carrère joue plus formellement avec les ressorts du roman criminel et du récit d'horreur qu'il manie avec une virtuosité certaine. Fondé sur un fait divers – un faux médecin massacre toute sa famille pour continuer à cacher la double vie qu'il mène depuis quinze ans –, *l'Adversaire* (2000) rassemble les thèmes, les inquiétudes et les vertiges de cette œuvre hantée par le Mal.

P. Lepape

CARTIER Jacques

(1491-1557)

Navigateur et écrivain malouin, il est désigné, en 1534, pour commander la première expédition lancée par François Ier vers Terre-Neuve et le Canada. Celle-ci aboutit à la reconnaissance du golfe du Saint-Laurent, passage escompté vers l'Asie. Un deuxième voyage, en 1535, amène la découverte du Saint-Laurent jusqu'à Hochelaga (Montréal). Une troisième expédition, placée en 1542 sous la conduite du seigneur de Roberval, échoue en raison de la désertion prématurée de Cartier. Retiré alors dans sa ville natale, il y mène l'existence d'un bourgeois cossu.

Les *Relations* de ses trois voyages, qui lui sont généralement attribuées et dont l'une paraît en 1545 sous le titre de *Brief Recit*, constituent le premier monument littéraire relatif au Canada. Elles vont inspirer, au moins jusqu'à Champlain, géographes et historiens du Nouveau Monde. Leur importance réside surtout dans ce caractère « fondateur » : en même temps qu'une terre neuve, c'est une nouvelle symbolique qui se découvre à l'homme de la Renaissance, avec ses objets inconnus – tabac, outarde, castor –, ses coutumes « incréables », mais aussi ses images mythiques. Le « bon sauvage », la « terre sans mal », avant d'essaimer dans la littérature géographique ultérieure, sont d'abord, en France, des mythes canadiens. Générosité des Indiens qui, en échange de verroterie, se dépouillent jusqu'à la nudité, innocence de ces peuples qui « ne font pas compte des biens de ce monde », libre sexualité des filles à marier, autant de fantasmes que l'Autre réalise. Mais l'émerveillement le dispute à la tendance inverse d'une réduction au connu, par quoi la Nouvelle France devient une autre France.

F. Lestringant

CASANOVA DE SEINGALT Jacques

Pseudonyme de ***Giacomo CASANOVA*** *(1725-1798)*

Le XVIIIe siècle, âge d'or du libertinage, a été également une époque privilégiée pour les aventuriers : charlatans, escrocs, magiciens, joueurs parcouraient alors l'Europe en tous sens et accumulaient de ville en ville leurs exploits. Giacomo Casanova, né à Venise de parents comédiens, fut certes l'un des plus brillants représentants de cette corporation, mais rien ne le prédestinait, apparemment, à entrer dans la légende. Successivement séminariste, militaire et licencié en droit, il fut jeté en prison en 1755 pour athéisme, libertinage et pratique de la magie : évadé quinze mois plus tard, il se jeta alors sur les routes. Choyé par la fortune, il courut de succès en succès pendant une quinzaine d'années, mais il devait se retrouver, aux abords de la cinquantaine, privé de toutes ressources. Recueilli en 1785 au château de Dux, en Bohême, par le comte Waldstein, il décida bientôt, pour tromper son ennui, de raconter l'histoire de sa vie : ce fut pour lui, littéralement, une seconde naissance. Le héros qu'il a créé à partir de lui-même n'a cessé, depuis son apparition, de fasciner ses lecteurs successifs.

Le plaisir, le bonheur

C'est en 1790 que Casanova a commencé la rédaction de ses Mémoires. Il avait jusque-là beaucoup écrit : des lettres, des textes historiques, des traductions, des libelles et un volumineux roman, l'*Icosaméron* (publié à Prague en 1788), voyage imaginaire chez les Mégamicres, peuple de nains pacifiques et heureux habitant au centre de la Terre, que deux Français viennent initier aux sciences et aux beaux-arts du siècle des Lumières. Mais ce que l'écrivain entreprend désormais est d'un tout autre ordre : il s'agit pour lui de déjouer le temps et l'espace afin de ressusciter sa jeunesse et goûter de nouveau, un à un, ses bonheurs. À mesure que sa plume court sur le papier, jour après jour jusqu'à sa mort en 1798, il se soustrait aux atteintes de la réalité, et il se réincarne dans un personnage proprement fabuleux.

« Ma vie, dit Casanova, est ma matière ; ma matière est ma vie. » Par la vertu de l'écriture, son existence est maintenant devant lui, offerte aux constructions de la mémoire et du rêve, prête à s'actualiser toute neuve au fil de sa plume. « Membre de l'univers, je parle à l'air, et je me figure de rendre compte de ma gestion » : faut-il ajouter qu'il procède moins en historien qu'en romancier amoureux du monde et, au centre du monde, avant tout épris de lui-même ? Toutes les émotions qu'il a connues, il les éprouve plus fortes que naguère, et il vole de surprise en bonheur, innocent, irrésistible, adoré. Voici Henriette, Thérèse, Lucrèce, Marceline, Véronique, Esther : actrices, femmes du monde, nonnes, soubrettes, bourgeoises, fillettes au bord de la puberté ou beautés épanouies, cœurs sensibles ou corps mercenaires. Et voici des amourettes, des colloques expédiés à la hâte, de grands coups de passion, des raffinements de sensibilité. Mais, avec don Juan, Lovelace ou Valmont, ses rivaux en littérature et en mythologie, Casanova n'entretient que des rapports de lointain cousinage. Ce qui le pousse, lui, sur le théâtre du monde, c'est tout uniment le goût du plaisir.

L'amour ne lui sert ni à éprouver son empire sur autrui ni à jeter des défis au diable ou au bon Dieu : s'il comble sa vanité, il lui permet encore plus sûrement de trouver une sorte d'accord bienveillant avec l'univers. La sensualité de Casanova est ardente, spontanée, avide de conclure. Elle balaie les obstacles avec une verve irrésistible, et, s'il lui faut composer, menacer, tricher ou acheter pour vaincre, elle n'hésite jamais, mais elle ne puise pas simplement sa force dans le charme, la prestance et le bagout du séducteur : Casanova enlève les places d'assaut par la vertu d'un optimisme prodigieusement dynamique et d'une confiance en soi qui est la chose du monde la plus communicable. Toutes les femmes éveillent sa curiosité. À toutes, il prend soin de donner du plaisir en ménageant le sien. S'en déprend-il une à une, qu'il s'ingénie chaque fois qu'il le faut à les déprendre également de lui-même, à les dédommager ou à les établir. Les échecs, les vilenies et les maladies de l'amour, il les passe par pertes et profits, et c'est ainsi qu'il va jusqu'à la quarantaine.

Puis vient le moment où il ne possède plus ce qu'il appelle le « suffrage à vue », et son système s'effondre : « Ayant l'air d'un papa plus que d'un galant, je ne croyais plus avoir ni des droits ni des justes prétentions », avoue-t-il à quarante-cinq ans. Mais il continue encore quelque temps sur son erre, et ne comptez pas sur lui pour faire un drame d'une histoire qu'il a dédiée au bonheur : s'il interrompt son récit à l'année 1774, lorsqu'il vient d'obtenir la grâce des inquisiteurs d'État de Venise, ce n'est sûrement pas un effet du hasard, ou parce que ses forces l'auraient alors trahi. On peut penser, au contraire, qu'il s'est arrangé avec lui-même pour écarter de son livre les ombres de la défaite, de la pauvreté et de la compromission, de manière à préserver l'image qu'il voulait laisser au monde des salissures que la vie a fini par lui infliger. Il lui fallait absolument être en position d'écrire encore en 1797 : « À l'âge de soixante et douze ans, où je peux dire *vixi*, quoique je respire encore, je ne saurais me procurer un amusement plus agréable que celui de m'entretenir de mes propres affaires et de donner un noble sujet de rire à la bonne compagnie qui m'écoute. »

L'Europe buissonnière

On aurait tort, cependant, de négliger chez Casanova l'aventurier au profit de l'amoureux. Non seulement la trajectoire de l'un se confond exactement avec le parcours de l'autre, mais cet « étourdi intéressant, assez beau cheval d'une bonne race » n'a jamais limité le plaisir des sens à la sexualité : son penchant pour la bonne chère et pour le luxe, son goût du paraître, sa passion pour le savoir, sa curiosité universelle, la virtuosité de son éloquence, tout cela est essentiel à son personnage et indissociable de sa définition du bonheur.

Enfant de la balle, doué d'une mémoire et d'une promptitude d'esprit à toute épreuve, pourvu dès son jeune âge d'un solide bagage de connaissances, il apprend vite ce qu'il faut pour se faufiler dans la société : une teinture suffisante de bonnes manières, valorisée par un usage facile de la langue française ; une forte dose d'aplomb, qui peut tourner à l'insolence, mais qu'un zeste d'obséquiosité vient tempérer à point ; un coup d'œil juste, qui perce d'emblée chez autrui le défaut de la cuirasse ; mais aussi de la familiarité avec les sciences occultes, de l'habileté aux cartes, un sens aigu de la mise en scène.

Pour mettre le pied à l'étrier, il suffit à Casanova d'une première dupe : une fois ferré le sénateur Bragadin, vieil homme entiché de magie qui le prend pour fils adoptif, il peut aller de l'avant. Enfermé dans la redoutable prison des Plombs, il réussit une évasion retentissante, dont le récit lui servira de morceau de bravoure dans les salons, et le voilà sur les routes de l'Europe.

Pendant dix-huit années, il va ainsi courir la vie à grandes guides. L'œil allumé, le nez au vent, il se promène d'Italie en France, d'Allemagne en Suisse, d'Angleterre en Espagne, et il pousse même une pointe jusqu'en Russie, échafaudant sans relâche de mirifiques projets, se refaisant aux cartes chaque fois qu'il le faut, toujours hâbleur et parfois escroc, poète à l'occasion et spectateur passionné des choses, des lieux et des gens. À Paris, il est receveur de la loterie de l'École militaire. À Rome, il se fait donner la croix de l'Éperon d'or, et, par la raison que « l'alphabet est public » et que « chacun est maître de s'en servir pour créer une parole et la faire devenir son propre nom », il se baptise chevalier de Seingalt. À Potsdam, il soumet des plans à Frédéric II. À Saint-Pétersbourg, il suggère à Catherine d'adopter le calendrier grégorien. Ailleurs, il se charge de missions vaguement diplomatiques. Au passage, il rencontre Crébillon père, discute avec Voltaire, traduit des pièces, assiste à l'exécution de Damiens. Des bureaux ministériels aux tripots clandestins, des théâtres aux prisons, des auberges aux châteaux, il a tout vu en Europe. Et, en racontant sa vie, c'est toute son époque qu'il réussit à animer à travers une chronique colorée et pittoresque. Même quand les portes se fermeront partout devant lui et qu'il sera proclamé indésirable de ville en ville, on ne lui tirera jamais un mot d'impatience ou de mépris envers une société où il avait trouvé ses aises et dont l'art de vivre lui convenait si bien. Quand les échos de la Révolution française lui parviendront dans sa bibliothèque de Dux en Bohême, il n'aura pas assez de sarcasmes contre elle et contre les changements qu'elle prétend apporter au plus délicieux des univers.

Les avatars d'un manuscrit

Du vivant de Casanova, seuls quelques-uns de ses correspondants privilégiés, tel le prince de Ligne, avaient eu accès à de courts fragments de ses Mémoires. Il devait revenir à son petit-neveu Carlo Angioloni de veiller à leur publication, mais ce légataire étourdi vendit ses droits en 1820 à l'éditeur Brockhaus, sans se douter des extravagantes embrouilles qui allaient s'ensuivre. Brockhaus, en effet, confia d'abord à Wilhelm von Schütz le soin d'adapter le texte en allemand, ce qui ne manqua pas d'inspirer à un éditeur français l'idée de faire traduire cette traduction, publiée entre 1822 et 1828. Comment éviter dès lors de produire l'original ? Brockhaus n'en demanda pas moins à Jean Laforgue, professeur à Dresde, de l'émonder de ses italianismes et de placer « sur les images trop voluptueuses un voile qui n'enlève rien au piquant de la narration ». Mieux, une fois parue cette version revue et corrigée (de 1828 à 1838), les héritiers successifs de Brockhaus s'obstinèrent à garder dans leurs coffres le manuscrit du Vénitien. C'est en 1960 seulement que l'*Histoire de ma vie* devait voir le jour, telle que l'avait écrite son auteur, dans cette langue française qu'il adorait et envers laquelle il était persuadé de ne pas avoir démérité.

R. Abirached

CASSOU Jean

(1897-1986)

D'origine béarnaise et andalouse, Jean Cassou est né à Deusto, près de Bilbao, dans le pays basque espagnol. Il resta fidèle à cet ibérisme de son enfance. Traducteur d'Unamuno (1925) et de Cervantès (1928), il est l'auteur d'une *Vie de Philippe II* (1929), d'un *Panorama de la littérature espagnole* (1929), d'une étude sur *les Conquistadors* (1947). Admirateur de Gongora, il fut, en France, l'un des premiers à comprendre et à diffuser une esthétique baroque. Créateur (1945) puis conservateur en chef du musée national d'Art moderne, on lui doit maints ouvrages sur la peinture et la sculpture : *Marcel Gromaire* (1925), *Marcoussis* (1930), *le Greco* (1931), *Picasso* (1940), *Ingres* (1947), *Rodin* (1949), *Daumier* (1949), *Matisse* (1955), *Panorama des arts plastiques contemporains* (1960), *Kandinsky* (1961), *Chagall* (1966), *Odilon Redon* (1975), etc.

Ses œuvres proprement littéraires ressortissent, selon l'expression de Charles Du Bos, d'un « romantisme léger » : dans ses romans, *l'Éloge de la folie* (1925), *les Harmonies viennoises* (1926), *les Inconnus dans la cave* (1933), *Légion* (1939), dans ses nouvelles, *De l'Étoile au Jardin des Plantes* (1935), Jean Cassou se montre le disciple de Gobineau (qu'il préfère de loin à Mérimée ou à Maupassant), d'Hoffmann, d'Andersen, de Gérard de Nerval : à partir d'un réel parfois diapré par l'Histoire, parfois rendu avec une méticuleuse fidélité, il suggère le hasard, les métamorphoses, la musique, enfin la majestueuse présence d'un au-delà, qui se révèle dans l'art et dans l'amour. Rien de plus révélateur à cet égard que *le Bel Automne* (1950), où le romancier retrace avec éclat la vieillesse de Turner et la douce passion qui vint dorer ce crépuscule. De ce romantisme qui traverse toute son œuvre, Jean Cassou s'est expliqué dans *les Nuits de Musset* (1930).

Mais il ne fut pas seulement un historien de l'art ni un descendant des romantiques. À travers ses travaux sur la peinture et ses fictions romanesques, un humanisme se révèle. Cet humanisme alla jusqu'à l'engagement politique (Jean Zay lui confia la charge des Beaux-Arts). Engagement qui prit des formes littéraires dans *les Massacres de Paris* (1935), où revivent la guerre de 1870 et la Commune, et dans *Quarante-huit* (1939). Rebelle à tout embrigadement (on sait son hostilité au stalinisme au moment où la Yougoslavie de Tito affirma son indépendance, puis au moment de la révolution hongroise), Jean Cassou fut l'un des héros de la Résistance. Il conçut en prison puis publia, sous le pseudonyme de Jean NOIR, *Trente-Trois Sonnets composés au secret* (1944), préfacés par François LA COLÈRE (alias Aragon). Dans une forme austère, il y chante son patriotisme et son humanisme. L'art, le romantisme, l'engagement politique se retrouvent dans une philosophie du dénuement indispensable à toute vie authentique et aussi dans une condamnation du démon de notre temps : l'aliénation – ou plutôt la dévoration – sociale (*le Livre de Lazare*, 1955).

A. Niderst

CASTILLO Michel Del
v. DEL CASTILLO Michel

CAU Jean
(1925-1993)

Né à Braun (Aude), dans le pays cathare, modelé, comme il l'a dit lui-même, par ce Midi austère et presque espagnol, Jean Cau passa une licence de philosophie et, de 1947 à 1956, fut le secrétaire de Jean-Paul Sartre – qu'il fera revivre au quotidien, à la fois insensible, tyrannique et généreux, dans *Croquis de mémoire* (1985). Il publia des poèmes en 1948, *le Fort intérieur*, et collabora aux *Temps modernes* de 1949 à 1954. Il fit une carrière de journaliste à *l'Express*, au *Figaro littéraire*, à *France-Observateur*, à *Paris-Match*. Son œuvre littéraire est considérable et fort diverse. Elle comprend des romans et des nouvelles : *la Pitié de Dieu* (1961), qui obtint le prix Goncourt, *le Meurtre d'un enfant* (1965), *les Enfants* (1975), *les Otages* (1976), *Une nuit à Saint-Germain-des-Prés* (1977), etc. ; des essais politiques, moraux, philosophiques : *Tropicanas : de la dictature et de la révolution sous les tropiques* (1970), le *Traité de morale* (composé des *Écuries de l'Occident*, 1973, et de *la Grande Prostituée*, 1974), *le Discours de la décadence* (1978), *Réflexions dures pour une époque molle* (1981) ; des livres de confidences personnelles ou de souvenirs : *l'Agonie de la vieille* (1970), *Ma Misogynie* (1972), *Proust, le chat et moi*, précédé de *l'Enfance de l'art* (1984) ; des pièces de théâtre : *les Parachutistes*, précédé de *le Maître du monde* (1963), *Qui a peur de Virginia Woolf ?*, adapté d'Edward Albee (1965), *les Yeux crevés* (1968), *Pauvre France* (1972).

Jean Cau, se réclamant parfois de Paul Valéry, constate la déchéance de toutes les valeurs, l'hypocrisie ou la niaiserie de la gauche, la veulerie des démocraties, la sombre splendeur du national-socialisme. Il revient à plusieurs reprises sur le choc que représente pour lui la défaite de la France en 1940. Il ne cesse, avec une sorte de frénésie, d'insulter, au nom d'une France idéale, la France réelle, dont le libéralisme décadent l'horrifie.

Ces thèmes sont développés avec verve et violence. La langue, chaude, rude, un peu lourde, un peu clinquante, a un charme particulier. Les plus belles réussites de Jean Cau doivent sans doute être cherchées dans ses écrits de journaliste, ou bien dans les pièces de théâtre, quand les développements idéologiques s'effacent derrière le combat des personnages et une sorte de bouffonnerie désespérée. Il existe un univers de Jean Cau, sombre et solaire, lyrique et cynique, un univers qu'habite la mort, sous le fracas du style et la vaine violence des diatribes dont témoignent encore : *Mon lieutenant* (1985), *les Culottes courtes* (1988), *la Folie corrida* (1992) ou l'*Ivresse des intellectuels : pastis, whisky et marxisme* (1992).

A. Niderst

CAUVIN Patrick
Pseudonyme de **Claude KLOTZ** *(né en 1932)*

Licencié en philosophie, Claude Klotz commence sa carrière comme professeur de collège, avant d'être pendant quelques années critique de cinéma au magazine *Pilote*. En 1971, il débute dans la littérature policière avec *Casse-cash*, dont la préface ne manque pas d'assurance, puisqu'elle prétend que le personnage principal du roman, l'aventurier Reiner, prendra sa place au panthéon du genre. Ainsi débute une série de treize romans, aux titres en forme d'onomatopées – dont *Jap-job* (1971), *Bing-Banque* (1972), *Flic-Flash* (1973), *Putsch-punch* (1974) –, qui tisseront autour de Reiner des intrigues machiavéliques et violentes, parfois proches de l'univers d'un James Hadley Chase. À partir de 1974, Klotz souhaite écrire des romans capables de toucher un large public populaire. Son éditeur lui conseille de signer sous un autre nom, afin que les lecteurs ne soient pas déroutés par ce changement de style. C'est ainsi qu'il prend le pseudonyme de Patrick CAUVIN, tout en tenant à ce que le public et la presse connaissent les deux identités sous lesquelles se déroulera désormais sa carrière littéraire. Sous le nom de Patrick Cauvin, il publie des romans qui connaîtront un immense succès, notamment auprès des adolescents, *l'Amour aveugle* (1974), *Monsieur Papa* (1976), aventures d'un père divorcé et de son fils, et surtout *E = mc² mon amour* (1977), amours entre Daniel le Français et Lauren l'Américaine, qui « totalisent vingt-trois printemps à eux deux » et qu'on retrouvera dans *Pythagore, je t'adore* (1999). Des nombreux romans publiés sous le pseudonyme de Patrick Cauvin – *Pourquoi pas nous ?* (1978), *Laura Brams* (1984), *Werther, ce soir…* (1988), *le Théâtre des chaises longues* (1997) – se détache principalement *Villa Vanille* (1995), tragique histoire d'amour qui débute à la veille d'une révolte malgache, en 1947, et éclaire un épisode peu connu de la colonisation française. Quel que soit le contraste entre les deux veines du romancier – sentimentalité souvent excessive d'un côté, atmosphères glauques et violentes de l'autre –, leur commun dénominateur est la prolixité : Claude Klotz a hérité des feuilletonistes du XIXe siècle une étonnante vitalité narrative. Il est capable de signer aussi bien des romans burlesques qui lui ont valu l'admiration de son ami Goscinny (*Dracula père et fils*, 1977 ; *Paris-vampire*, 1976) qu'une transposition de la légende de Merlin l'Enchanteur dans l'univers du « thriller » (*Et les cris de la fée*, 1988). Si Patrick Cauvin inspire quelque dédain à la critique pour ses intrigues exagérément mélodramatiques, Claude Klotz est aujourd'hui considéré comme un maître du roman policier des années 1970 et 1980 par de nombreux jeunes auteurs.

P. Mari

CAYROL Jean

(né en 1911)

Poète, romancier élu académicien Goncourt en 1973, essayiste, scénariste, directeur de collections aux éditions du Seuil – notamment, jusqu'en 1977, de la collection « Écrire » où il a découvert des écrivains comme Philippe Sollers et Pierre Guyotat – lui-même se définit comme « un aventurier de la page blanche » qui n'est jamais resté en marge de la société. À vingt ans, cinq vers surréalistes le font se « déshabiller d'un langage appris par cœur » et naître à la poésie. Ses premiers recueils, *le Hollandais Volant* (1936) et *les Phénomènes célestes* (1939) sont empreints des images de l'enfance, d'une cosmogonie biblique, d'une interrogation métaphysique où s'annonce déjà la conscience ambiguë d'un univers « désancré » que la guerre va lui dévoiler. En effet c'est elle qui sert de révélateur : dénoncé en 1942 comme résistant, il est incarcéré à Fresnes, puis déporté au camp de Mauthausen. Désormais l'écriture de Cayrol se confond avec l'expérience du monde concentrationnaire : « Le langage ne commence qu'avec le vide » (M. Blanchot).

Dans cet au-delà de l'espace et du temps, seuls lui permettent de résister les rêves, les mots aussi, les métaphores, relais de ce *no man's land* nocturne, dans lesquels il s'aère, se réchauffe ; pour témoins, ses recueils : *Miroir de la Rédemption* (1944), *Alerte aux ombres : 1944-1945*, textes retrouvés et publiés en 1997, *Poèmes de la Nuit et du Brouillard* (1946), *Passe-temps de l'homme et des oiseaux* (1947) postfacé par Pierre Emmanuel. Cette même année il devient romancier ; *Je vivrai l'amour des autres*, couronné par le prix Renaudot, réunit deux récits : *On vous parle* et *les Premiers Jours*. *Le feu qui prend* (1948) achève cette trilogie qui renouvelle étrangement l'art romanesque.

Jean Cayrol, en effet, ne transporte pas ses souvenirs. Pour ce survivant, écrasé par la machine à « déshumaniser » que furent les camps, revenir signifie encore errer dans « une nuit qui ne fait que commencer ». Il y a un quotidien concentrationnaire ; forte de cette révélation, l'écriture entreprend de sortir de l'ombre cette « comédie inhumaine » qui se joue non pas au passé mais au présent.

Armand, le héros de *Je vivrai l'amour des autres*, est un Lazare errant ; « homme sinistré de corps et d'âme », il doit réapprendre à garder les yeux ouverts, à nager dans la vie sans appréhension et rejoindre ainsi l'humanité. Retranché derrière un « Je » anonyme dans le premier récit, il est d'abord un regard effleurant le monde des objets pour graduellement réhabiter l'Espace ; ensuite parole solitaire, en quête de références, il redevient attentif aux autres, donc à lui-même, jusqu'à pouvoir enfin assumer une famille dans le troisième récit, ultime étape d'une reconquête du Temps. Le narrateur sans visage s'est élevé au statut de personnage, le passage à la troisième personne lui offre un destin de Roman.

Dans son essai paru en 1950 *Lazare parmi nous*, J. Cayrol tente de préciser ce qu'il a inauguré avec son premier roman : l'impossibilité pour le héros lazaréen d'entrer dans une histoire justifie l'absence d'intrigue, de surprises. Il n'y a que la solitude d'un être en miettes, à l'aise dans l'instabilité et le mystère, la parole d'un somnambule, qui n'attend aucune réponse, mais espère le jour au bout de la nuit.

Chaque roman se présente comme un fragment de l'« Insaisissable Camp » : un être déraciné, en marge, embarrassé par sa conscience, son mutisme, ses désirs, insatiable d'un avenir propre à lui restituer un temps et une mémoire sans déchirure, tels sont Armande (*la Noire*, 1949), murée dans la solitude d'un amour idéalisé ; Gérard (*le Vent de la mémoire*, 1952), pris au piège d'un passé raturé ; le héros de *l'Espace d'une nuit* (1954), soudain dépossédé de son enfance ; Catherine (*le Déménagement*, 1956), engluée dans ses mensonges. Comme ses personnages, J. Cayrol recherche un langage où se loger et fixe les émotions, images, sentiments d'une existence tremblante dans ses poèmes : *Les mots sont aussi des demeures* (1953) et *Pour tous les temps* (1955). Mais il est toujours difficile de chasser les ombres, l'écriture risque elle aussi l'enfermement à moins de humer l'air d'autres horizons.

Cette aération, c'est le cinéma qui la lui fournit. Le pouvoir de l'image s'exerce sur les écrivains d'alors, et Cayrol n'y échappe pas plus que Robbe-Grillet. De sa collaboration avec le réalisateur Alain Resnais naissent en 1955 *Nuit et Brouillard* donnant à voir le quotidien des camps puis, en 1963, *Muriel ou le temps d'un retour*, si malaisé pour Bernard mis à nu par la guerre d'Algérie. Avec Claude Durand il écrit un essai, *le Droit de regard*, réalise en 1965 *le Coup de grâce* où, dans un Bordeaux de cauchemar, l'auteur en finit avec son délateur. Cette expérience cinématographique va relancer son travail de romancier. Gaspard dans *les Corps étrangers* (1959), Bernard (*le Froid du soleil*, 1964), Jean-Pierre (*Je l'entends encore*, 1968) s'inventent leur mémoire pour réussir à vivre en contemporains de leur propre existence. En 1968 l'actualité investit l'écriture : *De l'espace humain* est une réflexion sur la ville moderne et à venir ; *Poésie-Journal* (1969), sorte de « mini-épopée quotidienne », reflète six mois d'une histoire toute chaude de son printemps. Deux autres *Poésie-Journal* suivent : 1977 et 1980. *Histoire d'un désert* (1972), *Histoire de la mer* (1973), *Histoire de la forêt* (1975), *Histoire du ciel* (1979) nous plongent dans des milieux de la clôture et du dépassement, de l'immuable et du changeant, dans un univers de tous les contrastes. *Les Enfants pillards* (1978), *Il était une fois Jean Cayrol* (1982) fournissent des morceaux de son existence-puzzle. *Un mot d'auteur* (1983) où l'écrivain Golo est la proie de ses chimères et *Qui suis-je ?* (1984), roman de la double quête d'une identité, poursuivent le thème de l'aliénation de la personne.

Classer Jean Cayrol dans une catégorie littéraire serait refuser à ses mots « leur droit à l'indécision ». Des œuvres comme *Poèmes-clefs* (1985), *les Châtaignes* (1986), ou les nouvelles contenues dans *Des nuits plus blanches que nature* (1987) le prouvent encore. L'originalité de cette œuvre de la durée et de la mémoire, de la parole et de l'espoir, vient de cette écriture à la fuyante immobilité, qui d'un roman toujours inachevé à un autre et jusque dans les quatre volets poétiques des années 1990 (*À voix haute*, 1990 ; *De vive voix*, 1991 ; *À pleine voix*, 1992 ; *D'une voix céleste*, 1994) attend du lecteur qu'il gomme toutes les ellipses, et lui renvoie l'image de sa plénitude.

B. Siot

CAZOTTE Jacques

(1719-1792)

Réduite trop souvent au *Diable amoureux*, l'œuvre considérable de Cazotte apparaît en fait comme une exploration minutieuse des aspects, des ressources et des significations du surnaturel dans le récit : du merveilleux à l'allégorique, de la satire d'actualité à une certaine forme de mysticisme. Un jeu qui pourrait sembler par trop systématique, s'il ne manifestait l'évolution de l'homme lui-même : adversaire résolu des Lumières, cherchant sa voie entre la tradition et l'illuminisme, tenté peut-être de prendre enfin « au sérieux » ce qui n'était d'abord qu'un « rêve éclos de sa pensée » (Gérard de Nerval).

De l'ironie au « mysticisme »

Né à Dijon, élevé chez les jésuites de sa ville, Jacques Cazotte y eut pour condisciples le futur dramaturge Antoine Bret et Jean-François Rameau, le célèbre « neveu ». Arrivé à Paris en 1740, il se fit connaître par des contes pseudo-orientaux à la manière de Gueullette, *la Patte du chat* (1741) et *les Mille et Une Fadaises* (1742). Attaché à l'administration de la Marine, il fut envoyé en poste à la Martinique (1747-1759). Son séjour aux îles se termina tristement : persécuté par le gouverneur, victime de l'escroquerie du jésuite La Valette, il rentra en France pour s'installer à Pierry, près d'Épernay, et se consacrer à la littérature. *Ollivier* (1763), roman en douze chants, emprunte à la fois au « genre troubadour » et à la tradition d'Hamilton ; *le Lord impromptu* (1767) mêle le surnaturel à la critique sociale ; vient enfin son chef-d'œuvre, la courte nouvelle du *Diable amoureux* (1772).

Lors d'un congé, en 1753, Cazotte avait activement participé à la Querelle des Bouffons, publiant des *Observations sur la lettre de Rousseau* pour soutenir les partisans de la musique française. Après son retour, il était demeuré en contact avec la vie intellectuelle parisienne : ami de Fanny de Beauharnais, « nègre » occasionnel de Jean-François Rameau (*la Nouvelle Raméide*, 1766), collaborateur de Sedaine pour un opéra-comique, *les Sabots* (1770), mais toujours critique à l'égard des Lumières. Contre Voltaire, une *Voltairiade* (1741) sans tendresse, et un septième chant parodique ajouté à une œuvre du maître, *la Guerre civile de Genève* (1768). Contre les philosophes en général, l'ironie de *la Patte du chat* qui les ridiculise sous le nom de « camayeuls », puis une condamnation sans nuances : « Philosophe, c'est la plus grande injure qu'on puisse dire à un homme » (lettre à Roignan, 1792). La moquerie est devenue de la haine : entre-temps, Cazotte s'est découvert une tête politique, et a connu l'aventure de l'illuminisme.

D'après G. Décote, l'affiliation de Cazotte à la secte martiniste, ainsi nommée d'après ses fondateurs, Martinès de Pasqually et son disciple Saint-Martin, est nettement postérieure à l'époque du *Diable amoureux* ; elle dura trois ans, entre 1778 et 1784. Peu attiré par la théurgie, Cazotte adhère en revanche à cet humanisme ambigu des Élus Coëns, qui voit en l'homme la victime d'un Satan omniprésent dans ses derniers écrits, *Rachel ou la Belle Juive* (1778) et surtout *la Continuation des Mille et Une Nuits* (1788), contes inspirés de textes orientaux recueillis et traduits par le moine d'origine arabe Dom Denis Chavis. La faveur avec laquelle Saint-Martin accueille la Révolution, où il voit pour sa part l'influence du diable, conduit Cazotte à rompre définitivement avec la secte et à se moquer des « empiriques » et des « sciences occultes ». Paradoxe : c'est après cette rupture qu'il sombre dans un véritable mysticisme politico-religieux (*Correspondance mystique* avec Laporte et Pouteau). Prêchant une contre-révolution fondée sur Dieu et le roi, il est arrêté après la découverte de lettres compromettantes et guillotiné. La célèbre « prophétie » de Cazotte détaillant, en 1788, les futurs massacres de la Terreur n'est qu'une légende fabriquée *a posteriori* par La Harpe. Mais elle montre à quel point l'auteur du *Diable amoureux* était devenu en son temps « une sorte de spécialiste mondain des esprits » (M. Milner).

Les métamorphoses du surnaturel

L'œuvre de Cazotte trouve son unité dans un recours systématique au surnaturel ; mais celui-ci change progressivement de nature. Au départ, un projet satirique banal, qui utilise le merveilleux oriental pour dire de façon allégorique les ridicules du temps présent – « camayeuls » [Philosophes] de *la Patte du chat* –, et où la réussite se mesure au degré de fantaisie et d'invention, comme cette étonnante bataille de meubles des *Mille et Une Fadaises*. Du merveilleux au surhumain : avec *Ollivier*, Cazotte découvre le procédé du surnaturel expliqué. Les croisades servant de toile de fond, deux mondes se juxtaposent : l'Orient maléfique et romanesque parcouru par un paladin d'opérette ; l'humanité vraie, où les apparitions diaboliques ne sont plus que des supercheries de brigands bien réels, et les prodiges du preux Ollivier, les simples manifestations d'un courage hors du commun. Le surnaturel n'est-il qu'une illusion des sens ? L'héroïne du *Lord impromptu*, déguisée en magicienne, conduit son fils à la reconquête de son rang social : méthode d'éducation originale, par quoi l'élève se plie à une volonté supérieure (au point de se costumer en fille !) qui par chance est foncièrement bonne. La mère, pour Cazotte, est la garante des traditions et des vertus familiales : on le verra dans *le Diable amoureux*. Dangereuse fascination, pourtant, et docilité inquiétante, si le guide est moins sûr ; témoin *le Diable amoureux* encore et son double, *Rachel ou la Belle Juive*, qui montre un roi d'Espagne oubliant ses devoirs politiques et conjugaux dans les bras d'une séductrice diabolique. Est-ce encore une allégorie couvrant une triste leçon de morale, ou sommes-nous déjà dans le fantastique, avec ces irruptions soudaines de mystère et d'irrationnel ?

Cazotte, « un poète qui croit à sa fable », écrira Nerval dans *les Illuminés*. Cela est sans doute vrai au temps de *la Continuation des Mille et Une Nuits* : Maugraby, magicien oriental, féconde les couples stériles pour s'emparer de leurs enfants ; l'un d'eux, après une série d'épreuves et d'exploits, et avec l'aide de Mahomet, parviendra à rompre le charme. L'apparence familière du démon Maugraby, « qui rôde autour de ceux qui lui paraissent mécontents », son habileté à exploiter les angoisses et les mesquineries humaines, ses attentions paternelles pour ses futures victimes, autant de preuves que cette « représentation du mal » correspond à « des convictions vécues » (M. Milner). Dans les interstices du romanesque oriental surgit un surnaturel authentique, et dangereux car il possède l'apparence banale du quotidien. Retour à l'Orient, mais comme révélateur et terre d'élection narrative d'un « Zatanaï » (Satan) difficilement tenu à distance d'écriture.

Le Diable amoureux

La gloire de Cazotte repose tout entière sur cette nouvelle publiée avec succès en 1772 : « originale et neuve », juge alors *l'Année littéraire*. Son grand mérite est d'offrir une pluralité de lectures possibles, depuis l'allégorie vulgaire – écoutez votre maman et méfiez-vous des aventurières – jusqu'au « surnaturalisme » décelé par Nerval et une tradition critique étonnée de découvrir chez l'auteur un savoir ésotérique aussi précis, en oubliant toutefois la vogue de la démonologie mondaine au XVIIIe siècle. *Le Diable amoureux*, fantaisie de salon ? P.-G. Castex doute du « sérieux » de Cazotte, et ne lui reconnaît que « des mérites purement littéraires ».

La solution du problème est à chercher au-dehors de l'œuvre dans la biographie de Cazotte, voire dans la critique externe du texte : une première version, où une seconde partie détaillait les malheurs d'Alvare devenu suppôt de Satan ; une première édition, où Alvare gardait son innocence et chassait Biondetta (1772) ; enfin le texte définitif (1776), avec une chute finale à demi rêvée... qui nous installe dans une incertitude plus grande encore !

SYNOPSIS

Alvare, jeune officier espagnol au service du roi de Naples, est initié à la cabale par un de ses camarades. Un soir, dans les ruines de Portici, il invoque le démon. Celui-ci lui apparaît sous la forme d'une horrible tête de chameau et lance un terrifiant *« Che vuoi ? »* Puis il se change en épagneul, en jeune homme et enfin en une ravissante jeune femme, Biondetta, qui, « déguisée » en page, se met au service d'Alvare. Celui-ci, de plus en plus séduit par un être qui multiplie les preuves de sa « féminité » – larmes, terreurs – au point de se laisser blesser par une rivale jalouse, et qui lui laisse l'illusion de sa liberté, est pourtant retenu par son sens de l'honneur et l'image de sa mère, la pieuse doña Mencia, qui lui apparaît en songe, puis sous la forme d'une vision dans une église vénitienne. Il emmènera donc Biondetta en Espagne pour la présenter à doña Mencia, qui bénira leur union. Irritation de Biondetta... Pendant le voyage, ralenti par de mystérieux obstacles, Alvare demeure inébranlable malgré les agaceries de Biondetta. Décidément contraint de recourir à la sorcellerie (et dès lors Alvare a gagné), le démon suscite une ferme où le jeune homme succombe enfin, tandis qu'apparaît à nouveau la tête de chameau. Plus de Biondetta ; arrivé chez sa mère, Alvare apprend que la mystérieuse ferme n'existe pas. Sa chute était-elle un rêve ? Ainsi que toute l'histoire ?

Sorcellerie ou littérature ? L'art de Cazotte consiste précisément à maintenir le lecteur dans le doute, ce qui est aussi un mérite littéraire... Biondetta, vraie femme et démon imaginaire, ou vrai démon et femme imaginaire ? L'hésitation est entretenue par un jeu narratif – épisodes attestant la féminité de Biondetta, ou au contraire ses pouvoirs magiques – et stylistique, Biondetta, « la » femme, est parfois désignée par des fonctions qui la rejettent vers une masculinité démoniaque, « mon créancier », « mon page ». Et cela jusqu'à la révélation finale, peut-être rêvée : « Je suis le Diable. » Alvare, de son côté, est pourvu de déterminations psychologiques contradictoires : soumis au « point d'honneur » et à la tradition, mais également grisé par une dangereuse liberté soudain découverte, celle d'aimer à sa guise et de jouer avec le feu. De toute façon, et quelle que soit la nature exacte de ces plaisirs défendus, le projet moral de Cazotte reste évident : mais la magie est assez discrète pour nous laisser savourer un des jolis romans libertins de ce siècle.

C'est pourtant l'« illusion » qui séduira les romantiques : Nerval, qui lui consacre un long article dans *les Illuminés*, mais aussi Hoffmann, Nodier, Gautier. Baudelaire, dans « le Possédé », n'oublie pas la conjuration dictée à Alvare par Biondetta : « Ô mon cher Belzébuth, je t'adore. » Il décèle aussi le sens symbolique de ce démon devenu tête de chameau : « Grand singe, grand serpent, mon petit âne mélancolique. De pareils caprices de langue trop répétés [...] témoignent d'un côté satanique dans l'amour [...]. Le chameau de Cazotte, chameau, diable et femme » *(Fusées)*. Ce « fantastique appliqué » (Étiemble), du moins un peu abstrait, suffisait à combler la part de rêve d'une époque sûre d'elle-même. En va-t-il toujours ainsi ? Au « Che vuoi ? » de Biondetta, l'on répondrait plutôt, de nos jours, par Maupassant ou Edgar Poe. [Voir aussi **Illuminisme et littérature**.]

J.-P. de Beaumarchais

CÉARD Henry

(1851-1924)

Romancier et dramaturge. Né à Bercy, Henry Céard tira sa subsistance d'une vie de fonctionnaire, comme Huysmans et Maupassant – ce qui lui permit de mener parallèlement une activité littéraire : ses premières nouvelles parurent en revue : « Une attaque de nuit » (*la Revue littéraire*, août 1877), « Mal-Éclos » (*Slovo*, revue russe, janvier-février 1880, sous le titre « Mal-Grandi »), mais c'est avec *la Saignée*, publiée dans l'ouvrage collectif *les Soirées de Médan* (1880), que le nom de Céard émergea, à côté de ceux d'Hennique, de Huysmans, d'Alexis, de Maupassant et de Zola. Ses positions antidreyfusardes devaient l'opposer au maître de Médan quelques années plus tard. Le succès littéraire de Céard fut confirmé par *Une belle journée* (1881), où l'on vit le type du roman naturaliste, suivie en 1906 d'une œuvre encore plus pessimiste : *Terrains à vendre au bord de la mer*. Par contre, les tentatives théâtrales furent presque toutes des échecs : adaptation manquée de *Renée Mauperin*, à l'Odéon (1886) ou pièces écrites pour Antoine : *Tout pour l'honneur* (1887), *les Résignés* (1889), *la Pêche* (1890). *Une belle journée* est incontestablement la réussite de Céard – ce qu'un critique contemporain définissait ironiquement : « Ni poésie, ni sentiment, ni intérêt, rien, rien, absolument rien ! […] Et rien, pas dans une nouvelle de quelques pages, mais rien dans tout un volume. » Si le jugement est dur, le roman est bien néanmoins ce « livre sur rien » dont rêvait Flaubert : plus de trois cent cinquante pages pour raconter le souvenir d'une journée durant laquelle Mme Duhamain a failli tromper son architecte de mari avec le voisin du dessus. « Une belle journée », comme le répètent les personnages, « pensant moins à la journée présente qu'à celle-là, moins précise, qu'ils rêvaient » – une formule antiphrastique qui finit par ne plus désigner que la plate monotonie des jours. Certes, le roman est d'abord un pastiche de Flaubert, avant l'« affaire Lemoine », mais avec un rien de déviance qui fait tout l'intérêt du jeu romanesque. De la phrase flaubertienne Céard a saisi les clausules (« Le fiacre continuait sa course, mollement », ou l'incipit, qui rappelle celui d'*Un cœur simple* : « Le quartier de Picpus ne mit jamais en doute la vertu de Mme Duhamain »), l'emploi de l'indirect libre dans le dialogue (« Elle donnerait donc de la tablature à tout le monde ? ») ou dans le récit, pour exprimer l'expansion de la rêverie (« Ils courraient dans les chemins perdus, sentant à travers leurs chaussures la fraîcheur molle de l'herbe »). Mais si l'on retrouve les rêveries d'Emma Bovary ou les tentations de Mme Arnoux, la galanterie calculée de Rodolphe, une scène de bal ou de fiacre, si M. Duhamain évoque Arnoux, si le roman est tout entier fondé sur les désillusions, le récit de Céard n'est pas un simple démarquage (c'est, si l'on veut, *Madame Bovary* vingt-cinq ans plus tard), mais l'écriture d'une journée dont la durée est rendue perceptible par l'impatience progressive de Mme Duhamain et ces effets qu'Apollinaire comparait au « ralenti » cinématographique. La vie est devenue uniformément petite-bourgeoise : plus d'élans romantiques, mais les retombées ; le bal se tient au « Salon des familles », Mme Duhamain (qui n'est jamais appelée « Ernestine » que dans des contextes dérisoires) reprise et cuisine le pot-au-feu. Le pittoresque du langage est systématisé : les clichés de M. Duhamain (« se monter le bourrichon », « soupape de sûreté ») rejoignent ceux de Trudon (« très satisfait au-dedans de soi de pouvoir "tenir le crachoir" aussi longtemps »), le mari et l'amant finissant par se ressembler. Plus trivial, le récit est aussi plus didactique ; mais les conclusions passent par le discours intérieur de Mme Duhamain : « Et puisque les réalités s'imposaient, sans cesse moindres que les rêves, le mieux consistait à s'étendre dans une platitude définitive. » De la réécriture de Flaubert, le roman s'oriente vers les recherches d'un Dujardin.

A. Pierrot-Herschberg

CÉLINE Louis-Ferdinand

Pseudonyme de ***Louis Ferdinand Destouches*** *(1894-1961)*

Malgré l'événement littéraire que constitua en 1932 *Voyage au bout de la nuit*, l'œuvre de Céline n'est pas encore bien connue du public ni intégralement examinée par la critique. Le demi-silence qui l'environne reflète la gêne qui entoure les souvenirs de la montée du fascisme en France et la responsabilité partagée de l'extermination des juifs. Quoi qu'il en soit, l'œuvre de Céline est brutalement contemporaine, par sa violence, par la nouveauté radicale de son écriture, par les passions qu'elle charrie, du mépris des autres au dégoût de soi et de la nostalgie à la haine, et, par les réactions qu'elle provoque, du rire à la répulsion.

Toute une vie de fuite en avant

Louis Destouches eut une vie mouvementée, errante, qu'on dirait sans cesse en quête d'un bonheur immédiatement dénigré, comme tendue à la recherche d'une malédiction. Cette vie fut d'ailleurs sensiblement différente de la légende biographique que le romancier mythomane se forgea d'interviews en fausses confidences.

Fils unique de petits bourgeois relativement aisés, il est élevé avec soin et préparé à la carrière commerciale ; après le certificat d'études, il va apprendre à l'étranger l'anglais et l'allemand, puis il commence son apprentissage. Il l'achève chez un joaillier renommé, qui lui offre de l'embaucher une fois libéré de ses obligations militaires, de sorte que, devançant l'appel, il s'engage dans les cuirassiers en 1912. L'ébranlement physique et moral de la guerre va effacer ce chemin tracé d'avance.

Après trois mois de combat, il est blessé à un bras lors d'une action pour laquelle il s'est porté volontaire. Peut-être a-t-il également subi un choc à la tête, commotion à l'origine des céphalées du « vertige de Ménière » (selon son propre diagnostic) dont il se plaindra jusqu'à sa mort. Destouches rapporta du front un pacifisme radical, des cicatrices physiques et une médaille militaire qu'il fera tinter fièrement tout le reste de sa vie. À Londres, où il est affecté, il mène joyeuse vie, fréquentant le « milieu » de Soho ; il y épouse une entraîneuse de bar et omet de déclarer ce mariage au consulat de France. Réformé, il part chercher fortune au Cameroun en 1916. Il rentre à Paris sans l'avoir trouvée et se met à vivre d'expédients divers. En 1918, il se fait engager par la mission Rockefeller et circule en Bretagne. Son ascension sociale, grâce à l'amitié du docteur Gunn, médecin de la mission, va pouvoir commencer.

Le voici bientôt bachelier. Le voici marié à la fille du professeur Follet (de l'École de médecine de Rennes) et père d'une fille. Le voici accomplissant le cursus accéléré, prévu pour les anciens combattants, des études de médecine. Voici qu'il s'intéresse à la recherche médicale. Voici qu'en 1924 il est reçu docteur avec une thèse remarquée sur *la Vie et l'Œuvre de Philippe-Ignace Semmelweis*. Mais il n'est pas tenté par un bonheur bourgeois et rennais, et le docteur Gunn ménage son entrée à la section d'hygiène de la S.D.N. à Genève. Les missions dont on le charge lui permettent de découvrir l'Amérique du Nord en 1925 et de revoir l'Afrique en 1926. Mais il y a trop d'israélites pour lui à la S.D.N. (il écrit *l'Église*), trop de réunions, de rapports à rédiger. Il rentre à Paris en 1927 avec Elizabeth Graig, la future dédicataire de *Voyage*, avec qui il connaîtra jusqu'en 1933 une liaison orageuse. Il semble qu'il ait passionnément aimé cette jeune danseuse américaine – après elle, il ne s'éprendra guère que de danseuses – de mœurs fort libres (« J'ai toujours aimé que les femmes soient belles et lesbiennes. […] Voyeur certes et enthousiaste consommateur un petit peu mais bien discret !.. »). Le cabinet médical qu'il ouvre alors ne lui rapportant guère, il entre au dispensaire municipal de Clichy en 1929. C'est alors, à trente-cinq ans, qu'il se met à écrire *Voyage*, dont le succès va changer le cours de sa vie. Il ne cesse pas cependant de sillonner l'Europe, généralement aux frais de la S.D.N.

Voyage au bout de la nuit, qui éveille un immense écho, pour et contre, dans la presse, ne lui apporte pas le Goncourt mais le Renaudot et la célébrité. Denoël publie aussitôt *l'Église* (1933). Tandis qu'il écrit *Mort à crédit*, Céline continue à assurer ses activités de médecin et à voyager aux États-Unis et en Europe. En 1936, le succès de scandale de *Mort à crédit* lui donne définitivement une place dans la littérature ; Gallimard publie *Secrets dans l'île* ; *l'Église* est créée à Lyon.

1936, c'est l'année du Front populaire en France et du commencement de la guerre en Espagne : Céline se lance à corps perdu dans l'engagement politique. De retour d'U.R.S.S., il publie immédiatement un pamphlet anticommuniste, *Mea culpa* – Denoël épaissit le volume en y joignant *la Vie et l'Œuvre de Semmelweis*. Pendant l'été 1937, qu'il passe en Bretagne (il y séjournera tous les étés jusqu'à son départ pour l'Allemagne), il écrit *Bagatelles pour un massacre*, son premier pamphlet antisémite. Dès avant sa publication, il démissionne de son emploi au dispensaire de Clichy. La publication, en novembre 1938, de *l'École des cadavres* le range parmi les pro-hitlériens affichés. En automne 1939, après une nouvelle tentative malheureuse pour ouvrir un cabinet médical, il se fait recruter comme médecin de bord sur un navire réquisitionné. Mais le bâtiment est gravement endommagé, et Céline se retrouve médecin au dispensaire de Sartrouville, avec le personnel duquel il partira sur les routes de l'exode. La défaite française lui inspire *les Beaux Draps* ; lors du lancement de ce quatrième pamphlet, en février 1941, l'hebdomadaire *la Gerbe* publie un « Acte de foi » signé Céline qui sera suivi, pendant l'Occupation, de trente-quatre autres textes de même nature : « lettres privées », dira Céline – « lettres ouvertes » quoi qu'il en soit. Sans adhérer à aucun parti, il devient une figure familière des manifestations du Paris collaborationniste. Il retourne pendant ce temps à son travail romanesque (*Guignol's Band I*, 1944), qu'il ne quittera plus. En 1943, il épouse Lucette Almanzor, sa compagne depuis sept ans, avec laquelle il quitte la France en juin 1944. Il partage alors la vie de la colonie vichyssoise de Sigmaringen, d'où il part en mars 1945 pour le Danemark, où il avait placé ses biens.

La France demande son extradition au gouvernement danois, qui la refuse mais qui incarcère Céline à la prison de Copenhague de décembre 1945 à novembre 1946. En mai 1948, Céline s'installe à Klarskovgaard chez son avocat. Tandis que, le second tome de *Guignol's Band* (*le Pont de Londres*) étant achevé, il travaille à *Féerie pour une autre fois*, et tandis que son procès s'instruit à Paris, Céline recommence à publier en 1948 : *Casse-pipe* et *À l'agité du bocal*. La cour de justice de la Seine le condamne par contumace en février 1950 à un an de prison, à 50 000 francs d'amende, à la dégradation nationale et prononce la confiscation de ses biens à concurrence de la moitié. Amnistié un an plus tard, il rentre en France en juillet 1951.

Il s'installe à Meudon, ouvre un cabinet médical, tandis que Lucette donne des leçons de danse. Il signe un contrat avec la maison Gallimard, qui publie *Féerie pour une autre fois*, réédite la totalité de son œuvre (à l'exception des quatre pamphlets) en 1952 et va désormais publier son œuvre au fur et à mesure de sa rédaction : *Normance* et la pré-originale d'*Entretiens avec le professeur Y.* en 1954, *D'un château l'autre* en 1957, *Nord* en 1960. Céline vit à Meudon, au milieu des chiens et des chats, dans un travail acharné, et dans un isolement qui diminuera à partir de 1957 : il reçoit quelques fidèles amis, et, après que la réédition en livre de poche, en 1956, a marqué le premier pas de sa redécouverte par le grand public, l'attention des journalistes se fixe à nouveau sur lui à l'occasion de la sortie *D'un château l'autre*. Le 30 juin 1961, il achève la seconde version de *Rigodon* ; il meurt le lendemain. Céline devient un objet d'étude pour la critique universitaire et la quasi-totalité de son œuvre littéraire est publiée dans les collections de poche.

Seul face à son temps

Alors que la toute première critique célinienne, à la fois sympathisante et gênée, avait préféré isoler en Céline le romancier et présenter les textes engagés comme de singuliers délires, la tendance actuelle de la critique consiste à envisager toute l'œuvre de front.

Il semble que la préoccupation sociale et historique ait été centrale pour lui, sur tous les plans de son activité. Incapable de ne pas se sentir concerné par ce qui l'entourait, il prenait parti, présentait sa propre vision des problèmes, avançait des solutions « simples ». Ainsi, comme médecin, c'est aux aspects sociaux de sa profession qu'il s'est intéressé, à l'hygiène, à la prévention ; et ses articles de médecine sociale de 1928 sont des textes engagés qui manifestent un grand appétit de réorganisation sans « humanitarisme désuet et nuisible ». Comme écrivain, il a choisi de traiter les problèmes de son temps, soit qu'ils servent de points de mire à ses romans (tous à la première personne), soit qu'ils constituent le sujet de pamphlets. En 1932, *Voyage* parle de la guerre, du nationalisme, du colonialisme, de l'*american way of life,* de la misère populaire. En 1936, *Mort à crédit* regarde en arrière vers ce qui achève d'être dépassé par le capitalisme et la standardisation (le petit commerce, l'artisanat, la « débrouille » individuelle, les inventions solitaires), tandis que *Mea culpa*, empoignant le présent, s'attaque au communisme. En 1937, *Bagatelles pour un massacre* part en guerre contre le « péril juif » et « judéo-bolchevique ». Après Munich, *l'École des cadavres* poursuit le même discours et prêche l'association avec l'Allemagne. En 1941, *les Beaux Draps* expliquent la défaite dans la même optique et accusent de tiédeur la Révolution nationale. En 1944, *Guignol's Band* prend pour cadre Londres, pendant la Première Guerre mondiale. Les romans suivants reviennent tous sur diverses phases de la guerre : l'action de *Féerie pour une autre fois I* et *II* se situe au moment de l'épuration et de l'emprisonnement de l'auteur au Danemark et lors d'un bombardement à Montmartre en 1944 ; *D'un château l'autre* présente la vie quotidienne de Céline à Sigmaringen jusqu'à l'enterrement de Bichelonne, cette dernière cérémonie officielle de ce qui aura été l'État français ; *Nord* et *Rigodon* évoquent ses pérégrinations dans l'Allemagne de la débâcle après et avant son séjour à Sigmaringen.

Céline s'estimait « anarchiste » (l'historien estimera que, si anarchisme il y a, il s'agit de cet anarchisme individualiste, descendant de Max Stirner par Georges Darien, qui a fourni quelques alliés à l'extrême-droite). Il se posait seul contre tous, persécuté par tous les conformismes qu'il pourfendait, seul à vouloir rétablir la justice et la fraternité dans un monde envahi par l'exploitation, la guerre, la bêtise, la décadence et la lâcheté ; quelque complicité qu'il pût trouver en lui-même avec cet état de choses : « L'anarchie partout et dans l'arche, moi Noé, gâteux » (*Voyage*). Il disait que son « idéal » était Semmelweis, ce médecin qui ne parvint pas à faire admettre ses découvertes sur l'asepsie et dont il fait, dans sa thèse, un martyr de la bêtise, persécuté en raison même du bien qu'il voulait à l'humanité. Il a mené sa recherche littéraire avec la même volonté de marginalité, élaborant un style neuf « pour rendre les autres illisibles ».

« La mort m'habite. Et elle me fait rire. »

De Trotski à Léon Daudet, la plupart des critiques ont vu en lui un « moraliste », d'un pessimisme radical. Car cet écrivain qui s'est voulu témoin et chroniqueur ne croit pas à une progression logique de l'histoire, mais raisonne par analogie au sein d'une vision cyclique (rencontrant ainsi la conception fasciste de l'histoire) ; son œuvre est fondée sur une conception de la « nature humaine » éternelle, abjecte, irrécupérable, qui se lit dans les personnages des récits, dans les commentaires du narrateur (qui abondent dans tout récit célinien) et dans les pamphlets. De fait, il n'y a pas de solution de continuité entre le mépris de *Voyage* (« Nos pères nous valaient bien. [...] Haineux et dociles, violés, volés, étripés et couillons toujours, ils nous valaient bien ! ») et, dans *Mea culpa,* la haine du socialisme coupable d'espérer en l'avenir alors que la seule « révolution » serait celle de l'« aveu » de notre abjection (« La grande supériorité pratique des grandes religions chrétiennes, c'est qu'elles doraient pas la pilule [...]. Elles saisissaient l'Homme au berceau et lui cassaient le morceau d'autor [...]. Toi, petit putricule informe, tu seras jamais qu'une ordure ! » ; « La grande prétention au bonheur, voilà l'énorme imposture ! »). L'affirmation répétée « La Vérité c'est la Mort » explique tout : l'histoire et les massacres, le comportement individuel (il se fonde sur l'idée d'un « instinct de mort » triomphant, d'un sadomasochisme universel) et sa propre démarche.

Car la mort est la provocation première de cette œuvre. Céline n'en faisait pas mystère (« Ça inspire la mort ! c'est même la seule chose qui inspire ! ») et voyait dans l'imaginaire le seul moyen, pour tout homme, de supporter de vivre. La critique psychanalytique s'est intéressée aux fantasmes (narcissiques, mégalomaniaques, sadomasochistes...) qui parcourent l'œuvre et voit dans cette entreprise, dont les pamphlets ne sont que les cas les plus voyants, une forme de suicide. Céline considérait aussi la « mort » comme son antagoniste esthétique : il fait l'apologie de l'instinctif et de l'irrationnel (rencontrant d'ailleurs ici aussi l'idéologie fasciste), par opposition au rationalisme, considéré comme stérilisateur ; tout son travail du style tend à revivifier la langue française traditionnelle, langue morte à ses yeux avec son vocabulaire « châtré » et sa syntaxe pétrifiée.

La psychanalyse n'est pas la seule à expliquer le millier de pages antisémites des pamphlets (sans qu'il soit besoin de supposer avec Sartre qu'« il était payé » et sans adopter non plus l'opinion irrecevable de Gide selon laquelle l'outrance même de son antisémitisme viserait à le démystifier). Les historiens montrent en effet que la thématique de Céline correspond à l'argumentation nazie ; les métaphores biologiques, les statistiques fausses, le travestissement de l'histoire, la définition d'un art « enjuivé » servent à charger les juifs (et les francs-maçons) de tout ce que Céline déteste, et à dépeindre un « complot mondio-Lévy-Blum » qui pousse à la guerre par sa propagande « judéo-bolchevique » et « judéo-capitaliste », toute démocratie étant une « dictature juive » ; cela mène au souhait de l'extermination juive et à « je me sens très ami d'Hitler, très ami de tous les Allemands, je trouve que ce sont des frères, qu'ils ont bien raison d'être racistes. Ça me ferait énormément de peine si jamais ils étaient battus. Je trouve que nos vrais ennemis c'est les juifs et les francs-maçons » (*l'École des cadavres*). On a également expliqué cet engagement politico-raciste par des facteurs biographiques et sociologiques : la tradition antidreyfusarde de sa famille ; ses démêlés avec tel ou tel israélite, son ultra-pacifisme d'ancien combattant ; la violence de sa révolte que n'aiguillait aucune conscience de classe…

La fascination de la mort n'affecte pourtant pas l'œuvre de Céline de morosité, car la dérision équilibre, le plus souvent, voire occulte le désespoir (« On peut encore aller danser musette au cimetière et parler d'amour aux abattoirs, l'auteur comique garde ses chances » ; « Je ne me réjouis que dans le grotesque aux confins de la mort »). L'optimisme tragique du narrateur ne se dément presque jamais. La gamme du rire célinien est extraordinairement étendue et repose sur des techniques et des procédés littéraires nombreux. Certains de ces procédés semblent l'apparenter au comique rabelaisien (invention verbale, obscénité, scatologie…), d'autres plutôt à l'opérette ou au vaudeville 1900 (le burlesque, la parodie, le sous-entendu…), d'autres à la farce ubuesque (la caricature, l'absurdité, l'hyperbole…), d'autres à la « fantaisie » romantique. Ce comique souvent gratuit mais qui dénonce la « comédie humaine » est fréquemment théâtral ou cinématographique : Céline avait d'abord incliné vers la comédie (*Progrès, l'Église*) et l'on retrouve dans tous ses romans l'art du dialogue cocasse, des situations embrouillées et déconcertantes, des postures grotesques et des mimiques divertissantes, des caractères ridiculisés.

De l'« impressionnisme » à l'« attentat »

Si *Voyage* est typique de l'idéologie de Céline, il ne permet pas de prendre pleinement la mesure de ses ambitions littéraires (« au point de vue technique, c'est un peu attardé », disait-il) – voir *infra*. Car, en trente ans de recherche (ses manuscrits sont très travaillés), sa technique s'est progressivement conquise, contre la langue conventionnelle. La rédaction des pamphlets et l'exil danois ont eu pour effet de radicaliser et systématiser son écriture. C'est en 1937, dans *Bagatelles*, et en 1954, dans *Entretiens avec le professeur Y.*, que Céline expose son esthétique.

« Hallucinant » est un mot qui revient sous la plume des critiques. Céline, lui, parle sans cesse du « délire » comme point de départ de la création, de l'« émotion » qu'il s'agit de « rendre ». Ce n'est pas la réalité raisonnablement décrite qui l'intéresse, mais l'émotion qu'elle provoque, les fantasmes qu'elle suscite. Pour atteindre au « lyrisme », le romancier, dit-il, doit en passer par l'autobiographie ; de fait, la critique montre que la part de l'« invention » est mince : Céline ne cesse de remettre en scène son passé ou, plutôt, de le transposer fantasmatiquement autour d'une figure de narrateur qui se modifie d'œuvre en œuvre, du Bardamu du *Voyage* au Céline de *Rigodon* en passant par le Ferdinand dédoublé de *Mort à crédit*. Le récit se veut « émotif » ; c'est dire que, quel que soit le roman, les personnages, décor et situations, stylisés selon le même onirisme, ont un air de famille. Partout on retrouve une boiteuse ou un cul-de-jatte, une vieille dame exquise, un vieux monsieur lubrique, une jeune personne malicieuse, un ami envieux, un chien fidèle, etc. Les décors ne sont jamais neutres du point de vue émotionnel, soit qu'on y étouffe (que de souterrains dans cette œuvre !) ou qu'on s'y perde, soit que le délabrement et la pourriture les décomposent, soit qu'ils s'ouvrent en espaces libérateurs sur la mer ou sur un vieux paysage charmant. Pour complexes qu'elles soient, des situations identiques se retrouvent : délires du narrateur, foules en folie, ruses et trahisons, pertes et retrouvailles, fuites et états de siège. C'est dire aussi que Céline travaille ses angles de vue d'une façon que certains jugent cinématographique (scènes muettes dans *Mort à crédit*, gros plans brutaux dans *Casse-pipe*, balayages à 360° dans *Féerie*, interminables plans fixes dans *D'un château l'autre*). La narration se fait plus subjective encore dans la trilogie finale, où l'ordre psychologique remplace quelquefois l'ordre chronologique dans l'enchaînement des souvenirs. Céline infléchit de plus notre lecture grâce à la présence, à partir de *Mort à crédit*, de prologues qui signalent, tels des ouvertures musicales, quels seront les thèmes récurrents de la narration.

La prouesse littéraire de Céline, par laquelle il a fait date et souche dans la littérature, c'est la mise au point de son « style émotif », apte à prendre de court les défenses psychiques et la vigilance rationnelle du lecteur. Cette écriture s'avoue terroriste : « Le lecteur qui me lit ! il lui semble, il en jurerait, que quelqu'un lui lit dans la tête !.. dans sa propre tête !... [...] Pas simplement à son oreille !... non !... dans l'intimité de ses nerfs ! » ; « Le style au plus sensible des nerfs ! – C'est de l'attentat ! – Oui, je l'avoue ! » Pour Céline, subvertir la langue pour tâcher d'échapper aux codes socio-linguistiques et socio-culturels, déconcerter et capter le lecteur, c'est tout un. Il s'agit pour cela de « retrouver l'émotion du "parlé" à travers l'écrit », en se fondant non pas sur le véritable langage parlé, mais sur son « souvenir ». Le « style émotif » quintessencie ainsi le langage oral populaire, en même temps qu'il le déborde. Par exemple, l'incroyable densité des figures de rhétorique (la luxuriance des métaphores, la malice des pseudocitations et des litotes, la fureur des hyperboles, etc.) vise à transcrire la spontanéité imagée du conteur ou la gouaille parisienne mais les outrepassent vers la poésie, vers la comédie, vers l'épopée. De même, la morphologie et la syntaxe imitent les « incorrections » de la langue populaire – par exemple, l'emploi systématique du « on » pour « nous », certaines orthographes (« on louvoye »), le rappel (« je *le* connaissais pas *ce prêtre* », « *la bignolle son* souci c'est Jules ») – mais ne visent pas qu'à l'imitation. C'est par son rythme que ce style est immédiatement émotif et émouvant ; le souffle célinien est spécifique, quel que soit le parti pris, que ce soit la brièveté des phrases de *Voyage*, l'alternance, dans *Mort à crédit* et *Guignol's Band*, de l'abondance ahurissante et du laconisme, ou, à partir de *Guignol's Band*, ce halètement infatigable qui finira par venir à bout de la respiration ordinaire de la syntaxe française et par lui substituer ce que Céline appelait sa « petite musique ». Le glissement de la syntaxe à la parataxe devient flagrant avec *Féerie* : une majuscule de temps en temps nous rappelle que la phrase existe encore, mais c'est un tissu lâche, troué par une ponctuation qui, sans recourir à aucun signe nouveau, s'enrichit, par combinaison, de nuances originales de la voix ; après une utilisation très personnelle de la virgule dès *Voyage*, après la découverte de « … » et « ! » dans *Mort à crédit*, voici « !... », « ! ! », « ! ? », « ? !... », etc. Le rythme devient, avec *Guignol's Band*, extraordinairement rapide (« vous écrirez "télégraphique" ou vous écrirez plus du tout ») ; cette rapidité est faite d'anomalies syntaxiques : l'omission d'éléments jugés superflus pour la compréhension, pronoms (« [il] faut », « [ils] sont »), prépositions (« virer [au] rouge »), etc. ; ainsi la syntaxe est perturbée gravement ; par exemple, « que » devient le substitut de divers relatifs et conjonctions (« elle va bien rire, qu'elle a un mari si fainéant »), la transitivité ou la réflexivité des verbes est ébranlée (« tout écroulera »). La syntaxe célinienne ne s'enrichit pas seulement en aval mais aussi en amont : on repère une préciosité célinienne, faite d'archaïsmes, de passés simples rares, d'imparfaits du subjonctif indemnes.

Céline est un inventeur de mots, sa création verbale s'appuie sur l'emploi du vocabulaire non conventionnel (argotique ou populaire), emploi qui s'explique de plusieurs façons : l'argot signale le caractère radicalement subversif-subjectif du discours, il est une langue de la complicité irréfléchie ; et surtout, nous dit Céline : « L'argot est un langage de haine qui vous assoit très bien le lecteur… l'annihile ! » Mais plus que son glossaire, c'est son fonctionnement qu'il emprunte à l'argot, langue en perpétuel engendrement. Parmi les procédés du néologisme célinien, quatre appartiennent au français conventionnel, la préfixation (« se *para*foutre de »), la suffixation (« prous*ter* »), l'aphérèse ([*a*] « bominable »), l'apocope (« d'autor » [*ité*]) ; d'autres sont connus du seul argot, l'adjonction de syllabes (« mousta*ga*che »), la métathèse (« *na*cer »), la surimposition (« miraginer », de « mirage » et « imaginer ») ; d'autres du seul Céline, le redoublement (« un troutroubadour »), la contraction (« tintabuler »), l'emprunt inexact aux autres langues (« furia canto »)… Au-delà des « émotions » ainsi « rendues », tant de néologismes communiquent au lecteur, dans les dernières œuvres, l'euphorie même de la langue.

Quand Céline résumait ce qu'il fallait retenir de Rabelais, en disant : « La langue, rien que la langue. Voilà, l'important. Tout ce qu'on peut dire d'autre, ça traîne partout », ne nous dictait-il pas ce qu'il voulait qu'on retienne de lui ? Il plaignait Rabelais, mort sans postérité littéraire, d'avoir « raté son coup ». Il semble qu'il est temps, sans vouloir nier les responsabilités atroces que Céline a partagées, d'admettre que, lui, il l'a réussi.

	VIE	ŒUVRE
1893	Mariage de Ferdinand, Auguste (familièrement : Fernand) Destouches et de Marguerite, Louise, Céline Guillou.	
1894	**27 mai :** naissance à Courbevoie de Louis, Ferdinand, Auguste Destouches. L'enfant est mis en nourrice dans l'Yonne.	
1897	Rejoint ses parents rue de Babylone, à Paris.	
1898	**Nov. :** la famille emménage au 9, rue Ganneron, à Montmartre.	
1899	**Juill. :** elle s'installe pour huit ans passage Choiseul.	
1900	**Exposition universelle de Paris.** **Oct. :** entrée à l'école communale, rue Louvois.	
1904	**Déc. :** mort de Céline Guillou, grand-mère de Louis.	
1905	**Févr. :** entrée à l'école Saint-Joseph des Tuileries. **Mai :** première communion.	
1906	**Sept. :** entrée à l'école communale, rue d'Argenteuil.	
1907	**Juin :** certificat d'études primaires. **Août :** début d'un séjour linguistique à Diepholz (Hanovre).	
1908	**Juill. :** fin du séjour à Diepholz. **Sept.-déc. :** séjour à Karlsruhe.	
1909	**Févr. :** séjour linguistique à Rochester. **Mars-nov. :** séjour à Broadstairs, près de Ramsgate.	
1910	Entre en apprentissage, chez un marchand de tissus, puis chez un joaillier.	

	VIE		ŒUVRE
1911	**Avr. :** second apprentissage en joaillerie. **Oct. :** entre comme apprenti chez Lacloche, chez qui il travaille à Paris et à Nice.		
1912	**Sept. :** s'engage pour trois ans au 12e régiment de cuirassiers, à Rambouillet.		
1913	**Août :** nommé brigadier.	**1913**	**Nov.-déc. :** rédaction des notes qui constitueront le « Carnet du cuirassier Destouches » (in *les Cahiers de l'Herne,* 1965, puis in *Casse-pipe,* 1970).
1914	**Mai :** nommé maréchal des logis. **1er août : mobilisation générale.** Le 12e cuirassiers est engagé à Audun-le-Roman, puis en Argonne, puis dans les Flandres. **27 oct. :** blessé par balle au bras droit près de Poelkapelle. Cette blessure, qui lui vaut la médaille militaire et la croix de guerre, est soignée à Hazebrouck, puis au Val-de-Grâce, puis à Villejuif, puis à Vanves.		
1915	**Mai :** affecté au consulat général de France à Londres. **Sept. :** réformé, il reste à Londres.		
1916	**19 janv. :** mariage avec Suzanne Nebout, vingt-quatre ans. Revenu seul à Paris en mars, il est engagé par la Compagnie forestière Sangha-Oubangui comme surveillant de plantation ; il arrive en juin à Douala et travaille à Bikobimbo, puis à Dipikar (Cameroun).	**1916**	Du séjour en Afrique datent les premiers écrits littéraires conservés : deux poèmes et une traduction de Kipling.
1917	**Avr. :** se fait rapatrier pour raison de santé. Vers sept., il commence à travailler avec Raoul Marquis, dit Henry de Graffigny, rédacteur de la revue de vulgarisation scientifique *Eurêka.*	**1917**	**Avr. :** la nouvelle « Des vagues » est écrite pendant cette traversée, in *Lettres et Premiers Écrits d'Afrique 1916-1917* (Gallimard, 1978, coll. « Cahiers Céline », n° 4).
1918	**Févr. :** signe une traduction dans *Eurêka.* **Mars-déc. :** engagé avec Marquis par la mission Rockefeller contre la tuberculose, circule en Bretagne. Il y rencontre Édith Follet.		
1919	Lors d'une campagne de la mission dans le Bordelais, obtient à Bordeaux les deux parties du baccalauréat (en avril et juillet). **10 août :** mariage avec Édith. Installation à Rennes, 6, quai Richemont. Inscription à la Faculté des sciences pour préparer le P.C.N.		
1920	**Avr. :** inscription à l'École de médecine de Rennes. **Juin :** naissance de Colette Destouches. Après un séjour au laboratoire de zoologie marine de Roscoff, communication à l'Académie des sciences sur les *Convoluta* (oct.).		
1921	**Avr. :** autre communication, sur les *Galleria mellonella.*		
1922	**Oct.-déc. :** stage à la maternité Tarnier, à Paris. **Déc. :** quitte l'École de médecine de Rennes, dont il a terminé le cursus, pour la faculté de Paris.		
1923	**Janv. :** stage d'obstétrique à l'hôpital Cochin. **Juin :** obtention des derniers examens de médecine. **Juin-oct. :** assure des remplacements à Rennes. **Nov. :** est tenté d'entrer à l'Institut Pasteur.		
1924	**Mai :** soutenance de la thèse pour le doctorat en médecine. **Juin :** entre à la Section d'hygiène de la S.D.N. Installation à Genève pour trois ans, sans son épouse.	**1924**	Publication de la thèse de médecine *la Vie et l'Œuvre de Philippe-Ignace Semmelweis (1818-1865),* qui sera portée à la connaissance du grand public douze ans plus tard (Denoël et Steele, 1936).

	VIE		ŒUVRE
1925	**Févr.-août :** conduit une mission médicale à Cuba, aux États-Unis, au Canada, en Europe.	**1925**	Publie, à compte d'auteur, *la Quinine en thérapeutique*.
1926	**Mars-juin :** conduit une mission sur la côte africaine, du Sénégal au Nigeria. **Juin :** son divorce est prononcé à ses torts. **Fin 1926** (ou **début 1927**) : rencontre Elizabeth Craig.	**1926**	**Fin 1926 (ou début 1927) :** début de la rédaction de *l'Église*.
1927	**Déc. :** expiration du contrat avec la S.D.N. S'installe en clientèle privée 36, rue d'Alsace, à Clichy.	**1927**	Rédaction de *Périclès, farce en trois tableaux et petits divertissements,* titre corrigé en *Progrès* (Mercure de France, 1978). **Oct. :** la N.R.F. refuse le manuscrit de *l'Église*.
1928	**Avr. :** élu membre de la Société de médecine de Paris. Deux publications : *À propos du service sanitaire des usines Ford* (en mai) ; *les Assurances sociales et une politique économique de la santé publique* (en novembre). Fréquente l'hôpital Laennec. À la fin de l'année, se met à travailler pour un laboratoire pharmaceutique, qu'il quittera en décembre 1937.	**1928**	**Juill. :** la N.R.F. refuse le manuscrit de *la Vie de Semmelweis*.
1929	**Janv. :** assure une vacation quotidienne au dispensaire municipal de Clichy ; il y travaillera jusqu'en déc. 1937. **Mars :** voyage à Londres (subventionné par la S.D.N., comme tous ses voyages jusqu'en déc. 1932). **Avr.-sept. :** quatre publications médicales. **Août :** emménage 98, rue Lepic, où il vivra jusqu'en 1940. **Déc. :** voyage en Europe du Nord.	**1929**	**Fin de l'année :** début probable de la rédaction de *Voyage au bout de la nuit*. Il y travaille le soir et au dispensaire.
1930	Entre comme rédacteur dans un second laboratoire pharmaceutique. **Mars :** publication de « la Santé publique » dans *Monde*. **Juin :** voyage à Dresde, Prague, Vienne.		
1931	**Janv. :** voyage à Genève. Commence à assurer une vacation au dispensaire Marthe-Brandès de Paris.	**1931**	Au printemps, la dactylographie de *Voyage* commence. Céline fait lire *Voyage* à Georges Altman de *Monde*.
1932	**Mars :** mort de Fernand Destouches. Rédaction d'un « Mémoire pour le cours des hautes études ». **Printemps :** liaison avec Erika Irrgang. **Sept. :** liaison avec une Autrichienne, N… **Déc. :** voyage en Allemagne, *via* Genève et l'Autriche.	**1932**	**Avr. ou mai :** Denoël accepte le manuscrit de *Voyage*. **15 oct. :** mise en vente. Céline envisage déjà la rédaction de *Mort à crédit*. **Déc. :** malgré l'appui de Lucien Descaves, le prix Goncourt couronne *les Loups* de Guy Mazeline ; Céline reçoit le Renaudot.
1933	**Févr. :** dernière publication « médicale », « Pour tuer le chômage, tueront-ils les chômeurs ? ». **Mai-juin :** déplacements en Europe ; séjour à Anvers auprès d'Évelyne Pollet. Liaison avec Karen Marie Jensen. Retour définitif d'Elizabeth Craig aux États-Unis. Met au point un médicament de régulation de l'activité ovarienne qui sera commercialisé jusqu'en 1971.	**1933**	**Mars :** « Qu'on s'explique. Postface à *Voyage au bout de la nuit* » (dans *Candide*). **Juin :** rédaction de « 31, cité d'Antin ». **Sept. :** publication, chez Denoël et Steele, de la comédie *l'Église,* largement modifiée par rapport à la version de 1927. **1er oct. :** discours à Médan pour l'anniversaire de la mort de Zola *(Hommage à Zola)*.
1934	**6 févr. : émeute de la place de la Concorde.** **Mai-août :** voyage aux États-Unis. **Déc. :** voyage à Bruxelles.		
1935	**Févr. :** rejoint N… en Autriche. **Juill. :** voyage au Danemark et en Allemagne avec Lucienne Delforge. **Fin 1935 :** rencontre de Lucette Almanzor.		
1936	**Mai : victoire électorale du Front populaire ;** voyage de Céline en Grande-Bretagne. **Juill. : insurrection franquiste.** **Juill.-sept. :** voyage en Europe orientale et en U.R.S.S.	**1936**	**12 mai :** mise en vente de *Mort à crédit,* édité par Denoël et Steele. *Casse-pipe* est déjà mis en route ou va l'être. **Automne :** publication de « Secrets dans l'île » (dans *Neuf et Une,* chez Gallimard). Rédaction du ballet « La Naissance d'une fée ». **Déc. :** création de *l'Église* aux Célestins, à Lyon ; publication de *Mea culpa* suivi de *la Vie et l'Œuvre de Semmelweis* (chez Denoël et Steele).

	VIE		ŒUVRE
1937	**Févr.** : voyage à New York. **Été-automne :** rédaction de *Bagatelles* au Havre et à Saint-Malo. **Déc. : chute du gouvernement Blum ;** Céline démissionne de son emploi à Clichy quelques jours avant la publication de *Bagatelles*.	**1937**	**Mars :** rédaction du ballet « Voyou Paul. Brave Virginie », qui n'est pas retenu pour l'Exposition internationale. **24 déc. :** publication de *Bagatelles pour un massacre* (Denoël).
1938	**Janv. :** voyage à Anvers. **Mars : l'Anschluss.** **Mai :** au Canada et aux États-Unis. **Été à Dinard :** rédaction de *l'École des cadavres* et de « Scandale aux abysses ». **Sept. : Munich.** **Déc. :** assiste à une réunion politique organisée par Darquier de Pellepoix.	**1938**	**24 nov. :** publication de *l'École des cadavres* (Denoël).
1939	**Avr. : décret Marchandeau ;** en mai, Denoël retire de la vente *Bagatelles* et *l'École*. **Juin :** Céline et Denoël condamnés pour diffamation pour *l'École des cadavres*. **Juill. :** vacances à Saint-Malo ; *le Canard enchaîné* et *l'Humanité* l'accusent d'intelligence avec Abetz et Darquier de Pellepoix ; Céline répond dans *Je suis partout*. **3 sept. : déclaration de guerre.** **Sept. :** tente sans succès d'ouvrir un cabinet à Saint-Germain-en-Laye. S'installe chez sa mère, 11, rue Marsollier. **Nov. :** réformé n° 1 à 70 %. **Déc. :** s'embarque comme médecin de bord sur le *Chella*.		
1940	**Janv. :** débarquement à Gibraltar. Nommé au dispensaire de Sartrouville. **Juin :** exode avec le personnel du dispensaire jusqu'à Saint-Jean-d'Angély. Retour à Paris en juillet. **Sept. :** remise en vente de *Bagatelles* et *l'École*.		
1941	**Févr. :** publie « Acte de foi » dans *la Gerbe*. Emménage 4, rue Girardon. **Mai :** assiste à l'inauguration de l'Institut d'étude des questions juives. **Été :** vacances en Bretagne. **Sept. :** assiste à l'inauguration de l'exposition « Le Juif et la France » du Palais Berlitz, qui placarde des citations de lui. **Déc. :** *les Beaux Draps* sont interdits en zone non occupée et saisis. Assiste aux réunions d'*Au Pilori* pour la création du « Parti unique ».	**1941**	**Févr. :** publication des *Beaux Draps* (initialement intitulé *Notre-Dame de la Débinette* aux Nouvelles Éditions Françaises).
1942	**1er févr. :** assiste au meeting de Doriot au Vél' d'Hiv'. **Mars** : voyage à Berlin ; signe le « Manifeste des intellectuels français contre les crimes anglais » de *l'Émancipation nationale*. **Juin :** le secrétariat d'État à l'Information met du papier à la disposition de la réédition de ses œuvres, à sa demande. Contacts avec le « Cercle européen ». **Nov. : débarquement allié en Afrique du Nord, occupation allemande de la zone libre.** **Déc. :** conférence devant le Groupement corporatif sanitaire français.	**1942**	**Premier semestre :** la rédaction de *Guignol's Band* est en cours. **Oct. :** réédition augmentée (avec préface et illustrations) de *l'École des cadavres*.
1943	**Févr. :** le 2, **victoire soviétique à Stalingrad**. Le 23, mariage de Céline et Lucie Almansor, dite Lucette Almanzor, sa compagne depuis 1936. **Juin-sept. :** vacances à Saint-Malo.	**1943**	À Saint-Malo, achèvement de la rédaction de « Scandale aux abysses ». **Oct. :** réédition, illustrée, de *Bagatelles pour un massacre*.

	VIE		ŒUVRE
1944	Nommé au dispensaire de Bezons. **Juin :** le 6, **débarquement allié en Normandie** ; le 17, départ pour l'Allemagne avec Lucette. **Juill. :** séjour à Baden-Baden. Voyage à Berlin. Hébergé à Neu-Ruppin, près de Krantzlin. **Août :** le 15, **débarquement franco-américain en Provence.** **Oct. : arrivée à Sigmaringen.**	**1944**	**Janv. :** publication de *Bezons à travers les âges* d'Albert Serouille, préfacé par Céline. **Mars :** publication du premier tome de *Guignol's Band* (chez Denoël).
1945	**Mars :** acheminement de Sigmaringen à Copenhague ; mort de Marguerite Destouches. **Avr. :** le juge d'instruction de la cour de justice de la Seine lance un mandat d'arrêt contre les époux Destouches. **Mai :** le 5, **libération du Danemark** ; le 8, **capitulation allemande.** **Déc. :** assassinat de Robert Denoël. **17 déc. :** suite à la demande d'extradition de la France, arrestation et incarcération des époux Destouches à Vestre Faengsel. **28 déc. :** libération de Lucette Destouches.	**1945**	Mise au point du second tome de *Guignol's Band.* **Déc. :** la rédaction du ballet *Foudres et Flèches* est interrompue.
1946	**Nov. :** « Réponses aux accusations formulées contre moi… » ; transfert à Sundby Hospital.	**1946**	**Sept.-oct. :** début probable de la rédaction de *Féerie pour une autre fois.*
1947	**Janv. :** transfert à l'infirmerie de Vestre Faengsel. **Févr. :** hospitalisé à Rigshospital. **Juin :** libéré, s'installe 8, Kronprincessegade.	**1947**	**Mars :** le second tome de *Guignol's Band* est achevé. Céline travaille à *Féerie.* **Nov. :** rédaction de « À l'agité du bocal » (contre Sartre).
1948	**Mai :** installation à Klarskovgaard, près de Körsor, chez son avocat, Me Mikkelsen. **Juill.-août :** visite de Milton Hindus.	**1948**	Publication de « Casse-pipe » dans *Cahiers de la Pléiade,* été 1948 (Gallimard) ; de « À l'agité du bocal » dans *le Gala des vaches* d'Albert Paraz (Paris, L'Élan) et de *Foudres et Flèches* (Paris, chez de Jonquières).
1950	**Févr. :** procès et condamnation par contumace de Céline par la cour de justice de la Seine.	**1950**	**Janv. :** *Casse-pipe* paraît en volume (Paris, Chambriand). **Avr. :** Albert Paraz publie des lettres de Céline dans *Valsez, saucisses.* **Nov. :** publication de *Scandale aux abysses* (Paris, Chambriand).
1951	**Avr. :** amnistié par le tribunal militaire. Jugement annulé par la Cour de cassation en décembre. **Juill. :** retour en France ; signe un contrat avec Gallimard. Été à Nice. **Oct. :** emménage à Meudon ; y ouvre un cabinet médical.		
		1952	**Juin :** publication de *Féerie pour une autre fois* (Gallimard).
		1953	Mise au point du manuscrit de *Normance.* **Janv. :** première rencontre avec des journalistes à Meudon.
		1954	**Juin :** publication de *Normance* (Gallimard) ; « Entretiens avec le professeur Y. » dans *la Nouvelle Revue française.*
		1955	**Mars :** *Entretiens…* paraît en volume (Gallimard).
		1956	*Voyage* paraît dans « le Livre de poche ». Enregistre avec Arletty et Michel Simon son premier disque (Urania).
		1957	**Févr. :** « L'argot est né de la haine. Il n'existe plus. » (Dans *Arts.*) **Juin :** publication de *D'un château l'autre* (Gallimard) ; interview par Madeleine Chapsal dans *l'Express.* **Juill. :** « Vive l'amnistie, monsieur ! », dans *Rivarol.* **Oct. :** lettre à Bernard Vorge dans *Défense de l'Occident* ; enregistrement discographique de « L.-F. Céline vous parle ».
		1958	*Mort à crédit* paraît dans « le Livre de poche ». **Févr. :** « Illuminations » dans *le Petit Crapouillot.*

VIE		ŒUVRE	
		1959	**Mai :** réédition des ballets de *Bagatelles…*, de *Foudres…* et de *Scandale…* sous le titre *Ballets sans musique, sans personne, sans rien* (Gallimard).
		1960	**Mai :** publication de *Nord* (Gallimard).
1961	**1er juill. :** mort, causée par une hémorragie cérébrale. **4 juill. :** inhumation au cimetière de Meudon.	**1961**	**30 juin :** la seconde version, sans doute non définitive, de *Rigodon* est achevée.
		1964	Publication d'une des premières versions de *Guignol's Band II*, intitulée par R. Poulet *le Pont de Londres*.
		1969	Publication de *Rigodon* (Gallimard).

Voyage au bout de la nuit

De facture picaresque, *Voyage* nous fait vivre les tribulations d'un aventurier aux quatre coins de la civilisation occidentale ; dans une première partie, nous suivons Bardamu au front, à l'arrière, aux colonies, à New York et à Detroit ; dans une seconde partie, nous le voyons gagner sa vie de médecin, de dispensaire de la zone en asile d'aliénés. Les épisodes s'enchaînent selon deux moteurs : la fuite en avant du narrateur, recherche obstinée de la plus grande déchéance possible, et un hasard romanesque propre aux contes philosophiques (on enlève Bardamu pour l'envoyer aux galères, il retrouve à New York celle qu'il avait aimée à Paris, etc.). Cette structure est compliquée par la réapparition cyclique des personnages, en particulier par l'interférence d'un double du narrateur, Robinson, qui apparaît dans chaque épisode de la première partie avant de devenir le centre du récit dans la seconde.

SYNOPSIS

S'étant engagé dans l'armée, le narrateur prend part aux combats de 1914 (I-IV). Blessé, il est soigné à Paris, où il vit plusieurs amours décevantes, avec Lola d'Amérique, avec la violoniste Musyne, avec une actrice du Français (V-IX). Réformé, il part pour les colonies ; en Bambola-Bragamance, il travaille pour la Compagnie Pordurière ; comme il serait incapable de rendre les comptes de sa factorerie, il met le feu à celle-ci ; tandis qu'il est gravement malade, les Noirs de son village le vendent comme galérien au capitaine d'un bâtiment espagnol (X-XIV). Débarquant illégalement à New York, il est d'abord « agent compte-puces » à Ellis Island, puis il passe quelque temps à Manhattan ; il extorque de l'argent à Lola et gagne Detroit, où il devient ouvrier chez Ford, puis amant de cœur d'une prostituée, Molly (XV-XIX). Il retourne en France, achève ses études et ouvre un cabinet médical à La Garenne-Rancy ; il y gagne très mal sa vie, devient médecin de dispensaire et se compromet dans une affaire de famille crapuleuse, dans laquelle son ami Robinson est victime d'un explosif qu'il destinait à une vieille femme nommée Henrouille ; il se fait payer pour convaincre Robinson, aveugle depuis l'explosion, de partir pour Toulouse, où il gardera une cave à momies avec la vieille Henrouille ; ruiné, il quitte Rancy (XX-XXXII). À Paris, il travaille comme figurant dans un music-hall, s'occupe à classer le courrier d'un entremetteur et devient l'amant d'une danseuse polonaise ; il part passer quelque temps à Toulouse auprès de Robinson et de sa fiancée Madelon, dont il devient l'amant ; il s'enfuit de Toulouse quand on l'appelle auprès de la vieille Henrouille, qui vient de tomber dans l'escalier vraisemblablement poussée par Robinson (XXXII-XXXVIII). Il se fait embaucher comme médecin dans un asile d'aliénés ; il se lie avec son directeur, Baryton, qui glisse peu à peu dans la folie et, en dernière issue, part faire le tour du monde en lui laissant la responsabilité de l'établissement ; Robinson, qui a recouvré la vue et cessé d'aimer Madelon, reparaît ; le narrateur l'emploie à l'asile et chasse violemment Madelon, qui poursuit toujours Robinson ; la maîtresse du narrateur, Sophie, a la malencontreuse idée d'organiser une sortie où tous les quatre (le narrateur, Sophie, Robinson et Madelon) se réconcilieraient ; à la fin de cette soirée, Madelon tue Robinson (XXXIX-XLV).

Céline a puisé le matériau de ce roman dans les expériences de son âge d'homme : la Compagnie Pordurière fut inspirée par la Compagnie forestière Sangha-Oubangui, Rancy ressemble fort à Clichy, on peut mettre un nom derrière chaque médecin du roman… Ces souvenirs lui servent à tracer conjointement le portrait d'une époque en décomposition et celui de l'homme malade de la civilisation. Céline y mêle une masse de clichés narratifs, d'emprunts ou d'allusions à la culture littéraire ou scientifique de son temps, qui font de ce livre, qu'il destinait « aux médecins, aux universitaires et aux lettrés », une sorte de contre-somme du système de représentation des années 1930.

Le point d'optique choisi est nouveau. Sociologiquement, car le « voyageur » n'est pas un bourgeois paisible qui observe les misères de loin, mais un « misérable », et moralement, parce que le narrateur est un anti-héros cynique, dont les grandes passions sont la lâcheté et la haine. Chaque épisode est l'occasion de représenter, d'en bas, un aspect de la société : l'armée et ses généraux sanglants, l'arrière et ses « planqués », l'empire colonial et ses concessionnaires rapaces, la déshumanisation américaine, le prolétariat urbain qui choie ses maladies et martyrise ses enfants, etc. La misère morale n'a pas plus de solution individuelle que la misère sociale de solution historique : l'amour est un « infini à la portée des caniches », la maternité une chiennerie ; l'amitié n'est bonne qu'à être trahie ;

la tendresse, qui n'a plus droit de cité, trouve un ultime refuge dans le cœur d'un sous-officier de la coloniale et d'une prostituée. Les êtres humains ne font que se donner la comédie. Ce tableau de l'échec humain est tracé sur plusieurs modes, par le biais du récit, par celui des dialogues et par celui du discours – car *Voyage* est riche d'aphorismes.

Cet énorme apologue satirique, démythificateur, maniant l'obscénité comme une péjoration supplémentaire, passa d'abord pour l'écriture « naturaliste » d'un écrivain « anarchiste ». « Anarchiste » ? L'attitude même de l'auteur, qui devait son premier article favorable à *Monde*, hebdomadaire de gauche, et qui donnait sa « Postface » à *Gringoire*, hebdomadaire de droite, déconcerta d'abord le classement. « Naturaliste » ? Il refusa cet héritage en 1933, dans « Hommage à Zola » ; d'une part, les « formes sociales » sont devenues telles, dit-il, que « le naturalisme devient politique » ; d'autre part, l'optimisme de Zola n'est plus de mise quand l'existence d'un « instinct de mort » dominant chez l'homme se révèle à travers l'« immense narcissisme sadico-masochiste » des sociétés modernes. La psychologie de *Voyage* est ainsi fondée sur une lecture personnelle de Freud (surtout de *Cinq Essais de psychanalyse* et du *Problème économique du masochisme*). Pour ce roman (écrit à l'heure où se menait, avec ses réflexions sur les notions de « roman populiste » et de « littérature prolétarienne », une contestation virulente de la littérature bourgeoise et du succès de Proust), Céline revendiquait pour maîtres Dabit, auteur de *l'Hôtel du Nord*, dont le style tendait à la plus grande simplicité, Barbusse, auteur du *Feu*, qui avait donné la parole aux hommes des tranchées, et Ramuz, qui se proposait en 1928 d'écrire en « langage parlé ». L'audace de Céline réside dans l'ampleur de son entreprise, puisqu'il décide d'écrire en style populaire la totalité du volume et non les seuls dialogues. Si les premiers critiques insistèrent sur l'« argot », les études plus récentes font remarquer l'aspect « hybride » de ce style. Le lexique de *Voyage* ne contient que peu de termes du vocabulaire argotique ; il se caractérise surtout par sa variété et sa richesse, on y trouve des mots rares et des archaïsmes ; les néologismes, encore peu nombreux, sont formés surtout par dérivation et suffixation. La ponctuation traditionnelle est respectée, même si les points de suspension et les phrases nominales, déjà plus nombreux qu'il n'est usuel, l'investissent souvent de leurs charges émotives. L'impression de « langue parlée » est donc essentiellement donnée par la syntaxe, car, tout en ne renonçant pas au passé simple littéraire, Céline utilise déjà un grand nombre de tours oraux – certains systématiquement, comme le rappel. Les phrases de *Voyage* tirent plutôt leur énergie de leur brièveté, de leur simplicité et de la perturbation déconcertante qui atteint l'ordre des mots dans la phrase : c'est ce désordre qui amorce la « musique » célinienne et qui est l'un des signes les plus fréquents de la posture subversive de l'auteur.

Mort à crédit

C'est une œuvre de la maturité, plus complexe que *Voyage*. On retrouve la même partition du récit : dans la première partie, qui s'achève sur le meurtre symbolique du père, nous suivons le narrateur dans les premières phases de son apprentissage ; dans la seconde, le temps romanesque se ralentit, et nous assistons à son initiation par Courtial (ce qui apparente ce texte aux romans d'initiation du XIXe siècle). On retrouve aussi le même goût de la provocation : l'édition originale remplace les passages obscènes par des « blancs » qui font jaser ; les sentiments du narrateur pour sa mère font crier au scandale... Mais la technique narrative s'est nuancée ; ce récit de vie quotidienne est émietté en chapitres brefs où se succèdent des portraits, des scènes choisies pour leur valeur de symbole et des anecdotes dont Ferdinand n'est pas toujours le personnage principal. Une distance est ménagée du fait de l'âge du narrateur : Céline donne la parole à un enfant, avec tous les effets comiques ou amers que cette distanciation avait permis à Vallès dans *l'Enfant* et à Darien dans *Bas les cœurs !* La lecture est de plus polarisée par un prologue qui expose les thèmes qui seront développés dans la narration présentée comme un retour en arrière ; le livre est écrit au moment où sa liaison avec la pianiste Lucienne Delforge engage Céline à réfléchir sur ce que peut être la « musique » d'une œuvre littéraire.

SYNOPSIS

Suivant le conseil qu'on lui donne d'écrire des choses agréables, le narrateur se réintéresse à son ancienne *Légende du roi Krogold*. Un jour, il est saisi par un délire. Il reçoit la visite de sa mère et ne supporte pas ses mensonges sur leur passé ; il est assailli par les souvenirs (I-IX). L'enfance au Passage des Bérésinas, entre le père Auguste, employé de bureau, la mère Clémence, qui fait commerce de dentelles et de bibelots, la grand-mère Caroline, affectueuse envers Ferdinand, l'oncle Édouard, qui les emmène en parties de campagne, et les voisins, malveillants et malheureux. On met Ferdinand à l'école, mais cela le rend malade : il délire. Sa grand-mère meurt (X-XXX). Sur les marchés, où il accompagne sa mère, il se lie avec un voyou : on le remet à l'école. Un été, la famille va en vacances à Dieppe et fait une excursion en Angleterre. Ferdinand obtient son certificat d'études (XXXI-XLI). Placé en apprentissage dans une maison de tissus, il est renvoyé quand on le surprend racontant la *Légende du roi Krogold* à un collègue (XLII-IL). Édouard le fait embaucher par un ciseleur ; sa patronne lui vole un bijou dont il avait la garde et le fait renvoyer comme voleur (L-LXV). Sur les instances d'Édouard, il est envoyé apprendre l'anglais au Meanwell College de Chatham. Arrivant à Chatham, il s'amuse dans une fête foraine et rencontre Gwendoline. Il n'ouvre pas la bouche dans ce collège qui glisse à la faillite, entre le Dr Merrywin, le débile Jonkind et Nora Merrywin, dont Ferdinand est amoureux et qui se jette dans la rivière (LXVI-XCI). De retour au Passage, où Auguste et Clémence vivent dans l'angoisse et le travail, il cherche un emploi ; son père lui fait, un soir, une scène telle qu'il tente de le tuer pour le faire taire (XCII-CVI). Édouard le prend en charge et le place chez Courtial des

Pereires, qui l'emploie dans son bureau du Palais-Royal, pour l'aider dans ses ascensions en ballon et la diffusion de sa revue *le Génitron*. Courtial s'endette en jouant aux courses (CVII-CXXII). Courtial organise un concours, mais détourne les fonds, ce qui lui attire des ennuis avec la justice et avec les candidats inventeurs. Avec un chanoine pour commanditaire, Courtial organise un autre concours, mais le chanoine est arrêté, les inventeurs détruisent *le Génitron* (CXXIII-CXXXV). Ruinés, Courtial, son épouse Irène et Ferdinand s'installent à la campagne, où Courtial fonde le « Familistère de la Race nouvelle » ; mais sa culture par ondes radio-telluriques échoue, les enfants du Familistère sont arrêtés pour vol, Courtial se suicide (CXXXVI-CLXII). Après des démêlés avec les gendarmes et la réapparition du chanoine, Irène et Ferdinand se séparent ; il trouve refuge auprès d'Édouard et médite de s'engager dans l'armée (CLXIII-CLXVIII).

La transposition des souvenirs n'est plus exclusivement péjorative et satirique. La péjoration morale et le misérabilisme entachent les images parentales et la description des couches sociales où se déroule l'apprentissage du narrateur : la petite-bourgeoisie commerçante et intellectuelle et, entr'aperçu, le prolétariat. Mais cette péjoration est assortie d'une nostalgie et d'un attendrissement qu'on retrouvera dans les œuvres ultérieures : *Mort à crédit* raconte l'inéluctable faillite des milieux antérieurs à 1914, aux « effroyables temps modernes ». D'autre part, Courtial des Pereires est le premier et peut-être le plus réussi des personnages comiques céliniens. Il fut inspiré au romancier par Raoul Marquis, ce polygraphe imaginatif qu'il rencontra en 1917 ; on retrouve dans la carrière de Marquis presque tous les exploits de Courtial. La transposition est ici faite d'outrance et de jubilation verbale : d'un original Céline fait un loufoque, d'un scientifique rêveur, un mégalomane obstiné ; le comique de caractère est doublé par la parodie et le burlesque. Par la bouche de Courtial apparaît une verve, une invention verbale proprement célinienne, qui sert d'allégresse aux catastrophes narrées.

Le délire et la nausée (qui finiront par se confondre avec l'écriture) occupent une place déterminante dans le récit et les dialogues. En 1933, Céline s'appuie sur Freud et s'intéresse à l'« exploitation » littéraire des rêves ; les délires de Ferdinand et ses nausées ponctuent le roman, causant une alternance stylistique entre une forme de récit modérée et des pages apocalyptiques. Le délire verbal, avant de devenir celui de Céline, est attribué à des personnages paternels paranoïaques : grandiloquences et « factice gaîté » de Courtial, vociférations noires du père. Ainsi, c'est peut-être autour du problème de la parole que s'organise ce récit : le délire étant le lieu du texte où se manifestent la pire vérité et le pire mensonge, la consigne de silence est le plus sage avis que l'enfant Ferdinand et le narrateur Ferdinand puissent nous donner.

M.-C. Bellosta

D'un château l'autre

Le choix fait par Céline d'évoquer son séjour à Sigmaringen (octobre 1944-mars 1945) apparaît, après des années d'oubli et de proscription, comme une décision délibérée de faire paraître « un ouvrage qui est malgré tout assez public, puisqu'il parle de faits bien connus [...], une petite partie [...] de l'histoire de France ». L'effet de scandale (que justifiait fort peu le contenu du livre) fut accentué par la parution dans *l'Express* d'un entretien avec la journaliste Madeleine Chapsal intitulé « Voyage au bout de la haine » où Céline ne marquait aucun regret de ses prises de positions antisémites dans *Bagatelles pour un massacre*, les justifiant par son pacifisme, et déclarait notamment : « Au fond, j'avais raison. » Après des années d'exil et de bannissement intellectuel, Céline rentrait ainsi en littérature par un effet de scandale analogue, mais moins glorieux que celui qui avait suivi la publication de *Voyage au bout de la nuit*. Cependant, la plupart des comptes rendus dans la presse furent favorables et saluèrent la renaissance d'un grand écrivain.

SYNOPSIS

Si le sujet, autobiographique, du roman est bien le séjour de Céline à Sigmaringen en compagnie des collaborateurs en déroute, sa structure binaire est celle d'un va-et-vient chronologique entre les années de Meudon (moment de l'écriture) et les quelques mois de Sigmaringen (moment de l'action). L'unité de l'ouvrage, composé de visions éclatées, tient donc avant tout à l'unité de la voix du narrateur ainsi qu'à la récurrence de certains thèmes narratifs : la maladie de Mme Niçois, vieille patiente de Céline à Meudon, les rapports difficiles de Céline avec ses éditeurs, les trajets incessants du médecin en exil à Sigmaringen – du château où sont somptueusement logés les anciens dignitaires du régime de Vichy, aux ruelles du village où les réfugiés suscitent des émeutes de la faim. De cette « histoire brisée » émergent des morceaux de bravoure inoubliables : l'apparition fantastique à Meudon d'un monde de revenants asservis au nocher Caron du bateau « la Publique » ; la promenade du maréchal Pétain, impassible sous la mitraille ; les toilettes débordant sur le palier à Sigmaringen ; la capture du commissaire Papillon qui a tenté de franchir la frontière suisse ; le dîner chez Otto Abetz, ambassadeur d'Allemagne à Paris, où l'écrivain Alphonse de Châteaubriant pulvérise toute la vaisselle ; la visite à Pierre Laval qui nomme Céline gouverneur de Saint-Pierre-et-Miquelon (*sic*) ; le calamiteux voyage en train à Hohenlychen pour les obsèques de l'ancien ministre Bichelonne. Le roman s'interrompt alors que Céline vient de porter secours à une femme prête à accoucher dans le train de Sigmaringen ; à Meudon, Mme Niçois vient de rentrer chez elle après un séjour à l'hôpital, au service des cancéreux.

D'un château l'autre joue – pour créer la confusion entre autobiographie et roman – de la complicité entre le lecteur et le narrateur. Les interventions d'auteur finissent par constituer l'amorce d'un véritable dialogue et comme une seconde trame du livre, qui ferait pendant au balancement de la narration entre le présent parisien et le passé allemand : « Aucun ordre dans mon récit ?... vous vous retrouverez bien !... ni queue ni tête ?... peste !... [...] vous vous retrouverez je l'espère. »

Cette chronique qui n'en est pas une – Céline a toujours présenté son œuvre comme un roman – mêle inextricablement les fils de l'histoire (personnelle ou générale) et de la fiction. Au cours du récit, on croise certes des figures historiques comme Pétain ou Laval ; d'autres, de moindre importance, Brinon, Marion ou Bichelonne, font des apparitions. Mais les événements ou les personnages réels, eux-mêmes remaniés, ne sont la plupart du temps qu'un arrière-plan nécessaire à l'évolution d'individus purement fictifs ou extrêmement transposés. Ainsi, la scène où Laval empêche une tuerie n'a été confirmée par aucun témoin. De même, si la résurrection de l'Empire carolingien était une des idées-forces d'Abetz, la destruction de toute sa vaisselle par Châteaubriant semble un pur produit de l'imagination célinienne. « Certes, il n'est presque aucun moment du récit auquel ne correspond un souvenir du réel. Mais jamais non plus le récit ne se contente de dire ou de décrire ce qui a été » (Henri Godard).

Plus que de rendre sensible par mille petits détails vrais une époque révolue, le dessein de Céline, dans ce qui est la première partie d'une trilogie allemande comprenant *Nord* et *Rigodon*, semble bien avoir été de restituer, par la structure même de la narration et du style, l'incohérence d'un monde brisé en mille éclats par la guerre. Les thèmes céliniens traditionnels de l'oppression des pauvres par les nantis (le château/le village), de la résistance de la matière (les cabinets débordants) ou de l'agitation stérile (le voyage à Hohenlychen) sont emportés dans un tourbillon où narration et commentaire sont étroitement imbriqués. La barque des Enfers, « la Publique », peuplée de revenants terrifiés par le nocher Caron, poursuit son éternelle errance à travers un monde profondément dévasté. L'éclatement du récit amplifie l'effet de la prolifération des points de suspension amorcée dans *Mort à crédit* et *Guignol's Band* ; et l'art de Céline trouve un nouvel essor dans cette matière apocalyptique que l'élaboration du souvenir transpose. « Ça a fait du bruit, des bouillonnements, des fusées, des cataractes. J'étais dedans, j'en ai profité. J'ai utilisé cette matière. » Du château de Sigmaringen à celui de Meudon, une œuvre, un nouveau château imaginaire a ainsi pu s'édifier. On trouvait déjà mention de cette féconde analogie dix ans plus tôt dans une lettre à Milton Hindus : « Je n'éprouve aucun mal à concevoir un roman et toujours "j'obéis" au même procédé – Je ne bâtis pas de plan – Tout est déjà fait dans l'air il me semble. J'ai ainsi vingt châteaux dans l'air où je n'aurai jamais le temps d'aller – Mais ils sont complets tout y est – Ils m'appartiennent. »

A. Schaffner

Cénacles romantiques
v. Romantisme

CENDRARS Blaise

*Pseudonyme de **Frédéric Louis SAUSER** (1887-1961)*

Surtout connu comme l'un des premiers poètes du XXe siècle à avoir su créer un langage nouveau pour exprimer la beauté inquiétante d'un monde nouveau, Blaise Cendrars est aussi le romancier d'aventures mémorables : *l'Or* (1925), *Rhum* (1930) ou *Moravagine* (1926). Mais Blaise Cendrars est avant tout une légende. Légende qu'il a contribué à édifier, notamment avec des récits semi-autobiographiques comme *l'Homme foudroyé* (1945), *la Main coupée* (1946), *Bourlinguer* (1948). Aventurier, éternel voyageur, poète de la pègre pris dans le tourbillon des années folles : derrière ces visages fugitifs, Cendrars dissimule une personnalité ambiguë d'où les préoccupations mystiques et la recherche d'une transcendance spirituelle ne sont pas exclues.

Une vie d'aventures

Né en Suisse, à La Chaux-de-Fonds, le 1er septembre 1887, Blaise Cendrars quitte à quinze ans le domicile familial pour une série de lointains voyages qui le mèneront en Chine, en Perse, en Sibérie. Si certains de ces voyages sont peut-être imaginaires, force est de reconnaître le goût qu'ils témoignent dans les mythes personnels de Cendrars pour une perpétuelle errance, ainsi que le refus d'un métier stable, d'une intégration définitive dans la société. De retour à Bâle, Cendrars ne tire guère profit d'un bref séjour à l'université, mais, lié avec une Polonaise qu'il suivra à New York et dont il aura plus tard trois enfants, il affirme sa vocation de poète avec *les Pâques à New York* (1912). Installé dès 1913 à Paris, qu'il quitte régulièrement pour l'Amérique du Sud (*via* la Nationale 10, qu'il prolonge par l'imagination bien au-delà de Chartres, jusqu'en Espagne, jusqu'au Portugal, et qui mène « normalement » en Terre de Feu !), il fonde la revue *les Hommes nouveaux* et publie le poème « simultané » *la Prose du Transsibérien et de la Petite Jehanne de France* (1913). Au moment où la Grande Guerre éclate, il s'engage dans la Légion, dont l'esprit « viril » et les valeurs plus ou moins misogynes imprégneront une partie de son œuvre ; grièvement blessé au bras droit, il doit être amputé (29 septembre 1915). La paix revenue, il fonde les éditions de La Sirène, où il s'autoédite, mais il reprend bientôt les routes de l'aventure, caméra au poing, notamment en Afrique. Il reste cependant toujours très attaché à Paris, amateur de *curiosa*, rat de bibliothèque à ses heures, découvreur d'insolite, se mouvant dans l'orbite de l'avant-garde littéraire et artistique : Apollinaire, Chagall, Delaunay d'abord ; les artistes qui illustrent ses écrits : Sonia Delaunay pour *la Prose du Transsibérien*, Kisling pour *la Guerre au Luxembourg* (1916), Léger pour *la Fin du monde* (1919), Picabia pour *Kodak* (1924), Tarsila pour *Feuilles de route* (1924) ; puis Gustave Le Rouge, l'auteur du *Mystérieux Docteur Cornélius* (entre autres), et encore Henry Miller, dont l'exubérance dionysiaque est proche de la sienne, Abel Gance (cf. le film muet *la Roue*), Honegger. Délaissant progressivement l'écriture poétique de ses débuts, Blaise Cendrars écrit alors de plus en plus en prose, puisant dans ses propres aventures la matière essentielle de ses récits (outre les ouvrages cités, *Histoires vraies*, 1937 ; *la Vie dangereuse*, 1938 ; *D'oultremer à indigo*, 1940 ; *Blaise Cendrars vous parle*, propos recueillis par M. Manoll, 1952 ; *Trop c'est trop*, 1957 ; *Films sans images*, 1959). Mais Cendrars écrit aussi sur ses thèmes de prédilection : *l'Anthologie nègre*, en 1921, marque les débuts de l'intérêt européen pour les civilisations orales négro-africaines ; elle sera suivie par *Petits Contes nègres pour les enfants blancs*, 1928, et par *Comment les Blancs sont d'anciens Noirs*, 1930. Il y a aussi le cinéma (*l'ABC du cinéma*, 1926 ; *Hollywood, la Mecque du cinéma*, 1936), la poésie des faubourgs (*Panorama de la pègre*, 1936, et encore les commentaires sur les photos de Doisneau, *la Banlieue de Paris*, 1949). Il meurt à Paris le 21 janvier 1961 ; peu après sont publiées ses « œuvres complètes » (Denoël, 8 vol., 1963-1968 ; puis Club français du livre, 15 vol., 1968-1971) et ses poésies (Gallimard, 1967-1968).

« Bourlinguer », tel est certes le mot qui pourrait suffire à résumer l'œuvre et la vie de Cendrars : suite d'aventures ponctuelles sans lien apparent, pluralité de personnages très présents mais au rôle éphémère, rapidité de la narration et de l'écriture – d'où certaines maladresses dans le style, qui n'a jamais la pureté ni la fausse élégance de l'académisme –, vision fragmentaire et comme éclatée de la vie, dont la brièveté et la douloureuse caducité semblent être les éléments dominants. Si les héros des romans les plus traditionnels de Cendrars sont emportés par le tourbillon vertigineux d'une existence à laquelle l'enchaînement des péripéties ne laisse aucun répit, c'est essentiellement dans le ton des chroniques, dont la division en séquences relativement autonomes accentue l'hétérogénéité, que transparaît le mieux l'impression de ballottement, d'amertume – avec des accès d'une violente tendresse –, d'absurde, qui se dégage de l'univers intensément vécu de Cendrars.

Les naïvetés dans l'autosatisfaction ne sont pas exclues. Le narrateur, confiant dans ses performances, peut affirmer : « La nuit que j'accordai à Mme de Pathmos fut une nuit d'amour qui devait la libérer psychiquement d'une hantise bien mieux qu'une séance d'analyse » (« le Vieux Port », in *l'Homme foudroyé*). Il peut chercher à se disculper lorsque, faisant l'éloge de la vitesse, il oublie de céder le passage à un véhicule : « Le gaillard se savait le plus fort avec son 10 tonnes. » Anecdote qui ferait sourire si la violence du style, proche parfois de celui de Céline, ne venait donner une autre dimension à la scène en se retournant en auto-ironie : « Heureusement que c'était un camion-citerne de vidange. 10 tonnes de merde, il ne m'en fallait pas tant pour me porter bonheur » (« Rhapsodies gitanes », *id.*).

Surréaliste à sa manière, ou plutôt précurseur de l'hyperréalisme, Cendrars peut, dans certaines scènes isolées, en détachant les objets de la signification matérielle que leur confère l'usage courant, s'élever à des visions oniriques, dérisoires (le « canapé rouge dans une clairière de la forêt vierge », dont le souvenir obsédant se mêle, dans une des « Rhapsodies gitanes », à celui d'un « lustre et d'un poste de radio posés à même le sol dans le jardinet d'un pavillon de banlieue »), ou donner un sens allégorique à la misère du monde : « La banlieue, ce visage exsangue de Paris, tombé sur son épaule, la couronne d'épines de traviole. [...] Seigneur ! quelle agonie ! [...] C'est la terrible banlieue en travail... Misère, ô ma mère !... Agonie ou gésine ?... Mort ou révolution ?... "Révolution... révolution", respiraient les machines. C'était l'haleine même de la nuit » (« les Nuits et les Jours », *id.*).

La poésie du monde moderne

Dans les premières décennies du XXe siècle, le sentiment qu'une ère nouvelle allait naître des ruines du siècle précédent s'accompagnait tantôt d'angoisse (comme chez Dos Passos, qui saluait en Cendrars « l'Homère du Transsibérien »), tantôt d'exaltation (cf. le Valery Larbaud des *Poésies d'A.O. Barnabooth*). Mais il restait à créer un langage pour exprimer ce sentiment : « Trouvera-t-on un -isme nouveau pour désigner la beauté nouvelle ? » se demandait Cendrars dans *Aujourd'hui* (1931). Son originalité a précisément été, par-delà les vogues des mouvements unanimiste, futuriste et simultanéiste, d'exprimer avec sincérité une expérience vécue, non d'inventer une technique artificielle.

L'amour de la vie et de l'aventure est décuplé par les possibilités du monde moderne : vitesse, nouveaux moyens de communication (cf. la poésie de la « lettre océan » dans *Au cœur du monde*, 1945), art brut de la publicité (« le beau joujou de la réclame »), esprit d'invention. Blaise Cendrars célèbre donc le nouveau visage de la planète, le charme ambigu du paysage urbain et d'un monde mécanique. Sa syntaxe se désarticule, se réduit souvent à l'armature des substantifs ou des phrases nominales juxtaposées ; le rythme consonantique annonce parfois les audaces du lettrisme pur. Mais le ton général est celui d'un Apollinaire, dans « Zone » par exemple (*Alcools)*, ou d'un Aragon (« Rappelez-vous ce que de Londres dit Shelley » [*le Roman inachevé*]). Sa poésie est autant un hymne au progrès qu'une évocation lyrique de l'ensemble de la planète et des grands espaces originels qu'il sillonne en tournant dans « la cage des méridiens comme un écureuil dans la sienne ».

Pourquoi, cependant, Cendrars a-t-il réussi, seul, à transposer la vie moderne là où unanimistes et surréalistes avaient échoué avant lui ? Ce ne sont pas les conceptions typographiques révolutionnaires de *la Prose du Transsibérien*, poème simultané mis en pages et en couleurs par Sonia Delaunay, ni la versification libérée, déjà amorcée par les mouvements symbolistes, du *Panama ou les Aventures de mes sept oncles* (1918) ou des *Dix-Neuf Poèmes élastiques* (1919), qui suffisent à expliquer l'impact qu'ils ont eu sur toute une génération (« cette complainte des gares et des lointains avait un accent inconnu jusqu'alors », selon A. t'Serstevens), encore moins l'envoûtement qu'ils continuent d'exercer sur le lecteur contemporain. C'est que, dès *les Pâques à New York*, la plainte que chante Blaise Cendrars, l'appel vers le Christ dans le ciel vide des cités modernes, la révolte et la violence en même temps que l'émotion devant toutes les formes de la beauté et la joie de vivre rejoignent, par-delà le lyrisme de Verlaine et des romantiques, le cri déchirant de Villon :

« L'aube tarde à venir, et, dans le bouge étroit, Des ombres crucifiées agonisent aux parois. »
C'est la timide voix de « Jehanne de France » qui surgit lentement du souvenir et impose une autre dimension, humble, intime, au rythme trépidant du Transsibérien : une angoisse profonde sourd du cœur du monde. C'est la présence de l'homme, c'est l'amour, dont le poète, éternellement, se fait l'écho.

Ordre et désordre

Dionysiaque lorsqu'elle évoque, à la manière de ses contemporains Paul Morand ou Pierre Mac Orlan, les richesses de l'aventure, l'ivresse des voyages, le vertige de la vitesse, la voix de Cendrars se fait parfois plus grave pour dire la souffrance, la pauvreté, la décrépitude qui accompagnent le tourbillon frénétique de la société moderne. Et Blaise Cendrars ne se situe pas du côté des privilégiés : « D'où me vient ce grand amour des simples, des humbles, des innocents, des fadas et des déclassés ? » songe-t-il dans *l'Homme foudroyé*. S'il épouse le point de vue des déshérités, c'est que les vraies valeurs sont dans leur camp. Eux seuls connaissent, à travers ses difficultés, sa fragilité, sa précarité, le vrai don qu'est la *vie*. Le déchaînement érotique, la jouissance effrénée (cf. la scène liminaire d'*Emmène-moi au bout du monde* [1956], titre doublement significatif par ses connotations érotiques et orgastiques), la plénitude d'une rencontre « païenne » sans lendemain ne sont qu'une autre façon d'affirmer la primauté du bonheur, la révolte désespérée contre Thanatos, dont la guerre – les guerres : la Seconde devait lui enlever un fils – est le symbole le plus cruel et le plus fréquemment repris : « Je vais braver l'homme. Mon semblable… J'ai frappé le premier. J'ai le sens de la réalité, moi, poète, j'ai agi. J'ai tué. Comme celui qui veut vivre », écrit-il dans *J'ai tué* (1919).
Solitude de l'homme en face de la mort, mais aussi déréliction de l'homme sur terre. La guerre n'a pas de sens : « Dieu est absent des champs de bataille, et les morts du début de la guerre, ces pauvres petits pioupious en pantalons rouge garance oubliés dans l'herbe, faisaient des taches aussi nombreuses mais pas plus importantes que des bouses de vache dans un pré » (*la Main coupée*). Mais la vie en a-t-elle un ? La recherche d'un principe unique, d'un ordre qui introduise une logique dans le mystère et le tumulte des forces anarchiques de la vie est une préoccupation constante chez Cendrars. *Le Lotissement du ciel* (1949) est-il autre chose qu'une méditation mystique ? *Le Plan de l'aiguille* (1927), constellé de références à la Bible, est-il autre chose que l'itinéraire d'un profane qui se dépouille – en les vivant jusqu'au bout – des passions terrestres pour tenter de rencontrer Dieu ? La solitude hautaine des *Confessions de Dan Yack* (1929), qui s'enferme dans une sorte de folie après la mort de Mireille, annonce *l'Extase matérielle* de Le Clézio.
Apparemment foisonnante, exubérante, tentée par toutes les séductions du modernisme, l'œuvre de Cendrars est hantée par le besoin d'une morale cohérente, d'un ordre spirituel qui donnent un sens à la vie. Mais le ciel de la civilisation mécaniste et matérialiste reste muet. Il n'envoie que les guerres et leur cortège de souffrances, de mutilations ; du ciel vide ne tombe que l'image hallucinante d'une « grande fleur épanouie, un lys rouge, un bras humain tout ruisselant de sang, un bras droit sectionné au-dessus du coude et dont la main encore vivante fouissait le sol des doigts comme pour y prendre racine et dont la tige sanglante se balançait doucement avant de tenir son équilibre » (*la Main coupée*).

L'Or

C'est peut-être le roman le plus représentatif de cette nostalgie du sacré, du conflit entre l'aspiration à un idéal et la nécessité d'accumuler des biens matériels pour survivre dans une société où la loi de la jungle s'est substituée aux valeurs morales : la civilisation américaine issue de la ruée vers l'or en est le symbole.

SYNOPSIS

6 mai 1834 : c'est le début de la « merveilleuse histoire du général Johann August Suter ». Il vient d'abandonner sa femme et ses quatre enfants en Suisse et s'embarque pour le Nouveau Monde (I). Il vit quelques années près de Saint-Louis, puis réalise soudain tous les biens qu'il a laborieusement amassés, pour se diriger vers l'Ouest (II). Au cours d'un long et dangereux voyage, tous ses compagnons de route meurent ou abandonnent (III). Il arrive cependant à San Francisco (IV), s'y installe (V), et sa prospérité débute par des procédés plus ou moins audacieux et immoraux. Il trouve enfin la richesse et la paix intérieure. C'est alors qu'il rappelle sa famille auprès de lui (VI). Janvier 1848 : on a trouvé de l'or sur ses terres (VII) ; alors commence la ruée (VIII). La fièvre s'empare de tous, et Johann Suter se trouve ruiné par les pillages, la folie généralisée, les meurtres, etc. (IX). Au comble de l'abattement, il se réfugie dans une de ses fermes (X), mais, lorsque sa famille le rejoint enfin, il est trop tard : sa chute est consommée (XI). Le procès retentissant qu'il intente à l'État pour recouvrer ses biens, dilapidés par les chercheurs d'or, est voué à l'échec (XII). Si, en 1854, lors de l'anniversaire de la fondation de San Francisco, il retrouve un certain éclat, ce regain n'est qu'éphémère (XIII) : l'année suivante, deux de ses fils sont massacrés, le troisième se suicide. Sa fille épouse un dentiste et l'abandonne (XIV). Johann Suter sombre alors dans une sorte de folie à demi mystique (XV) : il croit revivre l'Apocalypse et, à soixante-treize ans, meurt seul (XVI), isolé par sa maladie et sa pauvreté (XVII).

La grandeur de l'aventurier J. A. Suter, sa ruine puis sa folie illustrent l'égoïsme qu'encourage la société capitaliste ; le déchaînement des individus qui s'entretuent à la vue de l'or, le retour au chaos sont le châtiment d'une politique où le libéralisme économique, le droit à l'appropriation sauvage des terres investies par les pionniers ont pris le pas sur la vraie liberté. Cendrars analyse très bien, même si toute sa poésie est du côté de l'aventure individuelle, de l'immortalité, de la volonté nietzschéenne du surhomme, les conséquences d'une société à vocation purement matérialiste où la soif de l'avoir détruit l'être :

l'or y devient l'image allégorique d'un fléau envoyé par Dieu pour punir la perversion que l'homme a fait subir aux forces vitales qui étaient en lui.

B. Valette

Cent Nouvelles nouvelles

(1460-1467)

Ce recueil illustre d'abord la vogue de la prose à la fin du XVe siècle, ainsi que le goût accru pour l'histoire brève, le plaisir de l'anecdote (que l'on trouve aussi chez Marguerite de Navarre et dans les *Nouvelles de Sens*). Accumulant les contes grivois, il se rattache à cette tradition « réaliste », gaillarde et satirique qui forme dès le début un contrepoint à l'esthétique courtoise et à l'idéalisation de la femme : fabliaux, répertoire truculent des jongleurs, ce courant d'inspiration retrouve alors une nouvelle force (poésie libertine de Molinet, sensualité qui reflète la vie de la cour de Bourgogne et des Flandres – n'est-ce pas le temps d'Agnès Sorel ?).

Les nouvelles s'organisent dans un cadre fictif, mais celui-ci ne leur confère aucune unité : le prétexte en est le séjour du jeune Louis XI chez Philippe le Bon, et les récits sont donnés pour propos légers d'après-boire. Trente-six conteurs sont nommés, mais le rédacteur est sans doute unique (plusieurs attributions ont été tentées en vain, en particulier pour Antoine de La Sale). Les sujets viennent d'un fonds commun aux fabliaux, au *Décaméron*, aux *Facéties* du Pogge ; mais les effets scabreux sont ici plus appuyés, et la description grossière l'emporte sur l'art de l'allusion propre aux Italiens. C'est encore le fabliau qui fournit les acteurs : maris trompés, femmes naïves et rouées convoitées par un galant, de préférence moine ou chevalier ; l'érotisme, et surtout le trio, en est le thème essentiel mais non pas unique. La morale est cynique, dure aux faibles et aux imbéciles, qui n'ont même pas la satisfaction du triomphe de la ruse sur la force. L'intérêt réside dans l'invention d'un stratagème inédit, dans la cocasserie des situations. Mais si la nouvelle est « un fabliau en prose », elle s'en démarque par le sens du dialogue, l'épaisseur psychologique des personnages et la recherche d'un « effet de réel », par la multiplication des notations concrètes et pittoresques.

Le premier conte nous parle d'une femme qui, son mari absent, se glisse par une poterne dans la maison d'un voisin ; le mari, survenant, découvre les deux amants au lit, ne voit son épouse que de dos, sans la reconnaître ; mais, retardé sur le chemin du retour, il trouve l'infidèle déjà revenue au domicile, et elle l'accuse de trahison pour avoir tant tardé ; il doit s'excuser et permet ainsi la répétition de l'aventure. Le n° 78 traite le sujet du « Chevalier qui fit sa femme confesse » (cf. Boccace, VII, V, et La Fontaine, *Contes*, I, IV) : un gentilhomme parti pour l'Orient est trompé par sa femme, qui exploite successivement un écuyer, un chevalier et un prêtre ; s'étonnant, au retour, de cette nouvelle richesse, il imagine de se substituer au confesseur et entend les aveux de sa femme, mais se voyant démasquée, elle lui fait croire que, l'ayant reconnu, elle avait voulu attiser sa jalousie. Un ami des Bourguignons (n° 75) se fait prendre par la justice de Troyes qui le condamne à la pendaison ; mais ce n'est qu'une ruse : ses compagnons accourent et massacrent les grands bourgeois de la ville. Sous la gauloiserie percent parfois la tragédie et la violence : un juge, pour se venger de son épouse, arrange un crime parfait (« les Deux Mules noyées ») ; une jeune fille se tue parce que son ami est mort (n° 98). L'érotisme n'est jamais loin de la mort.

A. Strubel

CÉSAIRE Aimé

(né en 1913)

« Eh bien, ce nègre noir connaissait la langue française mieux qu'un gros dictionnaire où il était capable d'un coup d'œil de repérer les fautes. On disait qu'il pouvait te parler en français sans même que tu comprennes la moitié d'une parole, qu'il savait tout de la poésie, de l'Histoire, de la Grèce, de Rome, des humanités latines, des philosophes, bref qu'il était plus savant, plus lettré que le plus mapipi des blancs-france. Il pratiquait, disait-on, une étrange poésie, sans rime ni mesure ; il se déclarait nègre et semblait fier de l'être [...] ». C'est avec humour et tendresse que, se faisant l'écho des propos de l'instituteur haïtien Alcibiade, Marie-Sophie, l'« Informatrice » du « Marqueur de paroles » Patrick Chamoiseau dans *Texaco* (prix Goncourt 1992), évoque la figure magique d'Aimé Césaire, le maire de Fort-de-France qui défend les parias contre l'« En ville » et les officiels. Ce portrait témoigne bien de l'aura dont bénéficie encore « Papa Césaire » – constamment réélu à la mairie de Fort-de-France de 1945 à 1999 – dans le peuple martiniquais et chez les intellectuels, malgré les critiques qui se font entendre, depuis les années 1970, contre l'idéologie de la « négritude », dont Césaire a été l'instigateur, avec Senghor et Damas. Il cerne bien, en outre, la double face de Janus de l'écrivain – qui porte la culture occidentale à son comble, et qui, simultanément défend, revendique haut et fort son « identité noire ».

De cette « double postulation » – assomption de l'héritage occidental et de la poésie française ; plongée vers les racines africaines, avant la déportation des esclaves – témoigne l'itinéraire d'Aimé Césaire. Fils de fonctionnaire, petit-fils d'instituteur, élevé dans la dévotion pour les classiques français – Hugo, en particulier –, brillant élève boursier à Fort-de-France, appelé à poursuivre ses études à Paris, au lycée Louis-le-Grand, où il rencontre Léopold Sédar Senghor, puis à l'École normale supérieure de la rue d'Ulm en 1935, Césaire, pur produit de l'école de Jules Ferry, à son tour devenu professeur au lycée Victor-Schoelcher à partir de 1946, est destiné à former l'élite de la future intelligentsia martiniquaise : Frantz Fanon, Édouard Glissant comptent parmi ses anciens élèves, à qui il transmet le meilleur de l'héritage français – Rimbaud, Lautréamont, Claudel, Péguy. Mais Aimé Césaire est aussi le lointain descendant d'un esclave révolté, condamné à mort en 1833, l'auteur du plus violent pamphlet jamais adressé au colonialisme – le *Discours sur le colonialisme* (1955) –, de l'hommage érudit à Toussaint Louverture (1961), à Victor Schoelcher (1948) et de nombreux discours prononcés, comme député-maire, contre la politique coloniale de la France : « Le pire, c'est qu'il se montrait ingrat en dénonçant le colonialisme. Lui, à qui la France avait appris à lire, enseigné l'écriture, se disait africain et le revendiquait », se lamente Alcibiade, le colonisé, dans *Texaco*.

« Amoureux des cultures, de toutes les cultures »

L'appartenance à la tradition poétique française, mais aussi, plus largement, occidentale – de la tragédie eschyléenne et shakespearienne jusqu'au surréalisme – est clairement attestée dès les premières œuvres. Le *Cahier d'un retour au pays natal* (1939), paru à la veille de la guerre et promis à une immense fortune, notamment en Afrique, participe en effet directement d'une poétique inspirée de Lautréamont et de Rimbaud, bien plus que d'hypothétiques images et rythmes « africains » (même si Rimbaud se voulait « nègre » et « barbare »), ainsi qu'on a pu l'écrire. Revenu dans son île natale, le récitant accable la « ville inerte », la « foule criarde » de la « négraille », vouée aux lèpres et aux famines, d'une satire violente dont la rhétorique dépréciative, qui se complaît dans le registre physiologique, évoque directement *les Chants de Maldoror*. Mais, comme *Une saison en enfer*, autre grande référence pour Césaire, le *Cahier* est aussi le récit – épique, ainsi que le montre le recours aux procédés stylistiques de l'oralité (répétitions, parallélismes, parataxe, etc.) – d'une expérience spirituelle, signifiée par les allusions, voire les références à l'Ancien Testament – d'une double « conversion », à la poésie et à la « négritude », dont le vocable entre ici, pour la première fois, en littérature. Après avoir fait retentir le « cri » qui monte de la cale du négrier, ainsi que l'écrira Édouard Glissant, à la faveur d'une anamnèse collective, le poète, qui s'identifie à ses ancêtres déportés, prend en charge leur humiliation, qu'il retourne en liberté. Du pamphlet, le poème, libéré des complexes des anciens esclaves, s'élève en effet graduellement jusqu'à l'éloge de la « négritude », symbolisée par la « colombe » : « J'accepte... j'accepte... entièrement, sans réserve.../ma race qu'aucune ablution d'hysope et de lys mêlés/ne pourrait purifier. » Mais qu'on ne s'y trompe pas, ce thème de la « négritude », d'abord simplement acceptée, puis revendiquée, qui devait assurer la célébrité de Césaire dans le monde entier, naît encore d'un regard occidental sur l'Afrique mythique, porté pour la première fois par les écrivains américains de la Renaissance de Harlem (Langston Hughes, Claude McKay, Countee Cullen), que Césaire avait découverts à Paris, avec ses amis antillais et africains réunis autour de la revue *l'Étudiant noir*. Césaire et Senghor, dans les années 1930, lisaient en outre assidûment les ethnologues européens – Maurice Delafosse, Leo Frobenius, et plus tard Marcel Griaule – qui, sous l'influence du bergsonisme ambiant, dénonçaient les préjugés arrogants du rationalisme occidental, « hamitique », et, au contraire, valorisaient la civilisation « éthiopique », où l'homme vit en harmonie avec la nature. L'opposition de la sensibilité de l'« âme africaine » à la « raison hellène » et à la technologie occidentale – reprise par Césaire et Senghor – participe bien, en un sens, de la crise des valeurs analysée par Oswald Spengler dans *le Déclin de l'Occident*, que les deux étudiants lisaient à la même époque. La quête des origines africaines ne pouvait que rencontrer celle, « primitiviste », des surréalistes. Et c'est Breton, sur le chemin de l'exil vers les États-Unis, en 1941, qui, découvrant Césaire à Fort-de-France, le fait connaître, en Amérique d'abord, puis en France, préfaçant les nouvelles éditions du *Cahier* qui paraissent à New York et à Paris en 1947 : Césaire est devenu « un grand poète noir » – l'« Orphée noir » célébré par Sartre dans sa préface à l'*Anthologie de la nouvelle poésie nègre et malgache de langue française* publiée par Senghor en 1948.

Le surréalisme, « l'ambition poétique elle-même »

C'est précisément sous le signe du surréalisme qu'est placé le recueil poétique *les Armes miraculeuses* (1946), auquel s'adjoint le poème tragique *Et les chiens se taisaient*, adapté pour le théâtre en 1956, à l'occasion d'une mise en scène de Janheinz Jahn. Césaire reprend alors des poèmes publiés dans la revue *Tropiques*, qu'il anima à Fort-de-France à partir de 1941, aux côtés de René Ménil, d'Aristide Maugée et de Suzanne, son épouse. Si quelques-uns des grands poèmes des *Armes miraculeuses* – « les Pur-sangs », « Avis de tir », « Tam-tam de nuit » – s'apparentent étroitement aux textes surréalistes en raison du flot « automatique » des images, il faut moins parler, à leur propos, d'influence surréaliste – même si Césaire avait côtoyé à Paris, avec réserve il est vrai, le groupe *Légitime Défense*, d'obédience surréaliste –, que de rencontre, *via* précisément Lautréamont et Rimbaud. Pareille profusion des images se retrouve dans les recueils suivants – *Soleil cou coupé* (1947), au titre apollinarien, *Corps perdu* (1950) –, et des voix se sont élevées, aux Antilles, pour stigmatiser l'hermétisme d'une écriture qu'on voulait militante. *Ferrements* (1960) et *Cadastre* (1961), qui reprennent ces derniers poèmes en les « simplifiant » pour rendre plus accessible leur portée idéologique, constituent, de ce point de vue, un véritable reniement, qu'explique en partie l'engagement politique de Césaire, d'abord membre du parti communiste, animateur depuis 1958 du Parti progressiste martiniquais. Mais la richesse du vocabulaire savant dans les *Armes* (qui peut évoquer celle du « béké » guadeloupéen Saint-John Perse), renvoyant à la flore, à la zoologie, à la géographie antillaises, marque aussi, paradoxalement, le désir d'enracinement – non pas finalement dans l'Afrique mythique, que Césaire ne connaît alors guère qu'à travers l'*Histoire de la civilisation africaine* de Leo Frobenius, traduite en 1935 et citée dans *Tropiques*, mais bien dans la Caraïbe. La violence sacrificielle des rites primitifs – « chair riche aux dents copeaux de chair sûre/volez en éclats de jour en éclats de nuit en baisers de vent... » –, annoncée par le titre des *Armes*, est rapportée à la mythologie grecque dans le drame *Et les chiens se taisaient*. Césaire s'y inspire de *Naissance de la tragédie* de Nietzsche, consacrant « la revanche de Dionysos sur Apollon », dans une réécriture de la tragédie grecque. Le thème de la « négritude » est ici en quelque sorte mis en fiction sous le masque du Rebelle, esclave « marron » qui a tué son maître, agonisant dans sa geôle, sous les accusations du chœur noir qui, par lâcheté, n'a pas mis à profit son sacrifice. « Métissée » avec le Prométhée d'Eschyle, s'esquisse la figure christique qui ne cessera de hanter le théâtre de Césaire, conjuguant la triple influence biblique, grecque et shakespearienne.

Les pièces de théâtre, « des départements de la poésie »

Lorsque, sous l'impulsion d'Antoine Vitez, *la Tragédie du roi Christophe* (1963) est entrée au répertoire de la Comédie-Française, en 1991, le parti adopté par le metteur en scène burkinabé Ouedraogo de faire jouer des acteurs blancs a été violemment critiqué. Il était certes légitime d'invoquer la mémorable création de la pièce par Jean-Marie Serreau au festival de Salzbourg, en 1964, avec une troupe d'acteurs noirs. Mais c'était, en un sens, dénier l'universalité de l'œuvre voulue par Vitez – et, sans doute, par l'auteur lui-même. Césaire représente un épisode de l'histoire d'Haïti, après l'insurrection de Toussaint Louverture : l'ascension, puis la chute de Christophe, ancien esclave cuisinier, devenu président de la jeune république haïtienne, qui se fait sacrer roi, mais est abandonné par son peuple alors qu'il lui assigne le projet titanesque de construire une cidatelle « inexpugnable », afin de le mobiliser et de lutter contre son indolence naturelle. L'allégorie était transparente, et les dirigeants des jeunes États indépendants du tiers-monde ont saisi la portée politique de l'avertissement. Mais malgré les références à la culture antillaise – le combat de coqs du prologue, le patois « créolisant » des paysans, les chansons créoles du bouffon Hugonin – et, surtout, le rêve du roi paralysé de retrouver, dans la mort, la forêt et le fleuve Congo de ses ancêtres africains et le dieu Shango, la tonalité de la pièce est d'abord éminemment shakespearienne. L'« attentat du Destin », la « Fortune envieuse » fauche en effet les ambitions politiques de ce héros de la négritude, comme dans *Macbeth*. Le constant mélange des genres – Césaire relisant Shakespeare à travers Hugo – permet d'allier la farce à la tragédie, le lyrisme à la satire, et de parvenir à une polyphonie des styles qui contraste avec le sublime soutenu de *Et les chiens se taisaient*. Tout autant que des affres du pouvoir, cette tragédie est l'allégorie de la création poétique, comme le suggère l'obsession de la « forme » qui hante Christophe, « avec ses formidables mains de potier, pétrissant l'argile haïtienne ». C'est bien pour avoir voulu, dans sa démesure, infléchir le cours de l'Histoire – quitte à rebaptiser les anciens esclaves et à les affubler de titres de noblesse ridicules – que Christophe s'effondre, « trahi par la nature imbécile ». La référence shakespearienne, qui va parfois jusqu'au pastiche, n'est d'ailleurs nullement exceptionnelle dans l'œuvre de Césaire, qui a en outre récrit *la Tempête*, faisant de Caliban l'esclave noir de Prospéro (*Une tempête*, 1969).

Et ce n'est pas le moindre des paradoxes que, pour remplir sa mission d'« éveilleur extraordinaire » des « peuples où l'on ne lit pas », le théâtre voué à la négritude doive passer par les formes occidentales – eschyléennes, shakespeariennes, mais aussi brechtiennes pour *Une saison au Congo* (1966). Césaire fait ici l'économie de l'allégorie, puisqu'il fonde sa pièce sur l'histoire récente de l'indépendance du Congo belge, et sur l'assassinat, en 1961, de Patrice Lumumba, victime de son ami « Mokutu » et de la complicité de l'ONU, qui trompe son secrétaire général, Hammarskjöld. Le peuple zaïrois est présent sur la scène grâce au joueur de sanza, et le dramaturge recourt à différents procédés de distanciation (prologue du bonimenteur, écriteaux, didascalies précises, etc.) qui soulignent la dimension épique du combat politique de ce héros authentiquement populaire, qui s'identifie à sa patrie, le Congo, et à l'Afrique. Comme pour le Rebelle et, de manière plus ironique, pour Christophe, Patrice est présenté comme un « Messie » dont la pièce retrace, en somme, la Passion. Mais il faut se garder de la réduire à sa portée politique car, à sa manière, Patrice Lumumba est encore – comme Christophe – « poète par le verbe [...], la puissance magique du verbe, la puissance du *nommo,* le verbe créateur ». L'art oratoire du chef charismatique rejoint alors celui du poète, et mainte scène de la *Saison* s'infléchit vers la poésie, retrouvant, une fois encore, des inflexions shakespeariennes. La *Saison* montre ainsi le lien profond, dans l'œuvre de Césaire, entre le *Discours sur le colonialisme*, l'éloquence pamphlétaire tonitruant dès le *Cahier*, et la poésie lyrique, également vouée au combat par ses « armes miraculeuses » à la valeur performative. « Je n'ai pour arme que ma parole, je parle et j'éveille [...]. Je parle, et je rends l'Afrique au monde ! », s'écrie Patrice Lumumba. On peut certes rattacher pareille conception à celle du *nommo* africain, étudié par Marcel Griaule chez les Dogons, ainsi que l'a fait Césaire lui-même ; mais il faut aussi la rapprocher du Verbe johannique, dont le poète, « proférant de chaque chose le nom » selon Claudel, également admiré par Césaire, retrouve la puissance procréatrice : « Au commencement était le verbe... Jamais homme ne l'a cru plus fortement que le poète. » Césaire, prônant en Afrique un théâtre « total » qui se distingue du théâtre européen par une « symbiose » de tous les arts, perpétue l'idéal wagnérien, repris par Nietzsche et par Claudel, de l'« Œuvre total ».

« Une noueuse unité primitive »

Césaire n'a pas renoncé à la poésie, après le succès à travers le monde de la *Tragédie,* de la *Saison* et d'*Une tempête.* Non seulement parce que ces pièces, marquées par Shakespeare, Nietzsche et Claudel tout autant que par Brecht, relèvent de plein droit du « théâtre poétique », que la critique, obnubilée par un contenu idéologique d'ailleurs inséparable de l'imagination lyrique, a parfois un peu négligé. Avec la publication de *Moi, laminaire*... (1982), il renoue officiellement avec le genre poétique, faisant cette fois fi des accusations d'hermétisme qui l'avaient conduit au compromis de *Cadastre.* Comme dans les *Armes*, le vers libre de *Moi, laminaire*... laisse s'épanouir librement un imaginaire surgi des profondeurs archaïques. À l'instar de Christophe et de Patrice, assimilés dans leur agonie à l'arbre et à la nature africaine – « Je serai du champ ; je serai du pacage » –, *Moi, laminaire* fait retour aux origines élémentaires, à la symbiose primitive du corps avec la nature. Cette nostalgie fusionnelle, suggérée par le titre (« laminaire » désigne une algue accrochée au rocher), vise à un « calendrier lagunaire », « hors du temps enfui » où les amis peintres et poètes disparus – Wifredo Lam, Miguel Angel Asturias, Léon-Gontran Damas – croisent les hippocampes sur le fond de la « loi des coraux ». À l'insurrection rimbaldienne du *Cahier* et des *Armes* succède la sérénité retrouvée dans la fusion cosmique, si bien que, selon le dernier vers du recueil, « une nouvelle bonté ne cesse de croître à l'horizon ». Méditant sur le mystère de la naissance et des origines, le poète rencontre la mort, inscrite dans le cycle biologique : « On a peine à s'imaginer que tout est perdu/ puisque l'énergie des cendres est toujours là/et souffle de temps en temps/à travers les décombres. »

D. Combe

CESBRON Gilbert

(1913-1979)

Écrivain né à Paris. Après des études au lycée Condorcet (cf. *Notre prison est un royaume*, 1948), puis à l'École des sciences politiques (cf. *la Tradition Fontquernie*, 1947), Cesbron se tourne vers la radio, activité qu'il mènera de front avec sa carrière d'écrivain, avant de se consacrer, à partir de 1972, à l'action sociale et à la direction d'œuvres humanitaires. Cesbron a publié plus de 40 volumes, qui ont rencontré un vif succès auprès du grand public. Un de ses premiers récits (*les Innocents de Paris*), très apprécié de Colette, obtint le prix de la Guilde du livre (1944). Cesbron devait recevoir, par la suite, divers autres prix dont le prix Sainte-Beuve pour *Notre prison est un royaume*. Sa pièce la plus célèbre, *Il est minuit, docteur Schweitzer* (1952), fut adaptée à la radio et portée à l'écran avec Jeanne Moreau dans le rôle de Mlle Marie.

Cesbron s'est toujours attaqué aux problèmes moraux les plus brûlants du monde contemporain : la jeunesse délinquante (*Chiens perdus sans collier*, 1954), l'euthanasie (*Il est plus tard que tu ne penses*, 1958), la violence (*Entre chiens et loups*, 1962), etc. Essayiste, ce sont aussi les sujets d'actualité qui le passionnent : il interroge notre siècle à la lumière de l'Évangile et pose, notamment dans *Libérez Barabbas* (1957), une des questions fondamentales de la mauvaise conscience européenne : « Un bourgeois peut-il être chrétien ? » C'est avec une tendresse et une sincérité évidentes que Cesbron se penche dans ses romans sur la misère, les souffrances, l'humiliation des classes les plus défavorisées. À mi-chemin entre la tentation du populisme et les coquetteries du style « littéraire », Cesbron parvint, par le choix des sujets (cf. notamment *Les saints vont en enfer*, 1952, où l'on voit les prêtres ouvriers se débattre face à une hiérarchie caricaturale, injuste et conformiste), à se concilier un vaste public ; à long terme, il risque malheureusement de décevoir par une simplification excessive de la réalité qui rappelle les structures mélodramatiques héritées du XIXe siècle.

B. Valette

CHABROL Jean-Pierre

(né en 1925)

Chabrol, d'une certaine manière, pourrait être l'un de ces écrivains par qui la mode du « retour aux sources » a gagné les maisons d'édition parisiennes. Il connaît l'art de chanter la nature cévenole (qui sert de toile de fond aux *Rebelles*, 1970), de décrire la vie rurale, d'évoquer les racines d'un pays et de ses hommes et s'exprime dans une langue musicale et imagée. Né à Chamborigaud, dans le Gard, d'un père instituteur (qu'il évoquera dans *le Bonheur du manchot*, 1994) et de grands-parents bergers, tour à tour maquisard pendant la Résistance (voir *la Chatte rouge*, 1976), journaliste, enfin romancier volubile, l'homme n'a jamais cessé de rechercher le contact vrai et pur auprès de ses lecteurs, qui goûtent chez lui la veine populiste comme ils l'apprécient chez un Maupassant – auquel d'ailleurs Chabrol s'apparente à bien des égards. Mais qu'on ne voie pas seulement en Jean-Pierre Chabrol un peintre de la France profonde : en lui sommeille également la verve d'un polémiste engagé. Ses livres s'attachent au sort des humbles (*le Bout galeux*, 1956 ; *les Innocents de Mars*, 1960), condamnent celui des riches, défendent l'existence des paysans en proie aux attaques du monde moderne, relatent le courage des militants de tout poil et de toute époque (Camisards des *Fous de Dieu* [1961], communards du *Canon Fraternité* [1970], protestants chassés par les guerres de Religion à travers la figure de D'Aubigné, héros du *Bouc du désert* [1975]). Ses positions, souvent virulentes, ont été plusieurs fois servies par la télévision qui a adapté quelques-uns de ses meilleurs romans. Retiré sur ses terres gardoises, Chabrol laisse désormais parler les deux voix qui sous-tendent son expérience : celle de l'oralité récupérée (*les Mille et Une Veillées*, 1997) et celle de l'écriture confrontée à la parole (*les Aveux du silence*, 1995).

J. Garcin

CHAILLOU Michel

(né en 1930)

Michel Chaillou n'est pas un « héritier ». Un autodidacte plutôt, qui, d'abord de Nantes où il est né jusqu'à Casablanca, connaît une enfance difficile : à 14 ans, il est aide-comptable dans une épicerie en gros. Écolier épisodique donc – il repasse trois fois son bac –, mais lecteur boulimique. Revenu dans le bocage, étudiant en philosophie, puis professeur de Lettres, il « passe ses jours à lire, écrit peu mais se sent écrivain ». Quand il publie son premier livre, *Jonathamour*, à 38 ans (1968), dans la collection « le Chemin » de Georges Lambrichs, il rédige des feuilletons pour la télévision scolaire.

« Quel tapage rendra la circulation des idées, pieds, mains qui se heurtent, pensées qui s'entrechoquent, bonhomme, bonne femme sortis du hasard, y retournant ? » lit-on dans la préface de *la Petite Vertu* (1980) qui est un peu son manifeste. La langue est le domaine de Chaillou, où s'échangent la rêverie d'un narrateur et le bruit immémorial et singulier des choses. Zone « vague » et feuilletée du temps, tressée de récits interrompus et de vies ébauchées. Chaillou écrit sans cesse le roman du roman, la fiction se déposant dans la langue, la langue générant ses fictions. Voilà pour sa « modernité ».

Toujours une période historique, un texte ancien (ou plusieurs, ou un genre) servent de mémoire, d'aliment à la trame romanesque, véritable « dépôt de savoir et de technique » (pour reprendre un titre de Denis Roche), intercesseur entre le roman et lui-même : Stevenson et la littérature maritime pour *Jonathamour*, ou *la Vindicte du sourd* (1984), un livre pour enfants, le théâtre classique pour *Collège Vaserman* (1970), *l'Astrée* pour *le Sentiment géographique* (1976), les *Essais* pour *Domestique chez Montaigne* (1983), l'érotisme du XVIIIe siècle pour *le Rêve de Saxe* (1986), un divertissement autobiographique du XVIIe siècle pour *Le ciel touche à peine terre*, 1997, « odyssée inquiète » de deux frères en terre frisonne ; quant à *la Petite Vertu*, elle se donne pour une anthologie de la « prose courante sous la Régence ». On est loin des références dominantes de l'époque. Sous une pratique de l'écriture qui séduisait Roland Barthes (Chaillou a commencé une thèse sous sa direction) se dissimule un « ancien régime de la sensibilité » : Michel Chaillou est aussi le romancier du petit peuple, de l'âge mûr et de l'enfance, souvent plus proche de Charles Dickens (une Angleterre imaginaire est omniprésente dans son œuvre) que de Philippe Sollers. L'originalité de Chaillou est ainsi perceptible dans : *la Croyances des voleurs* (1989), *Mémoires de Melle* (1993), *la Vie privée du désert* (1995), consacrés au personnage du jeune Samuel Canaly, ou encore dans *l'Hexaméron : il y a prose et prose* (M. Chaillou *et alii*, 1990), *la Rue du capitaine Olchansky* (1991), *la Fleur des rues, petit guide pédestre de la littérature française du XVIIe siècle 1600/1660* (en coll. avec Michèle Chaillou, 2000), *Indigne Indigo* (2000).

J.-P. Salgas

CHALLE Robert

(1659-1721)

Auteur de l'un des grands succès romanesques du XVIIIe siècle, qui inspira Richardson, Prévost et Marivaux, Robert Challe est tombé par la suite dans un oubli complet. Il a fallu attendre les années 1950-1960 pour que la critique universitaire exhume enfin ses *Illustres Françaises* et en explore les différents niveaux de lecture : car ces « histoires véritables » qui décrivent avec réalisme et vivacité les mœurs parisiennes à la fin du Grand Siècle composent aussi sous leur juxtaposition apparente une structure narrative d'une étonnante et alléchante complexité. Redécouvert comme romancier, Challe devait l'être ensuite comme philosophe et précurseur des Lumières quand lui fut attribué, dans les années 1970, un célèbre brûlot idéologique du XVIIIe siècle : les *Difficultés sur la religion*.

Un marin philosophe

Longtemps, les nombreux lecteurs des *Illustres Françaises* ont tout ignoré de Robert Challe. Le texte est publié anonymement en 1713 par le libraire hollandais De Hondt, et connaît un succès immédiat. Mais ce n'est qu'en 1748 que Marc-Michel Rey, en rééditant l'ouvrage, ajoute une notice littéraire consacrée à l'auteur et à ses autres écrits : un *Journal de voyage aux Indes orientales* (1690-1691, publié en 1721) et des *Mémoires* politico-philosophiques sur le règne de Louis XIV (1716-1721, publiés en 1731). Il faudra les travaux de Francis Mars (1975) et de Fr. Deloffre (1979) pour que lui soit reconnue la paternité d'un important manuscrit clandestin du XVIIIe siècle, composé vers 1710, remanié et édité par Naigeon et d'Holbach en 1767, et qui fait de Challe « le père du déisme français », les *Difficultés sur la religion proposées au P. Malebranche*, appelées aussi par Naigeon *le Militaire philosophe*. Ce dernier titre rend bien compte de la personnalité de Challe, et d'une vie où l'aventure sans cesse nourrit la réflexion. Fils d'un bourgeois parisien, il reçoit une éducation solide au collège de La Marche, puis choisit la carrière des armes et participe à la guerre contre la Hollande (1677). En 1683, sa famille l'envoie en Acadie travailler dans une compagnie de pêcheries. Il en revient l'année suivante, visite les pays nordiques et le pourtour méditerranéen (1684-1687). Retourné au Canada en 1688, il se lance dans le commerce des peaux, mais les Anglais pillent ses installations et l'emmènent à Londres, où il rencontrera Saint-Évremond.

En 1690, changement de cap. Recommandé par le ministre Seignelay, son ancien condisciple, il s'embarque comme « écrivain du Roy » (économe et officier d'état civil) sur un navire en partance pour les Indes. Son *Journal* donne une relation pittoresque et détaillée de la vie quotidienne en mer, dessinant à traits acérés ses compagnons de voyage, officiers, négociants, et matelots « en même temps ivrognes, larrons et dévots », risquant parfois de savoureux néologismes : être « vulcanisé » n'est pas une métaphore technologique, mais désigne un état d'infortune conjugale tel qu'en connut le dieu Vulcain… L'auteur du *Journal* se montre aussi un véritable précurseur de l'ethnologie, comparant les croyances et les mœurs d'Afrique ou des Indes avec celles des Européens : « Leurs idoles sont parmi eux ce que les saints sont chez nous. » Méfiance à l'égard des rites, des prêtres, des préjugés religieux, qui trouvera une expression plus théorique dans le déisme anticlérical des *Difficultés sur la religion*. En 1692, Challe rembarque sur un autre navire, assiste à la bataille de La Hougue dont ses *Mémoires* livreront des croquis héroï-comiques. Ayant quitté la marine en 1694, il se fixe à Paris comme avocat avant de se retirer vers 1718 à Chartres, où il mourra. Ses dernières années sont consacrées à l'écriture :

entre 1710 (les *Difficultés*) et 1716, début de la rédaction des *Mémoires*, une date est à retenir : 1713, année de publication de son chef-d'œuvre romanesque, rédigé « comme en se divertissant », *les Illustres Françaises*.

Les Illustres Françaises

La recherche du bonheur

Par le titre même de son roman, Challe définit d'emblée son projet d'écriture en tournant le dos au récit « historique » en vogue, à la manière de Catherine Bernard, Hamilton ou Courtilz de Sandras : l'intrigue romanesque n'est plus ici une retombée de l'histoire collective ; c'est au contraire à partir de l'aventure individuelle, de l'énergie déployée par ces héroïnes qui au regard des gazettes sont d'« illustres » inconnues, que désormais se constitue par touches successives la véritable chronique d'une société. Avec Challe, le lieu de l'Histoire se déplace vers la vie quotidienne, ses obstacles et ses joies, et c'est tout naturellement que des auteurs « bourgeois » du XVIIIe siècle ont trouvé chez lui la matière de leurs « tragédies domestiques » : témoin la *Silvie* de P. Landois (1741), et surtout le célèbre *Dupuis et Des Ronais* de Ch. Collé (1763). Sociologiquement, les personnages de Challe appartiennent déjà à cette « classe à deux frontières » (N. Elias) qui rassemble la bourgeoisie aisée et la petite noblesse, également distantes du peuple et de la Cour, du prince et de la bergère : pour ces « illustres Françaises », le ridicule suprême est de se comporter en « héros de roman », et l'essentiel est d'abord d'être heureux à sa place.

Mais ce bonheur figuré par le mariage d'amour suppose la réduction d'une antinomie : « la jouissance tue l'amour », donc l'envie du mariage, et à l'inverse celui-ci « change terriblement les objets, tout y perd les trois quarts de son prix ». Les unions libres sont fragiles, les justes noces ennuyeuses. Problématique banale, héritée de la préciosité. L'originalité de Challe réside dans la solution qu'il propose : une double vie, où le plaisir de la clandestinité vient contrebattre la lassitude qui naît d'un engagement durable ; en un mot : le mariage secret. Celui-ci détermine le contenu narratif du roman – l'amour contrarié par l'ordre social « dans un pays où le seul intérêt règle les alliances » – et l'attribution de la fonction d'opposant à des pères castrateurs, contraignant leurs enfants à une stratégie compliquée pour « sauver les apparences », et à une fidélité à toute épreuve : l'obstacle devient alors une condition du bonheur… N'est-ce pas là, cependant, qu'un bonheur imparfait, chichement concédé par une société répressive ? La plus anonyme de ces « illustres Françaises », une veuve – Challe ne lui donne pas même un prénom –, rêve tout haut de changer la vie : « Quelle est celle de nous qui voudrait se donner à un seul, et en essuyer tous les chagrins et les dégoûts, si elle pouvait sans honte et sans risque goûter ce même plaisir avec qui bon lui semblerait ? Certes, on ne verrait aucun mariage dans le monde, si étant filles et conservant notre liberté, nous pouvions impunément recevoir dans nos bras qui nous voudrions. »

La combinatoire et l'« écheveau »

Les Illustres Françaises se présentent comme la simple juxtaposition de sept « histoires » différentes, racontées tour à tour par quatre narrateurs impliqués ou non dans leurs récits, devant une petite « cour d'amour » plus ou moins nombreuse qui commente et apprécie, un peu à la manière de l'*Heptaméron*. À l'exception de la dernière, plus décousue et sans doute largement autobiographique (« Histoire de M. Dupuis et de Mme de Londé »), ces histoires reproduisent en réalité la même configuration actantielle : amant-sujet, maîtresse-objet (mais capable d'initiative : l'une d'elles, particulièrement entreprenante, conseille son partenaire : « Il ne tiendra qu'à vous de m'engager si avant que vous soyez à couvert de mon inconstance »), également passionnés et fidèles ; père, parfois mère, opposants dévorés d'ambition sociale. Toutefois, d'une « histoire » à l'autre, selon les qualifications variables des personnages, l'événement central – le mariage secret – se donne sous des modalités différentes : conséquence d'une inégalité de fortune et/ou de naissance, sanctionnée par une promesse « privée »/un engagement reçu par un prêtre, consommé/non consommé, finalement toléré/refusé par les parents…

Au hasard de cette savante combinatoire, surgissent des tableaux de mœurs qui ne répugnent pas au plus violent pathétique : un père cruel fait jeter son fils en prison alors que sa « belle-fille » enceinte meurt dans des flots de sang ; un amant jaloux surprend sa maîtresse dans les bras d'un autre et la séquestre au pain et à l'eau : « Maltraitez-moi, renfermez-moi, s'écrie la malheureuse, mais ne vous éloignez pas… J'adorerai la main qui me châtiera pourvu que je la voie. » Étonnante figure que cette énergique Silvie, maîtresse de Des Frans – « de toute votre famille je ne veux épouser que vous » –, qui se substitue à l'homme pour tracer son propre portrait : « Elle en avait peu [de poitrine], mais ferme ; et elle me disait quelquefois en plaisantant qu'une femme en a toujours assez quand elle en a de quoi remplir la main d'un honnête homme » ; ou que ce Dupuis père, refusant de donner sa fille à Des Ronais pour la garder auprès de lui, sans pourtant décourager le galant qu'il considère comme « la devant épouser un jour ».

Simultanément ces différentes « histoires » sont ouvertes, et se poursuivent dans le temps même de la narration : Des Ronais, après avoir conté l'« infidélité » de Mlle Dupuis, apprend d'un autre narrateur qu'il y a eu malentendu ; Des Frans constatera de même l'innocence de Silvie, qui pourtant lui semblait coupable. Ces histoires par conséquent « n'arrivent à leur véritable dénouement que dans les circonstances où elles sont racontées » (H. Coulet) ; le perpétuel va-et-vient des personnages entre des fonctions différentes, narrateur, narrataire, acteur, témoin, l'alternance du récit et de la « lecture » (lettres et billets appelés à authentifier les dires de chacun) créent un vacillement perpétuel entre le passé et le présent, le romanesque et le vécu qui se renvoient l'un à l'autre et s'entrelacent en « écheveau ». Pour constituer en définitive, tous souvenirs et documents mêlés, une authentique Histoire.

SYNOPSIS

Sur le quai Pelletier (l'actuel quai de Gesvres), au hasard d'un embarras de carrosses, deux amis se retrouvent, Des Ronais et Des Frans, qui arrive de province. Des Ronais le loge chez lui. Plusieurs amis viennent les rejoindre, et, d'une réunion à l'autre, d'un dîner à un souper, vont se succéder sept narrations, qui font presque sept nouvelles.

Des Ronais s'est épris de Manon Du Puis, qui, malgré l'opposition de son père, s'attache fidèlement à lui. La mort du père les rend libres. Du Puis surprend une lettre, apparemment écrite à Manon, qui prouverait qu'elle l'a trahi. Il rompt, part pour la province, mais il ne peut l'oublier (« Histoire de Monsieur Des Ronais et de Mademoiselle Du Puis »).

Le riche et noble Contamine tombe amoureux d'Angélique, de bonne naissance mais fort pauvre. Il lui remet de l'or, se déclare prêt à l'épouser, l'installe dans une maison opulente. Il l'entretient. Elle se déroberait, par honte, au mariage, si la princesse de Cologny ne l'y décidait (« Histoire de Monsieur de Contamine et d'Angélique »).

Le duc de Bernay refuse obstinément de donner sa fille à Terny, et elle est prête à prendre le voile. Il faudra l'intervention du duc de Lutry pour qu'elle épouse Terny et trouve avec lui le bonheur. On nous explique ici que la lettre qui avait suscité la colère de Des Ronais contre Manon était, en fait, écrite par Terny à sa maîtresse (« Histoire de Monsieur de Terny et de Mademoiselle de Bernay »).

Jussy et Babet Fenouil se promettent de s'épouser et connaissent six mois de bonheur. L'oncle de la jeune fille veut la marier à un autre. Ils se sauvent ensemble. La justice bannit le jeune homme de France, on le croit mort, il va retrouver son amante, avec l'enfant qu'elle a eu de lui (« Histoire de Monsieur de Jussy et de Mademoiselle Fenouil »).

Des Prez épouse secrètement Marie-Madeleine de l'Épine. Les parents interviennent : il est incarcéré à Saint-Lazare ; sa femme, enceinte, se retrouve à l'hôpital, où elle meurt de chagrin. Il part pour la Normandie et revient désespéré (« Histoire de Monsieur Des Prez et de Mademoiselle de l'Épine »).

Des Frans adore Silvie en dépit des médisances qui courent sur elle. Il l'épouse en secret. Un jour, il la surprend dans les bras de Galloüin. Il se bat avec le séducteur, enferme sa femme dans un cachot ; elle meurt ; il apprend maintenant qu'elle n'a jamais voulu lui être infidèle (« Histoire de Monsieur Des Frans et de Silvie »).

Du Puis, le cousin de Manon, a eu une jeunesse libertine et traversée d'aventures multiples. Il s'éprend de la sœur de Galloüin (et il explique que celui-ci n'a séduit Silvie que par des sortilèges). La jeune fille épouse M. de Londé et écarte Du Puis. Il tente devant elle de se suicider. Veuve maintenant, elle est prête à l'épouser (« Histoire de Monsieur Du Puis et de Madame de Londé »).

Trois mariages vont donc clore l'histoire : celui de Du Puis et de Mme de Londé ; celui de Des Ronais et de Manon Du Puis ; celui de Des Frans et de Mme de Mongey, une jeune veuve qui l'aime depuis longtemps.

J.-P. de Beaumarchais et A. Niderst (synopsis)

CHAMFORT Nicolas de

Pseudonyme de ***Sébastien-Roch NICOLAS*** *(1740-1794)*

Peintre moqueur d'un Ancien Régime en décomposition, Chamfort en propose un portrait lui-même décomposé : des *Maximes, pensées, caractères et anecdotes* où la littérature se fragmente en mots d'esprit, l'Histoire en historiettes, la morale en conformismes. À la différence d'un La Rochefoucauld, Chamfort n'est habité d'aucune certitude ; ce moraliste dénonce la « charlatanerie » des moralistes, et après avoir lancé en 1789 son fameux « Guerre aux châteaux, paix aux chaumières », il raille la pseudo-fraternité révolutionnaire : « Sois mon frère ou je te tue ». Car l'ennemi suprême est pour Chamfort l'esprit de système. L'important est de briser par le rire tous les discours d'oppression, y compris celui du philosophe d'autant plus suspect qu'il se dit porteur de vérité. On comprend dès lors l'hommage rendu par Nietzsche dans *le Gai Savoir* à un homme qui « jugeait le rire nécessaire comme un remède à la vie ».

Le fugitif

La vie entière de Chamfort est marquée par le désir de parvenir, et simultanément d'échapper aux contraintes sociales. Premier obstacle : la naissance. Sébastien-Roch Nicolas, né à Clermont-Ferrand en 1740, est un enfant naturel. Sauvé par son intelligence, il est recruté comme boursier par le collège des Grassins, à Paris. Pour échapper à « l'esprit de pédanterie », ce trop bon élève se jette dans la vie mondaine, fût-ce par la petite porte : à vingt ans, il est précepteur chez un baron allemand, et nègre littéraire du duc de La Vallière. Servitude intellectuelle qu'il compense par une générosité physique peu commune : « C'est un Hercule », dit avec ravissement la princesse de Craon. En est-il moins un « bouffon de cour » ? « Sois indépendant », crie la nature, et Sébastien-Roch devenu M. de Chamfort cherche à se faire reconnaître homme de lettres : il court les prix académiques (*Éloges* de Molière, 1769 ; de La Fontaine, 1774) et les succès théâtraux : *la Jeune Indienne* (1764) et *le Marchand de Smyrne* (1770) dénoncent les fausses valeurs de la société occidentale. En 1776, il collabore à un *Dictionnaire dramatique* et donne *Mustapha et Zéangir*, tragédie raboteuse qui lui vaut pourtant une pension royale et une charge auprès du prince de Condé : prison dorée, d'où il s'évade au bout d'un an. 1781 : Chamfort est élu à l'Académie. Mais il s'échappe encore, et s'enferme à la campagne. Nouveau retour au monde en 1784 : le voici secrétaire de Madame Élisabeth, sœur du roi, et protégé du comte de Vaudreuil. Est-il cette fois « récupéré » définitivement ? Non pas, et ses lettres à Vaudreuil dénoncent les vices du régime : « De quoi s'agit-il ? D'un procès entre vingt-quatre millions d'hommes et sept cent mille privilégiés. » En 1789, il inspire à Sieyès sa célèbre brochure *Qu'est-ce que le tiers état ?* et cet académicien rédige pour Mirabeau un discours sur… la suppression des académies (1791). Mais il garde son franc-parler, et sous Robespierre la dissidence devient un plaisir dangereux ; ses sarcasmes (« la fraternité de ces gens-là est celle d'Étéocle et de Polynice ») le conduisent en prison (1793). Ultime évasion, manquée : une tentative de suicide en septembre 1793. Mal rétabli, il mourra quelques mois plus tard le 13 avril 1794 : fin pathétique d'un Lorenzaccio totalement lucide sur lui-même – « ma vie entière est un tissu de contrastes avec mes principes » –, cherchant à tirer vengeance d'une société qui l'a corrompu, et qui ne trouve dans la Révolution qu'une nouvelle mascarade avec, en plus, la guillotine.

Un rire destructeur

Les *Maximes, pensées, caractères et anecdotes* ne paraîtront qu'en 1795, publiés par le poète Ginguené. Grâce à lui, nous savons que Chamfort avait « depuis longtemps » (à partir de 1780 sans doute) coutume de les écrire « chaque jour sur de petits carrés de papier », l'un d'eux donnant le titre du futur ouvrage : *Produits de la civilisation perfectionnée.* Jardin secret, mais aussi dossier constitué pièce à pièce, bouffées de colère après des journées consacrées à plaire. À première vue, les cibles sont traditionnelles : gens de lettres, courtisans, femmes du monde, prêtres, tous entraînés dans une même comédie sociale dont ils suivent les règles avec une stupide inconscience : « Les hannetons ne savent pas l'histoire naturelle. » Valeurs, sentiments ont une face cachée, une vérité médiocre que le discours mondain s'applique à travestir, et que l'« honnête homme » restitue : la bienfaisance n'est qu'un désir d'« assujettissement » d'autrui ; l'amour, « l'échange de deux fantaisies et le contact de deux épidermes ». Paraître, artifice, lâcheté : la faute en est à « la » société ; mais est-ce la société en soi, ou seulement le système oppressif et corrompu de l'Ancien Régime ?

Chamfort hésite entre un rousseauisme nostalgique et le combat politique, la satire aristocratique de la « sottise » et l'appel aux armes : « Les pauvres sont les nègres de l'Europe. » Il faut en tout cas que « le cœur se brise ou se bronze ». Lequel est préférable ? Situation sans issue. Le drame de Chamfort est de ne pouvoir fixer son lieu de parole : pour lever les masques, il faut s'intégrer à la société telle qu'elle est ; peut-on dès lors éviter d'en prendre les vices ? « Il faut qu'à la longue l'homme le plus honnête devienne comédien malgré lui. » L'ouvrage lui-même s'en trouve écartelé entre des historiettes où figure le narrateur et des maximes qui le placent à distance du monde. Et la vérité n'est pas du côté que l'on croit : la maxime n'est que « routine », « charlatanerie », sa généralité est illusoire ; la saynète en revanche dit le vrai du monde, car « l'histoire des peuples soumis au despotisme n'est qu'un recueil d'anecdotes ». Le rire même, qui donne son unité à l'ouvrage, est ambigu : est-ce le théâtre ou la fête, la distraction ou la destruction ? L'honnête homme à la fois « rit des faux pas de ceux qui marchent à tâtons » et « brise en riant les faux poids et les fausses mesures ». Ce rire hautain et solitaire dit aussi l'échec des Lumières : Diderot, Montesquieu, les grands bâtisseurs ne sont ici que de petits esprits et la Révolution, suprême espoir, a définitivement pourri la philosophie en faisant des « idées » un moyen de « parvenir aux places » ! Scepticisme radical – d'aucuns parleraient d'anarchisme petit-bourgeois – qui condamne les idéaux au nom de leur devenir historique, et l'Histoire au nom d'une « nature » à jamais perdue…

Chamfort, l'importun

Au XIXe siècle une longue traversée du désert ; aujourd'hui, des coups d'œil rapides, mentions, courtes préfaces. Comme s'il fallait choisir devant cette œuvre entre le mépris et la gêne. Chateaubriand, dans les *Mémoires d'outre-tombe,* plaindra du bout des lèvres un homme condamné, après 1789, « à n'être encore qu'un vilain dans la féodalité des bourreaux » : il n'a eu en fait que ce qu'il méritait ! On lui reconnaît au mieux une vivacité bien française ; mais il est si méchant ! « Un grain de poison dans un joli chaton de bague », écrit Sainte-Beuve dans les *Causeries du lundi* (1851). Est-ce bien normal de montrer tant de haine ? Albert Camus, en 1944, croit découvrir chez Chamfort une « rage de pureté » alliée à une « folie de la destruction ». Emmanuel Berl est plus subtil en soulignant son « dégoût de ce qui est gluant, facile, sucré ». Aristocratisme lucide qui fascinait Nietzsche et donne la clef du projet de Chamfort : une « déconstruction » minutieuse de tout jeu social, et, au passage, de toute littérature.

J.-P. de Beaumarchais

CHAMOISEAU Patrick

(né en 1953)

L'œuvre de Patrick Chamoiseau témoigne de la nouvelle vitalité de la francophonie afro-caribéenne au seuil des années 1980 et s'inscrit dans une revendication d'identité linguistique et culturelle. Il s'agit, pour les écrivains de sa génération, d'exprimer la réalité créole en enracinant la langue dans l'esthétique de la tradition orale. Ce souci, que Chamoiseau partage avec d'autres écrivains antillais, comme Raphaël Confiant, Ernest Pépin, Gisèle Pineau, l'amène à prendre ses distances avec le grand aîné qu'est Aimé Césaire. L'auteur du *Cahier d'un retour au pays natal*, aux yeux de la nouvelle génération, a été l'artisan d'une double occultation. La notion de « négritude » a éclipsé celle de « créolité », et les réalités les plus humbles et les plus quotidiennes ont été bannies par le flamboiement verbal et l'ampleur épique. Ce sont précisément ces réalités que Patrick Chamoiseau entend évoquer dans *Chroniques des sept misères* (1986), *Solibo magnifique* (1988), *Au temps de l'antan* (1988), série de contes de la Martinique, *Une enfance créole* (1996), où l'auteur raconte ses souvenirs d'enfance à Fort-de-France, *l'Esclave vieil homme et le molosse*, où un esclave « amateur de silence et goûteur de solitude » est poursuivi par des chiens. En 1989, il rédige avec deux amis, le grammairien Jean Bernabé et l'écrivain Raphaël Confiant, un essai qui constitue un véritable livre-manifeste, *Éloge de la créolité*. Le but des auteurs est de forger « un langage habité par les mots et surtout par l'imaginaire créole ». Contre le français hyperclassique d'un Césaire ou d'un Senghor, il faut inventer une langue qui, sans se départir des règles syntaxiques et des lois rhétoriques du français, laisse entendre le souffle des conteurs et les inflexions des parlers populaires. *Texaco*, qui obtient le prix Goncourt en 1992 et permet à Chamoiseau de toucher pour la première fois un large public, témoigne précisément de cet alliage de créole et de français. Milan Kundera a parlé, lors de la parution du livre, de « français chamoisisé », né du frottement de deux langues. Le roman raconte le squat, par des occupants opiniâtres, d'un dépôt de carburant situé à la périphérie urbaine, mais cette trame sert surtout de prétexte à l'évocation de cent cinquante années d'histoire de la Martinique, des premières plantations esclavagistes aux drames urbains contemporains. Scènes de la vie quotidienne hautes en couleur, épisodes historiques, poèmes incantatoires et récits populaires sont orchestrés avec virtuosité par le romancier, attestant une verve rabelaisienne de plus en plus ouvertement revendiquée par Patrick Chamoiseau.

P. Mari

CHAMPFLEURY ou FLEURY

Pseudonyme de ***Jules Husson*** *(1821-1889)*

Romancier. Né à Laon, dans la petite bourgeoisie, Champfleury interrompt ses études, travaille chez un libraire à Paris, puis, après deux ans passés dans sa ville natale (modèle du Molinchart des *Bourgeois de Molinchart,* 1855), se mêle à la bohème parisienne, côtoyant Murger, Baudelaire, Nadar, Courbet, Banville… – une « vie de bohème » qui trouve des échos dans les premiers récits tels les *Confessions de Sylvius* (1845) et *Chien-Caillou* (1847), dédié à Hugo, ainsi que dans un roman largement autobiographique, *les Aventures de Mademoiselle Mariette* (1853). À côté des pantomimes pour le théâtre des Funambules (1846-1851), d'une galerie de portraits (*les Excentriques,* 1852), c'est alors une activité romanesque à succès, avec *les Oies de Noël* (roman rustique publié séparément en 1853 dans la célèbre « Bibliothèque des Chemins de fer »), *les Souffrances du professeur Delteil* (1853), *M. de Boisdhyver* (1856), *les Amoureux de Sainte-Périne* (1859). Champfleury se tourne alors vers la critique biographique et esthétique, en publiant des études sur Balzac, Henry Monnier. Il joue un rôle important dans la « bataille réaliste », soutenant Courbet, notamment par ses comptes rendus des Salons de 1848 et 1849. Il lance un journal éphémère, *la Gazette de Champfleury* (1856), et regroupe ses articles dans *le Réalisme* (1857), où, protestant contre les étiquettes et « les mots en *isme* » (« il m'est impossible de me parquer dans la petite Église du réalisme, dussé-je en être le dieu »), il se déclare partisan de la « sincérité dans l'art » [voir **Réalisme**].

De fait, l'œuvre de Champfleury est inégale. La fantaisie cruelle de *Chien-Caillou,* le libre dialogue avec le lecteur, le jeu sur la convention (la comparaison de la mansarde « réaliste » et « poétique ») ont déserté ces nouvelles scènes de la bohème que sont *les Aventures de Mademoiselle Mariette.* C'est dans *les Bourgeois de Molinchart* que l'écriture paraît la plus vigoureuse : sur le thème de l'adultère d'une jeune bourgeoise (Louise Creton du Coche) et d'un comte, Champfleury donne pour contexte à un sujet romanesque (la belle se fait enlever) la touffeur sociale d'une petite ville de province : fidèle à la tradition des physiologies du bourgeois et des caricatures d'Henry Monnier, il dessine une galerie de grotesques, dont le moindre n'est pas M. Creton du Coche, bourgeois vaniteux, usurpateur de particule, qui a pour sœur une vieille fille, tapie au centre des cabales fomentées contre Louise. Flaubert craignit un instant pour le sujet de *Madame Bovary.* Mais le roman de Champfleury, très soucieux du caractéristique et fortement caricatural (l'héroïne est « un ange », dit Flaubert), manquait de densité et n'échappait pas toujours aux clichés (à dessein ?) prudhommesques (« abreuvé de compliments, nageant dans une mer de joies, l'orgueil lui montant à la tête… »). Toutefois, et c'est un des intérêts du roman, l'œuvre ne concluait pas : elle se terminait par une lettre du comte, où coïncidait le temps de l'énonciation et le présent vécu par les personnages.

A. Pierrot-Herschberg

CHAMPIER Symphorien *v.* Humanisme

Chanson d'Antioche (la) v. Croisade (cycles de la)

Chanson de Roland (la) v. Roland (Chanson de)

Chanson des Chétifs (la) v. Croisade (cycles de la)

Chanson (ou Conquête) de Jésusalem v. Croisade (cycles de la)

CHAPELAIN Jean

(1595-1674)

Fils d'un notaire parisien (qui comptait dans sa clientèle nombre d'aristocrates), Chapelain s'orienta, au sortir du collège, vers des études de médecine. Mais, contraint par le décès de son père à prendre un emploi, il devint précepteur et intendant dans des maisons nobles. En même temps, il mit à profit ses relations aristocratiques pour se faire connaître dans la société cultivée, fut un habitué de l'Hôtel de Rambouillet et acquit une réputation de docte et de bel esprit. Nanti d'un titre de conseiller du roi et d'une pension, il fut plusieurs fois pressenti pour des emplois importants (secrétaire d'ambassade, précepteur de Louis XIV, plus tard du

Dauphin), mais déclina ces offres tentantes pour se consacrer à la vie littéraire. Homme de confiance des gouvernants, il joua un rôle actif dans la création et l'animation de l'Académie française puis, lorsque Colbert érigea en système la distribution de gratifications royales, il fut consulté pour dresser la liste des bénéficiaires et rédigea un mémoire recensant les auteurs les plus dignes d'être pensionnés (1663). Fonctions officieuses, mais importantes et reconnues, qui, jointes à son érudition, à son autorité de critique et de théoricien, lui conféraient une influence considérable. Ami de Conrart et de tous les auteurs en vue dans la première génération classique, il entretenait des relations nombreuses, comptait des correspondants dans toute l'Europe, et bien des jeunes écrivains étaient amenés à se poser en disciples de ce régent des lettres. Ses écrits théoriques et critiques (préfaces, discours académiques, lettres surtout) forment, quoique épars, un corps de doctrine cohérent. Il défendait le principe des règles et des unités au théâtre dès 1630 (*Lettre à Godeau*), mais en insistant plus, pour les justifier, sur la raison que sur l'autorité des Anciens. Il s'efforce d'allier le respect des modèles et l'affirmation d'un goût moderne (Préface de l'*Adone*, 1623 ; *Dialogue de la lecture des vieux romans*, 1646). Dans les *Sentiments de l'Académie sur « le Cid »* (1637), il reconnaît à Corneille, malgré ses irrégularités, le mérite d'innover : prudence diplomatique, certes, mais cette attitude conciliante (elle se manifestait aussi en politique et en religion) reflétait les tendances majeures du public cultivé, des « honnêtes gens », et faisait une place aux créations originales. Le rôle de Chapelain en ce domaine a été important, et de tels textes doivent être aujourd'hui consultés pour comprendre la formation de la doctrine classique.

Mais Chapelain se voulait poète, poète de cour, dans la lignée de Malherbe, composant pour les grands et pour la célébration des événements de quelque importance des odes et des sonnets. Surtout, il travaillait à son épopée (genre alors le plus noble) de *la Pucelle* (1656) qu'on attendit pendant vingt ans comme un chef-d'œuvre. Ce fut un échec : la vente fut assez bonne, mais ceux que la réputation de l'auteur n'aveuglait pas en raillaient les vers rocailleux et la composition maladroite (le personnage de Dunois, ancêtre du duc de Logueville – qui payait 2 000 livres de pension à l'auteur –, y écrase celui de l'héroïne). Cette œuvre à peu près illisible, jointe aux rancœurs consécutives à l'affaire des gratifications, et ses ridicules de vieux garçon crasseux, ladre, intrigant firent de Chapelain la cible des satires de la génération du classicisme triomphant, au goût plus raffiné, qui s'émancipait ainsi de la férule d'un des plus actifs fondateurs de son esthétique. [Voir aussi **Classicisme**.]

A. Viala

CHAR René

(1907-1988)

L'œuvre, reconnue et saluée largement de nos jours, et la vie de René Char posent des questions purement poétiques. Entendons par là qu'un poème de Char s'explique – si tant est que le terme trouve ici un sens acceptable – à partir du poème lui-même. Et son existence est tout entière inspirée par la pureté de sa parole, de ce don premier et constamment présent qui fait aujourd'hui de lui le poète par excellence. La différence entre l'oral et l'écrit reste largement étrangère à Char. Action politique et poèmes s'éclairent d'une lumière identique, elle-même source de rayonnement généreux. Nombre d'artistes du vingtième siècle – et parmi eux les plus grands – ont au moins une fois croisé son chemin, parce que René Char vit littéralement dans la poésie. Sa prodigieuse capacité d'aimantation poétique, sa faculté natale à exister en poète, lui confèrent les vertus d'un inspirateur : le poète Roger Bernard, le peintre Georges Braque, le philosophe Martin Heidegger, en portent, chacun à sa manière, témoignage.

Char en Provence : éléments biographiques

Né à L'Isle-sur-la-Sorgue, dans l'ancien Comtat Venaissin, Char est d'un pays : la Provence. Éminemment présente dans son œuvre, elle ne rature pas pour autant de sa topographie poétique d'autres lieux traversés ou habités : l'Alsace, la Normandie, Paris. La Provence est avant tout le pays d'une enfance chérie et protégée comme une grâce : « Nous commençons toujours notre vie sur un crépuscule admirable. Tout ce qui nous aidera, plus tard, à nous dégager de nos déconvenues s'assemble autour de nos premiers pas » (*le Poème pulvérisé*, 1947). La Provence parle par ses eaux (Sorgue, Rhône, névons), par ses massifs montagneux (Lubéron et Ventoux), par ses villages tôt parcourus et aimés (Le Thor, Lagnes, Maussane, Thouzon, Venasque, Venelles), par ses pierres et ses lichens lavés par les vents, ruisselants de soleil, par sa faune aussi qui répond secrètement aux événements cruciaux de l'existence : loriot et martinet, anguille et papillon, lézard et vipère ; les animaux deviennent, comme le taureau, la truite, le serpent et l'alouette dans *la Parole en archipel* (1962), des « fascinants ». La terre de Provence n'est jamais un décor. La pièce *le Soleil des eaux* (1948), qui conte « l'aventure significative » de pêcheurs de la Sorgue dont la familiarité avec la nature est profanée jusqu'à la mort par les eaux chlorées d'une papeterie, expose en même temps un mythe qui circonscrit « l'éternel mal, l'éternel bien ». L'amour profond du poète pour son pays s'exprime avec tendresse (« L'aubépine en fleurs fut mon premier alphabet »), avec passion (« Ma toute terre, comme un oiseau changé en fruit dans un arbre éternel, je suis à toi »). Char enfant côtoie des êtres extraordinaires qu'il évoque longuement (Louis Curel, par exemple) et qui lui enseignent l'intelligence des hommes et des choses, comme les Transparents, ces « vagabonds luni-solaires » qui, chantant la Provence, se laissent offrir le gîte et le couvert (voir *les Matinaux*, 1950). Or, être poète, c'est justement savoir garder intact le rapport avec cet essentiel qu'est la terre natale. « Dans mon pays... », dit parfois Char. Le mot n'a rien ici de restrictif. Si le pays de Char est la Provence, son autre nom est poésie. Char ne poétise pas la Provence, il ne l'orne nullement de signes troublants ou de détails pittoresques, mais il voit en elle la poésie comme incarnée dans une terre et un ciel. La Provence n'a certes pas attendu Char pour entrer en poésie ; cependant, grâce à ses poèmes, elle renaît chaque fois poétiquement, car elle est pour lui nativement poétique.

La biographie de Char échappe donc inévitablement à l'anecdote, voire à la chronologie. Le poète lui-même ne manifeste aucun goût pour les confidences complaisantes, afin de mieux protéger une liberté qu'il éprouve comme l'élément propre de l'homme : « Les oiseaux libres ne souffrent pas qu'on les regarde. Demeurons obscurs, renonçons à nous, près d'eux » (*La bibliothèque est en feu*, 1956). Char s'ouvre très jeune à la poésie, et très tôt il est reconnu poète par ses pairs et ses aînés. Les surréalistes l'appellent et l'accueillent avec ferveur ; Eluard et Breton signent même avec lui *Ralentir travaux* en 1930, événement d'autant plus remarquable que Char n'a publié jusque-là que des plaquettes à tirages limités. L'édition originale d'*Arsenal*, par exemple, sa première œuvre, est tirée en 1929 à 26 exemplaires hors commerce. Deux recueils, *le Marteau sans maître* (1934), puis *Dehors la nuit est gouvernée* (1938), en même temps qu'ils le libèrent du surréalisme que Char perçoit de plus en plus comme une impasse, assurent son autorité poétique. Après 1944, la maturité est trouvée : les traductions qui se multiplient, les études de son œuvre, consacrent sa poésie et confirment l'intérêt grandissant qu'elle ne cesse de susciter.

La Résistance a marqué, selon le mot de Georges Mounin, une mutation qualitative dans l'œuvre de René Char. Son action politique d'alors le conduit jusqu'à « la parole du plus haut silence » (*Feuillets d'Hypnos*, 1946). La Section Atterrissage-Parachutage de Céreste (Basses-Alpes) qu'il dirige sous le nom de Capitaine Alexandre se charge d'aménager des terrains de parachutage et d'organiser des sections de combat. Mais réfractaire, Char l'est, pourrait-on dire, originellement. C'est un sursaut de révolte nécessaire qui pousse le jeune homme à l'action poétique, au nom de la vérité et de la liberté. Dès *Arsenal*, un monde poétique étonnamment prémonitoire se met en place :

Toi nuage passe devant
Nuage de résistance
Nuage des cavernes
Entraîneur d'hypnose.

Char toujours a fait face à ce qui pour d'autres fut l'occasion d'abandons ou d'atermoiements. Dire non quand menacent la maladie ou les barbares, ne pas détourner les yeux quand l'amour ou la poésie énoncent leurs exigences, telle est l'attitude de l'homme debout qui proclame : « Je n'écrirai pas de poème d'acquiescement. » L'action est une province de la poésie et une même poussée vitale conduit au poème et au sabotage. La résistance définit bien la poésie, qui « vit d'insomnie perpétuelle ». Politique, l'action de Char l'est donc bien avant la guerre. Poète politique, Char l'est donc plus qu'un autre et plus profondément. Non seulement parce que *Placard pour un chemin des écoliers* (1937) est dédié aux « enfants d'Espagne », parce que Char fut un grand résistant ou bien encore parce qu'il a pris position contre l'implantation de fusées nucléaires sur le plateau d'Albion en 1965, mais parce qu'aucune circonstance extérieure ne vient greffer le rêve sur l'action. « C'est en poète prodigieux, note Dominique Fourcade, que René Char fut le plus efficace des chefs de Maquis. »

L'indispensable unité est trouvée quand le réel embrasse l'imaginaire. À ceux qui croient déceler chez lui une teinte étrange de mysticisme, Char répond : « Persévérons dans le réel » (*Moulin premier*, 1936) ou encore : « Certains se confient à une imagination toute ronde. Aller me suffit » (*Fureur et Mystère*, 1948). Le goût du réel le plus concret s'exprime à travers une heureuse sensualité qui donne la préférence à la « rosée des femmes » sur « l'encre inanimée des meurtriers de plumes » (*le Rempart de brindilles*, 1953). À ceux qui seraient tentés d'entendre dans ses poèmes une injonction partisane, Char rappelle que les faits politiques sont « prévisibles par la poésie » et que « les actions du poète ne sont que la conséquence des énigmes de la poésie ». Rêve et réalité se fécondent dans la vie comme dans le poème, le souci du maquisard-poète étant de « faire longuement rêver ceux qui ordinairement n'ont pas de songes, et plonger dans l'activité ceux dans l'esprit desquels prévalent les jeux perdus du sommeil ». En fait, Char reste essentiellement attentif à « cet enfant vivant près de nous avec ses trois mains, et qui se nomme le présent ». Trois mains, c'est-à-dire présent, passé, avenir. D'où, entre autres, cet usage du participe passé substantivé, qui permet notamment de désigner la femme qui, une fois aimée, l'est pour toujours : « ma martelée », « la rencontrée ». Au cœur de la poésie, l'expérience du temps mesure la force de la mémoire et la justesse de la prédiction : « J'ai, captif, épousé le ralenti du lierre à l'assaut de la pierre de l'éternité » (*Fureur et Mystère*). Dès lors, l'étirement de la durée et la fulgurance de l'éclair se confondant, l'unité conquise et défendue représente le plus sûr rempart contre la mort : « Les poèmes sont des bouts d'existence incorruptibles que nous lançons à la gueule répugnante de la mort, mais assez haut pour que, ricochant sur elle, ils tombent dans le monde nominateur de l'unité » (*le Rempart de brindilles*).

Langue et violence

D'un point de vue formel, les manières de dire sont multiples. Tour à tour, et à peu près indistinctement des époques, Char utilise l'aphorisme ou le poème en prose, l'alexandrin ou le vers libre, la rime ou l'assonance, la prose poétique constellée de vers blancs, la chanson, le « vers aphoristique » de *la Nuit talismanique* (1972), et même le télégramme (« Réclamons venue civilisation serpentaire. Très urgent »). Théâtre, arguments de ballets, billets, lettres, font partie de l'œuvre. Le ton de Char naît de ces changements de rythme et de forme, à l'intérieur d'un recueil ou dans un poème précisément, comme dans ces vers magnifiques de *la Parole en archipel* où le jeu savant des muettes et des césures menace lyriquement la scansion de l'octosyllabe, jusqu'à lui faire épouser le mouvement à la fois souple et brusque de la truite :

Rives qui croulez en parure
Afin d'emplir tout le miroir,
Gravier où balbutie la barque
Que le courant presse et retrousse,

Herbe, herbe toujours étirée,
Herbe, herbe jamais en répit,
Que devient votre créature
Dans les orages transparents
Où son cœur la précipita ?

Tout ensemble héritier et novateur, c'est en dehors des nomenclatures et des normes codifiées que Char s'affirme comme le pur parleur grâce à qui la langue française se découvre poésie. Le poète rend sensible l'étoffe et la direction du français. Dans l'énoncé, le mot est toujours exact et lumineux. Dans les poèmes, dans les messages de recommandations aux compagnons de la Résistance, dans les textes de méditation ou les lettres aux amis, les termes, rigoureusement posés, d'une justesse sans défaut, présentent ce qui est à dire sans laisser la moindre place au superflu.

Libérés de leur gangue quotidienne, les mots sont restitués à leur pureté primitive et redeviennent ce qu'ils n'ont jamais cessé d'être : des vocables poétiques. Un nom propre peut ainsi se faire, à son insu et au nôtre, titre de poème : « Abondance Viendra » (1933) est le nom et le prénom d'un maçon qui fut locataire de la grand-mère de René Char. Comme à Lautréamont dans ses *Poésies*, il est arrivé à Char de reprendre des phrases d'auteur, en l'occurrence des notes posthumes de Hugo, et, en les retournant, de faire jaillir d'elles une lumière poétique insoupçonnée. Le mot parle dans tous les sens : ainsi de « balandrane » (*Chants de la Balandrane*, 1977), ainsi d'« iris » dans *Lettera amorosa* (1963) dont la dernière page recopie quasiment Littré. « Dans le poème, précise Char, chaque mot ou presque doit être employé dans son sens originel » (*La bibliothèque est en feu*).

La parole juste n'est pas synonyme d'univocité. Au contraire, Char se plaît à fêter dans le serpent un « prince des contresens ». Georges Mounin, en lecteur sincère, avoue que « bien des choses » lui « échappent encore » dans l'œuvre de Char : « Le poème est quelquefois hermétique, parce que la poésie est ce qui serait autrement ineffable ». Autrement dit : l'obscurité ne peut se livrer qu'obscurément. Telle est la chance de cette poésie d'être entendue sans toujours être clairement comprise. Aucune interprétation ne saurait, par exemple, épuiser la charge poétique libérée dans ce passage du *Visage nuptial* (1938) :

Passe.
La bêche sidérale
autrefois là s'est engouffrée.
Ce soir un village d'oiseaux
très haut exulte et passe.

Précise mais non banale, simple sans jamais être simpliste, d'une justesse qui n'a pas à se justifier, la langue de Char trouve en elle-même l'évidence de son exactitude. Le poète dévoile la vérité non pas en militant de la certitude mais en « magicien de l'insécurité ». À l'opposé du savant qui progresse par démonstrations appauvrissantes parce que rassurantes, Char pose qu'« à chaque effondrement des preuves le poète répond par une salve d'avenir » (*Partage formel*, 1945).

Une expression resserrée, condensée à l'extrême, caractérise le poète qui « se remarque à la quantité de pages insignifiantes qu'il n'écrit pas ». On a pu noter à juste titre que la plupart des poèmes de Char sont les amorces de possibles développements. Mais à d'autres ce loisir. La parole atomique de Char ne cesse de faire violence au langage pour son plus grand bien. L'oxymore (« sérénité crispée »), l'alliance des contraires (« Épouse et n'épouse pas ta maison »), expriment nécessairement l'inexprimable. La « rose violente » d'*Arsenal* pulvérise littéralement la langue afin de lui faire entendre raison. Pulvériser, c'est donner un surplus d'être à la vie, magnifier, glorifier ce qui *est* pour que cela *soit* dans toute sa puissance. Char, qui a « de naissance la respiration agressive », pense qu'au monde tout participe de la violence : « la moindre clarté, dit-il, naît d'un acte violent ». L'exacerbation verbale de certaines invectives accuse la fureur avec laquelle Char dit sa haine de personnages qui ont démérité de leur nom d'hommes. « Fiente », « porc », « sperme de chiendent » désignent les ennemis de la beauté, et parfois la poésie soulève des orages qui foudroient : « Obéissez à vos porcs qui existent. Je me soumets à mes dieux qui n'existent pas. Nous restons gens d'inclémence » (*La bibliothèque est en feu*).

La violence extirpe le monde des ténèbres, tout en redonnant à la nuit sa fonction première de gardienne du mystère originel. Char répète « la question à se poser sans cesse : par où et comment rendre la nuit du rêve aux hommes » (*le Nu perdu*, 1971). Si « le beffroi solaire n'est qu'une tolérance intéressée de la nuit », une fois la nuit revivifiée, l'aurore est possible, et le poète a « mission d'éveiller ». Il appartient à ces « gens d'aurore », à ces « matinaux » qui détruisent, mais avec des « outils nuptiaux ». D'où la figure emblématique d'Orion, le chasseur mythique qui recouvre la vue aux rayons du soleil levant. Au véritable initiateur revient l'« art d'ouvrir les sillons et d'y glisser la graine, sous l'agression des vents opposés ». Reproduire à l'infini l'élan du bond, la fraîcheur du commencement, est la tâche même de la poésie que Char définit fondamentalement comme une ouverture, un mouvement qui reste mouvement : « Le poème est l'amour réalisé du désir demeuré désir » (*Partage formel*).

Soutenir l'envolée première assure la maîtrise du temps. Si Char ne se reconnaît pour maître que l'Éclair « qui tantôt nous illumine et tantôt nous pourfend », c'est que, lumière et éclaircie, l'éclair rassemble les limites du monde et de l'homme jusqu'à dynamiter l'histoire même : « Si nous habitons un éclair, il est le cœur de l'éternel » (*le Poème pulvérisé*).

Le grand dialogue

Du plus profond de son domaine, qu'il creuse sans cesse, Char a lancé une sorte d'appel auquel ont répondu de nombreux artistes. Rappeler la proximité de son œuvre avec la musique (*Lettera amorosa* est la mise en poème d'une pièce musicale de Monteverdi, Boulez accompagna musicalement *le Marteau sans maître*, *le Visage nuptial* et *le Soleil des eaux*), avec la danse, avec la sculpture (Rodin, Giacometti), n'est pas simplement anecdotique. Char entretient avec les artistes et les philosophes, « alliés substantiels », un dialogue intense, une

« conversation souveraine » ; les interlocuteurs privilégiés étant les peintres, les penseurs, et, bien sûr, les poètes.

Les premiers textes de Char sur les peintres datent de 1937 (*Dehors la nuit est gouvernée*) ; ils se prolongent jusqu'à *les Voisinages de Van Gogh* (1985). Char, qui s'est lui-même tourné un temps vers l'activité picturale (*la Nuit talismanique*), chemine avec les peintres dont certains ont « enluminé » ses manuscrits. Des peintres de Lascaux à Vieira da Silva, de Georges de La Tour à Braque (*La bibliothèque est en feu* lui est dédié), Picasso ou Nicolas de Staël, Char a scruté des œuvres qu'il tâche d'ouvrir à leur vérité. Parallèlement, le poète s'est tôt approché des philosophes, d'Héraclite d'Éphèse notamment, dont le surnom d'« Obscur » lui fut assurément une invitation à la lecture. De l'amitié avec Camus (dédicataire des *Feuillets d'Hypnos*) témoignent aussi bien des textes de Char que certains passages de *l'Homme révolté*. À partir de 1955, Char se lie avec Martin Heidegger, répondant « interrogativement » à ses questions, l'accueillant plusieurs fois en Provence (ce fut l'occasion des séminaires du Thor) et poursuivant avec lui, selon Jean Beaufret, « le dialogue de la poésie et de la pensée ». À René Char Heidegger a dédié *Acheminement vers la parole*, édité chez Gallimard en 1976.

Lecteur attentif et inspiré, Char se veut avant tout questionnant. Il invite à ne pas s'installer à demeure dans l'œuvre considérée, mais à en mettre au jour, avec prudence et persévérance, les virtualités secrètes. « Seule est émouvante l'orée de la connaissance (Une intimité trop persistante avec l'astre, les commodités sont mortelles) ». C'est pourquoi Char, qui a longuement écrit sur les poètes, n'est jamais un critique définitif. Hölderlin, Hugo, Rimbaud ont ouvert des sillons que lui-même cherche à élargir et dont il tente de mesurer l'étendue. Char, par exemple, ne commente pas Rimbaud, à moins que l'on n'entende ce verbe dans toute la profondeur de son étymologie : il le laisse être poète, sans le réduire à une signification. Georges Mounin évoque très bien « la longue écoute que Char a pratiquée à l'égard de la poésie elle-même, sa patience à la saisir à la naissance et non à la codifier en dogmes, en rites, en rhétorique, – l'inlassable recommencement de ses définitions du poème et du poète et de la poésie ».

Char possède de la poésie l'idée la plus haute, et demeure intraitable quand il s'agit de défendre le « métier de pointe » qu'est le métier de poète. Les « épileurs de chenilles », les « minaudiers fourbus », les « acteurs de fétides métaphores » (*Moulin premier*) sont renvoyés sans délai à leur insignifiance. La poésie, pourvoyeuse de vérité et garante de la dignité humaine, porte l'homme sur des hauteurs qui lui sont propres mais qu'il méconnaît le plus souvent. « Le dessein de la poésie étant de nous rendre souverain en nous impersonnalisant, nous touchons, grâce au poème, à la plénitude de ce qui n'était qu'esquissé ou déformé par les vantardises de l'individu » (*le Rempart de brindilles*). La poésie, qui permet la « connaissance productive du réel » (*Moulin premier*), exhorte l'homme à une fraternité qui exalte la beauté, souvent inaperçue, du monde. « La réalité noble ne se dérobe pas à qui la rencontre pour l'estimer et non pour l'insulter ou la faire prisonnière : là est l'unique condition que nous ne sommes pas toujours assez purs pour remplir. » De même que, selon Matisse, un tableau n'existe que s'il est vu, la poésie, « insolite et cinquième élément », réclame le lecteur. Dans cette « parole en archipel », où les vers sont des îles et les mots des phares, au lecteur de faire le lien et de rétablir un tracé que, par nature et brutalement, l'aphorisme limite. Char ne propose ni une morale ni une vision du monde ; le lecteur doit, d'une certaine façon, recomposer le poème sans l'avilir : « L'œuvre non vulgarisable, en volet brisé n'inspire pas d'application, seulement le sentiment de son renouveau » (*la Nuit talismanique*). Char n'enjoint pas son lecteur de « monter », de « grimper » jusqu'au poème, mais de « se hisser » jusqu'à lui d'un « coup de reins lumineux », ce qui suppose le risque d'un saut dans l'inconnu et un effort exempt de toute forme de paresse. Il n'y a pas, dans la poésie de Char, progrès, mais naissances répétées. On en trouve l'illustration dans son goût bien particulier pour les éditions collectives, dans sa prédilection à faire dialoguer des poèmes d'époques différentes, de recomposer son œuvre selon des perspectives autres que chronologiques. *Recherche de la base et du sommet* (1965), par exemple, regroupe thématiquement des poèmes qui s'échelonnent sur une quarantaine d'années ; à la suite d'un texte sur Picasso daté de 1939, Char donne à lire un autre texte écrit, lui, en 1969. Le poème s'éclaire selon la place qui lui est réservée dans un recueil : « le Visage nuptial », publié hors commerce en 1938, est repris dans *Seuls demeurent* (1945), dans *Poèmes et prose choisis* (1956), puis dans *Commune Présence* (1964). Certaines œuvres, enfin, établissent des ponts entre les époques et entre les poèmes à partir de points de vue radicalement neufs. *En trente-trois morceaux* (1956) de même que *Commune Présence* proposent une autre lecture de poèmes publiés antérieurement. *Le Bâton de rosier*, comme *Loin de nos cendres*, réunissent des textes écrits entre 1926 et 1982.

Aussi le lecteur est-il sollicité en vue d'une tâche de construction ou de reconstruction poétique. Lecteur actif que Char secoue de sa torpeur (« Salut, chasseur au carnier plat !/À toi, lecteur, d'établir les rapports », *Moulin premier*), lecteur fraternel que le poète appelle afin de lui transmettre sa « part de merveilleux de rébellion de bienfaisance », lecteur attendu et imprévisible (« le poème est toujours marié à quelqu'un », *Partage formel*), libre écoutant et créateur à son tour, destinataire du *salve* poétique : « Salut à celui qui marche en sûreté à mes côtés, au terme du poème. Il passera demain DEBOUT sous le vent » (*Fureur et Mystère*).

Le lecteur de René Char fait conjointement une double expérience : la nécessité de patienter longuement avant d'entrer véritablement dans l'œuvre, l'évidence et l'immédiate entente du poème. Tous ceux qui ont relaté leur approche d'une telle poésie insistent sur son caractère à la fois simple et ardu. L'ambiguïté n'a nullement besoin d'être levée si l'on considère René Char, parmi l'impressionnant cortège des poètes contemporains, comme le poète de la poésie, dans ce que celle-ci comporte à la fois de familier et de déroutant. Qu'une telle œuvre, d'un abord énigmatique, d'un ton si personnel et si universel, d'une richesse encore inouïe, n'en finisse pas d'en appeler à la lecture, à l'écoute, à l'attention sans cesse renouvelée, et éventuellement au développement infini, c'est ce dont chacun peut faire l'épreuve. Mais avec toute la prudence qui s'impose. « Le poète recommande : "penchez-vous, penchez-vous davantage" » (*Partage formel*).

G. Vannier

CHARDIN Jean

(1643-1713)

Voyageur et écrivain, né à Paris, fils d'un joaillier protestant. Courageux et entreprenant, il part pour la Perse et y demeure treize ans (1664-1677). Vêtu à la persane, parlant turc, arabe et persan, « aga Chardin » est un marchand respecté à la cour d'Ispahan. À son retour, la révocation de l'édit de Nantes le pousse à un exil définitif : c'est à Londres qu'il épouse une émigrée calviniste française (1681) ; fait chevalier par le roi d'Angleterre, il est nommé plénipotentiaire aux Pays-Bas et agent général de la compagnie orientale des Indes. En 1686, ses *Voyages* rencontrent un grand succès et sont aussitôt traduits en anglais, en allemand et en hollandais ; la France n'appréciera que plus tard l'œuvre de ce brillant commerçant dont l'étranger sut reconnaître les talents.

La religion de Chardin explique son dynamisme et sa passion des voyages, car la Perse est pour lui un marché nouveau et une terre de liberté. Son esprit d'entreprise et sa curiosité donnent un sérieux incontestable à son récit, véritable géographie « scientifique » : déjà sociologue, attentif aux structures économiques et politiques, Chardin discerne les causes de la stagnation de la Perse (territoire trop vaste, religion contraire à l'esprit d'initiative, despotisme capricieux et exterminateur). Les périls du commerce en Orient fournissent les seuls éléments de romanesque. En un style sobre, Chardin décrit plus qu'il ne raconte : son texte, minutieux, énumératif et chiffré, est l'œuvre d'un homme soucieux de vérité, animé de l'esprit de progrès ; marqué aussi de relativisme philosophique. Nullement imbu de supériorité occidentale, Chardin juge lucidement : si les Persans sont paresseux, flagorneurs, voire menteurs, ils sont de mœurs paisibles et tolérants envers les étrangers et les adeptes d'autres religions.

Objectif et rigoureux, ce récit d'un voyageur grave et méditatif tranche avec ceux, superficiels, d'un Regnard et même d'un Tavernier, beaucoup moins profonds ; il offre aussi une image moins brillante mais plus exacte que celle de l'Orient, splendide et magique, d'un Galland. Au seuil du XVIIIe siècle, il apporte une documentation qui fondera les réflexions d'un Montesquieu et d'un Rousseau.

G. Declercq

CHARDONNE Jacques

*Pseudonyme de **Jean-Jacques BOUTELLEAU** (1884-1968)*

La Charente est à Chardonne ce que les Landes sont à Mauriac : l'inoubliable horizon de l'enfance, un univers à la fois mystérieux et familier. Son Barbezieux natal n'est assurément pas un paradis, on y souffre toujours des « maux éternels » ; du moins l'écrivain y trouve-t-il des traditions, un art de vivre, une sérénité laborieuse dont toute son œuvre cherche à révéler le secret : le « bonheur de Barbezieux ».

L'art du désengagement

Né dans une famille bourgeoise, ami d'enfance d'Henri Fauconnier, Jean-Jacques Boutelleau est élevé chez ses parents. Lorsqu'il a quatorze ans, ceux-ci l'envoient au collège de Barbezieux. Après ses études secondaires, déclinant une place dans la société vinicole familiale, il « monte » à Paris : École des sciences politiques, faculté de droit. Pendant son service militaire, il est atteint d'une tuberculose qu'il soigne en Tunisie, puis à Chardonne (1907), petit bourg suisse près de Vevey, qui lui inspirera son nom de plume : commence alors une vie réglée de malade, qui se prolongera au-delà de la guérison. En 1909, répondant à « un besoin de claustration, de ligne droite et d'un grand calme », Chardonne se marie (divorce en 1934 ; remariage avec Camille Belguise, 1935). Son entrée aux éditions Stock, dont il devient le codirecteur avec Maurice Delamain, resserre ses liens avec ses grands contemporains, Mauriac, Paul Géraldy, et il se lance lui-même dans le roman : chaleureusement accueilli, *l'Épithalame* (1921), écrit en Suisse pendant la guerre de 1914-1918, traite d'emblée un sujet auquel l'écrivain restera fidèle : « l'intimité, l'amour dans la vie à deux ». Après un silence de six ans, *le Chant du bienheureux* (1927) inaugure une période d'intense production romanesque : *les Varais* (1929) ; *Éva ou le Journal interrompu* (1930) ; *Claire* (1931), qui obtient le grand prix de l'Académie française ; *les Destinées sentimentales* (1934-1936) ; *Romanesques* (1937). Il publie aussi des essais et un début d'autobiographie : *L'amour c'est beaucoup plus que l'amour* (1937), *Attachements* (1942) ; *le Bonheur de Barbezieux* (1938).

Survient la Seconde Guerre mondiale. Deux voyages en Allemagne, des écrits imprudents (*Chroniques privées de l'an quarante*, 1941) lui seront reprochés à la Libération. Mi-essai, mi-roman, *Chimériques* (1948) reflète son désenchantement. Après *Vivre à Madère* (1952), sa veine romanesque se tarit ; l'écrivain explore des voies nouvelles : *Lettres à Roger Nimier* (1954), fiction épistolaire ; *Matinales* (1956), *le Ciel dans la fenêtre* (1959), *Demi-Jour* (1964), *Propos comme ça* (1966). Ses *Œuvres complètes* sont publiées par Albin Michel à partir de 1951. Après plusieurs pèlerinages à un méconnaissable Barbezieux, l'écrivain se fixe définitivement sur les bords de la Seine, dans sa propriété de La Frette, acquise en 1925, et où il meurt en 1968.

Une littérature du regard

Dans l'œuvre de Chardonne, le génie est tenu en suspicion : on n'avait pas de génie, à Barbezieux, on n'inventait rien. La sagesse y jaillissait des coutumes ancestrales, et l'homme devenait artiste (porcelainier ou maître de chai) en s'appropriant lentement un savoir séculaire. Chardonne se veut un artiste comme on l'était dans ce Barbezieux idéal : raconter sans improviser (cf. la Préface des *Destinées sentimentales*), peindre des personnages vrais sous une lumière intimiste, user de la rhétorique avec retenue – une phrase, « cela ne doit pas se voir, ni la ponctuation » ; « Si on a trop d'esprit, l'éteindre » *(Lettres à Roger Nimier)*. Bref, une littérature d'inventaire où il serait moins demandé à l'artiste d'être créateur que fidèle. Mais la neutralité de l'écriture souligne en fait la violence du discours : répressif, il utilise la froideur du regard pour tenir à distance les bouillonnements de la vie ; les émotions contenues ne s'y expriment que par le langage des yeux : « Ils se frôlaient de leurs regards mêlés » *(l'Épithalame)*. Entre ces « yeux vivants » se dressent toutes sortes de barrières translucides : regards aperçus au travers d'une vitre *(Claire)* ou derrière la transparence d'une fenêtre *(l'Épithalame)*. Tout un jeu de miroirs (armoire brillante, psyché), de surfaces polies (parquets cirés, neige réfléchissant la lumière), tout un système de comparaisons (« Sous la lampe, les mains brillantes de Claire, comme un poisson nacré qui rôde », *Claire*) renvoient de la réalité une image glacée qui ménage à la fois l'effacement du narrateur absent de son tableau et la véracité de son discours : « Je percevais cette réalité comme à travers une vitre, sans qu'elle me touchât » *(le Bonheur de Barbezieux)*. Il y a dans cette écriture qui se veut exacte et diaphane un rejet de la vie, un dégagement crispé.

L'Épithalame

SYNOPSIS

LIVRE PREMIER. Au début du siècle, pendant des vacances dans la maison familiale de Charente, Berthe, encore adolescente, fait la connaissance d'Albert, un jeune homme qui la traite comme une adulte et la trouble. Après la mort de son père, elle vient s'installer à Paris avec sa mère, et revoit en secret Albert, tantôt à Paris, tantôt à la campagne. Il est amoureux d'elle, mais hésite à se marier. Elle tombe malade, reste séparée d'Albert pendant un an, au bout duquel elle le revoit et l'épouse.

LIVRE SECOND. Berthe a du mal à supporter son existence de femme mariée. Elle a l'impression qu'Albert ne l'aime plus, qu'elle l'ennuie. Ils se disputent fréquemment, elle est jalouse, et cherche à se détacher de lui. C'est à ce moment-là qu'ils ont une fille. Partie se reposer à la campagne, Berthe éprouve la tentation de tromper son mari avec André, un ami d'enfance. Mais elle se ressaisit, et apprécie enfin la douceur de son union avec Albert.

Le roman du couple

Pourtant, toute cette œuvre tourne autour de l'amour (à commencer par *Catherine*, roman écrit vers 1905 et publié seulement en 1964 !). Mais c'est pour réprimer ce qu'il présente d'inquiétant ; des maximes figent en formules impersonnelles les dures leçons de l'expérience : « L'amour nous perd toujours. Malheureux, il nous dévaste ; satisfait, il nous dépossède davantage. On ne sait plus voir ni rien goûter seul » *(le Chant du bienheureux)*. Les romans de Chardonne plaident tous pour une reconquête de l'amour sur la passion, ainsi le fameux « l'amour c'est beaucoup plus que l'amour », titre d'un essai, formule souvent répétée et commentée par l'auteur, doit-il s'entendre comme l'apologie d'un sentiment paisible (« une joie dans les yeux que l'on discerne à peine »), où acceptation de l'autre et durée conduisent à une vie « étroite et abritée qui ressemble à l'ennui » *(Claire)*. Avocat du mariage bourgeois et provincial, Chardonne voudrait que l'union soit de convenance plus que de choix ; fondée sur la passion, l'institution perd sa stabilité : « Dès que tu ne m'aimeras plus, j'aurai tort » *(les Destinées sentimentales)*. Il ferait même volontiers l'économie du bonheur, excès qui attire son contraire et finit par menacer l'ordre social : tel personnage voudrait cacher sa félicité conjugale « de peur de troubler les familles » *(id.)*.

Les Destinées sentimentales

SYNOPSIS

PREMIÈRE PARTIE. « La Femme de Jean Barnery ». La vie à Barbazac, en Charente, vers 1900. Le pasteur Jean Barnery est séparé de sa femme Nathalie, frivole et aigrie. Amoureux de Pauline, qui habite chez son oncle M. Pommerel, producteur de cognac, il tente de reprendre la vie commune avec sa femme et sa fille, mais il comprend qu'il se sacrifie en vain. Il divorce et renonce à son état de pasteur.

DEUXIÈME PARTIE. « Pauline ». Pauline est partie travailler à Paris, fuyant son amour pour Jean. Celui-ci la retrouve et l'épouse. Ils ont un enfant et vivent heureux dans un village suisse. Mais la mort de l'oncle de Jean, directeur de la fabrique familiale de porcelaine de Limoges, les contraint à revenir en France.

TROISIÈME PARTIE. « Porcelaine de Limoges ». La nouvelle vie du couple est déchirée par la guerre de 1914. La paix revenue, Jean se passionne toujours pour son métier, malgré les luttes sociales. Cependant la crise menace l'entreprise Barnery. À la veille de la Seconde Guerre mondiale, Jean, ruiné, malade, est toujours heureux avec Pauline.

Mais sous cette sage prudence, peut-être faut-il voir une sensibilité trop fragile pour les émotions fortes. La leçon à tirer de cette œuvre est sans doute qu'à l'inévitable solitude des êtres le mariage apporte le meilleur remède que nous ait transmis la tradition : apprentissage d'une habitude, creusement inlassable du lit d'un fleuve (cf. *l'Épithalame*) canalisant la vie, il vaut mieux, malgré ses désillusions possibles *(les Varais)*, que l'éphémère fusion romantique. Rien de moins stendhalien que l'amour à la Chardonne : élaboré lentement, comme les essences précieuses, il n'est pas « de cristallisation mais de distillation » *(Attachements)*. Un attachement plutôt qu'une passion.

Cette œuvre répétitive (un roman, c'est toujours un amour et un mariage) présente une remarquable cohérence : du paradigme « barbezélien » irradient une théorie de l'écriture et un art de vivre. Si une certaine monotonie parfois s'en dégage, c'est que la vie finit par s'y réduire au mince filet de la résignation (cf. « Porcelaine de Limoges », dernier épisode des *Destinées sentimentales*), seule passion absoute par Chardonne, si on prend le mot dans son acception classique de nécessité et de souffrance.

M.-A. de Beaumarchais et K. Haddad Wotling (synopsis)

CHARLES D'ORLÉANS

(1394-1465)

Grand seigneur, il ne pratique pas la poésie comme un passe-temps aristocratique. Elle est sa compangne d'exil, sa vie imaginaire. Il porte la tradition courtoise à son plus haut degré de raffinement, d'intensité, que ce soit dans les *Ballades* si concises de la captivité ou dans les *Rondeaux* du retour. Fils de Louis, duc d'Orléans, assassiné en 1407, sa jeunesse fut hantée par l'idée de la vengeance familiale. Chevalier, il participe à Azincourt en 1415, y est fait prisonnier par les Anglais, qui ne le relâchent que vingt-cinq ans après, en 1441, contre forte rançon. Il se retire alors à Blois, où il vit entouré d'une cour brillante ouverte aux arts et aux poètes (Villon y séjourna).

Les jeux du moi

La poésie des *Ballades* est dominée par la présence d'un moi éclaté en de multiples instances allégoriques et enfermé dans les situations changeantes de l'amour et de la vie. Faut-il chercher ici l'histoire d'un sentiment ? Le poète affirme écrire pour permettre aux autres de déclarer leur passion, pour leur offrir des modèles. Pure coquetterie. L'amour se déroule selon le rythme du « service » courtois : entrée au service de Dieu, correspondance avec la dame lointaine (la France ?), cœur déchiré de sentiments contradictoires, renoncement après la mort de la dame (« J'ay fait l'obsèque de ma Dame/ Dedens le moustier amoureux »). S'agit-il là de simples images, et l'amour n'est-il que la métaphore de l'existence ? Le moi se désintègre, met en scène ses composantes « psychologiques » et les anime comme un théâtre de marionnettes fugitives : « Trop long temps vous voy sommeiller/ Mon cueur… » ; le poète se dédouble : il est l'amoureux et le sage, l'observateur et le désir, le consolateur ou le conseiller en même temps que l'acteur. Mais le jeu se nourrit de la réalité : les métaphores de l'éloignement amoureux se greffent sur un éloignement bien réel, l'exil : « En regardant vers le pays de France/Un jour m'advint […] Qu'il me souvint de la douce plaisance/Que souloie audit pays trouver ». La nostalgie, les déplorations sur le triste sort de l'expatrié et sur les misères de la terre natale (« France, jadis on te souloit nommer […] Le trésor de noblesse/Et maintenant vois, dont j'ai déplaisance/Qu'il te convient maint grief soutenir… ») forment contrepoint avec les subtilités du chant courtois (ballades 75, 76, 80, 82, 83, 84). L'âge, la résignation font évoluer cette poésie vers un léger cynisme, et l'ironie – « J'ayme qui m'ayme, autrement non » (rondeau 65) – est la négation de l'amour du lyrisme traditionnel, dont l'hypocrisie se dévoile devant l'allusion incongrue aux réalités : « En char crue mon amour ne se delitte » (ballade 85), « Puis qu'estes en chaleur d'amours/Pour Dieu laissez voir vostre orine/On vous trouvera medecine » (rondeau 160). Mais aussi vers un esthétisme qui se complaît aux ciselures de ces médaillons que sont les *Rondeaux*, fermés sur leur musique et leur image, véritables « objets » d'art pareils à une miniature. La poésie fut pour Charles d'Orléans un refuge, la confidente et l'écho de la solitude, le lieu d'une autre vie, aussi vraie que celle-ci. Et, par-delà toutes les séductions de la forme, nous y trouvons toujours un même retentissement intérieur, la marque de l'individu.

Le langage de l'allégorie, mode d'expression naturel

Le monde des poèmes de Charles d'Orléans donne l'impression d'un théâtre d'ombres, où Sommeil, Cueur, Faulx Dangier, Soucy, Souvenir, Beauté dansent dans un espace imaginaire le bal masqué des sentiments. Loin d'être le lassant travestissement d'une psychologie rudimentaire, l'allégorie crée ici un univers de rêve éveillé, d'hallucinations, le spectacle « intérieur » (mais l'intérieur et l'extérieur se confondent) de la « chambre de pensée » (ballade 45), où se tissent et se défont les correspondances mystérieuses entre les idées, les êtres et les choses. Les frontières entre le concret et l'abstrait se font floues et souvent disparaissent dans un raccourci d'expression ; dans ces formules du « Roman de Plaisant Penser » ou du « Livre de Mélancolie », l'allégorie est la structure même du langage ; la personnification découle parfois de la charpente formelle du mot : « Nonchaloir ». Dans les *Rondeaux*, l'allégorie est technique de miniature, construisant autour d'une image de véritables microcosmes de la vie intérieure, en résonance avec le macrocosme. Leur forme est souvent identique ; dans la durée close engendrée par la répétition du premier vers se dessine progressivement une situation métaphorique, tirée de la vie quotidienne (la Cour, la religion, la guerre, la chasse, la nature) et dans laquelle se meuvent des personnifications « ponctuelles », que leur souplesse expose aux métamorphoses : « Les fourriers d'Esté sont venus/Pour appareiller son logis. » Une promenade sur la Loire se transforme en voyage sur les eaux de Fortune, où les rames d'Espérance suppléent la brise défaillante.

Du « vent de Melancolie » au Nonchaloir

La tonalité de cette poésie est particulière. Les malheurs de la captivité, l'ennui d'un exil doré, l'humour désabusé du retour donnent à deux figures un rôle déterminant dans cette mise en scène de la vie psychique : Melancolie et Nonchaloir sont les pôles de l'inspiration. Tristesse de la solitude, du temps qui fuit, de l'éloignement, de l'amour qui finit, épuisement de la chanson aussi, font de Melancolie un personnage clé, plus encore que chez d'autres poètes de cette époque lasse. Monde du sentiment en demi-teinte, de l'émotion estompée où la souffrance est élégance : « Je suis celui au cueur vestu de noir », répète complaisamment le prince égaré dans la « forest d'Ennuyeuse Tristesse ». Ces « maulx que seuffrent povres cueurs/Par le vent de Melancolie » sont une maladie diffuse de fin de siècle, dernier avatar du mal d'aimer courtois : « En verrai je jamais la fin/De vos euvres, Melancolie ? » Mais il y a un remède à la « maladie noire » : « Un bon médecin qu'on appelle/Nonchaloir… », l'indifférence amusée, l'ataraxie du sage, qui nous aide à supporter le « dur lit d'Ennuyeuse Pensée ». Ces variations sur le mode mineur, jointes à la plus extrême virtuosité de la forme, font de Charles d'Orléans le dernier et peut-être le plus séduisant, sinon le plus « décadent », des poètes courtois.

A. Strubel

CHARLES-ROUX Edmonde

(née en 1922)

Journaliste et romancière, fille de diplomate, Edmonde Charles-Roux est élevée à Prague puis à Rome. Adolescente, elle découvre la littérature italienne (notamment Elio Vittorini), s'enchantant aussi des paysages, traditions et coutumes du Mezzogiorno. Ambulancière en 1939, blessée, décorée, elle s'engage dans la Résistance. Après la Libération, elle se consacre au journalisme féminin, collabore à *Elle*, puis à *Vogue* dont elle devient rédactrice en chef. Sa nostalgie de l'Italie du Sud, avivée par le milieu dans lequel son métier la confine, lui inspire son roman *Oublier Palerme* (1966, prix Goncourt), récit à la première personne où les femmes-poupées américaines cruellement caricaturées contrastent avec les grands seigneurs ou les paysans siciliens, et les décors new-yorkais avec les statues croulantes et les majoliques d'une Palerme qui embaume « le cierge chaud et le confessionnal ». D'*Elle Adrienne* (1971) se dégage une autre nostalgie, celle de l'aristocratie décadente d'Europe centrale, toile de fond mélancolique pour les aventures d'une extravagante couturière, double fictif de la grande Gabrielle Chanel, dont *l'Irrégulière ou Mon itinéraire Chanel* (1974) retrace la biographie. L'écriture s'y défait de toute préciosité ; le récit devient une chronique qui ressuscite l'enfance populaire de « Coco », puis les milieux artistiques et mondains dont elle fut le centre. En 1979, l'écrivain complète son enquête dans *le Temps Chanel*. Après *Stèle pour un bâtard* (1981), Edmonde Charles-Roux retrouve la Sicile de Lampedusa en traduisant et adaptant un texte de Fulco di Verdura, *Une enfance sicilienne* (1981). Élue en 1983 à l'académie Goncourt, elle entreprend une biographie d'Isabelle Eberhardt en deux tomes : *Un désir d'Orient, la jeunesse d'Isabelle Eberhardt* (1989) et *Nomade j'étais, les années africaines d'Isabelle Eberhardt* (1995). Sous la diversité des genres se révèle ainsi la volonté de préserver le « je ne sais quoi » d'époques révolues que cette observatrice raffinée arrache à l'oubli.

M.-A. de Beaumarchais

CHARRIÈRE Isabelle de

Née ***Isabelle Van Tuyll Van Serooskerken Van Zuylen***

(1740-1805)

Écrivain suisse d'origine néerlandaise et d'expression française. D'une famille d'ancienne noblesse, Isabelle (« Belle ») Van Zuylen naquit au château de Zuylen, près d'Utrecht. Une éducation soignée lui fit acquérir précocement l'usage du français. Éprise de culture française et de savoir, elle découvrit et apprit à aimer les classiques français, sans toutefois négliger les œuvres littéraires contemporaines. Elle lisait également les auteurs latins dans l'original et montra de la prédilection pour les mathématiques.

À vingt-trois ans, Isabelle publia un conte anonyme, *le Noble*, vive satire de la haute société de son pays, ce qui lui valut de passer, dans les salons d'Utrecht et de La Haye, pour un esprit dangereusement indépendant et moderne. En 1771, elle épousa Charles Emmanuel de Charrière de Penthaz, gentilhomme vaudois sans fortune, dont la noblesse de caractère et la culture l'avaient séduite. Après un séjour à Paris, pendant lequel elle fit faire son buste par Houdon et revit Quentin de La Tour, qui, naguère, avait fait son portrait à Utrecht (1766), elle s'établit avec M. de Charrière à Colombier, près de Neuchâtel, dans l'ancienne demeure de Béat de Muralt, le Pontet. Pour se distraire, elle y écrivit les *Lettres neuchâteloises* (1784), roman épistolaire et « petit chef-d'œuvre de pathétique, discret et souriant » (Ph. Godet).

En 1785, parurent ses *Lettres écrites de Lausanne*, suivies de *Caliste* (1787), roman épistolaire en deux parties, qui prend la défense de l'amour face aux préjugés, et de la femme victime de la lâcheté masculine. Puis, lors d'un voyage à Paris, elle fit la connaissance de Benjamin Constant, qui par la suite vint souvent à Colombier, où Mme de Charrière avait réuni autour d'elle un petit cercle d'amis férus de culture et de littérature. C'est également à Paris, dans le salon de Mme Necker, que Mme de Charrière rencontra Chamfort, Raynal, Suard, Thomas et Mme de Staël avec qui elle entretint des relations amicales qui continuèrent lorsque Necker revint en Suisse en 1792. Mais, en fait, la sympathie de Mme de Charrière pour Mme de Staël était toute relative et même se transforma en aversion lorsque Benjamin Constant eut déserté Colombier pour Coppet.

Ses sympathies républicaines la rattachant alors au parti libéral et modéré, Mme de Charrière recueillit de nombreux émigrants pendant la Révolution. C'est à cette époque qu'elle rédigea un ingénieux pamphlet traitant les questions d'actualité avec une indépendance de pensée exceptionnelle : il s'agit des six *Lettres d'un évêque français à la nation* (1789). Les idées révolutionnaires gagnant peu à peu le pays neuchâtelois, le gouvernement, craignant des événements tragiques, sollicita l'appui pamphlétaire de Mme de Charrière, qui répondit par les *Lettres trouvées dans la neige* (1793), s'y moquant gentiment de ce peuple indépendant qui croyait découvrir la liberté. Séparée petit à petit de ses amis par la mort, vieillie, malade, Mme de Charrière mena dès lors une vie retirée à Colombier, continuant pourtant de se consacrer à ses occupations favorites : à son œuvre littéraire, à une correspondance importante, à des compositions musicales, et faisant, de mille manières, le bien autour d'elle. Le 27 décembre 1805, elle s'éteignit dans sa maison du Pontet.

Douée d'un esprit net et hardi, éclairé et sensible, possédant une optique originale des sujets les plus divers et actuels en son temps, Mme de Charrière a créé une œuvre qui reflète intimement l'époque de crise et de révolution qui fut la sienne. Ce sont avant tout ses nouvelles et ses romans qui firent sa réputation littéraire. Les réflexions et les prises de position de l'auteur concernant la pensée et les problèmes de son époque passion-

nèrent ses contemporains. Mme de Staël s'exclamera : « Mon Dieu, que je voudrais n'avoir pas lu *Caliste* dix fois ! J'aurais devant moi une heure sûre de suspension de toutes mes peines… » (Lettre à Mme de Charrière, du 31 décembre 1793.)
D'une culture très étendue, Mme de Charrière s'est intéressée à tous les grands courants intellectuels de son époque. Ainsi, pour ce qui est de l'éducation (*Lettres écrites de Lausanne*), certains principes sont inspirés de Rousseau, et la pensée de Kant n'est pas étrangère au problème du devoir dans la nouvelle *les Trois Femmes* (1797).
Observateur perspicace, subtil et nuancé, Mme de Charrière a su relever si finement les traits saillants de la vie locale du milieu qui a été le sien et celui de son époque en Suisse, que la publication de ses romans causa quelque scandale auprès de lecteurs qui crurent se reconnaître. Son œuvre, dont l'écriture reste d'inspiration classique, n'était donc pas dépourvue d'un certain réalisme.
Sa vive et franche correspondance avec Constant d'Hermenches révèle une femme chaleureuse, éprise de sincérité et d'indépendance. L'ensemble de sa correspondance, contenant des lettres à de nombreuses personnalités comme James Boswell, Benjamin Constant, Germaine de Staël, Quentin de La Tour, constitue un document du plus haut intérêt et révèle son exceptionnel talent d'épistolière.
Son théâtre est beaucoup moins connu. Ses vingt-six comédies, opéras et tragédies lyriques, écrits en l'espace d'une trentaine d'années, sont en partie restés à l'état de fragments ou de brouillons ; deux pièces, *Justine* (1764) et *Polyphème* (1790), n'ont pas encore été retrouvées. Il n'y eut d'imprimées que la tragédie lyrique *les Phéniciennes* (1788) et une comédie, d'actualité à l'époque, *l'Émigré* (1793), qui fut représentée en 1906 à Neuchâtel. L'accès malaisé de cette œuvre théâtrale l'a fait passer sous silence – ou presque – par de nombreux critiques ; pourtant le théâtre a une importance indéniable dans l'univers littéraire et intellectuel de Mme de Charrière, ce qu'atteste sa correspondance. Elle voua une admiration toute particulière à Molière. Les pièces de Mme de Charrière, où dominent la réflexion morale et les idées abstraites, sont écrites dans une langue claire, incisive et se font l'écho des grands thèmes de son œuvre : l'éducation, la pauvreté, l'argent, la pluralité des opinions, la culture, la vie sociale, les difficultés de l'amour, de la vie conjugale, de la compréhension d'autrui et de soi.

S. Mühlemann

Charroi de Nîmes (le)

(composé au début du XIIe siècle)

Chanson de geste formée de 1 485 décasyllabes assonancés. Appartenant au cycle de *Guillaume d'Orange* – où elle fait suite au *Couronnement de Louis* [voir ***Couronnement de Louis (le)***] et précède *la Prise d'Orange* [voir ***Prise d'Orange (la)***] –, elle a pour objet la conquête de la ville de Nîmes par Guillaume, qui l'a reçue en fief seulement potentiel quand elle était encore aux mains des Sarrasins.

SYNOPSIS

Oublié dans les distributions de terres que Louis, fils de Charlemagne, fait à ses vassaux, Guillaume rappelle au roi toutes les aides passées et lui reproche violemment son ingratitude, se disant prêt à ne plus le servir. Un compromis est trouvé lorsqu'il suggère de conquérir lui-même ses futurs fiefs, encore occupés par les païens : Nîmes, Orange et les régions environnantes. La demande finalement accordée, Guillaume invite ses deux turbulents neveux, Bertrand et Guielin, à partager avec lui l'aventure du Midi, à laquelle il convie aussi, dans une harangue exaltée, tous les « pauvres bachelers » [soit le groupe des jeunes de la chevalerie française]. Et c'est une armée de 3 000 jeunes gens qui prend la route dans l'allégresse. À l'approche de Nîmes, une rencontre avec un « vilain » [un paysan], qui conduit un chariot tiré par quatre bœufs et transportant un gros tonneau de sel, suggère à l'un des chevaliers français l'idée du « charroi » [convoi de chariots], stratagème comparable à celui du cheval de Troie, qui leur permettra de s'emparer de la place forte. Les chevaliers réquisitionnent tous les bœufs, chariots et tonneaux de la contrée, chaque tonneau accueillera un chevalier, le neveu Bertrand fera office de bouvier, Guillaume de marchand. Le charroi finit par arriver sur la place du marché de Nîmes, bloquant l'accès aux cuisines royales. Une bagarre se déclenche prématurément. Avec la technique expéditive qui lui est propre, Guillaume tue l'agresseur – le roi Harpin lui-même – d'un seul coup de poing, puis sonne du cor, invitant sa « marchandise » à redevenir une armée ; un bref récit suffit à dire la prise de la ville au nom du roi et de la chrétienté.

Ce texte a parfois été séparé matériellement en deux parties, la première occupée par la scène de la cour royale, la seconde réservée à la seule expédition guerrière et, dans certains manuscrits, enchaînée avec celle de *la Prise d'Orange*. De même, les lectures modernes ont-elles dénié à la conquête de la ville la grandeur épique et littéraire reconnue à la colère du héros ; mais à ne vouloir trouver dans le voyage aventureux des jeunes chevaliers qu'une énumération de lieux traversés, c'est oublier l'« ore douce » [la brise légère] qui sur le chemin vient frapper Guillaume en plein visage et en plein cœur, faisant resurgir, dans la meilleure tradition de la lyrique d'oc, le souvenir du pays et des amis lointains ; c'est oublier la tendresse espiègle avec laquelle est décrite la rencontre du vilain ou les difficultés de Bertrand, bouvier improvisé, qui ne sait « poindre ne bouter » ses bœufs et commence par s'embourber ; c'est oublier aussi le jeu du texte lui-même sur sa propre écriture lorsqu'il puise aux formules les plus célèbres et les plus marquées d'exaltation guerrière pour faire entrer dans des tonneaux la fine fleur de la chevalerie française.
Comme *le Couronnement de Louis* qui le précède dans les agencements cycliques, *le Charroi de Nîmes* est entièrement dominé par le souci de l'honneur : non seulement celui du roi, qui demeure en filigrane et surtout clôt la chanson, mais, pour l'essentiel du récit, celui de Guillaume, celui de son lignage comme celui des jeunes chevaliers qu'il invite à l'accompagner, enfin celui de toute une série de comparses occasionnels, vilains compris. Car si la chanson commence par

l'ingratitude du faible roi Louis à l'endroit de son plus fidèle vassal, elle aboutit à une reconnaissance, par le fait de Guillaume, de tous les oubliés et exclus de l'honneur, ainsi qu'à une restauration du roi Louis.

Rapportée à l'histoire de Guillaume telle que la recompose le cycle, cette chanson dit la confirmation, par l'épreuve, de la fidélité vassalique (déjà caractéristique de Guillaume dans *le Couronnement de Louis*) en même temps que l'acquisition d'un autre trait entièrement associé au premier, celui de vassal « chasé » : non gratifié par un roi ingrat, Guillaume ne cesse pourtant (malgré une fugitive ébauche de projet contraire) d'être le plus parfait des vassaux, tandis que la réparation de l'oubli dont il a été victime s'identifie avec une quête d'honneur, dont Nîmes représente la première étape, la seconde étant Orange, sujet de la chanson suivante, *la Prise d'Orange*.

N. Andrieux-Reix

CHARTIER Alain *v.* ALAIN CHARTIER

CHASSAIGNON Jean-Marie

(1737-1795)

Il fallait peut-être une riche famille de commerçants lyonnais et de solides études chez les jésuites de la ville pour mettre en valeur les frasques de Jean-Marie Chassaignon qui, de fugues en crises mystiques, chercha tour à tour refuge à Genève la protestante, au séminaire catholique et dans les cercles illuministes. Le titre complet de son ouvrage principal suffit à indiquer l'orientation d'un poète qui rompt avec le classicisme et toute forme de contrainte, au nom de la liberté naturelle et de l'originalité individuelle : *Cataractes de l'imagination, déluge de la scribomanie, vomissement littéraire, hémorragie encyclopédique, monstre des monstres, par Épiménide l'Inspiré, dans l'antre de Trophonius, au pays des visions* (1779). Épiménide est ce philosophe crétois qui aurait atteint la sagesse après un sommeil de 57 ans et auquel s'identifie aussi Rétif de La Bretonne ; l'antre de Trophonius est un oracle particulièrement effrayant de la Grèce ancienne, lié aux crimes d'un voleur fratricide. Le mysticisme de Chassaignon fut séduit par 1789, mais les violences de la rue ne satisfirent pas son goût des paroxysmes littéraires. *Les Nudités ou les Crimes du peuple* (1792) mettent en scène les acteurs de la Révolution, sous une forme caricaturale et hurlante que Jacques Bousquet rapproche des pamphlets de Léon Bloy ou du théâtre de Jarry, et qui fait aussi songer à Antonin Artaud. Chassaignon, qui se donna encore le luxe de défendre le terroriste Chalier (*l'Offrande à Chalier*, 1793), fascine le lecteur moderne par la rencontre d'une personnalité hystérique et d'une crise historique.

M. Delon

CHASSIGNET Jean-Baptiste

(vers 1571-vers 1635)

Poète. Fils d'un médecin de Besançon, il reçoit une solide culture humaniste au collège de cette ville. Après avoir obtenu son doctorat de droit à l'université de Dole, il exerce la charge de conseiller et avocat fiscal au bailliage de Gray. Il a auparavant publié, âgé de vingt-trois ans à peine, les 434 sonnets qui constituent son œuvre majeure – écrite, s'il faut l'en croire, en l'espace de six mois : *le Mespris de la vie et consolation contre la mort* (1594). Il compose encore, durant les loisirs que lui laissent ses fonctions judiciaires, des *Paraphrases sur les douze petits prophètes* (1601) et des *Paraphrases sur les cent cinquante Psaumes de David* (1613).

Partant de cette amère constatation selon laquelle « Nostre vie n'est rien qu'une éternelle mort », Chassignet emploie toute la science qu'il doit aussi bien aux compilations scientifiques d'un André Thevet qu'à la lecture de l'*Ecclésiaste* ou des *Psaumes* à recenser les innombrables avatars de la vanité universelle. Sous toutes les formes de la vie, course de l'onde vive, évoquant le paradoxe d'Héraclite, ou cycle végétatif, il découvre la mort au travail. Lui-même est un homme mort :

> *Je me présente icy comme une anatomie [...]*
> *L'œil cavé, le nez froid et la face blesmie.*

Jeune homme maladif qui s'entoure vivant des images de la mort, Chassignet appartient bien à cette sensibilité « baroque » que l'on décèle à la même époque dans les *Derniers Vers* de Ronsard ou dans certains des *Essais* de Montaigne. Proche aussi des *Exercices spirituels* préconisés par la Contre-Réforme, la visite aux cadavres d'un charnier devient pour lui matière à édification religieuse. Le spectacle des anatomies pourrissantes, dont les yeux

> *Se distillent en glaire, et les muscles divers*
> *Servent aux vers goulus d'ordinaire pasture,*

la minutieuse autopsie d'un « ventre deschiré cornant de puanteur » alimentent la « souvenance exquise » par quoi le contempteur de la vie mondaine s'assure de son salut éternel. Mais la chair bien vivante est porteuse du même message : l'accouchement entretient une secrète parenté avec l'agonie ; l'« estroit conduit » par lequel l'enfant passe du « monument charnel » de sa mère à la vie évoque le « destroit sauvage » qui mène de ce monde à l'au-delà et du monument funéraire à la survie en Dieu (sonnet CXXIX). La précision anatomique de l'image rénove le lieu commun d'une naissance semblable à la mort, le caractère visionnaire du poème prolonge le phénomène vital en certitude théologique. Il n'est sans doute que l'œuvre contemporaine de D'Aubigné pour retrouver, portée au même degré d'une violence paroxystique, cette évidence crue de l'être.

L'œuvre de Chassignet s'enrichit dès lors d'une expérience personnelle, lourde de désirs refoulés et de souffrances, de haine pour ces hydropiques qui, repus et vivants, semblent « boire leur mort », et de rêves d'Orient, à l'instar du cerf qui meurt face au soleil levant. Derrière la volonté affichée de dresser pour la postérité un monumental *Memento mori* se décèle une sensibilité que l'on serait tenté de qualifier de romantique avant la lettre. Lorsque la lassitude éprouvée dans la maladie le conduit à la retraite ou à l'évasion, et qu'il doit conclure, non sans amertume, qu'il n'est d'« ailleurs » véritable que dans la mort (sonnet LX), le mal de vivre que ressent alors le poète évoque moins l'attitude résignée du chrétien que cette nostalgie splénétique et sans appel à laquelle Baudelaire donnera forme d'art. [Voir aussi **Baroque**.]

F. Lestringant

CHASTELLAIN Georges

***Georges Chastellain**, surnommé **l'Adventureux** (1405-1475)*

Né en Flandre, il séjourne à la cour de France, avant d'être l'ornement de celle de Bourgogne. Intime de Philippe le Bon, dont il est écuyer panetier, écuyer tranchant, puis conseiller, orateur et chroniqueur, gardé comme historiographe et fait chevalier de la Toison d'or par Charles le Téméraire, il a laissé une copieuse production littéraire comme poète et historien.

Le rhétoriqueur et le moraliste

Salué par ses admirateurs comme « suprême rhétoricien », il passe en 1450 pour le maître de la poésie. Nous avons de lui des ballades, des complaintes, des dépréciations, des panégyriques, des épitaphes, des rondeaux et des pièces plus étendues comme l'*Oultré d'Amour*, ainsi que des ouvrages à tendance morale : *Pas de la Mort* (lamentation sur la mort, maîtresse de l'univers), *Dit de la Mort*, qui donne dans l'horreur et le monstrueux, *Mirouer des nobles hommes de France*, qui cherche dans les exemples l'image idéale de la chevalerie, *Dit de Vérité*, où il s'en prend à l'ingratitude des Français envers Philippe, *les Princes* (1453), où il distingue vingt-quatre catégories de défauts du souverain (« Prince menteur, flatteur en paroles… », inconstant, envieux, faux, prodigue), sans parler de la polémique travestie en allégorie (*Exposicion sur Vérité mal prise, Avertissement au duc Charles*) et du théâtre (*Mystères*). Un écrivain politique, très actif, échangeant des poèmes-lettres avec ses contemporains (Antoine de Vergy), et représentatif de cette « rhétorique » qui envahit alors la poésie, abusant de l'érudition, de l'allégorie, des jeux de rimes, de l'éloquence et des latinismes : ainsi dans le *Rondeau des Serviteurs de l'Observance*, savante construction sur les rimes « -vance » et « -eure ». Mais son originalité, c'est surtout dans son travail de chroniqueur qu'il faut la chercher.

D'histoire et de chevalerie

Olivier de La Marche le désignait comme « la perle et l'estoile de tous les historiographes ». La *Chronique des choses de ce temps* relate les événements de 1419 à 1475, centrés sur les faits et gestes de Philippe le Bon puis de Charles le Téméraire. On y remarque d'abord le souci d'objectivité, la constante référence aux sources et la richesse documentaire. Mais l'histoire y est inséparable de l'éloquence ; l'auteur se fait une noble idée des devoirs de l'historien et ne cache pas sa fierté de servir son maître ; si les épisodes truculents ou pittoresques ne manquent pas (duel de vilains, errance de Philippe dans la forêt), la majeure partie de l'œuvre se compose de portraits et de discours, et l'indignation du loyal sujet trouble parfois l'impartialité (commentaire des injures subies par Charles à Gand). Le chroniqueur n'est pas historien au sens actuel du mot. Les idées morales dominent la volonté d'informer. Chastellain nous offre une vision dramatique des événements, à travers l'action de grands hommes, et sa grille d'interprétation favorite est l'idéal de la chevalerie : culte de l'honneur et de la grandeur créent une atmosphère anachronique, que renforce encore le goût du spectacle, de la fête (banquets, défilés, entrées des rois dans les « bonnes villes »). Il nous offre ainsi un curieux mélange de lucidité et de fascination. Les princes sont pour lui les images de Dieu, mais il dénonce la sottise et l'incapacité de certains d'entre eux ; il admire les folles équipées guerrières mais n'oublie pas le critère de l'efficacité (réflexions sur la colère du duc Charles et sa chevauchée funeste) ; les portraits dénoncent les passions (Jean d'Armagnac, époux de sa propre sœur). Il serait cependant prématuré de parler ici de machiavélisme ou de réalisme politique comme pour Commynes, car Chastellain reste avant tout le chroniqueur d'une classe qui a, de l'existence, une conception esthétique.

L'aspect le plus séduisant de sa chronique est l'exaltation des joutes, des rites, des prestiges de la vie aristocratique. C'est une histoire d'apparat, où tout devient spectacle. La cour de Bourgogne est le modèle que la France envie : « Reluisant en fertile richesse, et de haute noble chevalerie, dont nulle part ne se trouvait pareille, sans ce que l'abondance des biens y estoit telle que les distributeurs de deniers, ennuyés de tenir argent clos, contraindroient souvent les uns et les autres de venir querre leur du. » Avec Chastellain, nous avons le tableau fascinant d'une société qui transpose la réalité en symbole à travers l'exactitude minutieuse du rite et la ferveur de la fête : nous assistons aux cérémonies de la Toison d'or, aux subtilités d'une étiquette qui est le modèle de celle d'Espagne, à la constante mise en forme de la vie quotidienne, et nous partageons les émerveillements de la foule devant le déploiement du luxe, manifestation dilapidatoire de la souveraineté de l'aristocratie.

A. Strubel

Chateaubriand

CHATEAUBRIAND François-René, vicomte de

(1768-1848)

Longtemps lu seulement en extraits, en « morceaux choisis » pour leur valeur édifiante ou leur qualité poétique, Chateaubriand n'a été, pour toute une tradition d'histoire littéraire, que l'« Enchanteur » des descriptions du *Génie du christianisme* ou le « prince des songes » et des méditations des *Mémoires d'outre-tombe.* Plus récemment a été redécouverte l'étonnante « modernité » d'un écrivain qu'on put croire jadis démodé et relégué au tréfonds de l'armoire à vieilleries du romantisme. Cette modernité n'est évidemment pas d'avoir été un « Rousseau plus » ou un « Proust moins » dans la course à la recherche du temps perdu. Plus modestement, elle est d'abord d'avoir affirmé, de *René* à *la Vie de Rancé,* que la littérature est irréductible à la fonction, au métier de l'écrivain, qu'elle fait corps en permanence avec le procès d'une existence et le devenir de l'Histoire. Mais elle est aussi d'avoir parié, délibérément, sur le dynamisme de l'écriture et l'authenticité du style pour surmonter les inévitables contradictions de l'individu et du monde comme les déchirements internes d'un moi qui ne s'est pas plus dérobé à ses faiblesses qu'il n'a jamais sacrifié aucune de ses passions et de ses rêveries. Modernité, on le verra, qui tient tout entière en la paradoxale et essentielle formule de la *Préface testamentaire* : « Des auteurs français de ma date, je suis quasi le seul dont la vie ressemble à ses ouvrages… »

Trois carrières pour un destin

Né à Saint-Malo, non loin de cet océan qui allait être l'horizon permanent de sa conscience et de son discours, François-René de Chateaubriand appartenait à une famille de vieille noblesse ruinée et récemment « restaurée » dans sa dignité aristocratique par la fortune commerciale de son père, René-Auguste, et par le rachat en 1761 du château et des terres de Combourg. Ce site austère et grandiose fut le théâtre véritable, bien qu'épisodique, de l'enfance d'un être tôt marqué par la modestie de sa situation de cadet de famille et l'énergie, les « délires » d'une intimité exaltante, partagée dans le secret avec Lucile, la plus proche et la « préférée » de ses sœurs.

Au sortir de l'adolescence bretonne, après avoir renoncé à l'état ecclésiastique puis au métier d'officier de marine, François-René, qui a pour quelques mois tâté du métier des armes, se lance dans la première de ses « carrières », celle de voyageur.

Le 8 avril 1791, il embarque à Saint-Malo pour l'Amérique, laissant derrière lui, pour presque neuf mois, une France déchirée par une révolution dont il pressent déjà le poids sur son destin et sur celui des jeunes gens de sa génération, mais gonflé de rêves et de projets qu'il se promet de réaliser sur les terres du Nouveau Monde.

Au terme d'un itinéraire contesté, qui de Baltimore le ramènera à Philadelphie *via* New York et la vallée de l'Hudson, nombre des songes et utopies du jeune homme auront fait faillite ; mais sur leurs décombres vont germer les images persistantes du futur auteur d'*Atala,* des *Natchez* et du *Voyage en Amérique.*

Après ce voyage désiré, au retour en France, l'attend l'épreuve du voyage subi : l'émigration puis l'exil. Sa courte « carrière militaire » dans l'armée des Princes l'a laissé brisé et malade. À Bruxelles, à Jersey, puis à Londres et dans la province anglaise, il mène pendant près de huit ans (1792-1800) la vie du paria infortuné, nourrissant de ses rancœurs son premier grand ouvrage, l'*Essai sur les révolutions* (1797). La patiente entremise d'amis comme Fontanes ou Joubert et sa volonté grandissante de faire une « rentrée » en France aboutiront, en mai 1800, à un retour sur le sol de la patrie qui est aussi un ralliement à la personne fascinante de Bonaparte. Le *Génie du christianisme* en 1802, malgré les ambiguïtés contestataires de *René,* scelle par un succès littéraire un rapprochement de l'homme d'État et de l'écrivain confirmé, qui rêve alors d'un « duumvirat » de l'épée et de la plume… Las ! après des premiers pas maladroits dans la « carrière politique », à Rome, en 1803, Chateaubriand, révolté par l'assassinat du duc d'Enghien et les menées de celui qui est devenu Napoléon Ier, choisit de « s'absenter » d'une France impériale qui triomphe sans lui. C'est le temps du voyage en Orient (1806-1807) et de la retraite studieuse à La Vallée-aux-Loups, où il rédige, de 1810 à 1812, l'*Itinéraire de Paris à Jérusalem, les Martyrs* et *les Aventures du dernier Abencérage.* L'échec de l'Empire sera sa revanche politique, claironnée, dès avril 1814, dans sa brochure *De Buonaparte et des Bourbons.* Désormais, il entre pour de bon dans « la carrière ». La première Restauration le fait ministre d'État, la seconde pair de France, ambassadeur à Berlin (1821), à Londres (1822), ministre des Affaires étrangères (1822-1824) et de nouveau diplomate à Rome (1828-1829). Malgré la succession – ou plutôt dans les intervalles – de ces hautes fonctions, l'auteur remarqué de *la Monarchie selon la Charte* (1816) est pourtant resté un homme de refus et d'opposition plus qu'un administrateur de circonstance ou qu'un valet inconditionnel d'un pouvoir royal qu'il sent trop souvent faillir et défaillir dans les abus ou les mesquineries. Ses combats à la Chambre, ses écrits de polémiste et de journaliste au *Conservateur* ou aux *Débats* le prouvent assez. Rien d'étonnant à ce qu'en juillet 1830 il n'hésite pas un seul instant à dire non au régime de Louis-Philippe et à une politique du juste milieu qui heurte violemment son sens de la grandeur et son intransigeance légitimiste.

En dépit de ses démarches répétées pour la cause de la duchesse de Berry et de la publication d'ouvrages comme les *Études historiques* (1831) ou *le Congrès de Vérone* (1838), sa vie politique est terminée. Il lui reste tout juste dix-huit ans pour transformer l'aléatoire succession de ses « carrières » de voyageur, de soldat et de commis de l'État en la cohérente perspective du destin d'un homme et d'un écrivain. À l'exception de quelques mois consacrés à la superbe et émouvante *Vie de Rancé* (1844), il emploiera toutes ces années à l'écriture, à l'ordonnancement et aux infimes corrections des *Mémoires d'outre-tombe,* auxquels il songe et travaille sérieusement depuis dix ans déjà. Le temps lui sera donné, mot à mot, phrase par phrase, chapitre après chapitre, de renouer un à un les fils brisés d'une existence où tout aura compté : les songes comme les réalités, les souvenirs comme les prophéties, les passions comme les refus. Tout aura compté parce que tout, par la pertinence du discours et l'exceptionnelle qualité du style, sera devenu poésie, comme dans ces dernières lignes de l'œuvre, incomparables de beauté et de sérénité, qui préludent aux funérailles solennelles du Grand-Bé, le 19 juillet 1848, quinze jours après la mort de François-René à Paris, au 110 de la rue du Bac : « Ma fenêtre, qui donne à l'ouest sur les jardins des Missions étrangères, est ouverte : il est six heures du matin ; j'aperçois la lune pâle et élargie ; elle s'abaisse sur la flèche des Invalides à peine révélée par le premier rayon doré de l'orient : on dirait que l'ancien monde finit et que le nouveau commence. Je vois les reflets d'une aurore dont je ne verrai pas se lever le soleil. Il ne me reste qu'à m'asseoir au bord de ma fosse ; après quoi, je descendrai hardiment, le crucifix à la main, dans l'Éternité. »

Un homme face à lui-même

L'homme Chateaubriand n'a jamais caché la multiplicité des facettes de sa personnalité, les contradictions de sa nature profonde. N'est-ce pas de lui-même qu'il parlait dans le *Génie du christianisme* en affirmant que « l'homme flotte de sentiment en sentiment, de pensée en pensée : ses amours ont la mobilité de ses opinions, et ses opinions lui échappent comme ses amours » ? Le long cortège des femmes qu'il aima toutes avec une égale ardeur, de Pauline de Beaumont à Juliette Récamier en passant par Delphine de Custine, Cordélia de Castellane ou Natalie de Noailles, est sans doute la meilleure métaphore d'une volonté de vivre pleinement la pluralité de ses désirs et de ses passions. Mais de même qu'en filigrane de chaque visage aimé se profilent les traits fuyants, fantasmatiques mais « uniques » de cette Sylphide rencontrée la première dans le grand mail de Combourg, Chateaubriand n'a peut-être été l'homme que d'une seule question, d'un seul projet, d'un seul et même livre aussi, dira Gaétan Picon, « où les passions de l'intelligence se mêlent à la mémoire du cœur ».

Il y a, en effet, chez cet homme dont la dualité – certains diront la duplicité – tant littéraire (l'*Essai sur les révolutions* ou le *Génie du christianisme* ?) que politique (ultra ou libéral ?) ou simplement humaine et psychologique (possesseur ou détaché, menteur ou sincère ?) n'est pas niable, une permanente volonté d'« explication » dont il a d'ailleurs fait la première des motivations de son entreprise autobiographique : « J'écris principalement pour rendre compte de moi à moi-même [...]. Je veux avant de mourir remonter vers mes belles années, expliquer mon inexplicable cœur. » Mais ce qui est dit ici des *Mémoires d'outre-tombe* convient tout autant au contenu de l'*Essai*, de *René*, de l'*Itinéraire de Paris à Jérusalem* ou de *la Vie de Rancé.* Du roman à la chronique, de l'autobiographie à la biographie, le fil rouge est évident : s'expliquer en s'exprimant, s'identifier dans les mises en scène successives et diverses de soi, de l'autre ou de l'ailleurs. Chateaubriand n'est pas moins lui-même sous les traits du jeune exilé des Amériques que sous ceux du vieil abbé de la Trappe, et le *je* des *Mémoires* ne prend consistance que dans la fragilité du *il* de René ou le « tremblement » de celui de Rancé. Plus qu'en son incontestable attachement à de grandes valeurs comme l'ordre, l'honneur ou la liberté, l'unité de l'œuvre de l'écrivain s'enracine ainsi en une attention sans faille au devenir de son être et à la genèse conjointe de son écriture qu'il a toujours conçue comme une catharsis : « J'ai beaucoup de sentiments renfermés, écrivait-il à Mme de Duras dès 1811, que je veux exprimer pour m'en délivrer, et je suis convaincu que je montrerai un intérieur d'âme assez extraordinaire. »

Baudelaire, qui fera plus tard de Chateaubriand l'un des princes du dandysme moderne – non pas le dandysme frivole et mondain de la Restauration, mais l'authentique « dandysme du malheur » –, avait bien senti ce que cette attitude supposait de constant déchiffrage de soi-même, de ressassement introspectif, de récurrence égocentrique et parfois égoïste du songe et de la création. C'est en pensant à l'auteur des *Mémoires,* n'en doutons pas, qu'il écrivait dans ses *Dandies* : « L'artiste ne relève que de lui-même. Il ne promet aux siècles à venir que ses propres œuvres. Il ne cautionne que lui-même. Il meurt sans enfants. Il a été son roi, son prêtre et son Dieu. » Mais, comme l'a aussi clairement montré Sainte-Beuve, le génie de Chateaubriand a été de savoir « dilater » l'intense exaspération de « sa propre incertitude » jusqu'à « la méditation des vicissitudes historiques dont il a été le témoin et la victime ». « Noble vie, ajoutait-il, magnanime destinée que celle qui se trouve tout naturellement et comme forcément amenée à produire l'épopée de son siècle en se racontant elle-même. »

Un poète face à l'Histoire

La passion de l'Histoire n'a jamais quitté Chateaubriand. Que ce soit en lecteur assidu des grandes chroniques de l'histoire ancienne et moderne, en témoin des journées révolutionnaires de 1789 et de 1830, en victime contrainte à l'émigration anglaise ou à l'exil intérieur, en acteur passionné à la Chambre haute ou au congrès de Vérone, il a toujours aimé faire passer en lui le poids d'une histoire déjà révolue ou entrer dans le jeu problématique d'une histoire encore à écrire. Comment d'ailleurs aurait-il pu être indifférent au devenir historique, cet homme obsédé par le vieillissement de son être, les métamorphoses du temps et tous les méfaits du *fugit aetas* ? Le cruel constat de la fragilité et des failles de la conscience, que lui impose l'exercice répété de l'introspection, aura valeur, à ses yeux, de symbole des vanités et des égarements de l'Histoire tout entière, dans son aléatoire succession de grandeurs et de décadences. Et toujours, l'affligeante expérience personnelle du souvenir, qui n'est qu'« expérience de la solitude » (A. Vial), de la ruine et de l'absence, lui sera leçon pour la lecture des civilisations disparues, ou celle des événements encore récents de l'histoire de la France ou du monde.

De l'Essai aux Mémoires, sa pensée historique reste, à cet égard, doublement relativiste. Tout, dans le destin des peuples comme dans celui des États, est soumis au destructeur pouvoir du temps ; toute vision, toute « saisie » de l'Histoire est elle-même sujette à la ruineuse fatalité : « Ce qui fait notre illusion, c'est que nous mesurons les desseins éternels sur l'échelle de notre courte vie... » Cependant, la certitude que dans son moi se joue, comme en un microcosme, le destin d'un monde (« Quel changement de destinée, écrit-il à la fin des Mémoires, pour moi et pour le monde... »), la certitude encore que son mal de vivre individuel est métaphore d'un mal socio-historique collectif imposent à l'écrivain la nécessité d'être historien en même temps que romancier, biographe ou mémorialiste. Mais comment l'être si le discours et l'écriture, seuls instruments de l'écrivain, sont également périssables, menacés par cette « mort des langues » décrite dans l'*Essai sur la littérature anglaise* ? En se situant délibérément, par une sorte de coup de force poétique, en dehors de l'Histoire. Aussi Chateaubriand, homme dans l'Histoire et même personnage de l'Histoire, s'est-il constamment voulu paradoxalement en marge ou plutôt au-delà de l'Histoire. L'obsessionnel « outre-tombe » dont, le premier, Sainte-Beuve disait : « Cela aura été une idée fixe de l'auteur que cette perspective funèbre », n'est rien d'autre que l'image pertinente du lieu poétique et stratégique pour une parole délivrée de la servitude du Temps et de l'Histoire. Car il n'est pas que les *Mémoires* à être d'outre-tombe. De *René* à *Rancé*, toutes les grandes œuvres de Chateaubriand sont écrites « d'outre-tombe », dans une perspective que l'on qualifiera de globalisante ou de téléologique (P. Barbéris a suffisamment montré que, pour Chateaubriand, il n'y a pas d'histoire sans fin de l'Histoire), mais qui est d'abord poétique au sens fort du terme : constitutive d'une conscience et d'un être cohérents par-delà le flux de l'Histoire en devenir, instauratrice d'un regard « fondamental » par-delà « les travestissements du temps ».

Un écrivain devant le langage

Ce rapport du créateur à l'Histoire conditionne pour une bonne part celui de l'écrivain à son langage. Le souci de Chateaubriand de trouver au creux de l'écriture un « point sublime » d'où faire naître le discours prolonge sa volonté de situer dans les marges abstraites du Temps son regard d'historien. Point d'outre-tombe, en effet, sans outrances de l'écriture, sans « outre-écriture ». Il ne suffit pas seulement de rappeler les « boursouflures » rhétoriques de l'Élégiaque qui affirmait à bon droit, à l'époque d'*Atala,* qu'en lui « commençait, avec l'école dite romantique, une révolution dans la littérature française », ni d'évoquer les merveilleuses réussites de l'Enchanteur, telles descriptions américaine ou vénitienne, dont Roland Barthes commentait l'étonnante efficacité en termes d'« euphorie » et de « jubilation ». L'« outrance » de l'écriture tient davantage à la « dérive » constante qu'elle impose à l'objet du discours, du plan de la vérité vraie à celui de l'authenticité imaginaire. Qu'il s'agisse du roman d'analyse qui s'achève en confession quasi psychanalytique, du récit de voyage qui se révèle chronique-fiction, de l'autobiographie qui se fait incantation ou prophétie, de la biographie enfin qui se sublime en « symphonie pathétique » (Bremond), chaque récit de Chateaubriand est emporté, déporté au-delà de lui-même par une dynamique interne. Dynamique qui n'est rien d'autre que la fonction poétique du langage définie par Gustave Cohen comme cette puissance qui « force l'âme à sentir ce qu'elle se contente de penser », contraint à rêver ce qui n'est que décrit, extrapole le sens de la langue et donne parole aux silences.

Il est d'ailleurs à remarquer que l'ensemble des lecteurs critiques de Chateaubriand ont unanimement, quel que soit le sens de leur lecture, reconnu dès l'origine cette dynamique littéraire qui rend, sinon inintéressants, du moins insignifiants les procès posthumes pour faux et usage de faux du type de celui d'Henri Guillemin dans sa biographie. « Sa vérité est une vérité d'artiste », disait déjà Sainte-Beuve de l'auteur de *René* ; et Gaétan Picon d'ajouter : « S'il y a ici une intuition centrale, c'est sans doute l'identité de la vérité et de la beauté, de la vérité et de la poésie [...]. La vie pour lui est déjà imagination » ; Barbéris, le marxiste, poursuit : « Ce qui compte, c'est que les mots font exister d'une certaine façon » ; et Barthes, le sémiologue, sait bien que chez Chateaubriand plus que chez aucun autre « la littérature substitue à une vérité contingente une plausibilité éternelle ». Depuis le jour décisif où Lucile, dans un murmure, lui a suggéré : « Tu devrais peindre tout cela », l'écrivain a, en effet, pris le parti d'une vérité irréductible à la seule exactitude du réel mais contemporaine et solidaire de l'authenticité de son langage.

Authenticité, tel est sûrement le mot qui définit le mieux le rapport de Chateaubriand à son écriture, la fécondation, dans les mots, du réel par l'imaginaire et la légitimation réciproque de l'imaginaire par le réel. La rhétorique peut bien chez lui « excéder » la vie puisqu'elle est toujours et authentiquement partie prenante de la vie, sens et mesure de l'existence. À cet égard, dire de Chateaubriand qu'il fut homme et écrivain « de style », comme on l'a si souvent répété, n'est pas une mince affirmation. Jean Starobinski nous a appris en effet qu'il n'est pas d'autre « lieu de l'authenticité que le style, indice de la relation entre le scripteur et son propre passé ». De cela, le « scripteur » des *Mémoires* n'avait pas besoin d'être convaincu, qui déclarait avec ferveur : « On ne vit que par le style [...]. Il n'est pas, comme la pensée cosmopolite : il a une terre natale, un ciel, un soleil à lui. » La modernité de Chateaubriand, c'est bien aussi cela, l'affir mation résolue d'un pouvoir ontologique de l'écriture dans ce qu'elle a de plus intime, le « terroir » secret qui va rayonner inlassablement jusqu'à la fin, cette vérité de l'être dont le château d'enfance reste le plus signifiant emblème : « En commençant à parler de Combourg, je chante les premiers couplets d'une complainte qui ne charmera que moi ; demandez au pâtre du Tyrol pourquoi il se plaît aux trois ou quatre notes qu'il répète à ses chèvres, notes de montagne, jetées d'écho en écho pour retentir du bord d'un torrent au bord opposé. »

VIE		ŒUVRE	
1764	Naissance de Lucile de Chateaubriand.		
1768	**4 sept. :** naissance de François-René à Saint-Malo. Mis en nourrice dans la famille de sa mère, Apolline de Bedée, à Plancoët.		
1771	Retour dans la demeure de Saint-Malo.		
1776-1777	Installation progressive de la famille au château de Combourg.	**1776**	Lectures nocturnes ou clandestines.
1777-1781	Études au collège de Dol. Vacances annuelles à Combourg avec Lucile.		
1782	Études au collège de Rennes.		
1783	Envoyé à Brest, il renonce à préparer l'examen de garde de marine. Bref séjour au collège de Dinan.		
1784-1786	Long séjour à Combourg : « Deux années de délire ».		
1786	**9 août :** départ pour le régiment de Navarre à Cambrai. **6 sept. :** mort de son père, René-Auguste.	**1786**	Nombreuses lectures des Lumières.
1787	**19 févr. :** présentation à la Cour et brève rencontre avec Louis XVI lors d'une chasse royale. **Sept. :** rejoint son régiment à Dieppe.	**1787**	Premier projet d'un « roman américain ».
1788	Séjour à Paris avec ses sœurs Julie et Lucile.		
1789	Toujours à Paris, commence à s'endetter. Témoin des journées de Juillet.	**1789**	*L'Almanach des Muses* publie une de ses idylles, « l'Amour de la campagne ».
1790	Vend des bas pour payer ses dettes. Passe l'été à Fougères. Réforme temporaire et libertinage parisien. Commence à songer à un voyage aux États-Unis.		
1791	**8 avr. :** embarque sur les conseils de Malesherbes, à Saint-Malo, pour l'Amérique. **10 juill. :** Débarque à Baltimore. **Juill.-nov. :** Itinéraire contesté. **Fin nov.-début déc. :** rembarque à Philadelphie pour la France.	**1791**	Rédige de très nombreux manuscrits, aujourd'hui perdus pour la plupart, qui serviront pour le *Voyage en Amérique*.
1792	**2 janv. :** débarque au Havre. **20 févr. :** épouse Céleste Buisson de La Vigne. Rejoint, durant l'été, l'armée des Princes. Est blessé au siège de Thionville. Rejoint péniblement Jersey où il demeurera chez son oncle Bedée jusqu'en mai 1793.		
1793	**17 mai :** début de l'exil anglais. Malade, il vit à Londres misérablement. Son épouse et ses sœurs sont arrêtées et emprisonnées. Elles seront libérées à la fin de l'année 1794.	**1793**	Esquisse le projet de l'*Essai sur les révolutions*.
1794	Vit de leçons de français à Beccles (Suffolk).		
1795	Loge chez le pasteur Ives.	**1795**	Travaille à l'*Essai*.

VIE		ŒUVRE	
1796	Liaison avortée avec la fille de son hôte, Charlotte Ives. Retourne à Londres. Mariage de Lucile.	**1796**	Achève l'*Essai* et travaille au manuscrit des futurs *Natchez*.
		1797	Publication, à Londres, de l'*Essai,* et corrections de l'« exemplaire confidentiel ».
1798	**Janv. :** début de son amitié avec Fontanes. **31 mai :** mort de sa mère.	**1798**	Travaille déjà au *Génie du christianisme* et aux futurs récits romanesques d'*Atala* et de *René*.
1799	Songe de plus en plus à un retour en France et à une « rentrée » littéraire.	**1799**	Achèvement d'une première mouture du *Génie,* qu'il demande à publier sous le titre *De la religion chrétienne par rapport à la morale et à la poésie*.
1800	**8 mai :** débarquement à Calais sous un nom d'emprunt. Retrouvailles avec Fontanes.	**1800**	**Déc. :** publication d'une *Lettre au citoyen Fontanes* signée « l'auteur du *Génie du christianisme* ».
1801	Début de la liaison avec Mme de Beaumont. Rayé de la liste des émigrés. Première rencontre avec Mme Récamier.	**1801**	Grand succès de la publication séparée d'*Atala.* Achève *René*.
		1802	Publication du *Génie* – loué par Fontanes dans le *Mercure de France* – avec *Atala* et *René*.
1803	Séjourne à Rome comme secrétaire de légation. **4 nov. :** mort de Pauline de Beaumont. **29 nov. :** nommé en poste dans le Valais.	**1803**	Deuxième édition du *Génie*, précédée d'une dédicace au Premier Consul. Première idée des *Mémoires de ma vie*.
1804	Retrouve sa femme, quittée en 1792. **Mars :** démissionne après l'exécution du duc d'Enghien. Séjours à Fervacques chez Mme de Custine et rencontre de Natalie de Noailles. **Nov. :** mort de Lucile, peut-être par suicide.	**1804**	Premier projet des *Martyrs*.
1805	Voyage familial en Auvergne et dans les Alpes.	**1805**	Première publication séparée de *René* (accompagné d'*Atala*).
1806	**13 juill. :** départ pour l'Orient. Visite Italie, Grèce, Turquie et Égypte. Rembarque d'Alexandrie en nov. Tempêtes.	**1806**	Accumule pendant son périple fiches de lecture, documents et images.
1807	Liaison, au printemps, avec N. de Noailles en Espagne (Grenade, Cordoue). Retour à Paris en juin : rachète le *Mercure de France*. Il acquiert une maison à La Vallée-aux-Loups.		
1808-1809	Travaille à La Vallée-aux-Loups.	**1809**	**Mars :** publication des *Martyrs*. Premières pages rédigées des *Mémoires*.
1811	Élu à l'Académie sur proposition de l'Empereur. Son discours étant censuré par l'Institut, il refuse de le prononcer.	**1811**	Publication de l'*Itinéraire de Paris à Jérusalem* et rédaction de *Moïse*, une tragédie.
1812	Fin de la liaison avec N. de Noailles.		
1814	**8 juill. :** nommé ambassadeur en Suède. Ne rejoint pas son poste.	**1814**	**5 avr. :** publie *De Buonaparte et des Bourbons*.
1815	Accompagne Louis XVIII à Gand. Nommé ministre d'État sans portefeuille et pair de France. Vote la mort de Ney.		
1816	Rayé de la liste des ministres d'État.	**1816**	*La Monarchie selon la Charte* est saisie par la police. Retrouve à Londres le « manuscrit primitif ».
1817	Début de la liaison avec Mme Récamier.		
1818	Mme Récamier loue La Vallée-aux-Loups, qui sera finalement vendue.	**1818**	Fondation du *Conservateur,* qui paraîtra jusqu'en 1820.

VIE		ŒUVRE	
1819	Installation de Mme Récamier à l'Abbaye-aux-Bois (rue de Sèvres).		
1820	Nommé ministre plénipotentiaire à Berlin.		
1821	**Mars :** mort de Fontanes. **Juill. :** démissionne de son poste à Berlin. Violentes attaques contre Decazes.		
1822	Nommé ambassadeur à Londres – où il connaît de nombreuses liaisons féminines –, puis ministre plénipotentiaire au congrès de Vérone. S'installe aux Affaires étrangères en déc.	**1822**	Travaille aux *Mémoires*.
1823	« Ma » guerre d'Espagne. Liaison avec Cordélia de Castellane.		
1824	**Juin :** destitué par Villèle, passe dans l'opposition semi-libérale.	**1824**	Collabore au *Journal des débats* et publie *Le roi est mort : vive le roi !* en sept.
1826	S'installe à Paris, rue d'Enfer.	**1826**	Vend ses *Œuvres complètes* à Ladvocat. Première publication des *Natchez*, du *Dernier Abencérage*, et réédition annotée de l'*Essai*.
		1827	Première publication du *Voyage en Amérique* et édition abrégée pour la jeunesse du *Génie*.
1828	**Juin :** nommé ambassadeur à Rome.		
1829	**Avril :** liaison avec Hortense Allart. **Mai :** rentre de Rome ; démissionne en août.	**1829**	Travaille aux *Mémoires*.
1830	Après les journées de juillet, il refuse le serment à Louis-Philippe, démissionne de la pairie, renonce à la vie politique.		
1831	Séjourne à Genève pendant six mois.	**1831**	Publie ses *Études historiques*.
1832	Refuse de s'engager dans la conspiration de la duchesse de Berry. Second séjour en Suisse et retour rue d'Enfer.	**1832**	Mise en vente du *Mémoire sur la captivité de la duchesse de Berry* ; l'opuscule est un succès… mais vaut un procès à Chateaubriand qui en sortira acquitté et acclamé.
1833	Voyages à Prague (pour y rencontrer Charles X) et Venise pour soutenir la cause de la duchesse de Berry.		
1834	**Janv. :** Candidat légitimiste à la députation en Bretagne, il échoue. **Févr. :** lectures des *Mémoires* à l'Abbaye-aux-Bois, chez Mme Récamier.	**1834**	Corrige ses *Mémoires* et en publie la *Conclusion*. Échec de sa tragédie, *Moïse*.
1836	La société Sala et Delloye achète les droits des *Mémoires*.	**1836**	Publie les deux tomes de l'*Essai sur la littérature anglaise* et la traduction du *Paradis perdu* de Milton.
		1838	Publie les deux volumes du *Congrès de Vérone*.
1840	« Les *Mémoires* sont finis », écrit-il à Mme Récamier.		
1843	Pèlerinage londonien et visite au comte de Chambord.		
1844	Le journal *la Presse* rachète les droits des *Mémoires* pour publication posthume en feuilleton.	**1844**	Publie la *Vie de Rancé*.
1845	Nouvelle rencontre avec le comte de Chambord à Venise.	**1845**	Dernières révisions du texte des *Mémoires* (1845-1847).
1847	**8 févr. :** mort de Mme de Chateaubriand.		
1848	**4 juill. :** mort de l'écrivain, 110, rue du Bac. **19 juill. :** obsèques solennelles à Saint-Malo et inhumation sur l'îlot du Grand-Bé.	**1848**	**21 oct. :** début de la parution des *Mémoires* en feuilleton dans *la Presse*.

L'*Essai* et le *Génie* : les deux versants d'une écriture

Premier texte de Chateaubriand, publié à Londres en 1797 mais connu en France seulement en 1826 dans l'édition critique et « policée » des *Œuvres complètes*, l'*Essai sur les révolutions* apparaît comme un texte matriciel tant dans son contenu que dans sa forme. C'est à juste titre que dans ses *Mémoires* l'auteur affirmera : « L'*Essai* offre le compendium de mon existence comme poète, comme moraliste, publiciste et politique ». Ambitieux, le projet de l'ouvrage était d'expliquer, par une confrontation avec les révolutions antiques et anglaises, la révolution française de 1789 dont le jeune écrivain exilé entrevoyait déjà le caractère historique irréversible. Alternant les dissertations compilatoires et les réflexions d'un lecteur assidu des Lumières, l'auteur hésite souvent entre le simple procès d'une révolution injuste, mensongère, « récupérée », et une rêverie perfectibiliste associant l'idéal humaniste du XVIIIe siècle à la brutalité du fait révolutionnaire. Mais, par-delà la démarche philosophique et idéologique, ce qui « explique » surtout ce « livre de l'incertitude et de l'angoisse » (M. Regard), c'est le drame d'une « génération présente et perdue », celle des déracinés et des « infortunés » d'un siècle enfanté dans la violence et les déchirements. Matriciel, le texte de l'*Essai* l'est ainsi d'abord par son impossibilité à s'en tenir à la stricte objectivité narrative ou critique. Non seulement l'Histoire n'y est pas tenue à distance de celui qui écrit, mais, pour être dite, elle impose dans le discours la permanente présence du sujet vivant, faisant du livre le premier grand récit chateaubrianesque du *moi* : « Je n'en ignore pas les défauts, avouera l'auteur dans sa Notice ; si le moi y revient souvent, c'est que cet ouvrage a d'abord été entrepris pour moi [...]. On y voit presque partout un malheureux qui cause avec lui-même. » L'*Essai* affirmait ainsi, trente ans avant les *Mémoires*, qu'il ne saurait y avoir d'intelligence de l'histoire ailleurs que dans les arcanes de l'individu, de sens de la révolution hors de celui d'une révolte existentielle qui dicte à toute écriture son chaos et ses tortures.

Matriciel, l'*Essai* l'est en effet aussi dans sa rhétorique et sa poétique. Par-delà sa lourdeur livresque, il révèle l'apprentissage par Chateaubriand des profils et des pouvoirs de son écriture – structure métonymique des accumulations érudites, des compositions en abyme et des arborescences de la phrase ; structure métaphorique des diagonales de la pensée, des raccourcis éblouissants de l'espace et du temps ; complaisance dans un certain « négligé » naturel qui rappelle la « marqueterie » chère à Montaigne : « Il m'a semblé que le désordre apparent qui y règne [...] n'était peut-être pas sans une espèce de charme. » L'*Essai* enfin, texte de jeunesse aussi intense que brouillon, est sans doute le premier récit « posthume », le premier chant d'outre-tombe de René. Rédigées sous la double menace de la maladie et de la faillite amoureuse (la rupture avec Charlotte Ives), ces pages ont déjà l'étrange parfum de liberté et de néant que donne la proximité de la mort : « La certitude de ma fin prochaine, commentera plus tard Chateaubriand, en augmentant le deuil naturel de mon imagination, me donna un incroyable repos d'esprit [...]. C'est sous le coup d'un arrêt de mort que j'ai composé cet ouvrage. »

Livre « impie », l'*Essai* réduisait le christianisme à la contingence d'un fait historique et social. Comment comprendre alors l'extraordinaire revirement du discours de Chateaubriand entreprenant, deux ans après, le monument édifiant et « rangé » du *Génie du christianisme* ? Le miracle de la conversion (« J'ai pleuré et j'ai cru... ») ou le poids du remords (« Un livre écrit en expiation de l'*Essai* ») ne peuvent suffire à rendre compte de ce déconcertant renversement des modalités et de la signifiance même de l'écriture. Si l'on en excepte *Atala* et *René*, récits romanesques étrangers à la version originale de l'œuvre, le *Génie* apparaît comme un texte de l'ordre là où l'*Essai* était contestation, de la rigueur didactique là où il était passion, de l'évidence là où il était interrogation, de l'optimisme là où il était angoisse. Policée, structurée, enluminée, cette nouvelle apologie de la religion chrétienne, suggérée à Chateaubriand par Fontanes et encouragée par le contexte de l'entreprise concordataire de l'Empereur, témoigne autant d'une volonté de réintégration sociale de l'écrivain que d'un authentique désir de réhabiliter le christianisme par la démonstration dialectique de ses beautés et de ses bienfaits. L'énorme succès du livre prouve assez qu'il venait à son heure dans une société lassée des désordres et des violences, prête à encenser tout ce qui tendrait à la stabiliser et à la rassurer.

Ce n'est pas que le *Génie* démente d'ailleurs toutes les analyses de l'*Essai*. L'affirmation de la dimension historique et sociale du christianisme y est même renouvelée, mais ce, dans une perspective totalisante et réconciliatrice que P. Barbéris appelle « finalisation de l'Histoire » et résume d'une formule : « Tout, dans la suite des siècles, aboutit au christianisme. » Perspective téléologique, on le voit, qui intègre aussi bien les mouvements de l'Histoire, les merveilles de la nature, les édifices de la culture que les vacillements de la conscience individuelle. Le fameux chapitre « Du vague des passions », qui récupère le mal romantique au sein d'une éthique rassurante, fait ainsi le pendant du chapitre « Aux infortunés » de l'*Essai*.

Point d'intersection entre ces deux versants d'une écriture en quête d'elle-même : une cohérente poétique du temps et de l'Histoire. Sans vouloir minimiser les réussites descriptives du *Génie* dans l'art de la fresque de style ou de l'harmonie imitative, plus essentiel paraît encore le constant souci de l'écrivain de faire de son livre le « plan de rencontre entre le temps et l'éternité » (P. Reboul). À aucun moment le triomphalisme du discours de circonstance n'écarte pleinement l'obsédant horizon d'une temporalité dramatiquement éprouvée : « L'homme est suspendu dans le présent, entre le passé et l'avenir, comme sur un rocher entre deux gouffres ; derrière lui, devant lui, tout est ténèbres ; à peine aperçoit-il quelques fantômes qui, remontant du fond des deux abîmes, surnagent un instant à leur surface et s'y replongent. » Il faudra l'immense patience rétrospective des *Mémoires* pour refermer dans les plis de l'écriture cette « béance » du temps que l'*Essai* criait sur le mode de l'anathème et que « les anneaux nécessaires d'un beau style » (Proust), dans le *Génie*, ne parvenaient que mal à rendre moins pathétique.

Le *Voyage en Amérique* et *les Natchez*

Révélés par l'édition des *Œuvres complètes* de 1826, le *Voyage en Amérique* et *les Natchez* faisaient partie du fameux manuscrit de plus de 2 000 pages, l'« original primitif », oublié dans une malle londonienne, « exhumé » une quinzaine d'années plus tard et « restauré » dans sa forme et son contenu après avoir été partiellement exploité dans l'*Essai*, dans le *Génie* et dans les *Martyrs* de 1809. Pour restituer à cet « original » sa fraîcheur, il faudrait se livrer à une véritable archéologie textuelle et intertextuelle. Censurées ou « bricolées », les versions définitives des deux ouvrages laissent néanmoins suffisamment percer le sens de ce qu'aura été pour Chateaubriand la leçon américaine.

Le jeune homme qui embarque le 8 avril 1791 à bord du *Saint-Pierre* a un alibi : découvrir au nord-ouest un nouveau passage interocéanique ; un souvenir : celui du « bon sauvage » cher à Montaigne et Rousseau ; une espérance : rapporter de son exploration le cadre d'un futur « roman canadien ». Si la lecture critique du *Voyage* de 1826 trahit la faiblesse de l'alibi et le naufrage du souvenir, celle des *Natchez* confirme l'émergence, en Amérique, de l'écriture romanesque de l'auteur de *René*. Henri Guillemin a trop démontré les « mensonges » de la relation de l'itinéraire américain pour qu'il suffise de rappeler que la vérité de Chateaubriand voyageur est rarement une vérité de fait mais plutôt une vérité de « contamination » entre le monde des réalités et celui des livres (en l'occurrence, ceux de Charlevoix, Prévost et Carver) dont il ne se sépare jamais. Plus important est l'autre « mensonge » démasqué et médité dans le *Voyage* : celui d'un Nouveau Monde dont les structures sociales, commerciales, comme l'idéologie, démentent les images d'une philosophie européenne qui avait fondé, dans cet ailleurs naturel et sauvage, toute une mythologie du salut. Or, Chateaubriand constate, dans les réserves indiennes approchées, qu'il ne reste des sauvages que le souvenir ou la dégénérescence. L'utopie des gouvernements « dans l'état de nature », des civilisations de l'origine, de l'art et de la pensée sauvages, est laminée par la découverte d'une société mercantile de colons qui, loin d'intégrer les vertus des tribus indigènes, leur a transmis ses tares et les entraîne dans un fatal processus d'interdestruction. « Le bel Indien des forêts, écrit M. Regard, s'est transformé en un mendiant déguenillé à la porte d'un comptoir ! »

À bien des égards, la fiction littéraire des *Natchez* ne dit pas autre chose que la relation quasi ethnographique du *Voyage*. Arrivé, comme Musset, « trop tard dans un monde trop vieux », Chateaubriand, qui rêvait depuis 1789 d'« une épopée de l'homme dans la nature » pour laquelle « il fallait, à l'exemple d'Homère, visiter les peuples que je voulais peindre », va, en réalité, écrire l'épopée massive et brouillonne de l'homme toujours et encore en marge de l'Histoire. René, « le frère d'Amélie », émigré puis banni, impuissant à aimer mais condamné à faire le malheur de ceux qu'il approche, est déjà l'énigmatique héros de cette saga indienne de la déchéance. L'amour passion et l'érotisme merveilleux y dégénèrent en crimes ou en monstruosités ; le fragile équilibre sauvage/Européen s'effondre dans une sanglante boucherie où le machiavélisme individuel le dispute aux turpitudes collectives. La lettre de René à sa femme Céluta, le massacre franco-indien et l'assassinat du héros rendent exactement compte de la nature précisément « sauvage » du texte des *Natchez*. Commencé dans sa première partie sur le mode du merveilleux, alternant les allégories chrétiennes et les affectations du style indien, le livre dérive dans la seconde, au fil d'une intrigue foisonnante, du descriptif vers le narratif, des conventions poétiques vers une fiction aussi intimement délirante qu'historiquement fondée. Dualité d'une écriture romanesque en quête d'elle-même qui n'échappera pas au commentateur des *Mémoires* : « Mes deux natures sont confondues dans ce bizarre ouvrage, particulièrement dans l'original primitif. On y trouve des incidents politiques et des intrigues de romans ; mais à travers la narration, on entend partout une voix qui chante et qui semble venir d'une région inconnue ». *Atala* puis *René*, arrachés, pour partie du moins, à ce texte originel puis intégrés à l'édifice normalisé du *Génie*, vont déployer ces « intrigues » avortées et orchestrer sur le mode majeur cette « voix » aussi ambiguë qu'essentielle.

Atala

Probablement achevé, en tant qu'épisode des *Natchez*, lors de l'exil londonien, remanié pour illustrer dans le *Génie* « l'harmonie de la religion chrétienne avec les scènes de la nature et les passions du cœur humain », mais publié séparément dès 1801, le récit d'*Atala* est en quelque sorte l'acte de naissance de Chateaubriand romancier : « C'est de la publication d'*Atala* que date le bruit que j'ai fait dans ce monde [...]. Le vieux siècle la repoussa, le nouveau l'accueillit. » Cette « sorte de poème, moitié descriptif, moitié dramatique », amalgamant un conte américain à des récits d'explorateurs et aux souvenirs du voyageur de 1791, ne pouvait manquer d'étonner en « tombant au milieu de la littérature Empire ». Par-delà une intrigue bien maigre et trop sujette à la juxtaposition linéaire des tableaux et des épisodes, les lecteurs allaient surtout être sensibles au charme d'une société indienne pittoresque à souhait et au troublant spectacle d'une passion impossible. *Atala* fonde sans doute en effet le mythe romantique de la passion en butte aux interdits, ici religieux, bientôt sociaux ou proprement psychologiques. Si les décors exotiques de l'intrigue connaîtront un vif succès, notamment dans l'iconographie du XIXe siècle, la persistance de son noyau thématique (l'impasse et la faillite du duo amoureux) restera autrement signifiante. Même si *René* passe, à juste titre, pour l'un des grands textes initiateurs de notre sensibilité moderne, il convient de lire aussi *Atala* comme le récit inaugurateur de toute une poétique romanesque où la passion sera décrite comme sacrifice et la mort comme fatal corrélat entre le désir et le délire.

SYNOPSIS

Sur les bords du Meschacebé, une nuit de pleine lune, Chactas, un vieillard de la tribu des Natchez, entreprend de raconter à René, un Français émigré en Louisiane en 1725, et pour lequel il s'est pris d'affection, les aventures de sa jeunesse. Capturé, à l'âge de vingt ans, par une tribu ennemie, voué au bûcher, il a été délivré par une jeune Indienne éprise de lui, Atala. Alors qu'ils s'abritent dans la forêt contre un violent orage, celle-ci lui révèle qu'elle est en réalité la fille d'un Espagnol nommé Lopez et qu'elle a été élevée dans la religion chrétienne. Hébergés par un missionnaire, le père Aubry, dans la communauté que celui-ci a fondée, les deux jeunes gens paraissent promis au mariage. Pourtant, au retour d'une visite de la mission, Chactas et le prêtre retrouvent Atala mourante. Vouée dès sa naissance par sa mère à la virginité, la jeune fille a préféré le suicide au parjure. Ignorant qu'elle pouvait, au nom d'une passion légitime, être relevée de ses vœux, elle s'est empoisonnée et meurt dans la souffrance sous les yeux du père Aubry et de son amant, auquel elle a fait promettre de devenir chrétien. Éperdu de douleur, Chactas refuse pour Atala les pompes d'un enterrement solennel. Avec l'aide du prêtre, il roulera son corps dans une pièce de lin et le couchera à l'entrée d'une grotte de la mission, sur un lit d'herbes et de fleurs, répondant par un silence recueilli aux oraisons de son protecteur. Ce dernier périra plus tard lors du massacre de sa communauté par les Indiens, et Chactas recueillera ses ossements avec ceux d'Atala.

René

Comme *Atala*, *René*, à l'origine simple épisode des *Natchez*, devait servir à l'illustration d'un chapitre du *Génie*, « Du vague des passions », avant que les deux romans soient publiés en 1805 dans un unique volume romanesque. Les similitudes du décor américain et de la structure narrative des deux textes ne sauraient pourtant masquer leur profonde différence de nature. *Atala* était un roman dramatique, voire dramaturgique. Le ressort romanesque de *René* ne peut être dramatique puisque toute action, toute intrigue manque et que ne s'y dessine pas même une véritable aventure psychologique comme dans l'*Adolphe* de Benjamin Constant. Non, le seul ressort de *René*, c'est bien le lyrisme et l'élégie fonctionnant « à vide » et faisant de ce vide même, de cette nouvelle béance au cœur de l'individu, l'unique justification de l'écrit. Lassitude, frustration du désir, impuissance à vivre, spleen avant l'heure, les expressions n'ont pas manqué pour décrire cet état où, dira Chateaubriand, « l'on est lassé de tout sans avoir joui de rien ». Toute une génération, déjà bercée par Rousseau, Goethe et Ossian, allait se reconnaître dans ce René de 1802 bien « affadi » par rapport au René séditieux des *Natchez*. Paradoxalement c'est bien celui-là, avant le narrateur de la *Confession* de Musset, qui va « constituer la jeunesse, l'adolescence en force de réalité et de rupture » (P. Barbéris) et donner au mal du siècle sa charte littéraire. Ce René exsangue, taciturne et impuissant va se révéler après 1815 (date à laquelle il commence à être passionnément lu et relu) d'une insoupçonnable puissance de contestation, au point d'imposer à l'auteur des *Mémoires* une sévère autocritique : « Je ne l'écrirais plus ! »

SYNOPSIS

À l'inverse de la situation narrative d'*Atala,* c'est René, cette fois, qui prend la parole pour conter à Chactas et à un autre missionnaire, le père Souël, « non les aventures de sa vie, puisqu'il n'en avait point éprouvé, mais les sentiments secrets de son âme », à l'origine de son éternelle mélancolie. Après avoir failli coûter la vie à sa mère en naissant, après une enfance « loin du toit paternel », l'adolescent a vécu auprès de sa sœur Amélie des années de « rêveries enchantées », d'exaltation et de « délire ». Saisi par ce mal inexplicable qui le ronge encore, il a cherché dans les voyages un apaisement et un remède. Mais de retour dans sa patrie, il s'est senti exclu plus que partout ailleurs, d'autant que sa sœur chérie paraissait elle-même fuir sa présence. Après l'échec d'un « exil champêtre » qu'il espérait salvateur, dégoûté de tout et décidé à en finir avec une existence insignifiante, René, en prenant ses dispositions testamentaires, retrouve pourtant Amélie pour une brève et dernière période d'intimité. Mais un matin, Amélie disparaît et se réfugie dans un couvent pour prendre le voile. Désespéré, le jeune homme s'embarque pour l'Amérique où une lettre lui apprendra la mort de sa sœur, décédée « comme une sainte ».

Le père Souël, qui a « écouté d'un air austère l'histoire de René », en a tiré une leçon de morale sans complaisance : « Jeune présomptueux [...], la solitude est mauvaise à celui qui n'y vit pas avec Dieu », à laquelle fait écho un discours de Chactas : « Il n'y a de bonheur que dans les voies communes. » Les trois hommes périront « peu de temps après, dans le massacre des Français et des Natchez à la Louisiane ».

À dire vrai, la critique était présente à l'intérieur même du *René* de 1802 par le biais de la dissertation morale finale du père Souël, un missionnaire qui « parle déjà comme les curés de Balzac » (J. Roger). La dure réprimande du prêtre contient en effet les éléments du futur procès contre un romantisme de l'abandon, de la complaisance et du solipsisme. Cet addendum moral, visant à rendre bienséant un texte naturellement contestataire, comme les propos du père Aubry atténuant dans *Atala* le réquisitoire contre un certain fanatisme religieux, n'a pas empêché que les deux livres soient lus, nous dit encore Barbéris, « comme ils avaient été écrits, comme des romans des sens et du cœur », non comme des illustrations convaincantes d'une apologie dont l'argumentation didactique fonctionne en fait contre le témoignage existentiel qui les anime.

Or, la force de *René* se caractérise principalement par l'ancrage évident de la fiction romanesque dans le tissu biographique. Non seulement parce que René, dans son profil ou dans les étapes de son destin, ressemble comme un frère au François-René qui le met en scène, mais encore parce qu'en tant que personnage il est dépositaire, comme l'a bien vu Sainte-Beuve, de toute l'exigence d'écrire de son créateur : « Voilà le secret de René, l'anneau d'or par lequel il se rattache à la vie. René croit à l'immortalité de la poésie [...] et ne fait autre chose que tracer ici l'itinéraire poétique que Chateaubriand lui-même n'exécuta que plus tard ». Or, à quelle « poésie », à quelle littérature croit René ? À celle de « ces chantres qui honorent les lois, la religion et les tombeaux ». Pareil aveu, n'est-ce pas René « tel qu'en lui-même enfin... » ? René auteur de l'*Essai*, auteur du *Génie*, auteur des « tombeaux » des *Mémoires* ? Plus simplement encore, René héros croit à son propre discours, croit à ce qu'il dit. Il peut bien mourir et se taire ; ce qui, en lui, touchait à la chair vivante de « l'autre », François-René, à son désir d'écrire, ne mourra pas. C'est désormais de « ce rocher où il allait s'asseoir au soleil couchant », piton de Combourg ou roc du Grand-Bé, que Chateaubriand va tout vivre, écrire et réécrire.

Itinéraire de Paris à Jérusalem

De même que le *Voyage en Amérique* fut publié après les fictions qu'il avait inspirées, de même l'*Itinéraire* (1811) parut après les *Martyrs*, dont il fut pourtant le grand pourvoyeur d'images et de tableaux : au fil de la rédaction, certaines pages sont passées presque telles quelles d'un ouvrage à l'autre. Commencé en juillet 1806 par l'Italie et achevé en Espagne au printemps 1807, l'« itinéraire » du pèlerin Chateaubriand le mena successivement en Grèce, en Turquie et en Afrique du Nord. Les raisons de ce périple ne manquaient pas : l'auteur du *Génie* se devait d'accomplir un pèlerinage en Terre sainte, le futur écrivain des *Martyrs* voulait authentifier un nouvel horizon littéraire, et le mari volage trouvait de surcroît, au terme de l'aventure, l'occasion de rencontrer la belle « enchanteresse », Natalie de Noailles.

De cette randonnée méditerranéenne qui ne fut ni sans charmes ni sans périls, l'*Itinéraire* offre une relation où les notations pittoresques le disputent aux réflexions historiques et aux méditations philosophiques. Derrière les tableaux somptueux de l'Acropole rayonnante, de la tristesse de Jérusalem et d'Alexandrie, des « débris » de Sparte ou de Carthage, s'impose une fois encore le sentiment d'une sensibilité exceptionnelle aux grands mouvements de l'Histoire. Plus que les protestations indignées de l'humaniste devant une Grèce asservie, ou la dénonciation par le chrétien des « impostures » et défigurations de l'Islam, c'est le permanent constat de la force incoercible du temps sur toutes les constructions humaines (monumentales, culturelles ou politiques) qui constitue le fil conducteur du livre. Devant les fissures de Venise, les silences de Sparte et des rives de la mer Morte, les sables décapants du désert, auxquels répondent les luxuriances déjà lointaines des forêts américaines, Chateaubriand éprouve concrètement une « fatalité des ruines » qu'aucun triomphalisme des mots, des idées ou des croyances ne saurait ici, à la différence des *Martyrs*, masquer ni même atténuer. L'impression de délabrement laissée par ce grand « cimetière » des civilisations décrit dans l'*Itinéraire* est si forte qu'elle paraît même contaminer en l'écrivain ce qui était le plus à l'abri de toute corruption, les certitudes de sa propre écriture : « Il y a vingt ans que je me consacre à l'étude au milieu de tous les hasards et de tous les chagrins..., murmure-t-il dans la dernière page de son livre ; dans tous les cas, j'ai assez écrit si mon nom doit vivre, beaucoup trop s'il doit mourir. »

Les Martyrs

Publiés en 1809 et rédigés à La Vallée-aux-Loups en même temps que l'*Itinéraire*, *les Martyrs ou le Triomphe de la religion chrétienne* se terminaient aussi sur un émouvant « adieu aux lettres » : « J'ai consacré l'âge des illusions à la riante peinture du mensonge ; j'emploierai l'âge des regrets au tableau sévère de la vérité ». Mensonge, les *Martyrs* le sont en effet à un double titre. D'abord parce qu'ils constituent, avec *les Aventures du dernier Abencérage*, l'ultime volet de l'écriture-fiction de Chateaubriand. Surchargée par les conventions du genre de l'épopée chrétienne (« Un merveilleux mal à propos employé », dira-t-il dans ses *Mémoires*), saturée de réminiscences antiques ou d'affectations exotiques, la prose de l'écrivain, encombrée par ailleurs d'emprunts à des « modernes » comme Fleury ou Duclos, y est souvent somptueusement indigeste au point que l'ouvrage, en 24 livres, reste aujourd'hui difficilement lisible. Mensonge, l'épopée des *Martyrs* l'est aussi, beaucoup moins innocemment, parce qu'elle « maquille » sous le drapé de son écriture l'authentique angoisse historique et existentielle révélée dans l'*Itinéraire*. En un sens, les *Martyrs* sont à ce livre ce que le *Génie* est à l'*Essai* et aux *Natchez* : un contre-feu idéologique. Dès 1805, Chateaubriand, sous le titre des *Martyrs de Dioclétien*, avait rédigé une première mouture de son récit qui s'achevait sur l'épisode fameux de Velléda, nouvelle Atala condamnée à la mort pour avoir violé ses vœux de virginité avec le bouillant Eudore, nouveau René à la foi et aux convictions vacillantes. De retour d'Orient, l'écrivain élargit les frontières de son discours à la dimension des paysages visités et y promène, au gré des péripéties de l'histoire du IIIe siècle, un Eudore « repenti » et une Cymodocée « convertie », jusqu'à la « bénédiction » finale du couple chrétien et martyr sous la dent du tigre dans l'amphithéâtre de Vespasien. Les décors de la fiction et les moments de l'intrigue ont beau coïncider souvent avec les étapes de l'*Itinéraire* et les épisodes de l'histoire reconnus en 1806, leur sens n'est plus le même. Ce qui reste résolument ruine, néant et impuissance dans la chronique de 1810 est *in extremis* transfiguré en apothéose et espérance dans l'épopée : Galerius et Hiéroclès, le persécuteur et le bourreau, sont renversés, et Constantin restaure le christianisme au lendemain du martyre d'Eudore et de Cymodocée, qui, à la différence de René et des Natchez (déjà des martyrs !), ne seront pas morts pour rien. Le défi constantinien à la barbarie et le « triomphe de la religion chrétienne » redonnent un sens à une Histoire déchirée et à des destins sacrifiés. Tout l'édifice apologétique du *Génie* est ainsi cautionné par cette fin qui se veut commencement, même si c'est au prix d'un silence imposé au manuscrit encore secret de l'*Itinéraire*.

Quelle signification faut-il donner à ce nouveau coup de force poétiquement orchestré dans l'écriture de Chateaubriand ? Celle d'un règlement de comptes, comme chercheront à le faire croire les *Mémoires*, avec Napoléon-Dioclétien et une cour impériale pervertie où Fouché-Hiéroclès fait régner l'arbitraire d'un pouvoir déjà haï ? Ou, plus vraisemblablement, celle de la réfutation et de la liquidation par l'écrivain des excès d'une révolution sanguinaire qui fut, pour lui et ses proches, terreur et « enfer » ? Dans tous les cas, la qualité de l'information historique de l'écrivain, même si l'érudition passe encore parfois par la compilation, rend difficile le décryptage de tels sous-entendus du récit. Mieux vaut saluer dans les *Martyrs* la première démarche dans le sens d'une histoire narrative fondée sur la quantité, la richesse et la pertinence de sources redéployées dans l'exhaustivité de descriptions ou de « tableaux », comme dira Flaubert, grand admirateur de l'ouvrage. Bien que fiction, l'épopée de Chateaubriand, qui offre aussi une fresque très documentée du IIIe siècle, du Bas-Empire romain, des tensions entre l'Occident et les « barbaries » asiate ou nordique, inaugure sans doute le nouvel âge historique qui verra le succès des Guizot, Michelet ou Augustin Thierry. N'est-ce pas à ce dernier que l'auteur des *Martyrs* dédicacera en 1831 ses *Études historiques*, qui doivent d'ailleurs beaucoup, pour la période antique, aux recherches des années 1808-1810 : « Hommage d'un vieux disciple à un jeune maître » ? Même si les jeunes émules feront mieux encore dans cette voie nouvelle, il est certain, comme l'écrit Jacques Madaule, que dès 1810 « Chateaubriand a prévu et annoncé cette résurrection du passé dans toutes les formes infinies de son existence qui tentera désormais d'être l'Histoire ». La seule « vérité » des *Martyrs* fut dans cette « prévision ».

Les Aventures du dernier Abencérage

Le *Dernier Abencérage* termine le cycle oriental de l'œuvre de Chateaubriand. La méconnaissance de ce roman par le public ne déplairait peut-être pas à son auteur, qui, l'ayant probablement achevé dès 1810, ne le publia qu'en 1826 dans un recoin du tome XVI de ses *Œuvres complètes*. Inspiré par un texte de l'Espagnol Pérez de Hita, historien des *Guerres civiles de Grenade*, ce récit, du genre hispano-mauresque, retrouve, avec le couple des amants sacrifiés, Aben-Hamet et Blanca, la thématique déjà élaborée dans les duos d'Atala et Chactas ou d'Eudore et Cymodocée. Mais cette fois, plus que les figures héroïques du récit (notamment la superbe Blanca, sorte de Bérénice romantique), ce sont les sites et les décors mêmes de l'action qui palpitent de tout l'investissement affectif opéré en eux par le romancier : « C'est sur les lieux mêmes que j'ai pris, pour ainsi dire, les vues de Grenade, de l'Alhambra... » Grenade, on le sait, avait été le terme du pèlerinage en Terre sainte mais aussi la « terre promise » amoureuse quand, au printemps de 1807, Chateaubriand avait retrouvé la dame de Méréville, Natalie de Noailles. Moins chaste que la passion de la descendante du Cid et du dernier Abencérage, la liaison de l'« enchanteur » et de l'« enchanteresse » vibre dans le silence brûlant des décors espagnols, miroirs et catalyseurs, comme la sierra Nevada, des amours fatales : « Un ciel enchanté, un air pur et délicieux portent dans l'âme une langueur secrète dont le voyageur qui ne fait que passer a même de la peine à se défendre ». On comprend que l'auteur, avec une pudeur qui l'honore, ait longtemps gardé à l'abri des regards indiscrets ce romanesque jardin secret de l'« amour fou ».

Les écrits politiques et journalistiques

Même si Chateaubriand a clamé hautement sa cohérence et son intransigeance en matière politique, il n'est pas toujours aisé de saisir les motivations qui ont animé les grandes étapes de sa carrière. Au fil de ses ouvrages proprement politiques (*De Buonaparte et des Bourbons*, 1814 ; *la Monarchie selon la Charte*, 1816 ; *le Congrès de Vérone*, 1838) ou de ses écrits journalistiques (les articles du *Mercure* de 1807, dans l'opposition à l'Empire, ceux du *Conservateur* ultra de 1818-1820 ou ceux du libéral *Journal des débats* de 1824-1826), bien des engagements se modifient et bien des certitudes s'effritent. Pourtant Chateaubriand n'est pas un homme de palinodies. Sa volonté, toujours affirmée depuis l'*Essai*, d'« être de son siècle » et de prendre en considération dans l'Histoire ce qu'il nomme l'« élément temps » suffit à justifier à ses yeux les écarts d'une démarche qui le vit côtoyer aussi bien Carrel et Béranger que Clausel de Coussergues... Par-delà ses engouements, ses dédains et quelquefois ses atermoiements, la politique de l'écrivain apparaît en effet dominée par les deux articles d'un credo qu'il ne reniera jamais.

Premier article : l'attachement à une monarchie que ses origines, sa « terre » et sa religion lui imposent comme une évidence bienfaisante et une garantie de l'ordre et de la grandeur de la France de l'après-Révolution. Qu'on lise *la Monarchie selon la Charte* comme « un catéchisme de l'ultracisme » (G. Dupuis), avec son désir d'épuration et sa défense des privilèges, ou qu'on y voie un subtil compromis ménageant la royauté par la codification du droit, la séparation des pouvoirs et la responsabilité du ministère, l'essentiel, nous dit l'auteur, n'est pas que le régime soit « Charte, Constitution, code, principe, mais l'expression des besoins du temps ». Cette même conviction légitimiste lui fera d'ailleurs préférer le duc de Bordeaux à Louis-Philippe en 1830, comme étant « une nécessité de meilleur aloi ».

Second article : la défense des libertés. Il inspira les propos fameux du *Mercure* de 1807 (« C'est en vain que Néron prospère, Tacite est déjà né dans l'Empire... »), la recherche des « bases d'une liberté raisonnable » dans la *Charte* et les constantes démarches de l'écrivain en faveur d'une liberté de la presse qu'il considérait comme le seul garant sérieux des autres libertés individuelles ou politiques : « Point de gouvernement représentatif sans liberté de la presse ! » Mais, ne nous y trompons pas, la liberté défendue par Chateaubriand ne l'empêchera pas d'être souvent un farouche opposant aux « libéraux » comme Benjamin Constant. D'essence aristocratique, sa conception de la liberté ne pouvait s'accommoder des espérances démocratiques ou des utopies socialistes naissantes : « Séparée de l'aristocratie, écrit-il, la démocratie ne tend à la liberté qu'en courant vers son principe, l'égalité : la liberté n'est pas pour elle un but, mais un moyen. »

Cruauté de l'Histoire ? C'est pourtant cette montée d'une démocratie qu'il ne pouvait comprendre que Chateaubriand, avec lucidité, pressentira et qu'il finira par admettre au terme d'un parcours politique qui aura vu s'accumuler les déceptions des hommes, des événements et des régimes : « Puisque aucun pouvoir parmi nous, écrira-t-il à la fin des *Mémoires,* n'est inviolable, puisque le sceptre héréditaire est tombé quatre fois depuis trente-huit années [...], puisque la souveraineté de Juillet a été incessamment assaillie, il faut en conclure que ce n'est pas la république qui est impossible, mais la monarchie ». Résignation, cynisme, nihilisme ? C'est en tout cas sur une déception totale que se refermeront les écrits politiques de celui qui avait voulu « être de son siècle » en n'étant ni un doctrinaire taré du passé ni un théoricien abstrait de l'avenir. Encore eût-il fallu qu'il y eût un « siècle », ruminera-t-il avec amertume et dérision : « Pourquoi suis-je venu à une époque où j'étais si mal placé ? [...] Pourquoi ai-je été jeté dans cette troupe de médiocrités qui me prenaient pour un écervelé, quand je parlais courage ; pour un révolutionnaire, quand je parlais liberté ? » Les *Mémoires* tenteront d'apporter réponses à ces questions désenchantées.

Des *Mémoires d'outre-tombe* à la *Vie de Rancé*

Le dessein autobiographique

On ne peut comprendre vraiment les *Mémoires* si on oublie que l'œuvre, dont quarante ans séparent les premiers mots des derniers, raconte autant sa propre histoire que celle de l'homme qui l'écrit. Si, dans son achèvement, le livre offre ainsi le double procès d'un individu avec sa vie et d'un écrivain avec son écriture, il n'en a pas été toujours de même au fil de sa rédaction. Nous savons, par une lettre adressée à Joubert en 1803, quelle fut la « première idée » des *Mémoires.* Hanté par le souvenir de l'« impudeur » rousseauiste, Chateaubriand révèle alors un projet clair mais étrangement limité : « Je ne dirai de moi que ce qui est convenable [...] Il ne faut présenter au monde que ce qui est beau. » Ce présupposé moralisateur, qui revient à ignorer les années d'enfance ou d'adolescence et à imposer silence aux voix troublantes des profondeurs de l'être, ne sera pas respecté. En 1809, quand il préface le court texte des *Mémoires de ma vie,* l'écrivain décrit déjà une autre œuvre. Le critère du « beau » le cède désormais à celui de l'authenticité : « Je suis résolu à dire toute la vérité [...]. Au reste, si je me fais illusion sur moi, ce sera de bonne foi... » Pareillement, la dimension temporelle, tronquée dans le premier projet, est pleinement restaurée : « Aujourd'hui que, parvenu au sommet de la vie, je descends vers la tombe, je veux avant de mourir remonter vers mes belles années ». Mais quelque chose d'essentiel échappe encore en 1809 au récit autobiographique : « J'entreprends d'ailleurs l'histoire de mes idées et de mes sentiments plutôt que l'histoire de ma vie ». Comme dans *René* persiste une distinction ambiguë entre le *je* qui sent et le *je* qui vit, celui qui est et celui qui écrit. En rédigeant les *Mémoires de ma vie,* Chateaubriand se pense encore essentiellement comme un objet à reconstruire et ne songe qu'« à laisser un monument par lequel on puisse [le] juger ». Sculpteur de sa propre image, il ne devine pas le rôle décisif du coup de ciseau qui dégage ses traits ; l'originalité de son *moi* d'écrivain n'est pas encore montrée comme fondamentalement constitutive du *moi* total qu'il accepte pourtant de raconter « de bonne foi ».

Il faut attendre le premier état quasi définitif du texte des *Mémoires* et la *Préface testamentaire* de 1833 pour que s'achève cette conquête littéraire du *je* par lui-même. Une étrange formule en résume le sens et la justifie : « Des auteurs de ma date je suis quasi le seul dont la vie ressemble à ses ouvrages. » Quels ouvrages ? L'*Essai, René,* les récits de voyages et, de toute évidence, les *Mémoires* eux-mêmes. Le *je*-objet n'est plus unique référent de l'écriture ; le *je*-écrivain est tout autant désigné comme référent et structure de la vie. Pour la première fois, Chateaubriand revendique une totale « vérité » autobiographique par la reconnaissance de sa dualité ontologique : le *je* de l'autobiographie est bien le *je* décrit, objet du temps vécu et perdu, mais il est aussi le *je* écrivant, sujet du présent du texte, *je* qui, en s'écrivant, instaure de lui-même une image signifiante aussi vraie que l'image signifiée par les mots. Les *Mémoires* ne prennent tout leur sens que par cette reconnaissance de l'essentialité du temps et des circonstances de l'écriture, essentialité au moins égale à celle du temps et des moments de la vie. En proclamant dans sa *Préface* l'« unité indéfinissable » de l'aventure du *moi* et de celle du texte, Chateaubriand découvre en fait la vérité du système de la représentation autobiographique, où la référence objective du récit au *moi* reste insignifiante, sinon mensongère, sans la référence, infiniment plus essentielle, du *moi* à son écriture.

Le genre des *Mémoires*

Parallèlement, entre 1809 et 1833, plusieurs masses « horizontales » sont venues étayer la « verticalité » du pur récit autobiographique : l'histoire de Bonaparte et de l'Empire, de la Restauration et de Juillet, sans compter d'innombrables études annexes ou portraits de l'époque. En assumant, outre le rôle de biographe de lui-même, celui de témoin de son temps, Chateaubriand ne cherche pas seulement à étoffer ou illustrer un récit par un autre. À une époque où le genre des Mémoires est à la mode, sa vocation de mémorialiste lui est imposée par une conviction autrement décisive : « J'ai fait de l'histoire, et je pouvais l'écrire, déclare-t-il dans sa *Préface*. Et ma vie solitaire, rêveuse, poétique, marchait au travers de ce monde de réalités [...]. Je reste pour enterrer mon siècle... » Tout l'enjeu des *Mémoires* est peut-être contenu dans cette dernière formule : l'enterrement d'un cadavre par un autre cadavre, qui écrit « déjà assis au fond de son cercueil ». Dans les *Mémoires de ma vie*, Chateaubriand parlait du monde qu'il « allait » quitter ; dans les *Mémoires d'outre-tombe*, l'horizon du discours bascule : par un pari très théâtral, l'auteur arrache son récit au jeu temporel de toute écriture ; il n'y a plus un *moi* qui parle de lui passé (autobiographie) ou de lui et du monde (Mémoires), mais une « voix » qui parle hors du temps et déjà presque anonyme : « Il m'en coûterait d'étouffer cette voix lointaine qui sort de la tombe ». Or cette voix, libérée des contraintes du temps, mais investie d'un message pour l'« outre-temps », peut et doit atteindre à l'universalité : « Si j'étais destiné à vivre, je représenterais dans ma personne, représentée dans mes *Mémoires*, les principes, les idées, les événements, les catastrophes, l'épopée de mon temps... »

On voit que Chateaubriand n'est pas devenu mémorialiste pour avoir seulement pensé qu'il avait joué dans le siècle quelque rôle important, mais bien plutôt parce que c'est le siècle qui a joué en lui les grandes heures de son histoire, parce que l'intrigue de sa vie « signifie » aussi le destin du siècle. Ce rapport extraordinaire où le *moi*, figure de l'Histoire, est aussi analogie de l'Histoire, commande et légitime toute la « prétention » des *Mémoires*. Au fil de leurs chapitres, la parole de l'individu y gagne en effet le poids de l'Histoire, et l'Histoire l'évidence convaincante de la parole individuelle. Encore a-t-il fallu que l'économie, la poétique de l'œuvre répondent à cette ambition, que soit orchestré le chant de ce monumental « clavecin oculaire du *moi* et du monde » (E. Guitton).

« Sicut nubes, quasi naves, velut umbra »

La superbe épigraphe des *Mémoires* traduit parfaitement la nature constamment fuyante, « dérivante », d'un texte qui s'est voulu le « registre obituaire » d'une destinée et d'un siècle. Cette « histoire d'un homme portant à bout de bras les épaves du passé » (Gaétan Picon) rend comme palpable, au fil de sa collection d'actes de décès, de constats d'échec, et de « ne... plus » ressassés, le formidable pouvoir destructeur du temps. « Étrange univers lacunaire qui dérive peu à peu vers la nuit [...], morcelé par les grands effondrements du souvenir » (Julien Gracq), les *Mémoires*, avec leur galerie de portraits qui ternissent et se craquellent, leurs monuments qui se fissurent ou s'enlisent, leurs paysages qui s'estompent ou frémissent sous le regard embué du narrateur qui vieillit, sont bien soumis à la tyrannie de celui que Baudelaire nommera l'Ennemi.

En remaniant, après 1833, la disposition d'ensemble de son texte pour obtenir une « achronie essentielle de la table des chapitres » (G. Rannaud), Chateaubriand a cependant montré clairement sa volonté de conjurer à jamais l'historicité et de s'affranchir, dans l'écriture, du fardeau du temps. Rythmé par les pulsions mêmes de la vie, son style qui multiplie, tant au niveau de la phrase que du paragraphe ou du livre, ruptures et « écarts » (digressions, anacoluthes, etc.) comme autant de signes des « failles » qui parcourent l'existence individuelle ou l'histoire collective, impose en effet aussi, par la qualité de son harmonie (eurythmie, homophonies, etc.), le sentiment d'une unité et d'une totalité absolues. En « relisant » à la fois la vie et l'œuvre, les *Mémoires* replacent toutes choses et tous moments dans une perspective telle qu'elle gomme les contradictions, les errances et les erreurs. Le présent inquiet se rassure et « se contemple au miroir sombre du passé » (Jacques Madaule), les mots jadis proférés en vain résonnent pleinement en côtoyant les mots nouveaux chuchotés pour l'éternité. Car le texte des *Mémoires* ne retisse pas seulement, dans son jeu d'échos, de reflets et de rappels, la trame brisée du temps, il resserre aussi, dans le kaléidoscope de ses commentaires, le fil fragile de la langue et de la pensée : « L'unité de la vie même de l'écrivain, assurait Sainte-Beuve, se retrouve dans cette diversité. Il y a telle page de 1833 qui ressemble plus à telle page de l'*Essai* que tout ce qui a été décrit dans l'intervalle : les rayons du couchant rejoignent l'aurore. »

Rétrospectifs par leur nature même, prospectifs surtout dans les derniers chapitres, par la volonté de leur auteur de prophétiser l'avenir et le salut d'un monde qui a changé mais que l'on n'a pas changé, les *Mémoires* instaurent surtout, par-delà les sortilèges de la mémoire et la force d'un génie visionnaire, la présence d'une écriture qui est une essentielle manière d'être à soi et au monde. Entre revoir et prévoir, Chateaubriand, le « moderne », a sûrement déjà rêvé d'un discours qui, se tenant par « la seule force interne de son style », serait à lui seul « une manière absolue de *voir* les choses ».

La *Vie de Rancé* ou « le livre à venir »

Le *Génie* oubliait l'*Essai*, *René* « truquait » le *Génie*, et l'*Itinéraire* dénonçait les *Martyrs*. Dualité de l'écriture jusqu'au bout ? La *Vie de Rancé*, où tout n'est que ruines de ruines, ne sape-t-elle pas l'édifice solennel des *Mémoires* ? Rédigée par Chateaubriand en 1844 pour répondre au souhait de son confesseur, l'abbé Seguin, cette vie du restaurateur de la Trappe va bien au-delà de la simple biographie de circonstance. Rancé est un anti-René ; il « a beaucoup écrit », mais « ce qu'il y a d'inexplicable [...] c'est la barrière infranchissable qu'il a placée entre lui et ses lecteurs. Jamais un aveu ; jamais il ne parle de ce qu'il a fait, de ses erreurs, de son repentir ». À défaut du repentir, François-René comme René avaient fait l'épreuve, qu'ils croyaient salutaire, de la confession. L'austère abbé leur oppose un terrible silence : « Rancé ne dira rien, il emportera toute sa vie dans son tombeau. Il faut trembler devant un tel homme ! »

Étonnant spectacle que celui d'un des écrivains les plus prolixes de notre littérature consacrant ses dernières forces à raconter le « silence » d'un vieillard du Grand Siècle en s'interdisant à lui-même toutes les complaisances du style dont naguère encore, dans ses *Mémoires*, il usait comme d'un enchantement. Finis dans *Rancé* arabesques, drapé et fleurs de la rhétorique ; rien, dit Barthes dans sa préface (« la Voyageuse de nuit »), qu'une « parataxe éperdue », que le « silence des articulations » et, dans ces intervalles, l'effondrement du temps, du monde et de l'homme : « Quand vous remueriez ces souvenirs qui s'en vont en poussière, qu'en retireriez-vous, sinon une nouvelle preuve du néant de l'homme ? » À cet égard, la *Vie de Rancé* ne dément pas plus la « vie de René », les *Mémoires*, qu'elle ne la prolonge. Elle l'interroge plutôt, et ce faisant, la conteste. « Souvent, écrivait son auteur, les hommes de génie ont annoncé leur fin par des chefs-d'œuvre. » Mais il est aussi des chefs-d'œuvre pour annoncer la fin des âges littéraires et les « livres à venir ». Le superbe et troublant diptyque des *Mémoires* et de *Rancé* est de ceux-là : « Tout homme qui écrit, assure encore l'auteur de "la Voyageuse de nuit", a en lui un Rancé et un Chateaubriand ; Rancé lui dit que son Moi ne saurait supporter le théâtre d'aucune parole, sauf à se perdre [...]. Chateaubriand de son côté lui dit que les souffrances, les malaises, les exaltations, bref le pur sentiment d'existence de ce Moi, ne peuvent que plonger dans le langage, que l'âme "sensible" est condamnée à la parole, et par suite, au théâtre même de cette parole. Cette contradiction rôde depuis bientôt deux siècles autour de nos écrivains : on se prend en conséquence à rêver d'un écrivain qui n'écrirait pas. » Entre tout dire (les *Mémoires*) et ne rien dire ou dire le rien (*Rancé*), Chateaubriand aussi, avant Flaubert, Mallarmé et Blanchot, y a rêvé.

D. Rincé

CHÂTEAUBRIANT Alphonse de

(1877-1951)

Écrivain issu d'une famille de peintres et de musiciens, Alphonse de Châteaubriant se fit connaître avec *Monsieur des Lourdines*, qui obtint le prix Goncourt en 1911. Il publia ensuite quelques romans, dont *la Brière* (grand prix de l'Académie française 1923). La Grande Guerre le plongea, comme il dit, dans « un enfer de douleur », qui devait le conduire à un lent retour vers le christianisme ; de cette évolution les *Écrits de l'autre rive* (1950) donnent un écho. Des séjours en Allemagne après 1935 le portèrent à exalter le national-socialisme et l'« immense bonté » de Hitler. Il expliqua sa nouvelle idéologie dans *la Gerbe des forces* (1937). Il s'engagea sans réserve dans la collaboration avec les Allemands au temps de l'Occupation, dirigeant l'hebdomadaire *la Gerbe* qu'il avait fondé en juillet 1940. Condamné en 1945, il fut porté disparu et se réfugia dans un monastère à Kitzbühel en Autriche, où il finit ses jours. Son journal intime rend compte du mysticisme qui marqua la fin de son existence (des extraits en parurent, en 1953, dans les *Fragments d'une confession*).

Dans ce poète de la Brière et de la basse Bretagne, on voulut d'abord voir un « écrivain régionaliste ». Mais son projet véritable était plus ambitieux ; il s'agissait, explique Robert Canzillon, de prouver que l'individu est en mesure, s'il le veut, de se libérer du poids de la fatalité ; Timothée dans *Monsieur des Lourdines,* Aoustin dans *la Brière* attestent « le rachat de l'homme par ses propres efforts, par ses propres aspirations ». Peintre de la nature, Alphonse de Châteaubriant se voulait le chantre d'un humanisme torturé, mais triomphant. Cela le conduisit à une confuse synthèse du christianisme et du national-socialisme. Le ton messianique et la forme négligée de ses derniers livres peuvent, autant que la fumeuse idéologie qui y est exprimée, rebuter le lecteur moderne, mais la complexe musique de *Monsieur des Lourdines,* l'âpre violence de *la Brière* gardent, malgré l'allure un peu frelatée de l'intrigue et de l'analyse, un charme réel.

A. Niderst

CHATEAUREYNAUD Georges-Olivier

(né en 1947)

Le renouveau de la nouvelle en France dans les années 1970 lui doit beaucoup. Chateaureynaud a fait partie de ce petit bataillon de militants du texte court qui ont forcé les portes des revues, des journaux, des maisons d'édition et des bibliothèques pour redonner un public à un genre narratif qui ne faisait plus recette. Il a été élu président de la Société des gens de lettres en 2000.

Chateaureynaud est de famille bretonne, et même si l'on n'attache pas une importance exagérée aux origines ethniques et culturelles, sa « celtitude » saute aux yeux. Un goût prononcé pour les contes et les légendes, pour les récits de pénombre et de mystère, pour les personnages qui savent jouer les gammes du passé et de l'avenir. Un certain romantisme aussi, mais plus proche cette fois d'Hoffmann et des frères Grimm que d'Ossian ou de Chateaubriand.

Mais les forces du rêve, de l'imagination et du fantastique se mêlent toujours chez lui à un sens aigu de l'ironie. Il instaure une sorte de morale de l'onirisme et de la magie. Malheur aux truqueurs, aux faux prophètes, aux bardes de pacotille et aux écrivains qui manient l'extraordinaire sans délicatesse, sans rigueur et sans fantaisie. L'humour et les sarcasmes de Chateaureynaud les expédient en enfer.

Les nouvelles – *le Fou dans la chaloupe* (1973), *le Héros blessé au bras* (1987), *les Ormeaux* (1996) – témoignent, outre d'une écriture serrée, allègre et limpide, d'une véritable érudition pour tout ce qui touche les mystères des corps et des âmes, dans tous les temps et sous toutes les latitudes. Les romans jouent savamment du clair-obscur. *Mathieu Chain* (1978) raconte la fuite progressive d'un homme dans la solitude et le mutisme. *La Faculté des songes* (prix Renaudot 1982) tout comme *le Congrès de fantomologie* (1985) glissent sans heurt de l'apologie du rêve à sa critique ironique. *Le Château de verre* (1994) est un hommage plein de charme à un ménestrel breton du temps des croisades. *Le Démon à la crécelle* (1999) ressuscite, avec le sourire, Lucifer et Belzébuth pour les promener dans le Paris littéraire d'aujourd'hui.

P. Lepape

Châtelain de Coucy (le)

(écrit vers 1300)

Roman en vers de l'extrême fin du XIIIe siècle. L'histoire tragique du châtelain de Coucy et de la dame de Fayel, souvent associée et parfois confondue avec celle de la châtelaine de Vergy, est plus connue que le roman qui a fait du célèbre trouvère, cent ans après sa mort, le héros d'une des versions les plus intéressantes de la légende du Cœur mangé.

Écrit vers 1300 par Jakemes, un trouvère picard dont nous ne connaissons que le nom, le roman compte 8 268 vers, dont 7 975 octosyllabes à rimes plates, le reste étant constitué de dix pièces lyriques, pour la plupart accrochées par la rime à la trame du récit. Sept de ces chansons sont censées être composées par le héros ; elles soulignent les temps forts du récit, mais elles ne jouent aucun rôle dans l'intrigue, même si la dame est, au début, flattée – et troublée – d'en être l'inspiratrice.

SYNOPSIS

Renaut, châtelain de Coucy, bon chevalier et bon poète, devient l'amant de la dame de Fayel. Une autre dame, secrètement éprise de Renaut, découvre le secret des amants et avertit le mari de son infortune. Surpris dans le château de Fayel, Renaut jure qu'il y est venu pour une autre. Le mari redouble de vigilance. Cependant, Renaut séduit sans peine la dénonciatrice et se venge d'elle en l'humiliant au moment où elle allait lui céder. Le seigneur de Fayel apprend que Renaut continue de rencontrer sa dame : il annonce son intention de séparer les amants en emmenant sa femme avec lui en Terre sainte. Renaut convient avec la dame qu'il ira la rejoindre outre-mer et prend la croix. Mais ce n'était qu'une feinte : le mari renonce au voyage, et le châtelain doit s'embarquer seul. Après deux ans, mortellement blessé d'une flèche empoisonnée, il meurt sur le bateau du retour, après avoir prié son écuyer de porter son cœur embaumé à la dame de Fayel. Mais le mari s'empare du coffret et fait servir à la dame, au cours d'un repas, le cœur de son amant. Il lui apprend ensuite l'horrible vérité, et elle meurt.

Le personnage historique connu sous le nom de châtelain de Coucy et auteur de la plupart des chansons attribuées à Renaut était mort en 1203, au cours de la quatrième croisade. Devenu un personnage de légende, il figurait, dès le milieu du XIIIe siècle, avec le trouvère Blondel de Nesle et Tristan, au nombre des amants célèbres. L'attribution d'aventures imaginaires à un poète réel rappelle les *vidas* occitanes, biographies romancées qui tirent souvent leur matière des poèmes dont elles prétendent éclairer la genèse. Mais notre récit ne sert pas les chansons qu'il présente, il se les incorpore – même s'il est, pour partie, né d'elles : la qualité poétique et musicale de ses œuvres a rendu le poète digne d'avoir vécu un amour hors du commun ; le roman, en quelque sorte, lui rend justice ! La présence d'un héros historique ne vise donc nullement à accréditer l'historicité du récit : la fiction narrative se nourrit de la lyrique et participe de conventions analogues.

Dans le domaine d'oc, un autre poète, Guilhem de Cabestany, est le héros d'une autre version du Cœur mangé, où le jaloux est responsable de la mort de l'amant. Dans notre texte, au contraire, le mari a beau intercepter la précieuse relique, il est frustré de sa vengeance puisqu'il n'en peut altérer ni le sens ni même la destination. On comprend que la dame ait trouvé délicieux le mets nouveau qui lui a été servi et qu'elle refuse désormais toute autre nourriture : elle vit, jusqu'à en mourir, la fiction courtoise, où le Cœur est le maître mot. Le motif de l'échange des cœurs, qui apparaît lors des adieux des amants (« Mon coer o [avec] vous emporterés »), préfigure celui du cœur mangé : Mon cœur, dit la dame, « Et se sans mort je le pooie/Partir, je le vous bailleroie ». Le repas tragique est l'occasion d'unir plus étroitement que jamais les amants parfaits ; il consacre la victoire paradoxale de l'amour et la défaite des *losengiers* [trompeurs]. L'amour est la seule valeur, la seule raison de vivre ; il n'accepte aucune contrainte et ne connaît aucune loi : contre les ennemis du couple, tout est permis, toutes les ruses, les mensonges et les parjures. Le mari jaloux, la femme dont l'amour n'est pas payé de retour sont condamnés à faire le mal et à souffrir mille tourments. Car l'amour est la suprême récompense : « Il est em parradis terriestre,/Qui poet fins amans em terre estre. »

A. Maraud

Châtelaine de Vergi (la)

(XIIIe siècle)

Conte courtois anonyme, *la Châtelaine de Vergi* compte 958 vers, dont 950 octosyllabes à rimes plates et 8 décasyllabes lyriques empruntés à l'œuvre du châtelain de Coucy [voir ***Châtelain de Coucy (le)***]. Sa composition est postérieure à 1228 et antérieure à 1288, qui est la date du plus ancien manuscrit. Nous en possédons dix copies, antérieures au XVe siècle.

SYNOPSIS

La duchesse de Bourgogne s'éprend d'un chevalier paré de toutes les vertus courtoises : elle le croit libre, mais il est, à l'insu de tous, l'amant de la châtelaine de Vergi. Dépitée d'un refus dont elle ignore la raison, la duchesse se plaint à son mari que le chevalier lui fasse une cour pressante. Pour se justifier, le chevalier met le duc dans la confidence de ses amours. Mais le duc est contraint de révéler à sa femme les raisons qui lui font croire à l'innocence du chevalier. La duchesse laisse entendre à la châtelaine que le chevalier lui a révélé leur secret : la châtelaine meurt de chagrin. Le chevalier se donne la mort. Le duc tue sa femme et se fait Templier en Terre sainte.

C'est une des plus parfaites réussites de la poésie narrative médiévale, et qui prend place parmi les chefs-d'œuvre de la littérature universelle. L'auteur a su se libérer des modèles rigides de la fiction courtoise : les personnages, les situations sont complexes ; la morale implicite du récit contredit la moralité explicite qui l'encadre : à quoi bon recommander le secret, si le secret n'est aux amants d'aucun secours ? Le moteur de l'action n'est ni la jalousie, ni le dépit d'une femme dont l'amour n'est pas payé de retour et qui se voit préférer une autre ; en réalité le malheur des amants résulte de la perfection du dispositif qui devait protéger leur bonheur.

La simplicité n'exclut pas la poésie ni la stylisation le naturel. Nul accident dans l'enchaînement des effets et des causes : le dénouement, shakespearien avant la lettre, est le produit inéluctable d'une intrigue qui ne laisse rien au hasard. Nulle recherche non plus, nulle affectation, nul pittoresque : un style sans effets déroule sans heurts ni ruptures de longues phrases circonstanciées qui démontent les ressorts cachés d'une logique impitoyable. Le chevalier est prisonnier d'un dilemme tragique, il vit un conflit de devoirs : il voudrait pouvoir rester fidèle et à son suzerain et à son amour, mais, quoi qu'il fasse, il est perdu : la situation est réellement sans issue. Pour prouver, contre toute apparence, qu'il est incapable du méfait dont on l'accuse, il doit accepter que le duc assiste, caché, à la rencontre des amants dans le verger.

C'est cette scène que les trois seuls manuscrits qui soient ornés d'une miniature ont choisi de représenter. On peut penser au *Tristan*, mais la situation est bien différente : le chevalier connaît la présence du duc, il l'a souhaitée ! il a trahi son secret pour mieux le préserver : contradiction mortelle.

L'œuvre, d'une modernité surprenante, est en même temps l'expression accomplie d'une tradition. Le récit reprend à son compte tous les thèmes de la *fin'amor*, mais sans s'accorder aucune des facilités de la fiction féerique. Ici, il n'y a pas d'Autre Monde, mais les amants ont cru pouvoir se créer un îlot d'entropie négative dans une société en proie au désordre : le verger est une utopie, où s'épanouit, à l'écart du monde, le bonheur du couple isolé, ignoré de tous, comblé. La scène du verger introduit une sorte de stase lyrique : les bonheurs successifs s'y confondent – tous les amants, toutes les amours – en une célébration de l'enclos paradisiaque. Le drame naît de cette tension constante entre la mystique de l'amour et la prose du siècle, entre le verger et la cour. Le destin de l'œuvre participe de cette dualité. L'héroïne est tantôt dotée d'un nom propre qui l'individualise, tantôt célébrée sous le nom de Dame du Verger comme la gardienne du lieu consacré à l'amour.

A. Maraud

CHATRIAN *v.* ERCKMANN-CHATRIAN

CHAZAL Malcolm de

(1902-1981)

Poète et essayiste, né à Vacoas (île Maurice). Issu d'une famille forézienne fixée depuis plus de cent cinquante ans à l'île Maurice, Malcolm de Chazal est le descendant d'un ancien disciple de Swedenborg, et l'occultiste suédois restera pour le poète une référence majeure. D'abord ingénieur sucrier, puis employé à l'administration des téléphones, Malcolm de Chazal rédige des traités d'économie politique ; mais il compose parallèlement des recueils d'aphorismes poétiques, qu'André Breton jugera « surréalistes ». En 1948, après la parution de *Sens plastique*, il est découvert par Jean Paulhan et introduit à *la Nouvelle Revue française* : courte période de relative célébrité durant laquelle il écrira quelques ouvrages moins lapidaires et exposera plus longuement ses conceptions poétiques et philosophiques (*la Vie filtrée*, *Aggenèse*, 1949). Retiré à Curepipe, dans son île natale, Malcolm de Chazal sera vite oublié de l'univers poétique de la métropole.

L'originalité de l'écrivain réside peut-être moins dans ses aphorismes abrupts – « Les anges sont des désincarnés du moi », « La bouche est un sexe au ralenti » (*Sens plastique*) – que dans sa volonté de transformer la poésie en acte mystique. Pour lui, toute parole lyrique doit tendre vers une réalité spirituelle, que l'écriture elle-même ne peut désigner : « La poésie n'est nullement dans les mots, mais derrière les mots, entre les mots, entre les mots et les syllabes, et surtout dans l'*indit* » (*la Vie filtrée*). L'accumulation des images et des sens, que les phrases pléthoriques de Chazal exposent au lecteur, n'a donc pour but que d'épuiser la matière sensible pour atteindre les « réalités spirituelles » éternelles : toute vraie poésie ne peut que se transcender.

Ces conceptions littéraires, si elles aboutissent à l'élaboration d'un langage prophétique, n'évitent cependant pas toujours des oppositions rhétoriques assez traditionnelles – qui expliquent peut-être l'actuelle mise à l'écart de cet auteur : « Ma poésie n'est pas une poésie de la forme, mais une poésie du fond, et uniquement cela » (*la Vie filtrée*).

J.-P. Damour

CHEDID Andrée

(née en 1920)

Née au Caire, de parents libanais maronites, Andrée Chedid retourne en 1942 au Liban qu'elle apprend à connaître et à aimer. En 1946, elle s'installe à Paris et opte pour la nationalité française. Ce riche brassage culturel donne son originalité à une œuvre qui échappe à toute classification et ne se réclame d'aucune école.

Andrée Chedid commença très jeune à écrire des poèmes, d'abord publiés dans *les Cahiers de l'Est* parus à Beyrouth. Ses recueils poétiques, *Textes pour une figure* (1949), *Textes pour un poème* (1950), expriment la volonté du poète d'affirmer sa présence dans la nature parmi les arbres et les montagnes. Pour Chedid, la poésie « n'est pas [...] une évasion, une fuite hors des réalités, ou bien une manière d'accommoder, de décorer l'existence ; elle nous enracine, au contraire, dans une réalité totale. [...] La poésie avant d'être un art est une recherche de cette réalité. La poésie est une terre vécue ».

Utilisant des mots simples, familiers, accessibles à tous, la poésie d'Andrée Chedid cherche à répondre aux interrogations humaines les plus profondes et rencontre le thème de la mort, omniprésent dans une œuvre qu'il finit par imprégner intimement. Ce thème n'exclut pas celui du bonheur lorsque l'auteur jongle avec les mots dans des recueils pour enfants (*Fêtes et Lubies*, 1973). Le « Visage » est aussi l'un des thèmes clefs de cette poésie, car il est à la fois ce visage premier, source de vie et de lumière que le poète rêve de retrouver et cette face qui sera un jour détruite ou mutilée (*Visage premier*, 1972 ; *Par-delà les mots*, 1991 ; *Poèmes pour un texte*, 1991).

Sans abandonner la poésie, domaine d'une liberté d'expression qui révèle l'univers profond de l'homme, Andrée Chedid a écrit de nombreux romans. Son œuvre romanesque traduit d'abord le besoin de retrouver le contact avec le quotidien : ses personnages se meuvent sous nos yeux d'une façon bien réelle à l'instar de Om Hassan, cette vieille paysanne égyptienne engagée dans un vaillant combat pour sauver un enfant pendant la terrible épidémie de choléra qui dévasta l'Égypte en 1948 (*le Sixième jour*, 1960). Mais bientôt, les symboles se multiplient, la trame narrative passe au second plan, le fait divers devient mythe. Après *les Marches de sable* (1981) et *Néfertiti ou le rêve d'Akhnaton* (1981), également situés en Égypte, la romancière tire son inspiration du Liban (*la Maison sans racines*, 1985). À la même époque, elle écrit pour le théâtre des pièces où s'entrecroisent les thèmes de la dérisoire conquête du pouvoir et de la puissance de l'amour (*Bérénice d'Égypte*, 1981).

Mais les événements politiques de Beyrouth servent bientôt de toile de fond à une nouvelle partie de son œuvre qui renvoie l'écho dramatique des divisions et des violences : *l'Enfant multiple* (1989) met en scène le petit Libanais Omar-Jo, amputé du bras dans un attentat où ses parents ont péri. Autour de cette destinée tragique, Andrée Chedid construit le roman du courage et de l'espoir. Envoyé à l'abri en France, le jeune rescapé trouve asile auprès d'un forain dont le manège tourne – comme la vie – de bonheurs disparus en joies renaissantes. Sa joyeuse rotation entraîne dans une ronde de la solidarité, sans distinction d'origine ou de couleur, une foule bigarrée de personnages dont la romancière dessine les traits pittoresques et attachants. En 1992, elle publie un recueil de nouvelles, *À la mort, À la vie*. Mais il faut attendre l'an 2000 pour que la petite-fille d'Andrée Chedid lui rende le courage d'évoquer à nouveau les années terribles. *Le Message* se situe dans un pays sans nom, livré à l'anarchie et à la guerre : blessée par une balle perdue, Marie symbolise le drame de toutes les victimes anonymes de la violence. Dans sa poignante agonie, l'héroïne est soutenue par le dévouement de passants inconnus dont la compassion laisse espérer en la bonté des hommes. Par deux fois, en grand poète tragique, Andrée Chedid s'adresse directement au lecteur, convoquant autour de l'agonisante les victimes de toutes les atrocités, « dans la boue des rizières, sur l'asphalte des cités, dans la torpeur des sables, entre plaines et collines, sous neige ou soleil, perdus dans les foules que l'on pourchasse et décime, expirant parmi les autres ou dans la solitude ».

Hantée par la barbarie des guerres, Andrée Chedid préserve pourtant dans son œuvre, nourrie des malheurs de son peuple, une foi en l'homme, en l'amour, et un puissant instinct de vie anime ses derniers romans. À un personnage du *Message* destiné à périr lui aussi de mort violente, la romancière prête cette exclamation : « Vivre est gloire ! »

M.-A. de Beaumarchais

CHÊNEDOLLÉ Charles-Julien de

Charles-Julien LIOULT de CHÊNEDOLLÉ *(1769-1833)*

La vie et l'œuvre de Chênedollé résument les incertitudes et les ambiguïtés de toute une génération intermédiaire entre le second XVIIIe siècle et le romantisme modéré de la Restauration. Les troubles révolutionnaires précipitent dans l'émigration le jeune gentilhomme normand qui vient d'accomplir de solides études classiques chez les oratoriens de Juilly : à Hambourg, il connaît Rivarol (dont il publiera des textes, en 1810, sous le titre *l'Esprit de Rivarol*) et Klopstock qui lui découvre « la candeur d'un enfant et le génie d'Homère ». Il compose des odes où la froide hardiesse de Le Brun emprunte du souffle et de la flamme à la nouvelle poésie allemande (*l'Invention* ; *le Génie de Buffon* ; *Michel-Ange*), donne un *Essai sur les traductions* (1795), fréquente à Coppet le cercle de Mme de Staël qui facilite son retour en France, devient l'admirateur et l'ami de Chateaubriand, nourrissant un amour passionné pour Lucile, la sœur de l'écrivain, et se lie à Fontanes et à Joubert.

En 1807, il publie son grand poème descriptif et didactique, *le Génie de l'homme,* dont il trace ainsi le plan : « L'homme lève d'abord ses regards vers le ciel, il les laisse ensuite tomber sur la terre, puis il les reporte sur lui-même, et enfin il cherche quelles sont les lois sous lesquelles il vit » ; astronomie, géographie, psychologie, sociologie, immense programme – celui de l'*Hermès* de Chénier – qui implique des longueurs, des artifices, des approximations, des sommeils prosaïques, malgré une élévation soutenue et d'élégantes descriptions. Il donne encore, en 1820, l'année même des *Méditations* de Lamartine, des *Études poétiques* qui réunissent ses anciennes odes et des pièces nouvelles, plus simples, mollement rêveuses, où le métier impeccable de l'école néoclassique frémit d'une sensibilité nouvelle et d'une vive passion pour la nature (« le Dernier Jour de la moisson », « le Tombeau du jeune laboureur »...). Les romantiques de *la Muse française* le considèrent comme un aîné, et Sainte-Beuve, au milieu du XIXe siècle, rend justice à ce talent délicat qui sombre dans l'oubli avec toute la poésie impériale : « Sa lyre n'a que les quatre cordes ; mais il en touche avec justesse et sentiment, avec fierté et quelquefois avec grâce. »

D. Madelénat

Chénier

CHÉNIER André

*Nom usuel d'****André de CHÉNIER*** *(1762-1794)*

Où se trouve le vrai Chénier ? Sa vie et ses écrits, également contradictoires, se prêtent aux « oublis » commodes et aux légendes ; en premier lieu, celle du Poète assassiné. Mais l'auteur de « la Jeune Tarentine » est aussi un violent pamphlétaire anti-jacobin, et c'est celui-ci que l'on guillotine en 1794. Poète, Chénier s'est attaché à définir les buts et les moyens de son écriture : « Sur des pensers nouveaux faisons des vers antiques » (*l'Invention,* 1787). Mais ces « pensers nouveaux » n'ont produit que deux épopées laborieusement avortées, pendant dix années de production bucolique et élégiaque répétant sans fin les thèmes et les « pensers » de Virgile, Horace ou Tibulle. Enfin cette célèbre profession de foi, « L'art ne fait que des vers, le cœur seul est poète », paraît annoncer le « Frappe-toi le cœur » de Musset, et l'on glose à l'envi sur le « pré-romantisme » de Chénier. Mais ce sont les poètes « artistes » et les parnassiens qui à plus juste titre revendiqueront l'héritage…

L'idéal antique et les réalités du siècle

André Chénier est né à Constantinople. Il n'a que trois ans lorsque son père Louis de Chénier, commerçant en drap, décide après vingt années passées en Orient de rentrer en Europe avec les siens : une épouse, grecque de culture et de tradition sinon de race ; cinq enfants, parmi lesquels deux deviendront célèbres, André et le cadet Marie-Joseph, futur dramaturge et député à la Convention. Arrivée en France, la famille se disperse bientôt. En 1767, Louis de Chénier s'embarque à nouveau, seul cette fois, pour le Maroc où il exerce pendant quinze ans les fonctions de consul dans la ville de Salé. Restée à Paris, sa femme fait montre d'une grécité tapageuse et militante : elle ouvre un salon « grec » où, au fil des années, se rencontreront autour de divertissements folkloriques des hellénistes comme Philippe Brunck, des savants comme l'Espagnol Izquierdo, le poète Écouchard-Lebrun, le dramaturge italien Alfieri, et aussi des « voyageurs » et des archéologues venus de Pompéi ou d'Herculanum dont l'exploration commence au XVIIIe siècle.

De son côté, le jeune André est tout d'abord envoyé chez un oncle, drapier à Carcassonne, avant de retourner à Paris en 1773 comme élève du distingué collège de Navarre. L'éducation y est moderne, presque « philosophique » : large place est faite aux sciences, aux doctrines à la mode comme le sensualisme de Condillac. Chénier y trouve aussi des amis choisis, qu'il évoquera dans ses *Épîtres* : François de Pange, Abel de Malartic, les deux frères Trudaine, fils du très riche et très « éclairé » Trudaine de Montigny, ami de Turgot. En 1781, sorti du collège, il fait ses débuts dans le salon maternel alors à son zénith ; Lebrun, en particulier, l'encourage et le forme à la poésie. C'est l'époque des premières *Bucoliques*, mais aussi, bientôt, d'une dure rencontre avec la réalité : soucieux de l'avenir de son fils, Louis de Chénier l'envoie comme « cadet-gentilhomme » dans un régiment cantonné en Alsace. Dégoûté par un hiver 1782-1783 passé à Strasbourg (plusieurs *Épîtres* en témoignent), il quitte l'armée et revient à Paris, retrouver ses amis du collège de Navarre, jeunesse dorée, cultivée et progressiste. Avec les Trudaine, se succèdent parties fines et voyages culturels, en Suisse sur les traces de Rousseau (1784), en Italie sur celles des élégiaques. Mais la vie mondaine apporte son lot d'épreuves, physiques, avec une néphrite persistante, et affectives, avec diverses mésaventures sentimentales dont les héroïnes sont évoquées dans les *Élégies* ou *les Amours* (titre forgé en 1908 par P. Dimoff) : Lycoris, une danseuse de l'Opéra ; Camille, *alias* Mme de Bonneuil, une beauté créole à la mode, née Michèle de Santuary, dite d'Azan, que Chénier célèbre aussi sous le cryptogramme de « D'.Z.N. »…

Il existe, en ces années 1783-1787, un autre Chénier, le poète vivant et travaillant dans une « mansarde » de la maison familiale, rue du Sentier ; nouant des amitiés intellectuelles avec Condorcet, le peintre David ; poursuivant son œuvre dans l'obsession des grandes épopées, *l'Hermès* et *l'Amérique* (celle-ci célébrant les « Insurgents » et le Nouveau Monde), toujours remises à demain. L'année 1787 constitue un tournant. Chénier conduit alors une réflexion sur l'acte poétique et le nécessaire engagement du poète : *l'Invention,* remaniée par la suite, dresse l'ambitieux programme des épopées à venir : « Sur des pensers nouveaux faisons des vers antiques » ; reprenant des thèmes identiques, l'*Épître sur des ouvrages* justifie ce « mélange heureux » de l'antique et du moderne, « qui donne à des fruits nouveaux une antique saveur ». En cette même année – pour autant que les œuvres de Chénier puissent être datées avec certitude ! – l'*Hymne à la Justice* dénonce une France devenue « un séjour servile », et aussi « l'impie Anglais, usurpateur avide ». C'est en Angleterre pourtant que se rend alors Chénier, contraint par la misère d'accepter l'emploi de secrétaire particulier de M. de La Luzerne, ambassadeur de France : années de doute et de dépression « sans parents, sans amis, et sans concitoyens »…

Revenu en France en 1790, Chénier croit y trouver réalisé son idéal d'une monarchie constitutionnelle et méritocratique, où « nul talent n'est fils de la faveur royale ». Mais simultanément il dénonce l'alliance des « prolétaires » et des « démagogues », plaies des cités antiques et de la France révolutionnaire (*Avis au peuple français sur ses véritables ennemis,* août 1790). Militant à « la Société de 1789 » et au parti Feuillant (modéré), il se lance dans le journalisme politique, attaquant violemment les Jacobins dans ses articles du *Journal de Paris*, dans des brochures (*Réflexions sur l'esprit de parti*, 1791) ; *l'Hymne aux Suisses de Châteauvieux* publié en 1792 cite nommément les puissants du jour : « Quarante meurtriers, chéris de Robespierre »... Inquiet, menacé après le Dix-Août (1792), Chénier se tait, va et vient entre Paris et la province alors que son frère Marie-Joseph est promu gloire nationale. Retiré à Versailles en avril 1793, il y retrouve une amie d'autrefois, déchue de sa splendeur, Fanny, l'épouse du banquier Le Couteulx, à laquelle il consacre plusieurs poèmes dont le célèbre « Fanny, l'heureux mortel qui près de toi respire »... Le 7 mars 1794, il est arrêté à Paris ; accusé de recel de documents, enfermé à Saint-Lazare, Chénier proclame dans ses *Iambes* son mépris pour les hommes au pouvoir. Indignation, désespoir, mais aussi dignité devant la mort : le cri et l'insulte ne se disent qu'au travers d'une forme impeccable. Tout alors est réuni pour que naisse la légende d'un Chénier-Chatterton, victime innocente des engrenages de l'Histoire. Ce n'est pourtant pas le poète (qui n'a presque rien encore publié) que l'on guillotine le 7 thermidor 1794, mais le pamphlétaire vaincu dans un combat sans merci contre les Jacobins, dont le crime suprême est peut-être, pour Chénier, d'avoir compromis l'image de l'Antiquité : « Ils se comparent à Caton ! Caton avait-il réduit le vol et le brigandage en principes de droit ? Caton avait-il tour à tour fatigué le dédain des rois par les adulations les plus stupides et irrité les passions d'une multitude ignorante par des applaudissements sanguinaires ? »

Les leçons de l'Antiquité

La dévotion de Chénier aux modèles gréco-latins apparaît en chacun de ses poèmes, à commencer par les *Bucoliques*, qui empruntent à Callimaque, aux *Églogues* de Virgile, aux *Élégies* de Properce. Souvent Chénier procède à la contamination de sources différentes ; à propos de « Lycoris », poème des *Amours*, il décrit ainsi sa manière : « l'idée » lui est venue d'un « beau morceau » de Properce, auquel il a mêlé, « suivant [sa] coutume », « des morceaux de Virgile et d'Horace et d'Ovide »... Cette réelle érudition, nourrie des travaux et des éditions savantes de Brunck et de Walckenaer, s'accompagne d'une adhésion totale au mythe rousseauiste d'une décadence de l'humanité de l'état de nature à l'état de culture, l'Antiquité représentant le stade de la « nudité » originelle de l'homme et du monde : « Les anciens étaient nus, écrit Chénier dans *les Causes et les Effets de la perfection et de la décadence des lettres et des arts* ; leur âme était nue... ils n'avaient qu'à copier la nature encore toute nue. » L'époque moderne est celle du vêtement, du masque ; masque moral de l'homme, qui apprend à feindre, masque physique d'une nature devenue trop urbaine : « J'ai fui la ville aux Muses si contraire » (*Élégies*, II). Le signe et l'agent de cette duplicité, c'est l'écriture désormais « factice » : faire des « vers antiques », ce sera d'abord retrouver cette transparence originelle des mots, qui permettait autrefois de « copier la nature ».

Pourtant cette écriture antique est contradictoire : elle trouve sa perfection dans le « sublime », où l'absence de toute figure de rhétorique repérable manifeste l'authenticité absolue du référent. Chénier, après Diderot et Rousseau, s'extasie sur le « Qu'il mourût » d'*Horace*, épiphanie d'un éternel humain qui perce au travers des coquetteries de la langue et réunit par-delà les siècles Corneille à Eschyle. Mais simultanément l'Antiquité est pour Chénier le temps de la spontanéité « naïve » et des passions : la peur, l'amour qui substituent l'« imagination » à la description, à la « copie ». Comme l'affirme Rousseau dans l'*Essai sur l'origine des langues*, « le mot figuré naît avant le mot propre, lorsque la passion nous fascine les yeux et que la première idée qu'elle nous offre n'est pas celle de la vérité ». Mais cette illusion « métaphorique » dit le vrai d'une passion ressentie. Faut-il alors choisir entre la vérité de l'objet – le « sublime » – et celle du sujet parlant, la métaphore ?

La poésie de Chénier est tout entière déchirée par cette incertitude, ou cette contradiction. Le XVIIIe siècle vit profondément cette crise du signe et de l'écriture, qui se traduit par la hantise de l'opacité et de l'artifice des mots. Mais Chénier déplace le problème vers une critique de la langue française en tant que telle ; « armée d'obstacles indociles », elle ne possède plus la souplesse du grec et du latin avec leurs inversions, leurs ruptures de construction qui permettent, croit-il, de substituer à l'ordre logique de la phrase celui, affectif, des passions et des sensations. L'acte poétique consiste donc à faire violence à la langue, à la décaper de sa « rouille barbare », à retrouver ces mots « heureux, faciles, transparents » dont usaient les Anciens. Dans *l'Invention*, Chénier reprend à son compte la géographie linguistique élaborée par Rousseau dans l'*Essai sur l'origine des langues* : le latin, langue du Sud, du soleil et des dieux, a tout à la fois disparu et éclaté (italien, français...) sous les coups des barbares (« le Nord ») :

De leurs affreux accents la farouche âpreté
Du latin en tous lieux souilla la pureté.

La poésie apparaît alors comme une « tension vers », un travail sur la langue plus important peut-être que la création. Pourtant l'Azur de Chénier n'est pas mallarméen : il possède la réalité tangible de ces poèmes de Virgile ou de Properce, vieux missels toujours ouverts.

Mais la différence des langues rend-elle possible l'imitation des Anciens ? D'autant que le propre du « génie » est d'être « inimitable » (*les Causes*...). En réalité, comme La Fontaine dans son *Épître à Huet*, Chénier récuse toute idée d'imitation globale :

Tantôt chez un auteur j'adopte une pensée...
Tantôt je ne retiens que les mots seulement

(l'Invention)

Emprunts et création s'unissent dans le poème par une « couture invisible ». Ainsi, dans le texte ancien, se trouve gommé le niveau spécifique de l'écriture ; le fond et la forme deviennent objets de perception et d'utilisation distinctes ; l'acte créateur se fait en quelque sorte interstitiel, le poète moderne remplit le vide alterné de la pensée ou des mots et perpétue de la sorte le texte initial. « Je crée avec eux », affirme Chénier. La nécessaire « naïveté » du poète consiste à coïncider avec ce flux continu de mots et/ou de « pensers » qui circule depuis « l'antique Permesse » jusqu'à lui :

Puis, ivres des transports qui nous viennent
[surprendre
Parmi nous, dans nos vers revenons le répandre

(*l'Invention*)

Cette « imitation créatrice » de l'Antiquité trouve sa base philosophique dans le sensualisme. Chénier cite littéralement l'*Essai sur l'origine des connaissances humaines* de Condillac : « L'invention consiste à savoir faire des combinaisons neuves ». La création absolue est impossible, l'originalité de l'« inventeur » se limite à la manière de composer l'ensemble des messages sensibles. Les sensations premières effectivement reçues du monde extérieur se combinent ainsi avec celles, secondes, que le « penseur lettré » éprouve à la lecture des Anciens, et le poème en réalise la synthèse créatrice.

Une langue poétique

L'ambition de Chénier – la recherche d'une langue originelle, ou plutôt d'une origine des langues qui serait la poésie même – explique peut-être sa relative stérilité et son refus de toute publication : seuls presque, l'*Ode sur le Jeu de Paume* et l'*Hymne aux Suisses de Châteauvieux* furent connus de son vivant. Car cette langue poétique doit être capable d'assumer ou de masquer une série d'antinomies. Celle de la poésie et de la prose, en régénérant une langue française aux prosaïsmes barbares (qui apparaîtront dans les *Iambes* pour figurer la hideur révolutionnaire) ; celle du partage des genres poétiques, qui déjà traversait d'un « fil léger » la poésie gréco-latine (mais ces genres, affirme Chénier, sont tous fondés en nature, et l'important est à la fois de les servir sans oublier leur origine commune, « l'antique Permesse ») ; celle de l'imitation et de la création, qu'il faut joindre d'une « couture invisible » ; celle enfin de l'éternel humain et de l'« imagination » subjective. D'où, aux moments de moindre réussite, une impression d'artifice et de disparate. Le français poétique de Chénier abuse du mot noble, « arène » pour sable, « tapis » pour couverture, « onde amère », etc. ; de « pensers antiques » laborieusement acclimatés, de périphrases énigmatiques : Pythagore devient ici « le muet de Samos qu'admire Métaponte » (« la Jeune Locrienne »), même si une ruse de l'histoire littéraire nous fait goûter dans cette obscurité le plaisir tout moderne d'une « inanité sonore ». Ainsi encore ces vers entièrement composés de noms propres, incantatoires et pour nous insignifiants : « Salut, Trivie, Hécate ou Cynthie ou Lucine » (Diane). Mais la « couture » devient trop visible avec cet alexandrin quasi mnémotechnique, qui réunit les gloires de la science moderne : « Torricelli, Newton, Kepler et Galilée » (*l'Invention*). En revanche, l'ultime antinomie est toujours résolue et la grande réussite de Chénier réside dans l'association du « figuré » et du « sublime » :

Ô vous du Sebethus naïades vagabondes
Coupez sur mon tombeau vos chevelures blondes.
Adieu, mon Clinias ; moi, celle qui te plus,
Moi celle qui t'aimait, que tu ne verras plus

(« Néære », *Bucoliques*)

Correspondance entre la simplicité d'expression d'un sentiment profond et une image mythologique qui dit le vrai d'une amoureuse abandonnée, suscitant dans son délire un monde imaginaire…

Le lecteur moderne s'irrite parfois de la répétition obsédante de certains procédés stylistiques, inversions et rejets. Mais précisément l'inversion est le signe d'une perception « passionnelle » du monde extérieur, qui modifie l'ordre normal de la langue en lui substituant celui de « l'imagination ». De même l'omniprésent rejet isole en tête de vers un adjectif, par quoi se disent les qualités sensibles de l'objet ; la démarche sensualiste rejoint ici le code de la rhétorique classique :

Pourquoi cette rougeur, cette pâleur subite,
Perfide ?...

(« Camille », *les Amours*)

Les figures classiques, métonymies et allégories, concourent au même but en donnant aux choses une vie propre qui s'impose au lecteur sans médiation, en éliminant du récit poétique toute présence humaine accessoire :

Une clef vigilante a pour cette journée
Dans le cèdre enfermé la robe d'hyménée

(« la Jeune Tarentine », *Bucoliques*)

L'allégorie mythologique a pour fonction symétrique d'humaniser les objets : manger du pain se dit ici « connaître Cérès » (« le Malade »). Dans *les Causes*…, Chénier invite les auteurs modernes à poursuivre l'ouvrage des Anciens : « L'allégorie est la langue de l'esprit. […] il faut encore en inventer de nouvelles. La poésie donne un corps, un visage. […] Vénus est le besoin de jouir ; Apollon, les Muses désignent le penchant et le goût de la poésie. » Mais justement, faute d'invention en ce domaine, l'allégorie produit l'effet inverse : conçue pour donner une âme aux objets, une apparence sensible aux sentiments, elle nous semble au contraire les priver de toute réalité ; à moins, grâce à la musicalité des mots, de nous entraîner vers un surréel peut-être involontaire :

Pleurez doux alcyons, ô vous, oiseaux sacrés,
Oiseaux chers à Thétis, doux alcyons, pleurez

(« la Jeune Tarentine », *Bucoliques*)

Ainsi les « vers antiques » et sensualistes de Chénier disent-ils d'emblée un système de « pensers nouveaux », même lorsqu'ils ne les développent pas directement comme dans l'*Hermès*. C'est là ce qui donne une place éminente à Chénier dans le « désert poétique » du XVIIIe siècle ; sa poésie n'est pas une réaction contre la prose, ni une prose rimée, mais un progrès ; seul, peut-être, il a cru à la modernité d'une rhétorique demeurée pour ses contemporains purement substitutive et ornementale. La figure n'est pas chez lui le signe d'une fuite devant le réel, mais d'une transformation de celui-ci en objet de plaisir, d'émotion et d'idées.

La légende

Au XIXe siècle, la fin tragique et les dernières amours d'André Chénier ont largement inspiré les faiseurs de mélodrames en tous genres : au premier rang Jules Barbier, le librettiste du *Faust* de Gounod, qui donne en 1849 un *André Chénier*, « drame en trois époques », 1790-92-94 ; divers pseudo-« monologues » du poète en ses derniers instants, poèmes dédiés à l'innocent massacré par la Terreur : émotion facile et règlements de comptes politiques dont il y a peu à retenir sinon, pour des raisons musicales, l'*Andrea Chenier*, opéra de Giordano (1896). Plus sérieusement, après la révélation que constitue en 1819 l'édition Latouche (seuls sont connues jusque-là « la Jeune Captive » et « la Jeune Tarentine »), les écrivains romantiques attachés à définir la mission sociale du poète s'interrogent sur le destin de Chénier : Victor Hugo cite les *Iambes* en épigraphe à plusieurs de ses *Odes et ballades* (1826), en particulier « le Poète dans les révolutions » ; Lamartine versifiant « Contre la peine de mort » (1830) évoque un Chénier « dont l'Histoire en pleurant répète le salut triste à l'échafaud » ; le docteur Noir, dans *Stello* d'Alfred de Vigny (1832), dénonce à propos de Chénier « l'ostracisme perpétuel » qui frappe le poète de génie. L'identification se fait aussi sur le plan littéraire : Chénier, « romantique parmi les classiques » (Victor Hugo, 1820) ; l'on salue en lui un précurseur du « sentiment de la nature », au prix d'une confusion car la nature est moins pour Chénier un refuge qu'un enracinement. Plus justement, il apparaît aussi comme l'inventeur d'une langue nouvelle, qui a tenté (mais il n'est pas le seul au XVIIIe) de mettre un bonnet rouge à l'alexandrin. On notera enfin l'extraordinaire perspicacité de Stendhal qui en 1805, dans son *Journal*, à la lecture des quelques dizaines de vers alors publiés, associe le « charme » de Chénier à celui de Corneille et de Racine. L'admiration de Balzac est plus ambiguë : Séchard et Rubempré, les jeunes poètes d'*Illusions perdues* (1846), pleurent sur « Néære » et « le Malade » : décidément Chénier est devenu un grand ancêtre, au même titre que Lamartine ou Walter Scott.

Après le révolté des *Iambes*, l'âme sensible des *Élégies*, le siècle admire l'artiste des *Bucoliques* : Banville, Gautier lui rendent hommage, et Sainte-Beuve dans les *Premiers Lundis* célèbre « ce vrai et chaste poète », aimant le « beau en lui-même », ce « précurseur de l'école de l'art » (*Portraits littéraires*, 1839), sans préoccupation ni engagement politiques ! C'est alors le « fils de la Grèce » qu'admirent tour à tour Leconte de Lisle – qui lui emprunte beaucoup dans ses *Poèmes antiques* (1852) – et, aux alentours de 1900, les poètes « néo-classiques » : Henri de Régnier, qui place au premier rang de la poésie française Ronsard, Chénier et Hugo ; Jean Moréas (*Réflexions sur quelques poètes*, publiées en 1912) ; enfin Charles Maurras. La Grèce, lieu pour Chénier d'une nature originelle, terre de plaisir et de passion, est devenue pour les « Artistes » du XIXe siècle le symbole de l'ordre et de la rigueur après les effusions romantiques, de la raison et de la clarté après les obscurités symbolistes. Tous revendiquent Chénier au nom de son inspiration grecque, de sa versification impeccable ; et se bâtit la légende d'un Chénier parnassien. Du moins Maurras, qui l'utilise sans vergogne dans ses polémiques politiques (*Poésie et vérité*, 1944), est-il conscient de « l'incrédulité passionnée » de Chénier, d'un sensualisme qui est aussi sensualité et l'a conduit à « recueillir toutes les fleurs du corps de la Grèce, parce qu'il ne s'est privé nulle part du fruit de son esprit ». À part quelques beaux vers des *Bucoliques*, des maximes définitives généralement attribuées à d'autres que lui (« L'art ne fait que des vers, le cœur seul est poète »), Chénier est aujourd'hui oublié du grand public ; ne seraient les *Iambes*, on le confondrait volontiers avec ses contemporains Parny, Bertin ou Millevoye. De fait, son œuvre donne une impression de disparate, parfois d'artifice. On ne doit pas négliger, pourtant, l'originalité d'une tentative poétique cherchant sa voie entre la prose « philosophique » et la poésie ornementale du temps, par un travail de naturalisation de la rhétorique sur le modèle mythique de l'Antiquité. Mais il faut admettre que son projet d'écriture n'a souvent produit que des exercices de style.

VIE		ŒUVRE
1722	Naissance de Louis Chénier (ou « de » Chénier : la famille se flatte de quelque noblesse), père du poète.	
1742	Ruiné, Louis de Chénier part pour Constantinople comme négociant en drap. Son commerce prospère rapidement.	
1750-1753	Importantes découvertes à Herculanum : bronzes, papyrus. À partir de 1755, l'Académie de Naples publie des comptes rendus périodiques des fouilles.	
1753	Mariage de Louis de Chénier avec Elizabeth Lomaca, d'origine grecque et européenne.	
1762	**30 oct. :** naissance d'André Chénier.	
1764	**Févr. :** naissance de Marie-Joseph Chénier, futur dramaturge et député à la Convention.	

	VIE		ŒUVRE
1765	Mauvaises affaires. Louis de Chénier rentre en France avec les siens. La famille se disperse : André est confié à un oncle drapier à Carcassonne ; Louis de Chénier part comme consul pour le Maroc (1767-1781) ; sa femme, restée à Paris, ouvre un salon « grec » : hellénisme savant, poésie et folklore.		
1766	Publication des derniers volumes de l'*Encyclopédie.*		
1773-1780	André Chénier revenu à Paris fait ses études au collège de Navarre. Amitiés élégantes et « éclairées » : Pange, Malartic, les frères Trudaine.		
1773-1776	Publication par le philologue Brunck de *l'Anthologie palatine* des poètes grecs.		
1778 (?)	Rédaction de « Xanthus », la première des *Bucoliques* de Chénier.		
1781-1782	Débuts dans le salon maternel. Mondanités, amourettes, premiers écrits ; encouragements du poète Le Brun. Esquisse de *l'Hermès.*		
1782-1783	**Hiver :** bref séjour comme « cadet-gentilhomme » dans un régiment à Strasbourg. *Épîtres* (à Brazais, Le Brun...).		
1783-1787	Plaisirs parisiens, courts voyages à l'étranger avec les Trudaine en Suisse (1784), en Italie (1785). Rencontres sentimentales, célébrées dans *les Amours* : Lycoris, Mme de Bonneuil (Camille, D'.Z.N.), Marie Cosway.		
1783	**Indépendance des États-Unis.** Rédaction de *l'Amérique.*		
1786-1787	Intense activité littéraire : rédaction de *la République des Lettres,* de poèmes : *l'Invention, la Liberté, l'Hymne à la Justice,* etc.		
1787	Difficultés financières. Chénier part pour Londres comme secrétaire de l'ambassadeur La Luzerne. Abbé Barthélemy : *Voyage du jeune Anacharsis en Grèce.*		
1789	**Prise de la Bastille.** Enthousiasme patriotique de Chénier ; méfiance à l'égard des « prolétaires ». **14 nov. :** triomphe du *Charles IX* de Marie-Joseph Chénier.		
1790	**Mai :** retour de Chénier à Paris, après un morne séjour en Angleterre. Il milite à la Société de 1789, puis au parti Feuillant (modéré).	**1790**	**28 août :** *Avis au peuple français sur ses véritables ennemis* (Mémoires de la Société de 1789).
		1791	**Avr. :** *Réflexions sur l'esprit de parti.* Ode : *le Jeu de paume,* dédiée au peintre David.
1791-1792	Chénier collabore au *Journal de Paris.* Articles violemment anti-jacobins.	**1791-1792**	**12 nov. 1791 - 27 juill. 1792 :** articles dans le *Journal de Paris* : « De la cause des désordres qui troublent la France » (fév. 1792), « De l'aveuglement de l'Assemblée nationale » (juil. 1792), etc.
1792	**Avr. :** il est publiquement pris à partie par Collot d'Herbois, l'une de ses bêtes noires. **10 août : insurrection parisienne, « suspension » du roi.** Inquiet, menacé, Chénier va et vient entre Paris et la province, plus tranquille et sûre.	**1792**	**Avr. :** hymne *Aux Suisses de Châteauvieux.*
1793	**Avr. :** installation discrète à Versailles. Amitié tendre avec Fanny, Mme Le Couteulx. **13 juil. : assassinat de Marat.** Chénier rompt avec son ami le peintre David, qui peint *Marat assassiné* ; il écrit l'ode *À Charlotte Corday.*		

VIE		ŒUVRE	
1794	**7 mars :** arrestation de Chénier à Paris. Emprisonné à Saint-Lazare, il écrit l'ode *À une jeune captive* et les *Iambes*. **25 juill. :** André Chénier est guillotiné, deux jours avant la chute de Robespierre.		
		1795	Publication de *la Jeune Captive*.
		1801	Publication de *la Jeune Tarentine*.
		1819	Première édition par H. de Latouche de nombreux poèmes de Chénier, sous le titre abusif d'*Œuvres complètes*.

Bucoliques

« Un ciel pur, les plaisirs, la beauté »... Les *Bucoliques* de Chénier, imitées parfois jusqu'au pastiche des grecs Callimaque et Moschos, des latins Virgile, Properce ou Ovide, décrivent un âge d'or idyllique peuplé de bergers poètes et de divinités mythologiques. Mais ce n'est là peut-être qu'une image trompeuse ; souvent les *Bucoliques* présentent sous l'apparence une signification seconde.

Le recueil réunit en principe les textes que Chénier a marqués du signe « bouk » en lettres grecques ; cependant, à partir de ce noyau central, les éditeurs successifs ont procédé à diverses interpolations et à des classements plus ou moins arbitraires. P. Dimoff, éditeur en 1908 des *Œuvres poétiques* de Chénier, a rangé les différents textes sans tenir compte de leur état d'élaboration, sous treize grandes rubriques : « Invocations poétiques », « les Héros et les Fables », etc. G. Walter (*Œuvres complètes*, 1940) a séparé les poèmes achevés (vingt-sept) d'une soixantaine d'esquisses, fragments, parfois de simples canevas en prose autour d'un vers déjà rédigé. La rédaction des poèmes s'étend approximativement de 1778 (« Xanthus ») à 1787 (« la Liberté ») : à cette date, le Chénier « artiste » des débuts porte une attention croissante aux « pensers nouveaux », aux épreuves de l'homme en société. D'où sans doute la présence dans les *Bucoliques* de ces poèmes qui dénoncent la fragilité du paradis antique, « le Mendiant » et surtout « la Liberté » :

Je hais tous vos plaisirs : les fleurs et la rosée,
Et de vos rossignols les soupirs caressants.
Rien ne plaît à mon cœur, rien ne flatte mes sens.
Je suis esclave.

« L'Aveugle », qui appartient à ce groupe, dit la misère du poète – Homère – repoussé par « les riches grossiers », qui « n'ont pas une âme ouverte à sentir les talents ». Le bonheur n'est-il réservé qu'à des privilégiés ? Des forces naturelles aussi le menacent. La géographie des *Bucoliques,* îles de l'Égée, Grande-Grèce, est essentiellement insulaire, et la mer représente un danger perpétuel : la mort (« la Jeune Tarentine », « Chrysé », « Dryas »), la fuite d'un amant (« Néære »), la capture, fût-ce par des Nymphes (« Hylas ») ou par un dieu déguisé en « taureau nageur » (« l'Enlèvement d'Europe »). On a remarqué à juste titre que les paysages fort peu grecs des *Bucoliques* ressemblaient à ceux de la pastorale française : « grottes sauvages », « bocage sonore », « prés verts », « ombrages », etc. C'est-à-dire autant de refuges contre la « vague marine », et aussi contre le monde extérieur, la réalité à quoi se substitue le poème lui-même. Car l'écriture poétique de Chénier est également une dénégation du mal et de la souffrance. On connaît ces vers célèbres où l'image de la mort disparaît devant l'harmonie du tableau :

Elle est au sein des flots, la jeune Tarentine,
Son beau corps a roulé sous la vague marine.

Se trouvent aussi écartés ou masqués le désir et l'érotisme ; dans l'« Oaristys », une invocation opportune à la déesse-vierge accompagne l'extase : « Ah ! Daphnis, je me meurs... Apaise ton courroux, Diane ». Mode exemplaire de cet éloignement de l'objet par le mot, du réel par la mythologie, ces vers incantatoires, qui accumulent les épithètes d'un dieu : « Ô Dionyse, Evan, Iacchus et Lénée (« Bacchus »), « Salut Trivie, Hécate ou Cynthie ou Lucine » (« Diane »). Parfois, en revanche, la rhétorique trop visible d'une description ou d'une apostrophe fait ressortir la limpidité d'un vers qui dit simplement l'amour ou la mort ; comme si le poème était une partie à deux voix, celle de la Nature, et celle de la Culture associée aux heures graves de la vie : chant du cygne de Néære – « Mais telle qu'à sa mort pour la dernière fois/Un beau cygne soupire » –, invocation au « dieu vainqueur du Python, dieu jeune et triomphant » d'une mère qui voit mourir son fils (« le Malade »).

« La poésie, écrit Chénier dans un texte théorique, donne un corps, un visage à tous les vices, à toutes les vertus, aux passions. » Et cela, au point de masquer la souffrance du monde et de transformer le mal en plaisir esthétique. Mais elle dit en même temps qu'à certains moments le prosaïsme des expériences individuelles se transcende à travers des « allégories » éternelles. Dès lors cette morale ouvre sur une poétique : le poète moderne est en droit d'imiter, fût-ce littéralement, les Anciens, qui ne sont jamais eux-mêmes que les interprètes d'un texte premier : comme Homère, il ne fait que déployer à son tour « le tissu des saintes mélodies » (« l'Aveugle »).

Hermès

L'ambition de l'*Hermès* était démesurée : dix mille vers en trois, peut-être quatre ou cinq chants ; l'histoire et les avatars de la matière, l'apparition des animaux, de l'homme naturel puis social : formation des langues, des « sottises religieuses », de la morale et des sciences ; une conclusion décrivant le « système du monde » et une « rêverie d'avenir » où règne « la paix universelle ». Le projet de Chénier emprunte à la fois au matérialisme de Diderot et d'Holbach, au Condillac de l'*Essai sur l'origine des connaissances humaines,* au Rousseau du *Contrat social,* etc. Enfin cet Hermès trismégiste – prêtre, philosophe, roi –, ultime incarnation de l'homme, appartient aussi à l'illuminisme du XVIIIe (malgré les réticences de Chénier à l'égard de Swedenborg), voire à la franc-maçonnerie à travers le commun symbole du « delta » grec, qui marque tous les feuillets de l'*Hermès*.

« Le plus beau poème panthéiste qui existe en français », a-t-on dit. Malheureusement ce poème n'existe pas, ou guère : à peine cinq cents vers, fragments reliés par des phrases de transition où se disent l'immensité du projet, et son échec : « Il faut finir le chant I par une magnifique description de toutes les espèces animales et végétales naissant… » Pourtant l'*Hermès* est un texte capital, ne serait-ce que par sa présence obsessionnelle dans l'esprit de Chénier. Les premières esquisses datent de 1782, au sortir du collège. Trois ans plus tard, en 1785 : « Je vais achevant mon *Hermès.* » Mais il n'en est rien, et on lit dans une *Épître* en 1787 : « Combien de chants de faits ? Pas un, je vous assure. » Vers 1792, Chénier rédige enfin l'épilogue d'un poème toujours incomplet, et auquel il s'adresse en ces termes : « Toi, l'objet le plus cher des veilles de dix ans. » Dix ans qui ont vu une production continue de bucoliques, d'idylles et d'élégies, inspirées des poètes anciens, Virgile ou Tibulle. L'*Hermès* ne serait-il pas lui aussi une imitation, celle du *De natura rerum* de Lucrèce ? Mais le problème est différent : la morale et l'amour n'ont pas d'âge ni de patrie ; là, on peut dire que le « passé du présent est l'arbitre et le père », que la forme et le style sont indéfiniment adéquats au contenu. Il n'en va pas de même pour l'*Hermès* dont Chénier dans *l'Invention* définit l'objectif en ces termes : « Sur des pensers nouveaux faisons des vers antiques », c'est-à-dire une poésie qui « en langage des dieux fasse parler Newton ». N'est-ce pas un rêve contradictoire ?

Chénier, sensualiste et athée « chaudement de son siècle » (Sainte-Beuve), pouvait-il, à moins de faire de la prose rimée, être le « poète de l'*Encyclopédie* » (P. Naville) ? Car la philosophie du XVIIIe siècle est aussi un langage, et le dictionnaire qui l'exprime bannit la métaphore et la périphrase. On constate que les passages rédigés de l'*Hermès* ne concernent que l'Antiquité qui, elle, peut se dire en « vers antiques » ; le monde moderne n'y paraît qu'au travers de considérations générales et intemporelles sur « les princes et les grands », le « législateur », etc. L'*Hermès* est déchiré par une contradiction interne ; voué à dire le progrès de l'humanité, il nie celui de l'écriture qui a tout rendu possible. Esquivant le présent, le poème se réfugie dans le passé ou propose un « rêve d'avenir » curieusement prophétique :

Perdu, n'existant plus qu'en un docte cerveau,
Le français ne sera dans ce monde nouveau
Qu'une écriture antique et non plus un langage

L'échec de l'*Hermès* permet de comprendre pourquoi le siècle des Lumières fut « un siècle sans poètes », dès que ceux-ci, rejetant l'académisme, voulaient être de leur temps. Mais ce ne fut pas seulement la faute des poètes.

Iambes

Les *Iambes* furent composés dans des conditions dramatiques. Chénier est enfermé à Saint-Lazare ; au dehors, règne la Terreur sanglante des derniers mois de Robespierre, et les poèmes – une quinzaine, certains encore inachevés – sortent de la prison dissimulés dans des ballots de linge. Leur mélancolie et leur véhémence les ont fait justement comparer aux *Châtiments :* comme Victor Hugo, Chénier a su donner à la forme poétique du pamphlet un caractère de nécessité ; en certains moments de l'Histoire l'homme, ses valeurs, ses principes ne peuvent se dire ni dans la prose de *Napoléon le Petit*, ni dans celle des articles du *Journal de Paris.*

Il ne faut pas se tromper, en effet, sur la portée des références antiques dans les *Iambes.* Bien sûr, Chénier invoque de grands ancêtres, en premier lieu le Grec Archiloque de Paros, poète satirique du VIIe siècle avant J.-C. : « Fils d'Archiloque, fier André… » Mais il brise l'ordonnancement traditionnel de l'iambe, supprime la disposition en stances (adoptée par ses prédécesseurs J.-B. Rousseau et Gilbert), en un mot « le libère comme une coulée de lave » (J. Fabre). Il s'agit ici, avant tout, d'un combat entre la prose, le prosaïsme des Jacobins – « Ivres et bégayant la crapule et le crime » – et une poésie qui parvient à peine à les « contenir », à les dominer ; le distique iambique (un alexandrin et un octosyllabe) tantôt se dévide d'un trait, tantôt est haché par des coupes aberrantes. Cette lutte, qui reproduit celle de Chénier lui-même, se dit à travers la juxtaposition de deux écritures, périphrase et mot « propre » ; quatre vers pour évoquer l'horloge qui annonce la mort prochaine (« L'heure en cercle promenée »…), mais le tribunal révolutionnaire « mange, boit, rote du sang », le jacobin Collot d'Herbois porte en lui « un fétide mélange/ De vol, de calomnie, et de merde et de fange ». De même alternent les Actéon et les Hippolyte de la mythologie, et Robespierre, Danton, Marat dont chacun s'empresse de « lécher le cul ». Scandale suprême, les Jacobins se prétendent eux aussi héritiers de l'Antiquité – « Le Gendre, élève de Caton » – au point de s'approprier des noms qui signifiaient le bonheur et la vertu : « Anacharsis Clotz »…

Dès lors, l'écriture poétique – « le poétique miel » – devient un acte grave ; elle apparaît, entre le cri et l'insulte, à la fois comme un refus et une impossible tentative d'évasion :

Comme un dernier rayon, comme un dernier [zéphyre
Animent la fin d'un beau jour

Le malheur collectif, dont Chénier vitupérait les responsables dans le *Journal de Paris,* devient désormais une épreuve individuelle, un désespoir intime. Isolement redoublé par les compagnons de cellule eux-mêmes : la vulgarité en effet n'est pas seulement du côté des bourreaux, mais aussi chez leurs victimes. Chénier dresse ici un portrait peu édifiant des prisons de la Terreur, lieux « où la hache nous tire au sort », mais où l'humeur n'est pas au recueillement ; comme si les ci-devant ne pouvaient se défaire de leurs vices :

On y chante, on y joue, on y lève des jupes ;
On y fait chansons et bons mots

Le lyrisme des *Iambes* et la forme poétique de la révolte semblent ainsi le résultat d'une nécessité historique : autour du poète, en 1794, les issues sont fermées ; il est désormais inutile d'espérer le soutien ou la complicité des autres en parlant leur langage. Le poème devient alors bouteille à la mer, peut-être inutile. Qu'importe, en effet, à la « horde impure qui grouille ici et au dehors ? » « Ils vivent, cependant »...

J.-P. de Beaumarchais

CHÉNIER Marie-Joseph

Nom usuel de ***Marie-Joseph de CHÉNIER*** *(1764-1811)*

Frère cadet d'André, Marie-Joseph Chénier fut le poète officiel de la Révolution à ses débuts. Parolier du *Chant du départ,* il incarne à la perfection le « réalisme républicain » des années 1790, tel que David l'illustre en peinture. Ses tragédies associent un manichéisme simpliste à l'emphase rhétorique pour dénoncer les tyrans, les aristocrates et les prêtres : quelques bonheurs d'expression, beaucoup de tirades d'une raideur toute romaine et l'un des plus grands succès dramatiques du siècle, *Charles IX.* « *Charles IX* tuera la royauté », s'écrie Danton. Ils n'ont en fait guère survécu l'un à l'autre. C'est dire pourtant l'importance historique de ce théâtre.

La haine du despotisme

Les jeunes années de Marie-Joseph Chénier se confondent avec celles de son frère [voir **CHÉNIER André**] : Constantinople où il naît, Carcassonne, le collège de Navarre et le même groupe d'amis choisis. Deux ans avant son frère, et avec autant d'ennui, il fait l'expérience de la vie militaire (1781-1783). Rien de plus différent toutefois que leurs caractères et leurs ambitions : turbulent, extraverti, grand amateur de Voltaire, Marie-Joseph a le goût du théâtre et des succès tapageurs. Ses premières pièces, *Edgar ou le Page supposé* (1785), *Azémire* (1786) sont hélas des échecs cuisants. La revanche viendra en 1789 avec le coup de tonnerre de *Charles IX* (édité en 1790, et largement remanié en 1797). Pour faire jouer sa tragédie, l'auteur doit, pendant un an, batailler contre la cour et la censure. La première a lieu le 4 novembre 1789 avec Talma dans le rôle-titre : succès prodigieux, dû à la vigueur des attaques politiques et à la transparence des masques. Chacun reconnaît Louis XVI dans le faible Charles IX, Necker dans le chancelier de L'Hôpital, voire la reine dans la sanguinaire Catherine de Médicis ; Coligny, chef huguenot, est un philosophe avant la lettre, prêchant la tolérance et le libre examen. Enthousiasmés, les districts parisiens décernent à Chénier une couronne civique. Talma, en 1791, fonde avec la « gauche » de la Comédie-Française le Théâtre de la Nation où triomphent encore *Henri VIII, Jean Calas* (en hommage à Voltaire, « illustre vieillard, fléau des fanatiques »), *Caius Gracchus* (1792), tribun du peuple luttant contre les patriciens, *Fénelon* (1793), dénonçant les vocations forcées. Au sommet de la gloire, Marie-Joseph Chénier siège à la Convention, au comité de l'Instruction, et vote la mort du roi. Toutefois sa haine du tyran ne va pas sans un attachement profond à la légalité, l'horreur de tout « assassinat commis au nom des lois ». Si bien que le gouvernement montagnard s'irrite de formules telles que le « Des lois, et non du sang ! » de *Caius Gracchus* ; Robespierre se croit visé dans *Timoléon* (1794) et la pièce est interdite. Brouillé avec les modérés, avec son frère André, Marie-Joseph Chénier est désormais mal vu par le pouvoir et contraint de louvoyer : déjà, en 1793, il avait composé le *Chant du départ* mais refusé de s'associer à l'hommage rendu à Marat...

Après Thermidor, son déclin s'accélère. On l'attaque comme régicide ; il doit même se défendre d'avoir laissé tuer son frère (*Discours sur la calomnie,* 1797). Député aux Cinq-Cents, puis membre du Tribunat, alors que tant d'autres renient leurs idéaux passés, Chénier fait front courageusement, luttant à la fois contre l'absolutisme renaissant et la réaction chrétienne (1802 : Chateaubriand publie *le Génie du christianisme*). Dans *les Nouveaux Saints,* il brocarde La Harpe et Mme de Genlis ; la *Petite Épître à Jacques Delille* (1802) attaque un opportuniste qui « brave les tyrans abattus » tout en se mettant « aux gages des autres ». Aussi ne tarde-t-il pas, sous l'Empire, à connaître des difficultés ; après un *Cyrus* (1804) écrit pourtant à la demande de Napoléon, il se tait. Académicien depuis 1803, inspecteur général de l'Université (1803-1806), il est destitué après une violente *Épître à Voltaire* : « Un Corse a des Français dévoré l'héritage » ; *Tibère*, sa dernière tragédie (1811), est interdit. Il meurt la même année laissant un testament littéraire, le *Tableau historique de l'état et du progrès de la littérature française depuis 1789 jusqu'à 1808*, où il prend à partie le romantisme tout en défendant les Lumières et les idéaux de l'an II. Fidélité qui, malgré de passagères compromissions, donne son unité et sa valeur à l'homme, sinon à l'œuvre. Ironie du sort, il est remplacé à l'Académie par Chateaubriand, dont l'éloge – non prononcé – sera un des plus mitigés de l'histoire des Quarante : « Il devra à cette religion qui lui parut si méprisable […] la paix que je souhaite à sa tombe. »

Un théâtre politique

Les tragédies de Marie-Joseph Chénier donnent une constante impression de déjà vu. Les musulmans d'*Azémire* font penser à ceux de Voltaire, les Romains de *Caius Gracchus* à ceux de Corneille. Mais en 1789 ce néo-classicisme, souvent caricatural, vient à son heure : le mélange cicéronien d'emphase et de concision a déjà envahi le discours politique, le voici maintenant sur la scène. Mais faut-il parler de théâtre ? Les héros de Chénier débitent de longues tirades alternées, comme à la tribune ; chacun occupe un emploi trop bien déterminé : tyran, victime, mauvais conseiller, en qui le public est appelé à reconnaître les vedettes de l'actualité. Car tout ici est politique, voire politicien. Les intrigues sentimentales, les rivalités individuelles ne se disent qu'au travers des schémas codés de la bataille contre l'Ancien Régime, et chacun s'efface devant l'idée ou le mythe qu'il incarne. En quelques maximes où l'antithèse relaie le manichéisme des situations (« Ne voulant rien tenir vous devez tout promettre », « Et l'art de gouverner vaut mieux qu'une victoire », etc.), les termes du débat idéologique sont nettement posés ; le reste, amours d'Henri VIII ou remords de Charles IX, n'est que littérature. Mais ce beau style est ambigu : comme à l'Assemblée le peuple reste à la porte, même si l'on combat pour lui et qu'on sacrifie pour lui plaire au pathétique et au spectaculaire : dans *Charles IX*, le cardinal de Lorraine bénit en scène les poignards des conjurés, et l'on entend au loin le tocsin, comme bientôt le cor d'*Hernani*, qui doit déclencher le massacre…

Avec *Charles IX*, la violence anticléricale et antimonarchique, jusque-là plus ou moins clandestine, s'étale au grand jour : il s'agit bien en cela d'un événement historique. Le sage Coligny, porte-parole des Lumières en plein XVIe siècle (« Ce qui fut décidé maintenant s'examine »), s'indigne contre les « prêtres sacrilèges », voire « les crimes du Saint-Siège », vrais responsables de la Réforme, morigène son maître : « Soyez roi de la France et non de votre cour. » Mais l'honneur de Chénier est d'avoir persévéré sous les règnes de Robespierre et de Napoléon, cibles autrement dangereuses qu'un Ancien Régime décomposé : *Timoléon*, en 1794, s'en prend à un « lâche ambitieux », et *Tibère*, en 1811, dénonce un empereur qui amadoue son peuple avec « du pain, les jeux du cirque, un sacrifice aux dieux ». Dès lors, cette forme néo-classique un peu désuète figure le discours même de la loi tour à tour menacée par les tyrannies successives, et qui ne peut survivre qu'à travers la clarté et la rigueur d'une rhétorique où le Bien et le Mal se disent et s'opposent de toute éternité. Telle est peut-être la signification profonde, voire la valeur pédagogique de cette écriture. Comme l'écrivait Marie-Joseph Chénier : « La tragédie est plus philosophique et plus instructive que l'Histoire. »

J.-P. de Beaumarchais

CHESSEX Jacques

(né en 1934)

Premier romancier suisse à avoir reçu le prix Goncourt (*l'Ogre*, 1973), Jacques Chessex, né à Lausanne, découvre l'écriture « sur les genoux de son père », professeur que la calomnie conduira au suicide (cf. *Portrait d'une ombre*, 1999). Au cours de ses études, il rédige un mémoire sur Francis Ponge, puis participe au mouvement littéraire né autour des revues *Rencontre* et *Écriture*, débute en littérature par des poèmes où se dit la précarité de la vie sous le « masque » du printemps : *Chant de printemps* (1955), *Une voix dans la nuit* (1959). Un premier roman, *la Tête ouverte* (1962), plaît à Paulhan, qui lui confie une rubrique à *la Nouvelle Revue française* et exerce sur le jeune écrivain une fascination quasi castratrice, que Chessex intériorise sous la forme d'une pointilleuse conscience littéraire : « Qu'est-ce que Paulhan aurait pensé ? » continuera-t-il à se demander longtemps après la mort de son protecteur. Chessex ne cessera de conjurer et de conjuguer les deux figures obsédantes du père déchu et du censeur exigeant, comme en témoignent encore son essai *Flaubert ou le Désert en abîme* (1991) ou *Incarnata* (1999), qui met aux prises le grand Ramuz et un disciple jaloux. D'où une thématique reconduisant de livre en livre « le très long drame du père et du fils » : *la Confession du pasteur Burg* (1967) ; *l'Ardent Royaume* (1975), histoires d'« une joie immense et d'une déchéance banale » (cf. ses *Entretiens* avec Jérôme Garcin, 1979) ; *l'Ogre*, métaphore du père, « l'homme de vigueur, le propriétaire, la loi ! ».

Mais cette œuvre ne se limite pas aux exercices littéraires issus d'une névrose obsessionnelle (cf. encore *le Bréviaire*, 1976). À cent lieues des « marquis de *Tel Quel* », son lyrisme l'entraîne au-delà de cette thématique étroite : le monde interdit par une censure sociale venue d'une longue tradition calviniste lui est rendu au centuple dans un imaginaire d'une exceptionnelle richesse. Témoin le titre symbolique de *Carabas* (1971), roman autobiographique, histoire d'un personnage passablement démuni au départ, mais que la fantaisie de sa plume introduit dans le riche royaume de la chair et du sexe. Les romans de Chessex font scandale – après *Carabas*, notamment, l'écrivain reçoit un courrier d'une furieuse violence –, mais ils passent avec succès les barrières de la censure littéraire : libéré par l'écriture, l'auteur dit avec une ivresse grandissante, même si la déchéance doit s'ensuivre, la Beauté « égarante » de la nature, son amour des femmes, sa soif de plaisir (*Jonas*, 1987 ; *Morgane madrigal*, 1990 ; *la Trinité*, 1992 ; *la Mort d'un juste*, 1996). Adjectifs voluptueux, images sensuelles, travelling le long du corps féminin transmuent sensations et conduite honnies des « pères punisseurs » (*l'Ogre*) en représentations érotiques auxquelles s'ajoute la jouissance attachée à l'acte même d'écrire.

Mais Chessex reste fidèle à son pays de Vaud, qui lui décerne en 1992 le prix de sa Fondation pour la promotion et la création artistique (cf. *Portrait des Vaudois*, 1969, et *les Saintes Écritures*, 1985, recueil d'essais sur la littérature romande). Plus encore que la mort, le pourrissement reste un des thèmes sous-jacents de son sensualisme. « J'ai toujours rôdé dans les cimetières », confie-t-il dans ses *Entretiens*, et les héros de *l'Ogre* s'enlacent à même les pierres tombales. Dans les paysages qui lui sont les plus chers lui apparaissent en surimpression les « massacres » qui les défigureront ; des femmes qu'ils étreignent, ses héros palpent le squelette sous les chairs appétissantes. Somme toute, sublimant les contraintes qui se sont exercées sur sa riche personnalité, Chessex rejoint par l'écriture les obsessions de son époque, commandées par les mythes conjoints de Dionysos et du Minotaure.

M.-A. de Beaumarchais

Chevalerie au Cygne (la)
v. Croisade (cycles de la)

Chevalerie Ogier (la)

(fin du XIIe-début du XIIIe siècle)

Chanson de geste formée de 12 345 décasyllabes assonancés, dont la plus ancienne version française à nous être parvenue est celle de Raimbert de Paris (fin du XIIe-début du XIIIe siècle). Cette geste est consacrée aux exploits de jeunesse d'Ogier dit « le Danois » (exceptionnellement « l'Ardenois »), puis à sa rébellion contre Charlemagne. Le personnage est très souvent mentionné dans les textes épiques depuis *la Chanson de Roland* et sa légende semble s'être fixée à Saint-Faron-de-Meaux.

Les documents historiques attestent l'existence d'un Ogier qui, avec le titre de marquis, aurait pris part aux expéditions de Charlemagne en Italie. À la faveur d'assimilations toponymiques et sans doute d'un amalgame de données littéraires, Danemark aurait pu se confondre avec la marche d'Ardenne et Ardenois avec Danois. La version de Raimbert de Paris révèle, en effet, un assemblage de traditions diverses.

SYNOPSIS

Ogier est fils du roi Godefroy de Danemark qui ne l'aime guère et l'a remis en otage à Charlemagne, comme garant du tribut dû à celui-ci. Le refus de payer, assorti de mauvais traitements aux envoyés de Charlemagne, mettent Ogier en danger de mort. Mais une diversion est apportée par l'urgence d'une expédition à Rome, pour défendre le pape contre les Sarrasins. Ogier s'y fait remarquer par sa valeur guerrière et sa noblesse d'âme ; il rentre réhabilité.

Du temps où il était promis à la mort, il avait séduit la fille de son geôlier et engendré le petit Baudouinet ; celui-ci, accueilli à la cour royale, a le malheur d'y gagner une partie d'échecs sur Charlot (le fils de Charlemagne) qui, blessé dans sa vanité, le tue. Ogier devient fou de douleur et, à défaut de pouvoir se venger sur Charlot (prudemment mis à l'abri), il tue un neveu de l'empereur : forcé de s'enfuir, il se réfugie auprès du roi des Lombards qui refusera de le livrer à Charles. Après de cruels combats, Ogier est finalement capturé et emmené à Reims où il est néanmoins bien traité pendant plus de sept ans par Turpin, son parent. Rappelé pour aider à repousser une invasion païenne, il met comme condition de pouvoir exécuter Charlot ; mais un ange l'arrête et lui conseille une simple gifle. La défaite des ennemis consacre la réhabilitation d'Ogier. À sa mort il est enterré à Meaux.

Le texte offre deux images d'Ogier répondant peut-être à deux traditions en cours sur le même personnage et qui ont été de nouveau séparées par la suite : celle d'un jeune homme en quête d'honneur, brillant et généreux, sachant au plus fort de son succès épargner un ennemi digne de respect ; c'est aussi l'image du fidèle conseiller de Charlemagne ; la seconde est celle d'un homme déchaîné par la douleur et assoiffé de vengeance, qui s'abandonne à des actes de pure cruauté comme le massacre d'Ami et Amile, rencontrés sans armes ni défense à leur retour de Rome.

La première image est la seule à être donnée dans la réécriture amplifiée qu'Adenet le Roi (à la fin du XIIIe siècle) a faite du début de cette chanson dans ses *Enfances Ogier* où il reproduit fidèlement le schème narratif de la *Chevalerie*, mais en rehaussant considérablement le rôle de Charlemagne et la courtoisie de plusieurs personnages, dont celle d'Ogier. C'est Adenet qui a fourni au *Charlemagne* de Girart d'Amiens (aussi à la fin XIIIe siècle) l'épisode consacré à Ogier.

Cette première partie de la vie d'Ogier, telle que la conte la version de Raimbert, se retrouve dans la chanson de Gaufrey (XIIIe siècle) consacrée au père d'Ogier et à sa longue captivité avec Garin de Monglane chez les Hongrois : cette chanson se présente elle-même comme la suite de *Doon de Mayence*, l'ancêtre, père de Gaufrey, qui n'a voulu recevoir de Charlemagne qu'un fief à conquérir lui-même ; ces deux chansons affectées au lignage d'Ogier sont parfois réunies avec la Chevalerie dans un même manuscrit, constituant ainsi un petit cycle.

Un remaniement en alexandrins du milieu du XIVe siècle reprend l'ensemble de la version de Raimbert en y ajoutant des épisodes en partie merveilleux où Ogier entre au royaume de féerie. Il a été déterminant pour les formes ultérieurement prises par l'histoire littéraire d'Ogier : y ont puisé aussi bien Jean d'Outremeuse pour la *Geste de Liège et le Myreur des Histoires*, dans la seconde moitié du XIVe siècle, que les *Chroniques et Conquestes de Charlemagne* (milieu du XVe siècle). À la fin du XVe siècle, ce même remaniement a été mis en prose et amplifié des aventures de Meurvin, fils d'Ogier et familier du royaume de féerie ; c'est sous cette forme que la légende est passée par la suite dans la *Bibliothèque universelle des Romans* (XVIIIe siècle).

N. Andrieux-Reix

CHEVALLIER Gabriel

(1895-1969)

Romancier, né à Lyon. Après la guerre de 1914, qui le marqua profondément, il exerce des activités « alimentaires » variées tout en collaborant à plusieurs journaux et revues. En 1929, il donne un premier roman qui révèle ses talents d'humoriste : *Durand, voyageur de commerce*, puis, en 1930, un saisissant récit de guerre, *la Peur*, très remarqué à l'époque. En 1933, il se tourne vers le roman « de mœurs », avec *Clarisse Vernon*, et surtout, en 1934, *Clochemerle*, peinture des passions humaines à travers le microcosme d'un village du Beaujolais, dont les millions d'exemplaires vendus, les traductions en vingt-six langues firent sa fortune et lui permirent de se consacrer entièrement à la littérature. Parmi la vingtaine d'ouvrages que Chevallier publiera ensuite, il faut citer notamment *Propre à rien* (1937), *Chemins de solitude* (1945) et *Carrefours des hasards* (1958), beaux livres de souvenirs ; *Sainte-Colline* (1940), roman chaleureux et exemplaire des gaietés et des tristesses d'un jeune garçon pensionnaire dans un collège de province ; *Ma petite amie Pomme* (1940), joli livre sur l'enfance ; *l'Envers de Clochemerle*, « propos d'un homme libre » (1966), recueil d'essais et de réflexions qui révèle un moraliste d'une grande profondeur.

Peu soucieux d'un « bon goût » et d'une construction académique, cet écrivain-né sait mieux que personne s'acquitter du plus difficile : reprendre et, par sa fraîcheur, sa sensualité, son don du concret, renouveler les sujets que l'on croyait épuisés, comme le printemps, un coucher de soleil ou l'amour adolescent ; rendre uniques un paysage, un lieu, un moment, si modestes soient-ils ; développer une scène et mener un dialogue, avec autant de force que de naturel ; créer des personnages qui s'imposent par leur vérité humaine tels le curé Ponosse, l'instituteur Tafardel, le sénateur-maire Piéchut ou la baronne de Courtebiche, inoubliables héros de *Clochemerle*.

Essentiellement lucide, mais le plus souvent indulgent, mêlant sans cesse la truculence et l'émotion, l'ironie et la tendresse, le comique et le tragique, Chevallier s'inscrit, à sa place propre, dans une tradition bien française qui passe par Rabelais, Molière et Voltaire, tout en faisant songer parfois à Balzac par son observation sans pitié (cf. *les Héritiers Euffe*, 1945, ou *Brumerives*, 1968) des rites et des hypocrisies de la vie de province.

J. Monge

CHOISY François-Timoléon, abbé de

(1644-1724)

Historien et polygraphe né à Paris. Son père était chancelier de Gaston d'Orléans. Sa mère, qui descendait du chancelier de l'Hôpital, était l'amie de Mmes de Longueville et de Sablé ; son talent et son franc-parler la firent estimer de Mazarin, d'Anne d'Autriche, puis du jeune Louis XIV. François-Timoléon était le troisième fils, et, quoiqu'on l'habituât, dès son enfance, à s'habiller en fille, on le destina à l'Église. Doué d'une grande facilité intellectuelle, mais passionné de jeu et de débauche, il voyagea en Italie avec le cardinal de Bouillon. Vers 1683, une terrible maladie l'amena à se convertir, et il résolut de se faire vraiment prêtre. En 1684, il publia quatre *Dialogues* fort édifiants, où étaient démontrées l'existence de Dieu et l'immortalité de l'âme. Il fit ensuite voyage jusqu'au Siam : c'était une pieuse ambassade, qui se proposait de convertir le roi de ce pays. Il en tira un *Journal* (1687) assez amusant et assez brillant. De retour en France en 1686, il fut reçu, l'année suivante, à l'Académie française ; il publia une *Vie de Salomon* (1687), des *Pensées chrétiennes* (1688), une traduction de l'*Imitation du Christ* (1692), mais aussi des biographies des rois du Moyen Âge, *Histoire de Philippe de Valois et du roi Jean* (1688), *Histoire de Charles cinquième* (1689), la *Vie de Charles VI* (1695), enfin une monumentale *Histoire de l'Église* en onze volumes (1703-1723). Cet homme d'esprit, qui doit être l'efféminé Théodote des *Caractères* de La Bruyère, était lié au clan des Modernes [voir **Querelle des Anciens et des Modernes**], et il anima quelques mois (1692), au Luxembourg, une petite Académie, où se retrouvaient entre autres les abbés Testu et Dangeau, ainsi que Fontenelle et Perrault.

Il n'y a pas grand-chose à garder de ses livres d'histoire ou de piété. Cet abbé comique, et parfois vêtu en femme, reste une figure un peu légendaire. Deux de ses ouvrages méritent pourtant d'être lus de nos jours : le *Journal du Voyage au Siam*, où, comme l'écrit d'Alembert, il parvient à faire conversation avec le lecteur, et surtout les *Mémoires pour servir à l'histoire de Louis XIV* (que l'on peut compléter des *Aventures de l'abbé de Choisy habillé en femme*) qui parurent seulement en 1727. Désireux de « passer légèrement sur les événements publics, qu'on trouve écrits partout et [... de] s'arrêter à certaines choses ignorées du commun des mortels », il y donne avec prestesse et brio une suite d'anecdotes et de portraits, qui évoquent Retz, peuvent amuser et faire comprendre ce qu'on appelait alors « l'anatomie du cœur humain ».

A. Niderst

CHRAÏBI Driss

(né en 1926)

Écrivain marocain de langue française, Driss Chraïbi est né à Al-Djadida (ex-Mazagan). Il fréquente l'école coranique et, à dix ans, entre à l'école française. Il fait des études secondaires à Casablanca, écrit des poèmes et obtient un prix. En 1945, il quitte le Maroc pour poursuivre ses études à Paris, où il obtiendra en 1950 un diplôme d'ingénieur chimiste. Il décide ensuite de s'orienter vers la neuro-psychiatrie, mais arrête ses études à deux mois du doctorat. Il se met alors à voyager : Italie, Suisse, Belgique, Allemagne, Autriche, Yougoslavie, Angleterre, Espagne, etc., exerçant divers métiers (journaliste, photographe ambulant, veilleur de nuit, débardeur, manœuvre, assureur, professeur d'arabe). Il dit avoir vécu deux ans en Israël sous un nom d'emprunt. On le retrouve, en 1959, producteur à l'O.R.T.F., où il parle, dans « Connaissance des mondes », de l'Islam et de l'Occident, du théâtre d'Afrique noire et du Proche-Orient. En 1970, il enseigne pendant quelques mois la littérature maghrébine à l'université Laval de Québec. Driss Chraïbi a épousé une Française et réside en France.

Son premier roman, *le Passé simple* (1954), fit scandale par la révolte qui s'y exprime contre le père, les bigots, les bourgeois puritains et sclérosés, un certain islam ritualiste, etc.

Devant la levée de boucliers, Chraïbi déclara : « Je renie *le Passé simple.* » Parti pour la France, « pays de liberté et de la fraternité, pays de refuge surtout », écrit-il au début des *Boucs*, en 1955, il y constate très vite la condition infrahumaine des travailleurs maghrébins immigrés, l'absence d'idées neuves, de « n'importe quoi qui puisse nous faire bouger ». Dans *l'Âne*, en 1956, il explique qu'il a choisi de vivre en France, mais qu'il « continue à participer à ce monde de [s]on enfance et à cet islam auquel [il croit] de plus en plus ». Mais, à la fin de *Succession ouverte* (1962), le héros auquel il s'identifie retourne en France après la mort du père : « Plus tard, je reviendrai à la réalité marocaine et arabe [...] Mon horizon s'est ouvert, je ne peux pas le refermer. » Dans *Un ami viendra vous voir* (1967), Chraïbi s'intéresse à certains problèmes de la société de consommation, technicienne et matérialiste. Le romancier revient à des problèmes marocains avec *la Civilisation, ma mère !* (1972), roman de la tendresse où l'auteur affabule sur la libération de la femme, de la mère colonisée et oubliée dans sa nuit. Cette histoire d'une mère pourrait symboliser celle du tiers monde se libérant. Et, en 1975, paraît *Mort au Canada*, où l'auteur paraît faire le point, le bilan de sa vie, dans une sorte d'autopsychanalyse où le héros découvre « l'appel d'un puissant besoin : changer de pays, changer de peau, de mentalité et de croyance, de langue et de culture, changer de personnalité, à tout jamais, radicalement, afin qu'il n'y eût plus d'errance ou de souffrance ». Tout se passe comme si toute l'œuvre de Chraïbi depuis *le Passé simple* visait à une recherche ardente et effrénée de vérité, de sincérité, de dénonciation de faux-semblants, dissimulée cependant sous la fiction et habilement présentée aux lecteurs.

Depuis, Chraïbi s'est attaché à retrouver les racines historiques d'un Maroc, racines non séparables de celles d'un Islam conquérant au nom de la foi une terre jusqu'alors païenne. De *la Mère du printemps* (1982) à *Naissance de l'aube* (1986), il brosse ainsi une fresque humaniste visant à réconcilier tradition et modernité en plein Moyen Âge, fresque dont on ne peut s'empêcher de la transposer à l'époque actuelle. En marge de cette trajectoire rétrospective, Chraïbi donne avec *l'Homme du Livre* (1994) un récit pudique de l'instant où Mahomet entre en contact avec Allah à travers sa parole.

À côté de cette veine que l'on qualifiera d'engagée, Chraïbi s'est amusé à créer un truculent personnage, l'inspecteur Ali, héros d'enquêtes au cœur d'un Maroc où, une fois encore, sont confrontées tradition et modernité (*Une enquête au pays*, 1981 ; *l'Inspecteur Ali*, 1991 ; *Une place au soleil*, 1993).

J. Déjeux

Chrétien de Troyes

CHRÉTIEN DE TROYES

(XIIe siècle)

Chrétien de Troyes est généralement considéré, et à juste titre, comme le plus grand romancier du Moyen Âge. Son œuvre s'échelonne entre 1160 et 1190. L'essentiel en est constitué par des romans en vers, dont certains, comme *le Chevalier à la charrette* ou comme *le Conte du Graal*, sont à l'origine d'une prodigieuse efflorescence mythique et littéraire. D'où l'importance de ce poète, tant en ce qui concerne l'histoire du genre romanesque qu'en ce qui concerne l'évolution des idéologies courtoise et chevaleresque dont il se fait le champion.

Sur l'homme lui-même, nous ne savons presque rien, si ce n'est qu'il dédie son *Chevalier à la charrette* à la comtesse Marie de Champagne, fille d'Aliénor d'Aquitaine et de Louis VII, et qu'il offre son *Conte du Graal* à Philippe d'Alsace, comte de Flandre. Il semble d'autre part que, *le Conte du Graal* étant inachevé, Chrétien soit mort entre 1185 et 1190 sans avoir eu le temps de mener à bien son dernier ouvrage. Au début de son *Cligès*, le poète énumère ses productions antérieures : de courts romans « antiques » (un texte sur la métamorphose de la huppe, de l'hirondelle et du rossignol, qui est sans doute le *Philomena* conservé dans l'*Ovide moralisé*, très postérieur ; un *Mors de l'espaule*, qui relatait la légende de Pélops et qui s'est perdu) ; il cite aussi un « art d'aimer », probablement inspiré, lui aussi, d'Ovide, un roman « du roi Marc et d'Iseut la Blonde », et *Érec et Énide*, qui nous est parvenu intact. En fait, Chrétien remonte le temps et parle d'abord d'*Érec*, son ouvrage le plus récent ; il n'est donc venu qu'assez tard à la matière de Bretagne, à laquelle se rattachent *Érec et Énide*, *Cligès*, *le Chevalier au lion*, *le Chevalier à la charrette* et *le Conte du Graal*. On lui attribue aussi un *Guillaume d'Angleterre*, qui est un roman édifiant étranger au monde arthurien. Ajoutons son œuvre lyrique : quelques chansons, composées dans sa jeunesse, et qui sont peut-être les plus anciennes chansons de trouvère connues. On peut, à partir de ces quelques éléments, reconstituer la carrière de cet homme qui a été clerc, très marqué par les doctrines courtoises et par le succès conjoint du roman antique et des premiers *Tristan*, très soucieux surtout de s'imposer par son art et par sa pensée à l'aristocratie et au public chevaleresque de son temps.

C'est précisément par rapport au roman antique et par rapport au mythe de Tristan qu'il faut constamment définir l'originalité de Chrétien de Troyes, qui prend ses distances par rapport à ses prédécesseurs en se dégageant des modèles latins et en condamnant le désespoir passionnel de Béroul et de Thomas. Ses intrigues se fondent sur la quête de l'identité et sur les épreuves qualifiantes par lesquelles se valorisent ses héros. Mais plus Chrétien vieillit, plus il est marqué par un christianisme intense qui suscite chez lui le rêve d'une nouvelle chevalerie, animée par la charité, dont Perceval, protagoniste du *Conte du Graal,* serait en quelque sorte l'incarnation.

Les premières œuvres

On date, à tort ou à raison, les pièces lyriques de Chrétien de Troyes des environs de 1160. Deux chansons lui sont attribuées avec certitude ; quelques autres ne sont peut-être pas de sa main. De ces deux chansons, l'une est particulièrement remarquable, parce que Chrétien y prend d'ores et déjà ses distances par rapport au mythe de Tristan. Il s'y défend, en effet, de connaître un amour fatal : « Je n'ai pas bu le philtre dont Tristan fut empoisonné » ; la *fin'amors* n'est donc pas une malédiction, mais une élection, fondée sur le choix le meilleur. La fonction de la Dame est de promouvoir spirituellement et moralement celui qu'elle accepte pour ami. La passion amoureuse concourt au progrès de l'individu : érotique optimiste qui sera celle des grands romans du poète.

De fait, il existe une telle coïncidence entre cette érotique et la doctrine incluse dans *le Chevalier à la charrette* que l'on peut se demander légitimement si les chansons sont si anciennes et si leur datation ne doit pas être modifiée. La première œuvre romanesque conservée de Chrétien de Troyes exprime un sens tragique du destin que l'on ne retrouvera plus dans les autres ouvrages : *Philomena* doit à son modèle ovidien (un passage des *Métamorphoses*) son climat de violence et de désespoir. L'argument est bien connu : passion incestueuse du héros pour sa belle-sœur, qu'il viole et à qui il arrache la langue, meurtre vengeur de son fils par l'épouse outragée. Dans Ovide, la cascade finale des métamorphoses corrige le pessimisme de l'intrigue : se transformer, c'est survivre, dans un univers pythagoricien qui n'est pas soumis à la mort définitive. Au contraire, et paradoxalement, le texte de Chrétien, qui occulte ce dénouement, pousse à son paroxysme la tragédie. Ainsi en est-il d'autres poèmes ovidiens anonymes, sans doute contemporains, et qui participent du « lai » par leur brièveté, tels *Piramus* et *Narcissus,* qui sont eux aussi les histoires d'une passion furieuse et mortelle.

Philomena s'inscrit dans une sorte de mode, celle du roman antique. Autour de 1160 apparaissent le *Roman de Thèbes* [voir ***Thèbes (Roman de)***], le *Roman d'Énéas* [voir ***Énéas (Roman d')***], le *Roman de Troie* [voir **Benoît de Sainte-Maure**]. Ces vastes romans en vers adaptent en ancien français *la Thébaïde* de Stace, *l'Énéide* de Virgile et les chroniques troyennes de compilateurs tardifs dont on croyait à tort qu'ils étaient les témoins oculaires de la guerre de Troie. Le roman antique marque en fait la naissance du roman tout court. Il adopte la forme (octosyllabes à rimes plates) qui prédominait dans la chronique en vers, et son écriture est fidèle aux leçons des *artes dicendi* : abondance des descriptions bien ordonnées, pathétique des monologues et des dialogues, présence de toute une rhétorique fondée sur un savant appareil de tropes. Les premiers romanciers se mettent à l'école des maîtres antiques. L'humanisme de leur art est celui de bons écoliers encore respectueux d'une autorité, celle de la culture latine et scolaire. En choisissant la matière de Bretagne, Chrétien va rompre avec cette tradition, qui se poursuit pourtant jusqu'à la fin du Moyen Âge (cf. les nombreuses continuations du *Roman d'Alexandre* [voir ***Alexandre (Roman d')***] et les réfections continuelles dont vont être l'objet *Thèbes*, *Troie* et l'*Énéas* aux XIIIe et XIVe siècles).

Le texte même de *Philomena* ne nous est connu que par une transcription tardive, attribuée à Chrétien li Gois (?), mais ce n'est pas une raison pour prétendre que ce poème n'est pas celui de Chrétien de Troyes. Disons qu'il s'agit d'un essai de jeunesse, et que le poète a commencé sa carrière en imitant Ovide ; mais là n'était pas sa vocation profonde : la période « antiquisante » de Chrétien de Troyes n'a pas dû se prolonger bien longtemps.

Chrétien et le *Tristan*

Entre les « lais » antiques de *Philomena* et du *Mors de l'espaule* et la rédaction d'*Érec et Énide*, il faut sans doute situer le roman (perdu) du *Roi Marc et d'Iseut la Blonde.* Ce texte a subi la malédiction qui frappe la plupart des *Tristan* français (à l'exception du *Tristan en prose*, plus tardif) : du poème de Béroul et de celui de Thomas nous n'avons conservé que des débris, et le *Tristan* d'un certain La Chèvre, mentionné par le prologue de la branche II du *Roman de Renart*, a, semble-t-il, irrémédiablement disparu. Le sujet des *Tristan*, la passion adultère et mortelle d'un couple que sa ferveur fatale met au ban de la société, conférait à ces œuvres une subversion corrosive qui a compromis leur transmission écrite. Chrétien lui-même a-t-il sacrifié à ce romanesque sans concessions ? C'est peu probable. Le titre même de son ouvrage exclut Tristan et insiste sur Marc et sur Iseut, donc sur le mari et sur l'épouse, comme s'il s'agissait paradoxalement d'un roman conjugal, et l'on peut, à bon droit, se demander si ce pseudo-*Tristan* n'était pas, en fait, une version moins provocatrice que les autres, destinée à conjurer les prestiges dangereux d'un mythe que Chrétien de Troyes, dès 1160 ou 1165, aurait vigoureusement condamné [voir ***Tristan et Iseut* (romans de)**].

Ce qui est sûr, c'est que toute l'œuvre ultérieure de Chrétien de Troyes prend parti contre la subversion des *Tristan. Érec et Énide* fait l'apologie du mariage. *Cligès* présente une héroïne, Fénice, qui refuse les compromissions d'Iseut acceptant de se donner à la fois à son mari et à son amant : « Qui a le cœur, c'est celui-là qui a le corps », principe au nom duquel la jeune femme réserve sa personne à son ami en abusant son époux par un subterfuge. Et *le Chevalier à la charrette* ne consent à justifier l'adultère courtois qu'au nom de la prouesse et du mérite acquis par Lancelot au cours d'une longue quête douloureuse qui a pour effet non seulement la libération de la reine Guenièvre, mais aussi celle de tous les sujets d'Arthur détenus au royaume de Gorre. L'un des messages fondamentaux exprimés par Chrétien de Troyes, c'est que le don charnel doit être la récompense, le « guerredon » d'une générosité active au service de la communauté. Telle sera l'une des leçons du *Lancelot en prose* ; tel sera aussi l'enseignement du *Tristan en prose*, dont le protagoniste devra sans cesse déployer sa valeur pour préserver son amour (et cela explique que le *Tristan en prose* ait connu une si vaste diffusion alors que les romans en vers antérieurs se sont presque entièrement perdus) [voir ***Lancelot en prose***]. En conjurant la subversion des *Tristan*, Chrétien de Troyes réoriente l'érotique de la *fin'amors*. Les troubadours occitans vantaient une *proesa* qui consistait en un ensemble de vertus telles que la largesse et la mesure ; désormais, la prouesse méritoire et valorisante s'identifie à l'excellence militaire et sportive ; aussi n'est-ce pas un hasard si tant de trouvères, par la suite, vont se référer au modèle de Lancelot, par exemple dans le chant de croisade, lorsqu'ils prétendront partir pour la Terre sainte afin de conquérir à la fois l'amour de leur Dame et le salut céleste. *Amor* et *charitas* : toute l'œuvre de Chrétien, à partir d'*Érec*, tend à concilier la passion amoureuse et le service généreux d'un ordre exemplaire, celui du monde arthurien.

ŒUVRES DE CHRÉTIEN DE TROYES		ŒUVRES CONTEMPORAINES	
v. 1160-1170	Œuvres ovidiennes (*Philomena*, dans l'*Ovide moralisé*) et *Roman del roi Marc et d'Ysalt la blonde*.	**v. 1154-1155**	*Roman de Thèbes*.
		1155	Wace, *Roman de Brut*.
		1156	*Roman d'Énéas*.
		1160	*Roman d'Alexandre* décasyllabique. Wace, *Roman de Rou*.
		1165	Benoît de Sainte-Maure, *Roman de Troie*.
v. 1170	*Érec et Énide*.		
		1172	Thomas, *Tristan*.
v. 1176	*Cligès*.		
entre 1177 et 1181	*Le Chevalier à la Charrette* [Lancelot] et *le Chevalier au Lion* [Yvain].		
		1179	*Roman de Renart*, branche I.
		1180	Béroul, *Tristan*.
entre 1181 et 1185	*Le Conte du Graal* [Perceval], inachevé en raison de la mort de Chrétien.		
		entre 1190 et 1230	*Continuations du Conte du Graal*.
		entre 1291 et 1328	*Ovide moralisé*.

Érec et Énide

Érec et Énide est l'histoire d'un couple menacé par l'excès même de sa tendresse et qui se sauve par l'action héroïque. L'association, dans le titre, des deux partenaires de ce couple permet de rattacher le poème à la tradition, alors en genèse, du roman idyllique : il y avait *Floire et Blanchefleur* (et aussi *Tristan et Iseut*) ; il y aura *Amadas et Ydoine, Aucassin et Nicolette* et beaucoup d'autres œuvres dont il n'est pas lieu de traiter ici. Mais à la différence de maint autre roman idyllique, le poème ne fait pas remonter à l'enfance des deux personnages leur ferveur réciproque, et la première partie (le premier vers) est en fait le récit de la conquête d'Énide par Érec. L'ouvrage est donc constitué de deux éléments bien distincts : structure qui prévaudra dans tous les romans ultérieurs du poète.

Celui-ci l'affirme avec netteté dans son prologue : « Il a trait d'un conte d'aventure/Une molt bele conjointure. » D'un récit oral confus et mal structuré, il a tiré une *dispositio* harmonieuse. Chrétien de Troyes se pose comme l'homme de la mise en forme : il sait agencer une intrigue et s'en vante avec orgueil. Sous cette revendication de qualité se devine autre chose : un plaidoyer latent pour une culture vernaculaire dont Chrétien s'est fait le champion et qui est en train de conquérir ses lettres de noblesse. Cette culture se détourne des modèles antiques et s'enracine dans un terroir : celui de tout un folklore immémorial, dans lequel interviennent la chasse de l'animal fabuleux (le Blanc Cerf, dont la poursuite fait l'objet de la première aventure) ou le combat contre un adversaire redoutable retranché dans l'Autre Monde (le duel final d'Érec contre

Mabonagrain dans le verger clos par une muraille d'air). Et la mise en roman du conte passe par une écriture à la fois simple et somptueuse, qui refuse généralement l'artifice de la rhétorique. La brisure du couplet d'octosyllabes permet une plus vive continuité de la narration ; le discours (au sens linguistique du terme) n'intervient plus que selon des modalités ironiques ; inversement, le poète se veut sans cesse très attentif à la psychologie de ses personnages, mais c'est une psychologie objective, qui passe par l'action et par le locutif, au point que souvent la motivation de tel ou tel actant conserve son épaisseur de mystère : le romanesque d'*Érec* demeure énigmatique, et c'est tant mieux.

SYNOPSIS

Malgré son neveu Gauvain, le roi Arthur décide de renouveler la coutume de la chasse au Blanc Cerf. Érec ne suit l'affaire que de loin : il accompagne la reine Guenièvre, lorsqu'il est injurié et défié par un chevalier nommé Yder. Il poursuit son agresseur jusqu'à une ville où il descend chez un pauvre vavasseur dont la fille est d'une merveilleuse beauté. Érec se venge de son agresseur, demande la main de la *pucele* (Énide) et l'amène à la cour d'Arthur. Là, tous les barons et toutes les dames s'accordent à la juger la plus belle, et la reine la fait revêtir des habits les plus luxueux. Érec épouse Énide, et connaît auprès d'elle les joies d'une lune de miel excessivement prolongée. Mais les médisants accusent Érec, qui s'abstient de manifester sa prouesse. Énide, une nuit, s'en afflige, et son mari la fait parler : on dit de lui qu'il est devenu un lâche, un *recreant.* Érec, aussitôt, réagit avec violence : il ordonne à Énide de se parer de ses plus beaux atours et de chevaucher devant lui, sans jamais lui adresser la parole. Les voici partis pour l'aventure. Énide est une sorte de proie, qui voit venir les adversaires, et qui, malgré l'interdiction qu'Érec lui a signifiée, ne peut s'empêcher de l'avertir des périls. Érec remporte successivement toute une série de combats de plus en plus difficiles. Vient même un épisode où, épuisé par ses blessures, il tombe en catalepsie, alors qu'Énide, convoitée par le comte de Limors, songe au suicide – mais il reprend ses esprits au bon moment et sauve son épouse de son outrageux prétendant. Énide est désormais redevenue digne de son mari, qui lui réaffirme avec tendresse l'intensité de son amour. Mais il reste à remporter la plus difficile des épreuves : la victoire sur Mabonagrain, qui s'est enfermé, pour complaire à son amie, dans un redoutable jardin. Érec triomphe de son adversaire, qu'il libère par sa victoire, déchaînant ainsi la « joie de la cour » (c'est le nom qui avait été prémonitoirement donné à cette aventure). La fin du roman relate le couronnement du héros, qui devient roi de Petite Bretagne, et ce couronnement rappelle volontairement celui de Joffroi Plantagenêt à Nantes (Noël 1169).

On pourrait insister sur les aspects mythiques du poème (Énide est peut-être Gwenid, divinité tutélaire de la ville de Vannes, et la métamorphose de la pauvresse en princesse serait métaphorique du « fier baiser », du baiser au monstre qui se transforme en femme radieuse : le « fier baiser » est l'épreuve initiatique par laquelle le héros épouse la souveraineté). On pourrait aussi, dans la ligne définie par l'école historico-sociologique allemande, lire dans *Érec et Énide* l'avènement d'une centralisation monarchique ardente à réprimer l'anarchie des « mauvaises coutumes » ; ou encore, comme Donald Maddox, y voir avant tout la préparation du protagoniste à sa future fonction royale ; il n'en semble pas moins vrai que ce livre est d'abord le roman de l'amour conjugal, un instant compromis par sa sensualité même, puis sauvé par l'action généreuse entreprise en commun. La trajectoire narrative du couple va du bonheur à la joie en passant par l'aventure.

Cligès

Énide est une femme de rêve, par sa soumission et par sa tendresse ; Fénice, l'héroïne de *Cligès*, est beaucoup plus volontaire et virile. C'est elle qui tire les ficelles de ce roman qu'on date de 1175 environ et qui participe à la fois du roman breton et du roman « byzantin », bâtard du roman antique, très en faveur à l'époque (*Ippomedon* et *Protheselaus* d'Hue de Rotelande).

SYNOPSIS

Le prince Cligès est l'héritier de l'empire d'Orient. Il est venu apprendre la chevalerie à la cour d'Arthur. Il a accepté que son oncle, Alexis ou Alis, accède au trône, sous la réserve qu'il ne se marie pas et lui réserve sa succession. Or Alis épouse Fénice, qui ne l'aime pas : Fénice et Cligès sont épris l'un de l'autre, et la jeune femme, grâce à sa servante Thessala, administre à son mari un philtre qui lui fait croire qu'il possède son épouse. Fénice accepte à son tour de boire un autre philtre qui lui donne l'apparence de la mort : elle est enterrée dans un tombeau aménagé, où elle retrouve son amant. Puis les deux jeunes gens se retrouvent dans une tour merveilleuse, et enfin dans un magnifique verger, où un intrus les surprend. Obligés de fuir, ils ne tardent pas à apprendre qu'Alis est mort de fureur. Ils sont solennellement couronnés à Constantinople. Les empereurs de Byzance, par la suite, inventeront la pratique du gynécée pour s'éviter la mésaventure d'Alis.

Le prologue énumère les œuvres antérieures de Chrétien et insiste sur la *translatio studii*, sur la transmission de la supériorité culturelle des Grecs aux Romains et des Romains aux Francs : profession de foi nationaliste qui plaide pour la dignité des lettres romanes. Le poète montre d'autre part, à travers les faits, la supériorité de l'Occident sur l'Orient, où règnent la fourberie, la déloyauté et le mépris de la femme. Et pourtant, tout un héritage humaniste s'y fait jour (par ex., le nom de Thessala est celui de mainte sorcière chez les poètes latins et rappelle que la Thessalie était le pays de la magie noire). *Cligès* est en outre, comme *Érec*, empli de réminiscences mythiques : Fénice morte et ressuscitée est l'avatar féminin du Phénix, de l'oiseau qui meurt et renaît dans le feu, et les tortures que subit le corps inerte de l'héroïne livrée à des médecins pour qu'ils vérifient que son décès n'est pas feint évoquent en effet les tourments du bûcher. On a dit par ailleurs que l'œuvre s'inspirait d'une actualité récente (projets de mariage entre la fille de Manuel Comnène et le fils de Frédéric Barberousse…). Toutes ces approches du texte sont licites et pertinentes, mais on retiendra surtout de *Cligès* qu'une fois de plus, c'est le roman d'une nouvelle érotique. Fénice refuse le partage auquel consent Iseut : d'où l'artifice du philtre, qui n'est plus un philtre d'amour, comme dans le *Tristan*, mais un philtre d'illusion, comme dans le roman iranien de *Wîs et Ramin*, où la princesse Wîs agit avec le roi Maubad comme Fénice avec Alis. La coïncidence est d'autant plus troublante que l'auteur de *Wîs et Ramin*, le poète Gurgaran, s'inspire de très vieux récits que Chrétien a peut-être connus.

Wîs et Ramin nous ramène aux *Tristan*, dont cette œuvre est l'homologue iranien. Comme les *Tristan*, *Cligès* s'ouvre sur les amours entre le père et la mère du héros ; et, comme dans les *Tristan*, le problème majeur que pose l'intrigue est peut-être celui du conflit entre l'amour et la société. *Cligès* accumule les enfermements (dans le tombeau, dans la tour, dans le verger). Les amants y souffrent moins de claustrophobie que d'une sorte de frustration. Comme Mabonagrain et son amie dans le jardin merveilleux, ils souffrent de ne pouvoir satisfaire leur vocation sociale. L'île déserte où se cultive l'égoïsme à deux n'est pas, au XIIe siècle, un espace de bonheur absolu. La chevalerie est appelée à un autre idéal : c'est ce que démontre à sa manière *le Chevalier au lion*.

Le Chevalier au lion

Ce roman a été rédigé vers 1177, en même temps, semble-t-il, que *le Chevalier à la charrette*.

SYNOPSIS

Dans son prologue, Chrétien déplore la décadence de la courtoisie. Il n'en était pas de même à l'époque d'Arthur, et le poète enchaîne aussitôt sur une scène où Calogrenant relate à Guenièvre, devant Yvain, une aventure qui lui est arrivée : dans la forêt de Brocéliande, guidé par les indications d'un vilain monstrueux, il a découvert la fontaine merveilleuse de Barenton, qui déchaîne la tempête lorsqu'on verse de l'eau sur sa margelle. Alors a surgi le gardien de la fontaine, qui l'a vaincu.

Yvain décide d'entreprendre l'aventure. Il parvient à la fontaine et suscite un effroyable orage. Survient le gardien de la fontaine, qui le défie ; mais Yvain a le dessus et blesse mortellement son adversaire, qu'il poursuit jusque dans son château. Témérairement, Yvain s'introduit dans la place, et il se retrouve captif dans la poterne de la citadelle. Une jeune femme apparaît aussitôt : c'est Lunette, la suivante de Laudine, qui est la femme du chevalier mourant. Elle remet à Yvain un anneau qui lui permet de devenir invisible et d'échapper à ses ennemis.

Puis Lunette fait valoir à Laudine qu'il n'est pas de meilleur gardien de la fontaine que celui qui a eu raison de son mari. En quelques jours, le remariage de la jeune femme est décidé ; Lunette introduit Yvain près de la châtelaine, et les noces ont lieu sans tarder.

Le roi Arthur et sa suite viennent visiter Yvain. Gauvain exhorte son ami à revenir dans le monde pour y cultiver la gloire des tournois. Yvain obtient de Laudine un délai d'un an, pendant lequel il multiplie les exploits et s'étourdit si bien qu'il oublie la date fatidique. Quinze mois ont passé qu'arrive à la cour d'Arthur une messagère, qui invective publiquement Yvain et lui dérobe son anneau nuptial. Yvain, désespéré, s'enfuit dans la lande, où il vit, hirsute et nu, en état de profonde démence.

Un ermite le recueille, et une dame décide de le guérir, grâce à un onguent magique (ici, la scène amusante où la demoiselle chargée de lui appliquer l'onguent sur les tempes se laisse aller à lui en enduire tout le corps). Le héros retrouve toute sa raison et témoigne sa reconnaissance à sa bienfaitrice en la délivrant du comte Alier, qui voulait la contraindre au mariage. Puis il sauve un lion affronté à un dragon, et le lion le suit comme un chien : désormais Yvain, qui cache son identité véritable, ne sera plus connu que sous le nom de « Chevalier au lion ». C'est sous cette figure qu'il sauve Lunette, menacée du bûcher par la vindicative Laudine, et qu'il triomphe du géant Harpin de la Montagne. Puis il libère les *puceles* captives du château de Pesme Aventure, où elles ont été condamnées à tisser la soie : il lui faut affronter deux monstres diaboliques ou *netuns*. Un dernier combat, sans vainqueur ni vaincu, l'affronte à Gauvain à propos d'une querelle d'héritage entre deux jeunes filles. Enfin, le héros revient auprès de Laudine, qui lui pardonne.

Le Chevalier au lion est d'autant plus lié au *Chevalier à la charrette* que les aventures des deux romans sont concomitantes : Gauvain fait le lien entre les deux textes et mène conjointement deux séries d'aventures. Or précisément, Gauvain prend ici un aspect nouveau : il n'est plus tout à fait le chevalier modèle ; c'est lui qui détourne Yvain de Laudine et qui le précipite dans l'ivresse frelatée des tournois ; et lors du duel final, il défend la mauvaise cause, qu'Arthur tranche finalement en déboutant l'aînée des deux sœurs, après l'avoir adroitement amenée à se trahir.

Yvain devient donc, en face de Gauvain, un nouveau modèle : celui d'une chevalerie qui ne se gaspille pas en prouesses inutiles, mais qui se met délibérément au service de l'ordre et de la justice. Plus qu'Érec, qui cherchait la prouesse pour faire la preuve de sa valeur, le Chevalier au lion est le champion des causes désespérées, et il se révèle comme un libérateur, comme un nouvel Hercule ou comme un nouveau Thésée purgeant la terre de ses monstres. Au passage, Chrétien transforme l'autre monde celtique, où sont retenues les âmes prisonnières, en atelier de tissage où l'on exploite sans scrupule le travail féminin. Reste que la déchéance des captives réside moins dans leur condition (il semble que 4 deniers pour une livre de soie tissée n'étaient pas à l'époque un salaire indécent) que dans le fait qu'elles dérogent en accomplissant malgré leur naissance aristocratique un ensemble de tâches serviles. Mais ce qui prévaut, dans cet épisode (et dans tout le roman), c'est la combinaison habile du réalisme et du fantastique. L'arrière-plan mythique y est encore plus affirmé que dans les œuvres précédentes (par ex., la fontaine magique procède de rites destinés à provoquer la pluie, et l'anneau qui rend invisible rappelle l'histoire de Gygès) ; toutefois ce qui frappe, dans le poème, c'est son humanisme, au plein sens du terme : le guide qui indique le chemin de Brocéliande est d'une laideur inhumaine, mais au héros qui l'interroge il répond seulement : « Je suis un homme », incarnant ainsi l'humanité jusque dans la dérision du vilain le plus démuni. Chrétien accomplit donc un pas de plus vers une autre idéologie chevaleresque, plus attentive que naguère à l'ensemble des valeurs humaines. À la limite, Yvain, en se découvrant sous les traits du Chevalier au lion une nouvelle identité, n'a même plus besoin de se réconcilier avec Laudine, et le dénouement en apparaît presque arbitraire et plaqué. Comme si amour et courtoisie n'étaient plus que des vernis d'usage… Le prologue du roman serait-il trompeur ?

Le Chevalier à la charrette

Les prologues de Chrétien sont en effet souvent, sinon trompeurs du moins ambigus. Celui du *Chevalier à la charrette* ne brille pas par sa clarté. Le poète y déclare qu'il doit à Marie de Champagne la « matière » et le « sens » de son livre et que lui-même s'est contenté d'y mettre son « attention » et sa « peine ». À la lettre, cela signifie que le poème est un ouvrage de commande, sur un sujet imposé, et au service d'idées qui sont celles de la comtesse : jusqu'à quel point Chrétien lui-même souscrit-il à cette doctrine ? Mais inversement, en réclamant pour lui, sous des termes voilés, la gloire de la mise en forme, le poète revendique les mérites essentiels de la création littéraire telle qu'on la concevait de son temps : la qualité d'un grand texte réside alors moins dans son invention (on ne croit guère à l'originalité) que dans l'exécution du détail, et d'abord dans la perfection de l'écriture. Esthétique d'artisan, de maître qui connaît les techniques… Quant au fond, et à l'adhésion du poète au « sens » de ce qu'il écrit, le problème est beaucoup plus complexe. *Le Chevalier à la charrette* fait, en effet, de la *fin'amors* portée à ses conséquences extrêmes une apologie pour ainsi dire inconditionnelle, et c'est peut-être la raison pour laquelle Chrétien n'achève pas son roman, dont il confie le dénouement à un tâcheron – qui est peut-être son élève –, Godefroi de Lagny.

SYNOPSIS

Un mystérieux chevalier a ravi la reine Guenièvre. Le sénéchal Keu s'est lancé à la poursuite du ravisseur, mais, vaincu et blessé par lui, il est devenu son captif. Gauvain entreprend la quête de la reine, ainsi qu'un autre chevalier dont la présentation est fracassante : il vient de massacrer tout un groupe d'adversaires ; puis il s'élance à la poursuite de l'outrageux intrus et crève sous lui son cheval. Commence alors un long cheminement qui le mène, à travers une longue série d'aventures, jusqu'au royaume de Gorre, dont le roi Baudemagus, ennemi d'Arthur, est le souverain : c'est lui le père du ravisseur, qui s'appelle Méléagant.

Dès le début de leur quête, Gauvain et le chevalier ont le choix de leur itinéraire ; Gauvain choisit celui qui passe par le pont « évage » (immergé), et l'autre choisit la voie la plus périlleuse, celle qui emprunte le pont de l'épée.

Le chevalier ne tarde pas à rencontrer un nain, qui lui impose, s'il veut trouver la bonne route, de monter sur une charrette d'infamie, destinée à conduire au pilori les malfaiteurs. Il hésite un instant avant d'accepter : dans son cœur, Amour le pousse à bondir dans la charrette, mais Raison lui oppose son probable déshonneur et le retient. Finalement, il obéit au nain et traverse toute une ville sous les huées. Partout où il passera désormais, il sera précédé par la douloureuse nouvelle : pour tous, le voici devenu le Chevalier à la charrette, celui qui s'est à tout jamais honni.

D'autres épreuves l'attendent. La quête devient initiation, avec ses demoiselles tentatrices et ses passages périlleux. Le chevalier arrive enfin dans un cimetière, à la frontière de l'Autre Monde, où il réussit à soulever la pierre d'un tombeau (son propre tombeau futur) : une inscription l'y désigne comme le libérateur des captifs au royaume de Gorre ; dès lors, sa mission prend un caractère quasi messianique, et le pont de l'épée rappelle le pont étroit que, dans mainte mythologie, doivent franchir les justes pour traverser un fleuve infernal. La rivière qu'il surplombe ressemble en effet à un *fluns au deable,* et le chevalier ne parvient à l'autre rive que les pieds et les mains cruellement déchirés. À peine remis de ses blessures, il affronte Méléagant au cours d'un combat où, ébloui par la vue de la reine Guenièvre, il a d'abord le dessous. Une suivante l'interpelle par son nom : Lancelot, et le héros, sorti de sa torpeur, vainc son adversaire et ne l'épargne que sur les supplications de Baudemagus. Mais Guenièvre se montre à son égard d'une grande froideur, et Lancelot, désespéré, quitte la cour. Il tente en vain de se pendre ; la nouvelle de sa mort se répand et Guenièvre, à son tour, pense à mourir. Mais ils se rejoignent enfin, et la reine accorde à Lancelot une nuit d'amour, au cours de laquelle elle lui révèle qu'elle lui a longtemps reproché son hésitation à monter sur la charrette. Passons sur la suite du récit, et en particulier sur un tournoi où Guenièvre impose longtemps à son amant de se conduire en lâche. Lancelot, retenu prisonnier de longs mois par l'ordre de Méléagant, s'échappe grâce à la complicité de la sœur de ce dernier et, finalement, tue son ennemi au cours d'un combat qui a lieu devant le roi Arthur.

Le Chevalier à la charrette est le roman de la *fin'amors* la plus insensée : celle qui assume non seulement la mort, mais aussi le déshonneur. Lancelot est plus que le *fin'amador* des troubadours : il se projette au-delà des normes communes et devient une sorte de surhomme. Au moment de son suicide manqué, il pense, à tort, que Guenièvre même a mal perçu l'audace de son geste quand il est monté sur la charrette ; et jamais plus, semble-t-il, dans aucune autre œuvre médiévale, aucune dame n'exigera de son champion que, dans un tournoi, il se conduise « au pire ».

Le poème est donc délibérément excessif et hyperbolique. Chrétien en est conscient, au point de prendre ses distances avec sa matière. Lorsqu'il utilise une écriture superlative, il sourit et se moque : ainsi dans l'épisode où son héros découvre un peigne oublié par Guenièvre ; les quelques cheveux qui y sont accrochés le plongent dans une méditation profonde, et ils sont plus précieux pour lui que tous les trésors de la terre, ou que toutes les marchandises que l'on échange à la foire du Lendit entre Paris et Saint-Denis !

Mais la part de l'ironie et celle de la gravité ne sont pas toujours si simples à isoler. Si ridicule qu'il paraisse parfois, Lancelot n'en est pas moins exemplaire – en face de Gauvain surtout, dont la quête est un fiasco (il ne parvient même pas à franchir le pont *évage*). Triomphe du chevalier amant sur le chevalier mondain, dont le prestige est décidément en péril…

Énigme aussi du dénouement : Lancelot restera-t-il l'amant de Guenièvre ? Et que penser de l'idylle amorcée entre le héros et la sœur de son ennemi ? Godefroi de Lagny est-il ou non fidèle au projet initial de son prédécesseur ? Jusqu'aux derniers vers, le poème de Chrétien et de son disciple (?) pose une série de questions qui laissent en quelque sorte le texte ouvert : l'inachèvement de fait dont souffre l'ouvrage appelle toute une littérature ultérieure sur Lancelot, personnage exemplaire et fascinant auquel les romans en prose du XIIIe siècle vont accorder une place de choix dans l'organisation de leurs aventures.

Guillaume d'Angleterre

Le Chrétien qui revendique la paternité de *Guillaume d'Angleterre* est-il le même que notre poète ? L'écriture est plus relâchée, mais le choix des rimes confirmerait l'attribution. Il n'est plus ici d'atmosphère arthurienne, et l'histoire s'inscrit dans une temporalité à la fois plus actuelle (celle du roman dit « réaliste », comme le pratique à l'époque un Gautier d'Arras) et plus diffuse, comme le veut son appartenance à l'hagiographie. Car Guillaume, le protagoniste, est extraordinaire par sa foi, par son espérance et par sa résignation à la volonté divine.

On le voit traverser une cascade d'épreuves redoutables, dont l'accumulation même participe d'un romanesque désespérant (mais ce romanesque mélodramatique prépare un dénouement heureux). La tradition à laquelle se réfère *Guillaume d'Angleterre* est, sur ce point, celle d'un roman latin intitulé *Apollonius de Tyr* et qui a été très lu et très imité au Moyen Âge. C'est à *Apollonius* que *Guillaume d'Angleterre* doit une partie de son intrigue : la séparation du héros d'avec sa femme et ses enfants ; la déchéance et les malheurs qui frappent les uns et les autres ; les retrouvailles triomphales de tous, lors des ultimes épisodes. Mais ce déferlement aurait aussi bien pu aboutir à un roman très profane, comme le sera au XIIIe siècle *la Fille du comte de Ponthieu*. Ici, au contraire, chaque catastrophe nouvelle permet au protagoniste de réaffirmer sa confiance en Dieu. D'où l'hypothèse prudente que nous avançons : *Guillaume d'Angleterre* se situerait entre la *Charrette* (aspects messianiques de Lancelot) et *le Conte du Graal* (qui tend à ériger le mythe d'une chevalerie célestielle). Chrétien s'efforcerait de renouveler sa matière et son écriture, mais, mal à l'aise dans un type de roman qui ne correspond pas à sa vocation profonde, il ne parvient pas à rédiger un chef-d'œuvre ; d'où son retour à l'imaginaire arthurien avec *le Conte du Graal*, où cette fois le message dévot s'exprime avec l'éclat que l'on sait.

Le Conte du Graal

C'est la dernière œuvre de Chrétien, qu'il laisse inachevée sans doute parce que la mort est venue interrompre le travail du poète. C'est aussi l'œuvre la plus riche, sinon la plus belle, du poète champenois, et celle qui est, avec *le Chevalier à la charrette*, la plus chargée d'avenir, dans la mesure où elle est à l'origine de l'immense littérature concernant le Graal et ses mystères ; du *Conte du Graal* procède en effet toute une moisson de chefs-d'œuvre, de représentations et de questions qui continuent de peser sur la culture de l'Occident…

Le Conte du Graal, malgré son inachèvement, est l'ouvrage le mieux structuré du poète. Dès l'introduction est posée l'opposition de la chevalerie chrétienne, incarnée par Philippe d'Alsace (à qui Chrétien dédie son livre), et de la chevalerie mondaine, qui n'a pas la charité et qu'illustre Alexandre le Grand : cette opposition sera celle qui confronte Perceval, le simple et l'élu, et Gauvain, l'habile probablement voué à l'échec. D'où deux parties : la première retrace l'initiation de Perceval (à la chevalerie, à l'amour, au Graal) ; la seconde précipite Gauvain dans une cascade d'aventures qui le détournent de sa quête et finissent par l'enfermer dans un château de l'Autre Monde, où il semble promis à une captivité sans fin. Et l'intrigue est traversée de motifs récurrents comme celui de la catastrophe collective : mort du père du héros et de ses frères au cours d'une longue série de désastres qui dévastent leurs terres ; stérilité du royaume sur lequel règne le Roi Pêcheur ; blocage de tout échange matrimonial à la roche de Canguin, où Gauvain se découvre captif. Sous ces données se devine tout un arrière-plan mythique : lien entre la fécondité du souverain et celle du sol dont il a la charge ; crise résultant du passage de l'endogamie à l'exogamie (Perceval semble voué à épouser Blanchefleur, mais il retombe sans cesse dans un univers familial qui le ramène au souvenir de sa mère ; Gauvain, à son tour, est prisonnier du château sur lequel règnent son aïeule, sa mère et sa sœur). La préhistoire du texte est lourde de tout un immémorial que Chrétien devinait peut-être, et qui confère au poème une étrange saveur d'inépuisable folklore.

Comment se présentait sa source, ce conte dont Chrétien nous dit qu'il était le plus beau qui fut jamais conté en cour royale ? Il était sans doute assez proche de textes celtiques, comme *la Destruction du château de Da-Dherga* irlandaise et comme surtout le *Peredur* gallois, où la lance qui saigne à gros bouillons est l'arme qui appelle vengeance. Peredur est, comme Perceval, le fils de la Veuve Dame ; il part s'initier à la chevalerie ; trois fois il connaîtra l'amour, et il remportera l'épreuve suprême en massacrant les sorcières de Kaerlwyw. Mais le *Peredur* ne fait pas de lui le pionnier d'une éthique nouvelle, et le poème de Chrétien va beaucoup plus loin que son homonyme gallois, au point que l'on peut y lire une sorte de testament spirituel.

SYNOPSIS

Le *nice* ou jeune sot des premiers vers est ébloui par la rencontre de chevaliers, et sa mère le laisse s'en aller à la cour du roi Arthur ; mais elle meurt de chagrin tandis qu'il s'éloigne, indifférent à sa douleur. Perceval trouve le palais royal consterné par la venue outrageuse d'un chevalier vermeil, qu'il tue d'un coup heureux de javelot. Puis le *preudom* Gornement lui apprend en quelques heures l'art des armes. Perceval arrive au château de Beaurepaire, tenu par la belle Blanchefleur, avec laquelle il passe une nuit d'amour à la fois chaste et sensuelle. Il délivre Blanchefleur d'un prétendant abusif, Clamadeus, qui assiégeait Beaurepaire. Il parvient ensuite à un autre château, dont un pêcheur lui a montré la voie. Ce château est tenu par un roi qui n'est autre que le pêcheur rencontré tout à l'heure et qui l'a mystérieusement devancé. Après avoir reçu le don d'une épée (qui se brisera au premier combat et ne sera ressoudée que lorsque le héros aura achevé son initiation), Perceval voit défiler d'étranges objets : un tailloir d'argent, une lance qui saigne, un chandelier merveilleux et un « graal », ou plat creux, qui répand une lumière éblouissante ; mais il se souvient mal à propos d'une recommandation que lui a faite Gornement : il ne faut pas parler à tort et à travers en posant de sottes questions. Perceval saura plus tard qu'il avait à demander quelle était la nature du « graal » et à qui était destiné son service. Trois *rampognes* ou objurgations successives (d'une demoiselle pleurant son ami mort, d'une hideuse *pucele* et d'un ermite qui se révèle être son oncle et le frère du Roi Pêcheur) lui découvrent successivement la vérité sur son silence coupable et sur le « graal » : s'il s'est tu, c'est à cause de son péché, qui est d'avoir tué sa mère ; son mutisme a pour effet de nouveaux malheurs ; quant au « graal », lui dit l'ermite, il contient une hostie dont se nourrit le vieux roi *Mehaignié* (infirme), père du Roi Pêcheur.

Quelques points méritent précision : *le Conte du Graal* est, dans un premier temps, conforme à un schéma bien connu, celui des histoires où un jeune *nice* appelé au triomphe final commet une série d'erreurs dues au fait qu'il prend à la lettre tout ce qu'on lui dit : c'est ainsi que Perceval applique à contretemps les conseils de sa mère, puis ceux de Gornement. La structure ternaire du poème appelle une troisième série de conseils : ce sont ceux de l'ermite, qui initie le héros à une dévotion assez simple, mais généreuse. Perceval, enfin converti après cinq années où il a oublié Dieu, est désormais en mesure de revenir au château du Graal.

Entre la première scène du Graal et la confession à l'ermite s'intercalent les premiers épisodes dont Gauvain est le protagoniste. Ils sont précédés d'une scène de transition assez étrange, où Perceval, apercevant des taches de sang sur la neige (au mois de juin !), tombe dans une méditation quasi léthargique parce que la vue des gouttes vermeilles sur la nappe blanche lui évoque le teint de Blanchefleur, et seul le courtois Gauvain parvient à le faire sortir d'une torpeur dont les brutaux Sagremor et Keu n'ont pas réussi à le tirer : malgré sa rêverie, le héros leur a fait mordre la poussière et s'est ainsi vengé d'un affront antérieur de Keu. Cette première performance de Gauvain sera suivie de beaucoup d'autres. Chrétien reprend ici une technique déjà présente dans le Chevalier à la charrette et qui consiste à entrelacer les aventures de plusieurs personnages. (Ce procédé de l'entrelacement va devenir constant dans le roman en prose du XIIIe siècle.)

Deux séquences dont Gauvain est le protagoniste enserrent donc la conversion de Perceval. Gauvain est à son tour lancé dans une quête, que lui a proposée la hideuse *pucele*, et qui est celle de la lance qui saigne. Mais il est détourné de cette quête par mainte aventure, telle celle où Gauvain est reçu chez le roi d'Escavalon, dont il a, sans le savoir, tué le père : reconnu par un échevin alors qu'il mène un galant entretien avec la sœur de son hôte, il doit affronter une émeute populaire, qu'il parvient à contenir avec pour tous projectiles les pièces d'un jeu d'échecs ; de même dans la seconde séquence, Gauvain se met malencontreusement au service d'une *male* demoiselle, d'une jeune femme hargneuse et méchante qui le précipite dans toutes sortes d'épreuves redoutables. Et le roman reste suspendu alors qu'il séjourne à la Roche de Canguin, dans cet Autre Monde où les vivants et les morts se côtoient : la reine Ygerne, aïeule du héros et mère d'Arthur, est décédée depuis des décennies, mais Chrétien, qui rationalise volontiers sa matière, explique gravement que le bruit de son trépas était une fausse nouvelle…

Le Conte du Graal irrite et fascine à la fois par ses énigmes. Certaines relèvent, semble-t-il, du faux problème, comme de s'interroger sur l'unité du texte, qui va de soi (les échecs de Gauvain préparent le succès de Perceval). D'autres sont plus redoutables, comme de se demander si le poème ne doit pas être lu de manière allégorique (la demoiselle qui porte le Graal ne serait-elle pas une figure de l'Église ? Gauvain, à la Roche de Canguin, ne prend-il pas à son tour une envergure messianique ?)… Mais la principale de ces énigmes concerne le dénouement possible : Perceval revenait sans doute au château du Graal, dans le conte primitif, et il guérissait le Roi Pêcheur, rendant ainsi sa fécondité à la Terre Gaste ; mais épousait-il Blanchefleur ? Et que faire de la prophétie proférée par la hideuse *pucele* énonçant que le royaume de Logres, celui d'Arthur, serait détruit par la lance qui saigne ?

Sur la question de savoir si *le Conte du Graal* devait ou non s'achever par une « Mort Arthur », il n'est point de réponse licite. Les continuateurs de Chrétien n'ont pas traité ce point, et ils ont préféré achever les aventures de Gauvain (*Première Continuation* ou *Continuation Gauvain*, attribuée à Wauchier de Denain) et ramener Perceval chez le Roi Pêcheur, pour un nouvel échec *(Deuxième Continuation)* préludant à la réussite finale (*Troisième Continuation*, de Gerbert de Montreuil ; *Quatrième Continuation*, de Manessier). Ces œuvres s'échelonnent entre 1190 et 1230. Elles conduisent le héros au mariage, et celui-ci, chez Manessier, est paradoxalement un mariage blanc qui ne l'empêche pas de fonder une lignée. De fait, et malgré maintes divergences de détail par rapport à son modèle, c'est le *Parzival* de l'Allemand Wolfram d'Eschenbach qui est peut-être le poème le plus conforme au récit originel : le héros y devient roi du Graal (dont l'ordre du Temple se voit confier la garde). Il épouse Conwiradmur, homologue germanique de Blanchefleur, et il sera l'ancêtre lointain de Godefroi de Bouillon.

Mais la postérité littéraire du *Conte du Graal* déborde largement le cadre des continuations et des adaptations étrangères. Chrétien de Troyes entame avec son poème un processus de christianisation qu'il n'ose mener à son terme et que d'autres vont poursuivre jusqu'à ses conséquences extrêmes. Le Roi Pêcheur, dernier avatar du dieu infirme Bran, règne désormais sur un château tout spirituel. Le Graal va devenir, après Chrétien, la paropside, le vaisseau dans lequel Joseph d'Arimathie a recueilli le sang du Christ, et la lance va se confondre avec celle dont Longin le centurion a percé le flanc de Jésus. Cette transformation, dont le romancier Robert de Boron prend probablement l'initiative à la fin du XIIe siècle, Chrétien l'avait-il pressentie sans encore oser y consentir ? Philippe d'Alsace avait, entre autres capitales, Bruges, où l'on vénérait le Saint Sang…

Chrétien de Troyes et le roman médiéval

Sans *le Conte du Graal*, tout un imaginaire serait resté dans les limbes. La véritable postérité littéraire de Chrétien de Troyes, c'est le rude roman de *Perlesvaus* au début du XIIIe siècle, c'est le grand cycle en prose du *Lancelot-Graal* et toutes ses adaptations étrangères, c'est aussi le *Parsifal* de Wagner et, de nos jours, la persistance du mythe chez Julien Gracq. Mais l'influence de Chrétien ne se limite pas à la seule mythologie du Graal, et l'on peut dire de lui qu'il est véritablement un des précurseurs du roman moderne.

Il l'est par son souci de la facture bien agencée, de la souveraine « conjointure » ; mais il l'est aussi par son sens de la psychologie fine et par la façon dont il investit, dans les monologues et dialogues, les méandres de l'affectivité. À cet égard, *le Conte du Graal* marque un autre tournant : le poète y est plus objectif, il note les gestes et les discours des personnages sans les découvrir de l'intérieur et sans révéler à l'auditoire les motivations intimes de leur comportement. C'est ainsi que naît un nouvel art romanesque, où le romancier n'est plus un dieu qui sonde les reins et les cœurs mais se fait le témoin tout extérieur d'une conduite qu'il se contente de commenter, ici ou là, par une petite touche ironique : technique qui sera reprise par Jean Renard et par les plus grands auteurs du XIIIe siècle, et qui confère à ce type d'écriture une incontestable modernité.

Cette manière va prévaloir en particulier chez les épigones de Chrétien, chez les poètes de ces romans (*le Bel Inconnu, Durmart le Gallois, Yder, Jaufré* occitan) qui relatent, comme la *Charrette* et comme *le Chevalier au lion*, les aventures d'un héros au moment décisif de sa vie où il découvre sa vocation profonde et sa véritable identité. Il est même des œuvres si proches de l'art propre à Chrétien que l'on a été tenté de les lui attribuer : c'est ainsi que le romaniste britannique D.D.R. Owen a voulu prouver que *le Chevalier à l'épée* et *la Mule sans frein*, deux courts poèmes romanesques sur Gauvain, avaient été écrits par le trouvère champenois, qui, pour le second de ces textes, aurait pris le pseudonyme de Païen de Maisières (lieu identifié avec un petit village près de Troyes). Sans aller aussi loin, rien n'interdit de penser que ces œuvres ne soient dues à un très proche disciple de Chrétien, particulièrement fidèle à la technique et à la pensée de son maître…

L'essor du roman arthurien au XIIIe siècle passe par le succès du roman en prose, qui n'est plus l'histoire partielle d'un individu mais l'épopée globale de toute une communauté depuis les temps évangéliques jusqu'à l'effondrement d'Arthur. L'auteur d'*Érec* était, certes, plus limité dans ses ambitions, mais il n'en reste pas moins celui qui a, le premier, mis au point le procédé de l'entrelacement et utilisé la pratique des anticipations et rappels, sans lesquels l'élaboration du *Lancelot-Graal* et du *Tristan en prose* n'eût point été possible. Et faut-il d'autre part rappeler que le *Lancelot en prose* n'aurait pas vu le jour sans la *Charrette* ni *la Queste del Saint Graal*, sans l'épisode où Perceval s'initie à la merveille au château du Roi Pêcheur ?

Il est temps de redécouvrir Chrétien de Troyes et de le diffuser largement. Aux États-Unis, il a longtemps été l'auteur français le plus lu après Marcel Proust et plus d'un s'en est étonné avec une ingénuité qui est, à la limite, scandaleuse. Car ces textes sont désormais traduits, et bien traduits, et leurs enchantements sont à la portée du plus grand nombre.

J.-Ch. Payen

CHRISTINE DE PISAN (*ou* PIZAN)

(vers 1364-vers 1431)

On l'a traitée d'« authentique bas-bleu » et de « premier homme de lettres du Moyen Âge ». Son « féminisme » et ses désespoirs (« seulete suy et seulete vueil estre ») expriment des préoccupations et une sensibilité qui nous semblent modernes. C'est l'auteur médiéval que nous avons le plus tendance à lire selon nos critères de sincérité, d'émotion et d'engagement : catégories sans doute trop récentes, mais auxquelles elle fait songer, pour avoir manié le langage et les formes poétiques de son temps de façon très personnelle.

La femme écrivain

Fille de l'astrologue de Charles V, Tommaso di Benvenuto da Pizzano, elle passe son adolescence à la cour de ce roi, de qui elle fera l'éloge. Mariée à Étienne de Castel, notaire royal, elle en est veuve dès 1389. Elle se met alors à vivre de ses écrits. Nul n'avait encore autant parlé métier : elle fait exécuter des copies de ses œuvres pour les princes français et étrangers. Son existence est au centre de ses préoccupations : l'*Advision* évoque les procès et la honte des démarches, la *Mutacion* offre une autobiographie symbolique. Sa production est pléthorique : sur une quarantaine d'années, on a les *Ballades du veuvage*, les *Cent Ballades d'Amant et de Dame*, le *Livre des trois jugements*, le *Dit de Poissy*, le *Dit de la pastoure*, l'*Épistre au dieu d'amours* (1399), le *Dit de la rose* (1400), le *Chemin de longue estude* (1402), le *Livre de mutacion de Fortune* (1403), le *Livre des faits et bonnes mœurs du roi Charles* (1405), la *Cité des Dames* (1405), l'*Advision* (1405), le *Livre des faits d'armes et de chevalerie* (1410), le *Livre de paix* (1412), les *Lamentations sur les maux de la guerre* (1420), le *Dictié en l'honneur de la Pucelle* (1429). Christine écrit sur commande et cherche la protection des grands. Plus que d'autres, elle est tributaire de son public aristocratique.

Variations sur l'amour et la douleur d'être seule

Admirerons-nous son art ou – ce serait une innovation – la sincérité de sa confession ? Poésie personnelle et tradition courtoise sont inséparables ici. Les pleurs de la femme délaissée s'inscrivent dans les formes fixes du rondeau, de la ballade, du virelai. La technique est savante : coupes brisant le vers, enjambements audacieux. Dans les pièces les plus émouvantes, Christine de Pisan déplore la perte de son mari ; elle exprime sa solitude (« Seulette m'a laissée en grant martyre », « Je suis veuve, seulette et noir vetue »), parfois sa révolte (« Ô dure Mort, or as tu trait à chief/Tous mes bons jours ») et souvent une tristesse sans issue (« Dueil angoisseux, rage desmesurée… »). Plainte « authentique » que ces « larmes et souspirs » qui « [lui] troublent/Cuer et face… » ? Ne transposons pas trop vite nos réactions de lecteurs actuels. Le lyrisme courtois ressasse la solitude malheureuse, l'éloignement : Christine le rénove ; elle chante non pas l'absence de l'aimé(e), mais la perte du mari. Au temps de la femme inspiratrice, elle est créatrice, et elle donne au motif de la séparation un ton tragique en l'incarnant dans son sort personnel. La convention se banalise dans l'émergence constante du souci quotidien ; elle se dramatise aussi (la mort n'est plus métaphore, mais expérience) et redonne vie au symbole épuisé. Mais il n'y a là point de rupture avec les exigences du langage courtois : à aucun moment le désespoir ne se fait subversif ; le cri s'intègre sans heurt dans le cadre de la forme fixe. Les *Cent Ballades d'Amant et de Dame* s'ordonnent en une suite narrative, selon les étapes classiques des épreuves, de la joie, du doute, de la trahison et de la mort. Le poète sait « de triste cuer chanter joyeusement ».

La casuistique amoureuse est pour elle l'occasion de prendre parti pour la femme. L'héroïne du *Livre des trois jugements* a-t-elle trahi en quittant pour un autre l'infidèle qui l'a séduite et délaissée ? Qui a le plus souffert, de l'écuyer ou de la dame qui racontent leurs mésaventures dans le *Dit de Poissy ?* Le code de la pastourelle (une bergère gardant son troupeau est courtisée puis abandonnée par un chevalier) répond tout à fait, dans le *Dit de la pastoure,* à une inspiration qui voit surtout l'aspect mélancolique du service d'amour : celui-ci est souvent une fatalité ; nul n'échappe à la souffrance. Le *Lai mortel* condamne la violence amoureuse. Sous le registre courtois affleure le destin individuel de celle qui « chante par couverture » et dont « mieux pleureraient (les) yeux », aussi bien que la méfiance féminine devant une éthique qui reste masculine. Peu de pièces sont vraiment gaies, si l'on excepte les *Jeux à vendre,* exercice de virtuosité, et quelques rondeaux (« Hé lune ! trop luis longuement… »).

La première féministe

Sa vie a rendu Christine sensible au statut de la femme dans l'idéologie courtoise. Aussi s'en prend-elle à Jean de Meung et lance-t-elle la « Querelle du *Roman de la Rose* » en 1399. On s'indigne du sacrilège : « Ô très folle outrecuidance ! Ô parole trop tôt issue et sans avis de bouche de femme ! » La discussion dépassera ce cadre et se poursuivra longtemps. Christine, par ses écrits, prouvera que la femme n'a pas moins de qualités que l'homme et que la faiblesse du corps n'est pas celle de l'esprit. « Parce que sont ainsi les femes diffamees », elle compose l'*Epistre au dieu d'amours* : la divinité protège contre la perfidie masculine. « Se femes eussent les livres fait/… Autrement fust du fait » : ainsi fera-t-elle, rappelant les figures du passé et leurs vertus. Le *Dit de la rose* invente un ordre consacré à l'honneur des femmes ; dans *la Cité des Dames*, Raison, Justice et Droiture demandent à la poétesse son concours pour une cité où seront recueillies les femmes sans défense. Le *Livre des trois vertus* explique aux femmes leurs devoirs.

Le triste sort du pays

La défaite, l'invasion, Christine les évoque, mais indirectement. Elle connaît l'absurdité de la guerre : « [je] n'ai danger de devenir trop gras » se plaint le soldat. Mais l'idéal de la chevalerie est encore son principal guide pour l'évocation de la réalité, et c'est sur un plan très classique qu'elle fait le panégyrique de Charles V que lui a commandé Philippe le Hardi en 1405 (noblesse de cœur, chevalerie et sagesse). Les pièces de circonstance (*Ballade sur la mort de Philippe*) livrent un écho de l'actualité. L'*Advision* trace un sombre tableau des misères du temps ; la *Lamentation sur les maux de la guerre civile* appelle les femmes à l'aide contre la lutte fratricide entre Armagnacs et Bourguignons. Le *Livre de paix* est plus une réflexion sur les vertus du prince et ses devoirs qu'un appel. Moins polémique qu'Alain Chartier, elle récupère autant que lui l'histoire dans le cadre préétabli de la morale. Devant le malheur, elle se tourne vers ses consœurs, console (*Épistre de la prison de vie humaine,* 1416), prêche la patience (*Heures de contemplation sur la Passion,* 1420). Le *Dictié en l'honneur de la Pucelle* célèbre et le relèvement du pays et l'archétype de la féminité héroïque, Jeanne, digne de l'Antiquité.

La réflexion

L'événement sert à vérifier la validité de notions telles que la Fortune ou la décadence des vertus. Morale et érudition envahissent l'œuvre. L'allégorie lui fournit le mode d'expression approprié, qui place d'emblée le texte sur le plan général de l'idée. L'*Épistre d'Othea* (1400) glose les histoires de la mythologie leur accordant un « sens moral » et « allégorique ». Le *Chemin de long estude* relate un voyage dans l'Au-delà, où les Vertus débattent du choix du prince digne de gouverner le monde pour remédier aux maux de l'humanité. La *Mutacion de Fortune* est une autobiographie allégorique sur sa « mutation en homme » après la « perte du patron de sa nef », mais aussi une variation sur la Fortune maîtresse du monde, ainsi qu'une « histoire » des plus anciens royaumes. L'*Advision* rapporte l'entretien de Christine avec dame Opinion, qui régit la terre, et nous propose le réconfort de Philosophie. Là aussi, il y a une transposition de sa vie, ainsi qu'une description sans complaisance de la France. Deux ouvrages concernent les problèmes de la cité : le *Livre des faits d'armes,* manuel d'éducation militaire et code du droit des gens ; le *Livre du corps de policie* (1404), sur l'art de gouverner et les vertus du prince.

Christine a beaucoup écrit, mais, dans chacun de ses rôles, elle a imposé son originalité. Quand elle reprend le langage – codifié à l'extrême – de la chanson courtoise, elle lui donne un souffle nouveau. Elle participe aux débats d'idées de son époque et reflète les préoccupations d'un temps troublé. Ses œuvres encyclopédiques et morales ne portent pas autant son empreinte personnelle, mais on peut y suivre un effort constant pour appréhender les problèmes de l'heure à la manière généralisante de son temps.

A. Strubel

CHRISTOPHE

Pseudonyme de ***Georges Colomb*** *(1856-1945)*

Né à Lure, dans la Haute-Saône, il fit des études de sciences naturelles et devint professeur dans cette discipline. Passionné de dessin, il commença à s'exercer pour amuser son jeune fils, vers 1886, et composa des histoires en images dans une publication pour la jeunesse (*Mon journal*, 1889). *La Partie de campagne de M. Cornouillet, bijoutier parisien* est le germe de *la Famille Fenouillard* dont le premier épisode paraît le 31 août 1889 dans *le Petit Français illustré*, journal des écoliers et des écolières. Après celle-ci, ses deux œuvres les plus réussies (voir plus loin) paraissent immédiatement ; puis ce sont *les Aventures de Plick et Plock* (1894-1903) et *le Haut et Puissant Seigneur baron de Cramoisy*, qu'il abandonna assez vite. Après 1895, il se consacre surtout à la pédagogie, composant un ouvrage de sciences naturelles imagé. Il devint vice-directeur du laboratoire de botanique de la Sorbonne et, après sa retraite, se consacra à l'archéologie de sa région natale, cherchant à accréditer la thèse abandonnée selon laquelle le site d'Alésia serait, non pas à Alise-Sainte-Reine, mais à Alaise. C'est après ce dernier calembour savant qu'il finit ses jours à Nyons. Si Colomb mérite de se nommer Christophe, ce n'est pas parce qu'il avait découvert cette Amérique, la bande dessinée. Le passage de la narration textuelle illustrée à la suite de vignettes commentées, qui constitue la préhistoire du genre, est mieux attesté par son prédécesseur Töpffer. Mais les récits en images de Christophe appellent en effet le modèle qui va fonctionner en Europe avec *les Pieds-Nickelés* (1905) ou *Bécassine* (1908), par la conception d'une pédagogie (ou d'une antipédagogie, ce qui se vaut), par la narration et le graphisme. Quant à l'idéologie, Christophe trace de la même main les leçons de choses de l'école laïque et les aventures de personnages ridicules, chargés d'enseigner aux enfants bien élevés les limites du bon comportement. Sa qualité majeure réside dans l'invention de personnages comiques, décrits avec sympathie, et qui restent humains dans leur agitation de pantins : ces personnages s'expriment dans l'ouvrage par des physionomies burlesques, des gestes, des vêtements, des activités figurées ; dans le texte par un récit cocasse qui les définit et lève les ambiguïtés de l'image, et par des paroles rapportées qui les révèlent plus encore que leur apparence. Avec *la Famille Fenouillard* (1895), Christophe s'inscrit dans une tradition très française de mépris bourgeois pour toute bourgeoisie plus petite, de mépris provincial pour la province (surtout dans ses relations avec Paris). Ses deux chefs-d'œuvre sont *les Facéties du sapeur Camember* (1890-1896), chronique de la vie de caserne, féconde en à-peu-près et en cuirs langagiers quasi poétiques, et *l'Idée fixe du savant Cosinus* (1893-1899), un admirable fantoche chez qui la science (comme chez son auteur) éveille le sens poétique. Ces deux images (et celle de leurs accompagnants ou de leurs compagnes) qui s'opposent par le statut social ont en commun une qualité qui révèle celle de Christophe lui-même : sa générosité le porte, tout en ridiculisant ses créatures, à montrer la fécondité créatrice de leur naïveté. Camember et Cosinus sont à la fois des Gribouilles, des niais, des enfants, des purs et des poètes. Les expériences et les dispositifs cosiniens, d'une extraordinaire inutilité dans la rationalité scientifique, sont des sources de plaisir narratif et graphique de même que les machines de Tinguely sécrètent une efficacité onirique.

L'accord subtil d'un graphisme précis, léger et finement évocateur avec une narrativité pleine de gaieté font de Christophe, littérairement, le grand oncle attendrissant, certes plus limité, du généreux, du poétique Queneau.

A. Rey

Chroniques ou Cronicques gargantuines v. Grandes et Inestimables Cronicques

CINGRIA Charles-Albert

(1883-1954)

Chroniques de voyage, textes érudits, nouvelles et fables dispersés au hasard de revues souvent éphémères, peu d'ouvrages élaborés, une correspondance pittoresque, humoristique, telle se présente la production littéraire de Charles-Albert Cingria, collectée entre 1967 et 1978 en onze volumes d'*Œuvres complètes* et cinq volumes de *Correspondance*. Cette œuvre d'un styliste, doué d'une imagination et d'une acuité sensorielle peu communes, suit les méandres d'une « vie ambulatoire » coupée de haltes que Cingria consacre à des recherches minutieuses sur le Moyen Âge, le monachisme et le plain-chant.

Errances d'un Genevois

Charles-Albert Cingria naît à Genève dans une famille aisée, originaire de Raguse (aujourd'hui Dubrovnik). Sa mère est polonaise ; son oncle maternel, Casimir Stryienski, un stendhalien érudit ; son frère aîné, Alexandre (1879-1945), un excellent peintre doublé d'un pamphlétaire anti-calviniste. Milieu peu conventionnel où règne le goût des fêtes, des déguisements et des voyages.

Au collège de l'abbaye de Saint-Maurice, en Valais, Charles-Albert découvre la liturgie et la musique sacrée, et prend conscience d'appartenir à une tradition remontant à l'unité chrétienne du Moyen Âge. Il devient lui-même bon musicien mais dans ses lettres de Rome – où il étudie le piano – éclatent surtout, en anecdotes cocasses ou en descriptions impressionnistes, ses dons d'écrivain. D'Italie, il passe en Espagne, en Afrique du Nord et visite Constantinople. De retour à Genève, Cingria mène une vie de dandy, participant avec son frère Alexandre et les amis de celui-ci, Ramuz, A. Bovy, Gonzague de Reynold, à la renaissance culturelle vaudoise (fondation de la revue *la Voile latine,* 1904). Il collabore à plusieurs publications, signe un violent pamphlet (*À propos de la langue Esperanto dite langue universelle,* 1906), fonde sa propre revue, *la Voie clémentine* (1910), qui n'aura que deux numéros, puis rejoint Ramuz aux anticonformistes *Cahiers Vaudois.* Bientôt ses liens se resserrent avec la France : Claudel, Modigliani, Max Jacob surtout, dont il partage la foi, deviennent ses amis. Causeur éblouissant, Cingria figure parmi les personnages d'un monde où brillent des esprits aussi différents que Cocteau, Satie, Milhaud, Desnos, Tzara, Lurçat (cf. *Lurçat ou la peinture avec des phares*, 1927). Mais la fortune familiale a fondu pendant la guerre. Désargenté, l'écrivain s'installe dans une mansarde, rue Bonaparte. Il publie alors sa première œuvre élaborée, *Autobiographies de Brunon Pomposo* (1928). On le retrouve sillonnant les routes d'Europe à bicyclette, ou encore à Saint-Gall, feuilletant les antiphonaires avec une patience de bénédictin. Dans *la Civilisation de Saint-Gall* (1929) et *Pétrarque* (1932), il fait audacieusement remonter l'origine de la lyrique provençale et même de toute la poésie moderne aux séquences des troubadours, Notker le Bègue notamment.

Cependant, jaloux de sa liberté et toujours en mouvement, Cingria ne se soucie guère de son œuvre. Mermod publie des plaquettes confidentielles où l'écrivain livre ses observations de flâneur et de « vélocipédiste » : *le Canal exutoire* (1931), *Impressions d'un passant à Lausanne* (1932), *l'Eau de la dixième milliaire* (1932), une savoureuse et érudite promenade dans Rome dont *le Comte des formes* (1939) est une deuxième version ; Paulhan accueille ses chroniques à la *N.R.F.* (« Airs du mois », 1933-1940) et la collation des œuvres complètes montre que le Genevois collaborait à nombre d'autres revues (*Aujourd'hui*, *Cahiers du Sud*, *Cahiers de la Pléiade*, *la Licorne*, *Mesures*, *la Parisienne*, *Labyrinthe*, etc.).

La Seconde Guerre mondiale le ramène à Fribourg : illustré par Auberjonois, *Stalactites* (1941) est enfin un livre à grand tirage. Puis viennent, en 1944, *Florides helvètes*, recueil de chroniques, de réflexions et d'impressions de voyage ; *le Parcours du haut Rhône ou la Julienne et l'Ail sauvage*, croquis valaisans ; *le Camp de César* (1945). Après la guerre, Cingria retrouve ses amis parisiens, Michaux, Stravinski, Paulhan et la *N.R.F.* Après Modigliani, Dubuffet peint son portrait. Il publie encore *le Bey de Pergame* et l'hagiographie d'une héroïne médiévale, *la Reine Berthe et sa famille* (1947). *Enveloppes* (1946), *Bois sec Bois vert* (1948) regroupent plusieurs de ses textes. Cingria s'éteint à Genève d'une cirrhose du foie, laissant une œuvre encore peu connue du grand public.

Un monde au présent

Une « évidence puissante » domine l'œuvre de Cingria : « que le monde n'évoluera pas, qu'il rayonne dans un perpétuel présent » (J. Chessex). D'où le procès engagé par l'auteur, avec humour et parfois colère, contre l'idée de « progrès » et tout ce que celle-ci implique de prétention à supplanter les temps anciens (cf. les « blocs de ciment glaciaire » dépourvus de cheminées que construit l'architecture moderne, « Bois sec, bois vert », dans le recueil du même titre). D'où aussi son univers littéraire dans lequel le temps révolu se noue au présent en un discours qui glisse continuellement de l'un à l'autre. Notker le Bègue (*la Civilisation de Saint-Gall*), « Lou Sordel » (*Bois sec Bois vert*) évoluent dans des paysages façonnés par une géographie immuable mais parés des fraîches couleurs du présent. Cantilènes, fragments de récits anciens, descriptions de miniatures peignant les traits des héros s'insèrent dans un texte où l'érudition sert de support à un puissant imaginaire qui fait surgir devant les yeux du lecteur poètes et aventuriers médiévaux. De même, *la Reine Berthe* accomplit ses miracles le long des chemins campagnards de Payerne tout semblables à ceux que foule le promeneur d'aujourd'hui. Rien de plus éloigné de Cingria que l'histoire renanienne : ses récits célèbrent le culte des héros, ranimant des légendes qui se déploient sous l'éclairage d'un éternel présent.

Dans les chroniques, dont la cohérence interne tient au fil d'un itinéraire ou d'une quête qui autorise les digressions (*les Impressions d'un passant à Lausanne,* par exemple, suivent les pérégrinations du poète à la recherche d'un fleuve souterrain), même fusion des époques. L'antique se marie au spectacle actuel pour former des tableaux sans âge : « des aqueducs, des chiens, les lents bergers amers qui poussent leurs bêtes avec des piques […], les toits de chaume, abris des idylles de l'éternité » (*le Comte des formes*). Le passage du temps et des saisons semble couler sur les objets inanimés, n'entamant ni leur matière, ni leur forme, comme sur cet obélisque abandonné à l'éternel retour du même : « Autant de fois cent fois qu'il y a eu de siècles, l'été l'a fait se peupler de sifflantes couleuvres, l'hiver se couvrir de givre […], l'automne servir de champ à la procession des feuilles crispées » (*id.*). Avec leurs minces intrigues, les nouvelles flottent elles aussi, malgré de constantes références aux détails concrets, dans le *no man's land* du temps et de l'espace (cf. « Son père, son frère, son village, sa steppe, sa vie. Tout cela est sans importance », « Xénia et le diamant », dans *Bois sec Bois vert*), dans une durée non mesurable jalonnée de « chances » dont les conséquences imprévisibles défient toute approche rationnelle d'une nature humaine, et d'une nature tout court, éternellement livrée à l'« accident ».

Unité de temps, unité de ton

Car le fantastique aussi bien que le merveilleux affleurent continuellement dans l'univers de Cingria, réglé par une cosmologie cohérente : que Dieu ait créé un monde paraît déjà au poète « parfaitement extraordinaire » ; les « singularités » qui s'y rencontrent ne sont rien de plus « qu'un autre extraordinaire dans le premier » (« Recensement », dans *Bois sec Bois vert*). D'où ce regard de visionnaire que Cingria jette sur les spectacles les plus usuels, prégnants de significations cachées (« il y a un sens là-dedans ; comme un accent a un sens, comme des yeux ont un sens », *id.*). Tout lui est étonnement, mystère, mais pas davantage les miracles de la Reine Berthe qu'une odeur, une rumeur ou cette « chance » qui par hasard vous fait trouver sur les quais le livre dont on avait justement besoin ce jour-là. « Si l'on ne trouve pas surnaturel l'ordinaire, dit-il, à quoi bon poursuivre ? » (« Recensement »). C'est en ce sens, comme le remarque J. Starobinski, que le Moyen Âge est la « trame » sur laquelle est brodée cette œuvre et c'est de celui-ci qu'elle tire son unité de temps. Son unité de ton également. Car un monde merveilleux, fût-il ancré dans l'histoire, s'apparente au monde onirique et Cingria mêle les strates du rêve à celles de la conscience aussi aisément qu'il superpose les moments dans la durée. Son art du suspense (cf. « le Petit labyrinthe harmonique », *Bois sec Bois vert*), l'accumulation décousue de mots en « Inventaire » (« des billards, un piano, des escaliers en colimaçon au mètre, une forge », etc., « Hippolyte hippocampe », *Bois sec Bois vert*) et surtout ses métaphores imprègnent en effet son monde imaginaire d'une étrangeté, d'un imprévu que ne renieraient pas les surréalistes (mentionnons ces journaux envolés ressemblant à « des pantalons sans corps qui feraient une joute » et ce bras d'une machine à écrire qualifié de « violette exténuée qu'étreint une fourmi albinos » dans « Recensement »). S'y ajoutent des mots baroques sertis de loin en loin dans ses textes (la « nainte » de « Xénia et le diamant ») et une syntaxe savante dont Cingria, par un don inné (ses manuscrits témoignent de la sûreté chez lui du premier jet), sait tirer des effets qui surprennent le lecteur par ses ruptures de rythme, ses inversions, son ordre à la fois logique et contourné.

En définitive, cette œuvre ne peut être annexée par aucune école littéraire. Des surréalistes la sépare une conscience tournée davantage vers l'émerveillement devant l'énigme du monde que vers l'exploration du moi profond. Lorsque Cingria se laisse aller à la spontanéité onirique, il vaticine sur un cosmos imprégné du vitalisme latent dans les métaphysiques dérivées d'Aristote et de saint Thomas. En revanche, les allusions à son moi (cf. sa *Correspondance*) sont discrètes et traitées sur le ton d'un humour töpfférien. On l'a comparé à F. Ponge dont il partage le goût du coq-à-l'âne, « de l'image saugrenue, de la digression » (J. Chessex) ; et de fait la couleuvre de « Vie de château » (*Enveloppes*), « joueuse à un degré insoupçonnable », aurait sa place dans *le Grand Recueil*. Mais, à l'inverse de Ponge, les pages de Cingria ne portent les stigmates ni de la révolte ni de l'angoisse. Sa foi, son adhésion à un monde que le poète voit à travers le prisme du merveilleux enracinent son œuvre dans la joyeuse innocence et la liberté des enfants de Dieu.

Bois sec Bois vert

« XÉNIA ET LE DIAMANT »

Après la mort, dans un cinéma en flammes, de deux enfants dont elle avait la garde, Xénia, 22 ans, quitte le pays sans chercher à se disculper auprès des malheureux parents, essaie de travailler comme vendeuse dans un grand magasin à Paris, mais, ne le supportant pas, prend un train au hasard. Elle se retrouve dans la campagne, marchant sur une route bordée de saules, sans le sou. Une naine la hèle de derrière un muret, l'adopte, lui fait mener une vie rustique, partagée entre la culture des abeilles et des promenades dans la belle forêt voisine. Le temps passe… Un jour où Xénia et la « nainte » se reposent dans une clairière, un monticule de sable s'effondre, découvrant un énorme diamant d'un extraordinaire éclat. Comme ni l'une ni l'autre ne vont plus à Paris, trop occupées par les ruches, elles ne le font pas expertiser. La « nainte », qui est infiniment bonne, ménage une entrevue entre Xénia et un riche éleveur de bœufs : ils se marient, l'élevage prospère et le diamant est oublié au fond d'un coffre.

M.-A. de Beaumarchais

CIORAN Émile Michel

(1911-1995)

Moraliste et essayiste français, d'origine roumaine, né à Rasinari (Roumanie), É. M. Cioran fait ses études de philosophie à Bucarest, où il soutient une thèse sur Bergson. L'Institut français lui confie une mission en France en 1937, mais c'est à partir de 1947 qu'il s'installe définitivement à Paris. Tandis qu'il traduit Mallarmé, il décide d'écrire en français, tant pour se libérer de son passé que pour s'imposer la discipline de cette langue rigoureuse, pourtant « aux antipodes de [sa] nature ». Ainsi *le Précis de décomposition* (1949) reçut-il quatre versions avant d'être considéré comme « du français » par ce juriste admirateur des prosateurs du XVIIIe siècle, ce temps où l'on parlait une langue « parfaite et morte ». Son essai inspiré de Kierkegaard *Sur les cimes du désespoir* (1933) est écrit en roumain ; ses autres ouvrages sont rédigés en français.

Cioran est avant tout l'auteur d'une dizaine de recueils d'aphorismes dont le premier, *Précis de décomposition*, est le plus connu, mais parmi lesquels il faudrait au moins citer *Syllogismes de l'amertume* (1952) ; *Histoire et utopie* (1960) ; *De l'inconvénient d'être né* (1973), etc. Mais il a aussi écrit, en 1957, une importante préface à des morceaux choisis de Joseph de Maistre (republiée en 1977 sous le titre d'*Essai sur la pensée réactionnaire*).

L'œuvre de Cioran se présente comme une méditation ininterrompue sur le vide et le néant. Une langue sobre et classique donne à cette œuvre la couleur subtile d'une déception froide. Ce moraliste est trop nourri de pensée bouddhique, des présocratiques, des mystiques ou de Kierkegaard pour donner dans le désespoir spectaculaire ou le pessimisme tapageur. La lucidité passionnée et l'humour discret mettent l'œuvre à l'abri de la pesanteur des démonstrations. La lecture prolongée de ces recueils donne, à travers le ressassement des thèmes, l'impression d'un mouvement immobile : « Il n'y a pas un autre monde. Il n'y a même pas ce monde-ci. » C'est un *Mauvais Démiurge* (1969) qui préside aux destinées de l'Histoire, une puissance maléfique qui veut que tout échoue (*Écartèlement*, 1979).

Mais c'est peut-être un *bonheur* intensément vécu qui gît au cœur de ce nihilisme. Dégagé des illusions du réel de l'Histoire ou de la divinité, l'esprit accède à une indifférence supérieure, source d'une nouvelle « tentation d'exister ». Avec le temps, le désir du suicide s'émousse, et l'accoutumance au désespoir se crée. Dans *Ein Gespräch* (1985), un dialogue avec Gerd Bergfleth qu'il a voulu en langue allemande, Cioran rend hommage à Montaigne et à son scepticisme raisonnable, fondateur de la culture française. Le doute est une « planche de salut » contre le scepticisme absolu et le désespoir, puisqu'il peut les remettre en question (*Aveux et anathèmes*, 1987). Et si cette extase du doute venait elle-même à faillir, il resterait l'écriture, « le seul traitement quand on ne prend pas de médicaments », la réflexion sur l'œuvre de quelques grands maîtres (*Exercices d'admiration*, 1986) et le rire, « signe qu'on est encore maître de tout ».

M.-P. Schmitt

CIXOUS Hélène

(née en 1937)

Romancière, essayiste, dramaturge, poétesse, née à Oran de père et mère juifs, respectivement médecin et sage-femme, Hélène Cixous accomplit ses études au lycée d'Alger puis, installée en France, au lycée de Sceaux et à la Sorbonne. Elle devient agrégée d'anglais et entreprend en 1962 une carrière universitaire à Bordeaux puis est nommée à Paris. Elle participe ensuite à la fondation de l'université de Paris-VIII-Vincennes-Saint-Denis, où elle enseigne la littérature anglaise. Elle soutient une thèse de doctorat très remarquée (*l'Exil de Joyce ou l'art du remplacement*, éd. 1969). Sa carrière d'enseignante s'enrichira ultérieurement de cours aux États-Unis (1995) et de participations à des colloques en Amérique du Nord, en Europe ou en Asie. Hélène Cixous a publié en 1967 son premier ouvrage, *le Prénom de Dieu*, recueil de nouvelles. Mais sa notoriété et son activité d'écrivain ne prennent toute leur dimension qu'à partir de 1969 : *Dedans*, récit consacré aux conséquences que produit chez une petite fille la mort de son père, est couronné par le prix Médicis. Cette même année, Cixous contribue à la fondation de la revue *Poétique*, soulignant ainsi son engagement dans les recherches littéraires de l'époque.
De fait, l'écriture d'Hélène Cixous semble une synthèse des principales innovations esthétiques de la « modernité littéraire » des années 1950-1980. Ses paragraphes empruntent souvent à Mallarmé et à Lacan l'articulation complexe du lexique abstrait, à Butor ses alinéas dépourvus de majuscules et proches du verset, à Faulkner et à Simon l'art de construire de longues propositions rebondissant sur des anaphores ; ou, à l'opposé, comme chez Duras, elle compose des successions de phrases brèves, abruptes, minimalistes. Dans le creuset du style, les registres et les genres se confondent alors. Si certains textes (*la Pupille*, 1971 ; *Portrait de Dora*, 1976 ; *le Nom d'Œdipe*, 1978 ; *la Prise de l'école de Madhubaï*, 1986 ; *On ne part pas, on ne revient pas*, 1991 ; *Voile noire, voile blanche*, 1994 ; *Tambours sur la digue*, 1999) sont clairement destinés à la scène, si d'autres relèvent de l'essai (*Entre l'écriture*, 1986 ; *l'Heure de Clarice Lispector*, 1989 ; *Stigmata*, 1998), un livre de Cixous peut souvent réunir roman, autobiographie, poésie, le genre ne devenant alors qu'une dominante dans le flux du style. Ainsi apparaissent notamment : *le Troisième corps*, 1970 ; *Un vrai jardin*, 1971 ; *Neutre*, 1972 ; *Souffles*, 1976 ; *Angst*, 1977 ; *Anankè*, 1979 ; *Illa*, 1980 ; *Limonade toute était si infini*, 1982 ; *le Livre de Prométhéa*, 1983 ; *Manne*, 1988 ; *l'Ange au secret*, 1991 ; *Déluge*, 1992 ; *la Fiancée juive*, 1995 ; *Or, les lettres de mon père*, 1997 ; *Osnabrück*, 1999.
Mais, paradoxalement, jusque dans son aspect syncrétique, cette écriture semble générer la fragmentation. On retrouve dans les « fictions » de l'écrivain l'affirmation d'innombrables césures entre la figure de l'auteur et le Moi écrivant, entre l'écrivain et ses personnages, entre les différents types de sujets qui s'expriment dans le cadre faussement « singulier » de la première personne. Des textes à résonances psychanalytiques des années 1970 – où « Nuitamment je se fuit » (*La*, 1976) – aux fictions plus délibérément nourries d'autobiographie des deux décennies suivantes, la parole littéraire est devenue le lieu des tensions et des disséminations, des aliénations culpabilisantes ou des altérités revendiquées : « Pourquoi parlé-je de l'auteur comme si elle n'était pas moi ? Parce qu'elle n'est pas moi. Elle part de moi et va où je ne veux pas aller [...] Sans le faire exprès. Ingouvernable. Délivrée » (*Jours de l'an*, 1990). Une telle problématique, aujourd'hui assez classique, exprime surtout les prises de conscience d'un écrivain qui a fondé en 1974 le Centre d'études féminines, et publié plus de vingt-cinq livres aux éditions Des femmes. Mais le féminisme de Cixous ne s'impose pas comme une forme explicite de revendication, il s'agit plutôt, au-delà des expériences personnelles, de recréer les modes de perception et de représentation particuliers aux femmes et dont l'écriture de l'une d'entre elles peut saisir une part de vérité : « J'ai besoin de parler de ces femmes qui en moi sont entrées, elles m'ont frappée, elles m'ont fait mal, [...] et j'ai goûté le monde dans leurs langues » (*id.*) Aussi l'originalité de l'écrivain ne réside-t-elle pas dans ses objets de représentation – les origines familiales, la judéité, la vie et la mort des proches – mais dans la description du paysage mental, investi de métaphores et de fantasmes, que dessinent les expériences du corps. Hélène Cixous, livre après livre, a conçu une phénoménologie littéraire, où toute conscience devient présence au monde. Ainsi, au plus intime de l'autobiographie, peut-elle affirmer : « Je suis poreuse » (*le Jour où je n'étais pas là*, 2000), car écrire sur soi, c'est être le dépositaire des pensées et des sensations de l'Autre.

J.-P. Damour

CLADEL Léon

(1835-1892)

Romancier né à Montauban, Cladel délaissa le Quercy de son enfance et ses études de droit commencées à Toulouse pour aller se mêler à la bohème parisienne (1857). Là, il collabora à diverses feuilles littéraires et à des journaux républicains, tout en fréquentant les milieux parnassiens. Son premier roman, *les Martyrs ridicules* (1862), préfacé par Baudelaire, n'eut guère de succès ; une autre tentative romanesque, *Pierre Patient,* au socialisme inspiré de Pierre Leroux, fut jugée à ce point subversive que le texte, publié en 1865 dans une revue allemande, ne sortit en France qu'en 1883.

Mais c'est en se convertissant à l'inspiration rustique et régionaliste que l'écrivain devait découvrir sa voie. Sa province du Quercy, où il séjourna en 1867, lui inspira quelques-uns de ses principaux ouvrages ; il y ébaucha *le Bouscassié* paru en 1869, *la Fête votive de Saint-Bartholomée-Porte-Glaive* en 1872, suscitant d'élogieuses critiques de Louis Veuillot et de Barbey d'Aurevilly. Son recueil de nouvelles, *les Va-nu-pieds* (1876), lui fit connaître la notoriété auprès d'un plus large public ; cependant une autre nouvelle, *la Maudite* (1876), où il réclamait l'amnistie pour les communards, lui valut un mois de prison. Sa production n'en fut pas ralentie pour autant, et les romans se succédèrent : *l'Homme de la Croix-aux-Bœufs* (1878), *Ompdrailles, le Tombeau-des-Lutteurs* (1879), *N'a-qu'un-œil* (1882), parmi d'autres titres…

Écrivain passionné, soumis à des influences multiples, Cladel a laissé une œuvre étrangement baroque : romantique, il resta un fervent admirateur de Hugo ; mais il fut aussi sensible aux leçons du Parnasse, tout en subissant l'attrait d'un certain réalisme, que Champfleury et Duranty incarnaient. À cela s'ajoutaient une vibrante foi républicaine et un sentiment régionaliste assez fort pour entraîner ce Quercinois déraciné vers le roman paysan, remis à la mode par George Sand.

Un roman paysan qui, chez Cladel, conjugue esthétisme et réalisme, mêlant la vigueur, le raffinement et l'emphase. Dans une prose puissante, touffue, travaillée au point d'en être parfois trop expressive, et sous l'effet d'une imagination grossissante, la peinture des mœurs paysannes se transforme en une façon d'épopée champêtre : les exploits des lutteurs quercinois d'*Ompdrailles,* comme les rivalités villageoises de *la Fête votive de Saint-Bartholomée*, unissent, dans une démesure burlesque ou grandiose, les observations réalistes et truculentes et les pastiches parnassiens de l'antique.

Si l'outrance peut aller jusqu'au mauvais goût – comme dans cet *Homme de la Croix-aux-Bœufs* où le romancier, contant une sombre histoire de vengeance, semble se complaire au jeu de la brutalité et de l'horreur –, il arrive que s'épanouisse un lyrisme profond, qui annonce une rénovation de la tradition pastorale : ainsi en est-il du *Bouscassié,* évocation d'un héros charnellement intégré à son pays et s'éveillant à une nature dionysiaque, premier avatar des figures à venir de Jacquou le Croquant, de Raboliot ou de Gaspard des Montagnes.

M.-O. Germain

CLARI Robert de *v.* ROBERT DE CLARI

Classicisme

« Classique » et « classicisme » font partie des notions les plus délicates à bien utiliser en histoire et critique littéraires – et, plus largement, pour toutes les productions culturelles. Cela tient d'abord à la genèse même de ces termes, où trois sens fondamentaux s'enchevêtrent.

En latin, *classicus* signifie avant tout « du premier ordre », et notamment « citoyen de première classe ». Le sémantisme principal est donc alors l'idée d'excellence. Celle-ci s'est maintenue en français, en particulier lorsqu'il s'agit des textes et des auteurs. Jusqu'au XVIe siècle, elle constitue le sens exclusif de « classique » dans cet emploi ; et de nos jours, dire d'un écrivain qu'il est devenu un classique signifie qu'il est consacré. Mais un sens dérivé est devenu prépondérant au XVIIe siècle : ainsi le *Dictionnaire* de Richelet (1680) définit « classique » par « digne d'être enseigné dans les classes ». À cette date, le terme ne s'utilise de la sorte que pour parler des auteurs de l'Antiquité. Une nouvelle dérivation est survenue au début du XIXe siècle, génératrice d'un troisième sens. « Classique » et son dérivé conceptuel et théorisant « classicisme » servent alors à désigner les auteurs célèbres de la seconde moitié du XVIIe siècle, ainsi que ceux qui les admirent, les imitent et cultivent comme eux la référence à l'antique. On rencontre de tels emplois, notamment, chez Mme de Staël (*De l'Allemagne,* t. II, 1810), Stendhal (*Racine et Shakespeare,* t. I, 1823), ou encore Cyprien Desmarais (*Essai sur les classiques et les romantiques,* 1824). Chez ces auteurs, classicisme forme, par son opposition avec romantisme, un système de distinction et de classement des manières et registres littéraires.

Ce cheminement sémantique s'éclaire par l'évolution des pratiques scolaires. Alors que, jusqu'à la fin du XVIIe siècle, seuls les auteurs anciens avaient droit de cité dans les programmes de l'École, au XVIIIe siècle un petit nombre d'auteurs français sont mis sur un pied d'égalité avec eux dans la consécration pédagogique. De Corneille à Fénelon, en passant par Molière, Boileau, Racine et La Fontaine, se constitue ainsi un palmarès des classiques, reconnus comme tels parce qu'enseignés en classe et, de fait, consacrés. Et comme il s'agit d'auteurs du « siècle de Louis XIV », l'équivalence s'établit entre le classicisme français et la littérature de cette période.

Ce sens persiste à l'heure actuelle comme acception fondamentale du classicisme. Par extension, on parle de « classique » pour tout auteur ayant une large place à l'École, et de « classicisme » pour toute écriture ayant un rapport, objectif ou supposé, avec la manière des « grands » classiques : ainsi a-t-on pu voir cette notion appliquée à Valéry, Gide, voire Camus et d'autres. Cette extension extrême, jointe à la fréquence d'emploi du terme, menace de vider la notion de tout sens repérable et, ce faisant, d'altérer gravement un moyen indispensable de percevoir et décrire les faits culturels. Le sens historique de classicisme, le seul un peu cohérent, exige donc d'être envisagé avec circonspection, dans un souci de rigueur.

Le classicisme : une histoire et un mythe

À proprement parler, il n'existe pas un mouvement littéraire classique. Le classicisme est plutôt un phénomène ou une conjonction de phénomènes. Ce nom n'a pas été choisi ou revendiqué par les auteurs que l'on regroupe sous cette appellation et il ne désigne pas un groupe organique, encore moins un cénacle ou une école, comme feront par exemple « romantisme » ou « surréalisme ». Les auteurs classiques n'ont pas donné de texte-manifeste fondant, même de façon sommaire, leur unité. Et à l'origine, dans son emploi par les romantiques, le nom lui-même n'est que la reprise polémique d'un terme auparavant connoté de façon positive. Ensuite, à partir de 1850 environ, l'histoire littéraire en a fait une rubrique de classement, en lui redonnant une valeur laudative.

À travers de tels contrastes et de telles polémiques, il s'est formé un mythe du classicisme : il constituerait un état de perfection, un modèle appelé à s'éterniser, parce que capable de transcender les contingences historiques en atteignant à une sorte d'idéal supérieur. Ce mythe a des origines dans la politique de prestige de la monarchie louis-quatorzienne, attentive à se faire valoir comme état de perfection politique et suscitant, en conséquence, l'idée que l'art et la littérature qu'elle chargeait de sa célébration étaient eux-mêmes parvenus à un apogée. Cette équivalence entre « Grand Siècle » et « grands classiques » s'exprime déjà chez les auteurs de l'époque ; chez Bouhours, qui dans ses *Entretiens* affirme que le siècle de Louis XIV égale celui d'Auguste à tous égards ; chez Perrault (dans ses *Parallèles des Anciens et des Modernes*) et même, bien avant, chez Malherbe qui n'hésite pas à s'autogratifier d'une gloire éternelle. Des historiens de la littérature ont contribué à entretenir cette imagerie, par des dérivations pédagogiques puériles, faisant de Boileau, Molière, Racine et La Fontaine un groupe homogène, une prétendue « école de 1660 » unie pour célébrer la grandeur de la France et de ses arts… Et les détracteurs du classicisme, dans une vision tout aussi partiale, n'ont fait que retourner le mythe, inversant l'idée de perfection en celle de convention, l'idée de grandeur en celles d'académisme et de sclérose.

Face au mythe, reste l'acception historique. Indissolublement lié, par ses origines mêmes, à sa représentation mythique, le classicisme forme un concept historique flou. Il peut néanmoins rendre compte de façon valide de la tendance dominante du goût, en littérature et en art, au milieu du XVIIe siècle. Si l'on doit lui assigner des dates-repères, on le situera entre 1635 et 1685. 1635 : la fondation de l'Académie française symbolise l'alliance entre la monarchie et le monde littéraire, et le progrès du purisme, deux caractéristiques majeures du phénomène ; c'est la date retenue par Voltaire comme point de départ de son *Siècle de Louis XIV*, qui a largement contribué à forger l'idée d'un âge classique français. 1685, c'est le moment où paraissent les dictionnaires rédigés par les académiciens : l'institution devient productrice, ce qui vaut comme indice d'un changement de son statut dans la société. C'est aussi le moment où la cour se sédentarise à Versailles, celui de la révocation de l'édit de Nantes et de la cristallisation, par les travaux de Newton, des avancées scientifiques amorcées un demi-siècle plus tôt par Gassendi, Galilée, Descartes, Harvey. Les équilibres et agencements en place depuis les années 1630 se modifient, et s'ouvre le temps que P. Hazard a désigné comme la « crise de la conscience européenne ».

Pour autant, le classicisme ne disparaît pas après 1685. De même que les écrivains alors parvenus à la plus haute notoriété sont consacrés par l'École, de même les formes et genres qu'ils ont illustrés restent dominants : ainsi Voltaire conquiert la gloire comme auteur de tragédies. Les lettres et les arts prolongent l'influence classique durant le XVIIIe siècle, et l'Europe, même si elle a été plus fortement marquée que la France par le baroque, imite largement les modèles louis-quatorziens et versaillais. Si les romantiques, pour s'imposer, s'opposent aux classiques, c'est bien que de tels modèles restaient vivants et actifs.

Mais pour l'essentiel, l'âge classique correspond au temps de Richelieu, Mazarin et Colbert. Une première génération en instaure les pratiques et habitudes culturelles dès les années 1630-1640. Après la crise de la Fronde, qui précipite le processus, une seconde génération les confirme. Il est d'usage de considérer les années 1660-1680 comme l'apogée du mouvement, laissant aux décennies antérieures l'appellation de « préclassicisme » : l'idée d'apogée n'a guère de pertinence en la matière, mais on peut admettre que cette vingtaine d'années correspond au temps où le goût classique domine sans partage la vie culturelle. Car ce qui fonde l'unité, relative et partielle, de l'âge classique, c'est un goût plus qu'une doctrine, donc un ensemble d'attitudes plus qu'une idéologie explicite et structurée.

Le classicisme comme modernité historique

Si l'on abandonne la démarche, traditionnelle et commode mais illusoire, de l'explication des faits culturels par les structures politiques, et que l'on parte des propriétés mêmes de ces faits culturels, l'unité du classicisme prend une réelle consistance dans l'attitude de modernité qu'il constitue. Une même orientation des énergies et des compétences dans un même effort d'adaptation à des données nouvelles lui confère la qualité d'un projet fédérant la fraction cultivée de la population. Projet diffus, certes, et efforts dispersés, voire disparates : il s'agit plus d'un « mouvement vers » que d'un projet d'ensemble. Mais la dynamique existe, particulièrement dans le domaine littéraire.

Elle est en relation avec la constitution d'un nouveau public. Après les temps troublés des guerres de Religion, la vie mondaine se développe, la noblesse moyenne et la bourgeoisie aisée manifestent un intérêt croissant pour la vie culturelle et les valeurs distinctives qu'elle confère. Cultivés mais non érudits, les jeunes seigneurs et dames à la mode, familiers des salons, forment un auditoire en expansion, et qui vient s'ajouter aux publics traditionnels que constituaient les clercs d'une part, d'autre part les aristocrates et la cour. Dans ce milieu, un modèle social nouveau progresse rapidement :

l'honnêteté. Les littérateurs s'en font les théoriciens, par imitation ou adaptation de prédécesseurs espagnols et italiens. Faret publie son *Honnête Homme* en 1630, et Méré donne en 1671 *De la vraie honnêteté* : la radicalisation de ce modèle correspond au renforcement du classicisme au fil de ces deux générations.

L'honnêteté est un modèle nobiliaire. L'idée que le classicisme est lié à une « montée de la bourgeoisie » est aussi banale qu'erronée. En fait, il est lié à une redistribution des positions des diverses fractions de la noblesse, et donc du système de valeurs de celle-ci. La haute aristocratie connaît alors un temps de déclin relatif, et le prestige de l'exploit individualiste de même. L'honnête homme est modéré et conformiste. Le conformisme a souvent été reproché aux classiques : mais il constituait, en son temps, une attitude neuve après le siècle de divisions de tous ordres qu'avait connu le pays. Souvent, il n'était que de façade, et les opinions intimes autrement contrastées. Reste que la dominante est l'intégration de chacun à la collectivité et à ses us religieux et politiques, comme à ses vues philosophiques.

La religion des classiques se fonde sur un stoïcisme tempéré et catholique. Nombre d'écrivains protestants abjurent alors leur foi pour rentrer dans la norme catholique, mais pour autant les classiques ne sont pas des militants de la Contre-Réforme. Celle-ci n'exerce qu'une influence relative, sur le jeune Corneille, puis sur Bossuet et Fénelon. Présentes également, mais également atténuées, les influences du pessimisme janséniste (chez Racine, La Rochefoucauld, Pascal) et du libertinage (chez Molière). La philosophie la plus marquante est le rationalisme chrétien de Descartes : confidentielle dans les années 1630, elle est largement diffusée ensuite, dans des versions vulgarisées et tempérées, qui s'adaptent bien au conformisme en fin de compte. Philosophie et religion ne sont d'ailleurs pas les terrains d'élection des classiques, pas plus que la politique. En ce domaine, le classicisme est en relation avec l'essor de la monarchie absolutiste et centralisatrice, dont le triomphe progressif sur les particularismes locaux et aristocratiques établit les bases de l'État moderne. À cet égard, un large consensus s'observe chez les auteurs de ce temps, avec des nuances diverses : adhésion déclarée chez Corneille, Molière ou Boileau, acceptation nuancée et critique chez Pascal et Racine marqués par le jansénisme, ou colorée d'humour chez La Fontaine. L'alliance entre les auteurs et le pouvoir se noue souvent dans les contraintes mêmes de la vie littéraire, le mécénat d'État se substituant de plus en plus aux mécénats aristocratiques, le pouvoir intervenant comme garant et protecteur des académies que fondent les littérateurs. Nombre d'ambiguïtés pèsent sur cette relation, mais globalement les classiques se rallient à l'absolutisme. Leur monarchisme est un autre des reproches souvent formulés contre eux : en son temps, il apparaît comme un trait de modernité.

Celle-ci se manifeste de façon éclatante, pour les aspects les plus directement sociaux du phénomène, dans l'ordre linguistique. L'une des forces majeures qui le constituent est le purisme. Là, le classicisme prend consistance comme projet s'opposant à d'autres usages : dès les années 1620-1630, des écrivains influencés par Malherbe combattent les façons de parler le français empreintes d'archaïsme, aussi bien que celles qui sentent les particularités provinciales. Les classiques sont des militants du français et en cela les alliés objectifs de la monarchie absolue qui, sous l'impulsion de Richelieu, travaille à promouvoir une langue nationale unifiée et unificatrice, dans un pays où la majorité de la population se partage entre les langues et dialectes régionaux, et où le latin reste le code usuel de l'Église et des savants. Tel est le rôle dévolu aux académies : des hommes comme Chapelain et Vaugelas y furent les fondateurs de la norme linguistique moderne. Ils donnent pour référence du bon et bel usage la façon de parler de la cour et de la meilleure partie de la Ville (Paris), autrement dit : celle des « honnêtes gens ». Les modèles parisiens se diffusent à travers le pays, jouant le rôle de vecteurs de l'unité culturelle. Mais, comme l'avoue explicitement Vaugelas dans la préface de ses *Remarques* (1647), ce « bel usage » a lui-même pour référence la manière d'écrire des « meilleurs auteurs » contemporains : de la sorte, le classicisme élève la littérature au premier rang des activités culturelles, l'érige en source de la norme pour la langue et, au-delà, pour l'esthétique et les mœurs, qui constituent ses principaux centres d'intérêt.

Le classicisme comme rêve conciliateur

Pas plus que le classicisme n'est à proprement parler un mouvement littéraire, il n'existe de doctrine ou de théorie classique proprement dites. Il en existe cependant de nombreux éléments, depuis les *Commentaires* de Malherbe sur Desportes, qui contiennent les bases d'une poétique, jusqu'à l'*Art poétique* de Boileau qui, après coup, résume et vulgarise les principes établis au cours du demi-siècle précédent. Dans l'intervalle, Chapelain, d'Aubignac (*la Pratique du théâtre*), La Ménardière (*Poétique*), Pellisson, Corneille (*Discours* et *Examens*), Guéret, Sorel, Bouhours et Rapin ont nourri la réflexion critique, que les débats académiques entretiennent (même si la Poétique projetée par l'Académie n'aboutit jamais), et les lettres, préfaces, discours de tous ordres abondent, jusqu'à la Querelle des Anciens et des Modernes [voir **Querelle des Anciens et des Modernes**]. Cette foule d'ouvrages forme un corpus à la fois uni et très varié, plus voué au commentaire critique qu'à la réflexion théorique. Les décalages entre théorie et pratique sont ici plus marqués que pour bien d'autres temps et mouvements : la théorie intervient pour justifier ou ajuster les pratiques, guère pour donner l'impulsion initiale. De ce fait, si l'esthétique classique, comme toute esthétique, est une codification du goût, ses éléments doctrinaux fonctionnent comme validations d'un goût dominant et perçu comme tel, qu'ils tentent d'ériger en normes explicites. Mais rien, en ce cas, de l'affirmation véhémente et minoritaire : le classicisme se conçoit comme assorti et associé à toute la fraction dominante de la population.

Né dans le milieu des honnêtes gens, le goût classique est fortement socialisé. Auteurs et lecteurs ont été, par leur formation – en particulier dans les collèges jésuites et oratoriens –, nourris de rhétorique, donc de préceptes sur la valeur sociale des mots et des figures. Ils sont aussi nourris de la lecture des Anciens, et cette influence est renforcée par les traductions, qui se multiplient alors. Elle induit l'habitude de l'imitation, érigée en dogme par les doctes. Mais si les classiques sont des héritiers de l'Humanisme, ils convertissent cet héritage. « Nouveaux doctes », les théoriciens les plus actifs associent aux Anciens les Espagnols et surtout les Italiens, et l'imitation telle qu'ils la recommandent et telle qu'elle est pratiquée n'est plus reprise et réitération, mais imprégnation et influence diffuse : omniprésente, elle ne consiste plus en citations plus ou moins intégrées au discours, mais en références plus discrètes à une culture familière. Elle est d'ailleurs plus radicale en théorie qu'en pratique.

Dans l'ordre théorique, elle fonde notamment les principes de hiérarchie, de régularité, de vraisemblance. La *Poétique* d'Aristote, référence usuelle des auteurs de ce temps, nourrit l'idée d'une hiérarchie des genres et des styles. Ainsi distinguent-ils le style noble ou élevé, qui convient à des genres tels que l'épopée et la tragédie, le style moyen, registre de la grande comédie et de l'art oratoire ou épistolaire, le style bas ou familier, registre, par exemple, de la comédie gaie, de la poésie de salon, du roman comique, de la lettre divertissante. Le principe de hiérarchisation va de pair avec une habitude de pensée qui incline au classement systématique. Ainsi un critique comme Guéret pousse son application jusqu'à assigner à chaque genre un auteur spécialiste, traité en maître légitime de cette forme (Mainard pour l'épigramme, Guez de Balzac pour l'art épistolaire, Tristan L'Hermite pour la tragédie...). Dans les préceptes, les genres sont donc répartis selon un ordre strict de dignité : l'épopée est le plus noble, la tragédie vient ensuite, puis la poésie héroïque et l'art oratoire ; la grande comédie et la satire occupent un rang moindre ; moindre encore, le roman ; et la farce n'a plus, en théorie, droit de cité.

Cette hiérarchisation, inspirée d'Aristote mais nourrie du goût des honnêtes gens, est justifiée par l'appel à la raison ou bon sens. De même, un théoricien comme Rapin envisage l'art littéraire comme fruit d'une « mise en méthode » de la « nature ». Mais non de la nature représentée dans toutes ses contingences et irrationalités empiriques : d'une nature découverte sous le voile des apparences, dégagée de la gangue des accidents singuliers. La notion centrale est alors celle de vraisemblance. Au fait vrai, mais isolé, l'esthétique classique préfère et substitue les traits généraux et recevables en raison. Recevables surtout dans le respect des bienséances, en d'autres termes : qui ne choquent pas les honnêtes gens. Les règles exigées par les théoriciens en référence à Aristote n'ont pas d'autre fonction, en particulier au théâtre les trois règles d'unité de temps, de lieu et d'action : elles sont perçues comme fondées en raison et fondatrices du vraisemblable. L'aboutissement de cet effort vers le raisonnable, y compris dans la peinture de la déraison, est la recherche de l'adéquation : adéquation des formes et des sujets, des tons et des destinataires. On qualifie souvent l'art littéraire classique par les qualités d'équilibre et de mesure ; c'est bien peu dire : tout art de quelque importance est recherche de certains équilibres. L'art littéraire classique privilégie, en termes de pragmatique et de « lois du discours », un équilibre fondé sur le principe de pertinence (l'adéquation résultant de l'ordre hiérarchique et du vraisemblable) plutôt que sur le principe de vérité (la représentation d'un réel perçu empiriquement).

De telles théorisations fournissent une justification de l'effort créateur, en ce temps où le statut social du littéraire est encore mal défini. La formule de La Fontaine résume la finalité déclarée de cette esthétique : « Il faut instruire et plaire. » Plus précisément, l'art de plaire est fondé en raison d'être par sa vertu éducative. Ce que l'on prend alors pour sujet favori, ce sont les mœurs, les questions soulevées par la socialisation de l'individu. Les genres les plus en vogue y trouvent leur fonctionnalité : par la catharsis, pour la tragédie ; le *castigat ridendo mores* pour la comédie et la satire ; le délassement pour le roman ; l'apologue pour la fable ; la réflexion critique sur la société pour les moralistes, des *Maximes* de La Rochefoucauld aux *Caractères* de La Bruyère... Le conformisme politique et religieux est en étroite relation avec le rôle de socialisation dévolu à un art destiné à former et conforter les honnêtes gens. À cet égard, l'esthétique classique apparaît comme un processus, non tant de stabilisation du corps social – sa modernité lui fait récuser certaines formes existantes – mais d'intégration de ses composantes.

Intégration ne signifie pas uniformité, ni dans la théorie, ni surtout dans la pratique. Au contraire, la diversité règne, et les productions manifestent souvent des ordres et équilibres différents de ceux que postulent les théories : il n'est que de lire les restrictions multiples qu'opère Boileau, dans le bilan de son *Art poétique*, même à l'égard des auteurs les mieux consacrés, comme Molière. Si en théorie la poésie épique et l'art oratoire occupent les premiers rangs, en fait les genres dramatiques, romanesques et épistolaires obtiennent les plus grands succès. Et en leur sein des formes mixtes attirent le public et les auteurs, ainsi les comédies-ballets de Molière, l'opéra, le roman « mêlé » où le galant et l'héroïque s'associent au comique, ou encore des formes telles que le burlesque et l'héroï-comique, où Boileau lui-même s'illustra. En fait, la pratique des classiques relève d'une recherche de la conciliation.

Celle-ci est inscrite comme une nécessité dans la structure des publics : les auteurs doivent contenter à la fois la Cour, qui attend des célébrations de grandeur, le public moyen des honnêtes gens, curieux de se divertir en s'informant et se formant, et les doctes, pointilleux sur les règles et préceptes. Ils sont alors conduits à des alliages, tentant de conjuguer ces horizons d'attente différents.

Une manifestation exemplaire en est donnée par la tendance « galante », autre composante importante de l'esthétique classique. Pellisson, dans son *Discours sur les œuvres de Sarasin*, suggère une utilisation polyphonique du « style moyen », capable de se hausser parfois jusqu'au sublime et de s'assouplir d'autres fois jusqu'au familier. Ainsi se trouvent conciliés le souci de grandeur inspiré par la cour – et à quoi on a trop souvent réduit l'art classique –, le plaisir du divertissement et le charme de la variété. Ailleurs, c'est un théoricien assez rigoureux, comme Rapin, qui justifie l'introduction de moments galants dans la tragédie, laquelle en principe les exclut. Autre manifestation : le sort singulier de la poésie épique. Les épopées de ce temps connurent de piètres succès, alors que la recherche d'un accomplissement poétique épique innerve toute la période : indice du désir d'un art littéraire total, capable de combiner l'héroïsme et le tragique avec des moments de détente et des pans entiers où s'épancheraient les savoirs les plus doctes ; ce désir court en filigrane dans nombre d'ouvrages, et d'abord dans les infinies variations des *Fables* de La Fontaine.

Ce rêve conciliateur s'exprime aussi dans l'usage que les classiques font de leurs sources, n'hésitant pas à joindre aux Anciens les ouvrages italiens ou espagnols, mais aussi les prédécesseurs français : s'ils rejettent Ronsard et la Pléiade, ils conservent beaucoup de Montaigne, Amyot, Marot et même Rabelais. Là encore, l'attitude de modernité se traduit davantage par un effort d'intégration conciliatrice que par une rupture radicale avec les antécédents. La conciliation se manifeste également dans l'équilibre fragile qui s'établit à cette époque entre imitation et originalité : l'imitation est dans les habitudes de pensée et fournit les points de repère, mais – Corneille le répète à l'envi – ce qui donne le succès, c'est la nouveauté. Non pas forcément l'originalité des sujets et des thématiques : là, le conformisme joue ; mais l'innovation dans « la disposition des matières ». Ainsi l'innovation des classiques s'opère moins dans l'invention de nouvelles formes (elles sont reprises des Anciens et de la tradition, et en place dès les années 1630) que dans la quête de modulations jusque-là inexplorées de ces normes, d'agencements neufs d'un dispositif contraint et contraignant.

Une telle démarche puise sa logique dans l'état des schèmes culturels. Toute la classe cultivée se trouvait confrontée à un triple ordre de références. La fréquentation des Anciens s'y associait à celle des productions contemporaines et au substrat – souvent sous-estimé, pourtant omniprésent et que le conformisme ne rendait pas indifférent – constitué par les lectures et pratiques religieuses. Dans les collèges, oratoriens et surtout jésuites dispensaient une formation elle-même conciliatrice, nourrie des Anciens et ouverte à la modernité, imprégnée de religiosité mais attentive aux arts et aux mythes païens, vouée à la formation morale de l'individu mais active dans la célébration de la grandeur monarchique.

Cette nécessité de conciliation fait la diversité du classicisme ; elle a permis que se réalise une conjonction exceptionnelle dans l'histoire, où une littérature utile à l'édification de l'État monarchique et agréable au public moyen fut, également, apte à satisfaire les curiosités individuelles les plus variées.

Contradictions du classicisme

Mais si la conciliation fut un rêve de l'âge classique, elle porte aussi en elle quantité de contradictions potentielles, et qui se sont manifestées. Molière est en accord avec les normes les plus étroites dans ses comédies de mœurs, mais ses comédies-ballets et ses farces ne rentrent qu'avec peine dans la grille de lecture la plus stricte du classicisme. Même une part des tragédies raciniennes y est réfractaire, et *la Princesse de Clèves* fut taxée d'invraisemblances… De telles contradictions pourraient conduire à retirer le nom de « classique » à tout ouvrage qui ne se conforme pas rigoureusement aux principes de hiérarchie, adéquation, vraisemblance. Ce serait vider le classicisme de l'essentiel de sa substance. L'analyse en termes de conciliation et contradictions permet, en revanche, de rendre compte de deux traits marquants de l'époque.

En premier lieu, le mouvement général d'épuration qui marque ce temps, aussi bien dans l'ordre linguistique que dans l'ordre esthétique – en pratique, les auteurs classiques ne distinguaient pas les deux –, est par lui-même générateur de certaines contradictions. Un bon exemple en est donné par la préciosité : elle est une hypertrophie du purisme mondain. Une analyse du même ordre peut s'appliquer au burlesque : dans son principe, il est un jeu de décalage entre ton et sujet, mais un jeu éminemment culturel fonctionnant comme contretype du principe d'adéquation ; lorsqu'il se réduisit à l'utilisation systématique du style le plus « bas », ses promoteurs mêmes ne le reconnurent plus. Ainsi, les contradictions du classicisme sont, pour la plupart, internes. L'histoire littéraire a forgé, après celui de classicisme, le concept de baroque [voir **Baroque**] pour constituer un système de catégories opposées, mode de classement commode. Le baroque a une vertu descriptive certaine ; mais si l'on admet que la période baroque précède en France les temps classiques, les éléments de baroque observables au cœur même de ceux-ci ne peuvent se comprendre que dans la logique du rêve conciliateur.

Ce type d'analyse peut s'étendre, au-delà du littéraire, aux arts. Dans les compositions picturales de Le Brun, plus encore que dans celles de Poussin, dans les compositions musicales de Lulli, plus encore que dans celles de Charpentier, l'ordre, l'unité, les hiérarchies ne sont pas uniformes. Et dans les édifices royaux, aristocratiques et religieux construits alors, si la structure architecturale obéit à une recherche de régularité en général rigoureuse, la décoration foisonnante s'apparente souvent au baroque, surtout la décoration intérieure. Là encore, ces contradictions ne réduisent pas à néant la tendance dominante ; elles en attestent la force : les cadres collectifs étaient non pas intangibles, mais capables de résister aux dérivations et déviations et de les intégrer.

Un second trait d'ensemble éclaire ces contradictions : l'équilibre toujours relatif entre les forces diverses (dans les publics, les références idéologiques, les recherches esthétiques) que le classicisme intègre a suscité de multiples cas de duplicité. Duplicité de sens, mais aussi et surtout alliages et dualités ou duplications des formes. Corneille, dans ses *Discours* de 1660, s'en est fait le premier théoricien ; un critique comme Boileau s'en est fait l'adversaire : preuve, si besoin était, que la duplicité, suspecte aux yeux des doctrinaires, était vive et vivace dans les pratiques, comme moyen de réaliser la conjonction des attentes différentes des publics. Et perçue comme recevable, à la condition – Corneille le dit expressément – qu'il s'agisse d'une « duplicité intégrée » et non

pas « indépendante ». En d'autres termes, que la contradiction reste recevable comme effet de variété à l'intérieur du principe de vraisemblance, qu'elle constitue un passage à la limite de l'adéquation, non une rupture.
La ductilité du goût classique lui permet d'atteindre à une extrême capacité de conciliation. Certains historiens récents ont proposé de désigner du nom de « maniérisme » les formes les plus raffinées de telles contradictions. Cette catégorie supplémentaire peut avoir sa pertinence, si elle intervient non pour s'opposer à la notion de classicisme prise en un sens abusif (et assimilée de fait à l'académisme), mais pour décrire un des phénomènes en jeu au cours de l'âge classique.
Car, il faut le répéter, le classicisme n'est pas un mouvement littéraire et esthétique comme les autres. Il est bien plutôt un temps de l'histoire culturelle, temps exceptionnel dans la mesure où une modernité s'est constituée très vite et très largement en *doxa*. Par cette conjonction, où la dynamique de la modernité culturelle a intégré les forces créatrices en s'intégrant à une dynamique sociale et politique, s'est réalisée une période classique. C'est là l'ultime sens dévolu à l'adjectif « classique » lorsqu'on l'applique à la France absolutiste comme à l'Athènes de Périclès où à la Rome d'Auguste. En toute rigueur, plutôt que de l'*-isme* théoriciste et aléatoire de « classicisme », il convient – et l'on s'est efforcé ici d'y veiller et de l'induire – de parler d'un <u>âge classique</u>.

LE JE-NE-SAIS-QUOI

La notion de « je-ne-sais-quoi », forgée au XVIIe siècle, est parfois considérée aujourd'hui, avec quelque dérision, comme une subtilité des analyses « précieuses ». Certes, la vogue du terme fut telle qu'en ses multiples emplois, il en est de galvaudés. Néanmoins il s'agit, pour l'essentiel, d'un élément majeur des conceptions psychologiques et esthétiques de l'époque.
Le je-ne-sais-quoi relève d'abord de la problématique des relations amoureuses. Il désigne alors la source irrationnelle d'où naît la passion : ce sont les « nœuds secrets », les « sympathies », « ces je-ne-sais-quoi qu'on ne peut expliquer » (Corneille, Rodogune*), dont la puissance est extrême. Les effets de ce « charme » initial s'analysent volontiers en termes tragiques : « Ce je-ne-sais-quoi, si peu de chose qu'on ne peut le reconnaître, remue toute la terre, les princes, les armées, le monde entier » (Pascal,* Pensées*, I, 162). Cette part insaisissable, mais décisive, de la sensibilité, qui mobilise tout l'être, devient ensuite une problématique du goût artistique. Bouhours y consacre un des* Entretiens d'Ariste et d'Eugène *(1671) : il montre la dette de la France envers l'Italie et l'Espagne à cet égard (lui-même emprunte à Balthasar Gracián) et analyse les implications esthétiques de la psychologie du je-ne-sais-quoi. Ainsi une œuvre, si bien faite soit-elle, reste de peu de prix si elle ne suscite pas cette émotion. Le P. Rapin (*Poétique*, 1674) rattache celle-ci plus précisément au rythme et à la mélodie poétiques (Réflexion 37).*
Le je-ne-sais-quoi atteste donc la nette conscience, dans les conceptions et le goût classiques, du rôle décisif de la sensibilité, qui défie la raison, mais aussi la vivifie.

A. Viala

Claudel

CLAUDEL Paul

(1868-1955)

Claudel s'est lui-même défini comme un poète catholique. Ou, plus exactement, comme un écrivain « qui envisage tout avec un cœur catholique » (« l'Esprit et l'Eau »). Ce catholicisme-là n'est pas celui, plus confiné, des « chères églises rococo » de Rome ou de Prague, ni de l'église où, dans la Troisième Journée du *Soulier de satin*, se sont donné rendez-vous saint Nicolas, saint Boniface, saint Denys d'Athènes et le fantaisiste saint Adlibitum. « Catholique » retrouve chez Claudel son sens étymologique d'« universel ». « Ma fonction était surtout de voir l'univers », dira-t-il, au soir de sa vie, dans ses entretiens radiophoniques avec Jean Amrouche publiés sous le titre de *Mémoires improvisés*.
Cette fonction universelle est celle du poète. Mais elle est, parallèlement, celle du diplomate. Une vocation authentique a poussé Claudel à choisir de faire carrière à l'étranger, d'embrasser la Carrière. Il n'aurait pas écrit *le Repos du septième jour* ou *Connaissance de l'Est* s'il n'avait été en poste en Chine au même moment, et les *Conversations dans le Loir-et-Cher* sont toutes pleines de l'expérience nouvelle qu'il fait aux États-Unis depuis qu'il est ambassadeur de France à Washington. En 1917, le souci des échanges commerciaux entre la France et le Brésil, où il est alors ministre plénipotentiaire, s'unit à ses chères études bibliques quand il écrit, dans *la Messe là-bas* : « Je suis là, et pendant que, la plume à la main je transforme ces sacs de café en milreis et que je dépouille la Bible… »
Dans l'emploi du temps de sa journée, les deux activités semblent pourtant dissociées. On n'aurait pas vu l'ambassadeur s'éclipser d'une réunion ou d'une réception pour aller noter

sa dernière trouvaille poétique. Il consacrait à son travail d'écrivain les seules premières heures du jour, jusqu'au moment où la retraite – retraite d'ailleurs fort active – lui a laissé le temps d'échafauder l'édifice monumental de ses commentaires bibliques. Mais, avant cette date, il avait déjà produit une œuvre considérable et diverse.

Les années d'apprentissage

Paul Claudel, né le 6 août 1868 dans le petit village de Villeneuve-sur-Fère (Aisne), est le fils de Louis Prosper Claudel, un fonctionnaire de l'enregistrement. « Ce que l'odeur de la saumure et du goudron sont pour un fils de marin, celle de la paperasse l'a été pour [lui], et cette occulte fermentation qui se dégage des écritures superposées. » Louis Prosper ne pouvait donc que le voir d'un bon œil désireux d'entrer dans la fonction publique, une fois ses études secondaires achevées. Républicain, craignant toujours de se compromettre, il a des appuis dans le clan Ferry et n'hésite pas à en user pour favoriser la carrière de son fils.

Un jeune homme de beaucoup de mérite, ce fils. « Je ne dois rien ni à la fortune ni à la situation que j'ai trouvée en me donnant la peine de naître, écrira-t-il, j'ai acquis tous mes grades soit par les concours, soit par des séjours prolongés dans les pays éloignés et difficiles. » Diplômé de l'École libre des sciences politiques en 1888, il renonce à préparer le Conseil d'État, envisage un instant les Langues orientales, et c'est le directeur de cette école qui lui conseille de préparer le « grand concours » pour l'admission dans les carrières diplomatiques et consulaires. Il y est reçu premier et, pensant être plus indépendant, il choisit la carrière consulaire. Dans un document qui a été conservé, Jules Ferry se porte garant « de l'honorabilité et des idées républicaines de M. Claudel ».

Pendant ces mêmes années, Claudel avait pourtant suivi un itinéraire intérieur bien différent. Élevé dans une famille où l'on était volontiers agnostique, instruit par des maîtres qui ne juraient que par « le tétrasyllabe Taine-et-Renan », il se rend à Notre-Dame de Paris, l'année de ses dix-huit ans, le jour de Noël 1886, pour y retrouver « la matière de quelques exercices décadents ». Pendant les vêpres, Dieu le prend par surprise, au moment même où le chœur des enfants chante le « Magnificat ». Cette « seconde naissance », Claudel l'a racontée dans un texte de 1913, écrit pour une revue religieuse, sous le titre « Ma conversion ». Mais le compte rendu le plus émouvant – et sans doute le plus juste – est celui qu'il en fait dans la troisième des *Cinq Grandes Odes*, celle qui s'intitule, précisément, « Magnificat ».

Claudel était plus préparé qu'il ne le pensait à cette conversion. Beethoven, les chœurs de l'*Antigone* de Sophocle, Shakespeare, Rimbaud surtout et son influence « séminale et paternelle » l'avaient éveillé au spirituel. La découverte des *Illuminations* et d'*Une saison en enfer*, en 1886, précède de quelques mois, de quelques semaines même, la conversion de Noël, et elle présente déjà la soudaineté de la conversion, la ferveur d'une espérance. Rien n'entamera cette admiration.

Antérieurs à son départ pour l'étranger, les trois premiers drames de Claudel, *Tête d'Or* (1re version, 1889), *la Ville* (1re version, 1890), *la Jeune Fille Violaine* (1re version, 1892), expriment et le bouleversement de la conversion et l'aspiration au départ. L'aventure du conquérant est celle d'un paysan (Simon Agnel, devenu Tête d'Or) qui fait éclater les limites de la maison où l'on mangeait « le bouilli en rond », des villages « mal gardés par leur coq », de l'Empire cerné par « Angoisse-la-Mort ». Avare s'emploie à ruiner la ville haïe où il a trop longtemps promené sa rancœur et a entendu un étrange appel : dès lors, il veut aller « là où la voix soit entendue de nouveau ». Et même Anne Vercors, le propriétaire de la ferme de Combernon, tente de franchir la mer, tant il veut « voir de l'autre côté ». Mais Tête d'Or, mortellement blessé aux confins de l'Europe, découvre la souffrance et la Grâce, représentée par la Princesse qu'il a jadis chassée. À Paris en ruine se substitue une nouvelle Cité de Dieu. Et le voyage d'Anne Vercors se transforme en pèlerinage à Rome.

Le « combat spirituel [...] aussi brutal que la bataille d'hommes » dont parlait Rimbaud dans l'« Adieu » d'*Une saison en enfer*, Claudel a le sentiment de l'avoir vécu dans le temps qui sépare l'illumination de la nuit de Noël 1886 de sa soumission définitive à l'Église, à Noël 1890. Il le représente dans des drames écrits pour la lecture et publiés dans l'anonymat, sous la forme même d'une bataille d'hommes : une campagne napoléonienne, l'entreprise des anarchistes, le déchaînement de la jalousie. « *Tête d'Or* représente un peu l'espèce de fureur avec laquelle je me défendais contre la foi qui m'appelait et qui est symbolisée par la Princesse », expliquera plus tard Claudel. Et comment cette fureur pourrait-elle mieux s'exprimer que dans cette langue inouïe, chargée de termes rares et d'images insolites, marquée par l'excès sous toutes ses formes et animée par un souffle puissant qui gonfle des vers « sans rime ni mètre » ?

L'exil

Nommé vice-consul le 21 février 1893, Claudel part pour son premier poste, New York, le 10 mars de cette même année. En décembre 1893, il devient gérant du consulat de Boston, où il est plus indépendant que sous les ordres du vicomte d'Abzac, « un homme à moitié tombé en enfance ». On le retrouve en 1895 consul suppléant à Chang-hai, et, après divers passages par Fou-tcheou, où il prépare le contrat de l'Arsenal, et par Han-k'eou, où il négocie le projet de chemin de fer Han-k'eou-Pékin, vice-consul à Fou-tcheou en septembre 1898. Entre les États-Unis et la Chine, il a séjourné peu de temps à Paris. Car, s'il a vécu le séjour américain et les premières années de Chine comme un exil, le même sentiment l'a accompagné en France : comme il le dit lui-même, l'exil où il est entré le suit. Les *Vers d'exil*, quelques poèmes composés en 1895-1899, sont l'expression la plus pure de ce sentiment dans une forme étrangement apaisée, des alexandrins qui se veulent « sans chevilles et sans remplissage ».

Claudel a pourtant appris à aimer le littoral de l'est des États-Unis, où se déroule le drame de *l'Échange* (1894), cette

« terre d'exil » dont Marthe trouve les campagnes ennuyeuses et les fleuves insipides. Et même si Han-k'eou est un « endroit infernal », il « épouse » la Chine, « cette Chine à l'état de friture perpétuelle, grouillante, désordonnée, anarchique, avec sa saleté épique, ses mendiants, ses lépreux, toutes ses tripes à l'air, mais aussi avec cet enthousiasme de vie et de mouvement ».

Il a appris à aimer les choses et les gens parce que, suivant le conseil de Mallarmé, il a « appris à voir ». Les premières lettres écrites des États-Unis à ses amis Maurice Pottecher ou Marcel Schwob décrivent avec un rare bonheur d'expression la splendeur boréale des nuits américaines ou les bas quartiers de la ville brasseuse d'affaires. Les premières proses poétiques de *Connaissance de l'Est* sont présentées à Mallarmé comme des « images de Chine ». Plus tard, Claudel dira à leur sujet qu'elles ont été pour lui « en quelque sorte ce que sont les études et les exercices pour un pianiste » ou les croquis pour un peintre : des exercices de style, sans doute, mais aussi des exercices du regard. Le contemplateur déchiffre les paysages en même temps qu'il apprend à décrypter les idéogrammes chinois. Dans les deux cas, il s'agit de découvrir, à travers des signes, un sens.

Et ce sens, pour Claudel, est toujours un sens dramatique. C'est pourquoi il peut y avoir une mise en forme théâtrale des États-Unis – c'est *l'Échange* – et une mise en forme théâtrale de la Chine – c'est *le Repos du septième jour* (1901). Dans la première de ces pièces, les quatre personnages, l'Indien (Louis Laine), la Gipsy (Lechy Elbernon), le Yankee (Thomas Pollock Nageoire), la Française émigrée (Marthe), jouent à un jeu terrible « pour savoir lequel sera pris » : ce sera Louis, victime d'une actrice hystérique et de l'exécuteur, le nègre Christophe Colomb Blackwell, mais surtout de son instabilité, de son humeur rêveuse et de cette tentation de l'Ouest qu'éprouvent tous les hommes de désir et qui les éloigne de l'Orient, où naquit le Christ. Le repos du septième jour est celui du dimanche, que les Chinois ont le tort de ne pas respecter : le scénario imaginé par Claudel représente la descente aux enfers d'un antique empereur qui revient chargé d'un message que les jésuites missionnaires en Orient avaient cru pouvoir lire dans les textes canoniques et dans l'écriture chinoise, le message de la Croix inscrit dans « le caractère dix » (*chi*, décédé en). À entendre la cloche du temple de Kou-chang, dont le tintement résonne encore à la fin de son drame chinois, Claudel a rêvé de cette Chine christianisée qui, plus que jamais, apparaît aujourd'hui comme une chimère.

La passion de midi

En juillet 1899, le vice-consulat de Fou-tcheou est érigé en consulat. Voilà donc satisfaite l'ambition de Louis Prosper Claudel : son fils est consul à part entière. Or, deux faits surprenants se produisent : Claudel, ce fonctionnaire exemplaire, s'écarte de la conduite qu'approuve la société bourgeoise, il fait ce qu'elle appelle « des sottises » ; et il sort de cette situation difficile grâce à un protecteur qui va ensuite favoriser son ascension. Claudel a couvert les entreprises louches d'un certain M. Vetch, qui tente d'expédier des *coolies* à Madagascar et à la Réunion. Est-ce pour les beaux yeux de Mme Vetch ? Toujours est-il qu'en 1900, au retour d'un voyage en France où il a pu faire l'épreuve – négative – de sa vocation monastique, il retrouve Mme Vetch sur le bateau. C'est le point de départ d'une liaison scandaleuse et orageuse qui dure jusqu'en août 1904 : pendant que Vetch court la Chine, sa femme s'installe sous le toit de Claudel avec ses quatre garçons. Pour rester près d'elle, Claudel refuse en janvier 1902 le consulat de Hongkong où l'a nommé le ministère. À la suite d'une lettre de dénonciation, on envoie deux inspecteurs à Fou-tcheou pour enquêter sur la vie privée du consul. C'est alors qu'intervient Philippe Berthelot, attaché à la Direction des consulats et chargé d'une mission en Extrême-Orient. Pendant que Mme Vetch, attendant un enfant, quitte Fou-tcheou précipitamment, et que Claudel, pour la rejoindre, réussit enfin à obtenir un congé (février 1905), poursuit une ombre et se retrouve seul à Paris, Berthelot est devenu chef adjoint du cabinet du président du Conseil, qui est en même temps ministre des Affaires étrangères : son ami et protégé obtient la croix de la Légion d'honneur et le grade de consul de première classe.

Cette passion qui l'a frappé au milieu du chemin de la vie, Claudel l'a confiée, toute brûlante encore, à quelques-uns de ses plus beaux textes : l'invocation à Érato à la fin de la première des *Cinq Grandes Odes*, l'apparition de la muse de la poésie lyrique confondue avec « [s]on amie sur le navire », le dialogue des eaux désirantes et des larmes amères dans la deuxième ode, « l'Esprit et l'Eau », la fin de « Connaissance du temps » dans l'*Art poétique*.

Partage de midi (1905) est la mise en forme théâtrale du drame de ces années méridiennes. Publiée en 1906 dans une édition limitée à 150 exemplaires et uniquement destinée à des proches et à des amis, cette œuvre majeure restera longtemps confidentielle, par la volonté même de son auteur.

Partage de midi est un quatuor, comme *l'Échange* : Ysé est entourée, sur le bateau qui fend les eaux de l'océan Indien, par trois hommes : son mari, de Ciz ; un homme d'affaires qu'elle a connu autrefois, Amalric ; et un jeune homme solitaire, Mesa, qui va découvrir, grâce à elle, qu'un corps peut prendre un corps, qu'une âme peut prendre une âme, « comme la chaux astreint le sable en brûlant et en sifflant ». C'est une œuvre autobiographique, mais où l'autobiographie est souvent déguisée et finalement éclatée. La rencontre d'une femme mariée et mère de famille, la réponse passionnée qu'elle donne à l'appel de Mesa, au moment où Dieu lui a répondu non, leur liaison tumultueuse dans une ville chinoise, leur séparation, interprétée de part et d'autre en termes de trahison, la naissance d'un enfant bâtard : ces épisodes sont communs aux protagonistes du drame. Mais le dénouement est purement fantasmatique : Ysé rejoint Mesa dans la maison d'Amalric entourée par les indigènes en révolte et minée ; elle accepte d'entrer avec lui dans la mort, pour l'y retrouver, mais, après avoir conduit leurs âmes en travail par des routes divergentes, l'enfant est mort.

S'agit-il, comme on l'a parfois prétendu, d'un dénouement tristanesque plaqué sur l'aventure vécue ? Claudel reste-t-il sous le charme du philtre wagnérien, dont il dénoncera plus tard les méfaits ? Sans doute peut-on souligner l'analogie des noms (Ysé/Isolde), la présence de motifs communs (la petite lampe) ou de leitmotive (« Mesa, je suis Ysé, c'est moi »). Mais tout parallèle suivi se révèle trompeur : car Ysé et Mesa n'entrent pas dans la mort comme dans le dernier refuge, fût-il le néant schopenhauérien, où sont possibles les délices à deux. Le thème du drame n'est ni le nocturne romantique ni le débat entre l'adultère et le devoir, entre la Loi et la Grâce, entre la chair et l'esprit, mais une nouvelle naissance que les deux amants se sont donnée l'un à l'autre et que Dieu aussi leur donnera par la « transfiguration de midi ».

Vers un classicisme claudélien

Le drame une fois passé, il faut trouver l'apaisement, et peut-être le créer. Claudel se marie, en 1906, avec la fille de l'architecte de Fourvière, Reine Sainte-Marie Perrin. Sur le conseil de son confesseur, il commence à tenir son *Journal*. Plus que jamais, sa carrière le requiert. Il est nommé premier secrétaire par intérim à Pékin, consul à T'ien-tsin (1906-1909), puis, toujours défendu par Berthelot, il rentre en Europe, comme consul à Prague (1909-1911), puis à Francfort-sur-le-Main (1911-1913) et consul général à Hambourg (1913-1914). Un article publié dans *le Temps* du 14 juillet 1914 parle ironiquement de lui comme du « premier Consul ». La guerre l'oblige à quitter l'Allemagne. Il sera chargé d'une mission économique en Italie, à défaut du poste qu'il souhaitait obtenir à Rome.

Il achève l'édifice monumental des *Cinq Grandes Odes* en 1908. *La Cantate à trois voix* (1913), dialogue entre trois femmes qui aiment un fiancé, un époux mort ou un époux absent, indique par son titre même un retour au classicisme. Un autre signe est l'abandon du grand vers libre (parfois appelé, improprement, « verset claudélien ») au profit d'un vers plus court et assonancé dans *Corona benignitatis Anni Dei* (1908-1914). L'« Hymne de la Pentecôte », par exemple, est composé en strophes de trois vers, les rimes des troisièmes vers se répondant d'une strophe à l'autre.

Dans la deuxième décennie du siècle, le drame claudélien évolue, lui aussi, vers un certain classicisme. Il tend à sacrifier le lyrisme exubérant et à s'imposer des contraintes plus étroites. Celles, tout d'abord, du drame historique : *l'Annonce faite à Marie* (1911) transpose au Moyen Âge l'action de *la Jeune Fille Violaine* : dans le lointain passent « le Roi qui va-t-à-Rheims » et une petite pastourelle qui le conduit. Symétrique moderne de l'antique trilogie d'Eschyle, que Claudel a traduite, la moderne trilogie des Coûfontaine couvre un siècle d'histoire : la Révolution et l'Empire dans *l'Otage* (1911), « la France de Louis-Philippe livrée aux appétits antagonistes de loups-cerviers », avec l'évocation de la conquête de l'Algérie dans *le Pain dur* (1918), et celle de Rome de 1869 à 1871, au moment où se fait l'unité italienne, dans *le Père humilié* (1919).

Dans ces drames de la maturité, le thème du sacrifice occupe une place centrale. Exemplaire est l'attitude de Violaine dans *l'Annonce faite à Marie*. Elle renonce à son fiancé, Jacques Hury, et l'abandonne, malgré son amour, à sa sœur, la jalouse Mara, parce qu'elle a contracté la lèpre en acceptant le baiser du lépreux Pierre de Craon. Ce sacrifice lui confère une force surnaturelle, celle qui lui permettra de ressusciter l'enfant de Mara. Le sacrifice de Sygne de Coûfontaine, dans *l'Otage*, peut paraître moins lumineux. Il s'agit en effet d'un sacrifice forcé. L'abbé Badilon, « l'imbécile, le gros homme chargé de matière et de péchés », oblige la jeune fille à renoncer à son amour pour son cousin Georges de Coûfontaine, le royaliste, et à épouser un hideux roturier, Toussaint Turelure, bourreau de sa famille et préfet de l'Empire. Ce sacrifice est nécessaire pour arracher le pape, retenu en France, à ses ravisseurs. Il faudra aller jusqu'au bout de la trilogie, dans *le Père humilié,* pour que le sacrifice de Sygne trouve sa contrepartie et comme sa récompense quand le fils adoptif du pape nouveau, Orian de Homodarmes, arrache aux ténèbres l'âme de l'aveugle Pensée de Coûfontaine, la descendante de Sygne et de Turelure.

La somme et le sommet

On opposerait volontiers à cette série classique cette œuvre « baroque » qu'est *le Soulier de satin*. C'est en effet une œuvre foisonnante, qui a pour modèles Shakespeare et Calderón, et où l'on assiste même à la construction de Saint-Pierre de Rome. C'est pourtant encore un drame historique, dont le centre est l'Espagne du XVIe siècle. Mais Claudel accumule les anachronismes cocasses et fait passer la vérité de l'ensemble avant la vérité des faits de détail. Et c'est encore un drame du sacrifice. En remettant son soulier de satin entre les mains de la Vierge, dont la statue protège la demeure de son époux, le sévère juge Pélage, doña Prouhèze a choisi de s'élancer vers celui qu'elle aime, Rodrigue, avec « un pied boiteux », « une aile rognée ». C'est à un autre, le renégat don Camille, qu'elle devra remettre son corps, sa volonté, son âme. Il lui faudra renoncer même au romantique espoir des retrouvailles avec le bien-aimé dans l'au-delà : cet ultime sacrifice est consommé dans le magnifique dialogue avec l'Ange gardien. Comme elle l'explique à Rodrigue sur le pont du vaisseau amiral, où ils vont se dire un adieu définitif, elle « n'aura[it] été qu'une femme bientôt mourante sur [s]on cœur et non pas cette étoile éternelle dont [il avait] soif ». On reconnaît la promesse nouvelle qui se substituait à la promesse d'amour entre Mesa et Ysé à la fin de *Partage de midi*, et l'on découvre, comme le suggérait Fausta l'exilée, dans *la Cantate à trois voix*, « derrière la déception terrestre [...] l'image d'une autre plus parfaite ».

Le Soulier de satin est le sommet de l'œuvre dramatique de Claudel. C'est aussi une somme théologique, comme celle de saint Thomas d'Aquin sur laquelle il médite depuis plus de vingt ans. C'est la somme de ses expériences dramatiques. C'est enfin la somme de ses expériences vécues. Rodrigue vice-roi des Indes occidentales, c'est un peu Claudel ministre plénipotentiaire à Rio de Janeiro (1917-1919), où il s'est « couvert de gloire dans le rayon de la finance et de l'épicerie ». Rodrigue au Japon, c'est un peu Claudel ambassadeur de France à Tokyo (1921-1927), sa « mission la plus marquante » par l'alliance de la vocation économique et de la vocation culturelle. Au moment où il prend le poste de Washington, au moment où il publie son *Opus mirandum,* Claudel estime que, comme son héros, il a fait le tour de l'univers, et c'est la quintessence du globe, de la « parfaite pomme terrestre », qu'il nous rapporte. C'est aussi la quintessence de son expérience de la passion, puisque le hasard a voulu que, pendant la composition de ce drame gigantesque, il ait vécu une « retrouvaille », une « rencontre », une « explication » avec l'amante d'autrefois, donnant l'impression d'« un apaisement dans un sens élevé ».

Après un tel sommet, on ne peut que retomber. L'ambassade à Washington (1927-1933) n'est pas une réussite analogue à l'ambassade à Tokyo. La question des dettes de guerre apparaît comme inextricable, et la crise économique vient tout fausser. Cette crise pèse encore sur les années 1933-1935, lorsqu'il termine sa carrière diplomatique comme ambassadeur de France à Bruxelles. De même, les œuvres dramatiques qui suivent immédiatement *le Soulier de satin* n'en ont pas la grandeur. *Sous le rempart d'Athènes* (1927), hommage au père de Berthelot, n'est qu'une œuvrette de circonstance. *Le Livre de Christophe Colomb* (1929), d'abord conçu comme un livret d'opéra pour Darius Milhaud, garde un caractère expérimental. Et le jeu poétique de *Pan et Syrinx* (1934) paraît bien ténu après les *Feuilles de saints* (1925) que Claudel peignait à la manière de Rodrigue, bien pesant après les *Cent Phrases pour éventails* (1926), délicates adaptations de *hai-kai* japonais.

La retraite, cette seconde vie

Au moment où il prend sa retraite, Claudel est sollicité de toutes parts pour donner ses impressions sur sa longue carrière de quarante-cinq ans qui vient de le ramener « tout étourdi » à son point de départ. Mais il n'est pas l'homme des Mémoires. Il publie plus volontiers sous forme d'articles, parfois réunis dans des recueils factices (*Contacts et circonstances, Accompagnements*), des souvenirs sur son métier, sur les pays où il a séjourné, sur les gens qu'il a connus. Et ce n'est pas toujours sans amertume qu'il parle de l'« absent professionnel », de l'« homme du désert » dont on fait trop facilement un « bouc émissaire ». La diplomatie lui apparaît comme une « partie sans cesse rebattue », « où les cartes sont sans cesse et de nouveau battues et distribuées pour revenir au talon » (*le Figaro*, 1er janvier 1938). Ni avant 1939, ni après 1945, il ne voit triompher l'idée européenne à laquelle il était tant attaché. Et encore moins l'idée universelle d'un monde catholique, d'une Terre-Église, dont il avait rêvé.

Dès 1929, il se déclarait prêt à sacrifier toute son œuvre profane. Il a en effet entrepris une autre tâche qui va l'occuper surtout après 1935, et à laquelle il pourra se consacrer dans son château de Brangues, en Dauphiné : déchiffrer la Bible. Cette interrogation est le complément indispensable de celle du monde. Il s'agit de « continuer, avec des moyens multipliés à l'infini, une main sur le Livre des Livres et l'autre sur l'Univers, la grande enquête symbolique qui fut pendant douze siècles l'occupation des pères de la Foi et de l'Art ». Claudel n'a pas laissé moins de trois commentaires, dont deux fort abondants, de l'Apocalypse (*Paul Claudel interroge l'Apocalypse*, 1952). Il a une prédilection pour les prophètes, Jérémie ou Isaïe (« la grande haleine de Dieu »), pour le Cantique des cantiques, pour les Psaumes. En apparence, l'Ancien Testament retient plus son attention que le Nouveau : mais à travers lui, il se plaît à refaire le chemin d'Emmaüs. De l'un à l'autre, il retrouve tout un système d'annonces, de figures, qui confère à la Bible une prodigieuse unité et fait d'elle, pour le poète, une continuelle source de surprises. L'exégèse claudélienne, dont les principes sont fixés dans l'*Introduction au Livre de Ruth* (1938), rompt avec le littéralisme et les interprétations historiques. Claudel a hâte de passer au sens figuré, car pour lui « tout est symbole ou parabole ». Il en résulte un commentaire très libre, proliférant. Il a été critiqué, controversé, et il peut parfois paraître aberrant. Mais ce ne sont, Claudel le reconnaissait lui-même, que des propositions, des interrogations, « des suggestions qui se précisent, s'accentuent, et puis s'effacent pour laisser place à d'autres nuances prophétiques qui varient elles-mêmes et se combinent dans les limites d'un certain spectre » (*Présence et prophétie*, 1942).

Les œuvres nouvelles qu'il donne au théâtre sont des drames sacrés, comme ceux du dernier Racine : *Jeanne d'Arc au bûcher, la Sagesse ou la Parabole du Festin* (1939), *l'Histoire de Tobie et de Sara* (1942). Elles accompagnent donc ses commentaires de l'Écriture et la méditation qu'il fait sur l'Histoire à la lumière de la Bible. Le reste n'est constitué que de reprises, des « secondes versions » de ses drames (de la version pour la scène du *Soulier* pour les représentations historiques de 1943 à la dernière version de *l'Annonce,* dont il surveillait les répétitions à la Comédie-Française dans les jours qui ont précédé sa mort). C'est que, grâce à Jean-Louis Barrault surtout, son metteur en scène préféré, le vieux Claudel a découvert le théâtre qui se fait, le « théâtre à l'état naissant ». Et parallèlement, le public, il est vrai longtemps réticent, prêtait enfin l'oreille à cette voix à nulle autre pareille qui, en des temps de douleur, lui apprenait que du mal peut quand même sortir le bien.

VIE		ŒUVRE	
1862	Mariage de Louis Prosper Claudel et de Louise Athénaïs Cerveaux.		
1863	Naissance et décès d'Henri Claudel.		
1864	Naissance de Camille Claudel.		
1866	Naissance de Louise Claudel.		
1868	**6 août :** naissance de Paul Claudel à Villeneuve-sur-Fère.		
1880	Après sa première communion, il renonce aux pratiques religieuses.		
1882	Installation de la famille à Paris. Élève à Louis-le-Grand.		
1885	Fin des études secondaires.		
1886	Découverte de Rimbaud. **25 déc. :** illumination à Notre-Dame.	**1886**	« Pour la messe des hommes », poème.
1889	Élève de l'École libre des sciences politiques.		
1890	Reçu premier au concours des Affaires étrangères. **25 déc. :** soumission à l'Église.	**1890**	*Tête d'Or,* 1re version, est publié.
1892	Élève-consul.	**1892**	« Morceau d'un drame ». Écrit *la Jeune Fille Violaine* (publié en 1926).
1893	Nommé vice-consul à New York.	**1893**	Publie *la Ville,* 1re version.
1894	Gère le consulat de Boston.	**1894**	Achève *l'Échange.*
1895	Passe par Paris (févr.-mai) avant de gagner Chang-hai.	**1895**	Commence les *Vers d'exil.*
1896	Fou-tcheou.	**1896**	Compose *le Repos du septième jour,* publié en 1901 ; publie sa traduction de l'*Agamemnon* d'Eschyle.
1897	Han-k'eou.	**1897**	Premières proses de *Connaissance de l'Est* dans diverses revues jusqu'en 1905. *La Ville,* 2e version.
1898	Nommé consul à Fou-tcheou.	**1898**	*La Jeune Fille Violaine,* 2e version.
1899	Fait la connaissance des Vetch ; départ pour la France par la Terre sainte.		
1900	Rencontre Gide ; retraites à Solesmes et à Ligugé ; retour en Chine sur l'*Ernest Simons.*	**1900**	Commence la première des *Cinq Grandes Odes,* « les Muses ».
1901	Fou-tcheou.	**1901**	Publication de *l'Arbre.*
1903	Amitié de Philippe Berthelot.		
1904	Rupture avec Rose Vetch.	**1904**	*Connaissance du temps* (1re partie de l'*Art poétique*).
1905	Départ pour l'Europe.	**1905**	Écrit *Partage de midi.*
1906	**15 mars :** mariage à Lyon. Rentre en Chine.		
1907	À T'ien-tsin, naissance de Marie Claudel.	**1907**	Publie *Connaissance de l'Est, Art poétique.*
1908	Naissance de Pierre Claudel.	**1908**	Achève les *Cinq Grandes Odes.*
1909	Nommé consul à Prague.		
1910	Naissance de Reine Claudel.	**1910**	Commence *l'Annonce faite à Marie,* publiée en 1911-1912. Publie les *Cinq Grandes Odes* dans la revue *l'Occident.*
1911	Consul général à Francfort.	**1911**	Publication de *l'Otage.*

VIE		ŒUVRE	
1912	Naissance d'Henri Claudel.	**1912**	Première représentation de *l'Annonce faite à Marie.*
1913	Mort de son père, folie de sa sœur ; consul général à Hambourg.	**1913**	Écrit *Protée* et *la Cantate à trois voix.*
1914	Retour en France.	**1914**	Achève *le Pain dur* ; première représentation de *l'Échange* (Jacques Copeau).
1915	Mission économique à Rome.	**1915**	*Corona benignitatis Anni Dei.*
		1916	Achève *le Père humilié.*
1917	Ministre plénipotentiaire à Rio ; naissance de Renée Claudel.	**1917**	Écrit *la Messe là-bas* (publié en 1919).
		1918	Publie *le Pain dur.*
1919	Nommé à Copenhague.	**1919**	Commence *le Soulier de satin.* Publie *le Père humilié.*
		1920	Publie *Protée,* « drame satyrique ».
1921	Ambassadeur à Tokyo.		
1923	Tremblement de terre à Tokyo.	**1923**	Représentation d'un nô, *la Femme et son ombre.*
1925	Retour en France.	**1925**	*Feuilles de saints. Réflexions et propositions sur le vers français.*
1926	Retour à Tokyo.	**1926**	Publie *Correspondance avec Jacques Rivière.* Écrit *Cent Phrases pour éventails* (publié en 1942).
1927	Ambassadeur à Washington.	**1927**	Commence les *Conversations dans le Loir-et-Cher* (publié en 1935).
		1928	Publie *Positions et Propositions* (t. II, 1934).
1929	Mort de sa mère	**1929**	Publie *le Soulier de satin.* Commence *Au milieu des vitraux de l'Apocalypse.*
1933	Ambassadeur à Bruxelles.	**1933**	Publie *le Livre de Christophe Colomb.*
1935	Échec à l'Académie française ; retraite.	**1935**	Publie *Introduction à la peinture hollandaise.*
		1938	Première représentation de *Jeanne d'Arc au bûcher* (publié en 1939).
		1942	Publie *Présence et prophétie.*
1943	Mort de sa sœur Camille.	**1943**	Barrault monte *le Soulier de satin.*
1946	Élection à l'Académie française.	**1946**	Publie *Contacts et circonstances.*
		1948	Première représentation de *Partage de midi* (version pour la scène).
1949	Polémiques sur le sens de l'Écriture.	**1949**	Tente de refaire *Tête d'Or.*
1951	Entretiens radiophoniques avec Jean Amrouche, publiés en 1954 sous le titre *Mémoires improvisés.*	**1951**	*Conversation sur Jean Racine* (publié en 1956).
1955	**23 févr. :** mort de Claudel.	**1955**	**17 févr. :** première de *l'Annonce* (nouvelle version) à la Comédie-Française.

L'Arbre

Le symbole de l'arbre est essentiel dans l'œuvre de Claudel. C'est l'image de l'ascension, celle de ce « très grand Arbre » auquel s'adresse Simon Agnel à la fin de la première partie de *Tête d'Or,* mais aussi l'ascension contrariée de l'« arbre du crucifix », ascension rayonnante qui devient source d'espérance pour l'humanité.

Sous ce titre, *l'Arbre*, Claudel a publié en 1901 son premier théâtre : *Tête d'Or* (seconde version), *la Ville* (seconde version), *la Jeune Fille Violaine* (seconde version), *le Repos du septième jour*, *l'Échange*. Il a peut-être mis ce recueil au point pour le Mercure de France lors de son séjour en France en 1900.

Les remaniements des nouvelles versions sont pleins d'intérêt. La fin du premier *Tête d'Or* était païenne, dionysiaque :

Ô Bacchus, couronné d'un pampre épais,
Poitrine contre poitrine, tu te mêles à mon sang
[terrestre ! bois l'esclave !

L'imagerie devient résolument chrétienne dans la seconde :

Ô prince vêtu de gloire,
Poitrine contre poitrine, tu te mêles à mon sang
[terrestre ! bois l'esclave !

La seconde *Ville*, beaucoup moins foisonnante que la première, tend à substituer à la cérémonie barbare du troisième acte « un exposé parfois trop rigoureux des certitudes claudéliennes » (Jacques Petit). Dans la seconde version de *la Jeune Fille Violaine*, Claudel a introduit le personnage nouveau de Pierre de Craon et ce qu'il appellera dédaigneusement plus tard les « divagations architecturales ». Mais l'ascension de la cathédrale n'est-elle pas encore celle de l'arbre de la Croix ?

Même si Claudel a voulu discipliner son inspiration et sa violence éruptive, les drames de *l'Arbre* frappent par leur vigueur, par ce qu'il y a en eux d'un peu vert. C'est pourquoi un public jeune doit être plus sensible à ces œuvres, ou à *Partage de midi*, qu'aux œuvres de la maturité. C'est là aussi qu'on pourra saisir la naissance du vers claudélien, « l'haleine intelligible », plus proche de la versification des Grecs ou de celle de Shakespeare que de la versification française (et même que du vers libre des poètes de la fin du XIXe siècle).

Cinq Grandes Odes

Il faut revenir aux déclarations du poète Cœuvre dans la seconde *Ville* ou se reporter à la théorie claudélienne de la métaphore dans l'*Art poétique* (1903-1907) pour comprendre l'intention qui a guidé Claudel dans cette œuvre monumentale, commencée en 1900 et publiée dans son entier en 1910. Ce sont des « psaumes ou monologues », où il reprend et développe sa théorie de la parole, les incidents de sa vie passée et sa certitude de vivre dans un univers « catholique ».

La première ode, « les Muses », a peut-être été composée en deux temps (1900/1904). Elle célèbre tour à tour les « Muses respiratrices » et les « Muses inspirées » jusqu'à l'invocation finale à Érato, confondue avec l'amante passionnée du poète. « L'Esprit et l'Eau » (1906) célèbre l'« élément fluide, l'esprit ou l'eau, dont toutes choses sont pénétrées », mais aussi cette « eau essentielle en nous qui est le besoin d'être parfaitement liquide et translucide ». Le « Magnificat » (1907) est un cantique de reconnaissance à Dieu, pour l'illumination d'autrefois mais aussi pour cette joie nouvelle qu'est la naissance d'un premier enfant dans un foyer chrétien. Disposée à la manière pindarique, en strophes, antistrophes et épode, la quatrième ode, « la Muse qui est la Grâce », montre le poète envahi par l'ivresse de l'inspiration, et son dialogue avec la Muse, qui n'est autre que la Grâce de Dieu. « La Maison fermée » (1907-1908) fait l'éloge de la clôture, qu'il s'agisse de la maison protégée par l'épouse, « la gardienne du poète », ou de la création tout entière, ce monde fini, protégé par Dieu, que le poète veut embrasser dans sa « catholicité ». L'ensemble s'achève sur un « Processionnal pour saluer le siècle nouveau », où Claudel inaugure un mode poétique de célébration liturgique qu'il reprendra dans *Corona benignitatis Anni Dei* ou dans *la Messe là-bas*.

L'Annonce faite à Marie

C'est l'œuvre la plus célèbre de Claudel, la plus jouée, la plus goûtée du public religieux. L'histoire du texte est complexe, depuis les trois versions successives de *la Jeune Fille Violaine*, dont elle est issue, jusqu'aux versions faites pour la scène (1940, 1948). Le meilleur texte reste celui qui a été publié dans *la Nouvelle Revue française* en 1911-1912.

L'*Annonce* se passe au Moyen Âge, mais dans un Moyen Âge stylisé. « Je n'ai pas eu l'idée de faire un drame pour exposer telle ou telle situation historique, expliquera Claudel dans ses *Mémoires improvisés*, je me suis servi incidemment de tel ou tel événement historique pour servir au drame, mais en me réservant la possibilité de pas mal le modifier. » C'est une période de troubles politiques. C'est surtout une période de crise de l'Église : le maître de la ferme de Combernon, Anne Vercors, se scandalise de la situation de la chrétienté, mais, à la fin de la pièce, il se rend compte qu'il a eu tort de se scandaliser, car, comme le disait G.K. Chesterton, l'un des maîtres à penser de Claudel, la « folle vérité », « chancelante », est « encore debout ».

On caractérise souvent l'*Annonce* comme un drame de la jalousie. Ce n'est pas absolument exact. Mara défend avec acharnement son bien, ou ce qu'elle considère comme tel. Le partage fait par son père, pour le mariage de sa sœur, lui apparaît comme une injustice. De même après la résurrection d'Aubaine, l'enfant qu'elle a eu de Jacques Hury, Mara s'aperçoit qu'elle doit la partager avec cette autre mère, Violaine, dont la petite fille a reçu une seconde fois la vie, mais dont elle a également sucé le lait et dont elle a les yeux bleus. Aussi Mara ne peut-elle pas se contenter d'avoir chassé la lépreuse. Elle doit consommer le sacrifice, elle doit la tuer.

Est-ce Mara qui contraint Violaine à la sainteté ? Sous cette forme, l'idée est brutale. En fait, depuis *la Jeune Fille Violaine*, le rôle de Mara a diminué. Elle n'est plus qu'un instrument. Il faut tenir compte du rôle de Pierre de Craon – l'« ambassadeur de Dieu », comme le définira Claudel lui-même. D'ailleurs, Violaine n'est pas « sainte Violaine » ; elle refuse en tout cas d'être une sainte. Violaine est essentiellement un personnage médiateur, entre Combernon et Monsanvierge, mais aussi entre Mara et Dieu. Son sacrifice permet la libération d'une énergie, d'une force surnaturelle. Car « l'homme n'a pas de privilège plus grand que le sacrifice. C'est le couronnement de la liberté ».

SYNOPSIS

Une grange paysanne de Combernon, un village champenois proche de Reims, au XVe siècle. Sur le mur, un crucifix. Pierre de Craon, le bâtisseur de cathédrales, s'apprête à partir dans la nuit. La jeune Violaine l'interroge sur les motifs de son départ. Il aime la jeune fille, mais il est atteint par la lèpre. Elle dit son bonheur de vivre et son amour pour Jacques Hury ; cependant elle offre au malheureux l'anneau d'or que lui a donné son futur fiancé. Elle scelle son union mystique avec le réprouvé en lui donnant un baiser. Sa sœur, Mara, les observait à leur insu (Prologue).

Anne Vercors annonce à sa femme son départ pour Jérusalem. Il destine à Jacques Hury sa fille aînée, Violaine. Mais la cadette, Mara, aime le jeune homme en secret et elle crie son violent désespoir à sa mère. Celle-ci se charge de révéler la vérité à Violaine, qui tente de retenir son père. Mais il délègue ses pouvoirs de chef de famille à Jacques. Avant de partir, il partage solennellement le pain et annonce : « Je reviendrai au moment que vous ne m'attendez pas » (acte I).

De la plus haute tour de Monsanvierge s'élève une voix de femme qui chante le Salve Regina. Mara reproche avec amertume à Jacques de se réjouir parce qu'il prendra possession de la terre ancestrale. Elle tente de persuader le jeune homme, troublé par le baiser de Violaine au lépreux, que sa sœur s'est déshonorée. Violaine a revêtu le costume des moniales de Monsanvierge. Ébloui par sa beauté, Jacques ne comprend pas le dialogue à double sens qui se noue entre eux. Bien qu'elle lui demande de l'assurer de son amour, elle se sait vouée à Dieu et elle lui montre la « fleur d'argent » de la lèpre qui flétrit sa chair. Il éclate alors en reproches sans pouvoir se défendre de l'aimer encore. Elle se retire dans une ladrerie. Avec tristesse, Jacques annonce qu'il faut différer le temps du mariage. La mère croit que son « agneau » se sacrifie pour sa sœur (acte II).

Dans le pays de Chevoche, la veille de Noël, la neige tombe sur la forêt. Charles VII va se faire sacrer à Reims, dans la cathédrale bâtie par Pierre de Craon. Mara paraît, chargée d'un fardeau, et les gens du lieu lui apprennent où se trouve la lépreuse. La mère est morte. Mara et Jacques sont mariés. Devenue aveugle, Violaine sait que la grâce de Dieu travaille son corps rongé et sanctifié par le mal mystique. Mara remet entre ses bras le cadavre de son enfant mort, et face à sa sœur qui lui demande d'accepter la volonté divine, elle menace de se damner. Elle exige un miracle de la femme consacrée car, autrement, à quoi servirait Violaine ? Sonnent alors les cloches de Noël et les trompettes du cortège royal ; le ciel se découvre. Violaine se retire avec le corps de la fillette dans son abri tandis que Mara lit l'office de Noël et que des chants surnaturels se font entendre. Violaine ressuscite la petite Aubaine : ses yeux bleus et une goutte de lait sur la lèvre témoignent de la maternité spirituelle de Violaine (acte III).

Pendant la seconde partie de la nuit, Jacques s'étonne de la guérison de sa fille, mais Mara n'avoue rien. Anne Vercors revient de Terre sainte, après sept années d'absence. Il porte le corps de Violaine mourante. Pierre, guéri, lui a rendu l'anneau de Violaine. Le père sait que celle-ci s'est chargée de la misère de ses proches et qu'elle a vécu le déchirement de tous en ces temps troublés. Jacques comprend avec douleur que Violaine lui a préféré l'absolu. Dévorée par une jalousie intense, Mara l'a conduite à la mort. Violaine pardonne. Les derniers mots de la mourante célèbrent le bonheur humain dans la sérénité et l'attente fervente. Elle expire alors que sonne l'Angélus (acte IV).

Le Soulier de satin

Conçue d'abord comme « une saynète marine destinée à servir de prologue à *Protée* », un « drame satyrique » écrit par Claudel comme une sorte de contrepoint à la trilogie d'Eschyle ou à celle des Coûfontaine, *le Soulier de satin* est devenu une œuvre immense, en quatre Journées (au sens que le mot avait dans la *comedia* du Siècle d'or). Une représentation intégrale du texte achevé en 1925 et publié en 1929 dure plus de neuf heures, comme on a pu le constater lors de la mémorable mise en scène d'Antoine Vitez au Festival d'Avignon en 1987. Il fut considérablementt abrégé lors de sa création à la Comédie-Française en 1943, et Jean-Louis Barrault a encore pratiqué bien des coupures dans la version prétendument complète qu'il a présentée au théâtre d'Orsay en 1980.

Claudel a voulu, dit-il, présenter « une histoire de vieux conquistador malheureux en amour qui se venge en ravageant le Maroc et en culbutant la cordillère des Andes et qui finit captif et enchaîné aux mains d'une de ses filles ». Ce n'est pas tout à fait cela : Rodrigue est d'abord un jeune homme, parfaitement digne d'être aimé de Prouhèze. Mais le mari de Prouhèze, le juge Pélage, le roi d'Espagne et Dieu s'emploient à le séparer de celle à laquelle il n'a pas le droit d'être uni. Et Prouhèze, de son côté, s'impose de dures contraintes, choisissant de mourir dans l'explosion de sa citadelle de Mogador, après avoir remis à Rodrigue l'enfant qu'elle a eue de don Camille. La Quatrième Journée, « Sous le vent des îles Baléares », s'organise autour de cette enfant devenue jeune fille, doña Sept-Épées : pendant que la déchéance du vieux conquistador va à son terme, elle gagne à la nage le bateau de Jean d'Autriche, celui qu'elle aime. Le coup de canon final qui salue la victoire de Lépante, l'arrivée de doña Sept-Épées, salue surtout la délivrance des âmes captives – celles de Prouhèze et de Rodrigue.

Claudel lui-même a présenté *le Soulier de satin* « moins comme un drame proprement dit que comme un laboratoire d'essais et de découvertes » : une sorte de *melting-pot* où peuvent se mêler les ingrédients les plus divers, en particulier des éléments empruntés au théâtre espagnol du XVIIe siècle et au théâtre élisabéthain, mais aussi des projections sur écran et des éléments musicaux, dus à Honegger. Certaines scènes insolites (l'apparition de la Lune, celle de l'Ombre double) sont d'une puissante originalité. Claudel a élevé à la hauteur d'un principe la complémentarité, la juxtaposition à l'action principale d'une multitude d'actions latérales. C'est, disait-il, « une trame composée d'un fil bleu, d'un fil rouge et d'un fil vert qui, sans cesse, paraissent et disparaissent ». La plus séduisante de ces intrigues secondaires est la présentation des amours heureuses de doña Musique et du vice-roi de Naples. Elle sert de contrepoint, en majeur, aux amours tourmentées de Rodrigue et de Prouhèze.

SYNOPSIS

« La scène de ce drame, précise l'Annoncier, est le monde et plus spécialement l'Espagne à la fin du XVIe siècle, à moins que ce ne soit le commencement du XVIIe siècle. » Attaché au mât d'un vaisseau en perdition au milieu de l'océan Altantique, un père jésuite supplie Dieu de détourner son frère Rodrigue du péché (Prologue).

PREMIÈRE JOURNÉE. En Espagne, Don Pélage, austère juge du Roi, court au chevet de sa cousine mourante, mère de Doña Musique. Sa femme, Doña Prouhèze, converse avec Don Camille. Ce Castillan au teint basané, cet aventurier, aime la jeune femme : il lui demande de sauver son âme et lui propose l'aventure du néant en Afrique. Prouhèze refuse. Elle a adressé une lettre à Rodrigue, qu'elle aime depuis qu'elle l'a recueilli après un naufrage sur les côtes d'Afrique. Rodrigue est celui qui la définit comme elle est : celle qui lui apporte la « joie » essentielle. Elle remet son soulier de satin à la statue de la Vierge et lui demande protection : « Quand j'essayerai de m'élancer vers le mal, que ce soit avec un pied boiteux ! » Dans son palais, sur les bords du Tage, le roi d'Espagne médite : son royaume réunit le double espace de l'Europe et de l'Amérique. Mais des troubles agitent le Nouveau Monde et il faut y envoyer un homme de passion, Don Rodrigue. Doña Musique s'est réfugiée au bord de la mer, dans une auberge ; elle se croit destinée au roi de Naples. Prouhèze est parvenue dans la même auberge. Les poursuivants de Musique s'apprêtent à attaquer l'auberge. Prouhèze s'est sauvée et son ange gardien l'accompagne. Les attaquants prennent l'auberge d'assaut mais Musique vogue vers Naples sous la conduite d'un pittoresque « Sergent napolitain ».

DEUXIÈME JOURNÉE. Prouhèze s'est rendue au château de Doña Honoria, la mère de Rodrigue, où celui-ci, blessé dans un combat, a été conduit. Don Pélage avoue à Doña Honoria qu'il a aimé dans son épouse la lumière qu'elle irradie. « C'est vous qui la retranchez de Dieu », lui répond Doña Honoria. Don Pélage, face à Prouhèze, la justifie de son éloignement pour lui. Il doit, cependant, continuer la Croisade, et la nomme gouverneur de Mogador, place forte africaine où règne Don Camille. Il ne la reverra plus jamais. Dans la campagne romaine, au coucher du soleil, le vice-roi de Naples se considère comme le gardien du lieu central de la Chrétienté. Dans la nuit, la figure gigantesque de saint Jacques occupe tout l'espace : l'espace infini figure l'universalité catholique, réunit l'Afrique et l'Amérique, le passé et le présent, le visible et l'invisible. Dans son palais de l'Escurial, le roi d'Espagne annonce à Don Pélage que Rodrigue n'accepte de partir en Amérique que si Prouhèze revient. En pleine mer et face à Mogador, Rodrigue imagine que Prouhèze, qu'il a suivie, a cédé à Camille. À l'intérieur de la forteresse, Camille et Prouhèze se déchirent. En Sicile, Doña Musique rencontre, par hasard, le vice-roi de Naples, qui entend la petite « musique » qui émane du cœur de la jeune femme : « Mon chant est celui que je fais naître. » À Mogador, Don Camille remet à Rodrigue la réponse de Prouhèze : « Je reste. Partez. » Camille reproche à Rodrigue de s'être, d'emblée, donné la tentation comme interdite. Mais Rodrigue demande plus que l'amour humain ; il veut l'union pareille des âmes et des corps. Prouhèze restera avec Camille, comme une figure de la destinée de ce dernier. La lune éclaire « l'ombre double » des amants ; Prouhèze sait que leur séparation physique ne peut empêcher leur union mystique dans l'absence essentielle qui définit la créature. « Jamais je ne pourrai plus cesser d'être sans lui et jamais il ne pourra plus cesser d'être sans moi. »

TROISIÈME JOURNÉE. Dix ans plus tard, peu après la bataille de la Montagne-Blanche (1620). En hiver, dans l'église de Saint-Nicolas, à Prague, Doña Musique, enceinte, prie Dieu et le loue. Les Saints défilent et s'expriment chacun à leur tour ; les Saxons et Luther incarnent la contradiction vivante de l'Europe, la négation qui entraîne les soldats du Christ ; car l'ordre parfait, l'harmonie ne se trouvent qu'en Dieu. Doña Musique attend, certaine que l'avenir se déroulera selon l'ordre du Grand Livre. Au large de l'Amérique se déroule une scène burlesque : Don Léopold Auguste remet en cause toutes les découvertes. Son interlocuteur Don Fernand apporte la lettre de Prouhèze à Rodrigue, qui ne lui est jamais parvenue (voir Première Journée). Au large de l'Orénoque, Don Rodrigue, vice-roi des Indes, envoie Almagro prendre par l'épée l'Amérique du Sud, en franchissant l'isthme de Panama. Dans une longue scène, Prouhèze ou plutôt l'âme de Prouhèze, guidée par son ange gardien, voyage aux confins de la vie et de la mort. Elle aspire à rejoindre le néant mais l'appel secret de Rodrigue la retient – « Sans mains, sans yeux, il y a quelqu'un qui m'a rejointe amèrement dans le désert ! » –, passion qui, par la tentation même du péché, les rapproche de Dieu. Prouhèze se métamorphosera en étoile, en guide spirituel de son époux mystique, Rodrigue. Celui-ci a relié l'Ancien au Nouveau Monde ; mais, au-delà de l'isthme de Panama, franchissant l'Océan Pacifique, il devra aussi parcourir l'Asie pour faire naître au seul Dieu les populations ignorantes de la bonne parole. Derrière Prouhèze et l'Ange, un écran géant renvoie l'image du Ciel où se dessine l'image de l'Immaculée Conception. Dans son palais de Panama, Rodrigue reçoit, enfin, la lettre écrite par Prouhèze dix ans plus tôt. À Mogador, après la mort de Don Pélage et lors d'une révolte des troupes, Prouhèze s'est mariée avec Camille. Sa fille, Doña Sept-Épées, ressemble à Rodrigue. Camille, le renégat, a embrassé l'islam et renie le Christ : « Je suis la brebis bien perdue que les cent autres à jamais ne suffisent pas à compenser. » Rodrigue arrive devant les côtes de Mogador. Prouhèze vient en ambassadrice lui transmettre le message de Camille : si Rodrigue retire ses troupes, elle partira avec lui ; sinon, elle mourra avec les Mores dans l'incendie de la citadelle. Elle demande à Rodrigue de la délier de la promesse qui les unit, de la laisser renaître en esprit, purifiée de l'amour qui l'empêche d'atteindre l'au-delà. Il ne dit pas le mot qui l'aurait retenue et elle laisse sa fille sous sa garde.

QUATRIÈME JOURNÉE. « Sous le vent des îles Baléares ». Dix ans plus tard, alors que Prouhèze est morte, Rodrigue, à bord d'un vieux bateau, fabrique et vend des images saintes après la disgrâce royale que lui valut son départ du Nouveau Monde. Il a perdu une jambe au Japon. Quant à Doña Sept-Épées, avec son amie la gentille Bouchère, elle projette de délivrer les Espagnols captifs des pirates barbaresques en Afrique. Le Roi a déjà envoyé Jean d'Autriche, le fils de Doña Musique, combattre les Turcs. Sept-Épées et Jean semblent devoir s'aimer d'un amour impossible. Le Roi met à profit les rumeurs de victoire de l'Invincible Armada pour tromper ce Rodrigue infirme dont la superbe l'indispose : il imagine un subterfuge pour le convaincre de prendre en charge le gouvernement de l'Angleterre. Rodrigue, circonvenu par l'Actrice, semble se laisser tenter, quand Sept-Épées l'appelle à l'aide en évoquant le douloureux souvenir de Prouhèze. Mais, par l'offre du Roi, il se sent appelé à une plus vaste tâche : « élargir le monde », restaurer l'harmonie cosmique. Dans sa cour figée et hypocrite, le Roi remet à Rodrigue la charge postiche de vice-roi d'Angleterre. Sept-Épées se sauve à la nage du vaisseau de son père. La même nuit, Rodrigue, enchaîné à un mât, subit les moqueries du soldat auquel il appartient après avoir été fourvoyé par le Roi. Sept-Épées lui a écrit une lettre : quand elle atteindra le vaisseau de Jean d'Autriche, sur le point de livrer la bataille de Lépante (1571), elle fera tirer un coup de canon. Rodrigue se plaint de sa destinée au père qui maria Prouhèze et Camille : « Tout cela un jour vous sera expliqué », lui réplique ce dernier. Une vieille religieuse achète Rodrigue, déchu, pour qu'il serve, au plus bas degré, les œuvres de sainte Thérèse. On entend un coup de canon.

Claudel prosateur

On parle toujours de Claudel comme d'un poète. Pourtant son œuvre proprement poétique est fort inégale. Et, dès *Connaissance de l'Est*, il faisait un usage très personnel de la prose poétique. On s'aperçoit surtout que son œuvre en prose est aussi abondante que variée : une très vaste correspondance, des traités (l'*Art poétique*), des livres documentaires (*Sous le signe du dragon*, posth., 1957), des souvenirs, des écrits de critique d'art (*l'Œil écoute*, 1946), des dialogues ou conversations (*Conversations dans le Loir-et-Cher* ; *Richard Wagner* ; *Rêverie d'un poète français*, etc.), des réflexions sur la poésie (*Positions et propositions*), de nombreuses méditations religieuses et des ouvrages d'exégèse biblique. La langue est toujours extrêmement savoureuse. À ceux qui se croient allergiques à Claudel il faut conseiller la lecture de certains de ces textes, où ils découvriront un homme étonnamment vivant. À ceux qui croient le connaître il faut imposer d'entrer dans les livres qui passent pour les plus arides (l'*Art poétique*, les commentaires bibliques) : ils découvriront peut-être la clé de voûte du système et goûteront des plaisirs inattendus.

P. Brunel et V. Anglard (synopsis)

CLAVEL Bernard

(né en 1923)

Romancier, essayiste, journaliste, critique d'art. Né à Lons-le-Saunier (Jura) d'un père ancien boulanger devenu jardinier avec la retraite, Bernard Clavel est à quatorze ans apprenti pâtissier à Dole. Pendant de longues années, il tente en vain de s'exprimer, par la peinture, puis par l'écriture, tout en exerçant des tâches de gagne-petit. En 1956, journaliste de nuit au *Progrès*, à Lyon, il publie *l'Ouvrier de la nuit*, où il décrit les difficultés de l'écrivain usé par la pauvreté, l'incompréhension des éditeurs qui lui retournent ses manuscrits, la tentation d'abandonner une aventure dont les siens font les frais. En 1957, un public restreint, mais qui restera fidèle, accueille *Vorgine* et, en 1958, *Qui m'emporte* (rebaptisés *Pirates du Rhône* et *le Tonnerre de Dieu* dans les années 70, ces deux livres connaîtront un succès considérable). En 1959, *l'Espagnol* obtient le prix Eugène-Le Roy. L'adaptation télévisée de ce roman en 1967 et, plus encore, le prix Goncourt 1968 pour *les Fruits de l'hiver* apportent la gloire à Clavel, malgré les sarcasmes de la critique. Par la suite, et chaque année, un ou deux titres arrivent en tête des ventes en librairie et sont traduits en plusieurs langues. La télévision adapte une dizaine de ses romans, Jean Gabin interprète au cinéma *le Tonnerre de Dieu*, Fernandel *le Voyage du père* (film de Denys de La Patellière). Julien, l'apprenti pâtissier de *la Maison des autres* (1962), Philibert Merlin, *le Seigneur du fleuve* (1971) qui lutte contre la machine à vapeur pour sauver son métier de batelier, sont devenus de véritables archétypes. Fidèle à son amour de la peinture, B. Clavel y a consacré des essais (*Léonard de Vinci*, 1967) et des articles dans des revues d'art.

En dépit ou à cause de son succès, cette œuvre est suspectée, voire méprisée, par nombre de critiques. Les thèmes, jugés « passéistes », le ton « fraternel » vont à contre-courant du monde moderne. Très attaché à l'univers de sa jeunesse, Bernard Clavel peuple ses récits de petites gens, paysans et artisans (« mes maîtres furent des gens de métier »), marginaux peu prisés tel *l'Hercule sur la place* (1966). La vie quotidienne est leur combat ; ils subissent les grands événements sans les comprendre. Ses « héros » exaltent la droiture, la camaraderie virile et le sport (*Victoire au Mans*, 1968, écrit pour la jeunesse) et, plus que tout, l'amour du beau travail. Parfois un peu « sorcières » comme *la Bourelle* (1980), ses personnages féminins sont le plus souvent, comme *Marie Bon Pain* (1980), résignés et silencieux. Le geste plus que la parole suggère la qualité du sentiment. La nature environnante est source de beauté et d'équilibre. Le fleuve (le Rhône surtout) devient un personnage mythique. Le bois, symbole d'enracinement et de fidélité, fascine Bernard Clavel : il lui a consacré un essai (*Célébration du bois*, 1962), un conte pour enfants (*l'Arbre qui chante*, 1967), un livre d'art (*Arbres*, 1981), et la forêt est un personnage dominant de toute l'œuvre. La découverte du Québec et du Grand Nord canadien apporte un souffle épique aux cinq volumes des *Colonnes du ciel* (1976-1981) et plus encore à ceux du *Royaume du Nord* (*Harricana*, 1983 ; *l'Or de la terre*, 1984 ; *Miséréré*, 1985) : lyrisme et ampleur dramatique y témoignent de la jeunesse de leur auteur. Avec générosité et chaleur, Clavel se veut l'un de ces anarchistes pour qui la « seule réserve de force est dans leurs sentiments » ; il combat toute oppression, dénonce *le Massacre des innocents* du tiers monde (1970), défend les objecteurs de conscience et le pacifisme (*le Silence des armes*, 1974), s'attaque aux grands débats de société (ainsi *Cargo pour l'enfer* [1993] aborde-t-il le problème de la pollution par les déchets toxiques). Membre à partir de 1971 du jury du prix Goncourt – qui l'avait couronné trois ans plus tôt – il démissionne de cette instance en 1977 pour garder sa liberté et dénoncer des manœuvres « dégueulasses ». Pourtant, dans une perspective chrétienne (cf. *Jésus le fils du charpentier*, 1996), il prône l'indulgence : tout être vaut qu'on l'écoute et qu'on l'aime.

C'est sans doute par « un retour au sensible et au concret dont notre époque est pathétiquement dépourvue » (Poirot-Delpech) que s'explique le succès de Bernard Clavel auprès du public.

M. P. Schmitt

COCTEAU Jean

(1889-1963)

Plus encore que polygraphe, Cocteau peut paraître un « touche-à-tout » : théâtre, critique, romans, dessin, décoration, chorégraphie…, il y a peu de genres où il ne se soit illustré. Pourtant, si c'est l'ambition poétique qui semble dominer son œuvre, certains pensent que celle-ci ne s'est pleinement réalisée qu'au cinéma, où l'on se plaît à reconnaître, notamment dans le cycle d'*Orphée,* un heureux équilibre dans l'exploitation des mythes traditionnels et des ressources du modernisme le plus provocateur.

« Enfant gâté du siècle » (Pierre de Boisdeffre), Jean Cocteau donne toujours l'impression, par sa facilité, sa rapidité, la multiplicité d'une œuvre brillante, d'avoir bénéficié de dons inhabituels qu'on serait tenté de lui reprocher. Mais c'est oublier ce que la désinvolture apparente doit à la fascination de la mort, ce que le badinage de la Belle Époque doit à la peur d'une catastrophe mondiale, c'est oublier la nécessité d'exorciser les guerres, la Gestapo, la torture. La mort – et ce n'est pas seulement une allégorie héritée du surréalisme – est omniprésente dans l'œuvre de Cocteau.

Le jeu de la vie

La vie de Cocteau est un jeu, un jeu sérieux comme toutes les occupations des enfants, qui débute à Maisons-Laffitte onze ans avant la fin du siècle, mène le poète du cabaret du Bœuf sur le Toit à l'Académie française, le fait participer aux acrobaties aériennes de Roland Garros, traverser la Grande Guerre en échappant à la mort, passer par la singularité, les scandales artistiques, les vanités mondaines, un tour du globe et mourir à Milly-la-Forêt le même jour qu'Édith Piaf, le 11 octobre 1963.

À la mort de son père, en 1899, Jean Cocteau se trouve installé avec sa mère, son frère et sa sœur, rue La Bruyère, à Paris. Il fréquente assidûment le théâtre – plus que l'école Condorcet, d'où il est renvoyé, pour indiscipline, en 1904. Il fait la connaissance, en 1908, du comédien Édouard de Max, qui organise une audition de ses premiers poèmes, puis il fonde la luxueuse revue *Schéhérazade* (1909-1911), se lie avec les musiciens du futur groupe des Six (Georges Auric, Louis Durey, Arthur Honegger, Darius Milhaud, Francis Poulenc, Germaine Tailleferre) et fréquente l'avant-garde musicale (Erik Satie), chorégraphique (les ballets russes de Diaghilev) et picturale de la capitale. Réformé en 1914, il est ambulancier sur le front des Flandres, expérience qui nourrira son roman *Thomas l'Imposteur* (1923). La première de *Parade*, sur une musique de Satie (1917), déclenche un violent scandale et lui apporte la gloire. Avec des arguments chorégraphiques, Cocteau travaille pour Milhaud (*le Bœuf sur le Toit*, 1920), le groupe des Six (*les Mariés de la tour Eiffel*, 1921) et Honegger (*Antigone,* 1922). À la mort de Raymond Radiguet (1923), son compagnon depuis quatre ans, et avec lequel il a écrit, pour Satie, un livret tiré de *Paul et Virginie* (1920), Cocteau abuse de la drogue et doit entreprendre une cure de désintoxication (cf. *Opium*, publié en 1930). Il s'achemine vers la guérison dans le même temps qu'il entretient une correspondance spirituelle – où on le voit très près de la conversion – avec Jacques Maritain. La pièce *Orphée* est créée par la compagnie Pitoëff (1926) ; *les Enfants terribles* sont rédigés en dix-sept jours, à la clinique (1929). *La Voix humaine* est lue à la Comédie-Française (1930), et le premier film de Cocteau, *le Sang d'un poète* (1930), est projeté en 1932 grâce au mécénat du vicomte de Noailles. Gravement malade, il écrit à Toulon *la Machine infernale* (1933), pièce œdipienne qui est créée en 1934 par Louis Jouvet. À la suite d'un pari, il entreprend un « tour du monde en 80 jours » (1936). À son retour, il donne au théâtre *Œdipe roi*, écrit en 1925, où apparaît Jean Marais, et *les Chevaliers de la Table ronde* (1937), puis *les Parents terribles* (1938) qui rencontrent un succès de scandale. De cette période datent de nombreux recueils de poèmes (*Escales*, illustré par André Lhote, 1920 ; *Plain-Chant*, 1923 ; *Cri écrit*, 1925 ; *Poésie 1916-1923*, 1925 ; *Prière mutilée*, 1925 ; *Opéra*, 1927 ; *Mythologie*, illustré par Giorgio De Chirico, 1934), l'essentiel des « romans », récits limpides et concis, admirablement construits (*Thomas l'Imposteur* et *le Grand Écart*, 1923 ; *le Potomak*, 1924 ; *le Livre blanc*, 1928 ; *les Enfants terribles*, 1929) et nombre d'essais ou de textes critiques (*le Rappel à l'ordre*, 1926 ; *Lettre à Jacques Maritain*, 1926 ; *Une entrevue sur la critique*, 1929 ; *Essai de critique indirecte*, 1932 ; *Portraits-souvenirs* et *Mon premier voyage*, 1936). Simultanément, son activité picturale et graphique donne lieu à de nombreuses publications (*Dessins*, 1923 ; *le Mystère de Jean l'Oiseleur*, 1925 ; *Maison de santé*, 1926 ; *Portraits d'un dormeur*, 1929), souvent des illustrations pour les textes de l'auteur (*Soixante dessins pour les Enfants terribles*, 1934 ; *Dessins en marge des Chevaliers de la Table ronde*, 1934, publiés en 1941), tandis que de nouveaux arguments chorégraphiques (*Œdipus Rex*, pour Stravinski, et *le Pauvre Matelot*, pour Milhaud, 1927) s'ajoutent à ceux de 1920-1922.

Des vacances à Saint-Tropez, avec Jean Marais, sont interrompues par la guerre. En 1940 paraît *la Fin du Potomak* (« roman ») et, au théâtre, sont créés *les Monstres sacrés* et *le Bel Indifférent* (écrit pour Édith Piaf), suivis, en 1943, de *Renaud et Armide*, puis, en 1946, de *l'Aigle à deux têtes*, au théâtre Hébertot, avec Edwige Feuillère et Jean Marais.

Entre-temps Cocteau travaille beaucoup pour le cinéma : par des scénarios (*la Comédie du bonheur*, réalisé par Marcel L'Herbier, 1942 ; *le Baron fantôme*, réalisé par Serge de Poligny, 1943, qui n'ajoutent rien à sa gloire, alors que *l'Éternel Retour*, de Jean Delannoy, en 1943, et surtout les admirables *Dames du bois de Boulogne*, tiré d'un épisode de *Jacques le fataliste* de Diderot et réalisé par Robert Bresson en 1945, manifestent une inspiration digne de l'écrivain) ; par la réalisation complète de *la Belle et la Bête* (1946) dont le tournage est commenté avec esprit et lucidité dans *la Belle et la Bête (journal d'un film*, 1947). Puis ce sont les scénarios de *Ruy Blas* (1948, réalisé par Pierre Billon), de *l'Aigle à deux têtes* (1947), du superbe *la Voix humaine* de Rossellini avec Anna Magnani (1948) et une version cinématographique, merveilleusement interprétée par Yvonne de Bray, des *Parents terribles* (1948), précédant la forte et subtile réalisation de Jean-Pierre Melville, *les Enfants terribles*, en 1950.

L'activité de Cocteau est toujours débordante : il n'oublie pas qu'il est peintre (*Drôle de ménage*, conte pour enfants, 1948), critique d'art (*le Greco*, 1943 ; *Dufy*, 1949 ; *Modigliani*, 1950), essayiste (*le Foyer des artistes* et *la Difficulté d'être*, 1947 ; *Lettre aux Américains*, 1949 ; *Maalesh*, journal d'une tournée, 1949 ; *Journal d'un inconnu*, 1953), auteur chorégraphe (*le Jeune Homme et la Mort*, 1946 ; *Phèdre*, pour Georges Auric, 1950), dramaturge une dernière fois (*Bacchus*, 1951), et, toujours et avant tout, poète (*Léone*, 1945 ; *la Crucifixion*, 1946 ; *le Chiffre sept*, 1952 ; *Appoggiatures*, 1953 ; *Clair-obscur*, 1954). Enfin reconnu comme l'un des rares auteurs complets du cinéma français, avec *Orphée*, réalisé en 1950 au retour d'un voyage aux États-Unis, Cocteau est reçu à l'Académie française le 20 octobre 1955. Son *Discours de réception à l'Académie française* (1955) est un modèle d'irrespect conformiste, et son éloge de Colette, à laquelle il succède la même année à l'Académie royale de Belgique, un bel exemple de sympathie littéraire. En 1956, la Comédie-Française reprend *la Machine à écrire*, pièce que les Allemands avaient interdite en 1941.

En 1957, Jacques Demy tourne une adaptation fidèle du *Bel Indifférent*, puis (1961) Jean Delannoy une *Princesse de Clèves* où l'apport de Cocteau ne convainc guère. Mais *le Testament d'Orphée* (1960), avec ses outrances et ses froideurs, illustre fortement et résume pour un vaste public l'univers poétique et critique de son auteur.

Le poète-cinéaste reconnu par l'institution cherche aussi, à la fin de sa vie, la consécration comme peintre : il décore la villa *Santo Sospir* à Saint-Jean-Cap-Ferrat, propriété de son amie Francine Weisweller (1950), la salle des mariages de la mairie de Menton (1956), la chapelle Saint-Pierre à Villefranche-sur-mer (1957), la chapelle Saint-Blaise des Simples à Milly-la-Forêt.

En tant qu'écrivain, la seconde version d'une pièce composée quinze ans auparavant, *l'Impromptu du Palais-Royal* (1963, à la Comédie-Française) et, après les *Paraprosodies* (1958), les recueils de poèmes *Requiem* et *Cérémonial espagnol du phénix* (1961) seront parmi ses dernières œuvres.

Le théâtre de la vie

Mais la vie est-elle jamais apparue à Jean Cocteau autrement que sous la forme d'une comédie ? Dramaturge impénitent, mais aussi acteur, Cocteau n'est-il pas semblable à la princesse de Bormes, pour qui la guerre « apparut tout de suite comme le théâtre de la guerre » ?... « Cette nature intrépide écoutait le canon comme, au concert, on écoute l'orchestre derrière une porte que les contrôleurs vous empêchent d'ouvrir » (*Thomas l'Imposteur*). De même, et ici encore la part de l'autobiographie n'est pas négligeable, c'est dans un univers chimérique que se sont réfugiés Paul et Élisabeth dans *les Enfants terribles* : leur chambre est un décor, isolé du monde, inaccessible aux adultes ; il s'y déroule des événements dont les règles obéissent à la logique du merveilleux. Cocteau a donc raison de souligner que la psychologie de ses personnages est en quelque sorte *héraldique*. Elle « n'a pas plus de rapport avec la psychologie proprement dite que les animaux fabuleux (Lion qui porte sa bannière, Licorne qui se mire dans une glace) n'offrent de ressemblance avec des animaux véritables » (Préface de *l'Aigle à deux têtes*).

C'est par conséquent avec une totale innocence, une irresponsabilité non feinte, que les héros sont amenés à faire le mal, voire à provoquer la mort. Ils ne se plient qu'aux caprices de leur imaginaire et n'obéissent qu'à une sorte de morale de l'ingénuité. Êtres sauvages, instinctifs, asociaux, dont la perversion est la rançon de leur pureté : c'est sans le vouloir qu'Élisabeth déclenchera le suicide de Paul ; plus généralement, c'est à leur insu que les personnages s'aiment : ainsi, Henriette « aimait Guillaume. Elle le confondait avec sa mère dans ses pensées, et, comme sa mère le traitait en fils, elle ne voyait à cette confusion rien de coupable » (*Thomas l'Imposteur*). Cette préciosité casuistique sert à dénouer bien des situations tragiques. À Orphée qui lui demande où il a appris « toutes ces choses redoutables » sur les fameux miroirs qui sont les portes par lesquelles la Mort va et vient, Heurtebise, ange, mais aussi vitrier – dont le chevalet est la métaphore visuelle des ailes –, réplique avec ironie mais non sans maniérisme : « Vous savez, les miroirs, ça rentre un peu dans la vitre. C'est notre métier » (*Orphée*).

Ainsi les situations les plus inquiétantes se résolvent-elles en lazzi, dont Cocteau souligne intentionnellement la lourdeur. Eurydice à Heurtebise qui a prouvé qu'il pouvait miraculeusement rester suspendu au-dessus du sol : « Je n'aime pas les fournisseurs qui volent. – Ce jeu de mots cruel est indigne de vous. – Ce n'est pas un jeu de mots ». De même, la mort se transforme en mot d'auteur : « Cortège funèbre. Premier phono : Adieu, adieu vieil ami. Dès vos premières armes, vous avez fait preuve d'une intelligence très au-dessus de votre grade. Vous ne vous êtes jamais rendu, même à l'évidence » (la mort du Général dans *les Mariés de la tour Eiffel*). Le génie du théâtre permet donc à Cocteau d'échapper par une pirouette formelle à l'angoisse de la mort ; la pratique constante de la poésie lui permettra d'explorer l'univers de la mort, de se mouvoir dans l'invisible et de « traquer l'inconnu ».

Poète de la modernité

L'entreprise poétique de Cocteau coïncide avant tout avec la révélation d'un autre monde. Surréaliste à sa manière, quoi qu'on en ait dit, Cocteau dévoile le mystère de l'invisible caché derrière les apparences du quotidien : « Toute ma poésie est là : Je décalque/L'invisible (invisible à vous) », écrit-il dès *Opéra* (« Par lui-même »). On peut considérer de même *le Secret professionnel* (1922) comme son art poétique. Il y analyse la fonction du poète et souligne la nécessité du jeu de mots pour réveiller la part d'insolite, d'étonnement, dont le langage est susceptible : « Voilà le rôle de la poésie. Elle dévoile, dans toute la force du terme. Elle montre nues, sous une lumière qui secoue la torpeur, les choses surprenantes qui nous environnent et que nos sens enregistrent machinalement […]. Mettez un lieu commun en place, nettoyez-le, frottez-le, éclairez-le de telle sorte qu'il frappe avec sa jeunesse et avec la même fraîcheur, le même jet qu'il avait à sa source, vous ferez œuvre de poète. » Cet appel aux forces intimes de langage évoque aussi Freud.

Le poète occupe en quelque sorte la place d'un médium et permet d'établir une communication avec le monde que cache la vie : celui de la mort. Certains thèmes et objets se trouvent automatiquement privilégiés : l'empoisonnement ne débouche pas sur l'anéantissement mais introduit dans un autre univers ; la mort réunit plus qu'elle ne détruit *(l'Éternel Retour)* ; les gants, les portes, les miroirs sont les symboles (renforcés dans ses trucages cinématographiques) les plus immédiats de ce rituel du *passage*. Cocteau ne recourt pas à des sortilèges exceptionnels, archaïques ou fantastiques au sens traditionnel du terme : la mort est tellement inséparable de la vie, l'invisible tellement collé au présent que les objets les plus banals sont aussi les plus aptes à déclencher les mécanismes du rêve (la « traversée du miroir » se fait à travers un appareil photographique dans *les Mariés de la tour Eiffel* ; la radio envoie des messages codés dans *Orphée* ; *la Voix humaine* est celle que transmet le dialogue avec un téléphone). La Mort elle-même n'apparaît pas comme un squelette avec un suaire et une faux mais comme un chirurgien épris d'hygiène (dans la pièce *Orphée*), ou utilisant toutes les ressources de la technique moderne (les motards, dans la version filmée de cette pièce). Quant à la fatalité essentielle à la tragédie, elle prend l'aspect inhumain d'une mécanique parfaitement agencée pour détruire l'homme : « Regarde, spectateur, remontée à bloc, de telle sorte que le ressort se déroule avec lenteur tout le long d'une vie humaine, une des plus parfaites machines construites par les dieux infernaux pour l'anéantissement mathématique d'un mortel » (le mythe d'Œdipe résumé par le Prologue, dans *la Machine infernale*). Outre le besoin de scandaliser inhérent à toute avant-garde, et que l'on trouve aussi bien dans les audaces du ballet *Parade* que dans le non-conformisme du *Coq et l'Arlequin* (1919), Cocteau éprouve une fascination pour les villes et les zones ; comme Apollinaire, comme Cendrars, le merveilleux du progrès scientifique l'exalte. Il allie cependant la modernité à la reprise des mythes les plus classiques : nombreux sont chez lui les poèmes, les pièces, les films – et les œuvres de « poésie graphique » – qui s'inspirent de la mythologie grecque, des légendes médiévales ou de la tradition du folklore.

Le plus récurrent de ces cycles est sans doute celui d'Orphée (cf. la « trilogie » des films : *le Sang d'un poète* ; *Orphée* ; *le Testament d'Orphée*), qui s'identifie véritablement chez Cocteau à l'obsession d'un mythe personnel : le triangle Orphée-Eurydice-Heurtebise, archétype de toutes les relations ternaires, parfois incestueuses, qui fourmillent dans son œuvre, coïncide à la fois avec la peur de la disparition d'un être cher et la confiance dans un bonheur protégé par la présence d'un ange tutélaire : « Mon ange, vois, je te loue. Après t'avoir oublié », écrit-il à la manière du Verlaine de *Sagesse*, dans *Plain-Chant*. D'ailleurs, le badinage, la désinvolture, l'ironie parfois grinçante laissent souvent percevoir le besoin d'une union plus profonde et somme toute conformiste des cœurs. L'idylle, les structures du mélodrame, la facilité rhétorique (« La mer veille. Le coq dort », dans *Opéra* : « l'Hôtel ») et thématique (« la récupération de littérature usagée » qui lui valut, entre autres, l'hostilité des surréalistes) sont l'envers du romantisme de Cocteau.

Un réalisme onirique

« Document réaliste d'événements irréels », c'est ainsi que Cocteau, toujours prodigue de formules paradoxales, définissait son premier film : *le Sang d'un poète*. C'est aussi ce qui pourrait résumer l'ambiguïté, la richesse mais aussi les faiblesses de l'ensemble de son œuvre. Cocteau ne dissout pas les frontières du réel et de l'imaginaire. Il n'introduit pas au seuil d'une surnature. Il propose un autre univers, inverse du nôtre, mais formellement identique ; il suffit de s'y savoir mort, d'admettre que cette réalité, si concrète, est celle du rêve : « Dès que tu t'éloignes, je crois que le dormeur qui nous rêve se réveille. Mais non. Il se retourne dans son lit. Je te vois, et son rêve recommence », dit Stanislas, venu pour assassiner la reine – et devenu son amant *(l'Aigle à deux têtes)*. Si surréalisme il y a, il ne s'agit plus, ici, que de refus du réel ; art coïncide alors avec artifice, et le rêve, si facile à pénétrer, n'est qu'une façon de tourner la réalité :

Lorsque nous serons tous deux sous la terre,
Plus ou moins dessous,
Un moyen nouveau nous venant extraire
De nos corps dissous ;
[...]
Tout sera changé de ce que nous sommes,
Oui, tout à l'envers.
Et les murs épais du sommeil des hommes
Nous seront ouverts :
Si je meurs premier, dans tes rêves j'entre ;
Je verrai comment,
Lorsque je dormais, la main sur ton ventre,
Tu changeais d'amant.

(Plain-Chant)

Tout est possible : l'univers onirique se passe évidemment de vraisemblance. Alors qu'un Aragon résiste, malgré sa fascination, au piège des mots et à la magie du verbe en cherchant toujours à se rapprocher du « monde réel », Cocteau, lui, s'abandonne à l'irréel et à la toute-puissance de la parole de l'artiste. Les signes du langage – mots ou images – ont pour lui le même degré d'authenticité, qu'ils créent de toutes pièces un univers merveilleux ou qu'ils soient censés décrire une expérience préexistante. D'où l'aisance avec laquelle Cocteau se meut dans le monde des légendes ou du conte (*Renaud et Armide* ; *les Chevaliers de la Table ronde* ; *la Belle et la Bête*), les critères habituels du vraisemblable en étant, par définition, exclus.

Les Enfants terribles

Les romans, au contraire, peuvent choquer le lecteur par la légèreté avec laquelle Cocteau traite ses personnages, leurs sentiments et surtout leur situation : dans *les Enfants* *terribles*, par exemple, une boule de neige suffit à déclencher une grave maladie, la mère meurt et ne laisse derrière elle qu'un souvenir fabuleux « au ciel des songes », le fiancé d'Élisabeth meurt à point nommé – après la cérémonie, mais avant la consommation du mariage – et dans des circonstances dont l'auteur souligne l'aspect allégorique : « Sa voiture était basse. Une longue écharpe qui lui enveloppait le cou et flottait, s'enroula autour du moyeu. Elle l'étrangla, le décapita furieusement, pendant que la voiture dérapait, se broyait, se cabrait contre un arbre et devenait une ruine de silence avec une seule roue qui tournait de moins en moins vite en l'air comme une roue de loterie » ; Dargelos (une des figures de la Mort ?), disparu dès le début du roman, réapparaît subitement, pour les besoins de l'intrigue. Son existence a quelque chose d'irréel. Comme pour tous les personnages de Cocteau, son entrée en scène n'est motivée par aucune nécessité romanesque. Ange venu d'un autre monde, sa seule justification est liée au privilège de sa beauté.

SYNOPSIS

PREMIÈRE PARTIE. Des enfants turbulents jouent avec des boules de neige. Paul en reçoit une en pleine poitrine, lancée par Dargelos ; à moitié inconscient, il est ramené chez lui par son camarade Gérard (I). C'est Élisabeth, la sœur de Paul, qui le soigne. Gérard en est secrètement amoureux. Mais il se croit encore exclusivement attaché à Paul (II). Celui-ci, gravement atteint, ne pourra retourner en classe. Quant à Dargelos, on apprend qu'il a été renvoyé après avoir héroïquement bravé le proviseur (III). La mère de Paul et d'Élisabeth meurt (IV). Les enfants se livrent à toutes sortes d'excentricités, de jeux surréalistes (V) – dont le vol inutile (VI) –, d'abord en villégiature avec l'oncle de Gérard, puis dans leur chambre de la rue Montmartre (VII). Ces jeux extravagants (VIII), sadomasochistes, se prolongent trois années (IX) jusqu'à ce qu'Agathe, une amie d'Élisabeth, entre dans leur univers (X).

SECONDE PARTIE. L'équilibre de ce monde dont les canulars perpétuels cachent une profonde anxiété est passagèrement troublé par le surgissement de Michaël (I), qui épouse Élisabeth mais meurt décapité par son foulard juste après la cérémonie (II). Tout le petit groupe s'installe chez Élisabeth, devenue immensément riche. Agathe confie alors imprudemment à Élisabeth qu'elle aime son frère. Élisabeth intercepte par ailleurs un pneumatique où Paul déclarait son amour à Agathe (III). Par jalousie, Élisabeth le détruit (IV) et parvient à faire épouser Agathe par Gérard (V). Paul s'étiole peu à peu quand soudain Gérard rencontre leur ancien ami d'enfance, Dargelos, qui lui remet du poison (VI). Paul s'en empare, le boit. Agathe a la révélation de la trahison d'Élisabeth. Celle-ci se tue avec le revolver qu'ils gardaient dans leur cache aux trésors, tandis que son frère agonise (VII).

Une telle insistance à refuser le réel, en substituant notamment la gratuité du conte à la « logique » des conventions romanesques, une telle volonté d'isoler les personnages dans un monde à part (comme dans la « roulotte » imaginaire des *Parents terribles*) correspondent cependant à une intention précise : l'univers de Cocteau se déroule suivant la logique du merveilleux, dans la dimension du rêve. L'attitude d'Élisabeth conduisant son frère à la mort correspond à une jalousie inconsciente irrépressible. La clé de ce comportement « irrationnel » est donnée par le rêve où le mot « morne » renvoie à l'histoire de Paul et Virginie – couple fidèle s'il en fut –, qui fusionnent dans la mort et dont est réactualisé inconsciemment le destin pathétique. Quant au temps, comment en sentir le passage dans un univers d'impromptus où toutes les images se donnent au présent ? Temps symbolique encore que celui des *Enfants terribles,* dont la narration débute et se termine sur une même notation : « Ce soir-là, c'était la neige » et « Ce dimanche-là, il neigeait ». Dans « l'intervalle » (cf. les scènes 8 et 8 *bis* d'*Orphée,* identiques de part et d'autre du lever de rideau et qui abolissent ainsi la chronologie habituelle), s'est-il passé autre chose qu'un cauchemar ?

C'est donc seulement s'il accepte de jouer le jeu, de « croire ce qu'on lui raconte » et de ne pas le mettre en doute, de croire « qu'une rose qu'on cueille peut attirer des drames dans une famille » (sketch du générique de *la Belle et la Bête*), que le lecteur pourra percer le secret de Cocteau et partager sa fascination pour un univers dont les motivations s'apparentent à la liberté de l'inconscient, non à la stérilité du rationalisme cartésien, et dont la clé est le IL ÉTAIT UNE FOIS..., « véritable sésame ouvre-toi de l'enfance » (*id.*).

B. Valette

COHEN Albert

(1895-1981)

L'œuvre d'Albert Cohen a connu deux heures de gloire au milieu de longues éclipses : en 1930 quand son premier roman, *Solal,* paraît chez Gallimard, en 1968 lorsque *Belle du Seigneur* est couronné par le grand prix du Roman de l'Académie française. Mais il aura fallu le contexte tumultueux des années trente, les « contestations » de la génération soixante-huitarde pour successivement éveiller et réveiller l'intérêt du monde littéraire français à l'égard d'un écrivain qui avait pourtant dès son premier livre conquis une vaste audience internationale, mais n'a jamais songé ensuite à devenir un professionnel du « bien-être », préférant écrire sous l'impulsion d'un désir.

Activisme et littérature

Né le 16 août 1895 dans l'île grecque de Corfou, Albert Cohen appartient à une famille de commerçants juifs ; à l'évidence, cette petite enfance inspirera les livres futurs : *Solal, Mangeclous* (1938) déplaceront dans le romanesque ghetto de Céphalonie les premières impressions reçues au sein de la réelle communauté juive de Corfou. Mais c'est à Marseille qu'Albert Cohen accomplira ses années de formation : de 1907 à 1914 il fréquente le lycée Thiers et se lie d'amitié avec Marcel Pagnol. Puis, de 1915 à 1918, il poursuit ses études universitaires à la faculté de droit de Genève, acquiert la nationalité helvétique et commence à tâter de la littérature.

En 1921, il publie un recueil de poèmes *(Paroles juives)* et quelques nouvelles, dont *la Mort de Charlot* à la N.R.F. Loin de renoncer à la carrière politique qui s'ouvre devant lui, il participe au mouvement sioniste, dont il sera l'un des délégués auprès de la S.D.N., et, de 1926 à 1930, il est attaché à la division diplomatique du Bureau international du travail à Genève.

Il a cependant écrit *Solal*, qui paraît en 1930 et fait une entrée fracassante dans le monde des lettres. De cet ouvrage vanté des critiques naît en 1933 une pièce de théâtre, *Ézéchiel*, qui transpose sur la scène de la Comédie-Française l'univers juif de *Solal*. Après la publication de *Mangeclous*, Cohen va mettre un terme provisoire à ses activités d'écrivain pour se consacrer plus encore à la diplomatie internationale et à la défense du sionisme. Il gagne Londres au début de la guerre, participe au gouvernement du général de Gaulle et, de 1943 à 1947, devient conseiller juridique : il élabore en 1946 un accord international pour les réfugiés ; puis jusqu'en 1950 il dirige à l'O.N.U., pour servir leurs intérêts, une division de protection juridique et politique.

Cohen ne revient peu à peu à la littérature qu'à partir de 1954, sous l'impulsion de sa troisième femme, Bella : il achève le « cycle » des Solal avec *Belle du Seigneur* (1968) et *les Valeureux* (1969), aborde la chronique et les réflexions autobiographiques (*le Livre de ma mère*, 1954 ; *Ô vous, frères humains*, 1973 ; *Carnets 1978*, 1979). Il meurt le 17 octobre 1981 à Genève, qui était toujours demeurée sa ville d'élection.

Le roman et l'éclatement du mot

« Tout cela, je l'ai déjà dit dans un autre livre » : cette phrase des *Carnets* peut éclairer toute la production de Cohen, si l'on songe que d'un ouvrage à l'autre, du roman à l'autobiographie, les situations, thèmes et personnages se répondent ou se font écho. Chaque livre reprend, développe, amplifie ce qui a précédemment été écrit. *Belle du Seigneur* est un peu à *Solal* ce qu'*À la recherche du temps perdu* est à *Jean Santeuil* : l'enrichissement minutieux du roman par les découvertes du Moi, le passage incessant de l'expérience personnelle au récit (« Je ne me préoccupe que de ma vérité, de cette vérité précieuse, toujours la même, toujours nouvelle, en mon cœur et digne d'être dite et redite » [*Carnets*]). Il n'est donc pas de limite précise entre les trois autobiographies, dans lesquelles l'écrivain exprime sa nostalgie de la mère disparue ou ses angoisses face à la mort et à l'agression des autres, et son cycle romanesque. Les quatre romans qui constituent les aventures du jeune juif Solal et de ses parents, les « Valeureux » cousins de Céphalonie – Saltiel, Mangeclous, Mattathias, Michaël et Salomon –, reprennent en effet les mêmes problématiques, comme diffractées, fragmentées au travers du prisme de la narration.

Ainsi Salomon incarne-t-il le regret de la pureté de l'enfance, Saltiel les convictions hébraïques, Mangeclous le pragmatisme et le délire de l'imaginaire. Mais, plus encore, Solal cristallise les tendances éparses des autobiographies, mêlant en un seul personnage la passion de l'aventure, des femmes, du pouvoir (il sera ministre, sous-secrétaire à la S.D.N.) et l'angoisse existentielle devant la mort (« Solal se sentait seul, chassait l'image interposée de sa mère et la mort frissonnait en ses os et la vie s'échappait en tumultes joyeux » [*Solal*]). Incarnation double de Dionysos et d'Apollon, le dieu « Soleil » – son presque homonyme –, Solal représente la part mythique, fantasmatique et exacerbée d'un Moi polymorphe et contradictoire, qui d'ailleurs rompt dans le récit toute assimilation illusoire avec ses avatars romanesques : Cohen reste avant tout le narrateur, comme l'attestent les apartés qui sapent le « naturel » de la diégèse et soulignent clairement l'émergence de l'imaginaire par le travail de l'écriture.

Une même voix se dissocie, s'éparpille en ses personnages d'élection, d'une façon en quelque sorte schizoïde ; l'unité impossible du Moi s'exprime en fait dans la trame baroque du romanesque, où cohabitent des sens, des thématiques qui ne peuvent élaborer un Tout rationnel, mais seulement une multiplicité de figures. En ce sens, il est vrai, comme on l'a souvent affirmé, que Cohen n'a composé qu'un seul livre, agrégat, refontes de quelques données autobiographiques initiales : *les Valeureux* renferment surtout les « chutes » et les premières versions de *Mangeclous* et de *Belle du Seigneur* ; quant à ce dernier roman, le plus célèbre et le plus long de l'écrivain, il est moins la suite de *Solal* qu'une nouvelle version de la geste amoureuse du héros juif. L'écriture de *Belle du Seigneur* mêle de la plus étourdissante manière les tonalités épiques et parodiques, les échappées lyriques souvent démenties par des images ironiques et les descriptions paroxystiques de la passion qui unit Solal et Ariane Deume.

Belle du Seigneur

SYNOPSIS

I. Genève, « Sous le soleil de midi », 1er mai 1935. « Déguisé en vieux juif », « pauvre et laid », Solal, sous-secrétaire général de la SDN, prince de beauté, s'introduit chez Ariane Deume et lui déclare son amour : horrifiée, Ariane le repousse violemment. Solal, ôtant son déguisement, lui promet alors de la séduire par « les sales moyens » habituels. Le même jour Adrien, le mari d'Ariane, petit fonctionnaire médiocre à la SDN, risquant un blâme à cause de son inefficacité chronique, est reçu par Solal qui le fait nommer « membre A » par le tour spécial.

II. Les « Valeureux », cousins de « la branche cadette des Solal », arrivent à Genève fin mai et Saltiel rend visite à son neveu Solal au Ritz. Le 1er juin, Adrien et ses parents adoptifs, Antoinette et Hippolyte Deume, se préparent à recevoir à dîner Solal, qui ne vient pas. Solal confie une lettre d'excuses pour Ariane à Mangeclous qui en profite pour prendre un pantagruélique goûter avec le père Deume. Solal fait envoyer Adrien en mission à l'étranger pour trois mois, dîne avec lui le soir de son départ, le 8 juin, puis, resté seul avec Ariane, arrivée en retard après le départ de son mari, la séduit par un immense discours sur la séduction.

III. Les amants vivent alors six semaines de bonheur intense, alors qu'Isolde, la « vieille » maîtresse de Solal, se suicide.

IV. S'étant promené, « habillé en juif, avec lévite longue et phylactères », dans les rues du Berlin nazi, Solal, tabassé et en sang, est soigné par la naine Rachel qui se cache avec sa sœur folle et aveugle dans la « cave Silberstein ». Ariane, effrayée par le silence de son amant, rassurée enfin par un télégramme, se prépare longuement à le revoir le 25 août. Mais, à l'heure dite, c'est Adrien, revenu plus tôt que prévu, qui sonne à la porte. La même nuit, aidée par les Valeureux, Ariane s'enfuit à cheval pour rejoindre Solal. Adrien, abattu, erre dans sa maison vide, puis tente de se suicider.

V. Installés dans un hôtel à Agay, sur la Côte d'Azur, Ariane et Solal – qui a perdu son poste puis sa nationalité française à la suite d'une intervention en faveur des juifs allemands – vivent à l'écart des autres. Ils décident de louer une villa, la « Belle de mai ». Solal, qui a caché la vérité à Ariane, supporte de plus en plus mal l'ennui qui s'installe.

VI. En septembre 1936, Solal entreprend d'humiliantes démarches à Paris, puis à Genève, pour réintégrer le monde social. Ayant échoué, il erre dans les rues, en butte aux omniprésents discours antisémites. Ariane, après le retour de son amant, lui avoue avoir eu, avant de le connaître, une liaison avec un chef d'orchestre, réfugié politique allemand, Serge Dietsch. Fou de jalousie, Solal multiplie les scènes, de plus en plus violentes et dégradantes.

VII. De retour au Ritz à Genève, toxicomanes, enfermés dans leur solitude et la déchéance de leur passion, les amants se suicident le 9 septembre 1936.

Les dérisions de la vie ou les enseignements du freudisme

L'itinéraire de Solal et des Valeureux à travers les « bonnes » sociétés françaises et genevoises établit peu à peu une dialectique du soupçon : par leur intermédiaire les apparences sont levées, et le lecteur mesure la distance qui sépare l'Être du Paraître. De livre en livre, Cohen va tourner en dérision les préjugés et faux-semblants éthiques, religieux ou sociaux de toute une notabilité : celle de la bourgeoisie internationale, des fonctionnaires, et tout spécialement des membres inactifs et névrosés, imbus de leur importance, qui peuplent les bureaux de la S.D.N. – société que symbolisent au mieux le comte de Surville, « crétin solennel d'une cinquantaine d'années, parfumé et monoclé » (*Mangeclous*) ou le falot et paranoïaque Adrien Deume, « ennobli de sociale importance » (*Belle du Seigneur*) et occupé de futiles promotions internes. Les phrases, empreintes d'une emphase ironique, s'emploient à dénoter le néant de ces gens tendus vers la recherche des codes d'appartenance à une bourgeoisie toujours plus élevée ; mondanités et communications entre humains se réduisent à une dérisoire chasse au signe, impliquant soumission à la hiérarchie et oppression du pauvre ou de l'étranger.

L'autre cible favorite de Cohen est l'hypocrisie religieuse et bien-pensante, ainsi que son armada de concepts fallacieux – la « charité », « l'amour du prochain » – qui dissimulent de solides arrivismes sous un altruisme de pacotille. Longuement dénoncée dans *Ô vous, frères humains* (1973) et dans les *Carnets*, cette pseudo-religiosité s'exprime en des personnages comme Mme Sarles (*Solal*) ou Antoinette Deume (*Belle du Seigneur*), qui voient dans l'exercice de la piété l'occasion de « humer avec satisfaction les fumets de leur supériorité morale » (*Carnets*) ; aussi l'amour de l'être inconnu est-il une fiction : « il y a deux amours, le vrai pour les bien-aimés, et le faux pour les autres » (*id*).

C'est que, pour Cohen, toute l'activité humaine se résume en un chassé-croisé entre le Désir et la Mort, entre Éros et Thanatos. De là l'acharnement de l'écrivain à souligner que tout être vivant n'est qu'un « futur cadavre », qui se donne l'illusion de devenir autre chose que l'Être-pour-la-mort qu'il demeure par nécessité. Profondément marquée par la pensée freudienne, ainsi que par les perspectives morales des philosophies de Schopenhauer et Nietzsche, l'écriture d'Albert Cohen tend à « décaper » les personnages de toutes leurs scories illusoires, à présenter au lecteur les pulsions essentielles qui dirigent leurs actes. Ainsi, la régression infantile « explique » Salomon, comme la fixation pour le stade anal caractérise Mangeclous, ou comme le narcissisme détermine la majorité des personnages – et même le « narrateur », qui le relie à l'introspection de l'écriture : « Dans la glace je me regarde [...] je considère l'enfant que je suis en secret, l'enfant que je serai toujours » (*Carnets*).

Il s'ensuit une peinture ambiguë de la passion amoureuse, qui transforme le désir sexuel à la fois en un divertissement jubilatoire et en une lamentable supercherie ; la « psyché » de Solal obéit ainsi soit à un donjuanisme fulgurant, soit à un soudain désenchantement qui, dans *Solal* et *Belle du Seigneur*, pousse le héros au suicide. Comme chez Céline, les pulsions secrètes constituent le ressort de toutes les vanités et attitudes psychologiques. De la sorte s'explique la « misogynie » de Cohen, qui croit déceler dans le comportement féminin et son système de signes l'appel de la « viande », « le souci de susciter le désir des mâles » (*Ô vous, frères humains*). L'écrivain définit ainsi une « nature », une « essence » de la femme, dont Adrienne, Aude ou Ariane, les maîtresses successives de Solal, représentent les figures romanesques les plus accomplies, pour qui l'amour du corps et le besoin de jouir sont le but de l'existence. Attitude qui chez Cohen mène tout rapport homme/femme au sadomasochisme : les hommes séduisants demeurent, dans l'ordre du fantasme, des « carnassiers », aux canines étincelantes comme celles de Solal, des êtres cruels et « victorieux » qui seuls recueillent les faveurs des « adoratrices de la force » comme Aude ou Ariane. Toute communion amoureuse est tragiquement impossible, et le besoin de tendresse qui fonde la démarche nostalgique et culpabilisée du *Livre de ma mère* recule devant les exigences de l'universelle et inconsciente animalité de l'homme.

Mais toute passion n'est pas « immorale » ; le désir échoue parce qu'il ne peut transgresser la réalité de la mort, d'autant plus obsédante que nul sentiment religieux ou mystique ne peut « tenir » devant cette vérité inéluctable, « car il n'y a rien, car l'univers n'est pas gouverné et ne recèle nul sens que son existence stupide sous l'œil morne du néant » (*Carnets*). Cet athéisme désenchanté ne peut aider à la résolution des contradictions de l'Éros et de la Vérité, ni satisfaire l'appétit d'une vie sans lendemain qui devient vite, devant le flux de la mort, une shakespearienne « farce d'ambitions [...], d'amours, de joies destiné [e] s à disparaître pour toujours » (*le Livre de ma mère*).

Le Logos ou l'unité retrouvée

Pour réconcilier l'homme et son moi, il reste l'image du monde que proposent les Valeureux, « peuple rieur, poétique, famélique, excessif et désespéré » (*Solal*) ; un espace où se réunissent en toute déraison les contradictions dans lesquelles le Moi peut s'abîmer. Car la « judéité » de Cohen ne consiste pas – dans le domaine de l'écrit – en une adhésion à une idéologie ou une mystique juive précises, mais vise à substituer une Loi humaine à une Nature dont les réalités restent douloureusement indifférentes au tragique de l'homme (« Fleurs admirablement écœurantes »... « île stupide de beauté », etc. [*Solal*]). Cet univers de la Loi, c'est celui d'un Logos tout-puissant qui emploie ces « grands discoureurs juifs du Soleil et du beau langage » que sont les Mangeclous, Saltiel ou Solal, et dans lequel le « locuteur » perd et trouve simultanément la vérité, devient ce qu'il ne pourra jamais être, tout en affirmant ce qu'il est. Cette langue baroque, regorgeant d'exhortations épiques et lyriques, de tours syntaxiques archaïsants (« Oncques ne chus-je en telle embûche » [*Solal*]), de rabelaisiennes accumulations de substantifs opère entre le temps de l'écrivain, celui du récit et le passé culturel aboli une étonnante osmose, contribuant encore au « décalage » du héros juif dans la société. Les juifs de Cohen ne vivent que dans un discours dépourvu de champ sémantique délimité. Palliatif indispensable de la mort (on parle chez Cohen comme chez Beckett, pour oublier la béance de Dieu et de l'Être), de l'angoisse, ressassante et prolixe, la parole pervertit le réel et ses vaines apparences, dévie les signes usuels de leur fallacieuse destination, opère un salutaire retour aux origines, caractéristique de la judéité elle-même : « j'aime aussi mes Valeureux qui ne sont ni adultes, ni dignes, ni sérieux, ni de peu de paroles » (*les Valeureux*).
Véritable anamnèse de l'Histoire, née des pulsions assumées de l'homme, la parole des Valeureux – et parfois celle des autobiographies de Cohen – mène la littérature dans un lieu atopique, qu'ont recherché bien des nouveaux romanciers, espace libéré du langage social, où l'écriture évite les pièges de l'académisme et l'expression absconse d'une métaphysique de l'existence : en cela réside sans doute la modernité de Cohen.

J.-P. Damour et N. D. Thau (synopsis)

Colette

COLETTE

Pseudonyme de ***Sidonie Gabrielle Colette*** *(1873-1954)*

Colette occupe une place solitaire. La spécificité de sa vision, aiguë et résolument subjective, est à l'œuvre dans la spécificité d'une écriture conquise au cours d'une longue vie de travail littéraire : elle n'osa s'appeler Colette qu'à cinquante ans, après avoir signé successivement WILLY, Colette WILLY, COLETTE (Colette WILLY). Son œuvre épouse les courbes d'une vie bien remplie d'amoureuse et d'écrivain, qui s'inventa en marge et en fonction des conformismes de la IIIe République ; pour ce nouveau regard de femme sur le monde, Colette modela, en fonction des rhétoriques héritées, un autre style, qui prenait le risque du narcissisme pour atteindre la sincérité.

Une vie bien remplie

C'est en Bourgogne, à Saint-Sauveur-en-Puisaye, dans une famille heureuse et peu fortunée, que naquit Gabrielle, entre un jardin et une bibliothèque. Son père, capitaine devenu percepteur après une blessure suivie d'amputation, la laisse grandir librement et lui ouvre sa bibliothèque. Sa mère, Sidonie, lui ouvre son jardin, lui permet de courir par les champs, lui donne l'exemple d'une vie complice de la nature et laisse se développer entre elles un rapport privilégié. Son éducation est campagnarde et laïque : Gabrielle ne suit le catéchisme que pour la forme, elle est instruite à l'école publique jusqu'au brevet élémentaire. Elle partage les jeux de son frère Léo, et, si elle n'est guère liée avec sa demi-sœur Juliette, née d'un premier mariage de Sidonie, elle s'attache à son demi-frère Achille (« frère entier par le cœur, le choix, la ressemblance »), qui reçoit toute la famille ruinée, en 1890, à Châtillon-Coligny où il est établi médecin – premier exil !
En 1893, Gabrielle épouse Henry Gauthier-Villars, étoile montante du Tout-Paris, déjà connu sous le nom de Willy pour ses critiques musicales prowagnériennes et des romans légers, qui l'introduit dans les salons littéraires. Malheureuse en ménage, elle est entraînée dans les mondanités joyeuses ou lassantes de la Belle Époque, dans des gaietés de Boulevard et même dans des menées scandaleusement publicitaires. « Nègre » de son mari, elle lui laisse signer, de 1900 à 1905, un volume par an : *Claudine à l'école*, *Claudine à Paris*, *Claudine en ménage*, *Claudine s'en va*, *Minne*, *les Égarements de Minne*. À la fin de cette union, la future Colette perce de façon autonome avec la publication de quatre puis sept *Dialogues de bêtes*, et avec ses premières exhibitions sur les planches.
Quand se consomme en 1906 la rupture voulue par Willy, Colette se trouve libre d'assumer sa pauvreté, son chagrin, sa curiosité et son bonheur d'écrire. Sa liaison sans contrainte avec Missy (Mathilde de Morny), qui durera quatre ans, qui

ne va pas sans scandale et durant laquelle elle connaît les cercles de l'homosexualité féminine et des paradis artificiels, semble avoir été apaisante et réparatrice. En 1908, son lyrisme se fait jour dans *les Vrilles de la vigne,* qui sont parmi les plus beaux poèmes de langue française. Pour vivre, elle se produira sur scène pendant sept ans, dans des pantomimes, des mimodrames ou des comédies – expérience théâtrale dont *l'Envers du music-hall* (1913) sera comme l'annotation littéraire. Bien qu'elle désavoue ses premières œuvres, elle publie *la Retraite sentimentale* pour conclure la série des *Claudine* et refond en *l'Ingénue libertine* les deux *Minne.* Ses premiers romans tout à fait personnels sont *la Vagabonde* (1910) et *l'Entrave* (1913). À partir de décembre 1910, elle collabore au *Matin,* où elle rencontre le baron Henry de Jouvenel des Ursins, qu'elle épousera deux ans plus tard, et dont elle aura une fille en juillet 1913, Colette, dite Bel-Gazou.

Sa collaboration au *Matin* consiste bientôt en « Contes des mille et un matins », hebdomadaires. De 1914 à 1917, le journalisme devient son activité majeure. Son expérience quotidienne et ses pérégrinations en Argonne et en Italie lui inspirent des chroniques qui sont réunies dans *les Enfants dans les ruines* et *les Heures longues* – qui lui attirent les félicitations de Proust. Entre la fin de la guerre et son divorce, en 1924, avec le rédacteur en chef du *Matin,* elle assure la critique dramatique de ce journal. Pendant ce temps, elle produit trois romans : *Mitsou ou Comment l'esprit vient aux filles, Chéri*, qui lui vaut l'admiration des grands romanciers de son temps (Proust, mais aussi Gide, Mauriac et surtout Cocteau), et *le Blé en herbe*, le premier qu'elle signe Colette. Elle rassemble ses chroniques et ses articles ; ce sont *le Voyage égoïste, Aventures quotidiennes*, mais aussi des recueils d'images plus intimes : *la Chambre éclairée*, puis, en 1922, soit dix ans après la mort de Sido, *la Maison de Claudine*, tandis que les textes de *la Femme cachée* décrivent les modalités surprenantes de la passion. Colette est désormais un écrivain reconnu, chevalier de la Légion d'honneur.

Après son deuxième divorce, elle entre dans le second versant de la maturité. Rencontrant en 1925 Maurice Goudeket, l'épousant dix ans plus tard, elle connaît une union enfin confiante, qui l'aidera jusqu'à sa mort. C'est alors la Colette dont l'image est connue, qui vit au Palais-Royal et passe ses étés à Saint-Tropez, à la Treille muscate. Son premier travail dans cette phase de sa vie est *la Fin de Chéri*. Les romans suivants, *la Seconde*, *la Chatte*, *Duo*, sont consacrés à l'exploration des limites de la jalousie. Le « roman » *la Naissance du jour* prélude à *Sido ou les Points cardinaux,* pièce maîtresse de la mythologie maternelle (1929), mythologie qui s'équilibre bientôt vers l'avenir avec *Histoires pour Bel-Gazou*, alors même que Colette de Jouvenel n'est guère choyée par sa mère. Les recueils de 1932 (*Paradis terrestres*, *la Treille muscate*, *Prisons et paradis*) continuent la lignée des textes brefs qui célèbrent les instants privilégiés, les bêtes et les fruits de la terre. La même année, Colette atteint à la plénitude de son art et de sa sagesse en écrivant *Ces plaisirs*…, qu'elle considérait comme son meilleur livre. Tentée cependant de trouver un autre gagne-pain que l'écriture, elle se lance dans une affaire de produits de beauté qui ne tarde pas à péricliter et à la renvoyer à son pupitre. Elle assure donc, de 1933 à 1938, la critique dramatique de plusieurs périodiques (articles réunis dans *la Jumelle noire*). Sa célébrité est officialisée par son élection à l'Académie royale de langue et de littérature françaises de Belgique en 1936. Son travail romanesque se ralentit ; ce sont alors des Mémoires, avec *Mes apprentissages* (Ce que Claudine n'a pas dit), puis, dans *le Toutounier* et les nouvelles de *Bella-Vista*, une réflexion sur l'amitié, des souvenirs de théâtre ou l'analyse d'étranges passions.

De retour d'exode, elle passe la guerre à Paris, inquiète pour son époux, israélite, qui est interné pendant quelques mois. Dans *Journal à rebours* et *De ma fenêtre*, elle livre les impressions quotidiennes et les rêveries de ces heures de guerre. Sa santé s'est altérée depuis 1939 ; à partir de 1943, Colette éprouvera continûment les souffrances d'une arthrite des jambes qui finira par l'immobiliser. Sa production littéraire se poursuit, constituée de textes brefs, le roman *Julie de Carneilhan* et la dizaine de nouvelles réunies sous les titres *Chambre d'hôtel*, *le Képi*, *Gigi* ; presque toutes ces œuvres retournent aux thèmes de l'amour, de Léa pour Chéri et de Renaud pour Claudine, ou partent à la recherche du temps perdu dans les coulisses des théâtres, chez les demi-mondaines, chez la « vagabonde » ou chez « Sido ».

Après la Libération, Colette est couverte d'honneurs, élue membre puis présidente de l'académie Goncourt, nommée grand officier de la Légion d'honneur. Elle est aimée du public, qui s'attache surtout aux *Claudine* et aux évocations de l'enfance et de la nature ; nombre de ses œuvres sont reprises sur scène ou portées à l'écran. Elle écrit encore deux livres de rêveries solitaires, où les confidences quotidiennes se mêlent aux évocations du passé, *l'Étoile Vesper* et *le Fanal bleu* ; elle réorganise le travail de toute sa vie en dirigeant, de 1948 à 1950, l'édition de ses *Œuvres complètes* en quinze volumes. À sa mort, le gouvernement lui fait des obsèques officielles civiles, auxquelles l'Église se refuse de donner sa bénédiction, mais que suivent des milliers de Parisiennes. Depuis, son public n'a cessé de grandir et de se masculiniser, la plupart de ses œuvres ayant été, très vite, diffusées en Livre de poche et en « J'ai lu ».

Le métier

Quoique Colette écrive avec une telle aisance que son encre semble couler de source, elle a donc appris à écrire, comme un métier, faisant fructifier son don du verbe et de l'observation. Ce furent d'abord les « ateliers » de Willy, qui avait, dit-elle, « une manière stimulante de critiquer ». S'il imposa à Colette un certain ton ou certains tics (l'aparté, l'allusion équivoque, l'expression journalistique ou, au contraire, précieuse et décadentiste) qu'elle abandonna par la suite, Willy la poussa à exploiter son passé et il lui apprit aussi bien des « trucs », l'incitant à employer des adverbes qui nuancent le sens, à préciser le plus possible le décor, les réactions des personnages, par des détails qui stimulent l'imagination du lecteur. Il est bien possible qu'elle doive à cet « apprentissage » son aisance dans l'utilisation des souvenirs et son emploi intensif, impressionniste, des détails produisant un effet de réel. Autre école, celle de la collaboration aux périodiques. Comme Balzac, qu'elle admirait (« religion de mon adolescence, guide de mon éducation première »), Colette connut la livraison de ses œuvres chapitre par chapitre, les premiers grands romans, de *la Vagabonde* à *la Fin de Chéri*, ayant paru en feuilleton. La technique du feuilleton est peut-être responsable de la brièveté des chapitres de Colette, de leur structure à la fois close et dynamique ; ouverts par quelques lignes de dialogue ou de description qui introduisent d'emblée dans une atmosphère, organisés comme des scènes théâtrales, les chapitres font ainsi avancer, par touches séparées, la situation romanesque vers son dénouement. La technique de la chronique, dont elle fit métier, est également sensible dans son mode de composition : écrire une chronique, c'est ménager en peu d'espace une exposition et une chute, ne retenir d'une situation que le plus caractéristique, le plus pittoresque, donner à un portrait l'efficace d'un croquis, réduire le dialogue à des répliques significatives. On reconnaît là les caractères de l'œuvre mature de Colette, son art de l'épure ; il y a un classicisme selon Colette – « à la La Fontaine », disait Gide –, qui tient à l'usage subtil du portrait, à la brièveté des notations, à l'économie des moyens mis en œuvre, à la traduction elliptique et nuancée de l'observation. Colette n'a donc en rien révolutionné la langue ni l'art du roman et de la nouvelle ; elle s'est consacrée à mener à son point de perfection le modèle traditionnel. Sa nouveauté radicale est ailleurs, dans son regard.

Un regard d'intelligence

« Il semble parfois que l'on naisse. On regarde », écrivait Francis Jammes préfaçant les *Dialogues de bêtes*. Regarder ; orienter tous ses sens vers le monde – êtres humains, bêtes, plantes et choses ; aimer éprouver ce qu'on est, au point de vouloir aborder sans analgésiques les épreuves de la maladie ; être vivante au point d'écrire « la mort ne m'intéresse pas » et sensualiste au point de se méfier de ses propres préjugés idéologiques et de n'accorder presque aucune attention au devenir historique, telle fut la posture de Colette, posture d'autant plus nouvelle que celui qui proclame l'innocence des sens ainsi que leur prééminence n'est pas un philosophe mâle mais une femme, et une lyrique, avide de « dire, dire, dire ». Claudine s'étonnait : « Comme la vue de ce que j'aime, beauté de mon amie, suavité des forêts fresnoises, désir de Renaud, suscite en moi la même émotion, la même faim de possession et d'embrassements !... N'ai-je donc qu'une seule façon de sentir ?... » Colette, dans *la Naissance du jour*, ose reconnaître cette « seule façon de sentir » dans l'admiration désolée que sa mère éprouve devant un bel enfant : « Elle tremblait, soupirait d'une angoisse qu'elle ne savait nommer, et qui se nomme tentation. » Et la tentation de dire double la perception poignante : « Tous les spectacles suscitent un devoir identique, qui n'est peut-être qu'une tentation : écrire, dépeindre » (*Journal à rebours*). Entre Colette et son modèle circule une universelle sympathie, respectueuse, qui permet de deviner ce que la différence de sexe, d'âge ou d'espèce interdit de connaître, et de décrire comme du dedans l'émotion d'autrui. Le travail du style n'est pas gratuit ; la quête du mot et, quand le mot fait défaut, l'élaboration de la métaphore qui totalise la sensation (que de métaphores ici !) semblent être une pratique de l'élucidation de la perception et du moi percevant. De la précision de ce travail, il résulte que chaque chose vue garde sa spécificité – on ne trouverait pas chez Colette deux fleurs semblables – et que rien n'est indescriptible pour elle, pas même les rapports sexuels sur lesquels achoppent tant de plumes. En forgeant le style de sa « poésie agreste » unanimement louée ou de ses pages d'analyse psychologique hier encore unanimement passées sous silence, Colette recherchait sans doute et la possession du monde et la conquête du moi.

L'autobiographie comme nécessité

L'œuvre de Colette est presque intégralement autobiographique. Dans les romans à la première personne, de *Claudine à Paris* à *l'Entrave*, les trois narratrices déguisent et exhibent diversement Colette. La Claudine des trois premiers livres est la moins véridique, étant fortement typée par la mode 1900, avec sa franchise indiscrète, son libertinage et sa malice, voisins de la malveillance (Colette eut honte de l'« insouciance de nuire » que révèlent ces portraits à clef qui servaient les haines de Willy). Dans *Claudine s'en va* et *la Retraite sentimentale*, le dédoublement de la narratrice entre Claudine et Annie permet déjà le jeu d'une plus grande sincérité. Avec Renée Néré, les traits de la narratrice colettienne se stabilisent pour ne plus changer. La critique a montré que, dans ces sept romans, tout est greffé sur des souvenirs, aussi bien tous les personnages rencontrés ou aimés par les narratrices que leurs allées et venues. Écrire, ce fut donc, dès le début, assembler une mosaïque homogène des paysages et portraits gisant dans la mémoire ; ce fut aussi, sous le masque de Renée, donner un sens et une forme achevée, par l'écriture, à l'aventure que l'on vient de vivre ou que l'on commence à vivre.

L'autobiographie perce différemment dans la série des romans objectifs que *Mitsou*, après *Minne*, inaugure. Apparemment, *la Seconde* fut inspirée par l'amitié que Colette noue avec l'une des maîtresses de Jouvenel ; celui-ci se profile derrière Herbert d'Espivant de *Julie de Carneilhan* ; Phil, le Petit Farou, Toni rappellent que l'auteur connut intimement son beau-fils, Bertrand de Jouvenel. Mais, désormais, Colette « attend, pour dépeindre l'incendie, d'être un peu loin ». Ce recul permet aux personnages de devenir des types, types d'adolescents inventant l'amour (*le Blé en herbe*) ; type du jeune homme qu'exilent des vivants sa beauté, sa passion « dessaisonnée » par la différence d'âge et la guerre (*la Fin de Chéri*). Et toujours quelque personnage, vieillissant au même rythme que l'auteur ou nanti de sa sensibilité, occupe une partie du tableau (Léa, la Dame en blanc...).

Le roman devenant objectif, le « je » se donne d'autres voies. Le lyrisme des *Vrilles de la vigne* se développe, doublement orienté vers la notation de l'instant présent et l'évocation d'un moment passé : sont-ce des nouvelles, des poèmes, des chapitres de mémoire, ces textes de *la Chambre éclairée*, de *la Treille muscate*, ces *Notes marocaines* ? Ce terme de « notes » n'est-il pas celui qui convient le mieux ? Le brouillage des genres est aussi le fait des textes où Colette observe son image au miroir émietté de l'expérience, *le Pur et l'Impur, Mes apprentissages.* Gardant des êtres rencontrés et de ses propres comportements « un souvenir mieux que net, une évocation estompée, juste, essentielle », l'auteur n'y mène pas une méditation réglée. Faits de remarques incidentes, comme anodines, d'aperçus soudain audacieux et de portraits quintessenciés, ces textes miment la liberté propre à la rêverie, ce travail passif qui s'opère dans la mémoire de manière qu'émerge du fatras de l'expérience un bilan encore informulé.

Au-delà de la piété filiale et de la banale nostalgie du paradis enfantin qui se lisent dans *Sido* et *la Maison de Claudine,* on peut considérer « Sido » comme un personnage (« le personnage principal de toute ma vie »), c'est-à-dire comme un double de l'auteur, refuge du sacré. Le personnage de Colette est le seul de toute l'œuvre à avoir une mère, comme si sur la maternité planait un interdit. « Sido » synthétise les symboles mythiques de l'*alma mater,* confondue qu'elle est avec la Terre : « Elle vécut balayée d'ombre et de lumière, courbée sous des tourmentes, résignée, changeante et généreuse, parée d'enfants, de fleurs et d'animaux comme un domaine nourricier. » Elle incarne la plus grande solidarité, dont l'amour de « Nuit blanche », l'amitié de « la Seconde » ou du *Rendez-vous* sont des avatars ; elle représente le modèle que l'auteur se donne au moment où, en une vision circulaire de la vie, elle transforme son propre glissement vers la mort en « chemin du retour », Sido proposant le plus pur de l'amour, l'« abstention ». La narratrice colettienne la plus complexe est celle de *la Naissance du jour* ; cette œuvre entrelace trois types de discours, celui de l'intrigue romanesque imaginaire, celui du journal de la narratrice et celui de lettres données pour celles de Sido et réécrites par Colette ; l'intrigue amoureuse se dénoue selon l'art de Colette, qui se confond avec la morale de Sido.

Cette démarche autobiographique s'explique donc diversement selon les modes qu'elle affecte. On peut y voir la dilatation du lyrisme, ou la nécessaire introspection d'un être empirique à la recherche de sa sagesse, ou encore une pratique de la fidélité, puisque Colette mit ainsi à l'abri de la mort tous ceux qu'elle aima, bêtes et gens. Cette autobiographie dénote aussi une intelligence ferme qui se refuse à parler de ce qu'elle ignore. Ainsi Colette ne dépeignit aucun travail salarié à l'exception du théâtre, qu'elle connaissait. Ses héros sont oisifs. Ainsi, elle ne montra de la guerre que ce qu'une femme en put voir ou deviner : l'arrière, dans *Mitsou* ; le traumatisme, dans *la Fin de Chéri.* Quoi qu'il en soit, sa démarche coïncide avec l'évolution du roman : le sujet de la narration peut bien être le plus immédiat, puisque c'est surtout la singularité du style et de la vision qui importe. D'autre part, cette posture non imaginative, à l'affût de tout ce qui se peut « verser au trésor de la connaissance », fait que l'œuvre de Colette coïncide avec le mouvement qui doit rendre à la femme son visage et sa liberté : « Homme, mon ami, tu plaisantes souvent les œuvres, fatalement autobiographiques, de la femme. Sur qui comptais-tu donc pour te la peindre ? »

Un autre héroïsme

La morale de Colette a fait l'objet de nombreuses descriptions qui informent plus sur l'idéologie des critiques que sur celle de l'auteur. L'un met l'accent sur la liberté, l'autre sur l'amour, un autre sur la sérénité de cette « reine de la terre »... Il vaut mieux laisser le lecteur en décider lui-même ! Il nous semble que la morale de Colette pourrait être abordée par le biais du couple unité/contradiction.

Le grand thème de son œuvre est ce qui lie l'homme et la femme et qu'elle appelle la « douleur d'aimer », cette union en forme de joute qui fit de sa vie, dit-elle, une « vie de militante » ; elle a décrit comme un drame, comme un suicide et comme un éblouissement cette dialectique de l'amour : « homme interlocuteur-né », « nécessaire et néfaste comme un rigoureux climat natal ». Que d'héroïnes, dans cette œuvre, qui dépassent leur peur, que l'on croyait suivantes et qui sont éclaireuses, ou qui, désillusionnées, continuent d'adorer l'illusion ! Il n'y a qu'un seul amour, que sa forme soit admise ou jugée monstrueuse, et la contradiction, l'« hermaphrodisme mental », habite l'amante et l'écrivain qui se regarde écrire : « Mes yeux de femme suivirent, sur le vélin turquoise, une courte et dure main de jardinier, qui écrivait. » Autres contradictions : celle qui déchire chaque être quand le corps est trop fané pour le désir et que la vieillesse frappe la joie de vivre d'immobilité, et celle, cosmologique, qui affronte l'individu et l'univers unanime. Colette nous semble avoir œuvré pour se concilier, à travers la nature, les forces contraires du moi, de l'homme et de la mort. Dans cette optique, elle nous propose un nouveau pacte avec le monde, où le retour à la nature et le retour à la mère sont des figures, régressives mais rayonnantes, de la réconciliation.

	VIE	ŒUVRE
1865	Mariage de Jules Colette (né en 1829) et de Sidonie Landoy (née en 1835, veuve de Jules Robineau-Duclos, mère de Juliette, née en 1860, et d'Achille, né en 1863). De cette union naît en 1866 Léopold, dit « Léo ».	
1873	Le 28 janvier naît Sidonie-Gabrielle Colette, à Saint-Sauveur-en-Puisaye.	
1889	En juillet, brevet élémentaire et certificat d'études primaires supérieures. Premier voyage à Paris et, probablement, première rencontre d'Henry Gauthier-Villars, dit « Willy ».	

VIE		ŒUVRE	
1891	Les Colette s'installent à Châtillon-sur-Loing.		
1892	Deux séjours à Paris : rencontre décisive avec Willy et présentation à la famille Gauthier-Villars.		
1893	En mai, mariage avec Henry Gauthier-Villars (né en 1859, célibataire, père de Jacques Gauthier-Villars, né en 1889). Le couple s'installe à Paris, 28, rue Jacob.		
1894	En janvier, elle surprend son mari en flagrant délit d'infidélité. Après une maladie de plus de deux mois, elle passe l'été en convalescence à Belle-Ile, puis séjourne à Châtillon-sur-Loing.	**1894**	**Fin de l'année :** début probable de la rédaction de *Claudine à l'école.*
1895	Elle séjourne à Saint-Sauveur en mai et juillet. Elle accompagne ensuite son mari à Bayreuth.	**1895**	Six articles signés Colette Gauthier-Villars paraissent dans *la Cocarde* de Maurice Barrès.
1896	Les Willy s'installent au 93, rue de Courcelles. En juillet, séjours dans le Jura, à Uriage, à Bayreuth.	**1896**	En janvier, fin de la rédaction de *Claudine à l'école,* sans doute refusée par les éditeurs, mise de côté par Willy.
		1900	*Claudine à l'école,* signée « WILLY » comme le seront toutes les *Claudine,* est publiée en mars. En mai, un article de Maurras déclenche son succès.
1901	Au printemps, elle se lie avec Georgie Raoul-Duval, qui accompagne les Willy en août à Bayreuth.	**1901**	Publication de *Claudine à Paris.*
1902	Les Willy déménagent au 117 *bis,* rue de Courcelles, où elle fait aménager une salle de gymnastique. En janvier, création de la comédie *Claudine à Paris,* avec en prologue *Claudine à l'école,* jouée par Polaire. Séjour d'été aux Monts-Boucons – comme les trois années suivantes.	**1902**	En mars, Georgie Raoul-Duval achète à l'éditeur, et détruit, toute l'édition de *Claudine amoureuse.* En mai, publication de *Claudine en ménage,* version corrigée de *Claudine amoureuse.*
		1903	Publication de *Claudine s'en va.* « CLAUDINE » (?) signe une quarantaine de chroniques et poèmes dans le *Gil Blas.*
		1904	Publication de *Dialogues de bêtes,* signé « Colette WILLY » (quatre dialogues), puis de *Minne,* signé « WILLY ».
1905	En mai, séparation de biens entre Colette et Willy. En septembre, mort de Jules Colette. Elle prend ses premières leçons de pantomime avec Georges Wague à la fin de l'année.	**1905**	Publication de *Sept Dialogues de bêtes* (nouvelle édition augmentée, avec une préface de F. Jammes), signé « Colette WILLY », et des *Égarements de Minne,* signé « WILLY ».
1906	En février, premières prestations sur une scène de théâtre. Elle commence une liaison avec Mathilde de Morny, dite « Missy » (née en 1863, divorcée du marquis de Belbeuf), avec qui elle passe une partie de l'été au Crotoy. Colette et Willy se séparent en novembre. Les deux femmes font scandale en décembre en jouant ensemble au Moulin-Rouge.		
1907	En janvier, nouveau scandale, si grand que le préfet de police interdit la pièce. En février, séparation légale de Colette et Willy. En été, elle séjourne au Crotoy avec Missy, Willy et la nouvelle compagne de celui-ci. En novembre, création du mimodrame *la Chair* de Georges Wague et Léon Lambert.	**1907**	Publication de *la Retraite sentimentale,* sous la signature de « Colette WILLY », dont elle usera jusqu'en 1913.
1908	Cette année est marquée, comme les trois suivantes, par de nombreux déplacements pour le théâtre (en France, en Belgique et en Suisse), avec la reprise de *la Chair* et de *Claudine à Paris.* Elle passe l'été, comme l'année suivante, au Crotoy avec Missy. En septembre, suicide de Juliette Robineau-Duclos et déménagement de Colette au 25, rue Saint-Senoch.	**1908**	Publication des *Vrilles de la vigne.*
1909	Aux déplacements pour *la Chair* et *Claudine à Paris* s'ajoute la création à Paris, en janvier, d'*En camarades* et, en novembre, de *C'te pucelle d'Adèle !...* de Sacha Guitry.	**1909**	Création d'*En camarades.* En septembre, début de la rédaction de *la Vagabonde.* En novembre, publication de *l'Ingénue libertine* (refonte des deux *Minne*).

	VIE		ŒUVRE
1910	Au répertoire des tournées, *la Chair* et *Claudine à Paris,* s'ajoutent *la Nuit sicilienne* de L. Mayrargue et W. Redstone, *la Cruche* de Georges Courteline et *Aux Bat'-d'Af'* de Georges Wague, créé à Paris en novembre. En juin, le divorce de Colette et Willy est prononcé. Les vacances d'été rassemblent à Rozven, dans une maison offerte par Missy, Colette, Sido, Léo et Missy. En novembre, elle voyage en Italie avec Auguste Hériot, héritier des Magasins du Louvre. En fin d'année, Missy, Hériot et Henry de Jouvenel, rédacteur en chef du *Matin,* se partagent sa présence.	**1910**	Publication en feuilleton dans *la Vie parisienne,* puis en volume, de *la Vagabonde,* qui va obtenir trois voix au prix Goncourt. En décembre, elle commence à collaborer au *Matin* (rubrique des « Mille et un matins »).
1911	Représentations à Paris de *la Chair,* d'*Aux Bat'-d'Af'* et d'un nouveau mimodrame, *l'Oiseau de nuit.* Déplacements en Suisse pour *la Chair.* En mars, voyage en Tunisie avec Lily de Rême, puis séjour à Rozven. En juillet, elle vit désormais avec Jouvenel, qui lui fait connaître le manoir de Castel-Novel en Corrèze. Elle s'installe en octobre au « chalet de Passy ».	**1911**	En octobre, elle commence sa contribution hebdomadaire au *Matin.*
1912	Elle ne joue plus guère. Elle effectue en juin ses premiers reportages pour *le Matin.* En septembre, mort de Sido (elle ne va pas à son enterrement, pas plus qu'elle n'ira à ceux de plusieurs amis chers ; Achille brûlera les quelque 2 000 lettres de Colette à sa mère). Elle épouse en décembre le baron Henry de Jouvenel des Ursins (né en 1876, divorcé, père de Bertrand, né en 1903, et de Renaud, né en 1907).		
1913	Après une dernière prestation à Lausanne, elle abandonne pour longtemps les planches. En juillet naît Colette de Jouvenel. À partir d'octobre, sa rubrique au *Matin* prend pour sous-titre « Journal de Colette » ; les quatre années suivantes seront consacrées au journalisme.	**1913**	Publication de *Prrou, Poucette et quelques autres. L'Entrave* est publiée en feuilleton dans *la Vie parisienne* avant d'être achevée, puis en volume, sous la signature « COLETTE (Colette WILLY) » dont elle usera jusqu'en 1923. Publication de *l'Envers du music-hall.*
1914	Son enfant envoyée à Castel-Novel pour toute la guerre, son mari sous les drapeaux, elle devient en octobre garde de nuit pour les blessés au lycée Janson-de-Sailly et part pour Verdun en décembre.		
1915	Après un début d'année en Argonne puis à Verdun, elle part pour l'Italie pour *le Matin* : Rome, Venise, puis le lac de Côme.		
1916	Elle emménage en fin d'année dans un petit hôtel du boulevard Suchet. Musidora laisse inachevé un film intitulé *Minne.*	**1916**	Publication de *la Paix chez les bêtes* (textes repris de *Prrou...,* ou datant d'avant guerre).
1917	Colette est à Rome où, en janvier, Jouvenel est délégué à la Conférence de l'Entente et où, au printemps, Eugenio Perego tourne avec Musidora une *Vagabonde* sur un scénario de Colette. Retour à Paris où, en juillet, Jouvenel entre au cabinet du sous-secrétariat d'État à la Marine.	**1917**	Début de la rédaction de *Mitsou.* Publication des *Heures longues* et des *Enfants dans les ruines,* recueils de chroniques de guerre.
1918	Jouvenel est délégué à la Commission du désarmement à Genève. Elle dirige la rubrique des « Mille et un matins » et commence d'assurer la critique dramatique du *Matin.* Elle écrit le scénario de *la Flamme cachée,* de Musidora.	**1918**	Publication de *Dans la foule,* recueil d'articles portant sur des faits divers, des manifestations publiques.
1919	L'été, comme les étés suivants, les vacances à Rozven rassemblent de nombreux amis.	**1919**	Publication de *Mitsou ou Comment l'esprit vient aux filles* (suivi d'*En camarades*). Début de la rédaction de *Chéri.*
1920	Alors qu'elle souffre déjà des infidélités de son mari, elle rencontre au printemps Bertrand de Jouvenel, qui passe les vacances d'été à Rozven. En septembre, elle est nommée chevalier de la Légion d'honneur.	**1920**	*Chéri* est publié à partir de janvier dans *la Vie parisienne,* puis en volume. Publication de *la Chambre éclairée.*
1921	Henry de Jouvenel est élu sénateur de la Corrèze (gauche démocratique).	**1921**	En décembre, création de *Chéri,* comédie en quatre actes tirée du roman par Colette et Léopold Marchand.

VIE		ŒUVRE	
1922	En février, pour la 100e de *Chéri,* elle incarne Léa. En avril, voyage en Algérie. Elle se lie d'amitié avec Germaine Patat (une des amies de son mari), qui passe les vacances à Rozven. Jouvenel est délégué à la S.D.N. (conférence sur le désarmement).	**1922**	Publication de *la Maison de Claudine* (recueil de textes parus entre 1911 et 1921) et du *Voyage égoïste. Le Matin* interrompt la publication du *Blé en herbe,* par peur du scandale.
1923	En mars, elle part en tournée pour jouer *Chéri.* En fin d'année, tournée de conférences dans plusieurs villes du Midi. En décembre, Henry de Jouvenel quitte le domicile conjugal, où Bertrand continue d'habiter.	**1923**	Publication en volume du *Blé en herbe,* sous la signature de Colette, dont elle usera désormais. En février, création de *la Vagabonde,* comédie en quatre actes par Colette et Léopold Marchand. Début de la rédaction de *la Fin de Chéri.*
1924	Elle découvre les sports d'hiver avec Bertrand. Elle cesse en février de collaborer au *Matin,* et écrira bientôt dans *le Figaro, le Quotidien, l'Éclair.* Elle commence à diriger une collection de l'éditeur Ferenczi. En décembre, elle joue *Chéri* à Monaco. Son divorce est prononcé.	**1924**	Publication de *la Femme cachée* et d'*Aventures quotidiennes.*
1925	Cette année, et les deux suivantes, sont marquées par l'activité théâtrale : elle joue *Chéri,* puis *la Vagabonde* en France, en Belgique et en Suisse. Bertrand s'éloigne. Maurice Goudeket entre dans sa vie en avril. Elle passe ses premières vacances à Saint-Tropez.	**1925**	Création de *l'Enfant et les sortilèges,* musique de Maurice Ravel sur un texte écrit jadis pour Bel-Gazou.
1926	En février, voyage au Maroc sur l'invitation du Glaoui. Elle acquiert la Treille muscate, à Saint-Tropez, et y passe ses vacances d'été, comme elle le fera jusqu'en 1938.	**1926**	Publication de *la Fin de Chéri,* d'abord en feuilleton dans la *Revue de Paris,* puis en volume.
1927	Elle s'installe dans un entresol du Palais-Royal.		
1928	En novembre, elle est promue officier de la Légion d'honneur.	**1928**	Publication de *la Naissance du jour,* de *Renée Vivien* et d'une nouvelle édition du *Voyage égoïste* (complétée avec des chroniques de mode parues dans *Vogue*).
1929	Plusieurs voyages : en Espagne, à Tanger, à Anvers. En septembre, elle commence sa critique dramatique à la *Revue de Paris.*	**1929**	*La Seconde* est publiée en feuilleton dans *les Annales,* puis en volume. Publication de *Sido ou les Points cardinaux* et *Regarde.*
1930	En février, voyage à Berlin. En été, croisière en mer du Nord à bord du yacht d'Henri de Rothschild. À la fin de l'année, elle s'installe avec Maurice Goudeket au dernier étage de l'hôtel Claridge.	**1930**	Publication d'*Histoires pour Bel-Gazou.*
1931	En janvier, mort de Willy. De février à avril, des tournées de conférences la mènent en Autriche, en Roumanie et en Afrique du Nord. Solange Bussi porte à l'écran *la Vagabonde.*	**1931**	Publication de *Supplément à Don Juan.* Le directeur de *Gringoire* interrompt par peur du scandale la publication de *Ces plaisirs…*
1932	En mars, rédaction du sous-titrage français de *Jeunes Filles en uniforme* de Léontine Sagan. Elle monte une affaire de cosmétiques (qui périclitera l'année suivante) et fait, l'été, des conférences pour leur promotion.	**1932**	Publication de *Paradis terrestres, la Treille muscate, Prisons et paradis* et *Ces plaisirs…*
1933	Cette année et les cinq suivantes sont marquées par une grande activité de critique dramatique : s'ajoutent à sa collaboration à *l'Éclair* et à la *Revue de Paris* les rubriques des théâtres du *Journal* et du *Petit Parisien.* Elle repart en tournée de conférences. En juin-juillet, elle écrit les dialogues de *Lac aux dames* de Marc Allégret d'après Vicki Baum.	**1933**	Rédaction et publication de *la Chatte.*
1934	Elle écrit le scénario et les dialogues de *Divine* de Max Ophüls (dans l'esprit de *l'Envers du music-hall*). Elle devient membre du jury du prix Albert-Ier.	**1934**	Rédaction et publication de *Duo. La Jumelle noire* rassemble « une année de critique dramatique ».
1935	Elle se marie en avril avec Maurice Goudeket (né en 1889, célibataire) pour rendre plus agréable un voyage à New York sur le *Normandie.* Mariage de sa fille. Mort d'Henry de Jouvenel.	**1935**	Publication de *la Jumelle noire – IIe année* et de trois *Cahiers.*

	VIE		ŒUVRE
1936	Elle est promue en février commandeur de la Légion d'honneur. Elle quitte le Claridge pour l'immeuble Marignan. En avril, elle succède à Anna de Noailles à l'Académie de langue et littérature françaises de Belgique.	1936	Publication de *Mes apprentissages,* de *Chats* et du quatrième *Cahier.*
1937	Serge de Poligny réalise le film *Claudine à l'école.*	1937	Publication de *Bella-Vista,* de *Splendeurs des papillons,* d'un chapitre inédit de *Claudine s'en va (Claudine et les contes de fées)* et de *la Jumelle noire – IIIe année.*
1938	Elle vend la Treille muscate et s'installe à la fin de l'été, définitivement, au premier étage du Palais-Royal, 9, rue de Beaujolais. Voyage à Fez pour *Paris-Soir.* Création de la pièce *Duo,* adaptée par Paul Géraldy.	1938	Publication de *la Jumelle noire – IVe année.*
1939	Elle commence à souffrir d'arthrose. Vacances à Dieppe avec Léopold Marchand. Achat d'une propriété à Montfort-l'Amaury.	1939	Publication du *Toutounier.*
1940	Elle enregistre une série d'émissions pour les États-Unis. En mars, mort de Léo Colette. En juin, départ pour l'exode en Corrèze chez sa fille. Retour à Paris en septembre.	1940	Publication de *Chambre d'hôtel.*
1941	Maurice Goudeket, arrêté par les Allemands le 12 décembre, sera interné jusqu'au 6 février 1942, puis libéré.	1941	Publication de *Julie de Carneilhan, Journal à rebours* et *le Pur et l'Impur* (reprise de *Ces plaisirs…*).
		1942	Publication de *De ma fenêtre.*
1943	Colette souffre à présent vivement d'arthrose et se déplace difficilement.	1943	Publication de *le Képi, De la patte et de l'aile, Flore et Pomone* et *Nudité.*
		1944	Publication de *Gigi, Trois, six, neuf,* et *Broderie ancienne.*
1945	Élue à l'unanimité au fauteuil de Sacha Guitry en mai, elle est la première femme de l'académie Goncourt.	1945	Publication de *Belles Saisons* et de sa correspondance avec Francis Jammes *(Une amitié inattendue).*
1946	Séjour au printemps à Genève, pour des soins contre l'arthrose ; cure d'été à Uriage.	1946	Publication de *l'Étoile Vesper* et *Florie.*
1947	Au printemps, deuxième cure à Genève.		
1948	Elle écrit les dialogues du film *Gigi,* de Jacqueline Audry, qui sortira en 1949. En juillet, mort de Marguerite Moréno, après cinquante-trois ans d'amitié.	1948	Publication de *Pour un herbier.* Le premier des quinze volumes des *Œuvres complètes* paraît en décembre.
1949	Elle succède en octobre à Lucien Descaves à la présidence du jury Goncourt. Elle remanie *Chéri* pour sa reprise au théâtre de la Madeleine. Jacques Manuel tourne en fin d'année *Julie de Carneilhan,* qui sortira en 1950.	1949	Publication du *Fanal bleu* et de plusieurs recueils d'anciennes chroniques *(Trait pour trait, Journal intermittent, la Fleur de l'âge, En pays connu).*
1950	Premier séjour à Monte-Carlo, où elle retournera tous les ans. Pierre Billon porte *Chéri* à l'écran, avec des dialogues de Colette, et Jacqueline Audry tourne *Minne.* Yannick Bellon fait son court métrage sur Colette.	1950	Le dernier volume des *Œuvres complètes* paraît en juin.
1951	Création de la pièce *la Seconde* au théâtre de la Madeleine.	1951	Création à Broadway de *Gigi,* adapté à la scène par Colette et Anita Loos.
1952	Roberto Rossellini s'inspire de *la Chatte* pour son sketch « l'Envie » dans *les Sept Péchés capitaux,* qui sortira en 1953.		
1953	Son 80e anniversaire est marqué par les honneurs ; elle est faite grand officier de la Légion d'honneur, elle reçoit la Grande médaille de la Ville de Paris et le diplôme du National Institute of Arts and Letters. Claude Autant-Lara tourne *le Blé en herbe* qui sortira en 1954.		
1954	Elle meurt le 3 août. Funérailles nationales et laïques. Elle est inhumée au cimetière du Père-Lachaise.		

Les *Claudine*

Dans *Mes apprentissages* (1936), Colette a retracé la genèse de ces quatre ouvrages dont l'idée lui fut inspirée par Willy qui les signa. Colette ne cache pas que *Claudine à l'école* doit le jour aux soucis pécuniaires du ménage ainsi qu'à la déception d'une jeune femme insatisfaite de son mariage et nostalgique de son enfance. En 1896, le jugement de Willy sur les « cahiers d'école » de sa jeune femme est d'abord négatif. En 1900, les relisant, il s'avise de son erreur, fait éditer *Claudine à l'école* non sans avoir apporté ses corrections personnelles et conseillé à Colette d'ajouter « du patois, beaucoup de patois », de la « gaminerie » et un ton plus leste. Le succès du premier *Claudine* incite Willy à demander à sa femme d'écrire une suite. La série se poursuit donc avec *Claudine à Paris, Claudine en ménage, Claudine s'en va*.

CLAUDINE À L'ÉCOLE (1900)

Élève à l'école de Montigny, Claudine en rédige la chronique assez osée : elle épie les amours saphiques d'une jeune institutrice avec la directrice tandis que son cœur d'adolescente malicieuse est mis en émoi par l'insignifiante petite Luce. À la maison, le père de Claudine, pittoresque spécialiste des limaces, laisse une grande liberté à sa fille qui s'enchante de la campagne et du jardin odorant où règne la chatte Fanchette.

Il n'y a pas vraiment de composition dans ce premier *Claudine* ; aucune progression dans le journal de la fillette, mais plutôt juxtaposition d'épisodes inspirés par les personnages : l'institutrice, des élèves plus ou moins ingrates, la directrice luxurieuse, un médecin lubrique, un burlesque inspecteur d'académie, etc. Mais l'écriture du journal est alerte, et en imaginant cette Claudine qui va s'épanouir dans les tomes suivants, Colette a créé un « type » d'adolescente à la fois ingénue et perverse dont la Belle Époque fit un personnage célèbre consacré par une mode vestimentaire (le « col Claudine »).

CLAUDINE À PARIS (1901)

Ayant quitté son village natal pour vivre à Paris en compagnie de son père qui la confie à la tante Cœur, Claudine conte les expériences déroutantes de son entrée dans le monde. Le naturel et le franc-parler de la petite provinciale, devenue une séduisante jeune fille, lui attire le succès dans les salons parisiens. Après plusieurs demandes en mariage obstinément refusées, celle du beau Renaud, de vingt ans son aîné, sonne l'heure du grand amour.

Ce deuxième *Claudine* fournit à Colette – et à Willy – l'occasion d'amuser le public aux dépens d'un certain parisianisme, décrit avec une feinte innocence par la jeune provinciale. Dans les salons de tante Cœur défilent le frêle homosexuel Marcel, un critique littéraire mal embouché nommé Maugis (caricature de Willy), des femmes du monde et du demi-monde belles ou vieillissantes, et la petite Luce de Montigny métamorphosée en débauchée. La rencontre avec Renaud inaugure dans l'œuvre de Colette une certaine structure romanesque où la différence d'âge des partenaires amoureux crée une relation piquante – ou douloureuse – entre deux sensualités, l'une mûre, l'autre qui s'éveille, situation souvent exploitée avec des variantes dans les romans ultérieurs.

La Claudine de ce deuxième tome a été popularisée par une adaptation dramatique au théâtre des Bouffes parisiens avec l'actrice Polaire dans le rôle-titre.

CLAUDINE EN MÉNAGE (1902)

Claudine partage, non sans réticence, la vie mondaine de Renaud. Elle rencontre la séduisante Rézi qui l'engage dans une brûlante aventure saphique sous l'œil complaisant de son mari. Pour éviter aux deux femmes les regards indiscrets, il leur aménage une garçonnière. Un jour, s'y rendant seule, Claudine découvre les ébats amoureux de Renaud et de Rézi. Deux fois trahie, elle quitte Paris aussitôt pour chercher asile dans la maison et le jardin de Montigny. Une tendre lettre de Renaud fait fondre sa rancœur. Elle lui pardonnera à condition qu'il vienne partager sa solitude campagnarde.

Avec ce troisième tome, le talent de la romancière s'affirme. L'intrigue est bien menée, ménageant le suspense et les coups de théâtre. Les sentiments sont intériorisés. Dès la première phrase, l'attention du lecteur est alertée par la remise en question de ce bonheur fou promis à Claudine à la fin du tome précédent : « Sûrement, il y a dans notre ménage quelque chose qui ne va pas. ». Construit avec un art habile de la gradation, l'épisode des amours de Claudine et de Rézi, la résistance pudique de Claudine, finalement emportée par un violent désir physique, dessinent ce jeu entre débauche et pureté dont l'alliance inattendue caractérise maintes héroïnes de Colette (cf. *Julie de Carneilhan*, 1941).

Enfin, la découverte de l'infidélité de Renaud relance l'action, tout en précisant la frontière entre les jeux frivoles du sexe, odieux à la grave Claudine, et la sincérité de la passion qui absout à ses yeux tous les écarts de conduite. En réagissant violemment à la trahison de Renaud, Claudine défend le pur de la passion contre l'impur du simple divertissement et répond à la question du premier chapitre : ce qui ne « va pas » dans leur ménage, c'est le déséquilibre entre la frivolité parisienne du vieux dandy et la loyauté de son épouse. Habile dans sa composition, le déroulement de l'intrigue respecte rigoureusement la psychologie des personnages. L'intransigeance de la jeune provinciale, passagèrement pervertie, la ramène au refuge de la maison natale et d'une campagne qui éveille en elle une sensualité comparable au ravissement de l'amour : Colette peut ainsi se livrer au lyrisme agreste qui convient si bien à sa plume. Et l'ultime message de Claudine à Renaud permet d'envisager une suite à la saga de leurs aventures.

CLAUDINE S'EN VA (1903)

Victime d'un mari autoritaire dont elle se croit amoureuse, Annie découvre en son absence qu'il lui est infidèle. Elle conte dans son journal ses rencontres amicales avec le couple Renaud-Claudine, en particulier lors d'un voyage à Bayreuth avec famille et amis parmi lesquels le journaliste Maugis. Claudine conseille à Annie de prendre en mains son destin personnel.

Le journal d'Annie présente, en contrepoint de la passion amoureuse vécue entre deux êtres libres, la soumission d'une épouse insatisfaite. D'un côté, le mariage conventionnel, de l'autre un couple d'« amants mariés » constitué par Claudine et Renaud. Une Claudine mûrie, sûre d'elle-même et toujours insolente, accompagnera le cheminement de sa jeune amie vers la liberté. Le lien que crée la présence constante d'Annie dans le déroulement de l'intrigue, soit qu'elle vive les épisodes en acteur et les rapporte dans son journal, soit qu'elle apprenne les événements à distance par les lettres d'autres personnages, crée une unité factice dans un roman au dessein flou. S'agit-il de suivre les étapes de l'affranchissement d'une femme-enfant ? de lui faire emprunter le chemin de la liberté par le détour d'un désir saphique qui l'entraîne vers Claudine ? de dresser grâce aux missives qu'Annie reçoit d'elle un bilan du parcours amoureux de Claudine entre Renaud et Rézi ? Ou bien Colette a-t-elle lancé son esprit caustique, aiguisé par celui de Willy, à l'assaut de la mode qui pousse des bourgeois incultes vers Bayreuth pour écouter des musiques qui les ennuient ? ou voulu mettre une dernière touche au portrait caricatural du journaliste Maugis ? Le mérite de l'écrivain est dans la création, pour la première fois, d'un personnage distinct d'elle-même. Mais sa plume semble hésiter, abandonnant parfois son ton alerte pour tomber dans un symbolisme mièvre (« Demeurez l'amphore, étroite et grêle, que deux bras refermés peuvent aisément étreindre ») ou s'enliser dans des parodies grossières (la lettre de Maugis, éliminée de l'édition définitive) qui forcent le trait et déparent l'écriture. La fraîcheur de la malicieuse Claudine « s'en va » avec ce dernier tome de la série.

Les *Claudine* (au moins les trois premières) connurent un succès qui fit la fortune de Willy. Du point de vue littéraire, elles offrent l'intérêt de donner à voir la naissance d'un grand écrivain. Encore épaulée par Willy, Colette, de livre en livre, améliore sa technique du roman jusqu'à *Claudine en ménage* où elle la maîtrise parfaitement et produit un authentique chef d'œuvre. Mais le sujet était trop mince pour se renouveler indéfiniment, comme le montre le délayage du dernier tome émaillé de l'argot de Willy qui, à la veille de quitter Colette, voulait exploiter jusqu'à épuisement la mine d'or dont tout nouveau titre lui ouvrait un riche filon.

Après 1905, les *Claudine* souffrirent d'une déconsidération affichée par Colette elle-même qui jugeait ses premières œuvres inférieures aux suivantes. Il était temps de tuer la charmante Claudine dont *la Retraite sentimentale* (1907, signé Colette Willy) est le poétique enterrement.

M.-A. de Beaumarchais

Chéri et la *Fin de Chéri*

Ces deux romans, qu'elle jugeait « assez amers », ne sont pas significatifs quant à l'image de Colette conservée par le grand public, mais ils ont leur place ici dans la mesure où ils marquent son entrée dans la plénitude de son art de *romancière* par une sorte de rupture dont elle s'étonnait elle-même, disant de *Chéri* : « C'est un roman que je n'avais jamais écrit, – les autres, je les avais écrits une ou deux fois, […] les "vagabondes", et autres "entraves" recommençaient toujours un peu de vagues claudines. »

Chéri a scandalisé ; non seulement à cause de son thème et du milieu qu'il dépeint, mais aussi parce qu'on répandit le bruit que « Chéri » masquait Bertrand de Jouvenel. Nous savons aujourd'hui que ce livre, écrit à partir de nouvelles parues dans *le Matin* en 1911-1912 et publié avant que Colette ne rencontre son beau-fils, ne doit rien à l'autobiographie.

CHÉRI

1912. Fred, dit Chéri, vingt-cinq ans, fils d'une demi-mondaine (Mme Peloux), vit depuis six ans avec une amie de sa mère, une cocotte de cinquante ans, Léa de Lonval. Ils ne savent pas qu'ils s'aiment. Mme Peloux marie son fils avec la fille d'une autre professionnelle, Edmée. Une fois Chéri parti en voyage de noces, Léa s'aperçoit qu'elle souffre et va « passer son chagrin » en Provence pendant six mois. Quelque temps après son retour à Paris, Chéri cherche à revoir Léa ; ne la trouvant pas chez elle, il se fait héberger pour une nuit chez un ami, Desmond – et il y reste trois mois, cédant à sa « lâcheté ». L'annonce du retour de Léa lui donne l'énergie de retourner sous le toit conjugal. Léa croit pouvoir organiser sa solitude, mais Chéri lui revient un soir. L'amour, enfin reconnu, parlé, reforme le couple. Au matin, Léa imagine d'abord leur avenir à deux, mais des propos de Chéri la font basculer dans l'évidence de sa propre vieillesse et découvrir la nécessité de leur séparation. Elle le chasse.

La force de *Chéri* vient peut-être de ce que Colette y utilise magistralement, en les subvertissant, bien des conventions. Alors que le thème n'est pas tragique, elle le développe sur des lignes aussi pures que celles d'une tragédie classique. L'action, menée à huis clos dans des salons ou des chambres des beaux quartiers, met en présence des personnages qui forment une société fermée, aussi exilée des normes communes et des soucis matériels que les héros tragiques. Sauf Edmée, tous sont des îlots solitaires de conscience, entourés de parasites qui leur servent de confidents et d'émissaires, et toute communication est cruelle, cruauté qui fait moins songer à la « rosserie » mondaine qu'à ce que Péguy nommait la « méchanceté racinienne » : chacun contrôle son visage, toutes les répliques portent, quelques mots de trop changent tout. Épurés à l'extrême, les décors n'en sont pas moins sensuels ; le motif récurrent du collier de perles au cou des femmes souligne les étapes de l'intrigue. La pureté de *Chéri* tient aussi à ce qu'en situant ses personnages dans un milieu où la volupté est professionnellement connue, Colette a choisi un terrain déblayé d'avance des ambiguïtés et des euphémismes qui encombrent la plupart des « romans d'amour » ; ce décapage lui permet de déplacer le lieu du plus grand péril : reconnaître qu'ils s'aiment ne rend pas plus vertigineux pour Chéri et Léa « cet abîme d'où l'amour remonte pâle, taciturne et plein du regret de la mort », mais l'évidence d'aimer les dépossède d'eux-mêmes comme des « dormeurs parlant en songe », agités par « l'angoisse », « la douleur » et « la joie ».

De fait, *Chéri* subvertit les conventions psychologiques. Tandis que les romans font souvent l'histoire d'une désillusion où « l'amour » se désacralise en « désir », Chéri et Léa subissent le dessillement inverse : les habitudes de leur désir, c'était l'amour. Et c'est paradoxalement la reconnaissance de l'amour, parce qu'elle ordonne le respect de l'objet aimé, qui mène à la rupture. On a pu dire que *Chéri* inversait aussi le couple romanesque ordinairement formé d'une femme jeune et d'un homme plus âgé ; mais à cette inversion des âges s'ajoute une confusion, plus frappante encore, des appartenances sexuelles traditionnelles : ici, c'est la femme qui est « saine », « tranquille », organisatrice, et l'homme est « illisible », capricieux, « risquant des coups traîtres », et bel objet du regard amoureux.

Car Colette retravaille le type du jeune homme très beau, insensible et sans forces morales, qu'elle admirait dans la rencontre de Rubempré et Vautrin dans *Illusions perdues*, et que l'on retrouvera dans *Aurélien*. Son héros lui permet de montrer que la beauté et, paradoxalement, la puissance sexuelle font de certains hommes les jouets du désir féminin ; ce qui produit une situation romanesque complexe : Léa est une cocotte, mais Chéri est son « gigolo », et non son « maquereau ». Ce héros lui permet aussi de montrer ce que la beauté induit de narcissisme, et le narcissisme de sadomasochisme suicidaire. « Fatal » à lui-même, Chéri ne peut survivre qu'en « nourrisson méchant » d'une maîtresse maternelle. Mais on observe par ailleurs que son mal vient de plus loin que sa seule beauté, car son premier avatar, Clouk (voir *Mes cahiers*), fort « laid », était aussi « veule », et sa sensibilité souffrante aspirait aussi à une « fondante chaleur de nourrice ». Chéri et Clouk semblent donc être aussi des figures du deuil (« on est quelque chose comme orphelin », dit Chéri), obsédées par la manie de posséder, de compter et recompter, en souffrant de ne rien posséder d'autre. On peut aussi noter que l'atmosphère de ce roman est propre à évoquer l'état d'esprit d'une génération d'adolescents qui eurent, comme Chéri et son double Ceste, « de vastes yeux vides » ; Léa comprend trop tard que Chéri et elle-même ont refusé l'avenir, s'aimant « comme si nous devions, l'un et l'autre, mourir l'heure d'après » – tels furent bien certains enfants de cette Belle Époque, qui allaient partir vers le front comme vers une manière de fête et y engloutir, entre bien d'autres choses, l'art de vivre des Liane de Pougy.

« On sauve Chéri une fois, mais pas deux », disait Léa dans *Chéri*. Six ans plus tard, dans *La Fin de Chéri*, Colette mène à son terme, le suicide, la logique interne de son personnage. Ce qu'un critique de 1926 disait des dernières pages de ce second livre vaut pour sa totalité : « tout se passe dans une demi-ombre, tout se fait à demi-mot et la profondeur de cette détresse nous apparaît dans un brouillard avec une magnifique et cruelle lucidité. Peut-être Mme Colette n'a-t-elle rien écrit de plus beau, de plus intense et de plus tragique ».

La réussite de cette œuvre vient peut-être de ce que Colette y décrit une névrose en l'observant, exclusivement, du point d'optique d'un narrateur qui montre son héros à la fois du dehors et du dedans, par ses actes et ses pensées. Le romancier narre objectivement ses actes et nous voyons, aux réactions des personnages (sa femme, sa mère, Léa, un enfant, la Copine), l'inquiétude qu'ils suscitent. Quant à ses pensées, le narrateur nous les communique toutes ; mais son savoir ne va pas au-delà de ce que son héros connaît de lui-même ; or Chéri, que le premier volume avait déjà montré muet ou presque, vivant dans le seul espace de sa beauté, de ses humeurs opaques et de sa capacité à produire un effet sur autrui, Chéri n'a aucune conscience de ce qu'il pense ; il n'a pas les mots ni l'interlocuteur qu'il faudrait pour prendre connaissance de son propre « aveu indéfini, un secret qui eût tout changé ». Incapable d'introspection, il ne maîtrise pas sa durée présente (« Il changeait sensiblement et ne s'en rendait guère compte »), ni l'instant suivant, faisant toujours ce qu'il jugeait absurde la veille. Il ne peut que constater ce qui est déjà « un point acquis », et normalisé par l'habitude (il observe par exemple que « l'argent ne l'intéresse plus », qu'il « a abandonné » sa femme). Les actes et les pensées du personnage sont donc en perpétuel décalage les uns par rapport aux autres, un décalage rendu inexorable par le fait que le narrateur ne nomme les paliers du « mal mystérieux » que lorsqu'ils sont déjà dépassés (par exemple : « il avait franchi l'étape de la peur »). La technique littéraire tient ainsi à la fois de l'art de la fugue et de la tragédie, pour rendre compte de la fuite en avant d'un personnage inconscient de marcher à la mort : l'auteur produit un texte où il est en permanence déjà trop tard, ce que le lecteur éprouve avec d'autant plus d'angoisse que le personnage l'ignore.

De quoi meurt Chéri ? D'amour, estimèrent bien des critiques, qui, selon leur sexe, s'indignèrent de ce qu'on montrât un jeune homme mourant d'amour pour une femme âgée, ou lurent, avec indulgence, sous cette mise à mort, un fantasme d'écrivain vieillissante. Le point d'optique choisi et la narration elle-même, sorte de glissement sans fait ni crise déterminants, ne permettent pas une réponse aussi simple. Le névrosé ne connaît que le plus évident de son secret : « Léa, la guerre… [...] c'est l'une et l'autre qui m'ont poussé hors de ce temps-ci. » En cet été 1919, « tout ce monde change, et vit pour changer », tandis qu'« incarnant » à sa manière « une aristocratie ancienne », regardant comme une « danse de Saint-Guy » les femmes au travail et l'affairisme de la reconstruction, dégoûté de toute agressivité par l'expérience du feu, privé par l'âge de ce refuge indispensable qu'avait constitué jadis la féminité de Léa, il éprouve sans cesse l'étrangeté de sa propre pétrification morale : « Qu'est-ce que je fais ici ? ». Son

« détachement » du réel et son « abstention » prennent pour finir la forme d'une « monomanie » fixée sur les photographies de la jeunesse de Léa, sans qu'on puisse dire qu'il l'aime, n'étant « concerné » ni par ce qu'elle est devenue, ni par la vie qu'elle a vécue. Chéri ne meurt peut-être ni d'aimer Léa, ni de chérir les mœurs d'une époque anéantie, mais d'avoir aimé, ou plutôt d'avoir perdu un amour qui avait été la pièce maîtresse de son organisation névrotique, de son « paradoxal équilibre ». Ce n'est pas la moindre qualité de ce roman que d'avoir ménagé de multiples chemins à l'interprétation.

La Chatte

Treize ans après *Chéri*, qui mettait en présence un jeune homme et une femme vieillissante, Colette réunit dans *la Chatte* deux jeunes mariés sensiblement du même âge, situation d'égalité dont on trouve peu d'exemples parmi les couples qui font la matière de ses romans. En revanche, chats et chiens, avant même les premiers *Dialogues de bêtes* (1904), sont partout de véritables personnages dans l'œuvre de Colette : Saha est la sœur de Fanchette (*Claudine en ménage*, 1902), de Kiki-la-Doucette (*les Vrilles de la vigne*, 1908), de Péronnelle ou de Prrou (*la Retraite sentimentale*, 1907), etc.

SYNOPSIS

En épousant Camille, Alain a dû abandonner la maison, le jardin de son enfance et sa chatte Saha pour occuper avec sa jeune femme le neuvième étage d'un immeuble ultramoderne en forme de quart de brie. Mais entre Camille et Alain s'instaure bientôt un climat d'incompréhension que le mari exaspère en installant la chatte dans l'appartement. Malgré les dénégations d'Alain, Camille voit en Saha une rivale. Un soir, elle la précipite du haut de la terrasse. Mais la chatte est indemne. Alain soupçonne Camille, qu'accuse la réaction terrorisée de Saha à son approche. Il quitte Camille et le « Quart-de-Brie » pour regagner avec Saha la maison et le jardin idylliques.

Le récit, d'une remarquable densité, s'enchaîne comme une tragédie. Unité de temps (un été) et de lieu (l'appartement d'un jeune ménage) ; trois personnages : Alain, Camille, Saha – les autres, simples figurants, traversent le livre sans affaiblir la concentration de l'intrigue. Le premier acte situe les deux jeunes gens dans des mondes antinomiques, investis dans des espaces à leur image : le passé, l'irréel pour Alain épris du « beau jardin » et de l'antique maison familiale ; le présent pour Camille, « jeune fille d'aujourd'hui », fardée, conduisant vite, très à l'aise au neuvième étage du « Quart-de-Brie ». Saha, le troisième personnage, appartient au jardin d'Alain qu'elle a ennobli en lui apportant des valeurs absentes du milieu bourgeois dans lequel le mariage risque d'enfermer son maître : « la noblesse féline, son désintéressement sans bornes, son savoir-vivre, ses affinités avec l'élite humaine… ». Deuxième acte : l'évocation des premiers mois de vie conjugale, l'éveil d'une sensualité « fougueuse » chez Camille, la nostalgie d'Alain. Troisième acte : l'arrivée de Saha dans l'espace confiné de l'appartement. L'« inconciliabilité » s'établit entre les jeunes gens, éclatant par à-coups en perfidies, reproches ou disputes. Enfin, conséquence d'une jalousie exacerbée par la tiédeur d'Alain, l'acte fatal sonne le glas du couple.

Cette tragédie de la jalousie, Colette l'inscrit dans la nature même de l'amour, une jalousie présentée ici presque à l'état pur tant son objet est insaisissable. Parée de sa panoplie de jeune fille séduisante, Camille est incapable d'évaluer la profondeur d'une passion qui, chez Alain, embrasse un domaine beaucoup plus vaste qu'elle ne le soupçonne : la « chatte sacro-sainte », comme elle la nomme au début avec une tranquille désinvolture, n'est en effet que partie dans un tout édénique, un « bastion » jusque là « inviolé » d'où Alain rejette sa jeune épouse. L'inconscience de celle-ci se prolonge jusqu'à la scène paroxystique de la terrasse qu'elle vit en somnambule. Personnage toujours représenté de l'extérieur – tantôt par Alain, tantôt par le narrateur –, Camille paraît dépourvue de toute intériorité.

À l'inverse, le soliloque d'Alain occupe une grande partie de la narration. Comparaisons entre sa jeune épouse et Saha toujours désobligeantes pour Camille, évocation de la solitude perdue par le mariage, nostalgie du « beau jardin », de ses odeurs capiteuses, de ses fleurs aux noms précieux, paradis à l'image de tous ces merveilleux jardins où se réfugient les héros de Colette déçus par l'amour.

En Alain, la sensualité est ainsi soumise à une stricte dichotomie. À Camille qui traite plaisamment Saha de rivale, il répond : « Saha n'est pas ta rivale » et il poursuit en lui-même : « Tu ne peux avoir de rivales que dans l'impur. » Qualifiant ici l'égoïsme d'un désir dont le zèle « intempestif » rebute, l'impur s'identifie aussi, dans la pensée d'Alain, à la violence aliénante de l'acte sexuel (le « pugilat » nocturne), à une vulgarité qui prive l'amour du secret, du rêve. Par opposition, le contact de Saha, évocateur du jardin perdu, produit tout ce que la sensualité peut offrir de tendresse discrète et de paix.

Par la mise en jeu de ces oppositions, la romancière présente à première vue un de ces adolescents attardés, frère de Chéri. Mais, en dépit de son geste final, Camille demeure la plus humaine des deux lorsqu'elle finit par démasquer, sous la couverture de l'innocence, la perversité d'Alain : « C'est toi le monstre », lui lance-t-elle après la rupture, « Oui c'est toi. Malheureusement, je ne sais pas bien expliquer pourquoi. Mais je t'assure que je ne me trompe pas. » Et il est vrai qu'avec le personnage d'Alain, le fantastique fait irruption dans la tragédie, la métamorphosant en conte. En effet, dispersées dans le récit, de discrètes allusions accompagnent l'étrange mue du jeune homme en chat. Ce ne sont d'abord que paroles dites en rêve (« Ce n'est pas siffloter, ce que je fais là, c'est ronronner » délire-t-il dans un demi-sommeil) ; puis la contagion s'étendant, il esquisse sur Camille une caresse habituellement réservée à Saha, « les ongles promenés délicatement le long du ventre ». Mais c'est surtout dans la psychologie d'Alain que Colette instille l'exquise férocité féline : dans ses querelles avec Camille, les attaques ambiguës d'Alain surgissent comme des coups de griffe inattendus (« Tu es comme l'odeur des roses, tu ôtes l'appétit »). Rien de plus perfide enfin que le dialogue qui suit le sauvetage de Saha : pour obtenir l'aveu, Alain joue avec sa compagne comme le chat avec la souris avant d'asséner le coup de patte final : « Je m'en vais. » Finalement, l'ultime métaphore renvoie en un fantastique retournement l'image inversée de l'homme-chat et de la chatte au regard humain, « car, si Saha, aux aguets, suivait humainement le départ de Camille, Alain à demi couché jouait, d'une paume adroite et creusée en patte, avec les premiers marrons d'août, verts et hérissés ».

Ainsi ce chef-d'œuvre de concision rappelle jusqu'à quelle paralysie de la pensée la jalousie, voire un simple fantasme, peut conduire une amoureuse en la transformant en destructrice quasi inconsciente de son propre bonheur. Mais l'attachement mimétique d'Alain à Saha, d'un autre côté, révèle dans ce roman un polymorphisme sensuel maintes fois présent dans l'œuvre de Colette. L'amour physique (« l'Inexorable » du *Pur et l'Impur*) y tient certes sa place, mais la fusion avec la nature, les plantes, les fleurs, les animaux domestiques assouvit presque autant la sensualité de ses personnages. Certains tentent de réaliser l'équilibre entre le lit et le « jardin » comme Claudine appelant Renaud à la rejoindre à Montigny *(Claudine en ménage)*. Mais, dans *la Chatte*, Colette radicalise les incompatibilités : la dynamique Camille appartient à un monde minéral (le « Quart-de-Brie », la route, la vitesse, les « travaux » de modernisation, etc.) ; Alain personnifie la tendance inverse à une régression au sein de la nature nourricière. Colette ne cherche pas à attirer la sympathie du lecteur vers l'un ou vers l'autre. Elle ne choisit pas. Tout juste suggère-t-elle qu'elle vit à une époque où les modernes Camille font des Sido (*Sido*, 1929) des êtres plus rares.

M.-A. de Beaumarchais

Le Pur et l'Impur

Le titre de ce volume publié en 1941 recouvre la réédition, avec quelques modifications, de *Ces plaisirs...*, (1932), dont deux chapitres reprenaient eux-mêmes *Renée Vivien* (1928) et *Supplément à Don Juan* (1931).

Le Pur et l'Impur est inclassable du point de vue des genres. Il s'apparente aux « portraits » car, dans chacun des neuf chapitres, le propos de la locutrice s'appuie sur la description de personnes qu'elle a rencontrées ; mais l'évocation des individus ne s'organise pas ici, comme dans *Sido* ou *Trait pour trait*, en herbier de visages distincts, représentés en sorte de faire ressentir leur originalité irremplaçable. Il s'apparente aussi aux « Mémoires », car le rappel de certains personnages l'amène à se pencher sur des moments de sa propre vie ; mais les aventures du « moi », si présentes dans *Mes apprentissages*, *l'Étoile Vesper* ou *le Fanal bleu*, s'effacent ici derrière le flux de la méditation morale. S'il fallait à toute force « classer » *le Pur et l'Impur*, on le rattacherait curieusement à la méthode humaniste de l'« essai » de Montaigne ; la pensée ne suit ici aucun chemin tracé d'avance, pas même par elle-même, mue surtout par « la curiosité de confronter » et le jeu des coïncidences. Hors de tous les conformismes et anticonformismes, à distance du « commun » et des « bas moralistes », la locutrice use de tous moyens, du souvenir précis d'individus interrogés ou devinés, des témoignages écrits, des mythes littéraires, parfois du retour sur soi, pour servir la vérité : « je prétends verser au trésor de la connaissance des sens une contribution personnelle ».

Ainsi que son premier titre l'affichait (« *Ces plaisirs...* » – « ... qu'à la légère on appelle physiques »), ce livre concerne la volupté, l'expérience de « donner du front, du flanc contre le récif sourd et inintelligible, le corps humain... ». Les « sens », qu'elle nomme « l'Inexorable », sont investis d'une puissance fatale sur la totalité de l'individu : « Les sens ? Pourquoi pas *le* sens ? Ce serait pudique et suffisant. [...] Sens, seigneurs intraitables, ignorants comme les princes d'autrefois qui n'apprenaient que l'indispensable : dissimuler, haïr, commander... » Elle livre ce qu'elle a observé sur l'« inimitié » native des deux sexes et la complexité de leurs rapports (par exemple, sur les mobiles d'une femme qui simule le plaisir, sur la « misogynie » de Don Juan, sur le « purgatoire gymnique » de la jalousie...), ainsi que sur des relations qu'« il nous est loisible de ne pas connaître », et auxquelles elle fait ici une large place (par exemple, sur le « platonisme » d'une androgyne travestie, sur la « saison noble d'une passion » saphique, sur le courage physique des homosexuels, sur ce qui lie deux femmes éprises du même homme...). Les mœurs qu'elle décrit sont souvent historiquement ou socialement situées, et elle les donne parfois pour telles, rattachant par exemple l'atmosphère du saphisme 1900 à certain esprit aristocratique déjà suranné. À aucun moment, le livre ne fait l'effet d'une galerie de fantasmes, car la curiosité qui guide l'enquête est de nature morale. Comme le titre définitif l'indique, il s'agit d'une méditation sur « le pur et l'impur » de « ce qu'il faut appeler la débauche » ; les mots de « pureté », de « chasteté », d'« enfantillage » et d'« innocence » reviennent souvent là où d'autres eussent parlé de dépravation, et le questionnement de l'expérience se termine par l'affirmation d'un non-lieu : « Le mot “pur” ne m'a pas découvert son sens intelligible. »

« On s'apercevra peut-être un jour que c'est là mon meilleur livre », disait-elle. Il est vrai qu'à mesure que se décante l'image de Colette la critique multiplie les références à ce texte, que son thème relègue dans une pénombre discrète. Réussite littéraire avec ce subtil mixage du narratif, du descriptif et du discursif évoqué plus haut, et parce que le style accomplit sans cesse des prouesses, l'objectivité réaliste, la plus grande précision psychologique ou physique se conjuguant avec le respect de l'élégance en une sorte de perfection tacite. Réussite intellectuelle aussi, car *le Pur et l'Impur* appartient au travail de re-description qui allait donner ses bases au féminisme ; avec le regard « puissant et sans sexe » qu'elle porte sur le détail du vécu, Colette œuvre ici pour la même démythification que Simone de Beauvoir : qu'est-ce que la féminité et la virilité s'il est vrai, par exemple, qu'une femme peut « représenter, pour certains hommes, un danger d'homosexualité » malgré « un brave corps bien femelle et sa vocation, peut-être fallacieuse, de servante » ? Colette ne propose aucune définition nouvelle, mais son analyse des cas limites, des paradoxes, des anomalies et des marges lui permet d'attaquer par ses points faibles l'édifice séculaire et l'idéologie des sexes.

M.-C. Bellosta

COLIN MUSET

(XIIIe siècle)

Sept manuscrits du XIIIe ou du XIVe siècle ont conservé une quinzaine de chansons attribuées à Colin Muset, dont quatre où l'auteur se nomme lui-même. Leurs qualités de style communes, principalement la vivacité, le pittoresque et le ton enjoué, constituent une sorte d'indice d'authenticité interne qui renforce l'hypothèse de l'existence d'un poète du nom de Colin Muset dont nous ne savons absolument rien par ailleurs. Ce que l'on a pu reconstituer de sa vie est tout à fait conjectural. Quant au nom même, qui se prête à un jeu de mots permanent (« muse », « muser », « muset », Muset), et que l'auteur tente d'imposer par la répétition, il y a tout lieu de penser qu'il s'agit d'un pseudonyme habile et plaisant.

Au moment où les grands trouvères produisent les plus belles réussites de la lyrique courtoise, l'œuvre de Colin Muset, malgré sa brièveté, ne manque pas d'intérêt. Certes, elle comporte des échos de la chanson traditionnelle, avec son vocabulaire abstrait et noble, sa syntaxe ample qui se moule dans le volume de la strophe, ses lieux communs du renouveau du printemps, de la Dame à qui l'on doit le service d'amour, des « losengiers » dont il faut se méfier ; encore que l'auteur se permette des libertés inattendues qui neutralisent les effets de distance et d'élévation au profit d'un jeu amoureux proche du badinage. Mais elle exprime surtout des préoccupations épicuriennes, réservées jusque-là à la littérature morale, satirique ou comique. L'univers mental de la courtoisie est brisé, et c'est l'irruption du quotidien, de la vie du corps, de la gourmandise, de la sensualité, la séduction qu'exerce la beauté du vêtement, un certain goût pour le déguisement ; et surtout la gaieté, le plaisir de vivre, de jouer, de chanter et de danser. Est-ce Colin Muset qui parle ? Il est impossible d'en être sûr. En tout cas, c'est un jongleur, c'est-à-dire un poète, compositeur, musicien et interprète, voué à l'errance et au divertissement d'autrui, qui doit séduire les puissants tantôt par le prestige et les grâces de la lyrique courtoise, tantôt par la fantaisie et l'insolite qui ouvrent les portes du château, l'espace d'une soirée, à un petit vent de fête.

Tous les aveux de Colin Muset ne sont probablement que fausses confidences, habituelles chez un jongleur. S'il attaque l'avarice ou s'élève contre un seigneur qui ne lui a pas rendu ses gages, s'il évoque sa « male de vent farsie » et les remontrances de sa femme, c'est que son public d'aristocrates n'est pas toujours gai et qu'il faut le faire rire ; s'il parle de ses amourettes faciles et printanières, s'il rêve de se délecter de canards et de faisans rôtis, de chapons à l'ail et de fromages délicieux, abondamment arrosés de vin frais, comme il se doit, c'est pour réveiller les sens de ses auditeurs et susciter les appétits. Évidemment Colin Muset se défend de mentir, se plaint de son instabilité et sollicite la générosité ; autant de motifs que l'on ne doit pas prendre pour l'expression sincère et inquiète d'un homme, mais qui illustrent plutôt le jeu du personnage auquel il s'efforce de donner vie, à l'image de ce qu'un public attend de lui, le jeu d'un jongleur qui veut se faire un nom – et qui y a réussi. Ses chansons sont de petites merveilles, animées par un rythme qui favorise la juxtaposition et l'enchaînement par séries de termes concrets, familiers ou sensuels, d'esquisses malicieuses et spirituelles, d'images spontanées et légères.

M. Faure

COLLÉ Charles

(1709-1783)

Dramaturge né à Paris, Charles Collé a mauvaise réputation : chansons égrillardes, « parades » érotiques… Pourtant ce joyeux drille, qui fit s'esclaffer la bonne société du XVIIIe siècle (elle ne demandait pas mieux), sut aussi la peindre sans pitié dans des comédies injustement oubliées.

Profession : amuseur

Fils d'un procureur parisien aimant les lettres, Charles Collé est initié dès l'enfance aux meilleurs auteurs : La Fontaine, Molière, Rabelais surtout. Clerc de notaire, il quitte bientôt la basoche, fréquente la société du Caveau et se met au service d'un financier, M. de Meulan, qu'il pourvoit en divertissements libertins : d'abord des couplets sur des airs à la mode, qu'il réunira sous le titre de *Chansons joyeuses, mises au jour par un âne-onyme, onissime* (1765). Joyeuses, en effet : rondes de moines paillards et de filles délurées dans la meilleure tradition gauloise, hymnes au plaisir comme cet « Avis à la belle jeunesse » :

Il faut s'aimer toujours
Et ne s'épouser guère
Il faut faire l'amour
Sans curé ni notaire
Cessez, messieurs, d'être épouseurs :
Ne visez qu'au tire, lire, lire…

Il suffit d'ajouter à ces chansons quelques répliques de théâtre, des personnages de la comédie italienne (Léandre,

Isabelle), des sous-entendus érotiques (« Je n'ai plus qu'à raccommoder ma queue »), des libertés morphologiques (« tartagème » pour stratagème) ou sémantiques (« Il y a quelque andouille sous roche ») pour réussir une bonne parade. Collé excelle dans ces pastiches des spectacles de foire, que les gens du monde jouent eux-mêmes sur leurs théâtres privés. Les titres en disent long : *Léandre étalon* (1741), *l'Amant poussif* (1742), *le Mariage sans curé* (1746). Puis notre auteur tourne la page. Grâce à une comédie plus ambitieuse, *la Vérité dans le vin* (1747) – Flers et Croisset s'en inspireront pour *les Vignes du Seigneur* (1923) –, il retient l'attention du duc d'Orléans, qui le nomme « lecteur ordinaire » à charge d'approvisionner le théâtre privé de son château de Bagnolet.

Sans renier totalement la parade, Collé étend alors son registre ; opéras-comiques, vaudevilles, comédies surtout : *le Galant Escroc* (1753), *la Tête à perruque ou le Bailli* (1757). On lui refuse pourtant la place de secrétaire du duc : un simple amuseur... Mortifié, il réplique par une comédie « sérieuse », *Dupuis et Des Ronais* (1763), inspirée des *Illustres Françaises* de Robert Challe. Ce même désir de considération lui inspire aussi *la Partie de chasse de Henri IV* (1764) d'après une pièce de l'Anglais Dodsley : bons sentiments et nostalgie d'une royauté patriarcale. À Bagnolet, c'est un triomphe ; mais Louis XV, craignant la comparaison avec son ancêtre, interdit toute représentation publique. La pièce ne sera donnée à la Comédie-Française qu'en 1774, après la mort du roi, avec un succès constant jusqu'à la Révolution.

Ce Collé troisième manière a beaucoup perdu de sa verve. Sa réputation de « Corneille de la parade » lui colle à la peau, cependant ; et, lorsqu'en 1766 la distinguée Mme de Montesson devient maîtresse du duc d'Orléans, il est remplacé par Carmontelle. Plus aigri encore par des échecs théâtraux (*la Veuve*, 1770), Collé se consacre désormais à son *Journal historique et littéraire* (1748-1772, éd. posth.), un vrai jeu de massacre. Dans cette chronique acide, les grands sont insolents, Diderot « obscur et creux », le despotisme haïssable, la vie sociale dérisoire. Vengeance du bouffon humilié ? Hélas ! la satire demeure mesquine et à courte vue : Collé n'imagine pas un autre monde... Il meurt à Paris le 3 novembre 1783.

Le jeu de la vérité

Le meilleur de l'œuvre de Collé se situe entre les deux extrêmes, les parades et *la Partie de chasse,* dans ces comédies libertines où le dialogue théâtral tient difficilement les corps à distance (le souper fin de *la Tête à perruque*), où chacun joue avec le feu par des équivoques et des sous-entendus qui menacent à tout moment de déclencher la crise. Le comble de la performance libertine (et théâtrale) : un amant qui, « sous des noms supposés », détaille ses exploits au mari trompé (*la Vérité dans le vin*). Tel est le petit monde de Charles Collé : abbés de cour, riches « présidents », nobles désargentés, tous d'apparence respectable, en représentation : voilà pour le théâtre ; mais, en coulisse ou quand la scène est vide, cupides et jouisseurs, prêts à tout pour un instant de plaisir.

Ce théâtre comporte pourtant une morale. Le héros positif est celui qui refuse, non pas la jouissance, mais le masque et la tromperie : « Je vous épouserai, chevalier, et ce ne sera point en secret... Je n'ai jamais cru que la vertu d'une femme libre de tout engagement consistât à ne point se rendre à celui qu'elle aime » (Sophie, dans *le Galant Escroc*). Sans doute Charles Collé avait-il vu trop de prudes se pâmer à ses parades pour leur en demander davantage.

J.-P. de Beaumarchais

COLLIN D'HARLEVILLE Jean-François

(1755-1806)

Il est né à Maintenon, près de Chartres. Son père, ancien avocat devenu agriculteur, le pousse vers les études : boursier dans un collège parisien, puis clerc de procureur, Jean-François Collin s'ennuie et fait des vers. En 1786, exerçant depuis quelques années à Chartres comme avocat, il fait jouer sa première pièce, *l'Inconstant,* à la Comédie-Française. L'accueil est triomphal. Collin s'installe à Paris et devient d'Harleville, du nom d'une propriété familiale. Même succès avec *l'Optimiste* (1788) et *les Châteaux en Espagne* (1789). Puis viennent les deux comédies qui l'ont un peu sauvé de l'oubli : *M. de Crac dans son petit castel* (1791), où il donne un nom nouveau, et qui fera fortune, au type traditionnel du Gascon hâbleur ; *le Vieux Célibataire* (1792), pièce solidement construite, qui met en scène autour d'un vieillard à héritage deux intrigants qui tentent de spolier un neveu aimant et sensible. « Collin-Harleville » – les particules ont alors mauvaise presse – traverse la Terreur sans encombre, au prix d'un *Hymne à l'Être suprême* (1794). Mais sa veine dramatique est tarie, et il meurt à Paris le 20 février 1806 sans avoir rien ajouté à son œuvre.

Le théâtre de Collin d'Harleville a terriblement vieilli. Un coupable, l'alexandrin, qui paralyse toute velléité de fantaisie ou de réalisme. Piètre versificateur, Collin ne propose en outre qu'une philosophie courte et mièvre, par trop indifférente à la dureté des temps ; le méchant n'est chez lui qu'un inconscient ou un maladroit, tandis que « le bonheur tôt ou tard fait excuser la peine » (*l'Optimiste*).

J.-P. de Beaumarchais

COMBESCOT Pierre

(né en 1940)

Romancier, journaliste (sous le pseudonyme de Luc DÉCYGNES), critique littéraire, auteur d'un *Louis II de Bavière* (1973) qui exalte la figure maudite du roi baroque, Pierre Combescot fonde son écriture sur une vision onirique de l'Histoire, comme en témoignent un premier roman, *les Chevaliers du crépuscule* (1975), tableau wagnérien d'une Europe médiévale déchirée, et surtout *les Funérailles de la sardine* (1986, prix Médicis) : hommage au Carnaval des Morts du tableau de Goya, le récit, mêlant le pastiche littéraire à l'accumulation humoristique de divers argots, dessine à travers les destins symétriques et inversés de Lorenzaccio et d'un vieil empereur romain la figure d'un narrateur préfet de police, métaphore du romancier démiurge. Cette fascination pour les liens de gémellité entre les êtres apparaît plus clairement encore dans *les Filles du Calvaire* (1991, prix Goncourt), dont la construction en spirale fait converger de multiples personnages vers une vieille juive tunisienne qui perpétue la mémoire d'êtres et de lieux disparus, jusqu'au jour où, selon l'allégorie wagnérienne qui sous-tend le roman, ayant retrouvé l'enfant qui doit la racheter, elle retournera vers la terre de ses morts pour se fondre dans la légende.

Dans la même veine, *la Sainte Famille* (1996) entrecroise, en un ballet foisonnant, toreros et flics, travelos, duchesses décavées et maquerelles, formant, dans l'économie de la rédemption, la « famille » de Thérèse de Lisieux dont la vie de carmélite est vouée au rachat de cette peu recommandable « descendance ».

Pour appartenir à un autre registre, les aventures des nièces du cardinal Mazarin n'en sont pas moins échevelées (*les Petites Mazarines*, 1999). Comme les héroïnes, toutes bonnes cavalières, le récit va au galop, ne changeant l'allure qu'à l'approche de la mort dont le masque s'inscrit sur le visage de ses proies avant de les saisir, tel Mazarin, « squelettique, frisé, maquillé, comme déjà momifié, en attente d'une éternité douteuse ». L'invention verbale, ici plus expressive qu'argotique, s'accorde au rythme endiablé des séquences, non sans clins d'œil au lecteur moderne à qui certains anachronismes verbaux rendront toutes proches ces frasques des temps baroques.

K. Haddad-Wotling

COMMYNES Philippe de

(1447-1511)

Dès que l'on s'interroge sur la vie, la pensée politique et l'art de Commynes, on est frappé par l'étonnante complexité de l'homme, du penseur et de l'écrivain. Aussi s'explique-t-on qu'il ait suscité une vive attention et des jugements contradictoires depuis la première édition de ses *Mémoires* en avril 1524. Hanté, selon Ronsard, par le souci de la vérité, il fut un traître répugnant aux yeux de Voltaire, hésitant à dire ce qu'il savait même après la mort de Louis XI. Montaigne le jugea modeste, Walter Scott, vaniteux. Anti-Machiavel pour Innocent Gentillet, un des classiques de la pensée politique au XVIe siècle, « notre Machiavel en douceur » selon Sainte-Beuve, intellectuel pur d'après Marcel Arland mais paysan pour Henri Pourrat, on l'a comparé à Polybe, à Thucydide, à Plutarque, à Tacite, à Holbein, à Talleyrand, à Paul-Louis Courier.

Le serviteur de quatre princes

Né dans une famille de hauts fonctionnaires bourguignons, il perd tout jeune son père ; de graves difficultés financières limitent son éducation. Au service du duc de Bourgogne, il participe à la bataille de Montlhéry (1465), aux négociations qui la suivent et aux expéditions punitives contre les villes belges révoltées. Conseiller et chambellan de Charles le Téméraire, il aide, lors de l'entrevue de Péronne (1468), Louis XI à se tirer des griffes de son vassal. Il continue à accomplir pour le duc des missions à l'étranger : à Calais (1470), en Angleterre (1471), en Bretagne, puis en Espagne (été 1471). Au cours de ce dernier voyage, il passe par la cour de France et accepte de changer de camp. Il le fait dans la nuit du 7 au 8 août 1472. Louis XI ne lésina pas sur le prix, lui accordant une substantielle pension, des biens considérables, le mariage avec une riche héritière, des titres ; surtout il fit de lui un ministre tout-puissant.

Mais cette situation exceptionnelle dura moins de cinq ans ; peu après la mort du Téméraire (janvier 1477), Commynes, supplanté par d'autres favoris, tomba dans une sorte de demi-disgrâce, et il fut envoyé tour à tour à Dijon, à Florence, en Piémont. Revenu à la cour, mais sans avoir retrouvé sa puissance, il défendit les intérêts italiens et assista au vieillissement, puis à la mort de Louis XI (août 1483).

S'il joua un rôle aux États généraux de 1484, il dut restituer sa principauté de Talmont aux La Trémoille qui en avaient été injustement dépossédés. Il complota avec Louis d'Orléans contre les Beaujeu, les régents, mais il échoua complètement : chassé de la cour, emprisonné de janvier 1487 à mars 1489, condamné le 24 mars 1489 à l'exil dans une de ses propriétés et à la confiscation du quart de ses biens, il se retira à Dreux.

Gracié, il demeura suspect. Pendant l'expédition d'Italie (1494-1495), il représenta Charles VIII à Venise ; il ne put empêcher la formation contre le roi de la Sainte Ligue. Il assista à la bataille de Fornoue, conclut le traité de Verceil. Il échoua dans de nouvelles missions diplomatiques à Venise et à Milan ; aussi, revenu en France, fut-il rejeté au second plan. La montée sur le trône, en 1498, de Louis XII, jusqu'alors duc d'Orléans, n'apporta aucun changement pour lui : éloigné des affaires publiques, occupé à plaider contre des vassaux ou des voisins, il termina ses jours le 18 octobre 1511.

LA CHRONOLOGIE DES MÉMOIRES

Commynes rédigea les cinq premiers livres des Mémoires *en 1489-1490, au sortir de prison ; il leur ajouta, en 1492-1493, le sixième. Quant aux livres VII et VIII, consacrés à l'expédition de Charles VIII en Italie, ils datent, le premier, de la fin de 1495 et du début de 1496, le second, de la fin de 1497 et de 1498. Commynes commença de rassembler et de rédiger ses souvenirs sur Louis XI à la demande d'Angelo Cato, archevêque de Vienne, Napolitain entré au service de Louis XI vers 1476 comme médecin et astrologue. Il n'est donc pas étonnant qu'à l'occasion le chroniqueur flatte Cato et ménage ses amis. Mais, au fur et à mesure qu'il avançait, ou peut-être même dès le début – soit que l'œuvre ne fût destinée qu'à procurer des documents à Cato, soit qu'elle acquît très vite son autonomie –, Commynes eut conscience de la possibilité qui lui était offerte d'exalter son rôle, voire de se venger. Il pouvait à tout le moins orienter ou déformer quelque peu l'Histoire. En fait, il poursuivit ses* Mémoires *après la mort de Cato et, de temps à autre, il s'adressa directement aux princes. Il semble aussi qu'il ait pris goût à l'écriture.*

Le poids de la trahison

L'abandon de Charles le Téméraire fut pour Commynes le fait capital de sa vie, d'autant plus important qu'il fut un traître à ses yeux et aux yeux des autres, et qu'il ne cessa de se le reprocher, plus ou moins consciemment. Il s'efforça de prouver qu'il avait eu raison de changer de camp, n'étant pas certain d'avoir le droit pour lui. Il ne cessa de le reprocher au Téméraire et à Louis XI, qui l'avaient amené à trahir, le premier par son emportement, son entêtement et sa parcimonie, le second en l'alléchant par des promesses et de l'argent, puis en le contraignant à franchir le pas décisif. La défection eut dans la vie et les réflexions du mémorialiste un grand retentissement, comme le montrent plusieurs faits. Des digressions lui permettent d'éliminer le mois d'août 1471, au cours duquel il promit sans doute à Louis XI de le rejoindre. Il signale sa venue à la cour de France par une seule phrase, qui est précédée de pages où il présente les défauts et les crimes du Téméraire et suivie de l'étude d'un cas semblable, celui de Lescun, qu'il invite à juger plus grave. Quant à ceux qui ont joué un rôle dans sa défection ou dans les actes qui en ont découlé, il ne les cite que pour les critiquer, afin sans doute d'éloigner de l'esprit du lecteur tout soupçon de collusion entre ces gens et lui, ou leur reproche d'avoir facilité la conclusion d'un accord qu'il considère maintenant comme une faute et comme une erreur. Car, en changeant de camp, il croyait faire une bonne affaire au double point de vue politique et financier, c'est-à-dire se créer un fief dans l'ouest de la France (Talmont, Argenton) et inspirer le comportement de Louis XI. Or, après cinq années heureuses de toute-puissance (1472-1477), ses espoirs commencèrent à être déçus.

Pour se fondre dans la masse, Commynes persuade peu à peu son lecteur que la trahison est un fait universel dont ses *Mémoires* constituent une véritable anthologie. Il s'acharne à découvrir, puis à suggérer dans la vie de chacun le signe d'une traîtrise, jetant le doute sur des gens qui passaient pour des modèles de loyauté (Pierre de Brézé) ou des ennemis de Louis XI (Hastings), ou qui étaient morts sans avoir eu le temps de changer de camp (Humbercourt et Hugonet). Il démontre en douceur que certaines défections ont été plus graves que la sienne (Lescun, Crèvecœur), que grands et petits, hommes et femmes, clercs et laïcs, Français et étrangers, individus et collectivités, familiers et ambassadeurs des princes ont trahi, trahissent ou trahiront. Il n'y a pas dans son univers de héros fidèle jusqu'à la mort.

Il semble aussi que l'abandon du pays natal et de son duc soit resté comme une plaie saignante au cœur de cet homme qui se couvrit le visage d'un masque d'impassibilité, au point de tromper nombre de commentateurs. Après avoir rompu ces premiers liens, il demeura un déraciné et un solitaire.

Sa défection a donc déterminé, pour une bonne part, son attitude à l'égard du duc de Bourgogne qu'il avait abandonné. Peu à peu, il parvient à nous convaincre qu'il a eu raison de quitter ce premier maître. Si l'on considère la réussite militaire ou politique, le Téméraire a désolé sa maison, ruiné les efforts de ses prédécesseurs, étant constamment inférieur à Louis XI dans la conduite de la guerre et la négociation. La bataille de Montlhéry (1465) et le siège de Beauvais (1472) témoignent qu'il ne fut pas un grand capitaine, et ses fautes sont énumérées. Peu importe le succès, dira-t-on, s'il a été le « patron de chevalerie » (Molinet). Commynes démontre que le duc, héros exemplaire de ce monde sournois et dur, a été orgueilleux, impitoyable et cruel, déloyal et parjure. Son comportement criminel lui valut d'être abandonné, puis châtié par Dieu, qui lui ôta l'intelligence. N'est-ce pas suggérer que Commynes avait eu raison de fuir celui que le ciel allait frapper ?

Son attitude en face de Louis XI est plus complexe. Il veut que l'on voie en lui un homme reconnaissant pour les bienfaits reçus, et tout autant un esprit libre. D'autre part, comme il a préféré Louis XI au Téméraire, le premier doit apparaître supérieur au second ; mais il ressent de la rancœur envers le roi, qui ne lui a pas conservé jusqu'au bout une faveur entière, en sorte qu'il ne masque pas certaines fautes ou faiblesses. De surcroît, il lui faut passer pour un bon serviteur de l'État jouant un grand rôle dans l'élaboration des succès royaux. Enfin, il illustre une idée qui lui est chère : les princes ne sont pas des images de Dieu, ils n'échappent pas aux vicissitudes de la condition humaine, ne connaissant ni perfection, ni bonheur, ni grandeur. Aussi trace-t-il un portrait assez véridique de Louis XI, encore que sa critique s'exerce surtout sur les périodes qui vont de 1464 à 1472 et de 1477 à 1483, quand il n'a pas ou n'a plus d'influence sur la politique royale.

Enfin, Commynes essuya aussi des échecs. Il commença à dicter ses *Mémoires* juste après avoir connu la prison pour avoir participé, pendant la minorité de Charles VIII, aux complots des orléanistes contre les Beaujeu. Traçant son propre portrait, il voulut faire oublier ses insuccès et effacer la méfiance. Aussi tend-il à montrer qu'on a intérêt à l'employer – n'est-il pas habile, prudent, bien informé, supérieur à ses contemporains ? – et qu'on peut l'employer sans crainte, car il est fidèle, dévoué jusque dans les plus petites choses, soignant Louis XI comme un humble valet de chambre.

Mais il faut éviter de simplifier un auteur aussi intelligent que Commynes qui a un sens aigu de l'ambiguïté et de la complexité d'un réel difficile à saisir dans sa totalité, dont la connaissance précise est nécessaire à la réussite politique. Aussi est-il nuancé et prudent, au point de nous laisser souvent le choix entre deux interprétations.

Un portrait lucide des princes

Sa lucidité s'est exercée sur l'univers et le comportement des princes, hommes comme nous, écartant tous les masques du faste princier, tournois, ordres de chevalerie, comparaisons élogieuses, pour montrer les rapports réels. Les fils haïssent leurs pères, les trompent, les emprisonnent, les tuent ; les exemples ne manquent pas en France, en Écosse, dans le duché de Gueldre. Partout règnent la déloyauté, l'envie, la cupidité, la méfiance, la haine, comme le montrent des thèmes privilégiés : les princes accordent à contrecœur l'hospitalité à des alliés malheureux qui ne se sentent pas en sécurité chez eux ; beaucoup ont usurpé leur trône ; les mariages font l'objet de tractations misérables ou sont imposés par les circonstances ; des engagements solennels ne sont pas tenus ; les rencontres entre princes sont dangereuses et n'apportent qu'inimitié et méfiance. Il en est de même dans les rapports avec les sujets : pas de confiance ni d'affection, mais chacun s'efforce d'affaiblir l'autre. Égoïstes et déloyaux, les maîtres font fi du bonheur de leurs sujets, ou à la fin de leur vie, et trop tard, quand ils redoutent la mort.

Ils ne connaissent le bonheur ni dans la jeunesse ni au sommet de leur puissance, dévorés par des soucis souvent injustifiés ou bien contraints à l'exil, ou terrorisés par le succès de leurs ennemis, ou humiliés, emprisonnés, exécutés. Ils souffrent par leurs enfants. Que dire de la fin de leur vie ? Commynes suit pas à pas les effets du vieillissement chez Louis XI, et décrit les horreurs de la mort qui est toujours la plus cruelle possible. Dieu ne les épargne pas : il rend coup pour coup et châtie durement les coupables.

Il se dégage un tableau nuancé des princes. Les uns sont cruels, comme les Aragonais de Naples et Richard III d'Angleterre ; les autres sont « bestiaux » : ils manquent de sagesse et de fermeté, accordent la primauté au plaisir, acceptent la toute-puissance d'un ou deux favoris, comme Édouard IV, Charles VIII, François II de Bretagne. À d'autres il manque la sagesse (Charles le Téméraire) ou la *vertu*, la fermeté et la persévérance (Frédéric III, l'empereur d'Allemagne). Peu sont grands, et leur fin n'a rien d'exemplaire, qu'il s'agisse de Mahomet II, de Mathias de Hongrie ou de Louis XI. C'est pourquoi Commynes recommande aux princes de s'entourer de plusieurs conseillers et défend les États généraux, finissant par opter pour une monarchie modérée, représentative, où l'autorité royale serait limitée en matière de finances.

Il s'est livré à la même entreprise de démythification sur la guerre : la peur se nourrit des fantasmes de l'imagination dans la boue, le froid, la faim et la pluie. Fautes et imprudences n'empêchent pas d'être vainqueurs. C'est le règne du hasard, en sorte qu'il vaut mieux choisir les patientes approches de la négociation et les pratiques de la diplomatie.

Les *Mémoires,* bréviaire politique

Si les *Mémoires* sont aussi l'œuvre d'un moraliste qui annonce Montaigne par le tour de son esprit, les procédés de son écriture et les leçons qu'il donne, ils constituent, de surcroît, une sorte de bréviaire politique, comme l'avait vu Charles Quint. Leur sagesse se dégage soit de longues digressions soit du récit d'épisodes privilégiés.

La réussite politique passe par l'humilité, la méfiance et la crainte. Il est habile d'être pieux et bon, tant pour se concilier Dieu que par intérêt bien compris. D'autre part, se montrer humble devant autrui, feindre de s'abaisser devant l'adversaire, c'est l'aveugler, se donner les moyens de le mieux connaître et de le réduire à l'impuissance. Fuir l'orgueil, c'est se défier des autres et de soi-même, refuser de « mettre les choses en doute et aventure », écarter les batailles que personne ne peut contrôler et dont l'issue est dans la main de Dieu. On ne triomphe de ses adversaires qu'en discernant leurs désirs profonds et en flattant leur amour-propre et leurs secrets instincts, comme Louis XI qui « savait complaire à ceux dont il avait besoin ». Aussi faut-il être bien renseigné, réunir par tous les moyens une ample information, tirer la leçon de ses expériences, disposer de plusieurs conseillers, « car les plus sages errent aucunes fois très souvent ». Bien informé, on peut agir au plus tôt. Mais les renseignements ne sont utiles que si l'on est lucide dans le choix de ses collaborateurs et de ses ambassadeurs, dans l'évaluation des possibilités, des forces en présence et des conséquences des événements, et si l'on sait mettre à profit le temps. On évite ainsi la systématisation et la simplification ; on peut dissocier les coalitions en opposant les ennemis les uns aux autres, surtout en prodiguant l'argent, car l'or est une arme d'une exceptionnelle efficacité, à laquelle personne ni rien ne résiste dans la paix comme dans la guerre. L'univers dangereux de la politique impose de dissimuler ses sentiments et ses actions aux yeux de tous. Il ne faut pas prendre l'apparence pour la réalité, il faut savoir tirer parti des apparences.

L'efficacité requiert une activité constante sur un nombre élevé de théâtres, de garder toujours l'initiative, comme Louis XI à la fin de sa vie. Mais il faut réussir et, pour ce faire, il convient de sacrifier l'accessoire à l'essentiel, sans se laisser arrêter par aucune considération de dignité, de justice, de gratitude, de parole donnée, voire, mais le plus rarement possible, de piété. Aussi le souverain doit-il posséder le « sens » (intelligence, bon sens, subtilité, malice) et la « vertu » ou force de caractère.

L'art d'un moraliste réaliste et habile

Cette œuvre frappe d'abord par le réalisme et le goût de la précision, des nuances, que l'on retrouve partout : dans sa politique et sa sociologie, qui se fondent sur la méchanceté, la cupidité et la déloyauté des hommes ; dans sa psychologie, que ne dupent pas les apparences mensongères ; mais surtout dans son style, éloquent à l'occasion, mais le plus souvent dense et nerveux, débarrassé des fioritures inutiles, refusant les jugements abrupts, les formules définitives, riche en réserves et limitations. Ce style procède à la fois d'un goût profond de l'exactitude, condition de la réussite, et de la volonté de persuader en donnant l'impression de ne rechercher que la vérité. De là, le refus d'un style luxuriant à la Froissart, des comparaisons et des assimilations prodiguées par

Chastelain et Molinet, pour ôter aux princes une auréole de grandeur qu'ils ne possèdent pas et pour respecter la vérité : proche de Montaigne, Commynes est très sensible à l'originalité irréductible de chaque être et de chaque situation. Au plus, des images rares et discrètes, souvent ironiques, des termes précis et des détails concrets, de nature à entraîner l'adhésion. Cette volonté d'aller au plus près de la vérité, ce refus de tous les artifices, par ce souci de respecter la vérité à l'égard de tous, en toute liberté d'esprit, font que Commynes ne donne jamais l'impression de démontrer. De surcroît, il a senti que, pour donner l'illusion du vrai, en restant fidèle à la vérité, il fallait respecter l'ambiguïté du monde. Aussi l'œuvre demeure-t-elle souvent ambivalente, et l'art de l'auteur n'y est pas étranger : il reproduit les jugements d'autrui sans indiquer sa propre pensée, il s'en tient à des pronoms indéfinis, il renvoie dos à dos deux adversaires, tel ou tel passage est susceptible d'une double interprétation, en sorte que nous ne pouvons plus deviner quels sont ses sentiments à l'égard des personnages évoqués.

Mais, par l'habileté d'un art concerté, Commynes nous persuade peu à peu d'adopter son point de vue par divers procédés, dont certains sont voyants (accumulation, énumération, rappel, répétition ou litote…), mais dont d'autres révèlent maîtrise et maturité. Dans cette œuvre dépouillée, le pathétique et le pittoresque ne sont jamais gratuits : ils démontrent, ils étayent, ils détournent l'attention. Presque à notre insu, par raisons et étapes, le mémorialiste nous conduit à sa conclusion, se livrant à de discrètes démonstrations, utilisant la disjonction, la diversion, la compensation, la convergence, jouant sur la chronologie. Tantôt il impose au lecteur une conviction en le frappant par le retour fréquent de l'énoncé, tantôt il le détourne des points embarrassants par d'habiles digressions. Il est assez intelligent pour ne pas taire ce qui était connu de tous et pour le redire à sa manière, sans paraître violenter la vérité, glissant l'apologie sous l'exposé, dispersant les éléments de ce subtil plaidoyer dans un contexte qui en masque la véritable nature.

Dans cette œuvre vivante où une pensée s'élabore sous nos yeux, avec ses audaces, ses repentirs, son goût très vif de la précision, où s'opposent et se combinent sentiments et desseins contradictoires, la grandeur de Commynes vient d'avoir senti et restitué la complexité et l'opacité d'un monde qui échappe à nos prises et que caractérisent quelques mots clés : haine, « travail » (tourment), changement.

J. Dufournet

COMTE Auguste

(1798-1857)

Auguste Comte vient au monde à l'extrême fin d'un XVIIIe siècle où Kant tire les leçons des succès de la physique moderne, cette « révolution subite dans la manière de penser », en réduisant toute métaphysique future au statut de théorie de la connaissance ; où la Révolution, après avoir abattu le séculaire édifice social, cède la place à des régimes sans légitimité ni stabilité et enfante une société désemparée, inquiète, orpheline de ses anciennes valeurs ; où les Philosophes ont sapé les formes de la religion, et jusqu'à l'idée même de Dieu. Cette triple négation a dicté au fondateur du positivisme une triple mission : reconstruire une épistémologie scientifique, un corps social harmonieux, une religion moderne.

Vocation et apostolat positivistes

Après de brillantes études mathématiques, Auguste Comte devient, en 1817, le disciple d'un Saint-Simon qui veut rebâtir rationnellement la nation en libérant les travailleurs des classes parasitaires qui les entravent et en lui insufflant une foi nouvelle. En 1822, il publie son *Plan des travaux scientifiques pour réorganiser la société.* Cet ouvrage, le troisième des quatre cahiers constituant le *Catéchisme des industriels* (et qui sera réédité, en 1824, sous le titre *Système de politique positiviste*), contient, sous une forme embryonnaire, les intuitions génératrices de la doctrine (succession des trois états ; substitution finale de la recherche scientifique aux spéculations métaphysiques). Mais Comte ne conçoit une véritable réforme qu'au terme d'une stricte science sociale, qu'il faut construire sur les mêmes bases théoriques que la physique mathématisée ; sa philosophie de l'Histoire lui prouve que l'heure n'en est pas encore venue ; d'où sa rupture avec Saint-Simon. Son existence difficile, son métier précaire de répétiteur à l'École polytechnique, ses heurts de républicain avec le pouvoir monarchiste, les graves troubles mentaux qui le frappent de 1826 à 1829, tout cela n'entrave pas la rédaction régulière du *Cours de philosophie positive*, dispensé devant un auditoire de mathématiciens, de physiciens, de médecins, et publié en six volumes de 1830 à 1842. En 1844, Comte rencontre Clotilde de Vaux, dont il devient l'ami et le confident ; la jeune femme meurt de phtisie en 1846, à trente-deux ans, et le philosophe lui voue un véritable culte que reflète la tonalité religieuse de ses dernières œuvres (*Système de politique positive*, 1851-1854 ; *Catéchisme positiviste*, 1852). Il meurt entouré de disciples français et étrangers réunis dans la Société positiviste qu'il a fondée en 1848.

De l'épistémologie à la sociologie

Le *Cours de philosophie positive* s'ouvre sur la fameuse « loi des trois états », cadres fondamentaux et infranchissables des trois épistémés qui se succèdent : à l'état théologique – où les phénomènes sont rapportés à l'action directe des causes surnaturelles –, à l'état métaphysique – où des qualités abstraites, purement verbales, remplacent, comme explication, les dieux et les démons – s'oppose l'état positif, où l'esprit humain renonce à chercher le « pourquoi » des choses (leurs causes originelles et finales) pour en déterminer le comment, c'est-à-dire les rapports constants qui les unissent et les lois qui traduisent mathématiquement ces relations entre les phénomènes. Cette « explication » règne désormais dans les mathématiques, l'astronomie, la physique : l'humanité entre dans l'âge positif et peut espérer une maîtrise de ses structures et de son devenir (« Savoir pour prévoir, afin de pourvoir »). La tâche du philosophe consiste à introduire dans la positivité des sciences moins générales : par ordre de complexité croissante, la chimie, la biologie, la philosophie sociale enfin, couronnement de l'édifice. Cette sociologie (le mot est de Comte, qui dit encore : physique sociale, politique, ou anthropologie) se décompose en « statique sociale » (science de l'ordre commun à toutes les sociétés) et en « dynamique sociale » (science du progrès) ; elle met en œuvre la même méthode d'observation, de comparaison et de déduction que les autres sciences, et permettra la libération démocratique de la société.

De la philosophie à la religion

La classification des connaissances, la minutie analytique (par distinctions binaires), les ambitions de réforme sociale sont communes à beaucoup de « socialistes utopiques » du XIXe siècle. Fourier, Proudhon proposent aussi d'étudier scientifiquement la nature, et de reconstruire l'organisation politique sur des bases assurées. Mais Comte est le seul à rompre avec le subjectivisme prophétique des utopistes, leur métaphysique absolutiste : il se guide à la méthode hypothético-déductive et à son armature mathématique, qui ont fait leurs preuves ; il emprunte à Hegel la vision d'un devenir nécessaire de la société et de l'esprit, qui relativise toute vérité ; il considère, avant Durkheim, les faits sociaux comme des choses que le positivisme permettra de connaître, et non comme l'argile soumise à l'homme providentiel (de là son indifférence aux systèmes politiques, son ralliement à Napoléon III, puis sa « récupération » par les conservateurs comme Maurras).

Cependant il n'échappe pas, dans la dernière partie de son œuvre, à la réinstauration d'une morale et d'une religion – septième science, la plus haute – pour animer et couronner l'édifice social : il pose des limites aux recherches fondamentales, pour développer la foi dans le « Grand Être » (l'humanité) entouré du « Grand Milieu » (l'espace) et du « Grand Fétiche » (la terre). Autour de cette trinité positiviste s'organise un culte avec son clergé, ses rites, ses sacrements, son « catéchisme », et même sa vierge mère : catholicisme « redressé », désormais force de cohésion et de conscience sociales, croyance rationnelle qui, loin de terroriser et d'aliéner, épanouit et libère le fidèle en favorisant la communion de l'individu avec la totalité du devenir et des énergies de l'humanité.

On comprend qu'à la ferveur des intimes ait répondu l'opposition des premiers disciples : Littré et John Stuart Mill, par exemple. Il reste que l'appel à une nouvelle alliance entre la science, la philosophie et, éventuellement, la religion reçut un écho mondial et suscita un apostolat positiviste particulièrement fervent en Amérique latine : c'est que la chaleur de conviction et la flamme abstraite qui vivifient les œuvres difficiles de Comte correspondaient à une soif de certitude et d'espérance rationnelles que ne devaient combler ni la dispersion irrémédiable des champs de recherche, ni l'abandon de toute revendication d'une épistémologie unitaire, ni les soubresauts politiques du XXe siècle. Du moins le positivisme, avec sa dialectique synthétique et conciliatrice (très éloignée de l'hégélianisme ou du marxisme qui exaspèrent les oppositions pour les nier en les dépassant), demeure-t-il l'emblème de l'optimisme et des grandes espérances d'un âge qui pensait maîtriser son destin, échapper aux crises et toucher à la sérénité.

J.-L. Fabiani

CONDÉ Maryse

*Pseudonyme de **Maryse PHILCOX** (née en 1937)*

Originaire de Basse-Terre (Guadeloupe), elle fait ses études supérieures en métropole, puis, après son mariage avec un Guinéen, séjourne en Afrique où elle enseigne dans diverses universités francophones et anglophones, avant de regagner la France en 1975 comme productrice à R.F.I. Depuis les années 1980, elle enseigne aux États-Unis – Los Angeles, Georgetown, New York (Columbia University) – où elle réside le plus souvent, non sans accomplir de fréquents séjours en France et dans son île natale.

Maryse Condé appartient à la nouvelle génération des écrivains antillais avec Daniel Maximin, Vincent Placoly, Raphaël Confiant, Patrick Chamoiseau… Mais à la différence de ceux-ci, soucieux, à la suite de Glissant, de mettre en évidence les origines multiples de la « créolité », elle préfère, fidèle à la « négritude » césairienne (elle a d'ailleurs consacré au *Cahier d'un retour au pays natal* une très belle lecture en 1978), insister sur les sources africaines des cultures antillaises.

Cette fascination pour le continent noir apparaît dans un roman de 1976, *Héremakhonon* (en français : « En attendant le bonheur »), qui transpose sa propre déception devant le despotisme et la corruption du système mis en place en Guinée par Sékou Touré : comme Maryse, Véronique s'en retourne en France avant de rejoindre la Guadeloupe natale. *Une saison à Rihata* (1981) procède de la même veine et, par la voix de Marie-Hélène, antillaise déracinée, dénonce la tyrannie des systèmes issus de la décolonisation. Ne voulant pas céder au pessimisme qu'engendrent les désillusions des « soleils des indépendances », la romancière se plonge alors dans le passé lointain : ainsi naît la fresque de *Ségou*, vaste roman historique (1984-1987, 2 vol.) qui révèle l'écrivain au grand public. À travers la vie de Ségou (ancien empire du Mali) de Dousika Traoré et de ses fils, le lecteur assiste successivement à l'effondrement du royaume Bambara, à l'islamisation peule puis à la colonisation européenne, lente agonie de cette civilisation africaine chantée naguère par Césaire et Senghor.

Désormais Maryse Condé peut se libérer de la nostalgie et aborder avec sérénité la culture noire américaine (*Moi, Tituba, sorcière noire de Salem,* 1986) avant de retrouver le « vrai lieu » qu'est la Guadeloupe (*Traversée de la Mangrove,* 1989). Mais cette réconciliation avec soi-même s'accompagne d'une remise en question du français…

Par sa réflexion sur la négritude et ses racines comme par ses prises de position féministes (*la Parole des femmes,* 1979), Maryse Condé s'est acquis une place de choix dans les milieux intellectuels américains, milieux dans lesquels elle a largement contribué à diffuser la littérature antillaise. Elle réaffirme en même temps son indépendance d'esprit avec *Célanire cou-coupé* (2000), où une jeune Guadeloupéenne utilise sa séduction à des fins de vengeance personnelle et de subversion de l'ordre établi : « féminisme » peut-être, mais pour le moins politiquement incorrect.

D. Couty

CONDILLAC Étienne BONNOT de

(1714-1780)

Philosophe, né à Grenoble dans une famille de robe, il emprunta le nom de Condillac à une terre sise près de Romans et achetée par son père en 1720. L'un de ses frères aînés fut l'abbé de Mably.

Après des études chez les jésuites de Lyon, Condillac fut attiré à Paris par Mably, fréquenta le séminaire de Saint-Sulpice, puis la Sorbonne ; en 1740, il fut ordonné prêtre. Toute sa vie on l'appellera « l'abbé de Condillac », mais la tradition veut qu'il n'ait célébré qu'une seule fois la messe. Habitué des salons littéraires, il rencontra chez Mme de Tencin Jean-Jacques Rousseau, qui devint son ami et lui fit connaître Diderot. De cette période mondaine datent ses œuvres les plus connues : l'*Essai sur l'origine des connaissances humaines* (1746) ; le *Traité des systèmes* (1749) ; le *Traité des sensations* (1754), qui contient l'hypothèse de la « statue » dont Mlle Ferrand lui suggéra l'idée ; le *Traité des animaux* (1755). Le succès de la doctrine sensualiste, dont il était devenu le principal théoricien, attira sur lui l'attention de la famille royale. En 1758, Louis XV l'envoya à Parme, en Italie, comme précepteur de son petit-fils l'infant don Ferdinand. L'abbé demeura jusqu'en 1767 auprès de cet élève peu doué, rédigeant son *Cours d'études* (1775), ouvrage de pédagogie en seize volumes. De retour à Paris, il fut élu à l'Académie française (1768), puis se retira à la campagne, près de Beaugency, où il continua à écrire jusqu'à sa mort.

La problématique de Condillac est fondée sur une critique de la métaphysique. Celle-ci ne serait peut-être qu'une querelle de mots, qu'on dissiperait en retraçant l'origine et la génération des concepts : le philosophe anglais Locke (1632-1704) s'était déjà engagé dans une entreprise générative de ce type, définie par Voltaire comme une « histoire » de l'âme ; Condillac, lui, sera « le Locke français ». Mais il est aussi un lecteur de Newton, et, à ce titre, son projet est de « rappeler à un seul principe tout ce qui concerne l'entendement humain » (*Essai sur l'origine*...). Pour « découvrir les erreurs des philosophes » (*id.*), l'archéologie condillacienne remontera donc aux couches les plus profondes du signifié et du signifiant, étudiera leur combinaison et les rattachera à une source commune : l'affectivité.

Renouvelant dans le *Traité des sensations* l'image de la « page blanche » de Locke, Condillac expose sa doctrine générative en imaginant une statue animée, « organisée intérieurement comme nous » et ayant l'usage de nos cinq sens. Ses premières expériences : des sensations ; ensuite, des gestes, des cris, toute une mimique se rapportant aux besoins ; enfin, les liaisons qu'elle ne peut manquer d'établir entre ses propres réactions affectives et les signaux envoyés ou reçus. De la combinaison de ces éléments Condillac fait sortir la totalité des facultés de l'âme, « toutes identiques à la faculté de sentir ». La continuité de la transformation n'est jamais brisée, mais la naissance de l'entendement proprement dit date du moment décisif où la liaison entre le signifiant et le signifié devient assez libre et arbitraire pour engendrer le langage. Les ressources infinies de l'expression claire et de la réflexion abstraite ouvrent alors à l'esprit humain les voies de la technique, de la science, de toutes les connaissances théoriques qui prolifèrent à mesure que les besoins se multiplient.

« Levier de l'esprit », le langage lui tend aussi ses pièges. Tant qu'il reste au service « des besoins de première nécessité », son bon usage reçoit la sanction de la réussite pratique. Mais une double perversion le guette : « des besoins inutiles et tous plus frivoles les uns que les autres » peuvent engendrer un langage qui se met à tourner en roue libre. D'où l'ivresse de la conversation, voire de la dispute, vains échanges où les mots coupés de tout signifié s'attribuent abusivement un poids ontologique : chamaillerie métaphysique qu'une « archéologie du frivole » (J. Derrida) renverrait au néant. D'où, en contrepartie, l'urgence d'une pédagogie active : tout au long du *Cours d'études,* rédigé à la première personne comme le *Traité des sensations,* l'abbé incarne un dieu-précepteur placé auprès d'un enfant-statue, veillant à ce que l'expérience sensorielle se formalise utilement et se garde des « besoins frivoles » et des « notions vagues ».

Même dévoyée, la parole signale toujours l'apparition de l'esprit. Mais un dilemme se pose : ou bien l'abbé se résigne au dualisme du sensible, l'un humain, l'autre animal, ou bien sa doctrine bascule dans le matérialisme. Oui, répond Condillac dans le *Traité des animaux,* l'homme appartient bien au « système général qui enveloppe tous les êtres animés » ; mais si l'esprit a fini par émerger de la sensation, commune à tous les êtres, c'est que dès l'origine il s'y trouvait en germe : l'âme, plus ou moins développée, circule du haut en bas de l'échelle des espèces ; en l'homme seul elle devient parole, voire parole d'éternité. Ainsi Descartes et La Mettrie sont-ils renvoyés dos à dos : pas plus que de l'animal le sensualisme de Condillac ne fait de l'homme une « machine ».

J.-P. de Beaumarchais

CONDORCET Jean Antoine de

Jean Antoine de CARITAT, marquis de CONDORCET *(1743-1794)*

Victime de cette Révolution qu'il avait préparée par ses écrits et son action, celui que Michelet appelle « le dernier des philosophes » est aussi un précurseur du XIXe siècle et le formulateur de l'idéologie du progrès qui, sous des formes diverses, anime les œuvres de Saint-Simon, Comte, Spencer, Proudhon, Marx. Lucide et prophétique, en même temps que nourri d'illusions, Condorcet mérite plus que jamais aujourd'hui d'être lu et interrogé.

Issu d'une famille d'ancienne noblesse dauphinoise, le marquis de Condorcet révèle un génie mathématique précoce, qui lui vaut d'être distingué par d'Alembert et Clairaut, et il publie un *Essai sur le calcul intégral* (1765), « plein d'idées sublimes et fécondes » (Lagrange). Élu à l'Académie des sciences en 1769, il en devient le secrétaire perpétuel en 1773, et les *Éloges* qu'il prononce des académiciens morts entre 1666 et 1699 constituent une des premières tentatives d'« histoire des sciences » au sens moderne. Très lié au milieu des encyclopédistes et des physiocrates (d'Alembert, Voltaire, Turgot), il est nommé, en 1775, inspecteur général des monnaies par Turgot, lors du bref passage de ce dernier au ministère. Élu à l'Académie française en 1782, il va prendre une part de plus en plus active dans les campagnes d'idées qui marquent les années précédant la Révolution : lutte pour la tolérance religieuse, dans la tradition de Voltaire, lutte pour la liberté économique, dans le sillage de Turgot, et, de façon plus audacieuse encore, lutte pour la défense des droits de l'homme, l'abolition de l'esclavage des Noirs, l'égalité des femmes. Son mariage avec la jeune, belle et intelligente Sophie de Grouchy (qui deviendra plus tard l'égérie des Idéologues), en 1786, fait de sa maison le lieu de rencontre des meilleurs esprits français et étrangers, Chamfort, Beaumarchais, les futurs révolutionnaires Mirabeau, Cloots et Paine, Beccaria, Adam Smith, Alfieri, Jefferson…

Membre de la municipalité parisienne en 1790, député de Paris à l'Assemblée législative, Condorcet publie, en 1792, cinq *Mémoires sur l'instruction publique* et un *Rapport et projet de décret sur l'organisation générale de l'instruction publique.* Après le 10 août 1792, il se déclare favorable à la République, mais, élu à la Convention, il ne vote pas la mort du roi. Ses amitiés avec les Girondins, les critiques qu'il porte contre la Constitution de l'an I lui valent la haine des Jacobins, qui le font décréter d'accusation en juillet 1793. Il réussit à se cacher, à Paris, pendant huit mois. C'est alors qu'il écrit, sans disposer de ses livres et de ses notes, l'*Esquisse d'un tableau historique des progrès de l'esprit humain,* qui ne sera publiée qu'en 1795. Obligé de quitter sa retraite, il s'enfuit de Paris. Il est arrêté à Clamart et conduit à la prison de Bourg-l'Égalité (Bourg-la-Reine). Le surlendemain de son arrestation, le 29 mars 1794, on le trouve mort dans sa cellule. Épuisement ou suicide ? On ne le saura sans doute jamais.

Condorcet n'est pas seulement un représentant caractéristique du siècle des Lumières, l'héritier de Voltaire, de d'Alembert et de Diderot : il a apporté une contribution originale à l'œuvre de ses amis et inspirateurs. La variété de ses intérêts, qui vont des mathématiques pures et appliquées jusqu'aux questions sociales, politiques et économiques, ne doit pas cacher l'unité de sa pensée. Promouvoir un nouvel ordre dans la société n'est, selon lui, possible que par la constitution d'une nouvelle science de l'homme, individuel et collectif. La science de l'homme individuel existe, depuis Locke et Condillac, mais la science de l'homme collectif ou social est encore à bâtir, et Condorcet veut s'y employer en appliquant à l'étude de la société l'instrument mathématique réservé jusque-là exclusivement à l'étude de la nature. C'est là que les travaux de Condorcet mathématicien sur le calcul des probabilités et la statistique rejoignent les préoccupations du réformateur. L'*Essai sur l'application de l'analyse à la probabilité des décisions rendues à la pluralité des voix* (1785) établit, de façon très moderne, un modèle théorique de la décision collective. Le *Tableau général de la science qui a pour objet l'application du calcul aux sciences politiques et morales* (non terminé, 1793) propose une « mathématique sociale » permettant de fonder rationnellement une politique démocratique et d'éliminer les inégalités de richesse, de statut social et d'instruction grâce à l'emploi du calcul statistique dans les phénomènes économiques, sociaux et politiques.

Très en avance sur son temps dans sa conception de la science sociale, Condorcet l'est aussi dans ses idées sur l'organisation du système éducatif. Ses projets d'école publique et indépendante des pouvoirs politique et religieux ne furent pas retenus par les assemblées révolutionnaires, mais ils inspirèrent largement l'œuvre pédagogique de la IIIe République à ses débuts. Cependant le nom de Condorcet reste surtout attaché à l'*Esquisse,* qui est le testament intellectuel du XVIIIe siècle et le manifeste de l'idéologie du progrès. Inspirée du *Tableau philosophique des progrès de l'esprit humain* de Turgot (1750), l'*Esquisse* n'est que l'introduction à une grande histoire de la science considérée dans ses rapports avec la société que Condorcet n'eut pas le temps d'écrire. Découpée en dix périodes, elle montre l'émancipation progressive de l'humanité s'arrachant aux liens de la dépendance physique et à ceux que l'homme a suscités lui-même (fanatisme et despotisme). L'homme étant, par essence, perfectible de façon indéfinie, les seuls vrais obstacles à son progrès ne peuvent venir que de l'ignorance et de la superstition, et ils seront inévitablement détruits par la marche en avant de la science et de la technique. L'optimisme de Condorcet, d'autant plus émouvant qu'il est celui d'un de ces révolutionnaires que la Révolution est en train de dévorer, repose donc sur la conviction que progrès intellectuel et progrès moral ont toujours marché de pair et qu'ils continueront de le faire, et sur le postulat que, dans l'avenir, la science ou mathématique sociale permettra d'assurer le développement libre et démocratique des potentialités humaines.

A. Pons

CONON DE BÉTHUNE

(milieu du XIIe-1219)

Trouvère de la fin du XIIe siècle apparenté à la famille de Hainaut, c'est l'un des modèles du trouvère-chevalier, dont l'ambition est à la fois de passer, au regard de l'aristocratie – à laquelle il appartient –, pour un grand poète et d'incarner les valeurs auxquelles la poésie courtoise confère une dignité nouvelle.

Conon vient à la cour de France vers 1180, sans doute à l'occasion du mariage de Philippe Auguste : le roi et la reine mère, Alix de Champagne, demandent à l'entendre. Il participe à la troisième et à la quatrième croisade, illustrant ainsi

l'alliance des lettres et des armes, idéal de toute courtoisie. Villehardouin, qui lui témoigne de l'estime, cite le discours que notre trouvère fit en réponse au messager de l'empereur de Constantinople Alexis. Aux talents du poète s'ajoutent donc ceux du négociateur.
Quatorze chansons lui ont été attribuées, mais cette attribution est parfois douteuse. Dix d'entre elles, au plus, seraient réellement de Conon. Il s'agit de chansons courtoises et de chansons de croisade. L'attribution de ces dernières est certaine. Les chansons d'amour développent les thèmes de la lyrique traditionnelle, mais en les épurant ; jamais n'apparaît le thème de la possession physique de la Dame. Diatribes contre les faux amants, désespoir d'avoir été délaissé, pudeur et timidité retardant l'aveu ou même l'éludant, débat spirituel entre une dame et un chevalier : telle est la matière des chansons de Conon. Le ton va du sarcasme à la lamentation, de la véhémence à la déclaration d'amour, discrète mais décidée.
Les deux chansons de croisade sont d'un style mâle et vigoureux. Les chansons courtoises sont d'un style limpide, réaliste et gracieux, et le sentiment semble moins convenu que dans la production lyrique contemporaine ; au milieu des lieux communs obligés se glisse parfois une allusion nettement biographique : nous apprenons ainsi que ses royaux auditeurs lui ont reproché indélicatement, devant témoins et, surtout, devant la dame de ses pensées – qui pourrait bien être Marie de Champagne –, son accent arrageois. Confidence intéressante, qui nous confirme qu'à cette époque le francien commençait à être considéré comme la référence du bon langage.
Les vers le plus fréquemment utilisés sont le décasyllabe et le vers de sept syllabes, parfois les vers de quatre ou six syllabes. La césure du décasyllabe se place après le quatrième pied, et l'on trouve quelques exemples de césure lyrique (« Quant la dame/se tient cointe et atorne » = 4 + 6). La strophe comporte ordinairement huit vers, parfois sept. Plusieurs chansons possèdent la même structure strophique, fait relativement rare alors, et proscrit par les troubadours du pays d'oc. Le nombre des strophes varie de deux à six, et celles-ci s'unissent généralement deux à deux par la rime, que le trouvère préfère à l'assonance.
Par la virtuosité de sa technique, la fermeté de son style, qui ignore la monotonie, Conon de Béthune est l'un de nos plus grands trouvères ; par sa verve très personnelle, par l'ardeur qu'il introduit dans le lyrisme, par l'intrusion de sa vie réelle dans sa poésie, il se distingue de la plupart de ses contemporains.

D. Boutet

Conquête de Jérusalem (la)
v. Croisade (cycles de la)

Constant

CONSTANT Benjamin

***Benjamin Henri Constant de Rebecque** (1767-1830)*

Aux yeux de ses contemporains, Benjamin Constant apparaissait avant tout comme un homme politique. Il a tenu une place importante au Tribunat, jusqu'à son éviction par Bonaparte pour cause d'opposition, et, si l'Empire a été pour lui le temps d'une semi-retraite, il a ensuite joué, à partir des Cent-Jours et sous la Restauration, jusqu'à sa mort, un rôle de premier plan à la tête du parti libéral. Aux yeux de la postérité, en revanche, il est d'abord et surtout l'auteur d'*Adolphe*, avant d'être celui du *Cahier rouge*, de *Cécile* et des *Journaux intimes*. Il a été aussi, longtemps, pour un certain public amateur d'âmes et de vies amoureuses, un homme à femmes : Mme de Staël, sa maîtresse en titre pendant de longues années, Minna von Cramm, sa première femme, Charlotte de Hardenberg, la seconde, Mme de Charrière, peut-être, Anna Lindsay, et Mme Récamier. Mais on sait moins sans doute que dès sa vingtième année il a meublé ses loisirs par des études austères sur les religions. Toutefois, isoler chacun de ces aspects occulterait non seulement l'unité profonde de l'homme – ce qui n'est pas rien –, mais encore et surtout le fait que cet homme, quel que soit l'angle sous lequel on le considère, est finalement justiciable – peu ou prou –, pour chacune de ses activités, de l'histoire littéraire.

Le démon du style

La vie intime et sentimentale de Constant débouche, à la fois, sur la confidence à soi-même des *Journaux intimes*, sur les élans de la correspondance amoureuse, sur la transposition des récits personnels ; sa vie publique se traduit en articles incisifs, en brochures qu'on s'arrache, en discours qu'on écoute ; sa quête érudite produit des sommes historiques ou philosophiques sans doute vieillies, mais qu'on relit aujourd'hui comme des étapes importantes dans la pratique de l'Histoire et dans la réflexion sur le sentiment religieux. Dès son plus jeune âge et pour le reste de sa vie, Benjamin Constant a été en proie à ce qu'on appellera, faute de mieux, le démon du style. Ironie du sort, l'œuvre la plus célèbre de ce possédé de la plume et de la parole est le plus court – peut-être – des plus grands romans français. Pourtant, qu'on ne s'y trompe pas : la manière de Constant est aux antipodes de la prolixité. Causeur brillant, donnant une réplique digne d'elle à Mme de Staël, il ne devait rien avoir – à en juger par sa façon d'écrire, en toutes circonstances – du bavard impénitent. Et si ses œuvres complètes, le jour où on les publiera, ne tiendront pas en moins d'une quarantaine d'épais volumes, c'est simplement parce qu'écrire est sa manière à lui d'exister, face aux autres comme face à lui-même. Le *Journal intime* fait apparaître combien est grand ce besoin, à travers l'exercice du langage, de s'épancher, de se confesser, de fixer ses états de conscience, de formuler ses aspirations, et d'échapper de la sorte à une extrême mobilité sentimentale et intellectuelle : « Ce journal, s'avouait-il un jour, est une espèce d'histoire, et j'ai besoin de mon histoire comme de celle d'un autre pour ne pas m'oublier sans cesse et m'ignorer. » Ses œuvres narratives répondent très largement au même besoin. Ses travaux politiques relèvent aussi, sans doute, du souci de s'affirmer, de convaincre pour se donner, à nouveau, la sensation d'exister.

Les premières influences

Les premières lettres de Benjamin Constant, écrites à sa grand-mère paternelle, révèlent un enfant étonnamment précoce et prodigieusement doué. *Les Chevaliers*, son premier roman, écrit à douze ans, témoigne de dons exceptionnels chez le jeune garçon et d'un goût marqué pour les exercices de la plume. Sur un enfant dont les qualités naturelles sont aussi évidentes, il suffisait, mais il fallait aussi, que s'exercent quelques bonnes influences. Des précepteurs, une famille où l'on compte, à côté de beaucoup de sabres, quelques plumes acérées. Celle de la cousine Rosalie, par exemple, de qui la correspondance avec Benjamin est d'une rare qualité, celle du père de Rosalie, Samuel, auteur de quelques romans estimables, et celle d'un autre oncle de Benjamin, connu sous le nom de Constant d'Hermenches.

Mentionner ce Constant-là, c'est d'emblée évoquer Mme de Charrière, l'auteur de *Caliste*, qui avait été sa correspondante et son amie bien avant de devenir l'amie et la correspondante de Benjamin, sur qui elle exerça une importante influence. Moralement, comme Rudler l'a bien vu, elle a laissé une empreinte nette et durable. Mais elle a encore joué un autre rôle, qu'on perçoit mieux depuis que les lettres qu'il lui a adressées sont connues : elle a aidé grandement à ce que vienne à maturité le style même de Constant, ce style tout en nerfs, dont toute enflure est généralement exclue.

Sa capacité à écrire allait très vite s'affermir. Les premiers écrits politiques sont déjà ceux de quelqu'un qui a ce qu'on pourrait appeler du métier ; les premiers discours, celui du Cercle constitutionnel, en 1798, puis ceux du Tribunat, deux ans plus tard, font mieux qu'annoncer le redoutable orateur de la Restauration. Car il avait affûté ses armes, en même temps qu'il perfectionnait son anglais, lorsque, à l'âge de seize ans, il était étudiant à l'université d'Édimbourg et prenait une part active et brillante aux débats d'un cercle d'étudiants, la *Speculative Society*. Il a pu faire là un « écolage » sérieux, pendant deux années d'un séjour marquant pour sa connaissance de la pensée écossaise et pour sa capacité à manier l'abstraction.

Un lieu privilégié

Doté d'une intelligence plus que vive, Constant a encore reçu en partage une sensibilité d'une qualité toute particulière, qui va nourrir une réflexion aiguë, notamment sur lui-même. Il aura, en outre, l'inestimable chance, ayant rencontré Mme de Staël, de vivre à côté d'une femme et au cœur d'un groupe – à Coppet et ailleurs – où il trouvera à consolider le savoir qu'a déposé en lui son éducation cosmopolite et à développer, en les réorientant quelquefois, les idées qu'il nourrit sur un certain nombre de sujets qui deviendront ses thèmes de prédilection. Les relations avec Mme de Staël et, subsidiairement, avec quelques autres femmes nourrissent ses écrits personnels ; mais c'est à la source de Coppet que s'alimentent ses œuvres politiques, ses essais littéraires et, pour une part, ses livres sur la religion. C'est sans doute la traduction du *Wallenstein* de Schiller (le *Wallstein* de Constant) et les considérations sur le théâtre qui sont les plus visiblement inspirées par les activités des familiers du château de Coppet – les Schlegel, Sismondi, Bonstetten, Barante, pour ne citer que quelques noms. La pensée politique de Constant, qui ne trouvera à s'employer sur le terrain que bien plus tard, après la dispersion du groupe et après la mort de l'auteur de *Corinne*, s'est forgée pour l'essentiel sous le Directoire et sous le Consulat, et surtout pendant les années sombres de l'Empire, à travers les échanges que ces esprits, qui comptaient parmi les meilleurs du temps, pouvaient avoir, tantôt à Coppet, tantôt dans les quelques autres résidences quasi forcées où ses fidèles suivaient Mme de Staël, exilée de Paris sur l'ordre de Napoléon. Cela ne signifie pas, bien entendu, qu'on puisse imputer à ces hommes et à cette femme toutes les idées ni surtout tous les faits et gestes de Constant, sous les Cent-Jours ou après. Mais on ne peut néanmoins étudier sérieusement ses écrits politiques, même tardifs, sans les mettre en parallèle avec ceux de Mme de Staël sur les mêmes matières. Si Benjamin va devenir, sous la Restauration, le théoricien du libéralisme politique, le maître à penser d'un courant idéologique puissant et profond, c'est beaucoup parce qu'il a été, bien des années auparavant, l'un des protagonistes des brillantes causeries de Coppet.

Les ouvrages sur la religion doivent peut-être moins à ce climat intellectuel étonnamment fécond. Ses recherches érudites sont probablement le refuge le plus intime, le mieux protégé, de Constant. C'est du reste en Allemagne, après son second mariage et avant sa grande rentrée sur la scène politique, qu'il s'y adonne avec le plus d'application. Encore ne peut-on nier que la trace des échanges avec Mme de Staël se retrouve ici aussi, à travers les strates souvent mal identifiables d'une rédaction qui, comme c'est très souvent le cas chez lui, est reprise sans fin, remise sur le métier, d'année en année, depuis les plus anciens projets, qui remontent à l'année 1785 – Constant avait dix-huit ans –, jusqu'à la mise au point des derniers volumes, à la veille de sa mort.

Les repentirs de l'écrivain

À l'exception de certains écrits de commande ou de circonstance, qui ont dû être par nécessité menés tambour battant, les procédés de composition et d'écriture restent les mêmes quels que soient les domaines où Constant se meut. Qu'il s'agisse de la religion, des principes de politique ou d'*Adolphe*, on est aux antipodes de la construction ordonnée menant étape par étape, mais en ligne droite, d'un projet initial vers une œuvre achevée. La démarche est au contraire comme labyrinthique, avec ses brusques ruées en avant, ses arrêts, ses changements de direction, ses retours en arrière suivis de nouveaux départs et de nouveaux retours. Esprit changeant, instable, critique aussi à l'égard de lui-même, Constant est rarement satisfait le lendemain de ce qu'il a fait la veille. Alors, il défait, il modifie, il abandonne, pour reprendre un peu plus tard, après d'autres essais. Mais un miracle, à chaque fois renouvelé, veut qu'en fin de compte, quand même, le but soit atteint, le point final soit mis. Certes, ni *le Cahier rouge* ni *Cécile* n'ont été terminés, tant s'en faut pour le premier qui devait raconter toute une vie, alors que *Cécile* approchait sans doute de son terme quand une raison inconnue arrêta net le cours du récit. Mais *Adolphe*, lui, est achevé, et il a été mis au point avec une maîtrise telle que les coutures, les raccommodages, les assemblages de morceaux d'époques ou de projets différents n'apparaissent pas, même au regard des plus avertis. Virtuose du *patchwork*, Constant sait non seulement donner à l'œuvre achevée l'apparence de la pièce venue d'une seule coulée, mais encore, et peut-être surtout, utiliser à une nouvelle fin des morceaux faits pour autre chose. On n'en finit pas de recenser, dans les écrits politiques, par exemple, les emprunts qu'il se fait à lui-même, les remplois et les redites.

La complexité de l'être

Pareille méthode de travail est évidemment le reflet de toute une psychologie. Les repentirs de Constant écrivain sont dans le droit fil de ses perpétuelles hésitations, de son incapacité à se fixer, vis-à-vis de lui-même.

Son instabilité caractérielle est légendaire, notamment à l'égard des femmes : ses retours de passion, ou de sentiment pour Charlotte, qu'il finira par épouser après en avoir abandonné le projet deux fois au moins ; sa flamme soudaine pour Anna Lindsay et le froid qui s'ensuivit, avec quelques velléités de retour ; son emballement incontrôlé et curieusement juvénile pour Mme Récamier, alors qu'il la connaît et qu'elle le laisse froid depuis nombre d'années, n'ont pas manqué d'attirer la curiosité. Mais ce n'est là que la facette la plus évidente de sa mobilité. En sont une autre ses incertitudes sur la conduite à tenir en politique, qui le poussent quelquefois à adopter des attitudes surprenantes et fournissent tant d'arguments à ses adversaires. A-t-on assez parlé de la fameuse « palinodie des Cent-Jours » ? Il est évidemment curieux de voir un homme de son âge et de son expérience vouer Napoléon aux gémonies comme il le fait dans le célèbre article du *Journal des débats*, le 19 mars 1815, pour venir se mettre à son service, quelques jours plus tard, en acceptant de collaborer à la rédaction de l'*Acte additionnel aux constitutions de l'Empire* (la « Benjamine », diront les mauvaises langues). Mais quelle que soit l'explication qu'on donne des faits, et quel que soit le jugement qu'on porte sur ces retournements, on doit voir que tout cela ne fait qu'un, composante majeure d'une personnalité qui a d'autres travers et d'autres qualités.

Peut-être Constant est-il conduit, dans sa vie politique comme dans sa vie amoureuse, par la même soif d'émotions qui se dévoile dans sa passion du jeu. Comme tout joueur, il aime l'argent ou, plus exactement, il a besoin d'argent. La porte s'ouvre ainsi sur une nouvelle perspective, qui n'a du reste pas encore été complètement explorée : celle d'un Constant homme d'affaires, qui achète et vend des biens nationaux, qui a des démêlés financiers avec son père, et qui guigne peut-être la fortune de Mme de Staël. Appétit d'émotions, donc, et soif d'argent : deux traits voisins, et qui n'inspirent pas d'emblée la sympathie. Mais il faut de la même manière un certain courage et un certain goût du risque pour n'être pas parmi les valets de l'Empire, et devenir plus tard le pourfendeur de la pire des droites, sous la Restauration.

Courageux, politiquement du moins, Constant l'est incontestablement. Et l'on ne saurait lui dénier non plus une certaine forme de générosité. Les causes pour lesquelles il s'enflamme sont en général de nobles causes. Ses meilleurs discours, quand ils ne sont pas de pure philosophie politique ou de technique gouvernementale et parlementaire, sont relatifs à la traite des Noirs, par exemple ou, sur un tout autre plan, à la liberté de la presse. Et l'on ne peut pas négliger non plus le rôle qu'il jouera dans l'affaire Regnault, en 1818, où il prendra sans hésitation la défense d'un homme injustement accusé et condamné. Attitude dont on a pu dire qu'elle était comparable, toutes proportions gardées, à celle d'un Voltaire dans l'affaire Calas, ou d'un Zola dans l'affaire Dreyfus.

La générosité dont il témoigne ainsi en tant qu'homme public s'exprime également dans sa vie privée. On trouve sa forme la plus évidente, la plus profonde, dans ce qu'il est convenu d'appeler sa « religion de la douleur ». Constant, comme son Adolphe, est un homme qui ne supporte pas la douleur des autres. Lorsque Necker meurt, Constant vient d'arriver à Lausanne, de retour d'Allemagne, depuis deux jours. Mme de Staël, elle, est restée outre-Rhin. Aussitôt, Constant reprend la route pour rejoindre à Weimar celle dont il sait que la mort de son père lui sera insupportable. Les pages du *Journal* relatives à ces journées sont instructives et poignantes.

L'homme de cœur se manifeste en d'autres occasions. Qu'on se souvienne, par exemple, du choc qu'a été pour lui la mort de Julie Talma, interrompant brusquement la rédaction du *Journal*. Et la mort de son père, en 1812, sera à nouveau la cause d'un grand ébranlement intérieur.

Il est vrai que l'idée de la mort – la sienne comme celle des autres – a toujours obsédé Constant. Les propos sur ce thème que l'on trouve dans *Adolphe*, où le narrateur exprime sa terreur devant « ce pas terrible vers lequel nous avançons tous, sans qu'aucun de nous puisse prévoir ce qu'il doit éprouver alors », ne laissent aucun doute sur ce point. Mais on lit aussi sur le sujet des phrases très émouvantes dans *De la religion*.

L'attitude devant la mort pose inévitablement la question, combien malaisée, de la croyance religieuse chez Constant. Autant il est clair que le premier projet, celui de la dix-huitième année, est le fait d'un héritier des Lumières, qui entend montrer la supériorité de la religion païenne sur le christianisme, autant il est malaisé de dire ce qu'est finalement la religion de l'homme mûr. Chacun, en fait, conclut là-dessus selon son tempérament ou ses inclinations propres. Mais il est sûr que Constant a un infini respect pour le sentiment religieux. Il ne fait pas de doute non plus qu'il a traversé parfois de véritables crises de religiosité. Ce fut le cas en 1807-1808, à l'époque où il s'est rapproché de la secte quiétiste des « Âmes intérieures », dont le chef était, à Lausanne, son cousin Langalerie, épisode dont on trouve du reste un écho précis dans *Cécile*. Il était alors au plus profond de ses tourments sentimentaux. De la même manière, huit ans plus tard, à l'automne 1815, au sortir de son aventure avec Mme Récamier – fin de liaison qui coïncide aussi, faut-il le rappeler, avec les retombées de Waterloo et, pour lui, avec la ruine de ses ambitions politiques –, il subira l'influence de Mme de Krüdener, l'auteur d'un roman intitulé *Valérie*, qui est surtout connue pour son illuminisme et pour l'ascendant qu'elle exerça sur le tsar Alexandre Ier. Toutefois ces élans de mysticisme n'ont été que des feux de paille, sans doute parce qu'ils ne correspondaient pas à sa nature profonde.

Benjamin Constant occupe, dans la littérature française, une place inconfortable. Coincé entre le siècle des Lumières, auquel il n'appartient plus tout à fait, et un romantisme auquel on ne peut vraiment le rattacher, il se trouve traditionnellement relégué, avec une Germaine de Staël à laquelle, à la limite, il ne servirait que de faire-valoir, au pied de l'imposante stature de Chateaubriand. On peut penser qu'il mérite mieux que cela, ne serait-ce que parce qu'il est l'auteur d'*Adolphe*.

	VIE		ŒUVRE
1767	**25 oct. :** naissance à Lausanne de Benjamin Constant, fils de Juste Constant de Rebecque et de Pauline de Chandieu. **10 nov. :** mort de Pauline de Chandieu ; l'enfant est confié à ses grands-mères.		
1772-1774	Benjamin est confié à un premier précepteur, un Allemand du nom de Stroelin, puis à Marianne Magnin, la servante de Juste, à laquelle celui-ci signe, le 22 juillet, une promesse de mariage.		
1774	**Mort de Louis XV. Avènement de Louis XVI.**		
1774-1775	Juste, officier suisse au service de la Hollande, emmène Benjamin à Bruxelles et le confie à un deuxième précepteur, le médecin-major de La Grange. Premières lettres de Benjamin à sa grand-mère Constant.		
1775-1776	Benjamin est en Suisse avec son père.		
1776	M. Gobert devient son précepteur.		
1777-1778	Nouveau précepteur : Duplessis, moine défroqué. Benjamin vit alternativement à Lausanne, à Bruxelles et en Hollande.		
1779	Benjamin compose *les Chevaliers,* roman héroïque en cinq chants, qui restera inachevé.		
1780-1781	Séjour en Angleterre avec son père : Londres et Oxford. Précepteur anglais, M. May, qui suit Benjamin en Suisse et en Hollande.		
1781	Séjour à Lausanne avec son père. Leçons du pasteur Bridel.		
1782	Séjour à Erlangen, où Constant fréquente l'université.		
1783-1785	Études à l'université d'Édimbourg, pendant près de deux ans, et participation aux débats de la Speculative Society. Constant prend goût au jeu.		
1785-1786	Séjours à Paris, chez Suard ; à Bruxelles, où Constant s'éprend de Mme Johannot ; à Lausanne enfin, où il entreprend un ouvrage sur le polythéisme et tombe amoureux de Mrs. Trevor.	**1785**	Premiers articles dans *les Nouvelles politiques* de Suard et *le Républicain français.*
1786-1787	Retour à Paris chez Suard. Amour pour Jenny Pourrat. Liaison avec Mme de Charrière de Zuylen.		

	VIE		ŒUVRE
1787	**26 juin :** fuite en Angleterre. Retour par la Hollande. Installation à Colombier, chez Mme de Charrière.	1787	*Essai sur les mœurs des temps héroïques de la Grèce,* publication anonyme, à Paris.
1788	**8 janv. :** duel à Colombier avec un certain Duplessis d'Épendes. **Févr. :** départ pour la cour de Brunswick, où Constant devient gentilhomme ordinaire du duc Charles-Guillaume-Ferdinand et se fiance à Minna von Cramm, dame d'honneur de la duchesse.		
1789	**8 mai :** mariage. **14 juill. : prise de la Bastille.** **Juill.-août :** séjour des jeunes époux à Lausanne.		
1789-1790	Séjour à La Haye pour soutenir son père dans un procès militaire.		
1790	Retour à Brunswick. Brouille entre les époux.		
1791	**Sept.-nov. :** le père, injustement condamné, perd ses emplois et se réfugie en France. Séjour à Lausanne sans sa femme.		
1792	Retour à Brunswick. Minna a un amant. Constant tombe amoureux d'une actrice, Caroline. **10 août : prise des Tuileries et chute de la royauté.**		
1793	**11 janv. :** Constant rencontre Charlotte de Hardenberg, baronne de Marenholz. Liaison, suivie de rupture. Constant se sépare de sa femme. Départ pour Lausanne, puis séjour à Colombier, chez Mme de Charrière.		
1794	Séjour à Brunswick. Retour à Lausanne. **27 juill. (9 thermidor an II) : chute de Robespierre.** **18 sept. :** rencontre avec Mme de Staël.		
1795	Installation chez Mme de Staël à Mézery. Tentative de suicide. Envoi de sa démission à Brunswick. Départ pour Paris avec Mme de Staël, où ils arrivent le 25 mai. Constant est emprisonné pendant un jour à la suite des événements de vendémiaire. **31 oct. (9 brumaire an IV) : élection du Directoire.** **18 nov. :** Constant divorce d'avec Minna von Cramm.		
1796	Va-et-vient entre Coppet, Lausanne et Paris. **Mai :** première brochure politique. **1er nov. :** acquisition du domaine d'Hérivaux (canton de Luzarches).	1796	**Mai :** *De la force du gouvernement actuel et de la nécessité de s'y rallier,* s.l. (imprimé en Suisse).
1797	**8 juin :** naissance à Paris d'Albertine de Staël. Constant et Mme de Staël jouent un rôle politique. Ils appuient le coup d'État de Fructidor. **14 juill. :** Juste est réhabilité. Duel avec Bertin de Vau.	1797	**Mars :** *Des réactions politiques,* Paris, an V. **Mai :** *Des effets de la Terreur,* Paris, an V. *Discours prononcé au Cercle constitutionnel pour la plantation de l'arbre de la Liberté, le 30 fructidor an V,* s.l.n.d. (Imprimerie Lemaire).
1798	Constant obtient la nationalité française. Il se lie avec Julie Talma. Hiver en Suisse, en compagnie de Mme de Staël.	1798	*Discours prononcé au Cercle constitutionnel le 9 ventôse,* Paris, Impr. Vve Galletti. *Benjamin Constant à ses collègues de l'Assemblée électorale de Seine-et-Oise,* s.l.n.d. *Des suites de la Contre-Révolution de 1660 en Angleterre,* Paris, an VI.
1799	**18 brumaire : coup d'État. Fin du Directoire. Bonaparte Premier consul.** **25 déc. :** Constant devient membre du Tribunat.		
1800	**1er janv. :** installation du Tribunat. Séjour d'été en Suisse avec Mme de Staël. Retour à Paris et passion pour Anna Lindsay. Au Tribunat : rôle d'opposition.		

VIE		ŒUVRE	
1801	Fin de sa nouvelle liaison. Séjour en Suisse, auprès de Mme de Staël.		
1802	**17 janv. :** Constant est éliminé du Tribunat. Vente d'Hérivaux et achat des Herbages. Séjour en Suisse. **9 mai :** mort de M. de Staël. **Déc. :** Mme de Staël publie *Delphine.* Elle et Constant se font des scènes continuelles.		
1803	**6 janv.-10 avr. :** Constant envisage d'épouser Amélie Fabri et rédige *Amélie et Germaine,* premier « Journal intime » connu. Voyage en Allemagne avec Mme de Staël, qui a reçu un ordre d'exil à 40 lieues de Paris.	**1803**	**16 janv. :** article sur *Delphine,* de Mme de Staël, dans *le Citoyen français.*
1804	**22 janv. :** début d'un nouveau journal intime sous une forme développée et sous une forme abrégée. Mort de Necker. Fin du voyage en Allemagne. **18 mai : Bonaparte est proclamé empereur.** Séjour à Coppet et à Genève. Mme de Staël refuse le mariage que Constant lui propose. **28 déc. :** à Paris, il retrouve Charlotte de Hardenberg, devenue vicomtesse du Tertre, et l'amour renaît.		
1805	Nouvelle passion pour Anna Lindsay, en même temps que désir d'épouser Charlotte de Hardenberg. **5 mai :** mort de Mme Talma, première femme du célèbre acteur, et qui fut l'une des plus fidèles amies de Constant. Le journal s'interrompt sous sa forme développée. Il se poursuit sous sa forme abrégée. Retour à Coppet. Nouveau refus de mariage de Mme de Staël. **27 déc. :** mort de Mme de Charrière.		
1806	Séjour en France avec Mme de Staël. Il commence probablement à rédiger *De l'esprit de conquête* et les *Principes de politique,* puis il travaille à la *Lettre sur Julie.* **19 oct. :** nouvelle rencontre avec Charlotte du Tertre, qui devient bientôt sa maîtresse. **30 oct. :** à Rouen, il commence « un roman qui sera notre histoire », d'où sortira *Adolphe.* Va-et-vient entre Paris et le château d'Acosta, où réside Mme de Staël. Constant travaille jusqu'à la fin de l'année à son roman.		
1807	**1er mai :** Mme de Staël publie *Corinne.* **Juin :** il quitte Charlotte, qui part pour l'Allemagne. Il rentre en Suisse, où il fréquente les quiétistes. Scènes violentes avec Mme de Staël. **Sept. :** il se met à la composition de *Wallstein* qu'il adapte de Schiller. **6 déc. :** adieux de Constant et de Mme de Staël. Il rejoint Charlotte à Besançon. Ils partent pour Dole, où elle tombe gravement malade. **27 déc. :** fin du journal abrégé.	**1807**	**12-14-16 mai :** article sur *Corinne,* de Mme de Staël, dans *le Publiciste.*
1808	Va-et-vient avec Charlotte entre Paris et Brevans, près de Dole, où le père de Constant s'est retiré. Mariage secret. Séjour de Constant à Coppet. **19 juill. :** Contrat avec le libraire Paschoud, de Genève, pour la publication de *Wallstein.*		
1809	**9 mai :** Charlotte révèle le mariage à Mme de Staël. Querelles diverses. Constant va de l'une à l'autre. **Déc. :** mariage civil à Paris, qui ratifie celui de 1808.	**1809**	**Janv. :** *Wallstein,* tragédie en cinq actes et en vers, précédée de *Quelques réflexions sur le théâtre allemand,* Genève et Paris, Paschoud.
1810	Constant continue à se partager entre Charlotte et Mme de Staël. Vente des Herbages, pour payer des dettes de jeu.		

	VIE		ŒUVRE
1811	Rédaction de *Cécile* (?) et du *Cahier rouge.* Séjour en Suisse avec Charlotte. **9 mai :** adieux à Mme de Staël. **15 mai :** reprise du journal intime. Départ pour l'Allemagne. Les époux s'installent à Gottingue. Travaux sur la religion.		
1812	**2 févr. :** mort du père. Séjours à Brunswick et à Cassel. **14 déc. :** nomination comme membre correspondant de la Société royale des sciences de Gottingue.		
1813	Séjours à Cassel, où Constant lit *Adolphe* en public, puis à Hanovre, où il rencontre Bernadotte. **Déc. :** rédaction de *De l'esprit de conquête.*		
1814	Nouvelles rencontres avec Bernadotte, à Bückenburg, puis à Liège. Séjours à Bruxelles et à Paris. **6 avr. : abdication de Napoléon Ier.** **26 avr. :** début du règne de Louis XVIII. Rencontre avec Mme de Staël, que Constant n'a pas revue depuis trois ans. **27 mai :** mort de la tante de Constant, Mme de Nassau. **31 août :** passion pour Mme Récamier. Lectures d'*Adolphe* dans les salons.	**1814**	*De la liberté des brochures, des pamphlets et des journaux considérée sous le rapport de l'intérêt du gouvernement,* Paris, Nicolle. *Réflexions sur les Constitutions, la distribution et les garanties dans une monarchie constitutionnelle,* Paris, Le Normant et Nicolle. *Observations sur le discours de S.E. le ministre de l'Intérieur en faveur du projet de loi sur la liberté de la presse,* Paris, Nicolle.
1815	Rédaction des *Mémoires* de Mme Récamier. Lectures d'*Adolphe.* **2 févr. :** *De la responsabilité des ministres.* **6 févr. :** candidature à l'Institut, suivie d'échec. **1er mars : Napoléon débarque à Golfe-Juan.** **19 mars :** article violent contre Napoléon, qui remonte vers Paris. Fuite en Vendée. Retour à Paris. Entrevue avec l'Empereur. Rédaction de l'*Acte additionnel aux constitutions de l'Empire.* **18 juin : défaite de Waterloo.** **22 juin :** fin des Cent-Jours. Constant est secrétaire de la Commission de négociation avec les Alliés après Waterloo. Ordre d'exil, donné puis rapporté. **31 oct. :** départ pour Bruxelles : Constant y séjourne plus de deux mois.	**1815**	*Principes de politique applicables à tous les gouvernements représentatifs, et particulièrement à la Constitution actuelle de la France,* Paris, Eymery.
1816	**21 janv. :** départ pour Londres. Lectures d'*Adolphe* dans les salons. **6 juin :** publication d'*Adolphe,* qui paraît en même temps à Londres et à Paris. **Fin août :** première traduction anglaise d'*Adolphe.* Retour à Paris *via* Spa. **26 déc. :** fin du *Journal intime.*	**1816**	*Adolphe.* Anecdote trouvée dans les papiers d'un inconnu et publiée par M. Benjamin Constant, Paris, Treuttel et Würtz ; Londres, H. Colburn. *Adolphe.* Anecdote trouvée dans les papiers d'un inconnu et publiée par M. Benjamin Constant. Deuxième édition, revue, corrigée et augmentée. Londres, H. Colburn ; Paris, Treuttel et Würtz. *De la doctrine politique qui peut réunir les partis en France,* Paris, Delaunay.
1817	Constant reprend *le Mercure de France* et se lance à nouveau dans la carrière politique. **14 juill. :** mort de Mme de Staël. **Août :** échec à l'Académie.	**1817**	*Considérations sur le projet de loi relatif aux élections adopté par la Chambre des députés,* Paris, Delaunay. *Questions sur la législation actuelle de la presse en France et sur la doctrine du ministère public relativement à la saisie des écrits et à la responsabilité des auteurs et imprimeurs,* Paris, chez les marchands de nouveautés. *Des élections prochaines,* Paris, Plancher et Delaunay.
1818	Suppression du *Mercure.* Fondation de *la Minerve française.* Constant se casse la jambe, accident qui le laisse boiteux. **Oct. :** échec électoral dans la circonscription de la Seine. Action en faveur de W. Regnault, injustement condamné à mort.	**1818**	*Annales de la session de 1817 à 1818,* Paris, Béchet. *Entretien d'un électeur avec lui-même,* Paris, Plancher. *Lettre à M. Odilon Barrot, avocat à la Cour royale,* sur le procès de Wilfrid Regnault, Paris. *Deuxième Lettre à M. Odilon Barrot,* Paris.

	VIE		ŒUVRE
			(suite 1818) *Du discours de M. de Marchangy, avocat du roi, devant le tribunal correctionnel, dans la cause de M. Fiévée,* Paris. *De l'appel en calomnie de M. le marquis de Blosseville contre M. Wilfrid Regnault,* Paris. *Lettres à M. Charles Durand sur Nîmes en 1815,* Paris. *Des élections de 1818,* Paris, Béchet.
		1818-1820	*Collection complète des ouvrages publiés sur le gouvernement représentatif et la Constitution actuelle de la France, formant une espèce de cours de politique constitutionnelle, par M. Benjamin Constant,* Paris, Plancher, 4 vol.
1819	**25 mars :** élu député de la Sarthe, Constant a toute l'année une grande activité politique.	1819	*De la liberté des Anciens comparée à celle des Modernes,* Paris. *Éloge de sir Samuel Romilly,* prononcé à l'Athénée royal, le 2 décembre, Paris, Béchet.
		1819-1820	*Trois Lettres à MM. les habitants de la Sarthe,* Paris. *De la proposition de changer la loi des élections,* Paris, Poulet.
1820	Suppression de la *Minerve* à la suite de l'assassinat du duc de Berry. Discours important de Constant sur la presse.	1820	*Lettre à M. le marquis de Latour-Maubourg, ministre de la Guerre,* sur ce qui s'est passé à Saumur les 7 et 8 octobre 1820, Paris, Béchet. *Mémoires sur les Cent-Jours,* en forme de lettres. Ire partie, Paris, Béchet ; IIe partie, Paris, Béchet, 1822. *Des motifs qui ont dicté le nouveau projet de loi sur les élections,* Paris, Béchet. *De la dissolution de la Chambre des députés et des résultats que cette dissolution peut avoir pour la nation, le gouvernement et les ministres,* Paris, Béchet.
1821	Lutte contre la traite des Noirs.		
1822	Duel avec Forbin. **Oct. :** échec électoral lors du renouvellement partiel de la Chambre.	1822	*Lettre à M. le procureur général de la Cour royale de Poitiers,* Paris, chez les marchands de nouveautés. *Commentaire sur l'ouvrage de Filangieri,* Ire partie, Paris, Dufart.
1823	Contrat pour *De la religion.*		
1824	**Mort de Louis XVIII. Avènement de Charles X.** **Mars :** Constant est élu député de Paris. Dernier voyage à Lausanne.	1824	*De la religion considérée dans sa source, ses formes et ses développements,* t. I, Paris, Leroux. *Commentaire sur l'ouvrage de Filangieri,* IIe partie, Paris, Dufart.
1825	**13 févr. :** discours sur le milliard des émigrés.	1825	*Appel aux nations chrétiennes en faveur des Grecs,* Paris, Treuttel et Würtz. *Christianisme,* Paris, Imprimerie Moreau (extrait de l'*Encyclopédie moderne*). *De la religion considérée dans sa source, ses formes et ses développements,* t. II, Paris, Béchet.
		1826	*Religion,* Paris (extrait de l'*Encyclopédie progressive*).
1827	Nouveaux discours importants sur la presse. Voyage triomphal en Alsace. Élu à la fois à Paris et à Strasbourg, Constant opte pour le Bas-Rhin.	1827	*Discours à la Chambre des députés,* t. I, Paris, Dupont. *De la religion considérée dans sa source, ses formes et ses développements,* t. III, Paris, Béchet.
1828	Nombreuses interventions à la Chambre. Nouvel échec à l'Académie.	1828	*Discours à la Chambre des députés,* t. II, Paris, Dupont.
1829	Constant échoue à l'élection pour la vice-présidence de la Chambre. Sa santé se détériore gravement.	1829	« Réflexions sur la tragédie », *Revue de Paris,* t. VII. *Mélanges de littérature et de politique,* Paris, Pichon et Didier. Contrefaçons belges en 1829 et 1839.

VIE		ŒUVRE	
1830	**Juin :** réélu à la Chambre. Constant prend part aux journées de Juillet. **2 août : abdication de Charles X.** **9 août : intronisation de Louis-Philippe Ier.** **27 août :** nommé président de section au Conseil d'État, Constant reçoit du roi 200 000 F pour payer ses dettes. Troisième échec à l'Académie. Constant meurt le 8 décembre. On lui fait, le 12, des funérailles nationales ; sa dépouille est conduite au Père-Lachaise.	1830	« Souvenirs historiques à l'occasion de l'ouvrage de M. Bignon », *Revue de Paris*, t. XI et XVI.
		1831	*De la religion considérée dans sa source, ses formes et ses développements*, t. IV et V, Paris, Pichon et Didier.

P. Delbouille

Journaux intimes

Comportant quatre éléments, les *Journaux intimes* regroupent des textes écrits entre le 6 janvier 1803 et le 26 septembre 1816, l'année d'*Adolphe*. L'édition de 1887 eut un énorme retentissement, que Paul Bourget attribua à la vogue de la « philosophie pessimiste » de cette fin de siècle. Jugement porté sans complaisance sur soi, expression d'une intériorité dont personne n'eut connaissance du vivant de son auteur, cette œuvre intime, proche de la confession, nous révèle la sensibilité et la complexité de l'un des plus profonds analystes du sentiment.

SYNOPSIS

Rédigée du 6 janvier au 10 avril 1803, la première partie, *Amélie et Germaine*, ne relève pas à proprement parler du journal. Composée d'entrées datées, allant du paragraphe au développement de quelques pages (3 février), elle est écrite comme un roman mettant en scène les hésitations de Constant entre Germaine de Staël, sa maîtresse, et Amélie Fabri, qui lui semble une épouse possible et convenable, sans pour autant convenir à « un grand amour de plaisir » (8 janvier). Cette « crise du cœur et de l'imagination » (6 janvier), rythmée par les entrevues, séparées de plages d'éloignement, avec Amélie, convoitée par un certain Faberge, et les scènes violentes d'une Germaine qui exerce sur lui un « étrange ascendant » (14 mars), s'organise autour d'une lettre à faire, entièrement rédigée (3 février), calculée pour que l'auteur « [parût] presque entraîné malgré [lui] », et posant des conditions, puis finalement abandonnée (note finale datée du 2 mars : « Toute cette lettre est absurde »). Le 10 avril, Constant choisit une « vie stable et paisible » dans l'amitié de Germaine sans « paraître toujours avec elle ». D'Amélie, il ne reste plus qu'un faible souvenir…

Le premier *Journal*, le plus développé, va du 22 janvier 1804 au 8 mai 1805, la datation étant donnée selon le calendrier révolutionnaire. Il est interrompu par la mort survenue le 5 mai de Julie Talma, qui fut l'amie de Constant depuis 1798 (note du 12 avril 1808).

Le deuxième *Journal* est un abrégé en style télégraphique de la même période, prolongée et s'étoffant nettement jusqu'au 27 décembre 1807, Constant note malgré la mort de Julie les événements saillants, en particulier le travail en cours, les rencontres, les lettres reçues et envoyées, les repas, les lieux où il couche au cours de ses voyages, les conversations, intrigues amoureuses avec Anna Lindsay, Mme du Tertre (Charlotte de Hardenberg), Mme de Staël (Minette ou Biondetta), ses états d'âme. Il utilise un code chiffré dont il donne lui-même le 12 avril 1808 la clé, qui vaut un résumé : « 1 signifie jouissance physique. 2 désir de rompre mon éternel lien dont il est si souvent question. 3 retours à ce lien par des souvenirs ou quelque charme momentané. 4 travail. 5 discussion avec mon père. 6 attendrissement sur mon père. 7 projets de voyage. 8 projets de mariage. 9 fatigue de Mme Lindsay. 10 souvenirs doux et retours d'amour vers Mme Lindsay. 11 hésitation sur mes projets avec Mme du Tertre. 12 amour pour Mme du Tertre. 13 incertitude sur tout. 14 projet d'établissement à Dole pour rompre avec Biondetta. 15 projet d'établissement à Lausanne dans le même but. 16 projets de voyage outre-mer. 17 désirs de raccommodement avec quelques ennemis. » Le *Journal* est interrompu du 20 novembre au 10 décembre 1807.

Le troisième *Journal* court du 15 mai 1811 au 26 septembre 1816. Constant l'écrit en caractères grecs, et ne récupérera jamais son cahier confié à Bruxelles à un banquier. Celui-ci l'enverra à sa veuve en 1831. Adoptant toujours le style télégraphique, l'auteur y consigne les traits essentiels de ses journées : travail, lettres, dîners, état physique, rapports avec les femmes, dont Charlotte épousée en 1808, auxquelles s'ajoute Mme Récamier, voyages.

Sauf à être démenti par la découverte de nouvelles pages (il manque la narration du 28 décembre 1807 au 12 avril 1808), le lecteur semble se trouver devant un cœur mis à nu. Si les lectures (Herder, Kant, Schlegel, Schelling, Hésiode, Homère, les tragiques grecs) et les rencontres avec les célébrités du temps (Goethe 23 janvier 1804 ; Schiller, 10 février 1804) peuvent intéresser, ainsi que les marques des événements politiques (surtout les Cent-Jours et le ralliement à Napoléon, ce « homme étonnant », 14 avril 1815), les affres sentimentales en constituent l'un des axes privilégiés. Tout tourne d'abord autour de ses rapports avec Mme de Staël jusqu'aux adieux prononcés le 9 mai 1811 (il la reverra en mai 1814) : « Fatale liaison ! Ma santé, mon bonheur ma gloire, tout en est victime » (1er juillet 1804). Sauver sa liberté tout en gardant l'amour de toutes les femme de sa vie, jouir de la solitude (« J'aimerais bien mieux l'étude et la solitude que toutes les femmes et tous les amours du monde », 5 décembre 1806) sans perdre le plaisir des conversations et du sentiment (« Ma folie habituelle, un besoin de femmes, encore plus moral que physique, s'est emparée de moi avec une vivacité prodigieuse », 16 février 1805) : Constant ne peut choisir, d'où les nombreux accès de mélancolie et les tourments de l'incertitude. Tenir un journal, c'est tenter d'ordonner un « chaos » (10 février 1805). Attentif aux intermittences du cœur, aux alternances du sentiment, aux effets de la passion, aux variations des affects, aux rémanences de l'amour disparu (« mouvement des vagues après la tempête », 1er janvier 1805), Constant inscrit minutieusement toutes ses « agitations intérieures » (29 avril 1805). S'y mêlent des réflexions sur la mort (« Y a-t-il une partie de nous qui nous survive ? Je suis bien impartial dans la question : toute la série de mes idées d'habitude est contre, mais le spectacle de la mort me fait entrevoir des probabilités pour, dont je n'avais jusqu'ici nulle idée », 4 mai 1805), ou sur l'Histoire. Importe surtout la volonté expresse de préserver son intimité : « Je ne puis me résoudre à mettre quelqu'un dans la confidence de mon désir d'être libre. Je ne puis consentir à entendre un mot sur mes liens avec Biondetta, un mot qui lui serait désavantageux, un mot d'approbation sur ma détermination de la quitter » (10 février 1805). Nous pénétrons par effraction dans ces débats et ces atermoiements, ces contradictions et ces résolutions toujours démenties, quitte à nous laisser prendre au piège de la sincérité. Constant reste alors pour nous cet individu terriblement lucide et irritant, égoïste autant qu'égotiste, « jouet de tout ce qui [l']entoure » (30 mars 1805), dont l'impatiente et impossible quête du bonheur et du repos s'achève et se nie dans les dernières pages avant les séjours à Bruxelles et à Londres, toutes frémissantes de la passion de cet homme de quarante-huit ans pour Juliette Récamier, cause de paroxysmes et d'abattements, pages où s'amplifie la notation du 31 août 1814 : « Dîner au Cercle. Mme Récamier. Ah ça ! deviens-je fou ? »

Cahier rouge

Rédigé – ou mis au net – selon l'auteur en 1811, lors d'un séjour à Hardenberg, le *Cahier rouge* relate des faits situés entre 1767 et 1788. Il fut publié en 1907. Complétant ainsi les *Journaux intimes*, et donc précieux pour les biographes, il rapporte une crise de l'adolescence, et met en jeu une remarquable technique narrative, proche du roman.

SYNOPSIS

Organisé en deux parties, ce texte assez bref évoque d'abord et sur un rythme fort alerte la naissance du narrateur, puis son éducation aux mains d'étranges précepteurs (l'Allemand Stroelin, le Français athée M. de La Grange, Gobert, Duplessis, moine défroqué, l'Anglais M. May, Bridel…), ses lectures désordonnées, ses voyages avec son père, son séjour à l'université d'Erlangen, ses premières amours, le court bonheur vécu avec la séduisante Mme Johannot, sa passion pour la jolie Anglaise Mme Trevor, son séjour à Paris, un amusant quiproquo avec la vieille Mme Saurin, qui interprète sa démarche intéressée – il vient demander de l'argent pour payer une dette de jeu – comme une déclaration.

La seconde partie raconte l'année 1787. La rencontre décisive avec Mme de Charrière, les fiançailles avec Mlle Pourras, âgée de seize ans : voilà bien des occasions de « sottises ». Soupçonné par l'amant de Mme Pourras de courtiser mère et fille, le héros est conduit à une tentative de suicide. Mais Mme de Charrière, parfaite amante, lui fait connaître le monde, et il suscite l'intérêt des femmes. On veut décidément le marier : il fuit en Angleterre. L'ennui le gagne, malgré quelques aventures et la découverte d'une société singulière. Après un retour assez piteux, il retrouve Mme de Charrière, mais le voilà engagé dans un duel pour une histoire de chiens ! Cependant, son adversaire, un certain capitaine Duplessis, fait faux bond. Le récit s'arrête avec cette plaisante affaire.

Rapidité, enjouement, malice, cynisme : Constant se met en scène comme le héros d'un roman libertin, partant à la découverte du monde et surtout des femmes, et se juge ironiquement avec toute la froideur calculée du regard rétrospectif. Les épisodes défilent, l'auteur proscrivant les temps morts, pratiquant l'ellipse sans que jamais le récit apparaisse décousu. Favorisant les « extravagances », la narration se fait celle d'un apprentissage de la vie, marqué par quelques étapes sensuelles sans nuages (« Elle ne m'a fait acheter les sensations douces qu'elle m'a données par aucun mélange d'agitation ou de peine », dit-il de Mme Johannot), par l'initiation due à Mme de Charrière (« La première femme d'un esprit supérieur que j'aie connue »), l'éducation mondaine et sociale. S'il apprend « la bêtise de l'espèce humaine » et « l'absurdité des préjugés », il s'éprouve aussi « hors de la loi commune ». De folies en pérégrinations, le jeune héros progresse, et Constant fouille minutieusement ses sentiments, décrit ses états d'âme, de la plus grande agitation à « l'indifférence complète » devant le danger. Œuvre d'analyse autant que mise en fiction, le *Cahier rouge* est l'un des textes les plus maîtrisés de Benjamin Constant.

Cécile

Cécile fut longtemps considéré comme une suite d'*Adolphe* ; mais la découverte du manuscrit inachevé – publié en 1951 – montra qu'il s'agissait en fait du récit transposé des amours de Benjamin Constant, tiraillé entre Mme de Staël [Mme de Malbée] et Charlotte de Hardenberg [Cécile], révéla aussi que le texte avait probablement été rédigé après 1810. Document autobiographique certes, mais à manier avec précaution en raison des distorsions et de la stylisation opérées, Cécile s'impose avant tout comme œuvre littéraire remarquablement maîtrisée, placée sous les auspices de l'*Énéide* par son épigraphe : « *Italiam, Italiam*. »

Organisé en sept « époques », le roman couvre, avec d'importantes ellipses, la période allant de janvier 1793 à février 1808.

SYNOPSIS

Marié « par bonté » à une femme qui le trompe, le narrateur évoque sa rencontre avec l'épouse du vieux comte de Barnhelm, Cécile de Walterbourg, aujourd'hui sa femme. Une amitié amoureuse naît. Divorcé et libre, le narrateur doit pourtant attendre, pour s'engager avec Cécile, que celle-ci retrouve sa propre liberté. Séparations, lettres, promesses... c'est alors qu'il fait la connaissance de Mme de Malbée, « la personne la plus célèbre de notre siècle, par ses écrits et par sa conversation ». Une passion violente et tumultueuse s'ensuit, ouvrant dans l'histoire du narrateur et de Cécile « une vaste lacune ». Six années s'écoulent : Cécile paraît oubliée dans les orages de la politique et les tourments de sa liaison avec Mme de Malbée qui accaparent le narrateur. Un jour, il reçoit une lettre de Cécile, la revoit et apprend d'elle son remariage avec M. de Saint-Elme. Commence alors pour le héros une période de tensions : comment rejoindre Cécile ? comment se libérer du joug de Mme de Malbée ? Tensions qui s'exaspèrent lorsque Cécile devient enfin sa maîtresse et se considère désormais comme sa femme. Mais l'emprise de Mme de Malbée demeure, malgré des lettres « d'éternels adieux ». Il rencontre alors un prédicateur piétiste dont les propos produisent en lui « un calme inusité qui [lui] fait du bien » : s'en remettant à la destinée, il cesse de se tourmenter, espérant un miracle pour dénouer une situation que sa volonté s'avère impuissante à résoudre. Il abandonne donc la lutte avec Mme de Malbée, qui part en voyage, sans pour autant renoncer à Cécile qui tombe malade. Le récit s'interrompt brutalement sur l'évocation des souffrances de Cécile.

« Ballotté par un orage de pensées contraires, je repassai dans ma mémoire de longues suites d'inconséquences dont je m'étais rendu coupable » (7e époque) : l'impossibilité du choix entre deux femmes qui l'aiment sincèrement chacune à sa manière, l'irrésolution, la torture infligée à soi et aux autres, toutes ces douloureuses incertitudes scandent un texte qui analyse scrupuleusement les intermittences du cœur et du désir. S'il complète biographiquement les *Journaux intimes* et le *Cahier rouge*, le récit suit avant tout les méandres de passions changeantes. Sans jamais s'appesantir, favorisant la rapidité et la sobriété et proscrivant le pathos, il est tout entier marqué par la dérision de soi, que le *Cahier rouge* met en scène par les moyens de la distance ironique, et qui se manifeste ici par la mise à nu des faiblesses, lâchetés, tentations d'un être à la fois pusillanime et fougueux, soumis et rebelle. À la maîtrise de la narration et de l'analyse s'ajoute l'art du portrait, particulièrement consommé dans la description des personnages féminins, la force fascinante de Mme de Malbée contrastant avec l'angélique douceur de Cécile, qui doit peut-être son nom à l'héroïne des *Lettres de Lausanne* de Mme de Charrière, l'initiatrice de Benjamin Constant.

G. Gengembre

Adolphe

« Écrit à Charlotte. Commencé un roman qui sera notre histoire » (*Journal intime*, 30 octobre 1806) : précieuse confidence qui prouve le caractère autobiographique d'*Adolphe*. Ce roman personnel participe, en effet, de la vie amoureuse de l'auteur, prenant appui sur un admirable récit rétrospectif habile à transposer dans le registre de la fiction son « histoire » avec Charlotte de Hardenberg, à laquelle Constant mêle son orageuse liaison avec Mme de Staël.

SYNOPSIS

Dans un « Avis », l'« Éditeur » précise les conditions de sa rencontre dans une auberge de Cerenza avec un « inconnu », Adolphe, dont il publie le manuscrit, perdu en cours de route par son propriétaire. Jeune homme timide et solitaire entretenant des rapports médiocres avec son père, Adolphe quitte Gottingue et se rend dans une autre ville allemande, D*** : il fraye avec les courtisans d'un prince, société factice, où il se fait une réputation « de légèreté, de persiflage et de méchanceté » (chap. 1). L'ennui le ronge jusqu'au jour où il fait la connaissance du comte de P*** et de sa maîtresse Ellénore. Par besoin d'être aimé et par vanité, Adolphe s'éprend d'Ellénore, de dix ans son aînée. Après nombre de supplications, le jeune homme obtient une entrevue (2). Émue par les propos d'Adolphe, Ellénore consent à le recevoir plus souvent : amour fortifié par les rencontres, et qui est parachevé par l'union des deux amants (3). Mais leur relation se dégrade rapidement : Ellénore ne représente plus un « but » dans la vie d'Adolphe. Le jeune homme reçoit une lettre de son père qui lui ordonne de se rendre auprès de lui ; mais Ellénore le force à obtenir un sursis. Tandis qu'Ellénore se sépare du comte, sacrifiant tout à Adolphe, ses enfants, sa fortune, la considération dont elle jouissait en dépit d'une situation irrégulière (4), celui-ci se détache d'elle, et, irrité par l'emprise de cette passion, s'aperçoit, trop tard, qu'il ne l'a jamais aimée. Pourtant, par faiblesse et pitié, il se montre incapable de la quitter ; mais il lui inflige une torture incessante en dissimulant ses sentiments réels. Les six mois que lui a accordés son père expirent : il doit le rejoindre.

Après deux mois de séparation, Ellénore s'installe dans la même ville que son amant, séjour écourté par le père d'Adolphe, qui a l'intention de la « chasser » : pour la protéger, le jeune homme l'avertit et décide de partir avec elle (5). Ils se fixent à Caden, petite ville de Bohême, où Adolphe est tourmenté par le « joug » de son amour et sa vie inactive. Craignant qu'Adolphe profite de son absence pour l'abandonner, Ellénore renonce à rejoindre son père en Pologne. Finalement, elle contraint Adolphe à l'accompagner (6). Là-bas, il rend visite à un ami de son père, le baron de T***, lequel l'incite à rompre avec Ellénore (7). Celle-ci accorde à plusieurs jeunes gens de longs tête-à-tête pour exciter la jalousie d'Adolphe, qui lui demande bientôt de ne plus recevoir ces adorateurs. Nouveau sacrifice d'Ellénore, qui charge Adolphe de « nouvelles chaînes » (8). En présence de M. de T***, le jeune homme s'engage à quitter Ellénore ; mais il retarde sans cesse l'« instant fatal ». Il écrit au baron qu'il souhaite toujours rompre (9). Quelques jours plus tard, M. de T*** envoie la lettre d'Adolphe à Ellénore : plongée dans un abîme de désespoir, elle tombe malade. Ne cessant de s'affaiblir et

de dépérir, elle meurt. Adolphe, loin de retrouver la liberté, est condamné à la solitude et au remords, existence terne prophétisée par une lettre d'Ellénore, qu'il découvre après sa mort (10).
En épilogue, un correspondant anonyme adresse une « Lettre à l'Éditeur » : il l'incite à publier le manuscrit et excuse la conduite d'Adolphe. Le roman s'achève sur une « Réponse de l'Éditeur », dans laquelle il accepte de publier le récit et condamne l'attitude du héros.

Fascinant édifice, *Adolphe*, marqué structurellement par un encadrement du récit, ordonne autour de la confession trois textes annexes qui appartiennent à la fiction romanesque : l'« Avis de l'Éditeur » donne au récit le cachet de l'authenticité et, telle une épigraphe, révèle la tonalité du roman ; la « Lettre à l'Éditeur » et la « Réponse » proposent des jugements diamétralement opposés sur la conduite du héros et renvoient donc au caractère hiéroglyphique d'*Adolphe*, roman où la contiguïté des sentiments distincts (égoïsme et abnégation) enténèbre la notion de responsabilité, et fait du problème de l'interprétation la quintessence du récit. Ce n'est point hasard si les lettres rythment la liaison des deux amants : captieuses, elles sont souvent un instrument de simulation – pour conquérir Ellénore, Adolphe jette dans sa lettre « une agitation qui ressemble fort à l'amour » (chap. 2) – ou de dissimulation : « langage embarrassé que je gémissais de voir si obscur, et que je tremblais de rendre plus clair ! » (chap. 5). Les paroles, redoutables, accentuent cette communication négative et aggravent les conflits : conduisant à une destruction irrévocable (« Nous avions prononcé tous deux des mots irréparables », chap. 4), elles blessent et tuent. Aussi bien le silence constitue-t-il le seul refuge : Adolphe ne répond que par monosyllabes aux questions d'Ellénore (chap. 8), et celle-ci « fixe sur lui ses yeux en silence » (chap. 10). Loin de ponctuer des moments extatiques, ces suspensions de la parole figurent la pernicieuse incommunicabilité dans laquelle s'abîment les deux amants. Médiocrité des relations épistolaires, mots blessants, conversations en lambeaux, gouffres du silence et, comme dans *Bérénice*, vérité indicible : tous ces orbes infernaux donnent au comportement verbal une dimension circulaire qui, à la manière du logos racinien, enferme les protagonistes. Langage-piège plaçant l'amour sous le signe du tragique, et qui symbolise ce huis clos sentimental.

Cette kyrielle de souffrances qui a nom amour, Constant la suggère à travers la situation d'Adolphe. La présence d'Ellénore a tôt fait de l'emprisonner, d'envahir l'espace et le temps du héros : elle accapare son présent, le coupe de son passé et entrave son avenir. Dans ce monde clos, la spontanéité n'a pas place : réflexions, débats intérieurs, hésitations, approches calculées de l'autre annihilent l'authenticité des relations ; tout se passe comme si les élans sentimentaux se figeaient. Est symptomatique, de ce point de vue, le rythme de l'œuvre : au romanesque fugitif – la conquête d'Ellénore, commencée au chapitre 2, s'achève au chapitre 3 –, succède une séquence type (décision de passer à l'acte, peur de faire souffrir) qui, faisant alterner les deux composantes de ce ressassement selon un mouvement de balancier, confère au récit une allure statique. Ces contradictions intérieures, qui font l'objet d'une analyse psychologique moderne, étoilent le récit tout entier et témoignent de la faiblesse du héros. Incertain, il est partagé entre son plaisir (indépendance, tranquillité) et le plaisir d'Ellénore ; aboulique, il devient le spectateur de sa vie ; envahi par les émotions, le jeune homme ne parvient pas à faire face à ses difficultés. Symptômes du « mal du siècle », son manque de caractère, sa passivité nourrissent le tragique de cet amour, lequel, quand la lucidité se fait jour, atteint un stade paroxystique. Telle la Corinne de Mme de Staël, Adolphe prévoit l'échec de sa liaison : « Malheur à l'homme qui, dans les premiers moments d'une liaison d'amour, ne croit pas que cette liaison doit être éternelle ! » (chap. 3), et Ellénore devine cette cruelle vérité : « Vous croyez avoir de l'amour, et vous n'avez que de la pitié. » Aussi Adolphe tente-t-il de ranimer cet amour en appelant à son aide les souvenirs : « efforts inutiles », dès lors que la « mémoire du cœur » (chap. 6) est impuissante à ressusciter les « charmes de l'amour ». Il n'existe, au vrai, aucune échappatoire à cette situation, ce qui était, d'ailleurs, annoncé par Constant : « Quand on est entré dans cette route, on n'a plus que le choix des maux » (Préface de la deuxième édition). D'où la mort et son sinistre cortège de souffrances. « Elle voulut pleurer, il n'y avait plus de larmes ; elle voulut parler, il n'y avait plus de voix : elle laissa tomber, comme résignée, sa tête sur le bras [...] quelques instants après elle n'était plus » (chap. 10) ; remarquable somatisation de la lutte intérieure, des tourments du cœur ; fin tragique de l'héroïne rongée par un amour trahi, désespéré ; mort d'une femme tourmentée par les feux de la passion, mais aussi mort de l'individu, opprimé qu'il était par l'ordre social : « Malheur donc à la femme qui se repose sur un sentiment que tout se réunit pour emprisonner, et contre lequel la société, lorsqu'elle n'est pas forcée à le respecter comme légitime, s'arme de ce qu'il y a de mauvais dans le cœur de l'homme pour décourager tout ce qu'il y a de bon ! » (« Lettre à l'Éditeur ».)

Véritable tribunal de l'Inquisition, la société juge et condamne ; insidieuse, elle a beau jeu d'entamer cette union fragile : le baron de T***, symbole social, se fait fort de la briser par une lettre (chap. 9) et des discours (chap. 7, 9). Non contente de déchirer les deux amants (chap. 5), la société tente, au nom de ses conventions, de les séparer ; insinuations paternelles contre cette liaison (chap. 6), auxquelles Adolphe veut faire front ; conflit révélateur d'une lutte intérieure : « La lettre de mon père me perça de mille coups de poignard. Je m'étais dit cent fois ce qu'il me disait : j'avais eu cent fois honte de ma vie » (chap. 6). L'éducation et les valeurs sociales sont trop enracinées dans son être pour qu'il puisse triompher de l'ordre social (chap. 9) : Adolphe n'est pas l'Antony de Dumas. La liberté de l'individu, suprême valeur que Constant ne laisse pas de défendre dans ses essais politiques, est réellement menacée : le regard des autres – comme plus tard chez Sartre – statufie le moi : « On disait que j'étais un homme immoral, un homme peu sûr : deux épithètes heureusement inventées pour insinuer les faits qu'on ignore, et laisser deviner ce qu'on ne sait pas » (chap. 1). Ces rapports conflictuels entre l'individu et la société procèdent d'une déchirure ontologique entre l'être et le paraître, qui n'est pas sans rappeler les *Confessions* de Rousseau : « Je me réfugiais dans une taciturnité profonde : on prenait cette taciturnité pour du dédain » (*id.*). Vivre en société, c'est donc mettre en jeu son identité, sa liberté, face au « moule universel » (*id.*).

Véritable creuset de plusieurs formes littéraires, *Adolphe* se caractérise par une esthétique kaléidoscopique dont la plus surprenante facette est le romantisme. Outre la sensation de la mort et l'angoissante solitude du héros s'apparentant à celle de Musset dans les *Nuits*, cette œuvre présente des descriptions symboliques au sein desquelles s'établit une mystérieuse correspondance entre le microcosme et le macrocosme : « Le seul bruit qui se fit entendre était celui de l'herbe glacée qui se brisait sous nos pas » (chap. 10). Visage funeste de la nature qui traduit la langueur, la résignation d'Ellénore, et qui préfigure sa mort ; allégorie macabre de l'engourdissement renvoyant à la dominante de l'œuvre, la destruction, laquelle est décrite par d'admirables images empruntées à la nature : « Mais ces émotions et ce langage ressemblaient à ces feuilles pâles et décolorées qui, par un reste de végétation funèbre, croissent languissamment sur les branches d'un arbre déraciné » (chap. 6). Cette représentation quasi verlainienne du fané signale un amour sans rayonnement, un état d'immobile dérive. À ces traits romantiques s'ajoutent la marque du roman épistolaire (témoin le nombre important de lettres dans *Adolphe*), la forme autobiographique, flanquée de ses problèmes et de ses ambiguïtés : décalage temporel entre l'histoire et l'instance narrative aboutissant à une distorsion entre le narrateur et le héros ; impuissance du langage à exprimer toute la réalité et propension à se masquer. Les maximes d'*Adolphe* (comme celles de La Rochefoucauld) occultent des vérités plus intimes, prouvant que ce roman se range aussi sous la bannière classique. Classiques, les recherches du général et du typique (« Il n'y a point d'unité complète dans l'homme, et presque jamais personne n'est tout à fait sincère ni tout à fait de mauvaise foi », chap. 2), les règles de cette tragédie voilée avec exposition, nœud, péripéties et dénouement, avec surtout l'unité d'action et la simplicité d'un récit qui schématise tout ce qui ne concerne pas directement l'échec sentimental. Classiques aussi, les constructions phrastiques : sobre, équilibrée et mesurée, l'écriture réussit à évoquer les contradictions intérieures qui hantent le personnage ; peut-être parvient-elle aussi à atténuer sa souffrance. Pour Constant, écrire est un moyen d'exorciser « la douleur ».

Roman de la souffrance sous-tendu par une esthétique qui, échappant au moule d'une doctrine littéraire, figure l'irrépressible désir d'indépendance de Constant, *Adolphe* préfigure ainsi la conception proustienne de la littérature et de l'art. Cette marche dédalique que représente la vie nous conduit rarement au bonheur.

F. Hamel

Continuations du Conte du Graal

(fin du XIIe siècle-v. 1240)

Deux textes courts, qui tentent d'expliquer, l'un (le *Bliocadran*), le sort du père de Perceval, l'autre (l'*Élucidation*), le mystère de la disparition de la cour du Roi Pêcheur, de l'origine de la terre « gaste » et de l'occultation du Graal, servent dans quelques manuscrits de pseudo-prologue au *Conte du Graal*. Mais le double travail d'achèvement des quêtes entreprises par Perceval et par Gauvain et de retour du récit sur l'origine du Graal, de la lance qui saigne, de l'épée brisée, etc., est surtout le fait des *Continuations*, un ensemble de plus de 60 000 vers, composé par des auteurs différents, de la fin du XIIe siècle à 1240 environ. Les *Continuations* ne sont au reste qu'un pan de la littérature engendrée par *le Conte du Graal*. Une autre lecture et élucidation est celle du *Roman de l'histoire du Graal* de Robert de Boron, texte qui a non seulement influencé les *Continuations* en vers mais a joué un rôle considérable dans la genèse des romans arthuriens en prose.

Anonyme, conservée dans trois versions différentes, la *Première Continuation*, ou *Continuation-Gauvain*, achève l'épisode de Guiromelant du *Conte du Graal* puis juxtapose des récits indépendants. L'un des plus étranges est l'histoire de Caradoc Brieg Braz, né des amours adultères de sa mère et d'un magicien, et qui ne se libère de cette tache originelle (et de l'horrible serpent attaché à son bras, qui le dessèche progressivement) qu'en épousant la plus aimante des femmes, la seule à triompher, à la cour d'Arthur, de l'épreuve de chasteté. Gauvain, dans la *Première Continuation*, trouve à deux reprises le château du Roi Pêcheur, mais il ne peut ressouder l'épée brisée, ce qui le consacrerait comme le chevalier élu. À sa seconde visite, il apprend toutefois, par un long récit de son hôte, que la lance qui saigne est celle qui a jadis percé le flanc du Christ et comment le Graal a été apporté dans l'île de Bretagne par Joseph d'Arimathie. Mais il s'endort avant d'avoir entendu ce qui concerne l'épée brisée…

La *Deuxième Continuation*, ou *Continuation-Perceval*, parfois attribuée à Wauchier de Denain, reprend l'histoire du héros là où l'a laissée Chrétien, à son départ de chez l'ermite. L'un des intérêts du récit est dans l'oscillation entre les inépuisables détours des aventures très « profanes » de Perceval (l'aventure féerique du château de l'Échiquier magique et de la chasse au blanc cerf, par exemple), le bref retour auprès de Blanchefleur, et les aventures qui le reconduisent plus ou moins fermement sur le chemin du Graal. Chez le Roi Pêcheur, Perceval assiste de nouveau au cortège du Graal, mais le Roi refuse de répondre sur-le-champ à ses questions sur le Graal et la lance, et le récit s'interrompt brusquement au moment où Perceval est parvenu, ou presque – une légère trace subsiste – à ressouder l'épée brisée…

La *Continuation* de Manessier et celle de Gerbert de Montreuil (composées vers 1220-1230) enchaînent, indépendamment l'une de l'autre, sur la fin de la *Deuxième Continuation*. La *Continuation* de Gerbert se distingue par son ton résolument didactique et la version pesamment moralisée qu'elle donne des motifs arthuriens. Mais elle est aussi un très bon témoin des procédés utilisés par les écrivains du Graal, en vers comme en prose, pour retarder autant que possible l'achèvement de la quête, c'est-à-dire la mort du récit. Dilatant sur près de 17 000 vers la révélation des secrets du Graal, Gerbert, à l'image des romans en prose, entrelace aux aventures de Perceval celles de Gauvain, voire celles de Tristan, décrivant ainsi un retour de Tristan, déguisé en musicien, à la cour de Marc. Le récit lui-même, qui s'interrompt sur le retour de Perceval au château du Roi Pêcheur et fait alors textuellement retour à son point de départ, fonctionne comme une sorte de vaste interpolation à l'intérieur des Continuations. La *Continuation* de Manessier, qui reprend elle aussi la technique de l'entrelacement, mène enfin à bien la quête. Au cours d'aventures qui tirent parfois le récit aux frontières du diabolique et du fantastique (dans l'épisode de la « chapelle de la Main noire », par exemple), Perceval venge le meurtre du frère du Roi Pêcheur (l'épée brisée et enfin ressoudée est le signe et l'instrument de cette vengeance) et guérit le Roi Pêcheur. À la mort du roi, il devient à son tour le roi et le gardien du Graal, puis, retiré dans un ermitage, il meurt en odeur de sainteté, tandis que disparaissent le Graal, la lance et le tailloir. Perceval est enterré au palais Aventureux (le palais du Roi Pêcheur), au royaume de la fiction, mais l'écrit qui conte son histoire et que suit Manessier, écrit scellé par le roi Arthur, se trouve selon l'épilogue, à Salesbieres (Salisbury), où peuvent le voir tous ceux « qui errent par le chemin » et qui recommenceront l'aventure de la réécriture.

Réunies au moins dans le manuscrit B.N. fr. 12576, les *Continuations* constituent ainsi un premier cycle en vers sur l'histoire conjointe de Perceval et du Graal. Elles élaborent, de récit rétrospectif en récit rétrospectif, le mythe d'origine du Graal, de la lance qui saigne, de l'épée brisée, de la blessure du Roi Pêcheur, etc. Mais l'épée brisée à ressouder est aussi, dans cet ensemble, l'objet qui image au plus juste l'écriture du Graal : la tension entre les méandres et les lignes brisées de l'errance chevaleresque, et la résorption définitive des aventures, la fusion du héros dans l'objet de sa quête, la disparition simultanée de Perceval et du Graal dans un au-delà du texte.

E. Baumgartner

COPPÉE François

(1842-1908)

Poète et dramaturge, François Coppée naquit et vécut à Paris, et la fréquentation des milieux littéraires ne l'empêcha pas d'y mener l'existence paisible d'un fonctionnaire. Après avoir publié deux recueils poétiques – *le Reliquaire* (1866), de résonance assez baudelairienne, et les *Intimités* (1868) – et participé à la création du premier Parnasse (1866), ce fut par une comédie en vers, *le Passant* (1869), où jouait Sarah Bernhardt, qu'il conquit le grand public parisien.

Son originalité devait pourtant se manifester dans son œuvre de poète : les *Poèmes modernes* (1869) et, surtout, *les Humbles* (1872) et *Promenades et Intérieurs* (1872) révélèrent en Coppée l'observateur du petit peuple parisien et des émotions quotidiennes, tandis que *le Cahier rouge* (1874) et *Olivier* (1876) évoquaient ses illusions perdues.

Mais ses drames historiques – *le Luthier de Crémone* (1876), *Severo Torelli* (1883), *les Jacobites* (1885), *Pour la couronne* (1895) –, en dépit de leur succès et d'un lyrisme tout verbal, ne réussissaient guère à renouveler les leçons des modèles romantiques.

Élu à l'Académie française en 1884, il se convertit au catholicisme (1897) à la suite d'une grave maladie ; au moment de l'Affaire Dreyfus, il s'engagea pour quelques années dans le combat nationaliste.

Dès ses débuts poétiques, alors même qu'il cultivait, non sans bonheur, une veine élégiaque, Coppée avait adopté le ton d'une poésie intimiste et familière : celle à laquelle s'essaya Sainte-Beuve, dans *les Poésies de Joseph Delorme*. Ne retenant de l'œuvre de Baudelaire que les aspects les plus superficiels des « Tableaux parisiens », et choisissant une versification volontairement prosaïque, il privilégia très vite une sorte de réalisme sentimental, qui mêlait au goût de la modernité un mélancolique attrait pour la banalité du quotidien et pour la ténuité de la sensation.

C'est ainsi qu'il devint le poète attendri de la tristesse des faubourgs et de la vie des gens modestes – tel, modèle des *Humbles*,

> *... le tout petit épicier de Montrouge*
> *En sa boutique sombre, aux volets peints en*
> *[rouge...*

Et son vers n'est plus alors que l'élément d'une narration dont la simplicité mène trop souvent au lieu commun ou à la sensiblerie.

Certains tableaux cependant, comme ceux de *Promenades et Intérieurs*, parviennent, dans la précision des notations et la juxtaposition des détails, à immobiliser un instant fugitif, ou à évoquer les petits riens d'un spectacle ordinaire – salons de province, guinguettes de banlieue, pêcheurs des bords de Seine –, dont le charme persiste.

Par-delà les conventions où vient se figer cette attention au réel, Coppée contribua à modifier la sensibilité poétique de son temps. Il fut, aux côtés de Leconte de Lisle, et dans un tout autre registre, un des maîtres du Parnasse ; et le nombre de ses disciples – comme celui de ses pasticheurs (ceux, entre autres, de l'*Album zutique*, où se rencontraient Verlaine, qui fut son ami, Rimbaud, Charles Cros...) –, atteste son étonnante influence sur la génération de la fin du siècle. Sans doute son œuvre annonce-t-elle aussi le populisme des romans de Charles-Louis Philippe et, dans le domaine poétique, préfigure-t-elle quelques-unes des tendances qui s'épanouiront chez Francis Jammes. [Voir aussi **Parnasse (le)**.]

M.-O. Germain

CORBIÈRE Tristan

*Pseudonyme d'**Édouard-Joachim CORBIÈRE** (1845-1875)*

Poète mort à trente ans, « romantique » dans son inquiétude et son tourment d'exister, mais refusant aussi les épanchements faciles, Corbière a produit une poétique originale, fondée sur l'humour, sur l'instabilité du vers et sur le pouvoir d'engendrement des mots et des images.

Un dandy solitaire

Né à Ploujean, près de Morlaix, fils d'un officier de marine écrivain à succès, Corbière dut rapidement interrompre ses études, en raison de sa mauvaise santé. Après divers séjours à Cannes et à Luchon, il revient à Morlaix, puis s'installe à Roscoff, dont le climat était recommandé aux rhumatisants et aux poitrinaires.

Conscient de sa laideur, de sa difformité (caricaturée dans ses autoportraits), il se fit connaître pour son goût de la farce provocatrice et du déguisement plus ou moins scandaleux. À Roscoff, il prit le prénom romantique de Tristan, s'enfermant dans la solitude et jouant au marin sur son cotre « le Négrier » (ainsi nommé d'après le titre d'un roman d'aventures publié en 1832 par son père).

L'événement marquant de sa vie survient en 1871, avec l'arrivée à Roscoff du comte Rodolphe de Battine et de son amie, l'actrice d'origine italienne Armida-Joséphine Cuchiani, dite Herminie. Le poète s'éprend de celle qu'il nommera « Marcelle », à qui il dédiera, comme « à l'auteur du *Négrier* », le recueil des *Amours jaunes*.

Corbière suit Marcelle à Paris – épisode qui inspire, dans *les Amours jaunes,* les chapitres des « Amours jaunes », de « Sérénade des sérénades ». En août 1873, *les Amours jaunes* paraissent, à compte d'auteur, chez les frères Glady, tandis que certaines pièces sont publiées, sous le pseudonyme de TRISTAN, dans *la Vie parisienne.* Le recueil est ignoré : seule une revue, *la Renaissance littéraire et artistique,* en note la parution. *La Vie parisienne* publie encore deux textes en prose importants : « Casino des trépassés » et l'« Américaine ».

Son mal de poitrine s'aggravant à la fin de l'année 1874, le poète est transporté à la clinique Dubois, à Paris, d'où il envoie à ses parents le communiqué, souvent cité depuis comme exemple d'humour macabre : « Je suis à Dubois dont on fait les cercueils. »

Ce n'est que dix ans après leur parution que l'on découvre *les Amours jaunes* avec les médaillons des « Poètes maudits » (Corbière, Rimbaud et Mallarmé), que Verlaine publie en 1883 dans la revue *Lutèce.* L'année suivante, *les Poètes maudits* paraissent en volume chez Léon Vanier, tandis que, dans *À Rebours*, Joris-Karl Huysmans rend hommage à Corbière, en lui consacrant une place de choix dans la bibliothèque de Des Esseintes.

Le titre, *les Amours jaunes* – « aimer » jaune comme on « rit » jaune –, indique déjà la tonalité du recueil, celle du malaise, du grincement, du porte-à-faux. L'ensemble n'est pourtant pas monolithique, le recueil se composant de sept chapitres dont l'ordre (« Ça », « les Amours jaunes », « Sérénade des sérénades », « Raccrocs », « Armor », « Gens de mer », « Rondels pour après ») est à l'inverse de la production chronologique, « Armor » et « Gens de mer » ayant été probablement écrits entre 1861 et 1868. Corbière, de fait, instaure une architecture personnelle : d'abord les poèmes « parisiens », où domine la raillerie du mal-aimé ; puis les pièces bretonnes du refuge mythique, la Bretagne représentant, à l'encontre de la mondanité parisienne, le lieu authentique, fondateur de l'identité ; puis, en dernier, l'apaisement ambigu des « Rondels pour après », dans lesquels l'ironie est effacée par les visions macabres.

Le refuge breton

« Breton bretonnant de la bonne manière » (Verlaine), Corbière ne l'est pas au sens d'un pittoresque folklorique : avec beaucoup d'art, mêlant l'archaïsme et la simplicité syntaxique, il sait retrouver le ton de la ballade populaire, dans le style de Villon. Adoptant tour à tour la ferveur du cantique spirituel dans « la Rapsode foraine et le Pardon de Sainte-Anne » :

Mère taillée à coups de hache,
Tout cœur de chêne dur et bon ; [...]
Prends pitié de la fille mère,
Du petit au bord du chemin...
Si quelqu'un leur jette la pierre,
Que la pierre se change en pain !,

la révolte d'un « mobilisé du Morbihan » dans « la Pastorale de Conlie » ou la supplique dans « Cris d'aveugle », « sur l'air bas-breton de *Ann hini goz* », dont la complainte se renforce du retour des rimes en « or » :

L'œil tué n'est pas mort :
Un coin le fend encor.
Encloué je suis sans cercueil.
On m'a planté le clou dans l'œil.

Corbière se fait, dans « Armor », le témoin des misères humaines.

L'inspiration bretonne de « Gens de mer » est plus spécifique : tant par l'utilisation du langage technique et de l'argot maritime que par les thèmes choisis, Corbière revendique son appartenance au peuple de marins. « La Fin », parodie d'« Oceano Nox » contre la description « littéraire » de la mort des marins, proclame l'énergique activité des gens de mer et se termine sur ces vers, emplis d'une sympathie « fraternelle » :

... Qu'ils roulent infinis dans les espaces vierges !...
Qu'ils roulent verts et nus,
Sans clous et sans sapin, sans couvercle, sans
[cierges...
– Laissez-les donc rouler, terriens parvenus !

avec la mention : *À bord. 11 février.*

Le revers de ces poèmes de l'adhésion fraternelle, c'est un sentiment d'impuissance, de « ratage », le sentiment d'être le « paria » : à ce titre, l'aveugle, le sourd (de « Rapsodie du sourd ») sont autant de figures de l'isolement intérieur comme « le Bossu Bitor » de la difformité pitoyable. La dérision est alors la réponse du poète à ce mal d'exister.

L'humour, la poésie

L'autre aspect de Corbière, inséparable du poète breton, est en effet « le Dédaigneux et le Railleur de tout et de tous, y compris de lui-même » (Verlaine). Corbière définit dans « Épitaphe », l'un des poèmes autobiographiques importants, son impression d'être en sursis, c'est-à-dire

Flâneur au large, à la dérive,
Épave qui jamais n'arrive...
Trop Soi pour se pouvoir souffrir.

L'autodérision est à son comble dans « le Poète contumace » :

– La chose est sûre,
C'est bien moi, je suis là – mais comme une rature.

L'humour constitue ainsi l'inévitable « réflexe de défense » (Breton). Le jeu de mots, en rupture avec le bon goût, est une arme contre la convention, tournée aussi contre soi-même (« – Je rime, donc je vis… ne crains pas, c'est *à blanc* »).
Ce réflexe défensif s'exprime, en littérature, par le refus du romantisme larmoyant ou grandiloquent, comme de l'impassibilité de l'Art pour l'Art. En ce sens, la parodie, chez Corbière, est tout un art poétique, comme en témoigne ce quatrain célèbre, parodiant Hugo dans « Un jeune qui s'en va » :

– Hugo : l'homme apocalyptique,
L'homme-Ceci-tûra-cela,
Meurt, garde national épique ;
Il n'en reste qu'un – celui-là !

Si Corbière se méfie de l'éloquence ou du lyrisme, il montre tout autant de défiance à l'égard de l'harmonie ; l'humeur parodique a, pour contrepoint, la brisure du vers, l'équilibre instable du rythme : « Ses vers faux furent ses seuls vrais » (« Épitaphe »). Pierrot triste/gai, Corbière est proche de Verlaine et, plus encore, du Laforgue des *Complaintes*.
Style « heurté », a-t-on dit : la brisure est volontaire, et elle correspond à l'état ultime du texte. « L'auteur polit ses vers pour leur donner l'apparence de l'inachevé, du spontané » (P.-O. Walzer). À cet effet de désarticulation du vers, la ponctuation contribue en grande part : les tirets, les « deux-points », les points de suspension qui vont jusqu'à isoler une strophe entière du reste du poème (« la Pipe au poète ») sont autant de ruptures dans la chaîne de lecture, de mise à distance des lignes qui précèdent ou qui suivent, de marges de rêverie instaurées. L'emploi de majuscules, d'italique, la disposition typographique des poèmes relèvent de cette stratégie de la discontinuité, comme « l'énumération chaotique » (Spitzer) de la « Litanie du sommeil » :

SOMMEIL ! – Caméléon tout pailleté d'étoiles !
Vaisseau-fantôme errant à pleines voiles !
Femme du rendez-vous s'enveloppant d'un voile !

avec ce vers, à la limite de l'engendrement paronomastique :

Beau Conteur à dormir debout : conte ta bourde...

Constitutive d'une poétique de la brisure, la ponctuation, comme la présentation graphique du poème, permet de dépasser les contraintes du langage de la raison commune : « La disposition typographique des *Amours jaunes*, c'est l'ébauche des cryptogrammes d'Apollinaire, de Birot, de Marinetti » (Jean Rousselot).
Surabondante, la ponctuation peut aussi être inexistante : c'est le cas de « Cris d'aveugle », où nulle entrave ne vient interrompre le cours des images de la complainte. Et c'est bien aussi par le pouvoir d'engendrement des images et des mots que se marque le caractère novateur de Corbière. Le surréalisme a vu en lui l'un des fondateurs de l'écriture automatique : « Corbière doit être le premier en date à s'être laissé porter par la vague des mots qui, en dehors de toute direction consciente, expire à chaque seconde à notre oreille et à laquelle le commun des hommes oppose la digue du sens immédiat » (A. Breton, *Anthologie de l'humour noir*).
Mais, en ce siècle finissant, c'est aussi dans la poésie de Rimbaud que le Corbière des « Rondels pour après » trouve sa correspondance : d'une écriture « en éclairs et en ellipses » (Breton), ces « Rondels pour après » constituent d'admirables « Illuminations », qui parachèvent les *Amours jaunes* d'une vision, non dépourvue d'humour noir, où la représentation s'efface.

A. Pierrot-Herschberg

Corneille

CORNEILLE Pierre

(1606-1684)

Le théâtre de Corneille marqua de son empreinte tout le XVIIe siècle. Fruit d'une carrière qui s'ordonne autour de la création littéraire, il apparaît, un demi-siècle durant, comme un dialogue avec le public. Dans une dramaturgie sans cesse renouvelée, fondée sur l'éthique de l'héroïsme et l'esthétique de l'admiration, il est représentation symbolique de la problématique des valeurs sociales de son temps.

L'affirmation du métier d'écrivain

La biographie de Corneille se présente en un triptyque contrasté : on ne sait à peu près rien de sa personne ; de son personnage, on peut établir une image assez nette, qui n'est d'abord que celle d'un modeste bourgeois de robe ; en revanche, sa carrière d'écrivain, que l'on peut suivre avec précision, lui valut une gloire sans égale en son temps. Expliquer l'œuvre par la vie serait donc ici particulièrement hasardeux. C'est, à l'inverse, la prééminence de l'œuvre qui oriente la vie. Dans ses débuts, l'histoire de Corneille s'inscrit dans le droit fil de celle de son groupe social : fils aîné de robins rouennais aisés – mais non pas riches –, appelé à suivre le processus de promotion lente et régulière constant dans le milieu, on lui fait faire de solides études au collège des jésuites, puis son droit, pour le nantir de charges modestes mais honorables, qu'il occupera consciencieusement jusqu'en 1651. Sa vie familiale, sa gestion domestique méthodique s'inscrivent dans le même conformisme.

Mais, dans cet itinéraire sage, la carrière littéraire introduit de brusques distorsions. La première est, en 1629, avec *Mélite,* l'accès à l'écriture et, d'emblée, au succès, et au succès parisien. Ensuite, carrière sociale et carrière d'écrivain se développent parallèlement, sans interférence décisive jusqu'en 1637, où le roi anoblit la famille Corneille, récompensant ainsi en un acte sans précédent l'auteur du *Cid.* Promotion d'autant plus remarquable que le théâtre est un genre alors suspect aux institutions religieuses ; elle marque donc symboliquement la dignité nouvelle que Corneille conquiert pour la création littéraire. Dans les années 1660-1663, troisième distorsion : il donne de son œuvre deux éditions complètes, critiques et monumentales, emblèmes d'une gloire à laquelle nul autre écrivain auparavant n'avait eu droit de son vivant ; dans le même temps, il quitte sa province (où pourtant la vie littéraire est active) pour s'installer à Paris. Pierre Corneille, bourgeois de Rouen, a désormais disparu pour céder la place au « grand Corneille », image vivante de l'écrivain reconnu. Image difficile à assumer lorsque, dans les années 1670, les changements du goût public vouent son théâtre au purgatoire du demi-succès... Ainsi, la carrière de Corneille fait que l'écrivain a « capté » et transformé le petit magistrat et que l'« homme » s'est identifié à son rôle social d'auteur.

Le peu que nous savons de sa personnalité intime, par les quelques confidences biographiques de ses poèmes et les indications de ses biographes les plus sûrs, confirme cet effacement de l'homme au profit de l'écrivain. Tout à l'opposé de son œuvre, il était assez terne : « Corneille était assez grand et assez plein, l'air fort simple et fort commun, toujours négligé et peu curieux de son extérieur [...]. Sa prononciation n'était pas tout à fait nette » (Fontenelle). S'il fréquente les salons littéraires, si, au sommet de la gloire, il est de pair à compagnon avec tous les maîtres de la première génération classique, il n'a jamais brillé dans le monde et guère pratiqué la Cour. Peut-être son œuvre a-t-elle pris sa source dans une passion amoureuse : c'est ainsi qu'il explique, dans *l'Excuse à Ariste* (1637), la genèse de *Mélite*, mais c'est le seul lien direct entre le « moi » intime et l'écriture qui soit attesté, et – que le fait soit vrai n'y change rien – c'est un lieu commun de son temps. Ce que l'on discerne le mieux de sa psychologie, en fin de compte, c'est son caractère d'écrivain conscient de son génie et défendant son œuvre, face aux critiques et aux rivaux, avec une fierté ombrageuse, manifeste dans ses poèmes polémiques, préfaces, *Examens* et dans son attitude devant la gloire montante de Racine.

Nul au XVIIe siècle n'a plus que lui défendu la dignité du métier d'écrivain (y compris dans ses aspects matériels, comme en témoignent ses efforts pour tenter de faire reconnaître la propriété littéraire). S'il a dû, selon les mœurs du temps, dédier ses pièces à des grands ou à des financiers, écrire parfois sur commande et faire partie, en 1635, du groupe des « Cinq Auteurs », il a échappé dès que possible à ces contraintes. Sa stratégie littéraire a été de mettre face à face l'œuvre et le public (le choix du théâtre est, à cet égard, significatif), affirmant ainsi la dignité de la création artistique, non plus comme simple divertissement ou louange des puissants, mais comme activité symbolique autonome.

Un long dialogue avec le public

L'œuvre de Corneille apparaît, au sein du théâtre de son temps, comme un long dialogue avec son public. Sa dramaturgie, fondée sur l'éthique de l'héroïsme et l'esthétique de l'admiration, n'a cessé de se renouveler pour soutenir ce dialogue : l'effort d'innovation y est à la fois défi au public, par l'originalité qu'il génère, et réponse, par la recherche de modulations adaptées aux diverses nuances du goût contemporain. Aussi cette œuvre, dense et variée, est-elle un réceptacle de nombreuses images des valeurs sociales du temps. Mais elle joue comme un prisme aux multiples facettes : loin de s'ordonner en un discours monodique, elle vaut, par sa polyphonie, comme un révélateur de la problématique des valeurs morales, politiques et artistiques.

Ce public est tout d'abord celui des mondains, des « honnêtes gens », milieu qui se développe au premier tiers du XVIIe siècle, à côté du public des « doctes », et où le ton est donné par la jeune noblesse de Cour. Ce milieu pratique l'« art du loisir », est avide de divertissements et de spectacles et favorise un essor du théâtre. Cet engouement, qui coïncide avec le succès de Corneille, se traduit par la création de théâtres (salles et troupes) nouveaux : ainsi, grâce à *Mélite,* la troupe de Lenoir-Mondory s'installe à Paris, où elle donnera naissance au théâtre du Marais, créant, avec l'Hôtel de Bourgogne (jusque-là en situation de monopole), une concurrence qui reflète et facilite la variété des créations.

La culture du public mondain est avant tout moderne. L'influence de la littérature espagnole (sensible chez Corneille : *le Cid, le Menteur*) et italienne y est forte. Son goût est marqué par *l'Astrée* et la pastorale, dont Corneille intègre plusieurs aspects dans son œuvre : décors sylvestres, multiples et surprenants (*Clitandre, l'Illusion*) ; épreuves imposées aux amants ; « chaînes » de concurrences amoureuses contradictoires. De plus, ce public prend un plaisir particulier aux références à l'actualité : références tout extérieures, comme le sont les cadres de *la Galerie du Palais* et de *la Place Royale,* lieux à la mode ou, plus profondément, symbolique applicable aux réalités historiques contemporaines : *le Cid,* par exemple, est une célébration de l'unité nationale pour défendre le pays menacé d'invasion, comme l'a été la France dans sa lutte contre l'Espagne.

Mais, si le public mondain détenait les clefs du succès, seule l'approbation des « doctes » pouvait garantir la consécration. Corneille ne s'est plié qu'avec réticence à leurs exigences. Leur horizon d'attente supposait la référence à la culture antique et la recherche de la « régularité » plus que du spectaculaire. Dans la querelle que déclenchèrent les rivaux de Corneille contre le triomphe du Cid, leurs critiques (manquements aux règles, à la bienséance, à la morale, pillage du modèle espagnol Guillén de Castro) eurent le soutien des « savants » en une coalition qui irrita Corneille.

Plus qu'aucun autre auteur de son époque sans doute, celui-ci a été un maître de l'autocritique littéraire. Au fil des éditions de ses pièces, il ne cesse de les retoucher pour éliminer ce qu'il juge comme des imperfections : l'abondance des variantes montre quelle discipline il s'imposa en ce domaine. Et, en donnant la grande édition de 1660 de ses *Œuvres*, il rédige des *Examens* de ses pièces où il n'hésite pas à blâmer certains de ses choix esthétiques, à défaut de pouvoir les modifier – ce qui eût détruit l'économie d'ensemble de certaines, comme *Horace*. Mais ce travail d'autocritique n'est pas le fruit d'une théorie de « l'art pour l'art » avant la lettre ; il révèle en fait une stratégie. Tout en avouant ou corrigeant certaines imperfections, Corneille rappelle sans cesse que l'orientation fondamentale de sa recherche esthétique est de plaire à plusieurs publics à la fois :

> *Puisque nous faisons des poèmes pour être représentés, notre premier but doit être de plaire à la Cour et au peuple, et d'attirer un grand monde à leur représentation. Il faut, s'il se peut, y ajouter les règles, afin de ne pas déplaire aux savants, et recevoir un applaudissement universel*
>
> **(Dédicace de *la Suivante*)**

De telles formules attestent une claire conscience de la répartition des pouvoirs entre les fractions du public, et la recherche de l'« applaudissement universel » fonde une « stratégie du succès », visant à l'audience la plus large possible. Mais cette multiple alliance entre l'écrivain et ses auditoires est aussi très précisément hiérarchisée : Corneille se soucie du goût des mondains (de la Cour et du peuple, à entendre ici comme les « honnêtes gens ») avant de se préoccuper des exigences « savantes ».

Il réalisa la synthèse des attentes de ces deux publics dans ses tragédies historiques. Il n'est pas l'inventeur de ce genre : la tragédie avait été remise en vogue dès 1634 par Rotrou (*Hercule mourant*), et la tragédie historique imposée l'année suivante par la *Sophonisbe* de Mairet et la *Mort de César* de Scudéry – lui-même, poussé par la mode tragique, avait alors donné *Médée* (1635). Mais quand, en 1640, il inaugure avec *Horace* la série de ses grandes tragédies historiques, il en élabore un modèle original. Elles satisfont aux exigences des doctes et lui valent la consécration dans le genre théâtral alors le plus noble. Mais elles s'inscrivent aussi dans un cadre de référence familier au public mondain. Leurs sujets reprennent des épisodes de l'histoire romaine que l'« honnête homme » avait étudiée dans ses humanités. Plus même, suivant les analyses d'A. Stegmann, ils correspondent aux rares sujets d'histoire romaine que les jésuites (dont on sait le rôle essentiel dans l'enseignement à ce moment) retenaient pour leurs tragédies de collège. Les vues politiques, liées à une problématique d'actualité, qui s'y manifestent sont aussi conformes aux thèses des jésuites : condamnation du machiavélisme, appels à la clémence et à la conciliation. Cette influence est sensible jusqu'à *Pertharite* (1652). Le dialogue entre Corneille et son public se situe donc, au-delà des modes passagères, au plan de toute imprégnation culturelle et idéologique : surtout, dans une telle synthèse, Corneille apporte au théâtre de son temps plus qu'il ne lui a emprunté.

De fait, l'effort d'innovation a été constant chez lui. Dès ses comédies, il avait ouvert des voies nouvelles. C'est à juste titre qu'il écrit, dans l'*Examen* de *Mélite* : « La nouveauté de ce genre de comédie, dont il n'y a point d'exemple en aucune langue, et le style naïf qui faisait une peinture de la conversation des honnêtes gens furent sans doute cause de ce bonheur qui fit alors tant de bruit. » Il faut ajouter que la moindre originalité de l'entreprise n'était pas d'imposer à des salles volontiers turbulentes, voire agitées, un comique en demi-teintes comme celui de ces comédies.

Cet effort d'innovation, sensible dans ses tragédies historiques et, plus largement, à travers la variété de son œuvre, se prolonge dans la dernière partie de sa carrière. Si son succès décline après 1660, ce n'est pas que son génie inventif soit épuisé. Mais les réalités politiques ont évolué, ainsi que le public, qui accorde ses préférences à une nouvelle dramaturgie. Celle-ci, d'ailleurs, s'élabore à partir du modèle cornélien avant de s'affirmer contre lui. Reste que Corneille a été reconnu comme un modèle pour le théâtre de son siècle ; aussi pouvait-il écrire, en annonçant les *Examens* de ses pièces : « Je n'en dissimulerai point les défauts, et, en revanche, je me donnerai la liberté de remarquer ce que j'y trouverai de moins imparfait. Balzac accorde ce privilège à une certaine espèce de gens qu'ils peuvent dire par franchise ce que d'autres diraient d'eux-mêmes par vanité. Je ne sais si j'en suis ; mais je veux avoir assez bonne opinion de moi pour n'en désespérer pas » (*Discours du poème dramatique*).

La dramaturgie cornélienne et l'esthétique de l'admiration

Dans sa dramaturgie, la variété des formes d'expression est grande. Deux aspects fondamentaux sont à retenir. En premier lieu, l'évolution de son esthétique ne se fait pas de façon linéaire : s'il a parcouru presque toute la hiérarchie des genres inscrite dans la poétique théâtrale de son temps, c'est au fil d'un itinéraire que l'on pourrait dire « en étoile ». Après sa première comédie, il passe à la tragi-comédie (*Clitandre*), puis revient à la comédie assez longuement avant d'aborder la tragédie ; au temps de ses grandes tragédies historiques, il fait un retour à la comédie gaie (*le Menteur* et *la Suite du Menteur*) ; plus tard, après des tragédies sombres, il compose des « comédies héroïques » (*Tite et Bérénice*, *Pulchérie*) dans la lignée du *Cid*... Ses pièces se groupent ainsi par petites séries qui explorent chacune les diverses ressources d'un registre d'expression. Autre trait remarquable, il va volontiers vers des extrêmes contrastés : écriture baroque et spectacle foisonnant de *Clitandre* (ou, plus tard, de *la Toison d'or*), composition régulière et décor de « palais à volonté » de *Cinna* ; variante de ce contraste, le passage, au sein du registre tragique, du mythe païen violent de *Médée* à la générosité héroïque de *Nicomède* ou à l'ordre mystique de *Polyeucte*. Variété, donc, et si patente qu'il est impossible de ranger l'œuvre de Corneille dans quelque grande catégorie que ce soit, baroque ou classique : participant de l'une et de l'autre, elle les dépasse et a même pu leur servir de modèle.

Mais à travers cette diversité, des indices d'unité sont sensibles. Sur le plan des formes d'expression, le registre des pièces héroïques à fin heureuse est dominant. Et si l'on envisage les structures de la dramaturgie, les éléments d'unité sont plus nets encore. À cet égard, les *Discours* et *Examens* de 1660, rédigés en partie pour réfuter des critiques de l'abbé d'Aubignac, constituent un outil d'analyse d'une pertinence irremplaçable.

Pour Corneille, « la poésie dramatique a pour but le seul plaisir des spectateurs » (*Discours de l'utilité et des parties du poème dramatique*) ; mais elle est aussi, à travers ce plaisir même, un moyen didactique : en incluant dans le texte des propos de portée générale, en peignant vices et vertus, en suscitant l'identification du spectateur au héros, le théâtre peut éduquer son public ; mais surtout, pour la tragédie, il est le lieu d'une catharsis. Commentant la doctrine d'Aristote, Corneille ajoute à la catharsis par la terreur et la pitié définie dans la *Poétique* celle de l'admiration (au sens propre). Le spectateur moderne, en effet, vivant dans un univers politique et religieux hiérarchisé et stable, n'a pas à en redouter les brusques distorsions, mais à admirer, et donc partager, la force d'être dans cet univers. *L'Examen* de *Nicomède* et la pièce elle-même illustrent cela de façon exemplaire. Cette esthétique repose donc sur la lucidité et la force de héros capables de mener leur éthique jusqu'à son terme. Elle s'accorde mal avec le cadre de référence mythologique ancien, et Corneille a peu utilisé celui-ci sauf pour des pièces à machines, grands spectacles de divertissement, ou bien en faisant subir à la légende des modifications (*Œdipe*).

Baignée de cette éthique néo-stoïcienne, la dramaturgie cornélienne trouve sa pleine expansion dans la tragédie historique à fin heureuse : au terme d'une épreuve, force et lucidité triomphent dans l'acte de générosité et de pardon qui dénoue l'action (*le Cid*, *Horace*, *Cinna*).

Mais l'admiration exige, dans la technique dramatique, des effets étonnants et soutenus. Chez Corneille, l'action est le plus souvent dense, rapide, « chargée de matière », avec de fréquents rebondissements. Le sujet importe plus que les caractères, qui sont construits selon la dynamique du conflit qu'ils représentent plutôt que selon les subtilités de l'analyse : ce sont, selon les termes du temps, des « acteurs » plutôt que des « personnages », des éléments d'une dynamique plus que des êtres dont la peinture trouve sa fin en elle-même. La rhétorique abonde donc en « discours » et débats (tirades), parfois intérieurs (monologues et, dans leur forme la plus poétisée, stances), et, sur le plan de l'*elocutio*, en figures nombreuses et variées, puisées dans le registre des effets destinés à « émouvoir » (antithèses, vocatifs, interpellations, etc.). Le vocabulaire, assez restreint, s'ordonne autour de termes clefs tels que « gloire », « devoir », « mérite », « honneur ».

Cette dramaturgie ne s'accorde que difficilement avec les « règles » et les contraintes de la bienséance étroite ; l'ironie de Corneille est, à cet égard, mordante : « Il faut observer l'unité d'action, de lieu et de jour, personne n'en doute ; mais ce n'est pas une petite difficulté de savoir ce que c'est que cette unité d'action, et jusques où peut s'étendre cette unité de jour et de lieu » (*Discours* [...] *du poème dramatique*). Il adopte une position moyenne : l'unité de temps peut, selon lui, s'étendre à trente heures ; l'unité de lieu, à l'espace d'une ville ; la liberté de l'auteur ne doit pas être excessivement bornée. L'unité d'action « consiste, dans la comédie, en l'unité d'intrigue ou d'obstacle aux desseins des principaux acteurs, et en l'unité de péril » (*Discours des trois unités*). L'unité d'intrigue ou, surtout, de péril permet d'intégrer, pourvu que la cohérence soit sans faille, des conflits multiples à une même ligne de force : ainsi une action foisonnante devient possible ; les événements nombreux du *Cid*, par exemple, forment donc un tout centré sur le péril qui menace le héros.

Le même principe qui privilégie l'admiration, l'effet extraordinaire, guide Corneille dans son rapport aux bienséances : il les respecte, mais refuse d'éliminer par pusillanimité un bel effet. Le *Discours de la tragédie* détaille la dialectique du « vraisemblable », du « vrai » et du « nécessaire ». Le genre pratiqué a ses exigences, qui font le nécessaire ; face au vraisemblable, Corneille n'hésite pas à préférer le « vrai » (le mariage de Rodrigue et Chimène est contre les bienséances, mais il est vrai), ou à définir un « vraisemblable extraordinaire » qui, pour construire une action exemplaire, dépasse la vérité particulière (le vrai historique) et le vraisemblable ordinaire (la bienséance timide) : par exemple, *Nicomède* ou *Héraclius* font subir à l'histoire des modifications, mais permettent ainsi d'organiser une intrigue propice à l'effet d'admiration. Ainsi, les sources ne peuvent pas être non plus des contraintes absolues. Corneille prend d'ailleurs plaisir, dans ses préfaces et *Examens*, à manifester son érudition (vers les doctes) tout en les appelant au critère décisif du succès (mondain).

Cette dramaturgie, aussi indépendante que possible et novatrice, trace donc, entre la discontinuité des pièces baroques, les tentations de la tragédie romanesque (où s'illustrait son frère Thomas) et la régularité classique, une voie originale.

La dramaturgie cornélienne et la crise des valeurs nobiliaires

Dans cette esthétique de l'admiration, le conflit dramatique fondamental s'organise autour d'un personnage confronté à la difficulté d'exercer sa liberté de décision et d'action. Dans les comédies, cette liberté se heurte à l'emprise de la passion amoureuse, née dans l'éblouissement du premier regard : la lutte s'engage alors entre le désir d'indépendance et d'affirmation de soi du personnage central et le devoir amoureux que la passion impose. Dans les tragédies (et en cela, la cohérence structurelle de l'œuvre est, au sein de sa variété, remarquable), la volonté d'affirmation de soi s'exprime dans le désir de « gloire », volonté d'imposer la reconnaissance du mérite personnel. Le conflit tragique se construit entre celui-ci, les obligations de lignage (l'honneur), du service de l'État (le devoir) et de l'éthique amoureuse. Ainsi se réalise l'alliage de réflexion politique et d'essai d'éthique individuelle qui caractérise le théâtre cornélien.

Certes, sa variété confère à celui-ci des significations multiples : regards sur la morale amoureuse, analyse politique, observations sur le présent, inspiration religieuse (sensible dans les tragédies et prolongée par la traduction de l'*Imitation de Jésus-Christ*) et méditation sur l'histoire s'y conjuguent. Mais l'existence d'un « noyau » dramatique permanent incite à rechercher une perspective d'interprétation capable de dégager les lignes de force de ces significations. La plus probante est celle qui se fonde sur le rapport avec le public essentiel, le public nobiliaire.

C'est à travers le prisme de l'œuvre d'art que les vues et attitudes de l'ordre nobiliaire apparaissent dans le théâtre cornélien. L'image qu'il en donne est celle d'une problématique et non la transcription ou le reflet direct de faits d'actualité. Ceux-ci pouvaient susciter la réflexion sur tel ou tel aspect des pratiques politiques (*Cinna* s'inscrit ainsi dans un contexte où la révolte des Va-nu-pieds normands et sa répression avaient attiré l'attention sur le choix entre punition et pardon), mais il s'agit seulement d'échos, non du sujet lui-même. La problématique se situe donc sur le plan de l'idéologie.

Le héros cornélien est porteur des valeurs nobiliaires ; le conflit dramatique est symbole de la confrontation de celles-ci avec une situation historique où elles trouvent difficilement leur place, le renforcement de l'État monarchique limitant la liberté de l'aristocratie (interdiction du duel, diminution des pouvoirs des gouverneurs de province, etc.). Les valeurs nobiliaires, nées dans l'ordre féodal et foncièrement individualistes et/ou gentilices, ne s'intègrent pas sans crise à ce nouvel ordre, dans lequel l'État domine l'individu et le lignage. La tragédie historique à fin heureuse correspond, sur le plan idéologique, à une image de conciliation entre les dynamiques nobiliaires et étatiques. Mais lorsque le détenteur du pouvoir impose des exigences abusives, ou, pire encore, lorsque le pouvoir devient une fin en soi et nie toutes les valeurs et aspirations individuelles, la tragédie dérive vers une vision pessimiste. Au fil de l'œuvre cornélienne se dessinent diverses spécifications de cette crise d'adaptation (temps d'espoirs à l'époque de Louis XIII, d'inquiétudes et de désillusions, mais avec des retours optimistes ensuite) qui éclairent chaque pièce et révèlent, dans l'ordre symbolique, au-delà des constantes de la pensée politique de Corneille (respect de la monarchie, loyauté, conciliation), la vision qu'il avait de son temps.

	VIE	ŒUVRE
1606	**6 juin :** naissance de Pierre Corneille, à Rouen, dans la maison familiale de la rue de la Pie, où il résidera régulièrement jusqu'en 1662. Son père, maître des Eaux et Forêts de la vicomté de Rouen, est dans une aisance convenable. Sa mère, Marthe Le Pesant, est la fille d'un avocat de Rouen.	
1610	**Assassinat d'Henri IV.**	
1615	Pierre Corneille fait ses études au collège des jésuites de Rouen. Il obtient des prix de vers latins, en troisième (1618) et en première (1620).	
1622	Encore collégien, il s'éprend de la fille d'un maître des comptes rouennais, amour évoqué dans l'*Excuse à Ariste*.	
1624	**Richelieu devient le personnage le plus influent du Conseil du roi.** Corneille, licencié en droit, est reçu avocat stagiaire au parlement de Rouen. Il ne plaide pas, mais s'initie à la pratique.	
1625	Naissance de Thomas Corneille.	
1628	Le père de Pierre Corneille achète pour son fils deux charges d'avocat du roi : aux Eaux et Forêts et en l'Amirauté de France de Rouen. Ces charges sont payées 11 600 livres, leur valeur est donc modeste. Corneille représente les intérêts du roi dans des questions d'administration et de police de la Seine et des forêts de Normandie. Il exercera régulièrement ses fonctions jusqu'en 1650.	

	VIE		ŒUVRE
		1630	**(Saison 1629-1630) :** *Mélite,* comédie par la troupe de Mondory, à Paris. Les trois premières représentations obtiennent un résultat médiocre, puis le succès s'affirme.
		1631	**(Saison 1630-1631) :** *Clitandre ou l'Innocence persécutée,* tragi-comédie.
		1632	**(Saison 1631-1632) :** *la Veuve,* comédie. 20 mars : Édition de *Clitandre,* accompagnée des *Mélanges poétiques,* recueil des vers de jeunesse de Corneille.
		1633	**(Saison 1632-1633) :** *la Galerie du Palais,* comédie. **12 févr.** : édition de *Mélite.* Durant l'été, la Cour séjourne en Normandie. Mondory joue devant le roi une pièce de Corneille. Celui-ci, invité par Harley, archevêque de Rouen, à écrire des vers en l'honneur du roi et de Richelieu, compose l'*Excusatis,* où il définit sa conception de l'art.
		1634	**(Saison 1633-1634) :** *la Suivante* (?), *la Place Royale ou l'Amoureux extravagant,* comédies. **Mars :** édition de *la Veuve,* avec un *Avis au lecteur* où il prend position, de façon nuancée, à propos des règles. Édition de l'*Excusatis.*
1635-1648	**Guerre contre l'Espagne.**	**1635**	**(Saison 1634-1635) :** *Médée,* tragédie. **4 mars :** Corneille collabore à *la Comédie des Tuileries,* du groupe des Cinq Auteurs (Corneille, Colletet, L'Estoile, Rotrou, Boisrobert), dirigé par Richelieu.
1636	**L'armée espagnole envahit le nord de la France.**	**1636**	**(Saison 1635-1636) :** *l'Illusion comique,* comédie.
1637	**27 janv. :** le père de Corneille est anobli.	**1637**	**Début janv. :** *le Cid,* tragi-comédie. Immense succès. **8 janv. :** *la Grande Pastorale,* des Cinq Auteurs, dont Corneille. **20 févr. :** édition de *la Galerie du Palais* et de *la Place Royale.* **23 mars :** édition du *Cid,* dédié à la nièce de Richelieu. **De fin mars à décembre :** polémique autour du *Cid.* Scudéry et Mairet critiquent Corneille. *Les Sentiments de l'Académie sur « le Cid »* expriment un jugement prudent, mais réticent.
1638	**Oct. :** le Trésor royal manquant d'argent, des charges nouvelles sont créées ; celle de Corneille se trouve ainsi dédoublée. Corneille fait opposition à cette décision, qui déprécie son office ; en vain.		
1639	**12 févr. :** mort du père de Corneille. Pierre devient tuteur de son frère et de sa sœur, mineurs.	**1639**	**16 mars :** édition de *Médée* et de *l'Illusion comique.*
		1640	**19 mai :** première d'*Horace,* tragédie. Corneille en avait donné auparavant des lectures, et une représentation avait eu lieu devant Richelieu.
1641	Mariage, facilité par Richelieu, avec Marie de Lampérière, fille du lieutenant particulier des Andelys.	**1641**	**15 janv. :** édition d'*Horace,* dédié à Richelieu.
1642	**10 janv. :** baptême de Marie, première fille de Corneille. **4 déc. : mort de Richelieu.**	**1642**	**Août :** *Cinna,* tragédie. Grand succès.
1643	**14 mai : mort de Louis XIII.** **7 sept. :** baptême de Pierre, deuxième enfant de Corneille. Corneille reçoit une gratification de Mazarin.	**1643**	**Janv. :** *Polyeucte,* tragédie. **18 janv. :** édition de *Cinna,* dédié à Montoron, financier. Corneille écrit, pour la mort de Richelieu et de Louis XIII, des vers très sévères à l'égard de l'un et de l'autre. **20 oct. :** édition de *Polyeucte,* dédié à la reine.
1644	**12 août :** échec de sa candidature à l'Académie française.	**1644**	**(Saison 1643-1644) :** *la Mort de Pompée,* tragédie ; *le Menteur,* comédie.

	VIE		ŒUVRE
			(suite 1644) **16 févr. :** édition de *la Mort de Pompée,* dédiée à Mazarin, avec un *Remerciement* à celui-ci pour la gratification qu'il a attribuée à l'auteur. **31 oct. :** édition du *Menteur.* Corneille réunit ses *Œuvres* en un volume.
		1645	**(Saison 1644-1645) :** *la Suite du Menteur,* comédie ; *Rodogune,* tragédie. **30 sept. :** édition de *la Suite du Menteur.* **14 oct. :** Corneille est invité à composer des sixains pour accompagner les gravures de Valdor, destinées à célébrer *les Triomphes de Louis le Juste* et, surtout, à faire de la propagande pour Mazarin.
1646	**21 nov. :** nouvel échec à l'Académie. **31 déc. :** remise des comptes de tutelle de Thomas. Naissance de François, deuxième fils de Corneille.	**1646**	**(Saison 1645-1646) :** *Théodore,* tragédie.
1647	**22 janv. :** Corneille est élu à l'Académie.	**1647**	**(Saison 1646-1647) :** *Héraclius,* tragédie. **31 janv. :** édition de *Rodogune.* **28 juin :** édition d'*Héraclius,* dédié au chancelier Séguier.
1648	**Début des troubles de la Fronde.**		
		1649	**22 mai :** édition des *Triomphes de Louis le Juste.* **22 août :** un sonnet de Corneille en faveur de la paix civile. Dans la querelle des sonnets de *Job* et d'*Uranie,* Corneille donne deux sonnets et une épigramme, ironique, refusant de prendre parti.
1650	**Févr. :** le procureur des États de Normandie, frondeur, ayant été destitué, Corneille est nommé à sa place. Il vend ses charges d'avocat (mars). **5 juill. :** Thomas Corneille épouse Marguerite de Lampérière, belle-sœur de Pierre ; les deux ménages vivent ensemble. Naissance de Marguerite, quatrième enfant de Corneille.	**1650**	**(Saison 1649-1650) :** *Andromède,* tragédie ; *Don Sanche d'Aragon,* comédie héroïque. **14 mai :** Édition de *Don Sanche d'Aragon.*
1651	Le procureur des États de Normandie dont Corneille avait pris la place est rétabli dans ses fonctions. Corneille reste sans emploi, et sans dédommagement.	**1651**	**Févr. :** *Nicomède,* tragédie. **13 août :** édition d'*Andromède.* **15 nov. :** parution de la traduction de l'*Imitation de Jésus-Christ* (les 20 premiers chapitres).
1652	(?) Naissance du cinquième enfant de Corneille, Charles.	**1652**	**(Saison 1651-1652) :** *Pertharite,* tragédie. Suite de la traduction de l'*Imitation.*
1653	**Fin des troubles de la Fronde. Mazarin rentre à Paris.**	**1653**	**Mars :** dans le *Recueil Sercy,* publication de *De la poésie à la peinture,* où Corneille déplore l'absence de mécénat littéraire. **30 avr. :** édition de *Pertharite.* **30 juin :** l'*Imitation,* livres I et II au complet.
		1654	L'*Imitation,* livre III. Édition in-12° des *Œuvres.*
1655	(?) Naissance de Madeleine, sixième enfant de Corneille.		
1656	Naissance de Thomas, dernier enfant de Corneille. Le *Timocrate* de Thomas Corneille, avec 80 représentations consécutives, est un immense succès.	**1656**	**31 mars :** édition de la traduction complète de l'*Imitation.*
1658	Corneille est présenté à Fouquet, qui le pourvoit d'une gratification.	**1658**	Séjour à Rouen de la troupe de Molière. Pierre et Thomas écrivent des vers galants pour la Du Parc (publiés dans le *Recueil Sercy* de 1660).
1659	Corneille reçoit de Fouquet, pour la dédicace d'*Œdipe,* une pension de 2 000 livres affectée au budget des Entrées. Procédé irrégulier, que révélera le procès de Fouquet.	**1659**	**24 janv. :** *Œdipe,* tragédie commandée par Fouquet. **26 mars :** édition d'*Œdipe,* dédié à Fouquet.

	VIE		ŒUVRE
		1660	*La Toison d'or,* tragédie à machines, à l'occasion des fêtes pour la paix des Pyrénées. Édition en trois volumes in-8° du *Théâtre,* textes revus avec des *Examens* et les trois *Discours.* Édition essentielle.
1661	**Mars : mort de Mazarin. Louis XIV déclare prendre personnellement le pouvoir.** Arrestation de Fouquet (septembre). Corneille obtient une place de page pour son fils aîné, et marie sa fille aînée à un gentilhomme normand.	**1661**	**Mi-févr. :** début des représentations de *la Toison d'or* au théâtre du Marais. Grand succès une année durant.
1662	Pierre et Thomas Corneille s'installent à Paris.	**1662**	**25 févr. :** *Sertorius,* tragédie.
1663	Corneille figure, pour 2 000 livres, parmi les écrivains gratifiés par le roi. Il écrit un remerciement. Désormais, il écrira chaque année un poème à la gloire de Louis XIV.	**1663**	**Janv. :** *Sophonisbe,* tragédie. Polémique contre l'abbé d'Aubignac, à propos de la tragédie. Dans la querelle de *l'École des femmes,* Corneille est hostile à Molière. Luxueuse édition in-folio du *Théâtre.*
1664	Les lettres de noblesse de la famille Corneille sont révoquées. Corneille en obtiendra le rétablissement l'année suivante.	**1664**	**3 août :** à Versailles : *Othon,* tragédie (à l'Hôtel de Bourgogne, première le 5 novembre).
		1665	**Févr. :** édition d'*Othon.* **Août :** édition de la traduction des *Louanges de la Sainte Vierge.*
		1666	**28 févr. :** *Agésilas,* tragédie ; échec.
		1667	*Attila,* tragédie, jouée par la troupe de Molière. **Nov. :** édition d'*Attila.*
		1669	Traduction de l'*Office de la Vierge.* Avec la représentation de *Britannicus,* la rivalité entre Corneille et Racine, déjà sensible depuis 1665 (*Alexandre,* de Racine), devient polémique ouverte.
		1670	**28 nov. :** *Tite et Bérénice,* tragédie jouée par la troupe de Molière en concurrence avec la *Bérénice* de Racine.
		1671	**16 janv. :** *Psyché,* comédie-ballet à laquelle Corneille collabore avec Molière et Quinault. **24 janv. :** édition de *Tite et Bérénice.*
		1672	**Nov. :** *Pulchérie,* tragédie jouée au théâtre du Marais.
		1673	**20 janv. :** édition de *Pulchérie.*
		1674	**Déc. :** *Suréna,* tragédie.
1675	Suppression de la gratification accordée à Corneille.	**1675**	**2 janv. :** édition de *Suréna.*
		1682	Dernière édition, revue par Corneille, de son *Théâtre* (4 volumes in-12°).
1683	La gratification est rétablie.		
1684	**1er oct. :** décès de Pierre Corneille.		
1685	**2 janv. :** Thomas Corneille est reçu au fauteuil de son frère à l'Académie française. Discours de réception de Racine, qui fait l'éloge de Pierre Corneille.		

De *Mélite* au *Cid*

Les cheminements de l'héroïsme cornélien (1629-1637)

Les premières comédies de Corneille empruntent à la pastorale en particulier le thème de la mise à l'épreuve de la fidélité amoureuse. Mais elles ont pour cadre le monde parisien et pour personnages des « honnêtes gens » peints au vrai. Réalisme limité pourtant : l'intrigue reste conventionnelle. Deux contraintes y menacent l'amour : d'une part, les héros mettent leur gloire à ne pas se laisser aliéner par leur passion ; d'autre part, ils sont lucides quant aux réalités sociales, familiales, financières qui pèsent sur celle-ci. Dans ces pièces, les héros, dans leur refus de la passion, mettent à l'épreuve l'être aimé. Le résultat peut être optimiste quand l'amour sort triomphant de l'épreuve (*Mélite*), teinté d'amertume (*la Suivante*), voire inquiétant (*la Place Royale*).

LA SUIVANTE

La pièce a pour héroïne une demoiselle de compagnie, aussi bien née et aussi belle que sa maîtresse, mais pauvre. On la courtise, elle espère un beau mariage, mais lorsqu'il s'agit d'envisager celui-ci, épreuve révélatrice, il apparaît que les galants ne voyaient en elle qu'un moyen d'approcher de sa maîtresse, et elle reste seule.

LA PLACE ROYALE

Alidor et Angélique s'aiment, mais Alidor combat sa passion : pour cela, il entreprend d'aider son ami Cléandre à épouser Angélique (I). Il feint d'aimer ailleurs. De dépit, Angélique accepte un autre mariage (II). Alidor s'empresse de la reconquérir et la convainc de se laisser enlever (III). En fait, c'est pour la livrer à Cléandre, mais un quiproquo révèle la vérité (IV). Pris de remords, il cède à son amour ; mais Angélique, humiliée, entre au couvent, tandis qu'il se livre à un donjuanisme cynique (V).

Le comique (relatif) de ces comédies est donc ambigu : certes, Alidor fait valoir sa gloire, et en cela il préfigure les grands héros cornéliens, mais il est *l'Amoureux extravagant* (sous-titre de la pièce), tourné en dérision, qui met en péril le monde pastoral idyllique. Si l'ensemble des pièces est gai, leur évolution laisse voir les incertitudes de l'éthique amoureuse.

Les trois pièces que donne ensuite Corneille explorent avec audace différents registres dramatiques et représentent une phase décisive dans l'évolution de son œuvre. Le schéma fondamental de sa dramatique s'y dégage.

Médée, premier essai de la forme tragique, est baroque : délaissée par Jason, pour qui elle avait tout sacrifié, Médée la magicienne se venge en faisant mourir leurs enfants et sa rivale : l'échec de l'épreuve de loyauté entraîne un bain de sang. Corneille tire de ce sujet des effets violents, aussi bien thématiques (les personnages sont malfaisants en toute lucidité) que scéniques (Jason se perce de son épée sur scène, tandis que Médée disparaît « en l'air dans un char tiré par deux dragons »). Le conflit de la passion et de l'affirmation de soi y révèle sa puissance tragique.

L'Illusion comique utilise aussi le motif de la magie pour construire un jeu d'enchâssements, de spectacles dans le spectacle. Cette structure originale, que Corneille a lui-même qualifiée d'« étrange monstre », outre qu'elle permet de faire l'éloge du théâtre et de ses pouvoirs d'illusion, suscite un monde mouvant où les distinctions entre apparence et réalité ne sont plus sûres.

L'ILLUSION COMIQUE

Un père, désolé de la fuite de son fils loin du foyer familial, demande à un magicien de l'aider à le retrouver. Ce dernier lui promet de lui montrer les aventures du fils : s'instaure ainsi une première situation de spectacle dans le spectacle (I). Clindor (le fils) est devenu serviteur du capitan Matamore, et amant d'Isabelle, que son maître courtise (II). Il joue aussi de sa séduction auprès de Lyse, suivante d'Isabelle. Déçue, elle le dénonce à Adraste, son rival, qu'il est contraint de tuer (III). Clindor est emprisonné et condamné. Mais Lyse, se sacrifiant par amour, aide Isabelle à le faire évader (IV). On les retrouve en haut rang, à la cour d'un pays étranger. Clindor courtise l'épouse de son maître, est surpris et tué par les gardes de celui-ci. En fait, c'est une seconde situation de théâtre dans le théâtre : Clindor et Isabelle sont devenus comédiens, et cette mort n'était que le dénouement de la pièce qu'ils jouaient ; la scène finale les montre comptant la recette (V).

Le personnage de Matamore, parodie du héros guerrier, est un mythomane saisi par le vertige de ses affabulations épiques. Le jeune premier Clindor est tantôt amoureux passionné et idéaliste, tantôt volage, si bien que le spectateur peut croire un moment que l'acte V (où on le voit infidèle) est la suite de l'histoire relatée aux actes II à IV, alors qu'il s'agit de la représentation d'une pièce intérieure. Le thème du théâtre dans le théâtre est, à la même époque, présent dans la *Comédie des comédiens* – celle de Gougenot et celle de Scudéry –, dans les *Songes des hommes éveillés* de Brosse ; mais, chez Corneille, il entraîne une complexité maximale de l'ambivalence des formes et des personnages, des jeux de duplication et de duplicité.

Le Cid représente l'achèvement de cette phase, et une mutation essentielle, en instaurant la problématique héroïque amoureuse et politique à la fois.

LE CID

À la cour de Castille, au temps de la Reconquête, deux grands (don Diègue et le Comte) s'affrontent pour l'emploi de gouverneur de l'Infant. Offensé, don Diègue demande à son fils Rodrigue de le venger, malgré l'amour idyllique qui unit ce dernier à Chimène, fille du Comte (I). Rodrigue tue le Comte. Chimène, suivant son devoir, en demande justice (II). Rodrigue promet à Chimène de ne pas fuir le châtiment de son crime ; elle s'engage à mourir aussitôt après lui. Don Diègue requiert son fils de s'opposer à une invasion qui menace le pays (III). Tandis que Rodrigue revient vainqueur, Chimène maintient ses poursuites et exige un duel judiciaire (IV). Vainqueur encore, et pardonné du roi pour son duel, Rodrigue se voit promettre la main de Chimène (V).

La pièce se structure donc en une succession de conflits exemplaires entre l'amour et les lois de l'honneur, puis entre celui-ci et les intérêts d'État. Le conflit entre l'ordre gentilice et l'ordre étatique y est dépassé grâce à la conquête par le héros de sa gloire, qui puise dans la passion amoureuse ses motivations décisives. Le mouvement est optimiste, et le type-cadre choisi, en situant l'action dans un État en construction, offre au héros un terrain propice à une affirmation de soi conciliable avec le bien public. La pièce prenait son retentissement dans une problématique d'actualité (interdiction des duels ; avance de l'armée espagnole jusqu'à Corbie) où l'interrogation sur l'unité de l'ordre nobiliaire et son obéissance au pouvoir monarchique était particulièrement motivée. Elle eut, malgré la polémique déclenchée par les rivaux de Corneille, un succès prodigieux qui atteste la coïncidence entre cette dramaturgie nouvelle et l'orientation idéologique du public.

D'*Horace* à *Pertharite*

Les tragédies à héros triomphants (1639-1652)

Après un silence de quelques années, consécutif à la querelle du *Cid*, Corneille revient au théâtre avec des pièces conçues de façon à désarmer ses critiques : s'ouvre ainsi la série de ses tragédies historiques (où les deux « *Menteurs* » sont un intermède, et *Don Sanche* et *Andromède* deux digressions qui restent proches des tragédies par leur thématique). Les tragédies de cette période présentent toutes des héros triomphants. Cependant, on peut en distinguer deux sortes. Au début, en continuité avec *le Cid*, le héros et le pouvoir d'État se concilient et se soutiennent. Dans un second temps, le conflit entre eux s'aggrave, et la rupture n'est évitée que grâce à la magnanimité du héros. *Horace* et *Cinna* sont les pièces de la conciliation.

HORACE

Rome et Albe s'affrontent. Plutôt que de faire durer la guerre, les deux cités décident de s'en remettre à un combat entre leurs champions (I). Le choix de Rome se porte sur les trois Horaces, celui d'Albe sur les trois Curiaces ; or ils sont beaux-frères : malgré les plaintes de Camille, sœur des Horaces et « maîtresse » d'un Curiace, et de Sabine, sœur des Curiaces et épouse d'un Horace, ils acceptent, poussés par le vieil Horace (II). Tandis que la famille se désole, le vieil Horace annonce que les Curiaces semblent l'emporter : deux Horaces sont morts, et le troisième en fuite (III). Revirement : Horace revient, après avoir à lui seul triomphé enfin. Sa sœur Camille le blâme : il la tue ; son épouse Sabine est au désespoir (IV). Le roi Tulle, sollicité de punir le meurtre de Camille, fait grâce à Horace, et Sabine accepte de rester en vie auprès du vainqueur de ses frères (V).

Dans *Horace*, le héros, identifiant sa gloire et le devoir d'État, combat sans hésiter, quand Rome le lui demande, ses beaux-frères Curiaces, héros d'Albe, la cité rivale. Sa sœur Camille, restée fidèle au souvenir de Curiace mort, se dressant contre lui, il la tue. Le roi pardonne ce crime : le pouvoir dans un monde en formation (l'action se situe aux origines de Rome) place au-dessus des lois le héros qui est son soutien.

Cinna se situe aussi aux origines d'un ordre étatique, celui de la Rome impériale.

CINNA

Auguste a établi son pouvoir par la violence. Émilie, pour venger son père qui en a été victime, invite Cinna, descendant de Pompée et favori d'Auguste, à former un complot contre celui-ci : elle fait de la vengeance la condition de son amour (I). Auguste annonce son intention d'abdiquer. Cinna, pour ne pas perdre le bénéfice de son complot, l'en dissuade (II). Maxime, l'autre favori, lui aussi chef du complot, trahit Cinna en espérant pouvoir ainsi épouser Émilie. Cependant Cinna essaye de persuader celle-ci de renoncer à la rébellion (III). Auguste, informé, hésite sur sa conduite. Émilie repousse Maxime (IV). Devant Auguste, Cinna maintient son attitude de défi. Auguste, par un effort de volonté, pardonne ; les rebelles font vœu d'obéissance (V).

Ici, les intérêts personnels du héros (son amour et le lignage de Pompée, héros de la République) le poussent à la révolte contre le pouvoir. Sa lucidité lui montre pourtant la prééminence des intérêts d'État. Le conflit se résout par l'acte de clémence, qui élève le prince contesté au-dessus du héros et permet à celui-ci de venir à une résipiscence honorable. L'ordre nobiliaire et le pouvoir centralisé trouvent ainsi un nouvel équilibre, où le héros peut assumer sa gloire en s'identifiant à celle du prince dont il devient le soutien et le conseiller. La passion amoureuse transcendée par la « générosité » est détournée de sa violence perturbatrice pour intégrer sa force à la consolidation de l'ordre (une telle éthique se retrouve chez Descartes).

Le thème de l'épreuve d'amour prend donc dans *Cinna* une dimension nouvelle. *Polyeucte* va plus loin encore dans cette transformation de l'éthique amoureuse, en l'inscrivant dans un ordre non plus politique mais religieux.

POLYEUCTE

En Arménie conquise par les Romains, Polyeucte, noble arménien et gendre du gouverneur Félix, a embrassé la foi chrétienne. Survient alors Sévère, envoyé de l'empereur et jadis amant de Pauline, épouse de Polyeucte (I). Tandis que Pauline apprend à Sévère son mariage, Félix fait préparer un sacrifice en l'honneur de l'envoyé impérial (II). Polyeucte et son ami Néarque brisent les idoles au moment du sacrifice. Félix fait exécuter Néarque (III). Pauline tente de convaincre Polyeucte de renoncer à sa foi ; en vain. Cependant Sévère décide d'user de clémence envers les chrétiens (IV). Devant l'obstination de Polyeucte, Félix le condamne à mort, croyant complaire à Sévère et à l'empereur. Mais Pauline se convertit alors ; « désabusé », Félix se convertit à son tour et Sévère laisse entendre que sa propre conversion est proche (V).

Quoique profondément épris de son épouse, Polyeucte se sacrifie pour la foi chrétienne qu'il éprouve, et convertit par là même celle qu'il aime. Une fois encore, la pièce se situe dans une dynamique où, aux origines d'un monde nouveau (la chrétienté), les valeurs humaines individuelles peuvent se subsumer dans un ordre supérieur. Cependant, après avoir prolongé cette recherche dans *Théodore*, Corneille renoncera, devant les réticences du public, à cette christianisation de sa tragédie.

Une autre série de pièces – avec laquelle *la Mort de Pompée* fait transition – présente des héros confrontés à un pouvoir injuste ou tyrannique. Ainsi apparaissent des souverains machiavéliques, comme le Ptolomée de *la Mort de Pompée*, qui abat Pompée pour complaire à César vainqueur, ou la Cléopâtre de *Rodogune* : cette reine de Syrie a fait mourir son époux qui l'avait délaissée pour Rodogune ; elle offre le trône à celui de ses deux fils qui fera mourir celle-ci ; mais la fidélité mutuelle des frères fait échouer la manœuvre. Dans *Héraclius* et *Pertharite*, les souverains sont des tyrans usurpateurs que le héros peut légitimement affronter pour rétablir un ordre juste.

Nicomède présente une situation extrême.

NICOMÈDE

Nicomède est le soutien du trône de Prusias, son père. Mais la seconde épouse de celui-ci, Arsinoé, veut l'éliminer pour donner le trône à son fils Attale. Elle a l'appui de Rome, où Attale a été élevé et dont Nicomède est l'adversaire. Ce dernier est emprisonné, mais le peuple se soulève. Le héros triomphe, mais il rend le trône à son roi.

L'impulsion qui permet la conciliation ne vient plus du prince, mais du héros qui, dans une tension extrême de l'effort de gloire, refusant de désespérer de l'alliance entre les grands et le roi (or, la pièce fut créée pendant la Fronde), enseigne au monarque une éthique au-dessus des intérêts humains :

Reprenez hautement ce noble caractère.
Un véritable roi n'est ni mari ni père ;
Il regarde son trône et rien de plus. Régnez.

Dans cette série de pièces, la dramaturgie se fait plus violente et évolue vers le pathétique. Face à des héros sans cesse plus maîtres d'eux, les souverains injustes et cruels, tels que Phocas (*Héraclius*), Cléopâtre, Arsinoé (*Nicomède*), remplacent les princes équitables d'*Horace* et de *Cinna*. Dans ce mouvement, les figures féminines, toujours vigoureuses chez Corneille, atteignent à une force extrême, volontiers agressive : face à Cléopâtre, Rodogune, elle aussi, exige l'assassinat de sa rivale. Cette recherche, qui atteste un effort constant de renouvellement, aboutit parfois à des complications extrêmes : ainsi le thème du double, présent dans les comédies, prend une expansion nouvelle, et, dans *Héraclius*, dont l'intrigue repose sur des substitutions d'enfants, il devient difficile de discerner les vraies et les fausses identités. L'échec de *Pertharite* montre que le public ne suivit pas ce mouvement jusqu'au bout.

D'*Œdipe* à *Suréna*

Entre la vision pessimiste et le rêve conciliateur (1659-1674)

De 1652 à 1659, tout en restant à l'écart du théâtre, Corneille travaille, outre la traduction en vers de l'*Imitation*, à *la Toison d'or* et surtout à la grande édition de ses *Œuvres*. Les pièces qu'il compose ensuite sont tout à la fois une mise en œuvre de la dramaturgie qu'il a théorisée et le lieu de recherches nouvelles. On a souvent voulu voir dans ces œuvres de vieillesse l'expression d'un désenchantement, l'amertume d'un grand homme à son déclin. C'est oublier qu'après 1660 Corneille est reconnu comme l'auteur-modèle de la tragédie française et soumis, de ce fait, à une vive concurrence de dramaturges plus jeunes et nouveaux venus, dont Racine est le plus illustre. Pour maintenir son audience, il poursuit son effort de renouvellement esthétique. De fait, dans les pièces de cette dernière période, deux tendances complémentaires se manifestent : une vision tragique de plus en plus pessimiste, mais aussi une vision héroïque et galante inclinant aux dénouements heureux. Un premier mouvement l'oriente vers des pièces dont la problématique centrale devient, non plus la conciliation entre la gloire et l'ordre étatique, mais la lutte pour le pouvoir. La tragédie à fin heureuse cède alors à des œuvres pessimistes, volontiers inscrites dans un univers à son déclin. *Œdipe* en donne les linéaments, mais ce sujet proposé par Fouquet ne convient guère à Corneille : aussi y introduit-il le personnage de Dircé, qui esquisse la problématique du désir de pouvoir vers laquelle il incline alors. Celle-ci se précise dans *Sertorius*. Le héros, dernier résistant contre Sylla, a reconstitué en Espagne une Rome républicaine. Le pouvoir est à sa portée, mais, partagé entre celui-ci et son amour pour la reine Viriate, sans illusions, trahi, il meurt, et avec lui le vieux monde, tandis qu'un héros nouveau, Pompée, se lève dans l'autre camp : première tragédie cornélienne qui, malgré la générosité finale de Pompée envers Viriate, met en scène une lutte implacable pour le pouvoir, où le héros est brisé et meurt avant même le dénouement complet. *Sophonisbe*, dans la même lignée, montre une héroïne qui privilégie sans hésitation son action politique de résistance aux Romains plutôt que son amour et refuse de composer. *Othon* reprend, avec une force particulière, ce thème de la lutte pour le pouvoir, en conflit avec le bonheur personnel.

OTHON

L'empereur Galba doit se choisir un successeur. Les favoris avancent leurs candidats. Le consul Vinius engage Othon, qui aime sa fille Plautine, à briguer la main de Camille, nièce de Galba, et l'empire. Plautine y consent (I). Mais l'affranchi Lacus obtient que l'empire et Camille aillent à Pison, plus facile à dominer (II). Camille, qui aime Othon, résiste à cette décision de Galba. Celui-ci la donne alors, mais sans l'empire, à Othon, qui du coup ne souhaite plus l'épouser (III). L'armée accepte mal Pison, et Vinius pousse Othon à se faire acclamer empereur (IV). Othon triomphe par ruse et gagne ainsi et l'empire et Plautine (V).

Ici, point de grand héros magnanime – pas même Othon, qui renonce à l'amour pour l'empire et réussit plus grâce aux circonstances que par valeur personnelle : vision pessimiste d'un empire déclinant, où le désir de pouvoir justifie tout, et dont le spectateur sait que de tels conflits s'y répéteront. L'« admiration » par étonnement reste possible, non l'admiration par identification. Cette vision pessimiste se prolonge dans *Attila*, où l'exercice d'un pouvoir despotique brise, par ruse et par violence, les êtres qui croient pouvoir rechercher l'alliance de leur désir de bonheur et des exigences politiques. Mais, avant *Attila*, une orientation inverse avait réapparu dans *Agésilas*, où un roi sage se rend maître d'un général ambitieux, et que concluent des mariages satisfaisants pour tous. Corneille retrouve là l'inspiration héroïque « heureuse » où les grands et le roi, l'amour et la politique se concilient. *Tite et Bérénice*, écrite en concurrence avec la *Bérénice* de

Racine, illustre ce second courant des pièces de la vieillesse par une intrigue romanesque. De même, dans *Pulchérie*, l'héroïne, soucieuse de sa vertu et du soin de l'État, fait accepter, par tous, deux mariages qui satisfont ses sentiments profonds.

Ces deux courants se rejoignent en une pièce ultime, qui les transcende : *Suréna*.

SURÉNA

Orode, roi des Parthes, doit sa puissance à son général Suréna. Pour affermir encore son trône, il décide de marier son fils Pacorus à la princesse d'Arménie Eurydice, qui aime Suréna et en est aimée. Palmis, sœur de Suréna et amoureuse de Pacorus, se trouve ainsi sacrifiée ; et, pour les mêmes raisons politiques, Suréna reçoit l'ordre d'épouser une princesse persane. Il refuse, sans pour autant tenter d'arracher Eurydice à Pacorus, et reste strictement dans son devoir. Mais Orode, inquiet de la renommée de Suréna, prend prétexte de son refus pour le faire exécuter.

Le personnage de Suréna est dans la lignée des grands héros : général valeureux, il fait ombrage à son roi. Un mariage politique menace son amour, le fils du monarque étant là son rival. Héros parfait, Suréna refuse de trahir son amour aussi bien que de se défier de son prince. Il meurt assassiné sur l'ordre de celui-ci, le despote mal assuré ne pouvant tolérer la gloire du héros. Cette pièce, à l'écriture subtile et soignée, rétablit donc le héros dans sa grandeur, mais dans une tragédie à fin sanglante, où la crise est sans issue, la conciliation avec le pouvoir impossible : le pessimisme est le point d'aboutissement de la problématique de l'idéologie héroïque, et *Suréna* le crépuscule exemplaire du héros cornélien.

A. Viala

CORNEILLE Thomas

***Thomas Corneille**, dit **Corneille de l'Isle** (1625-1709)*

Frère de Pierre, de dix-neuf ans son cadet, totalement éclipsé aujourd'hui par la gloire de son aîné, il tint en son temps une place de premier rang parmi les poètes dramatiques. Sa tragédie de *Timocrate* (1656), avec quatre-vingts représentations successives, fut le plus grand succès du siècle.

Le fait le plus connu de son existence – hormis son intimité avec son frère, dont il épousa une belle-sœur – demeure son élection à l'Académie française, au fauteuil de son frère, occasion pour Racine de prononcer l'éloge, devenu célèbre, de Pierre Corneille.

Après des études de droit à Rouen, Thomas se tourne, dès l'âge de vingt-deux ans, vers le théâtre et donne une série de comédies très gaies, presque toutes adaptées du théâtre espagnol, mais variées et dont chacune cherche à piquer diversement l'intérêt du public. *Les Engagements du hasard* (1647) exploitent le thème de la belle inconnue qui ne se montre que voilée ; dans *le Feint Astrologue* (1648), un faux astrologue, pris à son propre jeu, est forcé de continuer des prédictions – qui se réalisent ! *Don Bertrand de Cigarral* (1650), outre un caractère intéressant de gentilhomme avare, offre une série de ces rendez-vous nocturnes à quiproquos dont raffolait le public de l'époque ; dans *l'Amour à la mode* (1651), un jeune homme fait la cour à trois jeunes filles à la fois ; *le Berger extravagant* (1653) est une adaptation du roman de Sorel tandis que, la même année, *le Charme de la voix* repose sur une intrigue trop peu vraisemblable pour être théâtrale ; *le Geôlier de soi-même* (1655), souvent appelé *Jodelet prince*, met en valeur le talent du célèbre acteur comique ; *les Illustres Ennemis* (1656) terminent la série. Plus tard, Thomas Corneille donnera, dans le même genre, *le Galant doublé* (1659), pièce assez plate, mais aussi *le Baron d'Albikrac* (1668) qui nous renvoie à la grosse gaieté des vieilles tantes amoureuses et des nobliaux de province. De même, un marquis prétentieux et sot donne vivacité et relief à *la Comtesse d'Orgueil* (1670), pièce qui fut souvent reprise.

Mais la comédie, en ce milieu du siècle, demeure un genre mineur, et Thomas, vingt ans après son frère, se lance lui aussi dans la tragédie avec ce fameux *Timocrate*, qualifié de tragi-comédie à cause de son dénouement heureux, mais en fait tragédie véritable, un peu compliquée et un peu statique, dont le succès nous étonnerait si nous ne songions que Pierre n'avait rien donné depuis l'échec de *Pertharite* et que *Timocrate* ne manque ni d'habileté, ni de fermeté, ni d'originalité. Les tragédies ultérieures sont également des œuvres de qualité. Après une *Bérénice* (1657) assez médiocre, *la Mort de l'empereur Commode* est une pièce vigoureuse, encore que la découverte des tablettes où l'empereur a consigné ses noirs desseins soit un procédé plus comique que tragique. Mais, après *Darius* (1659), *Stilicon* (1660), où un père se résout à commettre un crime pour donner le trône à son fils, multiplie les effets dramatiques et pathétiques. Lui succèdent *Camma et Pyrrhus, roi d'Épire* (1661), puis *Maximian* (1662), *Laodice* (1668), *la Mort d'Hannibal* (1669), beaucoup trop inspirée de *Nicomède*, *Ariane* (1672), la plus racinienne de ces tragédies, la moins « chargée de matière », qui put concurrencer *Bajazet*, *Théodat* (1672), *Don César d'Avalos*, comédie héroïque (1674), *le Comte d'Essex* (1679), dont le thème se rapproche de celui de *Suréna* : la pièce est presque trop bien faite ; certes, les nombreuses volte-face d'Élisabeth, qui donnent d'abord du mouvement à la tragédie, finissent par lasser, mais les caractères des protagonistes, notamment celui de la reine amoureuse et jalouse, sont fort bien dessinés. Enfin *Bradamante* (1695), tragédie carolingienne, fait revivre sur scène l'esprit des romans de chevalerie. Il faut mentionner encore l'opéra de *Bellérophon* (1679) et surtout *le Festin de pierre*, simple mise en vers du *Dom Juan* de Molière, édulcoré, unique forme sous laquelle on joua la pièce jusqu'en 1841.

Thomas Corneille écrivit d'autre part, avec la collaboration de Donneau de Visé, plusieurs pièces, parfois brillantes : *Circé* (1673), tragédie à machines, *l'Inconnu* (1675), comédie à intermèdes et divertissement, *la Pierre philosophale* (1681), *l'Usurier* (1685) et surtout *la Devineresse* (1679), jouée plusieurs mois d'affilée : cette évocation des sortilèges de la Voisin, dont on faisait alors le procès, était remarquable par ses

« effets spéciaux », très poussés et sans doute fort réussis. Les auteurs avaient eu soin d'éviter toute allusion aux crimes de l'empoisonneuse, et leur devineresse, Mme Jobin, n'est qu'une illusionniste, dont les fantasmagories truquées ne dupent que les sots.

On a trop dit que Thomas Corneille n'avait fait qu'imiter son frère, Scarron, Quinault, Racine… En fait, ces imitations évidentes, qui ne choquaient guère en leur temps, n'empêchent pas, dans les comédies comme dans les tragédies, le développement d'une dramaturgie libre et variée, très vivante, très humaine, où la feinte joue un rôle capital, où les héros sont souvent pris à leur propre piège. Il est regrettable que son discours dramatique ne soit pas à la hauteur de son imagination théâtrale ni de son sens de l'intrigue et demeure facile et plat. C'est probablement son principal défaut.

À son activité dramatique, Thomas Corneille ajouta celle de journaliste au *Mercure galant,* dont il deviendra copropriétaire en 1681. C'est aussi un lexicographe de qualité. Académicien, il publia des *Notes sur les remarques de Vaugelas* (1687), un *Dictionnaire des termes d'art et de sciences* (1694) et enfin, malgré une cécité complète, un an avant sa mort, un *Dictionnaire universel géographique et historique.* Il faisait partie de l'Académie des inscriptions depuis 1701.

A. Blanc

COTTIN Sophie

*Née **Sophie Risteau** (1770-1807)*

Elle naquit à Paris dans une famille protestante d'origine bordelaise. Veuve à vingt-trois ans du banquier Paul Cottin, elle se retira dans sa propriété de Champlan près de Longjumeau sans trouver pour autant la paix du cœur : un amant dédaigné se suicida à sa porte, le philosophe Azaïs lui inspira une passion malheureuse et une correspondance qu'admirait Chateaubriand. En 1799, elle avait publié son premier roman, *Claire d'Albe* ; suivirent avec le même succès *Malvina* (1800), *Amélie Mansfield* (1803) et *Mathilde* (1805). Après avoir accompli le rituel du voyage d'Italie (1806), elle revint mourir à Paris. « De toutes les femmes, c'était celle qui décrivait avec le plus de chaleur le bonheur de deux amants dans toute son étendue » (Benjamin Constant). Ni amours paisibles, cependant, ni romans à l'eau de rose. En cette époque dite du premier romantisme, la femme revendique hautement ses droits et son territoire : vivre et décrire des passions forcenées, plus fortes que la contrainte sociale. Révolution des mœurs à laquelle contribuent aussi Mmes de Souza, de Krüdener et bien sûr Mme de Staël. Une révolution où de nouveau la mort est au rendez-vous, cette fois pour avoir trop aimé, dans un décor de tombeaux ombragés de cyprès ou de châteaux gothiques. Ancêtres d'Emma Bovary, les héroïnes de Sophie Cottin font parfois sourire par leur vague à l'âme et leur emphase néo-rousseauiste ; parfois aussi, entre deux périodes, elles atteignent à cette simplicité pathétique que le XVIIIe siècle appelait le sublime : « Tout a disparu, devoirs, époux, honneur ; Frédéric était l'univers et l'amour, le délicieux amour, mon unique pensée » (*Claire d'Albe*).

J.-P. de Beaumarchais

COURIER Paul-Louis

(1772-1825)

Tourangeau né à Paris, Courier est issu de cette bourgeoisie rurale qui, tout en s'élevant financièrement et intellectuellement, reste proche des paysans par ses habitudes de vie et ses traditions antiaristocratiques. Il passe en Touraine une enfance libre, instruit par des parents lettrés qui, malgré son goût très vif pour les textes anciens, l'orientent vers une carrière militaire. Conduit à Paris en 1784, il reçoit les meilleurs maîtres, poursuit l'étude du grec et s'intéresse aux premiers symptômes de la Révolution. Parallèlement, il observe avec lucidité et compassion la misère des paysans de Touraine soumis aux abus féodaux. 1793 marque le début d'une vie d'officier menée sans enthousiasme et entrecoupée de congés plus ou moins licites qui permettent au sous-lieutenant Courier de s'occuper de belles-lettres plus que de canons. En 1798, ses pérégrinations militaires l'entraînent en Italie, où il regarde sans pitié les ravages de l'occupation française. Déjà, il se veut écrivain : il traduit le grec et entreprend une correspondance en forme de journal qui éclaire utilement le reste de son œuvre. Fidèle à l'esprit républicain, il adopte dès 1803 une attitude hostile à l'Empereur, comme en témoignent *les Conseils à un colonel* et une lettre (Plaisance, 1804) dans laquelle il raconte ironiquement comment s'est déroulé, dans son régiment, le plébiscite approuvant l'établissement de l'Empire. Affecté à Naples en 1806, il épie les ridicules du régime napoléonien, dénonce les horreurs de la guerre de Calabre et l'exploitation des humbles, manifestant là un des traits permanents de sa personnalité : la sympathie pour le peuple qui travaille et qui souffre. Plein de mépris pour les conquérants, il démissionne en 1809, s'installe à Paris et fréquente l'helléniste Clavier, dont il épouse la très jeune fille en 1814. Malgré les réticences de la jeune femme, le couple s'établit en Touraine, où Courier, utilisant le pamphlet, se fait le défenseur des paysans. Cette nouvelle carrière est courte mais féconde : en 1816, la *Pétition aux deux Chambres* réclame justice contre les persécutions dont ses voisins sont victimes ; en 1819, dix *Lettres au rédacteur du « Censeur »* démasquent les entreprises des ultras ; fin 1820 deux *Lettres particulières* évoquent en style journalistique des scènes de la vie politique ; en 1821, *le Simple Discours de Paul-Louis* dénonce la manœuvre visant à faire acheter le château de Chambord par le peuple pour l'offrir au duc de Bordeaux. Deux mois de prison ne le font pas taire : il publie en 1822 une collection de lettres dont l'une remet en cause la représentativité des électeurs légaux, puis la *Pétition pour les villageois que l'on empêche de danser,* qui se prononce vigoureusement contre la domination des mœurs par l'Église. Blâmé par le tribunal, il a désormais recours à la publication clandestine : une des *Réponses aux anonymes* présente le célibat des prêtres comme une anomalie malsaine ; le *Livret de Paul-Louis* appelle les soldats à ne pas intervenir en Espagne. En 1823, une *Gazette de village* imaginaire exprime les sentiments du peuple tandis que la guerre arrache les hommes à la terre. La même année, une satire du régime est présentée sous forme d'une lettre de Louis XVIII à son frère. En 1824, Courier proclame sa vocation de pamphlétaire dans le *Pamphlet des pamphlets*.

Le 10 avril 1825, il est abattu d'un coup de fusil. Règlement de comptes politique ou crime ourdi par son garde-chasse avec la complicité de deux domestiques, amants de Mme Courier ? On ne le saura jamais.

Tableau fidèle d'un contexte social vécu, l'œuvre pamphlétaire de Courier se situe surtout à l'époque de la réaction ultra. Sa pensée, assez manichéenne, se définit par l'opposition privilèges pour la noblesse/misère pour le peuple. Il défend la propriété libérée et multipliée par l'abolition de la féodalité et la vente des biens nationaux. On a pu lui reprocher sa peinture trop idéaliste de la vie campagnarde, son incapacité à entrevoir la future servitude du paysan parcellaire, sa critique trop anecdotique et la faiblesse de sa réflexion théorique. N'en demeure pas moins le courage de sa prise de parole en un temps où la censure rend toute dénonciation difficile et dangereuse. Il a sincèrement voulu la liberté, et beaucoup se reconnaissent dans ce désir. Certes, son œuvre est profondément imbriquée dans sa contemporanéité : c'est justement en ce sens qu'elle s'impose comme un témoignage de la pensée antiaristocratique, un moment de la lutte contre l'arbitraire et le despotisme de l'Ancien Régime.

Le pamphlet, art de l'efficacité, exige un vif sens du mot juste et de l'ironie. Courier emprunte à tous les vocabulaires, ne méprise ni le calembour ni la charge. L'apostrophe, le flux verbal savamment gradué, la phrase nominale sont autant de moyens de porter l'estocade. La prose est rythmée, nerveuse, mais charme par l'atmosphère de vie quotidienne tourangelle qu'il excelle à créer. D'un trait, il brosse un décor, anime des personnages. Mais non comme des marionnettes dont il tirerait les ficelles à des fins purement polémiques. Son personnage de « vigneron » lettré n'est pas un masque destiné à lui assurer l'impunité. Courier souffre avec les paysans, vibre de leur exaspération. C'est cette sympathie qui rend efficace sa mission de fustigation.

F. Bagot-Mignonnat

Couronnement de Louis (le)

(composé à la fin du XIIe siècle)

Chanson de geste formée de 2 670 décasyllabes assonancés ; une version courte comprend 315 vers. Appartenant au cycle de *Guillaume d'Orange*, elle est ainsi nommée pour le contenu de ses quelque 200 premiers vers où l'on voit Guillaume, fidèle vassal de Charlemagne, aider l'empereur à transmettre la couronne à son fils après avoir éliminé un usurpateur ; si la version courte se limite à ce récit, les autres versions y ajoutent les premiers exploits du défenseur désormais attitré de la royauté et de la papauté, qui les rétablit deux fois dans leur légitimité, et y gagne son surnom de Guillaume « au court nez ».

Composée à l'époque capétienne, qui a instauré l'usage de couronner un héritier au trône du vivant même de son père, la chanson y a trouvé son fondement historique ; mais elle attribue cette coutume au temps de Charlemagne où elle s'offre, dans le fils de celui-ci, Louis le Pieux, l'image d'un roi peut-être trop « débonnaire ».

SYNOPSIS

Se sentant près de mourir, Charlemagne a réuni sa grande cour à Aix-la-Chapelle pour transmettre la couronne à son fils, Louis, un enfant. Il lui rappelle les devoirs du souverain et les règles d'un bon gouvernement, mais Louis ne répond rien ni ne fait le moindre pas. Un grand seigneur se fait alors fort d'assurer la tutelle du jeune roi, mais Guillaume « au corb nés » [au nez courbe], de deux seuls coups de poing, élimine l'usurpateur potentiel et, d'autorité, place la couronne sur la tête de Louis, dont Charlemagne lui confie la protection.

Parti en pèlerinage pour Rome, Guillaume s'y fait le défenseur du pape contre le roi sarrasin Galafre dont il affronte le champion, le géant Corsolt, en combat singulier ; il en revient le nez raccourci et se rebaptise lui-même « Guillaume "au cort nés" [au nez court] ». Sur le point d'épouser une belle Sarrasine, il est rappelé en France pour secourir Louis, encore menacé et qui s'est réfugié à Saint-Martin de Tours. Quelques beaux faits d'armes ont raison des traîtres, mais il faut trois ans pleins à Guillaume pour pacifier tout le royaume. Rappelé à Rome qu'a envahie Gui d'Allemagne, Guillaume affronte celui-ci en combat singulier, le tue et fait couronner Louis sur le siège de la chrétienté. De retour en France, Guillaume, qui aspire à se reposer, ne le pourra jamais car il y a de nouvelles rébellions à mater ; au service de son roi il aura usé sa jeunesse, ce dont Louis ne lui saura pourtant nul gré.

La juxtaposition de séquences narratives sans lien apparent a fait émettre l'hypothèse d'une composition fragmentée en plusieurs branches indépendantes ; mais dans le va-et-vient répétitif qui s'installe entre la France et Rome se crée l'unité d'une image royale telle que l'a rêvée le XIIe siècle, qui complète le programme de gouvernement enseigné à Louis au début de la chanson : celle d'une monarchie forte et stable, par l'hérédité comme par la fermeté des liens vassaliques, ayant la vocation impériale de gouverner la chrétienté. C'est Guillaume qui couronne Louis, non le pape, qui est lui-même à protéger : car l'empereur des Francs est aussi celui de Rome. Dans l'ordonnance du « petit cycle » où les *Enfances Guillaume* ont fonction d'introduction, cette chanson est la première. Guillaume, qui n'est pas encore « d'Orange », y acquiert l'un des traits caractéristiques de son physique, le nez court (raccourci au cours de son combat avec Corsolt) ; il y manifeste ce qui, dans le reste du cycle, restera une permanence de son comportement et de sa fonction : le soutien inconditionnel à la royauté légitime, quelle que soit la représentation de celle-ci, même faible voire ingrate envers lui comme l'annonce la fin de la chanson, en introduction directe au *Charroi de Nîmes* auquel elle est parfois réunie.

La version courte, qui se limite à la cérémonie du couronnement, y ajoute celle des funérailles de Charlemagne, récit exceptionnel dans la tradition épique : la mort solennelle de l'empereur, siégeant en majesté, inspirera plus tard une chanson de geste franco-italienne, transcrite vers le milieu du XIVe siècle, que la critique a nommée *la Mort de Charlemagne*.

N. Andrieux-Reix

Couronnement de Renart (le)

(v. 1270 ?)

Poème allégorique anonyme composé en Flandre, *le Couronnement de Renart* reprend la tradition animalière du *Roman de Renart* [voir ***Renart (Roman de)***].

SYNOPSIS

La femme de Renart, Ermergart (et non plus Hermeline), pousse son époux à renverser Noble et à se faire couronner à sa place. Renart met au point un plan diabolique, utilisant Isengrin le loup (grand baron comme lui), puis les ordres mendiants, pour parvenir à ses fins. Il répand le bruit qu'une prophétie a annoncé pour la prochaine Pentecôte la mort de Noble, le roi-lion. Accompagné par le prieur des Jacobins, il annonce la nouvelle au roi, lequel décide de préparer sa succession. Le jour de la Pentecôte, les animaux élisent naturellement Renart : sa connaissance interne du mal ne lui permettra-t-elle pas de mieux juger du bien ? Noble meurt le lendemain, emporté par « Orgueil, Envie et Renardie ». Le pape lui-même demande à Renart de venir à Rome lui enseigner le secret de la « renardie », qui seule permet de dominer le monde. Roi et maintenant cardinal, Renart parcourt l'Europe, dont les souverains sollicitent ses conseils.

Aux antipodes des premières « branches » de Renart, le *Couronnement* dénonce la toute-puissance de l'argent et de la ruse. Le poète déplore la disparition du loyal comte Guillaume de Flandre et met en garde l'excellent marquis de Namur (son maître) contre les courtisans. Partisan de l'ordre établi (les anecdotes les plus animalières enseignent qu'il est dangereux et nuisible de chercher à sortir de sa condition), le poète s'en prend aux ordres mendiants et, sans doute, à leur influence sur Saint Louis (comme Rutebeuf l'avait fait dans *Renart le Bestourné*). À la fin de l'œuvre, l'allégorie devient ouvertement satirique et féroce.

La critique politique et sociale joue dans cette œuvre un rôle de premier plan. On ne peut négliger l'arrière-plan socio-économique de la Flandre, où règne une incessante agitation sociale depuis 1225.

D. Boutet

COURTELINE Georges

Pseudonyme de ***Georges Moinaux*** *(1858-1929)*

Dramaturge, fils de l'humoriste Jules Moinaux (1815-1895) – chroniqueur judiciaire au *Charivari* et à la *Gazette des tribunaux*, auteur des *Tribunaux comiques* –, Courteline reçut à Meaux puis à Paris une formation classique, qui lui valut un goût certain pour le pastiche et la parodie des auteurs du Grand Siècle (*la Conversion d'Alceste*, parodie du *Misanthrope*, fut créée à la Comédie-Française le 15 janvier 1895). Une expérience militaire de courte durée au 13e régiment de chasseurs à cheval de Bar-le-Duc (1879-1880) lui fournit les « choses vues » de ses premiers écrits (chroniques réunies dans *les Gaîtés de l'escadron*, 1886, adaptées à la scène en 1895, *le 51e Chasseur* [1887], puis *le Train de 8 h 47*, 1888-1891), tandis que les relations de son père lui assuraient un poste confortable de fonctionnaire au ministère des Cultes : une vie morose de « rond-de-cuir » (tempérée par l'arrangement conclu avec un expéditionnaire qui le déchargeait de son travail), qui inspira à l'humoriste un récit (*Messieurs les ronds-de-cuir*, 1893) et une courte pièce (*Monsieur Badin, Scène de la vie de bureau*, 1897). C'est alors le succès au théâtre avec, principalement, *Boubouroche* (1893) (qu'il adapte d'une nouvelle publiée la même année), *la Peur des coups* (1895), puis : *le Droit aux étrennes* (1896), *Hortense, couche-toi !*, *Théodore cherche des allumettes* (1897), *les Boulingrin* (1898). Suivent *Le gendarme est sans pitié* et *Le commissaire est bon enfant* (1899) et les satires de la justice : *Un client sérieux* (1896), *l'Article* 330 (1900) et *les Balances* (1901). Citons aussi : *la Paix chez soi* (1903) et *J'en ai plein le dos de Margot* [*la Cruche*] (1909), en collaboration avec Pierre Wolff. L'entrée au répertoire de la Comédie-Française de *la Paix chez soi* (1906) et de *Boubouroche* (1910) consacre de façon officielle une carrière dramatique heureuse. En 1917 paraîtra un ensemble de réflexions groupées sous le titre : *la Philosophie de Courteline*. En 1926, l'écrivain sera élu à l'académie Goncourt.

Boubouroche

SYNOPSIS

Boubouroche, colosse au cœur tendre, balourd et bourru, vit l'esprit en paix, « parfaitement heureux » entre sa partie de manille au café et les visites régulières qu'il rend à Adèle, une petite bonne femme qu'il entretient depuis huit ans. Un soir, un monsieur très comme il faut l'aborde et lui révèle tout à trac son infortune : Adèle le trompe. Après chaque départ de Boubouroche, derrière la mince cloison mitoyenne, il entend les bruyants ébats amoureux d'Adèle, à laquelle Boubouroche n'accordait jusqu'alors pas plus de sens qu'un « panier à bouteilles ». Abasourdi, Boubouroche se rend immédiatement chez Adèle, se fait ouvrir une porte dont depuis le temps il ne possède pas encore la clé et pose, à brûle-pourpoint, d'anxieuses questions. Adèle, remontée, nie, se cabre, lui met en main une lampe avec ordre d'aller inspecter jusqu'au moindre recoin de l'appartement. Boubouroche s'exécute à contrecœur ; à ce moment, un malheureux courant d'air souffle la flamme et, dans l'obscurité, Boubouroche aperçoit « un mince tracé lumineux » encadrant les portes d'un grand buffet. Il ouvre. À l'intérieur, un homme attend, confortablement installé dans ce bahut aménagé. Dérangé dans sa lecture, l'homme, distingué, beau joueur, n'accepte de partir qu'après avoir obtenu d'un Boubouroche anéanti, qui a peine à retenir ses poings, l'assurance qu'il ne frappera pas Adèle. Quant à cette dernière, superbe de mauvaise foi, elle assure qu'elle ne connaît pas cet homme et finit par retourner entièrement la situation à son profit en prétendant qu'il s'agit là d'un secret de famille qu'elle ne saurait trahir. Boubouroche, contrit, offre alors son pardon à Adèle qui refuse net, proteste de son innocence et souhaite partir. Elle acceptera finalement de garder son bien-être habituel avec un Boubouroche qui, pour lors, fulmine contre le vieux monsieur délateur et qui finit par entonner son air favori, celui du « Forgeron de la paix ».

Prenant pour thème de ses pièces la vie quotidienne d'une petite bourgeoisie qui lui était familière, Courteline a produit des œuvres grinçantes – farces noires aux résonances ubuesques qui n'allaient pas cependant jusqu'à remettre en cause les fondements d'une société finalement acceptée dans sa médiocrité.

Un théâtre « rosse »...

Courteline, qui commence par écrire des récits, assez brefs d'ailleurs, et souvent composés en « tableaux » aisément transposables à la scène, se montre novateur comme dramaturge, participant au renouveau théâtral des années 1900. C'est en effet au Théâtre-Libre d'Antoine qu'il fait représenter sa première pièce, *Lidoire* (1891), puis *Boubouroche*. Par son goût des pièces courtes (un acte, deux actes au plus), son souci du décor et de la mise en scène, et par les thèmes de ses pièces, Courteline se situe dans la lignée « réaliste » du Théâtre-Libre. Petit bourgeois, il décrit principalement la petite bourgeoisie (classe montante de la IIIe République), dans les tracas de la vie quotidienne. Ses personnages, conformes en cela à la définition classique de la comédie, sont d'une condition moyenne, proche de celle du spectateur de l'époque. Ils ne font pas rêver de lointains aristocratiques et ne se réduisent pas non plus à la convention du vaudeville : l'adultère n'est qu'un sujet parmi d'autres, et encore n'est-il, dans *Boubouroche,* que prétexte à souligner les qualités « humaines » du personnage. Le théâtre de Courteline participe de ce qu'on a appelé à juste titre la « comédie rosse », avec pour visée les relations conjugales, et extra-conjugales, aussi bien que les empiétements des lois et des règlements sur l'existence de l'honnête homme de condition bourgeoise.

... et misogyne

Misogyne, le théâtre de Courteline exploite une tradition gauloise qui n'était pas pour déplaire à son public : tour à tour sirène perfide trompant sans scrupule le petit bourgeois au grand cœur (Adèle, dans *Boubouroche*), jeune écervelée dont un pas de danse suffit à effacer les chagrins conjugaux (Gabrielle, dans *Gros Chagrins,* 1897), dépensière inconsidérée (Valentine, dans *la Paix chez soi*), la femme apparaît rarement de manière favorable. *La Cruche,* pièce écrite sur le tard, met en scène une pauvre fille, humiliée par son amant, et dont l'inconsistance ne permet d'autre sentiment à son égard que la pitié. Mégère grincheuse, harceleuse, sirène futile, le topo est repris sans presque faillir dans un théâtre qui manie les idées reçues tout en inscrivant un fait social d'époque : la condition économique et intellectuelle de la petite bourgeoise, dépendant financièrement d'un mari qui peut à son gré sanctionner les fautes et les manquements à la « règle du ménage » (*la Paix chez soi*), ou d'une femme de condition plus modeste (Margot, dans *la Cruche*).

Au reste, si l'image de la femme « grince » dans l'univers de Courteline, celle de l'homme dans la vie conjugale n'est guère plus optimiste : c'est « Lui », dans *la Peur des coups,* dont la lâcheté égale la jalousie, ou Boulingrin, pantin coléreux qui n'a d'autre symétrique que Madame.

Le petit bourgeois et les pouvoirs

Le théâtre de Courteline, on le voit, n'est pas fondé, sauf cas d'espèce, sur une analyse psychologique détaillée. S'esquissent des « types » de personnages dans des « types » de situations quotidiennes. Ou plutôt le théâtre, comme certains récits, met en scène d'un côté les caricatures : en l'occurrence, les instruments de tous les pouvoirs (militaire, juridique, policier...), de tous les règlements qui contreviennent à la liberté individuelle d'un citoyen, certes, assez bien nourri, qui ne met pas en cause les fondements de la société, mais qui s'irrite des empiétements causés à son existence de tous les jours. De l'autre côté, la victime de ces empiétements, incarnée essentiellement par La Brige, auquel chaque spectateur peut donner l'épaisseur de son identité. Sont visées les tracasseries des sous-chefs, soldats ou fonctionnaires des ministères : celles de l'adjudant Flick des *Gaîtés de l'escadron*, comme celles, dans *Messieurs les ronds-de-cuir*, de La Hourmerie et de Charavax, qui affontent de leur mesquinerie ambitieuse l'aimable paresse de Lahrier. Le thème du récit est repris dans *Monsieur Badin* : au « Venez au bureau, monsieur Badin » du directeur s'oppose le « Je ne peux pas... ça m'embête » de l'expéditionnaire. Sont visées également les injustices du propriétaire (dans *Hortense, couche-toi !*) que seul peut fléchir le rapport de forces établi par La Brige. Ce sont, plus graves encore, les injustices de la justice et de ses gérants, qui sont dénoncées dans *l'Article 330.* La Brige, qui se dit « philosophe défensif », résume en quelques mots la « philosophie » de Courteline : « Je veux dire que, déterminé à vivre en parfait honnête homme, je m'applique à tourner la loi ; partant, à éviter ses griffes. Car j'ai aussi peur de la loi qui menace les gens de bien dans leur droit au grand air que des institutions en usage qui les lèsent dans leurs patrimoines, dans leur dû et dans leur repos », tandis que la proclamation du président manifeste son absurdité : « Considérant, enfin, que si les juges se mettent à donner gain de cause à tous les gens qui ont raison, on ne sait plus où l'on va, si ce n'est à la dislocation d'une société qui tient debout parce qu'elle en a pris l'habitude [...] Déclare La Brige bien fondé en son système de défense [...], l'en déboute cependant... » Les contradictions de la justice sont soulignées aussi dans *les Balances* et plus encore dans *Un client sérieux*, pièce qui fait tenir à Barbemolle tour à tour le rôle d'avocat et celui de substitut, avec le même sérieux bouffon, plaidant d'abord en faveur, puis à l'encontre de Lagoupille. C'est le personnage ubuesque du gendarme « sans pitié » Labourbourax qui verbalise à tort et à travers et qui ne cède que sous la pression d'un chantage implicite, ou encore la folie du *Commissaire est bon enfant.*

Le commissaire est bon enfant

SYNOPSIS

Le Commissaire, personnage toujours à cran, et qui ne cesse de tisonner son poêle, reçoit d'abord un monsieur qui souhaite porter un revolver pour se défendre. Il le renvoie rapidement avec des arguments spécieux, puis convoque M. Punez, l'homme de service, à qui il reproche de ne pas assez désencombrer son bureau des dossiers, qu'il considère comme inutiles. Se succèdent ensuite une dame, qui craint pour la raison de son mari et que le Commissaire congédie après l'avoir traitée avec la même mauvaise foi consternante, expression de son impuissance hargneuse ; puis un certain Breloc qui, rapportant une montre qu'il a trouvée, finit par se faire coffrer manu militari par le Commissaire subitement soupçonneux ; enfin, Floche, personnage inquiétant, redoutable « faiseur d'embarras » qui le plus naturellement du monde boucle la porte à clé, braque un revolver sur le Commissaire, puis le menace de sa canne-épée avant de l'enfermer dans le placard à charbon et de sortir comme si de rien n'était. Délivré par ses agents, le Commissaire jaillit de son cachot comme un diable de sa boîte en criant : « Au fou ! »

De façon cependant significative, la bêtise des subordonnés trop zélés est compensée par la générosité de leurs supérieurs. Les valeurs établies ne s'effondrent pas complètement : il y a de bons chefs. Nègre, chef du département des Dons et Legs, rejoint, par-dessus la hiérarchie intermédiaire, l'oisiveté détendue de Lahrier, de même que Boissonnade, procureur de la République, protège l'honnête baron Larade des outrances de Labourbourax, et qu'Hurluret, malgré ses ridicules, montre de la bienveillance pour ses hommes.

La portée de la satire est limitée : il n'en reste pas moins que l'honnête homme n'est pas toujours sauvé par une intervention inespérée. C'est d'ailleurs un aspect de la modernité de Courteline que de désacraliser le *deus ex machina.*

Une écriture courtelinesque ?

Il est une écriture ou, si l'on veut, des écritures courtelinesques, tant le dialogue se fait mimétique des « parlures » des personnages : proche de la langue quotidienne, avec ses familiarités et ses ellipses syntaxiques, transcrivant les apocopes (« dam'… vous savez c'que c'est ») ou les particularités de prononciation (« Lidouère »), l'écriture de Courteline est à l'écoute des parlers populaires qui s'entrecroisent avec les jargons techniques : militaire (jurons, expressions populaires et argot militaire se mêlent dans *les Gaîtés de l'escadron*), administratif (le gendarme Labourbourax), jusqu'aux envolées de l'éloquence juridique. Le langage est alors l'élément d'un « pittoresque social » qui confine à la bouffonnerie, à la farce noire.

Un comique courtelinesque ?

Un comique ou, plutôt, des effets comiques variés qui procèdent de la farce et de l'humour noir.

Il est des « types » courtelinesques, qui relèvent pour certains de la comédie satirique traditionnelle : caricatures des femmes, des gens de justice… Les noms désignent par avance les grotesques : Flick, Labourbourax, Landhouille (*le Droit aux étrennes*), M. Saumâtre (*Hortense, couche-toi !*), Barbemolle… Procèdent de la farce les chutes des personnages (*les Boulingrin*), les paroles prononcées en même temps (*Un client sérieux*), voire les thèmes de pièces comme *Théodore cherche les allumettes.*

Le renversement brutal de la situation – découverte de l'amant dans l'armoire par Boubouroche, retournement et inversion des rôles dans *Le commissaire est bon enfant* (l'emprisonneur emprisonné) ou dans *Un client sérieux* – est un autre procédé farcesque, qui possède en même temps l'efficacité de souligner l'absurdité tragique d'une situation qui n'a rien d'exceptionnel : la duperie, l'exercice arbitraire des pouvoirs…

L'humour noir met alors à distance les tracasseries, en profitant aussi du jeu sur la convention littéraire : les parodies de style classique (*Hortense, couche-toi !*) ou d'éloquence judiciaire (*Un client sérieux*) sont autant de signes d'un théâtre qui cherche, dans son public, la complicité d'un regard.

A. Pierrot-Herschberg et J.-M. Thomasseau (synopsis)

COURTILZ DE SANDRAS Gatien de

(1644-1712)

Courtilz de Sandras est une des figures les plus singulières du XVIIe siècle finissant. Auteur prolixe d'une œuvre énorme, présentée comme la chronique véridique de son époque, difficile à cerner car publiée anonymement, en raison de son contenu scandaleux, à Amsterdam et à Cologne, répandue en France clandestinement, avec un immense succès, par un réseau de colporteurs, il fut poursuivi par le pouvoir, qui l'embastilla deux fois, méprisé et dénigré par des gens comme Bayle, qui dit de lui : « C'était un petit particulier sans bien, sans fortune et qui, apparemment, n'écrivait tout cela que pour le vendre aux libraires de Hollande », ou Voltaire, qui l'exécute dans *le Siècle de Louis XIV* comme « un des plus coupables écrivains […] qui ont mérité l'exécration publique ».

Voué à la célébrité dans l'anonymat, Courtilz est également le héros de « la plus célèbre histoire de nègre de notre littérature » (R. Dumay). Dumas lui doit sa célébrité, il a en effet « emprunté », intégralement sinon littéralement, *les Trois Mousquetaires* aux *Mémoires* que Courtilz avait prêtés au comte d'Artagnan, officier au service de Louis XIII puis de Louis XIV, et qui mourut au siège de Maestricht en 1673.

Cet écrivain sans nom se faisait appeler Sandras, du nom de sa mère. Il est né probablement à Montargis, où il acquit, en 1689, le domaine du Verger. Il fit des études à Paris. Destiné à l'Église ou à la robe, il se retrouve cadet et fait carrière dans les armes, successivement cornette au Royal-Étranger, lieutenant puis capitaine au régiment de Beaupré-Choiseul. Cassé en 1679, après la paix de Nimègue, il s'installe en Hollande, se marie avec la fille d'un libraire, dont il aura huit enfants, et commence à écrire. Ses multiples productions, annales, biographies, Mémoires, mettent en œuvre une seule recette, qu'il exposera ainsi, dans une préface de 1712 : « Ceux qui prendront la peine de les lire y trouveront bien des particularités très curieuses, tant par rapport à la Politique qu'à la Galanterie et à la Guerre. » Courtilz est l'inventeur d'une formule, destinée à faire fortune, qui mêle à un cadre dont les événements et les personnages sont connus le piment d'invérifiables anecdotes grivoises. Quand ses héros ne sont pas des hommes de guerre, ce sont des diplomates ou des agents secrets. Courtilz est l'écrivain des dessous d'un siècle qui, chez lui, perd toute grandeur. Cromwell, Colbert ont réussi par l'hypocrisie et l'intrigue, les cours ne sont que lieux de corruption, nids d'espions et théâtres de débauches. Contre l'historiographie et les gazettes officielles, bienséantes et serviles, il prétend « dire la vérité ; toutes sortes de vérités ne sont pas bonnes à dire ».

Ses écrits sont d'abord des libelles politiques, telle l'*Histoire des promesses illusoires depuis la paix des Pyrénées* (1684). Voltaire, lui prêtant peut-être plus de cynisme qu'il n'en avait, lui attribue la *Réponse* publiée en réplique à ce libelle. Pamphlet encore *l'Histoire de la guerre de Hollande de 1672 à 1677* (1689). En 1686, Courtilz fonde à La Haye le premier et qui deviendra le plus important des *Mercures,* revues méthodiques et mensuelles des nouvelles publiées par les célèbres *Gazettes* de Hollande : le *Mercure historique et politique*, « contenant l'état présent de l'Europe, ce qui se passe dans toutes les cours, l'intérêt des princes, leurs brigues et généralement tout ce qu'il y a de curieux, le tout accompagné de réflexions politiques sur chaque État », qui paraîtra régulièrement jusqu'en 1782. Courtilz ne le dirige que quelques années, ayant été arrêté à Paris et mis à la Bastille en 1693.

Il avait, auparavant, trouvé la formule de ses plus grands succès avec le genre des Mémoires apocryphes. Un personnage réel est censé rédiger ses Mémoires. En 1687 paraissent les *Mémoires de M.L.C.D.R.* (M. le comte de Rochefort, qui fut agent secret de Richelieu puis de Mazarin et fit une carrière militaire avec Turenne). À sa sortie de la Bastille, Courtilz accumule les publications de ce genre, exploitant sans vergogne, à diverses reprises, les mêmes faits et les mêmes événements. Ainsi les *Mémoires de Jean-Baptiste de La Fontaine* (1699), aventurier connu à la Bastille, marié, en Angleterre, à une dame maîtresse de l'ambassadeur de France, M. de Bordeaux, sont composés en même temps que les *Mémoires de M. de Bordeaux* – lesquels, toutefois, ne seront publiés qu'en 1758. Les *Mémoires de M. d'Artagnan,* mille huit cents pages en trois volumes, dont la saisie lui vaudra son second séjour à la Bastille, paraissent en 1700, suivis des *Mémoires du marquis de Montbrun* et de ceux de *la marquise de Fresne*, en 1701. Cette dame, vendue par un mari jaloux à un pirate qui se fera moine pour ses beaux yeux, montre la dimension romanesque recherchée par Courtilz à l'intention d'un public d'autant plus friand de ces situations qu'elles lui sont présentées comme vécues par des personnages réels. Dans les œuvres suivantes, le narrateur a tendance, cependant, à s'effacer derrière un prudent anonymat. Ce sont *la Guerre d'Italie ou Mémoires du comte D...* (1702), *la Guerre d'Espagne, de Bavière et de Flandre ou Mémoires du marquis D...* Puis Courtilz revient aux initiales déchiffrables avec les *Mémoires de M. de B., secrétaire de M.L.C.D.R.* (1711).

La postérité a vu en lui un romancier, alors que Courtilz prétendait faire de l'histoire immédiate. Quoi qu'il en soit, sa plume alerte, à la fois insolente envers les puissants et complaisante envers les goûts les moins avouables du grand public, trace, avec des couleurs crues, un portrait peu flatteur de son époque.

O. Biyidi

Courtois d'Arras

(XIIIe siècle)

Longue de 664 vers dans l'édition d'Edmond Faral, transmise par quatre manuscrits, cette œuvre arrageoise de la première moitié du XIIIe siècle, écrite par un auteur inconnu qu'il semble hasardeux d'identifier à Jean Bodel, contient plusieurs passages narratifs. Aussi des critiques (E. Faral, W. Noomen) y ont-ils vu un monologue dramatique. En fait, il s'agit bien, à l'origine, d'une œuvre proprement théâtrale, adaptée par la suite, tant bien que mal, pour la récitation d'un seul jongleur (car la vie des troupes, même petites, était très difficile) ou pour être consignée dans un recueil destiné à la lecture. De là, dans le manuscrit A, le titre, peut-être parodique, de *li Lais de Courtois.*

Drame profane pour Faral et Noomen, religieux pour Groult, il est l'un et l'autre, annonçant la moralité, puisque c'est la mise en théâtre de la parabole de l'Enfant prodigue (Luc, XV), transportée à Arras, et que c'est une actualisation très laïcisée de l'Évangile : si le jeune Courtois reprend le rôle de l'enfant prodigue (il se compare même au Christ quand il proclame, tombé dans le dénuement, « Mout chi a peneuse semaine », vers 518), la taverne, à peine mentionnée par l'apôtre Luc, occupe la moitié de la pièce : on y crie le vin, on y goûte aux plaisirs de la vie et de la société ; deux catins y trompent le malheureux paysan qui ne songe qu'à son confort : c'est ce qui le fait retourner vers son père qui ne le reconnaîtra pas d'abord, tellement il a changé. Dans sa faiblesse et son erreur, l'homme est plus vrai et plus émouvant que son modèle. « Libéré de l'emprise de l'Église, le théâtre va s'acheminer vers la cité des hommes » (L. Romero).

La parabole est considérablement enrichie par plusieurs thèmes, ceux du paysan qui voudrait être courtois comme Gauvain (vers 247-248), du paysan trompé [*engingniés*, vers 247], dans la tradition du *Roman de Renart* : Courtois n'arrive même pas à la hauteur d'Isengrin (vers 359) ; du paysan laissé en gage à l'auberge pour une dette, vieille anecdote que l'auteur a située dans le lieu privilégié du théâtre arrageois, du *Jeu de saint Nicolas* de Jean Bodel au *Jeu de la*

Feuillée d'Adam de la Halle ; enfin, du paysan en proie aux regrets, dans cinq quatrains d'alexandrins, ponctués de « proverbes au vilain » (vers 437, 442, 446).

Pièce très bien faite, rigoureuse, où tout concourt au but principal (la perte de Courtois et, *in extremis*, son repentir), organisée autour de trois lieux, *Courtois d'Arras* comprend quatre actes, dont le premier se passe devant la maison du père (1-90), image du paradis, le deuxième dans l'enfer de la taverne (91-430), le troisième chez le bourgeois qui a employé Courtois ruiné (431-599) et le quatrième, de nouveau, chez son père (600-664). Cette qualité se retrouve dans la versification : le Ier acte est fait d'octosyllabes en aabccb, l'acte II ne comporte que des rimes plates, l'acte III commence par un monologue de quatrains monorimes, le reste de la pièce est, de nouveau, en rimes plates. Même finesse dans le dessin des personnages, qui se partagent entre escrocs et dupes : Pourrette, malicieuse et hypocrite, provocante, cupide et cruelle, expérimentée mais conservant assez de charme pour troubler ce lourdaud de Courtois ; Manchevaire, « aux manches tachetées », symbole de l'hypocrisie, à la fois entremetteuse, mendiante et voleuse ; l'hôte, le tavernier fort et rusé, mais non dénué d'une certaine générosité faite de mépris et de pitié.

J. Dufournet

CRÉBILLON Claude de

Claude Prosper Jolyot de Crébillon,** dit **Crébillon fils

(1707-1777)

Nanti d'un père hautement respectable et d'une réputation d'écrivain licencieux, « Crébillon fils » a connu un long purgatoire. Le voici aujourd'hui reconnu à sa vraie valeur : celle d'un grand romancier d'analyse, à la manière de Prévost et Marivaux, moins attaché toutefois à décrire des sentiments – ou ce qu'il en reste chez les roués du siècle de Louis XV – qu'à démystifier le discours amoureux. Auteur enfin, avec *les Égarements du cœur et de l'esprit*, d'un roman qui incarne parfaitement ce qu'on a nommé le « rococo » littéraire.

Le peintre et ses modèles

Claude Prosper Jolyot de Crébillon naquit à Paris le 14 février 1707. Après de brillantes études au collège Louis-le-Grand, il échappe aux jésuites pour les théâtres, le monde et les sociétés dites « chantantes ». Familier de la duchesse du Maine et de la cour de Sceaux, fondateur avec Piron et Collé, en 1729, du joyeux Caveau, membre plus tard de l'Académie de Ces Messieurs, il débute en 1730 avec *le Sylphe*, ou la rencontre d'une jolie femme et d'un visiteur nocturne peut-être imaginaire. Après ce récit rétrospectif en partie dialogué, un roman épistolaire d'un ton plus grave : *les Lettres de la marquise de M... au comte de...*, description des étapes d'une passion destructrice (1732). Nouveau changement de cap : en 1734, *l'Écumoire*, « histoire japonaise », en réalité conte de fées à rebondissements comico-érotiques, contient aussi des allusions satiriques à la bulle *Unigenitus* lancée contre les jansénistes, et le cardinal Dubois y apparaît sous les traits du grand prêtre Saugrenutio. Au passage, Crébillon égratigne un confrère en pastichant *la Vie de Marianne* de Marivaux (1731). Dans l'agitation alors créée par les Convulsionnaires et les divisions du clergé, on l'emprisonne quelques jours à Vincennes d'où il sort grâce à la princesse de Conti.

En 1736-1738 paraissent les trois premières parties (il n'y en aura pas d'autres) de son chef-d'œuvre, *les Égarements du cœur et de l'esprit*. En 1740, Crébillon publie *le Sopha*, conte pseudo-oriental où l'objet-titre sert de lien, voire de support matériel à une succession de récits libertins ; Laclos en fera une lecture favorite de Mme de Merteuil dans *les Liaisons dangereuses*. Nouvel emprisonnement, cette fois pour outrage aux bonnes mœurs.

Après un nouveau récit « oriental », *Ah ! quel conte* (1754), où Crébillon règle ses comptes avec Diderot (qui l'avait baptisé « Girgiro l'entortillé » dans *les Bijoux indiscrets*), et un roman imité des *Happy foundlings* d'E. Haywood, *les Heureux Orphelins* (1754), Crébillon donne deux ouvrages de jeunesse gardés en portefeuille : de courts dialogues en temps réel où l'échange verbal de deux futurs amants retarde et fait désirer le temps du plaisir, *la Nuit et le Moment* (1755), *le Hasard au coin du feu* (1763). Retour enfin au roman épistolaire avec *les Lettres de la duchesse de... au duc de...* (1768), où au contraire l'écriture diffère indéfiniment la rencontre des corps, et *les Lettres athéniennes* (1771).

L'œuvre entière de Crébillon n'a qu'un seul objet, les masques et les ruses du libertinage, mais décrits au travers d'un prisme changeant : récits, dialogues, contes, romans par lettres, comme si le peintre s'efforçait de cerner un même modèle en faisant varier le lieu et la forme du discours. Mais ce modèle ne lui ressemble guère : une Préface émue dédie les *Égarements* à son vieux père « au nom de l'amitié la plus sincère et la plus tendre » ; en 1748, il épouse fort bourgeoisement sa maîtresse Henriette Stafford-Howard, et en 1759 devient censeur royal. Était-il même le joyeux compagnon évoqué par certains ? Crébillon mourut en 1777, pauvre et oublié ; et dans sa nécrologie, *la Correspondance littéraire* cita le témoignage de ses amis du Caveau sur « le grand air de décence et de dignité qui ne le quittait pas, même dans leurs plus folles orgies ».

La machine humaine

Le contraste est grand, dans les romans de Crébillon, entre la préciosité du discours et la brutalité des désirs. En témoigne ce double lexique, d'un côté celui de la théorie du comportement amoureux, distribué en antithèses : passion/goût, tête/sentiment, esprit/cœur, face à celui de sa pratique sociale : « avoir » une femme, « prendre » un amant ; « Nous parlerons de Julie... Combien y a-t-il que vous l'avez eue ? » (*la Nuit et le Moment*). Et cette théorie même, quel est exactement son statut ? Est-ce un savoir objectif procédant d'un héros particulièrement lucide ou, comme dans les contes, d'un narrateur extérieur à l'action ? Ou n'est-ce qu'un discours mystificateur destiné seulement à lever les interdits sociaux ? D'où une double tentation, car comme chez Proust le lieu d'énonciation n'est pas toujours explicite : celle de prendre au sérieux cette « rhétorique du plaisir » (L. Versini), de reconstruire cette « physique de l'amour » apparemment fondée sur des lois rigoureuses (Stendhal, dans *De l'amour*, reconnaîtra plusieurs emprunts à Crébillon) : « La tête seule fait tous les frais du sentiment que l'on se croit » (*les Heureux Orphelins*), « L'amour, un mouvement des sens dont il avait plu à la vanité des hommes de faire une vertu » (*la Nuit et le Moment*). Ou faut-il d'abord considérer le dialogue comme un hommage rendu au code social, différant et justifiant l'acte sexuel, les machines humaines produisant du discours comme pour lubrifier les connexions érotiques à venir ? Car ce stade « oral » est une étape nécessaire pour transformer une rencontre en « occasion » ; échange d'un corps contre des mots qui donnent l'illusion de l'amour. Si bien que la véritable performance libertine consiste moins à fournir au partenaire réticent des maximes commodes (« Qu'est-ce qui fait le crime ? C'est le consentement », *l'Écumoire*) qu'à le vaincre sans avoir respecté les termes du marché : « Et vous ne m'aimez pas ! Au moins, dites-moi donc que vous m'aimez ! » (*le Hasard au coin du feu*). Dans *les Égarements*, Crébillon entrelace à la perfection ce double discours, à la fois signe du désir et instrument d'analyse. Car Meilcour est à la fois le héros de l'histoire, jeune aristocrate s'initiant à l'amour, et le narrateur au présent d'un récit rétrospectif : démarche proustienne qui conduit des illusions à la vérité, mais aussi procès-verbal d'une construction du moi au fil d'épreuves successives. Démarche sensualiste, également, et par laquelle les *Égarements* appartiennent pleinement à leur siècle.

Les Égarements du cœur et de l'esprit

SYNOPSIS

Le roman se présente sous la forme de « Mémoires » : narration rétrospective par un homme d'âge mûr, juge ironique de sa naïveté et de ses illusions passées. À dix-sept ans, le jeune Meilcour est en quête d'« une passion, telle qu'elle puisse être ». Une première initiatrice s'offre à lui, la marquise de Lursay, une amie de sa mère. Seconde expérience, celle du coup de foudre pour l'énigmatique Hortense de Théville : une conversation surprise lui laisse quelque espoir d'être aimé par la jeune fille. Cependant, éperdu de respect devant la marquise, il manque piteusement l'« occasion » que celle-ci lui offre. Échec suivi d'une désillusion avec les révélations du libertin Versac sur le passé de Mme de Lursay (Ire partie). Béat d'admiration devant Versac, et cherchant à imiter sa désinvolture, Meilcour se rend chez son ancienne idole pour l'humilier. Mais l'affaire tourne à sa propre confusion. Arrive alors chez la marquise Mlle de Théville : conjonction imprévisible pour qui ne connaît pas le rituel social. Autre entrée, celle d'une coquette défraîchie, Mme de Senanges. Désorienté par la présence d'Hortense, les révélations de Versac et les avances de Mme de Senanges, Meilcour donne à celle-ci quelque espoir (IIe partie). Promenade aux Tuileries avec Mme de Senanges, qui affiche sa nouvelle conquête, et rencontres gênantes : Versac, puis, toujours ensemble, Hortense et Mme de Lursay, tristesse silencieuse de l'une, moqueries de l'autre. Enfermé chez lui, Meilcour reçoit la visite de Versac qui lui livre les décevants secrets de la mondanité. La leçon n'est guère retenue : Mme de Lursay joue à Meilcour la comédie de l'amour vrai et il succombe enfin. Mais sans plaisir : car il lui manque encore ce « quiétisme de l'amour » qui permet de vivre sereinement une grande passion tout en cueillant les « occasions » au bord du chemin (IIIe partie).

Un romancier « rococo »

Appliquant à la littérature des Lumières un terme emprunté aux beaux-arts, R. Laufer décèle en de nombreux romans du temps une « unité organique » faite « d'éléments symétriques [...] ordonnés autour d'un centre invisible », comme l'est aussi le centre de perspective d'un jardin rococo : clarté des séquences narratives prises individuellement, ambiguïté du sens global, profond, de l'œuvre. *L'Écumoire*, par exemple, présente en contrepoint les mésaventures de deux jeunes époux, Tanzaï et Néadarné, luttant contre la malédiction qui les empêche de coucher ensemble. Mais pour rompre l'enchantement, ils devront commettre l'un et l'autre une infidélité ! Au fil de prodiges et de métamorphoses opérés par la fée Concombre et le génie Jonquille, *alias* « Mangetaupes », ils auront enfin droit à un plaisir partagé. Dénouement ambigu : leur infidélité n'était-elle qu'un songe, comme ils se l'affirment mutuellement ? Une fatalité ? Le prix à payer pour un amour authentique ? Était-ce un conte ? La « morale » de Crébillon se plaît à ces incertitudes, thématisées par le « songe » comme libération des désirs à la fois totale et sans conséquence : c'est ce que suggère le visiteur nocturne du *Sylphe*. De même les héros de *la Nuit et le Moment* échangeant sur un lit des récits galants jusqu'à confondre le souvenir et la réalité, les plaisirs de l'imagination et ceux de l'« occasion », passent à l'acte sans presque cesser de discourir. Comme le dit Jonquille, « On ne peut répondre du moment ; il en est où la nature agit seule, et où l'on se trouve précisément dans le cas d'un songe qui offre à vos sens les objets qu'il veut » (*l'Écumoire*).

Parfois Crébillon semble condamner ce « quiétisme » qui permet au libertin de satisfaire des « fantaisies » tout en vivant un amour authentique par ailleurs. Mais parfois ce compromis paraît la seule voie possible : face à un « attachement durable », « qu'importent tous ces petits écarts dans lesquels les entraînent l'occasion, le caprice », proclame la marquise du *Hasard au coin du feu*. Ainsi, d'une œuvre à l'autre, les « leçons » se contredisent. Mais ce sont les *Égarements* qui incarnent le mieux cette poétique du rococo : un roman sans point fixe, comme le note J. Sgard, où s'intercalent le savoir du moi-narrateur et la naïveté du moi-héros, un amour pur mais dont l'objet se dérobe et un désir réel qui se prend pour de l'amour. Où se trouve la « norme » par rapport à ces « égarements » symétriques du cœur (Mme de Lursay) et de l'« esprit » (Versac) ? Dans l'après du roman, ou plutôt dans cet intervalle invisible et non dit entre le présent de l'histoire et celui de la narration, en ce temps où, selon la Préface, Meilcour rencontre enfin une « femme estimable » : Hortense ? Nous ne le saurons jamais : le roman est « inachevé »... Le rococo, chez Crébillon, signifie précisément cette incapacité ultime des mots à ordonner le monde des désirs et des sentiments ; paradoxalement, la sophistication des dialogues et des analyses, la précision des « lois » et des maximes en viennent à dénoncer leur propre artifice et à démontrer le caractère illusoire de la fameuse lucidité dont se vantait l'âge classique.

J.-P. de Beaumarchais

CRÉBILLON Prosper de

Prosper **JOLYOT DE CRÉBILLON**, *dit* **CRÉBILLON père** *(1674-1762)*

Dramaturge, né à Dijon, « Crébillon père » est un homme à contrastes : bohème pittoresque entouré de chiens et de chats, tard venu à la littérature (*la Mort des enfants de Brutus*, 1703) après dix années de basoche, membre de la joyeuse société du Caveau ; mais aussi dignitaire des Lettres, protégé par le Régent puis la Pompadour, autorisé à produire un discours en vers pour sa réception à l'Académie (1731), « censeur de police » en 1735 et, à ce titre, régnant sur le théâtre. Ses démêlés avec Voltaire ont défrayé la chronique : querelle littéraire autour de l'héritage classique, doublée d'une lutte politique entre les philosophes et la Cour. En 1740, Crébillon interdit *Mahomet* ; par représailles, à partir de 1748, Voltaire réécrira les tragédies de son rival pour démontrer sa propre supériorité…

À dire vrai, ce n'était pas difficile. Après une décennie triomphale (1705, *Idoménée* ; 1707, *Atrée et Thyeste* ; 1708, *Électre* ; 1711, *Rhadamisthe et Zénobie*), la gloire de Crébillon décline rapidement. Déjà Boileau après *Rhadamisthe* s'était, dit-on, indigné contre les « Visigoths » qui s'emparaient du théâtre : à la fois une injure et une analyse. Car Crébillon entend renouveler la tragédie traditionnelle par la barbarie et la terreur. « Corneille avait pris le Ciel, Racine la terre ; il ne me restait que l'enfer », aurait-il déclaré. L'enfer, c'est-à-dire des situations atroces (un père s'apprêtant à boire une coupe remplie du sang de son fils, dans *Atrée* ; une fille découvrant sur scène la tête tranchée de son père, dans *le Triumvirat*, 1754), à grand renfort d'artifices dramatiques, méprises, quiproquos, reconnaissances lourdement soulignés : « Ma mère ! – Lui, mon fils ! grands dieux, qu'ai-je entendu ? » (*Sémiramis*, 1717). Tragédie ou mélodrame ? Il y faudrait hélas ! plus de folie : l'alexandrin classique est toujours là, qui fige et paralyse. Crébillon se veut en effet un bon élève : dans *Atrée et Thyeste*, son chef-d'œuvre, des vaisseaux attendent au port, comme dans *Andromaque* ; l'on raconte un songe, comme dans *Athalie*, et un festin de réconciliation cache une perfidie, comme dans *Britannicus*. Mais c'est un traître de « mélo » qui conclut : « Et je jouis enfin du fruit de mes forfaits. »

Le théâtre de Crébillon, si fidèle en apparence à la tradition, apparaîtrait ainsi comme son point de rupture : le bel équilibre classique éclate sous les coups du romanesque et des émotions fortes. Faut-il aller plus loin, et considérer ce « Racine ivre » comme un pasticheur lucide, « un auteur de boulevard prenant son œuvre peu au sérieux » (J. Truchet) ? « C'est lui-même, Eurysthène » (*Atrée et Thyeste*, I, 3).

J.-P. de Beaumarchais

CRENNE Hélisenne de

Pseudonyme de **Marguerite BRIET** *(v. 1510-après août 1552)*

Première romancière française, au sens moderne du mot, Hélisenne de Crenne est l'auteur d'un étrange roman sans âge, tant il dit spontanément des expériences essentielles : *les Angoysses douloureuses qui procedent d'amours* (1538).

Hélisenne s'appelait Marguerite Briet. De petite noblesse picarde, plus riche que son mari, seigneur de Crennes, avec qui elle a des relations orageuses et dont elle se sépare définitivement avant 1552, elle semble avoir étouffé très jeune sous le contrôle de celui-ci, avant de venir vivre libre dans une de ses maisons parisiennes. Pourquoi s'est-elle cachée sous ce pseudonyme ? Par prudence sûrement, mais la terre de Crennes ne la dissimule guère. Par goût du romanesque, sans doute : d'où lui vient ce prénom, porté, deux ans après l'apparition de son propre roman, par la mère d'Amadis de Gaule dans le premier livre que traduit de l'espagnol un autre Picard, Des Essarts ? On aurait envie, pour bien des raisons, d'en faire une Bovary qui aurait su écrire. Mais ce rapprochement fausse sans doute le personnage : il est difficile de l'imaginer isolée ; et comment a-t-elle trouvé son premier éditeur parisien, Denis Janot, qui va précisément imprimer deux ans plus tard *Amadis de Gaule* ? Qui est le modèle de l'ami fidèle de ses fictions, Quezinstra ? Pourquoi le héros de son cœur, Guénélic, est-il partagé entre les armes et les lettres ?

La personnalité est déroutante. Parce qu'elle est femme et romancière, et d'un roman de passion amoureuse, on l'assimile souvent à Mme de La Fayette ; mais ce parallèle n'éclaire ni l'une ni l'autre : elles parlent de lieux opposés. Hélisenne possède un savoir réel – mais presque naïf – d'autodidacte, qui, du coup, fait de ses aveux des prodiges d'indiscrétion, de sa lucidité une forme d'imp (r) udence. Littérature gênante, roman d'analysée plus que roman d'analyse : analysée par sa propre écriture. D'où la séduction qu'elle exerce sur le lecteur moderne, ahuri de tant de permanence dans les phénomènes psychologiques.

Chose étonnante encore, son roman eut beaucoup de succès de son temps : on compte, avec les éditions du texte corrigé par Claude Colet (à partir de 1550), à peu près huit réimpressions de 1538 à 1560. Mais il est difficile de savoir si ce succès est dû au premier livre des *Angoysses*, qui marque le vrai début du roman moderne en France, l'autobiographie, ou au suivant, qui est un récit chevaleresque dans le style de l'époque – actions et discours. Curieux tissu romanesque en effet : dans le premier livre, Hélisenne est à la fois l'auteur, le narrateur et l'héroïne de la « surprise » de l'amour ; dans le deuxième, son amant, qu'elle n'a nommé que dans les dernières pages du livre I, Guénélic, assume le récit de ses propres aventures et de celles de son ami Quezinstra, éloignés d'Hélisenne, alors « prisonnière dans la fleur de sa jeunesse » ; le troisième, plus confus au niveau du narrateur, laisse la parole à Guénélic, mais pour dépeindre autant les malheurs d'Hélisenne que les siens propres ; le récit s'achève sur les plaintes de Quezinstra devant la mort des deux amants. Cette première personne généralisée, Hélisenne l'a reprise à deux ouvrages italiens, qu'elle a pillés :

la *Flammette* de Boccace (qui venait d'être traduite en français au moment où elle commençait ses « escriptures », en 1532) et le *Pérégrin* de Caviceo (énorme somme romanesque, traduite en 1527). Malgré des emprunts considérables (et encore à Lemaire de Belges et au *Petit Jehan de Saintré*, etc.), Hélisenne en fait tout autre chose. Elle avoue deux intentions, qui se manifestent aussi dans ses œuvres conjointes, *les Épistres familières et invectives* et *le Songe de madame Hélisenne... la considération duquel est apte à instiguer toutes personnes de s'aliéner de vice et s'approcher de vertu* (1539) : un propos moral qui unifie tout le roman ; il faut éviter aux femmes qui la lisent les « embrasements » de l'amour et faire préférer aux hommes le « martial exercice ». Mais ce premier dessein, quoique perpétuellement réaffirmé, n'efface jamais le second : Hélisenne soulage ses anxiétés et tristesses en les racontant ; elle espère s'attirer la même compassion que celle qu'elle a reçue d'un confesseur sage et indulgent au sein du récit lui-même.

Alors, tous les aveux sont possibles, tous les débordements, à commencer par ceux d'un style extraordinaire, véritable création d'Hélisenne : certes, il abonde en latinismes pédants, en constructions contournées, en références mythologiques plus ou moins exactes (et cela ne fera que croître dans sa traduction de *l'Énéide*, en 1541, plus latine que l'œuvre de Virgile même...), mais comment expliquer que tant d'extravagances restent parfaitement claires, sinon par la cohérence de cette langue fictive, seul instrument possible des violences inavouables ? Étonnement devant la surprise de l'amour, découverte de la sensualité jusque dans ses moindres détails (cette importance extrême du vêtement, de la beauté des cheveux, des mouvements du corps, des regards « impudiques », des expressions que l'on cultive devant son miroir), aveu du désir de voir et d'être vue, de la coquetterie comme comportement naturel ; mais aussi violence des coups du mari jaloux, atmosphère sordide d'une petite ville de province qui épie tout ; et par-dessus tout cela, les souffrances dues à un jeune voyou sans discrétion, sans tendresse, dont on voudrait pourtant se croire aimée. Toutes les formes de la persécution à laquelle est soumise la femme qui existe trop.

Hélisenne était de la race dont on fait les « sorcières », si l'écriture et la générosité de l'édition ne l'avaient sauvée, sinon de son premier emprisonnement, du moins de la mort qu'elle s'est rêvée dans son œuvre.

M. M. Fontaine

CRETIN Guillaume
v. Rhétoriqueurs

CRÈVECŒUR Michel Guillaume Jean de

Dit aussi **SAINT-JOHN de CRÈVECŒUR** *(1735-1813)*

Né à Caen, il servit sous Montcalm au Canada, puis, après avoir pris la nationalité britannique (1764), s'établit comme fermier dans la province de New York. Il regagna l'Europe lors de la guerre d'Indépendance et fit paraître à Londres, sous le nom de J. Hector ST. JOHN, ses *Letters from an American farmer* (1782), qui deviendront, traduites et adaptées par ses soins, les *Lettres d'un cultivateur américain* (Paris, 1784). Nommé consul de France à New York (1783), Crèvecœur rentra dans son pays natal sous la Révolution et publia en 1801 un *Voyage dans la haute Pennsylvanie et dans l'État de New York*. Totalement oubliées en France pendant plus d'un siècle, ses *Lettres*, célébrées par Washington, Jefferson, Franklin, allaient au contraire devenir aux États-Unis l'un des textes fondateurs de l'idéal américain – héritier des Lumières et fossoyeur de l'ancien monde. L'Eldorado de Crèvecœur est en effet placé au terme d'un itinéraire symbolique : après les « plaines de l'Orient », après l'Europe même, c'est en cet immense espace de liberté et de tolérance, où se concilient le progrès et la frugalité, l'intérêt personnel et la discipline collective, que la civilisation en sa longue marche forgera une « nouvelle race » ; et c'est là que « finira le cercle ». Prophétisme qui a aussi pour objectif avoué d'inciter au départ de nouveaux « pèlerins » : les *Lettres* utilisent donc tous les procédés rhétoriques de la séduction, alternant le tableau pittoresque et l'anecdote pathétique (« la Fille généreuse », « le Père infortuné »), opposant en de constantes antithèses les vertus américaines aux vices d'une Europe esclave et dégénérée. Une seule ombre à cette pastorale : l'aventurier incontrôlable que représente, face au bon « cultivateur », l'« homme de la frontière ». De ce dernier, ce sont les Américains eux-mêmes qui bâtiront la légende.

J.-P. de Beaumarchais

CREVEL René

(1900-1935)

Poète, romancier et essayiste, né à Paris. Issu d'un milieu bourgeois et catholique, René Crevel fait ses études secondaires au lycée Janson-de-Sailly ; de 1918 à 1921, il fréquente la Sorbonne, où il prépare une thèse sur Diderot. En 1921, durant son service militaire, il fonde, en compagnie de Marcel Arland, Georges Limbour et Roger Vitrac, la revue *Aventure*, et fait la connaissance de Tzara, Breton, Soupault, Aragon et Éluard ; également séduit par le mouvement dada et le surréalisme, il ne s'engage pleinement dans les « rangs » de Breton qu'en 1924. Cependant sa santé se détériore : à partir de 1925, il souffre de tuberculose et suit parallèlement un traitement psychanalytique qui restera sans grand effet. En 1930, au moment du *Second Manifeste du surréalisme*, Crevel reste parmi les fidèles d'André Breton ; cependant, il combat politiquement aux côtés du parti communiste, dont il sera momentanément exclu en 1933 ; pourtant il essaiera souvent de rapprocher surréalisme et communisme, en préparant notamment le Congrès international pour la défense de la culture. Mais, le 18 juin 1935, Crevel se suicide, sans avoir pu résoudre les conflits psychologiques et idéologiques qui n'ont cessé de le hanter.

Le Désir et le réel

L'œuvre de Crevel forme un tout, les mêmes thèmes trouvant leur écho d'un ouvrage à l'autre – à tel point que parfois des phrases entières réapparaissent intégralement ; il est dès lors difficile d'établir un classement de ses livres. Du premier roman (*Détours*, 1924) au dernier (*les Pieds dans le plat*, 1933), le lecteur se trouve confronté à une même urgence, à la même impatience : faire coïncider le désir et le réel, se « débarrasser du souvenir » pour mieux conquérir l'avenir. Avec *Détours*, Crevel se confronte d'une manière indirecte à ses obsessions : haines de la mère, suicide du père. *Mon corps et moi* (1925) apparaît comme plus autobiographique ; mais à différentes scènes racontées se mêlent réflexion et analyses (la solitude, la mort, la mémoire). *La Mort difficile* (1926), classique dans la forme (un vrai roman avec un dénouement), est à la fois une satire éblouissante et cruelle de la bourgeoisie et la transposition (prémonitoire ?) de l'aventure personnelle de Crevel : son double Pierre Dumont, devenu homosexuel par rejet des femmes assimilées à la mère, se suicide à la suite d'une infidélité de son amant. *Babylone* (1927) décrit la décomposition d'une famille trop honorable pour rester longtemps intacte et les rêves d'une petite fille qui voudrait « ressusciter le vent ». Dans *l'Esprit contre la raison* (1928), Crevel se livre à la démystification de la raison, qu'il oppose à l'esprit, dont il attend l'avènement (« Et nous regardons vengés enfin des minutes lentes, des cœurs tièdes, des mains raisonnables »). *Êtes-vous fous ?* (1929) conte l'histoire fantastique et inénarrable de Vagualame, *alias* Crevel. Récit et personnages s'y entrecroisent dans un climat surréaliste. Avec *le Clavecin de Diderot* (1932), Crevel signe un violent pamphlet, où il met en pièces Dieu, l'Église et l'État capitaliste. *Les Pieds dans le plat* mêlent souvenirs, délires fantastiques et érotiques, à une critique sociale sans concession. Enfin, Crevel a participé à de très nombreuses revues et a commenté l'œuvre d'artistes qu'il aimait (Renée Sintenis, Paul Klee, Max Ernst, Dali).

Une poétique de la révolte

L'œuvre entière de Crevel est une révolte : contre la société et contre la « littérature » que celle-ci engendre pour sa propre édification ; l'écriture doit faire exploser tout ce que l'auteur d'*Êtes-vous fous ?* exècre : le monde bourgeois et positiviste, la religion, la famille, le conformisme moral. Cette subversion ne s'exprime pas en « thèmes » ou en « messages », mais par la simple présence d'une « poésie » : « Toute poésie est une révolution en ce qu'elle brise les chaînes qui attachent l'homme au rocher conventionnel » (*l'Esprit contre la raison*)* ; seules les structures d'un langage nouveau, d'un langage de « fauves » peuvent défier l'académisme littéraire, qui, à lui seul, incarne toutes les valeurs d'un ordre établi.

Dès lors, la parole poétique de Crevel vise l'éclatement de la logique trop socialisée du discours littéraire. Pourtant, rien ne semble plus « continu » que des textes comme *Babylone*, *Mon corps et moi* ou *le Clavecin de Diderot* : les phrases, curieusement développées pour des ouvrages aussi brefs, semblent ne devoir jamais s'arrêter : on songe moins à l'automatisme surréaliste qu'à Diderot et à Proust – rares « références littéraires » de Crevel ; le récit poétique use de la phrase comme d'un prisme qui refléterait d'un seul coup tous les langages possibles : long pastiche où se mêlent les dialogues de vaudeville, les monologues introspectifs, la déclamation lyrique, le discours pseudo-scientifique, la préciosité, l'obscénité, le sarcasme… Ainsi, le sens des mots n'est pas figé dans le récit. Il s'élabore, s'estompe, se modifie sans cesse, au hasard de jeux verbaux qui lui font perdre peu à peu toute dénotation réaliste ; le nom reste une matière sauvage, en devenir, qui échappe à ses significations codifiées : « Roulure, ce mot si gras, si laid, dans les bouches familiales, se purifie, s'allume, éclaire, dore les songes de l'enfance, y roule un soleil. Roulure, jolie fille que plus rien d'humain ne saura retenir, roulure, ô belle silencieuse ! » (*Babylone.*)

Cependant, Crevel n'instaure pas pour autant un langage de l'absurde. Ses textes reprennent bon nombre des mythes surréalistes de l'époque, qui demeurent encore des « valeurs » ; mythes de l'enfance retrouvée, du retour à la sauvagerie originelle, aux pulsions « innées » ; la femme reste également « par nature » une initiatrice : « Femme-enfant, vous irez jusqu'à la limite de l'ombre et du soleil. Là, au seuil d'un paradis de frissons et de loques, vous vous arrêterez, simple forme qui ne tenez ni au ciel ni à la terre et, cependant, servez de charnière à l'une et à l'autre » (*Babylone*).

Au-delà de ses mythologies personnelles, cette œuvre limite du surréalisme demeure une tentative forcenée de libération du corps par l'écriture. Crevel fait de la poésie un second moi dont les contradictions non résolues explosent au grand jour : plus encore que ses amis Breton, Eluard ou Aragon, le marginal Crevel érige le désir contre l'Institution, le puzzle de sa parole contre la Littérature.

J.-P. Damour et C. de Croix

Croisade (cycles de la)

(XIIe-XVe siècles)

Ensemble composite de chansons de geste, constitué progressivement entre le XIIe et le XVe siècle autour de deux pôles successifs d'extension cyclique :

– les chansons qui renvoient à la première croisade (1096-1099) et dont le premier regroupement est dû à Graindor de Douai (fin XIIe siècle) : *la Chanson d'Antioche*, *la Chanson des Chétifs*, *la Conquête* ou *Chanson de Jérusalem* en constituent le premier cycle ;

– les chansons qui rattachent la légende du Chevalier au Cygne au lignage de Godefroi de Bouillon (l'un des chefs croisés) et qui, dans les manuscrits, introduisent aux chansons de la croisade : *les Enfants-Cygnes* (ou *la Naissance du Chevalier au Cygne*), *le Chevalier au Cygne* proprement dit, *les Enfances Godefroi*.

Chacun de ces groupes a reçu des adjonctions ultérieures, très diversement représentées dans les assemblages cycliques :

– pour celui de la croisade : *la Chrétienté Corbaran* (suite des *Chétifs*), *la Prise d'Acre*, *la Mort Godefroi* ; vers le milieu du XIVe siècle il s'est formé un « deuxième cycle de la Croisade » qui donne du premier une version très remaniée et le prolonge en partie avec les événements de la troisième croisade : *le Chevalier au Cygne et Godefroi de Bouillon*, *Baudouin de Sebourc* (cousin de Godefroi et devenu roi de Jérusalem), *le Bâtard de Bouillon* (fils de Baudoin et d'une Sarrasine), *Saladin* et *Jean d'Avesnes*, ces deux derniers parvenus seulement dans des versions en prose du XVe siècle ;
– pour l'histoire des ducs de Bouillon : une *Fin d'Élyas* (suite du *Chevalier au Cygne*), *le Retour Cornumaran* ; outre *la Mort Godefroi*, relèvent aussi de la même geste *le Chevalier au Cygne et Godefroi de Bouillon*, *Baudoin de Sebourc* et *le Bâtard de Bouillon* (voir ci-dessus) qui font la transition à la fois entre les deux cycles successifs de la croisade et entre les deux groupes constituant ceux-ci.

Les chansons du premier cycle

Le premier cycle de la Croisade a été directement inspiré par les événements de la première croisade : l'expédition désastreuse des troupes populaires de Pierre l'Ermite (début de *la Chanson d'Antioche* et de *la Chanson des Chétifs*), puis celle des princes, mieux organisée, qui aboutit à la création d'États francs au Proche-Orient, après la reconquête de Nicée, d'Antioche, d'Édesse (*la Chanson d'Antioche*), puis de Jérusalem (*la Conquête de Jérusalem*). Contemporaines, dans leur première rédaction, des faits qu'elles rapportent, ces chansons, plus qu'au déroulement lui-même des opérations, restent fidèles aux réalités géographiques et climatiques, comme aux conditions politiques et militaires dans lesquelles a eu lieu la première croisade : le rôle du clergé dans l'expédition, de l'évêque du Puy notamment ; le nom des chefs croisés (Godefroi de Bouillon et son frère Baudoin, Raymond de Saint-Gilles, Bohémond de Tarente et son neveu Tancrède) ; les rivalités internes entre chrétiens, entre Turcs ; les moyens et techniques utilisés (le feu grégeois, les machines de siège, les pigeons voyageurs...).
La Chanson d'Antioche (9 500 alexandrins en laisses rimées), la plus ancienne du cycle, a été composée par Richard le Pèlerin, sans doute témoin oculaire de la première croisade ; elle n'est parvenue que dans le remaniement de Graindor qui, à la fin du XIIe siècle, l'a ajoutée aux deux suivantes.

LA CHANSON D'ANTIOCHE

Averti par une vision que les temps sont venus de secourir le Christ, Pierre l'Ermite (que la chanson fait naître en Arménie) part pour l'Occident et réunit 60 000 hommes ; au Puy de Civetot, près de Nicée, ils affrontent les deux armées devenues alliées de Soliman et du sultan de Perse, sous la direction de Corbaran ; les croisés sont entièrement défaits, les survivants emmenés en captivité (d'où le nom de « chétifs » [prisonniers]) ; Pierre l'Ermite, qui s'est échappé, va raconter cela à Rome ; ce qui provoque une grande réunion des barons à Clermont et scelle leur serment de partir délivrer les lieux saints. Leur armée, conduite par Godefroi de Bouillon, s'embarque pour Nicée, qui se rend. Les croisés remportent sur Soliman la grande bataille de Dorylée, puis gagnent Édesse où Baudoin de Boulogne (frère de Godefroi) épouse la fille d'un gouverneur grec (le « Vieux de la montagne ») et vont enfin assiéger Antioche, dont ils s'emparent ; tous les rois païens réunis viennent les encercler, sous la direction de Corbaran, malgré les sinistres prédictions de la mère de celui-ci, la vieille Calabre ; mais les chrétiens reçoivent le secours de la Sainte Lance puis d'une armée de saints dont l'intervention décisive achève le désastre des païens, sommés de fuir ou de se convertir.

Le remaniement de Graindor de Douai a amplifié ce récit avec une chanson de transition, *la Chanson des Chétifs* – en laisses rimées d'alexandrins –, qui mentionne divers événements (la reddition de la citadelle d'Antioche, la mort et les funérailles de l'évêque du Puy...) et annonce la prise de Jérusalem.

LA CHANSON DES CHÉTIFS

Elle prolonge le début de *la Chanson d'Antioche* avec les aventures en partie merveilleuses de six croisés faits prisonniers (« chétifs ») à la bataille du Puy de Civetot et retenus depuis au royaume de Corbaran. Condamnés à mort, ils doivent leur salut à la défaite de Corbaran devant Antioche, qui, pour se justifier lui-même, veut prouver la supériorité des chrétiens en faisant combattre un seul des prisonniers contre deux Turcs. La victoire du « chétif » assure la délivrance de ses compagnons et tous reprennent la route de la Terre sainte ; après un voyage mouvementé, ponctué de rencontres avec des animaux fantastiques (le serpent Sathanas, le loup Papion...) et de combats inégaux contre d'immenses armées païennes, ils rejoignent Godefroi de Bouillon devant Jérusalem.

LA CONQUÊTE (OU CHANSON) DE JÉRUSALEM

D'une colline à quelque distance de Jérusalem, les croisés découvrent la ville avec émotion avant de s'engager dans les préparatifs de l'attaque. L'honneur du premier assaut est accordé aux « petits hommes » (les « tafurs », reste des premiers compagnons de Pierre l'Ermite), mais c'est seulement au cinquième assaut que la ville sera prise, un vendredi à l'heure de la Passion et avec l'aide, outre de la Sainte Lance, d'une machine confectionnée dans du bois de Bethléem. Un massacre général et sauvage des païens précède le recueillement des croisés au Saint-Sépulcre. Godefroi finit par accepter d'être roi de Jérusalem, où restent avec lui les « petits hommes » ; les autres barons repartis, Jérusalem est assiégée par Cornumaran, fils de l'ex-roi païen de la ville. Deux grandes batailles se livrent, où les païens sont aidés par Satan, les chrétiens par une armée d'anges et par la Vraie Croix, tandis que Dieu prolonge la journée pour parfaire la victoire des siens.

Si l'esprit de croisade semble bien à l'origine de toute chanson de geste, les expéditions elles-mêmes des croisés, les premières notamment, ont, dès leur époque, inspiré des compositions littéraires ; *la Chanson d'Antioche* et *la Conquête de Jérusalem* (5 200 alexandrins en laisses rimées) correspondent respectivement aux étapes essentielles de la première reconquête chrétienne des lieux saints, qui est leur commune orientation : Jérusalem est le but de l'entreprise, annoncé dès le prologue de *la Chanson d'Antioche* ; les héros chrétiens sont les mêmes dans les deux chansons, conformes à la réalité historique, comme la piétaille marginale des « tafurs », qui trouve une consécration exceptionnelle dans *la Conquête de Jérusalem*, où c'est aux « petits hommes » qu'est réservé l'honneur, outre celui du premier assaut, d'aller chercher à Bethléem le bois qui servira à construire l'engin du siège, enfin de rester auprès de Godefroi qui, dans la chanson (contrairement à la réalité historique où il a refusé la royauté) ne voudra recevoir la couronne que de leurs mains. Sont aussi communes aux deux chansons les aides surnaturelles apportées aux croisés (guérisons miraculeuses, utilisation de la Sainte Lance voire de la Vraie Croix, participations des saints aux batailles) ; la présentation de faits pourtant contemporains y a été adaptée aux exigences de la chanson de geste : s'y trouvent ainsi occultées les relations parfois douteuses des croisés avec d'autres chrétiens d'Orient comme les Arméniens d'Édesse, de même plus ou moins transformées d'occasionnelles manifestations de lâcheté ou encore de cruauté. Car si ces chansons tiennent de la chronique historique – à laquelle a d'ailleurs puisé le remaniement de Graindor de Douai – elles restent destinées à l'héroïsation des guerriers francs. Celle des *Chétifs*, qui y a été intercalée par Graindor et qui en assure la continuité événementielle, relève d'une inspiration quelque peu différente avec l'importance accordée aux animaux fantastiques (qui se retrouve aussi dans *Lion de Bourges*, chanson de geste du XIVe siècle, consacrée aux aventures romanesques du fils de l'un des « chétifs »).

Le cycle du Chevalier au Cygne

La popularité de ces faits historiques, qui ont tendu à se cristalliser autour de la personne de Godefroi de Bouillon, premier « avoué » de Jérusalem (premier roi dans la chanson), ont fait attribuer à celui-ci une ascendance mythique : dès *la Conquête de Jérusalem*, il est situé dans le lignage du « Chevalier au Cygne » ; ce à quoi correspond l'extension cyclique dans laquelle nous sont parvenues ces premières chansons et qu'on appelle « premier cycle de la croisade ».

Les diverses branches dites « du Chevalier au Cygne » (initialement nommé Élyas avant d'être, un peu plus tard, identifié à Lohengrin) consacrent le rattachement du premier cycle de la Croisade à une légende antérieure.

LES ENFANTS-CYGNES

La chanson est dite aussi *la Naissance du Chevalier au Cygne*. Ce sont les sept enfants d'un roi, nés le même jour avec une chaîne d'argent à leur cou. Voués à la mort par la mère de ce roi, ils sont finalement recueillis et élevés par un ermite. Un forestier en découvre six, avertit la marâtre qui leur fait enlever leurs colliers ; immédiatement transformés en cygnes, ils s'envolent vers le vivier de leur père. Le septième, Élyas, qui a gardé son collier et sa forme humaine, grandit auprès de l'ermite. Informé par lui de son identité, il fera rendre à ses frères leurs colliers, sauf un qui avait été fondu entre-temps ; cinq enfants redeviennent hommes. Le seul à rester cygne amène un bateau à Élyas qui, sur ordre d'un ange, s'y embarque armé et croisé en interdisant aux siens de lui demander sa destination. Il sera désormais appelé le « Chevalier au Cygne ».

LE CHEVALIER AU CYGNE

Au milieu d'aventures en terre sarrasine, le chevalier apprend que les Saisnes [les Saxons] ont envahi le duché de Bouillon ; revenu défendre la duchesse, il en épouse la fille (Béatrice ou Elioxe, selon les versions) à qui il fait promettre de ne jamais s'enquérir de son origine sous peine de le perdre à jamais. Sept ans plus tard, alors qu'ils ont donné le jour à une fille, Yde, la promesse est violée et Élyas s'éloigne sur un bateau conduit par un cygne.

LES ENFANCES GODEFROI

Yde épouse le comte de Boulogne, d'où naîtront trois futurs héros, Eustache, Godefroi et Baudoin. Eustache est envoyé à la cour d'Angleterre, Godefroi devient duc de Bouillon. Au même moment, à La Mecque, la vieille Calabre prédit à son petit-fils Cornumaran certains événements des premières croisades ; pour faire face à ce danger, le calife engage ses sujets à procréer, tandis que Cornumaran part pour l'Occident déguisé en pèlerin, afin d'observer de près ses futurs ennemis ; son voyage à travers l'Europe auprès de Tancrède, de Bohémond, de Raymond de Saint-Gilles, finit par le mener à l'abbaye de Saint-Trond ; l'abbé lui ménage une rencontre avec Godefroi de Bouillon, qui l'éblouit par sa magnificence et lui annonce son expédition à Jérusalem.

LE RETOUR DE CORNUMARAN

Est parfois ajouté au cycle du « Chevalier au Cygne » un *Retour de Cornumaran* en Orient, très mouvementé ; le sultan accuse Cornumaran de trahison, mais un combat singulier par champions interposés décide de son innocence ; l'ensemble des païens finit par s'unir contre les chrétiens dont sont annoncées les prochaines expéditions.

LA FIN D'ÉLYAS

De même, une *Fin d'Élyas* clôt parfois l'histoire du « Chevalier au Cygne » (ailleurs suspendue dans le mystère du départ d'Élyas) en intégrant dans cette légende l'histoire de l'abbaye de Saint-Trond (actuellement en Belgique) : sur les lieux où il avait été recueilli enfant par l'ermite, Élyas entre lui-même en ermitage ; là il construit un château, réplique de celui de Bouillon, et y fonde une abbaye dont il devient moine. Sa femme et sa fille le retrouvent au moment où il meurt.

La légende du « Chevalier au Cygne » était bien connue en Europe dès le XIIe siècle et plusieurs maisons princières d'Allemagne (telle celle de Clèves) comme de Belgique se la sont appropriée en en faisant le récit de leurs origines ; son adjonction à l'histoire de la famille de Bouillon a conféré à ce conte populaire la forme adoptée pour les chansons de la croisade ; un long prologue authentifiera par la suite cette volonté d'intégration dans une geste. La partie consacrée aux petits-enfants du Chevalier au Cygne se concentre vite sur le seul personnage de Godefroi de Bouillon et s'emploie à fournir les données essentielles de *la Chanson d'Antioche* et de *la Conquête de Jérusalem* qu'elle est faite pour anticiper ; le récit de la pérégrination de Cornumaran introduit aux futurs chefs croisés et à l'expédition elle-même, explicitement annoncée. Tout cet ensemble cyclique, mis en prose au XIIIe siècle, a été, au milieu du XIVe, récrit et remanié en vers dans *la Chanson du Chevalier au Cygne et de Godefroi de Bouillon* (parfois dite seulement « le Godefroi »). Encore unis dans ce remaniement, les deux pôles du cycle avaient déjà connu des postérités indépendantes :

– dès le XIIe siècle, le seul groupe de la croisade avait inspiré la *canso* occitane d'*Antiocha* due à Grégoire Béchade (qui aux exploits des gens du Nord ajoutait ceux des Méridionaux) et, à la fin du XIIIe, la *Gran Conquista de ultra mar*, compilation espagnole traduisant l'histoire des croisades jusqu'en 1271. C'est là aussi que puisera le Tasse pour *la Jérusalem délivrée* (1575) et des échos s'en retrouvent dans l'*Itinéraire de Paris à Jérusalem* (1811) de Chateaubriand ;

– au XIIIe siècle, la légende du Chevalier au Cygne est de nouveau racontée dans *le Roman des sept sages* et le *Dolopathos* ; des versions allemandes en sont données avec le *Schwan Ritter* de Conrad de Würzburg et le *Lohengrin* anonyme, tandis que dans le *Parzival* de Wolfram d'Eschenbach le Chevalier au Cygne (désormais appelé Lohengrin) entre dans la légende du Graal, comme y restera associé le *Lohengrin* de Wagner.

N. Andrieux-Reix

CROISSET Francis de

Pseudonyme de **Franz WIENER** *(1877-1937)*

Écrivain d'origine belge, il anima, dans son pays natal, des revues littéraires avant de venir à Paris où il publia, en 1896, des vers, *les Nuits de quinze ans* ; il collabora ensuite à divers journaux (*le Figaro, le Gaulois*, la *Revue des Deux Mondes*, etc.), mais c'est au théâtre qu'il trouva sa voie. Seul d'abord, dans *le Bonheur, mesdames* (1905), qui le rendit célèbre, *Arsène Lupin* (1908) inspiré par le héros de Maurice Leblanc, *Le cœur dispose* (1912). Puis avec Robert de Flers, auprès duquel il remplaça Caillavet : *les Vignes du Seigneur* (1923) d'après Charles Collé, *les Nouveaux Messieurs* (1925), *le Docteur Miracle* (1926). Après la mort de Robert de Flers (1927), il composa encore quelques comédies. Grand voyageur, il tira de ses périples *la Féerie cinghalaise* (1926) et, dans une forme romancée, *Nous avons fait un beau voyage* (1930), *la Dame de Malacca* (1935) puis *la Côte de jade* (posth., 1938). On a prétendu qu'il se serait converti au bouddhisme.

Cet homme talentueux aux multiples curiosités est un peu tombé dans l'oubli. Le théâtre de boulevard a évolué. On ne peut plus croire à ces comtes du pape, à ces hauts bourgeois désœuvrés, qui peuplaient la scène entre 1900 et 1930. Déjà, en leur temps, ils étaient conventionnels. Sans doute reprend-on parfois *les Vignes du Seigneur*, mais on ne les voit plus comme les voyaient les premiers spectateurs : la gaieté se nimbe de nostalgie ; ses stéréotypes prennent un charme désuet. Ce théâtre, qui n'a jamais eu grand rapport avec le réel, ne peut subsister que par la pureté mécanique de sa structure et son éloignement même de tout référent concret.

A. Niderst

CROMMELYNCK Fernand

(1886-1970)

Auteur dramatique, né d'un père belge et d'une mère française. Sa famille, tantôt unie et tantôt divisée, vient à Bruxelles, retourne à Paris, revient à Bruxelles. Dès son adolescence, il commence à jouer sur les scènes bruxelloises. À dix-huit ans, il repart pour Paris. Un an après, la vie parisienne lui étant trop dure, il rentre en Belgique.

Un concours littéraire de la revue *le Thyrse* le décide à écrire en dépassant ses informes rêves d'adolescent. C'est *Nous n'irons plus au bois*, un acte en vers, qui gagne le prix, paraît dans la revue et est créé au Théâtre royal du Parc en 1906 (éd. 1908). Mais déjà une autre pièce brève, en vers, d'un rien postérieure, vient d'être jouée à Moscou : *le Sculpteur de masques*. Le jeune écrivain, dans ses débuts, se souvient de Verhaeren et de Maeterlinck.

Fernand Crommelynck se partage alors entre Bruxelles et Ostende, où il se fait chroniqueur des courses et de la vie mondaine. Il écrit d'autres œuvres (non jouées), puis il met en prose *le Sculpteur de masques*, compose *le Marchand de regrets* (1913). Vivant entre Paris et Bruxelles, il voit sa première création parisienne en 1911 : la version en trois actes du *Sculpteur de masques* au Gymnase. C'est aussi la première pièce qui portera vraiment le nom de son auteur en Europe. 1914 : la guerre bloque Crommelynck à Bruxelles. Il s'y est marié avec Anne-Marie Letellier. Dès décembre 1918, c'est à nouveau Paris, une existence laborieuse de journaliste inconnu, d'écrivain en quête d'éditeur.

Le grand départ, c'est évidemment *le Cocu magnifique*, le 18 décembre 1920, au théâtre de l'Œuvre, chez Lugné-Poe. Tout ce qui fera le génie de Crommelynck s'y trouve : une passion irrémédiable comme l'ouragan et brutale comme une fracture, le sens inné du paroxysme, le pouvoir tragique d'une certaine bouffonnerie, un style qui semble chauffer le langage jusqu'à l'incandescence.

Le choc est énorme à Paris, et bientôt partout dans le monde : Genève, Bruxelles, Rome, Londres, Turin, Milan, Berlin, Budapest, Oslo, Buenos Aires. C'est aussi la « vague slave » : Prague, Varsovie, Moscou. Ici, la représentation conçue par Meyerhold dans un décor constructiviste est un événement : le 25 avril 1922 est resté une date dans toutes les histoires du théâtre. Il l'est même de nouveau à Moscou depuis qu'on a rendu la vie (hélas ! posthume) à l'artiste que le stalinisme avait tué et « effacé »... *Le Cocu magnifique* est-il le chef-d'œuvre de Crommelynck ? On peut penser que telle pièce est plus harmonieuse, comme *Une femme qui a le cœur trop petit*, ou plus émouvante, comme *Carine ou la Jeune Fille folle de son âme* (1929). Il est possible que *le Cocu magnifique* soit un peu une pièce folle de son titre. En tout cas, la scène française y découvrait définitivement un écrivain apte à lui donner une force, un jaillissement, une intensité qui allaient lui manquer.

Trois mois plus tard, Paris reste tiède devant une pièce écrite avant le *Cocu* et qui paraît moins nette : *les Amants puérils* (1921). Fragile, rêveuse, l'œuvre est moins assurée, certes, mais son lyrisme est souvent admirable. En 1925, c'est *Tripes d'or* dont le ton ne convient pas idéalement à Louis Jouvet. Une fois de plus, c'est un paroxysme : l'avarice. Hormidas mangera son or pour s'assurer qu'on ne le lui prendra pas. Il y perdra son repos, un grand amour, enfin la vie.

Carine, qui a des accents insurpassables, est la tragédie de la pureté. Une jeune femme, au lendemain de ses noces heureuses, meurt lorsque la fête et la bassesse du monde détruisent son amour. Cette tragédie mystérieuse n'a pas conquis le public, mais la pureté essentielle, qui ne transige pas avec ce qu'elle est et ce qu'elle assume – et qui n'a rien à voir avec l'ingénuité de théâtre –, n'a sans doute jamais trouvé depuis Shakespeare un langage aussi éblouissant.

Pendant les années 1930, Crommelynck travaille pour le cinéma. Scénarios ou dialogues l'occupent, mais n'ajoutent certainement rien à ce qu'il est comme dramaturge. Le cinéma ne lui sera jamais vraiment favorable, et la version filmée du *Cocu magnifique* avec Jean-Louis Barrault le confirmera encore en 1946.

En 1934, grand retour au théâtre. Le 11 janvier, en avant-première, à Bruxelles, le 15 à Paris, à l'Œuvre, s'éployaient l'ironie rieuse, le romanesque heureux, la salacité cocasse d'*Une femme qui a le cœur trop petit.* Le 21 novembre, c'est *Chaud et froid ou l'Idée de Monsieur Dom* à la Comédie des Champs-Élysées. La rivalité posthume de deux femmes qui ne savaient pas qu'elles partageaient le même homme, leur solidarité apparente, la détermination soudaine de la veuve d'être la seule, au prix de son amour pour un autre, l'ensevelissement délibéré dans une fidélité absurde et tragi-comique : tout fait de la pièce un étonnant chef-d'œuvre.

Alors semble s'arrêter un dramaturge de quarante-huit ans joué dans le monde entier. Certes, il publie en 1954 *le Chevalier de la lune,* où il isole, dans Shakespeare, le personnage de Falstaff ; il écrit des poèmes, des textes d'analyse ou de réflexion ; il a même fait paraître, en 1950, un roman assez remarquable : *Monsieur Larose est-il l'assassin ?* Mais où est celui qu'on pourrait appeler le grand Crommelynck ? Il semble avoir commencé une pièce, *la Gourgandine,* une autre qui s'appellerait *Va-nu-cœur.* Tout a été perdu.

Le 17 mars 1970, Crommelynck meurt à Saint-Germain-en-Laye. Il a quatre-vingt-quatre ans, mais le grand baroque qui a bousculé, transfiguré le théâtre pendant quinze ans est toujours vivant.

Le Cocu magnifique

SYNOPSIS

Stella et Bruno s'aiment depuis l'enfance. Elle attend son retour. Ludovic, le bouvier, avoue à Stella son amour et son intention de lui faire écrire une lettre par Bruno. Après une nuit d'absence, Bruno retrouve sa bien-aimée. Ils se parlent dans un tendre idiome connu d'eux seuls. Bruno reprend son travail d'écrivain public et dicte à Esturgo, son scribe, des lettres pour le comte et le bourgmestre tout en décrivant les grâces de sa femme. Il accepte même de rédiger la lettre du bouvier. Arrive Pétrus, cousin de Stella. Bruno lui vante la beauté de sa femme et oblige Stella à montrer ses jambes, son sein, avant d'envoyer à Pétrus un soufflet formidable puis de l'enlacer. Il charge finalement Esturgo de le renvoyer (acte I).

Bruno invente mille scénarios pour alimenter sa jalousie et oblige Stella à dissimuler son corps sous un ample manteau et son visage sous un masque. Il veut surveiller jusqu'à ses pensées. Puisque les doutes concernant sa fidélité le rongent, il veut s'assurer de son infidélité. Il fait rappeler Pétrus et lui offre Stella. Les cousins s'enferment dans la chambre. Mais l'adultère est-il consommé ? Le doute de nouveau envahit Bruno (acte II).

Les hommes du village se mettent à défiler dans le lit de Stella avec la bénédiction de Bruno, persuadé qu'elle fait semblant. Il est en fait convaincu qu'elle aime un homme dont elle ne veut pas avouer le nom. Le scandale éclate dans le village. Lors de la nuit de la Saint-Géraud, Bruno soumet Stella à une épreuve décisive. Déguisé sous un masque, il lui donne l'aubade et l'attire dans sa chambre. Il tient sa preuve. Les femmes du village, encouragées par le mari cocu, veulent noyer la gueuse. Mais un doute assaille soudain Bruno. Et si elle l'avait reconnu sous son masque ? Lorsque Stella revient trempée sous la protection du bouvier, Bruno croit enfin avoir découvert l'amant secret. Au moment où il va l'abattre, Stella se précipite dans les bras de Ludovic. Ce geste est encore une feinte, pense Bruno. Tout est donc à recommencer (acte III).

G. Sion et C. Pont-Humbert (synopsis)

CROS Charles

(1842-1888)

Poète et savant, Charles Cros est un Janus déroutant, un homme de fantaisie, de liberté et de surprise. On ne peut le réduire, cependant, à ces points d'interrogation qu'il chasse sur une caricature du temps, juché sur le célèbre « hareng saur ». Car le bizarre et l'incongru contribuent chez lui à la création d'un univers poétique : l'énigme sert à arrêter le lecteur, à le provoquer, mais aussi à créer un charme original.

Alchimiste des mots et des choses

Le grand-père et le père de Charles Cros étaient eux-mêmes auteurs, linguistes et amateurs de littérature. Lorsque ce père, engagé à gauche, doit quitter Narbonne et son poste de professeur, il vient à Paris où son fils, tout seul et très vite, s'initie aux langues anciennes et y excelle, sans préjudice pour ses curiosités scientifiques et artistiques. En 1860, Charles Cros est nommé « aspirant-répétiteur » à l'Institut des sourds-muets où sa conduite (un duel, notamment !) et son efficacité professionnelle laissent à désirer. D'où un renvoi en 1862, qui le rend libre pour d'autres travaux.

Sur le plan scientifique, il invente un télégraphe automatique (présenté à l'Exposition universelle de 1867), dépose à l'Académie des sciences un pli cacheté (ouvert en 1876) à propos de « l'enregistrement et de la reproduction des couleurs, des formes et des mouvements », prolongé plus tard par une plaquette et une communication (*Solution générale du problème de la photographie des couleurs*, 1869) ; il va même jusqu'à s'intéresser aux moyens éventuels de communication avec les planètes, puis, plus tard, à la synthèse des pierres précieuses, à la photographie céleste, à l'astronomie…

Mais la fin des années 1860 est aussi l'époque de ses premières tentatives poétiques, orientées par des rencontres avec Coppée, Verlaine, Villiers de L'Isle-Adam et tous ceux qu'il croise dans le salon parnassien de Nina de Villard, devenue sa maîtresse. Bientôt Cros donne des poèmes dans *l'Artiste* et dans *la Parodie*, publie dans le deuxième *Parnasse contemporain* et continue même à écrire durant la guerre de 1870. Après la Commune, c'est chez lui que Rimbaud habite quelque temps, mais leur amitié ne dure pas, surtout après le départ de Rimbaud et de Verlaine – dont la femme reste l'amie de Cros.

Celui-ci fréquente d'ailleurs toute une série de groupes, de cafés et de revues où il rencontre des générations successives de nouveaux poètes : ces derniers doivent eux-mêmes beaucoup à Charles Cros et à son recueil le plus célèbre, *le Coffret de santal* (1873). L'année suivante, il lance la *Revue du monde nouveau* (1874, trois numéros) où il écrit lui-même et édite Mallarmé, Zola ou Germain Nouveau, à la pointe, donc, de la modernité littéraire de l'époque. Cros participe aussi à des entreprises collectives comme la représentation de sa comédie, *la Machine à changer le caractère des femmes* (1875) et les *Dixains réalistes* (1876), avec leurs « vieux Coppées » ! En revanche, il se voit barrer les portes du troisième *Parnasse contemporain.*

1877 est une année décisive, consacrée en partie à des travaux sur la photographie des couleurs ; mais c'est surtout l'année où Cros invente son « paléophone », le futur phonographe, et en dépose la description à l'Académie des sciences ; c'est enfin l'année de la rupture avec Nina, qui mourra folle, avant le mariage avec Mary Hjardemaal (1878). La fin de la vie de Cros n'est pas heureuse : il poursuit ses recherches sur la photographie en couleurs, mais est menacé par la gêne et surtout par l'absinthe. Il continue aussi à fréquenter assidûment ces groupes à mi-chemin de la bohème de Murger et du symbolisme : après l'ancien cercle zutique (1871) de Rimbaud, il y a le groupe des Vilains Bonshommes (1872), celui des Hydropathes (1878) avec son journal, celui aussi des Zutistes deuxième époque (1883) ; enfin le Chat-Noir, ce cabaret où les monologues de Cros font florès et où il fait la connaissance de la chanteuse Thérésa. Avant de mourir, il publie encore *la Vision du grand canal royal des Deux Mers* (1888) ; bien après paraîtront les vers inédits du *Collier de griffes* (1908).

La fantaisie de l'ingénieur

L'humour est l'originalité la plus voyante de cette œuvre, capable, selon l'avant-dernier vers du « Hareng saur » (inclus dans *le Coffret de santal*), de « mettre en fureur les gens – graves, graves, graves… ». Cet humour naît en effet de la volonté de rompre avec les conventions de thème, de ton ou de forme, et on le retrouve ailleurs, dans les monologues par exemple. Apparaissent ainsi des sources nouvelles de poésie qui vont bien avec le goût de Cros pour une certaine étrangeté mélancolique, schumannienne pour prendre la métaphore musicale chère à ce poète : les manies des fous, les rues bizarres, les châteaux abandonnés, les visions d'alcool, vermouth, bitter ou absinthe, tout cela définit un climat à la fois triste et gai, onirique. Un mot revient souvent, en effet, dans les titres de Cros : « Drames et Fantaisies », « Fantaisies en prose » (deux sections du *Coffret de santal*), « Fantaisies tragiques » (section du *Collier de griffes*)… Plutôt que de l'humour de cette poésie, il faut alors parler de sa fantaisie au sens fort du terme, de son aptitude à faire surgir un autre monde de fictions et de fantasmes, de fantômes instables, de fées. Et le rapprochement s'impose ici avec la science : comme le bromure et la membrane restituent la couleur et le son du passé, le poème fixe des visions, souvent bizarres et incongrues :

Ma pensée est un perce-neige
Qui pousse et rit malgré le froid
Sans souci d'heure ni d'endroit.

(« École buissonnière », *le Collier de griffes*)

D'où le goût de Cros pour certaines impressions impalpables, pour les parfums et les souffles, les ombres, les apparitions immatérielles. D'où, aussi, son choix de certaines formes nouvelles ou renouvelées : la comptine, la ronde, la chanson, le poème en prose semblent capables de restituer plus fidèlement, plus sincèrement peut-être, une émotion, une tristesse, un état d'âme. Ainsi l'apparente simplicité se charge-t-elle d'un poids inattendu, tandis qu'un autre texte « Sur trois aquatintes de Henry Cros » (*le Coffret de santal*) raconte le scénario d'un rêve ou d'une rêverie : dans l'une des parties, des employés de chemins de fer portent des caractères cabalistiques sur leurs casquettes administratives ; dans l'autre, d'étranges personnages sortent d'un meuble en marqueterie, avant qu'on ne nous montre, dans la dernière section, un curieux « vaisseau-piano » : « Une femme, la Reine des fictions, est assise devant le clavier. Sous ses doigts, l'instrument rend des sons veloutés et puissants qui couvrent le chuchotement des vagues et les soupirs de force des rameurs ». On conçoit que ces visions merveilleuses, ces « fusées » aient séduit Breton et les surréalistes. Même lorsqu'ils sont plus parnassiens dans leur inspiration, plus sages dans leur démarche poétique, les meilleurs textes de Cros explorent des registres imaginaires et sensoriels, établissent des connexions curieuses, jouent sur une alchimie délicate. En fait, toute cette fantaisie ne contredit pas la rigueur du savant : elle semble au contraire issue d'une même recherche d'imagination. Comme l'amour et la science, la poésie, pour Cros, est à la fois une connaissance et une aventure.

A. Preiss

CUREL François de

(1854-1928)

Ce descendant de hobereaux, maîtres de forges lorrains, contraint de renoncer à l'industrie après 1870, se tourne vers une vie de gentilhomme campagnard et rédige des romans :

l'Été des fruits secs (1885), *le Sauvetage du grand-duc* (1889). C'est un article de Maurras paru à ce sujet (« Un malheureux vaudevilliste perdu dans la toge du romancier ») dans *l'Observateur français* du 25 avril 1889, qui le pousse vers le théâtre : Antoine le révèle avec *l'Envers d'une sainte* et *les Fossiles* (1892). Puis c'est le succès de *l'Invitée* (1893), au Vaudeville, et du *Repas du lion* (1897), que suit le triomphe de *la Nouvelle Idole* (1899) ; *la Fille sauvage* (1902) est peu appréciée du public. *Terre inhumaine* (1922) met en scène le conflit moral suscité par deux amoureux appartenant à des nations ennemies.

Le succès de ce théâtre qui mêlait les influences d'Ibsen, de Schopenhauer et de Nietzsche, et devait évoluer du drame social et familial vers des pièces à dominante « philosophique », concernait un public restreint. Non sans quelques maladresses, il n'évitait pas l'écueil du didactisme dans l'évocation de problèmes susceptibles d'éveiller l'intérêt : conflit social entre patrons et ouvriers (*le Repas du lion*), cas de conscience d'un savant sacrifiant à l'expérimentation une vie qu'il juge perdue (*la Nouvelle Idole*), crises nées de la guerre et de l'après-guerre. De nombreuses métaphores et comparaisons, souvent empruntées à la nature, donnaient vie au raisonnement et servaient une idéologie confiante en la science (« soleil » vers lequel tendent les nénuphars). La philosophie de Curel, empreinte d'un scientisme naïf, est fondée sur un élitisme à prétention biologique, sur la croyance aristocratique à la sélection naturelle des plus forts : « Dès qu'un jeune arbre dépasse les autres, fût-ce de l'épaisseur d'un fil, les autres ne le rattraperont pas. Il montera dans la lumière, voleur inconscient de soleil. Dans l'humanité, il y a également des plantes voraces ». Curel croit aussi au rôle directeur des « lions » : « Lorsque le lion a le ventre plein, les chacals dînent… Artistes, orateurs, savants, philosophes, tous les audacieux de la pensée inventent, combinent, réalisent devant un troupeau de singes qui copient leurs moindres mouvements. Ils sont les bienfaiteurs de ces singes, puisqu'ils se donnent la peine de vivre à leur place. »

A. Pierrot-Herschberg

CURTIS Jean-Louis

Pseudonyme de ***Louis Laffitte*** *(1917-1995)*

Né à Orthez, dans les Pyrénées-Atlantiques, de formation universitaire et longtemps professeur d'anglais, J.-L. Curtis est un romancier classique ayant traversé les tempêtes du « nouveau roman » et autres écoles d'avant-garde avec une impénétrable indifférence. Passionné de psychologie sociale comme le fut Balzac, soucieux de donner à ses lecteurs autant de plaisir esthétique que de « morale provisoire », écrivain parmi les plus volubiles, il n'a pas été aidé par le prix Goncourt qu'il reçut en 1947 pour *les Forêts de la nuit*. Braqués trop tôt sur lui, les projecteurs du succès ne l'ont pas toujours suivi dans son travail et ses multiples publications. Parmi les sujets qui l'ont inspiré plusieurs fois, la jeunesse a une place de choix : *les Jeunes Hommes* (1946), *les Forêts de la nuit*, *les Justes Causes* (1954), *l'Horizon dérobé* (1978) sont le plus souvent des romans d'éducation, sinon d'apprentissage, où de jeunes héros se révoltent contre la société, mais aussi contre les événements politiques les plus graves. N'oublions pas, pour comprendre son esprit, que Curtis avait vingt-deux ans quand éclata la Seconde Guerre mondiale – conflit auquel il participera dans l'armée de l'air. Mais le romancier ne se borne pas à ce thème, encore qu'il aime à y revenir (*Un jeune couple*, 1967) : il a publié, entre autres, *Pédro*, 1956 ; *Un saint au néon*, 1956 ; *Adélaïde*, 1964 ; *la Quarantaine*, 1966 ; *le Thé sous les cyprès*, 1969 ; *la Parade*, 1970 ; *le Roseau pensant*, 1971 ; *l'Étage noble*, 1976 ; *les Mœurs des grands fauves*, 1988 ; *le Temple de l'amour*, 1990. Avec une plume parfois acide, et dans un style élégant parce que sobre, Jean-Louis Curtis s'attache autant à croquer ses personnages dans leur intimité qu'à dépeindre un contexte, généralement emprunté à l'Histoire réelle. La fiction, chez Curtis, passe d'abord par l'observation. Avec *l'Horizon dérobé*, il a commencé une nouvelle tentative : la rédaction d'un cycle romanesque, à la manière des grands romans classiques. Un deuxième tome a paru en 1980, *la Moitié du chemin*, et un troisième en 1981, *le Battement de mon cœur*. Rappelons le sujet de ce cycle qui justifie l'ampleur du projet : de jeunes héros participent à Mai 68, puis se dirigent à grands pas vers la société de leurs parents, vers la réussite sociale… Jean-Louis Curtis est bien ce « romancier-témoin » dont parlait Gérard Bauër.

Et ce témoignage ne se limite pas au roman : le cinéma (*Cinéma*, 1967), la littérature (*Questions à la littérature*, 1973), l'actualité mondiale (*La Chine m'inquiète*, 1972) ou politique (*Un rien m'agite*, pastiches politiques publiés d'abord dans *l'Express*, 1985), font l'objet d'une réflexion agile (voir aussi *Haute École*, 1950 ; *À la recherche du temps posthume*, 1957 ; *Un miroir le long du chemin*, 1969) ; *Une éducation d'écrivain*, en 1985, réaffirme les admirations littéraires de l'auteur : Montherlant, Barrès, mais aussi tels « livres phosphorescents » de Fraigneau, Cocteau ou Gracq. Enfin, J.-L. Curtis s'intéresse au texte théâtral par le biais de la traduction de l'anglais : Shakespeare (1960), mais aussi Philip Toynbee (1956) ou John Osborne (1967).

J. Garcin

CUSTINE Astolphe de

(1790-1857)

Né à Niederwiller (ex-Meurthe), petit-fils et fils de généraux et de guillotinés, élevé solitairement par sa mère Delphine de Sabran, maîtresse de Chateaubriand, ballotté de pays en pays sous l'Empire et livré à d'étranges personnages comme Berstoecher, le docteur Koreff et Zacharias Werner, poussé en vain dans les armées du comte d'Artois, puis au congrès de Vienne, au retour duquel un certain Wilhelm Hesse aura sur lui une « influence douteuse », Astolphe de Custine rompt ses fiançailles avec Albertine de Staël, puis avec la fille de Mme de Duras, et épouse une noble de province, pour aussitôt la

quitter, partir pour l'Écosse et en ramener Edward Sainte-Barbe, qui vivra avec lui trente-cinq années et héritera de sa fortune.
La mort de sa femme en 1823 précède le célèbre scandale de 1824 : un rendez-vous galant avec un canonnier de la Garde finit par une bagarre provoquée par les camarades de ce dernier. Cet épisode, en plein ministère Villèle, lui aliène le Faubourg Saint-Germain et provoque une crise dont il sort transformé en écrivain. Custine décide courageusement de faire front, de s'assumer et de se faire reconnaître, sans succès, par le milieu littéraire. Il publie en 1829 *Aloys ou le Religieux du mont Saint-Bernard*, court roman autobiographique traitant le sujet d'*Armance, le Monde comme il est* en 1835, *Éthel* en 1839, *Romuald ou la Vocation* en 1848. Tous ces romans sont éreintés par la critique (« Il ne [lui] manque qu'un secrétaire », écrit Jules Sandeau) ou tombent dans l'indifférence. Ce n'est guère mieux au théâtre, où sa *Beatrix Cenci* fait un four à la Porte-Saint-Martin en 1833.
Cependant, sa vie fastueuse, ses fêtes dans son célèbre hôtel de la rue La Rochefoucauld et au château de Saint-Gratien, sa réputation de mécène font défiler chez lui le Tout-Paris artistique. Ce n'est pas parce qu'il recueille chez lui un jeune Polonais, Ignace Gurowski, qu'il décide de se rendre en Russie, mais parce que ce catholique légitimiste se devait de connaître un dernier exil pour compléter sa marginalité aux multiples facettes : celui du voyage.
De son séjour en 1839, il tire ses *Lettres de Russie* (reprises et complétées en 1843 par le *Voyage en Russie*). 200 000 exemplaires seront vendus. Ce frère de lait de René (« Quel qu'ait été l'état où le ciel m'eût fait naître, j'en aurais fait du malheur ») s'y révèle un analyste politique lucide et un styliste convaincant, pour qui « le voyage est un drame ». Il y dénonce l'oppression : « J'allais en Russie pour y chercher des arguments contre le gouvernement représentatif, j'en reviens partisan des Constitutions », et émaille son texte de formules qui feront – plus tard – le bonheur des anticommunistes : « Je me demandais ce que l'homme a fait à Dieu pour que soixante millions de ses semblables soient condamnés à vivre en Russie. »
En fait, il dévoile une mystique de la servitude qui lui semble caractériser le peuple russe : « L'obéissance politique est devenue pour les Russes un culte, une religion. » Sa finesse d'observation provoque une longue polémique, car le tsar est furieux. Le succès de ce livre n'empêchera pas Custine de mourir dans la gêne, après avoir vendu son hôtel. Il est enterré près de Fervaques (Calvados), à côté de sa mère.

G. Gengembre

CYRANO DE BERGERAC Savinien de

(1619-1655)

Un net regain d'intérêt se manifeste aujourd'hui à l'égard de Cyrano. Cette attention renouvelée est salutaire pour l'auteur et l'œuvre, avec qui le contact direct peut briser le carcan d'une légende réductrice et tenace ; pour la connaissance de la littérature du XVIIe siècle, dont les écrits de Cyrano éclairent des aspects trop peu ou trop mal connus ; salutaire enfin et surtout pour le lecteur, qui trouve désormais à sa disposition une œuvre où le sollicitent la verve et la fantaisie créatrice, la hargne polémique et le désir de liberté d'un libre penseur romancier, épistolier dramaturge et, fondamentalement, poète.

La légende et la biographie

Une certaine historiographie romantique, puis le *Cyrano* d'Edmond Rostand (1897) ont entretenu une légende aussi répandue que prégnante. Les grands traits de cette caricature sont connus : une silhouette affublée de deux appendices démesurés, le nez et la rapière ; une psychologie stéréotypée : bravoure et susceptibilité, amour malheureux et amitié virile, solitude et génie méconnu. L'œuvre, pour sa part, y est occultée.
En fait, les documents historiques concernant Cyrano sont assez rares, et l'on ne sait que relativement peu de chose sur sa biographie et sa personnalité réelles. Cependant quelques certitudes – il n'était aucunement Gascon – et quelques très fortes probabilités sont établies qui révèlent des contradictions que la « légende » ignore.
Savinien de Cyrano naît à Paris en 1619. Son père, avocat au parlement, possède les fiefs de Mauvières et de Bergerac (dans la vallée de Chevreuse). Savinien passe sa petite enfance à Mauvières, très tôt il est mis en pension chez un curé de campagne. Il fait ses études au collège de Dormans-Beauvais, dans le quartier Latin. Le principal du collège est l'érudit Jean Grangier que Cyrano ridiculisera dans *le Pédant joué*. Ses études terminées (1638), Cyrano fréquente les tavernes et vit librement (son père a vendu Mauvières et Bergerac en 1636). En 1639, Cyrano s'engage dans la compagnie des gardes de M. de Carbon. Il est blessé au siège de Maizon. Grièvement blessé au siège d'Arras en 1640, il doit quitter la carrière militaire. À partir de 1641, ami de Chapelle, il suit peut-être les leçons de Gassendi, fréquente Tristan l'Hermite, d'Assoucy, Bernier, peut-être Molière ; il vit dans la gêne ; sa réputation de bretteur et de libertin s'établit. Son père meurt en 1648, Cyrano dilapide son héritage. En 1653, il se brouille avec ses anciens amis. Après avoir appartenu à la clientèle des Conti, il devient un protégé du duc d'Arpajon. En 1654, à peu de temps d'intervalle, il est victime d'un accident (une poutre lui tombe sur la tête) et le duc d'Arpajon lui retire sa confiance. Cyrano meurt en 1655 chez son cousin, à Sannois ; le curé du lieu déclare qu'il est mort en bon chrétien.
Ainsi, à bien des égards, la carrière de Cyrano apparaît conforme aux habitudes de son temps : issu de la bourgeoisie de robe en voie d'anoblissement, il se tourne d'abord vers la carrière militaire, puis vers la politique (dans la clientèle des grands), enfin vers la littérature. Mais sous cette apparente banalité se discernent des signes d'instabilité. Les diverses orientations de sa carrière apparaissent non comme les étapes d'une progression « normale », mais comme autant de tentatives suivies d'échecs et de replis. S'il est issu d'un mi-

lieu aisé, son enfance a été très tôt privée de la protection familiale, et, largement abandonné à lui-même, il a manifesté un esprit de révolte, à l'égard de ses maîtres notamment. De même, dans la vie littéraire, il ne prend place de façon durable dans aucun groupe. Très lié aux libertins érudits, ami de Scarron et de D'Assoucy, les maîtres du burlesque, il se brouille avec les uns et les autres. Avec d'Assoucy, relation et rupture sont d'ordre passionnel (leur liaison fut très probablement homosexuelle). Avec les libertins, les causes de conflit sont mal connues : disciple de Gassendi et adepte de la libre pensée, Cyrano ne renie nullement ses opinions, au contraire ; peut-être s'agit-il de divergences sur des questions de politique immédiate. Mais surtout, il semble que son moi social manifeste une instabilité de son moi intime, qui fait de Cyrano, non le marginal, l'excentrique de sa légende, mais un isolé.

La littérature comme quête de la liberté

Les mêmes contradictions entre une apparente conformité à la norme et un non-conformisme profond caractérisent son œuvre. Comme la grande majorité des écrivains de son temps, Cyrano est polygraphe, et, comme eux, il suit la mode. Il pratique les genres en vogue : mazarinades, durant la Fronde ; lettres, quand l'art épistolaire est au cœur de l'actualité ; tragédie… De même, comme beaucoup de ses confrères, il s'adonne aussi bien au style burlesque (dans *le Pédant joué,* 1645, et dans certaines *Lettres*) qu'au style noble (*la Mort d'Agrippine*, publiée en 1654). Mais, de façon remarquable, il passe d'un genre à l'autre, d'un ton à un autre, sans entreprendre d'exploiter de façon un peu suivie une même veine. La polygraphie « normale » devient chez lui, plutôt qu'une conformité à la mode du moment, la démarche d'une exploration des divers registres de la symbolique littéraire, le signe et le moyen d'une recherche qui se joue sur un autre plan. La littérature est ainsi, pour Cyrano, une quête de la liberté, et son œuvre peut se lire comme une série de mises en cause du principe d'autorité.

C'est en matière politique qu'il est le moins virulent. Certes, dans ses premières mazarinades, il attaque durement Mazarin, proclame sa haine de la tyrannie, défend les droits du petit peuple et l'égalité de principe de tous les hommes. Mais ce sont là des thèmes somme toute banals dans le genre, et Cyrano ne remet en cause ni le principe monarchique ni les hiérarchies sociales. Il finit d'ailleurs, rejoignant en cela l'attitude de la plupart des libertins, par se rallier au pouvoir en place.

Car, pour lui comme pour tout le courant libertin, les conflits essentiels se jouent dans l'ordre des croyances et de la morale individuelle. La revendication d'une éthique personnelle débarrassée des prétendus codes de valeurs politiques et religieux caractérise sa tragédie de *la Mort d'Agrippine*. L'intrigue repose sur l'échec du complot d'Agrippine et de Séjan pour assassiner l'empereur Tibère. Tous les personnages sont des êtres de duplicité, tous les propos des mensonges : les valeurs morales ou politiques ne servent qu'à justifier l'accomplissement des pulsions individuelles. Et dans les moments où se dévoilent les pensées secrètes, le désir – qu'il soit de puissance, de vengeance ou amoureux – s'exprime en même temps que le mépris de la crainte des dieux. Pièce du double langage, violente, scandaleuse en son temps, elle mérite aujourd'hui d'être lue.

Mais l'œuvre la plus connue de Cyrano, son roman de *l'Autre Monde* écrit vers 1750, qui se compose de l'*Histoire comique contenant les États et Empires de la Lune* (publiée en 1657) et de l'*Histoire comique des États et Empires du Soleil* (publiée en 1662), met en cause le principe d'autorité en matière philosophique et religieuse. Le narrateur, inventeur d'une fusée, visite d'abord la Lune. Il y trouve le paradis terrestre, mais en est chassé. Il tombe au pouvoir de géants, qui le traitent en animal familier. Libéré grâce à l'intervention du démon de Socrate, il découvre la société lunaire. Revenu involontairement sur la Terre, il est emprisonné comme sorcier. Il s'évade grâce à une nouvelle machine qui le transporte dans le Soleil, qu'il visite en se dirigeant vers le pays des philosophes. Mais le récit s'interrompt au moment où il rencontre Descartes…

Une telle trame est propice à des descriptions, discussions, réflexions, aventures où se manifestent les idées de Cyrano (sans qu'on puisse l'identifier totalement au narrateur). Il apparaît comme un héritier d'Épicure et affirme l'unité de la matière. Il défend les principes novateurs de l'héliocentrisme, de l'attraction des corps, de l'infinité et de l'éternité de l'univers. Malgré ses déclarations de croyance en Dieu, Cyrano apparaît là matérialiste, athée, confiant dans l'investigation scientifique sans pour autant négliger la magie de l'imagination.

L'écriture comme exercice de la liberté

Car l'écriture, exercice de l'imaginaire, est exercice de la liberté. Le thème des hiérarchies renversées, symbole de révoltes rêvées, de revanches à prendre, est omniprésent : sur la Lune, les fils commandent aux pères ; dans le Soleil, les oiseaux jugent et condamnent les hommes pour inhumanité. Même esprit de révolte imaginaire et compensatrice dans *le Pédant joué* où Cyrano ridiculise son ancien maître de collège, dont il fait un cuistre, un avare et un rival en amour de son fils qui bien sûr, en fin de compte, le berne.

La liberté de l'imagination s'accompagne d'une liberté conquérante dans le langage. Le ton de Cyrano est volontiers polémique. Surtout, il oppose à la rhétorique conventionnelle la rhétorique libératrice de la fantaisie : agressivité, souvent débordante, pointes, ironie, personnages atteints de délire verbal abondent dans les *Lettres* (1654) et dans *le Pédant joué.* Cyrano a le sens du comique : dans sa comédie, le personnage du matamore et celui du paysan sont de pures créations verbales, et certains effets de dialogue seront repris par Molière (pour la scène de la galère des *Fourberies de Scapin*) ; dans ses *Lettres,* il manie aussi bien l'injure allègre à l'égard d'un confrère et/ou ex-ami que l'équivoque, le discours à double sens. Car, alors que les maîtres du genre épistolaire (Guez de Balzac et Voiture) présentent toujours leurs exercices littéraires comme des missives authentiques, Cyrano donne les siennes pour autant d'exercices du plaisir d'écrire. De ce fait, les conventions éclatent, et l'ironie décapante peut se donner libre cours. Ainsi, dans une lettre contre une demoiselle qui exige de l'argent

(Lettre III) : « Je croyais être par l'opinion d'Aristote un animal raisonnable, mais je vois bien qu'il me faut me résoudre à cesser d'être ce que je suis, du moment que je cure de fouiller à ma poche. Corrigez, je vous prie, cette humeur qui convient fort mal à votre jeunesse, et à cette générosité dont vous vous faites toute blanche ; car il vous est honteux d'être à mes gages, moi qui suis, mademoiselle, votre serviteur. »
Dans le même mouvement, le refus de la rhétorique traditionnelle ouvre la voie à l'écriture poétique. Cyrano n'est pas versificateur, mais la poésie, comme jeu du langage, innerve son œuvre. Les accumulations, pointes et métaphores n'y sont pas de simples ornements, mais sont génératrices d'images et de sens : « Monsieur, le ventre couché sur le gazon d'une rivière, et le dos étendu sous les branches d'un saule, je vois renouveler aux arbres l'histoire de Narcisse. Cent peupliers précipitent dans l'onde cent autres peupliers, et ces aquatiques ont été tellement épouvantés de leur chute qu'ils tremblent encore tous les jours du vent qui ne les touche pas » (Lettre VII, « Sur l'ombre que faisaient des arbres dans l'eau »).
Certes, ces formes comme ces thèmes sont largement répandus dans le monde cultivé au milieu du XVIIe siècle, mais l'usage, radical dans son projet et souvent efficace dans la réalisation, qu'en fait Cyrano transforme les jeux de style en dynamique créatrice qui rend le monde, à l'image du langage, incertain et riche de sens divers, voire contradictoires.
Une lecture globale fait apparaître les liens entre cette écriture baroque, libératrice, l'esprit de révolte de Cyrano et les thèmes clefs de son imaginaire : rêve heureux de la fuite et de l'envol, désirés et parfois réalisés, désir de revanche sur le père, quête des origines (la Lune et le Soleil abritent les esprits qui furent à l'origine du monde terrestre) et obsession de la chute, de la poursuite, de l'emprisonnement, du procès, dont les images abondent dans *l'Autre Monde.* Cyrano n'est donc pas un « burlesque » ou un « extravagant », pas seulement, même, une figure de libertin et d'écrivain baroque. Il offre l'image d'une quête plus originale et plus indéfinie : « Cyrano est incrédule au sens le plus fort du terme ; non pas matérialiste et athée, comme on le dit, mais, incapable de croire, il n'arrive pas à croire, à s'en tenir à quoi que ce soit » (J. Prévot). [Voir aussi **Baroque.**]

A. Viala

La Mort d'Agrippine

SYNOPSIS

Obsédée par le souvenir de son mari Germanicus mort dix ans plus tôt, Agrippine cherche toujours à châtier ses meurtriers : selon elle, l'empereur Tibère, son favori Séjanus et sa bru Livilla. Trahissant l'empereur, Séjanus veut l'aider ; elle lui promet de l'épouser s'ils réussissent, mais ne songe en fait qu'à le tuer. De son côté, Livilla pousse Séjanus, qu'elle aime, à éliminer Agrippine (acte I). Craignant Agrippine, qu'il désire faire disparaître, Tibère feint de vouloir donner la couronne au fils de celle-ci, seul descendant légitime d'Auguste ; elle refuse, préférant la vengeance au trône. Livilla, effrayée par de funestes présages, invite Séjanus à fuir ; il provoque « ces dieux que l'homme a faits, et qui n'ont point fait l'homme » (acte II). Surprise par Tibère alors qu'elle méditait à son châtiment, Agrippine feint de raconter un rêve prophétique qui l'aurait avertie des dangers encourus par l'empereur. Elle disculpe Séjanus des accusations qu'on pourrait porter contre lui ; celui-ci survient et croit qu'elle le dénonce : il avoue, se reprend et annonce que le peuple est prêt à se soulever pour elle. Agrippine et Livilla s'expliquent : Agrippine propose d'éliminer Séjanus après Tibère (acte III).
Face à Tibère qui l'accuse, Agrippine se lance dans un violent réquisitoire et renonce à le tuer de ses propres mains : il en est indigne. Séjanus l'incite à s'appuyer sur le peuple, mais elle souhaite se venger elle-même. Jalouse, Livilla se réjouit de la mort qui l'attend puisqu'elle entraînera avec elle Agrippine et Séjanus (acte IV). Les ayant livrés, elle se dénonce elle-même. Lorsqu'elle retrouve Séjanus, il se félicite de mourir pour lui échapper ; mais elle le suivra « jusques dans les Enfers ». À son tour, Agrippine le couvre d'injures et lui décrit en détail le supplice qu'on lui prépare. Il s'abandonne alors à une grande profession de foi épicurienne ; devant sa constance, elle finit par l'admirer. Tibère voulant la laisser vivre dans la crainte plutôt que de la faire exécuter, elle multiplie les menaces : elle laisse un fils qui accomplira sa vengeance, Caligula. Nerva, le confident de Tibère, accourt enfin pour narrer la mort, superbe et digne, de Séjanus et de Livilla. L'empereur lui coupe la parole (acte V).

D. Moncond'Huy

Histoire comique contenant les États et Empires de la Lune

SYNOPSIS

L'ouvrage s'ouvre sur une conversation entre des amis de retour vers Paris par une nuit de pleine lune, où chacun émet des hypothèses sur cet astre. Une fois rentré chez lui, le narrateur trouve ouvert le *De subtilitate* de Cardan à la page où le philosophe raconte l'apparition de deux « grands vieillards », « habitants de la Lune ». La coïncidence l'encourage à aller voir là-haut : un premier envol, grâce à des fioles pleines de rosée, le conduit dans un pays inconnu, qui se révèle être le Canada. Après une discussion savante avec le vice-roi, le narrateur entreprend de nouveau de s'envoler. Arrivé sur la Lune, il rencontre un adolescent qui lui dit être le vieil Élie, et qui lui révèle qu'il est arrivé au paradis terrestre. Mais une maladresse du narrateur, ironique à l'égard de la tradition sacrée, met en colère Élie, qui le chasse ; il se retrouve parmi les habitants de la Lune qui le prennent pour un animal domestique et le mettent en cage comme un singe savant. Un démon prend sa défense ; par son entremise, Cyrano apprend les particularités de la vie lunaire : le langage du corps, la nourriture par l'odeur, les alouettes qui « tombent toutes rôties », etc. Il devient l'objet d'une querelle philosophique et théologique dans le royaume de la Lune : les « prêtres du pays » s'opposent à ce qu'un homme comme lui soit assimilé aux êtres lunaires. Un arrêt, obtenu grâce à un plaidoyer du démon contre l'absurdité de ce procès, contraint tout de même le narrateur à faire « amende honteuse », en dénonçant tout ce qu'il avait affirmé. Le récit enchaîne alors sur une longue discussion avec deux « professeurs d'Académie » et le fils de l'hôte qui héberge le narrateur. La jeunesse de ce fils provoque de grandes marques de respect de la part des deux vieillards, ce qui donne le point de départ d'une longue réflexion sur les valeurs du monde lunaire, inversées par rapport à celles du monde terrestre. Suit une étrange prosopopée du chou, qui entraîne une réflexion sur Dieu et ses créatures. Un exposé de l'origine du monde donne lieu à un développement matérialiste, qui insiste sur l'éternité de la matière et le rôle primordial du feu, ainsi que sur la part essentielle du hasard dans la cosmogonie. Le débat se tourne alors vers la question des sens (vision, odorat, goût, toucher) et de leur fonctionnement physique. Les thèses avancées ensuite contre l'immortalité de l'âme, sur l'âme des bêtes et contre la résurrection, tendent à une négation de l'existence de Dieu. Puis le récit s'achève brutalement par le retour du narrateur sur la Terre grâce à l'aide du bon démon.

E. Bury

Histoire comique des États et Empires du Soleil

SYNOPSIS

Revenu en France après son voyage sur la Lune, Dyrcona [anagramme de Cyrano], le narrateur, est accueilli au château de M. de Colignac. Tout commence autour du débat provoqué par les *États et Empires de la Lune* : Dyrcona est pourchassé pour sorcellerie. Arrêté par une foule excitée par le curé, puis mis en prison, il s'évade, ce qui donne lieu à une poursuite dans les rues de Toulouse, puis se déguise en mendiant. Ayant été repris, il est sauvé de justesse par Colignac, qui améliore ses conditions de détention. Dyrcona en profite pour construire une nouvelle machine, qui l'enlève de nouveau vers les cieux. Le voyage, qui lui permet de confirmer que la Terre tourne bien autour du Soleil, dure quatre mois : il se pose alors sur une « tache » du Soleil (considérée comme un satellite de cet astre). Dyrcona y rencontre un petit homme qui lui expose un système du monde inspiré de Gassendi. Il s'envole de nouveau, et décrit les effets de l'approche du Soleil, notamment la transparence progressive de son corps et de sa machine. Au bout de vingt-deux mois, il atteint enfin le Soleil. Il y découvre un arbre en or massif, d'où se détache un fruit parlant, à forme semi-humaine, qui se révèle être le roi de cet arbre, et qui est accompagné d'un rossignol. Une métamorphose étrange des petits êtres constituant l'arbre aboutit à la formation d'un beau jeune homme, dont le petit roi devient l'âme. Ayant reçu une explication des principes de cette métamorphose, Dyrcona repart, en compagnie du rossignol, à la découverte de ce nouveau monde. Après trois semaines, il parvient au royaume des Oiseaux, où son étrangeté le fait mettre aussitôt en prison. Suit un procès, où il est défendu par une pie : on lui reproche le seul fait d'être homme, être abominable et ennemi naturel des oiseaux. La pie expose à Dyrcona le fonctionnement de la république des Oiseaux. Après un réquisitoire qui l'accuse de magie et de desseins néfastes à l'encontre des oiseaux, Dyrcona est condamné à être mangé par les mouches. Il est libéré de justesse par l'intervention de César, ancien perroquet de sa cousine qui témoigne de sa bonté, attestée par le fait qu'il l'avait libéré autrefois. Relâché, Dyrcona repart et il surprend par hasard les confidences des arbres parlants, avant d'assister au combat d'une salamandre et d'un rémora ; un vieillard rencontré à ce moment même, qui n'est autre que Thomas Campanella, lui explique l'enjeu de ce combat, qui est la lutte du feu contre la glace, appelée pour protéger les arbres. Campanella expose ensuite à Dyrcona les conditions dans lesquelles les âmes des philosophes survivent sur le Soleil. Il lui montre enfin les cinq fontaines des cinq sens qui alimentent les trois fleuves de l'imagination, de la mémoire et du jugement. Après avoir rencontré une jeune femme venue du royaume des Amoureux, les deux hommes accueillent l'âme de Descartes ; à ce moment s'arrête le texte, inachevé.

E. Bury

D

Dabit Eugène

(1898-1936)

L'Hôtel du Nord, premier roman d'Eugène Dabit (1929), valut à son auteur le premier prix Populiste décerné, mais il fallut le film de Marcel Carné (1938) pour qu'il devînt célèbre. De nos jours, malgré la réédition de ce roman, l'œuvre de Dabit n'est guère connue que de ceux qui cultivent un goût pour la littérature prolétarienne.

Né à Paris, fils d'un cocher-livreur et d'une concierge, Dabit abandonna ses études primaires à quatorze ans et devint apprenti ferronnier. Il travailla ensuite comme électricien, puis comme dessinateur industriel... En 1916, il devança l'appel et s'engagea dans l'artillerie. Démobilisé en 1920, il regagna Paris et se consacra à la peinture, mais Vlaminck – dont il imitait les atmosphères poétiques – ne l'encouragea pas. Il se mit à écrire en 1926, d'abord ses souvenirs de guerre (*Petit-Louis*, 1926), puis le portrait simple et mélancolique des gens qui fréquentaient l'hôtel du Nord, que tenaient alors ses parents. Appuyé par Gide, qu'il considérait comme son maître, par Jean Guéhenno et par Roger Martin du Gard, il composa des romans et des nouvelles, empreints d'une même tonalité grise, tous imprégnés du désespoir naturaliste de son premier succès, mais dont aucun ne fut chaleureusement accueilli.

Écrivain de souche prolétarienne authentique, Dabit fut courtisé par les intellectuels du parti communiste, mais la politique le laissa indifférent. Il préférait se réfugier à Minorque, où il vivait six mois par an. Il mourut à Sébastopol de la scarlatine lors d'un voyage qu'il faisait en U.R.S.S. avec Gide et Louis Guilloux. Outre *Petit-Louis* et *l'Hôtel du Nord*, il avait publié *Villa Oasis ou les Faux-Bourgeois* et *l'Île* (1932), *Faubourgs de Paris* (1933), *Un mort tout neuf* (1934), *la Zone verte* (1935), *Trains de vie* (1936). Après sa mort parurent *le Mal de vivre* et une étude sur *les Maîtres de la peinture espagnole* (1937), puis son *Journal intime* (1939).

A. Greenspan

Dada (le mouvement)

Il n'est pas surprenant que la guerre de 1914-1918 ait porté à leur paroxysme les sentiments de méfiance ou d'hostilité que de nombreux intellectuels éprouvent à l'égard de la classe dirigeante de la société et qui se manifestent surtout, depuis la fin du XIXe siècle, dans les milieux artistiques et littéraires d'avant-garde. Cette « crise de l'Esprit » dont parlera Valéry en 1918, et qui, pour beaucoup, apparaît, comme à Spengler, liée au « déclin de l'Occident », est la cause profonde d'un mouvement comme le mouvement Dada, qui voit le jour à Zurich en 1916 – l'année de la bataille de Verdun –, affirme et clarifie ses objectifs en 1918, décline puis disparaît à partir de 1923. Durant ces sept années, en Suisse, à New York, à Paris, à Berlin, Cologne ou Hanovre, il fera souffler sur l'*establishment* littéraire et artistique le vent d'une contestation radicale que certains feindront de dédaigner en la considérant comme infantile, mais qui suscitera chez beaucoup des réactions de rejet ou d'adhésion dont l'intensité passionnelle montre qu'ils en saisissaient l'enjeu.

Au départ, à l'époque du cabaret Voltaire fondé par Hugo Ball, un révolutionnaire allemand émigré, cette contestation emprunte encore beaucoup, pour s'exprimer, à l'avant-garde dite futuriste ou cubiste, et, aux côtés de Tzara, Hans Arp, Richard Huelsenbeck, on trouve Apollinaire, Picasso, Cendrars, Modigliani, Marinetti, Kandinsky, Duchamp ou Picabia dans leurs premières publications. Cependant, Dada, c'est déjà le refus du formalisme, fût-il novateur, et toute une conception du spectacle et de l'écriture qui, en s'inspirant de la musique, de la danse et des chants africains ou océaniens, vise à « fournir la preuve que la poésie est une force vivante sous tous les aspects, même antipoétiques, l'écriture n'en étant qu'un véhicule occasionnel, nullement indispensable, et l'expression de cette spontanéité que, faute d'un qualificatif approprié, nous appelions dadaïste » (Georges Ribemont-Dessaignes, interview radiophonique, mai 1950). Les fameuses soirées Dada, au cours desquelles sont « joués » des textes comme ceux qui constitueront les *Vingt-Cinq Poèmes* de Tzara (1918), ne sont donc pas essentiellement destinées à faire scandale – même si elles ont paru n'avoir que cette fonction aux yeux de beaucoup –, mais à concrétiser cette volonté d'abolir le traditionnel cloisonnement des genres et des arts, de créer, à partir de mots familiers ou de mots inventés, une sorte de langage total, un discours dont le pouvoir communicatif ne passe plus par la logique mais par un rythme pulsionnel qui libère l'énergie vitale du locuteur :

clrg grtl gzdr
la fatigue
le
pied
verre dans le nerf
une

unie
gazomètre sacerdotal
épilatoire
et
mieux
ci-gît
fait
triple os
n'a
à Dada
ibidilivizi rizididi
planche
simili
galvanoplastie
ra
ga
ta
ribaldi
course
sifflet d'encre jaune
et gifle

(Tzara, « Défilé fictif et familial »)

De la même manière, sur le plan typographique (comme en témoignent surtout les revues dadaïstes : *Dada*, *Cannibale*, *391*, *Manomètre*, pour ne citer que quelques-unes des plus caractéristiques), l'utilisation de caractères d'imprimerie extrêmement variés, une mise en pages souvent éclatée, le mélange des textes et des graphismes, les collages ou les montages de mots ou d'images, en bouleversant les critères habituels de la lisibilité, ont manifestement pour objectif de traduire visuellement le côté résolument agressif de cette explosion libératrice des possibilités d'expression de l'individu. En 1918, le *Manifeste Dada* publié par Tzara, en dépit de ses dénégations (« J'écris un manifeste et je ne veux rien, je dis pourtant certaines choses et je suis par principe contre les manifestes, comme je suis aussi contre les principes »), montre bien qu'une telle démarche repose sur toute une philosophie de l'homme et de la vie qui n'est pas sans rappeler certaines des thèses de Nietzsche ou de ses épigones. En effet, pour Tzara, s'il s'agit de « détruire les tiroirs du cerveau et ceux de l'organisation sociale », de « démoraliser partout et jeter la main du ciel en enfer », c'est afin que des « hommes nouveaux, rudes, bondissants, chevaucheurs de hoquets » puissent créer sans restriction des œuvres qui n'arriveront pas « jusqu'à la masse vorace… Connaissance d'un suprême égoïsme où les lois s'étiolent ». « Il nous faut, écrit-il plus loin, des œuvres fortes, droites, précises et à jamais incomprises », « œuvres sorties d'une vraie nécessité de l'auteur et pour lui » et qui, faisant fi des « complications » de la logique ou du « penchant pleurnichard » qui le paralysent, oseront proclamer sa liberté : « Liberté : DADA DADA DADA, hurlement des douleurs crispées, entrelacement des contraires et de toutes les contradictions, des grotesques, des inconséquences : LA VIE. »

Ainsi, malgré la prose quelque peu convulsée du texte, le propos de Tzara est clair : donner à chacun l'envie et le courage d'assumer sa subjectivité sans se préoccuper des normes et des conventions esthétiques ou morales qui sont à la base de ce que la société, à chaque période de son histoire, déclare appartenir au domaine de l'art. « L'art est un édifice public. Tous les édifices publics sont à la gloire de la mort. Ils sont tous appuyés sur le passé par essence même. Et l'essence même de l'existence est l'existence. Tous les hommes dans le privé construisent : c'est le jeu. Il ne s'agit là que de vivre. Dès que la construction est rendue publique, elle devient collective par assentiment, elle devient temple. On y célèbre des mystères. Il y règne une odeur de charogne » (G. Ribemont-Dessaignes). « L'art est une chose privée, l'artiste le fait pour lui ; une œuvre compréhensible est produit de journaliste » (Tzara). Dans cette perspective, il va de soi que non seulement les écoles, les académies, les mouvements et les théories qui les justifient sont inutiles et néfastes, mais aussi que, dans la mesure où « une œuvre d'art n'est jamais belle, par décret, objectivement, pour tous, la critique est inutile, elle n'existe que subjectivement, pour chacun, et sans le moindre caractère de généralité » (*id.*). En d'autres termes, pour les dadaïstes, la notion de valeur doit cesser d'être relative à l'objet créé et de servir à le classer dans une hiérarchie, pour s'appliquer uniquement à l'acte créateur lui-même, à la sincérité et à la spontanéité dont il fait preuve : « La beauté ou la laideur ne nous paraissent pas nécessaires. Nous nous sommes toujours autrement souciés de la puissance ou de la grâce, de la douceur ou de la brutalité, de la simplicité ou du nombre » (Eluard).

En définitive, on voit que le fameux « dégoût dadaïste », la dérision ou la révolte qui s'expriment si souvent d'une manière paroxystique dans les manifestes de Tzara et de ses amis (« Que chaque homme crie : il y a un grand travail destructif, négatif, à accomplir. Balayer, nettoyer. La propreté de l'individu s'affirme après l'état de folie agressive, complète, d'un monde laissé entre les mains des bandits qui déchirent et détruisent les siècles ») ne sont que les corollaires d'un intense besoin de pureté et d'une recherche passionnée de l'authenticité qui allaient trouver dans le surréalisme une autre manière de s'exprimer, du moins chez certains. [Voir **Surréalisme**.]

À cet égard, les raisons pour lesquelles le groupe *Littérature* a participé avec enthousiasme à l'aventure Dada puis celles qui l'ont amené à rompre avec Tzara ne laissent pas d'être éclairantes. En effet, à la fin de 1919, Breton, Aragon, Eluard, Soupault commencent à se sentir pris au piège d'une institution littéraire que les hardiesses très relatives de leurs revues ne peuvent guère inquiéter. Ils sont « las de voir juger pêle-mêle sur le même plan les auteurs dits d'avant-garde et […] aussi de faire bon gré mal gré figure de suiveurs du cubisme littéraire », et, « conscients des différences fondamentales qui les séparent de leurs devanciers », ils se déclarent décidés « à ne plus laisser croire par leur silence qu'ils approuvent le petit esprit puéril qui domine les controverses littéraires », et « déterminés à l'action publique » (Aragon). C'est cette action que Tzara va les aider à mener avec son sens de l'organisation et son aptitude à provoquer le scandale. Ainsi, tout au long de 1920 et de 1921, les manifestations publiques : conférences, expositions, concerts, visites, procès, au cours desquelles ils parodient et caricaturent les rites et les coutumes des milieux culturels bourgeois, les tracts, les manifestes incendiaires ou les pamphlets qui n'épargnent aucune des valeurs « sacrées » ni aucune des « gloires » reconnues par ces mêmes milieux, et qui leur valent en retour les insultes ou les sarcasmes de la presse bien-pensante, sont-ils destinés à bien marquer cette rupture radicale avec l'idéologie dominante et avec les pratiques qui en découlent, cette volonté d'exercer, sur le plan spirituel, une « terreur » révolutionnaire, sans exemple, à leurs yeux, dans l'histoire des révolutions politiques et sociales.

En fait, à y regarder de plus près, on constate que très rapidement des divergences apparaissent entre ceux qui, comme Breton et le groupe *Littérature*, pensent que la terreur ne se justifie que si elle permet l'émergence ou la réhabilitation de valeurs différentes pour remplacer celles qui sont discréditées, et ceux qui, avec Tzara, Picabia, Ribemont-Dessaignes..., au nom même du relativisme dadaïste, préconisent une perpétuelle remise en question de tous les individus et de tous les systèmes de pensée, y compris les plus subversifs, afin d'éviter qu'ils ne se sclérosent et ne donnent naissance à de nouveaux dogmes qui seraient une fois de plus fatals pour la spontanéité et la liberté. C'est pourquoi, lors du « procès » Barrès, alors que Breton se dit être dans l'obligation « d'honorer ou de flétrir telle ou telle attitude, d'écrire des livres d'or et de dresser des bûchers », Tzara, au contraire, conteste au « tribunal » le droit de juger qui que ce soit, « même si cette justice est faite par Dada ». Et l'on retrouve cette opposition dans l'affaire du « Congrès pour la détermination des directives et de la défense de l'esprit moderne » organisé en 1922 par Breton, qui veut s'attribuer un « rôle d'observateur impartial et de liquidateur » (M. Sanouillet, *Dada à Paris*, 1965) et à qui les dadaïstes reprochent précisément son penchant pour la critique historique et classificatrice, son désir de chercher des antécédents à cet esprit moderne et son admiration sans bornes pour ceux qu'il juge être des précurseurs (Rimbaud, Lautréamont...). L'année suivante, la rupture sera définitive (la représentation du *Cœur à gaz* de Tzara provoquera de violentes bagarres), et, alors que les uns accuseront le surréalisme de « mener à une mystique, à un *fidéisme*, à l'existence froide et fixée d'une antiréalité, à l'avènement d'un *Ordre* » (G. Ribemont-Dessaignes), les autres dénonceront « les méfaits d'un certain nihilisme intellectuel dont la malice était à tout propos de poser la question de confiance la plus générale et la plus vaine. Dans le désarroi moral qui s'ensuivait, seuls trouvaient grâce quelques modes d'activité superficielle et pauvres paradoxes » (Breton).

Mais, pour importantes qu'en soient les causes, ces polémiques et ces conflits ne doivent pas masquer ce qui, avec le recul, semble être commun au mouvement dada et au mouvement surréaliste, et qui explique que le premier ait largement préparé le terrain du second : le rejet d'une société qui érige en absolu la primauté de la raison et de l'intelligence, qui multiplie les interdits et les tabous pour mieux soumettre les individus à ses exigences en les amenant à refouler leurs désirs profonds. Et en même temps que ce rejet, l'ambition de réhabiliter la subjectivité sous tous ses aspects, de rendre à chacun la volonté et les moyens de l'exprimer sans d'autres guides que sa nécessité intérieure.

Sans doute était-il inévitable que, pour n'avoir pas voulu que ce rejet et cette ambition soient précisés et enrichis par une réflexion théorique, à la fois philosophique, esthétique et politique, pour s'être borné à une stratégie sommaire du scandale, le mouvement dada ait été très vite condamné à la répétition et, finalement, à l'impuissance. Cependant, par là même, par la relative brièveté de son existence, il a pu éviter de s'enliser dans les compromissions ou de donner naissance à des stéréotypes, et c'est sans doute pourquoi il reste, peut-être plus encore que le surréalisme, un exemple et un stimulant pour les avant-gardes d'aujourd'hui. Sur ce point, on ne peut que citer ce qu'écrivait judicieusement M. Sanouillet en 1965, lorsqu'il évoquait les « lettristes, qui poursuivent les dissections verbales et les collages poétiques de Dada, les auteurs du nouveau roman [voir **Nouveau roman**] dont les héros cousinent avec Anicet et Monsieur Aa l'antiphilosophe », mais aussi les pièces de Ionesco, de Beckett ou d'Adamov « qu'on peut rattacher, par-dessus le surréalisme, aux sketches de Tzara, de Breton, de Ribemont-Dessaignes et de Vitrac ». Sur le plan cinématographique, « les réalisateurs de la “nouvelle vague”, qui se soucient plus de faire partager au spectateur leur émerveillement devant les jeux de hasard et de la caméra que de lui proposer un scénario cohérent, ont pour la plupart longtemps étudié en cinémathèque les bandes aujourd'hui classiques de Picabia, Richter, Man Ray ou Eggeling ». Il en va de même pour la photographie moderne, qui doit beaucoup aux montages et aux trucages d'un Richter, d'un Hausmann, d'un Man Ray... Erik Satie, Edgar Varèse ont également influencé toute une génération de compositeurs. Enfin, en art, Picabia, Max Ernst, Marcel Duchamp et bien d'autres reconnaîtraient sans peine l'essentiel de leur démarche et de leurs procédés chez les principaux représentants du tachisme, du « pop'art » ou de l'« action painting ». Cette liste est évidemment incomplète. Après 1968 notamment, une partie de la jeunesse a spontanément retrouvé les imprécations, les mots d'ordre ou les manifestations provocantes de Tzara et de ses amis pour exprimer sa révolte mais aussi son besoin de participer au processus de la création artistique, de réconcilier l'art et la vie. La vogue des « happenings », par exemple, restera comme un témoignage de ce besoin, au demeurant toujours vivace et qui continue à se manifester sous de multiples formes. De même, et d'une manière plus générale, on trouverait sans trop de difficultés des analogies frappantes entre le discours et le comportement politiques des courants situationnistes ou anarchistes des années 1970 et ceux des dadaïstes, surtout à Berlin, où, en raison des événements de 1919, ils ont été amenés à s'engager plus nettement que dans d'autres villes.

Dès 1924, dans un article de *la Nouvelle Revue française* intitulé « la Crise du concept de littérature », Jacques Rivière avait bien saisi l'importance historique de Dada : « Il me semble, écrivait-il, voir commencer simultanément avec Dada un âge où la question du sens de la littérature cessera complètement de préoccuper ceux qui la feront, un âge où l'écrivain ne se croira plus désigné pour une fonction transcendante, mais travaillera à fixer l'aspect des choses le plus voisin de lui. Un coup définitif me semble avoir été porté à sa qualité de "fils du Soleil". » On ne peut mieux expliquer pourquoi, s'il est vrai que les « œuvres » dadaïstes n'ont pas plus échappé au musée que celles des autres avant-gardes, la démarche qu'elles ont incarnée reste, pour l'essentiel, indépassable.

CHRONOLOGIE DES ŒUVRES ÉVOQUÉES

1909	Marinetti, *Manifeste futuriste*.
1912	Duchamp, *Nu descendant un escalier*. Picasso, premiers collages ; recherches d'un cubisme synthétique.
1913	Apollinaire, *l'Antitradition futuriste ; les Peintres cubistes*. Arthur Cravan, *Maintenant* (numéros jusqu'en 1914). Duchamp, premiers *ready-made*.
1916	Zurich : **création de Dada** au cabaret Voltaire. Tzara, *Première Aventure céleste de M. Antipyrine*. Arp, dessins automatiques. Duchamp, *Apolinère enameled, ready-made*. Man Ray, *la Danseuse de corde s'accompagnant de ses ombres*. Breton rencontre J. Vaché.
1917	Spectacles Dada à Zurich. Articles de Tzara dans *SIC* et *Nord-Sud*. Picabia, *Parade amoureuse*. Breton rencontre Aragon et Soupault.
1918	*Dada III, Manifeste Dada. Vingt-Cinq Poèmes*. Apollinaire, *Calligrammes*. Conférence sur l'esprit nouveau. Picabia, *Optophone*.
1919	Fondation de *Littérature*. Mort de Vaché. Publication de ses *Lettres de guerre*. Breton, Soupault : *les Champs magnétiques*.
1920	Spectacles-provocations : premier vendredi de *Littérature* (23 janv.). Salon des indépendants (févr.), théâtre de l'Œuvre (mars), salle Gaveau (mai). J. Rivière, « Reconnaissance à Dada » *(N.R.F.)*. *391*, revue de Picabia jusqu'en 1921. *Proverbe*, revue d'Eluard (5 numéros). *Cannibale*, revue de Picabia (2 numéros). « Vingt-Trois Manifestes du mouvement Dada », dans *Littérature* (mai). Aragon, *Feu de joie*. Breton et Soupault, *Vous m'oublierez-S'il vous plaît* (sketches). Eluard, *les Animaux et leurs hommes*. Tzara, *Cinéma calendrier du cœur abstrait*. Ernst, premiers collages à Cologne. Hausmann, photomontages. Duchamp et Man Ray, *ready-made*.
1921	Visite à Saint-Julien-le-Pauvre. « Procès » de Maurice Barrès (mai). Exposition de Miró, Man Ray et Max Ernst. Salon Dada (juin). Aragon, *Anicet ou le Panorama*. Duchamp, *Why not sneeze Rrose Sélavy ?* Eluard, *Nécessités de la vie*. Péret, *le Passager du transatlantique*.
1922	*Littérature*, 2ᵉ série. Expériences de sommeil hypnotique. Aragon, *les Aventures de Télémaque*. Desnos et « Rrose Sélavy ». Tzara, *le Cœur à barbe*. Affaire du « Congrès de Paris ». Rupture Breton-Tzara (sept.) Ernst et Eluard, *les Malheurs des immortels*.
1923	Tzara, *le Cœur à gaz*. En juillet, la représentation au théâtre Michel est perturbée par Aragon, Breton, Péret, Soupault. Duchamp, *la Mariée mise à nu par ses célibataires même*. Breton, *Clair de terre*.
1924	Tzara : publication des *Sept Manifestes Dada*.

R. Navarri

DAENINCKX Didier

(né en 1949)

Enfant de la banlieue ouvrière de Paris où il continue à vivre, il est d'abord ouvrier imprimeur, puis animateur social avant d'être journaliste localier. Chômeur en 1977, il écrit un roman policier, *Mort au premier tour*, qui ne trouvera un éditeur que cinq ans plus tard. En 1983, avec *Meurtres pour mémoire*, son deuxième livre, il s'impose comme un chef de file de ce qu'on nomme le « nouveau polar » français, un courant créé une dizaine d'années plus tôt par Jean-Patrick Manchette et Jean Vautrin. Daeninckx ne se contente pas de faire entrer l'histoire politique française la plus brûlante dans les conventions du récit policier – ici le massacre d'une centaine d'Algériens par la police parisienne lors de la manifestation du 17 octobre 1961 –, il interroge la volonté d'oublier, l'acquiescement collectif à la falsification de l'Histoire, l'indifférence au passé et au sort des exclus. Toute l'œuvre à venir de Daeninckx est en germe dans ce roman. L'inspecteur Cadin, l'anti-héros récurrent des « polars » de Daeninckx, n'est pas un chevalier blanc qui terrasse les forces du mal. C'est un être douloureux, dépassé, sans illusion qui échoue à résoudre des énigmes que personne – sauf quelques victimes sans importance – n'a envie de voir résolues. L'auteur finira d'ailleurs par donner la mort à son personnage principal. De *la Der des ders* (1984) à *Arcadius Cadin* (1991) se déploie le tableau d'une société qui, ayant perdu tout intérêt pour la vérité, se replie avec férocité dans les illusions et les égoïsmes communautaires. Monde sans chaleur, monde sans boussole où l'on fait passer (*La mort n'oublie personne*, 1989) les résistants pour des assassins et les exclus, les pauvres, les exploités pour les agresseurs de la paix publique (*Main courante*, 1994 ; *les Figurants*, 1995).

Tout en continuant à publier romans et nouvelles policières (*Nazis dans le métro*, 1996), Daeninckx n'hésite pas à sortir du genre « polar » pour dénoncer le cauchemar, les injustices de la vie urbaine et les falsifications de l'Histoire contemporaine. Le titre de son essai *Écrire en contre* (1997) dessine le sens de sa démarche littéraire.

P. Lepape

DAMAS Léon-Gontran

(1912-1978)

Né à Cayenne, en Guyane, mort à Washington, Damas est le plus « américain » des trois poètes de la négritude. S'il est moins connu que Césaire et Senghor, avec lesquels il fonda *l'Étudiant noir* en 1934 à Paris, il le doit peut-être au caractère plus secret de son œuvre et de sa personne. Après une brève carrière politique comme député de la Guyane (1949-1955), il ne s'intégra que tardivement à l'*establishment* culturel, en dirigeant, dans les années 1960, une collection chez Fasquelle et en travaillant pour l'U.N.E.S.C.O. ou la Société africaine de culture. Installé aux États-Unis de 1970 à sa mort, il y enseigna la littérature africaine.

Longtemps, Damas vécut la vie de poète bohème et pauvre du fils de famille qui a mal tourné, à la façon de Baudelaire ou de Verlaine : « Moi aussi j'ai eu faim dans ce sacré pays. » Il signifiait ainsi sa réaction contre l'éducation bourgeoise rigide d'une famille très « blanchie », à la réussite de laquelle il préférait « son » ancêtre esclave. Dans le Paris des années 1930, Damas nourrit sa poésie du lyrisme déchirant de la musique de jazz – « l'âcre odeur de sang jaillissant de toute trompette bouchée ». Dans « Hoquet banjo-guitare », il célèbre les instruments dont sa mère disait « laissez donc ça aux nègres ». Il dédie « Shine » à Louis Armstrong, et il est indéniable que les rythmes et phrases syncopés de Damas empruntent aux harmonies subtiles, dissonantes et brisées du jazz. « Comprendrez-vous donc tous/quand leur viendra l'idée/bientôt cette idée leur viendra de vouloir/vous en bouffer du nègre » (« Save our souls »). Mais *Pigments*, recueil publié en 1937, avec une préface de Robert Desnos, n'est pas que musique, ou, du moins c'est une musique qui pratique une agressivité mordante. La plume de Damas devient même volontairement scandaleuse, lorsqu'il s'adresse aux anciens combattants sénégalais qui s'inquiètent de la menace nazie, leur conseillant de se préoccuper plutôt de leur propre pays envahi par le colonisateur. La veine pamphlétaire chez Damas est féconde. Il donne avec *Retour de Guyane* (1938), compte rendu d'une mission accomplie pour le musée de l'Homme dans son pays natal, un brillant exemple d'ironie corrosive : « Le lecteur français a tendance, sitôt qu'une énumération de produits vivriers sort de l'habituelle nourriture d'Europe, à rester sceptique sur la valeur de cette nourriture. Et puis il y a, dans la facilité même avec laquelle on peut récolter certains produits du sol, une raison de méfiance pour un peuple essentiellement cultivateur. » Ce « mauvais esprit » de Damas n'est certainement pas une des moindres raisons qui l'ont maintenu à un rang modeste parmi les célébrités francophones.

Poèmes nègres sur des airs africains (1948), *Graffiti* (1952), *Black-Label* (1956), *Névralgies* (1966) prouvent que l'inspiration poétique ne s'est ni tarie ni affadie avec le temps chez Damas. La note amère ne s'est pas davantage adoucie, la plainte s'est faite litanie désespérée, seule la révolte s'est émoussée, a laissé place à la désillusion, « pour ne pas changer, à quoi bon changer », note le refrain d'un air de *Black-Label*. Damas, à la recherche des sources populaires de la négritude, avait publié, en 1943, *Veillées noires*, recueil de contes guyanais. Il s'attacha aussi à deux reprises à encourager la jeune poésie en publiant des anthologies, *Poètes d'expression française* (1947) et *Nouvelle Somme de poésie du monde noir* (1966).

O. Biyidi

Dame à la licorne et du Beau Chevalier au lion (Roman de la)

(fin du XIIIe ou début du XIVe siècle)

Ce roman anonyme en vers présente déjà quelques traits de ce qu'on appellera les « romans de chevalerie » : l'accumulation anarchique des péripéties, le goût du merveilleux en sont typiques ; mais il est surtout intéressant pour l'évolution de l'image de la licorne et pour son esthétique emblématique.

La licorne, empruntée aux compilations hellénistiques et latines sur les merveilles de l'Inde, est connue surtout par le *Physiologus* et ses adaptations, les *Bestiaires*, qui inventent l'anecdote de la capture par une vierge exposée, prétexte à une assimilation typologique avec l'Incarnation et la Passion. La poésie courtoise ne l'utilise guère que comme symbole du poète « captif » (Thibaut de Champagne), mais elle reparaît au XIVe siècle, en compagnie du lion dans notre texte ainsi que dans les *Eschecs amoureux*, dans des traités d'alchimie et dans les tapisseries de Cluny. Dans le roman, les deux animaux sont parèdres des personnages en même temps qu'emblèmes de leurs fonctions (pureté farouche, ardeur au combat et courage).

La profusion des aventures défie le résumé : la fille du roi de Frise a reçu d'Amour une licorne pour sa beauté, sa bonté et sa chasteté. Mariée à Privé Dangier, elle a de nombreux prétendants, dont le chevalier au Grésillon, le chevalier à la Cornemuse, vite évincés au profit du Beau Chevalier, dont les exploits seront racontés jusqu'à la fin. Après un serment de chasteté et de secret à sa Dame, le Beau Chevalier accomplit une première série de hauts faits en Frise (tournoi de la tour Vermeille, combat contre un géant, délivrance du chevalier

Faé), puis part aider l'empereur Frédéric contre le roi de Jérusalem, dont il enlève l'épouse, soutient l'amiraut de Turquie contre le soudan de Babylone avec son compagnon le Petit Afilé, se fait pèlerin en Terre Sainte, retourne en Frise pour y subir les épreuves de la Terre de Labour (lutte contre le chevalier au Chief d'or ; combat entre un lion, qu'il secourt, et un dragon ; forêt étrange avec être mi-femme micerf), récupère sa Dame, enlevée par Chief d'or, en passant une rivière avec la licorne et le lion, se bat contre le fils de l'empereur. Pendant tous ces épisodes, qui se déroulent dans un cadre géographique mi-réel, mi-fantastique, il reste en relation avec la Dame, échangeant avec elle des ballades grâce à Faé. Les prouesses sont presque absurdes : combat contre 20, 70, puis 15 000 chevaliers ! Le merveilleux surgit à chaque instant : arbres enchantés, faucon parlant, fontaine avec un seau suspendu à une chaîne d'or épaisse comme un cheveu... Si les liens avec le roman arthurien sont étroits – nombreux échos d'*Yvain*, d'*Érec* et de *Lancelot* –, l'esthétique est ici très différente : il n'y a pas de « sens » ; on a l'impression d'assister à un long tournoi, d'en admirer les blasons (seuls deux personnages ne sont pas uniquement définis par un attribut quasi héraldique : le Petit Afilé, couard qui joue un rôle comique, et le chevalier Faé, messager d'Amour, chargé de maintenir artificiellement une situation lyrique plus que romanesque, qui se superpose à l'aventure, la rythme et la découpe). L'aventure trouve sa finalité en elle-même, dans l'effet esthétique ou dans la glorification du héros, et il n'y a pas de limite à la succession des péripéties (si ce n'est la lassitude du lecteur, car elles se ressemblent toutes).

A. Strubel

DANINOS Pierre

(né en 1913)

Dès 1947, Pierre Daninos obtient le prix Interallié pour *les Carnets du Bon Dieu*. Mais c'est son célèbre héros, le major Thompson (*les Carnets du major W. Marmaduke Thompson*, 1954 ; *les Secrets du major Thompson*, 1956 ; *les Nouveaux Carnets du major Thompson*, 1973 ; *les Derniers Carnets du major Thompson*, 2000), qui lui apporte une notoriété qui ne se démentira pas. Au long des années, le fameux Marmaduke fustigera les travers gaulois avec un humour tout britannique. Mais Daninos délaisse parfois le déguisement du major pour celui d'un petit-bourgeois (*Un certain monsieur Blot*, 1960) ou d'un touriste impénitent (*les Touristocrates*, 1974). Il se glisse aussi dans la peau du père de Marmaduke pour dénoncer les dérives de l'enseignement de l'histoire (*Composition d'histoire*, 1979) ou dans celle d'un Indien du Cachemire qui découvre notre pays avec des yeux innocents (*Candidement vôtre*, 1992). Mais lorsqu'au terme d'une grave dépression, Daninos analyse son cas médical (*le 36e Dessous*, 1966) avec une pertinence reconnue par les médecins, ce sont de ses propres angoisses que l'auteur fait la matière de son livre.
Depuis 1950, il s'adresse périodiquement au public du *Figaro* en publiant dans ce journal de nombreuses chroniques réunies dans *Quarante ans de vacances* (1993) et dans *Ah ! vous écrivez toujours !* (1999). Sociologue méticuleux que l'humour n'abandonne jamais, Daninos est aussi un puriste exigeant qu'insupportent les tics de langage (*le Jacassin*, 1967 ; *la France prise aux mots*, 1986) et un certain snobisme intellectuel où il traque l'origine de la confusion des idées.
Chez ce pourfendeur des Français dort un amoureux de leur pays, le sien, dont il déplore l'infidélité aux vertus du passé (*la France dans tous ses états*, 1985). D'où l'efficacité d'un discours critique que le classicisme de l'écriture imprègne d'une sincérité nostalgique.

M.-A. de Beaumarchais

DARD Frédéric *v.* SAN ANTONIO

DARIEN Georges

Pseudonyme de ***Georges-Hippolyte Adrien*** *(1862-1921)*

Ce « réfractaire » parisien, engagé volontaire, fut envoyé en Tunisie, à Gafsa, dans la 1re compagnie des pionniers de discipline : cette expérience de l'horreur lui inspira Biribi (1889), qui contribua à faire abolir par la Chambre des députés ces compagnies disciplinaires. De son roman satirique *Bas les cœurs !* (1889), qui décrivait les lâchetés des petits-bourgeois pendant les événements de 1870, il tira avec Lucien Descaves une adaptation scénique, *les Chapons* (1890), qui fit scandale. Il collabora à divers périodiques de tendance anarchiste ou libertaire : *l'En dehors*, *l'Escarmouche* (qu'il fonda en 1893, mais qui ne dura qu'un an), puis *l'Ennemi du peuple* (1903-1904 : une collection de ses articles a été réunie sous ce titre en 1972), faisant de longs séjours à l'étranger, en Allemagne, en Angleterre et en Belgique.
« Darien le maudit » (A. Breton) n'eut pas l'audience que méritait son œuvre de révolte : *les Pharisiens* (1891, contre Drumont), *le Voleur* (1898), *la Belle France* (1900), *l'Épaulette, souvenirs d'un officier* (1905), édités à grand-peine, passèrent inaperçus, comme *Biribi*, dont la parution retardée fut éclipsée par *Sous-Offs* de Descaves. « Pour avoir le droit de passer, il faut être immatriculé et classé dans un parti, un lupanar, une confrérie. Être jésuite noir ou jésuite rouge, ou crever ! » Pourtant, si le sujet de *Biribi* (brimades et tortures dans un bataillon disciplinaire), comme celui du *Voleur* (histoire d'un anarchiste), était à la mode, le ton des romans devait plus encore éveiller l'intérêt. L'énonciation au présent et l'emploi de la première personne donnaient au récit le caractère autobiographique d'un journal à la Vallès, d'une ironie volontiers formulaire (« Éducation : la chasse aux instincts. On me reproche mes défauts ; on me fait honte de mes imperfections. Je ne dois pas être comme je suis, mais comme il faut. Pourquoi faut-il ? » [*le Voleur*]), la dénonciation de l'injustice alliant au sarcasme l'affirmation d'un désespoir mis à nu : « De toutes les sensations douloureuses qui m'avaient assailli au début et qui, peu à peu, m'abandonnent, celle de l'interminable

longueur du temps est la seule qui persiste. Elle augmente d'intensité tous les jours. Elle m'assomme ; elle me désespère aussi, car elle me force à penser – et je voudrais ne plus penser. Je voudrais vivre en bête. »

A. Pierrot-Herschberg

DARRIEUSSECQ Marie

(née en 1969)

Originaire de Bayonne, Marie Darrieussecq a parcouru les étapes d'une formation universitaire classique : normalienne, agrégée de lettres modernes, elle a soutenu en 1997 un doctorat consacré à l'autobiographie contemporaine. Entretemps, la reconnaissance littéraire internationale est soudainement venue consacrer *Truismes*, un premier roman publié en 1996, auquel ont succédé deux récits, *Naissance des fantômes* (1998) et *le Mal de mer* (1999). Marie Darrieussecq a en outre consacré quelques pages au bord de mer qui lui est familier (*Précisions sur les vagues*, 1999 ; *la Plage*, 2000, éd. illustrée), mais son écriture s'écarte de tout régionalisme pittoresque. Les fictions de la romancière constituent plutôt des variations sur une double thématique de la métamorphose et de la disparition. Comme chez Henry James, l'écriture tire ainsi son origine d'un « sujet », générateur d'une courte fiction de quelque cent pages. Dans *Truismes*, une jeune hôtesse travaillant dans une parfumerie interlope se mue peu à peu en truie, cependant que Paris, au début du troisième millénaire, se décompose sous les coups de l'extrémisme nationaliste. L'odeur et les sensations de l'animalité primitive, au rebours du *Rhinocéros* d'Eugène Ionesco, deviennent le havre protecteur contre une bestialité évoluée, celle de la vie sociale et politique : « cette odeur, ça me protégeait de tout, ça me revenait du fin fond de moi, j'étais en quelque sorte rentrée chez moi », déclare la « femme-truie ». Dans les romans suivants, les métamorphoses s'écartent de ces registres assez codifiés du fantastique, voire de la science-fiction, et naissent de disparitions plus banales – disparition du mari de la narratrice dans *Naissance des Fantômes*, disparitions d'une jeune mère et de sa petite fille dans *le Mal de mer*. Marie Darrieussecq ne recherche pas l'étude psychologique ni l'examen naturaliste des causes de souffrances ou des dérélictions de femmes en fuite ou délaissées. Elle tente plutôt de cerner l'effet que produisent les disparitions sur les modes de perception de ses personnages. Ainsi la narratrice de *Naissance des fantômes* voit-elle l'espace peu à peu envahi de brumes ou de buées, et croit-elle que son moi se dissout dans l'atmosphère « pour participer presque harmonieusement à la réalité de l'absence et du vide ». Et dans *le Mal de mer*, la disparue, avant de se perdre dans le paysage de la côte basque, ne ressemble plus qu'à un hologramme d'une extrême ténuité aux yeux de sa propre mère. L'incertitude des perceptions devient ainsi croissante au fil des pages. Le monde et le corps des héroïnes anonymes se correspondent alors étroitement, atteignent, au seuil de l'étrange, le même état fuligineux de « dissipation » : « L'air est gonflé, tiède, poudreux. Elle a cette peau presque brumeuse, comme tissée à mailles lâches : il semble que seule sa robe la retienne ici » (*le Mal de mer*). Réunissant physiologie et poésie, les courts récits de Marie Darrieussecq demeurent « ouverts », sans dénouement. Il semble que le texte trouve son achèvement nécessaire lorsque l'espace et le personnage se sont fondus dans la substance biologique de la planète.

J.-P. Damour

DAUDET Alphonse

(1840-1897)

Le nom de Daudet évoque surtout, aujourd'hui, l'image d'un auteur régionaliste : on se souvient de ses contes provençaux, mais on oublie trop qu'il fut aussi un romancier à succès, un dramaturge, un poète et surtout un observateur. Daudet est en effet attentif au monde sensible, il est amateur de ces figures drôles ou tragiques qui lui permettent de bâtir un monde où l'ironie se conjugue à la pitié. Ce n'est pas une erreur de le considérer comme un réaliste, un naturaliste même, disait Zola. Encore faut-il bien voir qu'il ne s'agit pas tant pour lui de montrer que de raconter, de conter justement des histoires qu'il veut aussi vraisemblables que merveilleuses.

Lorsque le Petit Chose réussit

La vie et la personne d'Alphonse Daudet méritent d'être connues, dans la mesure où elles sont, un peu comme chez Montaigne – son auteur de prédilection –, la matière de ses livres. Écrire, pour Daudet, c'est en effet peindre ce qu'il sent et ce qu'il voit, réinventer ses expériences et ses rencontres, retenir enfin par la littérature l'essentiel d'une réalité qui lui semble trop réussie pour ne pas devoir prendre la forme d'un conte ou d'un roman : ainsi le lecteur du *Petit Chose* n'aura pas une idée trop fausse de ce que fut la jeunesse de Daudet. Il comprendra d'abord l'importance d'une enfance méridionale dans sa ville natale, Nîmes, avec son « soleil, pas mal de poussière, un couvent de carmélites et deux ou trois monuments romains » – l'importance aussi de cette famille de la bourgeoisie commerçante, royaliste et catholique, que Vincent, le père, mènera peu à peu à la ruine : une histoire, finalement, qui peut rappeler celle de Zola à Aix, avec probablement chez les deux auteurs la même idée d'une revanche à prendre sur ces premiers échecs. D'autant que les infortunes continuent : la famille « s'exile » à Lyon avant de se disperser complètement, et Daudet, sans même passer son bac, devient pour deux ans pion à Alès.

La période noire s'achève là, car Daudet accepte bientôt de rejoindre son frère Ernest à Paris : il y arrive en novembre 1857 ; il rencontre Rochefort, Gambetta, Barbey d'Aurevilly et Vallès, obtient ses premiers succès littéraires et mondains. Il publie aussi *les Amoureuses* (1858), des poésies qui plaisent aux lettrés, avant d'être contraint par le départ de son frère à collaborer au *Figaro* de Villemessant, où il publie des chroniques en prose et en vers.

Sa vraie chance va être d'intéresser le duc de Morny – une des puissances du régime –, au cabinet duquel il entre en 1860. Son travail, peu absorbant, lui laisse alors la possibilité d'écrire avec Lépine *la Dernière Idole* (février 1862), de revenir parfois en Provence, d'entreprendre aussi un voyage en Algérie puis un autre en Corse, que lui impose un début de tuberculose. En Provence, il séjourne au château de ses amis Ambroy, visite les moulins qui l'entourent et court le pays, en compagnie de Mistral, à la recherche de paysages, d'aventures et de folklore. À Paris, d'autre part, il publie dans la presse des ébauches de ses prochaines œuvres et fait représenter également quatre pièces.

Cette époque marque en effet le vrai début de la carrière de Daudet : on le voit ainsi entreprendre la rédaction du *Petit Chose*, qui paraîtra en feuilleton à l'automne 1867, puis donner, de 1866 à 1869, en partie avec Paul Arène, des nouvelles éditées en 1869 par Hetzel sous le titre des *Lettres de mon moulin*. La stabilité que lui apporte son mariage avec Julie Allard (1867) et le sentiment, surtout avec la guerre de 1870, qui le marque profondément, de n'avoir pas donné sa mesure, l'incitent désormais à travailler plus régulièrement : il publie les *Contes du lundi* (1873), *Robert Helmont* (1874), et devient aussi le chroniqueur dramatique du *Journal officiel*. *Les Aventures prodigieuses de Tartarin de Tarascon* ont paru en 1872, mais n'ont guère obtenu plus de succès que son drame, *l'Arlésienne*, et une autre pièce de la même année. C'est que le public est réticent devant cette ambiance méridionale à laquelle il n'est pas habitué : il fera en revanche un succès considérable à *Fromont jeune et Risler aîné* (1874), primé d'ailleurs par l'Académie française. Le roman vient en effet à son heure puisqu'il donne à Daudet une place à part de réaliste « poétique », plus proche peut-être des goûts du public de l'époque que ses amis Flaubert, Edmond de Goncourt ou Zola (même si l'on accuse Daudet, d'ailleurs à tort, en 1887 d'avoir inspiré un manifeste hostile à ce dernier).

Fromont jeune et Risler aîné

SYNOPSIS

LIVRE PREMIER. Risler aîné épouse Sidonie Chèbe, fille de tout petits bourgeois. Ils ont pour voisins les Delobelle dont le père, acteur sans emploi, mange sans scrupules le revenu de sa femme et de sa fille Désirée, qui confectionnent des oiseaux et des mouches pour les modistes. Le frère cadet de Risler, Frantz, aimé de Désirée, aurait dû épouser Sidonie, mais celle-ci avait d'autres projets : se marier à Georges Fromont, riche héritier d'une fabrique de papiers peints. L'héritier va cependant épouser sa cousine Claire, tandis que Sidonie a dû se rabattre sur Risler aîné, l'associé de Georges, et que Frantz est parti pour l'Égypte.

LIVRE DEUXIÈME. Il y a donc deux ménages : celui de Risler et celui de Fromont. Sidonie est jalouse de Claire, et, alors que le père Chèbe et Delobelle essaient d'exploiter son mari, elle réussit à devenir la maîtresse de Georges Fromont, qu'elle va ruiner en cadeaux onéreux.

LIVRE TROISIÈME. Frantz, revenu d'Égypte, comprend la situation et veut ouvrir les yeux de son frère. Mais Sidonie le fait tomber sous son charme et obtient de lui une lettre compromettante qui l'oblige à rester silencieux. Il repart alors, et Désirée, qui espérait devenir sa femme, tente de se suicider avant de mourir de déception.

LIVRE QUATRIÈME. Les dépenses de Sidonie risquent de causer la faillite de l'entreprise Fromont : les échéances douloureuses approchent pour tout le monde. Claire n'obtient pas de son oncle l'argent qui sauverait son mari, mais elle apprend de lui les vraies raisons des difficultés financières de la fabrique. De son côté, le caissier Planus se rend auprès de Risler auquel il est étonné d'apprendre son infortune. Risler vend alors les cadeaux de Georges et sauve la fabrique avec cet argent. Grâce à son travail et à ses inventions, il va relever l'entreprise, mais il découvre la lettre de son frère, envoyée par Sidonie qui a voulu se venger, avant peut-être de devenir actrice ou chanteuse. Cette lettre le désespère et l'amène à se pendre.

Vient alors la série des grands romans qui valent alors à leur auteur la célébrité : *Jack* (1876), où Daudet raconte l'histoire d'un enfant délaissé par sa mère et qui, peu à peu, d'abandons en découragements, sombrera dans l'alcool et mourra rongé par la phtisie ; puis *le Nabab* (1878), histoire d'un aventurier riche à millions, qui revient d'Orient pensant acquérir à Paris estime et dignité, mais n'y trouvera que des rapaces et de faux amis ; *les Rois en exil* (1879), qui montrent la déchéance d'une famille royale exilée à Paris, d'un roi sans volonté en butte aux escrocs, d'une reine qui veut sauver l'héritage et la couronne de son fils ; enfin *Numa Roumestan* (1881), centré sur un personnage de politicien à la Gambetta et dont le Midi s'irrita quelque peu. Le succès de Daudet ne cesse de grandir et atteint alors ses ouvrages précédents : *les Lettres de mon moulin*, qui vont devenir l'œuvre la plus connue ne serait-ce que par son utilisation pédagogique qui fait de Daudet un inépuisable réservoir de dictées pour les écoles de la IIIe République, et *Tartarin*, dont notre auteur exploite le personnage avec *Tartarin sur les Alpes* (1885) et *Port-Tarascon* (1890), pourtant d'un ton amer aux antipodes de son point de départ.

D'un autre côté, on le voit poursuivre la série des romans de mœurs avec *l'Évangéliste* (1883), où il décrit les ravages causés par une protestante au prosélytisme agressif, et *Sapho* (1884), qui raconte l'histoire mouvementée d'une liaison entre un jeune homme et Sapho, courtisane vieillissante. On retiendra aussi de cette époque *l'Immortel* (1888), roman acide sur les mœurs académiques, deux livres de souvenirs, sortis la même année, enfin des pièces et des romans parmi lesquels on cite surtout *Rose et Ninette* (1892) et *la Petite Paroisse* (1895). La dernière réussite de Daudet n'est pourtant pas là : elle est bien davantage dans *le Trésor d'Arlatan* (1897), où l'on voit apparaître un Midi fantastique bien différent de celui de *Tartarin*, un Midi sombre et angoissé. Ces deux adjectifs s'appliquent d'ailleurs encore mieux au grand livre posthume de *la Doulou*, publié en 1931 et où l'on trouvera les notes prises par Daudet au cours de la longue maladie nerveuse qui le tourmenta, quinze années durant, avant de l'emporter en 1897.

L'ironie et la pitié

Malgré cette fin douloureuse, Daudet est paradoxalement un auteur gai. En effet, ses livres font souvent naître la gaieté grâce à des silhouettes devenues célèbres. Celles-ci ont entre elles un air de famille et forment une galerie réjouissante de fantoches imbus d'eux-mêmes. Tartarin est loin d'être le seul : il suffit de penser à l'illustre Delobelle, acteur sans rôle de *Fromont jeune*, à la série des ratés qui déploieront leur prétention devant Jack, Labassindre, professeur de chant, et Amaury d'Argenton, poète de son état, fruit sec au surplus, et néanmoins vicomte. Ces burlesques ont ceci de commun qu'ils jouent un rôle, celui du chasseur, de l'acteur ou de l'artiste génial, alors qu'ils ne sont qu'enflure et vanité. Le personnage devient une sorte de caricature à la Hoffmann, et Daudet s'amuse aux dépens d'un caractère dont il outre les ridicules. Le savant fou à l'odeur d'alcali, le domestique prétentieux, le garçon de bureau mémorialiste, l'académicien collectionneur : autant de figures qui provoquent un comique mécanique, répétitif en même temps qu'un peu bizarre. Même chose avec les accents, qui valent à Daudet des scènes très réussies lorsqu'un Suisse allemand s'exprime en français ou qu'un Sénégalais récite du Lamartine.

Il y a donc dans ces romans des effets de comédie où Daudet s'amuse : il renouvelle le Matamore avec Tartarin, Nucingen avec Risler aîné, il fait même de son Nabab une sorte de Bourgeois Gentilhomme pillé par des parasites, victime des prestiges de la turquerie avec ses inutiles et carnavalesques fêtes du bey. Tout cela débouche sur un univers instable où l'on risque d'être dupe à tout moment d'un canular ou d'une machination. Significativement, Daudet s'est attaché, dans *Fromont jeune*, à décrire ces objets factices que fabriquent en série les industries du Marais, fausses fleurs, fausses perles ou encore ces « oiseaux et mouches pour modes » qui font vivre Delobelle et lui permettent de plastronner sur le boulevard. La vie sociale est présentée comme un théâtre où la plupart des gens s'efforcent de se mettre en scène, de faire illusion pour snober ou impressionner autrui et plus encore pour se rassurer eux-mêmes : et telle est bien la folie douce qui intéresse le plus Daudet, cette fierté ou cette vantardise qui anime Tartarin ou Delobelle, peut-être aussi Maître Cornille qui, pour faire croire que son moulin tournait toujours, y transportait des gravats et de la terre blanche.

On peut – Daudet l'a fait lui-même – mettre tout cela sur le compte de la galéjade méridionale, mais il faut voir aussi en quoi ces caractères contribuent au côté féerique, parfois fantastique, des récits où ils figurent. Daudet le conteur adore créer en effet un climat d'étrangeté plaisante : la vie du Nabab ressemble à « l'accomplissement d'un conte des *Mille et Une Nuits* », le collège du Petit Chose est hanté par un surveillant auquel son trousseau de clés donne un air maléfique, et l'on ne peut résister à cette énumération des clients de l'hôtel que tient Sapho : deux écuyers de l'Hippodrome, une cithariste de Stuttgart et son frère poitrinaire, des Péruviens et des Russes, sans oublier un riche Hollandais, marchand de corail. Cette gaieté se fonde sur un curieux réalisme, élaboré certes à partir de détails vrais, de modèles et de notes (comme Daudet l'explique dans ses préfaces), pour évoquer un monde irréel d'imposteurs, de comédiens et d'illuminés. Tous, ils vivent pour ce que les Provençaux appellent « le vent de bouche », et qui n'est, après tout, qu'une forme d'exagération épique : c'est ainsi que le Petit Chose peut se faire passer pour un fils de famille et que le baobab de Tartarin tient dans un pot de réséda.

Les Aventures prodigieuses de Tartarin de Tarascon

SYNOPSIS

PREMIÈRE PARTIE. « À Tarascon ». Tartarin possède un jardin exotique où il entretient un baobab dans un pot de réséda. Il possède de nombreuses armes et quantité de livres d'aventures. À Tarascon, les chasseurs sans gibier tirent sur leur casquette, après l'avoir lancée en l'air. Chacun dans le voisinage – et notamment le « brave commandant Bravida », ex-capitaine d'habillement –, reconnaît que Tartarin est un vrai caractère, prêt à repousser toutes les attaques (qui ne viennent pas !). Il n'a jamais quitté Tarascon, même pour Changhai où on l'appelle, mais l'arrivée d'une ménagerie et d'un lion en cage l'incite à partir pour l'Atlas, ce qu'il fait après mille contretemps et préparatifs.

DEUXIÈME PARTIE. « Chez les Teurs » (les Turcs que seraient les Algériens !). Après un voyage difficile et un fort mal de mer, Tartarin arrive à Alger et veut égorger les portefaix qu'il prend pour des sauvages. Dans une banlieue où il croit tuer un lion, il abat un âne : il faut donc aller vers le sud, mais, avant cela, Tartarin va être victime d'un pseudo-prince du Monténégro. Il le sauve à une table de jeu, puis croit retrouver grâce à lui une prétendue Mauresque (de Marseille !). Tartarin s'abandonne alors quelque temps aux délices de l'amour. Mais un article de journal le rappelle au but de son voyage.

TROISIÈME PARTIE. « Chez les lions ». Une diligence conduite par une connaissance de Tarascon le mène vers le sud. Un vrai chasseur de panthères lui apprend qu'il n'y a plus de lions dans l'Atlas. Hélas, on y trouve des vautours : le faux prince du Monténégro qui le promène à travers le désert avant de le dépouiller de tout son argent. Tartarin aura cependant le temps de tuer un lion aveugle et apprivoisé. Suivi par un chameau, il reprend sa route vers Alger, puis vers Tarascon où il est devenu illustre grâce à l'envoi de la peau du lion !

Car tout peut devenir farce : l'administration avec « le Sous-Préfet aux champs », la politique avec *Numa Roumestan*, l'amour avec les déconvenues algériennes de Tartarin, et jusqu'à la littérature avec la plaquette du Petit Chose dont presque tout le tirage servira à envelopper des coquetiers destinés à Madagascar. L'ironie de Daudet lui sert à dégonfler toutes les baudruches et à prendre avec humour ce qui, sans cela, serait si triste.

N'en concluons pas pour autant que Daudet est insensible. On comprend vite en effet que l'ironie est tempérée chez lui par la pitié. Dans les personnages les plus extravagants ou les plus risibles, Daudet éclaire une facette attendrissante, de même qu'il compense ses silhouettes burlesques par des rôles plus tristes, souvent même mélodramatiques : pensons au prince héritier des *Rois en exil,* à la jeune boiteuse de *Fromont jeune,* au Petit Chose ou à Jack. Daudet n'hésite pas à montrer des victimes, des solitaires, des exploités : le Nabab lui-même, une fois dépouillé, est en fait la victime « d'une des plus grandes, des plus cruelles injustices que Paris ait jamais commises », de même que la jeune boiteuse privée d'amour, ou que Jack, qu'une éducation stupide mène à l'existence abrutissante du travail d'usine et à l'alcool. La vie, dans ces conditions, n'est plus une farce, mais une lutte désespérée qu'il faut mener à bien – un peu à la manière de la chèvre de M. Seguin qui lutta contre le loup jusqu'au matin avant de succomber. Le loup, c'est, en l'occurrence, une fatalité qui rabaisse ceux qui voudraient s'élever, faisant échec à leurs ambitions : le Nabab mourra d'apoplexie dans son théâtre, Jack expirera à l'hôpital, Risler se pendra ; quant au Petit Chose, victime lui aussi de l'ironie du sort, il ne sera pas poète, mais quincaillier.

Le Petit Chose

SYNOPSIS

PREMIÈRE PARTIE. Daniel Eyssette, le narrateur, a un frère, Jacques. Il passe son enfance à jouer dans la fabrique paternelle. Mais celle-ci périclite et la famille part pour Lyon sans que ses affaires s'améliorent pour autant. Tandis qu'on apprend la mort d'un frère aîné, Daniel que ses camarades de collège ont surnommé « le Petit Chose », est obligé d'abandonner ses études pour devenir, à seize ans, pion dans un collège à Sarlande. D'abord heureux lorsqu'il est en charge de l'étude des « petits » (parmi lesquels le disgracieux Bamban), il découvre bientôt celle des « moyens », moins tranquille. Malgré l'amitié de l'abbé Germane et un amour éthéré pour des « yeux noirs », il souffre des persécutions que lui font subir ses élèves, et en particulier l'un d'entre eux, Boucoyran, dont il envisage de provoquer le père en duel. Il a alors recours à un professeur d'escrime qui va se servir de lui : il fait écrire à Daniel ses lettres d'amour et le laisse chasser à sa place lorsqu'on veut punir le « séducteur ». Plus tard, Daniel constate que le maître d'armes n'est pas le seul à s'être joué de lui : il est à deux doigts de se suicider quand l'abbé Germane le réconforte en lui donnant l'argent nécessaire pour payer ses dettes dans la petite ville.

SECONDE PARTIE. Daniel arrive à Paris où vit son frère Jacques. Ils retrouvent leur complicité d'enfant, établissent leur budget. Souhaitant voir son frère devenir un grand poète, Jacques se transforme en « mère » pour Daniel. Il le présente aux Pierrotte : le père est marchand de porcelaines et le Petit Chose tombe amoureux de la fille pour laquelle son frère soupire en vain. Daniel lit son premier poème devant les invités ridicules du salon Pierrotte, puis publie, grâce aux économies de Jacques, un volume qui ne se vend qu'à un seul exemplaire. Alors que son frère part pour l'Italie comme secrétaire d'un aristocrate original, le narrateur va devenir l'amant d'une belle créole qui se moque de lui. Il se met en ménage avec elle, fait des dettes, devient acteur jusqu'à ce que son frère, revenu à Paris, l'arrache à cette vie grâce à l'argent du bon Pierrotte, qu'avait aidé autrefois Mme Eyssette. Le même Pierrotte, après la mort de Jacques, due à une phtisie galopante et aux soucis, offre à Daniel de devenir son associé et son gendre.

Pour tous ces personnages, on sent, chez Daudet, une tendresse, qu'on peut trouver mièvre, mais qui n'en manifeste pas moins son angoisse ; c'est que le sourire va de pair avec le drame, parfois dans un même personnage dont on se moque avant de reconnaître la méchanceté d'une telle moquerie : le cocu de « la Diligence de Beaucaire » sera peut-être un assassin. Se crée ainsi une poésie de la détresse qui naît lorsque l'écrivain décrit une de ces victimes : les enfants maltraités dans les écoles ; les naïfs, qui ne sentent pas qu'on les gruge ; les humbles, aussi, à qui l'on enlève leur dignité ; enfin les malades, parmi lesquels Daudet devra bientôt se compter. Au fond, il n'y a qu'un minuscule intervalle entre le fantoche et l'être sensible, torturé : c'est cette sensibilité même qui le rend attentif aux souffrances et, plus généralement, au monde que les autres ne peuvent voir, aveuglés par leurs manies ou leur bêtise inconsciemment cruelle. Même si elle devient insupportable, il y a donc un moment où la souffrance rend plus intelligent et meilleur, où elle peut devenir, comme dans l'admirable *Doulou,* une « philosophie » ou une « science » : ne permet-elle pas d'abord de mieux connaître sa propre personne, de l'explorer à la manière de Montaigne ? N'établit-elle pas une sorte de sympathie avec tous les malheureux, avec ces ataxiques et ces névropathes que Daudet rencontre « au pays de la douleur » ? Enfin, ne peut-on dire que c'est la souffrance qui nous force à jouir du monde et à le regarder plus intensément que les autres ? En tout cas, c'est bien la leçon qu'en tire Daudet lui-même, qui écrit : « Je ne sais qu'une chose, crier à mes enfants : "Vive la Vie !" Déchiré de maux comme je suis, c'est dur. »

L'art du récit

Ce ton de la confidence est cher à Daudet. Même quand ses romans sont écrits à la troisième personne, on y trouve toujours un personnage autobiographique – ou du moins proche de l'auteur – et chargé d'incarner les valeurs positives : l'homme pauvre, mais honnête et passionné, révolté par les injustices qu'il découvre. Le roman prend alors l'aspect d'une plaidoirie, où l'auteur défend l'opprimé, s'attaque au méchant, bref parle et se raconte. Car on est souvent frappé du côté oral de certains romans de Daudet : le narrateur s'adresse à son personnage, lui reproche les sentiments ou les paroles qu'il vient de lui attribuer, prend ainsi à témoin son lecteur et le rend complice du récit, avec des attendrissements et des indignations provoqués. Comme un conteur, Daudet intègre son auditoire au monde imaginaire qu'il crée devant lui. Au fond, il n'est pas loin ici de ce Numa Roumestan qui ne pouvait penser qu'en parlant, qu'en se trouvant devant un auditoire ou un interlocuteur imaginaires. Bien entendu, cette parole est travaillée, c'est un artifice de l'écrivain pour ajouter à son naturel étudié : cependant, c'est d'elle que tout part, de ce talent qui consiste à intéresser les autres. Et c'est bien ainsi que le Petit Chose comprend sa tâche lorsqu'il raconte aux enfants qu'il surveille ces histoires qui les fascinent : « Quelquefois, quand ils avaient été bien sages, je leur racontais une histoire… Une histoire !... Quel bonheur ! Vite, vite, on pliait les cahiers, on fermait les livres

[…], on ouvrait de grands yeux, et on écoutait. J'avais composé à leur intention cinq ou six petits contes fantastiques : "les Débuts d'une cigale", "les Infortunes de Jean Lapin", etc. Alors, comme aujourd'hui, le bonhomme La Fontaine était mon saint de prédilection […], seulement j'y mêlais un peu de ma propre histoire. Il y avait toujours un pauvre grillon obligé de gagner sa vie comme le Petit Chose. »

Cette transposition poétique est donc en même temps une sorte de jeu où chacun met du sien – jusqu'à l'auditeur, qui joue un rôle dans l'histoire dès lors qu'il y croit. En ce sens, la « Comédie pastorale » composée par le même Petit Chose est révélatrice, d'abord par un personnage de Papillon artiste assassiné par la coalition du Chardon, du Scorpion, de l'Araignée et de la ChauveSouris, mais aussi par la réaction des auditeurs, en particulier celle d'un vieillard féroce avouant : « Je suis bien content qu'on ait tué ce papillon […], je ne les aime pas, moi, les papillons. » Faire un livre, pour Daudet, c'est donc aussi proposer des modèles et des repoussoirs qui dessinent une morale implicite : les gentils et les méchants, les êtres sensibles et les fantoches. Il n'y a donc plus de cloison entre monde imaginaire et monde réel : le réalisme (?) de Daudet consiste au contraire à bâtir des fables, à introduire une part de légende dans la réalité vécue. Après tout, c'est aussi le procédé employé par le curé de Cucugnan pour faire revenir ses ouailles dans son église. Il raconte pendant son sermon comment il a visité le paradis, le purgatoire – et surtout l'enfer, où habitent pour toujours des figures connues de ses paroissiens : Catarinet, la petite gueuse ; Babet, la glaneuse ; Dauphine, qui vendait si cher l'eau de son puits… Sur le mode sérieux, on retrouvera cette utilisation des deux registres dans *le Trésor d'Arlatan*, qui part comme un roman de mœurs : l'amant jaloux de sa maîtresse, une actrice parisienne, et cherchant à l'oublier, fuit dans une cabane en pleine Camargue. Mais cela tourne au fantastique avec le personnage d'Arlatan, mi-toréador, mi-rebouteux, et qui retrouve dans sa malle une photo dédicacée de l'actrice. Hasard ? Coup de théâtre ? En fait, on n'est plus sûr de rien, et l'imagination de l'auteur semble brouiller les pistes du réel, comme par un tour de magie de ce guérisseur énigmatique.

C'est même ce rêve qui est, en définitive, la marque des personnages de Daudet : il mène leurs actions, leur fait voir les choses plus belles : lubie comique et folie des grandeurs pour les uns, rêve d'amour ou d'art pour les autres. Dès lors, les personnages ne peuvent plus être communs ; ils sont dotés, au contraire, d'une aspiration, ridicule ou émouvante, qui les distingue : la fièvre verte de l'aspirant académicien dans *l'Immortel*, la décoration pour le Nabab, la richesse pour l'ambitieuse Sidonie de *Fromont jeune*, le succès littéraire pour le Petit Chose, enfin, pour Jack, le désir de retrouver sa mère. Aucun récit ne montre peut-être mieux cette part du rêve que « les Étoiles », sous-titré « récit d'un berger provençal » : à vrai dire, il n'y a presque pas d'intrigue dans ce conte des *Lettres de mon moulin*, mais simplement la rencontre d'un berger et de Stéphanette, la fille de ses maîtres. Tout le charme du conte réside dans le climat créé par Daudet, grâce non seulement aux paysages et aux bruits du Luberon, mais aussi à ces constellations que contemple et décrit le pasteur, un peu comme le fera Giono dans *le Chant du monde*. Les astres eux-mêmes ont leur histoire, ils sont des personnages de légende, comme cette étoile du Berger que nous « nommons encore Maguelonne, la belle Maguelonne qui court après Pierre de Provence (Saturne) et se marie avec lui tous les sept ans ». Le sentiment du narrateur pour Stéphanette s'exprime donc par le biais d'une double image qui enrichit l'idylle provençale et en montre la valeur universelle.

Daudet est évidemment autre chose qu'un écrivain régionaliste : la Provence ne l'intéresse que dans la mesure où il peut en faire une contrée « littéraire », c'est-à-dire un pays coloré, peuplé d'êtres poétiques et dont la langue semble un français de conte de fées, embelli, imagé et musical : « Voù baia de civado au chivaou » [Je vais donner de l'avoine au cheval]. Au sens propre du terme, la Provence de Daudet est un pays de fantaisie où le menteur est un artiste et où l'artiste, enfin, peut dire des merveilles sans être traité de menteur : « Nous ne sommes que des gens d'imagination et de paroles débordantes, des trouveurs, des brodeurs, des improvisateurs féconds, ivres de sève et de lumière, qui se laissent prendre eux-mêmes à leurs inventions stupéfiantes et ingénues. »

A. Preiss

DAUDET Léon

(1867-1942)

Polémiste, critique, romancier et mémorialiste, Léon Daudet est d'abord le fils de son père [voir **DAUDET Alphonse**]. Enfant, il rencontre tout ce que l'époque compte de grands noms : peintres, politiciens, hommes de science, écrivains (Barbey d'Aurevilly, Zola, Flaubert, Gambetta, Maupassant ou Edmond de Goncourt). Après son baccalauréat, il opte pour la médecine : il croit encore à la Science, à toutes les valeurs de ce « stupide XIXe siècle » qu'il dénoncera plus tard. Il épouse civilement la petite-fille de Hugo, Jeanne. Bientôt, pourtant, ses intérêts vont ailleurs : il lit Drumont, et cet antiboulangiste devient antisémite et antidreyfusard. Entre-temps, il a écrit dans *le Figaro* et *le Journal*, publié *les Morticoles* (1894), où il attaque la médecine des mandarins – résumé, pour lui, de toutes les tares de la société contemporaine. Dernière rupture avec son passé : il divorce de Jeanne et épouse sa cousine Marthe Allard – à l'église, cette fois.

Après *la Libre Parole* et *le Soleil*, Daudet achève son « chemin de Damas » à *l'Action française*, aux côtés de Charles Maurras, défendant les traditions et réclamant « la France aux Français ». Dans son journal ou à la Chambre (1919-1924), constamment, Léon Daudet se bat. Lorsque le corps de son fils Philippe est découvert dans un taxi, il ne croit pas au suicide, et il l'écrit ; condamné à six mois de prison, il s'évade et s'exile. Durant toute la IIIe République, il tape infatigablement sur ses têtes de Turcs, Malvy, Caillaux, Doumergue,

Barthou, Poincaré – et surtout Briand. Mais aussi, il défend ceux qu'il apprécie : Clemenceau, par exemple, dès lors qu'il incarne la France et la mène à la victoire ; Pétain, en 1940, tiendra à ses yeux ce rôle de l'homme providentiel. Sur le plan littéraire, Daudet écrit de nombreux romans où il traite des problèmes de tous ordres, médicaux, psychologiques ou psychologico-sociaux : l'inceste, l'adultère, la tare héréditaire, le divorce et l'enfant du divorce fournissent la matière de *Suzanne* (1896), des *Deux Étreintes* (1900), de *l'Hérédo* (1916), etc. On notera aussi *les Kamtchatka* (1895) et *le Voyage de Shakespeare* l'année suivante. Mais ni ses romans, ni ses essais, ni ses livres politiques ne comptent aujourd'hui parmi ses ouvrages les plus lus : on leur préfère plutôt ceux où il s'intéresse au monde littéraire de son époque, qu'il observe avec intelligence et humour (*Alphonse Daudet*, 1898 ; *Fantômes et vivants*, 1914, qui ouvre la série des souvenirs de Daudet, et *le Stupide XIX*e *siècle*, 1922). Léon Daudet fut élu à l'académie Goncourt en 1897, succédant à son père décédé. Rien de plus réjouissant que la méchanceté de Léon Daudet : dès qu'il a un ennemi, tout lui est bon pour l'achever, les surnoms, les qualificatifs, les images saugrenues et les insinuations. Briand, par exemple, devient Briand-la-Gouape, « ignare à fond, mauvais bougre, fielleux, vanitorgueilleux, capable des pires intrigues et perfidies [...], le regard d'eau sale, avec un crapaud endormi au fond, la démarche hésitante, l'écendrement de la cibiche, le cheveu long et pelliculaire, [... il] traînait un passé de fumier [...] comme un fœtus traîne un placenta difforme et contaminé » ; Zola « au bavardage épais, ignorant et primaire », dont le naturalisme n'est qu'un vaste tuyau d'épandage rompu, « embouti et vissé sur les calembredaines panthéistes du vieux Tartuffe, hyperverbal et logomachique, de Guernesey » ; Renan, enfin, « gobeur éperdu dont la pensée inconsistante est une prière perpétuelle à Saint-Décevant ».

Dans ces attaques sans nuances, il y a une logique : rejoignant en cela les théories maurrassiennes, Daudet voit dans la Révolution la corruption première qui explique tout, la République des panamistes, la société brisée par le divorce et par les théories socialistes, la germanophilie philosophique – en somme le mauvais goût, le triomphe des imbéciles et des escrocs. Ce qui est intéressant ici, c'est d'ailleurs moins la théorie en soi – parfois fumeuse – que l'art de Daudet pour déployer ses arguments ou définir un caractère. Ancien carabin et ancien radical, il connaît ses adversaires, et il a le génie de les rendre ridicules, au physique ou au moral, de les transformer en personnages de fiction. Brusquement, tout s'explique, les collusions et les antipathies ; on comprend le cheminement des crapules, des arrivistes et des lâches ; la politique entière devient un roman : du Balzac. Cynique, agressif, excessif, parfois ignoble, Daudet écrit en fait le roman de son époque ; homme de parti et de parti pris, il a mieux que du talent : du caractère.

A. Preiss

DAUMAL René

(1908-1944)

L'expérience spirituelle menée par René Daumal témoigne d'un besoin éperdu d'authenticité et d'absolu, de la nécessité de recouvrer, à tout prix, une foi, un espoir, dans un monde (l'Occident) qui, corrompu par le rationalisme et la pensée dogmatique, a perdu le sens du religieux. Dans le même temps, Daumal conteste la croyance en une « révélation » qui ferait l'économie de l'expérimentation réelle, en soi-même, de la vérité. *Le Grand Jeu,* revue qu'il anime avec Roger Vailland et Roger Gilbert-Lecomte, manifeste essentiellement le refus du dualisme de l'être et du connaître et tente de trouver une conciliation entre l'esprit métaphysique et le matérialisme dialectique. Mais la métaphysique expérimentale mise en œuvre par le groupe du *Grand Jeu* vise un point asymptotique, exige de prendre le risque du vertige et du non-savoir, de la découverte éventuelle de l'absence d'être. Sur cette voie, Daumal ne suivra qu'un temps Gilbert-Lecomte ; sa rencontre, en 1932, avec Alexandre de Salzmann et, à travers lui, avec le « maître » Gurdjieff le détermine à se tourner entièrement vers l'Orient et la spiritualité hindoue. Converti, Daumal s'attache alors résolument à l'aventure de l'« Enseignement », qui représente pour lui « une bouée de sauvetage » (lettre à Jean Paulhan).

Voulant transmettre son expérience et indiquer le chemin de la vérité, il choisit le mode d'expression le plus pédagogique, le plus didactique : le conte, qui se donne à la fois comme récit d'édification métaphysique et itinéraire initiatique. *La Grande Beuverie* (1938), ouvrage de pataphysique, vise à détruire les carapaces dont cherche à se vêtir l'individu et, pour ce faire, entreprend une déconstruction systématique de la manière de penser routinière ; alors seulement se révèlent possibles la (re) naissance et la (re) connaissance (« L'éternité, c'est la paramnésie volontaire »). *Le Mont Analogue* (1952, posthume), second volet du diptyque, présente le voyage vers l'autre monde : « C'est la montagne symbolique, qui doit matériellement, humainement *exister,* sans quoi notre situation serait sans espoir ». Le volontarisme, on le voit, n'est pas exclu, et un dualisme semble se substituer à l'autre, puisque la matière devient la « syphilis de l'éther », selon l'expression de Fargue, grand intercesseur avec Rabelais et Jarry.

L'entreprise proprement poétique de Daumal développe le même désir d'échapper au monde des apparences et d'enseigner. Aussi l'évolution du poète le conduit-elle d'une poésie-cri (*le Contre-Ciel,* 1936) à une poésie « consciente », gnomique. Le poème porte en effet la seule connaissance concrète encore accessible à l'Occidental. Mais il exprime également une contradiction difficile à dépasser : point de rencontre de la Parole, qui ne peut se dire, qui peut tout juste être suggérée, et de ce qui, dans le monde, peut la manifester, mais en la polluant, le poème oscille à tout instant entre le « noir » (la matière, le corps, le moi) et le « blanc », qui « ouvre la porte d'un seul monde, de celui du seul Soleil, sans prestiges, réel » (*Poésie noire, poésie blanche,* 1953, posthume). Or, il s'agit, pour celui qui est sur la voie, de devenir aussi la voix, c'est-à-dire un « poète blanc ». Une grande partie de l'œuvre de Daumal n'a pu être lue qu'après sa mort : non seulement des poèmes (*Mugle*, 1978), ou sa correspondance (*Lettres à ses amis*, 1958), mais aussi des essais importants, qui éclairent ses chemins de recherche (*Chaque fois que l'aube paraît*, 1953 ; *Tu t'es toujours trompé*, 1970 ; *Bharata, l'origine du théâtre, la poésie et la musique en Inde*, 1970 ; *l'Évidence absurde*, 1972 ; *les Pouvoirs de la parole*, 1972).

L. Pinhas

DEBORD Guy

(1931-1994)

Après avoir rejoint le mouvement lettriste d'Isidore Isou en 1951, Guy Debord réalise l'année suivante *Hurlements en faveur de Sade*. Entre la toile blanche de Malevitch et la composition muette de John Cage, ce film sans image annonce directement son projet ultérieur par une contestation radicale des formes artistiques traditionnelles. De plus, c'est déjà une parole de groupe qui se donne à entendre dans un film mêlant diverses voix *off*. Debord constitue d'ailleurs un premier groupe dès 1952, quand il se sépare d'Isidore Isou et fonde l'Internationale lettriste avec Gil J. Wolman. Le projet de cette nouvelle avant-garde, tel qu'il s'exprime dans de nombreux tracts et dans la revue *Potlatch* (1954-1957), est ouvertement révolutionnaire. Le mouvement s'appuie sur une théorie de l'urbanisme violemment opposée aux conceptions fonctionnelles de Le Corbusier : une « psychogéographie » étudie la construction de *situations* dans une ville où s'efface la dimension utilitaire tandis que se révèle son potentiel poétique. Ainsi, par cette « dérive » qui ouvre la possibilité d'un rapport ludique avec l'environnement, Debord et ses compagnons entendent-ils supprimer l'art pour le remplacer par sa réalisation dans la vie même.

De nouvelles rencontres, en particulier celle du peintre Asger Jorn, amènent Debord à fonder l'Internationale situationniste en 1957. Encouragé par le travail de Jorn, il privilégie la pratique du *détournement* qui rappelle également sa lecture passionnée de Lautréamont : étendu à toutes les formes d'expression, de la bande dessinée à la publicité, le procédé vise à donner de nouvelles significations à des éléments arrachés de leur contexte et, surtout, à retourner le discours de l'idéologie dominante contre elle-même. Car des ouvrages tels que *Mémoires* (1958), « entièrement composé d'éléments préfabriqués », sont indissociables d'une critique globale de la société. La revue *Internationale situationniste* (1957-1969) et la brochure *le Déclin et la chute de l'économie spectaculaire-marchande* (1965) permettent notamment à Debord de développer le concept central de « spectacle ». Mais sa pensée témoigne de toute son ampleur dans un livre qui annonce directement le soulèvement de Mai 1968 : en 1967, alors même que le situationniste Raoul Vaneigem publie un virulent *Traité de savoir-vivre à l'usage des jeunes générations*, paraît *la Société du spectacle*, analyse brillante et corrosive d'un monde où « tout ce qui était directement vécu s'est éloigné dans une représentation ». La prose classique de l'essai pourrait surprendre, s'il ne correspondait à la recherche d'un style qui, selon le projet énoncé avec un renversement de génitif caractéristique, ne soit « pas la négation du style, mais le style de la négation ». C'est qu'il n'y a pour Debord de véritable écriture qui ne soit, d'abord, un *art de la guerre*. De fait, après s'être démarqué des diverses positions révolutionnaires, il conclut à la nécessité d'une action radicale « qui ne pactise avec aucune forme de pouvoir séparé ». On comprend dès lors que le groupe situationniste joue un rôle primordial, et souvent occulté, dans les événements de Mai 1968. Cependant, malgré le succès croissant de ses activités révolutionnaires, l'organisation prononce sa dissolution en 1971 – ce qui n'empêchera pas Debord de multiplier ses entreprises subversives en Europe.

Par ailleurs, sa rencontre avec le producteur Gérard Lebovici permet à Debord de réaliser de nouveaux films : son adaptation cinématographique de *la Société du spectacle* (1973) est suivie par *In girum imus nocte et consumimur igni* (1978), qui annonce une tonalité plus lyrique et autobiographique. À la suite d'un meurtre resté mystérieux, Debord s'en prend violemment à la presse dans ses *Considérations sur l'assassinat de Gérard Lebovici* (1985). Le ton de ses écrits apparaît alors de plus en plus sombre. Ses *Commentaires sur la société du spectacle* (1988) lui permettent ainsi de mesurer l'aggravation des symptômes de la « société du spectacle » : il propose désormais le concept de « spectaculaire intégré » pour rendre compte de la mondialisation des processus d'aliénation. Le premier tome de son *Panégyrique* (1989), l'un des plus beaux textes de Debord, associe une détermination demeurée intacte à un parcours volontiers nostalgique de sa jeunesse. Mais, peu avant son suicide le 30 novembre 1994, Debord collabore à un documentaire télévisé qui en dit long sur son accablement face à l'étendue de la domination spectaculaire. Quel espoir restait-il à une action révolutionnaire dès lors que, selon les mots de son *Panégyrique*, « pour la première fois, les mêmes ont été maîtres de tout ce que l'on fait, et de tout ce que l'on en dit » ?

V. Hugotte

DEBRAY Régis

(né en 1941)

Homme politique, romancier, essayiste, né à Paris. Normalien influencé par Althusser, agrégé de philosophie, Debray préfère l'action révolutionnaire à la carrière universitaire : il rejoint Castro à Cuba et Che Guevara dans les maquis de Bolivie, mais est arrêté en 1967 et devra à un large mouvement de solidarité internationale de sortir de sa prison de Camiri en 1970. Réfugié politique au Chili, il y devient l'ami du président Allende. De retour en France, Debray poursuit ses activités d'écrivain – commencées dès 1967 avec *Révolution dans la révolution ?* – et il adhère au Parti socialiste en 1974.

Lorsqu'il reçoit le prix Femina pour son roman *La neige brûle* (1977), il verse à la Ligue communiste révolutionnaire le montant de ce prix. Il accompagne et conseille F. Mitterrand, dont il est l'ami. Après avoir assisté aux États généraux de la philosophie en 1979, il se rend au Nicaragua passé aux mains des révolutionnaires sandinistes. En mai 1981, il est chargé de mission pour les questions internationales auprès du président Mitterrand, puis est nommé au Conseil d'État en 1985.

Les romans de Debray, de *l'Indésirable* (1975) et *La neige brûle* à *Comète ma comète* (1986), son roman-journal (*Journal d'un petit-bourgeois entre deux feux et quatre murs*, 1976) ou son autobiographie amoureuse, politique et intellectuelle (*les Masques*, 1988 ; *Loués soient nos seigneurs*, 1996 ; *Par amour de l'art*, 1998) n'expliquent pas seuls la célébrité de leur auteur. Aussi marquants, en leur temps, ont été chacun des essais qui furent le fruit de l'action et de la réflexion politiques de Debray : *Révolution dans la révolution ?*, à l'époque du guévarisme, et, plus tard, *Critique des armes*, 1 et 2 (1974), *Entretiens avec Allende sur la situation au Chili* (1971), à la suite de son séjour à Santiago, *les Rendez-vous manqués* (1975), écrit pour le militant d'extrême-gauche Pierre Goldman. Les essais plus récents, rédigés dans un style mordant et combatif, placent Régis Debray parmi ceux qui contribuent à éclairer l'histoire des idées contemporaines. *Le Pouvoir intellectuel en France* (1979) étudie comment le pouvoir symbolique est passé de l'Université, puis de l'édition, à une poignée de « fondés de discours » détenteurs des moyens de communication de masse ; *le Scribe* (1980), *Cours de médiologie générale* (1991) ou *Transmettre* (1997) poursuivent cette réflexion sur les conditions qui permettent au « dire » de transformer le monde, et, au-delà, sur le problème de la transmission culturelle des valeurs et des croyances. *Critique de la raison politique* (1981) marque le pessimisme d'un philosophe qui mesure l'étendue de l'irrationnel dans l'histoire, mais use néanmoins de la raison pour tenter de la comprendre. *La Puissance et les rêves* (1984) ou *Que vive la République* (1989) redonnent son importance à l'idée de nation, tandis que *les Empires contre l'Europe* (1985) veut convaincre du déclin objectif de l'U.R.S.S. et de la nécessité de l'indépendance française et européenne à l'égard des blocs américain et soviétique, tout en s'interrogeant sur la montée des particularismes dans le monde et l'expansionnisme de l'islam. Cette volonté de comprendre le présent immédiat ou le passé historique se poursuit dans *À demain De Gaulle* (1990), qui enrôle le Général dans le camp des « républicains » à l'occasion du débat qui oppose ceux-ci aux « démocrates » autour de la construction européenne, ou encore dans *Christophe Colomb, le visiteur de l'aube* (1992).

M. P. Schmitt

Décadence et Décadents

Un dimanche de l'été 1886, des visiteurs s'empressent, dans une chambre de l'hôpital Tenon, à Paris, autour d'un malade de quelque renom : Paul Verlaine. L'un d'eux prend une publication qui traîne sur le lit et en épelle le titre en se moquant : *le Décadent*. « Quel est l'imbécile qui a osé ramasser ce titre ridicule ? demande Verlaine. – L'imbécile, c'est moi ! », répond quelqu'un dans l'assistance. Il se nomme Anatole Baju.

Fondateur, directeur et quelquefois seul rédacteur du *Décadent littéraire et artistique* devenu *le Décadent littéraire*, puis *le Décadent* tout court, Baju doit faire paraître encore en juillet 1887 une brochure intitulée *l'École décadente*. Il tente d'y promouvoir ce qu'il appelle le « décadisme ». Verlaine, enthousiaste cette fois, y voit un mot qui « fait balle et fera trou ». N'avait-il pas écrit lui-même, dans le sonnet « Langueur » (*Jadis et Naguère*, 1883), ce vers qui pourrait être le drapeau de la nouvelle école :

Je suis l'Empire à la fin de la décadence ?

En fait, la Décadence n'est pas et n'a jamais été une école. À partir de vagues prémisses se produit une agitation qui ne prend tout son sens que dans l'état d'esprit fin de siècle.

Les prémisses

« L'Empire à la fin de la décadence », c'est d'abord le second Empire, celui de Badinguet. « Tout flotte à la dérive », écrit Ernest Raynaud, qui fut témoin de cette époque. La guerre amène la débâcle, et, s'il faut en croire Gobineau, l'avènement de la République n'a fait qu'accélérer le processus de dégradation.

La bohème se réfugie dans l'insouciance. Mais c'est, comme le dit Charles Cros, parce qu'on veut croire encore à l'art, à la royauté de l'esprit, après de si grands désastres. Il s'agit d'un nouveau dandysme, et Baudelaire avait déjà écrit que « le dandysme est le dernier éclat d'héroïsme dans les décadences ».

Le mot, on le voit, n'est pas neuf. Si « décadent » est considéré par Littré comme un « néologisme par latinisme individuel » dont la première occurrence date de 1874, « décadence » existe déjà chez Calvin au sens d'« état de ce qui va tombant », et son emploi est courant quand il est question de la décadence de l'Empire romain chez Gibbon ou chez Montesquieu. Littré précise, dans la première rubrique synonymique : « Si on dit : l'Empire romain était en décadence, cela exprime qu'il se ruinait et tombait peu à peu, on le compare à un bâtiment qui s'écroule ; si l'on dit : l'Empire romain était à son déclin, cela exprime qu'il approchait du terme de son existence ; on le compare à un corps organisé qui finit de vivre. »

En 1869, Théophile Gautier, préfaçant la nouvelle édition des *Fleurs du mal*, vantait la beauté chatoyante du style particulière aux époques de décadence. Le mot allait être ramassé par les journalistes et appliqué à la décadence moderne. Mais, par un curieux transfert, deviennent « décadents » ces artistes qui essaient de se mettre en marge de l'époque, qui veulent dire « zut » au monde matérialiste ambiant, à l'argent, au prétendu « bon sens » de tous les parvenus des lettres et de la société. Du salon de Nina de Villard, « atelier de détraquage cérébral » selon les Goncourt, on passe au cabaret, lieu de prédilection de ce qu'on a appelé « la dernière bohème », celle des années 1878-1885 : le groupe des Hydropathes, animé par Émile Goudeau, se réunit le vendredi dans un café du Quartier latin (5 octobre 1878-juin 1880). Les Hirsutes prennent la relève en septembre 1881, jusqu'au 18-Brumaire hirsutesque monté par Trézenik. Le « Chat-Noir » de Rodolphe Salis, « cabaret Louis XIII, fondé en 1114 par un fumiste » et sis 84, boulevard Rochechouart, a, en décembre 1881, l'ambition d'être un « institut » regroupant poésie, musique, peinture et sculpture (c'est dans la feuille hebdomadaire publiée par cet institut que Verlaine fait paraître en 1883 son sonnet « Langueur »). Puis viennent les Zutistes de Charles Cros, eux-mêmes remplacés par les Jemenfoutistes, groupes éphémères des années 1883-1884. Et quand Goudeau tente, le 23 février 1884, de reconstituer le groupe des Hydropathes, il n'est plus temps. Le climat a changé. La décadence, peut-être, a commencé à se prendre au sérieux.

L'agitation décadente

Les groupes avaient leur journal. L'heure sera maintenant aux revues. La transition est assurée par *Lutèce*, fondée par Trézenik, Georges Rall et Charles Morice : 257 numéros en deux séries entre le 9 novembre 1882 et le 3 octobre 1886. C'est une publication qui se veut de gauche, anticléricale, littéraire surtout. Verlaine y publie des poèmes, des fragments des *Mémoires d'un veuf*, et surtout la première série des *Poètes maudits*, qui fit l'effet, si l'on en croit Laurent Tailhade, d'une « aurore boréale » dans les cénacles de la rive gauche : « Ces poètes, Rimbaud, Corbière, Mallarmé, avec, pour compléter le brelan, Verlaine lui-même, furent sacrés d'emblée inspirateurs et maîtres des générations nouvelles. Décadents, symbolistes, vers-libristes, un monde entier de poètes et de grotesques, d'artistes, vrais ou faux, se réclama de leur gloire. Leur influence, épanouie en traînée de poudre, éclata comme un feu d'artifice et, du soir au matin, métamorphosa la chose littéraire. »

Émile Cohl fait alors de Verlaine la fameuse caricature qui le représente avec une tête mongoloïde, un front démesuré barré par le mot *Anangkè*, un cœur transpercé, une lyre aux montants de pierre de taille, un casque de laine rouge, des mains et des jambes de batracien vert, portant en appendice le mot « décadence ». Jean Moréas, autre collaborateur de *Lutèce*, est également taxé de décadence, ainsi que Jules Laforgue, qui a publié dans la revue, de mars à juillet 1885, sept de ses *Complaintes*. Un nommé Mostrailles distingue alors trois filiations : les décadents de Corbière (dont ferait partie Jules Laforgue), les décadents de Verlaine et les décadents de Mallarmé.

J.-K. Huysmans, dans un roman publié en 1884, *À Rebours*, voyait lui aussi en Mallarmé l'incarnation de « la décadence d'une littérature, irréparablement atteinte dans son organisme et pressée de tout exprimer à son déclin ». Le livre était fort ambigu : c'était encore l'étude naturaliste d'un cas – même si, dans la Préface, beaucoup plus tardive (1903), Huysmans prend ses distances à l'égard du naturalisme –, et il fut souvent compris comme une apologie. Des Esseintes, le personnage central, qui a les goûts de Huysmans, ses névroses parfois, mais aussi les extravagances de Robert de Montesquiou, se situe au-delà du dandysme. Sa prédilection va aux époques de décadence, en particulier au Bas-Empire romain, comme s'il y mirait involontairement sa propre décadence et celle de son époque. Cette tentative de remontée dans le temps ne pouvait que se solder par un échec.

On crut à Des Esseintes, comme on crut l'année suivante à Adoré Floupette. Paul Bourde, dans *le Temps* du 6 août 1885, écrivit un article long et documenté. Il définissait les décadents comme des épigones de Baudelaire et s'attachait à en décrire le type : isolé de la foule, névropathe, misogyne, pervers même, versant dans la superstition et le satanisme, pour pouvoir pratiquer une religion « à rebours ». « Le romantisme épuisé a donné cette dernière petite fleur, concluait-il, une fleur de fin de saison, maladive et bizarre. C'est sûrement une décadence, mais seulement celle d'une école qui se meurt. »

Alors, c'est la mêlée. Moréas repousse l'appellation de « décadent » pour lancer celle de « symboliste » [voir **Symbolisme**]. *Le Figaro*, *la France libre* pensent exécuter définitivement les décadents en les qualifiant de fumistes et de putréfiés. Et pourtant, au même moment, Anatole Baju fonde *le Décadent littéraire et artistique*. Le premier numéro paraît le 10 avril 1886. Il s'agit de présenter le « verbe quintessencié du décadisme triomphant ». L'avenir, dit-il encore, « est au décadisme. Nés du surblaséisme d'une civilisation schopenhaueresque, les décadents ne sont pas une école littéraire. Leur mission n'est pas de fonder. Ils n'ont qu'à détruire : à tomber les vieilleries et préparer les éléments fœtusiens de la grande littérature nationale du XXe siècle ».

C'était un combat d'arrière-garde, et la revue de Baju, malgré ses transformations, mourut en avril 1889. Verhaeren avait déjà prononcé l'oraison funèbre de la Décadence dans le numéro de *l'Art moderne* du 27 juin 1886. Elle se mourait d'étouffement : on vit en 1887 deux feuilles rivales s'affronter, le temps de trois numéros chacune ; l'une s'appelait *la Décadence*, et elle était dirigée par un symboliste, René Ghil ; l'autre s'intitulait *le Symboliste*, et elle était plutôt d'inspiration décadente. Elle se mourait, disait-on aussi, de l'absence de vrais talents. Huysmans évoluait dans un tout autre sens.

Mallarmé, malgré la « Prose pour Des Esseintes », déclarait *la Décadence* « un titre abominable » et invitait à « renoncer à tout ce qui y ressemble ».

Peut-être faudrait-il attendre encore. Quand l'agitation autour du mot « décadence » eut pris fin, parurent des livres qui l'illustraient mieux que les libelles de naguère : en 1899, *le Poème des décadences,* d'O.W. de L. Milosz, où des patriciens-dandys occupés à des futilités choisissent une mort décorative et appellent à grands cris les « Barbares libérateurs ». En 1901, *Monsieur de Phocas,* un roman de Jean Lorrain, où un jeune homme élégant « à la face exsangue et extraordinairement vieille », hanté par l'Antiquité et par l'Orient, recherche « cette chose bleue et verte qui [lui] fut révélée dans l'eau morte de certaines gemmes et l'eau, plus morte encore, de certains regards peints ».

L'état d'esprit fin de siècle

L'Italie a connu un mouvement nommé *decadentismo*. En Angleterre, on parlait volontiers de *fin de siecleism*. Tout se passe donc comme s'il existait un mal de la fin du siècle. À moins qu'il ne s'agît d'un avatar du mal du siècle, le « décadent » de 1880 prenant la relève du « frénétique » de 1830, comme l'a suggéré Mario Praz. Ou, à moins que, ainsi que l'écrivait Huysmans dans *Là-bas,* « les queues de siècle ne se ressemblent. Toutes vacillent et sont troubles ». De même, un siècle plus tard, Carlos Fuentes, dans *Terra nostra,* pourra-t-il présenter « le dernier jour d'un siècle agonisant ».

Idéologie

Max Nordau, faisant le bilan de la Décadence en 1893, jugeait qu'elle constituait un interrègne entre les idées expulsées comme des rois détrônés et la mise en place des idées usurpatrices. Il s'agit peut-être surtout d'une contre-idéologie. Le « décadent » doit s'opposer à celui que Gautier appelait le « progressif » dans la préface de *Mademoiselle de Maupin* (1835). Ennemi de l'idée de progrès, il est peut-être même ennemi de toute idée. Il préfère les dérivatifs, l'artifice, et il ne consent à utiliser, dans l'appareil intellectuel, que le paradoxe, l'analogie, le sophisme. S'il y a une idéologie décadentiste, elle est volontiers anti-idéologique.

Parce qu'elle est tournée vers le passé, elle peut apparaître comme une idéologie réactionnaire. Gardant la nostalgie d'un âge d'or de l'aristocratie, ennemi du flux démocratique et de cette fausse aristocratie qu'est l'aristocratie de l'argent, le décadent appelle de ses vœux une nouvelle aristocratie. « Dans le trouble de ces époques, écrivait déjà Baudelaire, quelques hommes déclassés, dégoûtés, désœuvrés, mais tous riches de force native, peuvent concevoir le projet de fonder une espèce nouvelle d'aristocratie, d'autant plus difficile à rompre qu'elle sera basée sur les facultés les plus précieuses, les plus indestructibles, et sur les dons célestes que l'argent et le travail ne peuvent conférer ». La même volonté apparaît chez Nietzsche. Cette aristocratie d'esthètes, de dandys, de mages (le Mérodack de Péladan) est malheureusement menacée par ses propres excès.

Curieusement, en remontant dans le passé pour fuir la décadence moderne, le décadent s'arrête sur la décadence latine comme sur une période de prédilection. À l'idéal classique ou renaissant se trouve donc substitué un idéal décadent. Pour Des Esseintes, le « Grand Siècle » est celui de Pétrone, non celui d'Auguste ou de Louis XIV.

Qu'il remonte dans le passé de sa race, dans les traditions de sa caste ou dans l'éducation qu'il a reçue, le décadent retrouve, à un moment ou à un autre, le christianisme. Il a la nostalgie du « Moyen Âge énorme et délicat » (Verlaine). Nietzsche, qui considère que seuls les forts, les aristocrates savent vénérer, respecter la vieillesse et la tradition, voit pourtant dans l'attachement au christianisme un signe de décadence. Cesser d'être chrétien est le signe d'une décadence ; mais être chrétien l'est aussi. Ni l'utilisation artificielle du décor religieux ni la substitution des doctrines de Schopenhauer ou de Hartmann ne permettent de sortir de l'impasse. Le décadent reste à la lisière et vit dans le doute.

Thématique

Elle a été fort bien étudiée par Mario Praz, même s'il s'est parfois laissé prendre au mirage de l'imagerie d'époque.

Il s'agit d'abord d'une thématique personnelle : confessions marginales, aveux implicites, sentiment de la décadence personnelle, de sa propre dégradation. Le passé, qui ne peut être ni éludé ni congédié, n'en finit pas de mourir. Parfois le décadent se raccroche à des rêveries fantasmatiques, au risque de sombrer dans des vertiges ou de voir apparaître le couteau ou le revolver qui le tuera.

L'époque se manifeste moins par l'actualité rejetée que par les tourments de l'âme moderne : névroses (le recueil de Rollinat portant ce titre a été publié en 1883), tristesses, perversions (la luxure, l'inversion, le sadisme), mensonges. Le décadent se définit volontiers comme un rassasié non rassasié (*satiatus, sed non satiatus*).

Cette thématique vient de plus loin. La démarche « à rebours » oblige à remonter à un passé culturel, « à rassembler, comme l'écrit Nietzsche, autour de l'homme moderne et pour sa consolation les œuvres de toute la littérature universelle ». Des Esseintes est une bibliothèque vivante, ce qui lui permet de se livrer à « d'érudites hystéries ». C'est une autre manière de mener une double vie. La mythologie d'époque emprunte à toutes les époques, en un bric-à-brac où se mêlent le sphinx et la chimère (venus de *la Tentation de saint Antoine*), Hélène et Narcisse, Héliogabale et Messaline. Le décadent est attiré par les figures ambiguës, l'androgyne surtout. Il est fasciné par Salomé telle que l'a représentée Gustave Moreau : victime de la facticité chez Laforgue, elle incarne chez Huysmans l'Hystérie ou la déité de la Syphilis, et, dans *Monsieur de Phocas*, son regard se confond avec le regard d'Astarté.

Poétique

Paradoxalement, la Décadence peut aller de pair avec un progrès artistique. Baudelaire, selon Des Esseintes, est « allé plus loin » que ses prédécesseurs, Verlaine « rajeuni[t] les poèmes à forme fixe », Mallarmé « perçoit les analogies les plus lointaines », fait surgir « des images nouvelles et invues ». Mais cette évolution n'est possible qu'au prix d'une décomposition de la langue, ou du moins d'un « faisandage ». La libération du

vers n'est qu'un signe, moins important toutefois que la rupture de la syntaxe ou la prolifération des vocables rares, archaïques ou étrangers, quand il ne s'agit pas de néologismes.
En systématisant, on pourrait définir une triple exigence stylistique : la précision du lexique interdira toute méprise (la main de Des Esseintes ne sera pas tremblante, mais « capricante ») ; on recherchera un autre ordre des mots, dont Mallarmé offre le modèle (avec une prédilection, en particulier, pour l'antéposition de l'épithète) ; on aura pour idéal l'évocation, afin que le lecteur puisse « rêver, des semaines entières, sur [le] sens [du mot], tout à la fois précis et multiple ».
Pour définir cette poétique nouvelle, Huysmans a encore recours à un mot rare, « l'osmazôme de la littérature », la matière extractive qu'on retire de la chair et du sang.
À la fin du chapitre XIV d'*À Rebours*, Des Esseintes sourit en pensant que « le moment viendrait où un érudit préparerait pour la décadence de la langue française un glossaire pareil à celui dans lequel le savant Du Cange a noté les dernières balbuties, les derniers spasmes, les derniers éclats de la langue latine râlant de vieillesse au fond des cloîtres ». Au lieu de mettre à mort la langue française (ce serait le déclin), on en exploite à plein toutes les ressources, qui apparaissent mieux quand la coque s'entrouvre : la Décadence peut alors apporter la révélation d'un trésor.
On trouverait à l'étranger aussi maintes manifestations de la Décadence : en Angleterre, de Walter Pater à Oscar Wilde ; en Italie, avec Gabriele D'Annunzio ; dans les pays de langue espagnole, avec le *modernismo* ; en Russie, où, dans *le Messager du Nord,* Oussov consacre « Quelques Mots aux décadents ». Souvent imitée, la France avait, en cette fin de siècle, poussé plus loin que les autres pays l'exercice décadent sur son propre langage.

REPÈRES CHRONOLOGIQUES

1867	Mort de Baudelaire.		
		1869	Préface de Gautier à la nouvelle édition des *Fleurs du mal.*
1870	Henri Reignault peint une *Salomé gitane.* **Effondrement du second Empire.**		
1876	Gustave Moreau, *Salomé.*		
		1877	Flaubert, « Hérodias », dans *Trois Contes.*
1878	Émile Goudeau fonde le groupe des Hydropathes.		
1881	Les Hirsutes ; fondation de la revue *Lutèce*, débuts du *Chat-Noir.*	**1881**	Bourget, « Théorie de la décadence ».
1883	Les Zutistes ; mort de Wagner.	**1883**	Verlaine, « Langueur » ; *les Poètes maudits.*
1884	Les Jemenfoutistes.	**1884**	Huysmans, *À Rebours* ; Péladan, *le Vice suprême.*
1885	Mostrailles distingue trois lignées de décadents.	**1885**	*Les Déliquescences d'Adoré Floupette.*
1886	Anatole Baju fonde *le Décadent.*	**1886**	Jules Laforgue, « Salomé » (reprise dans les *Moralités légendaires* [1887]).
1887	Manifeste de l'école décadente.		
1889	Fin du *Décadent.*	**1889**	D'Annunzio, *Il Piacere* [*l'Enfant de Volupté*].
1896	Mort de Verlaine.		
1898	Mort de Gustave Moreau, de Félicien Rops.		
		1899	Miloz, *le Poème des décadences.*
		1901	Jean Lorrain, *Monsieur de Phocas.*
1918	Mort de Péladan.		
1921	Mort de Robert de Montesquiou.		

Paul Bourget : « Théorie de la décadence »

Ce texte, publié par Bourget dans *la Nouvelle Revue* en 1881, constitue la troisième partie de l'article sur « Charles Baudelaire », qui ouvrira, en 1883, les *Essais de psychologie contemporaine*. Dans l'édition définitive de 1920, l'auteur prendra soin de préciser dans une note : « Écrit en 1881, avant que cette théorie de la décadence ne fût devenue le mot d'ordre d'une école. » Inspirée par une réflexion sur Baudelaire, qui fut le premier à parler des « décadences » en s'y sentant intégré, cette théorie éclaire la littérature de la fin du XIXe siècle.

Bourget part de l'analogie entre l'état d'un individu (le corps se décompose en organes, qui se décomposent eux-mêmes en cellules), l'état d'une société (le corps politique est une fédération d'organismes moindres, dont chacun est lui-même une fédération d'individus) et l'état d'une littérature (un livre est fait de pages, qui sont faites de phrases, qui sont faites de mots). Que cette hiérarchie soit secouée par une révolte, l'anarchie s'installe : son nom est dégénérescence pour le corps, décadence pour la nation ou pour la littérature.

Le point de vue de Bourget est celui d'un moraliste. Pour lui, la décadence de l'Empire romain s'explique par la baisse de la natalité, la chute du sens patriotique, la perte du goût pour la vie des camps, et aussi par ces plaies qui déjà ruinent le corps humain, « l'entente savante du plaisir, le scepticisme délicat, l'énervement des sensations, l'inconstance du dilettantisme ». L'oubli du sens des valeurs est également à l'origine de la décadence d'une littérature, la corruption gagnant le style lui-même.

Ce point de vue est aussi celui du psychologue pur. Bourget considère le mécanisme dans son détail et s'intéresse à la singularité des cas. Par là, il rend possible une réhabilitation de la décadence. Les Romains du Bas-Empire, riches de sensations fines et de sentiments rares, débarrassés de tout fanatisme, ont pu se constituer un trésor intérieur. De même, les corruptions du style décadent sont une source de délectation. Et, après tout, peu importe « le suffrage universel des siècles ». Il est plus important que se forme une nouvelle aristocratie. Bourget peut conclure sur le paradoxe d'un Baudelaire éducateur.

Une mystification décadente : *les Déliquescences d'Adoré Floupette*

La parodie, texte s'inscrivant en marge d'autres textes, trouve un terrain propice dans les périodes de décadence, saturées de culture au point que leur pouvoir de création originale peut s'en trouver affaibli, voire aboli. À ce genre appartient un opuscule, publié le 2 mai 1885 par les Presses de Lutèce, *les Déliquescences*, poèmes décadents d'Adoré Floupette, Byzance, chez Léon Vannier, éditeur. Des 110 exemplaires, vite épuisés, dix seulement portaient les noms des deux véritables auteurs, Gabriel Vicaire (1848-1900), le poète des *Émaux bressans* (1884), et le Normand Henri Beauclair (1860-1919), qui a parodié *les Orientales* dans le recueil des *Horizontales* (1885). La seconde édition s'enrichit d'une *Vie d'Adoré Floupette*, due à la seule plume de Gabriel Vicaire, qui signe cette fois Marius TAPORA. Certains étaient tombés dans le panneau de la mystification dès la première édition. La seconde eut un gros succès et suscita des prises de position passionnées dans une mêlée confuse : ceux qui se rebiffaient ne se rendaient pas compte que leurs prétendus adversaires étaient dans leur camp. Léo Trézenik, las de tant de bruit, invita, dans *Lutèce* du 16 août 1885, à clore la « floupetterie », « car non seulement Floupette n'existe pas, mais l'école décadente est une invention de Floupette, et ses *Déliquescences* ne sont pas une parodie, mais la blague d'un genre créé de toutes pièces pour son usage personnel par ledit Floupette ».

On s'amusera à suivre les aventures de Floupette depuis le moment où Tapora le rencontre au Panier Fleuri, à reconnaître Moréas sous Carapatidès, Tailhade sous d'Estoc et Verlaine sous Bleucoton. Quant à Mallarmé, ou plutôt Étienne Arsenal, il est parodié dans les poèmes « Idylle symbolique », « Cantique avant de se coucher », « Pour avoir péché ». Il n'a jamais réagi, mettant son point d'honneur à son « incompétence en toute autre chose que l'Absolu ».

Le portrait d'Adoré Floupette est le portrait-robot du Décadent. Il est névropathe, par affectation peut-être plus que par nature ; il cultive l'exquis : les fleurs, les parfums, les couleurs – ou plutôt les nuances subtiles ; il recherche en amour un certain platonisme : son « Sonnet libertin » propose aux amants éthérés de se mouvoir parmi les « idoines essences ». Il a pourtant des prétentions au satanisme, et même au sadisme, d'autant plus qu'il rencontre et qu'il imite des personnages plus inquiétants que lui : un macabre, un mystico-sensuel, un hystérique – et ce morphinomane du Panier Fleuri qui n'est autre, sans doute, que Stanislas de Guaita.

P. Brunel

DECOIN Didier

(né en 1945)

Né à Paris, fils du cinéaste Henri Decoin, Didier Decoin fait ses études à Sainte-Croix de Neuilly. Après des débuts au théâtre (*Soyez un ange*, 1963), il devient journaliste au *Figaro* et aux *Nouvelles littéraires*, réalisateur à Europe n° 1, critique de cinéma à *V.S.D.*, scénariste de films. Ses premiers romans ont retenu l'attention de divers jurys : *le Procès à l'amour* (1966), *Laurence* (1969), adapté à la scène en 1978. Mais c'est la découverte de New York qui pour Decoin s'avère décisive : en 1969, la ville lui apparaît comme un « présage » rêve ou bien cauchemar. Rêve d'abord : *Abraham de Brooklyn* (prix des Libraires 1972) exalte un progrès matériel symbolisé par le Pont destiné à réunir pauvres et riches. Cauchemar, ensuite : *John l'Enfer* (prix Goncourt 1977) est un chant funèbre adressé à l'étincelante cité dont John, laveur de vitres, palpe les corniches déjà vétustes – dégénérescence insidieuse de la ville annonçant la chute d'une civilisation rongée de l'intérieur par les indicibles ghettos de misère. Le grandiose y contraste avec le sordide, la majesté des gratte-ciel avec la pourriture des bas-fonds, stigmates où le lecteur est appelé à reconnaître la colère de Dieu. Un Dieu qui habite l'œuvre de Decoin jusque dans l'intrigue policière (*les Trois Vies de Babe Ozouf*, 1983) mais dont l'auteur, à la lumière des textes évangéliques, retrouvera en 1999 le visage souriant (*Jésus, le Dieu qui riait*).

Depuis les années 1980, Didier Decoin consacre beaucoup de son temps au cinéma : il est coscénariste des films *De guerre lasse* (1987) et, pour la télévision, *Un château au soleil* (1988). En 1990, on lui doit les dialogues du film *Dancing machine*. Avec l'adaptation à l'écran du *Comte de Monte-Cristo* (1998), il obtient un immense succès populaire.

Ses charges de directeur de la fiction (1992-1995) et de conseiller éditorial à France 2 ne l'éloignent pas de l'écriture : dans un nouveau registre, l'auteur invite le lecteur à se pencher, au sein des grandes catastrophes, sur le destin de modestes héroïnes telle *la Femme de chambre du « Titanic »* (1991) ou *Docile* (1994), cette jeune libraire que la mort attendait à Ravensbrück.

En 1995, Didier Decoin est élu à l'académie Goncourt : reconnaissance éclatante de l'art d'un romancier attentif à son siècle, dont il sait utiliser les diverses techniques d'expression et restituer la fascinante ou tragique diversité.

M.-A. de Beaumarchais

DE COSTER Charles

(1827-1879)

Depuis 1830, la Belgique, qui avait retrouvé son autodétermination par la Révolution, était, comme tout État ayant obtenu son indépendance, à la recherche de son authenticité, par la culture. Il faudra attendre 1867 pour que se publie le premier chef-d'œuvre belge : en effet, décolonisé par rapport à la Hollande, le nouveau royaume se sentait encore trop inféodé à l'idéologie de la France ; aussi crut-il se découvrir une âme en Allemagne. Et De Coster, après une production en vers assez médiocre, s'affirme avec les Légendes flamandes (1857) mais surtout, dix ans plus tard, avec *la Légende et les Aventures héroïques, joyeuses et glorieuses de Uylenspiegel et de Lamme Goedzak au pays de Flandres et ailleurs*, qui est l'acte de naissance de la littérature belge.

Le créateur des lettres belges

Cet écrivain d'expression française, qui chante la Flandre à travers un héros d'origine allemande, apparaîtra comme le père nourricier des lettres – et même des arts – belges, francophones ou néerlandophones. Et si la *Légende* n'a, du vivant de son auteur, qu'une édition pleine de coquilles, et qui se vend très mal, elle inspire par la suite d'innombrables traductions et adaptations. Pour tous les peuples opprimés, son œuvre symbolise l'espérance par l'affranchissement. Grand romancero des Flandres sous la domination espagnole, elle figure la condition humaine. C'est une « Bible nationale » : l'histoire occidentale, comme celle du tiers monde, avec la montée des nations, y reconnaît son prototype.

La forme en est pourtant singulière. Quand les *Contes drolatiques* de Balzac pastichent une orthographe prétendument médiévale, la *Légende* use d'une langue qu'on croit calquée sur l'ancienne mais qui est une création personnelle de Charles De Coster : il a travaillé le langage en pleine pâte, archaïsant sa phrase d'expressions et de tours enfouis depuis plusieurs siècles, de manière à conférer la patine à cette écriture savamment populaire ; son style, original, a régénéré la langue française.

La rhapsodie de cet artiste n'honore pas seulement le patrimoine culturel de la francité. Si la Ville Lumière méconnaît parfois l'auteur de la « saga flamande », tout en citant ses illustres épigones, Verhaeren, Ghelderode…, d'autres, Abel Lefranc ou Georges Duhamel ont plaidé pour que la République l'installe « fraternellement dans son Panthéon littéraire ».

Charles De Coster est né à Munich en 1827, d'un couple mi-wallon mi-flamand ; sa marraine fut l'épouse de l'ambassadeur de France à Turin. Son œuvre fera une synthèse des deux cultures. Après six ans, sa famille s'installe au cœur de la Belgique, où l'écrivain végétera jusqu'à sa mort, en 1879, à Ixelles. Collégien chez les jésuites, employé à la Société générale, membre du cénacle « la Société des Joyeux », candidat ès lettres de l'université libre de Bruxelles, il sera nommé en 1870 professeur de littérature à l'École de guerre. De 1851 à 1858, il vit une grande passion – malheureuse, si l'on se réfère à ses *Lettres pour Élisa* (1894).

Parallèlement, il mène une carrière de journaliste, sous divers pseudonymes, dans *Revue nouvelle* et *Revue trimestrielle*. Et surtout, de 1856 à 1864, pendant sa grande période créatrice, il collabore à la revue animée par son ami Félicien Rops et par les jeunes libéraux progressistes, à savoir… l'*Uylenspiegel*. Il y combat, comme eux, la tyrannie, qu'elle soit religieuse ou politique. Ainsi son épopée du XVIᵉ siècle est-elle autant une lecture du XIXᵉ.

Mais, en 1858, son cœur est mis à l'épreuve par la rupture avec sa fiancée. Il entre alors dans la franc-maçonnerie. Il perd l'amitié d'une femme, il gagne la fraternité des hommes.

Un picaresque maçonnique ?

De Coster est mort dans la misère, comme Mozart. Tous deux étant frères maçons. Et la *Légende*, dont l'auteur lit des chapitres en loge (1865) – cette loge à laquelle il doit finalement son sujet, ses thèmes majeurs, ses illustrateurs, dont Félicien Rops –, pourrait s'interpréter sur le plan ésotérique, comme *la Flûte enchantée*. Le sabbat, à l'issue du premier livre, semble s'inspirer d'un rituel d'initiation, avec ses voyages, la formule « Mort est faite de vie et vie est faite de mort », la glorification de la Lumière par les génies des quatre éléments ; et le roi Printemps, qui y est « Lucifer », le porte-lumière, conçu comme un Prométhée, invite à trouver les Sept : d'où le thème de la recherche, essentiel à la méthode initiatique par degrés. Initié signifiant « introduit sur la voie »…

Lamme, son compagnon, comme Papageno, n'ira pas jusqu'au bout de la transfiguration.
Thyl, qui comme Panurge sait tout faire, est partout apprenti, et « il apprit aussi d'un maître maçon à tailler le bois et la pierre ». Joyeux drille, il parle franc. Et se révolte contre les placards d'un empereur implacable, les faux miracles d'un pape antéchrist ; mais les pouvoirs temporel et spirituel s'acharnent à lui faire rentrer son rire dans la gorge ; la farce se mue en un drame âpre, avec sa famille démembrée par la guerre de Religion : on brûle son père comme hérétique, on roue son oncle, on torture sa mère en sa présence (mais ils préfèrent mourir plutôt que de manquer à leur serment), on questionne la mère de Nele jusqu'à la rendre folle, puis on la noie par ordalie comme sorcière. De vengeur de son père et de sa patrie, il évolue en champion de la « sainte cause de la liberté ». Il harangue sans trêve les Gueux en faveur de la « libre conscience » – sans jamais devenir lui-même fanatique : don Quichotte roturier, il lutte contre l'intolérance dans ses propres rangs en sauvant, à ses risques et périls, des moines injustement condamnés. Sa fraternité est sans limites : s'il rencontre les frères de la Bonne-Trogne ou, vivant en secret, les frères des Bois, il y a surtout la grande camaraderie avec Lamme Goedzak, « [s]on frère et ami », une cordialité profondément tendre dans le respect mutuel, dont il n'est pas d'exemple depuis Homère. Tout, dans ce récit picaresque – ripaille, paillardise, raillerie, bataille, fiançailles –, traduit un extraordinaire amour de la vie. Et si dans l'odyssée rabelaisienne la quête de la Dive Bouteille débouche sur le salut individuel, dans la *Légende* – comme dans les mythologies –, le jeune fripon se transcende, à la fin, en sauveur. Non pas d'un seul, mais de tous : « Je marcherai pour le bonheur de la Terre des Pères ». L'espiègle se fait fondateur de civilisation, ayant travaillé au progrès de l'humanité.
Ami des peintres, présents et passés, auteur d'une fresque à la couleur hardie, De Coster fut un visionnaire libre penseur. Certes, la clef maçonnique paraîtra fermer l'œuvre à qui ignore que le symbolisme de la tolérance implique l'ouverture à la pluralité des sens, à ceux qui douteraient que le maçonnisme est un humanisme. En tout cas, au cœur du néophyte, le travail littéraire germe et peut éclore pendant son « apprentissage », et, pour accéder à la « maîtrise », De Coster a donné un chef-d'œuvre universel, à l'architecture puissante – comme si le temple avait libéré son génie. Cet anticlérical se parfait ainsi « catholique » non romain ou, au sens premier du terme, « œcuménique ».

A. Nysenholc

DEFORGES Régine

(née en 1935)

Son « désir farouche d'indépendance et de liberté » autant que son « avidité à vivre, à comprendre, à aimer » (*Blanche et Lucie*, 1976) lui feront une existence en marge des conventions ; née à Montmorillon (Vienne), elle sera tour à tour libraire, relieur, éditeur, scénariste, réalisateur et écrivain : une « tactile » et « un produit de la lecture ». À Paris et en province, elle ouvre des librairies et devient en 1968 la première femme éditeur française. Sa passion des livres, elle la doit à sa grand-mère Lucie, qui est comme elle, « la vie, la terre, le désir ». En publiant une centaine d'œuvres souvent jugées scandaleuses, dont *le Con d'Irène* d'Aragon, elle s'engage dans un combat pour la liberté d'expression et la libre circulation des écrits érotiques. Dès lors, les procès se multiplient ; les éditions Régine Deforges diffusent des poèmes, des romans noirs introuvables du XVIIIe siècle, des œuvres érotiques et des pamphlets, mais les difficultés sont telles qu'en 1978 elle est obligée de déposer son bilan. Elle attendra le mois de mars 1985 pour remonter sa maison d'édition ; pendant ces années, l'image à laquelle les médias l'avaient réduite se transforme : l'éditeur à scandales est aujourd'hui écrivain à succès – et devenue, par son mariage avec le dessinateur Wiaz, la belle-fille de François Mauriac. Pourtant, ce travail d'écriture ne s'est pas fait sans déchirures ni tourments intérieurs et la violence retenue, depuis le choc que fut, à quinze ans, le vol de son journal intime, ne pouvait s'exprimer d'abord que dans la démarche autobiographique (*le Cahier volé*, 1978). En 1976 était paru son premier « roman », *Blanche et Lucie* : un regard d'amour pour dire deux femmes différentes, deux initiatrices à la vie, deux grand-mères uniques. Ce « je » qui les appelle d'une voix aux accents parfois brisés, c'est l'enfant qui « n'a pas fini de grandir ». Ses *Contes pervers* (1980), portés à l'écran, obtiennent un succès commercial mais ne sont selon elle qu'« un très mauvais film ». En 1981, Régine Deforges écrit *la Révolte des nonnes*, une fresque historique dans la Gaule du VIe siècle et, en 1985, *Sur les bords de la Gartempe*. Suivront encore *Pour l'amour de Marie Salat* (1986), *Lola et quelques autres* (1988), *Sous le ciel de Novgorod* (1989). Mais son plus grand succès de librairie, elle le doit à une commande : il s'agit d'une trilogie romanesque (*la Bicyclette bleue*, 1981 ; *101, avenue Henri-Martin*, 1984 ; *Le diable en rit encore*, 1985), dont l'action se déroule entre 1939 et 1945. S'écartant du modèle imposé (*Autant en emporte le vent*), elle joue finement sur l'archétype dominant de notre culture de masse : l'amour, au sens où aimer est une aventure qui justifie la vie de l'individu ; aimer, pour l'héroïne Léa Delmas, c'est connaître la violence et la plénitude, c'est communiquer avec les autres, c'est être « elle » vraiment. L'écrivain avoue elle-même que « l'intrigue ne l'intéresse pas beaucoup », mais un souffle épique stimule l'imaginaire du lecteur, l'entraîne dans le jaillissement de la violence, dans un élan d'érotisme et d'onirisme soutenu par des images qui reflètent « une gourmandise des sens à la Colette » (B. Poirot-Delpech).

Ch. Lavigne

DE GAULLE Charles *v.* GAULLE Charles de

DE GHELDERODE Michel *v.* GHELDERODE Michel de

DEGUY Michel

(né en 1930)

Poète, philosophe et universitaire, Michel Deguy a développé depuis les années 1960 une œuvre multiple et complexe que l'on ne saurait réduire à une expression unique – sinon, suggère lui-même l'écrivain, à une poétique de « l'Être-comme ». En effet, sensible à « l'enchantement du *comme* », il recourt fréquemment à la comparaison qui permet à l'écriture de rassembler sans confondre, d'épouser le monde en préservant la distance nécessaire à tout langage. Mais la poésie a également pour lui valeur de communauté, en « médiatrice » qui unit les arts et les langues. Aussi ne saurait-on dissocier l'écriture de Deguy de ses diverses activités, de la direction de la collection « L'extrême contemporain » à celle de la revue *Po&sie*, qu'il dirige depuis 1977 et dont le « *&* » central traduit bien le désir de partage et d'ouverture – alors que sa participation au comité de lecture des éditions Gallimard a donné lieu au bilan très critique de son ouvrage *le Comité* (1988).

Marqués par la phénoménologie et l'œuvre de Heidegger dont il a traduit certains textes, les premiers poèmes de Deguy, tels ses *Fragments du cadastre* (1960) et ses *Poèmes de la presqu'île* (1962), s'efforcent de répondre à « la grande apposition du monde » et confrontent le lecteur à un questionnement de l'espace et du regard. À partir d'*Actes* (1966), sa poésie déploie toute l'étendue de son registre : l'écriture se sert de toutes les ressources de la typographie, tandis que ses ruptures rythmiques, ses mesures changeantes et l'alternance de prose et de vers libres suivent une inspiration très variée. Le titre du recueil *Figurations* (1969) signale par son ambiguïté la double voie de son œuvre, dont le projet de *décrire le monde avec exactitude* s'accompagne d'une interrogation de l'écriture sur ses propres figures. Par ailleurs, sa poésie intègre de plus en plus largement des effets complexes d'intertextualité par lesquels le poème nous « tire sa référence ». Citations, réécritures et allusions voilées accompagnent le déploiement d'un texte qui se définit comme un dialogue continuel avec le « déjà-écrit ». Ainsi, son *Tombeau de Du Bellay* (1973) n'offre pas seulement une lecture du poète des *Regrets*, mais une tentative de « transposition » : écrire, ce sera d'abord pour Deguy « tenter de faire preuve de reconnaissance ». L'important recueil *Jumelages* (1978) illustre bien le renouvellement constant de son œuvre : associant une relecture des grandes œuvres de la littérature et une recherche d'innovations formelles, ses poèmes accueillent aussi bien néologismes que mots tombés en désuétude, jeux sur les signifiants qu'irruption de langues étrangères. Cependant, le souci formel et la dimension autoréflexive de l'écriture ne doivent pas occulter l'importance du désir pour un poète qui rappelle de manière significative que « la poésie comme l'amour risque tout sur des signes ».

Le caractère autobiographique de son œuvre s'affirme d'ailleurs plus nettement dans ses derniers ouvrages, comme dans le poignant *À ce qui n'en finit pas* (1995) que le poète consacre à la mort de sa femme Monique, chant funèbre traversé par l'impossibilité du deuil et la culpabilité obsédante du survivant. L'engagement éthique propre à l'écriture est également suggéré à travers plusieurs essais, de *Choses de la poésie et affaires culturelles* (1986) à *la poésie n'est pas seule* (1987) : dominée par le règne de la technique et du « culturel », la civilisation s'enfermerait dans des stéréotypes contraires à l'« expérience d'un questionnement » propre à la poésie. C'est dire que ses évocations volontiers satiriques des États-Unis ont toute la valeur d'une résistance à une entreprise de « blancheneigisation du séjour », tant il est vrai que pour Deguy « la désillusion lyrique de la poésie ne peut la faire renoncer à agir ».

V. Hugotte

DELAVIGNE Casimir

(1793-1843)

Poète et dramaturge né au Havre, Casimir Delavigne a connu très tôt la gloire. Dans *Illusions perdues* de Balzac, le libraire Dauriat déclare gravement à Lucien : « En librairie, jeune homme, il n'y a que quatre poètes : Béranger, Casimir Delavigne, Lamartine et Victor Hugo. »

Une carrière triomphale

Dès 1811, *Un dithyrambe sur la naissance du roi de Rome* lui gagne de puissants protecteurs. La chute de l'Empire compromettrait sa fortune, si les trois premières *Messéniennes* (1818) n'en faisaient le consolateur d'une fierté nationale blessée par Waterloo. Ce triomphe vaut au poète la bienveillance du nouveau pouvoir et une charge lucrative. La voie est tracée pour le dramaturge, qui s'y engage résolument avec *les Vêpres siciliennes*. Dès leur première représentation en octobre 1819 à l'Odéon, celles-ci seront vivement applaudies comme « l'œuvre d'un bon Français » ; n'y proclame-t-on pas : « Ils étaient généreux, humains, vraiment français » (II, 4) ? Pour se venger des acteurs de la rue de Richelieu, qui avaient refusé sa pièce, Delavigne les caricature dans *les Comédiens* (1820).

Les Vêpres siciliennes

SYNOPSIS

1282. Procida, seigneur sicilien, banni, revient secrètement à Palerme, voulant en chasser, par un complot, les Français qui l'occupent. Depuis que Charles d'Anjou a vaincu puis mis à mort Conradin de Souabe et Frédéric d'Autriche, la Sicile geint sous l'oppression. Mais le gouverneur français, Roger de Monfort, chevalier plein de noblesse, ne porte aucune responsabilité des crimes commis par ses compatriotes. Ses mérites lui ont conquis l'estime de tous et l'amitié de Lorédan, fils de Procida. Ce dernier, patriote ombrageux, y voit une trahison. Le jeune homme, écartelé entre son patriotisme sincère et son amitié profonde, se trouve placé devant un choix douloureux. Lorédan aime Amélie de Souabe, fille du roi martyr, Conradin. Mais elle répond tièdement à sa passion. En apprenant que

Monfort est son rival, il est très affecté. Au point qu'Amélie en conçoit de sombres pressentiments. (Acte I.)

Monfort paraît, magnifiquement insouciant, refusant d'entendre les prudents conseils de Gaston de Beaumont, son plus fidèle capitaine. Quand il découvre que Lorédan lui dispute le cœur d'Amélie, il se croit trahi. « Soyons donc ennemis ! » déclare-t-il, tandis que Lorédan prend la résolution de se venger et rejoint son père dans le parti de la conspiration. (Acte II.)

Mais Amélie, avertie de leurs projets par un billet mystérieux, assure Monfort de son amour, en l'informant de tout, tant elle veut le sauver. Procida est arrêté, Lorédan va bientôt l'être ; mais Monfort leur pardonne. Ils ne renoncent pas pour autant à leur dessein premier, malgré l'inquiétude qui règne parmi les conjurés, tremblant tous d'être démasqués. (Acte III.)

Lorédan a reconnu en Amélie celle qui les a dénoncés et jure de l'immoler en même temps que Monfort. Cependant Procida a rendu à ses partisans toute leur ardeur. Tous font serment de suivre leur chef, tandis que Lorédan se prépare à tuer Monfort. En présence du gouverneur, il lui dévoile ses intentions. « Frappe », lui répond le héros, et Lorédan, à nouveau, hésite. (Acte IV.)

Amélie sent la terreur monter en elle, quand Elfride, sa confidente, vient lui faire le récit d'un affreux massacre, perpétré « au pied du sanctuaire », à l'heure des vêpres, par Procida et ses amis. Lorédan annonce qu'il a tué Monfort, mais celui-ci paraît, expirant, pour pardonner une dernière fois à ses assassins : « Ô ma patrie ! ô France !/Fais que ces étrangers admirent ta vengeance !/Ne les imite pas ; il est plus glorieux/De tomber comme nous que de vaincre comme eux. » Alors que Procida goûte la joie d'avoir délivré sa patrie, Lorédan, fou de remords, se suicide. (Acte V.)

Mais *le Paria* (1821) et les *Nouvelles Messéniennes* (1822) affichent, au goût du ministère Villèle, un libéralisme outrancier. L'auteur perd son emploi ; aussitôt secouru par le duc d'Orléans, il renonce à une carrière politique, comblé par ses succès littéraires : en 1823, il conquiert le Théâtre-Français, avec *l'École des vieillards*. Cette comédie, où certains voient « les plus hautes leçons de morale et les scènes les plus comiques et les plus vraies », confirme une notoriété qui bientôt le porte à l'Académie française (1825). Il propose au public *la Princesse Aurélie* (1828) et *Marino Faliero* (1829). Ayant vanté « l'audace réglée par la raison », il prétend montrer aux romantiques, qui tentent d'imposer la nouveauté du drame historique, la seule option raisonnable : « J'ai conçu l'espérance d'ouvrir une voie nouvelle, où les auteurs qui suivent mon exemple pourront désormais marcher avec plus de hardiesse et de liberté. » La nouveauté n'est-elle pas au cœur du climat politique ? Le caractère sulfureux d'une intrigue faisant conspirer un prince (le doge Marino Faliero) contre sa cité oblige Delavigne à faire jouer sa pièce dans l'exil de la Porte-Saint-Martin. Champion d'un libéralisme de bon aloi, populaire, Delavigne entend, sur les barricades de Juillet, *la Parisienne*, « marche nationale » dont il est l'auteur. Les initiés connaîtront « Une semaine de Paris », « le Chien du Louvre », puis deux hymnes vengeurs, inspirés par les insurgés polonais : « le *Dies Irae* de Kosciuszko » et « la Varsovienne », où l'on clame : « … Pologne bien-aimée/Qui vivra sera libre, et qui meurt l'est déjà ».

À mesure que le libéralisme de Delavigne devient plus enthousiaste, et que Louis-Philippe déçoit ceux qui l'ont fait roi, l'univers du dramaturge s'assombrit. *Les Enfants d'Édouard* (1833) et *Louis XI* (1832) donnent du prince de bien troubles images. La censure hésitera, avant de laisser l'usurpateur Glocester déclarer :

> *Je suis roi d'Angleterre en étouffant deux rois.*
> *Nos lords, nos fiers prélats, pâlissant d'épouvante,*
> *Voudront, le crime fait, baiser ma main sanglante,*
> *Et si je leur partage un lambeau de pouvoir,*
> *Pour ne rien refuser, n'oseront rien savoir.*

Dom Juan d'Autriche (1835) et *Une famille au temps de Luther* (1836) introduisent – près de dix ans après *Cromwell* – le mélange des genres et la tragédie sans amour. Ce qui choqua chez d'autres est admis chez Delavigne. Un critique note : « De tous les auteurs dramatiques, M. Casimir Delavigne est depuis quinze ans celui que la critique attaque avec le plus d'obstination, et celui que le public soutient avec le plus de constance… [… car] il ose au théâtre tout ce qu'on y peut oser avec convenance. » Significativement, *la Popularité* (1838), jugée, pour sa facture plus conventionnelle, « hors des habitudes du public » que Delavigne a lui-même contribué à réformer, est un échec. *La Fille du Cid* (1839), *le Conseiller rapporteur* (1841), *Charles VI* (1842, opéra écrit en collaboration avec son frère) et *Mélusine* (inachevée) n'apportent rien à sa gloire. Il meurt le 11 décembre 1843, et, quand se taisent les pompes de ses obsèques nationales, un grand oubli l'efface.

Un écrivain en harmonie avec son public

Pourquoi s'en étonner ? Delavigne, poète ou dramaturge, vaut surtout pour son aptitude à traduire les idées dominantes de son temps. Plus que Waterloo, *les Messéniennes* ou *les Vêpres siciliennes* vengent des déceptions de bourgeois, victimes d'une restauration monarchique mesquine et revancharde. En une ère de conformisme, il sait ne pas se départir du respect des classiques, reste fidèle aux maîtres qui ont nourri son public : *les Messéniennes* devront beaucoup à Béranger, à Chénier ou à l'abbé Delille ; *le Paria* empruntera sans honte à *la Chaumière indienne*.

Invoquant haut et clair ses cautions, le discours poétique de Delavigne fuit l'image et ne sacrifie qu'aux conventions de l'élégance et du style élevé, combinant à l'envi inversions, périphrases et clichés : « Pour revoir son île chérie/Il franchit les flots écumants ». Scansion solennelle, propagande sublime des discours dominants, cette poésie se teinte de prosaïsme par souci de clarté. Le peuple comprendra les conseils qu'elle prodigue : « Du besoin de s'unir après le départ des étrangers » ; ou encore « Peuple, en obéissant, sois libre sous tes rois ».

Le public célébrera en Delavigne l'auteur le plus représentatif de ses préoccupations immédiates ; ce public bourgeois, à la morale étroite et timorée, se sentira rassuré en se reconnaissant dans les héros juste-milieu de son dramaturge favori. Tandis que la farce médiévale, Molière et le vaudeville raillent l'époux trop âgé, le barbon, Delavigne réhabilite le personnage : *l'École des vieillards* corrige *l'École des femmes* ; *Marino Faliero* exalte la grandeur d'âme d'un doge aux cheveux blancs face à l'infidélité d'Éléna, sa jeune épouse.

Pour émouvoir, Delavigne n'hésitera jamais à recourir aux ressorts les plus usés – mais les plus efficaces – du pathétique. Dans *Marino Faliero*, on le trouvera supérieur à Byron, pour avoir aspergé d'eau de rose une intrigue trop aridement politique. Le titre même, *les Enfants d'Édouard*, apparaît raccrocheur, en édulcorant singulièrement l'esprit de *Richard III*, dont cette tragédie s'inspire. Une reine y déclare à son fils : « Richard, je vais gronder ! »…

De fait, Delavigne est en retard sur la littérature en devenir à son époque. Cette époque de réaction et de contre-révolution, qui se défie des écrivains prétendant, à l'instar de Hugo, abolir « l'Ancien Régime littéraire », consacre Delavigne, et l'ensevelit dans son présent. Émanation de son parterre, il ne parle plus dans d'autres théâtres.

D. Giovacchini

DELAY Florence

(née en 1941)

Fille de l'écrivain et psychiatre Jean Delay, interprète poignante du *Procès de Jeanne d'Arc* de Robert Bresson en 1965, elle fait son entrée en littérature avec *Minuit sur les jeux* (1973), tableau d'une éducation bourgeoise dont les moments successifs sont subtilement pervertis par la narration. De ce premier récit à *Dit Nerval* (2000, prix de l'essai), promenade à travers la vie et l'œuvre de l'auteur d'*Aurélia*, la production de Florence Delay se caractérise par un éclectisme apparent et une sourde résistance à toute classification : romans, essais, adaptations et traductions y voisinent. Une heureuse formule de l'auteur, souvent citée, fournit peut-être la clé de cette production multiforme : « J'appelle moderne ce qui me coupe le souffle, et ancien ce qui me le donne. » Florence Delay semble en effet se situer au croisement d'une tradition dont elle exploite les formes avec jubilation et d'une modernité qui brouille les classements génériques.

Plusieurs de ses romans prolongent la veine ouverte par *Minuit sur les jeux*, et se caractérisent par un classicisme élégant – souvent à la limite de la préciosité altière – qui n'exclut ni la douleur ni la cruauté : *Riche et légère* (prix Femina 1983), avec son titre en forme d'antiphrase, s'offre ainsi comme un récit d'initiation rétrospective, dont les péripéties apparemment attendues ouvrent soudain sur des secrets brutaux et des éclats de violence sexuelle. Si *Course d'amour pendant le deuil* (1986), *la Fin des temps ordinaires* (1996) et *la Séduction brève* (1997) s'inscrivent dans la même veine, d'autres romans explorent des voies plus surprenantes : ainsi *Aïe aïe de la corne de brume* (1975), roman d'amour courtois qui se déroule dans le quartier du Sentier, lors de l'élection présidentielle de 1974, *Etxemendi* (1990), plongée dans le monde clandestin des autonomistes basques, et plus encore *l'Insuccès de la fête* (1980), fiévreuse évocation de ce singulier astre de la Pléiade que fut Étienne Jodelle. Ce dernier exemple montrerait, s'il en était besoin, qu'il est difficile de tracer une frontière nette, chez Florence Delay, entre le roman, le récit et l'investigation fortement teintée de subjectivité. *Catalina* (1994) s'offre précisément comme une enquête sur Catalina de Erauso, personnage étonnant qui vécut au début du XVIIe siècle et se fit passer pour un homme. *Dit Nerval* prend également des allures libres d'enquête-promenade, mêlant des anecdotes de la vie du poète à des citations de l'œuvre et à des souvenirs personnels de l'auteur-narratrice.

La volonté de revivifier le patrimoine littéraire européen constitue également l'un des axes cardinaux du travail et de la réflexion de Florence Delay. À sa collaboration avec l'écrivain et poète Jacques Roubaud (*Graal-Théâtre*, 1977), adaptation pour la scène de plusieurs romans de la Table ronde (*Joseph d'Arimathie*, *Merlin l'Enchanteur*, *Gauvain*, *Lancelot du Lac*, *Perceval le Gallois*, *l'Enlèvement de Guenièvre*), s'ajoutent de nombreuses traductions de l'espagnol (*la Célestine* de Fernando de Rojas, deux pièces de Calderón, *le Grand Théâtre du monde* et *La vie est un songe*, ainsi que des poèmes d'Octavio Paz). Quant aux *Petites formes en prose après Edison* (1987), court essai consacré aux formes brèves (aphorismes, maximes, dictons, slogans, haïkus), elles témoignent d'un intérêt, et sans doute d'une fascination, qui innerve l'ensemble de l'œuvre : explorer les nouveaux territoires du récit au moyen du « trait » du XVIIe siècle français ou de la « pointe » espagnole du Siècle d'or – telle est peut-être l'une des visées fondamentales de Florence Delay.

Florence Delay a été élue à l'Académie française en 2000.

P. Mari

DELBO Charlotte

(1913-1985)

Écrivain français, née à Vigneux-sur-Seine. Avant la guerre, elle milite aux Jeunesses Communistes, et est l'assistante de Louis Jouvet. Résistante, comme son mari Georges Dudach, elle est déportée à Auschwitz (*le Convoi du 24 janvier*, 1965), puis à Ravensbrück. Après la victoire alliée, elle travaillera à l'O.N.U., puis au C.N.R.S. à partir des années 60 où elle sera la collaboratrice d'Henri Lefebvre. Outre plusieurs récits sur les camps de concentration (v. *infra*), elle publiera un essai (*la Théorie et la pratique*, 1969) et des pièces politiques comme *la Sentence* en 1972 (à propos du procès de Burgos, où six militants basques venaient d'être condamnés à mort), *Qui rapportera ces paroles ?* (1974), etc.

La publication de *la Mémoire et les jours* (1985) a suivi de quelques mois la mort de son auteur, comme pour rappeler que la voix de celle qui avait, dès sa trilogie *Auschwitz et après* (1970-1971), témoigné de l'horreur et de l'abjection des camps d'extermination, survivrait à sa personne physique. Telle fut en effet la tragédie de Charlotte Delbo : humiliée et saccagée, avec des millions d'autres, au plus profond de sa conscience et de son corps, aurait-elle la force d'employer la vie retrouvée à dire la sauvagerie S.S., la terreur et la mort ? Mais laisser s'installer l'oubli, épargner à la mémoire des hommes la vérité du génocide, c'était porter injure à ceux qui ne revinrent jamais et à l'espèce humaine tout entière dans sa part fragile de dignité. Elle ne devait d'ailleurs pas limiter sa dénonciation de l'atrocité politique à ses propres souvenirs : la guerre d'Algérie (*les Belles Lettres*, 1961), l'Espagne franquiste, l'Argentine, la Grèce des colonels ou les camps sibériens fournirent – hélas ! – un nouvel aliment à son effroi. De son martyre – c'est-à-dire de son témoignage – elle ne tira ni gloire, ni haine, ni même désir de vengeance : c'est une voix sobre, indignée mais tendre, qui à travers récits et poèmes de *la Mémoire et les jours* chuchote une confidence pathétique.

M. P. Schmitt

DEL CASTILLO Michel

Pseudonyme de ***Michel JANICOT*** *(né en 1933)*

Michel Del Castillo, né à Madrid de père français et de mère espagnole, a fait une entrée très remarquée en littérature avec son premier roman, *Tanguy* (1957). Il y raconte le destin tragique d'un enfant espagnol de père français dont les guerres – celle d'Espagne, puis la Seconde Guerre mondiale – ont bouleversé le destin. Abandonné à l'âge de neuf ans par sa mère, interné dans des camps allemands, puis dans une maison de redressement pour fils de républicains dans l'Espagne franquiste, Tanguy, au terme d'un long et douloureux périple, arrive enfin en France où il retrouve son père, hostile à son retour. Il a vingt-deux ans. Il ne lui reste plus qu'à apprendre à vivre.

Plus qu'un premier roman bouleversant, *Tanguy* est le point d'enracinement d'une œuvre. Del Castillo tente à travers l'écriture de trouver un sens, une cohérence à sa vie. « Je ne romançais pas ma vie, je biographais le roman », écrit-il lors de la réédition du livre en 1995. Del Castillo est de ces écrivains qui labourent sans cesse leur même lopin de terre. Ainsi de livre en livre creuse-t-il plus profond autour de cette blessure originelle de l'abandon et de l'errance. Il se focalise tour à tour sur les divers protagonistes de son histoire. Sa mère d'abord, personnage clef, bonne fée et sorcière, fascinante, séductrice, monstrueuse. Il lui consacre quelques-uns de ses plus beaux romans : *la Gloire de Dina* (1984), *le Démon de l'oubli* (1987), *Une femme en soi* (1991), *Rue des Archives* (1994). Le père n'arrive qu'en second dans son exploration littéraire. La figure paternelle est, à la fois, démultipliée et moins complexe. Bourgeois satisfait et soucieux de préserver les privilèges dus à son rang, homme de droite taraudé par le sens des convenances, le père génétique, « réel » et recréé, celui de *De père français* (1998), est l'homme du refus, de l'esquive. Del Castillo le confronte sans cesse, implicitement ou explicitement, à deux autres figures paternelles, celles des pères de remplacement. Le faux père espagnol, à qui est consacré *le Crime des pères* (1993), mais qui hante aussi *la Nuit du décret* (prix Renaudot 1981), est dans son foyer un tendre *pater familias* et à l'extérieur un impitoyable nettoyeur franquiste. Seul l'oncle paternel, véritable père adoptif, offre une image masculine adulte et positive ; il est un havre de paix dans un océan de tourmente. Sa silhouette, toujours discrète, traverse les divers romans « familiaux » de Del Castillo.

Aussi forte que ses personnages, aussi prégnante, l'Espagne est au cœur de la problématique littéraire du romancier. Enquêteur et objet de sa propre enquête, Michel Del Castillo cherche dans l'histoire de l'Espagne la clef de sa propre histoire. Qu'il l'aborde directement, la décrive, la décrypte, comme dans *Andalousie* (1991), qu'il la parcoure dans l'errance, qu'il explore les temps les plus noirs de son passé inquisitorial comme dans *la Tunique d'infamie* (1997), Del Castillo fait de ce pays son territoire romanesque privilégié.

Avec son pseudonyme espagnol, son choix de la langue française, sa passion vitale pour la lecture – il a écrit sur quelques-uns de ses auteurs favoris, dont Dostoïevski : *Mon frère l'idiot* (1995) –, Del Castillo compose une œuvre dont l'originalité n'a d'égale que la profondeur. Éthique et esthétique chez lui se confondent. Sa morale, c'est son style.

M. Gazier

DELERM Philippe

(né en 1950)

Romancier et essayiste, né à Auvers-sur-Oise. Fils d'instituteurs, Philippe Delerm est lui-même devenu enseignant après avoir suivi ses études à l'université de Nanterre. En 1975, il a commencé sa carrière dans un collège de l'Eure, et depuis lors n'a plus quitté la Haute-Normandie. Il a publié ses premières œuvres dans les années 1980 : romans (*la Cinquième Saison*, 1983 ; *Un Été pour mémoire*, 1985 ; *le Buveur de temps*, 1987), essais (*le Bonheur – Tableaux et bavardages*, 1986 ; *le Miroir de ma mère*, 1988), ou textes consacrés à ses impressions de promeneur (*Rouen*, 1987). C'est pourtant au cours de la décennie suivante qu'il s'impose auprès du grand public : *Autumn* (1990), qui retrace quelques épisodes de la vie de Dante Gabriel Rossetti et de ses amis préraphaélites, reçoit le prix Alain-Fournier ; *Sundborn ou les Jours de lumière* (1996), roman qui met en scène des peintres scandinaves à la fin du XIXe siècle, sera couronné par le prix des Libraires et le prix national des Bibliothécaires 1997. Mais ce sont les textes réunis dans *la Première Gorgée de bière et autres plaisirs minuscules* (1997, prix Grandgousier) qui assurent la consécration populaire de Philippe Delerm, occultant quelque peu les récits pour la jeunesse déjà publiés (*la Fille du Bouscat*, 1989 ; *En pleine lucarne*, 1995 ; *Sortilège au Muséum*, 1996). Le sujet essentiel des œuvres de Delerm est patent, dès les premiers livres : l'écrivain cherche à saisir ces moments, entre le presque-rien et le je-ne-sais-quoi, où le corps absorbe en lui les plus banales impressions du quotidien. Il s'agit alors de montrer comment « boire en couleurs d'aquarelle cette douceur trompeuse où dorment des secrets » (*Les chemins nous inventent*, 1997), de décrire ces signes entraperçus, dont la conscience ordinaire n'a pas eu le loisir de tirer symbole ou jouissance. De là cette quête d'un hédonisme modeste et minimaliste, qui constitue le sujet de *la Sieste assassinée* (2001) et de *la Première Gorgée de bière* : toute la volupté consiste à saisir « l'heure de cueillir et d'arrêter ». Ainsi, lorsqu'il ne rend pas compte de ses propres perceptions épicuriennes du monde, Delerm construit-il des personnages en stase, sur des lieux de passage, guettant, tel ce monsieur Spitzweg d'*Il avait plu tout le dimanche* (1998), « la prunelle des instants », et amateurs de moments gaspillés, « comme si le temps à perdre nous mettait d'emblée sur la piste du temps retrouvé » (*le Portique*, 1999). Ou bien, en réinventant le quotidien des artistes célèbres de la seconde moitié du XIXe siècle, l'écrivain tente-t-il de ranimer la mémoire de l'enfance, ce monde « où les contours, les *frontières* n'existent pas, [...] où l'on se fond dans le décor sans exister soi-même » (*Autumn*). Philippe Delerm n'a pas l'ambition stylistique et philosophique d'un Proust, et sa prose s'attache surtout à servir et à dilater l'impression du moment : ses phrases sont sobres, ses subordonnées rares et discrètes, et seuls quelques substantifs ou adjectifs choisis viennent sertir le sens dévoilé de quelques instants de bonheur minuscules.

J.-P. Damour

DELILLE Jacques

***Jacques DELILLE**, dit **l'abbé DELILLE** (1738-1813)*

La nature, omniprésente dans les vers de Jacques Delille, ne s'y donne à voir qu'au travers d'un écran rhétorique épais et indigeste. Telle est l'ambiguïté de cette poésie « descriptive » du XVIIIe siècle : contrepoint lyrique et affectif du bel esprit philosophique, elle en reproduit pourtant la démarche en imposant la « main » de l'homme au monde extérieur ; la métaphore est au poète ce que l'outil est à l'*Encyclopédie*.

Un illustre poète

Né à Aigueperse en Auvergne, enfant naturel, Delille est à la fois tenu à l'écart et protégé par ses deux familles, l'une riche et l'autre blasonnée. À dix ans, on l'envoie à Paris, au collège de Lisieux ; il y accumule les succès, et Mme Geoffrin l'exhibe dans son salon comme un enfant prodige. Après de brillantes études, il entre dans la carrière universitaire et, sans quitter l'état laïc, prend le titre d'« abbé », qui restera toujours accolé à son nom. Dès 1757, il commence une traduction en vers des *Géorgiques* de Virgile ; Louis Racine, consulté, l'encourage puis le fait connaître. Années d'apprentissage où Delille médite l'ouvrage de Marmontel, *Poétique française* (1763), et donne une série d'épîtres, dont l'*Épître sur les voyages* (1765) : poème engagé, qui invite le lecteur à quitter une France peuplée d'« indolents citoyens » et de « zélés courtisans » : « Chez les républicains allez puiser ces flammes/Que le patriotisme allume dans leurs âmes ! » Puis vient un éloge de Catherine II. Il satisfait Voltaire, et l'auteur est annexé par le clan philosophique. En 1770 paraissent enfin *les Géorgiques* : l'accueil est triomphal. Au reproche d'infidélité, Delille répond par avance dans un *Discours préliminaire*, véritable théorie de la traduction : son texte et celui de Virgile ne doivent pas être comparés vers à vers ; « c'est sur l'effet total de chaque morceau qu'il faut juger de son mérite ».

En 1773, porté par le succès, Delille obtient la chaire de poésie latine au Collège de France ; l'année suivante il entre à l'Académie. Il prend alors ses distances avec les philosophes et se tourne vers la poésie descriptive à la manière des *Saisons* (1769) de Saint-Lambert ou des *Mois* (1779) de Roucher. Pourtant *les Jardins ou l'Art d'embellir les paysages* (1782) ne reproduisent pas l'ordre cyclique des *Saisons* ou des *Mois*, « sphères dont l'homme est le centre » (E. Guitton), mais disent plutôt la conquête par l'homme de la nature, que l'art du jardinier sait à la fois protéger et contraindre. Malgré le succès des *Jardins*, Delille laisse là les paysages et se tourne vers le poème philosophique : en 1784, il commence *l'Imagination*. Mais une aventure galante l'incite à disparaître un moment, et il part pour Constantinople (1784-1785). Survient la Révolution : Delille se tait, puis émigre. Installé à Londres, il donne en 1800 *l'Homme des champs*, apologie du bonheur rural, revient en France en 1802 et règle ses comptes avec la Terreur (*la Pitié*). Sous l'Empire, Delille fait figure de chef d'école, célébré à la fois par le néo-classicisme officiel et les premiers romantiques. *L'Imagination* paraît en 1806, et, en 1808, *les Trois Règnes de la nature*, où la curiosité scientifique s'associe à l'« arsenal de la vieille rhétorique » (E. Guitton) : témoin cette parthénogenèse du puceron, qui « sans connaître l'hymen a le droit d'être mère »... Arrivé au point de se caricaturer lui-même, Delille meurt à Paris le 1er mai 1813, en plein labeur et en pleine gloire.

Le maître de la métaphore

La poésie de Delille pose aujourd'hui un problème de lisibilité, par ses archaïsmes systématiques et ses périphrases : chez lui, le café devient « la fève de Moka », le thé « la feuille de Canton ». Mais l'important pour Delille est de nier l'étrangeté de l'objet exotique en l'assimilant aux choses familières. Un même travail de réduction et d'humanisation s'opère sur les animaux et les végétaux, pourvus ici de sentiments et d'idées. Le plus souvent, Delille ne craint pas la banalité : « orgueil » des grands arbres, « deuil de la nature » à l'automne ; le chien, « ami constant et compagnon fidèle », la violette, « humble amante des prés ». Mais parfois, cet anthropomorphisme apprêté se dégage de la convention, suscitant par exemple l'image surréaliste d'une statue frissonnante, quand des arbres abattus à Versailles ont privé des dieux de marbre de leur « voile de verdure ». Faut-il parler cependant de goût de la nature, ou d'une recherche de l'homme ressaisi à travers la nature ? Tel passage des *Jardins* est consacré à la fontaine de Vaucluse :

Mais ces eaux, ce beau ciel, ce vallon enchanteur
Moins que Pétrarque et Laure intéressaient mon [cœur.

Contemplée tour à tour par les générations successives, cette « rive » immuable est un miroir où chacun a laissé son image. De même le retour dans la Limagne natale, après une description rapide (« Et les riches coteaux, et la plaine riante »), est-il l'occasion d'un retour à soi : « Témoins de ma naissance, témoins de mes beaux jours… » Ainsi possédée et dominée, la nature donne lieu à une recréation imaginaire qui en est, finalement, une nouvelle reconquête. Une bûche flambe : « Ce chêne en feu nourrit ma rêverie. Quelles mains l'ont planté ? » etc. Dans *les Jardins*, le chef-d'œuvre de Delille, le contenu narratif coïncide parfaitement avec la forme d'écriture, et l'art du jardinier rejoint celui du poète :

Ainsi que les couleurs et les formes amies,
Connaissez les couleurs, les formes ennemies.
Le frêne aux longs rameaux, dans les airs élancés,
Repousserait le saule aux longs rameaux baissés…

Cette rhétorique végétale impose à la « verdure » un ordre culturel, des harmonies qui lui sont étrangères et qu'il faut emprunter aux peintres (Vernet, le Lorrain…), de façon à « vaincre » la nature pour la recomposer en « tableaux » différents selon « l'effet que votre art veut produire ». On pense au célèbre « élysée », le jardin de Julie, dans *la Nouvelle Héloïse* : « La nature a tout fait, mais sous ma direction ». Il serait vain, dès lors, de poser le problème de la sincérité du lyrisme delillien : les mots servent moins à dire la nature qu'à la modeler et la posséder par la rhétorique pour en faire la source d'une jouissance affective, et non plus seulement de satisfactions matérielles. Mais toujours il s'agit, comme dans l'*Encyclopédie*, de la constituer en bien propre de l'homme, et d'en chasser tout mystère.

J.-P. de Beaumarchais

DELISLE DE LA DREVETIÈRE Louis-François

(1682-1756)

Écrivain né à Suze-la-Rousse, en Dauphiné. D'origine noble, il vint à Paris faire des études de droit, qu'il abandonna pour la poésie et le théâtre, devenant, aux côtés de Marivaux, l'un des fournisseurs attitrés du Théâtre-Italien. L'*Arlequin sauvage* (1721) – dont le succès durable est attesté par une mention dans la *Lettre à d'Alembert* de Rousseau (1758) –, suivi de *Timon le Misanthrope* (1722), deux comédies satiriques bien servies par la drôlerie et la sensibilité de l'acteur Thomassin, constituent les sommets d'une carrière dramatique féconde, qui se poursuivit avec *Arlequin au banquet des sages* (1723), *le Berger d'Amphrise* (1727), pièce à grand spectacle, *Arlequin Grand-Mogol* (1734). Avec Delisle, la nouvelle philosophie, voire la philosophie tout court, pénètre sur la scène des Italiens : émule du « sauvage de bon sens » de La Hontan (*Dialogues curieux*…, 1703) et dans la foulée des *Lettres persanes* (1721), son Arlequin venu « des forêts de l'Amérique » jette sur la civilisation un regard étonné puis critique, ses propres balourdises devenant comme l'image inversée des inconséquences d'autrui. Et pourtant « votre raison est faite comme la nôtre… » (*Arlequin sauvage*).

Au nom de la « simple nature » se voient contestés aussi bien le rituel mondain que le pouvoir de l'argent : « Les trésors sont aux hommes ce que les pâturages sont aux animaux ; ainsi tout ce qui ne fait pas besoin à Timon ne lui appartient point » (*Timon le Misanthrope*). Sous le masque de la comédie s'exprime ainsi une revendication égalitaire, que seuls la conscience morale ou l'éloge d'une frugalité elle aussi « naturelle » viennent désamorcer *in extremis* : « L'ombre d'un ormeau est préférable aux plus beaux palais » (*Arlequin Grand-Mogol*). C'est dire à la fois l'audace très rousseauiste et l'ambiguïté encore marivaudienne de ce théâtre, qui sait décrire des situations symboliques (Arlequin et le marchand, Arlequin et le plaideur) avec la vivacité de tableaux de mœurs, mais qui fait parler la vérité depuis un « lieu » encore trop exotique pour être dangereux : l'Amérique d'Arlequin est plus loin que l'Espagne de Figaro.

J.-P. de Beaumarchais

DELLY

Pseudonyme de **Marie** *(1875-1947) et* **Frédéric** *(1876-1949)* **PETITJEAN de LA ROSIÈRE**

Sous ce nom de plume célèbre, devenu synonyme de fabuleux tirages (« l'auteur le plus lu du monde est morte », titrait *France-Soir* en 1947), se dissimule un couple touchant : un infirme et sa sœur – son aînée d'un an – qui s'est dévouée à lui. Rejetons d'une famille bretonne et militaire, Marie et Frédéric ont mené à Versailles une vie recluse tout entière consacrée à l'écriture : plus de cent romans d'aventures et d'amour depuis *Une femme supérieure* (1908) jusqu'à *Anita* (1943), qui modulent indéfiniment, en l'agrémentant de meurtres, de séquestrations, d'aventures, d'espionnage, etc., le même canevas sentimental, un prince courtisé par d'inquiétantes « sirènes » mais amoureux d'une bergère (*Esclave ou reine*, 1910 ; *Laquelle ?*, 1928).

Tantôt proche du conte traditionnel (*Un marquis de Carabas*, 1935 ; *l'Héritage de Cendrillon*, 1941), tantôt du roman policier (*le Mystère de Ker-Even*, 1918), le roman de Delly emprunte ses décors au gothique, forêts profondes ou donjons sinistres, à l'exotisme (*le Roi des Andes*, 1910) ou au folklore breton (*Comme un conte de fées*, 1935). La nature s'y met volontiers à l'unisson des sentiments : plaintes du vent, tempêtes annonciatrices de drames. Alternant dialogues rapides et descriptions stéréotypées à grand renfort d'adjectifs (« brûlante rougeur » de la honte), s'attardant à des détails de parure chargés de symboles moraux (l'échancrure du décolleté permet de distribuer sans risque d'erreur les différents rôles féminins), Delly ne s'embarrasse pas de subtilités psychologiques. Seul le héros principal échappe au partage manichéen des bons et des méchants : s'il arrive qu'il soit d'abord monstre d'orgueil, l'amour le métamorphose souvent en mari débonnaire (dans *l'Orgueil dompté*, par exemple).

À l'image de leurs créateurs, les héros de Delly affectionnent le mystère, des coups de théâtre révélant soudain leur identité de grands seigneurs dans l'apothéose d'une fin heureuse : dans *Comme un conte de fées*, l'incognito de M. Wolf dissimule un archiduc…

Lorsque le frère et la sœur disparurent, à deux ans de distance, la réalité rejoignit la fiction : la richissime Delly, ignorée ou méprisée par la critique, léguait aux écrivains malades ou âgés une fortune princière sous la forme d'un « fonds Delly », aujourd'hui géré par la Société des gens de lettres.

Le public de Delly, en majorité féminin, lui reste indéfectiblement fidèle, bercé par le retour éternel et rassurant, sous l'apparente diversité du « vécu », de situations et de dénouements identiques et consolants. D'emblée, les lectrices connaissent le secret des destinées : aussi riche dans l'imaginaire que conformiste dans la morale ou discret dans l'érotisme, le rêve sentimental suscité par Delly ne tourne jamais au cauchemar.

M.-A. de Beaumarchais

DELTEIL Joseph

(1894-1978)

« J'ai le cœur paysan et l'esprit surréaliste : c'est un bon contrepoids », écrit Delteil dans *Alphabet* (1973). C'est dire combien il est difficile à définir. Il est celui qui, après avoir partagé les premières aventures surréalistes et fait acte de « surréalisme absolu » (Breton, *Manifeste* de 1924), est exclu dans le *Second Manifeste* pour vice rédhibitoire : l'auteur de *Jeanne d'Arc* (prix Femina 1925) et des *Poilus* (1926) ne trouvait plus grâce aux yeux de Breton. Dans *la Delteillerie* (1968), l'exclu racontera avec talent les séances de la rue Fontaine : le portrait de Breton en maître d'école surréaliste (« tout en lui, œil, posture, n'est que crocs et griffes ») ne laisse pas d'inquiéter. Entre 1922 et 1929, ce jeune Occitan, né dans l'Aude, avait produit des œuvres assez originales pour enthousiasmer Aragon : ainsi *Sur le fleuve Amour* (1922), à l'imagination échevelée, qu'il publie grâce à Pierre Mac Orlan ; ainsi le texte provocant de *Choléra* (1923), animé par une fougue peu commune et une sorte d'héroïsme sexuel. De ce texte, dont Delteil affirmait : « *Choléra*, je l'ai chié », avec cette verdeur de langage qui en fait son « strip-tease moral », on retiendra des phrases qui doivent peut-être leur structure à l'influence de son ami Robert Delaunay : « Je baisai sa robe au point géométrique. »

Du paysan, de l'homme « paléolithique », comme il aimait à se définir, Delteil conserve le goût pour un langage cru, qu'une cuisson toute récente n'a pas vraiment civilisé. Maître du langage oral, parlant patois, il puise dans cette source terrienne cette saveur, cette fécondité verbale coruscante qui marquent ses œuvres les plus achevées : *Jeanne d'Arc* ou *François d'Assise* (1960), évocations épiques manifestement inspirées, dictées par l'émotion, parcourues par les courants d'images et les flots de sentiments qui font l'écriture delteillienne. « Le véritable écrivain, c'est l'ignorant de génie, qui ne sait rien mais comprend tout. C'est un grand maladroit, à l'oreille archaïque, à l'œil phénoménal, qui fourmille de désirs, patauge dans tous les échos, la maladresse des géants » (*En guise de préface pour Henry Miller*, 1976). S'il a une « voix irremplaçable » (Jean-Louis Bory), c'est peut-être à cause de ce mélange originalement dosé de surréalisme au naturel (« Je réclamais une syntaxe avec des seins ») et de rabelaisianisme, même dans des œuvres où la foi s'exprime (*Jésus II*, 1947). Il a pris à la lettre la fameuse formule surréaliste « les mots font l'amour » et déclare : « les mots me sont femmes. Je les baise ». Nulle pornographie, cependant – il l'avait en horreur –, mais un goût pour le mot-chair.

Ce trop-plein de vie et de santé, cette foi dans l'homme et dans les détails les plus humbles de la chair, cette sanctification du sexe, mêlée à la matérialisation de l'esprit, le rendent difficilement classable et à double titre hérétique. Il a ses fanatiques, qui ne sont pas loin de voir en lui le prophète écologiste du XXIe siècle, et ses détracteurs, que son érotisme innocent déroute. Sa franche gaieté n'est pas de ce siècle : « Depuis Voltaire, la France ne pète plus, elle pétille. » Il n'ironise pas, mais jouit avec les mots, comme avec des êtres concrets : « Je rêvais d'une parole qui serait l'homme même, qui aurait la musculature des reins, le pouvoir de la chair, la folie de l'esprit ». Mais cette apparente innocence cache un sens immémorial de la méditation sur la terre, les hommes, les forces cosmiques. Ce fils de bûcheron amant de la forêt (voir *Jeanne d'Arc*), ce rural dans les veines duquel coulait un sang qu'il assurait être cathare et arabe ressent avec une force et une poésie singulières le mystère et le supplice de Jeanne. Plaçant l'amour au-dessus de tout, et d'abord de la vanité littéraire, il se retire dès 1937, au nom de l'amour fou, avec Caroline Dudley, à la Tuilerie de Maussane, près de Montpellier. Admirable fidélité. Enfin, en 1961, il décidait que ses *Œuvres complètes* ne comporteraient que six titres, pour l'éternité. Cela, pour un écrivain, s'apparente fort à de la sainteté.

Y. Le Gars

DENNERY, *puis* D'ENNERY Adolphe

*Pseudonyme d'**Adolphe Philippe** (1811-1899)*

Adolphe Philippe, commis de magasin, puis clerc de notaire, puis journaliste, puis dramaturge et parfois romancier, surtout dramaturge, se servit des pseudonymes d'ADOLPHE, de PHILIPPE et, surtout, de DENNERY, qu'il finit même par anoblir en D'ENNERY, pour signer un nombre impressionnant de pièces, plus de deux cents sans doute, étalées sur un demi-siècle. Dans les années 1860, il était parfois joué à Paris, simultanément, sur cinq scènes différentes. Le nombre est d'autant plus difficile à préciser qu'outre celles qu'il signa de son seul nom, on compte des dizaines de pièces écrites avec d'autres polygraphes du siècle, à peine moins féconds que lui : Anicet Bourgeois, très abondant lui aussi, Gustave Lemoine, Dumanoir, Grangé, Dugué, Cormon, Desnoyer. Un grand entrepreneur de confection de pièces, on le voit.

Un recycleur prolixe

Ces pièces sont toutes des mélodrames, en général bâtis sur des thèmes à la mode ou sur des titres d'ouvrages antérieurs très célèbres ; il « adaptait » ou il reprenait sans vergogne ; c'est cette faculté d'adaptation des ficelles du vieux mélodrame du début du XIXe au théâtre de boulevard de la seconde moitié du même siècle qui caractérise, si l'on peut dire, Dennery. Il sait utiliser même des faits divers, voire des catastrophes – célèbres, il va de soi. Du coup, la plupart des titres de ses pièces parlent tout seuls. Dennery se manifeste aussitôt après 1830 : sa première pièce est *Émile ou le Fils d'un pair de France* ; il construit le « drame » en grande machine à ressorts multiples. 1835 : *l'Honneur de ma fille*, « drame ». 1837 : *l'Hôtel des Haricots*. En 1838, ce sont *Gras et maigre* (thème bruegelien, mis à la mode par certain Café de Paris), *Femmes et pirates*, *la Reine des blanchisseuses* (opéra-comique en trois actes), et *M. et Mme Pinchon*. 1840-1841 : ni plus ni moins qu'en quatre actes *le Tremblement de terre de la Martinique*, plus *À la grâce de Dieu*, « drame » en trois actes, imitation de *Fanchon la Vielleuse*, mélodrame lui-même concocté autour d'une romance de Loïsa Puget. En 1844, deux utilisations massives de grands auteurs : *Don César de Bazan*, évidemment extorqué au Victor Hugo de *Ruy Blas*, et *Colin-Tampon*, personnage et titre extraits d'Eugène Sue, plus *la Dame de Saint-Tropez*, inspirée par un fait divers ; plus *les Mémoires de deux jeunes mariés*, titre, masculinisé, emprunté à Balzac. En 1845, coup sur coup, trois mélodrames bien frappés : *le Porteur d'eau*, surtout *Marie-Jeanne ou la Femme du peuple* (élaboré avec Mallian, en 5 actes et 6 tableaux : triomphe de Marie Dorval) et *l'Angelus* ; à quoi s'ajoutent deux comédies : *le Roman comique* (d'après Scarron), *le Marquis de Carabas et la Princesse Fanfreluche*, sans compter *le Juif errant*, en 5 actes, inspiré d'Eugène Sue. En 1849-1850, Dennery devient directeur du Théâtre-Historique de Paris et reçoit la Légion d'honneur ; en même temps, il lance *les Sept Péchés capitaux*, en 7 actes, évidemment encore extorqués à Eugène Sue, et *le Chemin de traverse*, fourni cette fois par Jules Janin. Avec Marc Fournier, au théâtre de la Gaîté, le fameux *Paillasse*. 1853, actualité oblige : *la Case de l'oncle Tom*, volée à miss Beecher-Stowe. En 1855, il crée un nouveau théâtre, qu'il appelle successivement « Théâtre du Peuple », puis « Théâtre du Prince impérial » ; il dirige, avec d'autres littérateurs, une société thermale. Il continue à exploiter le thème « parisien » des blanchisseuses avec *les Lavandières de Santarém*, opéra-comique en 3 actes. De 1857 à 1865, il fait jouer *le Fou par amour* (5 actes et 7 tableaux), *le Savetier de la rue Quincampoix*, *la Prise de Pithiviers*, *les Drames du cabaret* (sur les dangers de l'alcoolisme !) ; avec Clairville et A. Monnier, au Théâtre impérial du Cirque, une féerie très célèbre, en 25 tableaux, *Rothomago* ; puis *les Mystères du vieux Paris* et *le Sacrifice d'Iphigénie*, « comédie ». Après 1870, il donne *le Tour du monde en 80 jours*, d'après Jules Verne, et *les Deux Orphelines* (1874). Mentionnons, à travers cet espace de temps, quelques pièces qu'il agença avec d'autres. Avec Anicet Bourgeois, *Gaspard Hauser* ; avec Dumanoir, *le Paysan perverti* et *les 500 Diables* (féerie en 3 actes et 30 tableaux) ; avec Lemoine et Grangé, *les Bohèmes de Paris* ; avec Cormon, *Gastibelza*, « drame lyrique », chapardé à Hugo ; avec Dugué, *Cartouche* ; avec Brésil, *l'Escamoteur* ; avec Foucher, un *Faust* ; avec H. Crémieux, *Aladin ou la Lampe mystérieuse* ; d'autres encore avec Desnoyer, Lambert, Thiboust.

Le triomphe des *Orphelines*

Chef-d'œuvre, ou plutôt succès du genre, *les Deux Orphelines* sont un mélodrame en 5 actes et en 8 parties, que Dennery, aidé de Cormon, a confectionné avec le thème de sa pièce antérieure *À la grâce de Dieu*, elle-même transcrite de *Fanchon la Vielleuse*. Dennery situe dans un cadre vaguement historique, l'éternelle aventure – le thème était déjà au cœur du mélodrame du début du siècle – des enfants perdus puis retrouvés, abandonnés puis reconnus ; mais il s'agit ici de deux jeunes filles, Henriette et Louise, toutes deux orphelines, qui viennent de la province à Paris ; au surplus, la plus jeune est aveugle. La première est d'abord sauvée par un chevalier, qui ne peut l'épouser devant l'opposition d'un oncle ; elle est donc jetée sur le pavé et échouera à la Salpêtrière parmi les folles. L'aveugle, « arraisonnée » par des mendiants, va chanter pour eux dans les rues. L'histoire n'est pas finie pour autant, car la femme – noble – de l'oncle avait perdu un enfant clandestin… Les deux sœurs finissent par se retrouver, dans une scène qui fit pleurer encore plus que d'autres : ce n'est pas peu dire. La première, le 29 janvier 1874, au théâtre de la Porte-Saint-Martin, connut une affluence considérable. G. Sand était là. Le critique Francisque Sarcey écrivit que *les Deux Orphelines* étaient un « excellent mélodrame ». Il y eut plus de cent représentations d'affilée. Et Dennery, épuisant le filon, transposera son mélodrame en roman à succès en 1888, inversant l'itinéraire habituel du feuilleton vers la scène.

On peut considérer que le cinéma moderne prouve, à sa façon, la permanence des mélodrames de Dennery. *Les Deux Orphelines* ont été transposées dans plusieurs films américains, dans un français, dans un italien : tous avec ce titre ; *Don César de Bazan*, dans plusieurs films américains ; et chacun des « drames » intitulés *Martyre*, *la Fille des chiffonniers*, *la Bouquetière des Innocents* a fourni – au moins – un film.

R. Bellet

DENON Dominique VIVANT

Dominique Vivant, baron de Non,* dit *Vivant-Denon

(1747-1825)

Graveur, administrateur et écrivain français, né près de Chalon-sur-Saône le 4 janvier 1747. De petite noblesse provinciale, Dominique de Non s'avança à la Cour par ses conquêtes féminines (« le Faune », disaient-elles de lui), par sa conversation brillante et par ses talents de graveur, qui lui valurent la garde du cabinet des Médailles de la Pompadour. Seule alors la littérature ne lui réussit guère : jouée à la Comédie-Française, sa comédie *Julie ou le Bon Père* (1769) fut un échec. Diplomate, il voyagea en Russie, en Suisse (il rencontra Voltaire en 1775 et dessina un célèbre *Déjeuner de Ferney*), puis séjourna en Italie, d'abord en visiteur (Rome, Naples, Sicile) puis comme secrétaire d'ambassade à Naples (1779-1785). En 1777, il avait fait paraître une étincelante nouvelle de quelques dizaines de pages, *Point de lendemain*, qui posa longtemps un problème d'attribution : l'ouvrage figurait dans *les Mélanges littéraires ou le Journal des dames* de Dorat, et sous une signature énigmatique M.D.G.O.D.R. : (« M. de Non, gentilhomme ordinaire du roi » ?).

Membre de l'Académie royale de peinture (1787), de retour en Italie pour y trouver matière à gravures et eaux-fortes, il rencontra à Venise Elisabetta Teotochi, dite Bettine, l'amour et la correspondante de toute une vie (ses *Lettres à Bettine* ne seront publiées qu'en 1999), puis revint en France sous la Terreur ; grâce à son ami le peintre David, le citoyen Denon fut nommé par Robespierre « graveur national » des costumes officiels… Mais c'est Bonaparte, rencontré en 1797, qui allait faire sa carrière. D'abord en l'intégrant à l'équipe de savants accompagnant l'expédition d'Égypte : Denon en rapporta un *Voyage dans la haute et basse Égypte pendant les campagnes du général Bonaparte* (1802), qui fit découvrir à un large public l'art et les monuments égyptiens. Ensuite en le nommant directeur général des Musées : promu baron d'Empire, Denon eut la haute main sur le mécénat d'État, les constructions de prestige (le Carrousel et la colonne Vendôme, à Paris) – et aussi sur les rafles d'objets d'art dans toute l'Europe occupée, aux fins d'enrichir le Louvre. Les Alliés, en 1815, ayant exigé leur restitution, Denon démissionna, et il se consacra jusqu'à sa mort à ses collections, où figurait le *Gilles* de Watteau, et à ses travaux personnels, dont un recueil de lithographies : *Monuments des arts du dessin chez les peuples tant anciens que modernes* (publié en 1829).

Point de lendemain

Comment rendre au libertinage sa saveur d'imprévu et de romanesque, sinon en déplaçant légèrement les limites de l'interdit ? Pour une nuit, l'héroïne de *Point de lendemain* trompe son mari et son amant avec un jeune homme aperçu le soir même à l'Opéra. Rien de concerté, cependant, pour garder à l'aventure le charme d'une surprise des sens, même si l'itinéraire semble par trop balisé : un banc d'herbe pour les premiers baisers, puis un pavillon où l'obscurité dissimule d'éventuelles pudeurs, enfin un « cabinet » des délices pourvu d'un mécanisme à ressorts qui vous jette « sur un monceau de coussins » et dont le « tapis pluché » imite le gazon : un retour à la nature, avec le confort en plus… Rien non plus n'a d'importance que le plaisir immédiat, et encore : « Ce n'était plus Mme de T. que je désirais, c'était le cabinet », avoue le galant avant la dernière étape. Quant aux mots d'amour, ils ne servent qu'à fixer un instant un désir toujours volage. Ni Crébillon ni Sade : le plaisir se dit et se vit ici sans arrière-pensées éthiques ou métaphysiques, avec juste ce qu'il faut d'ironie et de conviction : « Je cherchai bien la morale de toute cette aventure, et… je n'en trouvai point », conclut le héros-narrateur. Une écriture rapide, presque stendhalienne, et parfois des clins d'œil au beau style et aux grands sentiments : avec *Point de lendemain* le libertinage du siècle, du moins sous sa face rose, a trouvé son expression (au double sens de formule et de formulation) la plus élégante.

> *J'aimais éperdument la Comtesse de *** ; j'avais vingt ans, et j'étais ingénu ; elle me trompa, je me fâchai, elle me quitta. J'étais ingénu, je la regrettai ; j'avais vingt ans, elle me pardonna. Et comme j'avais vingt ans, que j'étais ingénu, toujours trompé, mais plus quitté, je me croyais l'amant le mieux aimé, partant le plus heureux des hommes.*

J.-P. de Beaumarchais

DÉON Michel

(né en 1919)

Après des études de droit, Michel Déon collabora à diverses revues (notamment *l'Action française* et *Marie-Claire*), et, avant d'être écrivain, fut éditeur. Il débute en littérature en 1944 avec *Adieux à Sheila*, puis les romans se succèdent : *Je ne veux jamais l'oublier* (1950), *la Corrida* (1952), *les Trompeuses Espérances* (1956), *Tout l'amour du monde* (1956), *les Poneys sauvages* (prix Interallié 1970), *Un taxi mauve* (grand prix du roman de l'Académie française 1973), *le Jeune Homme vert* (1975), *les Vingt Ans du jeune homme vert* (1977), *Un déjeuner de soleil* (1981), *la Montée du soir* (1987), *le Prix de l'amour* (nouvelles, 1992). Il est l'auteur de *Louis XIV par lui-même* (1964), d'un essai sur *l'Armée d'Algérie et la pacification* (1959), d'un *Supplément aux Voyages de Gulliver* (1967), d'un récit pour enfants, *Thomas et l'infini* (1975), de textes pour le *Don Quichotte* de Salvador Dali (1957), et d'une sorte d'autobiographie, *Mes arches de Noé* (1978).

Avec R. Nimier, A. Blondin, J. Laurent, il est l'un des « hussards », qui, se réclamant, entre autres, de Stendhal ou de Morand, promurent, contre Sartre, Camus et Aragon, une nouvelle littérature « de droite » revenant à la narration classique de la psychologie. On retrouve quelques thèmes fondamentaux : le dialogue de l'ambition et du bonheur (*Lettre à un jeune Rastignac*, 1956), le goût des voyages (*Je vous écris d'Italie*, 1984), le culte de l'amitié, l'obsession d'une insularité (Grèce, Irlande – deux pays où il s'est successivement fixé et qui ont fourni le décor à plusieurs récits, du *Balcon de Spetsaï* [1961] au *Taxi mauve* en passant par *le Rendez-vous de Patmos* [1965]) fascinante et périlleuse à la fois, puisqu'on risque de tomber dans une solitude ingrate et, finalement, désolante. Enfin, ce sont tous les dilemmes de l'épicurisme moderne, qui ne peut ni renoncer à l'action ni toujours maîtriser la sensibilité. Sans doute est-ce dans cette sensibilité, dominée avec courage ou allégresse mais sans illusions, que réside le charme de ses œuvres.

A. Niderst

DERÈME Tristan

*Pseudonyme de **Philippe Huc** (1889-1941)*

La vie de ce poète commence à Marmande ; il fait ses études à Bayonne, à Nantes et à Agen, où il rencontre Francis Carco : c'est là le noyau du futur groupe des poètes fantaisistes. À cette époque, celui qui est encore Philippe Huc publie déjà ses premières plaquettes, collabore à des revues et en fonde lui-même. En 1911, le *Petit Cahier* réunit les chefs de file de la nouvelle école, tous admirateurs de Laforgue et de P.-J. Toulet : Carco, Jean Pellerin, Léon Vérane et, bien sûr, Derème, qui, dans diverses publications, participe à la définition, à la défense et illustration de la poésie fantaisiste. En même temps, il poursuit une œuvre personnelle très abondante : on trouvera dans *la Verdure dorée* (1921) l'essentiel de ses premiers poèmes. Suivront, entre autres, *l'Enlèvement sans clair de lune* en 1924, *le Zodiaque ou les Étoiles sur Paris* (1927), *Poèmes des colombes* (1929), *le Poisson rouge* (1934), *l'Escargot bleu* (1936) : la liste est loin d'être exhaustive.

On trouve chez Derème plusieurs thèmes fin de siècle : l'automne, les effluves subtils, la tristesse tendre des « volubilis défunts et jacinthes fanées ». Mais la qualité essentielle de cette poésie, outre son habileté, c'est la liberté surprenante de certaines images, de certaines rimes, leur humour. Derème associe « Bergson » et « hérisson », « fanera » et « etc. », « 1912 » et « Toulouse ». Sur le plan de la technique poétique, il faut surtout signaler son goût pour la contre-assonance, qui consiste, comme il l'explique lui-même, à maintenir les consonnes dans la mutation des voyelles. On retrouve ainsi à la rime « lèvres » et « livres », « Ariège » et « feuillage », « gorge » et « auberge » : une variation qui, dit-il, « donne à l'ouïr une impression ambiguë de liberté, de surprise et de malaise ». Cette audace, cette fantaisie, la couleur aussi qu'il répand parmi ses animaux et ses plantes, tout cela fait de Derème un bon poète, plus novateur qu'on ne pense, à mi-chemin entre les poètes du symbole et les surréalistes.

A. Preiss

DES AUTELS Guillaume

(1529-1581)

Poète né près de Montcenis, dans le Charolais. Il est parent de Pontus de Tyard, qui l'introduit dans le monde littéraire lyonnais, après des études de droit à Valence (1548-1549) et un passage à Romans, où il participe à des fêtes en écrivant des « moralités ». Dans le cercle de Bissy, la demeure de Tyard, il subit fortement l'influence de Maurice Scève, tout en restant fidèle à Marot et à Dolet, déjà morts. Dès ses débuts, il se trouve partagé entre l'apparente simplicité de Marot, qui lui convient bien (*Le Repos de plus grand travail*, 1550), et le plus haut style de Scève, dont il fait constamment l'éloge (*Suite du Repos*, 1551). La même année, sa *Réplique aux furieuses attaques de Louis Meigret* lui vaut d'être rangé, à côté d'Aneau – autre Lyonnais d'adoption –, parmi ceux qui ont attaqué la *Deffence* de Du Bellay. Mais cette *Réplique*, d'ailleurs postérieure au *Quintil Horatian* d'Aneau, est déjà très largement une conciliation, et les allusions à Ronsard y sont élogieuses, ce qui se confirmera dans *l'Amoureux Repos* de 1553. De fait, Des Autels s'est rapproché très rapidement du groupe de Ronsard, et il semble s'être tout particulièrement lié à Jodelle, sans doute par l'intermédiaire du Parisien Charles Fontaine, lors du séjour de Jodelle à Lyon (vers 1551). Après une période de succès relativement courte, Des Autels dédie au roi d'Espagne, Philippe II, un *Tombeau de Charles V* et un éloge latin de la « Gallia Belgica » (1559). Fervent catholique et partisan des Guises, il finit sa vie comme juge mage à Cluny.

Des Autels est un admirateur sincère de tous les courants qu'il a traversés ; il imite même Rabelais, notamment dans son vocabulaire, dans l'étrange *Mitistoire barragouyne de Fanfreluche et Gaudichon*, parue anonymement en 1559. Il assure en tout cas la transition entre les marotiques, les disciples de Scève et la Pléiade, à un moment où les compagnons de Ronsard se rapprochent du groupe lyonnais. Ainsi l'évolution de son jugement sur le théâtre, dont il est peut-être un auteur manqué, est tout à fait significative : il a écrit lui-même, vers dix-neuf ans, des *Dialogues moraux* où des allégories (le Temps, la Vérité, l'Ignorance...) lui permettent de développer un point de vue moral et religieux ; en 1551, sa position est proche encore de celle des Grands Rhétoriqueurs, il condamne pour « lascivité » et « cruauté » la comédie et la tragédie ; il se désintéresse de la composition à l'antique en actes et scènes, avec distribution précise des personnages. Deux ans après, il rencontre Jodelle, dont il admire aussitôt la *Cléopâtre* et l'*Eugène*, composés sur ces derniers principes ; il pense alors que comédie et tragédie ont toutes deux leur place au sein de la poésie.

Ses choix dans un autre des grands débats du moment, celui de l'orthographe et de la prononciation, montrent le même discernement (il se range, d'ailleurs, derrière l'avis de Dolet) ; ses préférences sont raisonnables et montrent une attention précise aux phénomènes de langue ; il n'accorde guère de crédit aux modes trop ponctuelles et sait se moquer des dames qui, voulant imiter la prononciation ridicule de la Cour, disent qu'« il fait fret, serrant tant les lèvres que l'on sentira bien au petit bruit de la voix, qu'elle sort par force et contrainte, comme le vent passant par quelque petite fendasse ». En toutes choses, surtout, il défend le caractère original de l'invention nationale, refuse les excès de l'imitation (il n'aime pas, en particulier, la mode italienne) et les obscurités de la mythologie : « Nos Gaulois ont toujours, plus que tous les autres peuples, voulu démontrer les choses intelligibles et occultes, par les sensibles et manifestes. »

Ses recueils de poésie, qui reprennent parfois les mêmes pièces, sont également sensibles à une évolution reconnue – semble-t-il – avec enthousiasme : ils deviennent plus savants, mais sans excès, et font progressivement place aux genres mis à la mode par la Pléiade. Il y chante sa « sainte » en termes platoniciens, y entremêlant les références aux inspiratrices de Tyard, de Ronsard, de Du Bellay et de Baïf, sans oublier Pétrarque, Scève, toujours proche de son inspiration.

Manifestement, Des Autels avait du goût plus encore que du talent ; en d'autres temps, il aurait fait un bon analyste de la littérature.

M. M. Fontaine

DESBORDES-VALMORE Marceline

***Marceline* DESBORDES,** *épouse* **VALMORE** *(1786-1859)*

Ce n'est pas le moindre des mérites de la discrète Marceline Desbordes-Valmore que d'avoir été saluée, de Lamartine à Verlaine, par tous les grands noms de la poésie du XIXe siècle. « Nous proclamons à haute et intelligible voix que Mme Desbordes-Valmore est tout bonnement la seule femme de génie [...], en compagnie de Sappho, peut-être, et de sainte Thérèse », écrira même un Rimbaud enthousiaste. Il est vrai que l'infortunée Marceline aura su, pour reprendre le vers de Nerval, moduler « Les soupirs de la sainte et les cris de la fée », avec, à défaut de génie, une remarquable constance dans la qualité qui en fit, deux siècles et demi plus tard, la première héritière de Louise Labé dans l'histoire de la poésie des femmes.

Une existence en deuil

Marceline Desbordes naît à Douai dans une famille de la petite bourgeoisie. La Révolution va vite ruiner son père, peintre en armoiries, et c'est dans la gêne qu'elle passe sa petite enfance, avec son frère Félix et ses sœurs, Cécile et Eugénie. En 1800, sa mère, Catherine, qui rêve d'une fortune à faire aux Antilles, se lance avec ses enfants dans une audacieuse aventure. Après une difficile traversée de la France qui voit la petite Marceline jouer à la scène des rôles de fillette ingénue aux villes étapes, l'arrivée à Basse-Terre en Guadeloupe, fin 1801, est catastrophique : émeutes, rapines, fièvre jaune. La mère meurt peu après. De retour à Douai à l'automne 1802, Marceline affirme sa vocation de cantatrice et de comédienne. Après des débuts sur la scène à Douai, puis à Rouen, elle entre à l'Opéra-Comique (1804-1806) grâce à l'appui du compositeur Grétry. C'est là que commence sa liaison amoureuse, passionnée mais discrète et malheureuse, avec l'écrivain Henri de Latouche (dont elle aura un fils en 1810). Mais c'est au théâtre de la Monnaie de Bruxelles (où elle joue de 1807 à 1819) qu'elle connaît ses plus grands succès de comédienne (notamment dans le rôle de Rosine du *Barbier de Séville* en 1815) et rencontre celui qui deviendra son mari en 1817, le comédien Prosper Lanchantin, dit Valmore, dont elle aura trois enfants : Hippolyte, Ondine et Inès.

Elle n'abandonnera qu'à la fin des années 1820 son métier de comédienne, qui lui valut de solides amitiés, dont celles de Mme Récamier ou de la musicienne Pauline Duchambge. Mais depuis 1819, date à laquelle elle publie son premier recueil de *Poésies,* Marceline s'est prise de passion pour la littérature, dont elle fait le dépositaire de ses souvenirs (dans les récits des *Veillées des Antilles*, 1821, de *l'Atelier d'un peintre* et d'*Une raillerie de l'amour*, 1833), de sa tendresse de mère (dans ses *Contes en vers, Contes en prose* et dans *le Livre des mères et des enfants*, 1840), et surtout de ses émotions de femme et de poète (*Élégies et Poésies nouvelles*, 1825 ; *les Pleurs*, 1833 ; *Pauvres Fleurs*, 1839 ou *Bouquets et Prières*, 1843). Saluée par tous les grands noms du romantisme, elle voit sa notoriété croître encore quand Sainte-Beuve préface avec chaleur en 1842 son *Choix de poésies* : « Elle a chanté sans autre science que l'émotion du cœur, sans autre moyen que l'émotion naturelle. »

Mais celle que la mort des anonymes a déjà tant éprouvée lors des insurrections populaires de 1831 et 1834 à Lyon, où elle résidait avec Valmore, va désormais subir le cruel cortège des années endeuillées : Inès meurt à vingt ans en 1846, Mme Récamier trois ans plus tard, les deux sœurs de Marceline en 1850 et 1854, Latouche en 1851, la fille d'Ondine en 1852, et Ondine elle-même, poète comme sa mère, en 1853. En 1858, Pauline Duchambge, sa meilleure amie, prendra place sur le sinistre registre obituaire un an avant que Marceline elle-même, brisée, ne s'éteigne à Paris, le 23 août 1859. Durant ces quinze années de souffrances morales, elle avait publié encore de nombreux contes et nouvelles (*Huit Femmes*, 1845 ; *les Anges de la famille*, 1849 ; *Jeunes Têtes et Jeunes Cœurs*, 1855), qui témoignent d'une générosité et d'une tendresse intactes malgré les épreuves. En 1860, ses très nombreux inédits poétiques seront regroupés et publiés à Genève par les soins d'un ami fidèle, Gustave Revilliod, sous le titre de *Poésies inédites*.

La poésie au naturel

« Naturelle » : dès 1842, Sainte-Beuve avait usé de cet adjectif qui allait revenir sous la plume de tous les admirateurs de Marceline, y compris de l'« artificiel » Baudelaire, qui saluera chez elle « le soupir naturel d'une âme d'élite, l'ambition désespérée du cœur ». Acceptons le mot, puisqu'il désigne à la fois la transparence et l'immédiateté du lyrisme de l'auteur des *Élégies* et des *Pleurs*, l'ingénuité et l'innocence des *Contes,* l'authenticité et la ferveur des *Poésies* ou des *Bouquets et Prières.* On est loin, chez Marceline, en effet, de toute falsification sentimentale, des apprêts et des poses de l'écriture ; on est rarement pris au piège des clichés et des poncifs d'un romantisme qu'elle eut, en fait, le mérite de précéder plus que de subir.

Au romantisme de la génération de 1830 elle tient pourtant par toutes les fibres de sa sensibilité, et elle en a vécu sincèrement toute la thématique : celle de l'interdit et du sacrifice passionnel, qui imprègne les recueils de la jeune fille comme ceux de la femme vieillissante, qui est le fil rouge, brûlant mais ténu, de son œuvre ; celle de l'attachement au terroir, à sa Flandre natale (« Un ruisseau de la Scarpe », « Sol natal ») ; celle de l'attendrissement maternel et de l'exaltation de l'innocence enfantine (« Ondine à l'école », « le Cantique des mères ») ; celle encore de la ferveur religieuse, parfois mystique (« la Couronne effeuillée », « Renoncement ») ; celle enfin de l'engagement et de la protestation sociale (« Dans la rue, par un jour funèbre de Lyon »), même si elle confond parfois un peu passion et compassion. C'est donc à bon droit que Jeanine Moulin soulignait qu'en ces temps où les femmes furent « muses » bien plutôt qu'inspirées elles-mêmes par la

Muse, « les thèmes de l'inspiration valmorienne offrent une diversité dont on ne rencontre que peu ou pas d'équivalent dans la poésie féminine ».

Mais « naturelle » Mme Desbordes-Valmore le fut bien davantage encore dans la pratique d'une écriture qui paraît, là aussi, plus novatrice qu'imitatrice. Cette femme, dont la poésie battit vraiment au « rythme organique du cœur » (G. Picon), sut inventer un langage qui, par sa simplicité lexicale, par l'efficacité de ses images tantôt gracieuses ou sensuelles (« les Cloches et les Larmes »), tantôt cosmiques (« les Roses de Saadi »), par la mélodie subtile de ses mètres impairs (« Rêve intermittent d'une nuit triste »), et par ses originalités syntaxiques ou strophiques, ne fut pas sans influence sur notre modernité poétique. Si la « voix » de Marceline emprunte parfois à l'espièglerie des trouvères ou à la transparence de Racine – qu'elle joua à la scène –, elle anticipe ici sur les susurrements du Verlaine des *Romances sans paroles*, là sur l'impressionnisme de cet autre « mal-aimé » que fut Guillaume Apollinaire, ailleurs encore sur les chants de ces amoureuses de vie et de mots que seront, après elle, Anna de Noailles ou Marie Noël.

Sans prétention littéraire, presque sans culture et sans éducation, Marceline Desbordes-Valmore a laissé une œuvre-miroir dont le temps a pu rider la fragile élégance mais sûrement pas voiler le reflet limpide dont Verlaine, à la veille de sa mort, honorait encore l'attachante authenticité :

Il chante, l'ample fleuve au capricieux cours,
L'hymne infini de toute la tendresse humaine
Où la fille et l'amante et la mère ont leurs tours...

D. Rincé

DESCARTES René

(1596-1650)

Descartes est-il « cartésien » ? La rigueur logique des quatre règles énoncées dans le *Discours de la méthode* et du « Je pense, donc je suis » n'est en réalité que l'aspect le plus connu d'une aventure spirituelle qui intègre, sous toutes ses formes, la dimension du temps : celui où vécut le philosophe, le temps de Galilée, de Harvey, de Huyghens, un temps où la principale occupation d'un gentilhomme est la guerre ; le temps qui fait mûrir une réflexion personnelle ; mais aussi celui des souvenirs, des bilans, le temps compté qui s'enfuit – le *Discours de la méthode* est construit comme un récit, les *Méditations* sont divisées en « journées », fussent-elles de plusieurs mois, la *Correspondance* témoigne d'opinions en constante progression. Le temps de la vie et le temps de la pensée se renvoient l'un à l'autre : au risque de menacer la cohésion de sa philosophie, Descartes ne perdra jamais de vue l'homme réel ; et, en le situant dans le temps où il peine, il cherchera moins à le comprendre qu'à l'aider : d'où ce traité *Les passions de l'âme*, dont l'enseignement n'est que ruses de l'âme condamnée à vivre, avec le corps, une irrémédiable union.

Un gentilhomme-philosophe

René Descartes naît le 31 mars 1596 à La Haye, près de Tours, dans une famille de petite noblesse. Son père, conseiller au parlement de Bretagne, veille sur ses études avec soin et l'envoie, à dix ans, chez les jésuites de La Flèche. Élève pieux et doué, il gardera le meilleur souvenir de ses maîtres, tout en n'hésitant pas à fustiger, par la suite, un enseignement par trop fidèle à la tradition scolastique. En 1611, un événement était venu frapper le collégien : l'annonce des découvertes faites par Galilée grâce à l'invention de la lunette astronomique. Au sortir de l'école, le jeune Descartes reçoit le complément d'éducation qui convient à son état de gentilhomme : danse, équitation, escrime ; et, en 1616, tout naturellement, le voici militaire : il sert d'abord en Hollande, sous les ordres du prince d'Orange, puis, en 1619, auprès du duc Maximilien de Bavière. D'autres préoccupations ne laissent pas, cependant, de le hanter : « Le commencement de l'hiver m'arrêta en un quartier où, ne trouvant aucune conversation qui me divertît, et n'ayant par bonheur aucuns soins ni passions qui me troublassent, je demeurai seul dans un poële où j'avais tout loisir de m'entretenir de mes pensées » (*Discours de la méthode*). À la même époque, le 10 novembre 1619, il connaît une nuit d'enthousiasme où une « révélation admirable » lui découvre sa vraie vocation, en lui laissant entrevoir les principes d'une nouvelle philosophie. En 1620, il quitte la vie militaire pour voyager à travers l'Europe. Revenu à Paris en 1626, il commence à diffuser ses idées dans le public avec les encouragements du cardinal de Bérulle, fondateur de l'Oratoire et adversaire des jésuites. Le temps est alors venu. Descartes s'établit en Hollande, où, durant vingt ans, il entretient une correspondance réglée avec le monde savant et rédige son œuvre : les *Regulae ad directionem ingenii* (1628), le *Discours de la méthode* (1637), les *Méditations* (1641), *les Passions de l'âme* (1649). Le philosophe ne dédaignait pas le commerce des femmes, moins « instruites » que les hommes, donc moins soumises aux préjugés : sa *Correspondance* avec la princesse Élisabeth de Bohême et la reine Christine de Suède illustre bien le plaisir que trouvait le gentilhomme à débattre avec des femmes d'esprit d'une œuvre déjà célèbre dans l'Europe cultivée. En 1649, pressé par la reine Christine, il se rend en Suède, à contrecœur. Séjour fatal : le dépaysement, le climat, l'hostilité de la Cour, les exigences de la reine, qui ne voulait étudier qu'au petit jour, eurent raison de sa santé : à l'aube du 2 février 1650, se rendant au palais, il fut saisi par le froid. Atteint de pneumonie, il mourut huit jours plus tard, le 11 février 1650.

L'assurance technique

« Toute ma physique n'est autre chose que géométrie » (lettre à Mersenne). Formulées à la première personne, les *Regulae* jalonnent les étapes d'une difficile praxis ; car, pour faire cette « physique »-là, il faut s'accoutumer à ne voir du monde sensible que l'unique connaissable : la figure et l'extension. À cette seule condition, l'analyse fera apparaître l'ordre rigoureux commun à la disposition des choses et aux lois innées des mathématiques. Ordre à la fois réel et rationnel que

Descartes cherche dans le monde, en s'attaquant à un vaste traité (*le Monde* ; *l'Homme*) qui étudiera la lumière, le Soleil, les étoiles fixes, les comètes, la Terre, et enfin « l'homme, qui en est le spectateur ». Le philosophe décrit un univers héliocentrique où les mouvements des sphères, se déplaçant dans l'espace, s'expriment aisément en un langage d'autant plus parfait que Descartes est l'inventeur de la géométrie analytique, sa plus durable découverte scientifique. Et « l'homme, spectateur des mondes » ? Instruit par les dissections qu'il pratique à Amsterdam, Descartes réserve à l'étude du corps humain le même traitement qu'à celle des autres objets. En vogue au XVIIe siècle, les automates lui fournissent le modèle d'un corps machiné dont « toutes les parties n'agissent les unes sur les autres que par leurs mouvements » (F. Alquié). Mais, en 1633, Galilée est condamné. Descartes renonce aussitôt à publier son ouvrage. A-t-il craint d'être frappé à son tour ? Il semble plutôt qu'il ait déjà aperçu les limites du « mécanisme ». Le monde dont il traite est une « fable » (*mundus est fabula*). Pourquoi opposer une fable à une autre ? Le langage déréalisé de la physique géométrique, certain en son plan, n'est pas du même ordre que celui du récit biblique, totalisateur en un autre plan. Si la prudence a inspiré Descartes, elle est surtout le fait d'un homme qui sait distinguer entre les discours et évaluer leurs limites respectives. Mais de ce renoncement l'assurance technique ne sort pas affaiblie : le *Discours de la méthode* en est au contraire tout illuminé. Le propos de Descartes est d'y « représenter sa vie comme un tableau », quitte à juxtaposer la narration linéaire d'une existence en forme de récit initiatique et l'exposé d'une doctrine qui se veut intemporelle.

Le *Discours de la méthode* : dire ou construire

Le *Discours* est d'abord l'histoire d'une vie, qui s'inscrit dans un ordre événementiel : une éducation « en l'une des plus célèbres écoles de l'Europe » ; des voyages, des guerres qui font voir « des cours et des armées », « des gens de diverses humeurs et conditions » : narration sans pittoresque, jalonnée de dates, mesurée en périodes ; c'est le temps de l'horloge. Un récit initiatique ? Mais le philosophe s'empresse de jeter sur la singularité du « je » le voile d'un « moi » que rien ne distingue d'autrui : « Pour moi, je n'ai jamais présumé que mon esprit fût en rien plus parfait que celui des autres hommes. » Dès lors, l'apprentissage individuel s'efface derrière le dessein philosophique : témoin la déception du jeune Descartes face à l'enseignement reçu à La Flèche, fortement soulignée par une série de « mais ». Désenchantement personnel ? Certainement, mais également signe d'une gêne croissante, commune aux savants du XVIIe siècle, devant le principe d'autorité. Descartes a du goût pour les « métaphores d'architecture » (M. Serres) ; or, l'enseignement des jésuites est juste bon à construire une de ces cités désordonnées, dues à la fortune, alors que le philosophe doit « bâtir une de ces places régulières qu'un ingénieur trace à sa fantaisie dans une plaine » (*Discours*, II). L'itinéraire initiatique de Descartes sert de modèle à la conduite du bon « ingénieur » : d'un côté, « déraciner », « arracher », « détruire » les opinions douteuses pour dégager la « plaine » ; de l'autre, dessiner la place à l'aide d'une méthode scientifique éprouvée, qui, pour l'auteur du *Discours*, se résume à quatre « préceptes » réglant l'enchaînement de propositions évidentes.

Rédigé en français et publié en 1637, le *Discours de la méthode pour bien conduire sa raison et chercher la vérité dans les sciences* se compose de six parties, auxquelles ont été ajoutés trois discours scientifiques qui sont des essais de cette méthode et auraient été intégrés au *Traité de la lumière* (autre titre du *Monde*) : *la Dioptrique, les Météores, la Géométrie*.

SYNOPSIS

Dans la *première partie,* Descartes indique la nature de son projet : représenter sa vie comme en un tableau, et fait part des doutes que lui inspirent l'incertitude qu'il a trouvée dans les sciences et la diversité qui règne dans les opinions des hommes. La *deuxième partie* affirme la volonté de se délivrer des opinions dans lesquelles subsistera le moindre doute et expose les quatre préceptes de la méthode qui permettront de remplacer ces opinions par une science certaine. Dans la *troisième partie,* Descartes définit les préceptes d'une « morale par provision » qu'il cherchera à suivre en attendant d'appliquer son esprit à la recherche de la vraie sagesse. Dans la *quatrième partie,* le philosophe découvre par le *« Cogito, ergo sum »* (je pense, donc je suis) l'existence de sa pensée et la séparation des substances, pensée et étendue. Il prouve ensuite l'existence de Dieu par les idées de perfection, de dépendance et de création continue ; quant à l'existence du monde sensible, nous en avons une « assurance morale » fondée sur la véracité divine. La *cinquième partie* contient l'exposé des principes d'une physique mécanicienne, qui mèneront de la connaissance du monde spatial à celle du corps humain. Enfin la *sixième partie* annonce une physique nouvelle dont les applications pratiques rendront les hommes « maîtres et possesseurs de la nature ».

Mais ce n'est pas tout d'abattre le « logis » pour le reconstruire, encore faut-il trouver le refuge d'un toit provisoire ; bref, il faut vivre. D'où la nécessité d'une morale. Comme don Juan abritant ses intrigues sous le manteau de l'hypocrisie, sans vivre d'« autre façon en apparence » qu'un gentilhomme de sa condition, le philosophe s'acharnera à faire table rase des préjugés sous le « masque » d'une « morale par provision ». Il se conduira en bon citoyen, soumis aux lois, à la religion, modéré dans ses opinions, acceptant la contrainte sociale pourvu que soit sauvée la liberté intérieure.

La « plaine » est dégagée, l'« ingénieur » en possession d'une méthode et d'une morale. Pourquoi Descartes s'aventure-t-il sur le terrain métaphysique ? En réalité, le discours métaphysique rejoint ici le discours scientifique : le doute du *Discours de la méthode* est la figure universelle de la déception désarmée par l'évidence ; le *cogito*, modèle, type même de l'évidence claire et distincte, pose le primat de l'entendement qui la conçoit ; enfin et surtout la séparation radicale des substances en pensée et étendue, hâtivement déduite du *cogito*, assure les fondements de la physique mécanicienne : dorénavant l'étendue, vidée de tout pouvoir occulte, appartient sans restriction au domaine du physicien. Les preuves de l'existence de Dieu, elles-mêmes, servent le dessein scientifique : ce Dieu parfait qui tient tout en sa dépendance, à commencer par nous-mêmes, est le « créateur des vérités éternelles » dont Descartes entretenait déjà Mersenne en 1630. Tout à la fois, il rappelle le savant à l'humilité et affermit sa confiance : créées par Dieu, les lois physiques sont premières par rapport à l'entendement, mais la perfection divine assure leur pérennité.

Seul reste précaire le statut ontologique du monde sensible : les illusions de nos sens, de nos rêves rendent son existence incertaine. À moins d'être « extravagant », on ne saurait la nier ; mais, garantie seulement par l'« assurance morale » que Dieu nous en donne, elle n'en reste pas moins extérieure aux évidences du *Discours*. Mais qu'importe, du moment que la substance « étendue » se dévoile dans ses trois dimensions ? La possible irréalité du monde sensible n'empêche pas la science cartésienne de « tourner », comme le monde de Galilée. Pourtant, une double inquiétude palpite entre les lignes ambitieuses du *Discours*. L'« ingénieur » se rendra un jour « maître et possesseur de la nature » ; mais cette nature, quelle est-elle ? L'« anatomie » ira en se perfectionnant. Connaîtra-t-on pour autant « le vrai homme » (*Discours*, VI) ?

Les *Méditations*

À la recherche de l'être

Les premiers paragraphes des *Méditations* montrent un homme anxieux, pressé. À cette époque, pourtant, la réputation de Descartes n'est plus à faire ; son angoisse se situe à un autre niveau. On voit le savant se détourner de la pratique scientifique au profit de la « philosophie première » : la précarité des conclusions métaphysiques du *Discours* lui est apparue. Au rythme alerte du *Discours* succède celui, plus grave, de la « contention d'esprit ». Les six *Méditations* reprennent les thèmes du doute, du *cogito*, de l'existence de Dieu et du monde sensible ; mais tout triomphalisme scientifique est désormais banni. Le projet a fondamentalement changé de nature.

Les *Méditations sur la philosophie première, dans laquelle sont démontrées l'existence de Dieu et l'immortalité de l'âme* furent rédigées en latin et d'abord publiées dans cette langue. Le duc de Luynes en donna une traduction française (1647). Elles comportent six étapes.

SYNOPSIS

Dans la *Méditation* Ire, Descartes décide de mettre méthodiquement en doute toutes les données des sens et de l'imagination, ainsi que les connaissances acquises par l'entendement ; apparaît l'hypothèse du « malin génie ». La *Méditation* IIe contient une analyse du nouveau « cogito » qui permet au philosophe de poser son existence comme certaine, existence dont l'attribut principal est la pensée. La *Méditation* IIIe démontre l'existence de Dieu par l'idée innée d'infini. La *Méditation* IVe traite « du vrai et du faux » : l'origine de l'erreur se trouve dans l'articulation de la liberté qui est en moi infinie et de mon entendement fini, entraînant une adhésion trop hâtive à des propositions dont l'évidence n'est pas prouvée. La *Méditation* V^e^ établit que l'« essence des choses matérielles » est l'étendue géométrique ; quant à l'existence de Dieu, elle peut être prouvée par la seule analyse de son essence. Selon la *Méditation* VIe, Dieu, dont la véracité ne peut être mise en doute, a mis en moi une forte « inclination » à croire que les impressions venues des sens avaient pour origine la substance matérielle : donc celle-ci existe. D'autre part, les sens ont pour fonction de nous indiquer ce qui est utile au composé d'âme et de corps qui constitue le « vrai homme ».

Les *Méditations* ont été publiées en même temps que les « Objections » adressées à Descartes avec les « Réponses » à ces objections.

Le doute est là, d'abord, mais sa tension s'accroît. S'il y a un Dieu qui peut tout, pourquoi ne permettrait-il pas qu'en tous les domaines « je me trompe quelquefois » ? Mais y a-t-il alors une seule existence certaine ? À ce vertige du probable ne peuvent être opposés qu'un « Que sais-je ? », tombé en désuétude au XVIIe siècle, ou un affrontement qui radicalise le doute. Descartes imagine alors l'hypothèse d'un « malin génie » doué d'une liberté égale à celle de Dieu mais qui, tournée vers le mal, répondrait à mon désir de vérité par une constante volonté de mensonge. Complice de son persécuteur, le philosophe s'acharne à tout nier : « Toutes les choses que je vois sont fausses [...], rien n'a jamais été de tout ce que ma mémoire remplie de mensonges me représente » (*Méditation* IIe). Mais, dans leur excès même, les « ruses » du trompeur tournent à l'avantage de sa victime : une illusion, fût-elle généralisée, renvoie nécessairement à un être qui en est le jouet. D'où ce cri de victoire : « Je suis, j'existe », *cogito* d'un style nouveau, purement existentiel, intuition d'un être qui s'aperçoit qu'il est sans savoir « quel il est ». La révélation de son essence fera l'objet d'une expérience existentielle ultérieure, décrite dans l'épisode du « morceau de cire ». Une scène d'un réalisme inattendu : méditant au coin du feu, le philosophe malaxe de la cire fraîchement « tirée de la ruche ». Elle s'amollit bientôt : la saveur, l'odeur, la couleur, la forme préalablement perçues s'évanouissent. Seule pendant cette transformation dure l'activité de l'esprit occupé à inspecter l'objet : la pensée du philosophe, sujette à mille impressions incertaines, a cependant assuré la permanence de son être. D'où la forme définitive du nouveau *cogito* : « Je suis une chose qui pense. »

Fermé sur lui-même, le *cogito* n'offre d'autre issue vers l'être que ses propres pensées. Certaines, sujettes à erreur, comme les volitions, les jugements, ne mènent nulle part. D'autres, comme les affections et les idées, vraies en elles-mêmes, n'instruisent le sujet que sur le contenu de sa conscience. « J'ai l'âme verte », disaient les Précieuses à la vue d'une prairie, assurées de ne point se tromper tant que leur « âme » seule était en cause. Cependant, parmi les idées, celle qui me représente Dieu se distingue des autres : elle s'impose « à moi » sans être « de moi ». Innée comme les idées mathématiques, elle en diffère dans la mesure où elle échappe au contrôle de l'entendement : « une substance infinie, éternelle, immuable, indépendante, toute connaissante, toute-puissante » (*Méditation* IIIe). L'infini ? Comment le concevrais-je, moi qui suis fini ? Mais en même temps, comment ma finitude m'apparaîtrait-elle si elle ne se détachait sur fond d'infini ? À ce point, l'analyse s'interrompt et fait place à l'effusion lyrique : « Il semble très à propos de m'arrêter quelque temps à la contemplation de ce Dieu parfait, de peser à loisir ses merveilleux attributs, de considérer, d'admirer et d'adorer l'incompréhensible beauté de cette immense lumière » (*Méditation* IIIe). Il y a du mystique chez Descartes : ce Dieu « conçu et non compris », « touché » par l'esprit s'apparente au Dieu augustinien. La « preuve ontologique » utilisée dans la *Méditation* V[e] en témoigne ; plutôt qu'analyse d'essence, elle devient chez Descartes l'aveu d'une impuissance : comment nier l'existence de l'idée fondatrice ? On ne peut concevoir « une montagne sans vallée », disent les tenants de la preuve ontologique classique. Mais il pourrait ne pas y avoir de montagne, répliquent leurs contradicteurs. Dans la *Méditation* V[e], la « montagne »-Dieu s'imposant à moi, « il n'est pas en ma liberté » de la concevoir sans sa « vallée », autrement dit sans l'être.

Vers le monde

Le monde n'est-il qu'une illusion ? En ce siècle où le finalisme n'est plus de mise, les volontés du Tout-Puissant deviennent impénétrables… Alimenté par la pratique déréalisante de la science mécanicienne, par le commerce avec la sagesse stoïcienne, un certain baroquisme traverse souvent l'œuvre de Descartes : un « monde feint », des passants dans la rue qui ne sont peut-être que « des chapeaux ou des manteaux qui peuvent couvrir des spectres ». Dieu n'a-t-il planté sous nos yeux que le décor d'un spectacle qui nous renvoie l'image de la science et notre propre image ? Mais, dans les *Méditations*, la pratique du doute généralisé est en même temps la révélation d'une liberté humaine absolue, égale à celle de Dieu. En face de l'illusion possible, l'homme garde un pouvoir de refus, celui de « suspendre son jugement » ; et ce don qu'il a reçu de Dieu manifeste clairement que celui-ci n'est « point trompeur » ; dès lors, notre « très grande inclination » à croire aux choses corporelles ne peut être mensongère. Voilà donc le monde, dans sa substance et ses apparences, enraciné dans l'existence. Avec ses certitudes : la véracité divine garantit la concordance des idées mathématiques innées et du monde extérieur ; « seul un athée géomètre ne peut être certain de n'être pas déçu ». Mais aussi avec ses leurres : car l'expérience montre à quel point les données des sens peuvent être fallacieuses ; faute d'accroître le savoir humain sur le monde, elles permettront du moins au « vrai homme » de veiller à la conservation de son être.

À l'issue des *Méditations*, le « bâtiment » cartésien paraît consolidé ; il reviendra à Spinoza et à Malebranche d'en déceler les fissures, celui-ci critiquant notamment la thèse de la « très grande inclination ». Pour Descartes, un seul problème demeure : celui de l'union de l'âme et du corps. Comment expliquer ce « mélange » ? « Je ne suis pas seulement logé dans mon corps ainsi qu'un pilote en son navire, mais, outre cela, je lui suis conjoint très étroitement et tellement confondu que je compose comme un seul tout avec lui » (*Méditation* VIe).

Les ambiguïtés de l'union

À l'époque des *Principia philosophiae* (1644), on assiste, d'une part, à une crispation de la doctrine de la bisubstantialité (pensée et étendue) et, de l'autre, à l'effacement de la métaphore de l'édifice au profit de celle de l'arbre. Arbre, symbole de vie, d'irrationalité… De l'« arbre de la philosophie » s'élancent « trois branches principales » : la branche de la « mécanique » est encadrée par celles de la « médecine » et de la « morale », sciences de la conduite. Mécanique et bisubstantialisme vont de pair : la maîtrise du monde est à ce prix. Mais il importe tout autant d'apprendre au « pilote », ballotté par des affections contraires, à garder le cap, caréner son navire, composer avec lui.

En ces mêmes années, sa correspondance avec Élisabeth de Bohême ramène Descartes de l'universalité des vérités philosophiques à l'humilité du quotidien. Face aux épreuves d'une triste princesse exilée, les « deux substances ne sont plus de mise » : c'est le vécu qui compte. Plus que jamais, au risque de déstabiliser l'« édifice », Descartes s'attache à l'« arbre », jusqu'à considérer l'union de l'âme et du corps comme une « notion primitive » à l'égal des deux autres. L'homme a beau philosopher, il sait bien qu'il est « une seule personne » (Lettre à Élisabeth, 1643). C'est à l'intention d'Élisabeth que Descartes écrit son traité *les Passions de l'âme*. Ces passions sont-elles bonnes, mauvaises, peut-on pactiser avec elles ? Lorsque leur fardeau paraît lourd aux épaules d'une femme, peut-elle cependant espérer quelque bonheur encore ? Questions si diverses qu'elles engendrent la diversité du discours cartésien dans ce court traité. Descartes écrit d'abord en anatomiste, et ici le modèle de l'automate est toujours présent : à moins qu'une âme ne vienne s'y greffer, le corps, système clos, est une « machine » où circulent, mêlés, sang et « esprits animaux ». Nos frères inférieurs, exempts de passions, ne disposent que de ce corps-là. Ensuite parle le moraliste : l'âme est une vraie cause, une liberté. Au peureux prêt à fuir elle représente la honte de la déroute, et le capon devient « généreux ». L'union est alors pensée sur le modèle moral du conflit : aux impulsions aveugles du corps, l'âme peut opposer ses pensées, ses volitions : une relation de rivalité, de combat s'instaure entre eux.

Mais il y a du « naturaliste » chez Descartes. La véracité divine sert de fondement à une vérité latente au sein des passions. Les sens ne transmettent-ils pas à l'âme le message de l'utile ? À l'âme revient le rôle de meneur de jeu, d'un jeu des passions sain par lui-même, voire source de bonheur, à condition de savoir ruser avec les plus dangereuses : les hommes que les passions « peuvent le plus émouvoir sont capables de goûter le plus de douceur en cette vie. Il est vrai qu'ils y peuvent aussi trouver le plus d'amertume. » Il y aurait une sagesse idéale : l'art suprême d'un « pilote » à la volonté assez éclairée par la raison et suffisamment vigoureuse pour gouverner heureusement le « navire ». Mais la fortune est souvent contraire, la volonté affaiblie par la puissante complicité du corps et de l'âme. Les *Passions* s'achèvent par un appel à l'habileté du « maître », mais aussi par l'aveu déguisé de notre impuissance, dont la figure morale est la résignation. Il est moins facile de changer nos désirs que de maîtriser le monde.

Un philosophe pour notre temps

Les idées de Descartes se sont largement répandues au XVIIe siècle : sa correspondance en témoigne. Elles sont enseignées dans les grandes universités d'Allemagne, des Pays-Bas ; elles inspirent la *Logique* de Port-Royal ; on verra dans la générosité des héros cornéliens une illustration de la « passion » cartésienne, si l'on veut bien considérer que la magnanimité n'exclut pas le sens de l'utile ; La Fontaine déclare que les païens auraient de Descartes « fait un dieu », et Boileau, par son *Arrêt burlesque* (1671), s'élève contre la condamnation du cartésianisme par le parlement de Paris et, finalement, l'empêche. Seule note discordante, le « Descartes, inutile et incertain » de Pascal (*Pensées*, S. 445), à qui pourtant l'auteur du *Discours de la méthode* avait suggéré, lors d'une rencontre à Paris, les fameuses expériences du puy de Dôme.

Au XVIIIe siècle, les découvertes de Newton éclipsent la physique cartésienne. La théorie des « tourbillons », qui, selon Descartes, présidait au mouvement des mondes, est abandonnée au profit de la gravitation universelle. En même temps, l'engouement que suscite la philosophie anglaise introduite en France par les *Lettres philosophiques* de Voltaire (1734) jette le discrédit sur la métaphysique de Descartes : grand admirateur de Locke et de Newton, Voltaire accuse son compatriote de n'avoir écrit que le « roman de l'âme » tandis que Locke en traçait l'« histoire », et il se gausse de cette prétendue idée innée de Dieu que l'enfant posséderait au berceau. La grande horloge newtonienne lui paraît une preuve bien plus éclatante de l'existence de Dieu que la notion d'infini. En revanche, le courant naturaliste du XVIIIe siècle puise à la source cartésienne : en exilant Dieu hors du monde, en bornant son rôle de créateur à la mise en marche de la grande « machine », Descartes a libéré la nature de l'emprise divine. Elle fonctionne en son plan, livrée à elle-même, et les passions que son « habillage » sensible font naître dans l'homme sont en quelque sorte sanctifiées puisqu'elles le guident vers ce qui est le plus utile à sa conservation, voire à son bonheur...

Mais la philosophie de Descartes prend tout son sens dans un avenir qui est notre présent : au savant, Descartes a promis la conquête de l'univers, mais en même temps il l'a mis en garde contre toutes les sciences aujourd'hui dites humaines ; jamais la science n'épuisera la connaissance de l'« homme vrai », cette liberté située au cœur du monde, capable de le maîtriser mais impuissante à dominer sa propre nature, milieu entre l'Être infini qui la fonde et le néant qui lui assigne ses limites.

M.-A. de Beaumarchais

DESCAVES Lucien

(1861-1949)

Né à Montrouge, près de Paris, Lucien Descaves publie d'abord des romans d'un « naturalisme ranci » (Auriant) : *le Calvaire d'Héloïse Padajou* (1882), *Une vieille rate* (1883), *la Teigne* (1886), qu'il adapte au théâtre dans *la Pelote* (1889, en collaboration avec Paul Bonnetain), et des nouvelles : *les Misères du sabre* (1887), qui lui valent surtout des succès d'amitié. Il sort de l'inconnu quand il signe le *Manifeste des Cinq* contre *la Terre* de Zola (1887) et qu'il fait paraître un roman antimilitariste qui venait à son heure et fit scandale : *Sous-Offs*, scènes de la vie militaire (1889), suivi de peu par l'adaptation scénique de *Bas les cœurs !* de Darien sous le titre : *les Chapons* (1890), qui choqua par le thème (pendant la guerre de 1870, des bourgeois commerçants chassent leur fidèle servante, Catherine, de peur qu'elle n'agresse un Prussien logé chez eux) et par cette réplique finale, à la vue du défilé des Prussiens : « Ah ! les pauvres gens ! »

C'est bien à la plainte déposée par Freycinet, alors ministre de la Guerre, contre *Sous-Offs* que l'auteur des *Emmurés* (1894), roman sur les aveugles, et d'œuvres romanesques sur la Commune (*la Colonne*, 1901 ; *Philémon, vieux de la vieille*, 1913) dut sa réputation : s'ensuivirent un procès, une protestation dans *le Figaro* du 24 décembre 1889, signée Daudet, Zola, Ohnet, Goncourt, Richepin..., et un acquittement. Procédant par tableaux, Descaves évoquait dans son livre la grisaille de la vie de garnison, dénonçant les prérogatives des gradés, les injustices et les lâchetés quotidiennes, dans un style qui ne manquait pas de vigueur (« Le galonnat a développé les germes naturels, et, très intimement, les vénéneuses saloperies de l'autorité champignonnent »), empruntant à l'argot du soldat (« on les comptait, au régiment, ceux qui repiquaient »), aux déformations populaires (« dans une salle où vingt personnes s'auraient senti les coudes »... « Garde à vô... Expliquez-leur-z'y le mouvement. Il ne faut pas que l'arme va-t-et-vienne »). Ce style, par son maniement de la métaphore (celle du sang, en particulier : « Aveuglantes, en façade, saignent les épaulettes, dont les pattes fouillent le paquetage, semblables à des mains meurtrières, aux égouttures coagulées ») et du substantif abstrait, ne devait pas déplaire à Edmond de Goncourt.

A. Pierrot-Herschberg

DESCHAMPS Émile

Émile DESCHAMPS de SAINT-AMAND *(1791-1871)*

Poète et traducteur, Émile Deschamps est né à Bourges dans une famille aisée. Son père, fermier général, tenait à Paris salon, rue Saint-Florentin, et la « naissante hérésie » romantique y forma l'un de ses premiers cénacles. C'est là que le jeune Émile rencontra Henri de Latouche, avec lequel il écrivit deux comédies, *Selmours* et *le Tour de faveur* (1818), qui connurent un vif succès ; c'est là qu'il fit connaissance de Hugo, en compagnie duquel il fonda *la Muse française* (1823), et de Vigny, qui collabora à sa traduction de *Roméo et Juliette* (1827). Activités tournées vers la diffusion des idées de la nouvelle école et l'ouverture aux autres littératures, et que devaient prolonger *les Études françaises et étrangères* (1828) et leur importante Préface [voir **Romantisme**] : dès lors, Deschamps fut salué comme un maître à penser par ces romantiques qui se réunissaient en son salon de la rue de la Ville-l'Évêque, où Hugo avait lu sa Préface de *Cromwell* (1827). Toutefois, refusant de s'engager sur le terrain politique et de faire de l'art une arme de combat, il vit son rôle décliner ; en apparence du moins, car le culte de la forme développée dans la Préface des *Études* devait attirer à lui les jeunes poètes du « regain de 1830 » de même que les parnassiens ou même Mallarmé. Jusqu'à la fin de sa vie, il fut sollicité par les revues, qui lui demandaient articles et traductions. Et la cécité qui le frappa dans sa retraite versaillaise ne l'empêcha pas de continuer à jouer le rôle de « maître » auprès de ces jeunes écrivains pour lesquels il demeurait « la lueur douce de la farouche aurore romantique » (Catulle Mendès).

Plus que tout autre, Émile Deschamps a contribué à élargir l'horizon littéraire des Français : non point théoriquement, à la manière de Mme de Staël, mais en donnant de nombreuses traductions et adaptations, tant de l'anglais (Shakespeare, dont il fit jouer *Macbeth* en 1848) que de l'allemand (Goethe, Schiller, Uhland et même les *Lieder* mis en musique par Schubert), de l'espagnol (le *Romancero*) ou du russe. « En vérité, jusqu'à ce qu'il se présente un génie inventeur, les traducteurs doivent avoir la parole » (Préface des *Études*, II) : propos humble, à l'opposé du sonore fracas des formules hugoliennes ; attitude mesurée qui traduit plutôt le désir de régénérer le classicisme (ne juge-t-il pas, dans les *Études*, que l'épithète « romantique » est « surannée » ?) que celui de bouleverser la littérature ; situation qui explique la prépondérance accordée à l'écriture (« La forme n'est rien, mais rien n'est sans la forme », lettre à Armand Silvestre) et fait de Deschamps moins un poète original (le recueil de ses *Poésies* de 1841 comporte surtout des traductions et quelques poèmes dans des genres secondaires : ballades, rondeaux, élégies, etc.) que le maillon indispensable de l'histoire de la poésie française dont parle Banville : celui qui unit, par-delà les écoles et les tendances, les amoureux de la forme.

D. Couty

DESCHAMPS ou MOREL Eustache
v. EUSTACHE DESCHAMPS

DES FORÊTS Louis-René

(1918-2000)

De manière plus radicale encore que les écrivains du nouveau roman, Louis-René Des Forêts a fait entrer la littérature de l'après-guerre dans l'*ère du soupçon*. Son œuvre, qui se défie constamment de ses procédés et s'emploie à exhiber les rouages de toute fiction, égare en effet le lecteur dans les méandres de dispositifs singulièrement complexes. On ne saurait pour autant retenir de cette œuvre sa seule dimension critique, tant elle apparaît empreinte de la nostalgie d'un rapport sensible et immédiat au monde – comme si elle avait trouvé sa dynamique propre dans le tiraillement irrésolu entre le constat d'une cruelle incommunicabilité et le souvenir obsédant d'une harmonie perdue, entre la tentation du mutisme et la nécessaire dynamique de l'écriture. Par ailleurs, l'intransigeance d'une quête en marge des principaux mouvements littéraires ne doit pas occulter l'importance de relations amicales privilégiées, avec Raymond Queneau côtoyé aux éditions Gallimard, avec Maurice Blanchot qu'il accompagne dans l'entreprise du « Manifeste des 121 », ou avec le groupe d'écrivains rassemblés dans la revue *l'Éphémère*, dont il est l'un des fondateurs. Écrivain secrètement actif, influent par sa discrétion même, Louis-René Des Forêts est aujourd'hui l'une des références majeures de la littérature française contemporaine, comme en témoigne par exemple l'hommage que lui a rendu Pierre Michon au travers de ses *Vies minuscules*.

Son engagement dans la Résistance n'empêche pas le jeune écrivain de publier son premier roman en 1943. L'écriture virtuose des *Mendiants*, enchevêtrant des monologues prêtés à divers personnages, ne peut certes manquer de faire songer à l'écriture de Faulkner, mais le titre et l'intrigue expriment déjà un état de manque et une tension du désir qui seront le propre de tous ses personnages ainsi que le vrai moteur d'une œuvre profondément marquée par les blessures de l'adolescence et la confrontation avec une Loi arbitraire. La composition de prime abord plus classique du *Bavard* (1946) dissimule en réalité une féroce entreprise de dynamitage de la fiction traditionnelle. De même que le bavard se perd dans une vertigineuse logorrhée afin de se délivrer de la parole, l'écriture semble ne se déployer que pour se retourner finalement contre elle-même, le livre s'achevant avec la violente interpellation à un lecteur trop crédule. On ne s'étonne pas que ce cri de désenchantement, exacerbé jusqu'au nihilisme, prélude à une longue période de retrait provisoirement suspendue avec la publication de *la Chambre des enfants* (1960, prix des Critiques). Ce recueil de cinq nouvelles, dont quatre seulement seront retenues pour les éditions ultérieures, présente une succession de récits « toujours en quête d'un but peut-être inaccessible ». De fait, ces textes se révèlent imprégnés par l'échec, évoquant une relation des plus problématiques avec un passé incertain et un langage foncièrement frauduleux.

Après le roman, le récit et la nouvelle, la voix de Louis-René Des Forêts donne à entendre l'une de ses mues les plus saisissantes avec le long poème obscurément autobiographique des *Mégères de la mer* (1967), consacré au sentiment d'une rupture irrémédiable consécutif à la découverte de la sexualité. Malgré l'ampleur d'un vers excédant nettement l'alexandrin, ce texte n'en reconduit pas moins la même tension désespérée d'un écrivain « emmuré dans les mots, tâtonnant dans la nuit des images ». D'ailleurs, Des Forêts choisit, après cette douloureuse exploration d'un « mauvais tourment d'enfance », de se consacrer presque exclusivement à la peinture durant une dizaine d'années. Son œuvre semble alors devoir s'achever avec un long silence interrompu seulement par les *Poèmes de Samuel Wood* (1988) et par les extraits, dispersés dans des revues, d'une entreprise autobiographique commencée en 1975. La publication d'*Ostinato* en 1997 met donc fin au mythe d'un chef-d'œuvre inconnu dont le lecteur ne pourrait jamais connaître que quelques fragments épars. Cependant, cette autobiographie lacunaire se présente comme un « état provisoire excluant toute possibilité d'achèvement ». Car la fragmentation de l'ouvrage, l'afflux désordonné d'évocations voilées et l'extrême resserrement du style traduisent un refus de substituer quelque ordre factice à l'imprévisible jaillissement des souvenirs : ce travail *obstiné* du souvenir ne saurait produire que « faux reflets et signes douteux ».

Reste que si la seconde partie du livre, endeuillée par la mort de la fille de l'auteur en 1965, est dominée par l'amertume et la fatalité de l'échec, le texte s'ouvre avec l'évocation étonnamment sensuelle d'une enfance s'abandonnant avec délice à sa découverte du monde. Yves Bonnefoy, s'opposant à une célèbre analyse du *Bavard* par Maurice Blanchot, pouvait donc reconnaître chez Des Forêts une problématique « qui est moins celle de l'écriture qu'une question sur l'amour ». La passion pour la musique qui traverse son œuvre révélerait ainsi une tension vers un langage infra-verbal à l'unisson des moindres frémissements du corps, tandis que les importants jeux d'intertextualité signaleraient la perte irrévocable d'une innocence des mots, condamnant l'écrivain à emprunter les détours mensongers de la fiction.

V. Hugotte

DESMARETS *ou* DESMARETZ DE SAINT-SORLIN Jean

(1595-1676)

« Esprit universel et plein d'invention », selon Tallemant des Réaux, Desmarets eut une curieuse carrière. Il était doué pour tous les arts et s'essaya à tous les genres. Mais la protection dominatrice de Richelieu fit de lui un dramaturge forcé pendant sept ans, jusqu'à la mort du cardinal, en 1642. Ce qui ne l'empêcha pas d'écrire des œuvres honorables, et même une des meilleures comédies de l'époque, *les Visionnaires* (1637).

Ce favori de Richelieu fut conseiller du roi, contrôleur général de l'extraordinaire des guerres et secrétaire général de la marine du Levant. Mêlé à tous les projets du cardinal, il devint en 1634 un des premiers académiciens français, en même temps que Boisrobert, et participa à la rédaction des *Sentiments de l'Académie sur « le Cid »*. La faveur du pouvoir ne lui valut pas que des amitiés, mais ceux qui, comme d'Aubignac, s'attaquèrent imprudemment à son œuvre en subirent immédiatement les conséquences. Il faut dire que la part prise par Richelieu à la composition des œuvres de son protégé (n'aurait-il fourni que des sujets, des plans) est admise par beaucoup d'historiens, qui reconnaissent ici ou là l'influence directe soit de l'homme politique, soit de l'amateur.

Desmarets composa, en 1632, un roman historique dans le goût de l'époque, *Ariane*, qui brasse tous les lieux communs de la littérature romanesque. Ses pièces en vers furent réunies dans ses *Œuvres poétiques* en 1643. Une épopée, *Clovis ou la France chrétienne,* entreprise dès 1637, ne parut qu'en 1657. Mais c'est par son théâtre – écrit sans doute exclusivement sur ordre, puisque son activité dramatique cessa l'année même de la mort de son protecteur – qu'il reste le plus connu. De 1636 à 1642, il composa pratiquement une pièce par an. Après *Aspasie* (1636), il donna *les Visionnaires*, comédie qui eut un très grand succès en dépit des critiques formelles des doctes, et qui se laisse encore lire aujourd'hui. Cette série de portraits de personnages visionnaires (ou « bizarres ») réunis par une intrigue-prétexte (un père visionnaire entend marier ses trois filles visionnaires avec trois futurs gendres qui ne le sont pas moins) prend comme modèles des individus réels que les contemporains, prévenus, reconnurent aussitôt.

Desmarets composa ensuite deux tragi-comédies à sujet historique, *Scipion* et *Roxane* (1639), qui furent appréciées ; mais il reste plus connu pour *Mirame* (1641), commandée par son maître pour l'inauguration de la grande salle du palais Cardinal, et représentée dans une mise en scène fastueuse où interviennent de coûteuses machines. En dépit de l'extrême préciosité de son dialogue (toujours Richelieu ?), on la retrouve quelques années plus tard au répertoire de l'Hôtel de Bourgogne.

Erigone (1641) fut pour son auteur une tentative unique dans la tragi-comédie en prose, et *Europe*, sa dernière pièce (1642), était une comédie héroïque mettant en scène des allégories et défendant ouvertement la politique du cardinal. En confrontant différentes nations (dont l'Espagne, qui est fort mal traitée), elle rappelle parfois le thème de certains ballets joués à la Cour.

J.-P. Ryngaert

DESNOS Robert

(1900-1945)

Si l'histoire du surréalisme garde de Robert Desnos l'image du jeune *fanatique* s'abandonnant corps et biens aux naufrages de la conscience, c'est à ses *Chantefables* que le poète doit aujourd'hui sa renommée la plus large, selon le pressentiment de son *Journal* de 1944 : « Les poèmes pour enfants auront survécu un peu plus longtemps que le reste. » La légèreté souriante de ses savoureuses comptines ne peut néanmoins faire oublier la diversité d'une œuvre étonnamment ouverte, qui mêle les audaces surréalistes et la simplicité des chansons populaires, tout comme elle sait répliquer à une poignante évocation des « douleurs de l'amour » par la précieuse inconséquence d'une imagerie enfantine.

Le prophète du surréalisme

Né à Paris en 1900, Robert Desnos est très tôt fasciné par le pittoresque quartier des Halles, principal décor de son enfance que sa poésie ne cessera de célébrer. Il se désintéresse vite des études au profit de lectures mêlant dans un même enthousiasme les vers de Hugo, les aventures de Fantômas et les images naïves des illustrés. Autodidacte, trop jeune pour avoir été mobilisé durant la Grande Guerre, il saura ainsi compenser par la variété de ses intérêts et l'ardeur de son engagement tout ce qui le sépare de ses futurs camarades surréalistes. En exerçant divers petits métiers, il se consacre à l'écriture et rédige en 1919 des *Prospectus* marqués par l'influence de Laurent Tailhade et de Guillaume Apollinaire. Introduit en 1922 au sein du groupe constitué autour d'André Breton, il se voit associé aux débuts du surréalisme. Il écrit alors des *Nouvelles Hébrides* (posth., 1978) débridées et fantaisistes où l'écriture automatique est mise au service d'un roman parodique entraînant ses nouveaux amis dans de délirantes aventures. Déjà, la toute-puissance du rêve, l'affirmation provocante du désir et le jeu avec le langage annoncent les principales tendances de son œuvre ultérieure.

À cette époque, la recherche d'un discours de l'inconscient amène les surréalistes à se passionner pour des expériences de sommeil hypnotique qui permettent à Robert Desnos de prendre une place de premier plan. Véritable héros de cette « vague de rêves » célébrée par Aragon, il entre à volonté dans un état second, en médium inspiré qui captive le groupe par des paroles prophétiques et des dessins mystérieux. Du pouvoir de fascination exercé par ces singulières séances témoigneront aussi bien de célèbres photographies de Man Ray que l'évocation admirative de Breton dans *Nadja*. Sans doute ne faut-il pas exclure, chez un jeune poète qui cherche alors à impressionner ses aînés, une part de simulation ; mais cela ne saurait en rien amoindrir l'étourdissante virtuosité des discours nés de ces improbables « sommeils ». En effet, prolongeant les jeux verbaux initiés par Marcel Duchamp, avec lequel il se prétend en communication télépathique et dont il reprend le personnage de Rose Sélavy, Desnos s'abandonne aux seules suggestions des signifiants pour créer de magistrales contrepèteries. Et quand Breton décide, quelques mois plus tard, de mettre fin à ces expériences jugées dangereuses pour l'intégrité mentale de certains membres, Desnos poursuit résolument son entreprise de contestation du langage. Ses mots, qui osent les unions tautologiques, subvertissent les catégories grammaticales ou épousent des notes de musique, « font l'amour » et donnent naissance à un pur désordre formel n'épargnant aucune règle. Les textes de *l'Aumonyme* et de *Langage cuit* (1923) se dégagent ainsi des contraintes du sens et de la syntaxe afin de régénérer avec humour un langage prisonnier d'un usage sclérosant.

« L'amour, sa tendresse et sa cruauté »

Cependant, loin de se limiter à ce travail libérateur sur les mots, l'œuvre de Desnos révèle également un imaginaire foisonnant dominé par l'obsession de la mort. *Deuil pour deuil*, le titre donné en 1924 à un ensemble de proses surréalistes, est à cet égard éloquent. Les douze poèmes du recueil *C'est les bottes de sept lieues cette phrase « Je me vois »* (1926) sont de même fondés sur un humour noir qui trahit une profonde attirance pour l'« éternel faucheur », même si toujours une rêverie de renaissance accompagne son attirance pour l'« outre-monde ». Par ailleurs, faisant place à l'érotisme le plus libre, il défie autant les normes de la morale que les règles de la langue. En 1928, plusieurs passages de son récit *la Liberté ou l'amour !* sont interdits par une censure qui ne peut admettre les plaisirs raffinés du « club des Buveurs de sperme » ou la sacrilège divinisation de Bébé Cadum. Une exploration systématique des limites est ainsi le propre d'une écriture poussant à son paroxysme l'entreprise surréaliste de déstabilisation du langage, de dévoilement de l'inconscient et de révolte contre l'ordre établi.

En outre, une rencontre décisive donne à sa voix des intonations nouvelles : en 1924, Desnos découvre la chanteuse Yvonne George qui lui inspire un amour passionné et sans espoir. Pendant plusieurs années, il s'emploie à célébrer cette intouchable étoile, dédicataire voilée des bouleversants poèmes adressés *À la mystérieuse* (1926), prolongés l'année suivante par l'ensemble des *Ténèbres*. Défilé d'images oniriques conjugué avec l'entêtante scansion de formules incantatoires, cette déclaration exaltée, dont Antonin Artaud saluera le lyrisme incandescent, s'impose comme l'une des plus belles expressions de l'*amour fou* surréaliste. « J'ai tant rêvé de toi », « Si tu savais », « Jamais d'autre que toi » : ces titres-leitmotive, comme autant d'élans pathétiques vers un *tu* inaccessible, paraissent inlassablement relancer la dynamique de l'écriture tout en traduisant un douloureux ressassement.

« Les rêves à leur place »

La fin des années 1920 correspond pour Robert Desnos à un tournant en tout point décisif. Avec la rencontre de Youki Foujita et la mort d'Yvonne George, sa vie affective connaît un bouleversement évoqué dans le poème « Siramour », dédié à ces « deux sœurs parallèles du ciel et de l'Océan » (1931). Par ailleurs, il lui devient difficile de s'accommoder de la stricte discipline surréaliste. Car le vers régulier soumet de plus en plus son écriture à une irrésistible aimantation, lui valant de sévères critiques de la part de ses compagnons qui ne tolèrent pas davantage ses activités journalistiques. Aussi, en 1929, Breton prononce-t-il dans son *Second Manifeste du surréalisme* l'exclusion du poète « avec une certaine tristesse ». Desnos lui réplique l'année suivante en participant au tract collectif *Un cadavre* et en rédigeant un sarcastique *Troisième Manifeste du surréalisme*, tandis qu'il rejoint d'autres exclus regroupés par la revue *Documents* autour de Georges Bataille.

La publication du grand recueil *Corps et Biens* en 1930, qui reprend la majeure partie de sa production surréaliste, apparaît donc comme un bilan annonçant une période nouvelle. À présent que « les verrous sont poussés au pays des merveilles », selon le dernier vers du recueil, une place peut être faite à de plus simples émerveillements. En effet, sa poésie s'ouvre de plus en plus aux accents de la chanson populaire et la hantise de la mort laisse place à une célébration de la vie : un vigoureux *No pasaran* répond à présent au *Viva la muerte !* qui menace l'Europe. Les poèmes des *Sans cous* (1934) révèlent ainsi une écriture plus immédiate, donnant à entendre un fraternel « bonjour de Robert Desnos ». Et surtout, son œuvre se diversifie alors à l'extrême : son travail de journaliste ne l'empêche pas de se consacrer aussi bien à des dialogues de films qu'à des paroles de chansons ou des poèmes pour enfants. Il devient même l'un des pionniers de la création radiophonique, qu'il s'agisse de rédiger de simples slogans publicitaires ou de participer à d'importantes créations, telle l'ambitieuse *Grande complainte de Fantômas* (1933). Comme si elle restait portée par le seul mouvement du don et de l'abandon, son écriture continue de faire entendre une voix essentiellement fugitive, négligeant les prestigieuses inscriptions pour mieux *donner rendez-vous*.

Ce cœur qui haïssait la guerre

Robert Desnos, qui déjà avait soutenu les révolutionnaires cubains et les républicains espagnols, ne pouvait manquer, en 1940, de poursuivre le combat à sa manière. Alors que ses chroniques dans le journal *Aujourd'hui* lui permettent de dénoncer par des articles à double entente les lâchetés de la collaboration, sa poésie rejoint les grandes voix de la Résistance. Ces années de lutte n'en sont pas moins extrêmement fertiles : après le nouveau bilan présenté par son recueil *Fortunes* (1942), qui met en évidence sa « recherche d'un langage familier et lyrique », les poèmes de *Contrée* et du *Bain avec Andromède* (1944) confirment son intérêt pour le vers régulier. À cette nouvelle orientation d'une poésie « délirante et lucide » s'ajoutent la publication de son roman *Le vin est tiré...* (1943) et la composition de ses *Chantefables* (1944). Cependant, son arrestation le 22 février 1944 est pour le poète résistant le début d'un long calvaire qui le mène de Compiègne au camp de Flöha. Finalement évacué au camp tchécoslovaque de Terezin, Desnos ne survit guère à l'arrivée libératrice des Alliés : le 8 juin 1945, celui qui, selon les mots d'Eluard, « a donné sa vie pour ce qu'il avait à dire », disparaît victime d'une épidémie de typhus. Mais les dernières lettres qu'il avait fait parvenir à Youki, ainsi que les témoignages de ses compagnons de déportation, devaient bientôt témoigner d'un irréductible espoir en la « vie à venir ».

V. Hugotte

DESPENTES Virginie

(née en 1969)

Romancière née à Nancy, Virginie Despentes est venue à l'écriture sans emprunter les voies institutionnelles d'une formation classique. C'est en candidate libre qu'elle a passé son baccalauréat. Elle a ensuite exercé divers métiers précaires (femme de ménage, hôtesse d'accueil, pigiste, vendeuse...). La publication en 1993 de *Baise-moi*, son premier roman, a suscité un certain succès de scandale, réitéré, sept ans plus tard, par une adaptation cinématographique rapidement interdite en salles, et que Virginie Despentes avait elle-même coréalisée. Deux autres romans (*les Chiennes savantes*, 1996 ; *les Jolies Choses*, prix de Flore 1998) et un recueil de nouvelles (*Mordre au travers*, 1999) ont confirmé les orientations thématiques et esthétiques du premier ouvrage.

Ces œuvres sont essentiellement fondées sur le point de vue que de jeunes femmes marginalisées jettent sur leur univers quotidien ; car décrire, relater – souvent au présent –, c'est exprimer, dans l'urgence de désirs et de haines qui bouleversent la syntaxe de la phrase, le rejet du monde « ordinaire ». Manu et Nadine, les deux criminelles en fuite de *Baise-moi*, Louise, la strip-teaseuse des *Chiennes savantes* engluée dans les affaires de la pègre lyonnaise, Pauline, la jeune « grunge » rebelle des *Jolies choses* qui s'impose dans l'univers corrompu du show-business, toutes incarnent une sorte de nihilisme destructeur et le refus de la mauvaise foi dont se parent les bonnes consciences, et toutes peu ou prou peuvent épouser le parti pris de Nadine : « S'exclure du monde, passer le cap. Être ce qu'on a de pire. Mettre un gouffre entre elle et le reste du monde » (*Baise-moi*). De fait, les situations romanesques vouent les personnages aux conditions de vie extrêmes : marginalité sociale, délinquance irréversible, viols et violences... Si la fin des *Jolies choses* ménage une heureuse échappatoire à la chanteuse Pauline et à son compagnon de désespoir, l'horreur et la noirceur demeurent le lot commun des victimes d'une société qui mène à la mort ou à la folie. La fiction romanesque prend son essor à partir du moment où l'héroïne s'empare de son destin, réinvestit de ses propres pulsions les actes délinquants ou les images pornographiques qu'on lui a imposés, voire la schizophrénie que génère la misère sociale.

Ce féminisme guerrier revendiqué par Virginie Despentes ne se constitue pourtant ni en théorie ni en éthique de la violence, mais participe d'un travail de la langue. Le style vise une sorte d'état premier, minéral du langage, foisonnant d'entorses au bon goût grammatical, mais toujours en adéquation avec les désirs viscéraux des personnages. Une telle écriture révèle un romantisme noir, absolu, où se mêlent, dans le refus de tout académisme littéraire, des rythmes syntaxiques empruntés aux chansons rock, les invectives et les argots les plus contemporains, de brusques et brillants éclats métaphoriques ou lyriques : « Sa seule sœur. Est-ce que ça la glaçait pareil, entre les mains des hommes les voir devenir dingues juste en se déshabillant, est-ce que ça la glaçait pareil, se faire emporter par des désirs aussi puissants que dégradants ? » (*Les Jolies Choses.*)

J.-P. Damour

DES PÉRIERS Bonaventure

(vers 1510-1543 ?)

Poète, conteur et philosophe, Bonaventure Des Périers est sans doute né à Arnay-le-Duc, en Bourgogne. Il commence vraisemblablement ses études à Autun à partir de 1525 ; il y trouve un appui auprès de Robert Hurault, abbé de Saint-Martin, humaniste et ami de Marguerite de Navarre. Il a sans doute été, dans cette période au moins, maître d'école. Suivent des années obscures, de vie « vagabonde », où la « povreté, de langueurs courratière », harcèle « la povre et lasse créature », comme il l'avouera dans ses poèmes. Il rencontre, sans doute à Avignon, au début des années 1530, l'humaniste Antoine Du Moulin, qui allait devenir comme lui secrétaire et valet de chambre de Marguerite de Navarre : cet ami fidèle publiera ses poèmes en 1544, après sa mort.

La période la moins mal connue de la vie de Des Périers commence vers 1535, quand il s'intègre à une équipe de jeunes humanistes groupés à Neufchâtel, autour d'Olivétan, afin de donner la première traduction française de la Bible ; elle sort en juin 1535 des presses d'un imprimeur réformé, Pierre de Vingle. Des Périers semble n'y avoir contribué que par un index des mots hébreux, chaldéens et grecs (!), et un distique qui nous assure de sa participation. S'est-il alors détaché du mouvement réformé ? En tout cas, il revient à Lyon, vers 1536, et l'on sait, par Étienne Dolet lui-même, que Des Périers l'a aidé dans l'énorme travail de préparation de ses *Commentaires de la langue latine* (1536 et 1538). Il fait alors partie de ce groupe lyonnais si brillant qui réunit poètes, humanistes et imprimeurs, et qui prend parti – Des Périers parmi les premiers – en faveur de Marot contre Sagon, en 1536. Cette même année, Des Périers rencontre Marguerite de Navarre, presque par hasard, dans la foule d'une cérémonie religieuse ; déjà la poésie de la reine cristallisait ses espoirs : « Là la congneuz avant que je la veisse ». Dès lors, le poète n'aura de cesse d'être à son service. Il lui fait parvenir un long poème tendre et ironique, la *Prognostication des prognostications*, où il se joue, comme Rabelais, des faiseurs de prophéties, et où il évoque cette timidité maladive – cette « honte langoureuse » – qui l'a saisi en la voyant et qui ne le quittera plus :

Or t'ai-je veue, et si est bien possible,
Qu'aussi m'as veu, en trouppe confusible,
Quand plaisamment tu jettas tes deux yeux
Sur nous qu'étions voz spectateurs joyeux ;
Mais, en l'instant de cette veue heureuse,
Je fuz attainct de honte langoureuse...

Marguerite le prend à son service, comme valet de chambre, au printemps 1536 : il compose pour elle, transcrit les manuscrits de la reine (adoptant le surnom de DÉDALUS, parce que, dit-il, « sa plume y prend sa récréation »), participe sans doute à toutes les activités de cette cour très mobile qui le mène de Lyon à Paris ou à Nérac. Il commence vraisemblablement à écrire ses *Nouvelles Récréations et Joyeux Devis*, en même temps que la reine compose et dicte les premiers morceaux de son *Heptaméron*. Coïncidence : les deux œuvres paraîtront, posthumes, la même année 1558 – très différentes, et pourtant plusieurs fois confondues plus tard.

À la fin de 1537, sort des presses de l'imprimeur parisien Jean Morin le seul texte important que Des Périers publie de son vivant : les quatre dialogues vifs et rapides de son *Cymbalum mundi*, qui vont faire couler beaucoup d'encre et condamner à mort son imprimeur (mais d'autres publications ont davantage compté dans cette condamnation). Des Périers n'est pas inquiété : l'appui de Marguerite a sans doute suffi alors. Il le perd peut-être en 1540, le retrouve en 1541. Puis c'est le silence complet autour de son nom, jusqu'à la parution, en 1544, de ses œuvres poétiques, éditées par Du Moulin : Bonaventure vient de mourir sous les coups d'une « Mort implacable » qui fait fondre en larmes son ami chaque fois qu'il y songe. Il est bien possible que Des Périers se soit suicidé en 1543, comme le bruit en courra par la suite.

« Loysir et Liberté »

Jeune homme mélancolique, Des Périers a négligé de répondre aux attaques extrêmement violentes qui ont pu lui être adressées par de hargneux poètes néo-latins tels que Visagier ou Bourbon, ou encore par Calvin : il serait, avec Rabelais et d'autres (dont Dolet, sur lequel il a eu une influence certaine), de ceux qui, après avoir « goûté à l'Évangile », seraient devenus athées, ou auraient adopté l'horrible position des « nicodémites », ralliés de cœur à la Réforme mais dissimulant leur vraie foi sous l'obéissance extérieure à l'Église. Pour ces censeurs, en effet, point de marge où pourraient s'exprimer des hésitations, une réflexion ironique, voire des tendances mystiques – bien en accord avec l'esprit de la reine.

On voudrait pourtant laisser plus de liberté au vrai poète qu'il a été et que ses contemporains ont reconnu. Les textes que nous a transmis Du Moulin sont importants : Des Périers s'y analyse d'une façon assez inhabituelle alors, en particulier dans ses efforts pour aborder Marguerite. Ses poèmes sont scandés par son admiration pour elle, par une peur constante. Que son appui vienne à lui manquer, qu'elle « l'oublie » dans la liste de ses serviteurs, alors « Pour Bonaventure, Malheur ! ». Sans doute était-il prêt, en effet, à aller jusqu'au bout, lui précisément qui, dans l'une de ses dernières pièces, révèle sa soif un peu mystérieuse de liberté :

Loysir et Liberté
C'est bien son seul désir :
Ce serait un plaisir
Pour traicter Vérité,
L'esprit inquiété
Ne se fait que moysir.

Loysir et Liberté.
S'ilz viennent cet été
Liberté et Loysir,
Ilz la pourront saisir
À perpétuité...

Ce désir de vérité s'est d'abord satisfait chez Platon, dont il traduit le *Lysis* (1536) et dont il rappelle le mythe de l'Androgyne – « l'Homfenin » – dans son *Blason du nombril* (1537), curieux poème qui fait de l'homme un nourrisson du Ciel, de Marguerite la sœur des vertus célestes, du centre du corps un lieu de « souveraine Volupté » dans l'attente de l'Unité retrouvée. De ce platonisme complètement repensé, de ses sources (Ausone compris) qu'il nous fait oublier, lui ne retient que le plus chaleureux, le plus humain : un va-et-vient constant entre les considérations les plus abstraites et la perception la plus sensible de l'existence – depuis la « queste d'amytié » jusqu'aux douces semonces adressées à un petit enfant dont il note attentivement la sensualité de jeune « chatton ». L'une des caractéristiques les plus nouvelles de la poésie de Des Périers (en cela, il est tout à fait proche de Maurice Scève) est d'avoir bouleversé l'accord antérieur entre syntaxe et vers pour obtenir des effets de continuité, de souplesse et de concentration très élaborés, qu'il suive le déploiement d'un bouton de rose ou qu'il mime dans un « Chant de vendanges » les propos rabelaisiens et les cris d'un homme ivre.

Homme tourmenté, il sait de quoi est faite la gaieté qu'il provoque, mais dont il ne jouit pas longtemps, lui qui déclare, en tête de ses *Joyeux Devis* :

Je me suis bien contraint pour les escrire...
Et en un jour plein de mélancolie
Meslons au moins une heure de plaisir.

Récréations

Le conteur – le meilleur peut-être de tout son siècle, si l'on excepte Rabelais – affecte en effet de ne vouloir que rire, mais avec une telle diversité et une telle élégance que le seul texte des *Nouvelles Récréations et Joyeux Devis* fera sa réputation quand Nodier le reconnaîtra en plein romantisme. Ses nouvelles doivent beaucoup aux recueils français antérieurs, aux sources orales, à la société de cour qu'il a connue, et encore plus aux recueils de facéties latines que le Pogge mit à la mode en Italie au milieu du XVe siècle, et qui se répandirent en Europe. De la facétie il garde souvent la concision extrême, le schéma fort que fournit la reproduction d'un bon tour ou d'un bon mot (le trompeur trompé est un de ses types favoris, comme le faux savant qui manie mal le langage). Quelquefois il se plaît à enchaîner ces éléments par analogie, ou à les gonfler, sans en avoir l'air, de quelques considérations plus abstraites, menées rondement : de quoi est fait le langage ? L'humeur d'un homme détermine-t-elle ses folies ? et son milieu ? Pourquoi refuser le plaisir ? Pourquoi ne pas tromper une société qui ne demande que cela ? Où sont les injustices ? etc. Mais jamais il ne moralise. La fameuse histoire du « Pot-au-lait », que La Fontaine lui reprendra, n'est chez lui – en apparence, en tout cas – qu'une attaque contre les alchimistes : avant tout, Des Périers aime chercher la voie claire, suivre la nature – qu'il entend un peu comme le fait Rabelais – et « ne prendre point trop les matières à cœur ». Il ne s'attarde à rien, quoiqu'il ait clairement conscience que la nouvelle tend à s'amplifier et à créer des personnages ; mais son goût de l'esquive lui fait imbriquer dialogues et narration, changer sans cesse de point de vue, rompre les accords : c'est ainsi que le lecteur se retrouve, à force de chassés-croisés, du côté des coupeurs de bourse.

Silences

Sans doute Des Périers voulait-il déjà s'amuser dans le *Cymbalum mundi*. Sur les dates et le procès qui le condamna, on ne peut que renvoyer aux recherches de Lucien Febvre et de V.-L. Saulnier. Sous un titre mystérieux (« le Tambour du monde »), l'auteur ridiculise l'homme dans sa vanité à parler. Fidèle à l'esprit de Lucien, ce Grec railleur des dieux et des hommes dont les écrits servirent de modèle à bien des textes paradoxaux du XVIe siècle, et qui les fit taxer d'impiété, Des Périers écrit quatre dialogues pleins d'humour ; la parole fournit leur propre mise en scène à une quinzaine de personnages et réserve toutes les possibilités de contradiction aux dieux et aux hommes (parmi eux, beaucoup d'animaux : chevaux et chiens qui parlent, pies philosophes, corbeaux causeurs, etc.). Un Mercure facétieux, voleur volé, gentil (mais non inconditionnel) commissionnaire des dieux et des déesses (dont « sa dame Minerve », qui ressemble fort à Marguerite), bref, un Mercure qui tient beaucoup à Des Périers lui-même, fait l'unité des trois premiers dialogues. Il rencontre deux sots et cupides bourgeois athéniens (lyonnais), qui lui volent le livre de Jupiter (François Ier ?) : ce livre prédit l'avenir, mais raconte aussi des fredaines passées (celles du roi ? Marguerite ne désapprouve pas à ce moment un changement de conduite de son frère). Mercure rencontre encore, avec son complice Trigabus [qui va rire trois fois], trois personnages (rien de moins, sous les anagrammes, qu'Érasme, Luther et Bucer) en train de se disputer des miettes de pierre philosophale (les Saintes Écritures ?). Puis Mercure parle d'amour (humain ou divin ?) avec Cupidon, et voit se lamenter une « belle jeune fille », Célia (céleste, Mme d'Étampes ?), qui a éloigné d'elle celui qui l'aime et qu'elle aime (Dieu ou François Ier ?). Arrive un cheval prodige, qui a le tort de ne parler que pour dire la vérité : son maître l'exploite. Il eût mieux fait de garder le silence... Se taire, c'est le conseil que le chien Pamphagus donne à son collègue Hylactor, puisqu'ils ont tous deux aussi le malheur de savoir parler.

« Ung taire vous tient gehenné ? un amy vous abandonne ? Et pour cela faut-il désespérer ? » dit ailleurs Des Périers. Mais lui-même – Desperiers/*desperatus* – s'en est-il abstenu ?

M. M. Fontaine

DESPORTES Philippe

(1546-1606)

Né à Chartres dans une famille de bonne bourgeoisie aisée, Philippe Desportes fait de solides études de latin et de grec, et peut-être d'hébreu. Il voyage ensuite en Italie, apprend l'italien et, à son retour en France, en 1567, présente au duc d'Anjou des *Imitations de l'Arioste* qui lui gagnent la faveur du duc et de la cour. En 1570, attaché aux bureaux du secrétaire d'État Villeroy, il rencontre Ronsard, Baïf, Amadis Jamyn et fréquente le salon néo-pétrarquisant de la maréchale de Retz. Sa faveur auprès du duc d'Anjou grandit ; lorsque ce dernier accède au trône, sous le nom de Henri III, Desportes devient son lecteur et sa production poétique lui vaut en récompense des biens d'Église : en 1582, il devient abbé commendataire de Chartres. Il tiendra compagnie au roi dans ses crises de mysticisme et ses retraites. En 1589, l'assassinat d'Henri III jette Desportes dans le parti de la Ligue. Il participe à la défense de Rouen contre Henri IV, en 1591, mais regagne les faveurs du nouveau roi en jouant un rôle décisif dans les négociations qui aboutiront à la reddition des dernières villes normandes tenues par les ligueurs. Henri IV lui octroie alors l'abbaye de Bonport ; il y passera paisiblement ses dernières années, jouant le rôle de mécène et de guide auprès des jeunes poètes.

Desportes est certainement l'un des poètes français qui a suscité le plus de réactions contradictoires : adulé en son temps à l'égal de Ronsard, honni par Malherbe, il fut réhabilité par Boileau… Son œuvre, dans son ensemble – poésie profane des *Amours*, d'une part, poésie chrétienne des *Psaumes*, d'autre part –, demande que l'on fasse l'effort d'y distinguer ce qui n'a été qu'une mode de ce qui a apporté du nouveau. Ce qui peut choquer aujourd'hui chez Desportes provient surtout de l'usage insistant des thèmes et des expressions des néo-pétrarquistes italiens du XVIe siècle. Non que ses emprunts soient exagérément nombreux : on peut recenser, sur les 430 sonnets des *Amours de Diane* et des *Amours d'Hippolyte* (parus pour la première fois en 1573), une centaine d'emprunts à Pamphilo Sasso, Tebaldeo, Angelo di Costanzo ou Ruscelli. Mais on accuse surtout le poète de reproduire en exagérant les défauts de style des Italiens : boursouflures, impersonnalité, métaphores filées à l'extrême, tendance à la préciosité. Malherbe parsème les marges de son Desportes de « bourre, bourre » peu indulgents.

Mais Desportes n'est pas si dépendant que cela des Italiens, et il possède en outre les qualités de ses défauts. Il se distingue d'eux, par exemple, dans la métrique et l'emploi de strophes de 4 ou 6 alexandrins, en particulier dans les élégies, les stances, les chansons qui apparaissent de temps à autre parmi les sonnets des *Amours*. Beaucoup de ces pièces ont d'ailleurs été mises en musique par Le Blanc, Chardavoine, Caïetan ou Claude Le Jeune, qui travaillait à l'Académie de Baïf. Cette mise en musique donne à la poésie de Desportes sa pleine valeur : c'est avant tout une poésie officielle dont le but n'est pas d'exprimer des sentiments personnels mais d'offrir à la cour des Valois une image d'elle-même plus limpide et moins difficile d'accès que celle de Ronsard. La clarté de Desportes est ce que l'on a le plus admiré : clarté de l'expression, chatoiement des voyelles nasales et ouvertes, simplifications des références mythologiques (que la Cour connaissait souvent moins bien que les poètes), choix des métaphores pétrarquistes les plus caractéristiques : l'œil, le trait et la flèche, le désespoir de l'amant vu comme un feu ardent. Par là s'explique l'immense succès des *Amours* de Desportes.

Cl. Fargeot

DESPREZ Louis

(1861-1885)

Infirme, tuberculeux, Louis Desprez poursuivit néanmoins des études brillantes au lycée, puis à l'Université, où il apprit le droit. C'est alors qu'il composa avec Henry Fèvre les poèmes de *la Locomotive* (1883), dans le sillage des *Chants modernes* de Maxime Du Camp. Admirateur de l'école de Médan, il correspondit avec Zola et publia *l'Évolution naturaliste* (1884), qui constituait une réponse au *Roman naturaliste* de Ferdinand Brunetière (1882). L'œuvre a, pour mérite principal, malgré une rigidité de principes jugée excessive, d'avoir, selon les déclarations mêmes de l'auteur, « tenté la première étude un peu développée […] et un peu impartiale qu'on ait écrite sur [Zola] ». Il écrivit encore avec Henry Fèvre un roman dans la veine naturaliste, *Autour d'un clocher* (1884). Ce « roman rural » se voulait « une sorte de contrepartie » de *la Faute de l'abbé Mouret,* « cette splendide erreur lyrique de Zola » ; paru à Bruxelles, chez Kistemaeckers, l'ouvrage valut à Desprez un procès, suivi d'un emprisonnement à Sainte-Pélagie, dont le malade ne se remit pas. Le roman, certes, récrit par Henry Fèvre en style « XVIe siècle », représentait bien, par la crudité de certaines descriptions comme par les tableaux de la vie d'un village, une contrepartie « réaliste » au « lyrisme » de *l'Abbé Mouret*, et comprenait, malgré des comparaisons taxées de « baroques », des traits vigoureux (« Céline et Maurice s'arrachaient un morceau de blanc resté sur le plat, mais le coup de fourchette de Mme Quilgars leur délia les doigts… »). Y apparaissait fugitivement une jeune sauvageonne, la fille du père Nicotte, qui pouvait évoquer le roman de Zola. Le titre même était une allusion aux amours du curé de Vicq et de l'institutrice Mlle Delafosse, surpris finalement dans le clocher par le sonneur de cloches, mais aussi aux relations des habitants de Vicq et de l'abbé Chalindre. Au-delà du discours sur les prêtres, l'intérêt du roman était de constituer une « vulgate zolienne » par le clichage de l'écriture : scènes de ripaille (la fête des vignerons, la noce), descriptions obligées où se mêlent sensualité et gourmandise (« Et l'on s'empiffra de viandes juteuses, on se gava comme des grives, on se bourra comme des canons… »), avec une mise en abyme ironique des jugements critiques sur Zola et les siens (un groupe de dévotes commentant « les auteurs nouveaux qui cuisinaient des choses pourries, qui déshabillaient les vices » et « l'influence délétère de cette littérature ordurière »).

A. Pierrot-Herschberg

DESTOUCHES Philippe

Pseudonyme de ***Philippe NÉRICAULT*** *(1680-1754)*

Dramaturge, né à Tours. D'abord militaire (?), comédien (?), il devint diplomate et se fit engager comme secrétaire par le résident français en Suisse, M. de Puysieux. En 1717, il accompagna à Londres l'abbé Dubois, ambassadeur de France. Ayant réussi dans des missions délicates, il en fut récompensé par le Régent et se retira dans une terre près de Fontainebleau, pour s'y consacrer à la littérature (1727). Le succès était venu dès les premières comédies : *le Curieux impertinent* (1710), *l'Ingrat* (1712). Il entre à l'Académie en 1723 et bénéficie de la faveur de la duchesse du Maine. Destouches donne alors ses chefs-d'œuvre : *le Philosophe marié* (1727) ; *le Glorieux* (1732) avec ses deux célèbres vers-proverbes : « Chassez le naturel, il revient au galop », « La critique est aisée, et l'art est difficile » ; enfin *la Fausse Agnès* et *le Dissipateur* (1736).

Ce théâtre du secret et du mensonge – mariages clandestins, nobles cachant leur misère, rouées jouant les ingénues – est un bon portrait de la France de Louis XV, naviguant à vue entre les interdits, les préjugés et le plaisir. Mais Destouches n'a pas le cynisme d'un d'Allainval ; il est, *a fortiori*, incapable de chercher, comme Marivaux, les voies d'une nouvelle morale. Ses « caractères », laborieusement dessinés (ajoutons encore *l'Envieux*, 1736, ou *l'Irrésolu*, 1713), sont moins le produit d'un mal social que les déviations provisoires d'une nature humaine foncièrement bonne. Théâtre édifiant qui, malgré des éclairs de drôlerie, conduit droit à la « comédie sérieuse » et au drame bourgeois : témoin ce jeune Cléon, débauché malgré lui, et « ruiné » par une « honnête friponne » qui ne cherche qu'à le délivrer ainsi de ses faux amis (*le Dissipateur*).

J.-P. de Beaumarchais

DESTRÉES *v.* Rhétoriqueurs

DEVAL Jacques

Pseudonyme de ***Jacques BOULARAN*** *(1899-1972)*

Né à Paris, fils du directeur du théâtre de l'Athénée, Jacques Deval est surtout connu comme auteur de comédies : *Une faible femme* (1920), *la Beauté du diable* (1924), *Dans sa candeur naïve* (1926), *Mademoiselle* (1932), *la Prétentaine* (1957), etc., parmi lesquelles deux triomphes, *Tovaritch* (1933) et *KMX Labrador* (1948), et des pièces plus sombres et plus ambitieuses, *Prière pour les vivants* (1933) et *Ce soir à Samarcande* (1950). J. Deval a publié aussi plusieurs romans, *Marie-Galante* (1931), *les Voyageurs* (1964), et des recueils d'aphorismes. Sa seule ambition, confia-t-il à Paul Géraldy, est d'« amuser le public ». Il y réussit à merveille, saisissant les ridicules avec l'humour d'un Jules Renard, imaginant des rencontres cocasses : une ex-princesse russe employée chez des nouveaux riches (*Tovaritch*), un passager clandestin (*la Prétentaine*), multipliant les mots d'auteur, servi par les meilleurs comédiens, André Lefaur, Elvire Popesco, qui lance le fameux « Alors crachez dessus parce que moi j'ai craché dedans » de *Tovaritch*. Gaieté fragile, cependant ; on rit aussi pour oublier : la solitude (*Mademoiselle*), la précarité des situations acquises (*Tovaritch*). Ces « divertissements » ambigus laissent toujours deviner, à l'arrière-plan, le conflit dostoïevskien de la liberté et de la fatalité ; banco perdu (*Dans sa candeur naïve*), atavisme implacable (*Prière pour les vivants*), voyance avec *Ce soir à Samarcande*, où Deval formule sa philosophie : « Qui croit faire son destin est seulement attaché à une corde plus longue. » Version boulevardière, sur fond de crise politique et sociale, du « grand rouleau » de *Jacques le Fataliste*.

M.-A. de Beaumarchais

DHÔTEL André

(1900-1991)

André Dhôtel est né à Attigny, dans ces Ardennes qui serviront de cadre à tant de ses romans. Il quitte tôt sa terre natale et vient s'installer à Paris, où il étudie et enseigne. À partir de 1924, il est nommé professeur à l'Institut supérieur d'études françaises à Athènes. En 1928, il rentre en France : pendant près de trente-cinq ans, il enseigne la philosophie, de Béthune à Provins, de Valognes à Coulommiers, occupation quotidienne qui ne nuit pourtant pas à son impressionnante création personnelle : plus de vingt-cinq romans, une dizaine de récits, nouvelles et contes, des poèmes, des préfaces…

On peut citer, parmi les romans, *Campements* (1930), *le Village pathétique* (1943), *Nulle Part* (1943), *le Plateau de Mazagran* (1947), *David* (1948), *Ce lieu déshérité* (1949), *les Chemins du long voyage* (1949), *les Premiers Temps* (1953), *le Maître de pension* (1954) ; quant aux nouvelles, *Ce jour-là* (1947), *la Chronique fabuleuse* (1955), *Idylles* (1961) ; enfin, une série d'essais sur Rimbaud (*l'Œuvre logique de Rimbaud*, 1933 ; *Rimbaud et la révolte moderne*, 1952 ; *la Vie de Rimbaud*, 1965).

André Dhôtel a acquis la célébrité avec son roman *Le pays où l'on n'arrive jamais* (prix Femina 1955), récit épique et tendre de deux enfants fugueurs à la recherche du bonheur ; mais, dès ses premières œuvres, il a pratiqué une littérature bucolique (description des plantes, peinture des premières amours, nécessité du dépaysement et du voyage, partage de la foi religieuse, poésie de la vie quotidienne), avec un réalisme teinté de magie évoquant Alain-Fournier. Les merveilles du monde sont à portée de la main et du cœur. L'auteur de *la Chronique fabuleuse* connaît les secrets de la botanique, de la zoologie, de la géologie. Ses personnages, toujours en mouvement, sont le prétexte à de longues et minutieuses observations, mais aussi à de profondes réflexions : tous savent que la vie terrestre n'est qu'un passage plein de richesse, certes, mais que la vraie vie se déroule ailleurs. Conviction que Dhôtel affiche sans cesse dans les titres de ses livres : *les Rues dans l'aurore* (1945), *les Chemins du long voyage*, *l'Azur* (1969), *Un jour viendra* (1970), *Je ne suis pas d'ici* (1982). Il faut citer aussi *le Ciel du faubourg*

(1956), *les Voyages fantastiques de Julien Grainebis* (1958), *Ma chère âme* (1961), *la Tribu Bécaille* (1963), *le Mont Damion* (1964), *Pays natal* (1966), *Lumineux rentre chez lui* (1967), *le Couvent des pinsons* (1974), *Des trottoirs et des fleurs* (1981), *Rhétorique fabuleuse* (1983), un livre pour enfants, *le Bois enchanté* (1983), *Vaux étranges* (1986), *Lorsque tu reviendras* (1986).

L'existence humaine, selon André Dhôtel, s'apparente finalement à la quête éternelle, à l'errance sans fin, au vagabondage de tous les jours. C'est dans la nature qui entoure ses personnages et dans sa beauté qu'apparaissent seulement le premier signe d'un salut et le symbole mystérieux d'un ailleurs possible. En dessinant, d'une plume émue, notre monde, André Dhôtel, avec un art didactique dont l'enseignement lui a donné les clefs, est un initiateur émerveillé au monde du rêve – ce « pays » où arrivent aussi ceux dont l'existence paraissait à jamais vouée à la grisaille quotidienne (*Histoire d'un fonctionnaire*, 1984).

J. Garcin

Diderot

DIDEROT Denis

(1713-1784)

« J'arrête mes yeux sur l'amas général des corps ; je vois tout en action et en réaction ; tout se détruisant sous une forme ; tout se recomposant sous une autre ; des sublimations, des dissolutions, des combinaisons de toutes les espèces [...] : d'où naît le mouvement ou plutôt la fermentation générale dans l'univers » (*Principes philosophiques sur la matière et le mouvement*). Le mouvement et la fermentation : la vie, la pensée de Diderot furent continuellement cela. Ses idées bouillonnent, prennent forme, se détruisent, se recomposent. Aucun système fixe, aucun scepticisme non plus : il tente à tout prix d'arracher à cette attitude philosophique son ami d'Alembert. « Notre véritable sentiment n'est pas celui dans lequel nous n'avons jamais vacillé, mais celui auquel nous sommes le plus habituellement revenus » (*Entretien avec d'Alembert*). Pour lui, ce « sentiment », c'est que le monde n'est que matière. S'il lui arrive de vaciller, c'est vers le spinozisme qu'il incline un instant : « *Deus sive natura.* » Mais presque toujours, c'est à la nature sans Dieu qu'il s'en tient. Il est fasciné par « la possibilité des choses ».

Les contradictions ne l'effraient pas. Friand de dialectique, il a toujours préféré à la synthèse finale trop fixe le moment où, du heurt des contraires, jaillit l'étincelle qui éclaire toutes les possibilités du problème et en révèle la richesse ; le moment, surtout, où il peut concilier unité et diversité, ce qui satisfait à la fois son esprit et son imagination. Le monde entier n'existe pour lui que dans cette contradiction de l'un et du multiple, à la fois opposition et harmonie. Le matérialisme permettant la meilleure explication de cette structure contradictoire, il s'y est attaché.

Dans sa vie même, il y a une contradiction fondamentale : celle qui oppose le bourgeois serein et le philosophe tumultueux. Mais l'aventure intellectuelle que la vision matérialiste du monde et ses conséquences lui proposent n'est-elle pas justement un refuge pour ses rêves et ses délires, une compensation à la vie de conventions et d'honorabilité qu'impliquent ses rôles de chef de famille et de directeur de l'*Encyclopédie* ? Cela étant, c'est bien son être authentique qui apparaît dans ses écrits philosophiques et dans ses « contes ». Il poursuit sans fin ce rêve matérialiste dans lequel il se jette de toute son énergie, savourant le plaisir – malgré les moments de fatigue et de découragement – de vivre en continuel mouvement dans un univers en mouvement éternel.

Pour illustrer le destin, dans sa « rhapsodie » de *Jacques le Fataliste*, Diderot emploie l'image d'un « grand rouleau » des causes et des effets plutôt que celle, classique, d'un grand livre. C'est qu'un livre a un début et une fin et suppose quelqu'un qui l'a écrit – ce « quelqu'un » qu'il a toujours refusé, sans parti pris ni hostilité systématique, simplement parce que cette hypothèse compliquait et obscurcissait encore plus, et inutilement, l'interprétation de la nature, clef de la connaissance de l'homme et son principal souci jusqu'à son dernier souffle.

« Un homme très dangereux »

Langres, où naquit Denis Diderot, était en 1713 un puissant évêché ; le frère de Denis, Didier, fut prêtre ; une de ses sœurs fut religieuse au couvent des ursulines, où elle mourut folle à vingt-huit ans ; Denis lui-même, élève des jésuites de la ville, fut tonsuré à treize ans, « par provision » (son oncle, chanoine, pensait qu'il lui succéderait). Il lui est arrivé de jeûner et même de porter cilice. Mais les Langrois, a-t-il dit un jour, sont sensibles aux variations météorologiques ; le vent d'Est devait pousser Diderot vers un autre destin : parti pour Paris afin d'y devenir jésuite, il s'éprit de l'étude pour l'étude, dédaignant les injonctions paternelles de se faire au moins médecin ou avocat.

Ce départ pour Paris, à seize ans, après l'enfance à Langres entre une mère dont il a peu parlé et un père, artisan coutelier, qu'il admirait pour sa rigueur morale, sa sensibilité et son honorabilité, marque le début d'une vie passionnée, surmenée, tumultueuse, bien qu'elle se déroule jusqu'à soixante ans dans le seul espace parisien, si l'on excepte trois voyages à Langres pour affaires de famille et tentatives de réconciliation avec son frère, abbé fanatique. Ce qu'il fit à Paris de seize à vingt-huit ans, de 1728 à 1740, nous l'ignorons presque entièrement : la maîtrise ès Arts de l'université de Paris, puis la vie de bohème qu'il mena sont les seules certitudes. Il fut, semble-t-il, clerc de procureur et précepteur. Hors cela, des anecdotes, racontées par lui plus tard, mais anecdotes significatives : comment il déclamait des tirades de Molière dans le jardin du Luxembourg, comment il se bouchait les oreilles au théâtre pour voir si les gestes seuls des acteurs lui permettraient de comprendre la pièce. Et les joyeuses roueries auxquelles il se livrait pour se procurer un peu d'argent.

En 1741, il rencontre une lingère, Anne-Toinette Champion. Son père lui ayant refusé l'autorisation de se marier avec elle, il l'épouse secrètement en 1743. Elle restera sa compagne jusqu'à la fin. Diderot, qui connaît l'anglais, fait des traductions pour nourrir le ménage. « Si ce n'est pas de la gloire, c'est du bouillon », dira son personnage du *Neveu de Rameau*. En tout cas, c'est le début d'une formation encyclopédique : histoire de la Grèce, ouvrages de médecine, puis la *Cyclopaedia* de Chambers, d'où allait naître l'immense entreprise de l'*Encyclopédie* [voir ***Encyclopédie***]. En 1742, la rencontre avec Jean-Jacques Rousseau, pour quinze ans d'amitié avant une brouille retentissante, fait surgir de nouvelles idées, de nouveaux échanges ; sur la philosophie sensualiste, en particulier, lorsque Condillac se joint à eux.

Philosophiquement, la vraie vie commence en 1745 : Diderot a trente-deux ans et traduit – très librement – l'*Essai sur le mérite et la vertu* du théiste anglais Shaftesbury. Il y puise, pour toujours, quelques idées fondamentales : d'abord, un nouvel encouragement à lutter contre le fanatisme et la superstition ; mais surtout une réflexion sur trois éléments : l'enthousiasme, les passions, la vertu. L'enthousiasme n'est plus seulement la force platonicienne qui inspire les poètes, c'est l'ardeur universelle, le dynamisme, la force qui anime aussi bien la matière en mouvement, le boulanger au pétrin et au fournil, l'amant ou l'artiste. Qu'on ajoute seulement à cette notion un peu du spiritualisme de Swedenborg et de Louis-Claude de Saint-Martin, on arrivera à l'« énergie » balzacienne. À cette énergie générale s'ajoute celle des passions : « Nous ressemblons à de vrais instruments, dont les passions sont les cordes. » Commence alors l'apologie des passions fortes, que toute l'œuvre de Diderot confirmera. C'est aussi dans l'*Essai* de Shaftesbury qu'il trouve la conception de la vertu qu'il fera sienne jusqu'à l'obsession : la vertu n'est pas liée forcément à la religion, l'athée peut être vertueux ; le juste et l'injuste, le bien et le mal sont des notions naturelles, antérieures à toute hypothèse divine ; le vertueux est celui dont les tendances sont conformes au bien général de l'espèce, la vertu unit le plaisir naturel personnel et l'utilité sociale dans la joie de faire ou voir faire une belle action. Cette philosophie de l'enthousiasme et des passions convient à son ardeur naturelle, à l'élan de dévoration qui le pousse vers tout, idées, femmes, nourriture. Cette morale de la vertu convient à sa bonté, à sa générosité. Diderot sort tout armé de l'*Essai* de Shaftesbury comme Minerve du cerveau de Jupiter.

C'est dans le prolongement de cette traduction qu'il compose d'un trait, en quelques jours du printemps 1746, sa première œuvre personnelle, les *Pensées philosophiques*. Pensées, mais philosophiques : réplique à Pascal pour lui opposer l'apologie des passions, la critique de l'ascétisme ; mais, avant tout, dialogue à quatre voix entre un chrétien, un déiste, un sceptique et un athée. On pourrait croire que la palme revient au déiste ; en fait, derrière les précautions de style imposées par la crainte de la censure, les arguments de l'athée sont privilégiés : pourquoi le mouvement des atomes n'aurait-il pas produit le monde tel que nous le voyons ? C'était une possibilité de la matière ; or, à l'échelle de l'infini et de l'éternel, toute probabilité devient nécessité. Inutile, donc, de recourir à Dieu pour expliquer le monde. Lucrèce était derrière cela, les pouvoirs ne s'y trompent pas, le livre est condamné par le parlement. Son auteur, dont on sait qu'il est engagé dans l'entreprise jugée subversive de l'*Encyclopédie*, travaille en outre à *la Promenade du sceptique*, « ouvrage encore plus dangereux contre la religion », au dire du curé de Saint-Médard, qui le dénonce à la police, déjà avertie qu'il est « un homme très dangereux ».

La *Lettre sur les aveugles*, parue en 1749, année où l'on arrête pêle-mêle et massivement les « mauvais esprits », vaut à Diderot un été dans le donjon de Vincennes. Cette fois, même si la parole était prêtée au géomètre aveugle Saunderson délirant avant de mourir, la pensée matérialiste s'épanouissait : l'homme n'est qu'un hasard de l'organisation de la matière par elle-même ; le monde que nous voyons n'est qu'un instant de l'éternel mouvement des atomes. La morale dépend des sens : un aveugle n'a pas la même morale qu'un homme qui voit clair. Une image de l'homme se précise : non plus celle de l'homme abstrait du rationalisme classique, mais celle de l'homme vivant, être de chair et de matière, agrégat d'atomes mouvants dans un monde en mouvement ; chaque être est différent des autres ; chacun est différent de soi-même selon les heures et les circonstances.

L'emprisonnement porta un coup moral à Diderot, mais l'écriture, pour lui, était une activité physique et biologique, comme marcher ou manger, voire une activité d'ordre quasi érotique. Il se jure et il jure à son père d'être désormais prudent ; il se masque, et, derrière les masques, la pensée apparaît clairement. Dans l'hiver 1753-1754, l'essai *De l'interprétation de la nature* poursuit la mise au point progressive de sa vision matérialiste du monde. Nécessité, déterminisme, évolution des espèces, tout cela entraîne une conséquence logique, difficilement admissible : la négation de la liberté de l'homme. C'est ce qu'il expose en 1756 dans une lettre au dramaturge Landois. Une telle conséquence devrait mener au désespoir, au découragement. Pourtant, les hommes vivent. Alors, de même que Montaigne, l'un de ses auteurs préférés, abandonna son insoluble méditation sur la mort pour regarder mourir calmes et résignés les paysans de Castillon touchés par la peste, Diderot regarde les hommes vivre. Il ne veut pas être prisonnier d'un système. La réflexion philosophique, de 1760 à 1765, se double donc d'une soudaine explosion de la création romanesque : *la Religieuse, le Neveu de Rameau, Jacques le Fataliste* sont mis en chantier. Tout cela ponctué de la mort de trois enfants successivement, de la mort de sa mère en 1748, de la mort de son père en 1759, des tracas et des dangers inhérents à l'*Encyclopédie*, de la naissance en 1753 de sa fille Angélique – la seule qui survivra –, de la rencontre de Sophie Volland. Il a trente-six ans, elle en a trente-neuf lorsqu'elle entre dans sa vie, petite, potelée, avec ses besicles et sa « menotte sèche ». S'il est Socrate, comme l'appellent ses amis, elle sera Diotima, l'âme-sœur, la confidente, la maîtresse. Tout cela ponctué aussi des essais de drame bourgeois (*le Fils naturel*, *le Père de famille*), des premiers commentaires des *Salons* de peinture écrits pour faire plaisir à Grimm, de la méditation sur les « ballets d'action » de Noverre et la pantomime, sur le métier d'acteur du comédien anglais Garrick, sur le pathétique des romans de Richardson.

De la chimie à Sénèque

En 1769, la trilogie du *Rêve de d'Alembert* répond aux questions posées en 1754, à la fin de l'essai *De l'interprétation de la nature*, sur l'origine de la vie, la structure de la matière, l'organisation des êtres. Entre-temps, Diderot a suivi les cours de « chimie des affinités » de Rouelle, ainsi que des cours de chirurgie ; il a beaucoup rencontré les médecins Bordeu et Tronchin ; il a lu le volumineux ouvrage de physiologie de von Haller. La vision matérialiste du monde tirée de Lucrèce et fondée sur le mouvement fortuit des atomes fait place à une autre vision, plus scientifique, plus totale : le secret de la vie de la matière est dans les forces chimiques. L'homme et le monde ne sont que le lieu d'actions et de réactions continuelles, de rapports entre les éléments qui composent la matière. Finie la matière homogène de Descartes, fini le monde mécanique et physique de Newton, où la matière en mouvement selon des lois mathématiques ne s'identifiait pas avec l'espace, *sensorium* de Dieu. Le monde est tout entier expliqué, dans son unité et sa diversité, par les affinités chimiques entre les éléments d'une matière hétérogène. La vie ? la pensée ? Processus chimiques. La physiologie et la biologie viennent en renfort. La « sensibilité » est partout dans la matière. Les êtres humains sont avant tout des corps ; des corps-instruments mus par des passions-cordes. Ce ne sont pas seulement Descartes et Newton qui se trouvent périmés, mais aussi et surtout la Genèse selon la mythologie chrétienne, et toutes les écoles de théologie. Diderot est un philosophe de plus en plus « dangereux ». La trilogie du *Rêve de d'Alembert*, en rendant compte chimiquement et physiologiquement de tout l'homme et de l'univers entier, marque l'apogée de son matérialisme.

En même temps, le rude labeur de l'*Encyclopédie* étant terminé pour l'essentiel, il s'abandonne plus librement aux réflexions d'ordre esthétique. Les *Salons*, qui l'ennuyaient au début, « l'amusent ». Ceux de 1765 et 1767 sont de sa part l'objet de copieux commentaires. Parallèlement, les quelques centaines de tableaux racontés, arrangés, modifiés, forment une profusion de petits romans esquissés. À l'image de la matière, avec l'enthousiasme et l'énergie inhérents à chaque être, Diderot crée continuellement des êtres nouveaux, anime des vies nouvelles. De quarante-sept à soixante ans, de 1760 à 1772 environ, il est au plus abondant de sa création : contes, entretiens, dialogues, paradoxes, réflexions, lettres, etc., tous genres n'exigeant pas une construction fixe et achevée qui tuerait le plaisir de l'auteur et nierait sa conception de l'écriture vivante, enthousiaste, dynamique, à l'image de la nature elle-même. Il arrive à Diderot de gémir d'être obligé d'écrire pour d'autres, libraires ou amis : au service de l'*Encyclopédie* ; au service de la *Correspondance littéraire* de Grimm ; au service du baron d'Holbach, son ami, pour l'aider à rédiger le *Système de la nature*, qui sera la bible du matérialisme ; au service de l'abbé Raynal pour collaborer à l'*Histoire des deux Indes*, premier grand manifeste anticolonialiste… Mais Térence aussi, dont il a fait l'éloge, était esclave : « Le vendeur lui dit : Et toi, que sais-tu ? L'esclave lui répondit : commander aux hommes. Et le crieur se mit à crier : Qui veut un maître ? » (*Sur Térence.*) Si valet soit-il, Diderot sait bien qu'il est le maître de ses maîtres, comme Térence, comme son personnage de Jacques le Fataliste. C'est la consolation de l'intellectuel ; le seul grand voyage de sa vie l'obligea pourtant, un instant, à remettre en question cette consolation.

Parmi ses maîtres, il y avait l'impératrice Catherine II, qui lui avait acheté sa bibliothèque et ses papiers. Ayant en 1772 achevé la publication des derniers volumes de planches de l'*Encyclopédie* et bien marié sa fille Angélique à un maître de forges, Diderot se décide enfin à entreprendre le voyage de Pétersbourg. Il y trouvera la déception de découvrir en Catherine II un despote moins éclairé que prévu et comprendra qu'il a été victime d'une illusion. Il avait blâmé Sénèque, dans une de ses premières œuvres, d'être resté au service de Néron. Et voici qu'il se trouve, lui Diderot, dans la même situation. Justement, après son retour de Russie à la fin de 1774, son ami d'Holbach lui demande une étude sur Sénèque pour accompagner la traduction du grand stoïcien. Le discours sur Sénèque fournira à l'écrivain l'occasion d'une méditation sur soi-même, d'un ultime examen de conscience à soixante-cinq ans. Publié en 1778, complété en 1782, l'*Essai sur les règnes de Claude et de Néron* nous livre le dernier état de la pensée de Diderot. Le moraliste l'emporte sur le philosophe : le stoïcisme, accord avec soi-même et avec le monde, résignation lucide au déterminisme universel, est une attitude digne de l'homme. Diderot l'avait déjà prêtée à Jacques le Fataliste ; il la fait sienne. Il comprend qu'il avait mal jugé Sénèque : qu'importe l'apparente servitude devant Néron ou Catherine II ? L'intellectuel n'est responsable que devant lui-même et la postérité. Sénèque avait raison puisqu'il est encore grand après dix-huit siècles.

Réfutant le matérialisme trop sommaire du traité *De l'homme* d'Helvétius, Diderot, en 1782, se complaît à un mélange de matérialisme et de stoïcisme qui n'exclut pas, parfois, quelques embardées spinozistes, et qui eût sans doute encore évolué si la mort, deux ans après, en 1784, n'était venue « transformer » Sophie Volland en février et son ami en juillet au moment où, conformément au mouvement universel du monde, il reprenait, complétait, regroupait toutes ses œuvres dans l'intention d'en donner une édition complète qu'il n'eut pas le temps de réaliser.

Ses amis le surnommaient Socrate. Il lui arrivait de vouloir être tantôt Platon, tantôt Diogène. Il finit par s'identifier à Sénèque, sans jamais perdre l'anarchique indépendance du neveu de Rameau ni la rusticité saine et sereine de Jacques le Fataliste.

Les cordes, les abeilles, le polype et l'araignée

Derrière les prudences et les masques, l'hypothèse matérialiste s'exprime donc très tôt et très fortement dans l'œuvre de Diderot, mais les tendances de sa personnalité le portent plus vers le concret que vers l'abstrait : aussi le discours scientifique ou métaphysique s'accompagne-t-il toujours de visualisation. Diderot philosophe ne cesse jamais d'être poète ; mieux : la philosophie matérialiste devient la source d'une nouvelle poésie.

La vision du chaos s'organisant lui-même, « dans le commencement où la matière en fermentation faisait éclore l'univers » (*Lettre sur les aveugles*), est une image qui fascine Diderot. La matière créatrice fait jaillir à profusion des multitudes d'espèces, quelques-unes bien organisées, d'autres monstrueuses, qui disparaissent. L'espèce humaine, qui avait des organes normaux de digestion et de reproduction, est une de celles qui, par hasard, ont pu survivre. Mais elle disparaîtra un jour, comme les autres. Au demeurant, elle n'est pas parfaite : le géomètre aveugle Saunderson en est la preuve. Que serait un Dieu qui tolérerait que l'un voie, et l'autre non ? Mieux vaut ne pas retenir l'hypothèse Dieu.

Il en est des mondes comme des espèces : les uns sont manqués, les autres réussis. Dans une vaste vision cosmique, Diderot se plaît à imaginer des mondes qui disparaissent, d'autres qui se forment dans les espaces éloignés, à tout instant. Il reste imprégné des images du *De natura rerum* de Lucrèce. Un mouvement permanent combine des amas de matière, jusqu'à ce qu'apparaissent « une symétrie passagère, un ordre momentané ». Notre monde n'est qu'un point dans le temps et l'espace infinis. Diderot reprend à Pascal ses visions cosmiques, mais en les vidant de leur angoisse pour n'y montrer que la puissance merveilleuse de la matière et de la vie.

Dans l'essai *De l'interprétation de la nature* et dans *le Rêve de d'Alembert*, le thème de l'évolution des espèces suscite d'autres fresques en mouvement sur l'image de la fermentation universelle : « Qu'était l'éléphant dans son origine ? Peut-être l'animal énorme, tel qu'il nous paraît ; peut-être un atome, car tous les deux sont également possibles ; ils ne supposent que le mouvement et les propriétés diverses de la matière... L'éléphant, cette masse énorme, organisée, le produit subit de la fermentation ? Pourquoi non ? Le rapport de ce grand quadrupède à sa matrice première est moindre que celui du vermisseau à la molécule de farine qui l'a produit » (*le Rêve de d'Alembert*). Les expériences du jésuite Needham sur les générations spontanées à partir de grains de blé et de farine fermentés ont ouvert à Diderot d'immenses horizons philosophiques et poétiques. Il y voit l'explication et l'origine de la vie.

Dans certaines conditions de chaleur, il se produit dans l'œuf des réactions chimiques qui suscitent l'apparition des ailes, des pattes et enfin du poulet. La vie n'est plus un « prodige » : la matière inerte n'est pas morte, elle porte en elle une « sensibilité sourde » qui ne demande qu'à devenir active et vivante selon des processus chimiques naturels. De même, Diderot se plaît, dans cette trilogie du *Rêve de d'Alembert*, à imaginer l'évolution naturelle de d'Alembert et de son interlocutrice Julie de Lespinasse depuis le stade embryonnaire jusqu'à l'âge adulte. Aux théories génétiques de son temps sur les germes préexistants, il préfère celle de l'épigénèse : il voit ainsi l'embryon se former, se développer, acquérir successivement vie, mémoire, conscience, passions, pensée à partir de la molécule originelle, « éternelle et inaltérable ».

Ainsi se précise peu à peu une vision nouvelle de l'homme : les molécules forment des « fibres », qui forment des organes, qui à leur tour forment un corps. La poésie demande des images : notre corps est comme un essaim d'abeilles ; d'abord juxtaposées, contiguës, les abeilles rassemblées se fondent en un ensemble organisé continu animé d'une sensibilité globale ; mais, si on les sépare, chaque abeille retrouve sa vie séparée. De même, chacun de nos organes est un animal indépendant : « Homme : assemblage d'animaux où chacun garde sa fonction » (*Éléments de physiologie*). Chacun de nous est animé d'une triple vie : celle de chaque molécule, celle de chaque organe – qui vit et meurt à son rythme –, celle de l'être organisé. Le mouvement et la sensibilité, inhérents et essentiels à la matière, assurent la vie sans intervention extérieure.

Du stade de la sensibilité et de la vie à celui de la pensée, rien d'autre non plus que la matière. Diderot est farouchement opposé à la notion d'âme conçue comme une substance différente du corps. La structure du corps vivant ressemble à une araignée au centre de sa toile. À partir de chaque point de l'extérieur du corps, des fibres nerveuses forment un faisceau qui converge vers un centre situé dans le cerveau et qui enregistre les sensations. De la comparaison de ces sensations naissent les idées, celles du chaud ou du froid, par exemple. Encore faut-il que nous gardions le souvenir des sensations passées : le point central du faisceau est là pour cela, il assure la mémoire, seule garantie de l'unité de notre moi. Sur la mémoire, Diderot tient dans ses *Éléments de physiologie* des propos qui préfigurent ceux de Proust : il est persuadé que tout ce que nous avons une fois vu, entendu, connu, reste en nous à notre insu : chaque arbre d'une forêt, chaque grain de sable d'un rivage, chaque voix, chaque cri, chaque air de musique. « Je revois actuellement, éveillé, toutes les forêts de la Westphalie, de la Prusse, de la Saxe et de la Pologne. Je les revois en rêve aussi fortement coloriées qu'elles le seraient dans un tableau de Vernet. Le sommeil m'a remis dans des concerts qui se sont exécutés derechef comme lorsque j'y étais. »

Si, pour l'enregistrement des sensations, l'image analogique de l'araignée s'impose, pour les émotions et les passions, c'est celle de l'instrument de musique, du clavecin. Chaque corde pincée, brin du faisceau nerveux, fait vibrer la voisine, qui fait vibrer la troisième, et ainsi de suite. La différence avec le clavecin, qui n'a que la sensibilité potentielle de la matière inerte, est que nous sommes à la fois l'instrument et le musicien. Ce qui nous entoure étant ainsi cause des sensations et des émotions, l'univers entier devient une sorte d'immense caisse de résonance, le lieu où résonne une symphonie au sein de laquelle chacun de nous joue sa partie, recevant les sensations qui font vibrer les cordes de nos passions et mettent en jeu notre énergie. Tout, y compris le rêve (« état anarchique où le centre ne domine plus »), s'explique par les actions et réactions des éléments de la matière. Si chacun de nos organes est un animal indépendant à l'intérieur de nous, chacun de nous est un animal indépendant, une partie du grand animal qu'est le Tout, immense polype dont chaque partie est vivante. Cette image du polype dont chaque partie reste vivante quand on la coupe est aussi une des images obsédantes de Diderot. Il fut surpris, un jour, de voir une vipère, tête coupée, écorchée, vidée de son cœur et de ses entrailles, continuer à se mouvoir longuement : « Pourquoi dirais-je qu'elle ne vit pas ? »

Dans ce monde de matière, où tout vit avec une énergie tenace, où la mort n'est qu'un passage d'une vie globale consciente à une vie moléculaire primaire, chacun est nécessairement déterminé par la molécule héréditaire et par « les brins du faisceau ». L'altération de certains brins peut expliquer la cécité, la surdité. Les rapports réciproques des fibres nerveuses et du centre cervical déterminent les caractères. Le diaphragme est l'organe élémentaire de la sensibilité instinctive. À un degré supérieur des rapports fibres-centre, nous aurons les enthousiastes, les hommes de génie. Au degré suprême, quand le centre domine et contrôle bien tout le système nerveux, l'homme supérieur, froid, maître de lui : le grand politique ou le grand acteur. La morale dépendant de nos organes et de notre sensibilité, Diderot voit de même trois niveaux, qui correspondent à la bienfaisance instinctive, à la vertu consciente, enfin à l'attitude d'une élite affranchie de toute morale, capable des plus sublimes héroïsmes comme des plus grands crimes. À partir de ces données philosophico-poétiques, Diderot romancier peut animer un monde.

« Le grand branle de la terre »

L'originalité de Diderot dans sa création romanesque consiste d'abord à ne plus définir les êtres en fonction des catégories classiques de la nature humaine et des passions selon Descartes, mais en fonction de facteurs biologiques et sociaux qui commandent à la fois leur sensibilité et leur morale, à savoir : le tempérament (conséquence de la « molécule héréditaire ») ; le caractère (conséquence de la structure particulière de l'ensemble des organes) ; les tendances (goûts et désirs dépendant des éléments précédents et qui seraient propres à donner le bonheur) ; la condition (situation sociale, laquelle dépend à la fois du hasard et de la naissance, du milieu et de l'éducation). La combinaison à l'infini de ces quatre éléments permet tous les « idiotismes » possibles : aucun être ne ressemblera à un autre, ne se comportera comme un autre ; toutes les sortes de contradictions internes des êtres deviennent possibles aussi ; biologique et sociologique dans ses fondements, la morale sera nécessairement individuelle, elle dépendra des organes, du milieu et de la condition. Elle ne sera pas la même à Paris et dans les villages, dans un salon ou dans un couvent. La notion classique de morale universelle, créatrice d'unité, disparaît.

L'imagination de Diderot se plaît à cette infinie diversité des êtres, mais, comme son esprit exige malgré tout une unité, celle-ci se recrée autour de la double loi naturelle du plaisir et de l'intérêt, les deux moteurs essentiels de l'humanité. Le second oblige à peu près tous les hommes à prendre des « positions », à jouer un rôle devant d'autres, chacun ayant un jour besoin d'un autre, quelle que soit sa place dans la société – même s'il est roi. Diderot se délecte à contempler cette danse universelle de la courtisanerie, de l'ambition, de l'imploration, ce qu'il appelle, dans *le Neveu de Rameau,* « le grand branle de la terre », où tous les hommes finalement se tiennent par la main et se mènent tour à tour ; intérêt oblige. Le plaisir, lui, peut amener un moine comme le P. Hudson de *Jacques le Fataliste* aux plus sublimes scélératesses.

Dès lors, sous la plume de Diderot, une immense pantomime humaine s'organise : le monde de Paris, celui des couvents, de la campagne, le clergé, les aristocrates, gens du peuple et bourgeois, tout défile devant nos yeux recréant le vaste panorama social du milieu du XVIIIe siècle, mais surtout animant une collection prodigieuse de personnages de toutes sortes, suivis dans le cours de leur existence ou saisis fugitivement dans une brève anecdote, comme Le Pelletier quêtant pour ses pauvres, dans *Jacques le Fataliste,* et recevant une gifle : « Cela, c'est pour moi ; mais mes pauvres ?... » ; ou Gousse, dans le même ouvrage, voleur finissant par distribuer son bien. Il serait impossible de dresser le catalogue de tous les personnages créés, souvent à partir d'êtres réels, par Diderot ; surtout si l'on y ajoute tous ceux qu'il fait vivre à partir des personnages inanimés tirés des tableaux qu'il commente pour les *Salons* de peinture.

Dès son premier roman, *les Bijoux indiscrets*, en 1748, composé par défi pour rivaliser avec les romans libertins de Crébillon, il avait entrepris de rendre cette vision de l'humanité, vision multiple, fragmentaire, volontairement discontinue et décousue comme la vie elle-même. Des salons aux couvents et à l'opéra, la société, celle des femmes surtout, s'animait devant le lecteur. Déjà aussi, sous l'artifice de la fiction de l'anneau magique faisant parler les femmes par une partie inattendue de leur corps, apparaissait la conscience d'un double discours permanent de l'être humain : le discours social, masqué, celui de la bouche, et le discours brut, naturel, des profondeurs de l'être. Plaisir d'une parodie quelque peu sacrilège de la confession, certes, mais affirmation aussi que la vraie nature des êtres est celle de leur corps, et que cette voix-là seule traduit l'authenticité.

Ce premier roman révèle aussi la prédilection, chez Diderot romancier et conteur, pour les femmes. Outre l'attirance érotique inhérente à sa nature, il éprouve une attraction pour elles parce que leurs réactions lui paraissent toujours merveilleusement excessives, parce qu'elles sont menées par une sensibilité du corps, par les fibres nerveuses plus que par le « centre du faisceau », parce qu'elles sont naturellement théâtrales. Le bref essai *Sur les femmes* les montre hystériques et comédiennes, « enfants bien extraordinaires », excellente source de pathétique par leur excès d'orgueil ou de férocité : « Elles ont conservé l'amour-propre et l'intérêt personnel avec toute l'énergie de nature. » Pour Diderot, si les femmes se décident plus difficilement à agir, celles qui agissent sont plus déterminées que les hommes. Mme de La Pommeraye (*Jacques le Fataliste*) mène impitoyablement sa vengeance sur son ancien amant jusqu'au terme ; Madame de La Carlière, l'héroïne du conte qui porte son nom, n'est pas moins implacable dans son exigence orgueilleuse et insensée de fidélité conjugale absolue. Paradoxalement, l'une et l'autre emploient toute l'énergie de leur nature à défendre une idée antinaturelle de constance. Un peu condescendant pour les femmes à sensibilité primaire, admirateur de celles qui sont capables de grandes déterminations en bien ou en mal, Diderot est souvent sensible aussi à la condition injuste et douloureuse de la femme dans la société de son temps.

Hommes et femmes, tous les personnages des « contes » de Diderot sont avant tout des corps, déterminés par leurs organes et par leurs nerfs ; leurs idées ne naissent que de leurs sensations et de leurs expériences. Aussi le romancier note-t-il les comportements avec une précision extrême, un réalisme attentif au détail : gestes, visages, jeux des mains, propos. Il dit emprunter cela à Richardson, son modèle anglais, mais il y ajoute une observation médicale et clinique tout à fait nouvelle, le tout fondu dans une esthétique générale qui doit plus au théâtre et à la peinture qu'au roman traditionnel. Le conteur est le seul homme libre, observateur froid de tous ces êtres auxquels il fait danser la pantomime à son gré. Il se sent maître de leurs destins, maître du lecteur pour qui il les anime. Conter est le plus grand plaisir de Diderot. Plaisir de démiurge, qui renouvelle dans l'allégresse la création du monde par l'anecdote.

Rien n'est laissé de côté dans cette nouvelle création, pas même la folie, qui a toujours intéressé Diderot et qui, à ses yeux, n'est qu'un dérèglement du « faisceau », ni plus ni moins anormal que ce qu'il est convenu d'appeler la sagesse. Il n'élude rien, pas même les perversions sexuelles : tout est dans la nature. Il faut des fous et des sages, des malades et des sains, il faut des Césars pour qu'il y ait des Catons, il faut des Borgia à côté des Marc Aurèle. Personne ne peut être jugé ni condamné au nom de prétendues normes. Chaque être est également une partie vivante du grand Tout vivant ; chacun est le monstre d'un autre ; l'homme est le monstre de la femme, la femme le monstre de l'homme, tous deux également naturels. « L'univers ne me semble quelquefois qu'un assemblage d'êtres monstrueux » (*Éléments de physiologie*). Quelquefois aussi, partant de cette idée, le conteur, dans sa liberté totale, se plaît à inventer, pour compléter le réel, une humanité fantastique : « chèvre-pieds » nés d'un croisement d'hommes et de chèvres, et qui feraient d'excellents cochers pour les duchesses ; cyclopes par déformation des brins du faisceau nerveux des yeux ; homme à deux têtes dont l'une pourrait être incrédule, l'autre dévote, l'une aimer, l'autre haïr la même femme, « à moins peut-être qu'avec le temps il ne s'établît entre elles une conformité telle qu'on agirait comme si l'on n'en avait qu'une ». Toujours le heurt des contraires, la réunion de la diversité et de l'unité. De même que s'unissent encore, dans la création romanesque, l'observateur médical et le visionnaire, le savant et le poète, lorsque, par exemple, préfigurant certaines tentations de la science moderne, Diderot imagine une humanité de laboratoire, dosée à volonté : « guerriers, magistrats, philosophes, poètes, cornet de courtisans, cornet de catins, cornet de rois » (*le Rêve de d'Alembert*). « Quelle différence entre le Créateur et toi ? » demandait Diderot au peintre Chardin reproduisant tous les objets et les personnages de son univers avec une vérité surprenante. Quelle différence entre Diderot conteur et le Créateur ou, plutôt, la Nature en création permanente ?

Recherche d'une expression

Le but de Diderot n'est pas tant de décrire la vie que de l'imiter, de la reproduire. Décrire implique seulement montrer la surface des choses ; reproduire implique une totalité. L'œuvre écrite doit donner l'illusion d'être un fragment même du monde. Dans un conte ou dans un roman, un rythme fragmenté, discontinu, un peu d'incohérence, plusieurs dénouements suggérés ou un dénouement escamoté peuvent donner cette illusion de vie réelle. Mais cela ne résout pas le problème des mots, du langage. Diderot trouve difficile d'exprimer par des mots ce que nous voyons, encore plus ce que nous ressentons. Face à notre univers intérieur, nous sommes sourds et muets. Le langage dont nous usons n'est qu'une approximation : aucun être ne ressemblant à un autre, et le langage étant non pas un verbe inné donné à toute l'espèce humaine par un Dieu mais la traduction de nos sensations personnelles, « nous n'entendons jamais, nous ne sommes jamais précisément entendus ». Il n'y a pas d'adéquation entre le mot et la sensation : « Notre discours est toujours en deçà ou au-delà de la sensation » (*le Rêve de d'Alembert*). L'artiste, le conteur doivent pourtant, eux, entendre et parler juste.

Le seul véritable langage authentique, pour Diderot, le plus ancien, est la musique, chaque son étant lié à une sensation précise. Elle seule par ses moyens propres, la variété des instruments, la mélodie, etc., peut exprimer à la fois la riche multiplicité d'un instant et la succession exacte de sensations variées. Mais le littérateur ne peut ni écrire avec des notes de musique ni utiliser le célèbre clavecin oculaire du P. Castel, où des bandes colorées remplacent, pour les sourds, les sons musicaux. Qu'a-t-il donc à sa disposition ? Même plus la langue primitive, sensorielle, capable d'énumérer les caractères d'un objet ou d'un être dans l'ordre des sensations éprouvées (couleurs et formes d'abord) avant de le nommer, mais les langues modernes, plus rationnelles, abstraites (*Lettre sur les sourds et muets*).

D'autre part, gestes et cris, expressions « de la liaison des passions avec les organes » (*Éléments de physiologie*), sont antérieurs au discours. Ils doivent nécessairement, dans l'expression écrite, l'accompagner et le compléter, pour lui donner énergie et vérité. Pour Diderot, l'élément visuel est primordial ; il reste le disciple de l'abbé Du Bos, qui écrivait dans ses *Réflexions sur la poésie et la peinture* : « La vue a plus d'empire sur l'âme que les autres sens [...]. L'œil est plus près de l'âme que l'oreille. » Une page de roman, de conte doit d'abord être un tableau, mais en mouvement, comme sur une scène de théâtre. Diderot s'est beaucoup intéressé aux « ballets d'action » du chorégraphe Noverre, plus expressifs que les ballets classiques de Lulli ou de Rameau. Il rêve d'un langage total qui restituerait l'ordre sensoriel des langues primitives, avec la mise en jeu de tous les sens, chacun nous apportant une connaissance différente du monde extérieur, la clarté rationnelle des langues modernes, la pantomime, les cris spontanés, le chant ; langage qui se fixerait dans l'imagination du lecteur comme dans la sienne en tableaux dramatiques. Faute de pouvoir constamment réaliser cela, il utilise le plus souvent deux modes d'expression, l'un pathétique, l'autre lyrique : phrases scandées, saccadées, désordonnées traduisant des émotions fortes, avec exclamations, suspensions, interrogations, comme dans *les Deux Amis de Bourbonne* ou l'opéra-pantomime du *Neveu de Rameau*, le protagoniste imitant à lui seul tout un orchestre, évoquant l'univers entier en chantant, parlant, mimant tout à la fois. Le discours rationnel du conteur, à l'intérieur de cela, fait ressortir plus vigoureusement la force de ce langage naturel.

De même, en peinture, en sculpture, Diderot rêve d'unir le « modèle idéal », rationnel, des grands artistes anciens avec la vérité expressive des gestes, des attitudes et expressions naturels. C'est ainsi qu'il concilie son goût du geste vrai, spontané, et son goût de l'allégorie. À la fin de la *Lettre sur les sourds et muets*, il imagine le même thème pathétique d'une femme mourante traité successivement par un poète, un peintre, un musicien, pour montrer qu'il n'y a pas, contrairement à une idée alors couramment admise, une « belle nature » commune à tous les arts, mais que chaque art a son mode d'expression propre. Quant à lui, il voudrait bien pouvoir unir cette diversité en une expression de la totalité du sujet choisi.

Lorsqu'il s'agit d'exprimer des idées, Diderot se heurte à d'autres problèmes : une idée exposée à la manière d'une dissertation ou d'un traité de philosophie est fixée, morte. De même que tout l'univers n'est qu'actions et réactions à l'infini, fermentation générale, de même la véritable pensée n'est pas dans les idées figées, mais dans les rapports entre les idées échangées, leur mouvement de va-et-vient. D'où la nécessité profondément ressentie du dialogue et de l'entretien, même si, souvent, l'interlocuteur ne représente qu'un aspect de Diderot lui-même, et si le dialogue est en réalité un soliloque. La pensée ne prend vie et ne s'échauffe que dans l'échange. On retrouve, en quelque sorte, l'image de l'homme à deux têtes. Dans l'exposé monologique, au contraire, la pensée de Diderot tourne vite à ce qu'il appelle sa « cicéronnerie », au discours oratoire.

C'est parce qu'il connaît bien cette tendance de sa nature qu'il veut toujours se tenir, dans le récit romanesque comme dans le dialogue philosophique, au ton de « conversation pure comme on la fait au coin du feu ». Outre les interlocuteurs réels ou fictifs qu'il met en scène, apparaît toujours le lecteur, fréquemment interpellé par l'auteur, et permettant à celui-ci de conserver un certain style oral : ses dialogues sont des « entretiens », ses romans des « contes ».

Au dynamisme familier de ce style oral s'ajoute enfin, pour élargir les horizons de l'œuvre, le goût des paradoxes et des hypothèses. *Paradoxe sur le comédien*, qui est meilleur sans la sensibilité ; paradoxe de l'athée, plus chrétien que les chrétiens (*Entretien avec la Maréchale*) ; aussitôt s'ouvre, sous le choc des contraires, tout un éventail de questions sur le théâtre ou la morale. Hypothèses scientifiques qui permettent de dépasser les données de l'expérience et des instruments, d'ouvrir une perspective plus large sur les mouvements infinis et éternels de la matière. Fermentation et poésie. Qu'importe s'il n'y a pas de conclusion nette ; rien ne se termine jamais dans l'univers. Le plaisir est d'aller, non d'arriver.

Le « concert lointain »

Il y a pourtant un point d'arrivée : la mort, même si elle n'est que changement de forme de vie. En ce qui concerne l'*Encyclopédie*, Diderot veut se rassurer : elle survivra à tous les cataclysmes, elle sera utile à la postérité. Même si ce n'est qu'un rêve, il aime entendre ce « concert lointain » des générations futures lui rendant hommage. Dans un échange de lettres avec son ami le sculpteur Falconet, qui se soucie plus du succès immédiat que de la gloire posthume, Diderot exalte le plaisir de passer à la postérité : « Le sentiment de l'immortalité, le désir de s'illustrer chez la postérité, de faire l'admiration et l'entretien des siècles à venir [...] tend à émouvoir le cœur, à enflammer l'esprit, à élever l'âme, à mettre en jeu tout ce qu'on a reçu d'énergie. » (Lettre du 15 février 1766.) Une sorte de déontologie de l'écrivain officiel se dégage de cette correspondance. « Il faut vouloir être loué. »

Sur son œuvre personnelle, Diderot est plus inquiet : « Je m'avance vers le dernier terme, sans rien tenter qui puisse me recommander aussi aux temps à venir. » (*Éloge de Richardson*.) Angoisse de l'échec après tant de travail, incertitude sur son génie, impression d'avoir perdu son temps. N'est-ce pas lui-même, ce poète oriental Sadi qu'il met en scène dans un bref essai en 1762 : « Malheureux ! tu as cinquante ans et tu dors encore ! Éveille-toi, la nature t'a imposé une tâche ; t'en iras-tu sans l'avoir faite ? » Sadi s'éveilla, contempla l'homme, le monde, la vie et composa, « avant que les roses ne fussent fanées » un grand poème. Diderot aussi a engrangé, de cinquante à soixante ans, la plus copieuse moisson de sa vie.

Beaucoup de ses œuvres personnelles n'ont pas été publiées sur-le-champ, par prudence ou pour ne pas peiner les personnes citées. Vingt ans après, la mort l'a empêché d'achever l'édition en cours de l'ensemble de son œuvre. Sa fille Angélique de Vandeul et son ami Jacques Naigeon n'ont publié que ce qui convenait à l'image qu'ils voulaient donner d'un excellent homme et d'un polémiste. Ses manuscrits ont commencé à réapparaître – et son génie à être reconnu – dans la seconde moitié du XIXe siècle, en même temps que l'on publiait la première édition de ses œuvres complètes, mais c'est seulement dans les années 1950, avec la découverte par Herbert Dieckmann du fonds Vandeul et la connaissance des manuscrits conservés à Saint-Pétersbourg que Diderot a retrouvé sa véritable dimension de philosophe et d'écrivain. Il pourrait maintenant être rassuré sur son génie ; le « concert lointain » a déjà dépassé les premières mesures.

	VIE		ŒUVRE
1713	**5 oct. :** naissance de Denis Diderot, à Langres, de Didier Diderot, maître coutelier (1675-1759), et d'Angélique Vigneron (1677-1748). Son père a trente-huit ans, sa mère trente-six.		
1715	**27 janv. :** naissance de Denise Diderot, que Denis appellera toujours « sœurette ». **Mort de Louis XIV. Début de la Régence.**		
1716	Naissance de Catherine (qui mourra en 1718).		
1719	Naissance d'une autre Catherine (qui mourra en 1735).		
1719-1727	**Guerre franco-espagnole.**		
1720	Naissance d'Angélique (qui mourra religieuse et folle aux Ursulines de Langres en 1748).		
1722	Naissance de Didier-Pierre, futur chanoine.		
1723	**Fin de la Régence. Début du règne de Louis XV.** Denis Diderot entre au collège des Jésuites de Langres.		
1726	**22 août :** il reçoit la tonsure.		
1728	Diderot quitte Langres pour Paris. Incertitude sur le collège où il fit ses études (Louis-le-Grand ? d'Harcourt ?).		
1732	Reçu maître ès arts de l'université de Paris.		
1733-1738	**Guerre de Succession de Pologne.**		
1733-1740	Période mal connue. Il semble que Diderot ait été clerc de procureur, précepteur chez un receveur des Finances. Vie de bohème.		
1740-1748	**Guerre de Succession d'Autriche.**		
1741	Rencontre Anne-Toinette Champion, trente et un ans, marchande de lingerie (avec sa mère), après des revers de fortune.		
1742	Rencontre J.-J. Rousseau au café de la Régence.	**1742**	Diderot traduit de l'anglais l'*Histoire de la Grèce* de Temple Stanyan.
1743	Va à Langres demander à son père l'autorisation d'épouser Anne-Toinette. Refus. Son père le fait enfermer quelque temps dans un monastère des environs de Troyes. **6 nov., à minuit :** mariage secret à Paris avec Anne-Toinette. S'installent rue Saint-Victor.	**1743**	Publication de cette traduction.
1744	**13 août :** naissance de leur première fille, Angélique, qui meurt en septembre.	**1744**	Diderot traduit, avec Eidous et Toussaint, le *Dictionnaire universel de médecine et de chirurgie* de Robert James.

	VIE		ŒUVRE
	(suite 1744) **Oct. :** rencontre Condillac, par l'intermédiaire de Rousseau, au « Panier fleuri ». Suit des cours de chirurgie (jusqu'en 1747).		
1745	Liaison de Diderot avec Mme de Puisieux. **Bataille de Fontenoy. 1745-1964 : Mme de Pompadour favorite de Louis XV.**	**1745**	Diderot traduit très librement l'*Essai sur le mérite et la vertu* de Shaftesbury.
1746	Diderot engagé comme traducteur-contrôleur de la *Cyclopaedia* de Chambers par le libraire Le Breton. Naissance du premier fils de Denis et Anne-Toinette, François-Jacques-Denis. Le ménage s'installe rue de l'Estrapade. Didier Diderot est ordonné prêtre. Denis Diderot rencontre d'Alembert.	**1746**	**Printemps :** Diderot compose les *Pensées philosophiques,* sa première œuvre personnelle ; elle sera publiée en juin. **7 juill. :** condamnation des *Pensées philosophiques* par le parlement de Paris.
1747	**Juin :** Diderot dénoncé par le lieutenant de la prévôté et le curé de Saint-Médard au lieutenant de police Berryer comme « homme très dangereux » et libertin. **16 oct. :** Diderot est chargé, avec d'Alembert, de la direction de l'*Encyclopédie.*	**1747**	Diderot rédige *la Promenade du sceptique.*
1748	Diderot commence les enquêtes dans les ateliers pour les articles de l'*Encyclopédie.* Nombreuses lectures. **Oct. :** mort de sa mère.	**1748**	Diderot achève la traduction du *Dictionnaire de médecine* de James, publie *les Bijoux indiscrets,* roman libertin (sauf les trois derniers chapitres, rédigés plus tard), rédige des *Mémoires sur différents sujets de mathématiques* et *l'Oiseau blanc, conte bleu* (publié en 1798 seulement).
1749	**Juill.-nov. :** Diderot est emprisonné à Vincennes à cause de la *Lettre sur les aveugles.* **Oct. :** Rousseau lui rend visite à Vincennes et, sur le chemin, conçoit son *Discours sur les sciences et les arts.* Diderot rencontre d'Holbach et Grimm ; il quitte Mme de Puisieux.	**1749**	Diderot publie la *Lettre sur les aveugles à l'usage de ceux qui voient,* à la suite de l'opération réalisée par Réaumur et qui a rendu la vue à un aveugle-né.
1750	**30 juin :** mort de son fils, à cinq ans. **29 oct. :** naissance d'un deuxième fils, Denis-Laurent (qui mourra accidentellement en décembre).	**1750**	**Oct. :** diffusion du *Prospectus* de l'*Encyclopédie.*
1751	**4 mars :** Diderot reçoit le diplôme de membre de l'Académie de Berlin. Polémique avec les Jésuites. Diderot lit *Clarisse Harlowe* de Richardson. **Nov. :** affaire de l'abbé de Prades [voir *Encyclopédie*].	**1751**	**Janv.-févr. :** Diderot envoie deux lettres sarcastiques au P. Berthier, directeur du *Journal de Trévoux.* **18 févr. :** publication de la *Lettre sur les sourds et muets à l'usage de ceux qui entendent et qui parlent.* **Mai :** additions à cette lettre. **1er juill. :** publication du tome I de l'*Encyclopédie.*
1752	La police perquisitionne chez Diderot et saisit le manuscrit de *la Promenade du sceptique.* Diderot confie ses papiers à Malesherbes, directeur de la Librairie. Il participe à la querelle des Bouffons sur la musique française et la musique italienne. **21 oct. :** première dispute avec Rousseau.	**1752**	**Janv. :** publication du tome II de l'*Encyclopédie.* Diderot écrit une *Apologie de l'abbé de Prades* et *Observations sur l'instruction de Mgr l'évêque d'Auxerre* (3e partie de cette apologie).
1753	**2 sept. :** naissance de Marie-Angélique, quatrième enfant, seule survivante. Diderot achève l'enquête sur les « arts » pour l'*Encyclopédie.*	**1753**	Publication du tome III de l'*Encyclopédie.* Diderot publie en décembre ses pensées *De l'interprétation de la nature.*
1754	Diderot suit les cours de chimie de Rouelle (jusqu'en 1757). **Oct.-déc. :** voyage à Langres.	**1754**	**Janv. :** édition remaniée de ces pensées. Publication du tome IV de l'*Encyclopédie.*
1755	**Tremblement de terre de Lisbonne.** Installation rue Taranne, près de Saint-Germain-des-Prés (les Diderot y resteront trente ans). **Juill. :** rencontre de Sophie Volland (premières lettres, perdues).	**1755**	Diderot publie *Histoire et secrets de la peinture en cire.* Premiers textes publiés dans la *Correspondance littéraire* de Grimm (commentaire de *Six projets de tapisserie sur le combat de Diomède et d'Énée*). **Sept. :** publication du tome V de l'*Encyclopédie.*

	VIE		ŒUVRE
1756-1763	**Guerre de Sept Ans.**		
1756	**Printemps :** Diderot est à l'Ermitage avec Rousseau. **Août-sept. :** trois semaines à Massy dans la maison de campagne du libraire Le Breton. **Oct. :** Diderot est malade (estomac et intestins). Il rencontre le médecin Tronchin. Par lui, il se lie avec les physiocrates (Turgot, Quesnay).	1756	**Mai :** publication du tome VI de l'*Encyclopédie.* **29 juin :** Diderot publie dans la *Correspondance littéraire* de Grimm sa *Lettre à Landois.* Il travaille au *Fils naturel,* drame bourgeois.
1757	**5 janv. : attentat de Damiens contre Louis XV.** **Mars :** début de la brouille avec Rousseau. **Oct. :** fièvre. Palissot lance ses *Petites Lettres sur de grands philosophes.* Offensive contre les encyclopédistes (croisade contre les « Cacouacs »). **Déc. :** Rousseau quitte l'Ermitage.	1757	**Févr. :** *le Fils naturel* est publié, suivi des *Entretiens avec Dorval* sur des questions d'esthétique. **Nov. :** publication du tome VII de l'*Encyclopédie* (avec l'article « Genève » de D'Alembert).
1758	Diderot est en froid avec d'Alembert, qui veut abandonner l'*Encyclopédie.* **Oct. :** rupture publique entre Diderot et Rousseau.	1758	Diderot travaille au *Père de famille,* drame, et à des réflexions sur le livre d'Helvétius *De l'esprit.* **Nov. :** publication du *Père de famille* et du « discours » *De la poésie dramatique.*
1759	Difficultés avec l'*Encyclopédie,* condamnée par le parlement. Le privilège est révoqué le 8 mars. En avril, nouveau contrat avec les libraires. **11 mai :** 135e lettre à Sophie Volland, la première des lettres conservées. **3 juin :** mort du père de Diderot. **25 juill.-22 août :** voyage à Langres pour le partage de l'héritage. **3 sept. :** l'*Encyclopédie* condamnée par Rome. **Sept. :** Diderot séjourne au château du Grandval, près de Boissy-Saint-Léger, chez d'Holbach.	1759	Diderot, désormais seul directeur, achève la rédaction des articles philosophiques pour l'*Encyclopédie.* **Sept. :** Diderot rédige au château du Grandval son premier *Salon,* pour la *Correspondance littéraire* de Grimm.
1760	Diderot commence à chercher acquéreur pour sa bibliothèque. **Févr.-mai :** correspondance mystificatrice avec le marquis de Croismare sur l'histoire de la religieuse évadée du couvent. **Mars :** Diderot consulte Tronchin pour son mal d'estomac. **2 mai :** première représentation de la comédie antiencyclopédiste de Palissot, *les Philosophes.* **Sept.-nov. :** Diderot partage son temps entre Paris, la Chevrette (chez Mme d'Épinay), et le château du Grandval (chez d'Holbach).	1760	**Août :** Diderot travaille à *la Religieuse.* **Nov. :** *le Père de famille* est joué à Marseille. **9 déc. :** *Lettre sur la tolérance* à son frère l'abbé Diderot.
1761	**Avr. :** rencontre probable, à Paris, avec Jean-François Rameau, neveu du musicien. **Sept. :** révision des derniers tomes de l'*Encyclopédie.*	1761	**Févr. :** *le Père de famille* est joué à Paris. **Août :** Diderot rédige l'*Éloge de Richardson* et son deuxième *Salon.*
1762	**6 août : arrêt du parlement de Paris supprimant l'ordre des Jésuites.** Diderot est malade au début de l'année, sa femme en septembre. Chez d'Holbach, il rencontre Sterne, qui lui fera parvenir les premiers volumes de *Tristram Shandy.* Les volumes de planches de l'*Encyclopédie* commencent à paraître.	1762	Ébauche du *Neveu de Rameau.* Diderot prépare des *Additions aux Pensées philosophiques.* **Nov. :** Publication dans la *Correspondance littéraire* de l'essai *Sur le poète Sadi.*
1763	Dispute avec son frère l'abbé. **Oct.-déc. :** rencontre plusieurs fois Hume.	1763	**Sept. :** troisième *Salon.* Nombreuses notices et comptes rendus pour la *Correspondance littéraire,* sur les sujets les plus variés.
1764	**Oct. :** rencontre le comédien anglais Garrick chez Helvétius. **Nov. :** Diderot découvre avec fureur que le libraire Le Breton a mutilé de nombreux articles de l'*Encyclopédie.*		

	VIE		ŒUVRE
1765	Diderot se rapproche de D'Alembert malade. **Févr.-mars :** vaine tentative de réconciliation avec Rousseau. **1er mai :** Diderot obtient l'autorisation royale de vendre sa bibliothèque à Catherine II moyennant 15 000 livres et une pension annuelle. **Juin :** il fait la connaissance de Naigeon et de Sedaine. **6 oct. :** dîner chez d'Holbach avec Horace Walpole, le peintre Allan Ramsay, Hume et l'abbé Raynal.	**1765**	**Été :** Diderot commence à écrire *Jacques le Fataliste.* Quatrième *Salon* ; rédaction de l'*Essai sur la peinture.* **4 déc. :** première lettre à Falconet sur la postérité.
1766	Diderot fréquente le médecin Bordeu. **16 avril :** il recommande Falconet à Catherine II. **Juill. :** affaire La Barre. Voltaire incite Diderot à quitter la France. **18 oct. :** Diderot rencontre Beccaria.	**1766**	**Janv.-juill. :** publication du *Salon* de 1765 dans la *Correspondance littéraire.* Les tomes VIII à XVII de l'*Encyclopédie* sont livrés aux souscripteurs.
1767	**Janv. :** Diderot est élu à l'Académie impériale de Saint-Pétersbourg. **Sept. :** séjour au château du Grandval.	**1767**	**Oct.-nov. :** Diderot travaille à son cinquième *Salon,* le plus important.
1768	**Fin de l'été :** mort de Mme Legendre, sœur de Sophie Volland, souvent évoquée dans les lettres de Diderot à Sophie.	**1768**	**Nov. :** Diderot termine la rédaction du *Salon* de 1767.
1769	**Été :** en l'absence de Grimm, parti pour l'Allemagne, Diderot s'occupe de la *Correspondance littéraire.* **Juill. :** trois jours à Sèvres chez le joaillier Belle. Passion pour Mme de Maux. **Août :** rencontre le philosophe matérialiste dom Deschamps. Corrige, avec Mme d'Épinay, les *Dialogues sur le commerce des blés* de l'abbé Galiani.	**1769**	Il corrige et complète le *Salon* de 1767. **Été :** il travaille au *Salon* de 1769, rédige *Sur Térence* et de nombreux comptes rendus d'ouvrages. **Août-sept. :** rédaction du *Rêve de d'Alembert.* **Nov. :** Diderot rédige un article sur *Garrick et les acteurs anglais.*
1770	**Mars :** Sartines, lieutenant de police, demande à Diderot son avis sur la réfutation des *Dialogues* de l'abbé Galiani par l'abbé Morellet. Avis positif. **Avr. :** réunion de dix-sept philosophes chez Mme Necker pour décider de l'érection d'une statue à Voltaire. **2 août :** Diderot quitte Paris avec Grimm pour Langres. S'occupe du futur mariage de sa fille Angélique avec Caroillon de Vandeul. **10 août :** il rejoint Mme de Maux et sa fille, Mme de Prunevaux, à Bourbonne. Évolue entre Bourbonne et Langres jusqu'en septembre. Échec d'une tentative de réconciliation avec son frère. **12 sept. :** il quitte Langres pour retrouver Sophie Volland et sa mère à leur château d'Isle-sur-Marne. **Oct. :** retour à Paris. Passion douloureuse pour Mme de Maux. **À partir du 21 oct. et en nov. :** chez d'Holbach au château du Grandval. **Fin de l'année :** Diderot aide Mme d'Épinay à réviser ses pseudo-Mémoires (*Histoire de Mme de Montbrillant*).	**1770**	Diderot compose le *Code Denis* qui sera publié en janvier dans la *Correspondance littéraire* ; publication des *Additions aux Pensées philosophiques.* **Août :** Diderot rédige *les Deux Amis de Bourbonne,* le *Voyage à Bourbonne et à Langres,* l'*Entretien d'un père avec ses enfants.* Revoit (ou écrit) les *Leçons de clavecin* de Bemetzrieder, maître de musique de sa fille. **Oct.-nov. :** la *Correspondance littéraire* publie l'essai sur Garrick et les acteurs anglais. Au château du Grandval, Diderot révise *les Deux Amis de Bourbonne* et rédige une *Apologie de l'abbé Galiani.*
1771	**26 sept. :** représentation du *Fils naturel* au Théâtre-Français. Diderot retire sa pièce après la première représentation. **26 déc. :** mort d'Helvétius.	**1771**	Diderot rédige ses *Principes philosophiques sur la matière et le mouvement,* son septième *Salon,* ses *Pages contre un tyran,* de nombreux comptes rendus, et travaille de nouveau aux *Deux Amis de Bourbonne.*
1772	**5 avr. :** mort de Mme Volland, mère de Sophie. **9 sept. :** mariage d'Angélique Diderot avec Caroillon de Vandeul, maître de forges.	**1772**	**Mars :** Essai *Sur les femmes.* **Mai-nov. :** rédaction, pour l'abbé Raynal, de *Fragments échappés du portefeuille d'un philosophe.* **Sept. :** Diderot achève *Ceci n'est pas un conte* et *Madame de La Carlière.*

	VIE		ŒUVRE
			(suite 1772) **Oct. :** il travaille au *Supplément au Voyage de Bougainville.* Première édition collective d'œuvres de Diderot : six volumes, à Amsterdam, chez Marc-Michel Rey.
1773	**Févr. :** préparatifs du départ pour la Russie. Grimm part pour l'Allemagne et confie la *Correspondance littéraire* à Meister. **3 juin :** Diderot confie ses manuscrits à Naigeon. **11 juin :** il quitte Paris. Séjourne du 15 juin au 20 août à La Haye, chez le prince Galitzine et sa femme, née Amélie de Schmettau. **20 août-8 oct. :** voyage de La Haye à Saint-Pétersbourg. Ennuis intestinaux à Duisburg.	**1773**	À La Haye, Diderot révise *le Neveu de Rameau, Jacques le Fataliste,* l'article sur Garrick devenu le *Paradoxe sur le comédien.* Il lit *De l'homme,* ouvrage posthume d'Helvétius, la *Lettre sur l'homme* d'Hemsterhuis et ébauche ses commentaires. **Sept.-oct. :** première publication du *Supplément au Voyage de Bougainville.* À Saint-Pétersbourg, Diderot rédige des *Mémoires pour Catherine II.*
1774	**Mort de Louis XV. Louis XVI roi.** **5 mars-5 avr. :** retour de Saint-Pétersbourg à La Haye. **15 sept.-21 oct. :** retour de La Haye à Paris.	**1774**	**Mars-avr. :** publication d'une version remaniée du *Supplément au Voyage de Bougainville.* Diderot achève la *Réfutation d'Helvétius,* le *Voyage de Hollande,* rédige l'*Entretien avec la Maréchale,* la *Politique des souverains,* commence ses *Observations sur le Nakaz* et ses *Éléments de physiologie.*
		1775	**Mai :** Diderot remet à Grimm le *Plan d'une université pour la Russie.* **Sept. :** rédaction du huitième *Salon.*
1776	**Déclaration d'indépendance des colonies d'Amérique.** Diderot partage son temps entre Paris, le château du Grandval et Sèvres. Il travaille beaucoup. La société Caroillon frères obtient le bail de nombreuses forges.	**1776**	**Juill. :** l'*Entretien d'un philosophe avec la Maréchale* paraît dans la *Correspondance secrète* de Métra. Diderot travaille à un essai sur Sénèque.
1777	Diderot passe presque toute l'année à la campagne, surtout à Sèvres.	**1777**	**Févr.-avr. :** Diderot collabore à l'*Histoire des deux Indes* de l'abbé Raynal, et prépare l'édition complète de ses propres œuvres. **Juill.-août :** publication de *la Pièce et le Prologue*, première version de la comédie *Est-il bon ? Est-il méchant ?* à laquelle il travaillera de 1777 à 1784. Révision du *Neveu de Rameau* ; première rédaction des *Pensées détachées sur la peinture.*
1778	**30 mai : mort de Voltaire.** **2 juill. : mort de Rousseau.**	**1778**	**Juin :** Diderot achève l'*Essai sur la vie de Sénèque,* travaille aux *Éléments de physiologie,* remanie le *Paradoxe sur le comédien.* **Nov. 1778 (-juin 1780) :** publication de *Jacques le Fataliste* dans la *Correspondance littéraire.* **Déc. :** publication de l'*Essai sur la vie de Sénèque.*
1778-1780	Temps partagé entre Paris, Sèvres et le château du Grandval.	**1779**	Diderot remanie l'*Essai sur la vie de Sénèque,* devenu *Essai sur les règnes de Claude et de Néron.*
		1780	Diderot révise *la Religieuse* ; il publie dans la *Correspondance littéraire* des additions à *Jacques le Fataliste.*
1781	**30 avr. :** le buste de Diderot, par Houdon, est installé à l'hôtel de ville de Langres. **Juill. :** à Paris, Diderot lit *Jacques le Fataliste* à sa femme. Additions probables.	**1781**	Seconde révision de *la Religieuse.* Addition de notes à l'*Essai sur les règnes de Claude et de Néron,* aux *Pensées détachées sur la peinture,* etc. **Sept. :** neuvième *Salon.*
		1782	Diderot publie une addition à la *Lettre sur les aveugles,* une deuxième édition de l'*Essai sur les règnes de Claude et de Néron.*
1783	**12 mars :** Grimm alerte Mme d'Épinay sur l'état de santé de Diderot. **15 avril :** mort de Mme d'Épinay. **29 oct. :** mort de D'Alembert.		
1784-1786	**Affaire du Collier de la reine.**		

VIE		ŒUVRE
1784	**19 févr. :** Diderot se remet difficilement d'une attaque d'apoplexie. **22 févr. :** mort de Sophie Volland. **Avr. :** mort, à onze ans, de « Minette », la petite-fille de Diderot. **15 juill. :** Diderot et sa femme s'installent rue de Richelieu. **31 juill. :** mort de Diderot. **1er août :** le corps du philosophe est inhumé en l'église Saint-Roch. **9 sept. :** Catherine II envoie 1 000 roubles à la veuve de Diderot.	
1785	**5 nov. :** la bibliothèque et les manuscrits de Diderot arrivent à Saint-Pétersbourg.	

De l'interprétation de la nature

Diderot amasse depuis sept ans des matériaux pour l'*Encyclopédie* lorsqu'il publie, dans l'hiver 1753-1754, en marge de ce dictionnaire – donc un peu plus librement –, une série de réflexions sur la connaissance de la nature. Nouvelle mise au point de ses idées matérialistes, après les *Pensées philosophiques* de 1746 et la *Lettre sur les aveugles* de 1749. Toujours la même structure décousue, mais au sein de laquelle règne cependant un ordre. Il s'agit tout d'abord de prophétiser l'avènement d'une nouvelle ère de la connaissance : l'âge des mathématiques et de la géométrie est révolu ; trop abstraites, « jeu », proposant une connaissance absolue incompatible avec les limites de l'esprit humain, elles ne peuvent mener à rien de certain. La physique, les sciences naturelles, la chimie prennent le relais pour une nouvelle série de siècles, après quoi elles devront céder le pas à leur tour. Pour l'instant, elles vont apporter par l'expérience des connaissances utiles. Relatives, certes, mais plus claires, « populaires », accessibles à tous, plus conformes à la nature de l'esprit humain.

De toute façon, l'hypothèse est là pour permettre aux savants de dépasser les données de l'expérience. Ils ont « cet esprit de divination par lequel on subodore [...] des expériences nouvelles, des résultats ignorés » (XXX). C'est transférer aux savants, nouveaux poètes, le « démon » socratique de l'inspiration. C'est compléter l'observation de la nature par son interprétation, fruit de l'imagination peut-être, mais source de progrès quand l'expérience vérifie la rêverie. Dans la partie centrale du livre, la rêverie de Diderot part – autre démarche habituelle chez lui – de ses plus récentes lectures : l'*Histoire naturelle* de Buffon et le *Système de la nature* de Maupertuis. Tous deux séduisent Diderot par l'idée d'un premier animal, prototype de tous les autres. La nature n'aurait fait ensuite qu'allonger, raccourcir, transformer, multiplier certains organes (XII). Évolutionnisme sommaire et pittoresque, mais qui enchante l'imagination créatrice de Diderot : qu'on réunisse les doigts, que les ongles enveloppent tout, une main d'homme devient un pied de cheval. N'ayant « peut-être jamais produit qu'un seul acte » (XI), la nature le varie à l'infini : « Elle n'abandonne un genre de productions qu'après en avoir multiplié les individus sous toutes les faces possibles » (XII). De même, Diderot retourne sous toutes les faces possibles les idées de Buffon et de Maupertuis, démasquant ironiquement ce dernier qui essaie, par prudence, de conserver Dieu, montrant perfidement les « effrayantes » conséquences matérialistes et spinozistes de son système ! Prudent à son tour, il fait semblant de les refuser, mais en tire un magistral panorama poético-scientifique de l'évolution des espèces (LVIII, 2), excluant de la nature tout fixisme (les classifications de Linné, par exemple) et toute finalité (contrairement aux déistes). Qui a osé dire que rien ne change sous le soleil ? C'est « un préjugé fondé sur la faiblesse de nos organes, l'imperfection de nos instruments, et la brièveté de notre vie » (LVII).

Chemin faisant, Diderot fait quelques excursions à partir de Buffon et de Maupertuis : sur la génération (XXXII), sur l'origine de la Terre (XXXIII), sur l'électricité (XXXIV). Les thèmes obsédants ne sont pas oubliés : l'explication du mouvement autonome de la matière par l'image des cordes vibrantes (XXXVI) ; la comparaison de l'art et de la nature : l'art véritable serait celui qui imiterait la nature en mettant à réaliser l'œuvre autant de temps que la nature à former les merveilleuses grottes de stalactites ! (XXXVII)...

Selon sa méthode familière aussi, Diderot entre en « délire philosophique » vers la fin de l'ouvrage. Dépassant les idées de Maupertuis et de Buffon qui lui ont servi de tremplin, il jette à la volée les idées les plus dangereuses du matérialisme : la vie ne serait-elle autre chose que la matière en mouvement par elle-même ? Où passe la frontière entre vie et mort ? (LVIII, 3-15). Il y répondra quinze ans plus tard dans *le Rêve de d'Alembert*, sans avoir cessé d'y réfléchir entre-temps. D'une lecture naissent des réflexions, des questions nouvelles, d'autres lectures, d'autres réflexions, sans fin, les œuvres s'enchaînant l'une à l'autre, à plus ou moins longs intervalles, dans un mouvement de la pensée continuel, varié, comme l'acte créateur unique de la matière.

La Religieuse, le Neveu de Rameau, Jacques le Fataliste

Vers 1755, la réflexion philosophique amène Diderot à une impasse : l'hypothèse matérialiste implique une absence totale de liberté de l'homme. Il devrait s'ensuivre un pessimisme collectif de nature suicidaire. Or, les hommes et les femmes vivent. Diderot préfère donc se tourner vers eux, les observer, poser dans le cadre de la vie réelle les problèmes fondamentaux de la liberté et des comportements humains. De 1760 à 1765, il met en chantier trois œuvres, un « conte », une satire et une « rhapsodie », qu'il reprendra, complétera, remaniera pendant plus de vingt ans, de même que la nature remodèle sans cesse les espèces d'abord imparfaites qu'elle crée continuellement.

Le « conte » de *la Religieuse* nous entraîne dans le monde aliénant des couvents, la satire *le Neveu de Rameau* dans le monde corrompu des financiers parisiens, *Jacques le Fataliste* dans un monde paysan plus naturel ; mais les conceptions matérialistes dominent les trois ouvrages, dont les personnages sont avant tout des corps.

Cela est particulièrement sensible dans *la Religieuse*, analyse clinique impitoyable du comportement de femmes cloîtrées. Microcosme de toute société, certes, que le couvent ; l'espace restreint amplifie jalousie, hypocrisie, autorité abusive, servilité, haine, frivolité, goût de posséder ; mais Diderot s'intéresse surtout aux aberrations des organismes dans un milieu antinaturel. Jetée dans ce monde de la damnation et de la folie, dans ce chaos d'érotisme, de cruauté, de spiritualité, la jeune Suzanne cherche en vain à préserver sa liberté naturelle contre cette entreprise à la fois civile et religieuse d'aliénation, et son christianisme sincère contre l'usage scandaleux qui est fait de Dieu ou de Satan, selon l'intérêt du moment. Sacrifiée pour expier la faute de sa mère, et, comme Iphigénie (figure chère à Diderot), immolée au pouvoir ecclésiastique qui domine la famille et la société, elle, douce et docile de nature, devient une Antigone rebelle, sans échapper à des moments mystiques où elle tend, non sans orgueil, à se comparer au Christ et à offrir sa souffrance en exemple. Nous sommes loin, pourtant, des thèmes romanesques conventionnels de l'innocence persécutée et des malheurs de la vertu. La forme paradoxale coutumière de la pensée de Diderot l'a incité à utiliser un « conte » authentiquement chrétien pour dénoncer dans un féroce réquisitoire le scandale à la fois social et religieux que représentent les couvents.

LA RELIGIEUSE

Née d'une liaison adultère de sa mère, Suzanne Simonin est envoyée au couvent pour ne pas léser les intérêts de ses deux sœurs légitimes et pour expier la faute de sa mère. Mal aimée chez elle, elle ne s'afflige pas de cette entrée au couvent, mais elle découvre à Sainte-Marie la fausse indulgence des religieuses, leur hypocrisie, leur âpreté. Elle découvre aussi la folie d'une religieuse. Elle fait scandale en refusant de prononcer ses vœux. Ramenée chez ses parents, séquestrée, elle est bientôt renvoyée dans un autre couvent de Paris, plus mondain, à Longchamp. Là, elle connaît successivement une supérieure mystique, la mère de Moni, qui sera sa vraie mère, puis, après la mort de celle-ci, une supérieure cruelle qui, avec la complicité servile des autres religieuses, lui inflige les pires supplices. Tentant une action en justice pour faire rompre ses vœux, elle échoue, mais change de couvent. La voici au couvent d'Arpajon, où elle découvre cette fois la perversion sexuelle d'une supérieure amoureuse de Suzanne jusqu'à la folie et à la mort. Pour rompre le cycle des « mères » infernales, résistant à la tentation du suicide, elle s'évade avec la complicité d'un directeur de conscience qui tente aussitôt d'abuser d'elle. Après quelques douloureuses expériences dans Paris, elle meurt, très chrétiennement, chez une blanchisseuse brutale, mais bonne. C'est de la maison de cette femme, avant de mourir, qu'elle écrit au marquis de Croismare, en implorant son secours, cette longue lettre relatant sa vie malheureuse.

Nous sommes loin du roman libertin que l'on s'est longtemps contenté de voir dans ce récit. La perversion de la supérieure de Saint-Eutrope, amoureuse de Suzanne, n'est que la conséquence physiologique normale de cette vie cloîtrée, de même que la frivolité et le néant intellectuel des jeunes pensionnaires. Tout cela nous est montré dans une juxtaposition de scènes et de tableaux où le goût de Diderot pour le théâtre et la peinture se déploie. Lettres, roman sous forme de Mémoires, drame bourgeois, tragédie chrétienne de l'expiation et du remords, scènes shakespeariennes de folie et de mort, pathétique richardsonien, dans des éclairages de nuit et de ténèbres, le récit témoigne de la prodigieuse fertilité de l'imagination créatrice de son auteur. On ne saurait rattacher *la Religieuse* à un genre précis ; il ne relève que des éléments qui ont déclenché le mécanisme créateur : le souvenir obsédant de la sœur de Diderot morte folle en religion, les multiples exemples réels de jeunes filles mises au couvent pour expier la faute des mères (Mme d'Egmont), ou refusant de prononcer les vœux (Mlle de Mézières), telle autre jeune fille intentant un procès pour faire révoquer les siens (Marguerite Delamarre). C'est justement à partir de celle-ci, que le marquis de Croismare avait un moment aidée, que surgit un soir dans l'esprit de Diderot, de Grimm, de Mme d'Épinay l'idée de faire adresser au marquis par une religieuse imaginaire des lettres mystificatrices lui demandant secours. Entre autres, une lettre plus longue en forme de Mémoires. Ainsi naquit peu à peu le roman, au pathétique duquel Diderot finit par se prendre lui-même jusqu'à en pleurer, tout en décidant de publier en postface les fameuses lettres mystificatrices, afin de détruire l'illusion qu'il s'était employé à créer et de rendre au lecteur sa faculté de jugement froid. « Amalgame insolite du pathétique et de la farce » (R. Mauzi).

C'est à la même impossibilité de préserver son indépendance et sa liberté que se trouve affronté Jean-François Rameau, personnage pittoresque bien connu à Paris, neveu du célèbre musicien. « Moi », philosophe bourgeois, nanti, double de Diderot, le rencontre, autre double de lui-même du temps de sa vie dissipée, au café de la Régence. Renaît ainsi une fois de plus le « monstre bicéphale » rêvé par Diderot, le moi à deux têtes dialoguant dans le soliloque.

De même que Suzanne la religieuse est déchirée entre soumission et révolte, de même Rameau le neveu est déchiré entre sa sensibilité artistique et le cynisme auquel le contraint sa condition sociale de bouffon et de parasite chez le financier Bertin, mécène des milieux parisiens antiencyclopédistes. Tous deux sont victimes d'un certain état de la société, tous deux sont aliénés. Tous deux contradictoires aussi, mais là est justement la source de leur vérité humaine ; pas plus qu'il ne peut concevoir un texte autrement que sous forme dialoguée, Diderot ne peut concevoir un personnage autrement qu'à deux pôles antagonistes, gage de la tension nécessaire à la vie. Rameau sent en lui une « dignité naturelle », il rêve d'être un musicien génial comme l'était son oncle, mais comment être génial quand on est obligé de vivre avec des médiocres, dans la « ménagerie » Bertin, dans la jungle parisienne où le « pacte tacite » est de rendre le mal pour le bien ? « Dans la nature, toutes les espèces se dévorent ; toutes les conditions se dévorent dans la société. »

Comment être génial, en outre, quand la « molécule paternelle », l'hérédité, ne le permet pas ? Alors il faut s'adapter à la société et à sa propre nature, donner de médiocres leçons de musique pour pouvoir manger, car c'est toujours au corps, à l'appétit, à la « garde-robe » qu'il faut en venir. « Moi » a beau donner à « Lui » de grandes leçons de vertu : la vertu, c'est la morale du philosophe, du sage, non celle du bouffon, du « fou » ; il n'y a pas de morale universelle, chacun a la sienne, dont les fondements sont biologiques et sociologiques. Il n'y a qu'« idiotismes » ; telle est une des grandes idées qui se dégagent du dialogue. Rameau rêve de créer de grands opéras, mais « l'influence des mœurs générales » l'amène à prostituer sa femme et à enseigner à son fils le culte de l'or en élevant devant ses yeux un louis comme une hostie, en un geste délibérément sacrilège.

Il a les consolations de l'art : partisan, comme Diderot, de la musique italienne, plus expressive et plus passionnée, le neveu de Rameau est capable de mimer à lui seul un étrange opéra, instruments et chants, qui devient peu à peu la représentation de l'univers entier. Mais, à la fin, il s'écroule, épuisé : insuffisamment maître de sa sensibilité physique, il ne sera jamais le grand acteur froid évoqué dans le *Paradoxe sur le comédien*. Il ne sera jamais un génie. D'ailleurs, soutient-il paradoxalement, les hommes de génie sont dangereux, ils troublent la société ; en effet, répond le philosophe, mais ils sont utiles pour la postérité. Diderot exorcise ainsi, par personnage interposé, son angoisse de l'échec, sa mauvaise conscience de créer un certain désordre avec l'*Encyclopédie* ; il se rassure en faisant de la postérité l'objectif primordial de tout artiste. Le Neveu, lui, cherche à survivre, comme Suzanne ; « Rira bien qui rira le dernier », l'essentiel est d'être au monde et d'être soi, d'aller jusqu'au bout de son caractère dans sa condition.

Autre silhouette pittoresque, avec son large chapeau à la Tabarin et sa gourde rabelaisienne qui lui sert d'oracle, Jacques, le paysan fataliste, doit lui aussi survivre, mais dans un monde picaresque de campagne et de grands chemins plus proche de la nature ; enfant, il était bâillonné par son grand-père, que lassait son bavardage : maintenant, frotté de philosophie par un de ses anciens maîtres, militaire philosophe, il prend sa revanche en dialoguant et narrant sans cesse, attestant symboliquement la libération sociale du paysan qui s'instruit et la liberté démiurgique totale du conteur. À la fois philosophe et homme de la nature, c'est lui qui résout le mieux le problème de la non-liberté : malgré sa croyance au « grand rouleau » implacable d'une destinée presque toujours opaque pour nous, il agit comme s'il était libre, estimant le destin capricieux mais non tragique, dialoguant et collaborant avec lui (« Il était écrit là-haut et dans ma prévoyance… »). Toujours supérieur à l'événement, comme sera le Figaro de Beaumarchais, dont il préfigure le destin (intendant de château, beau parleur, épousant la servante courtisée aussi par le maître), Jacques tempère le déterminisme spinoziste que lui a enseigné son capitaine et le déterminisme matérialiste des causes et des effets par le déterminisme stoïcien, qui permet au moins à l'homme, par l'exercice de son intelligence interprétant les signes, de comprendre, et peut-être de modeler en partie quelques fragments de la chaîne de son destin. Jacques a d'ailleurs écrit un traité sur l'art de la divination. Le valet est maître de son maître, qui croit aveuglément à la liberté, donne dans les superstitions, reste automate dans sa pensée autant que dans son geste habituel pour prendre sa tabatière.

Comme dans *la Religieuse* et dans *le Neveu de Rameau*, le problème du bonheur est au centre de *Jacques le Fataliste*. Jacques a compris que le bonheur ne peut résider que dans la santé du corps et de l'âme, dans une connaissance lucide et une acceptation réfléchie du déterminisme, sans résignation, dans l'accord avec soi-même et avec le monde. Éléments de philosophie stoïcienne qui, de plus, ne sont pas incompatibles avec un solide épicurisme paysan, une conception matérialiste du plaisir. Les amours de Jacques, au village ou avec Denise, dans leur robustesse ou leur tendresse, sont moins frelatées que les amours du maître, hobereau de province dupé à Paris par un chevalier d'industrie. Bien qu'il ne parvienne pas, lui non plus, à être assez froid et détaché pour pouvoir tout regarder d'un œil ironique, Jacques est heureux autant qu'on peut l'être dans ce monde du changement continuel, ce monde où il n'existe pas d'ordre du bien ni du mal, où personne ne peut comprendre ni juger à coup sûr les actions d'autrui, commandées par les « organisations » particulières de chacun. Mme de La Pommeraye se vengeant de l'inconstance de son amant est-elle coupable ou a-t-elle raison ? Le père

Hudson, moine paillard qui passe pour un saint, est-il un monstre ? Jacques volant à son ami Bigre la petite couturière Justine est-il un traître ? Les blâmer, c'est oublier que les exigences de la fidélité, de l'abstinence, de la bienséance sont des conventions incompatibles avec la loi naturelle des corps.

JACQUES LE FATALISTE ET SON MAÎTRE

Jacques se querelle avec son père, quitte la ferme familiale, s'engage dans l'armée. Blessé au genou à la bataille de Fontenoy, il est soigné dans une chaumière de paysans, puis dans un château, où il rencontre Denise, fille d'une servante. C'est l'histoire de cette rencontre et des amours qui en naissent que son maître actuel (trente ans, aristocrate de province) tente de faire raconter à Jacques (quarante ans), pour tromper l'ennui d'un voyage qu'ils font ensemble à cheval vers un but qui ne sera connu qu'à la fin du livre. Mais le récit de Jacques est continuellement interrompu par les hasards de la route, par les discussions philosophiques sur la liberté, le destin, le hasard, la providence, par les anecdotes de toutes sortes, rabelaisiennes ou pathétiques, qui surgissent sans cesse à l'esprit de l'un ou l'autre des interlocuteurs, par le récit des amours du maître avec Agathe, par le long récit que détaille, au cours d'un symbolique repos du septième jour, l'hôtesse de l'auberge : l'histoire de Mme de La Pommeraye, qui fit épouser une prostituée à son amant le marquis des Arcis pour se venger de son abandon (anecdote utilisée par Cocteau pour le film de Robert Bresson, *les Dames du bois de Boulogne*). Aux dernières pages, au moment où, devant une maison paysanne, le maître se rue sur un homme qui se trouve là et le tue, on comprend qu'il venait payer la pension alimentaire pour l'enfant d'Agathe dont cet homme, le chevalier de Saint-Ouin, son rival, lui avait fait endosser la paternité. Jacques est mis en prison à la place de son maître en fuite ; délivré par la bande de Mandrin, il retrouve un peu plus tard son maître au château où il a été soigné naguère, et qu'il protège du pillage. Il y retrouve aussi Denise, qu'il épouse, et « avec laquelle il s'occupe à susciter des disciples à Zénon et à Spinoza ».

Toute cette philosophie ne se dégage que dans le mouvement, l'action, le tohu-bohu d'anecdotes qui s'enchaînent, se télescopent, s'entrecroisent, à l'image du mouvement de la vie, imprévisible, incohérent ; l'ordre habituel des romans, logique, psychologique, avec sa chronologie et sa causalité, est antinaturel. Diderot le refuse. À l'image de la vie, son texte est tumulte, énergie, désordre. L'auteur interpelle familièrement les devisants, le lecteur ; tout le monde est englobé dans le livre, qui n'est plus un objet fragmentaire, mais la totalité même de la vie. Microcosme du grand tout, un et multiple ; texte joyeux et rassurant, mené au gré du conteur qui nous tient et s'en régale. Conter est un art de vivre libre. De même, la longue lettre autobiographique de *la Religieuse,* écrite après l'évasion, témoignait elle aussi de la dénonciation libre de la scandaleuse non-liberté des couvents. La création romanesque est la manifestation euphorisante d'une liberté qui se découvre au sein de la non-liberté physique du monde et en annule le tragique.

Salons de 1763, 1765, 1767

De 1759 à 1781, pour son ami Grimm, Diderot rend compte des salons de peinture qui se tiennent à Paris tous les deux ans. Descriptions de tableaux, commentaires, réflexions dissertantes (sur les mythologies comparées, sur les conséquences du luxe sur les beaux-arts, etc.) laissent sur sa faim le lecteur en quête d'analyse technique. Diderot n'a guère de notions précises, il en acquiert peu à peu en allant visiter les artistes dans leurs ateliers (« J'ai conçu la magie de la lumière et des ombres [...], j'ai acquis le sentiment de la chair »), mais, de son propre aveu, il lui manquera toujours d'avoir fait le voyage d'Italie.

Par contre, là encore, quel monde en mouvement ! C'est de 1763 à 1767 que l'animation d'art de Diderot atteint son apogée. Entouré des tableaux du Salon, nombreux, serrés, il se sent au milieu d'un univers magique : tous les êtres et les objets de son temps interprétés par le peintre, tout le monde poétique de la mythologie, de la Bible, de l'histoire légendaire... Mais lui aussi a sa vision idéale personnelle de tous ces thèmes et mythes universellement connus. Aussitôt, le dialogue s'engage à travers le tableau avec le peintre absent : indigné quand Restout manque Orphée et Eurydice, quand Carle Van Loo massacre les Grâces, quand Hélène ressemble à une « catin usée et malsaine », quand un Amour n'est « pas plus en état de voler qu'une oie ». Comment Restout, quatre-vingts ans, pourrait-il réussir une Esther évanouie devant Assuérus ? Que ne ferait-il pas, lui, devant sa Sophie évanouie ! Dans un va-et-vient continuel entre l'univers réel, l'univers des mythes, l'univers du peintre, son propre univers idéal, il exerce son « imagination vive et forte » (Naigeon), dans un style véhément. Du *Coucher de la mariée* par Baudouin au grand prêtre Corésos s'immolant pour sauver Callirrhoé (à partir du tableau de Fragonard), il recompose un nouvel univers selon son goût et prouve le pouvoir supérieur du littérateur et du poète sur le peintre, obligé de fixer un seul instant. Il dénonce la décadence de l'art par la faute des « amateurs », de la dégradation des mœurs, du goût des parvenus. Plus de peintres : des brodeurs et des teinturiers. Il souhaiterait une réhabilitation du métier, l'ouverture d'écoles pour les peintres comme il en souhaite ailleurs pour les comédiens.

Son goût, l'admiration qu'il a pour Chardin, pour Vernet, pour Greuze l'exprime assez : la réalité simple et familière, le pathétique sombre et théâtral, le moralisme allégorique et larmoyant. Ce sont les trois pôles de son esthétique. Il lui faut une « idée frappante », une « ligne qui vive ». Alors il s'enthousiasme. Il faut qu'il entre dans le tableau comme il fait entrer le lecteur dans ses propres récits : « Un tableau qui vous met en scène n'est jamais un mauvais tableau. » Il loue Greuze « d'enchaîner des événements d'après lesquels il serait facile de faire un roman ». Comme les livres qu'il lit, les tableaux des autres donnent l'élan à sa création personnelle, à la projection de lui-même. Nulle part, sauf dans sa correspondance, on ne sait sit mieux Diderot sur le vif : sa sensualité surtout. Il en veut aux peintres qui ne rendent pas bien « le velours des fleurs », « le nacré de la chair des blondes » ; à celui qui a raté une dormeuse : « Si la femme était belle, je la contemplerais dans son sommeil. » Demi-vêtue ou nue, endormie, sacrifiée, échevelée ou paisible, la femme surgit partout sous sa plume. Voyeurisme et concupiscence. L'un de ses thèmes préférés est Joseph devant la femme de Putiphar. Il comprend mal Joseph !

Sensuel aussi son goût pour les paysages romantiques de Vernet ou de Loutherbourg. Il les revoit en rêve, ce qui entraîne une analyse physico-chimique du phénomène du rêve, que l'on retrouvera dans le dialogue philosophique du *Rêve de d'Alembert*. Pas plus de séparation entre les œuvres de Diderot qu'entre les espèces de la nature. Dans le *Salon* de 1765, il imagine la caverne de Platon pleine de toutes les scènes de la vie. « Ah ! si j'étais peintre ! » Mais devant un tableau qui manque de pathétique : « Voulez-vous la description de ce tableau ou aimez-vous mieux un conte ? » Et, entre les dissertations d'esthétique, le compte rendu des tableaux devient recueil de contes.

Ceci n'est pas un conte ; Madame de La Carlière ; Supplément au Voyage de Bougainville

Des contes, Diderot en écrit une série particulièrement significative en 1772. Cette année-là, il vient de lire la relation du voyage de Bougainville autour du monde. C'est le sujet à la mode, d'autant que le navigateur avait ramené un Tahitien à Paris. L'un des intérêts de cette série est d'éclairer le processus créateur chez Diderot : aussitôt terminée la lecture, à la fin de 1771, du récit de Bougainville, il en donne un compte rendu à la *Correspondance littéraire* de Grimm, sous forme d'un court article. Les deux thèmes dominants (bonté naturelle et liberté sexuelle à Tahiti) lui inspirent contradictoirement les deux brefs récits de *Ceci n'est pas un conte*, qui illustrent l'un la méchanceté féminine, l'autre la méchanceté masculine, et l'histoire de *Madame de La Carlière*, qui montre les effets absurdes d'une conception stricte du mariage. Un dialogue philosophique, sous le titre *Supplément au Voyage de Bougainville*, tire les conclusions des récits romanesques déjà dialogués, précisant l'opposition entre le code naturel qui fait le bonheur de Tahiti et les codes civil et ecclésiastique, qui consacrent l'antinature européenne. Antinature qui, au fur et à mesure du passage des voyageurs, corrompt la vie naturelle des Tahitiens, leur inspirant « besoins factices » et « vertus chimériques ». D'où une critique du colonialisme, en liaison avec les pages que Diderot écrit au même moment pour l'*Histoire des deux Indes* de l'abbé Raynal. Tout s'enchaîne, interfère, se complète, un et multiple à la fois.

CECI N'EST PAS UN CONTE

Les deux récits rassemblés sous ce titre illustrent, l'un la méchanceté féminine, l'autre la méchanceté masculine :

1) Par amour pour une belle Alsacienne, Mme Reymer, Tanié part pour Saint-Domingue gagner une petite fortune, qu'il lui offre. Mais Mme Reymer, insensible à son amour, riche grâce à ses multiples amants successifs, se disant pourtant pauvre, le renvoie au Canada gagner de l'argent pour elle. Il y meurt.

2) Mlle de La Chaux abandonne sa famille, son honneur et consacre sa fortune, sa santé aux études de son amant Gardeil, jeune érudit ambitieux. Quand elle n'a plus d'argent et que le travail a fané sa beauté, il l'abandonne cyniquement. Elle en meurt. Il devient un médecin réputé et honoré.

MADAME DE LA CARLIÈRE

Jeune veuve, Mme de La Carlière reçoit dans son château le chevalier Desroches, blessé dans un combat. L'amour naît entre eux ; ils se marient, mais Mme de La Carlière, dans une cérémonie solennelle, fait prêter à son mari serment de fidélité absolue. Découvrant un jour son infidélité, elle le quitte non moins solennellement, avec leur enfant. L'enfant et la mère meurent l'un après l'autre. L'opinion publique plaint d'abord Mme de La Carlière, puis la blâme et plaint son mari.

Dans leur diversité, ces trois nouvelles gravitent autour d'une même idée : l'impossibilité de juger, au nom d'un code civil et d'un code ecclésiastique, des actes qui ne relèvent que de la nature individuelle du corps. On ne peut pas plus juger autrui qu'on ne peut commander à ses propres passions.

Assez contradictoirement, le dialogue du *Supplément* entre l'aumônier et le Tahitien Orou se présente comme une condamnation radicale du mariage, au moment où Diderot vient de marier bourgeoisement sa fille. C'est que, tant que le code naturel n'aura pas remplacé les codes civil et ecclésiastique, il faut s'en tenir aux lois et aux mœurs, essayant toutefois de les réformer progressivement. Ce serait folie de vouloir être le seul sage parmi les fous. C'était déjà l'opinion du Neveu de Rameau. D'autre part, Diderot procède aussi par ricochet : l'utopie tahitienne pourrait être une invitation à Catherine II d'établir un code naturel en Russie, le seul pays avec l'Amérique que Diderot juge à un stade parfait d'équilibre entre sauvagerie et civilisation pour devenir les modèles de nouveaux gouvernements qui pourraient influer sur nos vieilles nations d'Europe occidentale.

Le voyage de Russie, l'année suivante, devait le décevoir, et la lecture d'Helvétius pendant le voyage, celle de Sénèque au retour l'amèneront, contradictoirement encore, à la réfutation de l'un, à l'apologie de l'autre, l'ensemble proposant une ultime image du philosophe. Toute son œuvre, en dehors de l'*Encyclopédie*, n'aura été, à partir de lectures, de personnages rencontrés, de faits divers observés, de récits entendus, qu'une éblouissante projection de lui-même.

R. Virolle

DIERX Léon

(1838-1912)

Poète, originaire de la Réunion, comme Leconte de Lisle, Léon Dierx écrivit ses premières poésies (*Aspirations*, 1858) sous l'influence du romantisme (Hugo, Musset, Lamartine s'y retrouvent au passage), puis devint progressivement un adepte du Parnasse, dont la préface des *Lèvres closes* (1867) constitue un manifeste (« La poésie n'a d'autre but que la poésie... »). Sacré « prince des poètes » à la mort de Mallarmé, Dierx publia d'autres recueils poétiques : *les Paroles du vaincu* (1871), après la défaite de 1870 ; *les Amants* (1879). Il réunit ses poèmes, retravaillés, dans un premier ensemble : *Poésies complètes*, en deux volumes, édition corrigée et commentée (1889-1890), puis il fit paraître une édition « définitive » (1894-1896). Ensuite, il garda quasiment le silence : une réédition, augmentée de quelques pièces (1900-1903), et, en 1912, des *Poésies posthumes*.

Plus qu'un simple disciple des parnassiens (et de Leconte de Lisle, en particulier), Léon Dierx établit dans son œuvre une synthèse d'influences : Gautier (« Souré-Hâ »), Hugo, Vigny et Baudelaire. Dépassant la pure plasticité, le recueil des *Lèvres closes*, dans une évocation fréquente de la mort, tend à suggérer le mystère des choses, la sensation de leur « envers », les correspondances qui s'établissent entre les êtres et la nature (« les Yeux de Nyssia » ; « Soir d'octobre »...), comme dans ces vers aux résonances verlainiennes :

Écoute à travers l'ombre, entends avec langueur
Les cloches tristement qui sonnent dans la plaine,
Qui vibrent tristement, longuement dans ton
[cœur...

S'inaugure ainsi une poésie « symboliste » (continuée dans *les Amants*) qui cherche à rendre l'impalpable, le transitoire, l'impression fugitive d'un instant (« Au jardin » : « Le soir fait palpiter plus mollement les plantes/Autour d'un groupe assis de femmes indolentes [...]/Une ombre par degrés baigne ces formes vagues »).

A. Pierrot-Herschberg

DIETRICH Luc

(1913-1944)

Largement autobiographique, l'œuvre de Luc Dietrich est brève, à l'image de son existence : un recueil de poèmes, *Huttes à la lisière*, en 1932, quelques écrits épars, et surtout deux romans, *le Bonheur des tristes* (1935) et *l'Apprentissage de la ville* (1942), qui, sur un ton plus proche, bien souvent, de celui de l'aveu ou de la confession que de celui du roman, nous racontent sa vie. Une vie qui est d'abord quête de vérité : ce lent apprentissage intérieur de lui-même et du monde qui, à partir de la corruption et de l'expérience du mal, lui donnera enfin accès à la sagesse, à la fois connaissance et détachement de tout. Récit de son enfance, marquée par la misère et par la solitude (orphelin de père à l'âge de six ans, Luc Dietrich vivra seul avec sa mère, qui, minée par la drogue, mourra à son tour en 1931), regard plein de candeur et d'une lucidité naïvement féroce d'un enfant sur le monde, *le Bonheur des tristes* suscita l'enthousiasme de la critique. De même, *l'Apprentissage de la ville*, qui, sept ans plus tard, reprend la confession à la mort de sa mère : d'une vie de clochard à celle d'homme entretenu par une femme du « milieu », au grand amour enfin dans lequel le héros croit voir son salut et auquel finalement il renonce, convaincu de la vanité de tout face à l'illumination de la connaissance.

Mélange de réalisme et de vision mystique, ces romans laissent tous deux largement deviner l'ombre de Lanza del Vasto. L'influence de ce dernier a été primordiale : comme ami et comme maître, Lanza révéla à Luc Dietrich ses talents d'écrivain et l'aida à écrire. Ensemble ils rédigent, en 1933, à partir des récits de rêves de Luc Dietrich, *le Livre des rêves*, publié avec d'autres textes inédits dans un recueil posthume, *l'Injuste Grandeur* (1951), et, en 1947, *le Dialogue de l'amitié*, qui reste comme leur testament philosophique et spirituel. Après celle de Lanza del Vasto, une rencontre avec René Daumal en 1938, et avec Gurdjieff en 1942, raffermira encore sa recherche intérieure et cette exigence d'être qu'il poursuivra jusqu'à la mort, le 12 août 1944, des suites d'une blessure accidentelle. Également photographe, Luc Dietrich a publié des albums de photos accompagnées de proses poétiques (*Terre*, 1937, etc.).

N. Vasseur

DIOP Birago

(1906-1989)

Ce Sénégalais qui fréquenta l'école coranique et l'école européenne, qui vint ensuite étudier la médecine vétérinaire à Toulouse, a su merveilleusement comprendre toutes les cultures qu'il a traversées dans leur plus secrète intimité. Ses premiers essais poétiques d'étudiant toulousain (1925-1929) sont verlainiens, pleins de « phalènes », de « théorbes » et de douleurs d'amour, mais révèlent aussi un tempérament généreux. Birago Diop, avec un humour trop modeste, a appelé les poèmes qu'il a composés au fil des années « péchés de jeunesse et d'un autre âge », lorsqu'il les a publiés, en 1960, sous le beau titre de *Leurres et Lueurs*.

La plus grande réussite de Birago Diop demeure les trois volumes de contes qu'il a donnés, *Contes d'Amadou Koumba* (1947), *Nouveaux Contes d'Amadou Koumba* (1958) et *Contes et lavanes* (1963). Exploitant le fonds de récits de tout l'Ouest africain, les « lavanes » que sa profession l'amena à parcourir, il y ajoute son humour, son goût de la litote, son sens de l'harmonie, toutes qualités de poète. On voit alors ce que peut être la métamorphose d'une littérature orale en une œuvre écrite originale. Birago Diop est, comme La Fontaine, à qui on peut le comparer à bien des points de vue, le contraire d'un écrivain naïf. Il montre ce qu'il faut de l'art le plus exigeant, fait de renoncement et de raison plus que d'inspiration et de prolixité, pour atteindre la spontanéité de la nature.

Cet homme secret, habile à s'effacer derrière le regard aigu du moraliste, a complété (après *Contes d'Awa*, 1977) une œuvre élégante par trois volumes de Mémoires : *la Plume raboutée* (1978), *À rebrousse-temps* (1982) et *À rebrousse-gens* (1985). Indulgent pour les autres, rigoureux pour lui-même, il pose sur une époque douteuse et difficile un regard souriant plein d'une sagesse qui, pour être « africaine », n'appartient cependant qu'à lui-même.

O. Biyidi

DJEBAR Assia

*Pseudonyme de **Fatima Zohra IMALAYEN** (née en 1936)*

Écrivain algérien d'expression française. Née à Cherchell, fille d'instituteur, Assia Djebar a fait ses études secondaires à Blida et supérieures à Alger et à Paris. Elle a vécu une partie de la Révolution à Tunis et a enseigné l'histoire à l'université d'Alger, avant de se fixer à Paris.

Assia Djebar représente pour beaucoup une sorte de symbole de la conquête de l'écriture par la femme algérienne. Son premier roman, *la Soif*, publié chez Julliard en 1957 alors qu'elle n'avait que vingt ans, et qui narre l'émancipation, parfois scabreuse, d'une jeune Algérienne, la fit comparer à Françoise Sagan, avec l'exotisme en plus. L'ouvrage fut mal accueilli par la critique algérienne qui se montra tout aussi réservée à l'endroit du deuxième roman de Djebar, *les Impatients* (1958). On faisait reproche à l'auteur d'ignorer les problèmes politiques de l'heure et de ne montrer que l'individualisme d'une bourgeoisie acculturée, aux prises avec les traditions familiales que son éducation française ne lui permet plus de partager.

Avec *les Enfants du nouveau monde* (1962) et *Alouettes naïves* (1967), il s'agit, au contraire, de vastes fresques sur la guerre. Le premier de ces romans, surtout, s'attache à nous montrer les types humains essentiels, hommes et femmes, ces dernières étant privilégiées, que révèle l'événement. Écriture « classique » et descriptive, donc, du « roman engagé ». Les meilleurs passages d'*Alouettes naïves* cherchent déjà à dégager, dans certains dialogues de femmes apparemment en retrait et, en fait, au contact même de la guerre, l'historicité d'une authentique parole de femmes. Et c'est encore cette parole féminine que traquent, dans des conversations ou des situations à peine dégagées de la quotidienneté, les nouvelles réunies dans *Femmes d'Alger dans leur appartement* (1980).

Longtemps prisonnière d'une écriture « psychologique » assez traditionnelle, Assia Djebar a donc entamé une recherche de parole vraie qui paraît pleine de promesses. Paru en 1985, *l'Amour, la fantasia* en est une illustration frappante. Ce texte convoque et fait éclater les genres consacrés de la chronique historique, de l'autobiographie réelle, de l'autobiographie fictive ou encore prêtée, pour dégager de cette redistribution des registres nouveaux du dire féminin et arabe. Elle reprend cette même démarche dans *Loin de Médine* (1991), où elle donne la parole aux femmes qui ont entouré le Prophète. La violence qui secoue son pays depuis les années 1990 lui inspire, plutôt que des partis pris hâtifs, le désir d'en comprendre les origines (*le Blanc de l'Algérie*, 1996 ; *Oran, langue morte*, 1997), généalogie tragique où l'aspiration à la liberté s'est toujours heurtée à la contrainte et au déchirement (*Vaste est la prison*, 1995).

Depuis 1978, Assia Djebar a élargi sa recherche à la création audiovisuelle : parmi les deux longs métrages qu'elle a écrits et réalisés, le premier, *la Nouba des femmes du mont Chenoua*, a été primé au Festival de Venise en 1979. Assia Djebar a également traduit plusieurs romancières arabes d'aujourd'hui, par exemple l'Égyptienne Nawal Saadaoui. Recueil d'essais et de conférences, *Ces voix qui m'assiègent* (1999) exprime, au fil des souvenirs personnels et des épreuves collectives, une complexe et douloureuse quête d'identité.

C. Bonn

DJIAN Philippe

(né en 1949)

Avant de devenir, dans les années 1980, l'auteur-phare d'une génération, Philippe Djian exerce de nombreux métiers. Pigiste, il vend des photos à *l'Humanité-Dimanche*, des articles à *Détective*, des interviews de Montherlant et de Lucette Destouches, la veuve de Céline, au *Magazine littéraire*. Il travaille également comme magasinier chez Gallimard, maison d'édition où il publiera ensuite plusieurs de ses romans. Si *Bleu comme l'enfer* (1983) et *Zone érogène* (1984) rencontrent un certain succès, c'est surtout en 1985 que le public le découvre, à l'occasion de la publication de *37°2 le matin*, dont l'adaptation cinématographique par Jean-Jacques Beineix, l'année suivante, connaît un véritable triomphe. Une génération s'identifie alors aux deux héros, Betty et Zorg, incarnés à l'écran par Béatrice Dalle et Jean-Hugues Anglade. Le livre sera tiré à un million d'exemplaires, toutes éditions confondues. Avec *Maudit manège* (1986), *Échine* (1988), *Crocodiles* (1989), *Lorsque Lou* (1992), *Sotos* (1993), Philippe Djian affirme sa réputation de rebelle et de marginal, apte à créer des univers de série noire, hantés par le désespoir existentiel, l'errance sexuelle, la drogue, les impasses suffocantes de la communication. « Mes personnages, écrit-il, parlent sans espérer être entendus : pour se rassurer, peut-être pour savoir où ils en sont, pour se persuader qu'ils existent. Ils pourraient aussi bien crier, ou gémir, ou chanter. » La même technique romanesque est reconduite d'un livre à l'autre : style sec et souvent brutal, minimalisme du vocabulaire, dialogues au scalpel, ellipses soudaines et inattendues. Adulé par un large public – la plupart de ses romans, à peine sortis, ont caracolé en tête des meilleures ventes –, Philippe Djian est néanmoins dénigré, voire vilipendé par une grande partie de la critique littéraire. Ses détracteurs dénoncent, depuis plusieurs années, un univers romanesque purement factice où s'entrecroisent des thèmes à la mode, ainsi qu'un langage où incongruités stylistiques et syntaxiques se transforment rapidement en alignement de clichés. Une évolution se dessine néanmoins, depuis le milieu des années 1990, dans les rapports entre Philippe Djian et la critique. Est-elle imputable à l'« assagissement » relatif du romancier ? Une partie du public fanatique des années 1980 ne semble plus se retrouver en effet dans le Djian « nouvelle manière », trop policé à ses yeux et soupçonné d'aspirer à la légitimité littéraire. Reste que, dans la production française des dernières années, la trilogie formée par *Assassins* (1994), *Criminels* (1997) et *Sainte-Bob* (1998), dont les deux premiers romans sont censés être écrits par le héros du troisième, constitue une entreprise incontestablement inventive et originale. Authentique écrivain ? Simple porte-parole des vicissitudes d'une génération ? Philippe Djian aura au moins témoigné, en dépit de ses tics souvent irritants, d'une sensibilité juvénile et de la déréliction d'une époque.

P. Mari

DOLET Étienne

(1509-1546)

Humaniste, philologue et poète, Étienne Dolet est définitivement passé à la légende en montant sur le bûcher de la place Maubert, à trente-sept ans. On n'arrachera plus ce personnage complexe à sa réputation, assurément justifiée, de « martyr de la Renaissance ».

De prison en prison

Né en 1509 à Orléans, ville universitaire où les juristes ont souvent été d'esprit frondeur, Dolet commence à douze ans des études à Paris. À dix-sept ans, dans l'enthousiasme, il part pour l'Italie étudier à l'université de Padoue, l'un des centres les plus effervescents de réflexion philosophique, philologique et médicale : Pomponazzi vient d'y mourir, Bembo y règne, Vésale, le cardinal Pole y séjournent... Dolet y rencontre sans doute beaucoup de monde et suit les cours de l'humaniste français Simon de Neufville. Dolet songera toujours à Padoue, où il situe son premier grand texte, le *Dialogus de imitatione Ciceroniana* (1535) ; de sa première prison, il pense à revenir à Padoue.

Le récit de sa courte vie pourrait être celui de ses prisons. Prison en 1533, à Toulouse (trois jours) ; dans ce siège de l'Inquisition, très agité à ce moment, il a prononcé deux discours devant ses compatriotes étudiants ; il est alors en pleine bataille intellectuelle, à la fois contre la superstition bigote et contre Érasme... L'intervention du puissant ami de Marguerite de Navarre, l'évêque de Rieux, l'en délivre.

Prison en 1536-1537, à Lyon (trois mois), pour avoir tué un peintre qui l'agressait. Mais l'affaire n'est pas claire. Dolet se rend à Paris pour se défendre ; il y est emprisonné ; Marguerite de Navarre obtient sa grâce du roi. Sa libération est fêtée par un banquet à la mode antique. Les invités : Budé, Rabelais, Marot, Macrin, Boyssonné, etc. On y évoque Érasme, qui vient de mourir, et les auteurs italiens qu'aime Dolet : Bembo, Sadolet, Vida, Sannazar. Dolet rapporte fièrement l'anecdote dans ses *Carmina* de 1538 ; pourtant, il se fâchera avec la plupart de ces amis.

Prison en 1542-1543 (quinze mois), à Lyon, puis à Paris, pour avoir publié un *Cato christianus* jugé insuffisamment orthodoxe. En fait, ses activités d'imprimeur (il a obtenu le privilège du roi en 1538) lui font encourir la haine de ses concurrents, qui publient à peu près les mêmes ouvrages que lui ; et il est fragile.

Prison en janvier 1544 (trois jours), et pour les mêmes raisons (une sorte de provocation montée contre lui ? Des livres prohibés ont été expédiés sous son nom à Paris). Il s'évade de l'hôtel lyonnais et raconte l'aventure dans une épître au roi, drôle et émouvante, à la façon de Marot, dans le *Second Enfer*, pendant qu'il fuit en Piémont et qu'on brûle ses livres sur le parvis de Notre-Dame. Il revient en France avec l'armée d'Italie, se fait arrêter à Troyes (août 1544), après avoir pris le risque de passer voir sa famille à Lyon et d'y faire publier dans son atelier son recueil de poèmes. Il y a préparé deux traductions de Platon qui seront invoquées contre lui au cours de son procès.

Ce sera sa dernière prison (septembre 1544-août 1546 : deux ans). La France est alors agitée par les querelles religieuses. Ses grands protecteurs n'ont plus les mêmes pouvoirs ; d'autres se sont sans doute lassés d'un personnage trop fougueux et tourmenté. On a attendu la Saint-Étienne pour le brûler avec ses derniers manuscrits, le jour de son anniversaire, sur la paroisse Saint-Étienne (« rencontres mémorables », dira La Croix du Maine). Rien de ses desseins, de son œuvre n'était achevé. Pendant plusieurs années, des continuateurs plus ou moins imprévisibles, courageusement fidèles à son travail, vont faire allusion à ses textes disparus (?) : Du Bellay, dans la *Deffence et Illustration*, trois ans après sa mort, Barthélemy Aneau, Des Autels.

Un humaniste rigoureux

Où situer Dolet ? C'est un laïc, marié en 1538 ; la naissance de son fils, Claude, le ravit et le fait philosopher sur la conduite humaine, dans un poème latin qu'il traduit lui-même, l'*Avant-Naissance* (1539). C'est un humaniste, que le métier de correcteur, d'abord, chez le grand imprimeur Sébastien Gryphe, a formé et fait vivre (1534-1536). Enfin c'est un grand imprimeur lui-même, dont les publications participent aux querelles du moment, celle des Femmes, notamment : il publie Héroët, Guevara. Chez lui paraissent les œuvres de Marot (1538, 1542, 1543, 1544), dont *l'Enfer* ; il réédite le *Gargantua* (1542, mais Rabelais le désavoue pour n'avoir pas corrigé ce qui provoque la censure...). Surtout, il a fait passer en français des pans entiers de culture antique (Platon, Cicéron, Sénèque, etc.) ou de savoir médical : de bons spécialistes lyonnais, J. Canappe, P. Tollet, traduisent Galien pour lui ; dans son esprit, aucune discipline ne saurait se passer des bonnes lettres, et sa défense du français est dans la ligne de la politique royale, mais a dû blesser quelques spécialistes. Elle est pourtant la conséquence de sa défense d'un latin classique, « cicéronien », contre les libertés d'Érasme ou les thèses néo-platoniciennes. Le débat est italien et date du début du siècle. Bembo semblait avoir tout dit en 1512, dans son *De imitatione* ; Érasme attend 1528 pour produire contre les « cicéroniens » un texte violent, attaquant Longueil, cher à Dolet. En 1535, là où le grand humaniste italien défendait sereinement sa conception littéraire de la langue latine, Dolet, irrité contre Érasme, met toute sa fougue d'italianisant à soutenir sa thèse, dans le *Dialogus de imitatione Ciceroniana*. Dialogue absurde d'une certaine manière puisqu'il fait se rencontrer à Padoue, où Thomas More n'est jamais allé, l'auteur de *l'Utopie* (déjà emprisonné au moment où écrit Dolet) et Longueil, déjà mort : l'Anglais prend les coups pour Érasme, et Longueil parle pour Dolet. La préface, adressée au frère de Maurice Scève, est une défense de la position religieuse de Dolet. Mais qu'y a-t-il en jeu dans ce texte ? Dolet, certainement, sent tout comme un frein au progrès tel qu'il le conçoit. Si les forces en présence nous échappent, lui en a une conscience exacerbée et semble enrager de devoir être polémiste. Il représente en tout cas l'un des maillons de la pénétration des idées italiennes en France, ce qui n'échappe pas à Érasme.

L'autre grand texte de défense du latin cicéronien consiste dans les *Commentarii linguae latinae*, entreprise gigantesque et « chef-d'œuvre » d'artisan. Il a dû se faire aider par de jeunes savants, en tout cas par Des Périers. Émule de Budé, à qui il adresse d'ailleurs deux belles préfaces, il songeait à cet ouvrage avant même de partir pour l'Italie, à seize ans. Le premier tome paraîtra en 1536, chez Gryphe ; il doit travailler au second en prison (dans quelles conditions ?) et le publie, toujours chez Gryphe, un an après sa libération, en 1538. Dolet prévoyait un troisième volume : à sa place sortiront seulement, de son propre atelier en 1539, les *Formulae latinarum locutionum illustriorum*. En fait, il semble que Dolet s'oriente alors dans une autre direction : le même travail sur la langue française, qu'il projette d'appeler *l'Orateur françoys*. Les deux premiers volumes des *Commentarii*, modèles de clarté dans la présentation, sont construits selon un principe génial qui vise à la fois la réflexion sur la langue et son apprentissage : les mots sont groupés par vastes zones sémantiques (« amitié », « lettres », « action », « pensée », etc.) ; chaque terme est défini dans toutes ses nuances avec une densité philosophique, illustré par des emplois strictement issus de Cicéron, de Virgile et de quelques autres grands classiques, suivi de commentaires qui vont de la simple remarque philologique à la digression la plus personnelle ; c'est là que nous trouvons les louanges des Grands selon son cœur (François Ier, Marguerite de Navarre), les attaques contre Érasme, les bilans sur la littérature et les sciences contemporaines (il connaît parfaitement les productions italienne et espagnole, française et anglaise, allemande et flamande), les hymnes à la musique. L'ouvrage témoigne de son agressivité à l'égard de l'hostilité des juges et des marchands et c'est là qu'il formule la prière (prémonitoire !) de ne devoir jamais dépendre d'un tribunal humain… Par-dessus tout se manifeste son obsession de la gloire, seule capable de défier la mort. La vie du texte (c'est, dit-il, plus une « histoire » de la langue qu'un commentaire), l'apologie qu'il fait de la parole – de sa clarté et de son expressivité, de son « corps » –, de la transparence de tout ce qui est dit, la volonté de tout amener à une connaissance simple et délimitée, de rapporter chaque terme à son objet font des *Commentarii* l'un des plus beaux livres, et des plus efficaces, écrits non seulement à la gloire du latin, mais aussi à celle du langage même ; et cela dans une voie déjà classique. Cependant l'aspect monumental des volumes n'en permettait pas une diffusion aisée ; l'un des admirateurs de Dolet a bien tenté, dès 1537, d'en donner un sommaire, mais c'était perdre la force du propos pédagogique et philologique et la vigueur des interventions de l'auteur.

De la grande entreprise finale, qui portait sur la langue française, il ne reste qu'un fragment publié par Dolet en 1540, la *Manière de bien traduire d'une langue en aultre. D'advantage De la punctuation de la langue Françoyse, Plus Des accents d'ycelle*, dont la préface, adressée à Guillaume de Langey, annonce complètement le futur projet de Du Bellay (neveu de Langey) : régler et « illustrer » la langue, pour « l'honneur de son pays ». Dolet donnait en même temps cinq règles de la méthode pour bien traduire – activité qu'il avait largement pratiquée –, ainsi que des conseils sur l'orthographe et la ponctuation qui allaient dans le sens des choix que l'édition allait faire plus tard.

Dans ce texte, il disait de lui-même qu'il était « l'homme le moins admirant les hommes sans raison et cause véhémente ». Cet esprit critique et cette passion l'ont mené, à coup sûr, au bûcher. Il est vrai que, se donnant pour idéal une « vertu » faite de « philosophie et bonnes lettres », refusant de mêler cette philosophie à l'Évangile, il ne pouvait guère espérer se faire aimer et comprendre. Avec quelle constance il a pu heurter le moins bon de ses contemporains, mais aussi éloigner de lui par une obstination maladroite certains – parmi les meilleurs – de ses amis : voilà sans doute de quoi s'étonner à propos de cet homme enthousiaste.

M. M. Fontaine

DONDEY Théophile
v. O'NEDDY Philothée

DONNEAU DE VISÉ Jean

(1638-1710)

Parisien ambitieux et de bonne famille, il préférera à une carrière ecclésiastique la poursuite de la gloire littéraire. Il publia d'abord, en 1663, des *Nouvelles nouvelles*, mi-romanesques, mi-réalistes, où il aborde volontiers des sujets littéraires d'actualité : il y prononce sur *l'École des femmes* un jugement nuancé et attaque avec force la *Sophonisbe* de Corneille, dont il publiera une *Défense* quelques mois plus tard. Mais c'est en entrant le premier en lice contre Molière, avec *Zélinde ou la Véritable Critique de « l'École des femmes » et la*

Critique de la Critique (1663), qu'il se fera connaître. L'œuvre est assez fielleuse ; l'année suivante, après *l'Impromptu de Versailles*, il reviendra à la charge avec *la Vengeance des marquis*. Cependant, si ses *Diversités galantes* (1664) contiennent encore une *Lettre sur les affaires du théâtre* attaquant violemment Molière, il se réconciliera bientôt avec celui-ci, et on lui attribue souvent les deux apologies que sont la *Lettre sur la comédie du « Misanthrope »* (1666) et la *Lettre sur « l'Imposteur »* (1667). Molière, il est vrai, avait joué en 1665 sa *Mère coquette*. Donneau de Visé donnera en 1667 son agréable comédie de *la Veuve à la mode*, dancourade avant la lettre, suivie, fin octobre, d'une pastorale, *Délie*, remplie d'allusions flatteuses pour le roi, et, en novembre, d'une farce, *l'Embarras de Godard*. Il faut encore relever parmi ses œuvres les deux comédies du *Gentilhomme guespin* (1670) et des *Intrigues de la loterie* (1670), et deux tragédies à machines, *les Amours de Vénus et d'Adonis* et *les Amours du Soleil* (1670 et 1671).

L'œuvre capitale de Donneau de Visé commence cependant en 1672, par la publication d'un recueil de lettres fictives, en prose, sur les événements du jour, intitulé *le Mercure galant*. Six mois plus tard paraissent simultanément le deuxième et le troisième volume : le journal – ou plutôt la revue – a déjà sa physionomie presque définitive ; on y trouve des articles d'information sur la politique, la vie à la Cour et à l'armée, des nouvelles des cours étrangères, des poèmes, des articles de mode, des nouvelles romanesques, des informations théâtrales, sans oublier quelque publicité pour les œuvres de l'auteur. Les livraisons s'interrompent en décembre 1673 pour reprendre en 1677, après cession du privilège, dans le même esprit. *Le Mercure galant* se targue de publier volontiers les envois de ses lecteurs, et même les sollicite, pour son « extraordinaire » trimestriel. En 1681, Visé s'associera officiellement Thomas Corneille, qui était déjà son collaborateur, et consacrera désormais au *Mercure* son activité principale, jusqu'à sa mort. Avec le même Corneille il écrivit des pièces diverses : *Circé* (1675), tragédie à machines, *l'Inconnu*, comédie à divertissement et intermèdes, *la Pierre philosophale* (1681), *l'Usurier* (1685), *les Dames vengées* (1695) dont officiellement il est le seul auteur. Leur plus grand succès fut *la Devineresse* (1679) ; Visé en aurait conçu l'idée et les principales scènes à effet, Thomas Corneille les organisa. Jouissant depuis 1684 d'une pension du roi de 6 000 livres, puis de 12 000 livres à partir de 1691, Donneau de Visé mourut quelques mois avant son collaborateur.

Ambitieux et assez peu scrupuleux, ne reculant pas devant les compromissions, les flagorneries et les palinodies, mais travailleur acharné, actif, attentif à l'actualité et doué d'un grand sens de la publicité, fondateur du plus important périodique de l'Ancien Régime, il mérite d'être considéré comme le prototype parfait du journaliste.

A. Blanc

Doon de Mayence (Geste de) *v.* Girart de Roussillon, Gormont et Isembart, Raoul de Cambrai, Renaut de Montauban

DORAT Claude-Joseph

(1734-1780)

Écrivain, Dorat l'est pour le meilleur et pour le pire. Issu d'une ancienne famille de robe, il ne resta longtemps ni au barreau ni chez les mousquetaires du roi. La bonne société parisienne où il répandit alors sa personne et ses vers lui permit de cultiver son goût du changement. Il joua le jeu de la littérature avec le plus grand sérieux, pratiqua tous les genres, ne manqua pas une polémique, se ruina à payer des dessinateurs pour ses poèmes et une claque pour ses pièces. Il donna à ses contemporains et laissa à la postérité l'image d'un fabricant d'agréables bagatelles, d'un rimeur de riens spirituels. Il a en effet multiplié les héroïdes, lettres en vers d'un héros ou personnage connu, les épîtres (à Mlle Clairon, à Catherine II), les contes en vers, volontiers égrillards (*les Dévirgineurs*, *les Cerises ou la Double Méprise*…). Ses héroïdes cherchent à utiliser les succès du temps : *Abélard à Héloïse* (1758) répond à la lettre d'Héloïse composée par Pope et Colardeau ; le roman de Mme de Tencin inspire la *Lettre du comte de Comminge à sa mère* (1764) ; le souvenir des *Lettres portugaises* et *péruviennes* est sensible dans les lettres de Zéila, jeune sauvagesse, et dans celles d'une chanoinesse de Lisbonne. Des titres comme *Bagatelles* (1766) ou *Mes fantaisies* (1768) semblent corroborer l'impression de facilité et de dispersion. Dorat s'essaye pourtant à des œuvres de plus longue haleine. Dans le genre descriptif, il donne *la Déclamation théâtrale* (1758-1767) en quatre chants successivement consacrés à la tragédie, la comédie, l'opéra et la danse, qui ne sont pas parfois sans rappeler certaines théories de Diderot sur le théâtre, tandis que *Sélim et Sélima* (1769) est une *Lettre sur les aveugles* versifiée dont le retour final à la vue et à la foi contredit l'athéisme de Diderot. S'il a pratiqué avec prédilection la poésie légère, c'est qu'elle lui semble correspondre aux besoins d'une société. Le « Discours sur la poésie en général et en particulier sur les pièces fugitives » qui ouvre *Mes fantaisies* vante l'art de saisir l'instant et de savourer l'existence, loin des préjugés et des dogmes. Un critique a pu souligner les significations philosophiques de cette « poésie insignifiante ». L'œuvre lyrique de Dorat illustre un sensualisme diffus et mondanisé.

Le théâtre est une forme littéraire obligée pour un homme de lettres du XVIIIe siècle. Dorat transporte tour à tour la scène de ses tragédies dans l'Antiquité romaine (*Régulus*, 1765) grecque (*Théagène*, 1766), en Russie (*Pierre le Grand*, 1779) et dans la France carolingienne (*les Deux Reines*, 1770), sans séduire le public qui préfère ses comédies. *Le Célibataire* (1776) et *le Malheureux imaginaire* (1777) poursuivent la veine postmoliéresque des portraits d'un caractère, tandis que *les Prôneurs ou le Tartuffe littéraire* (1777), pierre jetée dans la mare des milieux littéraires, stigmatise les copinages et les règlements de comptes. Les discours préliminaires de certaines pièces indiquent chez Dorat une conscience des problèmes qui se posent alors au théâtre, c'est-à-dire de la crise du classicisme. Sa notion de « drame héroïque » participe aux multiples efforts de rénovation de la scène qui ont lieu durant ces années.

Ce sont peut-être ses romans qui permettront aujourd'hui une redécouverte de l'écrivain. Laissons à Fanny de Beauharnais le mérite de l'*Abélard supposé ou le Sentiment à l'épreuve* (1780) auquel Dorat a sans doute collaboré à la fin de sa vie : le sujet en est faussement scabreux puisqu'il ne s'agit pas d'une impuissance réelle qui devra attendre un demi-siècle pour inspirer à Mme de Duras et à Stendhal *Olivier* et *Armance*. Mais reconnaissons le mérite des *Sacrifices de l'amour* (1771) et des *Malheurs de l'inconstance* (1772) que certains n'ont pas hésité à comparer aux *Liaisons dangereuses*, parues dix ans plus tard. Ces deux romans épistolaires exposent le même drame, celui des incertitudes du cœur et des tentations libertines. Les héros des deux œuvres, jeunes gens jetés dans le monde, quittent une femme pour une autre à laquelle ils ne savent prouver leur amour qu'en la violant. Mais dans un cas, la femme abandonnée n'est qu'une mondaine peu sentimentale et l'offense faite à la femme élue peut être finalement réparée ; dans l'autre, le héros est déchiré entre deux femmes de mérite, il se laisse manœuvrer par un roué de cour et le dénouement ne peut qu'être tragique. Tous les protagonistes de l'intrigue voient leur vie brisée. L'hésitation du héros, incapable de choisir, est à l'image d'une double postulation entre mondanité et philosophie, libertinage et moralisme, qui est aussi celle de l'œuvre de Dorat tout entière, entre les petits et les grands genres, entre les séductions de la mode et le souci de la durée, entre l'instant et l'histoire.

M. Delon

DORGELÈS Roland

Pseudonyme de ***Roland LÉCAVELÉ*** *(1885-1973)*

Romancier né à Amiens. Venu à Paris, il suit les cours de l'École des beaux-arts, devient journaliste (au *Sourire*, à *Paris-Journal*) et habite Montmartre, menant joyeuse vie avec ses amis Carco et Mac Orlan, lorsque éclate la guerre. L'épreuve des tranchées (il s'engage en 1914) lui inspire alors, comme à Barbusse, à Genevoix, à Duhamel, le sujet d'un roman qui fera sa gloire : *les Croix de bois* (1919), auquel le jury Goncourt préfère pourtant *À l'ombre des jeunes filles en fleurs*. Il avait déjà publié en 1917 un premier livre, écrit avec R. Gignoux : *la Machine à finir la guerre*. Suivent trois autres ouvrages sur la guerre, *le Cabaret de la Belle Femme* (1919), *Saint-Magloire* (1922), *le Réveil des morts* (1923). En 1929, Dorgelès entre à l'académie Goncourt.

La vigueur de ses premiers livres tient à leur sobriété : l'héroïsme est endurance plus que bravoure, entre la discipline de fer et les distributions d'alcool. Aucune recherche de l'horreur : la guerre est vécue au jour le jour, dans une hantise de la mort, avec ses souffrances quotidiennes atteignant parfois l'insupportable (l'épisode de la mine dans *les Croix de bois*). Mais ces livres de mort proposent aussi une certaine idée du bonheur : au-delà d'un certain seuil de misère physique et morale, « le bonheur est partout » : « c'est le gourbi où il ne pleut pas », une litière de paille ; ou bien, à la faveur d'une relève, d'un instant de silence entre deux tirs d'artillerie, le desserrement de l'angoisse, l'émerveillement soudain d'être et de vivre, ce « délai d'espoir » tout à coup infini (*les Croix de bois*). Les pages les plus sombres s'éclairent soudain d'une joie foudroyante, presque à l'état pur.

Mais un tel « martyre » (*Quand j'étais montmartrois*, 1936) ne s'oublie pas facilement. « Serons-nous jamais lavés d'une telle souffrance ? » (*Les Croix de bois*.) Dorgelès tente d'exorciser le cauchemar en ressuscitant, avec une plume d'anarchiste rangé, des personnages à la Murger, rapins et cousettes au grand cœur, et la vie pittoresque du village de Paris où il a passé sa jeunesse (*Montmartre mon pays*, 1928 ; *le Château des brouillards*, 1932 ; *Bouquet de bohème*, 1948 ; *Portraits sans retouches*, 1952 ; *le Marquis de la Dèche*, 1971). L'exotisme lui fournit un autre terrain d'évasion. Mais son récit de voyage à travers l'Indochine, *Sur la route mandarine* (1925), propose aussi une profession de foi colonialiste à la Kipling. Contre la nostalgie de Pierre Loti enclin à regarder toute coutume ancienne « à travers un prisme enchanteur » (*ibid.*), Dorgelès défend un « nouvel exotisme », né de la rencontre de deux civilisations. Et s'il se plaît à décrire des types légendaires, il les choisit plutôt du côté des planteurs, saluant le « miracle du caoutchouc » et l'afflux des capitaux. Il exploitera cette même veine dans *Vive la liberté !* (1937), *Sous le casque blanc* (1942), *Route des tropiques* (1944).

Mais ses relations avec les puissances d'argent sont plus sereines sous les tropiques qu'en « métropole ». Le héros de *Tout est à vendre* (1956), vertueux Zorro appartenant à une police privée, fait rendre gorge à des maîtres chanteurs et à des financiers véreux : lointain écho du manichéisme qui opposait jadis le « Front » à l'« Arrière », intégrité, courage et force d'un côté, de l'autre lâcheté, politique, argent facile. Ce thème de la corruption reviendra dans un de ses derniers romans, *À bas l'argent* (1965).

En réalité, Dorgelès s'est-il jamais remis de ses débuts, courageux dans la vie, héroïques dans les lettres ? Correspondant de guerre pour *Gringoire* en 1939-1940 (articles recueillis dans *la Drôle de guerre*, 1957), il tente de réveiller le patriotisme en évoquant ses expériences antérieures. Mais la notoriété même de son chef-d'œuvre le rattache à une époque révolue, tout comme la nostalgie de ses chroniques montmartroises, qui lui valurent d'être appelé le « dernier des gosses à Poulbot ».

M.-A. de Beaumarchais

DORIN Françoise

(née en 1928)

Auteur dramatique et romancière, fille du chansonnier René Dorin. D'abord comédienne, puis parolière de chansons

(*Que c'est triste Venise*, 1964), elle connaît le succès dès sa première pièce, *Comme au théâtre* (1967), dont la fantaisie légère se retrouve dans *la Facture* (1968), mais assombrie par la peur de l'avenir, comme si tout bonheur actuel devait se payer d'une souffrance future. Cette philosophie prélude à une attitude de repli sur soi systématique, parfois arrogant, parfois émouvant, face aux importuns (*Un sale égoïste*, 1970), aux mâles encombrants (*les Bonshommes*, 1973), aux avant-gardes, caricaturées sans nuances (*le Tournant*, 1973), au monde moderne en général (*l'Autre Valse*, 1975), aux embarras de la célébrité (*Si t'es beau, t'es con*, 1977). À mesure que Françoise Dorin s'enferme dans ce rôle de moraliste, l'heureux équilibre de son écriture – un pas en avant idéologique, deux pas en arrière de dialogues spirituels où les sentiments affleurent en demi-teintes – tend à s'inverser ; guettée par la pièce à thèse, la dramaturge, tout en continuant d'écrire pour le théâtre, trouve alors dans le roman un nouvel épanouissement. Par petites touches pointillistes, *Va voir maman, papa travaille* (1976) ou *la Mouflette* (1994) ajoutent les enfants au catalogue des misères de ce temps. Un temps qu'il s'agit pourtant de rendre vivable : encore faut-il savoir l'organiser (*les Lits à une place*, 1980) ou le « maquiller » (*les Miroirs truqués*, 1982), s'y méfier des « bonshommes » (*les Jupes-culottes*, 1984) sans pourtant renoncer à leur plaire (*les Vendanges tardives*, 1997). Cette retraite souriante et en bon ordre (littérature oblige) devant un présent grossier, bruyant, pornographique (*Au nom du père et de la fille*, 1992), devant les autres, devant la réalité, vers la « Réserve » mythique de *l'Autre Valse* – où l'on « protège », à titre d'espèces en péril, les lords en kilt et les prêtres en soutane –, confère à l'œuvre de Françoise Dorin sa cohérence et, dans une société en crise, explique pour une part son éclatant succès.

J.-P. de Beaumarchais

DORMANN Geneviève

(née en 1933)

Romancière, née à Paris, Geneviève Dormann publie un récit, *la Première Pierre* (1957), puis, sans renoncer à une carrière de journaliste et de chroniqueuse, se lance dans le roman avec *la Fanfaronne* (1959), *le Chemin des dames* (1964), *la Passion selon saint Jules* (1967), *Je t'apporterai des orages* (1971), *le Bateau du courrier* (prix des Deux-Magots 1974), *Mickey l'Ange* (1977), cultivant ensuite le genre de la biographie (romancée ?) avec *le Roman de Sophie Trébuchet* (1982), *Amoureuse Colette* (1985). Après une collaboration avec Régine Deforges pour une série de titres, elle publie *le Bal du dodo* (1989). « Les frocs dans les orties, les bonnets en rasemottes sur les moulins » (*Mickey l'Ange*) : ces chapelets de métaphores désinvoltes, de jeux de mots qui brisent les émotions en désarticulant le langage, mais aussi de brusques changements de rythme, disent à la fois l'agitation dérisoire d'une néo-bourgeoisie émancipée et ses nostalgies d'absolu, comme ce « rêve infini de l'impossible » qui entraîne Mickey hors du temps, auprès d'une sylphide passe-muraille. S'ouvre ainsi une voie étroite entre l'écueil des grands sentiments (l'amour foudroie, blesse les plus crâneurs et ne dure pas : *la Fanfaronne*) ou de l'héroïsme (le maquis est une « colonie de vacances » : *le Chemin des dames*) et l'enlisement dans une vie programmée de femme du monde (*Je t'apporterai des orages*) ou de col blanc (*Mickey l'Ange*). Reste la menace qui guette les carrières les mieux organisées : celles de Sylvain Cheviré, Parisien comblé (énarque et jolie femme) piégé à trente-neuf ans par un amour imprévu (*la Petite Main*, 1995) ou de ce haut fonctionnaire victime d'un mystérieux enlèvement auquel sa maîtresse a peut-être mis la main (*Fleur de péché*, 1997). Mais, en 1999, Geneviève Dormann crée une héroïne d'un type inédit : plus proche des clochards du pont Royal que des Parisiens branchés, Valentine vit dans la solitude du souvenir d'un amour disparu quarante ans plus tôt (*Adieu phénomène*). Déjà ébauché dans *le Bateau du courrier*, le thème de la nostalgie fait entendre une note adoucie dans une œuvre où la dérision attend toujours la sensibilité au tournant.

M.-A. de Beaumarchais

DORVIGNY

Pseudonyme de **Louis François ARCHAMBAULT** *(1742 ?-1812)*

Dramaturge, né à Paris, Dorvigny était un fils naturel de Louis XV. Après une jeunesse aventureuse en Orient, il devint acteur, puis auteur attitré du théâtre des Variétés amusantes. D'une fécondité prodigieuse – près de quatre cents pièces ! –, il créa en 1779, dans *Les battus paient l'amende*, le personnage de Janot, qui lança le comédien Volange, et qui au XIXᵉ siècle imposa le terme de « janotisme » pour désigner l'effet comique fondé sur une construction vicieuse de la phrase : « Ah jarni, tout ça me rappelle ce que me disait ma pauvre mère du temps que j'allais à l'école qu'est morte à présent chez M. Nicodème ». Autre titre de gloire : en 1793, avec *le Désespoir de Jocrisse*, il remit à la mode le type traditionnel du niais à la logique absurde. Malgré un succès persistant, Dorvigny mourut dans la misère.

Les battus paient l'amende fut un des triomphes du siècle : plus de cent représentations dès la première année. Devant cette pièce qui vidait les théâtres royaux, les critiques réagissent avec indignation (Grimm) ou cherchent des explications : « L'idiome de la dernière classe du peuple s'y trouvait exprimé au naturel » (L.S. Mercier). Le janotisme serait-il un signe d'aliénation culturelle ou, au contraire, une joyeuse déconstruction de l'ordre rhétorique ? Sans doute Dorvigny est-il souvent du côté des victimes ; mais une certaine grossièreté racoleuse, la forme « proverbiale » de la pièce réduisent le document (?) au jeu de société.

J.-P. de Beaumarchais

DRIEU LA ROCHELLE Pierre

(1893-1945)

Il est encore difficile de parler de Drieu La Rochelle : peu de personnalités de son époque sont aussi contestées que la sienne, même si d'autres sont plus radicalement condamnées ; et de cet état de choses, son engagement politique est, pour l'essentiel, responsable. Mais c'est aussi que la nature même de son œuvre conduit à faire dépendre le jugement que l'on porte sur elle de celui que l'on a sur l'homme : « J'ai envie de raconter une histoire. Saurai-je un jour raconter autre chose que mon histoire ? » sont les deux phrases qui ouvrent, en 1921, *État civil.* Il est presque impossible, chez Drieu, de séparer la vie de l'œuvre, tant son œuvre s'est nourrie de sa vie et tant il s'est appliqué à vivre sur un mode esthétique et littéraire.

Difficile à saisir, Drieu l'est aussi par ses contradictions : contradictions personnelles, mais aussi de l'époque, dont on dirait qu'il la fait jouer en lui pour en livrer toutes les résonances. Drieu fut un des témoins les plus intéressants de son temps, car peu d'hommes sentirent autant ce monde par intuition, sans arriver toujours à l'expliquer. De plus, il était déchiré entre un besoin lancinant d'être compris, de s'expliquer, et une réserve qui le conduisait à brouiller les cartes et à se dissimuler.

Une enfance difficile – malgré les apparences –, la guerre, les difficultés financières et les déconvenues amoureuses, l'amitié, le goût des lettres et du monde, tout cela finit de composer, dès le début des années 1920, l'univers de Drieu. Certaines expériences ont pu se répéter, le ton est déjà donné : le destin de Drieu fut très vite fixé, et il ne saisit pas les rares occasions qui auraient pu lui permettre de bifurquer. Il alla même jusqu'à arrêter d'avance l'âge de sa mort.

État civil (1921), puis *Rêveuse Bourgeoisie* (1937) écrit après la mort de son père, nous livrent les secrets de son enfance et de son adolescence. Intéressé très tôt par Freud et la psychanalyse, ami de Jacques Lacan à partir de 1932, Drieu, qui, depuis 1910, notait, à l'exemple d'Amiel, toutes ses pensées sur des carnets, a recherché dans les premières années de sa vie les clefs d'une personnalité dont il n'a jamais su, au fond, s'il devait la forcer ou l'accepter. Drieu fut toute sa vie inquiet de sa faiblesse, qu'il attribua à l'éducation trop protégée reçue de son grand-père. C'est cette faiblesse qui le conduisait, dans ses jeux d'enfant, à ruser pour s'imposer, et qui a suscité peut-être en lui ce goût du défi qui apparaît, par exemple, dans *le Voyage aux Dardanelles*. Elle explique aussi sa fascination pour la force et l'efficacité, qui lui fit admirer communisme et fascisme, et sa difficulté à communiquer avec le monde ouvrier, rude et direct, qui lui interdit de se rapprocher des communistes.

Drieu a hésité entre la littérature et la politique, refusant, selon le mot de Julien Hervier, « le splendide isolement de l'artiste », mais aussi se reprochant, surtout vers la fin de sa vie, de gâter son œuvre littéraire par une attention excessive portée aux événements. Cette double tentation remonte à sa jeunesse : on le voit s'inscrire en octobre 1910 à la fois à la Sorbonne pour préparer une licence d'anglais (Drieu a admiré les Anglais, dont il parlait remarquablement la langue, alors qu'il n'a jamais essayé d'apprendre l'allemand) et à l'École des sciences politiques (élève brillant, il a néanmoins échoué à l'examen de sortie, dans des conditions qu'il a jugées scandaleuses). Comme beaucoup d'hommes de sa génération, Drieu a été très marqué par la guerre, dont l'expérience a commandé toute son attitude politique ultérieure, d'une part parce qu'elle l'a obligé à toucher le fond de lui-même, à s'interroger sur la personnalité du « chef » (les nouvelles de *la Comédie de Charleroi*, parue en 1934, au moment où Drieu se déclare fasciste, sont le fruit de ses réflexions), d'autre part parce que la guerre moderne, guerre des industries qui broient les hommes, lui semble sonner le glas des nationalismes. Préoccupé par la décadence économique, politique, démographique de l'Europe devant les puissances nouvelles : États-Unis, U.R.S.S., pays d'Asie, Drieu en appelle dans ses essais, *Mesure de la France* (1922, réédité avec les *Écrits 1939-1940* en 1964), *le Jeune Européen* (1927), *Genève ou Moscou* (1928), *l'Europe contre les patries* (1931), au dépassement du chauvinisme et à l'unité du vieux continent. Du fait de ce souci de surmonter les querelles de l'Ancien Monde, qui, chez lui, se greffait, on l'a vu, sur une personnalité fascinée par la force, Drieu fut en quête d'une philosophie politique nouvelle, qu'il crut trouver dans le fascisme. Mais le chemin fut relativement long qui devait le conduire sur cette voie. Pendant les années 20, il est hostile à Mussolini et aux premières agitations des nazis, parce qu'il pense qu'à travers eux, ce sont les vieux nationalismes qui se réveillent. Et lui qui a été tenté un moment (en 1922) par l'Action française, se reprend à espérer une rénovation de la gauche : c'est dans cet esprit que, de février à juillet 1927, il fait paraître, avec Emmanuel Berl, les sept livraisons d'un pamphlet, *les Derniers Jours* (qui deviendront « l'Apocalypse » dans *Gilles*, en 1939), puis que, de 1929 à 1933, il fait partie de l'entourage de l'ancien chef de cabinet d'Édouard Herriot, Gaston Bergery (le personnage de Clérences, dans *Gilles*), qui essaie de faire carrière en apportant un peu de jeunesse au vieux parti radical. Ce sont finalement les événements de février 1934 qui ont précipité la conversion de Drieu au fascisme. L'année suivante, il se rend en Allemagne (à l'invitation d'Otto Abetz, le futur ambassadeur du Reich à Paris) et à Moscou. Il est impressionné par les deux régimes, qui lui semblent devoir décider de l'avenir du monde. Et il choisit le totalitarisme allemand, en victime d'une illusion : il admire la pompe du congrès de Nuremberg et se figure que le national-socialisme saura vaincre le capitalisme pour fonder un socialisme européen ! En 1936, c'est tout naturellement qu'il rejoint le « Parti populaire français » de Jacques Doriot, avant d'être déçu par ce dernier. De la même manière, lorsque, après la défaite, il accepte de prendre la direction de *la Nouvelle Revue française*, que Jean Paulhan refuse de faire paraître sous la censure allemande (la revue sortira de décembre 1940 à juin 1943), ses illusions sur la politique de Vichy ne durent guère. Dès 1941, il prévoit la défaite allemande, publie des articles qui déplaisent aux occupants, mais s'entête à se compromettre avec un régime dont il sait pourtant qu'il ne peut pas réaliser ses aspirations. Il mêle alors préoccupations religieuses (sous l'influence des religions de l'Inde), volonté de comprendre son passé et inquiétudes pour l'avenir dans son *Récit secret* (paru en 1951), suivi de *Journal* (1944-1945) et d'*Exode* (paru en 1961), avant de transformer sa vie en destin par son suicide.

On a beaucoup écrit sur les rapports entre Drieu et les femmes, sans rien apporter de précis sur la façon dont il vivait la sexualité. Il est présenté tantôt comme un Don Juan irrésistible (c'est en particulier l'opinion d'André Malraux), couronnant sa carrière à quarante-deux ans en devenant l'amant d'une des femmes les plus belles et les plus en vue de Paris (Christiane Renault, femme de l'industriel : Beloukia, dans son œuvre), tantôt comme un être angoissé, incapable d'être satisfait et de satisfaire. La question n'est pas de pure anecdote et ne répond pas à une simple curiosité : les femmes ont tenu une grande place dans la vie de Drieu, par ses deux mariages (avec Colette Jeramec et Alexandra Sienkiewicz), par ses innombrables liaisons, éphémères ou durables (Marcelle, Emma l'Algérienne, Constance Wash, Liliane Rodili, Victoria Ocampo, maîtresse puis amie, Nicole Bordeaux, Christiane-Beloukia…), par son goût pour le monde de la prostitution. Elles tiennent aussi une grande place dans son œuvre, qui est, là encore, le témoignage souvent le plus direct de son expérience. En fait, on voit Drieu poursuivre une quête effrénée du plaisir, en proie à une double postulation, rêvant d'un côté de « s'établir » (et l'expression doit s'entendre affectivement et financièrement, car Drieu a toujours recherché les femmes riches), et de l'autre pris par un besoin de solitude, d'aventure, s'abandonnant à son instabilité foncière.

Au-delà de son aspect autobiographique, l'œuvre de Drieu reflète bien la personnalité de son auteur, dans sa diversité et son aspect inachevé. Drieu a abordé tous les genres. Ses essais, on l'a vu, témoignent de son goût pour la réflexion appliquée au concret et de ses incertitudes. Mais il fut aussi un grand critique, ouvert aux audaces de ses amis surréalistes (au premier rang desquels il faut citer Louis Aragon) du début des années 20, même s'il se sent plus à l'aise dans l'alliance du classique et du moderne qui caractérise *la Nouvelle Revue française*. Ses principaux articles – regroupés par Frédéric Grover dans *Sur les écrivains* (1964) – prouvent sa lucidité et sa pénétrante intuition en matière de fait littéraire. On lui doit, en particulier, un article paru en décembre 1930 dans *la Nouvelle Revue française* qui devait contribuer à révéler celui qui allait être et rester son ami : « Malraux, l'homme nouveau ».

Drieu a douté à tort de son talent poétique : si les premiers poèmes d'*Interrogation* (1917) sont parfois entachés de lourdeur, il y a dans *Fond de cantine* (1920) une vigueur qui permet à l'auteur de surmonter l'horreur désespérée des tourments de la guerre. Mais c'est bien sûr dans son œuvre romanesque que Drieu a trouvé le mode d'expression qui lui a fait mériter la survie littéraire. Son écriture précise, resserrée, convenait parfaitement à la nouvelle, qu'il a beaucoup pratiquée : *la Comédie de Charleroi* (1924), *Plainte contre inconnu* (1951), *Histoires déplaisantes* (1963), ou au roman court : *l'Homme couvert de femmes* (1925), *Blèche* (1928), *Une femme à sa fenêtre* (1929), *le Feu follet* (1931) – inspiré par le suicide de son ami Jacques Rigaut –, *Rêveuse Bourgeoisie* (1937). En revanche, les longueurs de *Gilles* (1939) ont suscité des sentiments mêlés, d'autant que ce roman devait par la suite souffrir de la comparaison avec son homologue *Aurélien*, d'Aragon (1944). On s'accorde généralement à admirer la première partie du livre, en dépit de quelques outrances et des règlements de comptes, parce que Drieu y manifeste une maîtrise qui lui donne un recul nécessaire par rapport à son expérience personnelle et à la société décrite. À l'inverse, la fin, située pendant la guerre d'Espagne, paraît mal intégrée. Mais Julien Hervier a bien montré que cette prétendue faiblesse correspondait à une nécessité chez Drieu, qui ne pouvait pas créer dans l'œuvre la cohérence qui manquait à sa vie, et que ne pouvait lui donner aucune idéologie. En fait, l'impression que laissent les romans de Drieu, c'est que loin d'être de bons romans ratés – ce qu'on pourrait dire si on ne voyait en eux que le témoignage d'un homme et d'une époque –, ils nous interrogent, par leur authenticité, sur les rapports complexes qui existent entre un écrivain et son besoin d'écrire, entre la littérature et la vie.

Le Feu follet

SYNOPSIS

Après s'être réveillé dans un hôtel sordide, tandis que le jour glisse « sur la nuit comme un chiffon mouillé sur un carreau sale », Alain raccompagne Lydia, maîtresse intermittente qui repart le jour même pour New York en lui demandant de l'y rejoindre, et en lui laissant un chèque de 10 000 francs. Alain retourne alors à Saint-Germain, dans la maison de cure où il tente maussadement de se désintoxiquer de l'héroïne. Le déjeuner permet la description de toutes les tares d'une humanité déclinante : une héritière au « crâne exsangue », vieille fille obscène et desséchée, son chauffeur « pédéraste », un marquis croulant et sodomite, le docteur, Homais réincarné, deux financiers cocus et obèses, etc. De retour dans sa chambre, Alain confesse au médecin qu'il replongera, puis établit seul le bilan de sa vie désœuvrée, dans un monde « sans consistance ». Le lendemain, la confrontation avec un vieil ami l'oblige à assister à ce qu'il juge une installation dans le pire des renoncements. Peu séduit par la perspective de l'exiguïté pantouflarde qu'il lui vante, Alain quitte le sermon de son ami et recommence son habituelle dérive parisienne : achat de drogue, passage chez les opiomanes (parmi lesquels on reconnaît sans peine un portrait-charge de Cocteau sous le nom d'Urcel, dîner intolérable chez d'autres amis qu'Alain fuit pour se piquer dans un bar. Au réveil du lendemain, après une brève et vaine conversation téléphonique avec une femme qui lui rappelle une invitation à déjeuner, Alain se suicide d'une balle de revolver.

Cl. Lesbats et O. Barbarant (synopsis)

Druon Maurice

(né en 1918)

Romancier, essayiste, homme politique. Né à Paris, étudiant en sciences politiques, aspirant sorti de l'école de cavalerie de Saumur en 1940, il prend part à la bataille de la Loire. En 1942, il rejoint les Forces françaises libres à Londres, où, avec son oncle Joseph Kessel, il participe aux émissions « Honneur et Patrie » de la B.B.C. Ils écrivent à deux, en 1943, les paroles du *Chant des partisans*. Druon devient correspondant de guerre. En 1946, il publie *la Dernière Brigade* ; il se consacre dès lors à la littérature, sans cesser de s'intéresser à la vie publique (*Notions et maximes sur le pouvoir*, 1965 ; *Attention la France*, 1981 ; *Réformer la démocratie*, 1982). En 1966, il entre à l'Académie française dont il deviendra, de 1985 à 1999, Secrétaire perpétuel. En 1968, il vilipende la révolte des étudiants dans un essai, *l'Avenir en désarroi*. Une éloquence vibrante, imagée (il accuse les artistes subventionnés d'avoir à la main la « sébile » et le « cocktail Molotov »), que ses adversaires jugent emphatique, marque ses interventions de ministre des Affaires culturelles (1973-1974), publiées sous le titre *la Parole et le Pouvoir* (1974). Il est député R.P.R. de Paris de 1978 à 1981. Tout en demeurant ardemment gaulliste, il se tient alors à l'écart des engagements partisans pour se faire le défenseur, parfois en termes polémiques, du « bon usage » de la langue (*Lettre aux Français sur leur langue et leur âme*, 1994 ; *le Bon Français*, 1999). Ses Mémoires (*Circonstances politiques*, 1997-1999) retracent la trajectoire d'un amoureux de la vie et des mots, passionnément présent à son siècle et animé d'un indomptable esprit de résistance.

Toute l'œuvre romanesque de Maurice Druon témoigne du tempérament « fougueux, ardent, glouton de vie » d'un romancier qui, dans la tradition naturaliste du XIXe siècle, conte dans ses récits et nouvelles (dont une vingtaine ont été regroupés en 1967 sous le titre *le Bonheur des uns*…) les aventures exceptionnelles et exemplaires de personnages façonnés par leur milieu et leur éducation hors du commun. La guerre et la chasse à courre révèlent les êtres de « classe » : *le Chevalier* (1962), *le Sonneur de bien-aller* (1962), *Mon commandant* (1967)… Le nouveau riche est ridicule, la Parisienne toujours élégante, les « cavistes de Saint-Germain-des-Prés […] ont une jeunesse mentale qui relève de la pathologie, mais ils se croient vieux comme le monde ». Les petites gens échappent à leur vulgarité quand ils se dévouent aux gens bien nés ou se battent pour une noble cause. Dans un roman, *la Volupté d'être* (1954, qui deviendra au théâtre *la Contessa*, 1961), Druon réhabilite les grandes courtisanes qui, opposées aux matrones, « purgatoire de l'espèce », en sont « le paradis, ou tout au moins les marches ». En 1958, une biographie romancée d'*Alexandre le Grand* annonce le récit mythique des *Mémoires de Zeus* (2 volumes, 1963 et 1968). La Comédie-Française inscrit à son répertoire *Un voyageur* (pièce en un acte, 1954) ; Henri Sauguet écrit la musique d'un opéra pour enfants à partir du conte *Tistou les Pouces verts* (1968).

Mais Druon doit surtout sa notoriété à la trilogie de *la Fin des hommes* (dont le premier tome, *les Grandes Familles*, obtint le prix Goncourt en 1948) et aux sept volumes du cycle historique des *Rois maudits* (commencé en 1955, remanié en 1965, achevé en 1977). Lorsque Jean Gabin incarne, au cinéma, le banquier Schoulder, et Jean Piat, à la télévision, le truculent Robert d'Artois, les héros de ces deux fresques deviennent de véritables archétypes. Les scènes scabreuses, la verdeur (relative) des dialogues émoustillent le public des années 50-60, où le sexe est encore un sujet tabou. Avec *les Rois maudits* commence l'engouement pour un certain roman historique fondé sur une documentation que l'auteur veut sérieuse, même s'il avoue « prendre hardiment parti dans l'hypothèse ». Tous les titres de la série deviennent des best-sellers, traduits en de nombreuses langues. Plus que des documents, les lecteurs de Druon y cherchent des récits hauts en couleur, où le bonheur de frémir l'emporte sur l'indignation quand l'auteur raconte les turpitudes du monde honni et envié des « puissants » et la déchéance de leurs descendants.

M. P. Schmitt

Du Bartas Guillaume

***Guillaume de Salluste, seigneur Du Bartas** (1544-1590)*

L'œuvre poétique colossale de Du Bartas peut être considérée comme la plus caractéristique d'un genre qui fit fortune à la Renaissance, sous des plumes aussi diverses que celles de Maurice Scève, Baïf, Belleau et Ronsard. Poème « scientifique », *la Semaine* (ou *Sepmaine*), qui parcourt le cycle des connaissances humaines exposées suivant les six premiers jours de la Création, marque le terme et l'apogée d'une *épistémé* fondée sur une conception symbolique de l'univers : du haut en bas de l'échelle des êtres, les créatures échangent d'infinies correspondances, qui trouvent dans la métaphore leur expression immédiate. Du Bartas, maître de l'esthétique baroque, suscite aujourd'hui un regain d'intérêt, par l'attention qu'il a prêtée aux jeux du signifiant. Harmonies imitatives, équivoques, pointes répètent le cosmos dans le choc des mots.

Un poète au-dessus de la mêlée

Né à Montfort, près d'Auch, d'une famille de riches marchands bientôt anoblie (1565), il fait de solides études, qu'il complète à l'université de Toulouse, où il suit les leçons de Cujas. Docteur en droit en 1567, il a hérité l'année précédente des biens considérables laissés par son père, ainsi que du récent titre de noblesse acquis par celui-ci. Installé dans son domaine du Bartas et protégé par Jeanne d'Albret, reine de Navarre, il se voue, plus qu'à l'exercice du droit, à un intense labeur poétique d'inspiration chrétienne et cosmique. Ses premiers essais, qui avaient été couronnés en 1565 lors des jeux Floraux de Toulouse, font place à de longs et puissants poèmes didactiques à dominante religieuse : *Judit*, *Uranie*, le *Triomfe de la foi* (1567-1572). Il prend part aux guerres de Religion et s'engage du côté de la maison de Navarre, à laquelle sa fortune est attachée et dont il devient officier en 1576. Il compte néanmoins des amis dans le parti adverse, tels Guy du Faur de Pibrac ou le Bordelais Pierre de Brach. Son engagement au service de la Réforme ne revêt jamais le caractère intransigeant ou féroce que l'on trouve au même moment chez d'Aubigné. C'est à celui-ci qu'il présente le brouillon de *la Semaine*, vaste poème de la création du monde, où le texte de la Genèse s'enrichit de toute la science cosmologique de la Renaissance. L'œuvre, publiée en 1578, le fait immédiatement considérer comme le rival de Ronsard. À cette gloire littéraire s'ajoutent les honneurs politiques : gentilhomme ordinaire du roi de Navarre depuis 1585, il conduit auprès de Jacques VI d'Écosse une ambassade solennelle (1587) ; il se rend également au Danemark. Quelques semaines après avoir chanté la victoire d'Ivry, il meurt à Mauvezin des suites d'anciennes blessures. Il laissait inachevée la *Seconde Semaine ou Enfance du monde,* second volet d'une fresque poétique qui aurait retracé l'histoire de l'humanité jusqu'au Jugement dernier.

Une poésie encyclopédique

Calviniste austère et méthodique, Du Bartas n'a rien de la fougue de son coreligionnaire d'Aubigné. À l'âge où celui-ci sacrifie aux démons érotiques qui peuplent le *Printemps,* Guillaume de Salluste formule un art poétique des plus glacés. Uranie, « la très chaste Muse de l'apologétique », selon l'expression d'Albert-Marie Schmidt, réclame du poète qu'il n'éloigne jamais dans ses vers « Le sçavoir du plaisir, le jeu de la doctrine ».

L'intention didactique prévaut ; le jeu – des vers et des sonorités – n'est là qu'à titre d'artifice pédagogique, destiné à faciliter l'assimilation par le lecteur d'un savoir universel. La cosmologie antique, l'histoire naturelle selon Pline l'Ancien, la médecine d'Hippocrate sont ainsi mises à contribution et dûment versifiées en alexandrins rigides. À quoi s'ajoutent les synthèses récentes des cosmographes modernes et leurs lourdes nomenclatures où brille, ici et là, l'exotisme d'objets « inventés » par les Grandes Découvertes, tels que cette noix de coco, à laquelle Du Bartas consacre un hymne enthousiaste. Par cette volonté de mettre en rimes l'univers des connaissances humaines, Du Bartas ne fait du reste qu'illustrer un genre particulièrement fertile à la Renaissance : celui de la *poésie scientifique*, où s'étaient illustrés avant lui Maurice Scève, J.-A. de Baïf, J. Peletier du Mans. *Vates* inspiré, démiurge répétant par le verbe et la rime la création divine, le poète apparaît comme l'émule du Créateur, auquel, en un geste d'offrande et de restitution, il fait hommage de son œuvre. La fin ultime d'une telle poésie didactique n'est autre que l'édification morale du lecteur. Celui-ci, ébloui par tant de richesses verbales, est amené à rendre grâces à « la cause première de ce beau chef-d'œuvre ».

Forêts de symboles

Le cadre général de l'*Hexaméron* de saint Basile suivi dans *la Semaine,* ou celui du défilé triomphal avec chars et cortèges emprunté à Pétrarque pour le *Triomfe de la foi*, risque d'aboutir à d'ennuyeuses listes d'allégories et d'objets sans dynamisme réel. Pour éviter à la fois la monotonie de la litanie encyclopédique et la confusion d'un fouillis des choses où disparaîtrait le grand dessein du Créateur, il convient de soumettre la description à un principe ordonnateur qui préexiste dans l'univers. C'est celui du symbolisme qui parcourt la spirale des êtres et qui rapproche, d'un degré à l'autre de cet « escalier à vis » que constitue la Création, les objets apparemment les plus dissemblables. Non seulement Du Bartas se montre fidèle à la vieille similitude du macrocosme et du microcosme – et la très précise anatomie versifiée de l'homme, innovation poétique sans précédent, est à l'image de la machine cosmique – mais il découvre dans chacun des trois règnes l'écho transposé des deux autres. Les quatre éléments, de la même façon, entretiennent d'exactes correspondances. Ainsi, la mer apparaît-elle comme le miroir du ciel :

L'onde a comme le Ciel Lune, Soleil, Estoilles,

et les créatures qui la peuplent reproduisent à la fois celles qui vivent sur les terres émergées et celles qui évoluent dans l'air (Cinquième Jour de la *Première Semaine).* Pour ce faire, la nature engendre des monstres, tels ce « veau-moine » ou cet « évêque de mer » aperçus dans les mers froides, qui achèvent la parfaite analogie d'une catégorie d'êtres à l'autre. Complètent ce jeu divin des similitudes l'influence des planètes et le déterminisme des climats, pour lequel Du Bartas se révèle un lecteur attentif de *la République* de Jean Bodin (*Seconde Semaine, Deuxième Jour*). Enfin, une sève puissante anime ce tableau d'une Création continuée, propageant, à l'instar de la pluie fécondante, les germes d'un éternel recommencement :

Le Ciel masle [...]
Engrosse à tous moments sa femme légitime,
La terre plantureuse.

Un baroque « parti pris des choses »

Inventaire exhaustif et système symbolique du monde impliquent, sur le plan de la poésie, un usage immodéré de la métaphore et des arabesques syntaxiques destinées à reconstituer verbalement la concaténation des créatures. Par ce double trait, Du Bartas s'impose comme l'un des maîtres du baroque littéraire [voir **Baroque**]. Celui-ci éclate dans la mise en scène grandiloquente du cosmos, avec la reprise des métaphores traditionnelles, mais investies d'un sens nouveau, du monde-théâtre et du monde-nuage, à travers lequel rayonne la face éblouissante de Dieu. L'Écriture sainte elle-même devient le prétexte à une orchestration baroque de ces thèmes. Le mythe de Jonas avalé par le poisson, qui fournit à d'Aubigné et aux auteurs huguenots une clef fondamentale du destin de la nouvelle Église, donne lieu à une suite étonnante d'antilogismes :

Je ne suis hors de l'eau ni dans l'eau.
Sans me bouger je cours : ma maison est mouvante,
Et vif je suis couvert d'une tombe vivante,

s'exclame le malheureux prophète, qui ajoute de la sorte au florilège baroque de Circé les avatars de la baleine-véhicule et du poisson-prison.

Mais c'est surtout dans les minuscules évocations zoologiques de *la Semaine* que se manifeste le goût de la pointe. Se penchant avec sollicitude et minutie sur le destin de l'éponge de mer ou de la seiche « verse-ancre », le poète essaie de comprendre, en une description où la mantique des noms s'allie à l'histoire naturelle, le sens et la fonction de ces humbles créatures au sein de l'univers. Multipliant les néologismes qui lui permettent de serrer au plus près le caractère unique de l'objet considéré, répétant les syllabes évocatrices (le « flo-flottant séjour » de la mer, le « ba-battement » de l'aile), et se livrant avec délectation à des harmonies imitatives inédites, il s'efforce d'épuiser la matière sémantique et sonore de chaque terme du livre-univers. Une telle réinvention de l'être par le mot, dont il est aisé de deviner ici le modèle théologique, a pour effet un jeu d'une singulière modernité sur la chose et son correspondant verbal. Ce parti pris des choses, dont Du Bartas, quatre siècles avant Francis Ponge, semble se montrer soucieux, amène l'évocation de la baudroie qui « héberge dans la boue/Des estangs engourdis », ou, toute de légèreté et de vitesse, la chanson de l'alouette qui,

avec son tire-lire.
Tire l'ire à l'iré, et tire-lirant tire
Vers la vouste du Ciel : puis son vol vers ce lieu
Vire, et désire dire : adieu Dieu, adieu Dieu.

Rien de naïf ou de gratuit dans ces vers, mais l'ambition poétique la plus haute, par laquelle l'écrivain imite, sur le mode mineur, la voix du démiurge. C'est ainsi que l'entendirent les contemporains du poète. Si tous, catholiques et protestants, de Claude Duret à Simon Goulart, ont jugé nécessaire d'apporter des gloses abondantes à l'œuvre de Du Bartas, c'est qu'à leur sens l'auteur de *la Semaine* avait réussi à faire de son œuvre majeure l'équivalent poétique, en langue vulgaire, du texte hébreu de la Bible.

F. Lestringant

Du Bellay

DU BELLAY Joachim

(1522 ?-1560)

Entre le théoricien polémique de la *Deffence et Illustration de la langue françoyse* et l'élégiaque des *Regrets*, on garde du poète le souvenir d'une figure grave, à laquelle un célèbre crayon du XVIe siècle donne une sorte de fragilité hautaine, de concentration attentive. Loué par les meilleurs de son temps, le chantre du « petit Liré » fait couple pour toujours avec le grand Ronsard, dont on ne sait s'il est l'aîné, du moins en littérature. Comme il y eut le latin en face du grec, l'écrivain réputé facile en face du savant, Ovide en face de Virgile, on veut croire à une telle opposition complémentaire au sein de la Pléiade. Autant de légendes.

« Combien que j'aye passé l'aage de mon enfance et la meilleure part de mon adolescence assez inutilement... »

Issu de la branche aînée, mais non la plus fameuse, d'une famille qui a donné à François Ier et à Henri II deux diplomates – Guillaume de Langey et le cardinal Jean Du Bellay, évêque de Paris –, un capitaine et un évêque du Mans, Joachim naît au château de la Turmelière, paroisse de Liré, non loin d'Angers. En fait, on ignore presque tout de lui : à dix ans, il est orphelin, élevé sans qu'on sache exactement de quelle manière, ni dans quel abandon, au château familial. Comment est-il amené à la poésie, qu'il doit lire dans les poètes français du temps, Rhétoriqueurs et marotiques ? Toujours est-il qu'il s'oriente, sans doute par nécessité, vers des études de droit à Poitiers ; il y fréquente tout à coup un milieu lettré, enclin à la poésie néo-latine, autour de Marc-Antoine Muret et de Salmon Macrin. Surtout, et peut-être dès 1543, il rencontre Jacques Peletier du Mans, et Ronsard ; l'un ou l'autre – ou Muret – l'entraîne à Paris, pour suivre les cours de Dorat à Coqueret en 1547. Cette même année, Ronsard et lui publient une pièce poétique dans les œuvres de Peletier.

C'est alors l'aventure du collège, l'énorme travail en commun dans l'enthousiasme, la publication de la *Deffence* (1549), en même temps que celle du premier recueil de sonnets pétrarquistes de cette nouvelle « brigade » : l'*Olive*. Il participe à toutes les activités et fêtes du groupe [voir **Pléiade (la)**], mais avec la hauteur, semble-t-il, que lui donne l'appartenance à une famille si illustre. Quelques échappées sans doute vers Troyes et l'Anjou, mais il est déjà atteint de surdité, malade, et préoccupé par des ennuis familiaux qui vont l'obliger à des procès toute sa courte vie.

« Sur le bord inconnu d'un estrange rivage... »

Songeant vraisemblablement à une carrière diplomatique, il sollicite son oncle le cardinal, ambassadeur à Rome, de l'emmener dans sa suite (1553). Il découvre sans doute avec joie cette ville que tout humaniste rêve de voir, y rencontre bon nombre de savants et de poètes français ou italiens, dont certains sont ses amis. Mais les besognes d'intendance et de représentation dont le charge son oncle, l'atmosphère d'intrigues de la cour pontificale, la proximité de la guerre lui pèsent. Il se sent trop loin de Paris, de tout – en fait, de lui-même, de ce qu'il a voulu être.

Tu me dis (mon Lahaye), il m'en souvient encore :
Souvienne toy, Bellay, de ce que tu es ore,
Et comme tu t'en vas, retourne-t'en ainsi.
Et tel comme je vins, je m'en retourne aussi...

Rien n'autorise à dire qu'il fut ou ne fut pas malheureux. Sa poésie est faite de son malheur. Le retour à Paris, tant désiré après le voyage romain et un passage détesté à la Genève calviniste, apporte les mêmes désespoirs, tant il est vrai que Du Bellay n'a rien appris à Rome qu'il ne savait déjà de lui-même : ce sentiment d'être toujours ailleurs, d'être coupable de fautes qu'il n'a pas commises, voire qu'il ignore complètement, mais qu'il soupçonne partout dans son propre sentiment du vide et qu'il projette avec amertume sur le vide du monde. Du Bellay retrouve à Paris une cour qu'il critique, de nouveaux procès, de nouvelles charges au service de son oncle. Le roi, sur lequel il a compté pour appuyer son œuvre, meurt brutalement au moment où il venait de publier (1558) l'essentiel de son travail romain : les *Regrets*, les *Jeux rustiques*, les *Antiquités de Rome* et le *Songe*, la masse de quatre livres de poèmes latins. La princesse Marguerite de France, fille de François Ier, cette figure qui domine, par sa vertu et son intelligence, toute l'œuvre de Du Bellay depuis l'*Olive*, et à qui le poète voue un respect fervent, quitte Paris pour la Savoie. Du Bellay noue des liens plus précis avec des milieux gallicans, prend quelque distance sans doute avec les anciens amis, écrit beaucoup en latin et en français – des textes fort différents, mais austères : des poèmes satiriques comme *le Poète courtisan*, politiques comme le *Discours au Roy*, ou la *Louange de la France*, chrétiens comme l'*Hymne chrestien*, etc. Il semble bien qu'au moment où il meurt, le 1er janvier 1560, à trente-huit ans, dans sa maison près de Notre-Dame, il s'orientait vers une poésie religieuse dont il n'avait jamais été éloigné.

Une œuvre « concertée »

À un point rare pour son époque, Du Bellay eut une vision organisée de son œuvre, ne serait-ce que par le constant rapport qu'il fit, dès le début, entre les textes théoriques et la pratique de poésie. La *Deffence*, les différentes préfaces à l'*Olive*, aux *Recueils de poésie*, aux traductions, de même que les projets internes aux poèmes, comme celui, toujours affirmé, d'une « lyre chrestienne » à côté de la « lyre profane », en sont une preuve suffisante. Mais les recueils eux-mêmes manifestent toujours un propos délibéré et particulier, soit dans la forme choisie – sonnets ou poèmes systématiquement variés, usage strictement alternatif du décasyllabe et de l'alexandrin, ou même choix du latin de préférence au français –, soit dans l'inspiration. Si l'on excepte les recueils qui comprennent un nombre assez important de poèmes de circonstance, il est impossible de confondre les sonnets amoureux de l'*Olive* avec les *Treize Sonnets de l'honnête amour*, moins italiens, moins pétrarquistes. Dans la période romaine, au moment où *les Regrets* disent la dérision de ce monde sublunaire, quotidien et présent, les *Antiquités* projettent la leçon dans le temps et dans l'espace perdus, et le *Songe* lui donne sa valeur profonde intemporelle : tout n'est que vanité. Les trois recueils allaient dans le sens d'une concentration extrême et fortement hiérarchisée ; « sur le même subject », dit le titre du *Songe*, et l'on peut ajouter : « avec les mêmes objets ». Pendant la même période, il réservait aux poèmes latins les confidences plus intimes sur ses amours réelles, comme si cette langue devait « étranger » sa propre vie. Et les *Jeux*, comme les *Poemata*, choisissaient la variété.

Dans chacun des textes, des échos aux autres œuvres rappelaient la construction d'ensemble, les projets, ceux qui ne trouveraient pas le temps d'être réalisés au cours de cette dizaine d'années de production poétique : ainsi d'un « Deuxième Livre » des *Antiquités*, qui auraient pu être « de France » ; ainsi de l'inspiration chrétienne et gallicane, amorcée dans l'*Hymne chrestien* et d'autres œuvres de la fin.

Mémoire

« Je me vante d'avoir inventé ce que j'ai mot à mot traduit des autres », a écrit Du Bellay en 1550. Rien n'est plus central, peut-être, à sa création. Il a fait de l'imitation l'inspiratrice de toute son écriture, tout en rappelant sans cesse qu'il n'avait jamais cherché à être autre que lui-même. Ce paradoxe est sa vérité. En lisant les œuvres qu'il aime – et cela a pu être l'ancienne poésie française, comme l'italienne ou la latine –, « je me suis imprimé, dit-il, quelques traictz en la fantaisie, qui après, venant à exposer mes petites conceptions... me coulent beaucoup plus facilement en la plume qu'ils ne me reviennent en la mémoire ». Ce qu'il appelle avec hauteur sa « négligence » devient une sorte d'écriture spontanée faite des sensations enregistrées dans le plaisir, rapide ou ressassé, des lectures. Cet enregistrement plus ou moins inconscient, nous l'appellerions plutôt, malgré lui, sa mémoire. Elle a travaillé sur ses propres poèmes et fait de son œuvre poétique, pourtant si vaste, une variation continue sur des thèmes donnés, des mots donnés, des rythmes identiques, des tours stéréotypés.

Il a usé la thématique amoureuse jusqu'à sa pureté complète, dès *l'Olive*, se rendant ensuite insupportable toute concession à un pétrarquisme qu'il détruisait de l'intérieur. Il a usé toute référence mythologique dont ses compagnons furent si friands, lui préférant le mythe – Ulysse, Jason, les Géants, le Jugement dernier, l'Incarnation – dans sa fluidité, sa profondeur, son flou ; il lui était plus facile ainsi de mêler les récits, de penser à l'état brut. Il s'est usé lui-même dans l'expression continue de sa mélodie, dédaigneux de se renouveler par de véritables justifications.

Un très certain plaisir de la prononciation et une satisfaction de l'oreille s'avouent à chaque texte de Du Bellay, parce qu'ils tournent en rond sur quelques constantes, « art combinatoire » s'il en est : les anaphores, les « comme », les invocations et évocations, etc., et surtout toute une série de mots à la rime, comme autant de signatures inconscientes de tout ce qu'il a à dire depuis qu'il écrit. Gloire et mémoire ;

maison, saison et raison ; âge et voyage ; mère, terre et guerre ; beau et tombeau ; relique et poétique ; monde, vagabonde, onde et profonde… et tant d'autres, qui apparaissent dès les premiers recueils, et auxquels on le reconnaît. Ce long travail d'usure des mots, ce ressassement des vers, a eu pour effet que ses poèmes sont particulièrement propres à rester dans la mémoire. Le fameux « Heureux qui comme Ulysse… », par son absolue densité, simplicité, équilibre, est bien fait pour être connu « par cœur » ; Francis Ponge a dit de Malherbe qu'il était « le dictionnaire en ordre de marche » ; la démarche de Du Bellay est la même, classique déjà, patiemment musicale. Le comble de la poésie :

Et les Muses de moy comme estranges s'enfuient.

VIE		ŒUVRE	
1522 (?)	Joachim Du Bellay naît au château de la Turmelière, paroisse de Liré, en Anjou.		
1523-1531	Mort des parents. Du Bellay a pour tuteur son frère René.		
1543	**9 janv. :** mort de Guillaume de Langey, son oncle. **5 mars :** funérailles au Mans. Rencontre à cette occasion Peletier, Ronsard, Rabelais.		
Vers 1546	Mort de René Du Bellay, évêque du Mans. Amitié de Peletier.		
1547	**Mort de François Ier.** Amitié de Ronsard. Dorat principal du collège de Coqueret. Du Bellay y rejoint Baïf et Ronsard.	**1547**	Dizain *À la ville du Mans,* imprimé dans les *Œuvres poétiques* de Jacques Peletier (du Mans).
1547-1553	Années parisiennes, voyages probables à Saint-Maur, en Anjou, au Mans, à Troyes. **Mort de Marguerite de Navarre** (1549). Voyage d'Arcueil avec les compagnons de la « Brigade » (1549). Maladie (surdité). Après la mort de son frère René (1551), assume la charge de son neveu, Claude. Procès.	**1549**	*Deffence et illustration de la langue françoyse.* (Privilège du 20 mars.) *L'Olive et quelques autres œuvres poéticques. (Antérotique, Vers lyriques.)* Même privilège. *Prosphoneumatique au roy treschrestien Henry II.* *Recueil de poésie.* (Priv. du 5 nov.)
		1550	*L'Olive augmentée... La Musagnoeomachie et aultres œuvres poétiques.* (Priv. du 3 oct.).
		1551	*Le Tombeau de Marguerite de Valois.*
		1552	*Le Quatriesme Livre de « l'Énéide... ». Autres Œuvres de l'invention du translateur.* (Priv. du 1er févr.)
1553	**13 avr. :** départ pour Rome. Lyon, Genève, Zurich, Coire, Ferrare (mai). Fano, Viterbe, Rome (juin). Du Bellay, chef de la maison du cardinal Jean Du Bellay au palais Farnèse, puis au palais Saint-Georges, puis à Borgo San Pietro.	**1553**	*Recueil de poésie... reveu et augmenté.* (Achevé d'imprimer du 8 mars).
1555	Monluc à Sienne. **Mort du pape Jules III** (mars), **avènement de Marcel II** (avr.), **puis de Paul IV Caraffa** (mai). **Alliance de Henri II avec le pape.** Arrivée à Rome d'Olivier de Magny, ami de Du Bellay. Installation du cardinal au palais de Thermes. État de guerre à Rome.		
1557	**Arrivée en Italie des armées françaises conduites par François de Guise, puis rappel en France.** Départ de Du Bellay de Rome (août). Ferrare, Venise, Coire, les Grisons, Genève, Lyon, Dijon. Séjour à Sens. Paris. Du Bellay s'installe chez Claude de Bize, dans une maison du cloître Notre-Dame.		
1558	Il est nommé vicaire général du cardinal Jean Du Bellay. Contact avec les milieux littéraires parisiens, dont celui de Jean de Morel.	**1558**	*Discours au roy sur la trefve de l'an MDLV.* Hymne au roy sur la prinse de Callais. (Priv. du 17 janv.) *Les Regrets.* (Priv. du 17 janv.) *Divers Jeux rustiques.* (Priv. du 17 janv.)

	VIE		ŒUVRE
			(suite 1558) *Le Premier Livre des Antiquitez de Rome* […] *; plus un Songe ou Vision sur le même sujet.* (Priv. du 3 mars.) *Ioachimi Bellaii... Poematum libri quatuor.* (Priv. du 3 mars.) *Le Sympose de Platon* (traduit du grec, avec les commentaires de Louis Le Roy). *Plusieurs passages des meilleurs poètes grecs et latins* (trad. par Du Bellay). (Achevé d'impr. du 8 nov.)
1559	**Mort de Henri II, avènement de François II. Mort du pape Paul IV et élection de Pie V** (Médicis). **Mariage de Marguerite de France, sœur de Henri II ; elle part pour la Savoie.** Du Bellay malade.	**1559**	*Entreprise du roy-daulphin pour le tournoy, soubz le nom des Chevaliers advanteureux.* (Priv. du 3 mars 1558.) *Épithalame sur le mariage de... Philibert Émanuel duc de Savoye, et... Marguerite de France.* (Priv. du 3 mars 1558.) *Tumulus Henrici secundi.* *La Nouvelle Manière de faire son profit des lettres... Ensemble le Poète courtisan.* *Antonii Minarii... Tumulus.*
1560	**1er janv., dans la nuit :** mort de Du Bellay.	**1560**	*Louange de la France... Discours sur la poésie.* (Priv. du 28 fév.) *Deux Livres de « l'Énéide » de Virgile.* (Priv. du 28 fév.) *Discours sur le sacre du tres-chrestien roy Françoys II.* (Priv. du 11 mars.)
		1561	*Recueil de poésie... reveu et augmenté par l'auteur.* (Priv. du 18 mars 1560.) *Ode sur la naissance du petit duc de Beaumont... Sonnets à la royne de Navarre.* (Priv. du 18 mars 1560.)
		1567	*Ample Discours au roy, sur le faict des quatre estats.*
		1568-1569	*Les Œuvres françoises de Joachim du Bellay.* (Priv. du 30 avril 1568, dédicace du 20 nov.) C'est le recueil d'Aubert. (Rééd. 1573-1574, etc.)
		1569	*Ioachimi Bellaii Xenia... Elegia ad Janum Morellum.* (Priv. du 1er mai 1568.)

Deffence et Illustration de la langue françoyse

« Le premier manifeste de la littérature française », a-t-on écrit avec justice de la *Deffence.* Intervenant un an après un *Art poétique* assez nouveau de Sébillet, l'ouvrage surprit comme une provocation, déchaîna des attaques subites comme il entraîna définitivement l'admiration. Invective et louange, ces deux modes de l'insolence et du lyrisme Renaissance, Du Bellay les maniait dans un perpétuel déséquilibre qui fait de la *Deffence* un texte encore très fort et très plaisant à lire. Œuvre d'allure polémique, mais plus foncièrement systématique, elle ne contient – contrairement à ce qu'on dit parfois – aucune contradiction réelle, et encore moins de désordre.

Les intentions étaient claires : il reprenait à Dolet la première, glorifier (« illustrer ») son pays par sa langue ; et, afin de mieux assurer le relais politique dont ce relais des langues n'était que la conséquence, il le dédiait, comme Dolet, à l'un des membres de la grande famille politique des Du Bellay, son oncle même. Il disait que sans mécène il n'est pas de poète, et sans poète aucun roi qui s'immortalise.

Sur tout, il tranchait dans le vif : et d'abord sur le grand débat de l'origine des langues ; les mots n'existent pas avant les choses, ils sont donnés par les hommes pour communiquer entre eux, par convention et selon leur libre décision. Et comme les hommes sont divers, aussi les langues. Elles sont donc « naturelles », mais de la nature propre à l'imaginaire des hommes. De là leur force, de là leur faiblesse aussi, si ces virtualités de la langue ne se réalisent pas dans l'écriture, dans « l'art » ; si une langue est « par nature et par art », aucun travail ne doit être épargné pour la pérenniser. C'est une culture : il faut tailler, régler, émonder pour ne garder que les rameaux vifs ; l'optique est déjà classique.

La réflexion sur la langue s'organise alors selon deux lignes de force : une foi extrême dans le langage (on peut « parler de toute chose, par tout le monde, en toute langue ») ; on peut – on doit – donc transmettre, traduire et imiter. Mais en même temps, chaque langue est seule à parler comme elle le fait, par la « différence de la propriété et structure d'une langue à l'autre », comme il le dit encore en 1552 : sa manière, c'est-à-dire la poésie comme quintessence des particularités de cette langue, est donc intraduisible ; la seule chose possible est de s'en imprégner – la « dévorer », « se transformer en elle », dit-il sans cesse – à force de la « lire de main nocturne et journelle ». Alors quelque partie de la « force des choses », de la « beauté des mots », comme de la « structure de la langue », passera dans votre poésie. Pour écrire, il faut accepter de « mourir en soy mesmes », être assez courageux et savant pour exploiter ce champ immense des possibilités d'une langue : courageux parce qu'il faut lui faire atteindre la variété, l'ampleur reconnues dans les autres langues, et pour cela écrire beaucoup ; savant, parce qu'on ne peut rivaliser avec les autres langues que par une exacte connaissance de leurs caractéristiques ; savant aussi parce que dire, c'est dire de quelque chose, et qu'il faut tout connaître en toute discipline, en tout métier, tout nommer.

Mais la poésie, qui est à elle seule l'« illustration » de la langue, sa « lumière » et son « énergie », son « âme », est, plus que toute forme d'écriture, soumise aux deux principes de la nature et de l'art. S'il est vrai que le poète n'est rien qu'un vil versificateur lorsqu'il n'a pas l'« ardeur naturelle », il n'existe pas sans travail, et sans l'imitation des bons auteurs grecs, latins et italiens. Il n'existe pas non plus s'il n'est pas à l'écoute de tous les phénomènes musicaux propres à sa langue, et s'il n'est pas attentif aux gestes qui doivent l'accompagner. Alors Du Bellay donne tout un ensemble de conseils sur les genres poétiques, les tours syntaxiques, les figures rhétoriques, les créations de mots, etc., qui ont fait, par leur précision, leur intuition, mais non sans injustice à l'égard de l'ancienne poésie française, la réputation de la *Deffence*.

Pour écrire ce manifeste où les Grecs et les Romains tiennent lieu de l'inconscient surréaliste, Du Bellay avait pillé Cicéron, Quintilien, Dolet…, et surtout l'Italien Speroni et son *Dialogue des langues* (1542), mais ce dernier ouvrage à grands coups, en le « dévorant » selon ses propres principes, en choisissant parmi les interlocuteurs différents, voire contradictoires, ceux dont les arguments convenaient à sa bataille. Il n'a pas collectionné des thèses, avec les contours d'une discussion entre spécialistes ; il a projeté une synthèse agressive, paradoxale, qui demandait à être suivie dans les actes : elle paraissait en même temps que *l'Olive*.

L'*Olive*

Non seulement l'*Olive* « illustre » la *Deffence*, mais elle en poursuit avec plus de violence encore, dans ses préfaces successives de 1549 et 1550, le débat théorique sur la poésie. Texte étrange que ce premier *canzoniere* français constitué de sonnets (la *Délie* de Scève l'était de dizains) ; écrit sous l'influence manifeste de Scève, et dans l'admiration de Ronsard, il s'élabore sous la dictée des Italiens, Pétrarque d'abord, puis tous les auteurs d'un recueil collectif qu'il a entre les mains. L'imitation n'atteindra jamais un tel degré, ne réclamera un tel travail sur la langue. Tout l'effort théorique de Du Bellay, tout son travail sur la mémoire sont là. Or ce texte ressemble déjà à tous ceux qu'il écrira ensuite.

En 1549, le recueil ne comprend que cinquante sonnets, dédiés à Marguerite de France (l'olivier figure dans la devise de la princesse). Comme « Délie » se retourne en « l'idée », « Olive » se retourne en « voile ». Il n'est point utile de violer ce mystère, s'il y en a un. En 1550, Du Bellay ajoute soixante-cinq sonnets, sans modifier les traits essentiels du recueil. Cependant une construction devenait plus apparente : l'amour pour Olive s'insérait dans le temps liturgique qui mène de Noël à Pâques ; organisation tardive, peut-être, et non consubstantielle, mais qui assurait ce ton mystique qui règne dans toute la poésie de Du Bellay et qui s'accompagne ici de toute l'élévation d'une pensée influencée par Platon, dans la ligne de Marguerite de Navarre. L'un des derniers sonnets, le très connu « Si nostre vie est moins qu'une journée… », en est la plus lyrique des preuves.

Au milieu des références italiennes – tout ce marbre, cet ivoire, ces roses, ces plaintes douces-amères – s'élabore la thématique propre à Du Bellay : déjà l'espace immense, vide («… en la carrière vide/De ton beau ciel… »), rayonnant encore de chevelures ensoleillées, et traversé de vents, de voix et de soupirs, de noms. Et le poète voit ses « écrits fueille seiche » devenir, comme celle du rameau d'olivier, lui « Pasle, dessoubs l'arbre pasle estendu ». Peu à peu, le tourment auquel il « prend plaisir » devient autre ; par un mouvement ascendant et austère, naturel à sa poésie, il réunit Dieu et poésie :

D'un nouveau feu brusle moy jusqu'à l'ame…
Et morte soit tousjours pour moy la mort.

Les *Regrets*

C'est le plus important des textes de Du Bellay, et cette abondance même des cent quatre-vingt-onze sonnets offre trop de prise aux interprétations, comme si le lecteur ne pouvait accepter ce que le poète répète sans cesse : son sentiment du vide et la permanence de la poésie pour recouvrir, seule, toute peine. Le titre peut être compris très simplement : lorsque Du Bellay en parle en latin, il dit *Tristia*, comme Ovide exilé. Règne donc la nostalgie de ce qu'on a perdu en perdant la France – la croyance en soi, en sa poésie, le désir de s'instruire et de s'illustrer, la complicité des amis, l'admiration des autres. Et il a laissé croire à une lamentation qui dirait tout, à des poèmes qui seraient « de son cœur les plus seurs secrétaires ». Mais la force de Du Bellay est de ne mettre aucune complaisance dans cette longue plainte qui parcourt l'œuvre, avant même le départ pour Rome : cet homme ironique, qui se fait aussi bien le bourreau de lui-même que des autres, n'avoue en fait jamais rien, sinon que le seul enchantement qu'il connaisse – tromperie et plaisir à la fois – est dans la poésie. Il est Ulysse supplicié des Sirènes.

Une fois que cet aiguillon est fiché dans l'imagination – ce fut pour lui dans l'enfance –, folie et raison se mêlent :

Je suis content qu'on appelle folie
De nos esprits la saincte déité
Mais ce n'est pas sans quelque utilité
Que telle erreur si doulcement nous lie.

(À Monsieur d'Avanson)

Et de ses vers encore :

S'ils furent ma folie, ils seront ma raison

(sonnet XIII)

Du Bellay est sans cesse écartelé entre les deux pôles du malheur extrême, existentiel, et d'un bonheur difficile ; et, en longues litanies, le poète va bénir et maudire.

O qu'heureux est celuy qui peult passer son aage...

(sonnet XXXVIII)

O trois et quatre fois malheureuse la terre...

(sonnet CXIV)

Heureux, de qui la mort de sa gloire est suivie...

(sonnet XX)

Malheureux l'an, le mois, le jour, l'heure et le
[point...

(sonnet XXV)

Variations continues et infimes à la fois, qui glissent plus qu'elles ne s'organisent vraiment, d'une obsession à une autre. Tout le début est dominé par l'inquiétude de chercher la poésie au sein de tous les refus, de dire où elle n'a pas été, où elle n'est plus, et comment elle reste seule de tout ce désastre involontaire. Toute la fin est vouée à la Vertu - le Ciel - Marguerite, triple figure de l'ascèse et de l'élévation.

Entre les deux, le monde sublunaire agité, passager et lamentable de l'exil romain, puis du retour. Cela justifie que le poète parle de genre mêlé, la « satire », dans lequel interfèrent le miel, le fiel et le sel. Le rire sardonique de la dérision attaque tout. On sait beaucoup maintenant de la Rome vécue par Du Bellay. Sa cour pontificale est vouée aux intrigues et au paraître ; « Église » rime avec « feintise ». La Ville est perdue de vices – les courtisanes, les femmes démoniaques –, d'angoisses – la guerre est aux portes, accords et ruptures diplomatiques se succèdent. Elle se venge dans ses fêtes, et par son goût féroce pour la satire – les pasquinades anonymes, qui pullulent, et dont *les Regrets* reprennent souvent le ton. Quant au sort du poète, il est trop clair que, pour lui, « service » rime avec « vice », et qu'il cherche à « bercer sa peine », née de mille misères, concentrées dans l'éloignement du pays natal, par le flux et le reflux du rythme élégiaque alternant avec les textes plus vifs, souvent anaphoriques et syncopés, et qui réservent aux bonnes places les mots durs, chargés de stigmatiser ce « cloaque » immonde qu'est Rome, théâtre du monde ; et Venise, Genève, la Cour.

Cette division lui est consubstantielle, odieux qu'il est à lui-même, puisqu'il conserve le sentiment profond d'une faute inconnue, tout en se rebellant contre l'injustice de ce sentiment et contre la nécessité de sa propre hypocrisie. Devant lui s'ouvre toujours un « grand espace vide », celui d'une affectivité contradictoire, qu'il essaie de traverser par toutes les dédicaces de ses poèmes à des amis multipliés, qui culminent en Marguerite.

Sa poésie s'est faite répétitive, musicale, pleine de rêves inconscients – voyages et naufrages – et de mythes flous qui s'entrecroisent, sous le signe d'Ulysse et de Jason.

Divers Jeux rustiques

Voilà un de ces recueils qui gênent le lecteur moderne dans l'idée qu'il se fait d'un Du Bellay grave et mélancolique. Et pourtant, ces « petites pièces mal cousues » – au dire de leur auteur – paraissent en même temps et avec le même privilège que *les Regrets* (17 janvier 1558) et sont dédiées à un personnage important de la politique italienne de Henri II. Ce ne sont d'ailleurs pas, pour la plupart, de « petites pièces » : cinq cent quatre-vingt-dix vers pour la seule « Vieille Courtisanne », et beaucoup d'autres dépassent la centaine. De forme tantôt continue, tantôt strophique, elles présentent de toute façon une grande variété métrique, depuis les « vœux » légers, imités du latin de Navagero (1530), jusqu'aux hymnes ou longs poèmes, où il parodie Ronsard. La « Vieille Courtisanne » serait même une sorte de nouvelle réaliste qu'il aurait versifiée, à la manière de l'Arétin. Ces *Jeux* étaient bien faits pour plaire ; la meilleure preuve en est que trois d'entre eux furent alors mis plusieurs fois en musique.

Jeux, dit Du Bellay, pour amuser l'oreille à l'heure des divertissements et banquets : Ronsard se récrée bien alors dans ses *Folastries*, et Baïf dans ses *Passetems*. Jeux d'écriture, en tout cas, où l'on imite de tous côtés, mais en choisissant bien : Virgile (il le croit) pour le *Moretum*, Ovide pour le « Combat d'Hercule et d'Acheloys », les chansons de Marot et les *Baisers* de Jean Second, et même l'ami Olivier de Magny, avec lequel on rivalise pour pleurer le petit chien Peloton, etc.

Rustiques, parce qu'il s'agit de mœurs paysannes, ou de vœux champêtres, ou de lieux campagnards. Mais *Rustiques* surtout parce que, par ce titre, Du Bellay espère bien faire fuir les « sourcilz remfrognez », les gens engourdis dans une sévère et pesante gravité, « embesognez à rien faire ». Rien n'est plus horrible à Du Bellay que ce néant perpétuel, qu'il combat par toute écriture. De fait, il se montre encore ici avec ses soucis constants : sa volonté de construire des systèmes (V.-L. Saulnier l'a montré pour ce recueil), son goût pour d'autres écrivains (qui entraîne toujours l'imitation), son besoin de mêler les tons et les genres : le « miel » avoué s'accompagne ici, comme dans *les Regrets*, de fiel et de sel. À côté de la joliesse précise des épitaphes bien connues du chien Peloton et de son chat Belaud, à côté des gracieuses amours de printemps et d'hiver, se développent l'attaque contre les pétrarquistes, ou contre les courtisanes romaines, et l'humour demi-grinçant de l'« Hymne de la surdité », adressé à cet autre sourd, Ronsard. Et le recueil contient – plus que *les Regrets*, et presque autant que les poèmes latins – des confidences sur lui, sur ses amours, sur ses ambitions poétiques : une grave élégie amoureuse, un beau poème à Olivier de Magny, qui explique à quel point il est devenu difficile pour lui d'écrire d'amour – ou d'aimer trop haut.

Parmi tous ces textes, un chef-d'œuvre a ému Baudelaire et Hugo, le petit vœu « D'un vanneur de blé aux vents » :

À vous, troppe légère,
Qui d'aele passagère
Par le monde volez, [...]
De vostre doulce halaine
Éventez ceste plaine,
Éventez ce séjour :
Ce pendant que j'ahanne
À mon blé que je vanne
À la chaleur du jour.

Le Premier Livre des Antiquitez de Rome... plus un Songe...

Deux mois après *les Regrets* et les *Jeux* paraissait encore une œuvre double. La face plus ambitieuse des *Antiquités,* avec ses trente-deux sonnets, impose une réflexion sur la grandeur et la décadence des empires : le titre, repris aussi bien à des textes français (de Jean Bouchet, Champier ou Corrozet) qu'à des guides romains, ironisait sur ces modèles trop exclusivement admiratifs d'un passé révolu. Plus modeste en apparence, avec ses quinze sonnets, le *Songe*, dans son symbolisme mystique, en est en fait la pointe extrême. On ne peut minimiser l'importance de l'ensemble : le dédiant à Henri II, Du Bellay en a fait une leçon morale et politique assez dédaigneuse.

Tout empire périt dans ses pierres et dans ses hommes, trouvant en sa propre démesure les causes de sa décadence ; le pillage des Barbares envieux et, surtout, les luttes intestines naissent de la perte de la force unitaire initiale. Mais quelque espoir reste permis, les civilisations se relaient et se nourrissent les unes des autres jusqu'à la fin du monde ; tout retourne à sa source aussi, qui contenait en creux la signification à venir. Et si le monde est destiné à périr, l'esprit accède à l'immortalité dans la vertu, vers laquelle tend la poésie.

Rome est une fable plus qu'une histoire ; à ce titre, son récit se contamine d'autres mythes. Celui des Géants d'abord : par orgueil, ils agressèrent les dieux, et les voilà écrasés, écartelés sur les sept collines romaines. Les dieux encore interdirent à Pandore, la première femme, d'ouvrir le coffret du bien et du mal (ou de l'espoir), et l'homme a, comme elle, déchaîné les forces mauvaises. Enfin, le mythe le moins présent n'est pas – derrière la reprise platonicienne de la « grande année » du monde – celui du Jugement dernier : l'esprit de l'Apocalypse domine tout le texte. Tous ces mythes se croisent et s'expliquent les uns par les autres dans une trame commune qui les ramène à une pauvreté essentielle : la nécessité voue le monde à sa ruine.

Mais on est aussi loin d'une lamentation sur les ruines que d'un traité de morale. Du Bellay dramatise ce qu'il appelle un « petit tableau », fait pour rivaliser en poésie avec la collection d'« antiques » du roi. Un dialogue s'instaure entre les sonnets en alexandrins, voix de la démonstration par l'analogie (« Telle que dans son char la Bérécynthienne... »), et les sonnets décasyllabiques, nécessairement plus liés, d'un charme plus incantatoire, où il évoque – très littéralement – les morts, les « esprits » que sa poésie rappelle à la surface de la pensée :

C'est comme un corps par magique savoir
Tiré de nuit hors de sa sépulture

(sonnet V)

Ce même mouvement alternatif régulier de démonstration et d'incantation se maintient, par une sorte de puissance interne, dans le *Songe*, qui n'est que l'obsession du même rêve de chute et de destruction (foudroiement, écroulement, naufrage...) quinze fois répété, comme le présage qu'enverrait un démon des morts inévitables, au sein d'un récit continu, le sommeil. Pétrarque avait ainsi présagé la mort de Laure. Du Bellay veut être cet Orphée ou ce Virgile, qui lit les mythes du passé et pressent l'avenir, mais avec la peur constante de l'échec et le désir d'abandonner sa tâche :

Espérez-vous que l'œuvre d'une lyre
Puisse acquérir telle immortalité ?

(sonnet XXXII)

M. M. Fontaine

DUBILLARD Roland

(né en 1923)

La passion du théâtre a investi Roland Dubillard dès son plus jeune âge. Il s'y consacra sitôt après une licence de philosophie ; en partie grâce à Pierre-Aimé Touchard, ancien critique de la revue *Esprit* et directeur de la Maison des lettres, un des rares foyers étudiants où s'élaborent, en pleine Occupation, toutes les résistances et où Roland Dubillard s'essaie à de petits mélodrames, textes qu'il réutilisera plus tard, dans *les Bains de vapeur* (1976).

Marqué par Artaud, par Dullin, par Jouvet, mais renonçant très vite aux poètes qui, tels Claudel ou Maeterlinck, avaient influencé sa première pièce jouée – par des amateurs –, *les Noces de Catherine,* c'est dans de petits sketches commandés par Jean Tardieu pour la radio qu'il se révèle un grand humoriste (« Grégoire et Amédée », 1953). On est alors en plein « théâtre de l'absurde ». L'exemple de Ionesco, de Beckett, de Boris Vian mais aussi la dérision répandue alors dans les petits théâtres de la Rive gauche – où Dubillard fait jouer en 1953 *Si Camille me voyait*, une « opérette parlée » – lui permettent de créer les personnages de « Grégoire et Amédée » qu'un nombreux public écoute sur Paris-Inter. Leurs dialogues désopilants seront d'ailleurs repris – avec d'autres de la même veine – dans des spectacles donnés sur plusieurs scènes de la capitale sous les titres de *Diablogues*, *le Gobe-douille* ou *l'Eau en poudre*, avec de merveilleux interprètes tels que Claude Piéplu, Jacques Seiler ou Roland Dubillard lui-même. Car il est aussi un acteur exceptionnellement doué. Sa diction embarrassée, son visage lunaire, ses gestes inachevés de rêveur en font une sorte de clown moderne, qui colle admirablement à un texte visiblement écrit pour lui-même, et auquel il est le seul à pouvoir donner ses prolongements mélancoliques.

Cette subjectivité prend toute sa valeur dans sa pièce la plus connue, *Naïves Hirondelles*, donnée en 1961 au Théâtre de poche, avec ses amis Arlette Reinerg, Tania Balachova et Bernard Fresson. Remarquée par André Roussin, qui clame son enthousiasme en première page du *Figaro*, la pièce, souvent reprise depuis, connaît un immense succès. Velléitaires, marginaux, les personnages de *Naïves Hirondelles* parlent pour ne rien dire, tentent de vivre, sans y parvenir, se livrant à des activités dérisoires – par exemple, des pièces montées de morceaux de porcelaine –, cependant que passe entre eux une tendresse toujours voilée d'humour. Le style est plein de naturel, jusque dans ses trouvailles les plus inattendues.

C'est sur cette lancée que Dubillard écrit en 1962 *la Maison d'os,* histoire d'un vieillard livré à des serviteurs fantomatiques, en 1969 *le Jardin aux betteraves*, en 1972 *Où boivent les vaches* (dans laquelle jouait Madeleine Renaud) ; en 1970, *les Crabes* et *les Bains de vapeur* ne connaîtront pas le succès de *Naïves Hirondelles*, bien que Dubillard ait conservé un public fanatiquement fidèle. Après avoir adapté des œuvres étrangères (David Mercer, Carl Sternheim) il a participé comme interprète principal à un film de Yannick Bellon (*Quelque part, quelqu'un*, 1973). Il est intéressant de savoir, pour mieux le comprendre, qu'il s'est intéressé à une expérience antipsychiatrique (à Laborde, dans le Loir-et-Cher). Ses pièces ont été éditées à partir de 1966 (*la Maison d'os*, 1966 ; *le Jardin aux betteraves*, 1969 ; *Naïves Hirondelles*, 1971 ; *Si Camille me voyait*, 1971 ; *Où boivent les vaches*, 1973 ; *les Diablogues*, 1974, constamment réédités et augmentés de nouvelles « inventions à deux voix »). Il a également publié un recueil de nouvelles (*Olga ma vache*, 1974). Entre poésie et burlesque, fictions et choses vues, le puzzle de ses *Carnets en marge* (1998) est à la fois le portrait d'un homme et l'envers – ou les coulisses – de son œuvre.

Pris à son propre jeu, Roland Dubillard ne trouvera jamais, comme l'aurait fait un auteur professionnel – ce qu'il n'a jamais voulu être –, les contours précis qui permettent de distinguer nettement ses œuvres entre elles. Comme il les a toutes jouées et que les reprises où il ne figurait pas étaient moins satisfaisantes, les contemporains de Dubillard ont souvent confondu le protagoniste de ces pièces et sa propre personnalité. Il faudra du recul pour savoir si ce théâtre subjectif existe – en dehors des sketches – séparément de son auteur-interprète, le personnage ahuri de *Naïves Hirondelles*, dont Ionesco disait : « La pièce admirable de Dubillard est celle de la détresse de vivre sans pouvoir aimer, de vivre sans but et pour de faux buts. [...] C'est une pièce de colère, encore, d'une colère qui se brise contre les murs de l'impossible. »

G. Dumur

DUBOS ou DU BOS Jean-Baptiste

***Jean-Baptiste Dubos** ou **Du Bos,** dit **l'abbé DUBOS** (1670-1742)*

Après avoir étudié, dans sa jeunesse, la théologie et le droit, il trouva sa voie dans la diplomatie, où l'employèrent Torcy, le Régent et Dubois. C'est ainsi qu'il négocia, en 1701, avec l'Angleterre et la Hollande pour engager ces puissances à la paix. Comblé de bénéfices et de pensions, il devint historien et critique.

En histoire, il soutint deux opinions qui parurent paradoxales, voire choquantes : qu'il y avait eu quatre et non trois Gordiens (*Histoire des quatre Gordiens*, 1695), et que les Francs n'étaient pas entrés en Gaule en conquérants, mais à la prière de la nation, qui voulait être gouvernée par eux (*Histoire critique de l'établissement de la monarchie française dans les Gaules*, 1734). Cette dernière thèse fut, on le sait, réfutée par Montesquieu. Elle avait plus d'importance qu'il n'y paraît : la royauté n'était plus justifiée par la conquête (qui légitimait surtout la féodalité), mais par un transfert de l'autorité césarienne. Dubos composa encore l'*Histoire de la ligue de Cambrai* (1709, plusieurs rééditions), qui eut un grand succès et parut à Voltaire « un modèle en ce genre ».

Sa grande œuvre demeure les *Réflexions critiques sur la poésie et sur la peinture* (1719). Ce livre est bien de la Régence ; il ignore l'ordre et, apparemment, la logique ; après s'être demandé en quoi consiste la beauté d'un tableau et d'un poème et quelle importance il convient d'attacher aux règles, Dubos tente d'expliquer les qualités des grands artistes, la stérilité et la fécondité des siècles ; il termine par une *Dissertation sur les représentations théâtrales des Anciens.* Dans cette discontinuité, quelques principes dominent : le refus de toute esthétique rationnelle ; le primat donné à l'émotion, ce qui n'exclut pas qu'il faille être attentif à l'habileté de l'artiste ; un certain optimisme, car « les sujets ne sont pas (ne seront jamais) épuisés par les poètes » ; une conception fort souple des règles, puisqu'un merveilleux invraisemblable peut plaire et que le Tasse et l'Arioste enchantent les Italiens

malgré leurs défauts ; enfin, une sorte de déterminisme historique, les causes morales et surtout physiques (l'air, les climats) faisant le caractère, le talent, et même le génie des hommes.
Cette esthétique n'a rien de cartésien. Elle est nourrie de l'empirisme anglais de Locke et d'Addison. Rejetant tout dogmatisme, elle décrit, plutôt qu'elle n'explique, l'expérience du beau. Mais cet empirisme et cette souplesse ramènent finalement au culte des Anciens ; l'admiration que tous les siècles ont portée à Homère n'a pu s'égarer. C'est ainsi que le classicisme français, ébréché par les arguments de Fontenelle et de La Motte, va chercher dans la philosophie anglaise une nouvelle vigueur. Voltaire se souviendra de cette démarche. En tout cas, Dubos fut admiré et copié ; selon Chateaubriand, « on vole Dubos sans avouer le larcin ». [Voir aussi **Querelle des Anciens et des Modernes**.]

A. Niderst

DU BOUCHET André

(1924-2001)

On peut être tenté de trouver, à l'origine d'une relation foncièrement problématique avec le langage, l'exil qui marqua la jeunesse d'André Du Bouchet. Au début de la guerre, le poète dut en effet suivre sa famille aux États-Unis, où il resta jusqu'en 1948. Et sans doute cette expatriation ne pouvait-elle que favoriser le sentiment d'une étrangeté par rapport à sa propre langue, comme elle devait ensuite encourager d'ambitieuses entreprises de traduction (Hölderlin, Celan, Joyce…). Mais, bien plus profondément, son œuvre témoigne d'une crise du langage propre à une certaine modernité poétique depuis le symbolisme, et aggravée encore par le sentiment aigu d'un désastre au lendemain de la Seconde Guerre mondiale. D'emblée, la mise en page et les procédés typographiques, prolongeant le *Coup de dés* de Mallarmé et les vers dispersés de Reverdy, confrontent le lecteur à l'évidence d'une parole entravée, perpétuellement conquise sur le silence et « la nuit de la langue ». Les tirets occupent parfois des lignes entières, telle une biffure substituée à une phrase indicible, tandis que les blancs s'étendent jusqu'à ne laisser subsister que quelques mots épars sur la page : « L'absence qui me tient lieu de souffle recommence à tomber sur les papiers comme de la neige », peut-il écrire dans le poème « Météore ». Ce jeu avec la visibilité du poème – qui est aussi une manière de donner à entendre une voix dans ses élans, ses suspens et ses hésitations – renforce les multiples ruptures caractérisant son écriture : les discontinuités syntaxiques, les oxymores et les multiples ellipses affirment une impossibilité à enclore dans un discours linéaire une expérience excédant toute parole, de même qu'une volonté d'ouvrir « une brèche dans l'enfermement nominal ».
Car rien de plus éloigné de cette œuvre qu'un jeu purement formel. Marquée par la phénoménologie, la poésie d'André Du Bouchet tient d'une quête ontologique fondée sur l'incessant questionnement d'un réel éprouvé dans le corps même du marcheur. Aussi la mise en page si caractéristique de ses poèmes, mettant en relief quelques mots isolés par une « marge élargie qui entame », est-elle indissociable de la traversée d'un paysage presque désert dominé par les motifs de la paroi et de la faille : le poète paraît ainsi obéir, face à la virginité de la page ou au vide du paysage, à ce même moteur blanc désigné par le titre d'un recueil de 1956. De plus, les brisures de la phrase et le rythme heurté du poème renvoient à une ascension difficile et sans cesse recommencée vers une trouée éclairante, qui n'est pas sans évoquer le cheminement de son ami Jacques Dupin. C'est pourquoi l'important recueil *Dans la chaleur vacante* (1961) associe la tension vers une « déchirure dans le ciel » et le « balbutiement blanc » d'une parole tout à la fois dense et aérée, resserrée en de fulgurantes métaphores et dispersée sur la page. On peut d'ailleurs reconnaître dans l'œuvre d'André Du Bouchet une véritable poétique de la condensation. Ainsi a-t-il réédité certains recueils afin de les soumettre à un travail d'épuration que la publication de ses *Carnets* (1989 et 1994), faisant apparaître l'écart entre la notation prise sur le vif et le poème achevé, a également mis en évidence.
Cette recherche obstinée, continuellement relancée et hantée par l'échec, a naturellement trouvé un écho dans l'infini ressassement d'Alberto Giacometti, auquel est consacré l'admirable *Qui n'est pas tourné vers nous* (1972). Plus généralement, son œuvre révèle une attention toujours accrue au travail des peintres. Alors que Bram Van Velde et Tal Coat ont illustré certains de ses recueils, son ouvrage *Peinture* (1983) et des textes consacrés notamment à Poussin et à Riopelle lui ont permis de souligner d'essentielles correspondances entre l'art et la poésie, partageant une même recherche de « la fraîcheur de l'infiguré ». Enfin, la revue *l'Éphémère*, dont il fut l'un des directeurs de 1966 à 1972, a constamment affirmé l'alliance substantielle des peintres et des poètes. C'est assez dire que l'on ne saurait réduire la poésie d'André Du Bouchet aux seuls commentaires philosophiques qu'elle a fréquemment inspirés : l'extrême vivacité des sensations, l'acuité du regard sur le paysage et la peinture ainsi que la subtilité d'un travail sur le rythme de la parole en font l'une des œuvres majeures de l'après-guerre – l'une des plus rares aussi bien, tant son exigence peut confiner au mutisme.

V. Hugotte

DU CAMP Maxime

(1822-1894)

Ce fils d'un médecin aisé eut tôt le goût du voyage : d'abord vers la Turquie, la Grèce et l'Algérie (1844-1845), d'où il rapporta *Souvenirs et Paysages d'Orient* (1848), puis, en partie avec Flaubert, un second voyage au Proche-Orient où il put mettre en valeur ses talents (les plus sûrs) de photographe (*Égypte, Nubie, Palestine et Syrie*, 1852). À la suite d'une randonnée en Bretagne avec Flaubert, il écrivit les chapitres pairs de *Par les champs et par les grèves*. Maxime Du Camp connut alors le succès avec des ouvrages à vocation industrielle et sociale (*Paris, ses organes, ses fonctions et sa vie dans la seconde moitié du XIXe siècle*, 1869, six fois réédité jusqu'en 1905), *la Charité privée à Paris* (1885, cinq rééditions jusqu'en 1900) ou des témoignages historiques : *Souvenirs de l'année 1848* (1876) ou encore, sur la Commune, *les Convulsions de Paris* (1878-1879).

Du Camp est l'auteur d'un roman, *Forces perdues* (1867), antérieur de deux ans à *l'Éducation sentimentale* et où il exprime la désillusion d'une génération, et des *Chants modernes* (1855), qui illustrent les choix d'un poète saint-simonien : refus de l'« Art pour l'Art » au profit d'un art didactique, recherche de sujets « modernes », comme la machine à vapeur ou la locomotive –

Et la locomotive en flamme, reniflant,
S'élançant sur les rails, hurlant, râlant, sifflant,
Ferait fuir de terreur les dragons et les hydres.

Mais Maxime Du Camp est surtout connu aujourd'hui par ses *Souvenirs littéraires* (1881-1882), qui constituent un document intéressant sur Flaubert et le monde littéraire de son temps, bien que les jugements qu'il porte sur l'auteur de *Madame Bovary* doivent être mesurés à l'aune d'un bourgeois louis-philippard (exemple célèbre : « G. Flaubert a été un écrivain d'un talent rare ; sans le mal nerveux dont il fut saisi, il eût été un homme de génie », commenté par Sartre dans *l'Idiot de la famille*).

A. Pierrot-Herschberg

DUCANGE

Pseudonyme de **Victor-Henri-Joseph BRAHAIN** *(1783-1833)*

Romancier et mélodramaturge. Né à La Haye, où son père était secrétaire d'ambassade, Ducange occupa divers petits emplois dans l'administration impériale avant d'être limogé par la Restauration en raison de ses idées libérales. De retour de Londres, où il s'était exilé, il publie deux romans, *Agathe ou le Petit Vieillard de Calais* (1819) et surtout *Valentine ou le Pasteur d'Uzès* (1820), qui dénonce les excès de la Terreur blanche dans le Midi : amende et prison ferme s'ensuivent, qui n'entament cependant pas les convictions de leur auteur puisque Ducange entreprend alors la publication d'une feuille, *le Diable rose ou le Petit Courrier de Lucifer* (1822), où, derrière le conte merveilleux (« Un beau matin, Lucifer s'éveilla de fort bonne humeur… »), s'ébauche la peinture d'un Paris policier qui ne « permet ni de rire ni de s'égayer ». Nouvelle condamnation, nouvel exil – en Belgique, cette fois-ci. Dès lors, Ducange ne s'attache plus qu'à réussir une carrière de dramaturge, transposant le plus souvent à la scène ses propres romans : *les Trois Filles de la veuve* (1826 et 1830), *l'Artiste et le Soldat* (1827 et 1830), *Il y a seize ans* (1831), etc. Mais son grand succès demeure *Trente Ans ou la Vie d'un joueur* (1827), l'un des triomphes du mélodrame.

Étalée sur trois journées éloignées chacune de quinze années, la pièce est, en fait, composée de trois intrigues, dont l'unité vient du seul retour des personnages : Georges, le joueur ; sa femme, la douce Amélie ; Warner, industriel véreux. Ainsi chaque acte se clôt-il tragiquement (la mort de Germany, le père de Georges à l'acte I ; celle de Valentin, l'associé de débauche de Georges, à l'acte II) comme pour mieux montrer jusqu'à quels excès peut entraîner la passion du jeu et mieux faire ressortir le repentir final, terme obligé du genre : « Infortunés dont j'ai fait le malheur ! Ah, ne me plaignez pas ! Mon fils déteste le jeu. Tu vois ses fureurs et ses crimes… » Tous les poncifs du mélodrame se retrouvent donc ici ; mais l'extension de l'action dans le temps permet de transformer une banale intrigue en une étude de mœurs qui, malgré sa superficialité, donne naissance à des caractères moins stéréotypés que ceux auxquels le genre est accoutumé.

D. Couty

DUCHARME Réjean

(né en 1942)

Originaire de la région de Joliette (Québec), Ducharme passe son enfance dans une île du Saint-Laurent entre Sorel et Berthier. Après quelques mois à l'École polytechnique de Montréal, il tâte de l'aviation, parcourt l'Amérique, occupe divers emplois : vendeur, commis, typographe et correcteur, chauffeur de taxi… Le succès de ses romans, de son théâtre, de ses scénarios de films, de ses chansons (écrites pour Robert Charlebois) ne l'a pas empêché de demeurer discret, secret, absent de toutes les mondanités littéraires.

Un concept, celui du dionysiaque, permet de cerner l'écriture de Réjean Ducharme. « L'affirmation dans la négation », « le discours féministe au masculin », « la contradiction dans la répétition », « la création dans la destruction », « le manque dans l'excès », « la québécitude dans l'universalité », « le cérébral dans le visuel » – autant de mouvements différentiels qui propulsent cette écriture et lui confèrent son dynamisme. Les romans et les pièces de cet auteur « invisible », qui se dérobe jusque dans l'interview, et dont le premier livre, *l'Avalée des avalés* (1966 à Paris, 1967 à Montréal), a fait sensation dans le monde littéraire, ont généralement été bien accueillis par la critique mais n'ont pas retenu l'attention du grand public. C'est que ses textes, par leur structure complexe et le pessimisme qui s'en dégage dès la première lecture, ne conviennent pas à « ceux qui cherchent l'oisiveté, l'intransiveté ». Par contre, les films (*les Bons Débarras* et *les Beaux Souvenirs*) et les chansons auxquels Ducharme a collaboré ont connu un succès international. La raison de cette contradiction apparente se trouverait peut-être dans le caractère expérimental de son écriture, lequel l'aurait poussé à s'essayer comme scénariste. Dans ce cas, le texte, qui tient souvent de la bande dessinée, serait rendu plus accessible grâce à la stimulation externe fournie par le médium cinématographique.

La notion d'intertextualité qui intervient à la lecture de cet œuvre évocateur de l'écriture de Rabelais, Rimbaud, Lautréamont, Céline, Queneau, Beckett et, hors du domaine du français, Salinger, témoigne de la propre puissance génératrice de l'écriture de Ducharme et, tout en marquant son originalité, proscrit l'usage de ce terme banal pour l'étiqueter. L'utilisation de tous les niveaux de langue contribue à la fragmentation systématique de la structure narrative. L'étalage de la vulgarité et du sacrilège exprimés en « joual » transgresse l'interdit et démystifie le sacré.

La spécificité de l'écriture chez Ducharme sollicite l'interprétation. Les « jongleries », les « acrobaties » verbales peuvent s'éclairer à la lumière des théories de la parole (Saussure) et de la performance (Chomsky). Dans les romans, le discours, centré sur le narrateur qui relate le récit à la première personne, constitue une parfaite illustration du procès d'énonciation selon Benveniste. De plus, la présence d'un interlocuteur représenté – le lecteur, l'autre –, tour à tour appelé et refusé, ainsi que l'importance accordée à la mère et le mépris témoigné envers le père appellent les interprétations psychanalytiques. L'absence de représentation du coït dans un discours émanant d'un « je » obsédé par la sexualité sollicite l'application des théories du désir, de la castration et de la négation du sujet.

Le décentrement du « je », qui s'accompagne de l'éclatement du temps et de l'espace, se trouve néanmoins axé sur la réalité québécoise. Le narrateur – ou la narratrice –, toujours révolté, manifeste une perspicacité peu commune dans ses allusions, ostensibles ou voilées, aux rapports entre les deux peuples fondateurs du Canada ainsi qu'à la problématique des relations avec les autres groupes ethniques. La voix, le cri de l'auteur se fait parfois entendre à travers les commentaires du narrateur-personnage sur des événements historiques et des phénomènes sociaux incorporés au récit. Dans *les Enfantômes* (1976), le narrateur prédit, indirectement, le « non » au référendum de 1980.

Cette sagacité, cette hypersensibilité contribuent à l'exercice de l'ironie qui proclame la relativité et remet en cause tous les systèmes d'interprétation, de récupération tant de l'individu que de ses œuvres. Le postiche, le pastiche, la satire réjouissante, la parodie – le plus souvent subtile, parfois fort grosse – y jouent un rôle prédominant ; ainsi, la représentation de crises d'angoisse existentielle apparaît-elle comme la caricature d'un certains discours philosophique. L'acuité de ce regard jeté sur la condition humaine repose sur le dédoublement du « je » énonçant, qui ne se ménage jamais. D'une part, l'usage de ces procédés révélateurs de l'attention portée à la difficulté d'être récuse le « sérieux ». D'autre part, cette désinvolture relève d'une froideur calculée et témoigne d'une maîtrise absolue sous les effets de débraillé, d'inanité et de facilité. Le harnachement réglé de l'imagination anarchique, allié à la mise en œuvre des mécanismes rousseliens, de l'autoreprésentation explicite de l'activité scripturale et du métalangage, constitue une véritable mise en scène qui confère à l'œuvre romanesque une dimension théâtrale. Ces caractères se retrouvent dans *le Nez qui voque* (1967), *l'Océantume* (1968), *la Fille de Christophe Colomb* (1969), *l'Hiver de force* (1973), *Ha ha !* (1982). *Dévadé* (1990) marque, après un long silence, le retour de Ducharme au roman, dans la même veine, à la fois drôle et poignante. Ce que confirme *Va savoir* (1994), récit dans lequel une petite fille éclaire un monde de « radas » [paumés].

Quant à l'œuvre dramatique, elle monte en spectacle les principales caractéristiques qui, explicitement ou implicitement, informent les romans. La subversion de l'illusion de représentation la rapproche du théâtre de la cruauté. Deux des pièces de Ducharme, *le Cid maghané* et *Le marquis qui perdit*, sont impensables hors du contexte québécois. La première déforme la langue de Corneille, transpose en « joual » le texte classique et effectue l'inversion des anciennes valeurs. La seconde vise la société québécoise au moment de la conquête de 1760. Le théâtre de Ducharme, sauf *Inès Perée et Inat Tendu* (publié au Québec en 1970), est resté inédit.

Ce dispositif de présence-absence qui singularise l'écriture de Ducharme fonctionne comme le masque, symbole de Dionysos, du Dionysos de Nietzsche. Et la lucidité s'y accompagne de terrible passion. La trace d'Apollon se résorbe dans l'installation primordiale du ludique déchaîné, du « naturel » mortel.

R. Leduc-Park

DU CHÂTELET Émilie

***Émilie* LE TONNELIER *de* BRETEUIL, *marquise* DU CHÂTELET**

(1706-1749)

Femme de lettres et femme de science, née à Paris, la marquise du Châtelet fut aussi une femme ardente et passionnée, féminine par son goût de la parure et des « pompons », féministe par son indignation devant les « exclusions » et les « dépendances » imposées à ses semblables par une société d'hommes. Fille d'un dignitaire de la cour de Louis XIV, épouse d'un officier de haut rang, elle noua en 1733 avec Voltaire une liaison à la fois affective et intellectuelle, ouvrant au philosophe son château de Cirey en Lorraine : « Pour elle, il se donne une formation scientifique [...], rédige sa métaphysique [...], précise sa philosophie de l'Histoire » (R. Pomeau). Avec Voltaire, elle lit le *Commentaire* de dom Calmet sur la Bible (1739), rédige un *Examen de la Genèse* en cinq volumes ; amie des savants Maupertuis et Koenig, disposant à Cirey d'un laboratoire perfectionné, elle publie en 1740 des *Institutions de physique* reprenant la thèse leibnizienne des forces vives, en 1744 une *Dissertation sur la nature et la propagation du feu,* « agent universel » donnant sa « fluidité » à une matière alourdie par la pesanteur newtonienne. Théorie – ou plutôt fantasme scientifique – qu'analysera Gaston Bachelard dans sa *Psychanalyse du feu* (1938).

Cette interférence entre l'idée générale et l'expérience intime, le « nous » anonyme du savant et le « je » d'Émilie, apparaît plus nettement encore dans son *Discours sur le bonheur,* écrit vers 1746 et publié en 1779. Dans les interstices d'une technique eudémoniste fondée sur des « grandes machines » et des « adresses de détail », se glissent la revendication ou la confidence. L'« étude » ne fait « dépendre notre bonheur que de nous-mêmes » ; c'est aussi un droit, et c'est le seul chemin ouvert à une femme (sous-entendu : comme elle) qui prétend accéder à la « gloire ». Idéal ou simple compensation ? Car « le plus grand bonheur vient de l'amour », et là c'est bien Émilie du Châtelet, délaissée par Voltaire, qui prend la parole : « J'aimais pour deux, je passais ma vie entière avec lui, et mon cœur, exempt de soupçon, jouissait du plaisir d'aimer et de l'illusion de se croire aimé ». Précieuse illusion, « je-ne-sais-quoi » qui accorde la raison aux méandres du cœur : car le rationalisme de Mme du Châtelet n'a pas pour but « la sagesse pour la sagesse, mais la sagesse pour le bonheur » (R. Mauzi). En 1748, elle se prit d'un amour fou pour le poète Saint-Lambert, rencontré à la cour de Lunéville. Enceinte de lui, elle mourut en couches alors qu'elle terminait la traduction des *Principes mathématiques* de Newton ; Voltaire, désespéré, fit son épitaphe : « Elle aima les plaisirs, les arts, la vérité… »

J.-P. de Beaumarchais

DUCIS Jean-François

(1733-1816)

Né à Versailles dans une famille de petite bourgeoisie d'origine savoisienne, il devint secrétaire du maréchal de Belle-Isle, servit dans les bureaux de la Guerre, puis auprès du comte de Provence. Après une première tragédie, *Amélise* (1768), il découvre Shakespeare dans la traduction de La Place (1749) et donne une adaptation de *Hamlet* (1769) ; suivirent *Roméo et Juliette* (1772), *le Roi Lear* (1783), *Macbeth* (1784), *Othello* (1792). Son ambition est de restituer dans sa pureté le génie d'un homme, corrompu par un public et une époque barbares ; les pièces originales seront donc soumises aux normes de la tragédie classique, respect des unités, récits substitués aux scènes de violence, recherche du « sublime » cornélien, et cela au prix de nombreuses coupures et modifications : la scène du balcon de *Roméo et Juliette* est sacrifiée à l'unité de lieu ; dans son *Hamlet*, les bienséances sauvent de la mort Polonius et Ophélie. Trop d'originalité lui déplaît : toujours dans *Hamlet*, au lieu des comédiens, dont le jeu doit démasquer Claudius et la reine, apparaît aux mêmes fins la sempiternelle urne funéraire… C'en est encore trop pour un public conformiste, qui l'accuse de « défauts de convenance » (Palissot). Seul peut-être Diderot porta un juste diagnostic en constatant que l'adaptateur infidèle perdait sur les deux tableaux : « Je m'accommoderai encore mieux du monstre de Shakespeare que de l'épouvantail de M. Ducis. » Ces adaptations connurent pourtant un succès certain, en particulier *Othello* dont le héros au visage « jaune cuivré » (une teinte plus foncée eût été « choquante »), qui, *in fine*, se réconciliera avec « Heldémone », évoque les nouveaux venus de la Révolution :

Mais moi, fils du désert, moi, fils de la nature,
Qui dois tout à moi-même et rien à l'imposture…

La dernière tragédie de Ducis, *Abufar* (1795), traitant de l'inceste dans une famille arabe, fut un échec. Cet académicien aimable (il avait succédé à Voltaire sous la Coupole en 1779) apparaît, dans sa correspondance avec Antoine Thomas, puis avec Bernardin de Saint-Pierre, comme un homme au cœur simple et aux ambitions modestes ; se proclamant « catholique, poète, républicain », il finit ses jours en célébrant les joies de la retraite : « J'ai du vin vieux dans mon caveau/Dans mon bosquet j'ai du silence ». Il mourut sept ans avant le *Racine et Shakespeare* de Stendhal, dernière étape d'une découverte à laquelle, à sa façon, il avait sans doute contribué.

J.-P. de Beaumarchais

DUCLOS Charles PINOT

(1704-1772)

Comme d'autres écrivains mineurs du XVIIIe siècle, Duclos a été depuis peu redécouvert. Et il est juste que sortent du purgatoire ses romans qui, dans une prose alerte et claire, se parent des prestiges de l'ambiguïté. Classés parmi les « romans d'analyse morale » par Daniel Mornet, proches parfois du roman sensible, ils s'apprécient tout autant comme romans libertins. L'*Histoire de Madame de Luz* et *les Confessions du comte de**** oscillent entre un conformisme rassurant et des audaces feutrées. Duclos, personnage en vue dans la société de son temps, a construit sur cet équilibre précaire, faisant œuvre d'art d'une indécision à la fois irritante et séduisante.

Une belle carrière

« Un homme droit et adroit », tel fut Duclos selon J.-J. Rousseau. Il est de ceux qui, avec du talent et de l'aisance, font carrière sans complaisance outrée ni arrivisme déclaré.

Né le 12 février 1704, d'une famille ancienne dans le commerce, il fit des études au collège d'Harcourt, « premier bourgeois de Dinan à être élevé à Paris », comme le proclament ses *Mémoires*. Étudiant en droit qui consacre peu de temps aux matières du programme, il mène joyeuse vie, cède à son « ardeur immodérée » pour les femmes, fréquente les salles d'armes. Assidu à la Comédie, il devient un habitué du Procope, où il se fait une réputation de diseur de bons mots, se lie avec la jeunesse dorée, mais, respectueux de l'autorité, il « n'aimait pas les parties de plaisir qui pouvaient finir par un éclat ».

En 1737, il décide avec des amis de jouer le jour du vendredi saint la *Mort de Mardi-Gras*, une pièce badine qui sera interdite par le roi et qu'il détruira par la suite. Il fréquente les salons à la mode lorsque, en 1739, Maurepas lui annonce qu'il a été nommé à l'Académie des inscriptions et belles-lettres. Il s'empresse de justifier cette faveur en présentant un mémoire *Sur les épreuves par le duel et les éléments communément appelés jugements de Dieu*. Académicien sérieux, il écrira régulièrement de savantes dissertations sur les langues celtique et française (1740), l'origine et les révolutions de la langue française (1741), les jeux scéniques des Romains (1742), les druides (1747). En 1740, il fait son entrée en littérature avec l'*Histoire de Madame de Luz*, qui raconte les malheurs d'une femme vertueuse condamnée au déshonneur. Chargé d'écrire l'histoire de Louis XI, il ne s'engage pas totalement dans cette activité officielle, s'essaie dans des genres différents : en 1741, un roman-liste qui fera fureur, *les Confessions du comte de**** ; en 1743, un ballet, les *Caractères de la folie* ; en 1744, un conte oriental, écrit à la suite d'une gageure, *Acajou et Zirphile*, qui fut à l'origine d'une lutte sans merci avec Fréron.

Il devient maire de Dinan en 1744, député du Tiers aux états de Bretagne, et l'on essaie en vain de l'introduire dans le cercle royal. Le parti dévot contrecarre ces projets, et son *Histoire de Louis XI* est mise à l'index. Grâce à la protection de la marquise de Pompadour, il est élu à l'Académie française en 1746, chargé en 1748 du classement des livres d'histoire du roi, avec des appointements importants. En 1750, il devient historiographe de France à la place de Voltaire. Il obtient ses entrées à la chambre du roi, puis un logement au grand Commun. En 1751 paraissent ses *Considérations sur les mœurs de ce siècle*, recueil de réflexions morales, où il entend répondre à la faveur qu'on lui témoigne, et ses *Mémoires pour servir à l'histoire des mœurs du XVIIIe siècle*, roman qui complète la galerie de portraits des *Confessions*. Agacé par les coteries philosophiques, car selon lui « les philosophes en feront tant qu'ils [le] feront aller à vêpres et à la grand'messe », il refuse de choisir entre Voltaire et Rousseau, préfère se consacrer à l'Académie française, dont il a été élu Secrétaire perpétuel en 1755, année où il a obtenu des lettres d'anoblissement. Il travaille au Dictionnaire, fait et défait les élections, se démarque des physiocrates dans son *Essai sur les ponts et chaussées, la voirie, les corvées* (1759), accomplit deux voyages, l'un en Angleterre, l'autre en Italie, et, à son retour, reprend ses fonctions de « maître des cérémonies de l'Académie ». Il meurt le 27 mars 1772, au terme d'une carrière bien remplie, ayant voulu se maintenir entre dévots et philosophes « dans un milieu qui est la morale de l'honnête homme ».

Exigence morale et fascination libertine

S'est-il « dépensé en causant », comme l'affirme un peu vite Sainte-Beuve ? Cet homme d'esprit laisse une œuvre dont certaines parties intéressent surtout l'historien de la littérature : ses mémoires érudits, ses travaux historiques, les *Considérations sur les mœurs,* ouvrage de moraliste sceptique, et même *Acajou et Zirphile,* qui mêle ironie et féerie dans un cadre oriental. Mais ses romans doivent profiter d'une redécouverte méritée.

Duclos déclare n'avoir commencé « à s'occuper formellement des lettres que rassasié de libertinage, à peu près comme ces femmes qui donnent à Dieu ce que le diable ne veut plus ». Obsédé par la vertu des femmes et se complaisant à l'évocation de leurs faiblesses, voire de leurs folies, il tente de périlleuses conciliations entre moralisme et libertinage, comme H. Coulet le relève à juste titre en dénonçant sa tendance aux compromis. Dans son premier roman, très démonstratif, il bafoue singulièrement la vertu austère de son héroïne. L'*Histoire de Madame de Luz* veut montrer que la vertu d'une femme est « dans ce monde un être étranger contre lequel tout conspire ». Sans jamais quitter le ton de l'honnêteté, Duclos raconte comment la baronne de Luz avait été trois fois violée, cédant à son insu, évanouie ou endormie, à un magistrat inique, à un jeune chevalier incapable de résister à l'occasion et à un directeur de conscience lubrique. Désespérée, avant de mourir, elle invective ce « ciel cruel » qui persécute la vertu. Cette belle âme, scrupuleusement attachée à ses devoirs d'épouse fidèle, se voit, à la suite de pertes de conscience suivies de réveils douloureux, réduite à l'état d'un corps excitant les convoitises masculines. Semblables mésaventures arrivées à Cosi-Sancta, dans le conte polisson de Voltaire qui porte ce nom, illustrent la morale du « petit mal pour un grand bien », les complaisances de la jeune femme se révélant bénéfiques pour l'entourage. Duclos ne se permet pas de telles plaisanteries, mais ces « infortunes de la vertu » rapprochées parfois de *Justine* sont étrangères au renversement qu'opère Sade en célébrant le triomphe du vice et en plaçant la vertu au rang de simple faiblesse. Les premiers lecteurs de Duclos ne s'y trompèrent pas, qui voyaient dans cet ouvrage un « jeu d'esprit » ou réclamaient une autre édition « augmentée de nouveaux viols ». Duclos préfère des sagesses plus traitables, mieux adaptées aux mœurs du temps. Dans *les Confessions du comte de****, il fait le récit de la conversion d'un libertin auquel la sage Mme de Selve, avant de l'épouser, permet des maîtresses jusqu'à ce qu'il soit dégoûté de la galanterie. Même canevas dans les *Mémoires sur les mœurs de ce siècle.* La vertu accommodante d'une femme raisonnable a pour fonction d'offrir au don Juan désabusé qui aspire à se ranger un havre de compréhension et d'amitié après les dissipations de la vie mondaine, les plaisirs frelatés, la vanité de conquêtes toutes semblables.

Ce schéma narratif présente l'avantage d'une rare souplesse. En dénombrant les bonnes fortunes du héros, l'auteur s'adonne à son goût évident du catalogue. Ainsi sont répertoriés les différents types féminins, avec des particularités liées à la race (l'Anglaise, l'Italienne, l'Espagnole), au milieu (la bourgeoise, la caillette, toutes les variétés de femmes du monde), au caractère (les coquettes, les capricieuses, les galantes). Très à l'aise dans la structure lâche du roman-liste, Duclos illustre, comme le signale L. Versini, le chapitre « Des femmes » de La Bruyère, compose dans sa manière un peu sèche une chronique mondaine et une revue des mœurs, vision de moraliste polissant un portrait, ciselant des maximes bien frappées, cultivant l'antithèse ou le paradoxe. La phase initiatique, celle des premières expériences d'un jeune homme faisant son entrée dans le monde, donne lieu à l'analyse des fantaisies du cœur et des sens. Son éducation faite, le libertin collectionne les succès de boudoir. Sa quête est alors marquée par des effets d'accumulation et d'accélération, au détriment de la peinture psychologique : les caprices de l'amour-goût se succèdent si vite que les femmes ont à peine le temps d'apparaître dans l'espace romanesque qu'elles sont déjà séduites puis délaissées. Personnage, auteur et lecteur sont pris par le vertige de la redite, de la précipitation, d'un temps atomisé qui brouille les figures et répète des aventures toujours semblables et toujours recommencées. S'agit-il de préparer par cette lassante énumération le désenchantement final du comte : « Tout le sexe n'était plus pour moi qu'une seule femme pour qui mon goût était usé » ? Il n'est point de rédemption dans ce roman d'un satirique. Amitié et repos sont des valeurs de repli. Avant de prôner le triomphe du cœur et de la morale, Duclos a réservé la plus belle part aux égarements de l'amour-propre et des sens.

« Je ne trouve pas d'esprit plus analogue au mien », notait Stendhal. Après avoir été des succès de librairie en leur temps, les romans de Duclos furent oubliés. Au XIXe siècle, en dehors de Beyle, seul Sainte-Beuve est familier de Duclos, en attendant que, vers 1880, on redécouvre les mondains du XVIIIe siècle. Les travaux récents qui ont tant fait pour réévaluer le roman de cette époque permettent de mieux goûter son apport : la vivacité et l'aisance d'un style dans la peinture des jeux de l'amour, sur fond de scepticisme.

Ch. Mervaud

DUCRAY-DUMINIL François-Guillaume

(1761-1819)

Romancier parisien qui débuta par une comédie-parade (*les Deux Martine ou le Procureur dupé*, 1786), consigna la prise de la Bastille dans *la Semaine mémorable* (1789), puis tint la chronique dramatique aux *Petites Affiches* (1790). Il vint au roman avec des récits pour la jeunesse (*Lolotte et Fanfan, Petit Jacques et Georgette*), public pour lequel il écrivit, à la fin de sa vie, des *Contes des fées* (1819). Mais c'est surtout dans le roman noir qu'il s'illustra une vingtaine d'années durant, adaptant pour le public français les ressorts romanesques dérivés des romans d'Ann Radcliffe : *Victor ou l'Enfant de la forêt* (1796), *Coelina ou l'Enfant du mystère* (1798), *les Petits Orphelins du hameau* (1800), *le Petit Carillonneur* (1809), etc.

Nombre de ces romans furent adaptés avec succès au théâtre : il est vrai qu'ils procèdent du même esprit que le mélodrame. Des héros, simples et innocents (très souvent des enfants, ainsi que l'indiquent les titres), se trouvent confrontés à un monde caricatural fait de brutes et de scélérats. Avec de telles données de départ, et en vertu du principe selon lequel le mal est toujours puni, l'intérêt du lecteur ne peut être maintenu qu'au prix d'artifices thématiques qui reculent le dénouement et permettent d'étirer en longueur (chaque roman comporte au moins quatre volumes !) une intrigue assez simplette : d'où l'importance des décors gothiques et moyenâgeux au sein desquels le surnaturel (toujours expliqué) fait irruption, transmettant au lecteur par personnage interposé l'effroi si recherché : « Coelina écoute encore ; ce son plaintif et douloureux se prolonge et vient frapper son oreille attentive. Elle sent la frayeur glacer son âme. [...] Les voilà tous deux dans l'obscurité la plus profonde, égarés dans les routes tortueuses de ces vastes souterrains, effrayés encore par le bruit singulier qu'ils entendent et qui semble se rapprocher d'eux. [...] Ils aperçoivent de loin une espèce de fantôme qui se sauve... » Tout ici est du ressort du fantastique. Du moins d'un fantastique fondé sur une double hésitation : celle du personnage devant les faits, celle du lecteur devant le texte, tant il est vrai que l'accumulation des adjectifs, en suspendant la phrase, diffère le sens de segment en segment.

D. Couty

DU DEFFAND Marie-Anne

Marie-Anne de VICHY-CHAMROND, marquise DU DEFFAND

(1697-1780)

Épistolière et hôtesse, née à Chamrond, près de Mâcon. Elle épousa en 1718 le peu attrayant marquis du Deffand, officier, châtelain près d'Étampes : un mari « aux petits soins pour déplaire ». Présentée à la Cour, elle mène une vie débauchée, devient la maîtresse du Régent et l'amie de la duchesse du Maine, chez qui elle rencontre le président Hénault, son futur amant. Installée rue de Beaune, puis au couvent de Saint-Joseph (1747), elle reçoit du fond de son légendaire « tonneau » (un fauteuil ainsi nommé à cause de sa forme) une société formée de mondains cultivés : d'Aydie, le duc de Nivernois, sa parente la duchesse de Choiseul (« grand-maman »), et d'intellectuels : Montesquieu, Formont, Maupertuis, Morellet, d'Alembert (qui succède à Hénault). En 1754, frappée de cécité, elle fait venir à Paris Julie de Lespinasse, fille adultérine de son frère, comme lectrice et dame de compagnie ; son salon atteint alors à son apogée. Mais, en 1764, une crise éclate, et la trop charmante Julie fonde son propre cercle, entraînant avec elle des habitués comme Turgot et d'Alembert. L'entourage de Mme du Deffand devient alors de plus en plus aristocratique, cosmopolite et surtout anti-encyclopédiste. Usée, blasée, totalement aveugle, la marquise demeure indifférente à cette réussite mondaine et aux « machines à ressort » qui hantent son salon ; en revanche, ses dernières années seront illuminées par une passion (des « emportements d'amitié ») pour le célèbre auteur du *Château d'Otrante*, l'Anglais Horace Walpole (1717-1797).

Mme du Deffand doit sa gloire littéraire à une abondante correspondance adressée à Voltaire, à Hénault, à Walpole surtout. Elle a le sens du portrait, de la formule à l'emporte-pièce : privée du Canada, la France est devenue « madame Job » ; le poète Saint-Lambert aurait peu à dire « sans les roseaux, les ruisseaux, les ormeaux et leurs rameaux » ; mais on lui attribue aussi le malheureux « c'est de l'esprit sur les lois » à propos du chef-d'œuvre de Montesquieu. Trop frivole ou trop sceptique pour s'engager à fond dans les grands débats du temps, qu'elle esquive d'un bon mot ou d'une pirouette, elle donne pourtant à ce clinquant mondain un contrepoint pathétique : la hantise de l'ennui, cet enlisement de la sensibilité qui, peu à peu, transforme le moi en « automate ». Le mal des salons, en attendant le mal du siècle.

J.-P. de Beaumarchais

DU FAIL Noël

***Noël DU FAIL, seigneur de LA HÉRISSAYE** (v. 1520-1591)*

Conteur et jurisconsulte breton, de petite noblesse rurale, né à Château-Letard, près de Rennes. Élève de Turnèbe, il fait à Paris de solides études, tout en menant une existence turbulente, en vrai disciple de François Villon et de Panurge, dont il invoquera souvent l'exemple. Rixes avec de jeunes bonnetiers du faubourg Saint-Marceau, larcins, jeux de hasard où il triche contre son propre professeur, beuveries constituent la toile de fond de cette période estudiantine. Endetté, il s'engage finalement dans l'armée d'Italie, parmi les bandes des « gens de pied » (1543-1544), prend part à la bataille de Cérisoles ; donnant pour subsister des leçons sur Cicéron et Lorenzo Valla, il découvre Venise et Rome. De retour en France, l'« escholier breton » entreprend l'étude du droit au cours d'un périple où il visite les principales facultés du royaume, de Toulouse à Bourges.

En 1548, Noël Du Fail publie coup sur coup les *Propos rustiques*, sous l'anagramme de « Léon Ladulfi, Champenois », et les *Baliverneries d'Eutrapel*, qui concluent la période aventureuse de sa vie. À partir de cette date, et mis à part un second séjour en Italie, la carrière de Du Fail va tout entière se dérouler à Rennes et dans ses environs immédiats. Marié, il apparaît dès 1553 comme conseiller au présidial de Rennes. Il occupe cette charge jusqu'en 1571, date à laquelle il est admis à siéger au parlement de Bretagne. Il en est momentanément exclu – de 1572 à 1576 – en raison de ses opinions protestantes. Après avoir dû prêter serment de catholicisme, il résigne sa charge en 1586. Il avait auparavant publié les *Contes et discours d'Eutrapel* (1585), qui marquent un ultime retour à la veine facétieuse des premiers écrits et constituent « de véritables mémoires anecdotiques personnels » (Arthur de La Borderie).

Dans ses fonctions de parlementaire, il avait rassemblé et préfacé les *Mémoires recueillis et extraits des plus notables et solennels arrêts du parlement de Bretagne* (1579), sorte de répertoire du droit coutumier breton qui devait faire figure d'ouvrage de référence pendant deux siècles.

Un « ethnographe de l'intérieur »

Les *Propos rustiques*, dont l'objet est de glorifier « ceste bienheureuse vacation de agriculture », ont pour cadre un village du pays rennais au début du XVIe siècle. Les « devisants », réunis à l'occasion d'un banquet en plein air, déplorent la diversité des temps et regrettent l'âge d'or de jadis qui contraste avec la perversion et le malheur de l'époque présente. Faisant sienne cette conclusion pessimiste qui recouvre chez lui la nostalgie du citadin de fraîche date, Du Fail invente le mythique village de Flameaux, avec son labeur quotidien, ses fêtes et ses concours de tir à l'arc (ou « archeries »), ses veillées, où l'on évoque Mélusine et les chevaliers du Graal, son sommeil de bon aloi, lorsque tous les membres d'une même famille, « sans peur ou crainte de quelque démesuré pensement », dormaient en un seul lit.

Ce bonheur et cette simplicité, aujourd'hui révolus, la communauté villageoise les devait à son respect scrupuleux des traditions – à l'écoute attentive, par exemple, des Anciens siégeant et légiférant sous le chêne légendaire –, mais aussi à une autarcie rigoureusement observée. L'abâtardissement est venu de l'ouverture sur l'extérieur, marquée par l'introduction de denrées inconnues (les épices), de modes vestimentaires et de mœurs nouvelles. Face à Flameaux, microcosme miraculeusement préservé, le bourg de Vindelles représente l'actualité décadente. Le combat homérique qui oppose les deux sociétés antagonistes au détour d'un chemin creux, et où les femmes s'empoignent avec non moins de frénésie que leurs maris, symbolise ce heurt du passé mythique et du présent honni.

Dans ce tableau du monde rural, Noël Du Fail s'inspire de modèles antérieurs. Le procédé même de l'hétérochronie (ou rêverie utopique rétrospective) n'est guère original. Outre les références explicites à Virgile et à Pline, l'influence la plus constante, et qui marque jusqu'à l'orthographe volontiers pédante, est celle de Rabelais. Du Fail emprunte à celui-ci des anecdotes et des dictons qu'il acclimate au terroir breton. Certains chapitres de l'œuvre représentent une simple transposition de passages similaires de l'un ou l'autre des *Cinq Livres de Pantagruel*. Ainsi, dans le Prologue du *Tiers Livre*, qui décrit, sur le mode d'une accumulation de verbes d'action, les préparatifs de défense lors du siège de Corinthe, Noël Du Fail a-t-il découvert le canevas et le procédé narratif pour l'une des *Baliverneries* : à l'approche des soldats pillards, les paysans, pris de panique, multiplient les actions les plus incongrues et, dans leur fuite, se chargent des ustensiles de cuisine et de labour, dont pas un n'est omis.

« Singe de Rabelais » et de quelques autres, comme le désignait son contemporain Étienne Pasquier, Du Fail n'en reste pas moins le témoin attentif et nostalgique du déclin du monde rural au cours des deux derniers tiers du XVIe siècle. Face à une société paysanne qu'il juge en pleine décomposition sous l'action conjuguée du progrès de l'économie marchande et des guerres civiles, le conteur est pris d'une véritable frénésie descriptive – manne inespérée pour l'historien d'aujourd'hui. Du Fail enregistre ainsi, de manière exhaustive, le mobilier d'une maison de « paisant », en un « chapitre d'objets » digne du Nouveau Roman (*Baliverneries*, IV).

La Bretagne et ses mythes

Ce même souci de fixer le passé sous la forme d'un inventaire d'objets, de coutumes et de gestes aussi complet que possible se retrouve dans les *Contes*, à propos de telle danse traditionnelle (le « trihory ») dont les pas sont minutieusement décomposés, et surtout dans les *Arrêts du parlement de Bretagne*. Ici, l'ethnographe se fait archéologue, pour découvrir jusque dans les pierres levées celtiques ou dans certains épisodes des romans de chevalerie l'origine des coutumes du droit breton. Qu'il applique, à cette fin, les méthodes de l'exégèse biblique à la geste du Graal ou qu'il recense avec minutie des arrêts caractérisant les mœurs d'un temps presque révolu, l'entreprise de Du Fail apparaît clairement comme un effort de retour à des sources mythiques.

Ces sources ne sont autres que celles de la culture et de la langue bretonnes, dont le juriste affirme la précellence et la pureté originelle. Le bienheureux village de Flameaux s'est en quelque sorte élargi aux dimensions d'une Bretagne rêvée dans son ancienne autarcie, avant l'annexion par la monarchie française à la fin du siècle précédent. L'hétérochronie de la fiction initiale prend figure de projet politique visant à restituer l'intégrité juridique et culturelle menacée. Les *Contes* et les *Arrêts* représentent les deux volets complémentaires d'une telle entreprise, sous la forme des « joyeux devis » et de la compilation érudite.

Plutôt que de simples documents, les contes paysans de Noël Du Fail constituent donc, au même titre que son œuvre juridique, le « monument » savamment élaboré d'une pensée réactionnaire au sens strict du terme. Ce n'est sans doute pas là le moindre intérêt de cet écrivain de langue française acquis aux idées nouvelles de la Réforme et qui, non sans paradoxe, avait découvert dans la paysannerie catholique de Bretagne le modèle de l'humanité heureuse.

F. Lestringant

DUFRESNY Charles

Charles DUFRESNY, sieur de LA RIVIÈRE *(1657-1724)*

Dramaturge et journaliste, né à Paris, Dufresny passait pour descendre de Henri IV et de sa maîtresse la « Belle Jardinière ». Hasard ou humour royal, Louis XIV le nomma un moment dessinateur de ses jardins… Partisan, contre Le Nôtre, du jardin anglais, Dufresny fut toute sa vie un précurseur. Ses *Amusements sérieux et comiques* (1699) ouvrirent la voie aux *Lettres persanes* avec une ironie plus lourde, mais aussi plus de souplesse dans le procédé : le récit de Dufresny est écrit à la première personne, et son Siamois est un interlocuteur très discret. Nommé directeur du *Mercure galant* (1710-1713), Dufresny en fit une feuille attrayante et variée – c'est lui qui inventa alors la tribune libre et le courrier des lecteurs ; il y réhabilita Rabelais – « Son livre est un poème en prose » – dans un *Parallèle burlesque* avec Homère (1711). Bohème, dissipateur, il mena pourtant une carrière dramatique relativement régulière : joué à la Comédie-Française dès 1692 (*le Négligent*), il fut le collaborateur de Regnard, avec qui il se brouilla en 1695, les deux auteurs ayant l'un et l'autre composé une comédie sur le même sujet. Circonstance aggravante, *le Joueur* (1695) de Regnard eut plus de succès que son propre *Chevalier joueur*, créé seulement en 1697. Il vola ensuite de ses propres ailes. Malgré ses succès, il mourut dans la misère.

L'art de Dufresny consiste à dérégler légèrement, le temps d'une comédie, un monde ordonné et hiérarchique : une mère de famille affligée de la manie de contredire se laisse manœuvrer par sa fille (*l'Esprit de contradiction*, 1700) ; un « brave » paysan, croyant avoir gagné à la loterie, se moque de son seigneur et découvre les joies de l'égoïsme : « Pendant que j's'rai dans l'grain, j'verrai pleurer famine ! Quel plaisir ! » (*La Coquette de village*, 1715.) Dans *la Réconciliation normande* (1719), une femme de cinquante ans tombe amoureuse d'un jeune homme. Pourtant, tout rentre aisément dans l'ordre. Les comédies de Dufresny, aux vers faciles, pliés au rythme de la conversation, ne disent pas un monde à l'envers ; tout juste le vertige qui marque la fin d'une époque.

J.-P. de Beaumarchais

DU GUILLET Pernette

(v. 1520-1545)

Poète, Lyonnaise, Pernette Du Guillet est morte à vingt-cinq ans sans avoir songé à rassembler les brouillons de ses *Rymes*, qu'un ami savant, Antoine du Moulin, met en ordre et publie la même année (1545), sur la demande du mari de Pernette. Elle aura sans doute commencé à écrire au moment où elle rencontre, dans son printemps de 1536, le plus grand poète de cette ville de Lyon qui en comptait beaucoup : Maurice Scève. Elle lui a été liée d'une amitié amoureuse, qu'a entretenue une commune passion pour la poésie et la musique, la subtilité de relations toujours inachevées.

Pernette est belle et savante : elle déchiffre le grec, connaît le latin, parle espagnol, lit beaucoup d'italien, en écrit, joue du luth. De son amant, son aîné, elle loue « les vertus, grâce et sçavoir » ; elle en devient « nuit » de l'appeler « mon jour ». Heureuse sur le chemin des profondeurs, elle ne désire pas « venir au bout de [son] plaisir ». La petite musique obstinée, constante, de ses poèmes – plus allusifs et quintessenciés qu'il n'y paraît – raconte son histoire : si sa liberté première a eu le mérite de refuser les attaques faciles des vains désirs, elle n'en était pas moins ignorante du véritable amour. Chose délicate à dire pour qui n'est pas totalement à l'abri de la jalousie qui fait prendre un mot pour un autre, et dont l'indépendance se rebelle. Parfois un éclat plus vif rompt des vers tout en demi-teintes :

Je suis tant bien que je ne le puis dire
Ayant sondé son amitié profonde…

Parfois aussi elle rêve avec humour de se jeter – Diane et Sirène à la fois – nue dans une fontaine pour provoquer cet homme sage, et puis se refuser à lui. Sage, elle l'est profondément elle-même, et calme, là où son complément antithétique, Louise Labé, se tourmente. Les confondre, comme l'ont fait des romans du XIXe siècle, est une erreur : son recueil est tout proche de la *Délie* de son amant et maître.

M. M. Fontaine

DUHAMEL Georges

Pseudonyme de ***Denis THEVENIN*** *(1884-1966)*

Né à Paris, Duhamel partagea d'abord sa vie entre sa carrière de médecin et celle d'homme de lettres. Il participa dans sa jeunesse à l'expérience de l'abbaye de Créteil, aux côtés de René Arcos, Charles Vildrac (son futur beau-frère) et Jules Romains. De cette époque datent plusieurs recueils de poèmes unanimistes comme *Des légendes, des batailles* (1907) et un livre de réflexion esthétique : *Notes sur la technique poétique* (1910), en collaboration avec Vildrac. Attiré par la critique littéraire, tenté par le théâtre, c'est cependant surtout dans la création romanesque que Duhamel s'illustrera. Aussi abandonnera-t-il dès 1920 son métier de médecin pour se consacrer exclusivement à la littérature. Au cycle de Salavin (*Vie et aventures de Salavin*, 1920-1932, 6 vol.) succéderont le roman-fleuve *Chronique des Pasquier* (1933-1945, 10 vol.), puis de nombreux récits, livres de voyages, essais, tous marqués par un humanisme chaleureux qui aujourd'hui apparaît imprégné d'un moralisme parfois désuet. *Civilisation*, inspiré par les souffrances de la Grande Guerre, obtint le prix Goncourt en 1918. Duhamel reçut de nombreuses autres distinctions et entra à l'Académie française en 1935, à l'Académie de médecine en 1937. Il mourut à Valmondois (Val-d'Oise) en 1966.

Entre réalisme et idéalisme : un humanisme du juste milieu

À travers ses divers essais comme à travers le cycle des *Pasquier*, censé courrir la période 1889-1925, ou celui de *Salavin*, c'est essentiellement sur le bonheur de l'homme moderne que s'interroge G. Duhamel : quelles valeurs l'aideront à vivre ou, plus exactement, comment sera-t-il sauvé, par l'art ou par la science, par la foi ou par la raison ? « Nous autres, murmure Laurent à sa sœur, dans *Cécile parmi nous* (1938), nous autres, gens de la science, nous avons aussi nos dieux, nos rites, nos dogmes, nos lois et d'étonnantes liturgies. Les hommes se sont imaginé qu'ils pourraient vivre sans dieux, mais les plus sages commencent à comprendre que c'est impossible. »

Salavin, V : le Club des Lyonnais

SYNOPSIS

Personnage timide, Salavin rend visite à Aufrère, « gymnasiarque » accompli. Il rencontre chez celui-ci un ancien ami, César Devrigny (I). Salavin, troublé par le regard suspicieux d'un libraire, repose à sa devanture un livre qu'on lui avait en fait prêté : il redoute une explication (II). Salavin, chez lui, discute avec son épouse, mais il se heurte à son incompréhension : elle ne conçoit pas son besoin de « changer d'âme » (III). Aufrère, qu'il retrouve (IV), emmène Salavin chez le savetier Legrain. Ce personnage protège de mystérieux réfugiés ; sa fille, Hélène, est gravement malade (V). Plusieurs réunions ont lieu chez cet humble artisan (VI). Devrigny parle beaucoup de ses conquêtes féminines (VII et X), qui laissent Salavin méditatif (VIII) tandis qu'Aufrère confirme ses théories aristocratiques et gidiennes de gratuité pure (IX et XI). Legrain, dont la fille va mieux, apparaît comme un révolutionnaire romantique, par opposition à Salavin, tantôt moraliste attentiste (XII, XIII), tantôt métaphysicien dans ses conversations avec Aufrère (XIV). Celui-ci, amoureux d'une Polonaise qui gravite autour des membres du Club (XV), accepte, sur son intercession, une transaction un peu louche (XVI). La police n'attendait que cette occasion pour les arrêter tous. Alors que Salavin est emmené au commissariat, sa mère meurt (XVII). Devrigny – qui était mystérieusement absent au moment de l'arrestation – est de retour (XVIII) mais se dit malade (XIX, XX). En fait, il se suicide (XXI). Au cours du procès qui est intenté contre les membres du Club, la fille de Legrain meurt (XXII). Après quelques réflexions amères sur la condition humaine, Salavin décide de se séparer temporairement de sa femme (XXIII).

À cette inquiétude Duhamel s'efforce de répondre avec lucidité, par le réalisme et l'objectivité : c'est un monde en crise, ébranlé par la guerre de 1914, que décrivent ses premiers ouvrages : *Civilisation*, au titre ironique, est un réquisitoire, au lendemain de l'armistice, contre l'Occident, ses valeurs, l'injustice qu'y font régner le centralisme bureaucratique des gestionnaires de la guerre et l'égoïsme des nantis (cf. aussi *les Maîtres*, 1937). Le pessimisme l'emporte encore le plus souvent dans les œuvres ultérieures : « J'ai vu les hommes. Tu ne peux imaginer comme ils sont malheureux et, surtout, incompréhensibles », écrira Salavin à sa femme dans *le Club des Lyonnais* (1929), et, dès le deuxième tome des *Pasquier*, les souvenirs des difficultés de la vie familiale s'assombrissent encore du reflet des grands conflits mondiaux qui s'annoncent. Mais la révolte contre l'absurdité du monde, contre la cruauté des hommes, suscite toujours chez les personnages de Duhamel un effort de volonté pour rétablir le bien. Tentation de la sainteté qui n'aboutit pas, chez Salavin ; exigence d'une pureté exagérée dont Laurent, le héros des *Pasquier*, est d'abord victime, puis qu'il finit par tempérer en acceptant, avec les défaut moraux de son père (son infidélité conjugale chronique, notamment), ses qualités sociales et de chef de famille. Duhamel limite les risques du fanatisme propre à tout idéalisme dogmatique par la tolérance et la résignation à la médiocrité : « Si les hommes pouvaient s'améliorer, ce serait une grande tristesse de songer qu'ils ne le font pas. Mais, de songer qu'ils n'y peuvent rien, cela, du moins, enseigne une indulgence infinie » (*Journal de Salavin*, 1927, tome IV de *Salavin*).

Le renouveau de l'analyse psychologique

De même que Salavin, quels que soient ses efforts, ne pourra jamais se transformer (cf. *Tel qu'en lui-même*, 1932, tome VI de *Salavin*), de même chacun des personnages de la vaste fresque des *Pasquier* est, dès son plus jeune âge, enfermé dans son tempérament : Ferdinand dans la médiocrité, Joseph dans l'arrivisme, Laurent dans son appétit de savoir… Le métier qu'ils choisissent – ou plutôt qui leur est destiné – apparaît alors comme une conséquence de leurs dons naturels, non comme le produit de différents facteurs socioculturels. D'où le rôle important joué par la vocation : Cécile sera une artiste, Suzanne une comédienne. En ce sens, les personnages de Duhamel sont assez proches des « types » balzaciens.

Cependant, les leçons de la psychopathologie, puis le freudisme, enfin et surtout l'influence de Dostoïevski suscitent chez Duhamel un intérêt croissant pour les zones d'ombre. Ainsi Laurent Pasquier analyse-t-il sans complaisance ses faiblesses. Il reconnaît, dans *la Nuit de la Saint-Jean* (1935, tome IV des *Pasquier*), s'être identifié à son père au point de lui avoir reproché des aventures qu'inconsciemment il avait souhaité réaliser lui-même. Une partie de la *Confession de minuit* (1920, tome I de *Salavin*) est consacrée au même type d'introspection ; dans ce long soliloque, l'analyse de l'insignifiant tourne d'ailleurs le plus souvent à l'auto-accusation. Toutefois, le moraliste reste vigilant et punit le désir avant sa réalisation – attitude qui ne sera pas étrangère au *Livre de l'amertume, journal 1925-1956*, publié en 1984. Sur le plan romanesque, le narrateur aussi reste traditionnel dans sa lucidité et fait un partage clair entre ce qui n'est pour lui que fantasme et ce qui appartient à la « réalité » : le modernisme de l'analyse est tempéré par le classicisme de l'écriture. En ce sens, si l'on peut pressentir dans le monologue intérieur de Duhamel ce que sera – notamment dans *la Chute* – celui de Camus, rien n'y annonce cependant la « sous-conversation » du nouveau roman.

À la frontière de deux siècles

Force est, en effet, de constater l'aspect traditionnel sinon archaïque de la technique narrative de Duhamel. Généralement prisonnier du récit à la première personne (particulièrement adapté à l'expression du « courant de conscience » du cycle de Salavin, où seul *le Club des Lyonnais* laisse une place importante aux événements dramatiques), Duhamel s'efforce cependant de varier les points de vue (journal de Justin Weill dans les *Pasquier*, par exemple) et les modes de présentation du récit : échanges de lettres, répliques théâtrales comme : « LUI. – Vous en aller ! Vous parlez de vous en aller ! Enfin, qu'est-ce que tout cela signifie ? MOI. – M'en aller ! Hélas ! oui, monsieur le Directeur. Quand je serai parti, je serai sûr de n'être pas resté » (*le Notaire du Havre*, 1933, tome I des *Pasquier*), ou encore brusques passages au présent. Mais son style reste « académique », souvent impersonnel et neutre. L'indignation n'atteint jamais la violence. Duhamel se refuse même à accuser. Idéologiquement, il constate l'échec du XIXe siècle (« Les sciences dites exactes sont une énorme duperie », écrit-il dans *Vue de la terre promise*, 1934, tome III des *Pasquier*) et refait, à travers Raymond Pasquier, la satire des Homais intoxiqués par le saint-simonisme, mais il ne condamne pas encore les excès du XXe siècle. Sa satire des temps modernes reste allusive, tantôt utopique, tantôt courtelinesque, le plus souvent trop confiante dans le triomphe de la spiritualité sur le règne du matérialisme (*la Possession du monde*, 1919 ; *Scènes de la vie future*, 1930, etc.). Cette naïveté dans l'idéalisme, partiellement tributaire de l'époque de transition dans laquelle se situe une partie de l'œuvre de Duhamel, ne doit pas faire oublier les accents de sincérité et la générosité qui imprègnent l'ensemble de ses ouvrages.

B. Valette

DUJARDIN Édouard

(1861-1949)

Fondateur de la *Revue wagnérienne*, avec Houston Stewart Chamberlain (le gendre de Wagner) et Teodor de Wyzewa (1885), Édouard Dujardin fit apprécier en France la musique de Wagner, à laquelle il initia son maître Mallarmé. Directeur de la *Revue indépendante* (1886-1889), il écrivit des poèmes (*la Comédie des amours*, 1891...), s'intéressant au vers libre, dont il a affirmé – à tort – être le créateur (*les Premiers Poètes du vers libre*, 1923). Au théâtre, il donna, en particulier, une trilogie symboliste, *la Légende d'Antonia* (*Antonia*, 1891 ; *le Chevalier du passé*, 1892 ; *la Fin d'Antonia*, 1893), qui manifeste dans ses récitatifs l'influence wagnérienne. C'est alors que ce dandy se passionna pour l'histoire des religions : chargé de cours d'histoire religieuse à l'École des hautes études (1913-1922), il consacra des travaux aux origines du christianisme (*la Source du fleuve chrétien : histoire critique du judaïsme*, 1906 ; *le Dieu Jésus*, 1927...).

Polygraphe, Dujardin aurait probablement sombré dans l'oubli sans un petit roman, *Les lauriers sont coupés,* dont la parution dans la *Revue indépendante* (mai-juillet 1887), puis à la librairie de la *Revue* (1888, 120 exemplaires), passa quasiment inaperçue. C'est Joyce qui en fit la redécouverte, déclarant y avoir trouvé l'origine du « monologue intérieur » d'*Ulysse.* De fait, ni le style « artiste » ni l'argument du récit (un soir d'avril, l'attente de David Prince, puis son rendez-vous avec une actrice qu'il aime d'un amour platonique et ruineux) ne suffiraient à retenir notre attention, n'était la manière de percevoir les choses par le discours intérieur du personnage, dans un temps diégétique resserré – celui d'une soirée commençant vers six heures. La promenade et les rencontres, le dîner au café, les rêveries, la visite chez Léa sont vécus à travers la conscience de David Prince, avec des reprises thématiques (premier et huitième chapitre, récit du dernier chapitre...) qui s'essaient à transposer l'architecture musicale du leitmotiv wagnérien. Le discours intérieur y épouse bien les retours et les glissements de la pensée, mais n'atteint certes pas à la complexité du monologue de Molly Bloom dans l'*Ulysse* de Joyce, mis à part, peut-être, le passage où le jeune homme assoupi entrecroise les expériences proches et lointaines («... l'air frais... nous allons partir... tout à l'heure... les deux bougies... là... au cours des boulevards... » «... j't'aim'mieux qu'mes moutons »... « j't'aim'mieux... »). Après la réédition du roman, préfacé par Valery Larbaud (1925), Dujardin publia un essai théorique, *le Monologue intérieur* (1931), où il définit et justifie rétrospectivement le mode alternatif utilisé dans *Les lauriers sont coupés* : « Le monologue intérieur est, dans l'ordre de la poésie, le discours sans auditeur et non prononcé, par lequel un personnage exprime sa pensée la plus intime, la plus proche de l'inconscient, antérieurement à toute organisation logique, c'est-à-dire en son état naissant, par le moyen de phrases directes réduites au minimum syntaxial, de façon à donner l'impression "tout venant". » Quelle que soit la valeur de fondation mythique de ce récit pour le « monologue intérieur » (ou, plutôt, selon la terminologie de Gérard Genette, le « discours immédiat »), il reste que ce petit texte est bien à l'origine d'un mode narratif constitutif du roman moderne, de Joyce à Beckett et au nouveau roman.

A. Pierrot-Herschberg

DU LAURENS

*Pseudonyme d'**Henri-Joseph LAURENS** (1719-1793)*

Romancier né à Douai. D'abord moine, Du Laurens vécut dans le scandale et la misère. Contraint de défroquer après avoir enlevé une religieuse, il dut s'exiler en Hollande puis en Allemagne pour un pamphlet contre les jésuites (1761). Vivant d'expédients, souvent caché sous des pseudonymes (Brise-Crosses, Modeste-Tranquille Xang-Xung, etc.), il tâta du journalisme à Amsterdam (*l'Observateur des spectacles*, 1763), de la philosophie théiste (*l'Antipapisme révélé*, 1767), mais réussit surtout dans le roman libertin ou picaresque avec *Imirce ou la Fille de la Nature* (1765) et *le Compère Mathieu ou les Bigarrures de l'esprit humain* (1766). Capturé à Mayence en 1767, il passa le reste de sa vie sous les verrous et mourut au « couvent-prison » de Marienborn.

Apprécié par Diderot, qui s'en souvint peut-être au moment d'écrire *Jacques le Fataliste*, *le Compère Mathieu* décrit l'odyssée d'un petit groupe d'aventuriers sous la houlette d'un capucin défroqué, qui courent le monde et se reposent en dissertant : chacun assume un système de pensée différent, hédonisme athée, manichéisme, optimisme leibnizien, tandis que le voyage fait défiler tous les possibles de l'expérience humaine, jusqu'à ces extrémités où la « nature » impose, pour survivre, le vol, l'escroquerie, voire le cannibalisme… Roman décentré, « rococo », *le Compère Mathieu* ne trouve son unité qu'en dehors de lui-même : dans l'invention et la cocasserie rabelaisiennes des épisodes et dans un scepticisme destructeur des institutions, des préjugés, des « évidences » morales, voire de la philosophie même : « Le vrai bonheur consiste à être à soi, et non à ses idées », souligne Jérôme, le narrateur.

J.-P. de Beaumarchais

Dumas

DUMAS Alexandre

Alexandre DUMAS-DAVY de LA PAILLETERIE,** dit **DUMAS père

(1802-1870)

Dumas exerce sur ses lecteurs une véritable fascination : une fois engagé dans l'un de ses romans, on a le plus grand mal à ne pas aller jusqu'au bout. Pourquoi, d'ailleurs, se retiendrait-on ? Dumas, la plupart du temps, donne autre chose que de la copie de feuilletoniste ou de simples « livres à costumes » : on trouve chez lui, dans les œuvres même les plus sombres, une sorte d'euphorie très plaisante, celle de l'écrivain qui joue avec l'Histoire et l'histoire, et qui établit avec nous une complicité narrative. Passion du récit, donc, qui débouche sur un récit de passion, puisque ces intrigues épuisantes reposent forcément sur des êtres hors du commun, chargés de toute l'énergie que Dumas portait en lui-même. Trop lu, trop gai, trop plaisant, Dumas ressemble à son œuvre : il est extraordinaire.

Alexandre le Grand

Extraordinaire, l'homme l'est en effet, multiple, paradoxal, à mi-chemin entre l'inculture et le génie, mieux payé que tous ses confrères et en même temps perdu de dettes, hésitant dans sa vie entre le roman de mœurs et la farce. Non seulement il mélange les genres, mais, en plus, tout chez lui est géant : le nombre des collaborateurs, celui des œuvres et des volumes, celui des maîtresses aussi. Ne serait-ce que par sa naissance, Dumas est déjà hors du banal, puisqu'il est le fils d'un général de la Révolution, d'un général mulâtre surtout, fils lui-même d'un marquis et d'une esclave de Saint-Domingue. On lira dans *les Trois Dumas* d'André Maurois les prouesses de ce guerrier : après les batailles et la prison en Italie, il connaît la disgrâce sous Napoléon, tombe malade puis disparaît. Entre-temps, il aura connu une liaison avec une lingère de Villers-Cotterêts, Catherine Labay, liaison qui donnera le jour à Alexandre – le fils. Cherchant sa voie, celui-ci découvre le théâtre, écrit plusieurs pièces avec un ami et quitte finalement sa province. À Paris, sa calligraphie lui vaut une place dans les bureaux du futur Louis-Philippe ; mais ses intérêts sont ailleurs, au théâtre bien sûr, et l'on voit de lui un premier vaudeville en collaboration : *la Chasse et l'Amour* (1825) lui rapporte 300 francs, qui lui permettent de faire éditer un volume de nouvelles. La vague shakespearienne déferlant, Dumas pressent que la scène moderne exige un théâtre violent, passionné : il veut faire jouer une *Christine* (de Suède) à la Comédie-Française, mais les caprices de Mlle Mars ont raison de cet essai historique. Sans se décourager, Dumas tente à nouveau sa chance avec *Henri III et sa cour* (1829), qui remporte un grand succès à la fois financier, mondain et littéraire : la pièce est jouée trente-huit fois, dont une devant le duc d'Orléans ; un libraire achète l'ouvrage, et Dumas devient, avec Hugo, le grand homme du romantisme.

Venant après les journées de Juillet, où l'on voit Dumas s'activer et jouer les stratèges, l'étape importante, après *Henri III*, est *Antony* (1831) : l'auteur s'y inspire de sa liaison avec Mélanie Waldor, laquelle succède, parmi bien d'autres, à la mère de Dumas fils. La pièce, nouveauté importante, est un drame moderne qui met en scène une femme adultère ; bien entendu, celle-ci, jouée par Marie Dorval, finit mal, et le rideau tombe sur la phrase fameuse du héros éponyme : « Elle me résistait. Je l'ai assassinée. »

S'ouvre ensuite une nouvelle période, celle des collaborations, des pièces refaites ou récrites, du travail en grand. *Richard Darlington* et *Teresa* précèdent *la Tour de Nesle* (1832) et ses adultères moyenâgeux : l'œuvre de Gaillardet, remaniée, transformée, triomphe à la Porte-Saint-Martin avec Mlle George. Entre deux voyages en Suisse et en Italie, Dumas trouve encore le temps d'occuper le terrain avec plusieurs drames et même un « mystère ». Il obtient un grand succès avec *Kean ou Désordre et génie* (1836), évocation-portrait du grand tragédien anglais que joue Frédérick Lemaître. Le sort des autres pièces est moins enthousiasmant : *Caligula*, drame antique, s'écroule malgré (on serait tenté de dire : à cause de) la présence d'Ida Ferrier, la future femme (bientôt quittée) de Dumas ; quant à *l'Alchimiste* (1839), écrit avec Nerval après *Piquillo*, il n'a pas plus de chance.

C'est vers cette époque que les biographes placent généralement la transition entre les deux époques de Dumas, entre la jeunesse et l'âge mûr, entre le théâtre et le roman, qui vient prendre la relève. Certes, Dumas signera encore bien des drames et des comédies, mais c'est d'ailleurs que lui viennent maintenant ses succès, encore plus énormes qu'avant. Nerval a adressé à Dumas un débutant nommé Maquet, dont le dramaturge arrange une pièce puis un roman historique. Dans ce genre, Dumas n'en est pas à son coup d'essai : il a déjà derrière lui une belle carrière de feuilletoniste, sans parler de ses biographies romancées, de ses récits, études et chroniques de tous ordres. Il sait donc que le nouveau roman de Maquet a tout pour plaire : bâti à partir des faux Mémoires de d'Artagnan, l'ouvrage est d'abord rédigé par Maquet, puis largement récrit et allongé par Dumas. Il forme le départ d'un cycle, où *les Trois Mousquetaires* (1844) précèdent *Vingt Ans après* et *le Vicomte de Bragelonne*. Les deux auteurs donneront ensuite une autre trilogie, « renaissante », ainsi qu'une longue série de romans XVIIIe : on trouve dans la première *la Reine Margot*, *la Dame de Monsoreau* et *les Quarante-Cinq*, tandis que la seconde comprend, entre autres, *le Chevalier de Maison-Rouge* et les *Mémoires d'un médecin (Joseph Balsamo)*. Si l'on ajoute à tous ces romans les pièces qui en sont tirées, on voit s'élaborer, en très peu de temps, une œuvre imposante et dont la rédaction serait inconcevable sans collaborateurs.

C'est d'ailleurs ce que ses contemporains reprochent à Dumas, notamment dans un pamphlet qui s'attaque à la « fabrique de romans Dumas et Cie ». Il faut dire que le personnage, si l'on n'est pas sensible à sa séduction, a de quoi faire envie. Auteur dramatique toujours, directeur aussi du Théâtre-Historique, qui fera d'ailleurs faillite, romancier prolifique, estimé parfois des grands et toujours aimé des femmes, Dumas n'est pas seulement un auteur, il est aussi un personnage, voyant, vulgaire parfois, avantageux, bruyant, scandaleux, plaisant et prodigieux ; il voyage en Espagne aux frais du gouvernement, chasse la perdrix sur l'île d'Elbe avec le fils de Jérôme Bonaparte, obtient un triomphe avec *Monte-Cristo*, qui deviendra un drame en deux soirées, fait bâtir un château de Monte-Cristo où tous les styles se marient (on dirait mieux : divorcent), et où l'on trouve, en vrac : un jardinier pédant, un groom venu des Antilles, deux perroquets, une guenon, un vautour... le tout bientôt saisi par un créancier.

C'est en effet cette race de fâcheux qui force Dumas à quitter Paris pour Bruxelles, où il continue à écrire des pièces et des romans ; il rédige aussi ses *Mémoires* : ceux-ci paraîtront dans *le Mousquetaire*, un journal qu'il a fondé à son retour à Paris, journal peu commun où personne n'était payé et où Dumas en vient peu à peu à fournir l'essentiel de la copie. Après avoir raconté son existence, Dumas continue à la vivre sur un rythme élevé : tout en publiant toujours autant, il part bientôt pour la Russie et y fait une sorte de voyage à la Marco Polo, poussant jusque chez les Kalmouks. Plus tard, en 1860, c'est l'Italie qui l'accueille, et il devient l'ami de Garibaldi ; l'équipée prendra des proportions incroyables puisque Dumas devient à Naples un personnage officiel d'abord aimé puis détesté : l'affaire se solde évidemment par deux romans (« italiens ») et une maîtresse. Avec elle et combien d'autres, amis et inconnus, pique-assiettes et créanciers, l'argent file, et Dumas est contraint de combler le gouffre à coups d'articles, de conférences, d'essais, d'ouvrages divers qui n'ont pas laissé un souvenir impérissable. Il réussit presque à se remettre à flot financièrement, grâce à Michel Lévy, qui édite ses *Œuvres complètes*, grâce aussi à un énorme travail ; il trouve le temps de décrire ce qu'il appelle *la Terreur prussienne* et, surtout, de célébrer une de ses passions les plus chères avec le *Dictionnaire de cuisine*, qu'il laisse inachevé. En effet, il meurt en 1870, chez son fils devenu entretemps le troisième Dumas célèbre, héritier un peu pâle du grand homme romanesque.

Les nègres du mulâtre

On a beaucoup cherché querelle à Dumas pour ses nègres paradoxaux, travaillant, disait déjà Eugène de Mirecourt, « sous le fouet d'un mulâtre ». Plus sérieusement, on peut effectivement soutenir qu'il y a là une certaine tromperie, vis-à-vis du public auquel on aurait vendu un faux Dumas, moins bon, moins savoureux que le vrai. Or le reproche ne tient pas pour la raison bien simple qu'une partie du meilleur Dumas est issue justement d'une collaboration : à l'origine, *la Tour de Nesle* vient de Gaillardet ; quant au cycle des *Mousquetaires*, il semble que le responsable initial en soit Maquet, qui travaillera aussi à *la Reine Margot*, à *la Dame de Monsoreau* et aux *Quarante-Cinq*, à *Monte-Cristo* et à bien d'autres romans et drames. La définition même du style dumassien doit donc obligatoirement tenir compte de ces géniteurs multiples, de cette façon industrielle de travailler – qu'il faut décrire.

Il semble, dans beaucoup de cas, que Dumas arrive pour ainsi dire en bout de chaîne, au moment où le texte est déjà passé par bien des mains ; celles, par exemple, de Gaillardet et de Jules Janin pour *la Tour de Nesle*. De même, *Richard Darlington* provient d'un canevas de Goubaux et Beudin, et c'est Anicet Bourgeois qui apporte à Dumas sa *Teresa* et le *Fils de l'émigré*. Mais ce n'est pas une règle générale : Dumas ne se contente pas de remettre debout des ouvrages mal venus ou impossibles à terminer. Souvent, il donne l'idée de départ, et le collaborateur lui remet ensuite un texte déjà bien travaillé. À partir de là, l'auteur en titre peut broder, s'amuser en allongeant la copie ; il le fit, par exemple, avec Grimaud, le valet laconique des *Trois Mousquetaires* : ses courtes répliques avaient en effet l'avantage d'être payées par le journal au prix d'une ligne pleine.

Dans le cas précis de ce roman, on peut penser que c'est Maquet qui a apporté le premier manuscrit, et que Dumas l'a remanié, recomposé et enrichi considérablement. Pour les romans postérieurs, le travail de Dumas semble moindre : sur une idée choisie de concert, Maquet se charge des lectures historiques nécessaires et du travail de rédaction. Le texte passe ensuite à Dumas, qui y ajoute quelques mots d'auteur, quelques plaisanteries de son cru ou quelques digressions : le tout est finalement livré au journal qui publie le roman en feuilleton. Déterminer la part de chacun devient, dans ces conditions, à la fois inutile et impossible : on peut seulement signaler qu'obligé un jour de reconstituer un épisode manquant, Maquet retrouva les cinq cents lignes demandées et qu'il n'y avait entre elles et le texte revu par Dumas qu'une trentaine de mots différents. À la limite même, le « contrôle » a pu disparaître, et il est certain que bien des pages, des livres éventuellement, signées Dumas n'ont pas même été lues par leur auteur supposé.

Bien sûr, on peut juger la chose scandaleuse, estimer que Dumas exploite sans vergogne des inconnus auxquels il doit son succès, mais on peut dire inversement qu'il les fait aussi profiter de sa notoriété, qu'il fait représenter des pièces qui, sans lui, n'auraient jamais été montées, qu'il vend aux directeurs de journaux ce qui, signé d'un autre nom, aurait valu bien moins, ou n'aurait rien valu du tout. L'exploitation est donc avantageuse aux deux parties – du moins tant que le collaborateur ne réclame pas sa part de gloire (Dumas, parfois, l'accorde spontanément), tant que Dumas, aussi, n'empoche pas l'argent de ses aides pour payer ses créanciers ou ses maîtresses (voir les deux procès Maquet en 1856 et 1858).

En tout cas, il y a là un merveilleux moyen d'enrichir à l'infini ses œuvres complètes, d'être présent sur tous les fronts de la scène et du livre, d'assurer sa publicité enfin. Dumas, en effet, assis sur sa montagne de volumes (plus de trois cents titres), devient, plus encore que Balzac, une sorte d'auteur-surhomme, un mythe auquel il est le premier à croire. On aurait tort d'ailleurs de s'en indigner. Il y a en effet de la naïveté ou de la mauvaise foi à installer des questions de morale en littérature ; sans parler de son plaisir qu'on se condamne ainsi à bouder. N'oublions pas non plus que l'idée de propriété littéraire est récente, que les contrats de l'époque sont souvent oraux et reposent sur la confiance entre deux hommes. Leurs rapports sont moins ceux d'un supérieur avec son subordonné, d'un exploitant avec son esclave, que ceux de deux amis : il suffit, pour s'en convaincre, de citer quelques lignes de la correspondance Dumas-Maquet, avant du moins que Maquet ne se fâche. D'Alexandre Dumas : « Cher ami, je ne crois pas que notre Gorenflot ait une importance suffisante. Il faut, puisque nous le tirons du couvent, l'en tirer pour une chose plus grave. Il serait important que nous nous vissions demain. » « Encore un coup de collier aujourd'hui dans le *Bragelonne* afin que nous puissions y revenir lundi ou mardi et finir le deuxième volume. Puis ce soir, demain, après-demain et lundi, dam ! du *Balsamo* comme s'il en pleuvait. »

Visiblement, ce travail en commun plaît à Dumas, et cela dès le départ puisque c'est avec un ami, Adolphe de Leuven, qu'il écrit ses premières pièces : plus tard, il y aura Mallefille, Meurice, Vacquerie, Maquet, bien sûr, et Nerval – en l'occurrence, on aurait mauvaise grâce à se plaindre du choix des collaborateurs, tous hommes de métier, sinon d'art. Puisque le public accepte donc ces livres et ces drames, puisque, la plupart du temps, il les aime, quel argument opposer à cette faveur, à ces succès ? Rien sans doute que nos idées fausses sur l'œuvre identifiée à la personne, rien que notre peur d'être dupe.

Il est entendu que Dumas pratique la collaboration, l'emprunt et le plagiat – il va jusqu'à publier un roman déjà donné en feuilleton par un de ses confrères ! Ces livres, à force d'avoir trop de pères, n'en ont plus : ils n'appartiennent plus qu'à leurs lecteurs et deviennent – au moins pour les meilleurs – des mythes, éternels et anonymes.

Passion du récit

Quand on a, comme Dumas, bâti sa carrière au théâtre, on n'oublie pas si facilement cette première incarnation. Romans, récits de voyage, mémoires, toutes les formes sont chez lui dramatisées et mises en scène, transformées en une sorte de spectacle : si l'on voulait poursuivre la métaphore, on verrait qu'un chapitre a souvent l'allure d'une scène, avec une action qui rebondit, des effets, des coups de théâtre, avec aussi les répliques d'un dialogue toujours réussi.

On notera cependant que le romancier doit présenter et expliquer ce qui apparaît dès le lever du rideau : où sommes-nous, en quel lieu, avec quels personnages, à quelle époque ? Mais cette contrainte n'en est pas une pour Dumas, qui présente les situations avec allégresse et simplicité : « Le premier lundi du mois d'avril 1625, le bourg de Meung, où naquit l'auteur du *Roman de la Rose*, semblait être… » Ou encore : « Ce lundi, dix-huitième jour du mois d'août 1572, il y avait grande fête au Louvre. » En fait, l'important ici n'est pas d'introduire un tableau fouillé, un monde comme ceux qu'explorent Balzac ou Gautier : l'objectif de Dumas est d'abord de lancer le récit en le situant sommairement puis en le déplaçant à chaque chapitre, d'un palais à un cabaret, d'une place à un boudoir, d'une prison à une barque au milieu de la Manche.

Il suffit donc d'un décor qui fasse illusion : décor matériel, avec ces armes, ces tentures et ces costumes pittoresques si onéreux quand on est directeur de théâtre, et qui, cette fois, ne coûtent rien ; décor humain, avec une figuration nombreuse ; décor langagier avec quelques jurons archaïques. Car Dumas ne fait pas vraiment œuvre d'historien ; malgré sa documentation et le ton professoral qu'il emploie parfois, son but est moins de reconstituer une époque que d'en donner une image vraisemblable et de trouver surtout un cadre commode pour situer son intrigue. D'où, finalement, le goût dumassien pour les périodes troublées, les guerres de Religion, la Fronde, si riches en péripéties.

Ce que cherche en effet le lecteur, dans un livre de Dumas, ce qui en fait tourner les pages, c'est le récit d'une aventure, celle de D'Artagnan et de ses amis, celle d'Edmond Dantès ou de Joseph Hyacinthe Boniface de Lérac de La Môle, le gentilhomme protestant de *la Reine Margot*. Le grand art de l'auteur est de mêler les événements d'une destinée personnelle à ceux de l'Histoire majuscule en train de se faire (et, à la rigueur, rectifiée pour les besoins de l'intrigue). Connaissant l'un des éléments du mélange, l'Histoire des historiens, au lecteur d'imaginer le reste, l'histoire du romancier, un peu comme on suivrait le contrepoint de deux thèmes musicaux. L'un des intérêts de Dumas, c'est en effet de proposer une histoire qui soit aussi familière que le présent où nous vivons : les Français contemporains de Dumas viennent de vivre un demi-siècle où chacun d'eux a fait l'Histoire à sa manière, et c'est un peu ce sentiment qu'ils éprouvent à lire les romans historiques des années 1840 – avec cette nuance que les événements majeurs et les histoires particulières forment dans ces romans un ensemble cohérent, dramatiquement harmonieux.

Reste à définir ce qu'est cette harmonie ; en plus du décor « voyageur », sans cesse déplacé, en plus des chevauchées de 25 lieues, à côté de l'alternance d'Histoire et de fiction, à côté des coups de théâtre et du « suspense », Dumas utilise un mélange des genres prôné déjà au théâtre – notamment dans la préface de *Cromwell*, dont Dumas eut la primeur : chez lui comme chez Hugo, la comédie succède au drame, le sublime au grotesque, un chapitre gai à une scène d'action ou de sentiment.

M. Bonacieux, dont « le fond du caractère… était un profond égoïsme mêlé à une avarice sordide, le tout assaisonné d'une poltronnerie extrême », ce personnage de farce, donc, succède à George Villiers, duc de Buckingham et amoureux de la reine. Plus tard, dans le roman, on retrouve Athos barricadé dans une cave depuis quinze jours, ayant mangé toutes les provisions d'une auberge, ivre de toutes les bouteilles qu'il a bues et des vapeurs de celles qu'il a cassées : mais cette ivresse devient émouvante lorsqu'elle pousse Athos à évoquer son passé, son mariage avec une fille marquée – Milady. Autre exemple toujours dans *les Trois Mousquetaires*, celui des valets qui tiennent, à côté de leur maître, le rôle de Sancho auprès de Don Quichotte. Car le mélange des genres n'est pas une idée neuve, même si les romantiques la reprennent à leur compte ; les héros de Dumas ont un évident côté picaresque, eux qui jamais ne tiennent en place, traversant les atmosphères et les lieux les plus divers, se tirant toujours d'affaire à leur avantage !

Enfin, pour comprendre ce plaisir de lire Dumas, une dernière explication s'impose : ce qui leur donne leur entrain et peut-être même leur rythme, c'est l'allégresse de l'auteur, la complicité qu'il sait créer avec son lecteur. Derrière les personnages, il y a en effet un conteur, qui devient l'un des protagonistes du récit. Parfois il se veut historien, et c'est lui qui nous explique la situation de la France après les guerres de Religion ou à la fin du XVIIIe, lui qui dévoile les arrière-pensées des ministres et la raison vraie de tous les événements. Mais il arrive aussi qu'il tienne un rôle moins officiel, qu'il s'amuse alors à « excurser » et abandonne son récit pour faire un clin d'œil à son lecteur : « Grâce sans doute à l'efficacité du baume de Bohême et peut-être aussi grâce à l'absence de tout docteur, d'Artagnan se trouva sur pied dès le soir même. » Ou bien, après avoir conté une perquisition, il ajoute : « Il avait trouvé les meubles à peu près brisés et les armoires à peu près vides, la justice n'étant pas une de ces trois choses que le roi Salomon indique comme ne laissant point de traces de son passage. » Comment, enfin, ne pas sourire avec complicité quand, tout au long d'un paragraphe, Mousqueton raconte qu'il a rencontré autrefois « un Espagnol […] qui avait eu un laquais […] qui était allé au Mexique […] où il chassait avec un lasso » – long détour pour expliquer comment Mousqueton vole des bouteilles en lançant sa corde par un soupirail ! Le procédé serait lourd et ridicule si l'on ne sentait à quel point Dumas s'est amusé à justifier l'injustifiable, à digresser pour le plaisir. C'est là, si l'on veut, la « verve » de Dumas, sa bonne humeur qui s'accorde avec la rapidité du récit. Dans les espiègleries de Chicot, dans les plaisanteries des mousquetaires, il y a une fantaisie proprement dumassienne, un optimisme jamais entamé qui se confond avec ce que Dumas appréciait chez le Béarnais : la seule chose qu'il n'eut jamais besoin d'emprunter pour payer ses dettes, l'esprit.

Cet esprit, s'il est peu à sa place dans les ouvrages mélodramatiques, est cependant toujours présent : au début de *Monte-Cristo*, par exemple, avec le caractère de Morrel, l'armateur plus soucieux de sa cargaison que de la vie de son capitaine. L'un des lieux où cet esprit et cette gaieté se manifestent le mieux est le *Dictionnaire de cuisine* ; le savoir gastronomique le plus érudit s'y mélange aux plaisanteries, aux anecdotes amusantes : on y lira ainsi la recette des pieds d'éléphant communiquée à Dumas par M. Duglerez de la maison Rothschild : « Prenez un ou plusieurs pieds de jeunes éléphants, enlevez la peau et les os après les avoir fait dégorger pendant quatre heures à l'eau tiède […]. Il est nécessaire que la sauce soit très relevée et de bon goût ; veillez surtout à ce dernier point ». Ailleurs, l'auteur nous parle du foie de la tortue et de l'expérience qu'il en fit lors d'une traversée où tout l'équipage se régalait de ce « calape » à l'exception « de deux Grecs […] qui allaient à Chypre pour retrouver un trésor perdu ». Ces Grecs avaient sans doute lu *Monte-Cristo* ! Esprit, changements de rythme, de style et de décor, tels sont donc les secrets de Dumas pour raconter ses histoires. Mais il y a chez lui autre chose que cette habileté à « tenir » ses lecteurs et à les divertir : à le lire, on découvre en effet une sorte de morale à la fois épicurienne et passionnée, d'appétit rabelaisien du monde qui rend tous ses héros avides… de gloire, d'argent, de femmes, de confitures ou de jambons, de vengeance, de puissance et même de travail !

Récit de passion

Dumas n'est pas Talleyrand : ce qui est « excessif » pour lui n'est pas « insignifiant », c'est même le seul signifiant possible, la seule manière de produire ces effets qu'il aime tant. Les chiffres, par exemple, sont un domaine où se montrer mesquin n'est pas de mise : ainsi de l'esturgeon du *Dictionnaire de cuisine* qui pesait une tonne et qui en a néanmoins fourni trois de caviar (*sic* !) ; du brochet de Kaiserslautern, « long de plus de 6 mètres et pesant 175 kilogrammes » ; de cet autre enfin, mis dans un vivier en 1230 par l'empereur Frédéric II et repêché deux cent soixante-sept ans après ! Dans un autre genre, on peut évoquer le trésor de l'abbé Faria avec ses mille lingots d'or de deux à trois livres chacun, ses cinquante mille écus d'or, plus les perles, les pierreries et les diamants… Comment ne pas penser ici à ce moment des *Trois Mousquetaires* où d'Artagnan vient de perdre sa lettre de recommandation pour M. de Tréville. À l'hôtelier qui lui demande ce que cette lettre contenait de précieux, il répond : « Des bons sur la trésorerie particulière de Sa Majesté […]. Mais il n'importe […]. J'eusse mieux aimé perdre mille pistoles que de la perdre. » Et Dumas d'ajouter : « Il ne risquait pas davantage à dire vingt mille, mais une certaine pudeur juvénile le retint. » Au fond, l'idée de vraisemblable n'existe pas, pour Dumas : elle semble assez inconciliable avec la fiction ; celle-ci, au contraire, s'alimente chez notre auteur de choses impossibles et spectaculaires.

L'œuvre elle-même est une sorte d'exploit et se donne comme telle : on sourira, par exemple, à lire cette lettre où Dumas propose à un éditeur anglais un drame « religieux, social, philosophique, amusant surtout, comme tout ce que je fais, chrétien et évangélique ». On devait y voir, entre autres, le Christ, le Juif errant, Prométhée, Charlemagne, la fée Mélusine, les Walkyries, la Mort, Catherine de Médicis, Napoléon et ses douze maréchaux, le second fils de Dieu, le monde dans mille ans, le dernier jour de la Terre et le premier jour de la planète qui doit succéder à la nôtre. Cette épopée universelle, encyclopédique, c'est, en définitive, le projet ultime de Dumas, plus large encore que celui de Balzac – le seul, en tout cas, qui soit à la mesure de son goût pour les situations exceptionnelles et pour ces êtres « surhumains » dont la vie a d'emblée des allures romanesques, sinon romantiques. Il faut à Dumas de vrais héros : Dantès, par exemple, ou l'abbé Faria, cette encyclopédie vivante qui a su, tout en creusant un long tunnel, composer, à partir de ses lectures parfaitement mémorisées, un ouvrage sur les mérites éventuels d'une monarchie générale en Italie. Les mousquetaires ne sont pas en reste et prennent souvent des allures de héros homériques : dans *Vingt Ans après,* Athos et Aramis, à la recherche de leurs compagnons, découvrent une énorme pierre, roulée sur la route visiblement pour arrêter des poursuivants : « Oh, fait Aramis, il y a là-dedans de l'Ajax de Télamon ou du Porthos ! »

Rien en effet ne plaît tant à Dumas que la générosité, dans l'effort ou dans l'esprit chevaleresque ; rien, inversement, ne lui fait autant horreur que les avares ou les gens pincés, qui sont souvent des traîtres : Mazarin comme M. Bonacieux, personnages chafouins, hypocrites, le sont d'abord parce qu'ils tiennent à leur argent et qu'ils thésaurisent. Chez Dumas, au contraire, on trouvera constamment l'apologie de la dépense, de l'épanouissement : les trésors sont faits pour être volatilisés, les cadeaux vendus, y compris les plus somptueux, l'argent fait pour être donné, joué ou jeté par les fenêtres, pour ne laisser de lui que le souvenir (et la gloire) d'une dépense, d'un beau geste, d'une folie. Risquer sa fortune, sa sécurité, sa vie est, au fond, la seule aventure qui vaille la peine d'être vécue : c'est là, si l'on veut, l'un des traits obligés du héros désintéressé ; mais on peut aussi y voir le vrai ressort de toutes les œuvres de Dumas, le secret des courses perpétuelles des trois mousquetaires ou de Monte-Cristo. Se fourrer volontairement dans les guêpiers les plus imprévus, voilà au fond le seul plaisir des héros dumassiens, qui, dans la quiétude, éprouvent l'ennui de Porthos au début de *Vingt Ans après* : ne rien risquer, c'est mourir à petit feu, c'est vivre comme un laquais ou un bourgeois – médiocrement. À l'inverse, être noble, ce n'est pas seulement être né, c'est aussi choisir une façon de vivre : c'est être d'une seule pièce, éventuellement naïf mais toujours généreux ; c'est aussi défendre les faibles ; c'est, par-dessus tout, être fidèle. De même, en effet, que les méchants chez Dumas restent fidèles à leur ignominie, il convient que les bons (et il est rare qu'ils changent de catégorie) soient constants dans leur dévouement, dans leurs caractères et dans leurs amitiés : « Tous pour un, un pour tous. »

Épanouissement, panache et générosité, telles sont donc les valeurs dumassiennes. Reste maintenant à savoir si cette morale aboutit à la bonne littérature. Dumas, sur ce plan, est suspect : au dire d'une certaine critique, il est à la fois superficiel, insincère, prétentieux et négligent. Tout cela est vrai mais ne tient pas compte de ce que Dumas, dans sa négligence et sa superficialité, est en même temps inventif, qu'il est un créateur de personnages, d'histoires et de mythes. Même s'il n'a pas de « style » – ce qui reste à démontrer –, Dumas possède un monde à lui, peuplé de traîtres, de héros, de géants, un monde mélodramatique empreint de cette démesure que l'on observe partout chez lui. Aucun adjectif, en effet, n'arrive à le cerner vraiment. Il faut s'y résigner : maréchal du feuilleton, Hercule, Titan, Sisyphe, Dumas échappe par excès aux définitions et aux classements.

	VIE		ŒUVRE
1762	**27 mars :** naissance de Thomas Alexandre Davy-Dumas de La Pailleterie, fils du marquis Davy de La Pailleterie et d'une esclave noire, Marie-Cessette Dumas.		
1792	**28 nov. :** devenu lieutenant-colonel de hussards, Thomas épouse Marie-Louise Élisabeth Labouret, fille d'hôtelier.		
1796-1797	Le général Dumas (depuis 1793) fait en Italie une brillante campagne, qui lui vaut son surnom de « Horatius Coclès du Tyrol ».		
1798-1799	Campagne d'Égypte ; le général Dumas, trop républicain au goût de Bonaparte, revient en France ; durant la traversée, il est fait prisonnier en Italie.		
1801	Après avoir été victime de tentatives d'assassinat par empoisonnement, il est échangé contre le général autrichien Mack.		
1802	**24 juill. :** naissance d'Alexandre Davy-Dumas de La Pailleterie (nom rectifié en 1813 en... Dumas-Davy), à Villers-Cotterêts.		
1806	Mort en disgrâce du général. Alexandre passera son enfance à Villers-Cotterêts. Études assez négligées mais beau talent de calligraphie et passion pour la chasse !		
1817-1818	Premières amours ; il entre comme troisième clerc et saute-ruisseau chez un notaire de Villers-Cotterêts. Il travaillera ensuite chez un autre notaire, à Crépy-en-Valois.		
1820-1821	Fou de théâtre depuis qu'il a vu l'*Hamlet* de Ducis, il commence à écrire ses premières pièces en collaboration avec A. de Leuven (futur directeur de l'Opéra-Comique).	1820-1821	Premiers ouvrages dramatiques (non représentés) : deux vaudevilles, dont *le Major de Strasbourg,* et premier drame : *les Abencérages,* le tout en collaboration avec A. de Leuven.
1822	Il rencontre Talma, qui joue *Sylla* de Jouy.		
1823	Il s'installe définitivement à Paris ; grâce au général Foy, il entre au secrétariat du duc d'Orléans comme expéditionnaire à 1 200 F par mois.		
1824	**27 juill. :** naissance d'Alexandre Dumas fils, enfant naturel de Catherine Labay, lingère.		
1824-1825	Dumas fait venir la générale Dumas à Paris. Il a son premier duel (victorieux) ; en plus de son travail, il copie des vaudevilles ; il va finir par en écrire lui-même.	1825	*Élégie sur la mort du général Foy* ; *la Chasse et l'Amour* (vaudeville en collaboration), représenté à l'Ambigu.
1825-1826	Premiers essais littéraires sérieux.	1826	*Nouvelles contemporaines* ; *Canaris,* dithyrambe au profit des Grecs ; *la Noce et l'Enterrement* (vaudeville en collaboration), représenté à la Porte-Saint-Martin.
		1826-1829	Différentes pièces de vers dans *la Psyché.*
1827	Dumas découvre Shakespeare à l'Odéon. Rencontre de Mélanie Waldor, modèle de l'héroïne d'*Antony.*		
1828	Grâce au baron Taylor, l'ami de Nodier, *Christine à Fontainebleau* est acceptée à la Comédie-Française, mais non représentée en raison de deux pièces (dont une de Soulié) portant sur le même sujet, et aussi des caprices de Mlle Mars.		
1829	Énorme succès d'*Henri III,* qui apporte à son auteur gloire et fortune. Après bien des avanies au Palais-Royal, Dumas devient bibliothécaire adjoint du duc d'Orléans. Il assiste à la première lecture de *Marion de Lorme* de Victor Hugo, qu'il a rencontré chez Nodier, à l'Arsenal.	1829	*Henri III et sa cour* (avec Mlle Mars), représenté à la Comédie-Française.

	VIE		ŒUVRE
1830	Il participe aux journées de Juillet. Il va enlever la poudrière de Soissons, puis demande à La Fayette de l'envoyer en Vendée, où l'on craint une insurrection (et où il rejoint sa maîtresse).	**1830**	*Christine ou Stockholm, Fontainebleau et Rome,* trilogie dramatique sur la vie de Christine de Suède (avec Mlle George). Après une première difficile à l'Odéon, la pièce, remaniée par Hugo et Vigny, est un succès.
1831	Républicain comme son père et peut-être vexé de ne pas avoir été nommé ministre (!), Dumas démissionne de ses fonctions de bibliothécaire ; il reconnaît son fils naturel, qui sera confié à sa garde (rapports parfois difficiles entre le père, ses compagnes et le fils, souvent mis en pension). Il a une fille naturelle – la future peintre Peter – avec l'actrice Bell Krebsamer.	**1831**	Trois drames : *Napoléon Bonaparte ou Trente Ans de l'histoire de France* (avec F. Lemaître et Mlle George), à l'Odéon ; triomphe d'*Antony* à la Porte-Saint-Martin (avec Marie Dorval et Bocage) ; en collaboration, *Richard Darlington* (avec F. Lemaître) ; et une tragédie : *Charles VII chez ses grands vassaux* (avec Mlle George).
		1831-1836	Divers articles dans la *Revue des Deux Mondes,* dont le premier sur « la Vendée après le 29 juillet 1830 ».
		1832	Une comédie et trois drames (les quatre ouvrages en collaboration) : *le Mari de la veuve* ; *Teresa* ; *la Tour de Nesle,* écrit avec Gaillardet ; *le Fils de l'émigré.*
1833	Grand bal costumé chez Dumas, où l'on retrouve toutes les « illustrations » de l'époque : hommes de presse, hommes politiques, peintres, écrivains et acteurs ; la même année, Dumas est atteint par le choléra mais guérit ; mal vu du pouvoir, il part pour la Suisse (*Impressions de voyage,* en 1833-1837).	**1833**	*Gaule et France* (un essai historique) ; « Comment je devins auteur dramatique », dans la *Revue des Deux Mondes.*
1834-1836	Première édition du *Théâtre* d'Alexandre Dumas chez Charpentier ; voyages dans le Midi et en Italie.	**1834**	Trois drames : *Angèle* ; *Catherine Howard* ; *la Vénitienne* (en collaboration).
		1836	*Souvenirs d'Antony* ; début, avec *Isabel de Bavière,* de la série des *Chroniques de France : la Comtesse de Salisbury* en 1839, *les Stuarts* en 1840, *Jehanne la Pucelle* (1842), *les Médicis* (1845), etc. (Cf. Quérard.) *Don Juan de Maraña* (mystère), à la Porte-Saint-Martin ; *Kean ou Désordre et génie* avec F. Lemaître triomphe aux Variétés.
1837	Dumas, grand amateur de décorations, est nommé chevalier de la Légion d'honneur.	**1837**	*Piquillo,* opéra-comique avec Nerval ; *Caligula,* tragédie, à la Comédie Française.
1837-1840	Premières velléités académiques de Dumas.		
1838	Voyage en Belgique puis sur les bords du Rhin, avec Nerval ; Dumas rencontre Maquet, qui sera son principal collaborateur.	**1838**	*La Salle d'armes,* roman en 2 volumes (I, *Pauline* ; II, *Pascal Bruno*) ; *le Capitaine Paul* (avec Dauzats, et inspiré de F. Cooper), et le drame *Paul Jones,* qui en est tiré.
		1839	*Acté,* suivi de *Monseigneur Gaston Phoebus* ; *le Capitaine Pamphile* ; quatre drames : *l'Alchimiste* (un échec) et *Léo Burckart* (les deux en collaboration avec Nerval) ; *Bathilde* (avec Maquet) ; *Mademoiselle de Belle-Isle* ; un ouvrage historique, *Napoléon,* et le début de la parution des *Crimes célèbres* (en collaboration) ; également *Quinze Jours au Sinaï,* sur une expédition du baron Taylor où Dumas ne figurait pas.
1840	Dumas épouse la comédienne Ida Ferrier, avec pour témoin Chateaubriand (mariage bientôt rompu ; séparation en 1844).	**1840**	*Aventures de John Davys* ; *Othon l'Archer* ; *Maître Adam le Calabrais* et *le Maître d'armes* (1840-1841), constituant *les Mémoires de Grisier.*
1840-1842	Voyages en Italie et en Méditerranée. Dumas découvre l'île de Monte-Cristo. De ces périples et des précédents sont issus : *Nouvelles Impressions de voyage (midi de la France), Une année à Florence, Excursions sur les bords du Rhin* (1841), *le Speronare* et *le Capitaine Arena, le Corricciolo* (1842), *la Villa Palmieri* (1843).		
		1841	*Un mariage sous Louis XV,* à la Comédie-Française ; *Praxède,* suivi de *Don Martinn de Freytas* et de *Pierre le Cruel ;* début d'une série

	VIE		ŒUVRE
			(suite 1841) de livres sur l'histoire des régiments français, écrits en fait par A. Pascal (1841, 1843 et 1845).
1842	Dumas assiste aux obsèques du duc d'Orléans.	**1842**	*Aventures de Lydéric* ; *le Corricciolo* (4 vol.) ; plus un drame et une comédie en collaboration : *Lorenzino* et *Halifax*.
		1843	*Les Demoiselles de Saint-Cyr* ; *Louise Bernard* ; *le Laird de Dumbiky* (ouvrage dramatique en collaboration) ; trois romans : *Albine* (traduit de l'allemand), *Georges* (par F. Mallefille) et *Ascanio* (avec P. Meurice) ; plus : *Filles, lorettes et courtisanes.*
		À partir de 1844	Après *le Chevalier d'Harmental* (1843), la collaboration « feuilletonière » avec Maquet commence à prendre un tour « industriel ». Il y aura d'abord *les Trois Mousquetaires,* premier roman du cycle en 26 volumes poursuivi avec *Vingt Ans après* (1845) et *le Vicomte de Bragelonne ou Dix Ans plus tard* (1848-1850) ; au théâtre, *les Mousquetaires* (1845), *la Jeunesse des mousquetaires* (1849) et *le Prisonnier de la Bastille* (1861). Autre cycle avec *la Reine Margot* (1845) – un drame en est tiré en 1847 –, *la Dame de Monsoreau* (1846, drame en 1860), *les Quarante-Cinq* (1847-1848). Enfin, dernière série avec *le Chevalier de Maison-Rouge* (1845-1846), *Mémoires d'un médecin. Joseph Balsamo* (1846-1848), *le Collier de la reine* (1849-1850), *Ange Pitou* (1851), *la Comtesse de Charny* (1852-1855). *Le Comte de Monte-Cristo* (1844-1845) est également issu de cette collaboration, ainsi que *la Guerre des femmes* (1845-1846), *Une fille du Régent* (1845, comédie en 1846), *le Bâtard de Mauléon* (1846-1847), *la Tulipe noire* (1850), *Olympe de Clèves* (1852) et *Ingénue* (1853-1855) – parfois sur des canevas préparés par d'autres collaborateurs, p. ex. P. Lacroix pour les trois derniers titres. De la même époque (1844) datent des romans : *Amaury* (avec P. Meurice), *Cécile, le Château d'Epstein, Fernande* (avec H. Auger), *Gabriel Lambert* et *Louis XIV et son siècle* (ouvrage historique) [1844-1845].
1845	Parution du pamphlet d'Eugène de Mirecourt : *Fabrique de romans* : *Maison Alexandre Dumas et Cie*. L'auteur du pamphlet sera condamné.	**1845**	*Les Frères corses (une famille corse en 1844)* ; *la Bouillie de la comtesse Berthe* et *Histoire d'un casse-noisette* (pour les enfants) ; des ouvrages dramatiques en collaboration : *le Garde forestier, Un conte de fée* et *Sylvandire.*
1846	Avec Maquet, le peintre L. Boulanger et Alexandre Dumas fils, voyage en Espagne, puis surtout en Algérie sur un navire de guerre. Dumas est chargé de faire la publicité officieuse de la nouvelle colonie (*De Paris à Cadix,* 1847-1848 ; *le Véloce ou Tanger, Alger, Tunis,* 1848-1851).	**1846-1847**	*Les Deux Diane,* signées Dumas, mais écrites par P. Meurice.
1847	**Févr. :** ouverture du Théâtre-Historique avec *la Reine Margot,* qui dure de 6 h du soir à 3 h du matin ! On verra sur la scène de ce théâtre : *Intrigue et amour* (traduction de Schiller), *le Chevalier de Maison-Rouge* (s'achevant par le célèbre *Chant des Girondins*), *Hamlet* (avec P. Meurice) en 1847, *Monte-Cristo,* drame en deux soirées, et *Catilina* en 1848, *la Jeunesse des mousquetaires, le Chevalier d'Harmental, la Guerre des femmes* et *le Comte Hermann* en 1849, *Urbain Grandier* et *la Chasse au chastre* en 1850 – le plus souvent des drames issus de la collaboration Dumas-Maquet. Le théâtre est fermé en 1851.		
1848	Dumas participe à la Révolution..., qui met à mal les recettes du Théâtre-Historique. Les dettes atteignent bientôt un chiffre impressionnant. La même année, le 25 juillet, Dumas pend la crémaillère dans son château de Monte-Cristo, près de Saint-Germain-en-Laye : le 28, le château est vendu par décision de		

	VIE		ŒUVRE
	(suite 1848) justice (à un prête-nom de Dumas). Dumas défend ses positions politico-artistiques dans son journal *le Mois* (1848-1850). En septembre, il se présente à la députation en Seine-et-Oise et dans l'Yonne, mais il est battu.		
1849	Mort de Marie Dorval.	**1849**	*Les Mille et Un Fantômes* (avec P. Bocage), accompagnés d'*Un dîner chez Rossini*, des *Gentilshommes de la Sierra-Morena*, des *Mariages du père Olifus* et du *Testament de M. de Chauvelin* ; une comédie en collaboration : *le Cachemire vert* ; des ouvrages historiques : *Louis XV* et *la Régence*, ainsi que les *Mémoires de Talma*.
		1850	*La Colombe* ; *la Femme au collier de velours* ; des ouvrages dramatiques : *Trois Entr'actes pour « l'Amour médecin » ; l'Auberge de Schawasbach ; le Vingt-Quatre Février* (imité d'un auteur allemand) ; *la Chasse au chastre.*
		1850-1851	*Louis XVI* et deux romans : *le Trou de l'Enfer* et *Dieu dispose.*
1851	Dumas, ruiné, s'exile de lui-même en Belgique, pour fuir et le nouveau régime et les huissiers. Il y travaille avec son secrétaire, N. Parfait, ancien représentant du peuple, et l'on rencontre chez lui Arago, Quinet et Hugo ; naissance d'Henry Bauër, fils de Dumas et d'A. Bauër.	**1851**	*Le Drame de Quatre-vingt-treize, scènes de la vie révolutionnaire ;* plus quatre drames, dont les trois premiers avec Maquet, *le Comte de Morcerf, Villefort* (3ᵉ et 4ᵉ soirées de *Monte-Cristo*), *le Vampire,* drame fantastique, et *la Barrière de Clichy.*
1852	Un jugement prononce la faillite de Dumas. Gros succès, la même année, de *la Dame aux camélias* de Dumas fils, pièce tirée de son roman de 1848.	**1852**	Un drame écrit avec P. Meurice, d'après *Ascanio, Benvenuto Cellini* ; *Conscience* ; *les Drames de la mer* ; *Un Gil Blas en Californie* ; *Histoire de la vie politique et privée de Louis-Philippe* ; *Histoire de deux siècles ou la Cour, l'Église et le peuple depuis 1650 jusqu'à nos jours* ; *Mes Mémoires,* en 22 volumes (1852-1854).
1853-1854	Retour en France moyennant un compromis financier avec ses créanciers. Dumas écrit dans son journal *le Mousquetaire* (1854-1855), où il veut faire paraître 50 volumes de *Mémoires.* Y collaborent Alexandre Dumas fils, Nerval, O. Feuillet, H. Rochefort, Maurice Sand, A. Scholl, Th. de Banville. Le journal, qui est d'abord un succès (10 000 ex.), meurt, puis renaît de ses cendres en 1857 avec *le Monte-Cristo* (1857-1860), que Dumas rédige seul.	**1853**	*Isaac Laquedem* (interdit par la censure) ; *le Pasteur d'Ashbourn* (copié d'une traduction de l'allemand ?).
		1854	Deux comédies et deux drames : *Romulus, la Jeunesse de Louis XIV, le Marbrier* et *la Conscience* (avec Lockroy, d'après l'œuvre d'un Allemand) ; *Catherine Blum* ; *El Salteador* ; *le Page du duc de Savoie* ; *Souvenirs de 1830 à 1842* ; *Vie et aventures de la princesse de Monaco* ; *Une vie d'artiste* (celle de Mélingue) ; *Saphir,* pièce précieuse montée par Alexandre Dumas ; enfin *les Mohicans de Paris* (1854-1855), suivis de *Salvator* (1855-1859), en collaboration avec P. Bocage.
		1855	*La Dernière Année de Marie Dorval* ; *les Grands Hommes en robe de chambre* (César, Henri IV, Louis XIII et Richelieu) ; *Marie Giovanni, journal de voyage d'une Parisienne.*
		1856	Une tragédie, un drame et une comédie : *l'Orestie, la Tour Saint-Jacques-la-Boucherie* (avec X. de Montépin) et *le Verrou de la reine.*
		1856-1857	*Madame du Deffand ; Pèlerinage de Hadji Abd-el-Hamid-Bey* (du Couret), *Médine et La Mecque* (= *l'Arabie Heureuse,* 1860).

	VIE		ŒUVRE
1857	Voyage en Angleterre avec Dumas fils.	**1857**	*L'Invitation à la valse,* comédie ; *le Meneur de loups* ; *l'Homme aux contes* ; *Causeries* et *Charles le Téméraire* ; les 7 volumes des *Compagnons de Jéhu* (1857-1858) ; *la Dame de volupté,* suivie, en 1864, des *Deux Reines* ; et *le Lièvre de mon grand-père* (écrit par G. de Cherville).
1857-1858	Procès avec Maquet à propos de leurs œuvres écrites en collaboration : le tribunal accorde à Maquet 25 % des droits d'auteur.		
1858-1859	Grand voyage en Russie et dans le Caucase (*le Caucase* en 1859 ; *De Paris à Astrakan* en 1860).	**1858**	Deux pièces, dont une traduite de l'allemand, et *les Gardes forestiers,* tirés de *Catherine Blum* ; *Ainsi soit-il* (1858-1862) ; *Black* ; *le Chasseur de sauvagine* (écrit par G. de Cherville) ; *l'Horoscope* ; *les Louves de Machecoul* ; *le Capitaine Richard* ; *la Route de Varennes.*
1859	Parution d'un quotidien relatant le voyage de Dumas au Caucase ; un procès (perdu) pour plagiat. Liaison avec la jeune comédienne Émilie Cordier dont il aura une fille – Micaëlla – qui aura pour parrain Garibaldi.	**1859**	*Ammalat Beg* ; *Herminie et Marianna* ; *Jane* ; *Docteur Maynard* ; *les Baleiniers, voyage aux terres antipodiques* ; *l'Art et les Artistes contemporains au Salon de 1859.*
1860	Après avoir signé avec Michel Lévy un contrat pour l'édition de son œuvre, Dumas part pour un voyage en Méditerranée ; il rencontre Garibaldi et reste quatre ans en Italie : il est chargé de fonctions officielles, fonde un journal. Il plaît aux Italiens, avant de les exaspérer (1862-1864 : *I Borboni di Napoli,* 10 vol.).	**1860**	*La Maison de glace* ; *Monsieur Coumbes* (cf. en 1859 *Histoire d'un cabanon et d'un chalet)* ; *le Père Gigogne,* conte pour les enfants ; *le Père de la Ruine* ; *les Drames galants* : *la Marquise d'Escoman* ; les *Mémoires de Garibaldi* ; quatre ouvrages dramatiques : *le Roman d'Elvire* (avec A. de Leuven) ; *l'Envers d'une conspiration* et *le Gentilhomme de la montagne* (d'après *El Salteador,* les deux avec Lockroy ; et *la Dame de Monsoreau* (avec Maquet).
		1861	Un drame d'après *le Vicomte de Bragelonne : le Prisonnier de la Bastille* ; *Bric-à-brac* ; *les Garibaldiens. Révolution de Sicile et de Naples* ; *Les morts vont vite.*
		1862	*La Boule de neige* ; *la Princesse Flora* ; *Sultanetta* ; *Madame de Chamblay (= Ainsi soit-il !)* ; *Mémoires d'une aveugle,* suivi des *Confessions de la marquise.*
		1863	Traduction d'*Ivanhoé,* de Walter Scott.
		1864	Un drame interdit par la censure, d'après *les Mohicans de Paris* ; *la San-Felice* (1864-1865) – dont la deuxième partie deviendra *Emma Lyonna* en 1876.
1865	Échec d'une reprise des *Gardes forestiers* ; les interprètes de la pièce font une tournée en province : Dumas, qui les accompagne, est fêté dans sa ville natale.	**1865**	*Bouts-rimés* ; *Un pays inconnu* (Geral-Milco, Brésil) ; *Souvenirs d'une favorite.*
1866	Voyage en Italie, puis en Allemagne et en Autriche. Les problèmes d'argent, qui s'étaient un peu atténués, réapparaissent.	**1866**	Un drame : *Gabriel Lambert* (avec A. de Jallais).
1867	Dumas rencontre une de ses dernières conquêtes, Adah Menken, écuyère et actrice américaine.	**1867**	*Les Hommes de fer* ; *les Blancs et les Bleus* (1867-1868).
1868	Le *Dartagnan,* nouveau journal de Dumas, succédant aux *Nouvelles* (1866) et au *Mousquetaire (bis)* de 1866-1867.	**1868**	*Parisiens et provinciaux* ; *la Terreur prussienne* ; un drame d'après *Madame de Chamblay* ; *Souvenirs dramatiques.*
1869-1870	Voyages en Bretagne et dans le Midi : Dumas se sent malade et fatigué.	**1869**	Un drame d'après *les Blancs et les Bleus.*
1870	**5 déc. :** Dumas meurt chez son fils à Puys, près de Dieppe.	**1870**	*L'Île de feu.*

VIE		ŒUVRE	
1872	Dumas est enterré solennellement à Villers-Cotterêts.	**1872**	*Création et rédemption* (I, *le Docteur mystérieux* ; II, *la Fille du marquis*) ; *le Prince des voleurs*.
		1873	*Robin Hood le proscrit* (suite du *Prince des voleurs*) ; la même année, le *Grand Dictionnaire de cuisine* (avec Vuillemot).
		1877	*Propos d'art et de cuisine*.

Henri III et sa cour

Drame en cinq actes, en prose, représenté au Théâtre-Français le 10 février 1829, il marque le premier triomphe de la nouvelle dramaturgie sur une grande scène. Dumas raconte dans ses *Mémoires* comment lui vint le sujet de l'ouvrage. Dans un bureau du Palais-Royal, il trouva un volume d'Anquetil et y lut (« page 95 » !) l'histoire de Catherine de Clèves soupçonnée d'infidélité par son mari le duc de Guise. Celui-ci oblige Catherine à boire un breuvage prétendument empoisonné mais qui, en fait, ne l'est pas. Par la même occasion, Dumas découvre dans Anquetil le personnage de Saint-Mégrin : il le retrouve ensuite dans les *Mémoires* de L'Estoile et combine son aventure avec celle de Bussy d'Amboise, assassiné par le seigneur de Monsoreau comme Saint-Mégrin le fut par le duc de Guise. En « contaminant » les deux intrigues, en s'informant aussi sur certains détails du temps, Dumas combine bientôt un plan, et en deux mois il écrit la pièce : « C'est, dit-il dans ses *Mémoires*, à propos d'*Henri III* qu'il est facile de voir que la faculté dramatique est innée chez certains hommes. J'avais vingt-cinq ans ; *Henri III* était ma seconde œuvre sérieuse [après *Christine*] : qu'un critique consciencieux la prenne et la soumette au plus sévère examen, il y trouvera tout à reprendre comme style, rien comme plan. J'ai fait cinquante drames depuis *Henri III* ; rien n'est plus savamment fait. »

A. Preiss

SYNOPSIS

Dans le cabinet de Côme Ruggieri, où elle entre par une porte secrète, Catherine de Médicis tisse en compagnie du mage sa toile d'intrigues dans des temps politiques troublés par la Ligue. Pour assurer son influence auprès du roi, elle a besoin d'affaiblir celle des favoris du moment : Épernon, Joyeuse et Saint-Mégrin. Le plus dangereux de ces « muguets », Saint-Mégrin, étant amoureux de la duchesse de Guise, elle va jouer cette carte. Grâce à la complicité de Ruggieri et à la faveur d'une visite des trois jeunes gens qui viennent se faire dire leur horoscope, elle ménage une entrevue entre la duchesse de Guise et Saint-Mégrin qui, surpris, se déclarent incontinent leur amour. Mais le duc frappe à la porte du cabinet de Ruggieri qui, par un jeu de ressorts et d'issues dérobées, escamote la duchesse. Le duc, toutefois, trouvant le mouchoir de sa femme sur un fauteuil, devine l'entrevue secrète et décide le meurtre de Saint-Mégrin (acte I).

Un peu plus tard, au Louvre, les mignons du roi se divertissent avec bilboquets et sarbacanes. Saint-Mégrin, avec la sienne, envoie une dragée en pleine poitrine du duc de Guise. Offensé, ce dernier provoque Saint-Mégrin dans un duel que le roi, présent, autorise. Rentré chez lui, le duc interrompt une calme scène d'intérieur où la duchesse, en compagnie de son page, rêvait à Saint-Mégrin. Persuadé de son infortune, le duc cherche d'abord par un chantage au poison à obliger sa femme à écrire un billet de rendez-vous à Saint-Mégrin ; il n'y parviendra que par la force en meurtrissant avec son gantelet de fer le bras de la duchesse (actes II et III). Saint-Mégrin reçoit la lettre, après quoi Ruggieri lui prédit sa mort. Pendant ce temps, le duc de Guise se fait enfermer dans les rets politiques tendus par Catherine. Après quelques atermoiements, Saint-Mégrin se rend malgré tout au rendez-vous. Dès qu'elle le voit, la duchesse le somme de s'éloigner tout en lui déclarant son amour. Mais il est trop tard. Pour arrêter un moment les assassins et permettre à Saint-Mégrin de fuir par la fenêtre, elle met son bras « déjà meurtri » dans les anneaux de fer de la porte. Elle croit Saint-Mégrin sauvé, mais des spadassins l'attendaient en bas. Lardé de coups, il n'est pas encore mort. Le duc de Guise demande alors à ses hommes de main de l'étrangler avec le mouchoir de la duchesse. « Maintenant, conclut-il, que nous avons fini avec le valet, occupons-nous du maître » (actes IV et V).

J.-M. Thomasseau

Dumas lit son ouvrage à quelques jeunes romantiques de ses amis ainsi qu'au grand homme du moment, Béranger : le drame plaît à ce dernier et il plaît aussi au comité de lecture de la Comédie-Française. La pièce passe ensuite le barrage de la censure et produit un très gros effet à la première représentation (devant le duc d'Orléans et trente princes et princesses de ses amis). Un instant suspendue, elle est finalement sauvée par M. de Martignac et par le duc d'Orléans, qui défend l'ouvrage devant le roi. L'histoire d'*Henri III* ne s'arrête pas là, puisqu'il y eut des auteurs contemporains qui s'inquiétèrent de cette « révolution théâtrale » et qui adressèrent une pétition au roi : celui-ci refusa d'intervenir et laissa se poursuivre les représentations.

Car la pièce, et c'est ce qui fait son succès, est ressentie comme une nouveauté audacieuse, peut-être même comme un scandale. Romantique sans le savoir, Dumas donne une œuvre qui est en même temps un manifeste. « Enfoncé, Racine ! » tel est le mot qui circule après la première, et qui marque bien la rupture avec une certaine école classique. À Racine, à Corneille et à Voltaire la génération montante préfère des « étrangers » : Shakespeare et Walter Scott, Goethe et Schiller. Et c'est à cette tradition que se réfère Dumas, quitte éventuellement à reprendre dans ses dialogues certaines scènes remaniées de *Don Carlos* et de *la Conjuration de Fiesque*. À la tragédie épuisée de l'Empire et de la Restauration, Dumas substitue le drame et ses splendeurs. Le genre, bien sûr, n'est pas arrivé à maturité, et l'auteur est peu expérimenté : il reconnaît que son style est à reprendre ; on peut ajouter qu'il noue mal son intrigue politique avec l'intrigue amoureuse, qu'il ne parvient pas à gérer la foule de ses personnages. Mais, à côté de cela, quelle force d'innovation ! Les traits de mœurs du XVIe siècle, la « couleur locale » des décors, des costumes et du langage, le bilboquet des mignons, leurs fraises godronnées et leurs pendants d'oreilles, il y a là un cadre historique qui cherche l'effet et qui le trouve. Ce qui est frappant aussi, dans *Henri III*, ce sont les scènes violentes, et cette sorte de cruauté ambiante qui marque la pièce d'un bout à l'autre : depuis les figures de cire percées d'un poignard, qu'évoquent Catherine de Médicis et son astrologue, jusqu'à l'assassinat final de Saint-Mégrin, l'œuvre garde cette intensité dramatique qui fit, dit-on, pousser des cris de terreur lors de la première représentation. En fait, avec *Henri III*, Dumas impose une esthétique en même temps qu'il s'impose lui-même : *Henri III* marque bien une date, dans l'histoire de la sensibilité comme dans celle des formes théâtrales. Dumas a participé également à une parodie de *Henri III* avec *la Cour du roi Pétaud* (écrite en collaboration).

Antony

Drame en cinq actes, en prose, représenté à la Porte-Saint-Martin le 3 mai 1831. Joué par Bocage et Marie Dorval, ce premier drame « moderne » eut un très grand succès auprès du public comme de la critique. Dumas en a trouvé le sujet dans sa propre histoire, dans une liaison qu'il eut avec une femme mariée, Mélanie Waldor (mais qui n'alla pas jusqu'à l'assassinat !). L'ouvrage, écrit avant 1830, ne vient en répétition au Théâtre-Français qu'après les journées de Juillet, à un moment où la censure a, pour un temps, disparu. Mlle Mars doit jouer Adèle, et Firmin, Antony : ils avaient déjà créé *Henri III*. Devant leur mauvaise volonté, leur peu d'enthousiasme à l'égard de la pièce, Dumas va porter son manuscrit à Marie Dorval pour que celle-ci le joue à la Porte-Saint-Martin (elle y sera la Marion de Lorme de Hugo, dont l'œuvre a peut-être inspiré Dumas).

Dorval, qui est alors la maîtresse de Vigny, accepte volontiers mais fait refaire le dernier acte. Bocage écoute la pièce le lendemain : il accepte lui aussi et persuade le directeur du théâtre de monter l'ouvrage. La première est un triomphe aussi bien pour les acteurs que pour l'auteur, dont l'habit vert est déchiqueté par les amateurs de reliques.

A. Preiss

SYNOPSIS

Adèle, il y a trois ans de cela, était courtisée par Antony, jeune homme au regard sombre et à la passion douloureuse. Pourtant, lorsque Adèle est demandée en mariage par le respectable colonel d'Hervey, Antony, parti pour quinze jours, ne reparaît plus, et Adèle finit par lier sa vie à celle du colonel, dont elle a eu une petite fille. Un matin, après tout ce temps, elle reçoit une lettre d'Antony lui demandant un entretien. Se sentant peut-être prête à l'aimer, Adèle laisse le soin à sa sœur Clara de le recevoir et saute dans sa calèche pour s'enfuir. Mais les chevaux s'emballent. Un homme se jette à leur tête et la sauve. C'est Antony. Blessé, il est transporté inconscient chez Adèle. Lorsqu'il revient à lui, il lui dit tout le bonheur qu'il a de la retrouver. Voyant encore Adèle sur la défensive, il arrache violemment ses pansements pour avoir de bonnes raisons de séjourner encore chez elle quelque temps (acte I).

Adèle, qui pendant les cinq jours qu'il est resté a évité les tête-à-tête, décide de partir rejoindre son mari en garnison à Strasbourg. Elle tient cependant à revoir Antony une dernière fois. Celui-ci, de nouveau, lui exprime la plus vive passion et explique sa disparition de jadis en avouant qu'il est bâtard et donc sans avenir social. Adèle se montre très touchée de ces aveux, mais persiste dans son intention de partir, en ne laissant à Antony qu'une simple lettre d'adieu (acte II).

On retrouve Antony à deux lieues de Strasbourg ; il précède Adèle dans l'auberge où elle doit relayer, loue les chambres qui restent en disant à l'aubergiste qu'il est prêt à en céder une, et attend. Adèle arrive. Elle ne dispose plus de chevaux, et doit patienter dans cette chambre où elle se sent prise comme dans une nasse. En effet, Antony, passant par le balcon, brise un carreau, entre dans la chambre et emporte Adèle pâmée dans ses bras. Heureuse et désespérée d'avoir cédé, Adèle revient à Paris. Après trois mois, Antony la persuade de sortir de sa réclusion pour fréquenter de nouveau les salons où elle ne rencontre que jalousies, perfidies et sarcasmes et où son amie la vicomtesse la surprend dans les bras d'Antony (acte III). Le même soir, celui-ci, jouant de malheur, apprend le retour imminent du colonel d'Hervey (acte IV). Il se précipite chez Adèle et tente de la persuader de s'enfuir avec lui. Mais elle tergiverse car elle pense au déshonneur que devra supporter sa fille. Quand elle se décide, il est trop tard. On frappe à la porte. On monte l'escalier : c'est le colonel. Adèle, pour sauver son amour et sa réputation, demande à Antony de la tuer. Avec le stylet qu'il porte toujours sur lui, il la frappe à mort dans un baiser. Et quand le colonel enfonce la porte, Antony jette l'arme à ses pieds en lançant : « Elle me résistait… je l'ai assassinée !… » (acte V.)

J.-M. Thomasseau

Toutes les écoles littéraires s'étant successivement réclamées de la vérité, le mot est d'un emploi difficile. C'est cependant l'idée sur laquelle insistent les spectateurs et les critiques de 1831 : costumes d'époque, intrigue d'époque, langage « presque » de tous les jours, l'impression étant encore accrue par le jeu de Marie Dorval, que certaines femmes du monde trouvaient vulgaire ou « nature ». D'où, bien sûr, le reproche d'immoralité qui tomba tout de suite sur la pièce : ce qui passe chez Molière est inacceptable chez un auteur contemporain ; comme le remarque Dumas lui-même dans ses *Mémoires*, le cocuage fait rire, on s'insurge contre l'adultère. Ce qui choque davantage encore, c'est peut-être le personnage d'Antony, figure type du révolté et dont l'auteur avait fait à l'origine un athée : ce « bâtard » – Dumas était lui aussi un enfant illégitime – s'élève contre l'institution, subvertit les règles de la société, exactement comme l'artiste romantique veut subvertir les règles de l'art.

A. Ubersfeld montre bien, cependant, à quel point cette révolte est, d'une certaine manière, anodine ; en fait, la dernière réplique de la pièce : « Elle me résistait, je l'ai assassinée », enlève toute son efficacité à la contestation d'Antony. Sa révolte a échoué, et les valeurs contre lesquelles il se dressait (la morale bourgeoise du mariage et de la famille) finissent par triompher. Dans ces conditions, comme le dit encore A. Ubersfeld, la pièce devient « une fête que la société se donne à elle-même en glorifiant le héros révolté (et sa "dignité parfaite"), dans le moment même où, s'agenouillant devant elle, il proclame la légitimité de sa propre condamnation ».

Sans être révolutionnaire, *Antony* est vraiment une pièce nouvelle. Avec ses situations audacieuses et ses répliques percutantes, avec un nouveau type de héros à la fois bâtard et très noble, excessif et passionné, Dumas marque en effet un grand coup ; il tue certaines habitudes, un certain « bon goût » aussi, qui n'est plus à l'ordre du jour. Avec *Antony*, il installe définitivement à la scène le nouveau théâtre qu'on voyait apparaître dans *Henri III* : Saint-Mégrin présageait Antony, qui n'est pas loin d'Edmond Dantès.

Kean ou Désordre et génie

Comédie en cinq actes et en six tableaux, représentée aux Variétés le 31 août 1836. L'idée originale de la pièce n'est pas de Dumas ; elle lui a été proposée par Frédérick Lemaître, auquel Marie Théaulon et Frédéric de Courcy sont venus soumettre un manuscrit sur le sujet. Dumas, de toute manière, a fait l'essentiel du travail. L'ouvrage s'inspire d'un véritable personnage, d'un célèbre acteur anglais mort trois ans avant et que Dumas a pu voir en 1827 ; mais Dumas en fait aussi un personnage bien à lui, dans la ligne de ses précédents héros : débauché, coureur de tavernes, comédien, grand seigneur malgré sa naissance, il est également un porte-parole commode qui sait défendre une certaine vision dumassienne de la vie : « Avoir de l'ordre !... c'est cela, et le génie, qu'est-ce qu'il deviendra pendant que j'aurai de l'ordre ?... Avec une vie agitée et remplie comme la mienne, ai-je le temps de calculer minute par minute et livre par livre ce que je dois dépenser de jours ou dissiper d'argent ? »

En fait, il y a dans cette réplique plus qu'une justification personnelle de l'auteur ; il y a surtout comme une sorte de résumé de l'idéologie romantique : l'artiste est un être d'exception, et il doit « payer » cette supériorité de l'art et du génie par une vie à la fois plus intense et moins longue. Il la paye aussi par cette espèce de mépris que l'acteur, tout admiré qu'il est, reçoit de la société : on voit là le lien entre Antony le bâtard et Kean le bateleur. Quoi qu'ils fassent, entre ces personnages et la société, il reste toujours une distance, une rupture qui empêche leur intégration, qui fait obstacle à leurs amours, les rend indignes.

A. Preiss

SYNOPSIS

La comtesse Éléna de Koefeld, femme de l'ambassadeur du Danemark, est amoureuse de l'acteur Kean qui défraye la chronique mondaine par ses frasques et ses débauches. Lors d'une soirée organisée par le comte de Koefeld, le prince de Galles apprend à la société que l'acteur se serait enfui avec Anna, une petite bourgeoise qui l'aurait suivi le jour même de ses noces avec lord Mewill. Coup de théâtre : Kean, qui s'était excusé de ne pouvoir participer à cette soirée, arrive et demande la permission au comte de ne révéler qu'à la comtesse seule le fin mot de son aventure avec Anna. Kean montre alors à Éléna une lettre d'Anna qui prouve son innocence, mais au dos, il lui fait aussi lire, sous les yeux de tous, une déclaration d'amour, pour elle, Éléna, lui donnant un rendez-vous dans sa loge (acte I).

Salomon, le souffleur, confident et ami de Kean, lui reproche ses nuits de beuverie, qui achèvent de le « brûler jusqu'au gilet de flanelle ». Mais Kean, dans sa vie privée, agit d'abord avec générosité : il accepte d'être le parrain d'un enfant de la troupe de saltimbanques dans laquelle il a débuté ; il donne à Anna, toujours poursuivie par les assiduités de lord Mewill, le conseil d'abandonner le métier de comédienne (acte II).

À la taverne du Trou à charbon où précisément lord Mewill a tendu à Anna une souricière avec un faux billet signé Kean, il expédie pour le compte un boxeur fanfaron, accepte de jouer au bénéfice d'un histrion qui s'est démis l'épaule, évente le piège tendu par Mewill à Anna, et humilie celui-ci dans une tirade vengeresse opposant le noble au saltimbanque (acte III).

Éléna vient au rendez-vous de Kean dans sa loge ; il lui déclare un amour passionné, mais le comte et le prince de Galles interrompent l'entretien en frappant à la porte. Éléna s'éclipse par une issue dérobée, oubliant un éventail que le comte va trouver. Kean profite de cette visite pour demander en particulier au prince de cesser de poursuivre aussi Éléna de ses assiduités. Rentrant alors en scène et voyant Éléna dans la loge du prince de Galles, il oublie son rôle et invective les deux hommes avant d'être emporté évanoui (acte IV).

À la suite de ce scandale, Kean se cloître chez lui et Salomon cherche à faire passer pour de la démence le comportement de son protégé. En réalité, Kean attend un signe d'Éléna qui finit par arriver, mais, par peur du scandale et par souci des convenances, elle lui redemande son portrait et le prie d'oublier cet amour. Fortement dépité, Kean cache de nouveau Éléna car le comte, arrivé à l'improviste, demande raison pour l'éventail de sa femme trouvé dans la loge. Kean reçoit au même instant une lettre du prince de Galles qui l'innocente pour cette affaire d'éventail. Le prince a en outre envoyé une barque dans laquelle Éléna a pu sauter pour s'échapper. Il se présente enfin au comédien avec une lettre de grâce qui ne condamne l'effronté qu'à l'exil. Après avoir remercié le prince de son amitié et de sa clémence, Kean décide de partir pour New York avec Anna qui était venue lui annoncer qu'elle avait malgré tout choisi d'être comédienne. Elle sera désormais sa nouvelle compagne (acte V).

J.-M. Thomasseau

On peut alors comprendre la pièce (et peut-être même, au-delà, une bonne partie de l'œuvre de Dumas) comme une revendication contre ce statut, contre cette condamnation, qui pèse toujours sur les exclus. Certes, la pièce se conclut heureusement, Kean est exilé pour un an en Amérique et Anna l'accompagne. Le prince de Galles, qui a bien arrangé les choses, apparaît comme le symbole d'une monarchie somme toute bienveillante (cf. les rapports Dumas-Louis-Philippe). À aucun moment pourtant, l'histrion n'échappe à son destin : même émouvant, il est un être à part, un « artiste ».

Cette problématique du destin difficile à vivre était peut-être celle de Dumas : en tout cas, elle instaure une tension dramatique qui dure tout au long de la pièce et trouve son aboutissement dans cette furieuse colère du cinquième tableau : « Un bâton à Polichinelle, un bâton pour lord Mewill [...] qui refuse de se battre avec ceux dont il a volé le nom, et cela, sous prétexte qu'il est noble, qu'il est lord, qu'il est pair... Ah ! oui ! un bâton pour lord Mewill... et nous rirons... Ah ! ah ! ah ! que je souffre !... À moi ! mon Dieu ! à moi ! »

Le cycle des *Mousquetaires*

Parus tous trois en feuilleton dans *le Siècle* au printemps 1844, puis chez Baudry, en huit volumes in-8°, *les Trois Mousquetaires* se trouvent au confluent de deux modes : celle du roman historique, qui, depuis Walter Scott, déferle sur l'édition française ; celle aussi du roman-feuilleton, que les directeurs de journaux ont inventé pour accroître leur cheptel d'abonnés. La conjonction des deux phénomènes ne suffit pourtant pas à expliquer le succès du livre, le nombre de ses adaptations, les trahisons même ou les parodies dont il a été l'objet. Cette réussite tient également à l'histoire de l'œuvre, à cette collaboration Dumas-Maquet qui avait déjà abouti au *Chevalier d'Harmental* et à *Sylvandire*.

C'est Dumas, apparemment, qui a lu le premier les ennuyeux *Mémoires de M. d'Artagnan* (1700) : l'auteur véritable est un nommé Gatien de Courtilz de Sandras [voir **COURTILZ DE SANDRAS**] qui rassemble, dit-il, « quantité de morceaux » découverts parmi les papiers de D'Artagnan. La chose est plus que douteuse, mais, au fond, elle a peu d'importance. L'essentiel, c'est ce qu'en retiennent les deux romanciers de 1843-1844 : des personnages – dont Athos, Porthos et Aramis, Bernajoux aussi, et jusqu'à Milady –, de simples noms parfois, des anecdotes, et, surtout, l'atmosphère d'une époque. En plus de cette trame, de cette source essentielle, Maquet et Dumas consultent probablement d'autres mémorialistes. Bien sûr, on n'y inclura pas le comte de La Fère, dont les Mémoires, cotés à la Bibliothèque royale sous le n° « 4772 ou 4773 », sont censés constituer le livre lui-même : il n'y a là qu'une fiction. En revanche, C. Samaran cite le comte de Brienne, Tallemant des Réaux, Bassompierre et même le duc de Rochefort, derrière lequel se cache toujours et encore Gatien de Courtilz.

À l'aide de cette « documentation » hétérogène, les deux complices composent alors une mosaïque serrée : parti sans plan, Maquet a bientôt besoin de Dumas, qui est donc responsable de la structure profonde de l'ouvrage ; c'est à lui aussi qu'on doit probablement, dans un deuxième temps, l'allure même du récit, ses accélérations et ses pauses (ses délayages ?), l'esprit enfin qui l'anime. Quoi qu'il en soit, l'alchimie du couple aboutit à un produit parfaitement homogène et équilibré : le livre plaît, et il plaira longtemps – à Dumas lui-même qui, à la fin de sa vie, le préfère à *Monte-Cristo*, y voit en quelque sorte son chef-d'œuvre.

A. Preiss

LES TROIS MOUSQUETAIRES

Précédés d'une Préface, où Dumas se réfère aux *Mémoires de M. d'Artagnan* et affirme que, restituant un manuscrit inconnu par lui découvert à la Bibliothèque royale, il n'invente rien, les 67 chapitres racontent l'histoire du jeune Gascon d'Artagnan venu chercher fortune à Paris en 1625, sous le règne de Louis XIII, muni d'une lettre de recommandation de son père pour M. de Tréville, commandant des mousquetaires du roi. À la suite d'un triple duel qui s'achève par un combat commun contre les gardes du cardinal de Richelieu, ennemis traditionnels des mousquetaires, il devient l'ami du géant Porthos, de son vrai nom du Vallon, d'Athos, comte de La Fère, ruiné par un calamiteux mariage avec une aventurière, et d'Aramis, le chevalier d'Herblay, dont la vocation mystique fut contrariée par la galanterie. Admis dans leur compagnie, il se trouve par hasard aux prises avec la perfide milady de Winter, redoutable agent du cardinal, qui s'avère être l'ancienne épouse d'Athos. D'Artagnan tombe amoureux de Constance Bonacieux, dévouée femme de chambre de la reine Anne d'Autriche. Celle-ci a offert à son amant, Georges Villiers, duc de Buckingham, douze ferrets en diamant, présent du roi. Richelieu, qui veut perdre la reine, suggère à Louis XIII qu'elle se doit de porter les ferrets au prochain bal de la cour. Nos quatre héros partent pour l'Angleterre. Après de multiples péripéties, d'Artagnan rapporte les ferrets, et sauve ainsi la reine. Alors que les mousquetaires se couvrent de gloire au siège de La Rochelle, Milady tente de supprimer Buckingham, allié des protestants. Le quatuor l'emprisonne, elle s'évade, fait assassiner le duc et empoisonne Constance. Les quatre compagnons, aidés de lord Winter, frère du mari qu'elle a tué, lui font expier ses crimes en la livrant au bourreau de Béthune. D'Artagnan, réconcilié avec Richelieu, est promu lieutenant. Athos se retire à la campagne, Porthos se marie et Aramis se fait abbé.

VINGT ANS APRÈS

Les 98 chapitres titrés se situent vingt ans après les exploits des quatre mousquetaires. Pour éviter la monotonie, Dumas choisit le Paris de la Fronde, bien différent du Paris paisible des *Trois Mousquetaires*. Louis XIII a disparu, un enfant règne. Le souple et retors Mazarin a remplacé l'énergique Richelieu. Le lieutenant d'Artagnan, mal payé ignoré de la reine, cède à la prière du nouveau cardinal, qu'il sert sans joie. Il part à la recherche de ses anciens amis pour leur proposer de reprendre du service actif. Athos, qui élève Raoul, né de ses amours avec Mme de Chevreuse, et Aramis, qui complote avec Mme de Longueville sont acquis à la Fronde. Seul Porthos, devenu baron du Vallon de Bracieux de Pierrefonds, le suit. Faute de quatuor, le duo n'est plus invincible. Il ne peut ni capturer le duc de Beaufort, évadé de Vincennes, ni calmer l'émeute provoquée par l'arrestation du conseiller Broussel. Envoyés à Londres pour remettre un message secret à Cromwell, les deux mousquetaires y retrouvent Athos et Aramis. Tous quatre s'unissent pour tenter de sauver Charles Ier. Ils échouent, affrontent la rage vengeresse de Mordaunt, fils de Milady et créature de Cromwell. Athos parvient à le tuer. Mazarin, mécontent de ces foucades, les fait arrêter à leur retour. Ils parviennent cependant à recouvrer leur liberté et arrachent au cardinal, leur prisonnier, une capitulation au bénéfice des frondeurs. Une Conclusion évoque leurs adieux. Aramis suit Mme de Longueville en attendant de retourner dans son couvent. Porthos rentre vers sa baronnie. Athos confie Raoul, vicomte de Bragelonne, à d'Artagnan, devenu capitaine. Tous deux vont faire la campagne de Flandres.

LE VICOMTE DE BRAGELONNE

Pensé en même temps que *Vingt Ans après*, *le Vicomte de Bragelonne* en amplifie nombre d'amorces. En 276 chapitres, où l'Histoire, de toile de fond qu'elle était dans *les Trois Mousquetaires*, passe au premier plan, mouvement largement amorcé dans *Vingt Ans après*, nous suivons le destin de d'Artagnan. La véritable architecture du livre s'organise en deux mouvements : Colbert combat Fouquet (il vainc au chapitre 246) ; Louis XIV fait plier d'Artagnan (259). Dans les premières années du règne personnel du Roi-Soleil, parce qu'il ne peut approuver le renoncement de Louis XIV à Marie Mancini imposé par Mazarin au nom de la raison d'État, d'Artagnan quitte les mousquetaires pour servir la cause de la restauration des Stuarts. En Angleterre, il capture le général Monk et le persuade de favoriser l'accession de Charles II au trône. Ayant ainsi fait le jeu de la politique française, il devient un véritable serviteur du roi, et parvient à naviguer sans heurt entre les écueils des passions et intrigues de la cour. Le roman s'enfle alors, telle une chronique des grands événements : les amours royales, la disgrâce de Fouquet, arrêté par d'Artagnan, l'ascension de Colbert. Dumas y intègre les manœuvres d'Aramis, devenu général des jésuites, pour substituer au roi son frère jumeau, le Masque de Fer. Heureusement, d'Artagnan déjouera le complot.

Mais le titre trouve sa justification dans les aventures de Raoul de Bragelonne, le fils d'Athos. Élevé avec Louise de La Vallière (*Vingt Ans après*), pour qui il a conçu une sublime passion, il se fait tuer dans une expédition africaine lorsque celle-ci devient la maîtresse du roi, ce qui entraîne la mort d'Athos. Au service de d'Artagnan, Porthos périt lui aussi. Quant à d'Artagnan, devenu maréchal de France, il succombe au siège de Maëstricht. Seul demeure Aramis.

G. Gengembre

Un récit rapide, des personnages assez simples mais convaincants, des dialogues à effet, probablement inspirés par la technique théâtrale : nous avons déjà vu comment Dumas s'y prenait pour séduire. Et c'est bien sur cette idée de plaisir que reviennent la plupart des commentateurs. Ils éprouvent en effet, devant *les Trois Mousquetaires*, une sorte de fascination : implicitement, ils y voient l'exemple, la matrice originelle de tous les récits possibles, le Roman majuscule, celui auquel on se réfère pour lire tous les autres. Cela est peut-être dû à la place que tiennent *les Trois Mousquetaires* dans la littérature enfantine. Ils font le lien entre les lectures puériles et les romans sérieux ; ils constituent un premier apprentissage littéraire.

Il y a cependant d'autres raisons à cette quasi-unanimité de la critique : ce qu'il y a de frappant, dans *les Trois Mousquetaires*, c'est à quel point le roman est « bien » fait. On passera évidemment sur les anachronismes (nombreux), sur l'époque du récit, qui a parfois vingt ans d'avance sur l'histoire réelle – on oubliera aussi certaines incohérences du texte même de Dumas. En revanche, il faut insister sur la qualité de l'intrigue, achevée et en même temps ouverte, sur la science avec laquelle Dumas ménage son suspense et manœuvre des personnages, séparés, réunis, expédiés dans la nature, puis rassemblés en faisceau, à Paris, à Arras ou à Londres. Dernier point, peut-être, qui permet de comprendre la force de ce livre : il faut voir qu'il est d'abord une épopée de la jeunesse ; tout y est possible, et rien n'y a vraiment d'importance, par l'effet d'une sorte de grâce, de générosité vitale toujours renouvelées – celles, sans doute, que l'on regrette et que l'on quête dans *Vingt Ans après* ou dans *le Vicomte de Bragelonne* : quelque chose a disparu, et c'est cette absence qui fait le charme des livres suivants. Le lecteur, qui se souvient, voudrait bien une seconde mouture des *Trois Mousquetaires,* mais il sait en même temps que le temps perdu ne se retrouve pas, que l'histoire avance, celle du roman comme celle de sa propre lecture.

Mieux qu'un livre facile, *les Trois Mousquetaires* est d'abord un livre vivant, à tous les sens du terme : même si l'on y meurt, on y vit aussi beaucoup et intensément, on y aime et on y mange. Mais ce qui est mieux encore, c'est, comme le dit J. Molino, que l'on continue aujourd'hui « d'apprendre à vivre » dans ce roman, d'y prendre des leçons de générosité et de liberté : les mythes, eux, ne meurent pas.

Le Comte de Monte-Cristo

Paru en feuilleton dans *le Journal des débats*, puis dans *le Siècle* (1844-1845) et chez Pétion, en 12 volumes, l'adaptation scénique a donné lieu à un drame en quatre soirées (1848-1851). L'ouvrage a une histoire compliquée : lors d'un voyage en Méditerranée, Dumas découvre, au large de l'île d'Elbe, le rocher de Monte-Cristo. Le nom lui plaît et il le garde en réserve pour un prochain roman. L'occasion s'offre presque tout de suite puisque, en 1843, ses éditeurs lui demandent des *Impressions de voyage dans Paris*, qui deviennent bientôt un roman noir et mélodramatique.

Le point de départ du livre est un fait divers authentique : il vient des *Mémoires tirés des archives de la police de Paris* (1837-1838), parus sous la signature de Jacques Peuchet, archiviste de la préfecture, mais rédigés, en fait, par deux autres auteurs. Dumas découvre l'histoire de François Picaud, modèle d'Edmond Dantès : dénoncé à tort comme agent anglais, Picaud est mis au secret pendant sept ans ; il sort ensuite de prison (en 1814), prend possession du trésor que lui a légué une sorte d'abbé Faria et se venge en commettant trois meurtres. Finalement, il est lui-même assassiné par celui qui lui avait livré le nom de ses dénonciateurs, et qui se confessa sur son lit de mort.

A. Preiss

SYNOPSIS

Le 24 février 1815, à l'aube des Cent-Jours, arrive à Marseille le navire de l'armateur Morrel, le *Pharaon*, commandé par le jeune Edmond Dantès, qui a remplacé son capitaine mort au court du voyage. Protégé par l'armateur, Dantès est au seuil du bonheur : il va être nommé capitaine, ce qui lui permettra d'épouser sa bien-aimée, la jolie Catalane Mercédès. Mais son bonheur fait des jaloux : le pêcheur Fernand, son rival dédaigné, Danglars, le comptable du bateau, et un ami envieux, Caderousse, le dénoncent anonymement comme agent bonapartiste. Dantès est arrêté au milieu de son repas de noces. Conduit devant le magistrat royaliste Villefort, il clame son innocence. Mais Dantès est porteur, sans le savoir, d'une lettre compromettante pour le père, bonapartiste, de Villefort. S'en apercevant, celui-ci envoie Dantès pourrir, sans jugement, comme prisonnier d'État, dans les cachots du château d'If.

Désespéré, tenté par le suicide, Dantès en est détourné par la rencontre d'un autre prisonnier, l'abbé Faria : voulant s'évader, celui-ci a creusé un tunnel qui, par erreur, aboutit dans le cachot de Dantès. L'abbé Faria entreprend l'éducation spirituelle et intellectuelle de Dantès, et lui révèle son secret : il est l'héritier d'un incalculable trésor, enfoui dans l'île de Monte-Cristo. Les deux prisonniers projettent de s'évader ensemble ; mais Faria meurt, léguant son trésor à Dantès, et lui procurant également la possibilité de s'enfuir : Dantès prend la place de Faria dans le linceul, qui est jeté à la mer.

Libre après quatorze ans de captivité, et désormais richissime, Dantès revient à Marseille pour y découvrir que sa fiancée a épousé Fernand. Dans sa prison, Faria lui avait dévoilé, par induction, le complot qui avait amené sa perte. Dantès, par une enquête menée auprès de Caderousse, s'assure des faits. Il tire Caderousse, le moins coupable, de la misère dans laquelle il était tombé, et récompense l'armateur Morrel, son seul ami, en le sauvant de la ruine, mais sans révéler son identité. Puis il part vers l'Orient.

On le retrouve en Italie, en 1838 sous le nom de comte de Monte-Cristo ; il y sauve, par le pouvoir qu'il exerce sur les bandits italiens, le jeune vicomte de Morcerf, qui est en fait le fils de Mercédès et de Fernand. Il s'introduit ainsi dans la haute société parisienne, et au cœur même du cercle de ses ennemis. Ceux-ci sont en effet tous devenus des sommités : Danglars est un banquier bien en cour, Villefort procureur du roi, Fernand, désormais comte de Morcerf, général et pair de France. Tous ont des crimes sur la conscience, et peu à peu, impitoyablement, Monte-Cristo, qui connaît leurs secrets, va amener leur ruine et la révélation honteuse de leurs forfaits : Fernand n'a acquis renommée et richesse qu'en trahissant son protecteur, le pacha de Janina, qu'il livra aux Turcs. Haydée, la fille du pacha, que Monte-Cristo a rachetée esclave et élevée comme sa fille, va le révéler publiquement à la Chambre des pairs. Grâce à sa fortune immense, Monte-Cristo ruine Danglars et fait épouser à la fille de Danglars un faux prince italien, Benedetto, qui se révélera, le jour du mariage, être un forçat. Benedetto, de plus, est le fils adultérin de Mme Danglars et de Villefort, que celui-ci, jadis, essaya de tuer au berceau. Tandis que Villefort est foudroyé par ces révélations faites au procès de Benedetto, sa femme, qui, poussée par Monte-Cristo, a empoisonné successivement plusieurs membres de la famille pour faire hériter son fils Édouard, se tue avec celui-ci pour échapper au châtiment public dont la menace Villefort. Celui-ci devient fou. Saisi de remords, Monte-Cristo fait grâce à Danglars, qu'il avait projeté de faire mourir de faim ; il épargne à Valentine de Villefort l'empoisonnement, car Valentine est aimée de Maximilien Morrel, le fils de l'armateur. Monte-Cristo donne Valentine à Morrel, et protège Albert, le fils de Mercédès. Puis, sa vengeance accomplie, il repart en Orient avec Haydée.

L. Queffélec

Sur la rédaction de l'ouvrage, Dumas précise (« l'État civil de Monte-Cristo », *Causeries*, volume I) que Maquet l'a aidé à mettre au point le plan général. Selon certains bibliographes, l'affaire est moins limpide : d'après Quérard, la première partie aurait été composée par Fiorentino, la seconde par Maquet. Il est acquis, de toute manière, que Maquet, là encore, est le collaborateur de Dumas : même si, sur le plan financier, cette satisfaction reste platonique, un jugement de 1858 lui reconnaît la qualité de coauteur pour *le Comte de Monte-Cristo*.

Ce roman a été probablement le grand succès de Dumas : il lui apporte l'opulence. Le livre a beau être volumineux, soutenu par des « trucs » souvent assez gros, parfois même simplistes, quand ils ne sont pas invraisemblables, le public « marche », et les éditions s'arrachent à mesure qu'elles paraissent. Pourquoi un tel triomphe ? On peut considérer d'abord que Dumas s'inscrit dans un genre romanesque à succès, celui auquel appartiennent, par exemple, *les Mystères de Paris* (1842-1843), autre phénomène de l'édition et du roman-feuilleton. Ce genre combine les avantages du roman noir et du roman policier, et Dumas en reprend les ingrédients traditionnels : complots, basse politique, meurtres, coups de théâtre, masques et cachots, mystères et révélations.

Mais la réussite du livre tient surtout au personnage de justicier qu'il met en scène : pur autant que les autres sont lâches et corrompus, il est le Bien s'opposant au Mal de façon manichéenne ; ou plutôt, il est celui qui, pour une fois, rend au crime et à l'injustice la monnaie de leur pièce, il est le surhomme (« Dieu n'a rien à me refuser »), l'athlète et le millionnaire qui se venge de la société et nous en venge par la même occasion. Dès lors, le romancier n'a plus qu'à utiliser cette sympathie que nous éprouvons pour Edmond Dantès, accumulant les obstacles qui menaceront son projet et retarderont l'échéance de quelques volumes. Car c'est bien cette notion de destin qui est au centre du roman, qui l'anime, de part en part ; c'est elle, enfin, qui lui donne son intensité dramatique : dès la première injustice, le mécanisme de la machine infernale est remonté et nous n'aurons de cesse qu'elle n'ait fait son œuvre, inexorablement, pour le malheur des méchants et le bonheur des lecteurs.

A. Preiss

DUMAS Alexandre

***Alexandre Dumas**, dit **Dumas fils** (1824-1895)*

Romancier et dramaturge, né à Paris, fils naturel d'une lingère et de l'auteur des *Trois Mousquetaires*, Dumas fils connaît à ses côtés la société mondaine qu'il va peindre et les puissants protecteurs qui vont abriter sa carrière. C'est ainsi que Marie Duplessis traverse son existence avant d'inspirer *la Dame aux camélias*, dont le duc de Morny lèvera la censure de l'adaptation théâtrale en 1852. Les nombreux conflits judiciaires qui opposent les parents d'Alexandre à son sujet le marquent profondément. Sa vie durant, il utilisera son œuvre – son théâtre surtout – comme une tribune, afin de réclamer deux lois dont la société a besoin : l'une, permettant la recherche de la paternité, remède à la prostitution ; l'autre, autorisant le divorce, remède à l'adultère. Dumas voue un culte à la maternité et à la femme, et fustige l'homme ; contre ce séducteur insouciant de naïves jeunes filles qui refuse de reconnaître ses enfants et les livre à l'opprobre, Dumas fils en appelle au législateur.

Il est convaincu qu'« il faut mettre le théâtre au service des grandes réformes sociales et des grandes espérances de l'âme », et invente la pièce à thèse. Dramaturge particulièrement fécond, il donne à ses pièces des titres tout à fait suggestifs : *le Demi-Monde* (1855), *la Question d'argent* (1857), *le Fils naturel* (1858), *Un père prodigue* (1859), *l'Ami des femmes* (1864). Il en choisit à l'occasion des moins transparents, pour des œuvres aux ambitions tout à fait comparables : la comédie du demi-monde et des mésalliances, de modernes paraboles de la femme adultère, les préjugés contre l'amour, « ce cinquième élément aussi indispensable que l'air, l'eau, la terre et le feu », tels sont les sujets de *Diane de Lys* (1853), *les Idées de Madame Aubray* (1867), *Une visite de noces* et *la Princesse Georges* (1871), *la Femme de Claude* et *Monsieur Alphonse* (1873).

Le débat lancé, l'auteur y revient, passionnément, dans d'abondantes préfaces ou de nouvelles œuvres dramatiques : *l'Étrangère* (1876), *la Princesse de Bagdad* (1881), *Denise* (1885), *Francillon* (1887).

Ses conceptions littéraires, pour sommaires qu'elles soient, ont au moins le mérite de la netteté : « L'auteur dramatique qui connaîtrait l'homme comme Balzac et le théâtre comme Scribe serait le plus grand auteur dramatique qui aurait jamais existé ». Pour Zola, cette profession de foi en fait un précurseur du théâtre naturaliste.

La Dame aux camélias : le dernier succès du drame romantique ?

Paradoxalement, Dumas fils doit son entrée au panthéon des lettres à une œuvre dont les aspects romantiques sont patents : *la Dame aux camélias*, roman qui arrache des larmes dès 1848, et qui lui vaudra le plus grand succès dramatique du temps, quatre ans plus tard, dans une adaptation où il a cherché, cependant, à gommer la coloration subjective que le roman tirait de sa forme pseudo-autobiographique, imitée de l'abbé Prévost, nourrie de Musset et imprégnée de la sensibilité d'un « enfant du siècle ». Jamais il ne parviendra, fût-ce en la dévalorisant, à se libérer de cette première et encombrante gloire : « Ami lecteur, j'ai écrit toutes ces comédies avec l'amour et le respect de mon art, sauf la première, que j'ai mise au monde en huit jours, sans trop savoir comment, en vertu des audaces et des bonnes chances de la jeunesse, et plutôt par besoin d'argent que par inspiration sacrée. »

SYNOPSIS

Le narrateur apprend, le 12 mars 1847, la vente des biens d'une courtisane morte récemment : « Je connaissais cette jeune fille de nom et de vue. » Le souvenir de Marguerite Gautier revient à sa mémoire : ses vingt-cinq ans, les camélias de sa parure, la maladie dont elle souffrait, son protecteur – un vieux duc –, et surtout ses traits : « Comment sa vie ardente laissait-elle au visage de Marguerite l'expression virginale, enfantine même, qui le caractérisait ? » Lors de la vente, le 16 mars, parmi « toutes les célébrités du vice élégant », il achète un exemplaire de *Manon Lescaut* mystérieusement dédicacé. Ses réflexions lui inspirent une vaste dissertation morale à l'intention des contemporains brouillés avec Voltaire et réconciliés avec la religion : « Le mal n'est qu'une vanité, ayons l'orgueil du bien, et surtout ne désespérons pas » (chap. I, II, III).

Deux jours après, il reçoit la visite d'un jeune homme, Armand Duval, qui lui fait lire une lettre émouvante, écrite avant sa mort par Marguerite, sa maîtresse, et le prie de lui céder le livre. Armand promet de raconter un jour son histoire, mais il disparaît pendant un temps assez long, tandis que la légende de la courtisane « bonne fille » obsède toujours le narrateur. Ayant retrouvé la trace d'Armand, il va le voir. Malade, celui-ci décide de faire exhumer Marguerite, « pour la revoir ». L'épreuve est très douloureuse pour le jeune homme (chap. IV, V, VI).

Aussitôt remis, il raconte ce moment où, dès qu'il voit Marguerite, il tombe amoureux d'elle. Deux ans après, il l'aime encore, et se fait introduire auprès d'elle par Prudence Duvernoy, sa modiste. « On reconnaissait dans cette fille la vierge qu'un rien avait faite courtisane, et la courtisane dont un rien eût fait la vierge la plus amoureuse et la plus pure ». Il manifeste son intérêt pour la jeune femme qu'entretient un vieux duc en la rejoignant dans la chambre où, hémoptysique, elle s'est retirée pour souffrir, et obtient un rendez-vous (chap. VII, VIII, IX, X). Il s'y rend, enthousiaste : « Comme l'amour rend bon ! »

Mais bien vite, les habitudes mondaines de Marguerite le chagrinent. Elle projette, pour passer l'été à la campagne avec Armand, d'obtenir de l'argent du comte de G... Jaloux, Armand écrit une lettre de rupture qu'il regrette aussitôt. Marguerite lui pardonne (chap. XI, XII, XIII, XIV, XV). Il lui offre son exemplaire de *Manon Lescaut* et part vivre avec elle, à Bougival, une idylle champêtre qui leur fait souhaiter une installation définitive. Elle obtient du duc l'argent nécessaire, à la condition qu'elle s'éloigne d'Armand. Elle refuse et retourne goûter avec son amant un bonheur insouciant : « L'existence n'est plus que l'accomplissement réitéré d'un désir continu, l'âme n'est plus que la vestale chargée d'entretenir le feu sacré de l'amour. »

Mais Armand découvre que Marguerite vend secrètement ses biens pour acquitter ses dettes (chap. XVI, XVII, XVIII, XIX). Il décide de payer à sa place, mais son père, inquiet, annonce son arrivée. Il ordonne à Armand de quitter Marguerite. En vain. Un soir, Armand trouve la maison vide et reçoit une lettre de sa maîtresse, qui lui conseille « d'oublier bien vite cette fille perdue qu'on nomme Marguerite Gautier » (chap. XX, XXI, XXII). Armand souffre toujours quand, de retour à Paris, il apprend que Marguerite a repris son ancienne vie. Pour se venger d'elle, il choisit de faire d'Olympe (la meilleure amie de la courtisane) sa maîtresse. Marguerite revient en larmes dans ses bras. Mais, cédant à nouveau à la jalousie, il lui adresse un mot cruel. Marguerite disparaît sans lui répondre. Il s'embarque pour l'Orient (chap. XXIII, XXIV).

Au moment de mourir, Marguerite lui écrit pour lui expliquer sa conduite : elle l'a toujours aimé, et elle ne s'est résolue à le quitter que sur la prière de M. Duval, le père d'Armand, désireux de préserver son fils de la ruine et sa famille du déshonneur. Le narrateur lit avec émotion les lettres retraçant la sainte mort de la jeune femme. « Je ne suis pas l'apôtre du vice, mais je me ferai l'écho du malheur noble partout où je l'entendrai prier » (chap. XXV, XXVI, XXVII). [La version dramatique s'achèvera sur ces paroles inoubliables : « Dors en paix, Marguerite : il te sera beaucoup pardonné parce que tu as beaucoup aimé. »]

Apôtre de la famille, Dumas fils condamne violemment la glorification romantique de l'adultère. La rancune qu'il garde envers son père, il paraît l'éprouver à l'égard d'*Antony*. Aux déplorations du jeune homme – « Ainsi l'anathème est prononcé. Il faut que le malheureux reste malheureux ; pour lui, Dieu n'a pas de regard, et les hommes de pitié... (*Antony*, II, IV) – Marguerite substitue la complainte d'une femme avilie par les hommes et rejetée par eux : « Ainsi, quoi qu'elle fasse, la créature tombée ne se relèvera jamais ! Dieu lui pardonnera peut-être, mais le monde sera inflexible ! » (*la Dame aux camélias*, III, IV).

Il n'empêche que cette générosité sublime, cette parenté qui mêle ange et démon, ce satanisme amer et séduisant dont les figures romantiques aiment se parer, Marguerite les possède. Le roman baigne dans un climat de fête libertine, macabre quand on y exhume le cadavre de l'amante, morbide quand s'y développe le thème de la maladie, expression physique d'une crise morale ; un ton de confession la colore. Verdi y trouvera matière à faire de *la Traviata* (1853) la célébration exclusive d'une passion, au détriment de tout projet édifiant.

Pour se garantir de tels débordements, l'auteur, dans la version dramatique, cherche un registre plus froidement réaliste, dépouille son drame jusqu'à n'en développer que les aspects les moins palpitants (dialogues alourdis de platitudes et nombreuses formules de la conversation mondaine) ou les plus pesamment moralisateurs. Aussi croit-il bon de donner plus de présence et de relief à Georges Duval – le père d'Armand – qui parle « comme un père », et d'introduire avec Gustave et Nichette, personnages de l'humanité moyenne, tirés de son roman *Antonine* (1849), l'image du bonheur familial d'un couple sage et sans tache.

Mais la censure ne s'y trompe pas : *la Dame aux camélias* dérange cet ordre moral que *Madame Bovary* et *les Fleurs du mal* bousculeront à leur tour. L'émotion ressentie, toutefois, l'emporte sur l'agacement des censeurs. Marguerite, pour avoir emprunté son prénom à la jeune amante de Faust, n'en choisit pas moins des voies plus rassurantes. Alors que les archanges de Berlioz rappellent cette dernière, fourvoyée parmi les hommes (« Remonte au ciel, âme naïve/Que l'amour égara »), l'héroïne de Dumas fils rejoint un type éternel, d'une dimension plus humaine : la courtisane rachetée par l'amour. Son camélia réhabilite le lis dont la marque flétrissait l'épaule de Milady. La fleur offerte à Armand pour fixer, en se fanant, le moment du premier bonheur s'épanouira sur la tombe de Marguerite, femme-fleur, avec plus d'éclat.

Dans ses autres romans – qui ne l'ont pas conduit à la notoriété – Dumas fils épanche ses dernières velléités romantiques à travers des récits fortement teintés de fantastique, de thèmes noirs ou de fantaisies historiques : *le Docteur Servans* (1849), *Tristan le Roux* (1850), *Trois Hommes forts* (1851), *le Régent de Mustel* (1852), *Sophie Printemps* (1853), *l'Affaire Clemenceau* (1866). Ou bien il jette les fondations de l'univers que son théâtre représentera plus amplement : *le Roman d'une femme* et *Antonine* (1849) en témoignent. Il fait même de certains romans les ballons d'essai de sujets qu'il portera à la scène : *la Dame aux camélias*, mais aussi *Diane de Lys* (1851) en sont des exemples.

Si l'on juge que son œuvre de dramaturge, pourtant condamnée à vieillir en même temps que les mœurs et les institutions, a davantage contribué, en 1874, à faire de Dumas fils l'académicien que son père, romancier devant l'éternel, ne fut jamais, on aura reconnu le seul mérite d'une telle méthode.

D. Giovacchini

Du Perron, cardinal Jacques Davy

(1556-1618)

Écrivain. Né à Val-de-Joux, en Suisse, d'une famille protestante originaire de Saint-Lô, il reçoit une solide éducation d'humaniste. Introduit à la cour par Desportes, il y brille par ses talents de poète et, en 1578, se convertit au catholicisme. Évêque d'Évreux en 1593, il se rallie à Henri IV et, en 1595 obtient à Rome la réconciliation du roi avec l'Église. Au printemps 1600, lors de la Conférence de Fontainebleau réunie sur ordre de Henri IV, il triomphe aisément des thèses que lui oppose le pasteur et théologien calviniste Du Plessis-Mornay sur la question de l'Eucharistie. Devenu le confesseur du roi et l'un de ses poètes officiels, il reçoit le chapeau de cardinal en 1604, devient archevêque de Sens en 1606 et sera admis au Conseil de régence en 1610. Cette rapide carrière est sans doute due à l'habileté politique du personnage et aux services rendus au monarque, mais elle s'explique encore par la séduction d'une éloquence religieuse souple et persuasive qui l'a fait surnommer par son adversaire d'Aubigné « M. le Convertisseur ». Parmi les nombreuses brebis égarées que la voix de Du Perron a ramenées au bercail de l'Église romaine, il n'est que de citer Jean de Sponde, converti dès 1593.

Champion d'une Contre-Réforme combative mais élégante et qui recourt rarement à l'anathème, Du Perron est aussi l'un des poètes les plus représentatifs de son temps. Publiées de son vivant dans divers recueils collectifs, dont *le Temple d'Apollon* (1611), ses *Poésies* furent rassemblées après sa mort dans les *Diverses Œuvres* (1622).

Dans son *Oraison funèbre* prononcée après la mort de Ronsard en 1586, il reconnaissait en celui-ci le premier écrivain qui eût porté la langue française à une sorte de perfection et consacré par là même son universalité. Toutefois, par son souci de pureté et de clarté, c'est de son contemporain Malherbe que Du Perron semble le plus proche. Il décrète Du Bartas « fort méchant poète » pour les métaphores réputées abusives que celui-ci affectionne et qui, descendant du genre à l'espèce, « dégénèrent en énigmes ». De fait, Du Perron semble s'en tenir à une discrétion toute classique, comme en témoigne sa poésie dévote : *Stances pour exciter à l'amour de Dieu, Cantique de la Vierge,* où il ramène les mystères de la typologie à une certaine sobriété. Mais par son goût de l'évanescence – il dresse ainsi un *Temple à l'Inconstance* « en l'air fondé sur les ailes du vent » – et par la mollesse de son vers, il manifeste en plus d'un endroit une sensibilité proprement « baroque ». Quand Mlle de Gournay veut s'attaquer au malherbianisme triomphant, c'est « la façon de parler de MM. Du Perron et Bertaut » qu'elle cite en exemple. Chez celui-là, elle savoure les allitérations expressives : « Au bord tristement doux des eaux je me retire », et surtout ce qu'elle nomme les « métaphores parfaites » et qui unissent deux objets contraires entre lesquels existe une secrète conformité. Dans le vers : « D'un fleuve de flambeaux à longs flots précédé », le « flic-flac » de la prosodie fait glisser par transposition le flottement de l'onde aux flammes – éléments évidemment antithétiques. Par ce recours à la « similitude forcée » et par sa prédilection pour les jeux émotionnels de la sonorité, Du Perron ne saurait être rangé parmi les classiques de stricte obédience.

F. Lestringant

DUPIN Jacques

(né en 1927)

Cofondateur en 1966 de la revue *l'Éphémère* avec Yves Bonnefoy, Paul Celan, Louis-René Des Forêts, André Du Bouchet, Michel Leiris et Gaëtan Picon, Jacques Dupin occupe une place majeure dans la poésie contemporaine dont son œuvre reflète depuis un demi-siècle les questionnements et les métamorphoses. Son écriture, d'une intensité souvent éprouvante et déconcertante, apparaît dominée par toutes les déclinaisons de la rupture. Aux formes brisées de ses poèmes, marqués par l'inachèvement et une constante perturbation de l'énoncé, répondent en effet les motifs récurrents de la faille et de l'embrasure. De plus, il convient pour cet « enfant du glas », commençant à écrire dans l'immédiat après-guerre, de rompre avec l'exaltation périmée de la poésie de la Résistance et l'évasion onirique d'un surréalisme à bout de souffle. Le titre de son recueil *Gravir* (1963) affirme donc la volonté de traduire une expérience brute du réel par une parole âpre et rugueuse, tandis que sa poésie, foncièrement instable et protéiforme, obéit à l'exigence d'un constant renouvellement.

Si ses premiers poèmes trahissent encore la forte influence de René Char qui préface son premier recueil, *Cendrier du voyage* (1950), les grandes « suites » des années 1960 révèlent toute l'originalité d'une poésie qui se désigne comme un « engagement cruel de l'esprit, et du corps ». Les poèmes repris dans le grand recueil *l'Embrasure* (1969) mêlent ainsi un mouvement réflexif de l'écriture et une errance toujours relancée dans un paysage aride. À cette embrasure emblématique succède bientôt un éboulement dévastateur, puisqu'une véritable dislocation du poème est le propre de son écriture à partir des années 1970. Assumant pleinement « non-sens » et « illisibilité », Dupin privilégie alors tous les procédés visant à déstabiliser le lecteur : les mots sont dispersés sur la page, la continuité syntaxique contrariée par une ponctuation inédite et le sens perturbé par des jeux verbaux qui exaltent le pouvoir suggestif des signifiants. Les douloureuses contorsions d'un corps meurtri, qui rappellent l'influence décisive d'Artaud sur son écriture, semblent appeler un tel démembrement du texte : les poèmes rassemblés dans *Dehors* (1975) témoignent d'un souci de subvertir le discours par une fragmentation brisant la lecture linéaire et l'infiltration corrosive d'un blanc disjoignant la phrase.

« Multiplier les lignes, qu'est-ce d'autre que refuser la signification et la certitude à une seule ? », s'interroge Dupin à propos de Giacometti. De même, sa poésie ouvre continuellement de nouvelles voies afin de répondre aux changeantes sollicitations d'une *injonction silencieuse*. Il a ainsi recours à l'écriture théâtrale avec sa pièce *l'Éboulement* (1977) afin d'évoquer le passage perturbateur et vivifiant d'un fugitif qui peut apparaître comme un double du poète. Mais l'intrigue n'est pas sans résonance politique : le personnage central de Thomas incarne la promesse d'une infiltration du *dehors* dans un monde clos et soumis à des règles immuables. C'est que toujours il importe d'« abattre le mur », selon une métaphore obsédante qui renvoie aussi bien aux régimes totalitaires qu'aux langages prisonniers de leurs codes arbitraires, voire à l'écriture elle-même si elle ne sait organiser sa propre contestation. Dire le mur tout en le contestant – c'est bien toute sa poésie qui pourrait se réclamer d'une formule lapidaire inspirée par Tàpies : « L'œuvre achevée : l'identification de la brèche et du mur. »

De fait, soucieux avant tout de n'être pas figé dans quelque forme acquise, Dupin paraît obéir à la seule loi d'un constant déplacement. Son lexique accueille une expression triviale aussi bien qu'un mot précieux et les évocations d'un paysage désertique n'excluent nullement un *parti pris des choses* qui réserve une place aux plus humbles présences. Et, si les signifiants débridés du recueil *De singes et de mouches* (1983) s'emploient à défaire la trame du texte, les vers plus apaisés de *Rien encore, tout déjà* (1990) se rapprochent de la prosodie traditionnelle. Son écriture, longtemps caractérisée par un certain retrait du sujet, est en outre marquée depuis la fin des années 1980 par une importance croissante de la part autobiographique et par le surgissement d'une tonalité lyrique nouvelle. Explicitement « tiré de soi », selon un texte d'*Échancré* (1991), le poème évoque à présent les traces indélébiles de l'enfance et la menace obsédante de la mort. On comprend alors que s'impose, dans son recueil *le Grésil* (1996), cette poignante définition : « le poème est la trajectoire/de la vie vraie dans un corps mort ».

Probablement faut-il chercher l'unité de cette œuvre, irréductible à une poétique arrêtée, dans un intérêt jamais démenti pour l'art moderne. En témoignent aussi bien son travail pour les galeries Maeght et Lelong que de somptueux livres illustrés, fruits d'une collaboration avec des peintres tels que Tàpies et Adami. Par ailleurs, les monographies consacrées à Miró et à Giacometti, ainsi que les textes esthétiques recueillis dans *l'Espace autrement dit* (1982), donnent à entendre un dialogue extrêmement fertile avec les artistes contemporains. Car ces véritables poèmes en prose refusent la distance analytique pour mieux mettre en évidence une essentielle proximité entre le geste créateur et la dynamique de l'écriture, deux pratiques jumelles qui admettent également « la contestation comme principe de création ».

V. Hugotte

DU PLAISIR

(XVIIe siècle)

Il a existé un abbé Du Plaisir au XVe siècle et un Julien Du Plaisir, qui fut maréchal des logis au temps de Charles IX. Mais le Du Plaisir qui publia, en 1683, les *Sentimens sur les lettres et sur l'histoire, avec des scrupules sur le style* et, l'année suivante, le petit roman de *la Duchesse d'Estramene* nous est absolument inconnu. Langlet-Dufresnoy se demande même « si ce nom est vrai ou supposé ». Pourtant, c'est bien à un sieur Du Plaisir que fut accordé, le 20 mars 1683, le privilège pour les *Sentimens*. Cet ouvrage fut commenté dans le *Journal des savants*, et, surtout, *le Mercure galant* s'appliqua, dans plusieurs numéros, à le lancer systématiquement. On pourrait en induire que Du Plaisir était sans doute lié au clan qui dirigeait cette gazette (Donneau de Visé, Thomas Corneille, Fontenelle). En tout cas, il retomba, après que ces publications eurent cessé de paraître, dans un oubli total, d'où il ne devait sortir qu'à notre époque.

Précédés des essais ou des réflexions de Huet, de Valincourt, de l'abbé de Charnes, de Fontenelle, les *Sentimens* constituent peut-être la meilleure théorie du roman tel que le concevait la génération de 1680. Après les interminables volumes de La Calprenède ou de Madeleine de Scudéry, on demande maintenant un récit court, dépouillé d'épisodes et d'ornements, écrit en un style simple et succinct. L'histoire (récente, de préférence) donne sa caution à l'aventure qui nous est narrée. La psychologie importe plus que la peinture des « objets sensibles ». Le ton doit être neutre, la narration rapide, les bienséances et les vraisemblances respectées. Il faut peu d'acteurs. « On ne récite plus dans les romans » – c'est-à-dire que toute l'histoire doit nous être contée par l'écrivain, sans qu'il fasse intervenir de récitants pour orner et compléter sa narration.

Dans *la Duchesse d'Estramene*, Du Plaisir voulut sans doute illustrer sa doctrine. Il se souvient de *la Princesse de Clèves*, mais cherche plus de sécheresse et d'austérité. En fait, l'« histoire galante » devenait entre ses mains une sorte d'histoire allégorique. La crédibilité risquait de s'évanouir à force de dépouillement ; Bayle et, plus tard, Pavillon furent assez sévères pour cette nouvelle : l'action ne leur parut pas toujours bien justifiée, ni surtout les mobiles des personnages bien clairs.

Depuis 1940, on a réhabilité Du Plaisir. Il mérite sans aucun doute d'être lu, mais peut-être ne mérite-t-il pas les éloges un peu fastueux qu'on lui a parfois décernés.

A. Niderst

DUPONT Pierre

(1821-1870)

Poète-ouvrier, Pierre Dupont, né près de Lyon, est d'abord canut, puis commis de banque. Il écrit quelques poèmes, reçoit les encouragements de Lebrun et compose des chansons au contenu rustique et prolétarien. Sa célébrité commence dès les années 1840 ; il se lie avec Murger, Banville et Baudelaire. Son plus grand titre de gloire est *le Chant des ouvriers*, écrit en 1846, qui devient un véritable hymne de la révolution de 1848.

« Quand j'entendis cet admirable cri de douleur et de mélancolie, je fus ébloui… », écrira Baudelaire. Cette *Marseillaise* du peuple véhicule les thèmes essentiels des idéologies de l'époque, chant militant dont les couplets énoncent le lamento de la condition ouvrière : misère et inhumanité du travail, exploitation des hommes-machines, prolétariat écrasé et saigné par les tyrans. Le refrain, par contre, se fait entraînant et joyeux :

Aimons-nous, et, quand nous pouvons
Nous unir pour boire à la ronde,
Que le canon se taise ou gronde,
Buvons, buvons, buvons
À l'indépendance du monde.

Dupont complète ce texte par un *Chant des soldats* (1849) et un *Chant des étudiants* (*id.*) :

Le socialisme a deux ailes :
L'étudiant et l'ouvrier.

Mais juin 1848 le désoriente ; il n'hésite pas à proclamer :

Ce n'est pas sans avoir saigné
Que notre capitale est sauvée ;
Grâce au canon, l'ordre a régné.
On a traqué la bête fauve.

Condamné par Louis-Napoléon pour un *Chant des paysans* antibonapartiste, il implore sa grâce, l'obtient, sombre dans l'alcoolisme et se voit abandonné par ses derniers amis pour une dernière flagornerie à l'égard de l'empereur. Il glorifie les guerres impériales :

La France est avec l'Angleterre ;
Le droit est avec nos canons...

faisant ainsi apparaître rétrospectivement son *Chant des ouvriers* comme un éclair de lucidité entre la philosophie de pacotille de ses débuts (« Le bien est l'esclave du mal ») et la navrante dérive de celui qui fut le chantre de la dignité ouvrière. Ses œuvres, après les *Poésies* (1842), ont paru de 1851 à 1859 (*Chants et Chansons*, 1851-1854 ; *la Muse populaire*, 1851 ; *Chants guerriers*, 1855 ; *la Muse juvénile*, 1859).

G. Gengembre

DURANTY Louis Émile Edmond

(1833-1880)

Romancier. Fils naturel d'Émilie Lacoste et de Louis-Edmond Anthoine, auditeur au Conseil d'État, celui qui prit le nom de Louis-Émile (parfois de Louis-Edmond) Duranty entra dans le groupe de Champfleury après une brève carrière administrative, et fit paraître avec Jules Assézat et Thulkié la revue *Réalisme*, qui soutenait Courbet et son « école » mais n'eut que six numéros (1856-1857) [voir **Réalisme**]. Grâce à Champfleury, auquel le livre est dédié, Duranty publia son premier roman, *le Malheur d'Henriette Gérard*, chez Poulet-Malassis (1860). Mais le succès romanesque tourna court : *la Cause du beau Guillaume* (1862) ne se vendit pas et *les Combats de Françoise Duquesnoy* furent publiés à compte d'auteur (1873). Deux recueils de nouvelles parurent encore : *les Six Barons de Sept-Fontaines* (1878, grâce à l'appui de Zola) un an après *les Séductions du chevalier Navoni* (1877). Parallèlement, Duranty avait dirigé le théâtre des marionnettes du jardin des Tuileries, dont il publia le répertoire (1862), et il écrivit une comédie en un acte, *Mademoiselle Pomme*, qui, arrangée par Paul Alexis, fut jouée pour l'inauguration du Théâtre-Libre, le 30 mai 1887.

Mais c'est surtout comme journaliste et critique d'art (à *Paris-Journal*, 1869-1872, à *la Gazette des beaux-arts*, 1872, et aux *Beaux-Arts illustrés*, 1876) que Duranty s'imposa. À l'appui des discussions que tint, d'abord au café Guerbois, plus tard à la Nouvelle-Athènes, le groupe des nouveaux peintres (Manet, Degas, Fantin-Latour...), il consacra une des premières études d'ensemble à l'impressionnisme naissant, qu'il rattachait au réalisme : *la Nouvelle Peinture. À propos du groupe d'artistes qui expose dans les galeries Durand-Ruel* (1876).

De fait, suivant de peu les succès de Champfleury, contemporaine des romans des Goncourt, suivie de près par *les Rougon-Macquart*, l'œuvre romanesque de Duranty arrivait mal à propos : il fallut, après 1879, attendre 1942 pour que soit entreprise la réédition du *Malheur d'Henriette Gérard*, préfacée par Jean Paulhan, et celle de *la Cause du beau Guillaume* (rééditée auparavant, avec quelques libertés, par Félix Fénéon, en 1920). Pourtant, le travail du romancier, qui marquait une transition, était loin d'être sans intérêt. De Champfleury, Duranty retenait les caricatures (Corbie, M. Gérard, Dieudonné Mathéus, Cardonchas et Euronique), l'abondance des dialogues, la brièveté des descriptions, peut-être la sentimentalité ; mais la construction d'une histoire aux dénouements abrupts était plus resserrée, et surtout l'analyse psychologique des personnages principaux plus approfondie. À la manière des héros stendhaliens, Émile Germain, Henriette Gérard et Louis Letourneur expriment et analysent leurs inquiétudes : ils n'ont rien toutefois de l'aisance d'un Fabrice ou d'un Lucien Leuwen, rien de l'énergie d'un Julien Sorel. Issus de la bourgeoisie, petite, moyenne ou grande, Émile Germain, Louis Letourneur, Philippe Allard (*les Combats de Françoise Duquesnoy*) sont assez médiocres, et les héroïnes – Henriette Gérard, Lévise Hillegrin, Françoise Duquesnoy – peut-être trop parfaites. Mais la peinture des conflits provenant des différences sociales entre les familles des amoureux ne manque pas de force, en particulier l'évocation de l'oppression familiale d'Henriette Gérard, asphyxiée par l'autorité d'une mère, la mesquinerie d'un frère, la faiblesse d'un père et la convoitise d'un oncle. Et, d'autre part, la mort tragique des personnages ne les tire pas de leur condition moyenne : c'est en cela que réside la « modernité » de Duranty – non tant dans l'analyse de l'amour naissant que dans la déconstruction du modèle héroïque, dans la description des énergies qui retombent et des aventures qui s'embourbent.

A. Pierrot-Herschberg

DURAS Claire de

Claire de KERSAINT, duchesse de DURAS *(1778-1828)*

Née à Brest, Mlle de Kersaint connaît deux expériences dramatiques, la décapitation de son père, le capitaine de vaisseau comte de Kersaint, et l'émigration avec sa mère à la Martinique, ensuite à Londres, où elle épouse le duc de Duras. Puis c'est le retour en France après Brumaire, la vie retirée pendant l'Empire au château d'Ussé et surtout l'amitié de Mme de Staël et l'amour platonique de Chateaubriand, qui entretient avec sa « chère sœur » une abondante correspondance. La Restauration voit la nomination de Duras comme maréchal et l'installation à Paris, où la duchesse tient un salon assez fermé auquel l'admission tient lieu de consécration mondaine.

C'est l'époque où Mme de Duras utilise son influence au profit de Chateaubriand, qui lui doit ses ambassades en Suède et à Berlin et son envoi au congrès de Vérone, et se consacre à une activité de romancière, prenant place dans un important courant de littérature féminine, courant que notre époque réhabilite en écartant les préjugés qui n'y voyaient que littérature de salon et tendres émois de désœuvrées.

Trois romans, dont l'un, resté inédit jusqu'en 1971, sera l'objet d'un scandale, assurent à la duchesse une grande célébrité : *Ourika*, en 1823, *Édouard*, en 1824, et un roman épistolaire, *Olivier ou le Secret*. Au-delà de la mode qui s'empare d'*Ourika* (il y aura des pièces, des collerettes et des bonnets « à la Ourika » ; on surnommera les deux filles de Mme de Duras « Bourika » et « Bourgeonika »), ce récit, dans lequel une jeune Sénégalaise conte ses malheurs au médecin qui la soigne dans le couvent où elle s'est retirée, possède de réelles qualités littéraires. Il s'organise autour d'une passion impossible : élevée dans le raffinement par la maréchale de Beauvau, Ourika goûte le bonheur dans la solitude campagnarde et tombe amoureuse de Charles, petit-fils de la maréchale. La reprise de la vie mondaine suscite le mariage de Charles et de la noble Anaïs, d'où naît un fils. Ourika, malade, veut mourir. Convaincue par la marquise de *** qu'elle nourrit un amour coupable, elle se retire au couvent.

L'obstacle représenté par la race dans *Ourika* prend dans *Édouard* la forme de la différence de classes. Cette longue nouvelle se présente comme un manuscrit laissé à un compagnon par un jeune homme tué pendant la guerre de l'indépendance américaine. Édouard, fils d'un grand avocat, est introduit par son père chez le maréchal d'Olonne. Recueilli par celui-ci à la mort de son père, Édouard va vivre dans l'intimité de la duchesse de Nevers, fille du maréchal, mariée à douze ans, et veuve dans sa vingtième année. La disgrâce d'Olonne provoque l'exil au château de Faverange, où des vœux sont échangés. Des bruits malveillants, l'infranchissable barrière de classes entraînent le départ d'Édouard, qui se fait tuer en Amérique après avoir appris par une coupure de journal la mort de Mme de Nevers à la suite d'« une mystérieuse langueur ».

Le scandale d'*Olivier* tient à la nature du thème sinon explicite, du moins suggérée : l'impuissance sexuelle. Les conversations de salon, les allusions murmurées derrière l'éventail déterminent Hyacinthe Thabaud de Latouche, éditeur de Chénier, directeur de *la Pandore*, à publier en 1826 un *Olivier* anonyme et à l'attribuer à la duchesse, laquelle n'ose plus faire éditer le sien. Stendhal reprendra le thème pour *Armance*, en faisant de l'impuissance le symbole de l'inadaptation sociale de la noblesse.

Le thème commun aux trois romans, le bonheur illusoire issu d'une enfance privilégiée, brutalement contrarié par un monde bloqué qui provoque la chute dans la solitude, la maladie et la mort, malgré une plage heureuse de réminiscences, permet la composition d'un drame entièrement psychologique, où se révèle une image de la femme comme figure de liberté défendant la cause du bonheur dans le mariage que le monde compromet, le couple « paisible union et éternel amour » (lettre 34 d'*Olivier*) se définissant comme partage quotidien et transparence des consciences. À défaut de cette réalisation, la mort (« Après une vie innocente, le même cercueil nous réunira tous deux », lit-on dans *Olivier*) apparaît comme plénitude et amoureuse fusion.

Peut-être la Révolution, durant laquelle les femmes ont déployé une grande énergie, et la Restauration, qui les fait revenir à une condition assujettie, dans l'inaction des salons, expliquent-elles cette place de l'amour et ces tendances masochistes, qui feront dire à Sainte-Beuve : « Les barreaux de la cage garantissent la sincérité de l'envol. »

Après deux autres romans non édités, *le Moine de Saint-Bernard* et les autobiographiques *Mémoires de Sophie*, après des *Pensées de Louis XIV* et des *Réflexions et prières* (1827 et 1829), Mme de Duras meurt elle aussi de langueur à Nice. Chateaubriand dira d'elle dans ses *Mémoires d'outre-tombe* qu'elle était une « personne si généreuse, d'une âme si noble, d'un esprit qui réunissait quelque chose de la force de la pensée de Mme de Staël à la grâce du talent de Mme de La Fayette ».

G. Gengembre

DURAS Marguerite

Pseudonyme de ***Marguerite DONNADIEU*** *(1914-1996)*

Peut-on dire Marguerite Duras ? Dire ce qu'elle ne dit pas : « On ne dira jamais le tout… », mais qu'elle laisse entendre à travers toute son œuvre, dans une obsédante continuité : cette part de silence et d'interdit, ce mépris de la parole vaine, cette attente, comme dans l'hésitation ou le recueillement, avant d'énoncer ? Romans, théâtre, films : des textes d'une extrême tension, une écriture limite entre les questionnements de l'incertain et l'éclatement du vrai, entre l'absolu dépouillement et l'envahissement du désir ; une prose hachée, travaillée comme un scénario, faite d'indications neutres, de dialogues plats, étrangement violents, parce que, épurés de tout bavardage, ils se vident jusqu'à l'essentiel.

Née à Gia-Dinh (Cochinchine française), Marguerite Duras passe en Indochine toute sa jeunesse, dont l'atmosphère et les événements l'ont profondément marquée. Son père, professeur de mathématiques, meurt très jeune (« Mon père, je ne l'ai pas connu. Il est mort j'avais quatre ans. Il a fait un livre sur les fonctions exponentielles, que j'ai perdu »). Enfant, avec ses deux frères, dont le cadet, qui sera le Joseph du *Barrage contre le Pacifique*, elle parle le vietnamien et mène la vie pauvre et libre des petits indigènes. Sa mère, institutrice, complète ses ressources en jouant du piano à l'Éden-Cinéma. Plus tard, elle achète une petite concession au Cambodge, une terre incultivable (« Elle l'ignorait complètement, qu'il fallait soudoyer les agents du cadastre pour avoir une terre cultivable… Ce n'était pas une terre, c'était une terre envahie par l'eau six mois de l'année. Et elle a mis là-dedans vingt ans d'économie. Elle a donc fait construire ce bungalow, elle a semé, elle a repiqué le riz, au bout de trois mois le Pacifique est monté et on a été ruinés. Et elle a failli mourir, elle a déraillé à ce moment-là… De colère, d'indignation… »). Ce drame, elle le transcrira presque exactement dans *Un barrage*… ; toujours, l'eau qui détruit l'obsédera.

À dix-huit ans, elle arrive à Paris ; études de droit, de mathématiques, de sciences politiques. Rencontre de Robert Antelme, son premier mari ; puis, en 1942, de Dionys Mascolo dont elle aura un fils, Jean. Elle adhère alors au parti communiste, mais le quittera par la suite.

Sa vie, dès lors, se confond avec la littérature. Elle y « entre » en 1943 avec un premier roman, *les Impudents*. *Un barrage contre le Pacifique*, publié en 1950, sera porté à l'écran par René Clément en 1957 ; *le Marin de Gibraltar*, 1952, sera également adapté au cinéma. Mais c'est avec *Les Petits chevaux de Tarquinia* (1953) et *Moderato cantabile* (1958 ; film de Peter Brook, 1960), et surtout avec ce qui fut la révélation du Festival de Cannes 1960, *Hiroshima mon amour*, tourné par Alain Resnais, que Marguerite Duras s'est imposée comme l'une des figures majeures de la littérature actuelle. Dans le domaine romanesque, un nouveau stade a été franchi avec *le Ravissement de Lol. V. Stein* (1964), qui inaugure le cycle d'Anne-Marie Stretter, et avec les textes sur l'Inde (*le Vice-consul* [1965], *la Femme du Gange* [1973], *India Song* [1973], *Son nom de Venise dans Calcutta désert* [1976]). Alors se fixe un type d'exploration romanesque, cinématographique ou scripturale qui semble être définitivement la manière durassienne – ce que viendra encore confirmer *l'Amant*, ouvrage autobiographique couronné par le prix Goncourt en 1984.

L'Amant

Réunissant dans un même texte les éléments autobiographiques qui, depuis *Un barrage contre le Pacifique*, ont nourri les situations des romans et du théâtre de Duras, *l'Amant* est une exploration affective ; mêlant les temps, actualisant le passé en le repoussant aux confins de la mémoire, se percevant elle-même comme une figure distanciée et lointaine (« elle »), tantôt éprouvant l'illusion de l'identité retrouvée (« je »), Marguerite Duras construit une succession de réminiscences, de retours en arrière, toujours évoqués puis réexaminés à partir d'un élément catalyseur déterminant : la première expérience amoureuse vécue en Indochine, à quinze ans et demi avec un jeune et riche Chinois. Parallèlement à cet amour, décisif, inoubliable, qui situe les deux amants aux limites de la jouissance et de la conscience de la mort, reparaissent les impressions de l'adolescence, se définissent les rapports établis avec quelques êtres déterminants : la mère, veuve, institutrice, qui se ruinera dans une irréaliste mise en valeur de terres incultivables ; le frère aîné, « un voyou de famille », exploiteur sadique et solitaire qui retient l'essentiel de l'affection maternelle ; le « petit frère », être lointain, et fragile, objet de l'amour « insensé » de sa sœur. Et puis les amies : Hélène Lagonelle, figure de la beauté, du désir inconscient recouvert par l'acceptation du statut social et familial, les compagnes plus tardives du Paris de la guerre. Véritable psychanalyse, le déroulement fragmentaire du livre éclaire brutalement les événements qui ont constitué la vie affective, tandis que le flux des circonstances conventionnellement biographiques (études, examens, mariages, publications…) est laissé dans l'ombre ; texte sans chronologie fixe ni linéaire, qui fournit aussi une explication indirecte de l'émergence des thèmes durassiens : l'exacerbation et la douleur de la jouissance, la puissance du cri, du silence et du désir qui les réunit.

C'est à la richesse du *Ravissement* que Jacques Lacan rendait hommage en ces termes : « Marguerite Duras s'avère savoir sans moi ce que j'enseigne. » Aussi bien les critiques l'incluent-ils généralement, à cette époque, dans le groupe des « nouveaux romanciers ». Certains procédés, il est vrai (traitement du personnage, renouvellement des formes narratives et scripturales), pourraient les y autoriser. Mais le projet demeure autre. Une même œuvre, chez Marguerite Duras, peut être à la fois « texte, théâtre, film », c'est-à-dire une relance réciproque de l'image et de la parole. *Des journées entières dans les arbres* (1954), sa pièce la plus connue, procède de cette triple dimension. Également le texte de *Détruire, dit-elle*, dont le titre, en 1969, souligne l'inscription révolutionnaire de bouleversements… immobiles. Pareil « immobilisme » apparaît plus clairement encore dans les films que Duras réalise elle-même : « Je voudrais reprendre le cinéma à zéro, dans une grammaire très primitive… très simple, primaire presque : ne pas bouger, tout recommencer »… « Rester au même endroit, filmer au même endroit », c'est-à-dire l'endroit de la passion. « Là où on est sourd et aveugle »… Là encore, bouleversante lenteur des images : la passion, la beauté, la mort prennent le temps de se donner à lire (*India Song*).

Du silence au désir

L'essentiel n'est jamais un personnage. À travers des noms dont les consonances, par leur banalité française – Anne Desbaresdes, Chauvin – ou leur caractère étranger – Lol. V. Stein, Tatiana Karl, Michael Richardson, Anne-Marie Stretter, Vera Baxter –, exercent, comme chez Proust, une puissance évocatoire, c'est toujours l'avatar d'un désir, qu'il s'agit de nommer : « Qu'est-ce qui est possible ? demande Stein. – Le désir, dit Max Thor, avec cette chose-là, le désir. » Moments de rupture, où le jeu cesse (ce jeu de cartes, peut-être, qui, dans *Détruire, dit-elle*, figure la comédie sociale, lorsque Stein rend son nom véritable, son nom de jeune fille, à Mme Alione). Et s'installe la peur de se reconnaître, de devoir soudain être soi. Ainsi, dans *Moderato cantabile* : « Élisabeth rit. Ils la regardent. – Élisabeth Villeneuve, dit Stein. Le rire s'espace. Elle les regarde chacun à leur tour. De l'effroi arrive dans ses yeux. Le rire cesse. » Ce type de révélation peut aller jusqu'à l'intolérable. C'est ainsi que, dans la séparation de la nuit, Anne Desbaresdes, prisonnière d'une soirée bourgeoise, et l'homme qui, dehors, rôde devant son parc vivent l'aveu de cette même « faim », irréductible, atroce. Ce centre absolu, point focal de toute convergence, refuse d'être masqué : nulle épaisseur « psychologique » ne brouille la transparence, la vacuité requises chez le personnage. Engagé dans un processus de dépossession, juif, exilé, fou, ce dernier peut se réduire à n'être plus qu'une voix, « un nom sans sujet » (*Aurélia Steiner*, 1979), ou cette « force arrêtée, déplacée vers l'absence » que figure, dans *l'Amour*, la femme de la plage. Des gestes, des pas, des mots. Et des silences, plus signifiants que toute parole. Dans *l'Amant*, l'entendement et les mots se heurtent au mystère du corps, à l'inextricable histoire de l'amour et de la haine, « lieu au seuil de quoi le silence commence » ; d'où cet aveu de l'écrivain : « Je n'ai jamais écrit, croyant le faire, je n'ai jamais aimé, croyant aimer, je n'ai jamais rien fait qu'attendre devant la porte fermée. »

Et les réminiscences, si fréquentes dans le théâtre de Duras (*Agatha* [1981], *Savannah Bay*), restent des actes douloureux, « où rien n'est sûr », où l'espace et le temps se fragmentent, comme dans les anamnèses éparses qui constituent la narration de *l'Amant* ; nulle continuité où repérer son identité ; les deux femmes de *Savannah Bay* tentent vainement de reconstruire un événement qui composerait la matière même de la représentation qu'attendent les spectateurs. Peine perdue : « la pièce ne sera jamais écrite. Alors, autant mourir », affirme Madeleine. On ne saura jamais, personne n'a jamais su pourquoi, à Lahore, le vice-consul criait la nuit, de son balcon ; pourquoi il tirait sur l'obscurité de ses jardins pleins de lépreux, de fous et de chiens errants. Ni pourquoi, à la fin d'*India Song*, Anne-Marie Stretter ira mourir dans la mer indienne. Pourquoi, dans *l'Amour* (1971), ce voyageur et cette femme qu'on dit folle entreprennent ce retour impossible vers S. Thala incendiée et leur mémoire malade.

« Du côté du cri… »

Tout au plus ressent-on comme l'impérieuse nécessité de ces conduites qui, soudain, transgressent l'ordre et son presque synonyme, la raison : une souffrance souvent indicible et qui ne peut se résoudre que dans la folie, justement, dans le cri. « Il appelait la mort sur Lahore », parce que Lahore était la mort, la souffrance insupportable, « l'impossibilité de vivre à cause de la souffrance ». Pour le vice-consul, qui ne sait « que crier » – « et qu'ils le sachent, au moins, qu'on peut crier un amour » –, l'instant paroxystique sera dans cet appel désespéré, mais scandaleux, public, lancé en pleine réception – « Gardez-moi près de vous. Une nuit. Ne me laissez pas… » – à cette femme de l'ambassadeur de France, Anne-Marie Stretter, glacée dans une impossible complicité. C'est encore sur un cri que Lol. V. Stein, au terme d'une nuit de bal, se voit « enlever » son fiancé Michael par une autre, la même fascinante Anne-Marie Stretter. Cris de la mère et de la fille, dans *l'Amant* : aveux d'une communication affective impraticable. Cris d'une jouissance intériorisée, refoulée, interdite entre Agatha et son frère. Cri de mort interminable qui traverse *Moderato cantabile*, cri de la jeune Française tondue à Nevers, dans *Hiroshima mon amour*, sur son amour mort et l'horreur de devoir vivre, condamnée à la mémoire. Crier – écrire : une équivalence ? Fixer, a-t-on dit, cette « incapacité d'être » ?... « Je me souviens de ça, ça ne m'était jamais arrivé avant. J'écrivais, et tout d'un coup j'ai entendu que je criais, parce que j'avais peur… C'était une peur… apprise aussi, une peur de perdre un peu la tête » (M. Duras et Michelle Porte, *les Lieux de Marguerite Duras*, 1977). Car la folie, dans l'univers de Marguerite Duras, se fait l'expression la plus logique de la révolte. Au « comment vivre ? » que crie doucement Alissa, au « qu'allons-nous devenir ? » de son amant Stein, répond le « Je deviens folle » d'Élisabeth Alione. La même folie qui, dans le *Vice-consul*, a saisi la mendiante de Calcutta, abrutie par dix ans d'errance et de misère. Et qui n'est pas très éloignée de l'ivresse que procure l'alcool, en d'autres lieux ; ni de la mort, physique ou mentale : « Je voudrais que vous soyez morte, dit Chauvin. – C'est fait, dit Anne Desbaresdes » (*Moderato cantabile*).

Dans *Un barrage contre le Pacifique*, l'auteur, déjà, rendait lisible une révolte immense et totale, obstinée, non seulement contre la mer, figure de l'impuissance humaine, mais contre le monde, la prison sociale, et contre le désespoir du quotidien.

Écrire, détruire

Car le quotidien est invivable. Il y a, dans les textes de Marguerite Duras, le monde des riches et celui des pauvres. Il y a la misère des Indes, celle des mendiants et des enfants morts, il y a les humbles des *Eaux et Forêts* (1965), il y a les barrières sociales entre la femme du patron et l'ouvrier. Le pauvre n'a rien que sa faim, que son désir. Mais le riche, du côté des palaces, des tennis, des luxueuses villégiatures, dans l'ennui des réceptions, l'étirement de l'oisiveté, manque tout autant l'essentiel, qui est encore son désir. En quoi le propos durassien ne manque pas d'être, à sa façon, politique. Dénoncer, détruire. Par exemple le confort, l'argent ; ce dépérissement physique et moral d'Élisabeth Alione, douce bourgeoise de province enlisée dans les cadres vides d'un couple sans vérité, d'une société sans devenir : « Vous pourriez n'écouter personne, dit Alissa avec douceur, faire à votre guise. – Élisabeth Alione sourit. – Je n'en ai pas envie » (*Détruire, dit-elle*). Ou « l'ordre rigoureux et glacé » de Lol. V. Stein, mariée, emmurée volontaire dans la ponctualité d'une vie répétitive. Écrire les frustrations et les violences affectives sécrétées par une vie de famille déchirante, où l'amour ne se vit que dans la contradiction, le rejet, le sadisme latent : le frère aîné de *l'Amant* « souffre de ne pas faire le mal », la mère, qui ignore l'amour de sa fille, « ne s'aperçoit de rien, jamais, elle est à enfermer, à battre, à tuer ». Détruire, par la mort, la vie vide (J. Lacan) d'Anne-Marie Stretter traînant ses amants inutiles. Refuser les conventions dans lesquelles s'étouffe Anne Desbaresdes. Significatives à cet égard sont dans l'œuvre les nombreuses scènes de vomissement.

C'est pourquoi le texte se charge si souvent d'une attente infinie : attente inconsciente, effrayée, de la rencontre qui bouleversera tout l'être et pourra, au même instant, détruire et libérer. Cette attente parcourt toute l'histoire de Lol V. Stein, jusqu'au jour où fait irruption dans sa vie le couple libérateur, ces amants auxquels elle peut enfin s'intégrer, qu'elle peut enfin « voir » : « Elle n'est pas le voyeur. Ce qui se passe la réalise » (Jacques Lacan).

Le Ravissement de Lol. V. Stein

SYNOPSIS

Le Ravissement de Lol. V. Stein se situe à la frontière de la lucidité et de la déraison. Le récit s'ouvre sur un bal – et sur un cri : à l'aube, dans ce casino de S. Thala où il n'a dansé qu'avec l'autre, Lola Valérie Stein voit partir, la quittant pour toujours, son fiancé, Michael. L'incompréhension est totale, la folie proche. Et puis Lol. se marie très vite et s'enferme dans une vie irréprochablement ordonnée. Elle rencontre, un jour, son ancienne amie, Tatiana Karl. Celle-ci a un amant, Jacques Hold. À son tour, Lol. va séduire Jacques ; mais l'essentiel de sa libération naîtra de pouvoir les épier, couchée dans un champ de seigle, où elle s'endort, sereine, sous la fenêtre de l'hôtel où ils se rejoignent chaque jour. « Les voir. » Comme elle n'a pas pu « voir » les autres.

Dans *Détruire, dit-elle*, Max Thor et Alissa, de même, laissent ouverte la fenêtre de leur chambre, pour que Stein puisse les voir. De là aussi, dans l'œuvre autobiographique, le rêve d'un accomplissement amoureux par le corps, visible, distancié, d'un double féminin : « ce serait par le détour du corps d'Hélène Lagonelle [...] que la jouissance m'arriverait de lui, alors définitive » (*l'Amant*). L'amour et sa violence ne se vivent pleinement que dans l'éblouissement quasi racinien des yeux, jouissance d'autant plus tragique que l'homme n'en perçoit pas l'intensité évidente : « Il regarde toujours sans voir ce qui se présente à ses yeux, l'éblouissement de la lumière, l'air qui tremble » (*l'Homme assis dans le couloir*, 1949). Par les yeux, la vie, la mort s'entrelacent, l'Autre se charge de mystère : « Puis vous découvrez que ce n'est pas la couleur des yeux qui serait à jamais la frontière infranchissable entre elle et vous, [...] non, mais le regard » (*la Maladie de la mort*, 1982).

Ailleurs, dans un autre regard, c'est la rencontre, attendue quatorze ans, d'Hiroshima meurtrie, pour y vivre, y revivre plutôt, l'Amour, l'amour unique et dont on ne guérit jamais, l'amour dont on portait en soi l'oubli, c'est-à-dire la mémoire. Rencontre, par l'image (la scène, le film ?), de la vérité du regard, destruction des mensonges.

Écrire, décrire : les lieux

Et il n'est pas étonnant que la découverte, par l'amour essentiellement, de la liberté, cette métamorphose de la vieille conscience en un autre soi-même, s'expérimente dans le symbole de lieux qui sont des limites : franges et marges du monde ancien vers le nouveau, de la terre vers la mer, de la ville vers la forêt. Duras affectionne les parcs, les squares, les bords de mer et les demeures sans âge. L'ambassade de Calcutta est un de ces lieux limites, avec ses jardins et ses tennis, où le vieux monde blanc vient aboutir à l'autre monde : à la mer, au Gange, au grouillement de la ville indienne. Blanches y sont les femmes, parce qu'« elles ne sortent que le soir », cloîtrées tout le jour dans la pénombre protectrice de leurs maisons ; et le parc bien clos, rassurant, les sépare de la forêt, lieu des terreurs irraisonnées. Car les lieux n'existent que dans le regard qui les contient (cf. le passage sur les tennis, dans *Détruire, dit-elle*). Ce sont les personnages qui disent la mer et ses odeurs (voix des jeunes filles dans *la Femme du Gange*, le frère et la sœur dans *Agatha* (1981), ou les deux amants de *la Maladie de la mort*), la forêt, la lumière. L'auteur pose à peine un décor elliptique : « Jour. Huitième. Soleil. La chaleur est venue » (*Détruire, dit-elle*). Ou bien : « D'autres orages éclatent. Rideaux de pluie ensoleillée, partout au-dessus de la mer. Il se met à regarder les rideaux de pluie » (*l'Amour*). Mais l'économie descriptive rend totale la présence des images.

Voix et rythmes : les femmes, la musique

Rien d'étonnant, non plus, à ce que ces transformations de l'être et du regard passent, presque toujours, par les femmes. La figure féminine est, chez Duras, plurielle. Épouse, amante, mère. La plupart ont un mari ; et des amants (au moins en rêve, telle Anne Desbaresdes, regardant, de sa fenêtre, passer les hommes) ; et des enfants, qu'elles aiment. Multiples traversées pour un accomplissement total qui est désordre : « Elle s'appelle Alissa, dit-elle, ces deux-là sont ses amants » (*Détruire, dit-elle*). Scandale de la passivité, de l'absolue béance : « Elle est à celui qui la veut. Elle éprouve ce que l'autre éprouve. Oui » (*id.*). Disponible toujours.

Par cette écriture qui remplit des vides, dans ces lieux et ces corps, tout naturellement la durée s'installe de droit, le temps coule sans précipitation, dans la lenteur infinie des passages indiscernables, des modifications secrètes. Et un rythme se fait entendre – émissions syncopées, silences, reprises et contrepoints des dialogues – comme une respiration nouvelle, réapprise, dont les mouvements seraient décomposés ; une musique secrète et comme détachée de l'image, qui s'insinuerait dans l'écart. On se rappelle, au début d'*Hiroshima mon amour*, le récitatif célèbre, étrange incantation sur les images de la ville martyre. Plus saisissante encore de beauté plastique, *India Song* déplace des personnages muets et des paysages lents sur un fond de musique et de voix *off*. Car la musique, partout présente dans les textes comme dans les films, assourdie par les dialogues, reparaissant dans les silences – cf. la musique du film *Baxter, Vera Baxter* (1977), la réapparition obsédante de la chanson « les Mots d'amour » dans *Savannah Bay* –, joue chez Duras un rôle essentiel : figurer l'inaccessible pureté du langage, comme un langage d'éternité. « Et la musique m'épouvante aussi. Je pense qu'il y a dans la musique un accomplissement, un temps que nous ne pouvons pas actuellement recevoir... La musique, ça me bouleverse... Bien sûr, on ne peut pas parler de la musique..., etc. » (*les Lieux de Marguerite Duras*).

De cet univers durassien, où le silence se fait musique, où l'absolu naît de l'infime, où la vérité peut être mensonge, les images qui demeurent, réfractées dans ces miroirs si nombreux qui renvoient à l'infini du regard (comme dans *India Song*), sont des images de présent. Rien n'a jamais été dit. L'écriture, ici, refuse l'euphorie narrative avec le triomphe de l'amour (il n'y a pas d'amour heureux chez Marguerite Duras), parce qu'elle se situe dans ce travail de l'instant, dans ces passages à la lumière, dans la métamorphose elle-même. Comme pour la « modification » chez Butor, c'est une métaphore de l'acte créateur.

Moderato cantabile

SYNOPSIS

C'est un tempo, celui d'une sonatine de Diabelli que joue, chez son professeur, l'enfant d'Anne Desbaresdes. Un jour, la leçon est interrompue par « un cri très long, très haut, qui s'est arrêté net, alors qu'il était au plus fort de lui-même ». Dans le café, un crime a eu lieu ; couché sur la femme qu'il vient de tuer, un homme répète « Mon amour, mon amour »... Chaque jour, désormais, Anne Desbaresdes revient dans ce café, où elle rencontre, témoin lui aussi du drame, un des ouvriers de son mari, Chauvin. Ils boivent et ensemble imaginent l'amour impossible de cet autre couple. Rien, entre eux, n'aura lieu que cette construction d'une histoire, à travers laquelle Anne et Chauvin découvrent leur propre désir.

A. Arnaudiès

DU RYER Pierre

(1600 ?-1658)

Tombé aujourd'hui dans l'oubli, Pierre Du Ryer fut considéré par ses contemporains et par son immédiate postérité comme un chef de file, on l'a parfois même comparé à Corneille.

Né à Paris vers 1600, Du Ryer fit des études de droit. Il occupa successivement la charge de secrétaire de la chambre du roi et celle de conseiller et secrétaire du roi et de ses finances. En 1633, il vendit sa charge, se maria et devint secrétaire du duc de Vendôme. Il occupa ce poste jusqu'en 1641, date à laquelle le duc fut obligé de s'enfuir après avoir été accusé d'une tentative d'empoisonnement contre Richelieu. Sans protecteur et sans fortune, devenu veuf entre-temps, Du Ryer traversa une période difficile, pendant laquelle il semble qu'il ait vécu de traductions du latin et du grec. Après s'être remarié, il se réinstalla à Paris, fut élu à l'Académie française en 1646 ; il obtiendra une charge d'historiographe du roi dans les dernières années de sa vie.

Du Ryer écrivit pour le théâtre pendant plus de vingt ans, et il sut s'adapter à l'évolution des principes dramatiques. Peu préoccupé des unités lorsque les doctes commencent à s'y référer, il s'est d'abord consacré à la tragi-comédie, qu'il marque de ses inventions et de son originalité. Puis, quand la tragédie s'impose, il obtient plusieurs succès dans ce genre, avant de revenir brièvement à la tragi-comédie à la fin de sa carrière.

Jusqu'en 1634, ses huit premières pièces (six tragi-comédies, une pastorale, une comédie) reflètent bien le goût du temps pour les aventures romanesques. Du Ryer contribue à imposer un genre tragi-comique fertile en rebondissements et indifférent aux règles. Il semble qu'il ait rapidement trouvé le succès : la plupart de ses pièces figurent au répertoire de l'Hôtel de Bourgogne et sont citées dans le *Mémoire* de Mahelot, plusieurs dessins des décors prévus pour leur représentation sont parvenus jusqu'à nous de ce fait. Dès sa première tragi-comédie (*Arétaphile*, 1628), il construit une intrigue où l'action politique et les péripéties amoureuses sont étroitement imbriquées. *Clitophon* (1629) se caractérise par la grande abondance des obstacles, vrais ou faux, auxquels les amants sont confrontés au cours de la longue quête amoureuse qui les entraîne dans plusieurs pays. *Argénis et Poliarque*, tragi-comédie en deux journées (1629), offre également une intrigue d'une extrême complexité, avec de nombreux rebondissements et des lieux multiples. Du Ryer compose ensuite *Alcimédon* (1632), seule pièce à respecter la règle des vingt-quatre heures, et *Cléomédon* (1634). *Lisandre et Caliste* (1630) retient l'attention parce que l'intrigue s'y déroule dans des lieux familiers bien connus des spectateurs parisiens (ce qui deviendra une mode) ; ainsi, comme le précise le décorateur, « il faut, au milieu du théâtre, le Petit Châtelet de la rue de saint-Jacques et faire paraître une rue où sont les bouchers ». *Amarillis* (1631) est une pastorale dans le goût de l'époque. *Les Vendanges de Suresnes* (1633), seule comédie de Du Ryer, est plaisante par son langage ; elle marque une sorte d'hésitation entre la pastorale, dont elle cherche à se dégager, et la comédie de mœurs naissante.

Après 1634, le genre tragique est au goût du jour, et Du Ryer se plie sans efforts apparents aux exigences « classiques ». Il écrit six tragédies en l'espace d'une dizaine d'années : *Lucrèce* (1636), *Alcionée* (1637), *Saül* (1639), *Esther* (1642), *Scevola* (1644) et *Thémistocle* (1646). Dès *Alcionée*, il se plie au modèle des théoriciens, au point que l'exigeant abbé d'Aubignac le cite en exemple dans sa *Pratique du théâtre* : « Une pièce qui n'aura presque point d'incidens mais qui sera soutenue par d'excellens discours, ne manquera jamais de réussir ; nous en avons l'exemple dans l'*Alcionée* de M. Du Ryer, il n'y eut jamais de tragédie moins intriguée, et pourtant en avons-nous vu peu qui ayent eu un plus favorable succez ». Influencé par Corneille, Du Ryer sut cependant imposer son œuvre propre. *Scevola*, au sujet patriotique, obtint un tel succès que, créée par l'Illustre-Théâtre, elle passa au répertoire de l'Hôtel de Bourgogne après sa publication et, de 1681 à 1747, fut jouée cinquante fois à la Comédie-Française.

Ses deux dernières œuvres, *Dynamis* (1649) et *Nitocris* (1650), sont des tragi-comédies, genre qu'il n'avait jamais abandonné (*Clarigène*, 1637, et *Bérénice*, 1644). Mais ici, la tragi-comédie s'est assagie et se rapproche de la tragédie, en dépit de quelques souvenirs romanesques dans l'intrigue.

J.-P. Ryngaert

DUTOURD Jean

(né en 1920)

Prisonnier en 1940, il réussit à s'évader, entre dans la Résistance et participe, avec sa femme Camille Lemercier, à la libération de Paris. Après la guerre, il se met à peindre ; l'encre étant moins chère que l'huile, avoue-t-il plaisamment, il quitte bientôt le pinceau pour la plume. Son premier essai, *le Complexe de César* (1946), qu'il qualifie de « fanfaronnade », est bien accueilli : « un maître livre », écrit Roger Caillois. Après les fortunes diverses d'un traité sur la séduction, *le Petit Don Juan*, et d'un roman, *Une tête de chien* (1950), situé en Angleterre où Dutourd est attaché aux services français de la B.B.C. (1947-1950), le succès de ses ouvrages suivants – *Au bon beurre* (1952, prix Interallié), scènes de la vie parisienne sous l'Occupation, *Doucin* (1955), *les Taxis de la Marne* (1956), pamphlet politique et récit picaresque de la campagne de juin 1940, *l'Ame sensible* (1959) – gagne à l'auteur un vaste public, qui bientôt pourra aussi l'apprécier comme critique dramatique de *France-Soir*. Un échec aux élections en 1958 le détourne de la politique active. C'est désormais en polémiste, en chroniqueur (toujours à *France-Soir*, où Pierre Lazareff créa pour lui une chronique de télévision en 1970, cf. *Cinq Ans chez les sauvages*, 1977), par la politique-fiction (*Mascareigne*, 1977) qu'il se mêle à la vie de la cité. L'œuvre de ce travailleur acharné compte encore plusieurs essais, *le Fond et la Forme* (1965), *l'École des jocrisses* (1970), *le Paradoxe du critique* (1972), *Un ami qui vous veut du bien* (1981), réplique aux lettres anonymes que lui vaut son esprit caustique, et de nombreux romans : *les Horreurs de l'amour* (1963), *Pluche ou l'Amour de l'art* (1967), *le Printemps de la vie* (1972), *Mémoires de Mary Watson* (1980), autobiographie imaginaire de l'épouse du collaborateur de Sherlock Holmes, *Portraits de femmes* (1991) et *l'Assassin* (1993), une critique du mythe du « bandit d'honneur » inspirée par le gangster Mesrine. Dutourd est également le traducteur d'Hemingway (*le Vieil Homme et la Mer*), de Truman Capote (*Les muses parlent*) et de Chesterton (*l'Œil d'Apollon*). Il a été élu à l'Académie française en 1978 et depuis lors il ne cessera de se faire l'avocat du parler bien, s'intéressant à Rivarol dont il présente (1998) le *Discours sur l'université de la langue française* et déplorant le fléau d'un nouvel hermétisme dans *À la recherche du français perdu* (1999). Entre 1981 et 1986, il se range dans une opposition allègre au gouvernement socialiste avec notamment *le Socialisme à tête de linotte* (1983), *le Septennat des vaches maigres* (1984) et *la Gauche la plus bête du monde* (1985), recueil de chroniques aux formules souvent paradoxales : « Aujourd'hui la crise est aggravée par la stabilité. »

Pratiquant un humour « britannique » qui consiste à « se dénigrer soi-même et nier ses qualités les plus évidentes » (*les Horreurs de l'amour*), Jean Dutourd s'applique, lorsqu'il parle de lui, à la plus extrême modestie ; « souriceau » de la fable, victime de l'« esprit de l'escalier », il use de la litote pour déprécier ses actes de courage (les situations « incommodes » de la Résistance). Mais l'humour devient ironie pour traquer chez autrui lieux communs, jargons à la mode et conformismes de tous bords, l'enflure (le coq gaulois, ce « volatile venimeux »), l'esprit de sérieux qui figent la pensée en idéologie, la personne en personnage. Il exalte en revanche les différences qui signalent un caractère : l'inattendu, le surprenant de la démarche gaullienne (*le Vieil Homme et la France*, 1994), la discrétion de Stendhal se noircissant lui-même comme Lamiel cachait son visage sous le vert de houx. Les pesanteurs sociales sont parfois si étouffantes qu'elles tuent les âmes : il y a quelques monstres dans l'œuvre de Dutourd (*Au bon beurre ; Doucin ; Mascareigne*), mais surtout des lâches et une foule d'« imbéciles ». Dutourd se refuse la facilité des opinions aux contours précis : « En fait, je n'avais pas d'idées du tout », confesse-t-il en évoquant ses mésaventures politiques, « tout juste des sentiments » (*Discours de réception à l'Académie*). Plus précieuse que ses positions conservatrices (sensibles encore dans *Henri ou l'Éducation nationale*, 1983 ; *le Séminaire de Bordeaux*, 1987 ; *Ça bouge dans le prêt-à-porter*, 1989), est pour lui la « petite musique » qui parfois se fait entendre dans un livre. Son style est fait d'une mobilité, à la fois structurée et entretenue par une sensibilité qui craint avant tout la duperie des « idées », des dogmatismes (*les Dupes*, 1959 ; *le Bonheur et autres idées*, 1980 ; *le Mauvais Esprit*, avec J.-E. Hallier, 1985, insolentes variations à quatre mains qui n'épargnent aucun homme politique, et *Journal des années de peste 1986-1991*, 1997, qui renouvelle le procès). Ses qualités – au nombre desquelles il compte paradoxalement la paresse – s'expriment avec bonheur dans son œuvre de journaliste, car le journalisme « peut mener, quand on y reste, à être un moraliste, un pamphlétaire, un philosophe » (prière d'insérer de *Cinq Ans chez les sauvages*). En 2000, son autobiographie, *Jeannot, Mémoires d'un enfant*, rassemble les souvenirs d'un petit garçon désemparé par la mort d'une mère (« pendant plusieurs années, l'état d'orphelin m'inspira de la honte »), d'un adolescent rêvant parmi les pavillons de l'Exposition coloniale ou s'enchantant de Max Linder sur Pathé-Baby. Mais ces Mémoires d'un bon élève qui lit Xénophon dans le texte sont aussi un éloge de l'oisiveté et des chemins de traverse.

M.-A. de Beaumarchais

DU VAIR Guillaume

(1556-1621)

Né à Paris, d'une famille de vieille noblesse auvergnate, il est licencié en droit à quatorze ans, fait le voyage d'Italie, devient à son retour maître des requêtes du duc d'Alençon, puis, en 1584, conseiller-clerc au Parlement. Après la journée des Barricades (13 mai 1588), Du Vair, alors favorable aux Guise, reste à Paris et tente de réconcilier la Ligue avec Henri III. Dans son *Exhortation* de 1592, il invite Henri de Navarre à abjurer, pour hâter le retour de la paix. Le 28 juin 1593, il prononce sa célèbre *Suasion pour la manutention de la loi salique*, qui, après le vote favorable du Parlement, annule par avance les menées de la Ligue pour faire élire au trône de France l'Infante d'Espagne. Apparaissant dès lors comme le chef de file des « Politiques », il prépare l'entrée du Béarnais à Paris. Henri IV, reconnaissant, le nomme maître des requêtes et lui donne mission de rétablir l'ordre en Provence (1596). Devenu premier président de la chambre d'Aix, il se lie avec Peiresc et avec Malherbe (dont il encourage la carrière et qu'il invite à traduire les *Lettres* de Sénèque à Lucilius). Il est enfin nommé garde des Sceaux par Louis XIII en 1616, et il occupera cette charge, mis à part une courte disgrâce, jusqu'à sa mort. À la fois homme d'action et magistrat, et l'un des premiers personnages politiques de son temps, Du Vair est l'auteur d'une œuvre oratoire importante et de plusieurs traités de philosophie morale inspirés du stoïcisme antique. Dans des ouvrages comme *la Philosophie morale des stoïques* (1585), *De la sainte philosophie* (1587) et le traité *De la Constance et consolation ès calamités publiques*, inspiré de Juste Lipse (1594), il soumet le pessimisme hérité de Sénèque ou d'Épictète – auteur qu'il a du reste traduit – à la confiance dans la Providence divine. Par les éléments de sagesse concrète qu'il prétend livrer, sous la forme dialoguée le plus souvent, Du Vair occupe l'une des premières places avec Charron (et, dans une certaine mesure, avec Montaigne) dans ce courant néo-stoïcien qui conduira à définir plus tard la morale aristocratique du Grand Siècle.

Plus connu pour ses « actions » oratoires, Du Vair a défini, dans son traité *De l'éloquence française* (1594), le style grave et sérieux emprunté à la rhétorique latine classique. Dans ses amples périodes bien rythmées, agrémentées d'images rares mais précises, il n'hésite pas à recourir à la violence de l'expression pour restituer leur poids émotionnel à des clichés trop attendus. Ainsi, dans son *Oraison funèbre de Marie Stuart* (1587), évoque-t-il, avec un art consommé de la mise en scène, l'échafaud paré de noir, l'oreiller de velours et la grande hache : trilogie d'objets qui donne à voir, plutôt qu'à entendre, tout le récit de l'exécution. Aussitôt après, c'est la tête coupée de la reine qui est pour ainsi dire jetée au regard, « toute sanglante, la bouche ouverte, les yeux sillés, et les cheveux si blonds hydeusement espars ». L'évocation de cette sainte Gorgone, catholique et royale, soudain exhibée dans la solennité de l'hommage funèbre, fait penser à l'éloquence qui aurait été celle d'un Bossuet de l'âge baroque, et qui parvient ici à la réussite d'une hallucination parfaitement maîtrisée. Plus assagie, la vigoureuse *Suasion* de 1593 n'en multiplie pas moins les traits pathétiques, tels que ces Parisiens enragés de faim, qui « battent leur testes contre les murailles » et rongent les os de leurs pères.

F. Lestringant

E

ECHENOZ Jean

(né en 1947)

Après une enfance et une adolescence en Provence, Jean Echenoz vient étudier la sociologie à Paris avant de travailler dans le secteur médico-social. Personnage particulièrement discret de la vie littéraire, il apparaît cependant comme la figure de proue d'une nouvelle avant-garde – encore que les connotations militaires de ce terme conviennent mal à une activité romanesque placée sous le signe de l'ironie et de la légèreté.

Significativement, le premier roman d'Echenoz, *le Méridien de Greenwich* (1979), se situe dans la mouvance du nouveau roman : priorité aux recherches formelles, abstraction narrative, expérimentation de nouveaux cadres poétiques, stylistiques et descriptifs. Mais le romancier n'élimine ni les personnages ni l'histoire : il parle de la réalité contemporaine, des décors de la banlieue, d'une société désorientée de gens ordinaires perdus dans un monde technicisé dont ils n'ont pas la clé.

Avec *Cherokee* (1983, prix Médicis), *l'Équipée malaise* (1986) et *Lac* (1989), le propos se précise. Empruntant malicieusement ses intrigues aux genres romanesques de la culture de masse, le roman policier, le récit exotique ou le roman d'espionnage, Echenoz, jouant de toutes les ressources de l'ambiguïté et de la dérision, entreprend à la fois d'en utiliser les ressorts et d'en gripper les mécanismes. Il procède à une mise en critique de nos représentations – de la vie, de la mort, de l'amour, du fonctionnement social, de l'histoire avec et sans majuscule, des valeurs morales – telles que les ont formées et déformées notre civilisation moderne, l'exploitation commerciale des désirs et des besoins, la mondialisation des images et des sons. Mais au contraire de la littérature militante qui agit par dénonciation – toujours récupérable par le système –, Echenoz utilise des moyens littéraires non oratoires : la dérision douce, l'absurdité logique, la description sous un éclairage inédit, le décalage entre le réel et le verbal. Il ne s'oppose pas aux fausses représentations, il les dissout dans l'étrangeté ou la drôlerie.

Nous trois (1992), *les Grandes Blondes* (1995), *Un an* (1997) et *Je m'en vais* (1999, prix Goncourt) marquent une nouvelle étape dans l'invention critique. Sans abandonner ses jeux avec les genres populaires, le roman-photo, la science-fiction, le journalisme, sans renoncer à ses mises en scène de la banalité et des idées reçues contemporaines, Echenoz exerce sa verve et sa virtuosité d'écriture sur la matière même de nos représentations, le langage. Celui des mots bien sûr et des phrases, mais aussi celui de l'environnement sonore qui nous traverse et nous alimente, celui des images, celui des ordinateurs qui nous transportent, peut-être définitivement, hors du réel.

L'aliénation, telle qu'on la décrivait encore dans les années d'après-guerre, a pris désormais un autre visage, celui de la domination anonyme, collective, totalitaire de nos gestes, de nos pensées, de nos sentiments. Echenoz ne cesse de chercher une langue, nécessairement légère, mobile, inventive, paradoxale, qui permette de prendre ses distances avec la tyrannie de la civilisation de masse.

P. Lepape

ELIADE Mircea

(1907-1986)

Mircea Eliade est né à Bucarest (Roumanie). Après des études à l'université de cette ville, il séjourne plusieurs années aux Indes (1928-1932), étudie le sanskrit à Calcutta, s'initie au yoga (*Techniques du yoga*, 1948) et aux grandes philosophies orientales. De retour à Bucarest, il fonde, peu avant la Seconde Guerre mondiale, la revue *Zalmoxis* et s'oriente vers la mythologie comparée. Attaché culturel à Londres (1940), puis à Lisbonne (1941), il s'installe ensuite en France, où il est nommé professeur à l'École des hautes études, et acquiert la nationalité française. À partir de 1957, il enseigne à l'université de Chicago où il fonde la célèbre revue *History of religions*. À partir de 1976, il commence à publier son *Histoire des croyances et des idées religieuses* (3 vol.).

Mircea Eliade se veut « historien des religions ». Toutefois, son originalité réside précisément dans sa vaste culture qui lui permet d'aborder l'étude des mythes, du symbolisme, de l'ésotérisme, non en tant que simple historien, mais en tant que comparatiste, à travers les signes qui témoignent du fait religieux dans son ensemble (*Traité d'histoire des religions*, 1949). Si, par ailleurs, Eliade s'est intéressé à divers domaines particuliers – *le Chamanisme et les Techniques archaïques de l'extase* (1951), *Forgerons et Alchimistes* (1956) –, son goût personnel le porte essentiellement, à l'instar de Dumézil, à rassembler dans de vastes synthèses les traits dominants des diverses mythologies, cosmogonies ou même des idéologies, qui lui permettent d'aborder le fonctionnement du sacré dans ses formes primitives, initiatiques (*le Mythe de l'éternel retour*, 1949 ; *la Nostalgie des origines*, 1971) aussi bien que dans la mentalité de l'homme moderne (*le Sacré et le Profane*, 1965). À son œuvre scientifique, rédigée en français, s'ajoutent des *Fragments d'un Journal*, des poèmes et des nouvelles en langue roumaine.

B. Valette

Éloquence révolutionnaire

« L'éloquence révolutionnaire sera aussi célèbre que la tribune d'Athènes et celle de Rome » : l'affirmation de Louis-Sébastien Mercier, l'auteur de l'*An 2440* et du *Tableau de Paris*, lui-même député à la Convention, est sans doute discutable, mais il est certain que, sous la Révolution, l'éloquence, cantonnée jusque-là, en France, dans les limites de la chaire et du tribunal, a retrouvé sa vocation première, qui est politique. De 1789 à 1795, le verbe a régné en maître dans les assemblées nationales, les clubs, les tribunaux, la rue, à Paris comme dans la moindre bourgade. Tous les grands moments de la Révolution trouvèrent leur origine ou leur sanction dans la parole éloquente, persuasive ou brutale, de quelques-uns qui surent entraîner les autres. Ce n'est pas un hasard si toutes les grandes figures politiques de cette époque, les Mirabeau, Brissot, Vergniaud, Danton, Robespierre, Saint-Just, furent de grands orateurs, et si leur chute fut entraînée par l'impossibilité où les mirent leurs adversaires de prononcer le discours qui aurait pu tout changer. Lire le compte rendu des débats des États généraux, de la Constituante, de la Législative, de la Convention, des clubs des Jacobins et des Cordeliers, c'est déchiffrer, derrière une rhétorique sublime ou ridicule, les affrontements où s'est joué en dernière analyse le destin de la France en ces années capitales.

Les sources de la rhétorique révolutionnaire

Dès les premières séances des États généraux, les orateurs firent preuve d'une aisance oratoire et d'une expérience des choses parlementaires qui ne peuvent étonner que ceux qui ignorent ce qu'étaient l'éducation et la culture d'un homme du XVIIIe siècle. Dans les collèges, chez les jésuites en particulier, les études culminaient avec la classe de rhétorique, où les élèves s'exerçaient à la « dilatation, amplification et composition des discours » et apprenaient à imiter les grands modèles classiques dans les recueils de *Contiones*. On retrouve dans tous les discours de la période révolutionnaire une référence constante, obsédante, à la forme et au contenu des sources oratoires antiques – latines, en particulier –, et Marx a bien montré, au début du *18-Brumaire de Louis Bonaparte*, comment les hommes de 1789 empruntèrent leurs noms, leurs mots d'ordre, leurs costumes aux Romains de la République. Taine, qui était très hostile à la Révolution, cite, dans *les Origines de la France contemporaine*, des exemples de ce qu'il appelle des « gentillesses de cuistre », des « prosopopées de rhéteur ». « Conçoit-on, écrit-il, que le rapporteur d'une loi qui va exiler ou emprisonner quarante mille prêtres apporte en manière d'argument des niaiseries aussi boursouflées que celle-ci ? "J'ai vu dans les campagnes les flambeaux de l'hyménée ne jeter plus qu'une lueur pâle et sombre, ou changer en torches des furies, le squelette hideux de la superstition s'asseoir jusque dans la couche nuptiale, se placer entre la nature et les époux, et arrêter le plus impérieux des penchants... Ô Rome, es-tu contente ? Es-tu donc comme Saturne, à qui il faut tous les jours des holocaustes nouveaux ?... Partez, artisans de discordes ; le sol de la liberté est fatigué de vous porter. Voulez-vous aller respirer l'air du mont Aventin ? Le vaisseau de la patrie est déjà prêt ; j'entends sur le rivage les cris impatients des matelots, le vent de la liberté enflera les voiles ; vous irez, comme Télémaque, chercher votre père sur les mers ; mais vous n'aurez pas à redouter les écueils de Sicile ni les séductions d'une Eucharis." »

À des hommes entraînés dès leur enfance aux joutes oratoires et qui, pour une bonne part, étaient des avocats (le comte de Saint-Simon a vu, dans cette prééminence des hommes de loi bavards et « métaphysiciens », la cause principale de l'échec de la Révolution), les œuvres des « philosophes » du XVIIIe siècle fournirent à la fois des idées et des modèles de style : le *Contrat social*, l'*Émile* et la *Profession de foi du vicaire savoyard* « ont été débités par tranches à la tribune des assemblées » (Aulard). Avec Rousseau, Montesquieu (surtout chez les Constituants), Diderot, Mably, Raynal furent les grands pourvoyeurs des orateurs révolutionnaires en thèmes et arguments politiques, sociaux, religieux et moraux.

Nous connaissons les discours des intervenants par un certain nombre de publications : *le Moniteur ou Gazette nationale*, de Maret, qui reproduit tous les discours écrits et analyse les discours improvisés ; le *Journal des États généraux*, de Le Hodey, qui deviendra le *Journal logographique* ; *le Républicain universel* (plus tard *le Républicain français*), le *Journal des débats et des décrets*. Plusieurs journaux publiaient aussi les comptes rendus des séances du club des Jacobins. Les discours, dans les débuts de la Constituante surtout, étaient entièrement écrits, puis lus ou déclamés, et les séances ressemblaient plus à des concours de déclamation qu'à des débats parlementaires comme les Anglais les pratiquaient depuis longtemps. Peu à peu, le ton devint plus libre et de véritables discussions s'instaurèrent, exigeant des orateurs une grande capacité d'improvisation et de réplique. Les luttes oratoires atteignirent leur sommet de septembre 1792 à juin 1793, avec l'affrontement entre Girondins et Montagnards. C'est le moment où le goût de l'éloquence politique se répand dans le peuple et tourne à la manie : « Qui n'est pas orateur ? Qui ne songe pas à être orateur ?... Aussi c'est à qui s'exercera à l'art de la parole dans les clubs, dans les sociétés patriotiques et jusque dans les tripots littéraires : on y imite en petit la formation du corps législatif ; on y crée un président, une sonnette et des secrétaires ; on y demande la parole ; on y fait des motions, des amendements ; on consulte la majorité ; et, comme dans les grandes assemblées, la minorité, toujours plus active, plus opiniâtre et toujours mieux liée, l'emporte le lendemain » (L.-S. Mercier).

Après le 2 juin 1793, les Montagnards régnèrent sans partage, les opposants se turent et les luttes intestines entre les chefs de la Montagne n'eurent plus la tribune pour théâtre. Elles se dénouèrent devant le Tribunal révolutionnaire, où l'éloquence militante fit entendre, avec Vergniaud et Danton, ses derniers accents. La dictature de Robespierre mit à la mode les sermons politiques, prononcés devant des députés muets qui manquaient défaillir si Robespierre, ajustant ses besicles, les regardait trop longuement. Un nouveau genre se développa alors, le rapport, dans lequel un responsable, au nom d'un comité, annonçait ses intentions ou commentait ses résultats. Il exigeait une éloquence plus sèche et plus précise (Saint-Just y excellait) et préfigurait les proclamations de l'Empire.

Les orateurs de la Constituante

Le plus grand est sans conteste Mirabeau dont les discours étaient souvent écrits par des secrétaires, mais qui les transfigurait par son génie de la déclamation et par une action calme et grave, bien éloignée de la gesticulation furieuse qu'on lui prête parfois. Mais Mirabeau ne manque pas de rivaux de qualité. À droite, il y a l'abbé Maury, prédicateur célèbre, auteur d'un *Essai sur l'éloquence de la chaire,* au style violent et populaire, et Cazalis. Au centre droit, dans les rangs des monarchiens, il faut citer Malouet et Clermont-Tonnerre, et au centre gauche, chez les Constitutionnels, Thouret, dialecticien subtil, Sieyès, éloquent pamphlétaire mais orateur décevant, l'abbé Grégoire, simple et direct, le pasteur Rabaut Saint-Étienne, calme et solide, La Fayette, orateur médiocre à l'Assemblée mais capable de galvaniser les foules au milieu d'une émeute, et surtout Barnave, un avocat, le seul capable d'improviser un discours, presque aussi admiré que Mirabeau. À gauche, un autre avocat, venu d'Arras, se distingue par des discours à l'éloquence d'apparat qui provoquent la moquerie de ses collègues. « Il ira loin, il croit tout ce qu'il dit », prophétise Mirabeau. Il s'appelle Robespierre, on le retrouvera à la Convention.

Les orateurs de la Législative et de la Convention

La Gironde, dit Michelet, « était propre à la presse, aux discours, et rien de plus ». Le fait est qu'elle produisit de grands orateurs. De Warville, dit Brissot, le « penseur de la Gironde », qui a été l'un des fondateurs de la *Société des amis des Noirs,* en 1788, est un orateur populaire aux Jacobins et à l'Assemblée. Son long discours de janvier 1792 pour justifier l'entrée en guerre de la France restera célèbre, mais son chef-d'œuvre est sans doute sa défense devant le Tribunal révolutionnaire, dont on ne possède qu'un compte rendu tronqué. Vergniaud est le plus grand orateur de la Gironde, l'un des plus admirés de toute la période révolutionnaire. Ses discours, soigneusement construits selon les règles classiques et non dépourvus d'une certaine complaisance (« un vain batelage », dira Marat), ont volontiers recours à des répétitions obsédantes : « Nous, modérés ! » ou bien encore « Vous êtes des imposteurs ! » C'est Vergniaud qui a parlé de la Révolution comme d'un « Saturne dévorant successivement tous ses enfants ». Condorcet, ami des Girondins sans faire partie de leur groupe, orateur timide et froid, se défie de l'éloquence, en quoi il voit « le germe d'une corruption destructive ». L'écrit, la presse, qui donnent le temps de la réflexion, lui semblent de meilleurs moyens d'« éclairer » le peuple que des discours enflammés, propres seulement à l'émouvoir. La Gironde compte encore d'autres talents : Buzot, tumultueux ; Louvet, l'auteur de *Faublas,* au style sobre et élégant ; Pétion, très écouté bien que verbeux et ennuyeux ; Isnard, à la « sauvage parole africaine » (Michelet)...

Le plus populaire des orateurs de la Montagne est Danton. Il improvise entièrement ses discours, qui sont mal reproduits (en particulier, les discours prononcés aux Jacobins), si bien qu'il est difficile de porter un jugement sur son talent oratoire. Fut-il, avec sa voix terrible, le « Pluton de l'éloquence », le « Mirabeau de la populace » ? Mercier juge qu'« il avait l'éloquence des portefaix et la logique des brigands ». Rœderer est plus nuancé : Danton était « sans logique, sans dialectique, mais non sans éloquence ; jamais de discussion, jamais de raisonnements, mais tout ce qui pouvait s'enlever par un mouvement, il l'enlevait. Il n'avait ni persuasion ni autorité, mais une impétuosité qui faisait tout céder ». Ses discours, en effet, n'obéissent pas aux règles de la rhétorique classique : pas d'exorde, ni de péroraison, ni de conclusion, pas d'unité de sujet, des phrases courtes et abruptes, des métaphores familières, peu d'allusions à l'Antiquité – en un mot, une éloquence moderne. Aux côtés de Danton, il y a Fabre d'Églantine, Legendre, ancien boucher, inculte mais orateur-né, et Camille Desmoulins, journaliste de grand talent, qui a su haranguer le peuple au Palais-Royal, le 12 juillet 1789, mais qui, bègue et sans prestance, ne remporte aucun succès oratoire à la Convention : « Mes poumons sont trop inférieurs à mon zèle. » Marat, qui n'appartient à aucun clan, possède un style original et pittoresque, et ses discours, soigneusement préparés, font souvent rire, mais aussi trembler l'Assemblée. Le porte-parole des hébertistes est Anacharsis Cloots, l'« orateur du genre humain » (Hébert lui-même, qui ne fait pas partie de la Convention, tient aux Jacobins des discours aussi graves et modestes que ses articles du *Père Duchesne* sont injurieux et orduriers).

Robespierre, qui prononce plusieurs centaines de discours en moins de trois ans, sait désormais se faire écouter, grâce à son éloquence travaillée, sérieuse et dogmatique, tout imprégnée de Rousseau, avant même de pouvoir, après la chute des dantonistes, exposer sans risque de contradiction, devant une Assemblée terrorisée, ses vues sur la république vertueuse qu'il rêve d'instaurer. Des témoins ont décrit ce petit homme à la voix aigre et criarde, soigné et poudré, qui « ressemblait à un tailleur de l'Ancien Régime » : « Son débit était lent, ses phrases étaient si longues que chaque fois qu'il s'arrêtait en relevant ses lunettes sur son front, on pouvait croire qu'il n'avait plus rien à dire ; mais, après avoir promené son regard sur tous les points de la salle, il rabaissait ses lunettes, puis ajoutait quelques phrases aux périodes déjà si allongées lorsqu'il les avait suspendues. » Parmi ses partisans, il faut citer Couthon, le « paralytique », qui invoque à tout moment ses infirmités, et surtout Saint-Just, au style concis jusqu'à l'obscurité, et dont la pensée se condense en formules inoubliables. Artisans de la chute de Robespierre et terroristes repentis, Collot d'Herbois est un ancien acteur et directeur de troupe, et Billaud-Varenne un ancien oratorien (« c'est avec ses yeux farouches et dans cette froide et immobile attitude qu'il eût assisté aux funérailles de l'Univers », dit de lui Mercier).

Avec le Directoire, on n'a plus affaire qu'à une « éloquence de découragés ou d'intrigants » (Aulard). Le temps des grands orateurs est clos ; on veut des résultats et non de belles paroles. Quelques hommes nouveaux apparaissent : Portalis, Royer-Collard, Camille Jordan… Ils feront plus tard leurs preuves.

PIERRE VICTURNIEN VERGNIAUD

Né à Limoges, le 31 mai 1753, dans une famille aisée, il entre au séminaire, puis fait ses études de droit à Bordeaux. Avocat en 1781 et secrétaire du président Dupaty, il remporte de grands succès au barreau de Bordeaux tout en écrivant des vers dans le goût du temps. De caractère indolent voire apathique, ce n'est pas un homme d'action. Élu à la Législative en 1791, avec Guadet et Gensonné, en tant que représentant du département de la Gironde, il laisse à Brissot la direction du groupe des Girondins, réservant ses soins à la préparation de ses discours, dont plusieurs sont restés célèbres. Avant le 10-Août, il attaque les intrigues de la Cour et a pour lui le peuple, l'Assemblée et l'opinion. Après cette date, il s'élève contre les excès populaires et la dictature de Paris, et se heurte à une opposition grandissante. Le 16 septembre 1792, il prononce le fameux appel patriotique « au camp ». Le 31 décembre de la même année, c'est le discours sur l'appel au peuple, destiné à sauver la tête du roi. Désormais, la lutte à mort avec la Montagne est ouverte. Vergniaud, dans son grand discours du 10 avril 1793, se défend contre l'accusation de modérantisme. Arrêté le 2 juin, il prépare une admirable défense contre le Tribunal révolutionnaire, mais est empêché de la prononcer. Il est guillotiné le 31 octobre 1793.

MAXIMILIEN DE ROBESPIERRE

Né à Arras, le 5 mai 1758, dans une famille d'hommes de loi de petite noblesse, il obtient une bourse pour le collège Louis-le-Grand, où il a pour condisciples Danton et Camille Desmoulins. Avocat à Arras à partir de 1781, il y mène la vie terne d'un avocat de province, lit Rousseau, est reçu à l'académie d'Arras. Dès cette époque se développe en lui la haine des privilèges cléricaux et nobiliaires. Il est élu en 1789 député du Tiers État aux États généraux. C'est au club des Jacobins qu'il acquiert sa célébrité d'« incorruptible défenseur du peuple ». À la Convention, il devient l'âme de la dictature montagnarde et, débarrassé des hébertistes et des dantonistes, il peut, à partir d'avril 1794, faire régner la vertu par la terreur, « la vertu, sans laquelle la terreur est funeste ; la terreur, sans laquelle la vertu est impuissante ». Il instaure un culte nouveau, à la fois religieux et national, avec la fête de l'Être suprême (8 juin 1794) et décrète la « Grande Terreur » avec la loi du 22 prairial (10 juin 1794), qui supprime toutes les garanties judiciaires. Une coalition d'anciens terroristes et de modérés se forme alors contre lui. Le 8 thermidor, il prononce un discours qui est un testament. Le 9, Saint-Just et lui ne peuvent se faire entendre à la Convention. Robespierre est décrété d'arrestation, mais la Commune le délivre. Le lendemain, 10 thermidor (28 juillet 1794), l'Hôtel de Ville, où il s'est réfugié, est investi par les gardes nationaux. Blessé d'une balle à la mâchoire, il est guillotiné le même jour, en compagnie de Saint-Just, de Couthon et de dix-sept autres de ses amis, sur la place de la Révolution.

GEORGES JACQUES DANTON

Né à Arcis-sur-Aube, le 26 octobre 1759, il fait de bonnes études classiques à Troyes, suit des cours de droit à Paris et, en 1780, devient avocat. Il achète alors une charge d'avocat au Conseil du roi et, à la veille de la Révolution, il jouit d'une certaine notoriété. Membre fondateur du club des Cordeliers, il devient vite un orateur populaire écouté. Substitut au procureur de la Commune de Paris en décembre 1791, il est nommé ministre de la Justice au lendemain du 10 août 1792. Élu à la Convention, il y siège sur les bancs de la Montagne. Nommé à la tête du Comité de salut public en avril 1793, il s'associe aux mesures exceptionnelles connues sous le nom de Terreur mais, après la chute des Girondins, fatigué et découragé, il devient le chef de la faction des Indulgents et entre en conflit avec Robespierre. Accusé de compromissions et de vénalité, il comparaît devant le Tribunal révolutionnaire, où Saint-Just prononce contre lui un violent réquisitoire. Il est guillotiné le 5 avril 1794.

LOUIS ANTOINE SAINT-JUST

Celui qu'on appela l'« Archange de la Terreur » naît à Decize, dans le Nivernais, en 1767. Son père est officier de la maréchaussée et sa mère, fille de notaire. Après de bonnes études de droit, il publie à Paris en 1789 une immense épopée, Organt, *puis compose une comédie à l'italienne,* Arlequin Diogène. *Politiquement, il défend alors des positions modérées, et la joie populaire lors de la prise de la Bastille lui semble une « ivresse d'esclaves ». Trop jeune pour siéger à la Législative, il est élu en septembre 1792 à la Convention, où il s'attache aussitôt à Robespierre et fait sensation par ses formules tranchantes ou lyriques : « On ne peut régner innocemment », « Le bonheur est une idée neuve en Europe ». Membre du Comité de salut public à partir de mai 1793, il va révéler son génie de l'action et son volontarisme politique, aussi bien aux armées, qu'il épure et réorganise, qu'à la Convention, où il se fait le théoricien du gouvernement révolutionnaire et de la Terreur. Rédigées en 1793-1794, ses* Institutions républicaines *(publiées en 1800) ébauchent les grandes lignes d'une république idéale. Il aide Robespierre dans sa lutte contre les hébertistes et les dantonistes ; c'est lui qui présente les décrets de Ventôse (février 1794), qui radicalisent la politique sociale de la Convention. Entraîné par Robespierre dans sa chute, il est guillotiné avec lui, à l'âge de vingt-sept ans.*

A. Pons

ELSKAMP Max

(1862-1931)

Poète belge né et mort à Anvers, ville où il a passé toute son existence, en riche désœuvré, dilettante, amoureux de folklore et de poésie. Une grande partie de son œuvre est imprégnée de sa ville natale, transposée en paysage de l'enfance : c'est dans ce « décor » que se déroule la vie du petit peuple flamand, chantée pour la première fois dans nos lettres.

Dès 1892, Elskamp a trouvé son sujet et sa manière. Les titres de ses minces plaquettes, toutes publiées à très faible tirage, indexent d'emblée une écriture à la fois ingénue et raffinée. Ce seront successivement *Dominical* (1892), chant des beaux dimanches et des cœurs candides, *Salutations, dont d'angéliques* (1893) et ses litanies imagées, *En symbole vers l'apostolat* (1895), et *Six Chansons de pauvre homme pour célébrer la semaine de Flandre* (1895), hymnes des joies et des merveilles de la terre :

Un pauvre homme est entré chez moi
Pour des chansons qu'il venait vendre,
Comme Pâques chantait en Flandre
Et mille oiseaux doux à entendre...

Enluminures, enrichi de miniatures de l'auteur, vient couronner ce premier cycle en 1898. Il s'agit en effet d'un ensemble très homogène, où chaque recueil forme un long poème aux motifs étroitement entrelacés ; cette unité apparaîtra clairement lorsque les quatre premiers seront réunis, la même année, sous l'enseigne évocatrice de *la Louange de la vie*.

Elskamp se tait ensuite pendant vingt-trois années, se vouant apparemment à ses seules études et collections folkloriques ; il publiera dans ce domaine l'*Alphabet de Notre-Dame la Vierge* (1901), un admirable album de bois gravés, ainsi que *les Commentaires et l'Idéographie du jeu de loto dans les Flandres* (1914).

Dans les huit plaquettes qui paraissent coup sur coup de 1921 à 1924, de larges pans, poétiques et graphiques tout ensemble, remontent cependant aux années antérieures ; ce sera le cas également des nombreux vers inédits trouvés à sa mort, imprimés en partie suivant ses dernières volontés. Elskamp reste fidèle à la forme et à la mélodie de sa première période, encore que l'inspiration se révèle cette fois plus composite ; on perçoit également, à côté de beaucoup de thèmes repris et d'images déjà familières, un aveu plus direct. Les *Chansons désabusées* (1922) et *Maya* (1923) expriment la lassitude de vivre et l'amertume des déceptions, en faisant revivre entre autres les souvenirs nostalgiques d'un amour de jeunesse. D'autres volumes continuent la thématique initiale, mais en la particularisant : *les Délectations moroses* (1923), *Chansons d'amures* (1923), *Remembrances* (1924), *Aegri somnia* (1924). Il faut mentionner à part *la Chanson de la rue Saint-Paul* (1922), imprimée pour quelques intimes seulement, sorte d'album de famille, plein de tendresse, où le poète parle sans apprêt de son amour pour les siens, qui ont disparu, de la maison où il a passé ses premières années et du Calvaire, tout proche :

Mon Dieu qui mourez à Saint-Paul
Un peu autrement que les autres...
C'est vous là-bas dans les lointains
Des matins bleus de mon enfance...

Enfin, l'œuvre graphique est couronnée par le très précieux *Sept Notre-Dame des plus beaux métiers* (1923), nouvelle célébration des labeurs paisibles et de la vie sereine des anciens artisans.

Si Elskamp eut droit, de son vivant du moins, à si peu de notoriété, ce fut surtout le résultat d'un choix personnel. Ne cherchant nullement la reconnaissance du public, il s'adressait exclusivement à une élite, celle de ses confrères ; la vie solitaire qu'il menait dans sa province, à l'écart des luttes esthétiques, en marge de l'événement et de la faune littéraires de son époque, procède d'une réserve naturelle. De cet isolement de l'homme, on est tenté de rapprocher le mouvement de retraite opéré dans l'œuvre, refuge intemporel où transparaissent à peine les tourments et les inquiétudes du siècle.

C'est ainsi qu'Anvers, une ville cosmopolite, puissante et opulente, devient sous sa plume « la cité très port de mer » balayée par le vent du large, à la rade peuplée de voiliers. Elskamp, en effet, ne retient de sa ville qu'une portion choisie, située tout près du fleuve, et après l'avoir idéalisée comme un bourg ancien de mille âmes : un « bois dormant » où la vie s'assoupit, où l'atmosphère est légendaire et comme ouatée. Acte de commémoration et retour aux sources de l'innocence, la poésie va inscrire dans ce mirage la vie populaire, empreinte d'amour et de paix évangéliques : au-delà des philosophies, Elskamp se refait ainsi, non sans accents mélancoliques, « une âme simple des anciens jours ». Convenons d'ailleurs, malgré les tentations d'un certain biographisme, que la longue quête spirituelle de l'homme et même sa rencontre avec le bouddhisme ne semblent guère avoir laissé de traces. Aussi, l'enfantine mythologie des anges et des madones votives apparaît-elle pour souligner les aspects pittoresques du culte ; rites et croyances reflètent l'humble ferveur du « peuple sien ».

La langue d'Elskamp est une création unique. Là où l'on a souvent songé à des archaïsmes ou à des calques du néerlandais, il y eut en réalité un style. La musique frêle reprise aux cantiques, aux vieilles complaintes, rondes et ritournelles s'asservit un phrasé synthétique aux effets inattendus : ablatifs absolus, inversions, ellipses du déterminatif ou du verbe, particules d'attaque, chevauchement de catégories grammaticales et autres tours confèrent à l'expression une grande intensité. L'ensemble donne une impression à la fois de spontanéité et de dépaysement, participant du courant anti-intellectualiste qui traverse la poésie de cette fin de siècle.

H. Braet

Eluard

ELUARD Paul

*Pseudonyme d'**Eugène-Émile-Paul GRINDEL** (1895-1952)*

Cinquante ans après sa mort, Eluard sort-il du purgatoire ? L'exposition « Eluard et ses peintres » qui attira les foules à Beaubourg en 1982 semble le prouver. Au-delà des alliances qui le marquèrent, des longs démêlés entre le surréalisme et le communisme, on écoutera ce que son chant a d'unique, on appréciera cet alliage rare de désespoir narcissique et de générosité unanimiste, d'imprécations sociales et de jubilation nuptiale, de mystique amoureuse et de sensualité brûlante, de romantisme allemand et de clarté française.

Les nécessités de la vie

Sociologiquement, le surréalisme ne s'est pas recruté chez les « héritiers » mais dans la petite bourgeoisie. Fils unique d'un comptable et d'une couturière, né à Saint-Denis, Eugène Grindel appartient par sa naissance à un milieu suburbain modeste mais nullement prolétarien. S'il grandit entre les usines, les canaux et les jardinets banlieusards, s'il suit, grâce à une bourse, l'enseignement de l'école primaire supérieure (le lycée est, à l'époque, l'apanage de la bourgeoisie cultivée), les échappées dominicales vers le pavillon d'Aulnay-sous-Bois, les vacances en Suisse et en Angleterre témoignent de la réussite financière de M. Grindel, qui s'est installé à Paris et s'est lancé avec succès dans des affaires de lotissement et de revente de terrains.

En peu de temps, trois expériences décisives vont imprimer leur marque sur la destinée, la sensibilité et l'inspiration de l'adolescent : la maladie, la guerre et l'amour. Une hémoptysie brutale survenue au cours de l'été 1912 interrompt ses études au niveau du brevet et le cloue pour de longs mois dans un sanatorium de Davos, au cœur d'un paysage pur et cristallin qui hantera ses poèmes. Condamné à l'immobilité, le jeune homme cherche refuge dans des lectures éclectiques où il déploie une curiosité d'autodidacte (doublée d'un goût précoce pour la bibliophilie), dans la rêverie et dans ses premières tentatives littéraires. La guerre apporte à Eluard, mobilisé comme infirmier, puis volontaire pour le front, la rencontre avec le peuple des tranchées, le partage des misères et des souffrances, la solidarité, une découverte de l'absurde, découverte soumise d'abord à la volonté divine, mais qui n'attend qu'une étincelle pour se muer en révolte. Les poèmes qu'il polycopie lui-même en 1916 sous le titre *le Devoir*, qu'il signe Eluard (du nom de sa grand-mère maternelle), et qu'il complète en 1917 dans la plaquette *le Devoir et l'Inquiétude* que publie son ami A.-J. Gonon, évoquent sur un ton simple et grave, dans la lignée de Walt Whitman et de l'unanimisme, la vie quotidienne des fantassins. En juillet 1918, les onze *Poèmes pour la paix* appellent le bonheur lumineux dont les hommes en guerre sont frustrés. L'amour passionné enfin, qui unit depuis 1912 Eluard à une étudiante russe, pensionnaire comme lui du sanatorium de Clavadel, Helena Dimitrovnie Diakonova, dite Gala, connaît en 1917, après des années de séparation, une conclusion nuptiale qu'Eluard croit définitive. Jeune époux et jeune père, Eluard se trouve, à la démobilisation, présenté par Jean Paulhan à Breton et à Aragon. Il perd à leur fréquentation ce qui lui restait de « provincial », assume sa place dans l'avant-garde parisienne et les saisons dada, se livrant, dans sa revue *Proverbe* et dans les recueils *les Nécessités de la vie* (1921), *Répétitions* (1922), *les Malheurs des immortels* (1922, en collaboration avec Max Ernst), *152 Proverbes mis au goût du jour* (1925, en collaboration avec Benjamin Péret), à des expériences sur le langage à la fois austères et souriantes, à un marivaudage capricieux et elliptique, aussi éloigné de la pesanteur académique que des boniments ravageurs d'un Tzara. La rencontre de Max Ernst, en 1921, va peser d'un poids considérable dans sa vie sentimentale, infléchir durablement sa conception du monde et donner à sa poésie une profondeur sombre que son élégance gracieuse ne laissait pas prévoir. C'est un coup de foudre à trois, qui amène Ernst à s'installer à Paris dans la société de Paul et de Gala. Comme un frère aîné, à la fois modèle et médiateur, comme Virgile précède Dante, Ernst précède Eluard sur les chemins périlleux de la vision rimbaldienne. Au risque de se perdre, Eluard affronte le vertige du rêve, l'illumination-hallucination où le sujet se désagrège :

Au soir de la folie nu et clair
L'espace entre les choses a la forme de mes paroles
La forme des paroles d'un inconnu

En 1924, une grave crise familiale, conjugale et personnelle incite Eluard à briser net une situation dissolvante : il fuit, seul, en Océanie. Il revient six mois plus tard et reprend sa place dans le surréalisme naissant comme si rien ne s'était passé. *Capitale de la douleur* (1926), *les Dessous d'une vie ou la Pyramide humaine* (1926), *l'Amour la poésie* (1929), *la Vie immédiate* (1932), *la Rose publique* (1934) et des interventions plus militantes ponctuent la participation d'Eluard à la vie du mouvement, coupée de longs séjours à la montagne ou à la mer, que lui impose la fragilité de sa santé. En 1929, Eluard perd Gala, que lui a ravie Salvador Dali. Après une longue conduite de deuil, il reconstruit avec Nush, qu'il épouse en 1934, une relation amoureuse privilégiée.

Depuis 1936, une intimité fraternelle avec Picasso concurrence en lui l'activisme au sein du groupe surréaliste. Le Front populaire et la guerre d'Espagne aggravent les désaccords avec Breton et aboutissent à la rupture de septembre 1938. *Les Yeux fertiles* (1936), *les Mains libres* (1937), *Cours naturel* (1938), *Chanson complète* et *Donner à voir* (1939), *le Livre ouvert I* (1940) illustrent clairement les distances prises à l'égard de l'orthodoxie surréaliste et l'élargissement de sa vision vers un humanisme prométhéen. Eluard chante avec jubilation la solitude vaincue, la médiation féminine, l'élargissement du bonheur à l'échelle d'une communauté fraternelle potentiellement illimitée. Loin d'étouffer cet espoir, l'Occupation et la Résistance l'avivent dans les poèmes de *Poésie et Vérité 1942* (1942 ; 2e éd. augmentée, 1943) et du *Rendez-vous allemand* (1944).

L'enthousiasme de la Libération éclaire *Poésie ininterrompue I* (1946). Mais cette même année, la mort imprévue de Nush foudroie le poète. Désemparé, tenté par le suicide, il s'efforce par tous les moyens de renouer avec la vie. Pour tresser cette corde salutaire, ce n'est pas trop du lien littéraire (anthologie *le Meilleur Choix,* 1947), du lien humanitaire et politique (*Poèmes politiques*, 1948 ; *Une leçon de morale,* 1949). *Pouvoir tout dire* et *le Phénix* (1951) illustrent l'équilibre reconquis auprès de sa nouvelle compagne, Dominique, équilibre que la mort, consécutive à une angine de poitrine, devait brutalement interrompre le 18 novembre 1952.

« De l'horizon d'un homme à l'horizon de tous »

Cette formule d'Eluard mûrissant résume le sens qu'il assigne à son existence, l'efficacité qu'il prête à la relation amoureuse et à l'activité poétique ; elle simplifie et stylise les vicissitudes de la vie et la complexité de l'œuvre ; mais elle permet d'unifier les aspects d'un lyrisme qui a toujours condamné le narcissisme de la poésie personnelle. Hugo et Baudelaire ont volontiers fait du poète le spécialiste élu pour exprimer une essence commune (« insensé qui crois que je ne suis pas toi » ; « Hypocrite lecteur, mon semblable, mon frère »). Pour Eluard, existentialiste avant la lettre, il n'y a pas d'essence. L'homme existe dans sa parole et sa parole le transforme. Dépositaire privilégié d'une parole originaire qui était à tous et qui doit revenir à tous, le poète entreprend de restituer à ses semblables, par contagion, le pouvoir moteur et transformateur des mots, confisqué et déformé par le discours dominant : « Parler pour parler est la formule de délivrance. » Ainsi s'acheminera-t-on, prophétise-t-il à la suite de Lautréamont, vers les temps où « la poésie sera faite par tous, non par un », où chacun, s'arrachant au mutisme qui le nie et l'écrase, pourra « donner à voir » ce qui le fait unique.

L'Amour et la Révolution

Il existe de la poésie d'Eluard deux réductions antagonistes, et, à la vérité, complémentaires. L'une, longtemps encouragée par la vulgate communiste, consiste à survaloriser l'Eluard des dernières années, à en donner l'image hagiographique d'un époux fidèle et d'un militant exemplaire, d'un poète petit-bourgeois peu à peu conquis par la force de la Vérité et qui vient se ranger sur les positions de la classe ouvrière. Dans cette perspective, l'œuvre antérieure, entachée de narcissisme et d'hermétisme décadents, serait une longue préparation à l'ultime épanouissement. À cette schématisation vertueuse s'oppose une autre réduction. Accréditée par l'arrière-garde surréaliste et la critique de droite au temps de la guerre froide, elle dénonce les élans clairs, les proclamations imprudentes et les anathèmes manichéens, regrette la manière subtile et les délicates obscurités de l'avant-guerre ; faisant bon marché des certitudes d'Eluard, elle le cantonnerait volontiers dans le registre amoureux d'un nouveau Pétrarque et lui prescrirait de s'abstenir de la politique, qui salit les mains. À ces deux réductions (le gentil troubadour et le candide stalinien) s'oppose l'évidence pressentie par René Crevel : pour Eluard, pas d'Amour sans Révolution (et donc pas de relation duelle : l'égoïsme à deux, qui ne débouche pas sur l'amplification de l'échange, est aussi stérile et meurtrier que l'égoïsme solitaire) ; pas de Révolution sans Amour (autrement dit : pas d'action politique sans racines pulsionnelles). Le Désir est révolutionnaire, la Révolution est désirante. Cette conviction unifiante condamne deux attitudes symétriquement amputées : le dilettantisme littéraire ou sentimental, apolitique, qui refuse d'assumer la dimension morale de l'œuvre ; le dogmatisme politique tactique ou foncier, qui fait l'impasse sur l'esthétique et le charnel, quand il n'est pas artistiquement et sexuellement conservateur.

L'exemple de la peinture

La conviction qu'il existait, aux origines, coproduction égalitaire et participation communautaire, conviction étayée par l'ethnographie contemporaine, informe la réflexion sur l'art d'Eluard, collectionneur avisé de toiles et de fétiches. Depuis qu'à la cérémonie a succédé le spectacle, depuis qu'on a séparé et spécialisé les tâches, depuis que s'est instauré le clivage entre producteurs et consommateurs d'œuvres d'art, bien des penseurs religieux, à travers les siècles, et bien des philosophes qui les ont précédés ou relayés, de Platon à Bossuet et à Jean-Jacques Rousseau, ont manifesté une défiance radicale à l'égard de la jouissance esthétique et des affects que la musique ou la danse, la fiction romanesque ou dramatique, le poème ou la peinture peuvent exciter en chacun ; et s'ils les ont admis ce n'est que canalisés et contrôlés par le pouvoir et ses relais idéologiques : la logique, l'éthique religieuse ou civique, l'esthétique. Ce ferment de désordre, c'est tout ce qui échappe au symbolique. Le langage coupe de la nature, fonde la culture et la vie sociale, porte la loi du père, prohibe l'inceste, exige le sacrifice de l'indistinction initiale entre l'enfant et sa mère ; il vise l'univocité pragmatique et rationnelle du discours codifié. Or, la musique, la danse, les arts plastiques échappent au conditionnement que véhicule le langage et qu'impose l'accès au langage : la substitution du signe arbitraire au réel vécu. Musique, danse, peinture et sculpture maintiennent, selon le mot de Claude Lévi-Strauss, « une relation sensible entre le signe et l'objet ». Face à l'arbitraire du signe linguistique, le son, le geste, la couleur, la forme, le volume sauvegardent une sorte de naturalité de l'expression et, par là, garantissent la continuité avec le pulsionnel. Ferment de désordre également, tout ce qui, le langage même, sous-tend et enfreint le symbolique : d'un mot, la poésie. Et donc, pour Eluard, peinture et poésie, même combat. À la « sagesse » menteuse et mortelle de la reproduction et de la répétition, asservie à l'immobilisme des gens « en place », la peinture oppose sa folie vitale et sa vérité pratique : une activité créatrice d'une nouvelle éthique qui ne serait plus statique ni normative. Instigatrice ardente du mouvement, indemne, par son caractère figural, des compromissions qui menacent l'usage des mots, la peinture exerce donc une fonction sociale qui est cathartique : elle libère du monde d'hier, c'est-à-dire de la vision réductrice d'hier ; elle libère pour le monde de demain : voir, c'est comprendre et c'est agir ; voir, c'est unir le monde à l'homme et l'homme à l'homme.

LES INSPIRATRICES

Gala : *Rencontrée en 1912 au sanatorium de Clavadel, Helena Dimitrovnie Diakonova, fille d'un avocat russe, allait devenir en 1917 la première épouse d'Eluard. À l'image sage et conventionnelle de l'épousée succède vite celle d'une muse fascinante, d'une « démone », tantôt hautaine, impénétrable et désespérante, tantôt fériquement complice. Le servage passionné du poète épousa ardemment les orages imprévisibles et les complications sentimentales. À ceux qui ne subissaient pas le charme slave de ses intensités et de ses déraisons, Gala est souvent apparue âpre et despotique. Elle quitta Eluard pour Dali en 1929.*

Nush : *Eluard rencontra en 1930 Maria Benz (née en 1906), comédienne de music-hall et de théâtre populaire alsacien, et l'épousa en 1934. Menue, rieuse et lumineuse, Nush fut un modèle de prédilection pour Picasso, à qui elle rappelait les saltimbanques fragiles de l'époque rose. Très amoureuse et d'une grande plasticité, douée d'une gouaille plaisante, elle fut une compagne idéale pour le poète.*

Jacqueline : *À la mort de Nush, en 1946, la chaleur de Jacqueline rattacha Eluard à la vie. Les poèmes qu'elle a inspirés sont empreints d'une sensualité panique. Elle incarne aussi bien le narcissisme immémorial et immoral de la femme que le dévouement et le partage.*

Dominique : *En 1949, Eluard rencontra Dominique Laure, jeune divorcée, qu'il épousa en 1951. Énergique et équilibrée, elle entoura de sa tendresse vigilante les dernières années du poète.*

Une pour toutes, toutes pour une : « Je hais l'amour, j'aime Gala », écrivait-il vers 1925 pour rassurer sa partenaire. Il reste qu'Eluard n'avait pas de l'amour fou la conception rigoureusement monogame que s'en faisait Breton. Il abhorrait la jalousie possessive, il prônait l'innocence du désir et la plus grande liberté sexuelle. Loin de la confondre avec le libertinage, il y voyait le partage fraternel et la contagion érotique dont il rêvait. En tout temps, ou presque, de multiples passantes, pour une heure ou quelques mois, ont donc fait cortège à l'élue et, d'une manière difficile à cerner, sont intervenues dans l'inspiration de l'auteur de « la Dame de carreau » :

Les cartes ont dit que je la rencontrerais dans la vie, mais sans la reconnaître
Aimant l'amour.

	VIE	ŒUVRE
1895	**6 oct. :** Naissance d'Eugène-Émile-Paul Grindel, 46, boulevard Jules-Guesde, à Saint-Denis.	
1909	La famille s'est installée à Paris, 43, rue Louis-Blanc. Le futur Paul Eluard suit comme boursier les cours de l'école primaire supérieure Colbert. Grandes vacances en Suisse.	
1911	**Août-sept. :** séjour linguistique à Southampton.	
1912	**Juill. à oct :** séjour à Glion (Suisse). Hémoptysie.	

	VIE		ŒUVRE
1913	Séjour au sanatorium de Clavadel (Suisse). Rencontre de Gala (Helena Dimitrovnie Diakonovac). Projets de mariage.	1913	**Déc. :** *Premiers Poèmes*, à compte d'auteur. Eluard fera pilonner ces *juvenilia*.
1914	**Févr. :** retour à Paris. Gala retourne en Russie. **Nov. :** Eugène Grindel déclaré bon pour le service armé (service auxiliaire).	1914	**S.d. :** *Dialogue des inutiles*, aux Œuvres nouvelles (250 ex.).
1915	Fort d'Ivry ; hôpital Cochin, hôpital Villemin.		
1916	Hôpital auxiliaire de Rosny-sur-Seine. **Juin :** infirmier sur le front de la Somme **Sept. :** hospitalisé à Beauvais. Gala réussit à venir de Russie. **Déc. :** à l'instruction au 95ᵉ R.I.	1916	*Le Devoir,* polycopié par l'auteur à 17 ex.
1917	**21 févr. :** épouse Gala au cours d'une permission de trois jours. **Mars à mai :** hospitalisé à Amiens, puis à Paris-Plage. **Juin :** 22ᵉ R.I. à Bourgoin (Isère). Gala s'installe à Lyon. Eluard est versé dans l'intendance.	1917	**Juill. :** *le Devoir et l'Inquiétude*, chez Gonon (206 ex.).
1918	**11 mai :** Gala met au monde une fille, Cécile. Eluard est muté à Mantes-Gassicourt, comme magasinier. **11 nov. : armistice.** Ozenfant présente Eluard à Jean Paulhan et à André Lhote.	1918	**Juill. :** *Poèmes pour la paix,* brochure de 4 pages à compte d'auteur (500 ex.).
1919	Correspondance avec Jean Paulhan. **4 mars :** fait connaissance de Breton. **17 mars :** fait connaissance d'Aragon. **10 mai :** Eluard démobilisé.	1919	**Mai :** « Vache » dans le n° 3 de *Littérature*. Eluard collaborera à cette revue jusqu'à son dernier numéro (oct. 1923)
1920	**Janv. :** arrivée de Tzara à Paris. Eluard participe aux diverses manifestations de la première saison dada. **Noël et janv. 1921 :** Tunisie et Côte d'Azur.	1920	**Janv. :** *les Animaux et leurs Hommes, les Hommes et leurs Animaux*, au Sans-Pareil (575 ex.). **Févr. :** Eluard lance la petite feuille mensuelle *Proverbe*, qui aura 6 numéros jusqu'en juillet. **Sept. :** « Pour vivre ici », 11 haïkaï, dans le n° 84 de *la Nouvelle Revue française*.
1921	Eluard et Gala s'installent dans une villa à Saint-Brice, près de Montmorency. **2 mai :** vernissage de l'exposition Max Ernst au Sans-Pareil. **Sept.-oct. :** Breton en voyage de noces, Eluard et Gala le retrouvent à Tarrenz-bei-Imst (Tyrol) et vont voir le docteur Freud à Vienne. **4-10 nov. :** Eluard et Gala font connaissance de Max Ernst à Cologne.	1921	**Févr. :** *les Nécessités de la vie et les Conséquences des rêves, précédé d'Exemples,* avec une préface de Jean Paulhan, au Sans-Pareil (635 ex.).
1922	**Févr. :** brouille entre Breton et Tzara à propos du *Congrès sur l'Esprit moderne*. Eluard appuie Tzara. **Fin mars :** les Eluard rejoignent Ernst à Cologne. **Juin-juill. :** séjour au Tyrol des Eluard et des Ernst, rejoints bientôt par Tzara puis par Arp. **Sept. :** Ernst pénètre clandestinement en France. Eluard se réconcilie avec Breton. Époque des sommeils hypnotiques ; malgré l'exemple de Crevel et Desnos, Eluard ne s'endort pas.	1922	**Mars :** *Répétitions*, au Sans-Pareil, avec 10 collages de Max Ernst (350 ex.). **Juin :** *le Malheur des immortels*, en collaboration avec Max Ernst, (21 collages), imprimé à Innsbruck sous l'étiquette Librairie Six, Paris.
1923	**Avril :** Breton, Eluard et Desnos projettent de renoncer à la littérature. Les Eluard s'installent dans une villa à Eaubonne. **Juill. :** à la suite du sabotage de la première du *Cœur à gaz*, Tzara assigne Eluard en justice. **Déc. :** Rome ; rencontre De Chirico.		
1924	**24 mars :** Eluard part seul pour une fugue qui le mènera à Tahiti *via* Marseille et Panamá. **27 sept. :** Gala et Eluard débarquent seuls à Marseille. **15 oct. :** Breton, *Manifeste du surréalisme*.	1924	**Mars :** *Mourir de ne pas mourir*, chez Gallimard (535 ex.). **1ᵉʳ déc. :** trois textes d'Eluard dans le n° 1 de *la Révolution surréaliste*. Eluard collaborera à cette revue jusqu'à son dernier numéro (déc. 1929).

	VIE		ŒUVRE
1925	Eluard participe à toutes les activités surréalistes. Cosigne en particulier la *Déclaration du 27 janvier*, la *Lettre ouverte à Paul Claudel* (2 juill.), *la Révolution d'abord et toujours* (15 oct.). **Avril : guerre du Rif.** **Juin :** exposition Miró. **Oct. :** exposition Klee, préface d'Eluard.	**1925**	**Janv. :** *152 Proverbes mis au goût du jour*, en collaboration avec Benjamin Péret, éd. par *la Révolution surréaliste*. **Févr. ou mars :** *Au défaut du silence*, s.l.n.d., anonyme (avec 20 dessins de Max Ernst, également anonymes) [51 ex.].
1926	**Mars :** exposition Ernst, préface d'Eluard. **Mai : reddition d'Abd el-Krim.** Adhésion des surréalistes au parti communiste et collaboration à Clarté ; rupture avec De Chirico.	**1926**	**Sept. :** *Capitale de la douleur*, chez Gallimard (1 300 ex.). **Déc. :** *les Dessous d'une vie ou la Pyramide humaine*, aux Cahiers du Sud, Marseille (522 ex.).
1927	Mort de Clément-Eugène Grindel. **Janv. :** cosigne *Lautréamont envers et contre tous*. **Avril :** cosigne *Au grand jour*. **Août. :** séjour à Majorque. **Oct. :** cosigne *Hands off love* et *Permettez*.	**1927**	**15 janv. :** article sur Pétrus Borel dans *Clarté*, n° 5. **15 févr. :** article sur Sade dans *Clarté*, n° 6.
1928	**Mars à juill. :** sanatorium à Arosa (Suisse). **Juill. à août :** hôtel Bellevue à Seelisberg (Suisse). **Sept. :** hôtel du Parc à Locarno (Suisse). **Oct. à déc. :** sanatorium à Arosa.	**1928**	**Févr. :** *Défense de savoir*, aux Éditions surréalistes (100 ex.).
1929	**Janv. :** douze jours à Paris, puis sanatorium à Arosa. **15 mars :** Berlin, avec Janine Bouissounouse. **20 mars :** Paris. Emménagement rue Becquerel. **Printemps :** Visite à André Gaillard, à Marseille, et à Joë Bousquet, à Carcassonne ; Nice. **Juin :** réédition du *Manifeste* de Breton. Crise et ruptures au sein du mouvement. **Août :** séjour avec Gala et Cécile à Cadaqués, chez Salvador Dali. Gala décide de vivre avec Dali. Eluard fait connaissance de René Char à L'Isle-sur-la-Sorgue. Retour à Paris. **Oct. :** *Un chien andalou*, de Luis Buñuel, au Studio 28. Liaison d'Eluard avec une Allemande, Mme Apfel.	**1929**	**Mars :** *l'Amour la poésie*, chez Gallimard (806 ex.). **Déc. :** participe à l'enquête sur l'amour dans le dernier numéro de *la Révolution surréaliste* ; y publie « Notes sur la poésie », en collaboration avec Breton.
1930	**Mars :** Nice. **Fin mars :** Avignon, avec Breton et René Char. **21 mai :** fait connaissance de Nush [Maria Benz]. **25 juin :** *Second Manifeste* de Breton. **Fin juill. :** Eluard et Nush à Avignon, chez René Char. **Mi-août :** Eluard, Nush et Char à Cadaqués, chez Dali et Gala. **Nov. :** Aragon au Congrès de Kharkov. **Déc. :** scandale du film *l'Âge d'or*, de Buñuel et Dali. Eluard s'installe rue Fontaine, Gala gardant le studio de la rue Becquerel.	**1930**	**Avr. :** *Ralentir travaux*, en collaboration avec Breton et Char, aux Éditions surréalistes, imprimé à Nîmes à 300 ex. **Juill. :** premier numéro du *Surréalisme au service de la Révolution*. Eluard collaborera à cette revue jusqu'au dernier numéro (mai 1933). **Oct. :** *À toute épreuve*, aux Éditions surréalistes (30 ex.). **Nov. :** *l'Immaculée Conception*, en collaboration avec Breton, chez José Corti (2 111 ex.).
1931	**Févr. :** séjour à Lunel (Hérault), chez Jean Hugo. **Mars :** visite de Saumane et de Gordes, en compagnie de Char et des Hugo. **Avr. :** retour à Paris. **3 juill. :** tract *Premier Bilan de l'Exposition coloniale*. **Juill. :** vente des collections Eluard et Breton d'œuvres africaine et océanienne. **Mi-juill. :** Lunel. **Fin juill. :** île de Sein avec Nush, Breton et Valentine Hugo.		
1932	**16 janv. :** campagne pour défendre Aragon inculpé pour « excitation de militaires à la désobéissance » par la publication de *Front rouge*. Campagne pour sa défense. **10 mars :** Aragon désavoue *Misère de la poésie* de Breton, qui le défendait mais critiquait le P.C.	**1932**	**23 mars :** Eluard stigmatise Aragon dans un tract intitulé « Certificat ». **Juin :** *la Vie immédiate*, aux Cahiers libres (1 022 ex.).

	VIE		ŒUVRE
	(suite 1932) En l'absence de Breton et d'Eluard, le groupe surréaliste stigmatise Aragon dans un tract intitulé « Paillasse ». **Mai :** exposition Dali, préface d'Eluard. **Août :** Eluard et Nush à Castellane, avec Breton et Valentine Hugo.		
1933	**Janv. : Hitler au pouvoir.** **Janv.-mars :** séjour à Passy (Haute-Savoie). Participation houleuse des surréalistes aux activités de l'A.E.A.R. (Association des écrivains et artistes révolutionnaires). **Fin 1933 :** Eluard, Breton et Crevel sont exclus du P.C.	**1933**	**S.d. :** *Comme deux gouttes d'eau*, chez José Corti (175 ex.). **1er juin :** « le Miroir de Baudelaire », dans le n° 1 de *Minotaure*. **12 déc. :** « les Plus Belles Cartes postales », dans le n° 3-4 de *Minotaure*. Poème dans *Violette Nozières*, brochure collective (Corti).
1934	**Janv. :** frictions entre Breton et Dali **Févr. :** séjour à Nice. **6 févr. : émeutes fascistes à Paris.** **21 août :** Eluard épouse Nush à Paris.	**1934**	**Déc. :** *la Rose publique*, chez Gallimard (1 500 ex).
1935	**Janv.-févr. :** séjour à Davos, en compagnie de René Crevel. **8 mars :** retour à Paris. Dissensions entre Tzara et Breton. **Avr. :** cycle de conférences en Tchécoslovaquie, avec Breton. **19 juin :** suicide de Crevel. **21-26 juin :** Congrès international des écrivains pour la défense de la culture, à Paris. Eluard y lit la communication de Breton. **Été :** les Eluard et les Breton séjournent chez Lise Deharme, à Montfort (Landes) ; Man Ray y entreprend un film. **7 oct. :** Eluard cosigne le manifeste de *Contre-Attaque*.	**1935**	**Juill. :** *Nuits partagées*, avec 2 dessins de Dali, chez G.L.M. (70 ex.). **Oct. :** *Facile*, avec 12 photographies de Man Ray, chez G.L.M. (1 230 ex.).
1936	**Janv.-févr. :** tournée de conférences sur Picasso, en Espagne (Barcelone, Madrid, Séville). **Mars :** retour à Paris. Début de l'intimité avec Picasso. **24 juin-8 juill. :** séjour à Londres, à l'occasion de l'Exposition internationale du surréalisme. Conférence « l'Évidence poétique ». **12 juill.-août :** avec Man Ray, à Saint-Raphaël, à Saint-Tropez, à Mougins, où les Eluard rejoignent Picasso et Dora Maar. **18 juill. : putsch militaire en Espagne.** **Nov. : bataille de Madrid.**	**1936**	**Juin :** *la Barre d'appui*, avec 3 eaux-fortes de Picasso, aux Cahiers d'art (40 ex.). **Oct. :** *les Yeux fertiles*, chez G.L.M. (1 500 ex.). **17 déc. :** « Novembre 1936 », dans *l'Humanité*.
1937	**Janv. :** séjour avec René Char au Cannet de Cannes. **29 avr. : bombardement de Guernica.** **Juill. :** séjour à Truro (Cornouailles) avec Man Ray, chez Roland Penrose et Lee Miller. **Août :** séjour à Mougins avec les Penrose, Picasso et Dora Maar. **Automne :** Eluard, Breton et Marcel Duchamp supervisent la préparation de l'Exposition internationale du surréalisme.	**1937**	**Mai :** réédition de *les Animaux et leurs Hommes, les Hommes et leurs Animaux*, avec 12 pointes sèches de Valentine Hugo (19 ex.). **Mai-juin :** « la Victoire de Guernica », avec reproductions de l'œuvre de Picasso, dans *Cahiers d'art*, nos 4-5, 1937. **S.d. (oct.) :** *Avenir de la poésie* chez G.L.M. Tirage non justifié. Conférence du 2.10.1937 à la Comédie des Champs-Élysées. **S.d. :** *Premières Vues anciennes*. Tiré à part d'un extrait de *Minotaure*, n° 10, non justifié. **Nov. :** *les Mains libres*, avec 66 dessins de Man Ray, chez Jeanne Bucher (675 ex.). **Déc. :** *Appliquée*, avec 7 pointes sèches de Valentine Hugo (25 ex.). *Quelques-uns des mots qui jusqu'ici m'étaient mystérieusement interdits*, chez G.L.M. (346 ex.).
1938	**17 janv. :** l'Exposition internationale du surréalisme ouvre ses portes à la galerie Beaux-Arts. **Mars-avril :** Eluard séjourne à Antibes. **Mai-août :** séjour de Breton au Mexique. **Juin :** Eluard à Biot. **Juill. :** Paris. **Août :** Mougins, avec Picasso et Dora Maar.	**1938**	**S.d. :** *Dictionnaire abrégé du surréalisme*, en collab. avec André Breton (en vente à l'Exposition ; tirage non justifié). **Mars :** *Cours naturel*, au Sagittaire (765 ex.). **Avr. :** *Solidarité*. Vendu au profit de l'Espagne républicaine, le poème « Novembre 1936 » est accompagné de 7 gravures d'artistes antifascistes, chez G.L.M. (150 ex.). **Mai :** « Les vainqueurs d'hier périront », dans *Commune*, n° 57.

	VIE		ŒUVRE
	(suite 1938) **Sept. :** Munich. Breton rompt avec Eluard. Griefs : collaboration à *Commune* ; libertinage. **Oct. :** Eluard s'installe à la Maison grise, au Pecq. **Nov. :** Cécile Eluard épouse Luc Decaunes.		**Déc. :** *Facile Proie*, avec 8 burins de Stanley William Hayter, chez G.L.M. (107 ex.). *Ode à Salvador Dali*, de Lorca, traduite par Eluard et Louis Parrot, chez G.L.M. (515 ex.).
1939	**3 sept. : déclaration de guerre**. Le lieutenant Grindel est affecté à la gare de Mignères (Loiret). Il anime de loin la revue *l'Usage de la parole*, dirigée par son ami Georges Hugnet.	**1939**	**Mai :** *Chanson complète*, chez Gallimard (470 ex.). *Charles Baudelaire*, choix et préface d'Eluard chez G.L.M. (1 365 ex.). *Médieuses*, avec 35 lithos de Valentine Hugo (12 ex.). **Juin :** *Donner à voir*, chez Gallimard (tirage ordinaire non justifié).
1940	**25 juin : armistice.** La Débâcle a conduit Eluard à Carcassonne, chez Joë Bousquet. **19 juill. :** Eluard démobilisé à Saint-Sulpice (Tarn). Retour à Paris et emménagement 35, rue de la Chapelle.	**1940**	**Oct. :** *le Livre ouvert*, aux Cahiers d'Art (250 ex.).
		1941	**Avr. :** *Moralité du sommeil*, avec 2 dessins de Magritte, Anvers ; *l'Aiguille aimantée* (60 ex.). **S.d. :** *Sur les pentes inférieures*, Éditions de la Peau de chagrin, tirage ordinaire non justifié.
1942	**Janv.-févr. :** séjour à Vézelay, dans la maison de Christian et Yvonne Zervos. **Avr. :** visite à Max Jacob, à Saint-Benoît-sur-Loire. **Printemps :** réadhère au parti communiste dans l'illégalité. Par Édith Thomas, entre en rapport avec Pierre de Lescure et les Éditions de Minuit. Organise le Comité national des écrivains, zone Nord.	**1942**	**Janv. :** *le Livre ouvert II*, aux Cahiers d'art (532 ex.). **S.d. :** *la Dernière Nuit*, édition clandestine, aux Cahiers d'art (65 ex.). **Avr. :** *Poésie et Vérité 1942*, aux Éditions de la Main à plume (tirage ordinaire non justifié). **Juin :** *Poésie involontaire et Poésie intentionnelle*, chez Seghers, à Villeneuve-lès-Avignon (1 878 ex.).
1943	Phalanstère des intimes : Picasso, Dora Maar, les Zervos, Georges Hugnet, André Beaudin, Robert Desnos, Lise Deharme. **Printemps :** réconciliation avec Aragon. **Août :** séjour à Poitiers, chez Louis Parrot, avec Georges Hugnet. **Oct. à févr. 1944 :** Eluard se cache chez le docteur Bonnafé, à l'asile de Saint-Alban-en-Margeride (Lozère).	**1943**	**Janv. :** première publication anonyme dans *les Lettres françaises* clandestines (n° 5). **Févr. :** édition augmentée de *Poésie et Vérité 1942*, à La Baconnière, Neuchâtel (Suisse) [1 012 ex.]. **Juill. :** collabore, sous le pseudonyme de Maurice Hervent, à *l'Honneur des poètes*, anthologie clandestine aux Éditions de Minuit. **Déc. :** *les Sept Poèmes d'amour en guerre*, sous le pseudonyme de Jean du Haut, édition clandestine à Saint-Flour.
1944	**Févr. :** retour à Paris. **Juin :** Eluard habite clandestinement chez Jean Tardieu. **Août : libération de Paris**. **Oct. :** adhésion de Picasso au P.C. Eluard participe résolument aux activités d'épuration du Comité national des écrivains.	**1944**	**Mai :** *le Lit la table*, aux Trois-Collines, Genève (3 140 ex.). **Juin-juill. :** lance, avec Louis Parrot, *l'Éternelle Revue* (n°s 1 et 2, clandestins). **Juill. :** *Dignes de vivre* (illustré par Fautrier), prétendument aux « Éditions littéraires de Monaco », en fait chez Julliard-Sequana (1 600 ex.). **Déc. :** *À Pablo Picasso*, aux Trois-Collines, Genève (tirage ordinaire non justifié). *Au rendez-vous allemand*, avec les eaux-fortes de Picasso.
1945	**Fin avr. :** voyage à Londres, retrouvailles avec Roland et Lee Penrose. **Juin :** série de conférences en Suisse. **Été :** séjour à Authon-du-Perche. **Fin nov. :** voyage à Bruxelles ; retrouvailles avec Magritte, Scutenaire et les amis belges.	**1945**	**Avr. :** *En avril 1944 : Paris respirait encore !*, avec 7 gouaches de Jean Hugo, galerie Charpentier (998 ex.). *Doubles d'ombre*, poèmes choisis d'Eluard et dessins d'André Beaudin, chez Gallimard (960 ex.). **Juill. :** *Lingères légères*, chez Seghers (685 ex.). **Nov. :** *Une longue réflexion amoureuse*, Ides et Calendes, Neuchâtel (1 660 ex.).
1946	**Févr. :** Biarritz. **Avr. à juin :** tournée de conférences en Tchécoslovaquie, en Italie et, semble-t-il, en Grèce. **Juill. :** retour à Paris. **Sept. :** Festival de Cannes. **Nov. :** séjour solitaire à Montana (Suisse). **28 nov. :** mort de Nush à Paris.	**1946**	**Janv. :** *Poésie ininterrompue*, chez Gallimard (1 177 ex.). *Souvenirs de la maison des fous*, avec 8 dessins de Gérard Vulliamy, aux Éditions « Pro Francia » (786 ex.). **Nov. :** *le Dur Désir de durer*, avec 25 dessins de Chagall, chez Arnold-Bordas (355 ex.).

	VIE		ŒUVRE
1947	Jacqueline et Alain Trutat, amis d'Eluard depuis 1942, l'aident à vaincre la tentation du suicide. **Mai :** « Dit de la force de l'amour », émission radiodiffusée. **Les communistes quittent le gouvernement.** **Juill. :** Marseille. **Sept. :** Londres, chez Roland et Lee Penrose. Raidissement du P.C. ; lancement de Fougeron, dénonciation de l'art abstrait.	**1947**	**Juin :** *Le temps déborde*, sous le pseudonyme de Didier Desroches, aux Cahiers d'art (500 ex.). **Nov. :** *Corps mémorable*, sous le pseudonyme de Brun, chez Seghers (26 ex.). *Le meilleur choix de poèmes est celui que l'on fait pour soi, anthologie 1818-1918*, Éditions du Sagittaire (tirage non justifié).
1948	Activités militantes. Liaisons passagères. **Août et début sept. :** avec Picasso au Congrès des intellectuels pour la paix, à Wroclaw (Pologne).	**1948**	**Janv. :** *À l'intérieur de la vue*, sur 40 collages de Max Ernst, chez Seghers (610 ex.). **Mars :** *Picasso à Antibes*, avec photos de J. Sima, chez Drouin (tirage non justifié). **Avr. :** *Voir*, aux Trois-Collines, Genève (3 044 ex.). **Mai :** *Premiers Poèmes 1913-1921*, chez Mermod, à Lausanne (2 000 ex.). *Jacques Villon*, en collaboration avec René Jean, chez Louis Carré (1 800 ex.). **Juin :** *Poèmes politiques*, chez Gallimard (tirage non justifié). **Juill. :** *Perspectives*, sur des burins d'Albert Flocon, chez Maeght (200 ex.). **Nov. :** *le Bestiaire*, avec 45 eaux-fortes de Roger Chastel, chez Maeght (190 ex.).
1949	**20 avr. :** avec Picasso au Congrès mondial de la paix, à Paris. **Fin mai-début juin :** tournée des maquis communistes grecs, *via* la Bulgarie. **Juill. :** commémoration de Petöfi, à Budapest. **Août :** dans le Sussex, chez Roland et Lee Penrose. **Sept. :** fait la connaissance de Dominique Laure au Congrès de la paix à Mexico.	**1949**	**Mai :** *Léda*, chez Mermod, à Lausanne (805 ex.). **Nov. :** *Une leçon de morale*, chez Gallimard (tirage non justifié). **Déc. :** *Europe* publie le commentaire d'Eluard pour le film d'Alain Resnais *Guernica*.
1950	Eluard et Dominique s'installent en bordure du bois de Vincennes. **Avr. :** voyage en Tchécoslovaquie et en Bulgarie. **Mai :** premier voyage en U.R.S.S. – Moscou, Leningrad, Stalingrad. Eluard participe aux « batailles du livre » lancées par le P.C. et le C.N.E. **Été :** Périgord, Saint-Tropez, Vallauris.	**1950**	**Déc. :** *Hommages*, aux Éditions Poésie nouvelle, Namur (tirage non justifié).
1951	**Printemps :** Périgord. **15 juin :** Eluard épouse Dominique, à Saint-Tropez. **Été :** Saint-Tropez, Golfe-Juan. **Oct. :** second séjour dans le Sussex, chez Roland et Lee Penrose. **Nov. :** Eluard commence sa compilation d'écrits sur l'art.	**1951**	**Févr. :** *Pouvoir tout dire*, aux Éditions Raisons d'Être (tirage non justifié). **Automne :** *Première Anthologie vivante de la poésie du passé*, en 2 tomes, chez Seghers. **Oct. :** *le Visage de la paix*, sur 29 dessins de Picasso, au Cercle d'art (2 250 ex.). **Déc. :** *le Phénix*, chez G.L.M. (1 425 ex.).
1952	**Févr.-mars :** Moscou, conférences sur Hugo, Gogol et la poésie de circonstance. **Fin mars :** Prague. **Été :** Périgord, Paris. **Sept. :** première crise d'angine de poitrine. **18 nov. :** mort par crise cardiaque.	**1952**	**S.d. :** *Picasso, dessins*, chez Braun. **Été :** *les Sentiers et les Routes de la poésie*, chez Henneuse, à Lyon (715 ex.). **Sept. :** *Anthologie des écrits sur l'art*, tome I, au Cercle d'art.
		1953	**Févr. :** *Poésie ininterrompue II*, chez Gallimard.
		1963	*Choix de poèmes*, Le Livre de poche (60 000 ex.).
		1968	*Œuvres complètes* en 2 tomes, Gallimard, Bibl. de la Pléiade.

Capitale de la douleur

Capitale de la douleur, qui s'appelait à l'origine *l'Art d'être malheureux*, est le premier recueil d'Eluard paru chez Gallimard. Avant d'arriver aux « nouveaux poèmes », c'est-à-dire aux poèmes postérieurs à son « voyage idiot » de 1924 autour du monde, Eluard a repris intégralement le recueil de 1922, *Répétitions*, et le recueil de 1924, *Mourir de ne pas mourir*, ainsi que « les Petits Justes », qui lui étaient accolés et auxquels sont ajoutés des inédits. Cette double reprise représente la quasi-totalité de la production d'Eluard depuis 1921 et montre assez le caractère de somme qu'il entend donner à ce recueil de ses trente ans. Les « nouveaux poèmes » sont loin d'être tous nouveaux. Ils comportent, groupés à la fin, les quatre poèmes qui faisaient l'essentiel de *Au défaut du silence* (s.d., 1924). Il est vrai que le tirage confidentiel de ce recueil leur permet de garder ici figure de nouveauté ; mais il est néanmoins intéressant de constater qu'Eluard ne les a pas présentés à leur place chronologique et sous le titre du recueil, comme il avait fait pour *Répétitions* et *Mourir de ne pas mourir,* et qu'il les a intégrés fonctionnellement dans le corpus des « nouveaux poèmes ». Il a également intégré dans ce corpus, mais cette fois en les disséminant, cinq poèmes choisis parmi les quarante-quatre qui constituent « les Conséquences des rêves » du recueil *les Nécessités de la vie et les Conséquences des rêves,* paru en février 1921 : « Baigneuse du clair au sombre », « Cachée », « les Noms : Chéri-Bibi, Gaston Leroux », « Jour de tout », « le Grand Jour ». Sans chercher à débrouiller les critères de genre, de mètre ou de thème qui président à l'agencement des « nouveaux poèmes », il importe de signaler qu'entre deux ensembles, initial et terminal, fortement placés sous le patronage direct de Gala, Eluard semble avoir voulu alterner souplement les poèmes en vers libres, les poèmes où l'alexandrin domine, les proses, les emprunts aux « Conséquences des rêves » (qui peuvent passer pour des récits de rêves stylisés), ainsi que les « textes surréalistes » parus dans les numéros 4 et 5 de *la Révolution surréaliste.* Les pourcentages sont conformes à l'esthétique qu'Eluard formulera dans la préface des *Dessous d'une vie :* sur 46 poèmes, on compte 5 « conséquences des rêves », 7 « textes surréalistes », 8 poèmes où domine l'alexandrin, 7 poèmes en prose et 19 en vers libres.

Eluard a lui-même défini, dans une lettre à Jacques Doucet, la genèse et l'esprit de *Répétitions* : « Il s'agissait de recueillir tous les déchets de mes poèmes à sujets, limités et forcément arides, toutes les parties douces comme des copeaux qui s'amusent et me changent un peu [...], le vers a jailli tout seul. Tout se lie, les mots favoris se placent – tout cristal [...], les paysages que l'on décrit s'adaptent à ceux de la Suisse, de Montmorency [...], ils ont souvent la couleur d'une femme et portent l'empreinte de son abandon ».

Mourir de ne pas mourir et les « nouveaux poèmes », en revanche, désertent les cadres agréables et les émois sentimentaux pour s'enfoncer toujours plus avant dans le monde intérieur, pour poursuivre l'inouï et fixer des vertiges. Démarche onirique ou hallucinée, qui détruit le connu pour accéder à l'inconnu. La poésie s'y émancipe comme fait à la même date la peinture (et dix poèmes exaltent l'entreprise exemplaire des peintres préférés : Picasso, Braque, Chirico, Klee, Arp, Masson, Miró et Max Ernst). Mais l'ivresse de la liberté appréhende la dissolution de l'identité, redoute la folie, et s'assombrit conflictuellement du sentiment douloureux de s'enfermer dans une solitude incommunicable, de « ne plus partager » avec le lecteur et la femme aimée. D'où l'hymne d'adoration panique qui clôt le recueil :

Ô toi qui supprimes l'oubli, l'espoir et l'ignorance,
Qui supprimes l'absence et qui me mets au monde,
Je chante pour chanter, je t'aime pour chanter
Le mystère où l'amour me crée et se délivre.

Les Dessous d'une vie

Contemporain de *Capitale de la douleur,* le recueil *les Dessous d'une vie ou la Pyramide humaine* (12.12.1926) rassemble et articule souplement des proses d'une inspiration analogue. Le « prière d'insérer » invite à distinguer entre les rêves, qui « sont, pour un esprit préoccupé de merveilleux, la réalité vivante », les textes surréalistes, qui « excluent le monde sensible », et les poèmes, « par lesquels l'esprit tente de désensibiliser le monde, de susciter l'aventure et de subir des enchantements ». Breton, dans ses *Entretiens,* voit là, à juste titre, un refus de l'automatisme pur et une option esthétique hétérodoxe. Pour Eluard, l'écriture automatique n'est qu'un moyen de faire affleurer à la conscience ce qui se cache dans les « dessous », dans les cryptes, les couloirs, les labyrinthes de la « pyramide humaine » ; la conscience poétique élabore le poème en combinant ce matériau intime avec les apports du monde sensible.

L'Amour la poésie

Les années 1927-1929 sont moins publiques, tournées vers le versant intime de l'être. Une rechute pulmonaire contraint Eluard à passer quinze mois dans un sanatorium d'Arosa. Existence recluse, diminuée, partiellement solitaire : la vie commune est difficile, ponctuée de désaccords et de flambées, de spleen et de désespoirs. Le monde capitaliste va vers sa grande crise. Il en résulte le recueil le plus noir et le plus éclatant d'Eluard, qui va du cauchemar le plus atroce à l'exultation amoureuse la plus limpide : *l'Amour la poésie* (mars 1929). Dans la séquence de poèmes intitulée « Premièrement », un érotisme onirique éclaire quelques-uns des plus beaux poèmes d'amour de ce siècle. Mais cet hymne à la femme médiatrice et salvatrice vient buter contre la séquence « Seconde Nature », enténébrée par les mésententes, grinçante de fureur contre l'usure, la fatigue, la maladie, la routine et la médiocrité du monde comme il va. « Comme une image » cherche dans l'horizon nocturne du rêve un dérivatif aux lenteurs de la convalescence et à l'angoisse. « Défense de savoir » se partage pareillement entre les instants d'extase et de tiédeur heureuse, les accès de colère, la fuite dans le sommeil et les remâchements de la solitude.

L'Immaculée Conception (en collaboration avec André Breton)

Le désarroi affectif commun dans lequel sont plongés Eluard et Breton au début de 1930 favorise l'évasion dans une entreprise d'écriture à deux, *l'Immaculée*

Conception (24.11.1930). Ce titre renvoie à la fois à la pureté de l'écriture automatique collective, indemne de toute intention expressive individuelle et de tout professionnalisme, et à l'absence de souillure culturelle du discours de la folie. Dans une première partie, « l'Homme », les auteurs évoquent successivement la conception, la vie intra-utérine, la naissance, la vie et la mort. Dans la deuxième partie, « les Possessions », ils miment les différents délires catalogués par la psychiatrie du temps : débilité mentale, manie aiguë, paralysie générale, paranoïa, démence précoce. Enfin la dernière partie, « les Médiations », improvise sur la force de l'habitude, la surprise, le sentiment de la nature, l'amour et l'idée du devenir. En épilogue, « le Jugement originel » rassemble des apophtegmes surréalistes.

La jarre peut-elle être plus belle que l'eau ?

Sous ce titre, qui s'interroge sur les rapports de l'esthétique et de l'éthique, nous rassemblons, comme Eluard le fit en 1951, les recueils de 1932 à 1938 : *la Vie immédiate* (25.6.1932), *la Rose publique* (déc. 1934), *les Yeux fertiles* (15.10.1936) et *Cours naturel* (10.3.1938), qui sont autant de jalons de l'échec amoureux à l'harmonie reconquise avec une nouvelle partenaire, de la solitude et de la révolte abstraite à la fraternité créatrice et à la communion sociale. L'élan poétique refuse de se complaire aux seuls sortilèges nocturnes et, pour changer la vie, cherche, en deçà des médiations intellectuelles stérilisantes, une symbiose naturelle avec êtres et choses, épousant le mystère diurne de la vie, de la clarté, du devenir universel. Dans *la Vie immédiate,* « l'Univers-solitude » mène le deuil de la rupture avec Gala ; « Nuits partagées » dresse le bilan du couple brisé. *La Rose publique,* recueil nuptial, chante le paysage féminin de la nouvelle élue et s'ouvre à « Ce que dit l'homme de peine », à la misère de « Mondal, fils de tout et de peu ». L'optimisme du Front populaire baigne *les Yeux fertiles,* que domine la figure exemplaire de Picasso. *Cours naturel* s'en prend violemment au « Croyez-moi, je suis la loi », aux « bâtisseurs de ruines » et aux vainqueurs de Guernica, affirme l'irrépressible essor d'un « nous » fraternel qui aura raison du mal de la solitude.

Donner à voir

À la différence des recueils de poésie, *Donner à voir* (3.6.1939) est un livre mûri pendant plusieurs années, une sorte de bilan, de credo et de prophétie tout à la fois. Eluard l'organise à la fin de 1936 et au début de 1937 : « Je travaille beaucoup [...], je finis un livre en prose de 200 pages (toutes mes proses) pour la N.R.F. » À l'automne, un premier titre est trouvé, rimbaldien : Eluard annonce sur le tiré à part de *Premières Vues anciennes* : « extrait d'un volume, *Avenir de la poésie,* à paraître aux éditions de la N.R.F. ». Et cette première version sera abondamment remaniée. À l'automne 1938, l'ouvrage reçoit le point final : « Je termine mon livre *Donner à voir.* Tout ce qui concerne les peintres surréalistes y figurera. Tous les textes sur la poésie aussi. Et tous les rêves, toutes les proses poétiques. Je le remets à la N.R.F. la semaine prochaine. » Le livre a donc crû, au fil des ans et au hasard des articles, par une sorte de coalescence naturelle. Au projet de réunir « mes proses » (poétiques et théoriques) s'est ajouté tout le jeu de miroirs des « Premières Vues anciennes », parues en 1937 dans *Minotaure* : mosaïque, entrecoupée de commentaires d'Eluard, de maximes, conseils d'existence et clés pour mieux vivre, récoltés dans des lectures éclectiques qui vont de Blake à Freud et à Piaget en passant par Novalis, Feuerbach, Laforgue et Lautréamont. « Signe ce que tu approuves », conclut Eluard. S'ajoutent aussi « les Rêves », qui n'ont pas statut de poème, et enfin, par une nécessité interne, « tout ce qui concerne les peintres surréalistes », c'est-à-dire, outre les proses, les poèmes qui leur sont consacrés. L'ensemble ne répond pas à une logique catégorielle (poème *versus* prose, poésie *versus* théorie, écriture *versus* peinture) qui relèverait de taxinomies conceptuelles, mais au sentiment intime de l'unité d'une vocation (« donner à voir ») dont tout créateur, en attendant tout homme, est le foyer, pourvu qu'on donne à cette métaphore non pas son sens nucléaire mais son sens optique : « Point où la lumière converge et d'où elle rayonne. » Une conclusion s'impose : la réflexion esthétique d'Eluard prend sa source dans la peinture, s'y retrempe volontiers, et sa pratique ne cesse de rivaliser avec elle. L'art de Picasso, commenté dans « Physique de la poésie » et dans « Je parle de ce qui est bien », ouvre la réflexion théorique et la domine, tout comme il domine l'ouvrage par son titre, *Donner à voir,* emprunté au dernier vers de « À Pablo Picasso » du même recueil. Ce volume rayonne d'une confiance messianique et contagieuse dans l'affranchissement des hommes et l'émancipation de la vie.

Le temps de guerre

La rareté du papier, les difficultés de l'édition, la suspicion de la censure, les aléas de l'impression clandestine, la prudence nécessaire font que les poèmes de la « drôle de guerre » et de l'Occupation migrent d'un recueil à l'autre. Deux pôles les rassemblent : d'une part, les deux volumes du *Livre ouvert* (I, oct. 1940 ; II, janv. 1942) ; d'autre part, les éditions successives d'un recueil qui s'intitule d'abord *Poésie et Vérité 1942* (avril 1942, version enrichie en 1943), puis se nommera *Dignes de vivre* (1.7.1944), avant de rejoindre les poèmes clandestins du *Rendez-vous allemand* (15.12.1944) dans la deuxième édition du *Rendez-vous allemand* (7.4.1945). Les volets fermés sur le triomphe provisoire du Mal, le poète entretient la flamme de l'espoir en se retrempant aux sources de la vie : les fleurs, les fruits, les arbres, les animaux familiers, l'aimée, les amis prodiguent leurs charmes et donnent l'exemple de la constance et de la fidélité, le loup farouche invite à la dignité, le rêve rend ses couleurs à l'univers décoloré, le nom « liberté » s'écrit partout. Des poèmes plus transparents encore chantent le thème des victimes, lancent l'anathème contre les bourreaux, promettent le triomphe des innocents et le châtiment des coupables. La poésie se fait d'autant plus simple qu'Eluard se veut le porte-parole d'un peuple bâillonné. À l'écoute de ses semblables et fuyant la singularité, le poète renoue avec la veine unanimiste de ses débuts.

Poésie ininterrompue

Eluard sentit sans doute le double danger qui le guettait s'il suivait la pente de ses poèmes de guerre : s'enfermer dans la bulle irisée du couple jusqu'à gommer les aspérités du réel ; s'appauvrir dans une poésie didactique partisane. L'angélisme et la prédication. Conscient de la menace, il affronte résolument le problème du rôle moral et social de l'amour et de la poésie, dans un *Carmen perpetuum* de vingt pages dont la continuité est une nouveauté efficace : elle interdit d'éluder, par l'interruption et les blancs, la laideur prosaïque qui cerne les instants édéniques, elle contraint à tout prendre en compte, à tout dire, dans un mouvement dialectique qui rejette l'égoïsme domestique, l'harmonie factice, les commodités de l'éclectisme petit-bourgeois aussi énergiquement que le narcissisme des maudits de profession, le luxe des profiteurs du marché noir et la brutalité des maîtres. Dialogue avec la femme aimée, lutte contre la fatigue, l'âge et la mesquinerie quotidienne, cette impitoyable autocritique d'un poète de cinquante ans qui a réussi se hisse, par paliers, vers une confiance sûre d'elle-même parce qu'elle s'inscrit dans un projet collectif : celui d'un parti qui, à l'époque, se veut l'élément le plus dynamique d'une communauté nationale purifiée, active et bâtisseuse. (On comparera avec intérêt à *Vents* [IV, 5] de Saint-John Perse.) Les autres poèmes du recueil complètent la perspective en glorifiant « le travail du poète », qui refuse la joaillerie vaine des « mots sans poids » et se confond avec ses frères, et « le travail du peintre » [Picasso], qui s'inscrit pareillement dans la perspective de la connaissance et du bonheur.

Derniers Poèmes d'amour

Ce titre simple, choisi par l'éditeur Seghers en 1962, couvre quatre recueils dont l'inspiration variée épouse la catastrophe, les péripéties et la résolution d'un drame personnel. Placé sous l'égide de Chagall, qui l'illustra, *le Dur Désir de durer* (11.11.1946) chante la permanence de la lévitation amoureuse et du mouvement malgré les ruines et les abîmes d'inhumanité dont la littérature sur les camps commence à révéler l'étendue. *Le temps déborde* (16.6.1947, sous le pseudonyme de Didier DESROCHES) articule en deux volets les poèmes d'amour qui précèdent la mort prématurée de Nush (28.11.1946) et les poèmes d'hébétude douloureuse et de désarroi tragique qui la suivent. *Corps mémorable* (nov. 1947, sous le pseudonyme de BRUN ; 2e édition enrichie et signée Eluard, le 24.9.1948) rassemble des poèmes d'un érotisme violent et d'une sensualité panique, dédiés à Jacqueline dont le dévouement charnel l'arrache aux obsessions suicidaires. *Le Phénix* enfin (déc. 1951), inspiré par Dominique, illustre une renaissance plus complète. À partir de la communion sensuelle, le couple se structure comme cellule sociale féconde et généreuse, comme élément d'une marche collective vers l'amour.

Anthologies

Attentif aux effets de sens que provoquent les rapprochements, Eluard est séduit par le genre de l'« anthologie ». Il a composé des choix de ses propres poèmes, tantôt destinés au public cultivé (*Choix de poèmes*, 1941 ; enrichi en 1946 et 1951), tantôt voués, avec quelque naïveté, à la lecture populaire (*Poèmes pour tous*, 1952). Deux florilèges couvrent des périodes de l'histoire de la poésie française : 1818-1918 pour *Le meilleur choix de poèmes est celui que l'on fait pour soi*, en 1947 ; de Philippe de Thaun (XIIe siècle) à Cyrano de Bergerac (XVIIe siècle) pour les deux tomes de la *Première Anthologie vivante de la poésie du passé*, en 1951. D'autres ont un caractère plus démonstratif et théorique, comme les *Premières Vues anciennes* de 1937, remaniées dans *Donner à voir*, ou *Poésie involontaire* et *Poésie intentionnelle* de 1942. L'*Anthologie des écrits sur l'art* (1952, 1953, 1954 ; rééd. en un volume, 1972), inachevée, répond donc à un goût personnel affirmé de longue date : à la différence de Breton et d'Aragon, Eluard répugne à élaborer un discours théorique prolongé. Il préfère de beaucoup « signer ce qu'il approuve » et le composer en mosaïque. Il obtient par ces collages un double effet d'unanimisme et de triangulation. Unanimisme et « poésie impersonnelle » quand les diverses citations, empruntées à une parole plurielle qui traverse les siècles, collaborent à produire un sens unique d'allure collective ; triangulation quand elles fournissent des repères historiques antithétiques ou complémentaires propres à engendrer une compréhension dialectique.

Mais si toute poésie est de circonstance, toute anthologie est aussi de circonstance. Les années 1946-1952 voient une lutte idéologique vive entre le formalisme kantien des champions de l'art abstrait et les thèses des partisans de l'art figuratif ; et, chez les intellectuels communistes, un débat obstiné entre les promoteurs d'un réalisme socialiste jdanovien et les défenseurs d'une conception plus libertaire de la création artistique.

Il s'agit pour Eluard de faire le point, le plus largement possible ; et, là où sa voix seule ne suffirait pas à convaincre les individualistes « apolitiques » d'un côté et les sectaires dogmatiques de l'autre, d'assembler un chœur de grandes voix et d'orchestrer un concert qui rendrait éclatantes les évidences qui sont les siennes. Ces évidences, Eluard les résume lui-même en commentant, dans l'avant-propos du premier volume, les titres des quatre volumes prévus : *les Frères voyants* affirment la fraternité qui unit les voyants aux autres hommes ; *Lumière et Morale* entend surtout « démontrer que la lumière physique doit avoir pour inévitable corollaire la lumière morale. Qui voit bien pense bien » ; *la Passion de peindre* exalte la passion prométhéenne qui pousse l'artiste à défier le cours « normal » de la vie. Et « dans le dernier volume (*Au niveau de la vie*), on abordera aux rivages ennemis de l'imaginaire et du réel, ennemis mais réconciliables pour le plus grand bien de l'espoir et de l'action ». Cette volonté démonstrative, on le voit, frappe aussi bien à droite (pour le dire courtement) qu'à gauche : démontrer aux solipsistes petits bourgeois que l'artiste n'est pas le luxe du néant ni l'opium de la décrépitude, mais au contraire qu'il est partie prenante et prophétique dans le devenir des peuples et leur marche au socialisme, à la liberté, à la lumière, qu'il est un éclaireur fraternel, à tous les sens du terme ; mais également démontrer aux « camarades » sectaires que la lumière physique, la couleur, le dessin ont leur prix, que l'orthodoxie ne saurait pallier la médiocrité ; et surtout que l'imaginaire et le réel doivent se réconcilier, c'est-à-dire que le modèle extérieur n'est pas tout, et qu'il faut réhabiliter le « modèle intérieur », cher aux surréalistes et à Eluard.

Lettres à Gala

Eluard souhaitait la destruction de cette correspondance. Gala avait cependant conservé chez elle, à Cadaqués, 272 lettres, échelonnées de 1925 à 1948, qui sont rassemblées dans ce recueil. Verrons-nous un jour ce courrier se compléter ? Les lettres qu'Eluard écrivit à Gala de 1914 à 1925 font défaut. Sont-elles détruites et définitivement perdues ? Manquent aussi, fort évidemment, un certain nombre de lettres de la période 1925-1948. Gala les a-t-elle anéanties ? Manquent enfin les lettres de Gala, hormis quinze lettres étonnantes des années 1916-1917, retrouvées et ajoutées à la fin du volume. Ces 520 pages apportent à tous ceux qui s'intéressent au surréalisme une foule de renseignements de première main sur la vie du mouvement entre 1930 et 1939. Mais ces lettres sont surtout l'envers (et l'enfer) de *Capitale de la douleur*, de *l'Amour la poésie*, de *la Vie immédiate*. Elles contiennent de précieuses variantes et permettent d'affiner la datation de maints poèmes, elles mettent dans une lumière cruelle « l'univers incompréhensible et le système d'entente incohérent que tu me proposais » que résume avec délicatesse « Nuits partagées ». Obscènes et pures, elles témoignent, en dehors de toute élaboration esthétique, de la passion absolue qui a bouleversé l'adolescence du poète et dont toute sa vie a poursuivi la nostalgie. Sans le servage assumé corps et âme pour une « démone » tantôt cruellement opaque, tantôt complice, sans cette idolâtrie pour le mystère d'un être (« il n'y a de cachette que pour un seul être, qui nous échappera toujours »), le chant d'Eluard n'aurait pas ses résonances de cristal noir. Cette correspondance pathétique émeut, parce qu'en elle se jouent sans tricherie les ignorances les plus graves : le désir et la frustration, la solitude et l'échange, le temps, la mort et le hasard.

J.-Ch. Gateau

EMMANUEL Pierre

Pseudonyme de **Noël MATTHIEU** *(1916-1984)*

Né à Gan, dans les Pyrénées-Atlantiques, le futur Pierre Emmanuel séjourne aux États-Unis, puis fait ses études comme pensionnaire à Lyon, dans une institution religieuse dont l'enseignement l'influence fortement. C'est sa rencontre avec Pierre-Jean Jouve, en 1938, qui suscite chez lui la vocation poétique. Dès lors, son itinéraire se fonde sur la nécessité absolue d'unir le réel historique et la foi chrétienne. L'originalité de sa poésie résidera dans ce passage du réel, pleinement assumé, à la dimension mystique. Car, pour le poète croyant, le langage poétique constitue la forme la plus achevée du dire, ce point où il s'identifie avec le Verbe divin. La grammaire de la condensation poétique, au sens mallarméen, les contraintes de la mesure syllabique et de la rime, tout cela constitue la parole divine même, et non plus un simple support. Cette conception se fait jour dès 1942 avec le recueil *XX Cantos*. Cependant, la réflexion qu'il mène sur le langage poétique (*Poésie, raison ardente*, 1948) le sépare nettement du projet mallarméen (construction d'un langage poétique pur en dehors de l'individu) ou des tentatives de subversion du langage (dadaïsme, surréalisme…), au profit d'une position existentielle, celle de l'unité absolue de l'existence et de la parole. L'Homme existe parce qu'il parle, la parole est sa conscience : « Il est la seule créature à concevoir la pureté du néant » (*Babel*, 1952).

Dès sa rencontre avec Jouve, Pierre Emmanuel a su que la poésie prophétique et visionnaire constituerait désormais son projet. Son premier poème s'intitule : « Christ au tombeau ». Les événements de 1939-1945 ne le feront pas dévier de sa route, même si l'inspiration de cette période appartient au registre de la poésie de la Résistance, dans laquelle il s'engage résolument (*Jour de colère*, 1942). Exilé à Dieulefit (Drôme) où il est professeur, Emmanuel, aux côtés de Pierre Seghers, mène une intense activité créatrice où l'écriture poétique établit le lien entre l'épreuve concrète de la guerre et le symbolique – la destinée humaine telle qu'elle apparaît dans la Bible. Il faut voir dans cette poésie la continuation d'une tradition déjà représentée par Du Bartas, Agrippa d'Aubigné, Péguy.

Après la guerre, malgré son activité à la radio (il dirige les services de la Radiodiffusion française en Grande-Bretagne puis aux États-Unis de 1945 à 1958), Pierre Emmanuel publie de nombreux recueils : *le Poète et son Christ* (1946), *Prière d'Abraham* (1947), *Babel, Visage nuage* (1955), *Évangéliaire* (1960), *la Nouvelle Naissance* (1963), et en outre un roman, *Car enfin je vous aime* (1950), des essais… En 1968, il est élu à l'Académie française puis préside la Commission de réforme de l'enseignement du français. Pourtant, malgré son implication accrue dans le débat public (*Pour une politique de la culture*, 1971), il demeure avant tout poète, écrivant sur Baudelaire, sur Eluard, et poursuivant son œuvre personnelle avec notamment *Sophia* (1973), *Tu* (1978), *Duel* (1979), *le Grand Œuvre* (1984). L'essentiel en est toujours une recherche de l'absolu, c'est-à-dire de Dieu. Cette recherche, Pierre

Emmanuel ne l'accomplit pas uniquement dans le langage poétique. Le Dire le renvoie à l'Être, l'Être le renvoie au réel historique, le réel historique le renvoie à l'absolu et l'absolu s'exprime dans le langage. Ainsi la vérité absolue (Dieu) nous renvoie à la « vérité concrète du mot… ».

Selon Pierre Emmanuel, s'il fait surgir la parole, le poète ne l'invente pas. Elle lui est donnée. Ainsi, l'écriture poétique contient sa propre réponse, à l'instant même où elle se formule. Elle est possédée par le poète triomphant, qui ne sera pas un poète maudit mais celui qui proclame, à travers l'ordre du langage poétique (condensation, transparence, brièveté, contraintes techniques, symboles, loi rythmique du verbe…), l'unité du Spirituel, de l'Homme et du Monde.

Ch. Gambotti

Encyclopédie (l')

ou ***Dictionnaire raisonné des sciences, des arts et des métiers*** *(1751-1772)*

Voltaire écrit, dans *le Siècle de Louis XIV* : « Le siècle passé a mis celui où nous sommes en état de rassembler en un corps et de transmettre à la postérité le dépôt de toutes les sciences et de tous les arts, tous poussés aussi loin que l'industrie humaine a pu aller ; et c'est à quoi a travaillé une société de savants remplis d'esprit et de lumières. Cet ouvrage immense et immortel semble accuser la brièveté de la vie des hommes. Il a été commencé par MM. Diderot et d'Alembert, traversé et persécuté par l'envie et l'ignorance, ce qui est le destin de toutes les grandes entreprises. » Ces lignes sont à rapprocher d'un passage du *Tableau de Paris,* de Louis Sébastien Mercier, publié quelques années avant la Révolution : « Tout se fait aujourd'hui par entrepreneurs… On a vu le sieur Panckoucke se nommer publiquement "entrepreneur" de l'*Encyclopédie méthodique* ; et, de fait, il a payé les matériaux et les manœuvres à tant la feuille, à peu près comme un entrepreneur de bâtiments soudoie à la toise maçons et hommes de peine […]. Ainsi le produit des œuvres du génie et du résultat des connaissances humaines va encore à celui qui a de l'argent pour payer les auteurs et les ouvriers à la casse. Venez au monde, Socrate, Aristote, Platon, Hippocrate ; auriez-vous jamais imaginé qu'il existerait un jour un aussi gros livre, et que son matériel exigerait une forte somme pécuniaire avant qu'on pût lire la *science* ? » Mercier vise ici l'*Encyclopédie méthodique,* de Panckoucke, lancée en 1782, mais sa remarque pourrait aussi bien s'appliquer au *Dictionnaire raisonné des sciences, des arts et des métiers,* de Diderot et d'Alembert. « Monument des progrès de l'esprit humain », comme dit encore Voltaire, c'est aussi, il ne faut pas l'oublier, une entreprise collective de longue haleine, un travail d'édition destiné à être imprimé, vendu, soutenu, et qui dès l'origine mettait en cause des intérêts économiques et politiques de première importance. C'est le jeu de ces intérêts, subtilement mêlés aux enjeux philosophiques, religieux et scientifiques, qui a favorisé ou contrarié l'élaboration de l'*Encyclopédie* et qui permet de comprendre l'histoire longue et tourmentée de sa publication.

La « manufacture encyclopédique » et son histoire

Au départ de toute l'entreprise, il y a l'idée, somme toute modeste, mais commercialement bonne, de traduire en français les deux volumes de la *Cyclopaedia or Universal Dictionary of the Arts and Sciences,* d'Ephraïm Chambers, parue en Angleterre en 1728. Godefroy Sellius, un traducteur d'origine allemande, intéresse à son projet l'important libraire-juré et imprimeur Le Breton, qui se fait accorder un privilège en février 1745 et passe un contrat avec Sellius et un Anglais nommé John Mills pour une version française, corrigée et développée, du Chambers. Très vite, des dissentiments éclatent entre les deux traducteurs et Le Breton, qui obtient l'annulation des actes et reprend le projet en s'associant, en octobre 1745, à trois autres libraires parisiens, Briasson, Durand et David. Un nouveau privilège est accordé, et c'est l'abbé Gua de Malves, membre de l'Académie des sciences, qui est chargé de diriger les travaux. À ses côtés, on trouve d'Alembert, lui aussi membre de l'Académie des sciences, qui contrôlera les articles scientifiques, et Diderot, engagé comme traducteur. Mais très vite Gua de Malves se révèle incapable de mener à bien sa tâche et doit s'effacer. Le 16 octobre 1747, un nouveau contrat est signé, Diderot et d'Alembert deviennent responsables de la publication.

Le projet initial a été élargi, et il prévoit, à côté des articles du Chambers remaniés et mis à jour, de nombreux articles originaux et une *Description des arts* bien plus développée. Diderot est la cheville ouvrière du projet. Il recrute les collaborateurs, distribue le travail, recueille les textes et a la responsabilité particulière de la *Description des arts* et des planches qui doivent l'illustrer. Aussi son arrestation, en juillet 1749, à la suite de la publication de la *Lettre sur les aveugles,* risque-t-elle de porter un coup fatal au dictionnaire en préparation. Les libraires multiplient les démarches auprès des autorités, et Diderot lui-même écrit au chancelier d'Aguesseau pour plaider la cause d'un ouvrage entrepris « à la gloire de la France et à la honte de l'Angleterre ». Ces arguments politiques et commerciaux sont assez forts pour que Diderot, au bout de trois mois, soit relâché de Vincennes. Il rédige un *Prospectus* (novembre 1750), véritable programme raisonné qui montre l'unité de l'œuvre à travers la diversité des articles. Dix volumes in-folio sont annoncés, dont deux de planches. Les souscriptions commencent d'affluer (1 002 en avril 1751 ; 2 619 à la fin de la même année).

C'est le 28 juin 1751 que paraît le premier volume de l'*Encyclopédie ou Dictionnaire raisonné des sciences, des arts et des métiers,* publié « avec approbation et privilège du roi ». En tête figure un long *Discours préliminaire,* rédigé par d'Alembert. Dès sa parution, le livre suscite un intérêt passionné. Les esprits éclairés applaudissent, mais une partie du public est étonnée, puis scandalisée par ce singulier dictionnaire. Les jésuites, qui craignent une concurrence pour leur *Dictionnaire de Trévoux,* commencent à dénoncer les erreurs et les audaces religieuses ou politiques qu'ils découvrent dans l'*Encyclopédie.*

L'« affaire de l'abbé de Prades » va être l'occasion de la première des grandes crises qui menaceront l'existence du *Dictionnaire* de Diderot et d'Alembert. Prades, collaborateur de l'*Encyclopédie,* voit sa thèse sur la spiritualité de l'âme et la divinité de Jésus-Christ censurée par la Sorbonne en janvier 1752, et l'archevêque de Paris lance contre lui un mandement. Il est obligé de s'enfuir en Hollande. Les ennemis des encyclopédistes, jésuites, jansénistes, hiérarchie ecclésiastique, parlement, en profitent pour obtenir du Conseil d'État un arrêt d'interdiction contre les deux premiers volumes. Mais les « philosophes » ne manquent pas de défenseurs, au premier rang desquels Malesherbes, le « directeur de la librairie », c'est-à-dire le magistrat chargé du contrôle des publications. À la Cour même, Mme de Pompadour ne leur est pas défavorable. L'arrêt n'est pas rapporté, mais le travail reprend, Malesherbes recommandant à Diderot d'éviter les provocations inutiles.

Les années qui suivent sont relativement calmes, malgré les attaques incessantes de Fréron dans son *Année littéraire.* Les souscriptions continuent d'arriver, et, en février 1754, les libraires portent le tirage définitif à 4 225 exemplaires. Quand paraît le volume VII, en novembre 1757, il y a plus de quatre mille souscripteurs, et l'on décide d'augmenter le nombre de volumes de texte et de planches initialement prévu. Cependant, en cette même année, les menaces s'accumulent à nouveau. Le « parti dévot » profite de l'émotion créée par l'attentat de Damiens contre Louis XV pour mettre en cause les « philosophes ». Coup sur coup, des pamphlets violents sont publiés : l'*Avis utile ou Premier Mémoire sur les Cacouacs,* de Vaux de Giry, le *Nouveau Mémoire pour servir à l'histoire des Cacouacs,* de Jacob Nicolas Moreau, les *Petites Lettres sur de grands philosophes,* de Palissot. D'Alembert, excédé par ces attaques, ulcéré par les remous que son article *Genève,* paru dans le volume VII, a créés, quitte la direction de l'*Encyclopédie.* Diderot, malgré ce qu'il appelle une « désertion », et malgré les conseils de Voltaire, qui le pousse à continuer l'ouvrage en Suisse, tient bon, mais il va devoir bientôt affronter une nouvelle crise, la plus grave de toutes.

Le 23 janvier 1759, en effet, le Parlement de Paris dénonce comme subversifs huit ouvrages, en tête desquels figurent *De l'esprit,* d'Helvétius, et l'*Encyclopédie.* Abraham Chaumeix commence la publication de ses *Préjugés légitimes contre l'Encyclopédie,* et le Conseil du roi révoque le privilège de 1746, avec interdiction de vendre les volumes déjà parus et d'en imprimer de nouveaux. Le 21 juillet 1759, nouvel arrêt du Conseil, ordonnant aux libraires de rembourser les souscripteurs. C'est la banqueroute inévitable. Mais les mêmes appuis efficaces continuent de se manifester. Malesherbes accepte la proposition des libraires : les volumes de planches (qui n'ont pas encore été publiés) serviront à dédommager les souscripteurs, et, en septembre, un nouveau privilège est accordé pour un *Recueil de mille planches gravées en taille-douce sur les sciences, les arts libéraux et mécaniques.* L'*Encyclopédie* est sauvée, financièrement d'abord, et tout le monde a compris que les volumes de texte paraîtront un jour, quand la tempête sera apaisée.

Diderot peut donc continuer à préparer les volumes de planches et à rassembler les articles pour les volumes de texte. Ses ennemis ne désarment pas, cependant, et Fréron, dans son *Année littéraire,* accuse les éditeurs de l'*Encyclopédie* de s'être servis des planches commandées par Réaumur pour les *Descriptions des arts et métiers* de l'Académie des sciences (voir plus loin, « les Planches de l'*Encyclopédie* »). En 1760, la réception à l'Académie française de Pompignan et la représentation de la comédie de Palissot, *les Philosophes,* sont le prétexte de furieuses disputes, dont Diderot, rendu prudent, se tient à l'écart. La condamnation de la Compagnie de Jésus, en 1762, le débarrasse de ses ennemis les plus acharnés, et il peut se permettre de décliner les propositions de Catherine II de Russie qui lui propose d'aller terminer l'*Encyclopédie* à Riga. À la fin de 1763, il donne le bon à tirer pour les dix derniers volumes de texte. Ils seront distribués aux souscripteurs en 1766, la livraison des onze volumes de planches s'étalant de 1762 à 1772.

Deux incidents troubleront encore la préparation de l'œuvre. En 1764, Diderot s'aperçoit que Le Breton a, sans le prévenir, pratiqué une censure préventive sur l'ensemble des textes. Si leur signification générale n'a pas été altérée, les articles, et surtout ceux de Diderot lui-même, ont été allégés des passages où se manifestait le plus l'« esprit philosophique ». Diderot réagit avec violence à ce qu'il appelle « un coup de poignard », mais il est trop tard pour revenir sur ce qui a été imprimé, et Diderot, bien qu'ulcéré, accepte de taire le « massacre ». En 1771, enfin, un souscripteur mécontent, Luneau de Boisjermain, intente un procès aux libraires, qu'il accuse de n'avoir pas tenu leurs engagements. Il sera débouté de son action.

L'approbation du censeur pour le dernier volume de planches est donnée le 14 février 1772, et les libraires envoient gratuitement aux souscripteurs un frontispice gravé par B. L. Prévost, d'après un dessin de Ch. N. Cochin le fils, représentant le triomphe de la Vérité dévoilée par la Raison.

Un inventaire « raisonné »

Un dictionnaire classé alphabétiquement ne se lit pas de la première à la dernière page, il se consulte selon les besoins et les curiosités. En donnant cette forme à leur « encyclopédie » (ce mot signifie le « rond des sciences », pour reprendre l'expression de Du Bellay, le « tour des connaissances »), les philosophes des Lumières n'ont fait qu'entériner l'éclatement définitif du savoir humain résultant à la fois du développement accéléré des sciences et de la dissolution des grandes synthèses théologiques et philosophiques. Mais l'*Encyclopédie* n'est pas une simple accumulation de connaissances. Elle se présente bien comme un inventaire, mais un inventaire « raisonné », dont la « raison » est à chercher dans un certain esprit commun qui, à travers la diversité des sujets, des styles et des tempéraments, se manifeste dans une certaine façon d'envisager les rapports de l'homme avec Dieu, avec la nature et avec les autres hommes. La grandeur véritable de l'*Encyclopédie,* c'est d'avoir su trouver le point central permettant d'avoir sur ce que d'Alembert appelle « le pays de l'érudition et des faits » une vue synoptique.

« Pourquoi n'introduirions-nous pas l'homme dans notre ouvrage, comme il est placé dans l'univers ? Pourquoi n'en ferions-nous pas un centre commun ? » demande Diderot dans l'article *Encyclopédie*. Cet homme, au profit de qui s'opère ainsi une véritable révolution copernicienne, n'est pas l'homme chrétien, l'homme de la chute et du péché, « c'est un être sentant, réfléchissant, pensant, qui se promène librement sur la surface de la Terre, qui paraît être à la tête de tous les autres animaux sur lesquels il domine, qui vit en société, qui a inventé des sciences et des arts, qui a une bonté et une méchanceté qui lui est propre, qui s'est donné des maîtres, qui s'est fait des lois » (Diderot, article *Homme*). Au bonheur de cet homme, l'*Encyclopédie* se donne pour tâche de collaborer en faisant l'inventaire des connaissances utiles et en cherchant à promouvoir par tous les moyens le progrès du genre humain. D'où son caractère normatif, militant, polémique même : elle dénonce, partout où elle les rencontre, les entraves qui s'opposent au progrès, à la liberté, au bonheur, qu'il s'agisse de la superstition, du fanatisme ou de la tyrannie.

Que cette vision du monde, cette conception de l'homme et de son destin correspondent à ce qu'on appelle l'« idéologie bourgeoise », c'est ce qui a été souvent souligné, mais ce serait une erreur de croire que l'esprit « bourgeois » était, au XVIIIe siècle, l'apanage de la bourgeoisie, au sens précis du terme. Les nobles réformistes, gagnés par l'exemple anglais, et qui se lançaient dans l'industrie métallurgique ou dans la grande culture rationnelle, ou les membres du moyen et du bas clergé, particulièrement sensibles aux abus de l'ordre établi, formaient, au même titre que les bourgeois, un public tout acquis aux idées de l'*Encyclopédie* (dans le Périgord, sur quarante souscripteurs, on compte vingt-quatre ecclésiastiques).

Les ruses de la raison

Il y a quelque 60 200 articles dans le *Dictionnaire*. L'« esprit encyclopédique » s'y exprime à des degrés divers, selon le sujet traité, selon la personnalité et le talent de celui qui le traite. Les articles scientifiques et techniques sont tributaires de l'état du savoir au moment où ils ont été rédigés. Ils intéressent, à cet égard, au premier chef l'historien des sciences, mais tous sont animés par la même conviction, d'origine baconienne : savoir et pouvoir vont de pair, l'homme est destiné à devenir « maître et possesseur de la nature », son bonheur matériel et moral est à cette condition. Aucun délire prométhéen, d'ailleurs, dans cette confiance tranquille et mesurée : les encyclopédistes savent que le jardin de l'homme n'est pas sans limites, mais aussi que ce n'est pas une raison pour ne pas le cultiver. La « crise du progrès », ce sera pour plus tard.

Où l'entreprise devient périlleuse, c'est lorsqu'il s'agit de dégager les implications religieuses, philosophiques, morales et politiques de la nouvelle conception de l'homme dont les encyclopédistes se font les illustrateurs. Ils se heurtent alors à ce qu'ils appellent des « préjugés », c'est-à-dire à des dogmes, croyances, valeurs défendus par des institutions puissantes qu'il est impossible d'attaquer de front. D'où ces « sortes de demi-attaques » dont parle d'Alembert, « cette espèce de guerre sourde qui est nécessaire quand on habite les vastes contrées où l'erreur domine ». Diderot est passé maître dans ces ruses destinées à faire triompher la raison sans alerter ses ennemis. Il use de la méthode des renvois, telle qu'il l'expose dans l'article *Encyclopédie* : « Toutes les fois, par exemple, qu'un préjugé national mériterait du respect, il faudrait, à son article particulier, l'exposer respectueusement avec tout son cortège de vraisemblance et de séduction, mais renverser l'édifice de fange, dissiper un vain amas de poussière, en renvoyant aux articles où des principes solides servent de base aux vérités opposées. » Ainsi le très déférent article *Cordelier* renvoie-t-il à *Capuchon*, où les ordres religieux sont violemment attaqués. Un autre procédé consiste à dissimuler les audaces dans des endroits inattendus ; dans des articles au sujet apparemment inoffensif ou au titre bizarre : *Aigle, Agnus Scythicus, Aius locutius, Junon, Gomaristes*, etc. De manière plus générale, le respect, sincère ou non, que Diderot affiche pour les enseignements de la révélation ne peut être que suspect aux yeux de l'Église. En dissociant radicalement le domaine de la foi et celui de la raison, il impose un choix, dont il est facile de deviner quel il sera : « Nous sommes hommes avant d'être chrétiens » (Diderot, article *Raison*.)

Ce genre de précautions est moins nécessaire dans les articles politiques. À cet égard, l'*Encyclopédie* n'est pas un ouvrage révolutionnaire. Pour l'essentiel, elle ne fait que répéter l'enseignement des théoriciens du droit naturel, Grotius, Pufendorf, Barbeyrac, et celui de Montesquieu. Seul Rousseau fait entendre une voix discordante dans *Économie politique*, qui annonce certains thèmes du *Contrat social*, mais il reste isolé. La monarchie n'est jamais remise en question, l'idéal étant celui du « despotisme éclairé » qui, dans la personne du roi-philosophe, réconcilie l'autorité et la raison. Une autre tendance existe aussi, qui penche vers une monarchie limitée, tempérée par le système représentatif, sur le modèle anglais. Elle s'exprime en particulier dans l'article *Représentants*, de d'Holbach.

Pas de révolution, donc, pas d'utopie, pas de cité idéale, mais des revendications qui s'enracinent dans la tradition historique française. Les encyclopédistes ne demandent à l'État que des services négatifs : faire disparaître toutes les contraintes qui entravent le libre développement de l'individu. Leur lutte est une lutte pour la reconnaissance des droits de l'individu libre, de l'homme qui ne reçoit ses lois que de lui-même. Lutte pour la liberté de penser, pour la libre circulation des idées, contre l'Église qui prétend au monopole de la vérité, contre l'État et sa censure. Lutte pour la liberté physique, contre la torture et l'arbitraire du pouvoir judiciaire, contre l'esclavage aux colonies. Lutte enfin pour la liberté économique, contre les entraves au développement de l'industrie et du commerce.

L'histoire allait vite se charger de mettre en évidence les limitations, voire les contradictions internes de cet idéal de libéralisme individualiste. Elle n'en a pas effacé la valeur. Comme le dira Hegel dans son *Cours d'histoire de la philosophie*, « l'admirable, dans les écrits philosophiques français, et ce qui fait leur importance, c'est leur étonnante énergie, la force du concept en lutte contre l'existence, contre la foi, contre la toute-puissance de l'autorité établie depuis des milliers d'années. C'est leur caractère qui est admirable, le caractère du sentiment d'indignation la plus profonde contre l'acceptation de tout ce qui est étranger à la conscience de soi. C'est une certitude de la vérité rationnelle qui défie le monde des idées reçues et qui est certaine de sa destruction. Elle a battu en brèche tous les préjugés et elle en a triomphé ».

LES PLANCHES DE L'*ENCYCLOPÉDIE*

*Plusieurs rééditions récentes, intégrales ou partielles, des onze volumes de planches de l'*Encyclopédie *suffisent à témoigner de l'intérêt, à la fois documentaire et esthétique, que notre époque porte à ces quelque 2 900 planches gravées en taille-douce, qui illustrent les sujets les plus divers, anatomie, histoire naturelle, beaux-arts, écritures, art militaire, équitation, etc., mais qui, pour la plupart, sont consacrées aux « arts mécaniques ». Diderot et d'Alembert étaient conscients de ce que l'originalité de leur entreprise résidait dans l'importance donnée à la « description des arts », qui constituait « la partie de cette* Encyclopédie *la plus étendue, la plus importante, la plus désirée du public » (fin du* Discours préliminaire*). Et ils savaient aussi que « le peu d'habitude qu'on a d'écrire et de lire des écrits sur les arts rend les choses difficiles à expliquer d'une manière intelligible. De là naît le besoin de figures. […] Un coup d'œil sur l'objet ou sur sa représentation en dit plus long qu'une page de discours » (*Prospectus*).*

Il y a cependant de l'exagération publicitaire chez Diderot lorsqu'il affirme que « jusque-là, on n'a presque rien écrit sur les arts mécaniques », et que dans les volumes de machines publiés avant les siens « il était impossible d'en tirer plus de vingt planches dignes d'entrer dans une collection telle que nous avons eu le courage de la concevoir et le bonheur de l'exécuter » (article Encyclopédie*). Dès le XVI*e *siècle, on avait vu paraître des traités techniques (*De re metallica*, d'Agricola) et des « théâtres de machines » (Besson, Ramelli). Ces « théâtres » présentaient plutôt des curiosités, des automates, des machines destinées aux représentations scéniques, aux jeux d'eau, plutôt que des outils servant à soulager la peine des hommes. Mais le XVII*e *siècle voit la publication de descriptions des moulins à vent et à eau, et les ouvrages techniques se multiplient au début du XVIII*e *(Leupold, Grollier de Servière, Forest de Bélidor). Nul doute que Diderot ne se soit inspiré de ces ouvrages, et surtout de la* Description et perfection des arts et des métiers *entreprise par l'Académie des sciences, sur l'ordre de Colbert, et dirigée, de 1711 à 1757, par Réaumur. Que cette inspiration, dans le cas de la* Description *de l'Académie des sciences, fût en réalité un plagiat, c'est ce qu'affirma, en 1759, dans l'*Année littéraire*, le journal de Fréron, le graveur Pierre Patte, qui avait travaillé pour l'*Encyclopédie*, et qui révéla que Diderot avait soudoyé des graveurs ayant collaboré avec Réaumur pour qu'ils lui remissent des épreuves de planches qu'ils avaient conservées sans en avoir le droit. Un beau scandale s'ensuivit, et adversaires et partisans de l'*Encyclopédie *trouvèrent là une nouvelle occasion d'en découdre. Le plagiat ne put être prouvé, mais il est aujourd'hui évident que Diderot s'est inspiré, dans la présentation même de ses planches, du travail des académiciens.*

*Ces restrictions n'enlèvent rien à la valeur du travail des encyclopédistes, et de Diderot en particulier. Grâce à la littérature scientifique et technique de son époque, grâce aux mémoires originaux envoyés par des spécialistes, et surtout grâce aux enquêtes qu'il a faites personnellement ou fait faire dans les ateliers, Diderot a accumulé une documentation sans précédent. « On a envoyé des dessinateurs dans les ateliers. On a pris l'esquisse des machines et des outils. On n'a rien omis de ce qui pouvait les montrer distinctement aux yeux » (*Discours préliminaire*). Grâce au talent des dessinateurs (Goussier, Lucotte, Soubeyran, Blondel) et des graveurs (Besnard, Prévost, Deferth, Le Canu, Laurent), les planches sont d'une parfaite précision en même temps que d'un très grand charme. Certaines scènes d'ensemble composent de véritables petits tableaux de genre, dans le goût réaliste qui caractérise le XVIII*e *siècle. Mais les volumes des* Planches *ont surtout l'intérêt incomparable de dresser le tableau des arts et des métiers de France à un moment où l'artisanat atteint un degré de perfection qui ne sera jamais dépassé, et où l'industrie commence à faire ses premiers pas, freinés encore par l'absence de sources d'énergie autres que l'eau, le vent et l'effort animal ou humain. Ils montrent un aspect peu connu d'un siècle surtout célèbre par son élégance et sa douceur de vivre. Ils font apparaître l'envers du décor des fêtes galantes, l'univers ignoré de l'atelier et de la manufacture, de la mine et des champs, et tout un peuple en surgit, oublié par les historiens des rois et des favorites.*

LES COLLABORATEURS

*Les maîtres d'œuvre de l'*Encyclopédie *ont été Diderot et d'Alembert, Diderot surtout, qui pendant vingt-six ans accomplit un travail immense, se chargeant de la* *coordination d'ensemble, de la partie consacrée aux « arts et métiers » et fournissant d'innombrables articles sur des sujets divers, en particulier sur l'histoire de la philosophie. Nous connaissons, grâce aux livres de comptes des libraires, les conditions financières du travail de Diderot : le contrat de 1747 lui assure 7 200 livres en tout, 1 200 à la sortie du premier volume et 144 livres par mois pendant 41 mois. En 1754, les termes du contrat sont modifiés, et Diderot obtient, entre autres avantages nouveaux, la propriété des ouvrages utilisés pour la préparation du dictionnaire. À partir de juin 1758, il touche une rétribution de 2 500 francs par volume encore à paraître, soit 15 000 livres payées en seize tranches, à quoi il faut ajouter une rente versée sur le capital de 20 000 livres garanti par le contrat de 1754. Ces revenus, ajoutés à l'héritage paternel, permettront à l'écrivain besogneux des débuts d'assurer à sa fille une dot appréciable.*

D'Alembert, lui, rédigea ou révisa tous les articles de mathématiques et de physique et aussi le Discours préliminaire, *ainsi qu'un certain nombre d'articles philosophiques. Dans la première équipe, recrutée à partir de 1746, il y avait les compagnons de bohème de Diderot, Toussaint (jurisprudence), Eidous (blason et maréchalerie), Dumarsais (grammaire), Jean-Jacques Rousseau (musique). Le groupe des « abbés théologiens » était constitué par les abbés de Prades, Yvon, Mallet, Pestré, et celui des médecins, qui assuraient les articles traitant de l'anatomie, de la physiologie, de la médecine, de la chirurgie et de l'histoire naturelle, par Tarin, Louis, Malouin, Le Monnier, Daubenton. Certains des meilleurs spécialistes du temps traitaient de la partie technique, Le Roy pour l'horlogerie, Goussier pour les machines, Belin pour la cartographie, Le Blond pour l'art militaire, Blondel pour l'architecture.*

*À tous ces noms d'hommes compétents, mais relativement obscurs, il faut ajouter la collaboration promise – sinon toujours effective – de quelques célébrités recrutées par d'Alembert, habitué des salons « philosophiques » : Buffon, Montesquieu, Voltaire. Lorsque le succès (et le scandale) des premiers volumes eut attiré sur l'ouvrage l'attention générale, de nouveaux et importants concours s'offrirent : pour l'économie politique, les physiocrates Quesnay, Turgot ; pour le droit, Boucher d'Argis ; pour la médecine, Tronchin ; pour la chimie, d'Holbach ; pour l'histoire naturelle, La Condamine ; pour les lettres, Marmontel, Duclos, l'abbé Morellet ; pour les sujets les plus variés, l'infatigable chevalier de Jaucourt, devenu peu à peu l'homme à tout faire irremplaçable de l'*Encyclopédie. *Et il faudrait en ajouter bien d'autres, le président de Brosses, le comte de Tressan, Boulanger, Saint-Lambert, Véron de Forbonnais, sans compter tous les savants et lettrés anonymes qui envoyèrent, souvent spontanément, leur contribution. « Jamais, dit Voltaire, on ne travailla avec tant d'ardeur et avec un plus noble désintéressement. On vit bientôt des personnages recommandables dans tous les rangs, officiers généraux, magistrats, ingénieurs, véritables gens de lettres, s'empresser à décorer cet ouvrage de leurs recherches, souscrire et travailler à la fois : ils ne voulaient que la satisfaction d'être utiles ; ils ne voulaient point être connus ; et c'est malgré eux qu'on a imprimé le nom de plusieurs. »*

QUE DOIT-ON DEMANDER À UN DICTIONNAIRE ?

*« AGUAXIMA (Hist. nat. bot.), plante du Brésil et des îles de l'Amérique méridionale. Voilà tout ce qu'on nous en dit ; et je demanderais volontiers pour qui de pareilles descriptions sont faites. Ce ne peut être pour les naturels du pays, qui vraisemblablement connaissent plus de caractères de l'*aguaxima *que cette description n'en renferme, et à qui on n'a pas besoin d'apprendre que l'*aguaxima *naît dans leur pays ; c'est comme si l'on disait à un Français que le poirier est un arbre qui croît en France, en Allemagne, etc. Ce n'est pas non plus pour nous ; car que nous importe qu'il y ait au Brésil un arbre appelé* aguaxima, *si nous n'en savons que le nom ? À quoi sert ce nom ? Il laisse les ignorants tels qu'ils sont ; il n'apprend rien aux autres : s'il m'arrive donc de faire mention de cette plante, et de plusieurs autres aussi mal caractérisées, c'est par condescendance pour certains lecteurs, qui aiment mieux ne rien trouver dans un article de dictionnaire, ou même n'y trouver qu'une sottise, que de ne point trouver l'article du tout » (Diderot).*

A. Pons

Énéas (Roman d')

(entre 1155 et 1160)

« Roman » en vers d'un clerc anonyme, d'origine normande, vivant et écrivant dans l'entourage du roi d'Angleterre Henri II Plantagenêt (1133-1189), probablement composé entre 1155 et 1160 et conservé par neuf manuscrits.

Rédigé dans l'idiome littéraire propre à la Normandie au milieu du XIIe siècle, ce roman de plus de 10 000 octosyllabes recourt au couplet à rimes plates et contribue à la vaste entreprise apologétique de la monarchie Plantagenêt [voir **WACE**] dont il légitime fictivement et rétrospectivement les prétentions sur l'Angleterre en identifiant son histoire à la geste mythique des Troyens. L'*Énéas* forme, avec le *Roman de Thèbes* et le *Roman de Troie*, la trilogie des « romans antiques », chaîne sans continuité dont il est le deuxième maillon. L'*Énéas* est l'adaptation en langue française de l'*Énéide* de Virgile. Adaptation et non traduction, qui cherche, dans l'infidélité au modèle latin, une liberté ouvrant à la littérature en langue vulgaire la voie toute nouvelle du romanesque.

SYNOPSIS

Dépourvu de prologue, le roman s'ouvre sur le sac de la ville de Troie par les Grecs venus reprendre Hélène enlevée par Pâris. Conseillé par sa mère Vénus, Énéas [Énée] échappe au massacre et reçoit des dieux l'ordre de gagner la terre d'où vint son ancêtre Dardanus, le fondateur de Troie (v. 1-91). La tempête fait échouer ses nefs près de la ville de Carthage gouvernée par une femme, Dido [Didon], qui, bientôt séduite par les malheurs du Troyen, lui offre sa terre ; mais les dieux le rappellent à sa mission et l'obligent à reprendre la mer. Désespérée, Dido se suicide (v. 183-2144).

La deuxième étape de son périple conduit Énéas aux Enfers où son père l'attend pour lui révéler son avenir : le mariage avec Lavine, l'héritière unique du roi de Lombardie, union d'où naîtra une lignée prestigieuse (v. 2 145-3020).

La troisième étape l'amène en Lombardie (la terre de Dardanus, son ancêtre), où se trouve la femme désignée par les dieux. Lavine a été antérieurement promise par son père à Turnus, un guerrier qui n'entend perdre ni la jeune fille ni le royaume apporté en dot ; il les défendra les armes à la main. Le récit s'emplit alors du fracas des combats où, à côté d'Énéas et Turnus, s'illustrent Pallas (fils du roi Évandre et ami d'Énéas) et Camille (v. 3105-7856). L'amour a choisi le camp désigné par les dieux. Saisie par la beauté du Troyen, Lavine l'aime, se déclare à l'aide d'un parchemin enroulé autour d'une flèche et parvient à faire entrer Énéas dans son désir. Indécis, le sort des armes n'est tranché que par un combat singulier entre les deux prétendants. Vainqueur, Énéas, après avoir tué son adversaire, épouse Lavine ; le roman s'achève rapidement sur cet épisode nuptial en rappelant l'illustre descendance de ce couple royal et la fondation de Rome (v. 7857-fin).

Une réécriture de circonstance

La critique s'est longuement attardée à cerner les rapports du texte roman avec son modèle virgilien ; outre qu'elle permet de saisir le rapport que le Moyen Âge a entretenu avec l'Antiquité, la comparaison des deux textes met en perspective la méthode de travail du clerc médiéval. Il a œuvré avec le texte latin sous les yeux, certains passages étant des traductions en ancien français de l'*Énéide* ; ils restent rares. Le plus souvent, l'auteur a pris de grandes libertés avec le modèle, ajoutant des digressions empruntées à des glossateurs de Virgile appartenant à la latinité tardive : le développement du stratagème par lequel Dido a usurpé Carthage (v. 399-406) provient de Servius (fin du IVe siècle) ; le supplice infligé à Tantale, condamné à mourir de faim et de soif à côté d'une pomme et d'eau, de Fulgence (V^e^-VIe siècle) ; l'épisode de la pomme de discorde servant à expliquer l'acharnement de la déesse Pallas contre les Troyens emprunte, dans la forme qui lui est donnée, à un recueil de fables célèbres (le *Second Mythographe*). Il mêle à sa traduction de Virgile des souvenirs de ses lectures poétiques d'Ausone, de Claudien et surtout d'Ovide (Ier siècle) : les amours de Lavine et d'Énéas doivent tout à l'*Art d'aimer* et aux *Amours*. Ces multiples souvenirs participent d'un art de l'amplification bouleversant la structure et la signification du poème originel. Camille et Lavine n'étaient chez Virgile que des ombres ténues, elles deviennent chez l'auteur médiéval des personnages à part entière. Support d'un fantasme d'androgynat, Camille fournit l'occasion de deux morceaux de bravoure qui figent à dessein le récit : l'un rêve dans un portrait à une beauté féminine liée à l'indécision sexuelle, l'autre introduit dans le texte un merveilleux architectural avec la description de son tombeau. L'épaisseur psychologique conférée à Lavine découvrant l'amour dans la souffrance enrichit la fin de l'épopée latine. L'auteur sait aussi élaguer son modèle : il réduit les interventions divines dans le destin des hommes et condense drastiquement les six premiers chants de l'Énéide en à peine trois mille vers. Il réaménage encore la logique du récit. Là où Virgile pratiquait l'« ordre artificiel » et commençait son récit à Carthage, revenant ensuite, par une rétrospection narrative, à ce qui avait forcé Énée à quitter Troie, l'auteur médiéval préfère l'« ordre naturel » permettant à la narration d'épouser la chronologie des faits. Ajouts diserts, suppressions brutales, modifications de la logique narrative : autant de manifestations d'un travail concerté qui visent à faire de l'*Énéas* un texte autonome, un roman à part entière.

Les libertés prises avec le modèle par le remanieur médiéval tiennent à l'émergence du texte dans un contexte idéologique différent. La raréfaction des interventions divines demeure indissociable de la christianisation de la société médiévale ; l'auteur n'est pas allé jusqu'à christianiser les divinités antiques, il a préféré limiter leur présence et réduire leur panthéon. De même, la lutte des deux prétendants Énéas et Turnus pour l'obtention de Lavine et du royaume de son père, qui emplit les deux tiers du roman, n'est pas sans renvoyer à la compétition de ce que l'historien Georges Duby a appelé les « jeunes », ces chevaliers sans terre en quête d'une héritière permettant de satisfaire leurs besoins économiques et sexuels, de pérenniser leur lignage et de nouer des alliances. Au-delà de sa sphère de diffusion immédiate (la cour d'Henri II Plantagenêt), le roman renvoyait ainsi aux petits féodaux un écho de leurs préoccupations. Ces nouveaux substrats idéologiques s'insèrent dans un cadre narratif actualisé. Les héros et les dieux antiques évoluent dans un univers médiéval. Carthage, sur laquelle règne Dido, a tout de la ville fortifiée que protègent tours et donjon. Les costumes qui parent les personnages féminins appartiennent au XIIe siècle, ainsi que les armes et les harnachements des chevaux avec lesquels s'affrontent les protagonistes. Ces anachronismes ne sont pas l'effet de la naïveté, mais le produit d'un travail de réécriture visant à actualiser un texte antique afin de le rendre intelligible à un auditoire peu sensible à l'altérité historique.

La femme et l'amour au cœur du romanesque

C'est la place accordée aux femmes qui inscrit résolument l'*Énéas* dans le champ du romanesque. Indépendamment du culte de la Dame instauré par la lyrique troubadouresque en langue d'oc, l'*Énéas* porte un intérêt à la femme préfigurant le développement postérieur de la courtoisie. Les figures féminines sont fournies par l'original latin, mais l'auteur médiéval les tire de l'ombre et les éclaire de manière à conduire une réflexion sur la féminité à travers des types contrastés. Dido incarne la femme sensuelle, vite séduite, qui détourne le héros de la mission assignée par les dieux. En elle se condensent les sortilèges de la féminité et s'affiche la fascination, mêlée de répulsion, de l'homme médiéval s'éveillant à une curiosité dont ne témoignaient pas les premières chansons de geste. À l'opposé : Camille, la guerrière, dont la beauté captive la plume du clerc qui en brosse longuement le portrait. Description en deux temps qui souligne d'abord la féminité de la reine des Volsques puis la virilité de son courage. Héroïne chaste, défendant farouchement sa virginité et incarnant le rêve d'un corps échappant à la différence sexuelle, rêve embaumé dans le mausolée merveilleux que lui construit le clerc. Entre les deux, même si elle apparaît la dernière, Lavine, image presque parfaite de la femme féodale, de l'héritière qui apportera une « terre » avant de donner naissance à une lignée prestigieuse. À l'autre bout du roman, elle répond à Dido ; sa fécondité s'oppose à la stérilité de la reine de Carthage ; moteur de la prouesse guerrière, elle ne conduit pas à l'oubli des armes pour le plaisir ; elle n'initie pas à la volupté mais met à l'épreuve le désir qui consolide dans la souffrance l'union que le mariage légitime. Elle est l'élue des dieux parce que l'élue du clerc, à qui elle sert à définir un idéal féminin raisonnable, contrastant avec l'idéal impossible incarné par Camille et la fascination dangereuse dont Dido s'avère l'objet. Trois femmes qui répondent aux trois déesses de l'épisode de la pomme de discorde, trois figures du destin du héros et trois visages différents d'une même inquiétude devant la féminité chez le clerc médiéval qui vit traditionnellement à l'écart de tout commerce avec les femmes.

Avec l'*Énéas*, le roman s'ouvre à l'amour. Pleines du fracas des combats contre l'Infidèle, les premières chansons de geste, ignorant (ou presque) les femmes, préféraient les armes à l'amour. L'*Énéas* donne au roman un discours sur l'amour dans lequel il ne cessera plus de puiser. Il ne l'invente pas, mais l'emprunte à Ovide tout en déplaçant sa signification. Comme chez Ovide, l'amour est, dans l'*Énéas*, une maladie ; le registre métaphorique permettant d'en approcher la nature oscille entre la blessure, la brûlure, la fièvre, la rage et le poison (« Mortel poison avoit beü », dit-on de Dido). Énéas, comme Dido ou Lavine, se déclare « navré » [blessé] par l'amour. Le dieu allégorique du sentiment amoureux est un dieu guerrier muni de dards, dont il blesse ses victimes, et d'un baume, avec lequel il panse la blessure. Guérir, c'est blesser l'autre, de la flèche d'un regard qu'envoie Lavine à Énéas qui le lui retourne ; l'amour ne s'oppose plus ainsi à la guerre, il en déplace le vocabulaire et la déclare dans un autre champ clos, celui des relations de l'homme et de la femme.

L'amour est avant tout dans le roman médiéval une affaire de femmes, l'affaire de Dido et de Lavine, avant de devenir celle d'Énéas. Les deux femmes n'opposent pas deux conceptions de l'amour : la seconde vient seulement rectifier l'image qu'en donnait la première. Dido, c'était « Vénus tout entière à sa proie attachée », la passion brutale, dévorante et fatale qui bute sur l'impossible dont les dieux sont les garants ; Lavine propose un amour non moins violent mais qui sait goûter les affres de l'attente, attraper l'autre dans ses rets et fonder durablement la conjugalité. L'intérêt porté au sentiment amoureux va bouleverser l'écriture romanesque. Décrire ses maux avec des mots impose d'ouvrir dans le roman un espace privilégié où le personnage scrute ce qui le fait souffrir, l'espace d'un monologue à l'intérieur duquel il dialogue avec lui-même et concrétise littérairement la division subjective qu'il subit. Parfois longs (v. 8676-8774 et v. 8940-9099), ces monologues dialogiques sont des morceaux de bravoure, utilisant toutes les ressources de la rhétorique (mise en allégorie de l'amour, anaphores, chiasmes…), appelés à une fortune considérable dans le genre romanesque. Avec l'*Énéas*, le roman médiéval trouve ses préoccupations idéologiques majeures mais aussi une écriture et une esthétique. Aussi la fortune de ce texte est-elle, outre la traduction allemande – *Eneit* – qu'en donne Heinrich von Veldeke à la fin du siècle, l'explosion du roman courtois dans la seconde moitié du XIIe siècle ; *le Roman de Troie* de Benoît de Sainte-Maure le continuera en remontant la mémoire troyenne vers l'origine, *Cligès* de Chrétien de Troyes lui empruntera nombre de vers et son discours sur l'amour.

J.-C. Huchet

Enfances Godefroi (les)
v. Croisade (cycles de la)

Enfants-Cygnes (les)
v. Croisade (cycles de la)

ENNERY Adolphe d'
v. DENNERY Adolphe

ÉPINAY, madame d'

***Louise Florence Pétronille* TARDIEU D'ESCLAVELLES, *dame de* LA LIVE D'ÉPINAY** *(1726-1783)*

Femme de lettres. Plusieurs centaines de mentions dans la *Correspondance* de Diderot montrent assez la place essentielle qu'occupa Mme d'Épinay dans le cercle encyclopédiste : il n'est pas exagéré de dire, par exemple, que c'est chez elle, au château de la Chevrette, que s'élabora en grande partie la fameuse *Correspondance littéraire* que Grimm adressait aux principales cours d'Europe, avec la collaboration de rédacteurs comme Diderot ou, justement, Mme d'Épinay elle-même.

Louise, orpheline pauvre, épousa de bonne heure un de ses cousins, fils d'un riche fermier général, qui, passé les moments d'une folle passion, la délaissa pour des filles d'opéra. La jeune femme, alors devenue la maîtresse d'un autre financier, Dupin de Francueil, se lia avec les milieux littéraires et philosophiques, attirant autour d'elle une société composite où se retrouvaient le romancier Charles Duclos, l'Allemand Grimm, le savant d'Alembert, Mme d'Houdetot, Diderot et Jean-Jacques Rousseau. C'est chez elle, à l'Ermitage, dans la région de Montmorency, dans le parc du château de la Chevrette, que se déroulèrent les fameuses « affaires de l'Ermitage » qui devaient aboutir à la brouille entre Rousseau et le parti philosophique : au moment critique des conflits entre Grimm, Diderot, Mme d'Houdetot et Jean-Jacques, Louise d'Épinay s'échappa pour un long séjour en Suisse (1757-1762), où elle consulta le célèbre médecin genevois Tronchin et rencontra Voltaire. Devenue dès 1755 (et pour une trentaine d'années) la maîtresse de Grimm, elle se lia d'une véritable amitié avec l'abbé Galiani, alors secrétaire de l'ambassade de Naples à Paris : lorsque celui-ci aura quitté la France, elle lui adressera une abondante correspondance, qui est la plus vivante des chroniques sur le milieu encyclopédiste, précisément sur la coterie diderotiste. La Chevrette fut, toute la correspondance de Diderot en atteste, ce petit cénacle campagnard où l'on jouissait de tout le loisir et de toute la liberté nécessaires au bouillonnement d'idées que Diderot suscitait partout sur son passage. La vie bien remplie de Mme d'Épinay devait s'achever dans la maladie et la misère : « Jamais on ne posséda si bien peut-être, écrit le rédacteur de la *Correspondance littéraire*, l'art de faire dire aux autres, sans effort, sans indiscrétion, ce qu'il importe ou ce qu'on désire de savoir. Rien de ce qui se disait en sa présence n'était perdu, et souvent il lui suffisait d'un seul mot pour donner à la conversation le tour qui pouvait l'intéresser davantage. »

L'hôtesse de la Chevrette fut aussi un écrivain, remarquable par son sens de l'observation et la spontanéité de son style. Connue longtemps sous le nom de *Mémoires de Mme d'Épinay*, et (mal) publiée pour la première fois sous ce titre en 1818, son *Histoire de Mme de Montbrillant*, écrite entre 1755 et 1770, est un curieux texte, aux frontières du roman et de l'autobiographie. Entreprise au moment où Rousseau lisait à la Chevrette, dans *la Nouvelle Héloïse*, le récit à peine romancé de ses déboires avec Mme d'Houdetot, rédigée, comme l'*Héloïse*, sous forme de lettres, l'*Histoire*, pourtant peu favorable à Rousseau, est à mettre en parallèle avec les passages des *Confessions* où Jean-Jacques rapporte les « affaires de l'Ermitage ». L'ouvrage, inachevé, pose de difficiles problèmes à ses éditeurs ; notamment celui de la collaboration de Diderot, évidente mais difficile à évaluer. Mme d'Épinay, par ailleurs, est sans doute l'initiatrice de tout un courant de littérature pédagogique à base de « conseils pour élever les enfants » : dès son séjour en Suisse, en 1759, elle avait publié des *Lettres à mon fils*, et les *Conversations d'Émilie*, parues en 1774, auront un grand retentissement, une de leurs rééditions obtenant même, en 1783, le premier prix Montyon de l'Académie française.

J.-N. Pascal

Eracle

(entre 1176 et 1184)

Roman de **Gautier d'Arras** (XIIe siècle), composé entre 1176 et 1184. Formé de 6 568 octosyllabes, il a été conservé par trois manuscrits. Le récit, commencé à la demande de Thibaut V, comte de Blois, et de sa belle-sœur, Marie de Champagne (pour qui Chrétien de Troyes composa *le Chevalier de la charrette*), est dédié dans l'épilogue à Baudouin V, comte de Hainaut. Le héros éponyme, Eracle, n'est autre qu'Héraclius, empereur de Constantinople de 610 à 641, vainqueur à Ninive du roi de Perse Chosroês II, et qui rapporta en 630 à Jérusalem la vraie Croix (« inventée » par sainte Hélène), enlevée par Chosroês. Le récit, de forme biographique et d'intention hagiographique, mais de tonalités très mêlées, puise à des sources hétérogènes. Ignorant (pour mieux se démarquer de son rival, Chrétien de Troyes ?) la « matière de Bretagne », Gautier comble les lacunes de l'Histoire sur la naissance et la jeunesse du futur empereur de Byzance à l'aide du motif de l'enfant donné par Dieu et du conte populaire des trois dons, d'origine orientale. Il utilise des textes liturgiques pour tout ce qui concerne la légende de la vraie Croix. Il adapte enfin, pour l'histoire d'Athanaïs, des sources d'origine byzantine croisées avec un conte populaire dit du « bénitier d'ordure ».

SYNOPSIS

PROLOGUE. Éloge du comte de Blois, suivi d'un résumé de l'œuvre, qui passe sous silence l'histoire des amours d'Athanaïs.

PREMIÈRE PARTIE. Eracle, dont la naissance est annoncée par un ange, est le fils longtemps désiré d'un couple de nobles romains. À six ans, il apprend par une lettre de Dieu, remise par l'ange à sa naissance, qu'il possède le triple don de connaître les vertus des pierres précieuses, des chevaux et des femmes. À la mort de son père, dans un esprit d'ascèse, sa mère se dépouille de tous ses biens puis finit, avec l'accord de l'enfant qui a alors dix ans, par vendre son propre fils comme esclave pour donner l'argent aux pauvres. Eracle, qui s'estime lui-même à mille besants, est acheté par le sénéchal de l'empereur de Rome à qui il a révélé ses pouvoirs. L'empereur décide de le mettre à l'épreuve et réunit une énorme foire aux pierres où Eracle achète très cher une pierre insignifiante mais qui, comme il le prouvera en se pliant à une triple épreuve, protège qui la porte de l'eau, du feu et du fer. L'empereur éprouve ensuite sa capacité à connaître les chevaux. Eracle achète lors d'une foire aux chevaux un modeste poulain, qui vainc à la course les trois meilleurs chevaux, mais l'empereur exige, en dépit des avertissements du jeune homme, une autre course, qui épuise le poulain que l'on doit abattre. Eracle devient le familier de l'empereur, qui s'en remet à lui du soin de lui trouver la meilleure épouse possible. Eracle dédaigne toutes les jeunes filles venues concourir de toutes les parties de l'empire, et dont il décèle aussitôt les tares cachées, pour choisir une pauvre orpheline, Athanaïs, que l'empereur épouse aussitôt.

DEUXIÈME PARTIE. Au bout de sept ans d'un mariage heureux, l'empereur, partant en expédition, décide, malgré les avertissements d'Eracle, d'enfermer sa femme durant son absence. Dépitée, furieuse, la jeune femme s'éprend au cours d'une fête de Paridès, un jeune harpiste, fils d'un sénateur. Passion réciproque, que les deux jeunes gens exprïment dans de longs monologues, et que Paridès finit par avouer à une vieille. Celle-ci sert alors d'intermédiaire entre le jeune homme et l'impératrice, qui trouve les moyens d'une rencontre lors d'une autre fête : se laisser tomber dans un bourbier devant la maison de la vieille et rejoindre Paridès dans le souterrain qu'elle a fait creuser sous la maison. Eracle cependant démasque bien vite la coupable. Mais lorsque l'empereur, à son retour, veut condamner les amants, il intervient en leur faveur et reproche à l'empereur l'enfermement de sa jeune femme. Celui-ci accepte de pardonner et répudie Athanaïs qui épouse Paridès.

TROISIÈME PARTIE. De nouveau centrée sur Eracle, la troisième partie rappelle l'« invention » de la vraie Croix et l'usage diabolique qu'en a fait Chosroês. Appelé au trône par les citoyens de Byzance, Eracle affronte en combat singulier et tue sur le Danube le fils de Chosroês, poursuit jusqu'en Perse et tue Chosroês lui-même. Puis il gagne Jérusalem avec la vraie Croix, mais, lorsqu'il veut pénétrer dans la cité par la porte qu'a passée le Christ le jour des Rameaux, les murailles se referment devant lui, et ce n'est qu'en habit de pénitent qu'il peut enfin replacer la vraie Croix dans le sépulcre du Christ. Eracle règne à Constantinople jusqu'à sa mort. Sa statue, le bras droit tendu vers les païens, y perpétue sa mémoire.

ÉPILOGUE. Dédicace au comte Baudouin de ce récit où Gautier d'Arras « a traitié » de la vraie Croix.

Biographique, le récit retrace l'ascension sociale d'un héros qui, d'abord vendu comme esclave (même s'il est de naissance noble), devient le favori de l'empereur de Rome et accède à la chevalerie avant de devenir, par sa prouesse et l'ardeur de sa foi, empereur de Byzance. Très présente dans la première et la dernière partie, la dimension hagiographique disparaît en revanche de la seconde partie. C'est à la casuistique courtoise et peut-être au motif lyrique de la « mal mariée » (bien représentée dans les *Lais* de Marie de France) que fait appel l'écrivain pour développer et intégrer au récit un véritable roman d'amour et peindre une héroïne revendiquant et obtenant un bonheur individuel.

La diversité des tons semble d'ailleurs la règle d'un récit marqué déjà par l'abondance et la précision des scènes et des traits réalistes, qu'il s'agisse de la description de la foire aux pierres ou de la foire aux chevaux, des entretiens d'Éracle avec les prétendantes au lit de l'empereur, de la description de la chute très méditée d'Athanaïs dans le bourbier ou de celle des enchantements diaboliques disposés par Chosroês. Un autre trait caractéristique est la fréquence des passages parlés. Le récit est pris en charge, de façon récurrente, par un narrateur qui intervient notamment pour suturer à gros fils son récit, fonder la vérité de son discours dans l'abondance des formules proverbiales, ou s'adresser longuement à ses mécènes. Mais on notera aussi la diversité des dialogues allant de l'échange animé ou malicieux sur un champ de foire aux débats théologiques opposant le héros à Chosroês ou à son fils. Reprenant enfin la tradition des romans antiques, voire du *Cligès* de Chrétien de Troyes, le roman d'Athanaïs et de Paridès comme la *fin'amor* qui les réunit se nourrissent des longs monologues parallèles et des débats angoissés auxquels ils s'abandonnent. Mais avec le personnage de la vieille, d'une vieille dont la jeunesse fut, comme il se doit, fort mouvementée, Gautier d'Arras dessine l'un des tout premiers rôles d'entremetteuse de la littérature française. Quant à la tradition épique, elle est bien représentée dans les combats que livre Eracle au nom de la foi, cependant que la première puis la dernière partie du récit mettent en place une réflexion sur la fonction des conseillers des princes et l'exercice du pouvoir suprême, dont Eracle, le saint empereur, le parfait guerrier, donne une image idéale.

À la même époque, Chrétien de Troyes insiste sur l'art de la « conjointure », de la nécessaire structuration du matériau narratif. *Eracle* ouvre une tout autre voie, celle que poursuivra par exemple Jean de Meung dans le *Roman de la Rose* : faire du roman un lieu d'expérimentation de toutes les formes d'écriture narrative, un espace très ouvert, où coexistent tous les modes du récit, toutes les sources d'inspiration, et qu'unifie peut-être, comme l'a suggéré Paul Zumthor, la présence insistante de la « voix vive ».

On retiendra surtout de la lecture d'*Eracle* l'indépendance, la liberté d'esprit d'un clerc qui, faisant du roman d'amour d'Athanaïs une sorte de parenthèse ou de concession aux modes littéraires de la fin du XIIe siècle, déroule la carrière d'un sage et d'un guerrier qui conquiert le pouvoir suprême et approche de la sainteté sans que jamais l'amour vienne troubler, et encore moins fonder sa démarche.

E. Baumgartner

ERCKMANN-CHATRIAN

*Signature commune d'**Émile ERCKMANN** (1822-1899) et d'**Alexandre CHATRIAN** (1826-1890).*

La rencontre à Phalsbourg, en 1847, de ces deux Lorrains devait décider d'une collaboration littéraire de plus de quarante années. Après de pénibles débuts, des contes fantastiques difficiles à placer (*Hugues-le-Loup, le Bourgmestre en bouteille*...), c'est le succès de *l'Illustre Docteur Mathéus*, en feuilleton, puis en volume (1859). L'année d'après, Hachette fait paraître une édition des *Contes fantastiques* à la « Bibliothèque des chemins de fer ». La faveur du public se confirme à la parution des premiers *Romans nationaux* : *le Fou Jégof* (1862), dont le titre définitif sera *l'Invasion* (1867), *Madame Thérèse* (1863), *l'Histoire d'un conscrit de 1813* (1864), suivie de *Waterloo* (1865). Entre-temps, une pause « rustique » avec *l'Ami Fritz* (1864), après *les Confidences d'un joueur de clarinette* (1863). La trouvaille est alors la création par Hetzel, sur le modèle de la diffusion des *Misérables*, d'une édition populaire in-octavo, en fascicules à 10 centimes, des *Romans nationaux*, qui assure à l'œuvre une très large audience. Entre le mois d'avril 1865 et la fin août 1866, il se vendit plus d'un million et demi de livraisons de la première série (*le Conscrit de 1813, Waterloo, Madame Thérèse, le Fou Jégof*). C'est que la notoriété littéraire d'Erckmann-Chatrian se double du prestige que procurent aux deux hommes leurs convictions républicaines et nationalistes. Toutefois, si, après *Madame Thérèse*, le pouvoir impérial cherche à se concilier cette gloire populaire, allant jusqu'à offrir les colonnes des journaux officiels, l'engagement de *l'Histoire d'un homme du peuple* (1865) et plus encore de *l'Histoire d'un paysan* (1868-1874) après *la Guerre* (1866) et *le Blocus* (1867) attire les tracasseries de la censure. Les tentatives théâtrales sont alors bien accueillies : *le Juif polonais* triomphe sur la scène de Cluny (1869), comme l'adaptation de *l'Ami Fritz*, jouée à la Comédie-Française (1876). Après la guerre de 1870, la littérature militante reparaît avec *l'Histoire du plébiscite racontée par un des 7 500 000 oui* (1872) et des œuvres de soutien à la nouvelle République telles que *le Brigadier Frédéric* (1874). Après la brouille des écrivains, Erckmann publie seul *Alsaciens et Vosgiens d'autrefois* et les *Fables alsaciennes et vosgiennes* (1895).

Attentif aux parlers régionaux, à la tradition d'une Alsace patriarcale, « l'» écrivain Erckmann-Chatrian est le conteur renommé de *l'Ami Fritz* (et des *Contes et Romans populaires*, 1867) ; et certes, ce petit livre, qui décrit l'amour naissant du vieux garçon Fritz Kobus pour une jeune paysanne, dans un cadre rustique, au milieu de compagnons bonhommes, amateurs de bon vin, ne manque pas d'un charme un peu désuet. C'est pourtant davantage l'auteur des *Romans nationaux* et de *l'Histoire du plébiscite* qui retient aujourd'hui l'intérêt. Épopée d'une petite forteresse et de ses environs, des dernières années du XVIIIe siècle à la fin du siècle suivant, en passant par les campagnes impériales, ces romans forment un véritable « cycle phalsbourgeois » (L. Schoumacker). Avec l'utilisation du récit à la première personne, ils constituent une chronique de l'Histoire, vécue par un personnage et ses proches, dans ses répercussions sur la vie de tous les jours. Nationalistes mais pacifistes, les *Romans nationaux* soulignent les désastres de la guerre (« Ceux que tu n'as pas vus revenir sont morts, comme des centaines et des centaines de mille autres mourront, si le bon Dieu n'a pitié de nous, car l'Empereur n'aime que la guerre ! Il a déjà versé plus de sang pour donner des couronnes à ses frères que notre grande Révolution pour gagner les droits de l'Homme », *le Conscrit de 1813*) et ceux de la guerre sociale : c'est la Révolution de 1848, vue à Paris jusqu'aux journées de Juin par un ouvrier alsacien dans l'*Histoire d'un homme du peuple*. L'emploi d'images populaires, le dépouillement des « ciselures » dans la syntaxe, le goût du « détail qui résume » (Chatrian) produisent alors un effet de « simplicité » dans un récit dont la voix narrative est constamment proche de la parole. Mais ce qui attire surtout, c'est moins le talent du conteur ou le contenu des engagements que la présence de l'Histoire dans la mémoire quotidienne des hommes, et c'est le ton passionné de la prédication (« Une fois que le peuple connaîtra son histoire, on ne lui fera plus prendre des vessies pour des lanternes et des bonnets à poil pour des bonnets de liberté ») qui se retrouve dans la vitupération exaspérée de *l'Histoire du plébiscite*, écrite à l'encontre de la Prusse et des « braves gens » du gouvernement de Napoléon III : « On aime mieux voir démembrer la France que d'avoir une République ! »

A. Pierrot-Herschberg

ERNAUX Annie

(née en 1940)

Des *Armoires vides* (1974) à *l'Événement* (2000), l'œuvre d'Annie Ernaux peut être considérée comme une renonciation ascétique et souvent abrupte aux séductions du romanesque. « Depuis peu, écrit-elle au début de *la Place* (prix Goncourt, 1984), je sais que le roman est impossible. Pour rendre compte d'une vie soumise à la nécessité, je n'ai pas le droit de prendre le parti de l'art ni de chercher à faire quelque chose de "passionnant" ou d'"émouvant". » Tandis que *les Armoires vides, Ce qu'ils disent ou rien* (1977) et *la Femme gelée* (1981) s'inscrivaient dans une dynamique romanesque, *la Place* inaugure une série de textes qui dosent, selon des modalités diverses, autobiographie, journal intime et récits d'épisodes originaires. Si *la Place* a connu un tel succès, c'est sans doute à cause de la tension poignante qui anime d'un bout à l'autre ce texte remarquablement concis. Annie Ernaux y évoque, dans un style volontairement neutre, à la limite de la platitude, une émancipation sociale et culturelle vécue comme une « trahison » : le succès de la narratrice au CAPES de lettres coïncide symboliquement avec la mort de son père – la réussite au concours sanctionnant, en quelque sorte, la rupture de communication entre la jeune femme et le monde étriqué des petits commerçants qui constitue le décor principal du récit. L'écriture devient dès lors une tentative de réconciliation, un effort peut-être désespéré pour conjurer les distances sociales et culturelles.

Les textes qui suivent – *Une femme* (1987), centrée sur la figure maternelle, *Passion simple* (1991), *Journal du dehors* (1993) – témoignent de la volonté d'explorer toute la gamme de l'écriture personnelle. Les ouvrages les plus récents d'Annie Ernaux attestent à la fois de l'unité de son exigence formelle – textes brefs, typographie aérée, écriture concise et fragmentée qui exclut tout développement – et de la diversité de son entreprise « autobiographique » : *la Honte* (1997), *Je ne suis pas sortie de ma nuit* (1997) et *l'Événement* (2000). Longtemps différé, *l'Événement* raconte l'avortement clandestin de l'auteur, en 1963, tandis que *Je ne suis pas sortie de ma nuit* constitue le journal d'une femme qui « accompagne » sa mère dans la maladie d'Alzheimer. *La Honte*, sans doute le plus poignant des trois, s'ordonne autour d'un événement familial : à la suite d'une dispute, le père de la narratrice a agrippé sa femme « par les épaules ou le cou. Dans son autre main, il tenait la serpe à couper le bois qu'il avait arrachée du billot où elle était ordinairement plantée ». Scène traumatisante, qui déchire le tissu de l'enfance et sert de révélateur aux conflits et aux frustrations qui travaillent la société française du début des années 1950. Ce n'est pas le moindre mérite de l'œuvre d'Annie Ernaux que d'avoir lié roman familial et évocation des rapports sociaux, d'une manière qui en dit plus long que toutes les sommes sociologiques sur l'évolution de la France des dernières décennies.

P. Mari

ESSARTS Nicolas d'HERBERAY des

v. Amadis de Gaule

ESQUIROS Alphonse

(1814-1876)

Écrivain et homme politique, Alphonse Esquiros appartient à ce sous-ensemble littéraire qu'il est convenu d'appeler les « petits romantiques ». Comme eux, il gravite autour des « grands » tels que Victor Hugo, Théophile Gautier et Gérard de Nerval ; comme eux, il s'essaie à la vie de bohème ; comme eux, il publie des vers (*les Hirondelles,* en 1834) et un roman (*le Magicien*, 1835) ; comme eux, il n'a guère de succès.

Cependant, il se distingue d'eux parce que sa révolte dépasse le stade frénétique pour aboutir à une véritable conversion aux idées socialistes ; et l'on peut ainsi retrouver chez lui l'ensemble des traits spécifiques du socialisme romantique : interprétation philosophico-démocratique du christianisme (*Philosophie du Christ,* 1835 ; *l'Évangile du peuple,* 1840, qui lui vaudra amende et prison) ; affirmation d'une nécessaire émancipation de la femme (*les Vierges folles,* 1840 ; *les Vierges sages* et *les Vierges martyres,* 1842), se fondant sur une analyse de la prolétarisation extrême de la femme : « Dans notre société, la femme a beaucoup plus de mal à vivre que l'homme, bien qu'elle ait des besoins moindres et des habitudes généralement plus sobres… La civilisation continue de vivre sur les suites d'une guerre sociale dont nous expliquons ailleurs l'origine. Les femmes constituent la portion la plus malheureuse et la plus maltraitée de cette classe vaincue » (*les Vierges martyres*) ; « L'ouvrière est chez nous la pauvre par excellence » (*les Vierges sages*) ; conception messianique de la classe ouvrière, etc.

Dans les années 1840, Esquiros multiplie les articles et les livres : un roman, *Charlotte Corday* (1840), une *Histoire des amants célèbres* (1847), en collaboration avec sa femme Adèle Battanchon ; un *Paris ou les Sciences, les Institutions et les Mœurs au* XIX*e siècle* (1847). Son activité est décuplée par la révolution de 1848, à laquelle il participe avec enthousiasme. Il dirige divers journaux : *l'Accusateur public, le Peuple, la Tribune nationale,* écrit une *Histoire des Montagnards*, en 1847, et un poème, *Fleur du peuple,* en 1848.

Il milite à l'extrême gauche, ce qui lui vaut de siéger à l'Assemblée en 1850 comme représentant de Saône-et-Loire et d'être exilé à la suite du coup d'État. Après l'amnistie, il appartient à l'opposition radicale, et il se fait élire en 1869 dans les Bouches-du-Rhône, réélire en 1871, et passe au Sénat en 1876. Sa carrière politique témoigne d'une grande rigueur dans ses principes républicains et progressistes. Parallèlement, sa production littéraire se poursuit : les œuvres de l'exil (*Histoire des martyrs de la liberté,* 1851 ; *l'Angleterre et la Vie anglaise,* 1859-1869 ; *Itinéraire descriptif et historique de la Grande-Bretagne et de l'Irlande,* 1865, etc.) sont suivies du *Bonhomme Jadis* et des *Paysans* (1875) et d'un recueil posthume de nouvelles : *le Château enchanté* (1877).

Esquiros s'est trouvé au carrefour des utopies, des mythes et des élans du romantisme, et dans la mouvance de la plupart des figures représentatives de son temps. Son mérite aura été de tout faire pour appliquer et concrétiser sa foi en un progrès providentiel de l'humanité, dans l'émancipation du peuple et dans la mission rénovatrice de l'art, à la lumière d'une théologie romantico-humanitaire qui fait de la poésie une « symphonie des êtres et de leurs rapports ; [un] accord du ciel avec la terre ; [et] un ministère, un sacerdoce, une fonction divine et sociale » (Préface des *Hirondelles*).

G. Gengembre

ESTIENNE (les)

(XVIe siècle)

Famille de libraires-imprimeurs français apparue au commencement du XVIe siècle, les Estienne ont vécu dans leurs contradictions ultimes les développements de la vie intellectuelle de la Renaissance et occupé jusqu'au milieu du siècle suivant l'une des premières places dans la « république des lettres » d'Europe. Henri Ier Estienne (v. 1470-1520), le fondateur de la dynastie, put encore maintenir intacte la synthèse entre le retour à la tradition antique et les idées nouvelles. Mais dès la génération suivante, illustrée par ses trois fils François, Robert Ier et Charles, le divorce entre l'humanisme et la Réforme apparaît irrémédiablement consommé. La famille éclate alors en deux branches distinctes, la parisienne, représentée par Charles (1504-1564), resté catholique, et la genevoise, issue de Robert Ier (1499 ?-1559), et dont la figure la plus vigoureuse est celle de Henri II « le Grand » (1531-1598), helléniste éminent et fougueux pamphlétaire au service de la cause calviniste.

Les autres membres de la famille eurent moins d'envergure et sacrifièrent parfois leur liberté intellectuelle au souci de conserver la charge des « caractères royaux » : Robert II (1533-1590), frère de Henri le Grand, composa une *Ode sur la mort de Ronsard,* et son fils Robert III traduisit encore en 1624 la *Rhétorique* d'Aristote. Du côté de Charles, Nicole Estienne, sa fille (1542-1596 ?), se fit quelque renom dans les lettres par de cruelles stances sur les *Misères de la femme mariée.*

La destinée de cette lignée d'intellectuels de premier plan est révélatrice d'un temps où l'imprimeur est non seulement un artisan qui grave et compose ses planches et un entrepreneur parfois audacieux, dont les investissements peuvent se révéler ruineux, mais encore un savant qui annote les textes qu'il édite et un écrivain qui paie de sa personne dans les luttes idéologiques de son époque. Édition, philologie et controverse religieuse se suivent d'un même fil, comme en témoignent les carrières exemplaires de Robert Ier et d'Henri II, qui condensent, dans les péripéties nombreuses d'une existence de travail ininterrompu, les aspirations et les exigences les plus diverses de l'humanisme moderne.

Robert Ier Estienne et le *Dictionnaire*

Deuxième fils d'Henri Ier Estienne, fondateur de la dynastie, et plus connu que son frère aîné François (1502-1550), Robert Estienne a épousé la fille de Josse Bade, l'éditeur de Budé et d'Érasme. D'une infatigable activité, il fournit des dizaines d'éditions critiques d'ouvrages latins, grecs et hébreux. Pour le grec, il a fait tailler et fondre ses caractères par le célèbre Claude Garamond. Éditeur des textes bibliques (*Bible latine,* 1528 ; *Ancien Testament* hébreu, 1539-1544 ; *Nouveau Testament* grec, 1546), il tombe sous le coup des condamnations de la Sorbonne (octobre 1547). Après la mort du roi François Ier qui l'avait protégé et dont il avait été l'imprimeur attitré, il s'exile à Genève, où il embrasse la cause de la Réforme (1550). Il publie alors, en latin et en français, des attaques contre *les Censures des théologiens de Paris* (1552). Cette alliance insolite de l'érudition et de la polémique la plus vive se retrouvera chez son fils Henri II, qui portera à sa perfection un tel genre mixte où la gauloiserie fait bon ménage avec la science éprouvée des Anciens.

Rédacteur d'un *Traité de la grammaire française* (1557), Robert Estienne a surtout laissé, à côté de ses éditions savantes, une œuvre de lexicographe. Son *Dictionarium seu latinae linguae thesaurus,* de 1532, inaugure un genre qu'illustreront à leur tour son frère cadet Charles et son fils Henri. L'ouvrage, qui comporte déjà la traduction française de certains mots latins, deviendra en 1538 le *Dictionarium latinogallicum* et, par retournement, le *Dictionnaire françois-latin* (1540), où sont ensuite inclus des exemples tirés des « bons autheurs françois », dont Rabelais. Riche de 10 000 articles environ dans sa deuxième édition de 1549, l'ouvrage comprend alors des mots français sans équivalent latin et définis par conséquent en langue française. Le premier dictionnaire français est donc né par la voie indirecte d'une traduction du lexique latin destinée à la jeunesse estudiantine.

Grammaire et dictionnaires : ces instruments du savoir humaniste auxquels toute la famille Estienne consacrera une part importante de son activité éditoriale postulent en fait de nouveaux modes d'emploi de la littérature. On sait qu'un dictionnaire est souvent, à l'origine, un commentaire de texte ordonné selon l'ordre alphabétique – et le *Dictionnaire* d'Ambrogio Calepino (le « Calepin ») se présentait comme le commentaire des *Épigrammes* de Martial. Chez les Estienne, comme chez leur prédécesseur italien, l'entreprise lexicographique est menée de pair avec l'annotation des grands textes profanes ou sacrés. Mais le dictionnaire est en même temps un instrument de production textuelle. En offrant pour un même terme différents synonymes, des étymologies et des exemples variés, il met à la disposition de l'utilisateur cette « abondance de mots et de choses » (*copia verborum ac rerum*) dont parlait Érasme et que symbolise une prolifique corne d'abondance (*cornucopia*). « Cornucopique », un dictionnaire ne saurait se réduire à un magasin d'objets inertes ; il est, au contraire, ce corpus dynamique riche de toutes les virtualités de la langue. Par là se mesure le caractère décisif de l'œuvre d'un Robert Estienne : en fabriquant l'outil générateur que constitue un lexique, il ouvre la langue française à une « littérature potentielle » infinie.

Charles Estienne et *la Guide*

Avec plus d'éclectisme que son frère Robert, Charles, d'abord précepteur du jeune Jean-Antoine de Baïf, qu'il accompagne en Italie, poursuit à son tour la même ambition d'éditeur. Lorsque Robert s'exile à Genève (1550), Charles, demeuré catholique, recueille ses caractères et lui succède comme imprimeur du roi pour le latin, le grec et l'hébreu. Mais à sa formation classique il a ajouté des études de botanique et de médecine. Cela explique qu'à côté d'un *Dictionarium historicum ac poeticum* (1561), l'on trouve dans sa production des ouvrages aussi inattendus qu'un traité d'anatomie et le *Praedium rusticum* (1554), traduit en français sous le titre *l'Agriculture et maison rustique* (1564), qui annonce le *Théâtre d'agriculture* d'Olivier de Serres. *La Guide des chemins de France* (1552) et *les Voyages de plusieurs endroits de France et encores de la Terre Saincte,* guides itinéraires destinés au marchand et au pèlerin et dont l'information géographique apparaît remarquable, échappent également au domaine de la littérature érudite. En fait, malgré leur disparité, le *Dictionarium* et *la Guide* traduisent des préoccupations analogues. Qu'est-ce en effet que « la » *Guide ?* Sous sa plus simple expression, un tableau des distances séparant des lieux successifs le long d'itinéraires donnés. Mais sur la sèche disposition typographique en une double colonne de toponymes et de chiffres en regard viennent se greffer des anecdotes, des dictons ou des amorces de description en rapport avec le lieu intéressé. Chaque lieu-dit devient alors comparable à l'entrée d'un dictionnaire et ouvre l'espace du voyage à une définition, à une recherche étymologique plus ou moins sérieuse (la Brie équivaut à l'abri qu'y trouve l'hôte de passage, la Picardie aurait inventé les piques) ou à une légende (Mélusine à Lusignan, Roland à Blaye, etc.). *La Guide,* comme le *Dictionnaire,* allie à une commodité pratique évidente une impressionnante réserve d'informations. Mémoire immédiatement disponible et consultable, elle rejoint par là même ces outils de savoir plus haut décrits en découvrant à l'usager non seulement des paysages réels fort bien balisés, mais encore l'inépuisable fonds de connaissances ordonnées spatialement, selon des lieux de rétention mnémonique.

L'œuvre de Charles Estienne, qui manifeste des soucis plus humblement pratiques que celle de la plupart des autres membres de sa famille, n'en relève pas moins, fondamentalement, de cette même volonté « cornucopique » d'inventaire et de production qui accompagne, dans le domaine de l'édition, la phase euphorique de l'humanisme européen.

Traducteur, Charles Estienne a publié les *Paradoxes* d'Ortensio Lando (1543 ; trad. fr. 1553) et surtout la comédie des *Abusez,* d'après Alessandro Piccolomini (1540 et 1548). Emprisonné pour dettes au Châtelet de Paris à la suite des difficultés que rencontre son imprimerie, il meurt en 1564.

Henri II Estienne et l'*Apologie pour Hérodote*

Né en 1531, à Paris, c'est l'un des trois fils de Robert Ier Estienne et de Perrette Bade. « Vrai paladin de l'érudition » (E. Feugère), il supporte mal de vivre à Genève, où s'est fixé son père, et ne cesse de parcourir l'Europe, familier des foires de Francfort et toujours en quête de manuscrits grecs. Le fruit de cette activité itinérante est la publication des *Œuvres* du pseudo-Anacréon, immédiatement saluée par Ronsard (1554).

En 1572-1573, Henri fait paraître son grand œuvre d'helléniste, le *Thesaurus linguae graecae* (« Trésor de la langue grecque »), monument de science érudite en forme de dictionnaire, qui se vend mal et le ruine partiellement. Son correcteur Scapula avait en effet piraté ce labeur en en publiant à l'avance un abrégé. Parallèlement à ces travaux de très grande tenue, Henri Estienne illustre la prose française par des pamphlets hauts en couleur.

À Genève, il nourrit le combat calviniste de ce chef-d'œuvre polémique que constitue l'*Apologie pour Hérodote* (1566). L'ouvrage affiche, dans l'extension de son titre, un projet révolutionnaire : « Introduction au traité de la conformité des merveilles anciennes avec les modernes, ou traité préparatif à l'apologie pour Hérodote ». Contre les détracteurs de l'historien grec, qui le taxent volontiers de mensonge, Henri Estienne entreprend de conduire le parallèle entre les mœurs du temps et celles de l'Antiquité, afin d'établir par comparaison le caractère en définitive vraisemblable des coutumes les plus aberrantes au regard du bon sens. Mais d'entrée de jeu, cet exposé, qui aurait pu aboutir à un scepticisme généralisé, en montrant par exemple que l'idolâtrie des anciens Égyptiens valait bien un certain christianisme populaire, se tourne exclusivement contre l'Église de Rome. Les catholiques sont réputés plus barbares que les anthropophages de Scythie, puisqu'en vertu du dogme de la Présence réelle, ils mangent Dieu à belles dents. Thème connu de la controverse huguenote : ces « théophages » « font de leur dieu de la messe, comme le chat fait de la souris : c'est à savoir qu'après s'en être joué ils le mangent ». Suivent des anecdotes reçues sur la stupidité des gens d'Église, celle, entre autres, des cordeliers, éternels fauteurs de scandale. Estienne puise alors à larges mains, dans la tradition des fabliaux, dans les recueils de Boccace ou de Marguerite de Navarre, des contes épicés qui relèvent la sauce un peu épaisse de la satire.

Mais il est d'autres cibles à sa verve. À travers Rome, Estienne vise aussi l'Italie, dont la culture hégémonique tend à s'imposer à la France et dont la langue supplante le franc-parler gaulois. C'est là que les deux pans de l'œuvre se rejoignent : l'anti-italianisme définit le point de convergence entre les recherches érudites de l'helléniste et l'emportement du pamphlétaire.

L'exaltation de la langue nationale

Dès 1565, Henri Estienne avait tenté de rapprocher directement le français du grec, pour faire apparaître entre les deux langues une analogie de structures (*Traité de la conformité du français au grec*). C'était par là opérer l'économie de l'intermédiaire latin et placer le français au moins au même rang d'excellence que celui-ci. Les *Deux Dialogues du nouveau langage françois italianizé* (1578), écrits au retour d'un séjour d'Estienne à la cour de Henri III, poursuivent le même dessein, tout en mêlant à l'argumentation philologique les traits de la satire. Le français, proche parent du grec, ne doit rien à l'italien, cette forme abâtardie du latin que les courtisans s'efforcent de mettre à la mode en plein Paris. En une formule qui annonce Malherbe, Estienne avoue préférer l'éloquence des « crocheteurs » au « jargonnage » des « italianizés », qui ont eu l'impudence d'introduire en France, en sus de leurs mots ultramontains, l'usage des talons hauts et des caleçons pour dames. Le *Project du livre de la précellence du langage françois* (1579) couronne cette entreprise d'exaltation de la langue nationale, « première de celles qui sont aujourd'hui », en mettant une fois de plus la grammaire au service du combat culturel.

F. Lestringant

ESTOILE Pierre de l'

v. L'ESTOILE Pierre de

ETCHERELLI Claire

(née en 1934)

Romancière née à Bordeaux. Issue d'un milieu très modeste, elle obtient une bourse afin de poursuivre ses études après la mort de son père, tué par les Allemands. Elle vient s'installer à Paris mais ses difficultés pécuniaires la contraignent à travailler en usine, à la chaîne. De cette expérience, qui dura deux années, Claire Etcherelli retiendra l'image d'un environnement éprouvant et obsédant, qu'elle décrit dans son premier roman *Élise ou la Vraie Vie* (1967) couronné par le prix Femina. L'héroïne, Élise Letellier, rejoint son frère à Paris et est embauchée dans une usine de construction automobile. Elle rêvait de découvrir la « vraie vie » mais souffre de la réalité sordide : la fatigue, qui écrase le corps et l'esprit des humbles ; le manque d'argent, qui empoisonne les relations ; la vie dangereuse des immigrés dans ce Paris des années 1960 ; la réprobation des hommes, qui menacent son amour. *Élise ou la Vraie Vie,* que Michel Drach a portée à l'écran, est « une admirable et tragique histoire d'amour entre un Algérien et une Française. Et surtout, quelqu'un : quelqu'un qui parle avec une voix d'une inoubliable justesse » (Simone de Beauvoir). La même sobriété de ton se retrouve dans son second ouvrage, *À propos de Clémence* (1971), où le héros, usé par la lutte politique qu'il a menée en Espagne, rencontre Clémence alors qu'il est déjà à la dérive ; le couple se déchire dans un monde qui ressemble parfois à celui d'Élise : même solitude, même banlieue ouvrière, même vie gâchée, à l'image de celle, réelle, d'Evgenia Kisseliova, dont Claire Etcherelli présente le journal (1919-1991) sous le titre *Une femme russe dans le siècle* (2000). Aucune ostentation chez l'écrivain pour dire la misère qui étreint ses héros, aucune complaisance pour décrire cet univers de douleur : un lyrisme discret, une pudeur et une compréhension lucide suffisent à prêter vie à ces êtres démunis.

C. Lavigne

EUSTACHE DESCHAMPS *ou* MOREL

(v. 1344-1404)

Parmi les successeurs immédiats de Guillaume de Machaut, aucun ne jouit, dans le dernier quart du XIVe siècle, d'un prestige comparable à celui d'Eustache Deschamps. Cet habile serviteur du pouvoir royal, qui fut aussi et surtout un poète de cour estimé et influent, composa une œuvre qui étonne tant par ses proportions inhabituelles (82 000 vers et des écrits en prose) que par son caractère novateur.

Un écrivain mêlé à l'agitation de son siècle

Eustache, dit Morel, en raison de son teint hâlé, ou Des Champs, du nom d'une propriété de famille, naquit vers 1344 à Vertus (Marne). Il reçut à Reims l'enseignement de Machaut (qui était peut-être son oncle) et étudia les arts libéraux, ainsi que le droit, à Orléans. À partir de 1368, il fit partie de la suite de Charles V, en qualité d'écuyer, de chevaucheur [messager] et d'huissier d'armes. Boute-en-train sachant animer de joyeuses réunions et poète apprécié par la société de cour, il eut également des talents de juriste et de militaire qui lui assurèrent une carrière administrative généralement compatible avec une présence régulière à Paris : bailli du Valois, puis de Senlis, maître des eaux et forêts, gouverneur du château de Fismes, Deschamps accompagna ses souverains dans leurs campagnes militaires ou autres déplacements et assuma des missions de confiance comme celles d'inspecteur des forteresses de Picardie (1384) ou de membre d'une ambassade en Hongrie-Croatie (en 1384-1385 ?). Il accéda à la noblesse en 1389, avec le titre de seigneur de Barbonval. La malchance ne l'épargna cependant pas et lui inspira une amertume qui se reflète dans ses poèmes : jeune veuf chargé de trois enfants après une union heureuse mais de courte durée (1373-1376), il connut de graves difficultés de santé et eut à souffrir des troubles du temps (pillage et incendie de sa maison champenoise, en 1380), ainsi que de tracasseries de cour qui l'amenèrent, en 1390, à quitter le service de Charles VI. Louis d'Orléans, son meilleur protecteur, lui confia à partir de 1392 de nouvelles charges et des négociations qui le conduisirent jusqu'en Bohême et en Moravie (1397), mais l'entente ne fut pas durable entre le jeune prince et le courtisan vieilli et trop franc. En 1400, Deschamps eut encore assez de crédit pour être nommé auditeur de la Cour Amoureuse créée dans l'entourage du roi, mais le manque d'appuis le contraignit bientôt à une retraite totale, qui fut morose. Il mourut en 1404.

Un univers poétique aux dimensions élargies

Les aléas d'une carrière aussi agitée ne laissèrent pas au poète le loisir de se consacrer, comme Machaut ou Froissart, à une édition soignée de ses œuvres. La plupart des quelque 1 500 pièces conservées n'ont été transmises que dans le manuscrit B.N. fr. 840, exécuté (du moins en grande partie) après la mort de Deschamps, dans l'atelier du copiste Raoul Tainguy. Celui-ci classa de manière plutôt approximative – en principe selon des critères formels – une masse en désordre comprenant plus de 1 000 ballades, environ 140 chants royaux et 170 rondeaux, 84 virelais, 14 lais, 10 compositions diverses divisées en strophes ou morceaux très courts, 34 écrits en rimes plates, 3 ouvrages en prose, ainsi que 12 textes latins dont 11 en vers.

Le volumineux recueil, dont les premières sections rassemblent le gros des poèmes à forme fixe, établit une distinction entre ballades amoureuses et ballades de moralité, tenant ainsi compte d'une dualité ou plutôt d'un élargissement de l'inspiration qui, loin de concerner les seules ballades, se manifeste, en fait, dans l'ensemble des genres relevant de la tradition lyrique. Pour ce qui est des thèmes liés à la vie sentimentale, Deschamps, tout en variant avec art les tons et les perspectives, s'en tient pour l'essentiel à l'héritage courtois (en 1377, sa fidélité à l'enseignement de Machaut prend la forme d'une offre de service à Péronne, la dernière inspiratrice du maître défunt). À vrai dire, l'originalité de ce moraliste doué d'un excellent esprit d'observation et d'une vaste culture apparaît surtout lorsqu'il introduit dans ses vers les mille facettes de la vie concrète, affirme le rôle du moi face à une société choisie comme interlocutrice quasi permanente, évoque les événements mémorables de son temps troublé et leur fonction dans l'histoire universelle, ou encore lorsqu'il médite sur les mystérieuses correspondances entre le macrocosme et l'être humain, considéré dans son individualité et aussi dans son intégralité physique et morale. Diversifiant les registres stylistiques, Deschamps traite ces thèmes tour à tour sur le mode solennel, sentencieux, savant, ou bien familier, ironique, satirique, voire burlesque, tout en faisant de la tonalité personnelle le dénominateur commun de ses poésies. En matière de métrique, un incessant effort de renouvellement le conduit souvent à la virtuosité. Cinq formes, choisies selon le thème du moment, dominent avec leurs schémas fondamentaux stables : la ballade, genre universel de l'époque, ayant 3 strophes de longueur et structure identiques, avec ou sans envoi ; le grave chant royal, sorte de ballade de 5 strophes, avec envoi obligatoire ; les formes à refrain, rondeau et virelai (ou « chanson balladée »), dont l'un est propre à traduire les situations d'échange ou d'opposition, l'autre à mimer les nuances du sentiment ; l'exigeant lai enfin, dont la forme régulière comprend 24 strophes similaires deux à deux, et qui tend à se charger de contenus narratifs. Mais ce ne sont là que des modèles de base, prétextes à l'invention d'une multitude de rythmes divers dans l'élaboration desquels le poète excelle tout autant que dans les jeux subtils sur les rimes et dans les ornements rhétoriques. Par l'intense travail auquel il soumet le texte, Deschamps, premier auteur à abandonner systématiquement l'accompagnement musical, illustre une théorie développée dans son *Art de dictier et de fere chançons* (1393) : tenant compte des nouvelles conditions du lyrisme, ce premier traité de versification en français souligne en effet l'importance de la « musique naturelle », celle que produit la « bouche en proferant paroules metrifiees » et qui acquiert un statut équivalent à celui de la « musique artificielle », c'est-à-dire instrumentale.

L'inspiration des pièces en rimes plates témoigne encore du goût prononcé de Deschamps pour la variété. Les plus gaies d'entre elles nous introduisent dans le milieu des confréries de « boudeurs » (*Chartes* et *Commissions*) et dans celui des joueurs (*Dit du gieu des dez*), ou bien nous montrent le poète correspondant familièrement avec ses amis (*Lettres*). Le théâtre profane est représenté par le *Dit des .IIII. offices de l'ostel du roy*, jeu « par personnaiges », et par la savoureuse *Farce de mestre Trubert*, satire violente contre les avocats, alors que la veine allégorique et mythologique se développe notamment dans deux vastes traités inachevés : le *Miroer de mariage*, consacré aux périls et aux avantages de l'institution matrimoniale, et la *Fiction du lion*, critique du gouvernement de Charles VI comparé à celui de son père. On remarque enfin parmi les textes en rimes plates un touchant poème à la Vierge (*Dictié de N.S. Jhesu Crist et de la benoite Vierge Marie*), mi-narratif mi-lyrique, reflet de préoccupations religieuses qui apparaissent également dans des textes appartenant à d'autres parties de l'œuvre : ainsi dans le *Double Lai de fragilité humaine*, abrégé de quelques chapitres du *De miseria humanae conditionis* d'Innocent III, ou dans la *Complainte de l'Église desolee* (1393), autotraduction en prose française d'un texte latin que Deschamps rédigea sur le Grand Schisme.

L'initiateur et le précurseur

Considérant cette production dans son ensemble, la critique en retient volontiers, outre sa richesse formelle, deux tendances principales, qu'elle apprécie inégalement : d'une part, l'engagement personnel – jugé à juste titre original – d'un poète se livrant au lecteur avec son moi physique et sa subjectivité ; d'autre part, la dimension didactique et « philosophique », que l'on dit plus éloignée du goût des modernes. Il importe cependant de voir l'étroit lien entre ces deux aspects, car c'est précisément par l'intégration de la perspective individuelle dans une vision cohérente du cosmos que Deschamps répond aux aspirations intellectuelles de son temps. Les paroles de Philippe de Mézières invitant Charles VI à « lire et ouïr les dictiez vertueux de [son] serviteur et officier Eustace Mourel » doivent être comprises en ce sens, ainsi que l'intérêt de l'« ancelle de science » Christine de Pisan pour les œuvres pleines de « sçavoir » et de « grant philosophie » de son « chier maistre et amis », dont la célébrité s'étendit d'ailleurs jusqu'en Angleterre, où il avait l'estime d'un Chaucer. Comme initiateur des jeunes générations de poètes gravitant autour de la cour des Valois, Deschamps contribua à une révision profonde des conceptions traditionnelles en matière de lyrisme et prépara la voie à des auteurs ou à des orientations aussi dissemblables que Charles d'Orléans et François Villon, l'école des Rhétoriqueurs et la poésie « scientifique » de la Renaissance.

H. Heger

F

FABRE Ferdinand

(1827-1895)

Romancier. Fils d'un maître d'œuvre de Bédarieux, Ferdinand Fabre est élevé par un oncle, l'abbé Fulcran, curé de Camplong, dans la campagne cévenole, puis il entre au grand séminaire de Montpellier. Mais, renonçant au sacerdoce, Fabre part pour Paris, où il complète sa formation. Ses premières œuvres, deux recueils de poèmes : *les Hirondelles* (1848) et *les Feuilles de lierre* (1853), passent inaperçues, mais il se fait connaître avec la parution de romans régionaux, d'inspiration cléricale et rustique, où se mêlent largement des souvenirs autobiographiques : du « balzacisme » des *Courbezon* (1862), que Sainte-Beuve remarquera, et de *Julien Savignac* (1863), Fabre en vient à la manière plus personnelle du *Chevrier* (1867), de *l'Abbé Tigrane, candidat à la papauté* (1873), de *Mon oncle Célestin* (1881) ou de *Xavière* (1890)…
L'Abbé Tigrane, au titre révélateur, marquait certes une étape dans l'histoire du personnage de prêtre. Mais l'ami de Vallès, de Daudet, d'Hector Malot nous retient aujourd'hui davantage par le récit du *Chevrier*. Renouant avec la pastorale de Théocrite, Fabre a su en effet redonner vie au genre de l'idylle, en inscrivant les amours d'Eran le chevrier, loin des bergeries de fantaisie, parmi les travaux champêtres du pays cévenol. Comme dans *Barnabé* (1875), récit d'enfance mi-clérical, mi-rustique, ou dans *Monsieur Jean* (1886), c'est alors la voix du conteur qui nous séduit, ressuscitant une tradition orale dans une alliance de tournures archaïques (« Vous m'en croirez, Monsieur, si vous prêtez fiance à mon dire »), de vocables cévenols (la « cabrade »), de notations populaires et poétiques : « Jetant les écus de ses poches comme on fait les grains de blé à l'époque des semailles. »

A. Pierrot-Herschberg

FABRE Jean-Henri

(1825-1915)

Écrivain et entomologiste né à Saint-Léons (Aveyron). De formation en partie autodidacte, Fabre, reçu à l'école normale de Montpellier (1840-1842), est ensuite instituteur à Carpentras (1842-1849), puis enseigne au lycée d'Ajaccio, après sa licence de mathématiques et de physique. Il rencontre alors le botaniste Esprit Requien et le naturaliste Moquin-Tandon, qui lui font partager leurs expériences. Nommé à Avignon (1853), il obtient une licence d'histoire naturelle, puis passe son doctorat (1855) et, la même année, publie ses *Observations sur les mœurs des Cerceris*. Malgré sa renommée et la protection de Victor Duruy, Fabre reste en marge de l'Université : il devient conservateur de la bibliothèque et du musée Requien, mais, ses cours à l'usage des jeunes filles ayant déplu, il doit partir pour Orange (1870), avant de s'installer à Sérignan-du-Comtat dans sa retraite de l'« Harmas ». Auteur de nombreux livres scolaires, ouvrages de vulgarisation tels que le *Livre d'histoires, récits scientifiques de l'oncle Paul* (1869), *la Nouvelle Arithmétique* (1870), les *Lectures sur la botanique* (1881), les *Lectures sur la zoologie* (1882), Fabre doit sa popularité aux *Souvenirs entomologiques* (1879-1901). À la croisée de la science et de la littérature, cette œuvre résumait en effet l'enthousiasme du siècle pour les sciences de la vie et l'entomologie – enthousiasme qui traverse notamment *l'Insecte* de Michelet ou *la Création* de Quinet – et rendait accessible au profane un savoir technique en en faisant la matière de belles histoires.
Fondant son raisonnement sur l'image et la comparaison, cet adversaire de Darwin mêle en effet aux observations directes des souvenirs d'enfance, des digressions et des notations humoristiques, dramatise une explication, acclimatant ainsi, dans une langue familière, teintée pour nous d'archaïsmes, la vie mystérieuse des insectes.

A. Pierrot-Herschberg

FAGAN Barthélemy Christophe

(1702-1755)

Dramaturge, né à Paris. Son père ayant été ruiné par la faillite du « système » de Law, il dut prendre un emploi qu'il conserva toute sa vie au Bureau des Consignations. Protégé par le comte de Clermont et le chevalier d'Orléans, il consacra ses loisirs aux sociétés « badines » (Caveau, Bout-du-banc) et au théâtre de divertissement : à la Foire, il donna des opéras-comiques, *le Sylphe supposé* (1730), *la Fausse Ridicule* (1731), *Momus à Paris* (1732), des parades dont peut-être *Isabelle grosse par vertu* (1738), l'une des meilleures du genre ; à la Comédie-Française, des pièces plus ambitieuses mais qui sombrent parfois dans l'artifice et la caricature, *les Rendez-vous* (1733), *la Pupille* (1734) où triompha Mlle Gaussin, *les Caractères de Thalie* (1737) dont les trois actes, « l'Inquiet », « l'Étourderie » et « les Originaux » furent souvent joués séparément. Il écrivit enfin pour le Théâtre-Italien *la Jalousie imprévue* (1740), *le Ridicule supposé* (1743), *les Almanachs* (1751). Ses dernières années furent aigries par des échecs ; pourtant ses *Nouvelles observations au sujet des condamnations prononcées contre les comédiens* (1751) prennent la défense d'un art devenu désormais un irrésistible et sans doute utile phénomène de société : fuyant les « prédications » du clergé, les « jeunes gens » ne trouvent plus qu'au théâtre une certaine « idée des bonnes mœurs » ! La Harpe accusa Fagan d'avoir, dans ses pièces, « abusé de la complaisance du spectateur ». Trop souvent, en effet, cet émule de Marivaux multiplie feintes et quiproquos, cultive le malentendu au-delà de toute vraisemblance, s'appuie sur des modèles moliéresques pour contraindre ses personnages à une pudeur ou à une cécité excessives : ainsi Mlle Cléonte (*l'Étourderie*), nouvelle Bélise que son discours à la troisième personne (« *on* a reçu votre lettre »...) autorise à se croire aimée d'un jeune homme : et cela pendant un acte entier. Une réussite, pourtant, *la Pupille*, qui oppose habilement la suffisance d'un marquis ridicule et la timidité d'une jeune fille éprise, sans vouloir l'avouer, d'un tuteur plus âgé. Un thème emprunté à Molière (*l'École des maris*), et d'une efficacité certaine sur un public vieillissant : le « Boulevard » moderne n'aura garde de l'oublier.

J.-P. de Beaumarchais

FALLET René

(1927-1983)

Romancier et chroniqueur, né à Villeneuve-Saint-Georges, fils de cheminot. Appréciés par Cendrars, ses premiers écrits lui valent d'entrer à *Libération* en 1945 ; commence ainsi une carrière de chroniqueur, qui se poursuivra au *Canard enchaîné*, et de critique littéraire. Couronnée par le prix populiste en 1950 pour trois romans : *Banlieue sud-est* (1947), *la Fleur et la Souris* (1948), *Pigalle* (1949), son œuvre connaît un succès encore accru par les adaptations cinématographiques : *la Grande Ceinture* (1956), dont René Clair tire *Porte des Lilas* (1957), *Paris au mois d'août* (prix Interallié 1964), *Le beaujolais nouveau est arrivé* (1975), *la Soupe aux choux* (1980), etc. S'inscrivant dans la tradition populiste, Fallet choisit ses héros parmi les paumés et les marginaux ; entrevu à distance, un monde exclusif, comme ce train de luxe éclairé d'où tombe un cigare à demi consumé (*la Grande Ceinture*), abandonne ces déshérités à leur infortune ou leurs nostalgies, bicoques et troquets d'autrefois. La morale des « copains d'abord » règle le comportement de ces mâles éternellement tyrannisés par les femelles, se réfugiant au café où l'on boit sec et blague entre habitués. L'amour, lui aussi marginal, éclate comme une brève « illumination » tranchant sur la routine quotidienne, telle cette fugitive idylle entre un vendeur de la « Samar » et une touriste britannique, soudain arrachés à leur médiocrité dans l'irréel Paris du mois d'août.

À travers les modestes aspirations de ces anti-héros se lit une satire sociale énoncée avec une fantaisie et un bonheur d'expression constants. Métaphores cocasses, parfois féroces, disant l'éblouissement de la fête entre pochards, le ridicule petit-bourgeois, la misère et le froid (« Elle soufflait dans ses doigts durs et rouges comme des pattes de langouste »), calembours poétiques, maximes à l'emporte-pièce émaillent un récit coupé de dialogues en argot populaire dont la vertu comique tient d'abord à ces chocs de mots (« le Bon Dieu en pyjama angora ») dont Fallet aime à faire jaillir des étincelles. D'où une affinité évidente avec l'écriture cinématographique : personnages pittoresques, atmosphère indiquée par un décor d'ambiance, bistrots, lumières de Pigalle, silhouettes découpées comme celle de ce milicien tirant ses dernières cartouches depuis la crête d'un toit (*Pigalle*), dénouements spectaculaires... Lorsque Fallet propose au lecteur plusieurs « images » au choix, l'interpellant pour mieux lui faire voir celle que lui-même, semble-t-il, projette déjà sur l'écran, il est difficile de distinguer le romancier du scénariste. D'où l'onirisme dans lequel baigne une œuvre à la fois humoristique et visionnaire, éveillant cette part de rêve sans laquelle une vie ressemblerait à toutes les autres.

M.-A. de Beaumarchais

FANCHETTE Jean

(1932-1992)

Poète, essayiste, romancier et éditeur mauricien. Bien que natif de l'île Maurice, alors dominion britannique, Jean Fanchette, écrivain bilingue, a publié la plupart de ses œuvres en langue française. La situation linguistique et ethnique particulière de son île natale, où cohabitent dans une harmonie tendue des populations émigrées d'Afrique, d'Asie et d'Europe, catholiques, anglicanes, musulmanes et bouddhistes, est d'ailleurs au centre de sa production littéraire. Fanchette y exprime les tensions de l'exil (*Identité provisoire*, 1966), la quête des origines et la nostalgie de l'enfance (*les Midis du sang*, 1956 ; *Archipels*, 1958) dans une langue expressive qui enrichit la poésie française de vocables, de tournures et de rythmes venus d'autres cultures.

La seconde source d'inspiration est la lecture de la poésie européenne, notamment celle des romantiques et des surréalistes dont Fanchette tente une synthèse originale, qu'il s'agisse de poésie (*Je m'appelle Sommeil*, 1977) ou de roman (*Alpha du Centaure*, 1975). Des thèmes traditionnels, la fuite du temps, l'impensable de la mort, l'infinitude de la nature, le bouleversement de l'amour, y sont traités sur un mode à la fois archaïque et hardi.

Neuropsychiatre, intéressé par les formes d'expression non verbales ou non « cultivées », les gestes, les cris, la danse, Fanchette a consacré plusieurs essais au théâtre contemporain (*Psychodrame et Théâtre moderne*, 1971). Avec sa femme l'écrivain Anaïs Nin, il a aussi créé à Paris et à New York la revue et la maison d'édition *Two Cities*, un centre d'accueil pour les « vagabonds de l'esprit » et les cosmopolites de tous les océans.

P. Lepape

FANON Frantz

(1925-1961)

C'est avec Fanon que, pour la première fois, l'homme noir parle simplement en homme. La référence raciale n'opprime son œuvre ni par son absence honteuse ni par sa présence ostentatoire. De son être il ne gomme ni n'étale rien ; il ne se pose ni en parvenu ni en victime ; il se contente d'être, absolument, ce qu'il est : Fanon. Son œuvre, ouverte à tous, renvoie d'abord à lui-même. Mais s'il fait taire les douleurs qui ont nourri le lyrisme de ses frères, s'il s'interdit les mystiques nostalgiques et revanchardes, sa voix n'en est que plus terrible : « Je la veux de part en part déchirée, je ne veux qu'elle s'amuse, car enfin je parle de l'homme et de son refus, de la quotidienne pourriture de l'homme, de son épouvantable démission. »

Né à Fort-de-France, dans le milieu chaleureux et protecteur de la petite-bourgeoisie antillaise, nourri des idéaux scolaires de l'humanisme français, le jeune Fanon quitte clandestinement, à dix-huit ans, la Martinique pour s'engager dans les Forces françaises libres. Il y découvre, en même temps, l'horreur de la guerre et ce qu'il nomme, dans une lettre à ses parents du 12 avril 1945, les « affreuses vérités » : le risque de mourir, il l'a pris non pour la liberté, mais pour la liberté des Blancs. La place des troupes d'outre-mer, en première ligne au feu, dans leurs cantonnements lors des défilés de victoire, lui a appris qui il était. « Je me suis trompé », se contente-t-il de dire, mais l'Œdipe culturel est liquidé du même coup, et c'est un Fanon en pleine possession d'un esprit libre qui entreprend, après 1945, des études de médecine et de philosophie à Lyon. De la brûlante réflexion tirée de son expérience sort, en 1952, *Peau noire et Masques blancs*. Cet essai, fulgurant et somptueux d'intelligence et de poésie, constitue à la fois l'avènement de la conscience noire et la négation de la négritude. Il y reprend les éléments d'une étude clinique sur l'image du nègre dans le psychisme européen, qui avait été refusée comme sujet de thèse de doctorat, sous prétexte qu'elle ne relevait pas exclusivement de la neuropsychiatrie. Dans ce refus percent déjà le malaise et la répugnance que suscite la pensée de Fanon au sein de l'humanisme libéral, édifice dont il prétend secouer les « racines vermoulues ». Écrire : « Pour nous, celui qui adore les nègres est aussi "malade" que celui qui les exècre », c'est faire preuve, en effet, d'une inquiétante perspicacité. À côté de formules brillantes subsistent des pages didactiques, mais, pour la première fois, est tentée une sociopsychanalyse de la culture européenne avec l'exact et froid regard que celle-ci a l'habitude de poser sur les cultures « barbares ». Descendu aux enfers de l'inconscient collectif, Fanon en sort les yeux ouverts sur un monde de fantômes.

En 1953, Fanon trouve un emploi comme médecin à la clinique psychiatrique de Blida. Dans la lettre de démission qu'il enverra trois ans plus tard, alors qu'on l'expulse d'Algérie, il dit y avoir découvert l'« indigence de cœur » et la « stérilité de l'esprit » d'un système qui condamne toute une population à être « un élément du paysage ». Cette population, Fanon l'aidera, en paroles et en actes, à sortir du paysage pour entrer dans l'histoire. Il s'occupe, à Tunis, de la rédaction du journal *El Moudjahid*. Il expose, dans le langage du « Code civil », c'est-à-dire avec l'unique parure des faits, ce qu'est cette guerre, avec *l'An V de la révolution algérienne* (1959), réédité en 1968 sous le titre *Sociologie d'une révolution*. En 1959, il accomplit des missions diplomatiques au Ghana, au Mali. Après avoir échappé à plusieurs tentatives d'assassinat, Fanon est, en 1960, atteint d'un mal incurable. Soigné d'abord à Moscou, il décédera à Washington, âgé de trente-cinq ans.

Il avait consacré les derniers mois de sa vie, se sachant condamné, à la rédaction des *Damnés de la terre* (1961). Avec une éloquence passionnée, tout entière ramassée dans la densité du style, il analyse magistralement les traits pertinents de la situation historique que vit la majorité de l'humanité sous le nom de « tiers-monde ». La superbe péroraison des *Damnés* est un texte qui fera date. On y sent se déplacer, pour la première fois depuis vingt siècles, le centre de gravité de la civilisation : « Quittons cette Europe, qui n'en finit pas de parler de l'homme tout en le massacrant partout où elle le rencontre. [...] L'Europe a pris la direction du monde avec ardeur, cynisme et violence. Et voyez combien l'ombre de ses monuments s'étend et se multiplie. Chaque mouvement de l'Europe a fait craquer les limites de l'espace et celles de la pensée. [...] Elle ne s'est montrée parcimonieuse qu'avec l'homme, mesquine, carnassière qu'avec l'homme. »

O. Biyidi

Farce de Maître Pierre Pathelin (la)

(seconde moitié du XVe siècle)

Farce anonyme en vers composée dans la seconde moitié du XVe siècle, créée entre 1456 et 1469, et publiée à Paris chez Pierre Levet en 1489.

C'est chronologiquement l'une des premières farces, et sans doute le chef-d'œuvre du genre, constituée de pièces dramatiques courtes, essentiellement comiques, exploitant tous les moyens pour faire rire le public, frappant par leur simplicité et leur verdeur, comportant peu de personnages, tirés soit de la réalité quotidienne, soit de sources narratives : récits oraux, *exempla*, contes, fabliaux, *Facetiae* du Pogge. *La Farce de Maître Pierre Pathelin* est, plus précisément, une pièce atypique, sans morale explicite, trois fois plus longue que les autres farces, et d'une telle maîtrise que, dès la fin du XVe siècle, on l'a appelée « comédie » et que Charles Estienne et Étienne Pasquier la préféraient à « toutes les comédies grecques, latines et italiennes ».

SYNOPSIS

L'avocat Pathelin et sa femme Guillemette sont dans la misère ; ils ont besoin de drap ; Pathelin promet d'en rapporter (I). Il réussit à s'en procurer auprès du drapier Guillaume dont il endort la méfiance en le flattant et en l'invitant à manger de l'oie chez lui (II). Il se réjouit de son succès avec sa femme (III). Le marchand vient chez Pathelin chercher son argent et manger l'oie promise (IV). Pathelin feint la maladie, il délire en toute sorte de langues, injuriant et ridiculisant le drapier qui doit s'en retourner tout penaud (V). Guillaume rencontre alors son berger, Thibaud, qu'il assigne devant le juge pour lui avoir volé bon nombre de ses moutons (VI). Thibaud s'assure les services de Pathelin qui lui recommande de répondre « bée » à toutes les questions (VII). Grâce à ce stratagème qui le fait passer pour fou, il est acquitté, d'autant plus que le drapier exaspère le juge en mêlant constamment les deux affaires, celle du drap subtilisé par Pathelin et celle des moutons tués par Thibaud (VIII). Guillaume, complètement désemparé, est l'objet des moqueries de Pathelin (IX) à qui le berger réussit à ne rien payer, se bornant à répondre « bée » à toutes ses demandes d'honoraires (X).

L'auteur a construit son œuvre sur un seul thème, que traduit le proverbe « À trompeur, trompeur et demi », puisque la ruse raffinée et provocatrice de Pathelin qui, avec la complicité active de Guillemette, triomphe de la ruse épaisse et de la méfiance nigaude du drapier Guillaume, est mise en échec par la ruse finaude et la roublardise camouflée du berger Thibaud l'Agnelet – les trois filous se font valoir l'un par l'autre – et sur une double intrigue qui s'achève par un dénouement unique. C'est le rebondissement, l'enchaînement, l'opposition ou la symétrie des tromperies qui constituent le schéma de base de la pièce. La hiérarchie de la ruse, d'ailleurs, remet en question la hiérarchie sociale : le drapier, riche bourgeois, est berné par un avocat assez louche, lui-même dupé par le berger, « un mouton habillé ».

Pour mettre en valeur le jeu subtil des personnages, l'auteur a refusé les formes élémentaires du comique (caricature, déguisement, coups de bâton, grimaces, scatologie) et privilégié le comique du bon tour et de l'imitation, à tel point que Pathelin s'imite lui-même quand il raconte à Guillemette de quelle manière il a dupé le drapier (v. 406-435), et le comique de situation, en particulier la répétition, l'inversion et l'interférence des séries, pour reprendre les distinctions de Bergson. Cependant, le dramaturge recherche des situations qui révèlent le caractère des personnages. Aussi, plutôt que de reprendre des allégories ou de s'attarder à la simple satire sociale qui demeure anodine, même si le marchand, l'avocat et le juge sont présentés sous des couleurs peu flatteuses, a-t-il peint des individus qui ont un caractère propre.

Pathelin, qui revivra dans Rabelais sous les traits de Panurge comme Guillaume sous ceux de Dindenault, est le personnage central sur lequel repose toute l'action. Intelligent plutôt que savant, il a appris à connaître, à manipuler et à tromper les hommes, maîtrisant l'art de la parole, faisant preuve d'un éblouissant génie inventif, comme le montrent les scènes où il mime la maladie et la possession démoniaque. Mais cet homme retors est réduit à la misère après avoir connu échecs et châtiments infamants, tels que le pilori. Aussi apparaît-il comme un avatar de Renart : à l'exemple de celui-ci, il fait l'éloge du père de sa victime dont il excite la convoitise pour endormir la méfiance, il feint la mort pour triompher de son adversaire et utilise diverses langues. Son intelligence connaît des défaillances : cédant à l'impatience, victime de ses intempérances de langage, trop sûr de lui, il est, comme Renart, une figure du filou, du fripon divin, dont la finesse s'accompagne d'une certaine sottise, tantôt triomphant, tantôt vaincu ; de là la nécessité de plusieurs aventures et, dans *Pathelin*, trois farces en une seule pièce. Enfin, Pathelin est-il un véritable avocat ? On le penserait, d'après la considération dont l'entourent le berger et le juge, et par son attitude à l'audience. Mais il est traité d'« avocat sous l'orme » (v. 13), d'« avocat d'eau douce » (v. 756) : ne serait-il pas un clerc de bas étage, mal défini, un braconnier en marge de la profession d'avocat, qui hante les tavernes à la recherche de clients ou de victimes ?

De même, Guillemette, sa femme, peut être tout aussi bien une petite bourgeoise qui défend sa maison contre l'extérieur, une ménagère avertie, qu'une femme peu farouche, si l'on en juge par son nom, qui était celui des ribaudes, et par le fait que l'imprimeur Pierre Levet a utilisé, pour représenter Pathelin et son épouse, la gravure qui illustrait la « Ballade de la grosse Margot » dans son édition des *Poésies* de Villon.

Cette ambiguïté se retrouve partout. Ainsi dans la scène où l'avocat simule la mort, qui atteste sinon une certaine déchristianisation, du moins la volonté de dédramatiser la mort : l'auteur se moque-t-il des *Arts de bien mourir*, des horribles descriptions du trépas, qui connaissent alors une grande vogue, ou veut-il parfaire le portrait de son héros, dont il suggère la démesure, le mépris des valeurs religieuses, le cynisme, l'absence de tout remords, et dont il fait l'antithèse de l'avocat chrétien, pitoyable aux pauvres, de saint Yves, le patron de la profession ? Le langage devient un jeu qui traduit la jouissance phonétique d'une réalité chatoyante et un malaise certain sur sa fonction, sa nature et son rôle dans la société, jeu où l'on évolue entre sens et non-sens : ce qui a un sens pour les uns (Guillemette, les spectateurs) n'en a pas pour d'autres (Guillaume), ou encore on ne comprend pas la même chose. Les mots, qui n'ont plus de valeur fixe et perdent la référence stable qu'ils avaient, prennent souvent des significations ambiguës, volatiles, devenant un instrument de fraude et une monnaie trompeuse. Pathelin sera payé « à son mot », à son prix, mais aussi avec son mot, celui qu'il a enseigné au berger, ce fameux « bée » qui structure toute la fin de la pièce. La réalité, les êtres humains nous échappent dans une sorte d'incertitude universelle – celle de Guillaume au chevet de Pathelin (v. 707-731) – sans qu'on puisse distinguer entre la réalité et les apparences.

J. Dufournet

FARET Nicolas

(1596-1646)

Écrivain et moraliste. La carrière de Faret est un cas de brillante réussite sociale. Fils d'un cordonnier de Bourg-en-Bresse, il se révéla un élève doué, ce qui lui valut de poursuivre ses études jusqu'à être reçu avocat. Il quitta alors sa ville natale pour gagner Paris où il rejoignit son compatriote Vaugelas, reçut aide et protection de Nicolas Coëffeteau, se lia avec Colletet et Boisrobert. Par ces relations, il fut introduit auprès des grands. Devenu secrétaire du comte d'Harcourt, il servit d'intermédiaire entre celui-ci et Richelieu. Par la suite, il obtint les charges de secrétaire de l'armée navale, puis de secrétaire de l'armée d'Italie, enfin de conseiller secrétaire du roi, et s'enrichit en outre par un mariage avantageux.

La littérature fut pour lui un adjuvant précieux. À ses débuts, il se fit connaître par des traductions de l'Italien Marino et par des travaux historiques. Il publia, en 1627, un *Recueil de lettres* des beaux esprits du temps et, en 1630, *l'Honnête Homme ou l'Art de plaire à la Cour*. Cet ouvrage, qui connut dix rééditions entre 1631 et 1664, marqua une étape importante dans l'élaboration du modèle social de l'« honnêteté » ; pourtant, la théorie de Faret est assez superficielle, et il donne surtout des conseils de politesse mondaine. Son recueil de *Lettres*, en revanche, outre qu'il rassemble des textes qui soutiennent les vues politiques de Richelieu, apparaît comme une des premières manifestations de la tradition malherbienne naissante. L'influence de Faret, lié au groupe de Conrart et membre de l'Académie française dès la fondation de celle-ci, s'exerça dans le sens des principes qui dominent les doctrines classiques.

A. Viala

FARGUE Léon-Paul

(1876-1947)

Poète et chroniqueur, Fargue fut une véritable figure littéraire, bien représentative de son époque, combinant une personnalité qui ne manquait pas de pittoresque et une conception de la poésie originale en une période de mutations, voire de fractures politiques et littéraires.

Un fantaisiste tranquille

L'existence de Léon-Paul Fargue se place, dès l'abord, sous le signe de la marginalité. Il naît en effet à Paris, le 6 mars 1876, au foyer d'un couple illégitime et assez disparate : sa mère, couturière, a gardé de son Berry natal et de ses origines paysannes le goût du concret ; son père, qui ne le reconnaîtra que seize ans plus tard, est diplômé de l'École centrale et dirige, sans beaucoup d'intérêt ni de réalisme, une fabrique de céramique. L'enfant, qui assume mal cette situation, se réfugie dans des rêves, alimentés par la lecture de récits de voyages, et se passionne pour l'histoire naturelle (il élève un rat blanc, des vers à soie et visite assidûment le Jardin des Plantes). Sa scolarité se poursuit sans difficultés notables au lycée Condorcet où il suit l'enseignement de Mallarmé, puis à Janson-de-Sailly où il chahute le critique Émile Faguet. Fargue, qui hésite encore entre l'écriture et la peinture, choisit finalement d'entrer en khâgne à Henri-IV en 1892, où il aura comme condisciples Jarry et Thibaudet. Mais, incapable de se plier à une discipline intellectuelle stricte, il délaisse ses études pour s'absorber dans des lectures encyclopédiques, écrire, peindre ou jouer du piano…

De ce dilettantisme devaient émerger un sens aigu de l'observation critique et un humour particulièrement corrosif. Dans le même temps, il commence à se mêler au monde littéraire parisien, en pleine effervescence à cette époque : il assiste aux « mardis » de Mallarmé, publie des articles critiques dans *l'Art littéraire*, se lie à des écrivains (Claudel, Valéry, H. de Régnier, M. Schwob). Vers 1895, il écrit *Tancrède* (paru en 1911), sorte de roman lyrique à mi-chemin entre le récit et le poème. Étonnamment réceptif aux courants de son temps, Fargue mène alors une vie de noctambule et joue un rôle d'animateur actif dans les milieux artistiques. Avec ses amis des « Apaches d'Auteuil », il participe notamment au lancement des Ballets russes de Diaghilev et défend les peintres impressionnistes (Van Gogh, Bonnard, Cézanne). Sa production est intense, mais il refuse le plus souvent de publier ses écrits, rature, déchire, dans un souci maladif de perfection inaccessible. Son esprit caustique, sa drôlerie lui valent des invitations à dîner dans le monde parisien ; il arrive dans son légendaire taxi, régulièrement avec deux heures de retard, se créant bien vite une solide réputation de bohème.

La mort de son père, qu'il vit comme un drame, confère à ses textes un caractère de gravité dont témoignent *Poèmes* (1905) et *Pour la musique* (1912). Il fait cependant partie des « Patassons », groupe d'écrivains fantaisistes qui comprend aussi Valery Larbaud. Après la Grande Guerre à laquelle, réformé, il n'a pas pris part, il s'intéresse un temps aux méthodes des surréalistes, mais, trop classique et trop individualiste, ne peut s'intégrer au groupe. Au demeurant, sa célébrité lui fait occuper un rôle plus officiel dans le monde littéraire ; il accepte de diriger avec Larbaud et Valéry la revue *Commerce* (1924), est décoré de la Légion d'honneur, fait l'objet d'un numéro d'hommage de *Feuilles Libres* en 1927, reçoit le prix de la Renaissance, fait partie de l'académie Mallarmé, tout en poursuivant à un rythme plus rapide la publication de ses écrits : *Banalité*, *Vulturne*, *Épaisseurs* (1928), *Sous la lampe*, *les Ludions* (1930), *D'après Paris* (1932), *le Piéton de Paris*, son plus célèbre recueil de chroniques (1939), *Haute Solitude* (1941). La maladie – il est frappé d'hémiplégie en 1943 à la terrasse d'un café – n'interrompt pas cette suite de brillants succès : entouré par sa femme, le peintre Chériane, qu'il avait épousée en 1935, et de ses amis qu'il reçoit chaque dimanche dans sa chambre, il connaît jusqu'à sa mort en 1947 une période d'activité intense, poursuivant notamment la rédaction de ses souvenirs (*Refuge*, 1942 ; *la Lanterne magique*, 1944 ; *Méandres*, 1946 ; *Portraits de famille*, 1947).

Mais Fargue n'occupe pas seulement une place de « personnage littéraire », de découvreur et de coordonnateur des différents courants de son temps ; il a également élaboré une œuvre qui, par ses aspects multiples et ses thématiques, reflète fidèlement ses préoccupations personnelles.

La prolifération du réel

À beaucoup d'égards, la poésie de Fargue se constitue comme une réaction devant la diversité angoissante de la réalité. Refusant une quelconque intégration – comme en atteste sa biographie –, cet éternel errant s'érige le plus souvent en spectateur qui, grâce à sa sensualité profonde et à l'acuité de son regard, sait appréhender les choses du quotidien : « Des enfants jouent et crient, doucement, dans un square étroit et noir, au crépuscule. Des ruelles serrées, sans oreilles, des murs criblés se consument. Des cheminées s'ennuient contre le ciel de haute lisse. Dans leurs chaînons de fumée grasse, on lit des foules qui dégorgent » (*Poèmes*). La promenade sera le lieu privilégié de l'étude du réel pour cet observateur si disponible : « J'aime chercher dans vos faubourgs ces yeux de l'Inconnu qui me sont familiers » (*id.*). L'objet et la personne acquièrent alors une présence particulière ; fortement individualisés par la perception du poète, ils tendent à la singularité absolue, comme en témoignent chez lui le petit nombre de pluriels et l'abondance des adjectifs descriptifs. Les phrases se juxtaposent sans lien logique, perdant même leur verbe, et, selon un procédé cher à Rimbaud, font coexister la description et l'impression qui s'en dégage : « Plainte légère d'un tramway, le soir. Goût de bleuté opalescent sur la langue. Le ciel bat comme un éventail. C'est la nuit. Plus haut dans les timbres frais. Passage dans un vélodrome à la hauteur des petites places. Une cigarette qui bouffe allume cent visages et des mains pendantes » (*Épaisseurs*). À force d'exister, l'objet et l'individu finissent par posséder une matérialité qui fait entrer le texte dans le registre fantastique : ainsi le poète croit-il voir des passants s'enfoncer dans les trottoirs (*id.*). Tout se passe comme s'il usait d'une drogue qui altérerait sa perception ; il est littéralement possédé par l'objet : « Je ne pensais pas à la chose, elle me pensait ; je n'agissais pas, elle m'agissait » (*id.*). On conçoit dès lors que Fargue ait pu être tenté par l'expérience surréaliste avec laquelle, à l'évidence, il se sentait des affinités sur le plan théorique. Cependant, cette absorption dans le réel ne va pas sans une angoisse existentielle : « Je ne pouvais plus remonter, me retourner sur mes mobiles, plus me fixer, plus me rassembler » (*id.*). Le moi se perd, s'évide, déliquescent, dans une incontrôlable aspiration par les choses ; apparaît alors un vertige qui se mue très vite en tentation du néant : « Le mouvement perpétuel me gagne. Ces tremblements, ces éparsions, vous les connaissez, vous les avez eus, ne fût-ce qu'une fois ? Puis-je encore me faire entendre ? Que de questions encore humaines avant que je ne sois mangé par les grands nombres » (*Vulturne*). Les mots habituels eux-mêmes ne suffisent plus, ils acquièrent une sorte de vie autonome, dont la création de vocables nouveaux se fait l'écho : « gouénouille », « armour », « jolitaine », « batiplantes » (*Ludions*).

Le démon de l'ubiquité

On connaît le goût de Léon-Paul Fargue pour Paris : il en appréciait non pas les aspects traditionnels ni le passé culturel, mais le caractère hétéroclite ; il en a fait dans ses écrits le type même de la cité aux multiples facettes où se mêlent choses et gens, dans une perspective héritée de Baudelaire, mais avec une gouaille irrévérencieuse qui n'appartient qu'à lui : entre Moulin-Rouge et Moulin de la Galette, le Sacré-Cœur se dresse « tel Jésus entre deux larrons » (*le Piéton de Paris*)... De même, il acceptera des invitations dans les milieux sociaux les plus divers, où il savait briller, gardant au fond une préférence pour les bistrots et leurs terrasses, lieux de passage privilégiés. Homme de contact facile, il se lie aux personnalités artistiques les plus diverses sans s'attacher définitivement à aucune école, usant lui-même de la plus grande liberté dans son écriture poétique. Fargue cherche aussi en vain à fixer le temps dont la perception lui pose un insurmontable problème. En proie à une inguérissable nostalgie, il se tourne sans cesse vers un passé ambigu pour en constater, à l'instar de Verlaine, l'irrémédiable fuite. Sa poésie se nourrit souvent de souvenirs d'enfance et il se définit lui-même comme un « ancien petit garçon ». Le passé constitue un réservoir inépuisable d'impressions heureuses que le rôle du poème est de traduire : « Souvenirs d'un passé qui dort dans une ombre si transparente. Des intimités insaisissables qu'on se croit bien seul à connaître et dont on voudrait enchanter les autres.... Certains regards. La voix d'un être cher. La gaucherie d'une âme ardente... Une inflexion familière très douce et très humaine... » (*Poèmes*). Mais ce passé fugitif porte la trace d'un malheur incurable ; surgit alors chez Fargue l'angoisse des origines et, non sans un sentiment aigu de culpabilité, il ne cesse de s'en demander la cause, sans succès : « D'où sortaient ces mots baroques, flemmards, comme des champignons lents à se tendre ? Plus de confiance en la parole, plus de confiance en personne. Dans la rue, je circulais... torturé par une question mal posée, fixé longuement par une sorte de faille, un manque en pointe agaçant de blancheur » (*Épaisseurs*). À ce passé « blanc » qui suscite l'interrogation, Fargue ne peut opposer qu'un présent atomisé en de multiples instants sans cohérence ni lien, qui se constitue lui aussi comme le lieu d'une perpétuelle fuite, mais également comme l'occasion d'une jouissance particulièrement pure. Même si elle n'est que temporaire : « L'homme qui fuit ceux qu'il aime a croisé l'Amour » (*Poèmes*).

La quête difficile d'une stabilité

Plongé dans un univers labile, le poète paraît sans cesse à la recherche d'une quelconque stabilité et c'est sous cet angle surtout qu'il considère la relation amoureuse avec la femme : « Il faut qu'il s'emplisse jusqu'aux bords de son image. Il a tant besoin de refaire provision de cette femme, pour trouver courage à ramer sa vie ». Seule, la femme peut, par son sens du concret, sa présence physique, faire accéder le poète au royaume de la permanence : « Il voudrait qu'il lui fût permis de s'étendre dans un coin d'ombre, pour l'écouter parler encore toute droite dans la lumière » (*Poèmes*). Mais l'amour, à cause de l'égoïsme, s'avère éphémère et le poète ne saura pas non plus trouver le repos dans le confort d'une existence rangée ; il nourrit d'ailleurs à l'égard des valeurs qui fondent traditionnellement la vie bourgeoise un scepticisme absolu qui se mue en défiance : « Poète, le resteras-tu, dans cette île tournante masquée de mensonges et de fantômes, qui ne te rendent pas ton amour, qui t'appellent monsieur quand tu les tutoies, mais où tout le monde tire de toi le meilleur, jusqu'au moulage de la mort » (*Épaisseurs*). Mais il n'y a pas, chez Fargue, de critique assez profonde des institutions – son ressentiment s'adresse le plus souvent aux individus – pour qu'il accède à une révolte vraie et à une volonté de réformisme. Seule, la création artistique lui apparaîtra, en fin de compte, comme une voie possible de salut.

A. Niderst et A.-C. Bruneval

FAVART Charles Simon

(1710-1792)

Poète, dramaturge, auteur d'innombrables livrets d'opéra, ce fils de pâtissier parisien était initialement destiné à suivre les traces de son père ; mais des dons pour la poésie qui se manifestèrent très tôt surent fléchir les rigueurs paternelles. La mort du père obligea Favart à reprendre la toque, mais le succès de quelques pièces le libéra de la cuisine, et il put se consacrer tout entier à la scène. Il écrivit pour le théâtre de la Foire, pour les Italiens et surtout pour l'Opéra-Comique. En 1745, il épousa la belle Justine Duronceray, cantatrice et actrice, connue sous le nom de Mlle Chantilly. Le ménage Favart noua des relations orageuses avec Maurice, maréchal-comte de Saxe, qui s'éprit de Justine. La paix conjugale fut rétablie en 1750, date de la mort du maréchal ; on ignore si la belle Chantilly avait cédé aux avances du héros de Fontenoy. Femme d'esprit, Mme Favart composa elle-même quelques pièces et aida, semble-t-il, de temps en temps son mari à composer les siennes. En 1758, Favart devint l'un des directeurs de l'Opéra-Comique. Après une longue et laborieuse carrière, il mourut à l'aube de la Terreur, appauvri par les événements du jour.

On ne recense pas moins de cent cinquante pièces ou livrets écrits par Favart (plusieurs en collaboration avec d'autres écrivains et beaux esprits de l'époque). Les plus célèbres – et presque tous le furent – connurent une dizaine, parfois plus d'une vingtaine d'éditions, furent traduits en anglais, en allemand, en espagnol, en danois, en italien, en hollandais. On les montait un peu partout en Europe. Comment expliquer ce phénomène ? D'abord parce que Favart non seulement aida à former le goût de son public, mais aussi le suivit. Ensuite parce que ses pièces et ses livrets témoignent d'un véritable talent d'auteur. Son charme agit encore sur nous, notamment celui de ses opéras-comiques, dont on peut apprécier le gracieux du livret en parfait accord avec la volupté de la musique d'un Gluck, d'un Grétry, voire d'un Duni ou d'un Boismortier. Ses pièces les plus connues sont *la Chercheuse d'esprit* (1741), *Acajou* (1744, sujet tiré de l'amusant conte de Duclos, *Acajou et Zirphile*), *Annette et Lubin* (1762), *l'Anglais à Bordeaux* (1763), *la Fée Urgèle* (1765, qui exploite la mode « troubadour ») et *la Rosière de Salency* (1769).

Signalons aussi que Favart composa plusieurs parodies, parmi lesquelles *l'Ambigu de la folie ou le Ballet des dindons* (1743, devenu plus tard *les Indes dançantes*, parodie des *Indes galantes* de Fuzelier et Rameau) ; *Bastien et Bastienne* (1753, avec Mme Favart, parodie du *Devin du village* de J.-J. Rousseau, et qui devait inspirer un des premiers opéras de Mozart) ; *Fanfale* (1752, parodie de l'*Omphale* de La Motte), et *Ninette à la cour* (1755, parodie de *Bertholde à la cour* de Vincent Campi). Favart occuperait une place honorable dans une histoire de la parodie ; l'on peut aussi le considérer comme le père de la comédie musicale.

R. Dawson

FAYE Jean-Pierre

(né en 1925)

Poète, romancier, dramaturge, essayiste, animateur – après avoir rompu avec *Tel Quel* – du collectif et de la revue *Change*, Jean-Pierre Faye occupe une place de premier rang dans la littérature dite « expérimentale » contemporaine et marque de son activité le mouvement des idées. Il a contribué en particulier à faire connaître Noam Chomsky et la linguistique générative (*le Transformationnisme et la Critique*, 1977). En 1985, il fut l'un des fondateurs du Collège international de philosophie.

Faye s'oppose à la conception « chosiste » du langage, selon laquelle l'objet et le signifié se confondraient ; l'entreprise proprement poétique de Faye s'attache, au contraire, à révéler ce qui se joue entre le mot et la chose et réfute la définition qui réduirait la littérature à n'être que « le problème de mots renvoyant aux mots ». Il tente de démontrer qu'il existe, tout au long de l'histoire, « un effet de production d'action par le récit », ce dont semblent témoigner la fable qui ouvre *le Récit hunique* (1967) et surtout l'épopée homérique qui fait voir avec clarté comment la narration (épisode du cheval de Troie) a prise sur les événements ; comment, donc, l'écriture, « produisant le sens, allumant ce monde et le transformant », opère rétention ou circulation de ce qui, à partir du travail de la langue, menace l'ordre établi, donne le change, occulte ou, à l'inverse, éclaire et met en question. Dans le champ des récits multiples œuvre un récit unique qui les traverse tous et « dont la propagation n'admet pas de fin » ; un récit qui rend au texte son sens de « tissu » et qu'il faut saisir avant tout aux intersections, aux jointures qui en constituent les temps forts.

La métaphore spatiale indique un réseau où se manifestent les rapports qui se nouent entre le libidinal, le politique et le narratif, et où se dessinent les figures de pratiques discursives se croisant et se séparant (cf. *Inferno* et *l'Ovale*, 1975). L'hexagramme que tracent les six romans de Jean-Pierre Faye : *Entre les rues* (1958), *la Cassure* (1961), *Battement* (1962), *Analogues* (1964), *l'Écluse* – prix Théophraste-Renaudot 1964 –, *les Troyens* (1970), renvoie à l'*Essai pour les coniques* et au Pascal qui rapprochait esprit géométrique et art de persuader ; il semble présenter au lecteur la possibilité d'une autre lecture, laisse entendre qu'un autre texte se constitue d'une règle cachée, plus essentielle que celle de l'analogie quaternaire donnée explicitement (de même que la règle de Pascal ne vaut que pour un hexagramme inscrit dans une conique).

Parce que l'Histoire parle et se parle, parce que les mots participent activement à son déroulement, Jean-Pierre Faye n'a pas voulu se cantonner dans la « fiction » poétique et romanesque, et il s'est employé à faire l'analyse des conditions linguistiques d'une formation idéologique : *les Langages totalitaires* (1972), étude scientifique du discours nazi, constituent sa contribution à une critique de la raison et de l'économie narratives que viennent compléter les *Migrations du récit sur le peuple juif* (1974). Il est aussi l'auteur de pièces de théâtre : *Hommes et Pierres, Latvia, Vitrine, Centre* (publiées en 1964), *les Grandes Journées du père Duchesne,* farce épique et tragique (1981), où l'on retrouve cette réflexion croisée sur langage et histoire que l'on rencontre également dans *Yumi* (1983).

L. Pinhas

FÉNELON François de

François de Salignac de La Mothe Fénelon *(1651-1715)*

Il eût déploré de figurer dans un *Dictionnaire des littératures,* ce chrétien qui, au terme d'une vie vouée toute à Dieu, disait : « Rien n'est plus méprisable qu'un parleur de métier… » (*Lettre à l'Académie française,* IV) ; il eût fait valoir que la partie proprement littéraire de son œuvre écrite occupe moins d'un volume sur dix, et que, s'il s'était mêlé d'écrire, ce n'avait jamais été que pour instruire et agir. Certes. Et, de notre côté, avouons que notre temps est presque disposé à l'abandonner en tant qu'écrivain.

La cohérence d'un destin

Sa vie, où pourtant rien n'est simple, nous semble bien plus transparente que ne le disaient naguère certains biographes. Né au château de Fénelon, de vieille et pauvre noblesse périgourdine, ce prêtre exemplaire que soutient le parti dévot conquiert à Paris la faveur de quelques grands (les ducs de Chevreuse et de Beauvillier), puis de Mme de Maintenon et du roi même, qui rêvent de réactiver la Contre-Réforme catholique ; prodigieusement doué, et de tous les talents, il réussit : il convertit des protestants (mission en Saintonge, 1685-1686), prêche avec éclat à Saint-Sulpice (1675-1678), aux Missions étrangères (1687), aide Bossuet dans ses travaux de controverse et de philosophie, propose de nouvelles méthodes pédagogiques (*De l'éducation des filles,* 1687) et, surtout, dirige avec bonheur des âmes scrupuleuses ou sèches qui se confient à lui. Le roi le nomme en 1689 précepteur du duc de Bourgogne, futur souverain ; il s'acquitte au mieux de cette difficile éducation et y gagne la reconnaissance de Louis XIV et l'amitié de son élève. Tous les dévots espèrent en lui. Mais en 1688 il a rencontré Mme Guyon : la certitude qu'il acquiert vite qu'elle est de ces âmes que Dieu a éclairées, le goût amer que laissent en lui ses ambitions satisfaites, son inquiet besoin d'une vie intérieure authentique le décident à s'ouvrir à la spiritualité et à la mystique guyoniennes. Quand les persécutions s'abattent sur Mme Guyon, il se fait un devoir de lui rester fidèle ; ses ennemis (Bossuet, les jansénistes, Mme de Maintenon, puis le roi) le taxent de quiétisme et brisent sa carrière. Exilé à Cambrai (1695), il administre saintement son diocèse, attendant que son élève monte sur le trône et mette en œuvre cette politique évangélique à laquelle il l'avait formé. En vain. Le duc de Bourgogne meurt (en 1712) ; deux ans après, Fénelon s'éteint, navré de voir la France s'abîmer dans une décadence qu'il avait mesurée et n'avait pu enrayer.

Cette existence, que l'on eut tort de croire déchirée (car la foi de Fénelon était si vive qu'elle n'accordait de prix qu'au Royaume éternel et qu'elle sut conférer à ce destin une profonde cohérence), ne laisse guère de place à la littérature. Au reste, la critique, aujourd'hui, ne se soucie guère de l'écrivain : pour une thèse sur le prédicateur, rien sur l'épistolier (« Il se pourrait que le chef-d'œuvre de Fénelon, ce fût sa vaste correspondance » [Gustave Lanson]) que nous révèle pourtant la magistrale édition de Jean Orcibal ; peu d'études d'ensemble sur le *Télémaque,* pas d'éditions critiques des ouvrages pédagogiques ou des *Dialogues sur l'éloquence*…

C'est que Fénelon intéresse trop les historiens – historiens de la vie et des doctrines politiques, de l'Église, de la spiritualité, de la pédagogie, de la philosophie. L'écrivain, quand on songe à le juger, est immanquablement (et à raison) donné comme représentatif des contradictions où se débat, en cette fin de XVIIe siècle, l'esthétique « classique » ; dès lors, comme dans le cas de son contemporain La Bruyère, devient problématique l'unité d'une écriture.

Une esthétique chrétienne

Chrétien fervent, exigeant de lui-même et des autres une perfection qui, « se retirant » toujours, laisse l'âme insatisfaite, Fénelon n'était pas homme à se contenter, dans l'ordre littéraire, de la rhétorique classique. Son goût, qui l'oriente vers la poésie, sa culture platonicienne, ses lectures mystiques à partir de l'affaire du quiétisme, sa philosophie aussi, qui l'oppose au rationalisme et notamment à la linguistique « cartésienne », tout le voue à humilier les mots, afin que puisse surgir un sens qu'il faut conquérir contre eux. Ainsi ses *Dialogues sur l'éloquence* (vers 1684 ?), s'ils offrent un banal programme de prédication évangélique, témoignent aussi du dessein d'inventer une antirhétorique : prenant ses *exempla* dans l'Écriture, chez Homère et chez Platon, ouverte à la poésie, fondée sur une inspiration intime, elle vise à arracher par l'émotion l'adhésion de l'auditeur. Le superbe *Traité de l'existence de Dieu* (1712), les pièces oratoires de Fénelon qui subsistent, nombre de lettres surtout illustrent cette méthode : le développement (philosophique, didactique, moral, psychologique, etc.) se clôt par une « élévation », paraphrase lyrique de l'Écriture, oraison jaculatoire, poème en prose, et l'on passe ainsi « de la démonstration à l'extase » (Ély Carcassonne). C'est dire que Fénelon prend avec les règles toutes les libertés que lui suggère sa passion de persuader et d'ébranler. En 1713-1714, sa *Lettre à l'Académie française* revient encore sur cet idéal : exempt de tout conformisme, il oppose à l'académisme versaillais ce grand goût qu'ont illustré les meilleurs des Anciens et qui seul est digne d'exprimer la vérité ; pour ce faire, il propose d'enrichir la langue, d'arracher au formalisme la rhétorique, la poétique, la dramaturgie, l'histoire

« L'homme digne d'être écouté [...] n'est point esclave des mots ; il va droit à la vérité. Il sait que la passion est comme l'âme de la parole » (*Lettre à l'Académie*, IV).

« Ce livre singulier... » (Voltaire)

Les Aventures de Télémaque paraissent assez mystérieusement, et sans l'aveu de Fénelon, en 1699. Le succès, immédiat et durable, de ce grand livre est ambigu. Ouvrage scandaleux, Bossuet et les siens le dénoncent comme indigne d'un prêtre ; la Cour s'offusque d'y trouver des portraits satiriques du roi et de son entourage ; à l'inverse, l'opposition politique s'en enchante. Anciens et Modernes, alors aux prises, ne savent comment estimer des beautés peu conformes à leurs dogmatismes respectifs [voir **Querelle des Anciens et des Modernes**]. Tout le XVIIIe siècle, hormis quelques cercles guyoniens, veut, en un contresens flagrant, lire le *Télémaque* comme le poème d'un âge d'or où régnait la pure nature – ou, pire erreur, comme une critique hardiment progressiste de l'absolutisme. Toute une mythologie s'élabore alors autour du livre et de son auteur. Le XIXe siècle tantôt loue (Mme de Staël, Lamartine), tantôt blâme (Brunetière) ce qu'il croit être un traité de libéralisme politique doublé d'un essai préromantique. Vers 1900, l'Église et l'Université étant devenues bossuétistes, le *Télémaque* se voit discrédité, en dépit des campagnes de Henri Bremond en 1910. Et le livre subit surtout le sort de bien des œuvres « classiques » : devenu scolaire, il ennuie. N'attendons pas du médiocre pastiche qu'en donna Aragon (*les Aventures de Télémaque*, 1922 ; édition définitive, 1966) que renaisse l'envie de lire le chef-d'œuvre de Fénelon. Et pourtant...

Fénelon s'est défendu d'avoir songé, dans cet étrange livre, à autre chose qu'à amuser son élève par des aventures, et qu'à l'instruire en l'amusant (Lettre au P. Le Tellier, 1710), comme il l'avait fait avec ses récits mythologiques ou historiques, mais toujours à visée morale, qui ne furent publiés qu'en 1813 sous le titre de *Fables*. Croyons-le.

Nous ne sommes évidemment plus sensibles à cette instruction. Le *Télémaque*, au départ, est bien un traité pédagogique, articulé sur le IVe chant de *l'Odyssée*, que Fénelon étudiait avec son élève, mais censé résumer tout un enseignement magistral étalé sur des années. Il se donne ainsi comme une somme, aussi pesante que le *Voyage du jeune Anacharsis* de l'abbé Barthélemy (1788), voire que l'*Émile* (1762) : leçons de théologie, de politique, de droit, de morale, d'économie, d'hygiène, d'histoire, de mythologie, etc., y abondent, sous la forme de grands discours tenus par Mentor, le précepteur de Télémaque. Ces discours se répètent, car Fénelon pratique une pédagogie progressive fondée sur la redite, et surtout s'ajoutent à d'autres, car on parle fort dans ce livre qui, non seulement, respecte les règles du roman et de l'épopée (où le discours rétrospectif est de rigueur), mais encore doit servir aussi de manuel d'éloquence.

Le livre se veut également un manuel de goût ; à ce titre, il pourrait nous toucher. Fénelon y multiplie à la fois les exercices rhétoriques et, sur le plan de l'intrigue, les occasions d'affiner la sensibilité du lecteur. Exercices, en effet, que les *disputationes*, harangues, oraisons funèbres, négociations diplomatiques, etc., où s'applique Télémaque ; bien plus intéressantes sont les « transpositions », où, parfois en virtuose, Fénelon s'inspire d'un autre genre littéraire, parfois d'un autre art que le sien : le *Télémaque* charrie ainsi des fables, des mythes quasi platoniciens, des prières, il résume des tragédies (le livre XII narre admirablement le *Philoctète* de Sophocle), des poèmes bucoliques, etc. ; quantité de scènes ou de descriptions ne sont jamais que des transcriptions de peintures versaillaises, de tableaux religieux, voire de décors d'opéras ; ce que La Fontaine pratiquait dans *le Songe de Vaux*, Fénelon, qui prisait la peinture, le fait aussi adroitement dans son livre, et la grotte de Calypso (livre I), le paysage libanais (livre III) ou l'apparition d'Amphitrite (livre IV), par le raffinement de leur symbolisme et la musicalité de leur écriture, forment autant de petits poèmes en prose.

Mieux encore, c'est toute la narration fénelonienne qui se donne comme l'exercice d'une culture : nullement rebuté par les difficultés inhérentes à son sujet (former un monarque catholique et français en s'aidant d'une fiction homérique), Fénelon semble au contraire aller au-devant d'elles, pour s'en jouer : ainsi, à la fin du livre IV, Amphitrite figure la Vierge du christianisme ; ainsi Mentor est à la fois lui-même, et Minerve, et Dieu le Père, et Fénelon précepteur, et Fénelon prêtre ! Le livre, dont l'un des maîtres mots est pourtant la simplicité, manifeste donc une ambiguïté, celle-là même d'une profondeur ; un savoir immense est contenu dans le *Télémaque*, qu'une *imitatio* souvent subtile signifie : au lecteur attentif de discerner sous la phrase de Fénelon tout un système de réminiscences, d'échos, d'allusions, destiné évidemment à former un goût, mais aussi à encourager une intelligence dans le déchiffrement d'un sens.

Car ce livre a un sens, qui peut encore aujourd'hui nous apparaître. Cette somme pédagogique, Fénelon lui a donné une forme qui déconcerta de son vivant même : roman, donc ouvrage futile, voire mondain, au gré de ses ennemis, épopée en prose selon ses partisans, le *Télémaque* était un monstre. N. Hepp et H. Coulet ont montré que cette opposition n'en était pas une pour Fénelon, qui, insensible aux modes, avait adopté l'esthétique baroque du roman héroïque du début du XVIIe siècle, selon laquelle il y avait lieu de déduire de l'épopée des règles applicables au roman. Cette forme, dont il savait la souplesse, Fénelon en use pour parer son dessein pédagogique des grâces du romanesque – et d'un romanesque puissant. Il écrit ainsi à un premier niveau un roman d'aventures, incluant un roman d'amour (livres I-VI) et des séquences féeriques : un héros court le monde, à la recherche d'un père qu'il retrouve après avoir triomphé de multiples épreuves ; à un second niveau, ce livre est un roman d'apprentissage : Télémaque s'instruit – non seulement il retient les leçons de Mentor, mais aussi il découvre le monde, les autres, et lui-même. Plus profondément, le *Télémaque* est un livre d'initiation : un caractère s'y forge, en passant par la solitude, le découragement, l'échec, la passion, le rêve, la souffrance. Mieux encore, Télémaque chemine vers Dieu : et le livre se pare alors de toute sa beauté, car il dit un itinéraire spirituel ; une raison, éclairée par une théologie dévoilée par Mentor, se plie à la vérité, un cœur se fait sensible à des signes qui l'enflamment ; d'où ces expériences mystiques qui scandent le *Télémaque*, le héros apprenant à se recueillir, à se « désapproprier », à prier, à voir en tout homme un fils de Dieu et en toute beauté une œuvre du Créateur.

Dès lors, le livre devient l'histoire de l'âme même de Fénelon : loin de s'incarner dans le seul Mentor, qui pourtant « comporte une large part d'auto-analyse aiguë » (R. Jasinski), Fénelon se livre partout : l'attestent ces motifs obsédants de toute l'œuvre fénelonienne qui paraissent ici, l'imagerie de la mer, celle de la lumière, les thèmes de l'exil et du départ, toute la mythologie du pur, du naturel, du simple, du dépouillement au profit de l'*unum necessarium ;* même, ces surabondants discours reprennent intérêt, Mentor-Fénelon s'épuisant à dire les choses afin que, nommées, donc ordonnées et revêtues d'un sens, elles puissent enfin s'ordonner harmonieusement et comme idéalement autour de Dieu. Tout le *Télémaque* vise ainsi à exorciser la contingence d'un monde déchu, celui de la France mal gouvernée par Louis XIV (cf. l'audacieuse *Lettre à Louis XIV*, rédigée vers 1693-1694 et publiée seulement en 1825) mais aussi celui du péché originel. Fénelon ne comptait pas sur le grand style (où il excellait, à preuve son *Traité de l'existence de Dieu*) pour arracher son lecteur à sa torpeur ; il savait qu'un tel style flattait trop l'esprit et l'imagination, pas assez, ni assez durablement, le cœur ; humblement, il a préféré user de cette écriture de « douce persuasion », subtile et négligée à la fois, « grave et simple » parfois, « complaisante et enjouée » ailleurs, toujours en deçà de ce qu'eût inventé une rhétorique plus mondaine. Cette « mollesse », trop vantée, du style fénelonien n'exclut pas de grands effets pour tel ou tel morceau, et le *Télémaque* offre des pages proches du poème, de la tragédie, ou violemment véhémentes ; mais l'essentiel nous semble être que Fénelon, se jouant des facilités que lui permet la structure lâche de son livre et s'accordant une « merveilleuse abondance » (R. Pomeau), instaure dans sa narration un rythme, celui-là même de la vie intérieure : les personnages se relaient, les paysages défilent, les discours coulent, cependant qu'en profondeur « une voix unique résonne » (H. Coulet), celle d'un homme (de tout homme ?) à la recherche patiente d'un paradis qu'il ne veut pas croire perdu. « Nous sommes tellement gâtés qu'à peine pouvons-nous croire que cette simplicité si naturelle puisse être véritable... » (livre VII).

A. Lanavère

FERAOUN Mouloud

(1913-1962)

Écrivain algérien de langue française, né à Tizi Hibel, en Grande Kabylie, Feraoun était fils de paysan ; il fut lui-même berger pendant un an. Son père avait été travailleur émigré en Tunisie et en France, et l'auteur a raconté sa propre enfance dans son roman autobiographique, *le Fils du pauvre* (commencé en 1939). À sept ans, en 1920, il entre à l'école de Taourirt-Moussa, puis, en 1928, il est admis au collège de Tizi-Ouzou grâce à une bourse. En 1932, il est reçu au concours d'entrée à l'école normale de Bouzareah (Alger), où il fait la connaissance d'Emmanuel Roblès. En 1935, il est envoyé comme instituteur dans son village natal, puis à Taourirt-Moussa, et, en 1952, il est nommé directeur du cours complémentaire de Fort-National (actuellement Larba Nath-Iraten). Il avait effectué son premier voyage à Paris en 1949 et échangé ses premières lettres avec Albert Camus en 1951. La guerre algérienne de libération commence le 1er novembre 1954 ; à partir de 1955, Feraoun décide de tenir un *Journal.* Nommé en juillet 1957 directeur de l'école Nador, au Clos-Salembier, à Alger, il accepte en octobre 1960 le poste d'inspecteur des centres sociaux fondés en 1955 dans un but d'éducation des milieux défavorisés. En mai-juin 1961, il voyage en Italie et en Grèce avec une mission d'études. Et le 15 mars 1962, il est assassiné, avec cinq de ses collègues des centres sociaux (algériens et français), à Châteauneuf (dans El-Biar, Alger) par un commando de l'O.A.S. (militants pour l'Algérie française). Feraoun, marié en 1935, était père de sept enfants.

Son œuvre littéraire se situe au cœur même du terroir algérien de Grande Kabylie. *Le Fils du pauvre,* publié d'abord à compte d'auteur en 1950, relate la vie de Menrad Fouroulou – en fait, sa propre vie. *La Terre et le Sang* (1953) tisse une intrigue autour d'un foyer mixte (un travailleur émigré ramenant avec lui au village sa femme française) et décrit avec une fine psychologie la vie dans un village de la montagne. Ce roman lui valut le grand prix littéraire de la Ville d'Alger en 1953. *Les chemins qui montent* est publié en 1957. L'auteur paraît quelque peu mal à l'aise au milieu de la guerre de libération : son héros est en porte à faux, et le roman se termine sur l'échec. Feraoun avait terminé *l'Anniversaire* en 1959, mais avait commencé à le revoir, lorsqu'il fut assassiné. *Jours de Kabylie* (1954) est un recueil de nouvelles et de récits imprégnés d'un grand attachement aux coutumes ancestrales. Quant à son *Journal* (1962), il constitue un document de premier plan sur la guerre. En 1969 furent publiées des *Lettres à ses amis.*

Feraoun s'est voulu témoin de sa société et de son temps, de même qu'il a laissé transparaître dans son œuvre ses espoirs, ses vicissitudes ou ses ambitions. Il a voulu donner à voir les siens, leur humanité, leur manière d'être au monde, sans fioriture et sans dissimuler les travers et les petits côtés : « Nos gens sont comme ça ». Il entendait montrer que « les Kabyles sont des hommes comme les autres ». L'ambiance et l'environnement de la vie des héros sont assez misérabilistes, Feraoun ne peignant pas cette vie en rose. D'une écriture simple, accessible au plus grand nombre, cette œuvre demeure attachante et importante sur le plan psychologique et humain, comme témoin d'un moment de la société algérienne aux prises avec le paupérisme, l'émigration et la guerre de libération.

J. Déjeux

FERNANDEZ Dominique

(né en 1929)

Normalien et agrégé d'italien, Dominique Fernandez commence par enseigner à l'Institut français de Naples, avant d'être nommé à l'université de Haute-Bretagne. Depuis 1958, il poursuit également une activité de critique littéraire à *l'Express* et au *Nouvel Observateur*. Sa thèse, intitulée *l'Échec de Pavese* (publiée en 1968), témoigne d'un intérêt passionné pour la culture italienne, qui ne cessera de s'affirmer et de se développer au fil de son œuvre romanesque et critique. Dominique Fernandez s'interroge aussi bien, dans cette perspective, sur les mythes fondateurs de la culture méditerranéenne (*Mère Méditerranée*, 1965) que sur les impasses éthiques et existentielles révélées par la production romanesque italienne du XXe siècle (*le Roman italien et la Crise de la conscience moderne*, 1958). Auteur d'un somptueux *Voyage d'Italie : dictionnaire amoureux* (1998), il s'inscrit à sa manière dans le sillage de Stendhal (*le Promeneur amoureux, de Venise à Syracuse*, 1980 ; *le Radeau de la Gorgone : promenade en Sicile*, 1988), vouant un culte éperdu à la péninsule italienne et multipliant les enquêtes en forme de promenades sur sa civilisation et sa culture. Cette passion oscille entre le récit de voyage, l'essai et le roman, sans qu'il soit toujours possible de distinguer ces trois modalités de l'écriture de Dominique Fernandez : de toute évidence, l'auteur trouve l'un des principaux ressorts de son inventivité à naviguer à la lisière de plusieurs genres, chacun contribuant à aiguillonner et à enrichir les autres. La vérité historique ou le point de départ documentaire, chez lui, sont souvent détournés par une fiction romanesque qui en révèle les lignes de force et en accentue les reliefs avec une acuité saisissante. L'une de ses réussites les plus magistrales, à cet égard, est sans doute *Porporino ou les Mystères de Naples*, roman couronné par le prix Médicis en 1974, qui met en scène l'un des derniers castrats de l'école napolitaine, au XVIIIe siècle : fresque baroque où abondent les personnages hauts en couleur, tableau de la splendeur et du vacillement d'un petit royaume tiraillé entre des influences politiques et culturelles contradictoires, *Porporino* s'impose également comme une réflexion sur la division des sexes et la liberté artistique. Nul doute que le castrat ne soit une figure emblématique de ces héros réels ou imaginaires qui peuplent l'univers de Dominique Fernandez, créateurs essayant de ruser avec leur identité sexuelle (*Einsenstein*, 1975) et suscitant des passions dont l'issue, le plus souvent, ne peut être que sanglante (*Dans la main de l'ange*, prix Goncourt 1982, roman qui emprunte de nombreux éléments à la vie de Pasolini).

L'amour de l'Italie – et plus particulièrement de Naples, ville-phare de plusieurs de ses ouvrages – ne prend pas, cependant, la forme d'un culte refermé sur lui-même ; il se double d'une volonté de réconcilier le Nord et le Sud, comme en témoignent à la fois l'essai intitulé *le Banquet des anges : l'Europe baroque de Rome à Prague* (1984) et le saisissant roman d'éducation artistique qu'est *l'Amour* (1986) : de Lübeck à Rome, Venise, Bologne et Urbino, le héros, Friedrich Overbeck, jeune peintre né à la fin du XVIIIe siècle, effectue un parcours géographique à valeur d'alliance artistique, où il tente de jeter un pont entre les primitifs italiens et le romantisme allemand. Nord et Sud en viennent ainsi à se répondre de manière inattendue : des continuités européennes sont rétablies par la grâce du voyage, des correspondances se nouent, et le Portugal, au fond (*l'Or des tropiques : promenades dans le Portugal et le Brésil baroques*, 1993), n'est pas si éloigné de Saint-Pétersbourg (*la Magie blanche de Saint-Pétersbourg*, 1994). Fascination pour les époques en mouvement, exploration du rôle matriciel de l'Italie et reconstitution des voies du génie créateur : telles sont les lignes de force dont l'entrelacement, au gré d'une production abondante, donne à l'imaginaire de Dominique Fernandez toute sa subtilité.

P. Mari

FERRAND Anne

***Anne Bellinzani**, dite **la présidente Ferrand** (vers 1657-1740)*

François Bellinzani était un commis de Mazarin ; il accumula une fortune scandaleuse et mourut en prison. Son épouse dut se reconnaître dans l'Arfure de La Bruyère. Leur fille, Anne, épousa le président Michel Ferrand en 1676, mais, avant et après ce mariage, elle nourrit une folle passion pour le baron de Breteuil. Séparée de son mari, elle se retira dans un couvent, en ressortit, et semble avoir terminé sa vie dans la solitude – mis à part le rôle qu'elle joua dans la conspiration de Cellamare, dirigée contre le Régent. Les lettres, probablement authentiques, qu'elle adressa à Breteuil (*Lettres de Bélise à Cléante*, 1691) furent publiées deux ans après le récit de leur liaison, présenté, lui, sous forme de conversations (*Histoire des amours de Cléante et de Bélise*, 1689). Ce second texte peut nous frapper par l'extraordinaire clairvoyance de l'auteur (est-ce encore Anne Ferrand ?), qui fait parfois penser à Laclos ou à Stendhal ; mais, dans la correspondance, se découvre l'amour le plus vif, le plus impudent. On y voit, comme dans les *Lettres de la religieuse portugaise*, comme dans la correspondance de Mlle de Lespinasse, une femme qui pousse sa passion jusqu'au scandale, presque jusqu'à la folie, et que fait gémir la tiédeur de son amant. Si l'on se reporte à l'*Histoire*, ces orages s'achevèrent tristement ; la fin du récit, due à un narrateur extérieur, montre une Bélise infidèle et trahissant son partenaire ; ainsi présentée selon des modalités narratives, des points de vue et à des moments différents, la réalité des faits demeure pourtant énigmatique. Quoi qu'il en soit, cette aventure amoureuse dépasse l'anecdote mondaine ; les lettres de la présidente Ferrand contiennent des cris de passion inouïs, qu'on n'attendrait pas au temps de Fontenelle et de Mme de Maintenon.

A. Niderst

FEUILLET Octave

(1821-1890)

Romancier et dramaturge. Ce fils d'une bonne famille de Saint-Lô renonce au droit pour la littérature : il débute par un récit pour enfants (*Vie de Polichinelle*, 1846) et une pièce de théâtre écrite avec Paul Bocage (*Échec et mat*, 1846).

Mais c'est vraiment la parution, dans la *Revue des Deux Mondes*, de *Scènes et Proverbes*, à la manière de Musset et de Marivaux, puis des *Scènes et Comédies* (réunies en volume en 1854), et surtout du *Roman d'un jeune homme pauvre* (1858) – adapté ensuite à la scène – qui lui gagne les faveurs du public parisien et de la cour impériale ; bibliothécaire du château de Fontainebleau jusqu'à la chute de l'Empire, académicien depuis 1862, Octave Feuillet se consacre parallèlement au théâtre (*le Cheveu blanc*, 1860 ; *Montjoie*, 1863 ; *la Belle au bois dormant*, 1865) et au roman (*Histoire de Sibylle*, 1862 ; *Monsieur de Camors*, 1867 ; *Julia de Trécœur*, 1872...).

Dramaturge et romancier de société, Feuillet est bien l'écrivain d'une société : ce « Musset des familles », à l'encontre des romantiques, suit au théâtre l'« École du bon sens » de Ponsard et de Scribe, prônant le respect des valeurs familiales et conjugales (*la Crise*, 1854), tandis qu'un romanesque sentimental, fondé sur les amours contrariées de jeunes gens du grand monde, pauvres mais distingués (Maxime de Traves, du *Roman d'un jeune homme pauvre*), guidés par le sentiment de l'honneur et la religion (*Histoire de Sibylle*, qui suscita en réponse l'anticlérical *Mademoiselle de La Quintinie* de George Sand), assure à ses romans une grande popularité. Flaubert l'a définie à propos du *Journal d'une femme* (1878) : « Son succès (car c'est un succès) a deux causes : 1° la basse classe croit que la haute classe est comme ça, et 2° la haute classe se voit là-dedans comme elle voudrait être. »

A. Pierrot-Herschberg

FÉVAL Paul

(1817-1887)

Romancier, né à Rennes. Fils de juge, Paul Féval connut d'abord la misère, les humbles travaux : il fut tour à tour employé de banque, commis d'une compagnie d'affichage, auteur anonyme d'articles encyclopédiques, correcteur au *Nouvelliste*... Révélé en 1844 par *les Mystères de Londres* (qu'il signe Sir Francis TROLOPP), où il se pose en rival d'Eugène Sue et de ses *Mystères de Paris*, il devient très rapidement un des auteurs à la mode, le concurrent de Dumas, de Soulié et de Sue. Après avoir fondé, en 1848, deux journaux politiques qui n'eurent qu'une durée éphémère, *le Bon Sens* et *l'Avenir du peuple*, Féval entreprit une œuvre abondante, abordant le fantastique (*la Vampire*, 1856), le roman picaresque et historique (*le Bossu*, 1857), le roman d'aventures criminelles (*les Habits noirs*, 1863-1875), le roman policier (*les Belles de nuit*, 1849 ; *Jean-Diable*, 1863 ; *Fabrique de crimes*, 1867).

Il a contribué à l'évolution du roman populaire en imprégnant ses fictions de légendes populaires : la construction de la plupart de ses romans est ordonnée en fonction d'éléments folkloriques, notamment dans le cycle breton : *le Loup blanc, la Forêt de Rennes* (1851). Féval traite l'histoire comme une féerie où s'affrontent les champions du Bien et du Mal, les justiciers, les réprouvés, les oppresseurs et les victimes. Jamais cependant, il n'oublie l'humour, ni un certain type de description poétique, onirique, qui préfigure la manière de Gaston Leroux. Son originalité consiste à camper des personnages à la lisière de l'irréel et de la description sociale, du fabuleux et de l'actualité politique : ainsi pour *le Bossu*.

Le Bossu

SYNOPSIS

Nous sommes en 1699, à la fin du règne de Louis XIV. Secrètement, Aurore de Caylus a épousé l'homme qu'elle aime, Philippe de Nevers, et en a eu une fille, également prénommée Aurore. Philippe de Gonzague, l'ami de Philippe de Nevers (ils forment, avec Philippe d'Orléans, le futur Régent, un trio d'inséparables), mais aussi son rival (il convoite la fortune d'Aurore de Caylus), fait assassiner Philippe de Nevers, lorsqu'il vient enlever Aurore, séquestrée par son père. Nevers est secouru au dernier moment par le jeune Lagardère, chevalier de fortune venu pour se battre en duel avec lui, mais qui, en découvrant le guet-apens, passe de son côté. Lagardère ne réussit pas à sauver Nevers, mais marque son assassin à la main, et enlève la fille de Nevers pour la soustraire au misérable. Cette première partie se clôt sur le fameux : « Si tu ne viens pas à Lagardère, Lagardère ira à toi. »

La scène se rouvre en 1717, sous la Régence, en pleine spéculation de Law. Après bien des aventures en Espagne, qui nous seront contées rétrospectivement, Lagardère est revenu à Paris, pour rendre Aurore à sa mère et démasquer le meurtrier. Mais la veuve de Nevers, ignorante du crime de Gonzague, a épousé celui-ci, en réservant toutefois pour sa fille, qu'elle espère toujours retrouver, la fortune de Nevers. Gonzague lui a fait croire que Lagardère avait assassiné Nevers et enlevé Aurore dans l'espoir d'une rançon. Pour déjouer ces trames, Lagardère se déguise en bossu, et réussit à s'introduire dans le milieu de noceurs et d'agioteurs sur lesquels règne Gonzague ; il parvient même à capter la confiance de celui-ci, ce qui lui permet d'anticiper ses manœuvres. Gonzague, en effet, a découvert la présence à Paris d'Aurore et de Lagardère ; il cherche à supprimer Aurore et vole les preuves de son identité. De son côté Lagardère est arrêté en tentant de parvenir jusqu'au Régent. Il obtient toutefois un jour de sursis, qui lui permet de tirer Aurore des griffes de Gonzague et de la remettre à sa mère. Après quoi il est condamné à mort pour le meurtre de Nevers. Mais l'amour d'Aurore et le soutien de sa mère, tardivement éclairée, lui permettent, en une dernière scène dramatique, de se justifier et de démasquer Gonzague, qu'il tue en duel grâce à l'invincible « botte de Nevers ». Épousant Aurore, Lagardère deviendra duc de Nevers.

La construction du roman est habilement sériée en fiction et en descriptions historiques : le Régent Philippe d'Orléans, le banquier John Law traversent le récit. Enfin, l'élément comique, représenté par Cocardasse et Passepoil, amis du Bossu, équilibre continuellement l'élément tragique. Le fils de l'auteur, Paul Féval II (1860-1933), donna une suite au roman sous le titre *le Fils de Lagardère* (1893).

On retrouve ce mélange de fiction et d'histoire, de comique et de tragique, dans *les Habits noirs*. Ici l'auteur se réfère à un fait divers des années 1840, le procès des Habits noirs, bande de malfaiteurs qui écuma Paris sous Louis-Philippe. L'habile partage entre le réel et l'imaginaire confère au récit vie et mouvement. D'un côté, André Maynotte, condamné au bagne – bien qu'il soit innocent – pour un vol commis par la bande des Habits noirs ; de l'autre, cette bande, regroupée autour de son chef, le colonel Bozzo, et du sinistre Lecoq, agent de renseignements. Tout comme Lagardère, André Maynotte agit en justicier pour détruire et punir les Habits noirs avec, en arrière-plan, l'évocation de la France louis-philipparde. Les archétypes du forçat-justicier et de criminels qui « ont leurs soldats dans la fange des bas quartiers et leurs généraux dans les plus hautes régions sociales » correspondaient aux préoccupations du temps : l'erreur judiciaire, le statut des forçats, étaient de nature à conquérir le plus vaste public.

Car le public de Féval ne fut pas seulement populaire : la plupart des bibliothèques municipales, qui se développèrent surtout à partir de 1860, eurent ses œuvres sur leurs rayons. L'écolier, l'apprenti, l'ouvrier, mais aussi la femme du monde, le bourgeois épris de romans d'action bien écrits, devinrent des lecteurs assidus de l'œuvre de Féval, qui comprend près de deux cents ouvrages.

Parce qu'il aborda exclusivement le roman populaire, Féval ne jouit pas d'une grande faveur auprès de la critique. Charles Monselet vit en lui « la queue d'Eugène Sue et d'Alexandre Dumas… ». Toutefois, d'autres jugements furent plus nuancés : « Le roman-feuilleton, tel que le comprenait Paul Féval, était une œuvre littéraire, par la conception et la puissance d'imagination, comme aussi, en plus d'un endroit, par la valeur réelle du style… » (San Marco, 1887). Les biographes de Féval : Chincholle, dans *Femmes et rois* (1886), Charles Buet (*Médaillons et camées,* 1885) virent surtout en lui l'auteur de fictions faciles à lire, faciles à oublier, ou bien le catholique militant des années 1875 (*les Étapes d'une conversion,* 1877-1881), fervent producteur de brochures pieuses de circonstance. Ce n'est que tout récemment que la critique universitaire s'est souciée de reclasser Féval parmi les grands maîtres de la littérature populaire. Mais un nombreux public, en quête de romanesque, d'imprévu et d'aventure, ne lui avait jamais fait défaut. Et le cinéma, en l'adaptant à maintes reprises, l'a rappelé au souvenir des générations les plus récentes.

Y. Olivier-Martin et L. Queffélec (synopsis)

FEYDEAU Georges

(1862-1921)

Longtemps réservé aux seuls amateurs du Boulevard, Feydeau fait aujourd'hui partie du « répertoire ». Plusieurs de ses pièces sont régulièrement à l'affiche de la Comédie-Française, mais aussi du Théâtre national anglais. Il est particulièrement applaudi au Japon, ce qui ne l'empêche pas d'être traduit en tchèque ou en hongrois. Il est probablement l'auteur français le plus joué à travers le monde et, s'il n'appartient pas au théâtre classique, il est, très certainement, un classique du théâtre.

Il est vrai que son père, Ernest Feydeau (1821-1873), descendant d'une vieille famille noble, les Feydeau de Marville, qui se flattait de remonter aux croisades, avait lui-même bénéficié d'une certaine réputation littéraire : ami de Flaubert et de Théophile Gautier, auteur, entre autres œuvres, d'un roman réaliste, *Fanny* (1858), qui avait fait scandale, Ernest Feydeau avait même commis deux pièces de théâtre sans grand intérêt.

Tout enfant, Georges Feydeau manifeste un goût précoce – que son père encourage – pour l'art dramatique : il écrit des dizaines de pièces de tout genre. Adolescent, il rédige également des monologues, qu'il récite au cours de représentations privées où, par ailleurs, il interprète avec un talent remarqué des personnages du théâtre classique. C'est en 1882 qu'a lieu la première représentation publique d'une de ses œuvres, un acte intitulé *Par la fenêtre.* Si l'on excepte *Tailleur pour dames* (1886), les pièces suivantes n'obtiennent aucun succès, à tel point que Feydeau, en proie à la gêne financière, envisage de renoncer à écrire pour devenir comédien.

Fort heureusement, en 1892, un triple triomphe – celui de *Monsieur chasse !*, celui de *Champignol malgré lui* et celui du *Système Ribadier* – lui fait abandonner ce projet. Pour Feydeau, c'est la gloire. « Je ne vous décrirai pas le public, écrit Sarcey, il était épuisé, il était mort de rire, il n'en pouvait plus. » Désormais, les pièces de Feydeau, traduites en dix ou douze langues, sont représentées dans toute l'Europe. Il serait l'auteur le plus riche du monde s'il n'avait pris l'habitude de jouer à la Bourse et dans les cercles. Il devient par ailleurs une figure quasi légendaire du Paris des noctambules.

Ayant mis au point sa formule, celle des grands vaudevilles en trois actes, Feydeau remporte de nouveaux triomphes avec *Un fil à la patte* et *l'Hôtel du libre-échange* (1894), *le Dindon* (1896) et surtout avec *la Dame de chez Maxim* (1899), qui obtient plus d'un millier de représentations. *La Puce à l'oreille* (1907) et *Occupe-toi d'Amélie* (1908) seront également de gros succès.

Cependant, à partir de cette date, Feydeau va abandonner presque complètement le genre qui lui avait si bien réussi : il inaugure brillamment en 1908, avec *Feu la mère de Madame,* la farce en un acte consacrée aux disputes conjugales, évoquées avec une implacable férocité burlesque, ce qui lui assure, encore une fois, la faveur du public. L'auteur semble s'inspirer ici de son propre cas (il se sépare de son épouse en 1909), qui lui fournit la matière de quelques autres pièces du même ton, parmi lesquelles *On purge Bébé !* (1910), *Mais n' te promène donc pas toute nue !* et *Léonie est en avance* (1911). Pendant la guerre de 1914-1918, Feydeau, vieillissant, voit tarir son inspiration. En 1919, atteint de troubles psychiques graves, il doit entrer dans une maison de santé, à Rueil-Malmaison, où il s'éteindra en 1921, victime du même mal que l'auteur du *Horla*.

L'originalité de Feydeau

Lorsque Feydeau aborde le théâtre, dans les années 1875-1880, le vaudeville connaît une crise grave : il a, vers la fin du second Empire, perdu sa partie musicale – les couplets – qui contribuait pour une part importante à son succès. Mais on a coutume d'appeler « vaudeville » toute pièce dont le comique est fondé sur les seuls jeux de l'intrigue et qui n'a, par ailleurs, aucune prétention psychologique ou littéraire. Or, vers 1880, le genre, concurrencé par l'opérette et le caf' conc', perd son public. Labiche, retiré en Sologne, n'écrit plus. Les auteurs, sombrant dans la facilité, ne se donnent même plus la peine de construire leurs pièces, se bornant à relier par une trame légère une série de saynètes émaillées de quelques mots d'esprit.

Très avisé, le jeune Feydeau s'inspire, au contraire, de l'un des très rares auteurs, Alfred Hennequin (*le Procès Vauradieux,* 1875), qui sache encore bâtir une intrigue et n'ait pas oublié les leçons de Scribe (la « pièce bien faite »). Mais il saura vite se montrer infiniment plus précis et plus méticuleux que lui : par exemple dans l'art des préparations. « Sachez-le, écrit Sarcey, dans une pièce de Feydeau on ne pose pas, en entrant, son chapeau sur une chaise que je ne me dise : Bon ! ce chapeau n'est pas là pour des prunes ! ». L'auteur pousse jusqu'à une sorte de perfection abstraite la technique de l'intrigue, qui devient entre ses mains une mécanique savante et compliquée : « Je possède ma pièce comme un joueur d'échecs son damier », dit-il.

Par ailleurs, observant que « les vaudevilles étaient invariablement brodés sur des trames désuètes avec des [...] fantoches », Feydeau entreprend au contraire de chercher ses personnages « dans la réalité, bien vivants », puis de « les jeter dans des situations burlesques ». Et c'est précisément ce qui constitue l'une de ses originalités et assure sa supériorité sur ses confrères.

Notons que cet effort de vérité humaine sera poursuivi et amplifié jusqu'à la cruauté dans les farces conjugales de la fin de sa carrière, où, puisant dans sa douloureuse expérience personnelle, il atteint à une sorte de lucidité comique et désespérée.

Mais c'est aussi le « mouvement » de ses pièces qui en constitue l'un des traits les plus notables. L'auteur y discerne « la condition essentielle du théâtre et, par suite, le principal don du dramaturge ». Tous les témoignages des gens de théâtre côtoyant Feydeau nous le montrent obsédé par la crainte de « couper le mouvement ». L'étude de ses manuscrits est, à cet égard, particulièrement suggestive.

Le principal facteur de ce dynamisme est le foisonnement des péripéties qui viennent modifier continuellement la situation du héros et le faire passer sans relâche de la crainte au soulagement et vice versa. D'où une sorte de fébrilité qui s'empare de tous ses personnages et les fait sortir ou entrer sans arrêt, au gré des circonstances dont ils sont la proie. D'où, également, l'impression d'un *fatum* comique qui les poursuit et s'acharne sur eux sans qu'ils puissent lui résister plus efficacement que les héros de la tragédie grecque en butte à la haine des dieux. Ainsi dans *la Dame de chez Maxim* ou dans *le Dindon*.

Les notes abondantes dont Feydeau accompagne le texte de ses pièces attestent que les déplacements de ses personnages sont soigneusement calculés par l'auteur, qui entend les organiser soit de façon mécanique, comme s'il s'agissait d'objets purement matériels (thème du ressort, thème du choc physique et de ses répercussions, thème du pivot et de la rotation), soit chorégraphique (ballet de personnages).

Dans le même esprit, le décor, qui est l'objet de notices descriptives exceptionnellement copieuses et d'une précision quasi maniaque (cf. la notice qui précède l'acte II d'*Occupe-toi d'Amélie*), est purement fonctionnel : étroitement lié aux nécessités de l'action sans aucun sacrifice au pur pittoresque. Le lit y occupe, comme il sied, une place assez importante, mais moins que les « dégagements » : multiples portes et escaliers qui permettent entrées surprises, fuites éperdues et poursuites échevelées, les décors à machines (comme le lit tournant de *la Puce à l'oreille*) restant rares.

Sont également au pur service de l'intrigue les meubles, tel le célèbre « fauteuil extatique » qui, dans *la Dame de chez Maxim,* sert à anesthésier brutalement toutes les personnes qui s'y asseyent – mais également quantité d'objets comme le phonographe enregistreur, ancêtre de nos magnétophones, qui, déclenché à leur insu par deux amants, les dénonce à l'époux (*La main passe,* 1907).

Un homme de théâtre complet

Il va sans dire qu'ancien acteur de talent, homme de théâtre complet, Feydeau ne pouvait, vu la façon très concrète dont il envisageait son art, laisser à qui que ce fût le soin de monter ses pièces. Il en était donc l'infatigable metteur en scène, montrant dans cette activité une exigence et un souci de précision dont ses contemporains ont conservé le témoignage. Il n'hésitait pas à se déplacer en province ou à l'étranger, pour surveiller la façon dont ses pièces étaient mises en scène. Il possédait par ailleurs le flair nécessaire pour repérer lui-même les acteurs de talent : c'est ainsi qu'il lança Cassive (qui, après l'interprétation magistrale qu'elle donna de la Môme Crevette dans *la Dame,* resta son interprète préférée) et découvrit Raimu.

Ne demandons pas au dialogue des pièces de Feydeau des qualités proprement littéraires auxquelles l'auteur n'a jamais prétendu. Son opinion, qui, là encore, est celle d'un homme de scène, est sur ce point sans ambiguïtés : « Le seul fait de faire parler ses personnages littérairement suffit à les figer et à les rendre inexistants » (lettre à Basset, 1905). Le langage sera donc totalement au service de l'action ; ce qui ne l'empêchera pas de comporter les ingrédients habituels du genre : jeux de mots, équivoques, grivoiseries, pataquès, jargons d'étrangers, parlers populaires ou paysans. Mais Feydeau s'interdit soigneusement le mot d'esprit qui n'est pas « en situation ». Le dialogue est le plus souvent entraîné par une sorte de dynamisme impitoyable dont le plein effet n'est perceptible qu'au cours de la représentation et qui est étroitement lié au mouvement que nous évoquions plus haut.

Feydeau et la postérité

La situation de Feydeau dans l'histoire du théâtre a considérablement évolué. Malgré la popularité dont il a joui à partir de 1892, il n'a été classé de son vivant, par la critique, que parmi les « amuseurs » : un François de Curel, un Maurice Donnay, un Alfred Capus, tous oubliés aujourd'hui, bénéficiaient, sur le plan littéraire, d'une estime infiniment supérieure. Il en était de même entre les deux guerres, bien que Feydeau n'ait pas alors subi, contrairement à ce qui a été dit, une période de purgatoire. Ses œuvres, à cette époque, n'ont jamais cessé d'être jouées, et quinze films ont alors été tirés de ses pièces.

Mais c'est vraiment avec l'inscription de *Feu la mère de Madame* au répertoire du Théâtre-Français (1941), la reprise d'*Occupe-toi d'Amélie* par la Compagnie Renaud-Barrault en 1948 et plusieurs autres manifestations de ce genre que l'on a enfin rendu justice à Feydeau. Depuis, plusieurs ouvrages lui ont été consacrés qui sont venus marquer sa place – essentielle – dans l'histoire du théâtre.

De façon générale, la plupart de ces études, après avoir montré que Feydeau a porté le vaudeville jusqu'à la perfection du genre, mettent en évidence dans son œuvre une démesure, une violence comique, une absurdité vertigineuse curieusement associées à une logique implacable. Cette alliance inédite assure à ce théâtre la permanence de son succès.

Le Dindon

SYNOPSIS

Pontagnac, séducteur impatient et sanguin, force la porte d'une inconnue qu'il a suivie dans la rue. Celle-ci, Lucienne Vatelin, femme d'un avoué, appelle à la rescousse son mari qui reconnaît en Pontagnac une vague relation. Bien que chambré par Lucienne qui, lors d'une courte sortie de son mari, déclare qu'elle ne se donnerait que dans le cas, improbable, où elle serait trompée, Pontagnac continue à la presser. Après l'arrivée de Rédillon, un autre soupirant de Lucienne, surgit, en parfaite santé, une Mme Pontagnac que son mari a dite percluse de rhumatismes et résidant à Pau. Cette dernière se doute que les visites que son mari dit rendre aux Vatelin ne sont que des alibis, ce que confirme Lucienne à Mme Pontagnac qui décide à son tour de se donner au premier venu, Rédillon par exemple, si jamais son mari la trompait. Arrive enfin Maggy Soldignac, une Anglaise au tempérament volcanique, ancienne maîtresse de Vatelin, qui le relance avec menace de scandale et de suicide. Elle est bientôt suivie de son mari, Soldignac, qui vient annoncer à l'avoué qu'il entend bien le soir même surprendre sa femme en flagrant délit d'adultère. Contraint de changer son lieu de rendez-vous avec Maggy, Vatelin demande à Pontagnac le nom d'un hôtel ; celui-ci propose l'Ultimus et avertit Lucienne pour qu'elle puisse, avec lui, surprendre son mari (acte I).

À l'hôtel Ultimus, chambre 39, la cocotte Armandine reçoit Rédillon qui l'emmène chez lui, la privant ainsi d'un rendez-vous avec Soldignac. Elle laisse la place à un vieux couple, les Pinchard, auquel on a attribué par erreur cette chambre. Arrivent alors Lucienne et Pontagnac ; ce dernier dispose sous le matelas des sonnettes qui leur donneront l'alerte dans la chambre voisine où ils guettent les coupables. Vatelin arrive à son tour avec une Maggy crampon dont il cherche en vain à se débarrasser. Alors que l'Anglaise est dans le cabinet de toilette, surviennent son mari puis Rédillon qui emporte par erreur le sac de Maggy, laquelle ne pourra plus sortir du cabinet de toilette, enfin les Pinchard qui se couchent. Les sonneries se déclenchent ; Lucienne et Pontagnac surgissent ; s'apercevant de leur méprise, ils disparaissent aussitôt. L'hôtel est ameuté par les sonnettes. Pinchard les découvre, puis descend préparer un cataplasme pour son épouse malade. Pendant ce temps, Vatelin, croyant retrouver Maggy, s'endort près de Mme Pinchard et c'est sur son estomac que Pinchard applique le cataplasme. Tout le monde se réveille. Lucienne, croyant constater son infortune, est bien décidée à se venger avec Rédillon plutôt qu'avec Pontagnac qui, arrivant mal à propos, est pris pour l'amant de Maggy par un premier commissaire accompagné de Soldignac, puis par un deuxième mandaté par Mme Pontagnac. L'acte se termine par un pugilat où l'Anglaise n'est pas la dernière à faire le coup de poing (acte II).

Dans le fumoir de Rédillon arrive une Lucienne furieuse qui veut se venger de son mari, mais Rédillon, épuisé par sa nuit avec Armandine, ne peut la contenter. Immédiatement après survient Mme Pontagnac qui réclame le même service : Rédillon, qui n'en peut mais, se retrouve avec deux femmes sur les bras. Surgit Pontagnac qui poursuit toujours Lucienne de ses assiduités. Celle-ci, feignant de lui céder, le fait se déshabiller, ôte son corsage, mais continue à lire le journal, attendant que son mari et le commissaire veuillent bien constater le flagrant délit. Mme Pontagnac, sortant alors de la pièce où elle s'est réfugiée, demande aussi que l'on constate le sien. Pontagnac, furieux, cherche le coupable : Gérôme, le vieux domestique de Rédillon, se dénonce à sa place. Vatelin, atterré, confie sa peine à Rédillon ; Lucienne, qui a tout entendu, pardonne à son mari. Pontagnac restera le dindon de la farce (acte III).

Feu la mère de Madame

SYNOPSIS

Habillé en Louis XIV, Lucien, caissier aux Galeries Lafayette et qui se prend pour un artiste, rentre du bal des Quat'zarts. Ayant oublié sa clé, il réveille à quatre heures du matin son épouse Yvonne, remontée et teigneuse, qui lui cherche toutes les mauvaises querelles. On sonne. Affolement. Un domestique entre, annonçant la mort de la mère de Madame. Yvonne s'évanouit. Nouvel affolement. À un propos échappé au messager, on comprend qu'il fait erreur et qu'il aurait dû sonner chez le couple d'en face. Yvonne saute de joie. Lucien boude. Secrètement satisfait de la mort du « chameau », il avait déjà fait poster par la bonne une lettre qui rassurait son tapissier auquel il devait de l'argent, et une autre qui envoyait les pompes funèbres chez sa belle-mère. La querelle des époux, sur laquelle le rideau va tomber, reprend…

Mais n' te promène donc pas toute nue !

SYNOPSIS

Le député Ventroux fulmine contre sa femme Clarisse qui ne cesse de se montrer en tenue légère devant son fils ou son domestique. Au moment où il reçoit M. Hochepaix, un de ses adversaires politiques qui vient solliciter une faveur, surgit Clarisse en chemise transparente qui minaude avec Hochepaix puis qui, brusquement, se fait piquer par une guêpe sur la croupe. Terrorisée, elle demande à son époux, puisqu'il l'a déjà fait récemment sur la nuque de Mlle Dieumamour, de sucer la plaie. Celui-ci, de même que Hochepaix vivement sollicité, s'y refuse.

Arrive alors Romain de Jaival, journaliste au *Figaro*, qui vient solliciter un entretien. Ventroux lui demande de patienter alors qu'il en termine avec Hochepaix dans le salon voisin. Déboule à ce moment Clarisse qui, prenant le journaliste pour le docteur, lui demande d'ôter le dard. Jaival s'exécute au moment où Ventroux et Hochepaix reviennent sous l'œil goguenard de Clemenceau qui habite en face et a suivi toute la scène par la fenêtre, et à qui Clarisse fait des signes d'intelligence.

La Dame de chez Maxim

SYNOPSIS

Après une nuit de beuverie, le Dr Petypon, réveillé par son ami Mongicourt qui l'a entraîné dans cette aventure, découvre avec stupeur la Môme Crevette, danseuse du Moulin-Rouge, dans son lit, alors que lui-même était en train de ronfler sous un canapé. Arrive malencontreusement la prude et bigote Mme Petypon. La Môme a juste le temps de se cacher, mais sa robe traîne sur un fauteuil ; Gabrielle Petypon qui attendait précisément un envoi de sa couturière, emporte la robe mais revient presque aussitôt et Mongicourt a juste le temps de métamorphoser la Môme en pouf. Pour se débarrasser de l'encombrante Mme Petypon, la Môme se déguise en séraphin et lui ordonne de se rendre place de la Concorde rencontrer un homme qui, de ses paroles, lui fera un fils qui sera l'honneur de la France. Gabrielle y court. Surgit alors inopinément le général Petypon du Grêlé, oncle à héritage, qui, prenant la Môme pour Mme Petypon, invite le couple pour le mariage d'une nièce en Touraine. Revient, extasiée, Gabrielle que le général prend pour Mme Mongicourt. On livre au docteur un « fauteuil extatique » qui a la vertu d'endormir celui qui s'y place. Il en fait immédiatement l'essai avec Mongicourt avant de recevoir les témoins du lieutenant Corignon, puis le lieutenant lui-même, ancien amant de la Môme, futur mari de la nièce du général, et qui a eu avec lui une querelle d'ivrogne la nuit précédente. Les deux hommes s'expliquent, l'affaire s'arrange sans duel et Petypon part pour la Touraine non sans avoir dû se débarrasser d'un balayeur qu'il avait invité à dîner dans sa folle nuit, et qui va encore terroriser Gabrielle (acte I).

Au château de la Membrole, la Môme Crevette (qui passe pour Mme Petypon), avec sa gouaille et ses toilettes, suscite l'admiration et l'étonnement de la bonne société tourangelle, à l'affût du dernier chic parisien. Petypon est sur des charbons ardents, craignant à tout moment la catastrophe, d'autant plus que la Môme en rajoute en aguichant un petit duc à héritage. Là-dessus arrive Gabrielle. Comme la Môme d'emblée la tutoie, Gabrielle, s'apercevant que cette personne répond au nom de Mme Petypon, pense qu'il s'agit de la femme du général et l'appelle : « Ma tante. » Tout le monde prend alors Gabrielle pour une folle. La Môme quant à elle continue son numéro, chante une chanson égrillarde, la Marmite à Saint-Lazare, se lance dans un cancan effréné, déniaise un tantinet la future sans jamais cesser de lever la jambe en répétant sa scie favorite : « Eh ! allez donc ! c'est pas mon père ! » Pour finir elle s'enfuira avec Corignon, son ancien amant. Le général, atterré, apprenant la disparition de celle qu'il croit être Mme Petypon, traite cette dernière de « drôlesse ». Gabrielle étant alors présente prend l'insulte pour elle et gifle le général qui s'empresse de gifler celui qu'il prend pour le mari, Mongicourt. On parle de duel (acte II).

Chez Petypon, à Paris, l'imbroglio se renoue puisque le duc de Valmonté, croyant retrouver Mme Petypon, tombe sur Gabrielle, une Gabrielle ahurie qui reçoit un poulet enflammé du duc et que Petypon taraude avec une feinte jalousie. Mongicourt, de son côté, refuse de se battre avec le général qui, recevant des excuses de Gabrielle, pardonne l'affront mais exige de la part d'un Mongicourt excédé les mêmes excuses et une réconciliation avec son « épouse » volage. Au moment où le général veut mettre au point le duel entre le ravisseur de la fausse Mme Petypon et Petypon, surgit Gabrielle. Le fauteuil extatique vient alors au secours du malheureux docteur qui endort le général. Mais comme ceux qui touchent l'homme endormi s'endorment à leur tour, vont se figer successivement Gabrielle, Petypon lui-même ainsi qu'Étienne le valet. Le groupe est rendu à la vie par Mongicourt. C'est alors que la Môme tente de séduire le général qui l'endort malencontreusement. Le jeune Valmonté, en voulant embrasser la Môme endormie, subira lui aussi les influences du fluide. Le couple enlacé sera délivré du sommeil par un Petypon en mauvaise posture parce que, devant les témoins du duel, sa femme se montre si désemparée que le général croit qu'elle est sa maîtresse. Petypon échappe malgré lui à l'orage en s'asseyant par inadvertance dans le fauteuil branché. Gabrielle, comprenant alors qu'elle a été jouée, gifle à toute volée Petypon, s'offre à Valmonté qui, terrorisé, s'enfuit, évente un dernier subterfuge de Petypon déguisé en ange Gabriel, puis lui pardonne, ainsi que le général mis enfin au courant par la Môme de toute l'affaire, et qui part avec elle bras dessus bras dessous pour l'Afrique (acte III).

H. Gidel et J.-M. Thomasseau (synopsis)

Fin d'Elyas (la) v. Croisade (cycles de la)

Flaubert

FLAUBERT Gustave

(1821-1880)

Quelques jours après la mort de Flaubert, Théodore de Banville saluait en lui le père du roman moderne. Cent ans plus tard, la formule est encore en vigueur, renvoyant – bien sûr – à une modernité toute différente. La mise au jour et la publication d'une quantité de textes et de documents expliquent sans doute en partie et l'intérêt croissant que suscite Flaubert et les transformations successives de son image. Il est devenu possible de suivre un itinéraire flaubertien, depuis les débuts d'un adolescent au talent précoce jusqu'à l'œuvre interrompue par la mort ; d'assister à la genèse des chefs-d'œuvre, de la première esquisse au manuscrit définitif ; d'interroger la *Correspondance* sur les conceptions artistiques de l'écrivain.

La critique qu'on pourrait dire ancienne (celle d'un Faguet par exemple) voyait Flaubert à la jointure du romantisme et du réalisme ; J.-B. Pontalis, dans les années 1950, écrit qu'il oscille entre Mallarmé et Zola ; les auteurs du nouveau roman sont unanimes à se reconnaître en lui, mais pour des raisons fort variables : pour la « substance psychique nouvelle » qu'il met au jour dans *Madame Bovary* (Nathalie Sarraute), pour le rôle qu'il fait jouer à la description (Alain Robbe-Grillet), pour la façon dont il détruit les structures romanesques traditionnelles (Jean Ricardou) ; quant à la critique la plus récente, elle met volontiers l'accent sur l'entreprise de déréalisation et de subversion du sens qui fut aussi la sienne.

Chacune de ces interprétations ne s'obtient qu'en oblitérant tout un aspect de l'œuvre, pour ne pas dire toute une partie de celle-ci. L'opposition du romantisme et du réalisme n'est guère pertinente pour l'analyse de *Bouvard et Pécuchet ;* et il y aurait inversement quelque abus à laisser de côté le réalisme de *Madame Bovary* pour ne relever dans ce roman qu'un travail d'antireprésentation.

Des débuts romantiques

Si les liens de Flaubert avec le romantisme sont manifestes pour le lecteur de *Salammbô* et de *la Tentation de saint Antoine,* la publication des « Œuvres de jeunesse » fut pourtant, sur ce point, une révélation. Certes, un adolescent commence presque inévitablement par imiter, avant de trouver un registre personnel. Mais le décalage entre les premiers textes et *Madame Bovary* reste saisissant, même si *l'Éducation sentimentale* de 1845 constitue une manière de transition : elle raconte en effet comment un jeune homme abandonne l'attitude romantique pour devenir un grand artiste.

Les « Œuvres de jeunesse » utilisent les formes traditionnelles du romantisme : conte philosophique, conte fantastique, autobiographie, drame et récit historiques. Leurs thèmes : la mort, véritable obsession (et le cadavre est toujours là, évoqué avec une complaisance morbide) ; la folie, le désespoir ; l'ivresse ; le monstre (la femme laide ou Djalioh, l'homme-singe) ; le Diable et la tentation – déjà ; l'extase ; l'exotisme spatial et temporel. Il est clair que certains de ces thèmes se maintiennent à travers toute l'œuvre – et pas seulement dans *Salammbô* et dans la *Tentation* : l'agonie et le cadavre d'Emma Bovary, le bébé mort dans *l'Éducation sentimentale,* la charogne de *Bouvard et Pécuchet* et tous les monstres (l'Aveugle du premier roman, la cour des Miracles du dernier, lors de la séance de magnétisme) témoignent de la persistance, chez Flaubert, de cette fascination de l'horrible. L'idée de pourriture et de décomposition est un motif constant : central dans la pensée d'Emma (« D'où venait donc […] cette pourriture instantanée des choses où elle s'appuyait ? »), il gouverne nombre de descriptions, y compris celle des lieux de l'idylle (la vigne qui pend « comme un câble pourri » au mur de la maison d'Auteuil, dans *l'Éducation sentimentale*). Sur un plan plus général encore, faut-il rappeler avec Lukács que le thème de la désillusion – par lequel on pourrait définir les trois romans contemporains – est éminemment romantique ?

Mais le romantisme des « Œuvres de jeunesse » est aussi dans le ton. Aussi, et peut-être surtout, pour un lecteur habitué à la retenue des œuvres de la maturité. Dans les textes de l'adolescence, le ton est lyrique, effervescent, sarcastique aussi ; l'auteur ne cesse d'intervenir, de commenter, de s'exalter.

À l'époque de la rédaction de *Madame Bovary,* Flaubert écrira à Louise Colet, dans une lettre célèbre de janvier 1852 : « Il y a en moi, littérairement parlant, deux bonshommes distincts : un qui est épris de *gueulades,* de lyrisme, de grands vols d'aigle, de toutes les sonorités de la phrase et des sommets de l'idée ; un autre qui fouille et creuse le vrai tant qu'il peut, qui aime à accuser le petit fait aussi puissamment que le grand, qui voudrait vous faire saisir presque *matériellement* les choses qu'il reproduit. » *La Tentation de saint Antoine* de 1849 était l'œuvre du premier de ces deux bonshommes ; *Madame Bovary* va mettre en avant le second.

Le modèle balzacien : influence et dépassement

À ce tournant de son œuvre, une figure de romancier paraît s'être imposée à Flaubert : celle de Balzac. Sans trop forcer les choses, on pourrait dire qu'il s'est choisi là un père – quelqu'un par référence à qui il va se construire, dans l'imitation et l'opposition à la fois. Comme Balzac, il va composer des récits réalistes, documentés, à fonction représentative. La peinture de la province dans *Madame Bovary,* de la société parisienne dans *l'Éducation sentimentale ;* l'histoire psychologique d'une mal mariée ; les ravages de l'argent ; l'apprentissage de la vie par les jeunes hommes ; l'amour platonique pour une femme plus âgée (« prendre garde au *Lys dans la vallée* », note Flaubert dans un scénario de l'*Éducation*) : la thématique du grand prédécesseur se reconnaît là aisément.

Mais, sur ces données réalistes, Flaubert va élaborer quelque chose de neuf. Tout d'abord, alors que le roman réaliste est avant tout une histoire que l'on raconte, il va creuser, évider – sinon évacuer – le sujet de ses propres récits. « Ce que je voudrais faire, c'est un livre sur rien […]. Les œuvres les plus belles sont celles où il y a le moins de matière. » Aux aventures et aux scènes extraordinaires, aux héros qui sortent du commun, au dynamisme du roman balzacien, il va préférer des personnages médiocres, la vie de tous les jours et son lent écoulement.

Le gonflement de la description (dans *Madame Bovary* particulièrement) est également un moyen d'évincer la narration, de substituer à l'action quelque chose d'autre – un objet, un paysage qui, témoins de l'émotion du personnage, en deviennent pour nous le support ; de ce personnage on nous raconte ainsi l'histoire, non par l'action à laquelle il participe, ni même par l'analyse psychologique, mais en nous faisant voir ce qu'il voit, en nous donnant à sentir – selon l'analyse de Geneviève Bollème – le monde dans lequel le romancier le plonge.

Encore ce monde n'est-il pas cerné une fois pour toutes, d'un trait net, par un narrateur omniscient. La description est subordonnée (du moins dans une large mesure) à l'optique du personnage, qui s'interpose entre l'objet et nous. Or, dans *Madame Bovary* et dans *l'Éducation sentimentale,* Flaubert procède par variations continuelles du point de vue : nous regardons Emma à travers les yeux de Charles, de Rodolphe ou de Léon ; Charles ou Léon, à travers ceux d'Emma. Et la multiplicité des points de vue donne un certain « tremblé » à l'objet : la petite Berthe, contemplée par Charles, est charmante et gracieuse ; vue par Emma, elle est laide. L'absence d'une instance ordonnatrice, d'un point de vue unificateur, dilue l'être du monde en une série d'apparences.

Toujours dans le même sens d'une relégation de l'action au second plan, il faudrait relever ce que Victor Brombert appelle « la priorité des structures thématiques par rapport à la narration » : le retour cyclique et obsessionnel des mêmes thèmes (l'ennui, l'attente, la monotonie, le désir d'évasion) développés à l'aide des mêmes images (les rêveries exotiques, par exemple, traduisant le besoin d'évasion d'Emma ou de Frédéric). Également la réapparition de personnages et d'objets symboliques (l'Aveugle qui annonce la damnation d'Emma, le coffret de Mme Arnoux, symbole d'une intimité inviolable...), dont les vicissitudes correspondent, certes, à différentes étapes du récit, mais qui s'imposent à notre esprit avec tant d'insistance que l'histoire s'en trouve gommée plutôt qu'appuyée.

Le roman comme œuvre d'art

Parallèlement à cette méfiance à l'égard de la matière romanesque, il se manifeste chez Flaubert – dans sa pensée et dans sa pratique – une attention à la forme et une conception du roman comme œuvre d'art qui sont particulièrement insistantes. Ce n'est pas un hasard si la figure de l'artiste occupe tant de place dans son œuvre : dans la première *Éducation sentimentale,* où Jules représente l'écrivain que Flaubert est en train de devenir, dans la seconde avec le peintre Pellerin et la boutique d'*Art industriel* ; si *la Tentation de saint Antoine, Hérodias* et *la Légende de saint Julien l'Hospitalier* ont pour source – principale ou secondaire – un tableau, une sculpture, un vitrail ; si nous reconnaissons un Renoir avant la lettre dans tel portrait d'Emma jeune fille, sur le seuil d'une maison par temps de dégel, se protégeant de son ombrelle contre la neige fondante qui tombe du toit (« L'ombrelle, de soie gorge-de-pigeon, que traversait le soleil, éclairait de reflets mobiles la peau blanche de sa figure. Elle souriait là-dessous à la chaleur tiède... »), et Gustave Moreau dans les évocations de Salammbô, hiératique et somptueusement parée.

« Le style est tout » ; « ce que l'on dit n'est rien, la façon dont on dit est tout » : les déclarations de ce type abondent dans la *Correspondance.* Flaubert y explique qu'une phrase de prose devrait être aussi précise, aussi rythmée, bref aussi inchangeable qu'un vers ; il réprouve, chez les classiques, « les *qui*, les *que* enchevêtrés les uns dans les autres » et le manque d'attention aux assonances. Il a en lui un idéal de style parfaitement harmonieux, parfaitement lisse, auquel il essaie de se conformer – non sans réussite : on connaît l'admiration de Proust pour « ce grand *Trottoir roulant* que sont les pages de Flaubert ».

Ce serait une erreur cependant de ne voir là que la seule recherche de la musicalité. D'abord, parce que l'harmonie n'apparaît pas tant chez Flaubert comme un but en soi que comme la condition d'une bonne lecture : rien ne doit venir contrarier, accrocher, retarder la pensée du lecteur dans son cheminement. Ensuite, parce que la beauté de la phrase est le garant de sa vérité.

Flaubert croit en effet qu'il y a « un rapport nécessaire entre le mot juste et le mot musical » ; qu'à force de chercher on doit trouver l'expression unique capable de rendre l'Idée – et ses brouillons témoignent de ce que cette théorie platonicienne n'est pas chez lui simple façon de parler, mais le principe même de l'art d'écrire. C'est dire à la fois qu'il accorde au style, à la forme, une attention et un crédit exceptionnels, et qu'il est néanmoins tout le contraire d'un adepte de « l'art pour l'art ». Car ce qu'il poursuit, en dernier ressort, ce n'est pas le beau, c'est le sentiment du vrai, qu'il appelle aussi l'illusion. Il l'a écrit, en termes nets et forts : « Ce souci de la beauté extérieure [...] est pour moi *une méthode.* »

Le rapport au document

Que Flaubert ne se satisfasse pas de combiner entre elles des phrases harmonieuses, tout un aspect de son travail le montre clairement. À côté de son immense labeur d'écriture, la préparation de ses livres présente en effet un autre versant, complémentaire du premier et tout aussi impressionnant : la recherche documentaire. *Salammbô, la Tentation de saint Antoine, Bouvard et Pécuchet* reposent sur une fabuleuse érudition ; Flaubert a lu des bibliothèques entières pour chacun de ces ouvrages : « J'ai bientôt lu tout ce qui se rapporte à mon sujet de près ou de loin », écrit-il à propos de *Salammbô.* Et, pour *Bouvard et Pécuchet* : « Savez-vous à combien se montent les volumes qu'il m'a fallu absorber pour mes deux bonshommes ? À plus de 1500 ! »

Adolescent, il avait eu l'intuition qu'« écrire, c'est s'emparer du monde ». Le désir de faire tenir le monde dans un livre se distingue clairement dans toute son œuvre, qu'il s'agisse de ressusciter Carthage, de réunir en un défilé de tentations les religions antiques et les hérésies chrétiennes, ou de cette entreprise désespérée : faire la revue critique de toutes les « idées modernes ». Le relais des livres a dû être pour lui, d'abord, le moyen d'enfermer le monde dans son œuvre.

Reste que le souci de documentation paraît déborder encore, chez Flaubert, les nécessités de l'encyclopédisme. Non seulement les faits historiques et scientifiques sont longuement étudiés, mais on dirait que l'écrivain craint d'inventer le plus petit détail : s'il décrit un homme fumant tranquillement sa pipe sur un balcon des Tuileries pendant les émeutes de février 1848, c'est qu'il a trouvé l'anecdote dans un témoignage ; à l'époque où il rédige *la Tentation de saint*

Antoine, on le voit frémir à la pensée que, ne l'eût-on renseigné, il allait « faire une balourdise de botanique énorme » : mettre dans l'Inde des végétaux d'Amérique ! De la même façon, il ne peut, comme le fait remarquer Raymonde Debray-Genette, se résoudre à décrire dans *Bouvard et Pécuchet* des lieux qui se dessinent parfaitement dans son esprit tant qu'il n'a pas découvert sur le terrain – ou fait découvrir par un autre – un endroit réel correspondant à son idée.

On peut s'étonner alors que cet écrivain si scrupuleux dans son travail de documentation ne paraisse pas songer à critiquer ses sources. Lors de la controverse sur *Salammbô,* quand l'archéologue Froehner l'accuse d'erreur, il se contente d'invoquer, par exemple, la Bible et Pausanias, ajoutant sur un ton sarcastique : « Mais peut-être nierez-vous que [...] la Bible et Pausanias soient des auteurs anciens. » Que la Bible ne soit pas un ouvrage scientifique, Flaubert ne l'ignore évidemment pas. C'est donc qu'il se moque – à la limite – de la réalité du fait ; seule lui importe la caution de l'écrit, l'ancienneté de celui-ci garantissant, sinon la vérité, du moins la vraisemblance : « Ce qu'on a cru à l'époque, je peux m'en contenter. »

L'impersonnalité : une méthode

Il semblerait donc que l'obsession du document ne réponde peut-être pas tant chez Flaubert à un désir d'exactitude scientifique qu'à une méfiance à l'égard de l'invention. Entre en jeu, ici, un autre leitmotiv de la *Correspondance* : la nécessité d'être impersonnel.

Flaubert ne cesse d'affirmer, en effet, que l'artiste ne doit pas se montrer dans son œuvre, qu'il ne doit exposer ni ses sentiments ni ses idées (et là encore, il se distingue de Balzac). Tout prendre hors de soi – dans la réalité ou dans les livres, peu importe –, n'est-ce pas une façon de ne rien prendre en soi, et donc d'être objectif ?

C'est sur des motifs d'ordre esthétique que Flaubert fonde explicitement la règle de l'impersonnalité. Être personnel, c'est affaiblir son œuvre, car c'est la réduire au particulier au lieu de la hausser au niveau du général. Homère et Shakespeare sont de grands écrivains parce qu'on ne peut découvrir, à les lire, ce qu'ils étaient, ce qu'ils pensaient ou aimaient. Dans ses propres brouillons, l'auteur de *Madame Bovary* censure ce qui est l'expression directe d'une émotion (et l'appel direct à l'émotion du lecteur) ; ainsi de cette phrase qui évoquait la rencontre de Charles et du père Rouault à l'enterrement d'Emma : « et il n'y avait rien de plus triste que ces deux hommes pleurant qui voulaient se consoler ».

Pour évacuer l'émotion suspecte, pour éviter de se mettre dans ce qu'il écrit, la méthode de Flaubert consiste d'abord en une mise à distance de l'objet à peindre. Mise à distance temporelle, par exemple : ainsi faut-il expliquer sans doute que l'écrivain, qui s'était dérangé pour aller « voir » à Paris les événements de février 1848, n'ait pas évoqué ceux-ci dans *Madame Bovary* (commencée en 1851) ; de même qu'il ne devait pas mettre les événements de 1870, mais bien ceux de 1848, dans *Bouvard et Pécuchet.* Mise à distance intellectuelle aussi : l'étonnement que Flaubert dit éprouver devant « les choses les plus naturelles et les plus simples » a certainement une valeur méthodologique.

Ayant ainsi coupé les ponts, l'écrivain devient capable de rétablir avec l'objet un rapport (nécessaire à la production de l'illusion) qui ne soit plus entaché de sentiments particuliers : au lieu de peindre ce qu'il sent, il se fera sentir, par observation et pénétration de l'objet, ce qu'il a décidé de peindre. Et cela peut aller fort loin : jusqu'à avoir en bouche le goût de l'arsenic en écrivant la mort d'Emma Bovary ; jusqu'à devenir tout ce qu'on peint, comme le dit Flaubert dans une de ses plus belles lettres : « Aujourd'hui, homme et femme tout ensemble, amant et maîtresse à la fois, je me suis promené à cheval dans une forêt, par un après-midi d'automne, sous des feuilles jaunes, et j'étais les chevaux, les feuilles, le vent, les paroles qu'ils se disaient et le soleil rouge qui faisait s'entrefermer leurs paupières noyées d'amour. »

Dans cette perspective, l'utilisation du donné autobiographique ne constitue pas une entorse à l'impersonnalité : comme le reste, les événements vécus par l'auteur peuvent être mis à distance, observés et réassimilés ; c'est ce qu'exprime le verbe « se ressouvenir » qu'utilise Flaubert : oublier, puis ressaisir. Là est la différence esthétique entre *Mémoires d'un fou* et *l'Éducation sentimentale* : dans le texte de jeunesse, l'amour pour Élisa Schlésinger est évoqué sous forme de récit autobiographique ; dans *l'Éducation sentimentale,* il est objectivé.

Quant à la documentation livresque, elle est au fond l'objet de manipulations analogues. Michel Foucault a noté la discordance entre le « monument de savoir méticuleux » que représente *la Tentation de saint Antoine* et l'impression de « rêverie libérée » que laisse sa lecture ; c'est que *la Tentation* est le produit d'un imaginaire qui s'est donné les livres pour terrain de jeu. Dans une perspective assez différente, Jacques Neefs estime que, pour *Salammbô,* le travail sur le document fait une place à l'imagination, dans la mesure où il est un véritable effort de reconstruction archéologique. Flaubert lui-même a expliqué à deux reprises, employant la même métaphore à trois ans de distance, que le fait observé ou recueilli ne devait être qu'un tremplin. La première fois, c'était pour proclamer, face au matérialisme des écrivains naturalistes, le primat du travail artistique. La seconde, pour affirmer que la documentation est « très secondaire », simple point de départ pour l'imagination.

Ironie et pessimisme

Il existe un moyen radical de prendre ses distances à l'égard de sa matière, c'est l'ironie. Flaubert y voit explicitement l'avantage qu'« elle vous enlève à la personnalité ». Il peut en effet exploiter son fonds autobiographique sans donner dans la littérature personnelle lorsqu'il ridiculise en Emma Bovary le romantisme de son adolescence. À l'autre bout de l'œuvre, pour *Bouvard et Pécuchet,* c'est encore en lui-même qu'il trouvera, parfois, l'élément de la caricature : tout comme le premier scénario de *l'Éducation* livre la clé autobiographique de l'aventure sentimentale de Frédéric (« Me Sch[lésinger].-Mr Sch[lésinger]. moi »), un brouillon de *Bouvard et Pécuchet* indique que « P[écuchet] = Polycarpe » – et Polycarpe, c'est un surnom que se donnait Flaubert.

Au moment où il écrit *Madame Bovary,* tout en proclamant avec fierté : « Ce sera la première fois que l'on verra un livre qui se moque de sa jeune première et de son jeune premier », Flaubert ajoute aussitôt : « L'ironie n'enlève rien au pathétique ; elle l'outre, au contraire. » La réflexion est juste ; mais il est clair aussi que l'ironie flaubertienne ne peut se réduire à ce sourire détaché qui empêche *Madame Bovary* d'être le mélodrame où Margot risquerait de pleurer.

De l'œuvre de Flaubert comme de sa *Correspondance* se dégage une impression de profond pessimisme. Le thème de l'échec pourrait définir les quatre romans. Dans *Madame Bovary* et dans *Salammbô,* ce thème revêt encore une sorte de grandeur tragique ; il n'en va plus de même dans *l'Éducation sentimentale,* roman de l'usure et de la désillusion progressives, auquel Flaubert a soigneusement évité l'éclat d'un dénouement exceptionnel ; ni dans *Bouvard et Pécuchet,* où triomphe, mieux encore que dans *Madame Bovary,* ce « grotesque triste », ce ridicule du quotidien, qui avait pour l'écrivain « un charme inouï ». Mais ce que *Bouvard* perd en tragique, il le regagne, pourrait-on dire, en férocité.

Depuis toujours, Flaubert considère qu'il a un compte à régler avec l'humanité. En 1830 – il a neuf ans –, il déclare qu'il a l'intention d'écrire, et invente pour premier sujet de raconter « les bêtises » que débite « une dame qui vient chez papa ». Toute sa vie, il se sentira agressé par la bêtise ; toute sa vie, il fulminera contre les imbéciles, contre les bourgeois, contre son siècle ; il accumulera avec jubilation les articles du *Dictionnaire des idées reçues* (lieux communs, ignorances collectives, attitudes convenues) qu'il commence dès 1850 et dont il s'occupera jusqu'à sa mort, et aussi les milliers de citations du « sottisier », perles en tout genre qui devaient alimenter la copie de Bouvard et de Pécuchet. « Je vomirai sur mes contemporains le mépris qu'ils m'inspirent » ; « le livre que je fais pourrait avoir pour sous-titre : encyclopédie de la bêtise humaine » : à la lettre de 1830 répond exactement l'entreprise de démolition que constitue le dernier roman.

Le refus de conclure

Cela ne va pas sans problème. Car un principe auquel Flaubert revient souvent lorsqu'il développe sa théorie littéraire, c'est qu'il ne faut pas conclure. Au niveau le plus élémentaire, ce principe est lié à celui de l'impersonnalité : ne pas conclure, c'est éviter d'intervenir, de donner son avis sur ce que l'on raconte. Plus subtilement, c'est refuser de formuler un sens qui « n'appartient qu'à Dieu seul » ; dans cette optique, il ne peut être question, pour exhaler sa bile, de substituer aux idéologies dont on veut démontrer la bêtise un autre système – philosophique, politique – qui serait celui de l'auteur.

Or l'ironie, au sens propre du terme (la figure de rhétorique qui consiste à dire le contraire de ce que l'on veut faire entendre), porte évidemment un jugement, fixe une signification. Une des originalités du roman flaubertien – et son côté le plus moderne –, c'est qu'il utilise une série de techniques destinées à empêcher le sens de se solidifier, de « prendre » – comme prendrait une gelée.

Le gonflement de la description, par exemple, favorise la suggestion ; il freine le processus de signification au bénéfice d'une valeur évocatoire moins contraignante. Parfois, d'ailleurs, la description flaubertienne s'emballe, se perd dans l'infini du détail, et y perd le sens avec elle : comme le quartier de tomate chez Robbe-Grillet, la casquette de Charles Bovary ou la lessive de Mme Bordin (à propos de laquelle Barthes parle de « folie de la description ») s'anéantissent dans la minutie d'une analyse qui décompose à outrance. Et Gérard Genette a bien montré comment l'« enivrement de l'accessoire » décelé par Valéry dans l'œuvre de Flaubert est un moyen de barrer l'accès au symbolique.

Les variations de point de vue, par lesquelles le narrateur tire son épingle du jeu, contribuent également à faire bouger le sens. De même, l'utilisation du style indirect libre, dont Flaubert est le premier à faire un usage aussi constant et aussi adroit : entre discours du narrateur et discours du personnage, l'indirect libre rend la frontière indécise. Ce qu'Anne Herschberg-Pierrot appelle le « clichage » est une autre façon, presque opposée, de troubler le sens : non plus par la multiplicité des interprétations possibles, par l'ambiguïté, mais au contraire en figeant la parole, en la désignant (à l'aide d'artifices typographiques : italique, guillemets) comme expression toute faite renvoyant à une idée reçue – et en refusant d'admettre, Sartre l'a bien vu, qu'un cliché peut « être dépassé par l'utilisation qu'on en fait ». Les discours et les sentiments des personnages dans *Madame Bovary* et dans *l'Éducation sentimentale,* le discours des livres dans *Bouvard et Pécuchet,* le discours social dans le *Dictionnaire des idées reçues* sont ainsi frappés d'inanité.

Car il y a chez Flaubert beaucoup plus qu'un simple refus de donner le sens – la conviction qu'il n'y a pas de sens : « Le doute absolu maintenant me paraît si nettement démontré que vouloir le formuler serait presque une niaiserie. » En effet, plutôt que de le formuler, on pourrait dire qu'il le met en scène, à l'aide, par exemple, d'un procédé qui caractérise, dans de nombreux domaines, sa démarche intellectuelle : le jeu des parallèles antithétiques.

Pour qui s'intéresse à la genèse des romans de Flaubert, il est manifeste que le contraste, la symétrie et leurs combinaisons sont un des moyens essentiels de l'invention. Lors de la rédaction, c'est une technique – découverte dès *Madame Bovary* – que de peindre l'une à côté de l'autre deux idéologies, deux théories, deux mentalités opposées, pour montrer dans leur opposition même leur commun néant : le scientisme buté de Homais ne vaut ni plus ni moins que la religion bornée de Bournisien ; le pharmacien et le curé forment un couple flaubertien typique : semblables d'un côté (au physique, et par une certaine épaisseur morale), antithétiques de l'autre, ridicules tous deux. *L'Éducation sentimentale* peut être lue comme une illustration de cette phrase des *Souvenirs, Notes et Pensées intimes* : « Il est dommage que les conservateurs soient si misérables et que les républicains soient si bêtes. » Dans *Bouvard et Pécuchet,* la juxtaposition des contraires est le procédé essentiel de l'encyclopédie critique ;

au lieu de chercher qui a raison, qui a tort (ou la part d'exactitude et d'erreur dans chacune des théories), Flaubert renvoie dos à dos les deux auteurs, alignant leurs opinions sans commentaire pour donner l'impression que la science affirme n'importe quoi – qu'aucun discours n'a de sens. *Bouvard et Pécuchet* débouche sur un désert.

Un inconfort fondamental

Flaubert laisse l'image d'un écrivain écartelé, pris dans un réseau d'intentions contradictoires. Ce réaliste est un poète – comme le voyait déjà George Sand –, il croit que le style seul existe. Ce fanatique du document a pour idéal un « livre sur rien ». Cet atrabilaire qui veut « expectorer son fiel » entend aussi produire des ouvrages impersonnels, voire impassibles.

Il est à la poursuite d'un but idéal, perpétuellement déplacé, non défini (et sans doute indéfinissable), pour la conquête duquel la réalité n'est qu'un « tremplin », la recherche documentaire également, et le style une « méthode ». Il écrira, à la fin de sa vie, dans un scénario de *Bouvard et Pécuchet,* qu'« il est impossible d'être réaliste » ; il n'a jamais cessé de proclamer qu'il est impossible d'écrire : parce qu'il y a « trop de choses et pas assez de formes », parce que les idées sont « vagues » et les langues « circonscrites et précises »…

Il inaugure ainsi la lignée de ces écrivains-chercheurs, qui s'interrogent obstinément sur leur métier, font de chaque livre une expérience nouvelle et transgressent pas à pas les limites de leur art. Il ne faudrait pas trop s'hypnotiser, cependant, sur son martyre ; les « affres de l'art », Flaubert a pu s'en plaindre, mais il avouait aussi que « n'importe, bien ou mal, c'est une délicieuse chose que d'écrire ».

VIE		ŒUVRE	
1821	Naissance de Gustave Flaubert, le 12 décembre, à l'Hôtel-Dieu de Rouen, où son père est chirurgien-chef. Son frère aîné, Achille, a huit ans.		
1824	Naissance de sa sœur Caroline.		
1831	Flaubert écrit un *Éloge de Corneille*.		
1832	Il entre en 8ᵉ au collège de Rouen. Il s'intéresse au théâtre, rêve d'écrire des pièces, en joue avec sa sœur et son ami Ernest Chevalier.		
1834	Il rencontre, en 5ᵉ, Louis Bouilhet. Il commence à écrire des récits historiques et littéraires pour ses professeurs Chéruel et Gourgaud-Dugazon.		
1836	Nombreux contes : *Un parfum à sentir, la Peste à Florence, Rage et impuissance*. À Trouville, l'été, il rencontre Élisa Schlésinger, pour laquelle il conçoit une grande passion, et qui inspirera, partiellement, le personnage de Mme Arnoux dans *l'Éducation sentimentale*.		
1837	Il se lie avec Alfred Le Poittevin. Il écrit *Rêve d'enfer, Quidquid volueris, Passion et vertu* (source lointaine de *Madame Bovary*).	**1837**	Première publication dans *le Colibri* : « Une leçon d'histoire naturelle, genre commis ».
1838	Premier des récits autobiographiques : *Mémoires d'un fou*.		
1839	*Smarh*, première esquisse de *la Tentation de saint Antoine*. Renvoyé du collège pour indiscipline, Flaubert prépare le baccalauréat chez lui.		
1840	Reçu bachelier, il fait un voyage (Pyrénées, Corse) avec le docteur Cloquet. Il rencontre à Marseille Eulalie Foucaud de Langlade. Brève liaison.		
1841	En nov., il s'inscrit à la faculté de droit de Paris.		
1842	Il s'installe à Paris, étudie le droit sans entrain, écrit *Novembre*, se lie avec les Collier. Reçu à l'examen de première année de droit en décembre.		
1843	Il commence la première *Éducation sentimentale*. Se lie avec Maxime Du Camp. Échoue à son deuxième examen.		

	VIE		ŒUVRE
1844	En janv., il tombe de voiture, victime d'une « crise nerveuse », très probablement de nature épileptique. Il renonce à ses études et s'installe avec sa famille à Croisset, non loin de Rouen, au bord de la Seine.		
1845	Il achève *l'Éducation sentimentale*. Avec sa famille, il accompagne en Italie sa sœur Caroline, qui vient d'épouser Émile Hamard.		
1846	Mort de son père en janv., de sa sœur en mars. Caroline laisse un bébé, auquel on donne son prénom, et que Flaubert et sa mère élèveront. En juill., rencontre de Louise Colet, qui devient sa maîtresse.		
1847	Voyage en Bretagne avec Du Camp : *Par les champs et par les grèves*.		
1848	Il se rend à Paris avec Bouilhet lors des journées de Février. En mai, il entreprend *la Tentation de saint Antoine*.		
1849	Lecture de la *Tentation* à Bouilhet et Du Camp. Verdict défavorable. Flaubert part pour l'Orient avec Du Camp.		
1850	Égypte, Liban, Palestine, Constantinople, Grèce.		
1851	Grèce, Italie. Retour à Croisset. Flaubert commence *Madame Bovary* le 19 sept.		
1852-1853	Il travaille à son roman. Il rencontre de temps en temps Louise Colet, à Paris ou à Mantes. Il se dispute par lettres avec Maxime Du Camp.		
1854	Rupture définitive avec Louise Colet.		
1856	Il achève *Madame Bovary*. Il rédige une deuxième version de *la Tentation de saint Antoine*.	1856	Publication de *Madame Bovary* dans la *Revue de Paris*. Fragments de *la Tentation de saint Antoine* dans *l'Artiste*.
1857	Procès de *Madame Bovary*, pour atteinte à la morale. Flaubert est acquitté. Il commence *Salammbô*.	1857	Publication de *Madame Bovary* chez Michel Lévy.
1858	Il visite Carthage et la Tunisie, en vue de se documenter pour *Salammbô*. Il fréquente Sainte-Beuve, Renan, les Goncourt, Gautier.		
1859-1862	Flaubert rédige *Salammbô*. Il séjourne fréquemment à Paris.	1862	**Nov. :** publication de *Salammbô* chez Michel Lévy.
1863	Flaubert est reçu chez la princesse Mathilde, il fréquente les « dîners Magny », correspond avec George Sand. Écrit une féerie, *le Château des cœurs*, avec Bouilhet et Charles d'Osmoy.		
1864	Le 1er sept., il commence *l'Éducation sentimentale*, après avoir hésité entre ce sujet et celui de *Bouvard et Pécuchet*. En novembre, il est invité à Compiègne par l'empereur.		
1869	Il achève *l'Éducation sentimentale* et commence une troisième version de *la Tentation de saint Antoine*. Mort de Louis Bouilhet.	1869	**Nov. :** publication de *l'Éducation sentimentale* chez Michel Lévy.
1870	Année malheureuse, Flaubert est mal portant. Les Prussiens logent à Croisset en novembre. Mort de Duplan, ami et collaborateur de l'écrivain. Mort de Jules de Goncourt.		
1872	Mort de la mère de Flaubert. Achèvement de *la Tentation* et mise en chantier de *Bouvard et Pécuchet*. Mort de Théophile Gautier.		

VIE		ŒUVRE	
1873	Flaubert se lie avec Maupassant, fils d'une de ses amies d'enfance. Il écrit une comédie, *le Candidat*.		
1874	Il travaille à *Bouvard*. Il s'ennuie et a des problèmes d'argent.	**1874**	Représentation du *Candidat*, qui sera retiré à la quatrième représentation. Publication du *Candidat* et de *la Tentation de saint Antoine* chez Charpentier.
1875	Pour sauver de la faillite le mari de sa nièce, Commanville, Flaubert vend une partie de ses biens ; il vivra dans la gêne jusqu'à sa mort. Il interrompt *Bouvard* et commence à rédiger les *Trois Contes*.		
1876	Rédaction des *Trois Contes*. Mort de Louise Colet.		
1877	Flaubert achève les *Trois Contes* et se remet à *Bouvard et Pécuchet*.	**1877**	Publication des *Trois Contes* chez Charpentier.
1879	Fracture du péroné. Ennuis d'argent. Le ministre Jules Ferry lui accorde un emploi hors cadre de 3 000 francs à la bibliothèque Mazarine. Il rêve d'écrire une *Bataille des Thermopyles*.		
1880	Flaubert meurt le 8 mai d'une hémorragie cérébrale.	**1880**	**15 déc. :** début de la publication de *Bouvard et Pécuchet* (inachevé) dans la *Nouvelle Revue*.

Madame Bovary

Effrayés par le lyrisme de la première *Tentation de saint Antoine*, Louis Bouilhet et Maxime Du Camp auraient trouvé pour Flaubert un sujet prosaïque, un vulgaire fait divers : l'histoire d'une certaine Delphine Delamare. Baudelaire félicitera plus tard le romancier d'avoir écrit un chef-d'œuvre sur « la donnée la plus usée, la plus prostituée, l'orgue de Barbarie le plus éreinté ».

SYNOPSIS

I. S'ennuyant à la ferme paternelle, Emma Rouault épouse Charles Bovary, officier de santé à Tostes, brave homme, aimant sa femme, mais incapable de la comprendre et de la satisfaire. Un bal au château de La Vaubyessard va préciser des aspirations et des regrets, jusque-là assez vagues, en donnant à la jeune femme le goût du luxe et le désir d'amours romanesques.

II. Pour « changer d'air » sa femme qui se laisse dépérir, Charles va s'établir à Yonville, où l'on fait connaissance de Léon, clerc de notaire avec qui Emma ne tarde pas à filer un amour platonique, et de M. Homais, le pharmacien, libre penseur et propagateur d'idées reçues. Après le départ de Léon, « las d'aimer sans résultat », c'est l'entrée en scène de Rodolphe, gentilhomme-fermier dont Emma devient la maîtresse au cours d'une promenade dans les bois, après l'épisode célèbre des Comices agricoles. Maîtresse qui ne tarde pas à devenir encombrante, et Rodolphe rompt. Emma tombe malade. Pour la distraire, son mari l'emmène au spectacle à Rouen ; elle y revoit Léon.

III. Immédiatement séduite (c'est la scène du fiacre qui scandalisa), Emma se rend de plus en plus souvent à Rouen. D'autre part, son besoin de luxe ne fait que croître, et ses dépenses – pour le règlement desquelles elle s'endette auprès de l'usurier Lheureux – deviennent exorbitantes. Menacée de saisie, abandonnée de tous, sauf d'un mari qui ne sait rien, elle se suicide à l'arsenic. Charles ne lui survivra guère.

Si neufs que soient certains aspects du livre, *Madame Bovary* apparaît d'abord comme un roman psychologique puissamment conçu, une étude de caractère si solide qu'on dit désormais « une Bovary » comme on dit « un Tartuffe » ; Jules de Gaultier a d'ailleurs créé le mot de « bovarysme » pour rendre compte de l'attitude mentale décrite par Flaubert : celle qui consiste à se croire autre qu'on est, à se rêver et à rêver le monde à partir de modèles préconçus, à demander « des oranges aux pommiers », dans une éternelle « gloutonnerie frustrée » (selon l'expression de Victor Brombert).

Ce tempérament que Flaubert donne à son héroïne, il le fonde sur l'éducation de la jeune fille, et il en fait le moteur de l'action. C'est comme un roman de la fatalité que *Madame Bovary* a été conçue. Et d'une fatalité que l'auteur met en rapport, et parfois de façon explicite, avec la condition féminine (par là, le côté le plus classique du livre a aussi sa modernité).

Le sous-titre, « Mœurs de province », souligne l'autre aspect essentiel du sujet : la peinture sociale et géographique de la campagne normande. Du réalisme le roman a la minutie documentaire ; quant à la description de la vie de province, c'est du Balzac, mais appliqué à de très médiocres petits-bourgeois : « Le romancier de *Madame Bovary* flétrit la création balzacienne et la désenchante », conclut Jean Pommier après avoir comparé le roman de Flaubert à *la Muse du département*.

Au point de vue formel, *Madame Bovary* apparaît comme une œuvre extrêmement travaillée, un peu figée peut-être dans sa perfection. Flaubert y met au point sa technique de la scène, où se mêlent étroitement narration, description, analyse et dialogue ; scène qu'il conçoit comme une « symphonie », avec des motifs qui reviennent, s'effacent, s'entrelacent ; comme une construction architecturale aussi : dans le chapitre des Comices agricoles, il fait se répondre en contrepoint les cris des animaux, les discours officiels et la conversation des futurs amants, et à chacun de ces éléments correspond un niveau spatial – la prairie, l'estrade, la fenêtre du premier étage de la mairie.

Le dialogue est traité de façon à mettre en relief quelques moments privilégiés en leur réservant l'emploi du style direct ; ailleurs, la « réplique » est courte et rare, se détachant sur un fond d'indirect et d'indirect libre. La description des personnages est morcelée. Le traitement de la temporalité parvient à donner l'impression de l'immobilité des choses, par l'utilisation notamment de l'imparfait itératif ; que ce soit la stagnation de l'ennui ou l'extase d'un moment privilégié, le temps se gonfle, se dilate, devient sensible.

Quant au style, extrêmement travaillé, il est riche en métaphores, en effets rythmiques, plus rhétorique et plus tendu qu'il ne le sera dans la suite.

Salammbô

« **Q**ue toutes les énergies de la nature que j'ai aspirées me pénètrent et qu'elles s'exhalent dans mon livre. À moi, puissances de l'émotion plastique ! résurrection du passé, à moi ! à moi ! Il faut faire, à travers le Beau, vivant et vrai quand même. » Revenant de Carthage, c'est à l'aspect esthétique de son futur roman que Flaubert s'intéresse, proclamant la nécessité de concilier une beauté sensible et l'illusion de la vérité. Le roman publié, il retiendra comme seul critère de réussite l'harmonie, garante du vrai : « Si la couleur n'est pas une, si les détails détonnent, si les mœurs ne dérivent pas de la religion et les faits des passions, si les caractères ne sont pas suivis, si les costumes ne sont pas appropriés aux usages et les architectures au climat, s'il n'y a pas, en un mot, harmonie, je suis dans le faux. Sinon, non. Tout se tient. »

SYNOPSIS

Le roman s'ouvre sur un festin offert aux mercenaires de Carthage. Mâtho, chef libyen, tombe amoureux de Salammbô, la fille d'Hamilcar (I). Les mercenaires, non payés et menaçants, sont écartés de Carthage, mais, excités par Spendius, un esclave qu'ils ont libéré, ils reviennent sous ses murs (II-IV). Spendius et Mâtho entrent dans Carthage par l'aqueduc et s'emparent du voile de la déesse Tânit, le *zaïmph*, talisman protecteur de la ville (V). Les armées des mercenaires grossissent ; le suffète Hannon les défait devant Utique, mais est ensuite écrasé (VI). Hamilcar accepte alors de prendre la tête de l'armée (VII). Il est vainqueur à la bataille du Macar (VIII). Encerclé par les mercenaires (IX), il détruit finalement le camp des Libyens (XI) au moment même où Salammbô, poussée par le prêtre Schahabarim, est venue y récupérer le voile de la déesse, après une union rituelle avec son python sacré (X), prélude à son étreinte avec Mâtho. Hamilcar se hâte de fiancer sa fille avec le chef numide Narr'Havas, passé des mercenaires aux Carthaginois. Écrasés, les Barbares se regroupent et assiègent Carthage, que Spendius a privée d'eau en perçant l'aqueduc (XII). Les Carthaginois se détournent de Tânit et offrent un sacrifice humain à Moloch (XIII). À la suite d'habiles manœuvres, on entraîne les mercenaires jusqu'au défilé de la Hache, où ils sont enfermés et meurent de faim, cependant que le reste de leur armée est anéanti et Mâtho capturé (XIV). Supplicié, Mâtho vient mourir aux pieds de Salammbô, qui expire elle aussi, « pour avoir touché au manteau de Tânit ».

Mais lorsque Froehner l'attaque, Flaubert se défend avec véhémence sur le terrain même de son adversaire, refusant d'admettre les erreurs archéologiques dont on le déclare coupable. Il sait pourtant que l'archéologie de *Salammbô* ne peut être que « probable », et que, d'ailleurs, c'est sans importance ; dans un domaine où l'information est aussi lacunaire, il a puisé aux sources les plus diverses : à côté de Polybe, auquel il emprunte son sujet (la révolte des mercenaires contre Carthage, après la première guerre punique), il utilise la Bible, nombre d'auteurs grecs et latins, les récits de « voyageurs modernes », etc. Son livre apparaît dès lors, selon l'expression de Jacques Neefs, comme « une encyclopédie de l'Antiquité ».

Sainte-Beuve, quant à lui, reprochait à Flaubert d'avoir choisi son sujet dans une civilisation entièrement coupée de la nôtre, ce qui exclut, pour lui, toute possibilité de sympathie et ne peut qu'engendrer la froideur et l'ennui. C'est aussi l'avis, assurément, de bon nombre de lecteurs. Et pourtant, de nos jours encore, il arrive que des lycéens qui bâillent à *Madame Bovary* lisent *Salammbô* avec passion. Le dépaysement absolu que condamne Sainte-Beuve, c'est pour eux l'évasion, la « bosse de haschisch historique » que Flaubert voulait procurer à son lecteur.

Dans *Salammbô* – comme dans *la Tentation de saint Antoine* –, il a mis ses propres rêves : son Orient imaginaire ; son goût de l'exotique et du bizarre ; son sentiment religieux ; son attrait pour les mythes ; ses fantasmes, où Sainte-Beuve n'avait pas tort de reconnaître « une pointe de sadisme ».

Orgie de l'imagination ? Peut-être, mais maîtrisée. Ce qui intéresse Flaubert, dans son sujet, c'est aussi d'« appliquer à l'Antiquité les *procédés* du roman moderne ». On le voit s'inquiéter de la psychologie, subordonner la description à l'action, mener la narration avec maestria, qu'il s'agisse de la scène du Conseil ou de l'épisode fameux de l'étreinte sous la tente, où, selon la technique utilisée déjà dans *Madame Bovary*, le moment principal est élidé, évoqué par allusion, par la métaphore de l'enlacement avec le python sacré, ou celle de l'orage qui gronde et s'apaise, par la métonymie quelque peu grivoise de la chaînette brisée.

Reste que l'ensemble est parfois pesant. Dans ses jours d'abattement, Flaubert partageait assez l'avis de ses détracteurs : « *Salammbô* est embêtante à crever. Il y a un abus évident du tourlourou antique, toujours des batailles, toujours des gens furieux. » Il reconnaissait aussi la disproportion entre la fresque guerrière et la mince héroïne dont l'histoire est censée fournir un prétexte à l'évocation : « Le piédestal est trop grand pour la statue. »

L'Éducation sentimentale

Comme *Salammbô*, *l'Éducation sentimentale* est un roman historique, une fresque évoquant un monde et une époque. Il s'agit cette fois de la société parisienne, juste avant et sous la IIe République ; mais le même souci fondamental se manifeste, celui de l'équilibre difficile et indispensable entre les personnages et le milieu ; au « piédestal trop grand pour la statue » correspond cette remarque inquiète : « Le milieu où mes personnages s'agitent est tellement copieux qu'ils manquent à chaque minute d'y disparaître. » Et le travail de documentation garde toute son importance, comme en témoignent le dossier constitué sur les événements de 1848, les demandes de renseignements qui jalonnent la *Correspondance* et portent parfois sur d'infimes détails, les enquêtes sur le terrain – à Fontainebleau comme à Carthage.

SYNOPSIS

I. Se rendant à Paris pour y faire ses études de droit, Frédéric Moreau s'éprend, au premier coup d'œil, d'une femme rencontrée sur un bateau, Marie Arnoux. Dans la capitale, il se lie avec une série de jeunes gens appartenant aux milieux politiques et sociaux les plus divers, et finit par se faire introduire auprès de Jacques Arnoux, d'abord dans sa boutique d'*Art industriel,* puis à son domicile, où il revoit Mme Arnoux. Son ami d'enfance, Deslauriers, venu le rejoindre à Paris, le pousse à fréquenter les Dambreuse, riches aristocrates. Mais Frédéric, ruiné, doit retourner vivre chez sa mère, à Nogent. Au bout de deux ans, il hérite d'un oncle et revient à Paris.

II. Renouant avec les Arnoux, Frédéric, par l'intermédiaire du marchand, fait la connaissance d'une demi-mondaine, Rosanette. Toujours amoureux de Mme Arnoux, mais velléitaire, il fait des avances à Rosanette, est d'abord supplanté par un autre, envisage d'épouser la petite Roque (sa voisine, fille d'un homme d'affaires de M. Dambreuse), file le parfait amour – platonique – avec Mme Arnoux… Au moment où celle-ci va céder, le jour même du début de la révolution de 1848, elle recule, et Frédéric devient l'amant de Rosanette.

III. On assiste avec Frédéric au sac des Tuileries, à des réunions de clubs révolutionnaires. Le jeune homme vit avec Rosanette, dont il a un enfant, mais il est aussi l'amant de Mme Dambreuse, qui, devenue veuve, lui propose de l'épouser. Il rompra avec l'une et l'autre, blessé par leur attitude à l'égard de Mme Arnoux. Après la description des événements de 1851, où notre héros voit un de ses anciens amis en tuer froidement un autre, les deux derniers chapitres du livre sont consacrés à la dernière rencontre de Frédéric et de Mme Arnoux, seize ans plus tard, et à une conversation de Frédéric avec Deslauriers, où les deux amis font l'amer bilan de leurs vies manquées.

Au départ, pourtant, il s'agit seulement de l'histoire d'un ménage à trois, histoire centrée sur une figure de femme, et pour laquelle Flaubert s'inspire de la passion qu'il avait conçue à quatorze ans pour Élisa Schlésinger. Mais, à côté du personnage qui deviendra Mme Arnoux, il va placer la future Rosanette. Son sujet se décentre alors : entre « la bourgeoise et la lorette », c'est le jeune homme qui devient le personnage principal ; on retombe sur le schéma de la première *Éducation* : Frédéric se voit doté d'un ami intime, très différent de lui, et ils feront ensemble leurs années d'apprentissage. Une grande dame et une jeune fille candide compléteront la galerie des femmes, tandis qu'autour des deux amis va se constituer un groupe de personnages représentant chacun une attitude politique assez typée. C'est donc par un jeu de parallèles et de contrastes que le roman se construit, s'enrichit et devient ce que Flaubert définira comme « l'histoire morale des hommes de ma génération ».

De cette histoire le bilan est amer. Flaubert stigmatise avec une impartialité féroce les révolutionnaires et les conservateurs ; le seul « pur », Dussardier, est présenté comme un naïf. L'éducation de Frédéric consiste à admettre dans la résignation (et non plus dans la révolte, comme Emma Bovary) l'écroulement inévitable de tous les rêves. À l'échec d'une société correspond l'échec personnel des individus, de la même façon qu'aux espoirs politiques correspondait, au début du livre, le climat sentimental.

La fluidité, l'apparente nonchalance, l'absence de stylisation du troisième roman de Flaubert ont déconcerté ses premiers lecteurs. S'interrogeant sur son demi-échec, Flaubert lui-même conclut qu'il manque à son roman « la fausseté de la perspective ». À la perfection un peu crispée de *Madame Bovary* on peut préférer pourtant ce que Théodore de Banville appelle, quant à lui, un roman « mystérieux comme la vie même, et se contentant, comme elle, de dénouements d'autant plus terribles qu'ils ne sont pas matériellement dramatiques ».

Trois Contes

Flaubert entreprend la rédaction de ces textes alors qu'il travaille à son dernier grand roman, *Bouvard et Pécuchet*. Alors que l'œuvre flaubertienne s'élabore en général très lentement, les idées et les phrases viennent cette fois avec aisance et rapidité : chacun des textes est écrit en quelques mois, entre septembre 1875 – lorsque Flaubert commence « la Légende de saint Julien l'Hospitalier », dont l'idée première remonte à 1846 –, et février 1877 lorsqu'il termine « Hérodias ».

SYNOPSIS

UN CŒUR SIMPLE. Félicité, qui a cinquante ans, est au service de Mme Aubain, une bourgeoise de Pont-l'Évêque (chap. 1). La servante est entrée dans cette famille à l'âge de dix-huit ans, après une cruelle déception amoureuse (2). Lorsque la fille de Mme Aubain, Virginie, part en pension, Félicité reporte son amour sur son neveu Victor, qui meurt quelque temps plus tard, ainsi que la jeune et fragile Virginie (3). Félicité voue alors une immense tendresse à Loulou, un perroquet dont on lui a fait cadeau, mais celui-ci meurt à son tour. La vieille servante a enfin la douleur de perdre Mme Aubain.

Elle demeure seule pendant plusieurs années, coupée du monde par la surdité puis par la maladie. Lors de la Fête-Dieu, elle offre, pour orner le reposoir, sa plus précieuse richesse : Loulou empaillé, désormais pourri (4). Félicité agonise pendant que la procession parcourt la ville et, dans une ultime vision, le Saint-Esprit lui apparaît sous l'aspect d'un « perroquet gigantesque » (5).

LA LÉGENDE DE SAINT JULIEN L'HOSPITALIER. Deux mystérieuses prédictions accompagnent la naissance de Julien : il sera saint et empereur. L'enfant grandit et fait preuve d'une singulière cruauté. Lors d'une chasse, un cerf lui prédit qu'il tuera ses parents et, peu après, l'adolescent manque en effet accidentellement de les tuer. Affolé, il quitte le noble château familial (chap. 1). Il combat dans plusieurs armées, notamment dans celle de l'empereur d'Occitanie qui, en remerciement de son héroïque courage, lui offre la main de sa fille. Une nuit, pendant que Julien est à la chasse, ses parents, depuis longtemps à sa recherche, se présentent à sa femme, qui leur offre sa couche pour qu'ils se reposent. À son retour, Julien décèle, dans l'obscurité, cette double présence dans le lit conjugal et, croyant à une infidélité de sa femme, il égorge ses parents. Désespéré, il abandonne le château impérial (2). Après des années d'errance et de souffrance, il se met « au service des autres » en se faisant passeur. Une nuit, il fait traverser un lépreux auquel il cède sa nourriture et sa couche. Ce dernier est en fait « Notre-Seigneur Jésus », venu emporter Julien « dans le ciel » (3).

HÉRODIAS. Le tétrarque Hérode Antipas est troublé par la présence, dans l'un des cachots de sa citadelle de Machærous, d'un prisonnier tout à la fois détesté et étrangement fascinant : Iaokanann, c'est-à-dire saint Jean Baptiste (chap. 1). Le proconsul Vitellius survient et visite la citadelle ; il fait ouvrir le cachot de Iaokanann et tous peuvent alors entendre les malédictions proférées par ce dernier à l'égard du tétrarque et de sa seconde épouse Hérodias, qui hait le saint et veut sa mort (2). Lors de l'immense festin organisé durant la nuit pour l'anniversaire d'Hérode, une danseuse inconnue paraît et le tétrarque, envoûté, promet de lui offrir ce qu'elle voudra ; elle demande la « tête de Iaokanann ». Hérode ne peut se dédire et fait apporter la tête à la danseuse qui n'est autre que Salomé, la fille d'Hérodias, arrivée de Rome le jour même (3).

Les *Trois Contes* forment un triptyque dans la mesure où ils se réfèrent à un modèle pictural dans lequel l'écriture privilégie une sorte d'immédiateté visuelle. L'expérience mystique de Félicité prend naissance dans l'iconographie religieuse et, surtout, dans l'imagerie populaire : « À l'église, elle contemplait toujours le Saint-Esprit, et observa qu'il avait quelque chose du perroquet. Sa ressemblance lui parut encore plus manifeste sur une image d'Épinal, représentant le baptême de Notre-Seigneur. » Le texte, simple dans sa structure narrative (toujours linéaire à l'exception de la rétrospection du chapitre 2 qui éclaire le personnage) et sa matière verbale, exemplaire par sa thématique (Félicité est la servante par excellence, d'emblée désignée comme telle : « Pendant un demi-siècle, les bourgeoises de Pont-l'Évêque envièrent à Mme Aubain sa servante Félicité »), se présente comme une équivalence du graphisme d'Épinal. De même, la dernière phrase de « la Légende de saint Julien l'Hospitalier » fait de l'ensemble du texte la transcription verbale d'une représentation visuelle : « Et voilà l'histoire de saint Julien l'Hospitalier, telle à peu près qu'on la trouve sur un vitrail d'église, dans mon pays. » La simplicité, cette fois plutôt hiératique, de l'écriture cherche là aussi à rappeler le modèle initial. Enfin, si aucune référence picturale n'est explicitement proposée dans « Hérodias », la danse de Salomé récompensée par la tête de saint Jean Baptiste posée sur un plateau est, de Caravage à Gustave Moreau, un tel *topos* que le rapprochement s'impose de lui-même. De plus, ce conte est dominé par de minutieuses et amples descriptions qui lui confèrent une singulière majesté et l'apparentent à une sorte de grand tableau.

Les *Trois Contes* forment également une trilogie qui explore le domaine de la religion et de la croyance. Le récit de « la Légende de saint Julien l'Hospitalier » est directement hagiographique et la sainteté est présente dans « Hérodias » à travers le personnage de Iaokanann. Quant à Félicité, l'héroïne d'« Un cœur simple », son nom semble promesse de béatification. Sa vie, par son abnégation et ses souffrances, la sanctifie. Bien sûr, elle n'est pas, comme Iaokanann, le Précurseur, investie d'une mission sacrée. Les épreuves qu'elle subit n'ont pas non plus l'envergure de celles de Julien. Cependant, les deuils qui jalonnent son existence sont autant d'étapes sur un chemin de croix discret et humble, à l'image du personnage. Si Félicité n'offre pas, comme saint Jean Baptiste, sa vie à Dieu en sacrifice ou si, comme Julien devenu passeur, elle ne se met pas au service de la collectivité, elle connaît l'héroïsme de la générosité, par exemple lorsqu'elle fait face à un taureau furieux pour protéger Mme Aubain et ses enfants.

L'ordre enfin dans lequel se présentent les *Trois Contes* participe d'une volonté de structuration, puisque Flaubert n'a pas conservé, pour la publication en ouvrage, la chronologie de l'écriture des textes. La trilogie s'oriente selon un parcours historique à rebours. En effet, l'on passe de la croyance moderne à celle, plus primitive, du Moyen Âge pour enfin remonter aux sources du christianisme. Le dernier récit montre la naissance d'une religion encore dans les limbes, mais déjà puissante. Dans « la Légende de saint Julien l'Hospitalier », la croyance, au sein de l'univers médiéval, apparaît dans sa phase de pureté et de naïveté primitives. Le merveilleux chrétien, largement présent, est la donnée fondamentale d'un monde dans lequel l'au-delà et l'ici-bas communiquent avec évidence et naturel. Quant à l'époque moderne, durant laquelle se déroule l'histoire de Félicité, elle se présente comme celle d'une perte de croyance. Révélateur de ce scepticisme moderne, c'est un ciel désormais vide, exclusivement météorologique, qui surplombe le monde : quand Félicité prie, elle a « les yeux vers les nuages ».

A. Djourachkovitch

Bouvard et Pécuchet

Le dernier roman de Flaubert, sans doute une des entreprises les plus originales de la littérature française, a pour source, cependant, une nouvelle fort anodine, *les Deux*

Greffiers, de Barthélemy Maurice : l'histoire de deux copistes qui, au moment de leur retraite, s'établissent à la campagne, se mettent à pêcher, à jardiner, s'ennuient mortellement, et ne retrouvent leur belle humeur qu'en recommençant à écrire sous la dictée l'un de l'autre.

Cette histoire, Flaubert la métamorphose, d'abord en gonflant la série des expériences que vont faire les deux bonshommes, ensuite en décidant de donner dans un second volume (qu'il n'a malheureusement pas eu le temps d'écrire) le texte de leur « copie ». Son roman est conçu comme « une encyclopédie critique en farce » ; il passe en revue les sciences et systèmes de pensée de l'époque, commençant par l'agriculture et s'élevant jusqu'à la métaphysique et la religion, pour récapituler finalement le tout en une dernière expérience qui est celle de l'éducation. Entreprise démentielle, mais qui n'est pas sans précédent : rassembler en un livre toutes les connaissances de l'humanité. Entreprise la plus nihiliste qui soit, puisqu'il s'agit de démontrer que les sciences ne sont pas de la science, qu'il n'y a partout qu'incertitude, contradiction, sottise et prétention.

Du « second volume » que méditait Flaubert, il est difficile de se faire une idée précise : certains scénarios indiquent qu'il aurait été plus ou moins narratif, mais Flaubert le présente ordinairement dans ses lettres comme un « volume de citations ». Il aurait été consacré essentiellement, en tout cas, à la copie effectuée par les deux amis, et qui devait être un florilège de textes stupides ou ridicules, pour lequel l'écrivain amassait depuis longtemps d'importants dossiers. Le *Dictionnaire des idées reçues* devait y figurer également. On comprend pourquoi Flaubert disait à Du Camp : « Ce sera le livre des vengeances. »

Quant à la « farce », elle est dans la caricature. Comme le roman de 1872, *Bouvard et Pécuchet* est un roman de l'éducation et comporte un double héros. Mais Frédéric et Deslauriers sont devenus deux « vieillards abécédaires », et presque deux marionnettes. Le récit repose sur un schéma sans cesse répété : documentation – expérimentation – échec. La chronologie est des plus fantaisistes : à suivre l'écoulement du récit, Bouvard et Pécuchet auraient quatre-vingts ans quand ils entreprennent l'éducation de Victor et de Victorine. À mesure que le livre avance, l'élaboration romanesque est de plus en plus rudimentaire, et maint passage ne consiste qu'en la restitution à peine narrativisée de longs extraits ou résumés de manuels. Le style est elliptique, familier, heurté, aux antipodes du style de *Madame Bovary*.

Enfin, dans *Bouvard et Pécuchet*, Flaubert pousse plus loin que jamais son vieux projet (développé dans une lettre à propos du *Dictionnaire*) de plonger le lecteur dans l'incertitude. J.-P. Moussaron a bien montré comment la voix narrative se perd dans ce livre ; en maint passage, on ne sait plus qui parle, du narrateur-auteur, d'un personnage (en indirect libre), du traité qu'il lit et commente. À un autre niveau, il est impossible de savoir si Bouvard et Pécuchet sont des imbéciles dont Flaubert se moque, ou s'ils sont ses porte-parole ; incertitude qui met en cause le sens même de tout le livre, et les conclusions qu'il faudrait en tirer.

C. Gothot-Mersch

FLERS Robert de

Robert Pellevé de La Motte-Ango, marquis de Flers
(1872-1927)

Écrivain, né à Pont-l'Évêque. Élève du lycée Condorcet, condisciple de Marcel Proust, Gaston Arman de Caillavet, Léon Blum, Henri Barbusse, Fernand Gregh, Daniel Halévy, il donnera, comme eux, ses premiers écrits au *Banquet*, revue qu'ils ont fondée et qu'ils ont ainsi intitulée par référence au dialogue de Platon, en hommage à leur cher professeur de philosophie, M. Darlu.

Ayant achevé des études de lettres, Robert de Flers ramène d'un voyage en Italie, en Grèce et en Asie Mineure son premier livre : *Vers l'Orient* (1896). Il collabore alors au journal *le Soleil*, puis au *Figaro*, dont il deviendra plus tard le directeur (1922-1927). Un petit roman, *la Courtisane Thaïa et le singe vert* (1896), lui vaudra quelques encouragements. Pendant l'automne 1899, sous le pseudonyme de Françoise de Breyves, il écrit, avec Marcel Proust, des « Lettres imaginaires » pour le journal *la Presse*. Mais son goût pour le théâtre et son mariage avec la fille de Victorien Sardou, et aussi l'amitié avec Gaston de Caillavet (1869-1915), le conduisent à écrire avec celui-ci des opéras-bouffes et des comédies-vaudevilles dont le public apprécie aussitôt l'esprit et la verve : *le Sire de Vergy* (1903), *les Sentiers de la vertu* (1903), *Monsieur de La Palisse* (1905), *Miquette et sa mère* (1906).

Le Roi (1908), considéré comme l'œuvre maîtresse de « Flers-et-Caillavet », avec *l'Habit vert* (1912), satire des mœurs académiciennes, assure définitivement la popularité des deux coauteurs.

Le Roi

SYNOPSIS

Le marquis de Chamarande s'apprête à recevoir Georges IV, roi de Cerdagne, au grand dépit d'Émile Bourdier, socialiste enrichi et propriétaire du château voisin de Gourville. Or, Bourdier a une maîtresse, Thérèse Marnix, qu'il surprend, la veille de cette chasse royale, en compagnie de Georges IV ! Pour calmer l'amant trompé, le roi décide que la chasse et le bal prévus auront lieu à Gourville… Bonheur de Bourdier, ravi d'humilier le marquis qui, quoique ruiné, refuse la main de Mlle Bourdier pour son fils. Mais au soir du bal, le roi séduit la femme de Bourdier, une nouvelle fois furieux, une nouvelle fois apaisé : il deviendra ministre, et le fils du marquis épousera sa fille.

Ce théâtre, qui se compose exclusivement de comédies de mœurs, de pièces sentimentales et légères, doit une grande part de son succès à la capacité de ses auteurs à rencontrer le goût de leur public. Jamais trivial, un peu porté à la

« charge », alliant habilement des traits d'esprit brillants et des sujets d'inspiration assez populaire, il utilise sans complexe les qualités d'acteurs célèbres de l'époque : Ève Lavallière, Max Dearly ; de là des faiblesses qui apparaissent cruellement aujourd'hui.

L'Âne de Buridan (1909), *le Bois sacré* (1910), *Primerose* (1911), *la Belle Aventure* (1913) raillent les hommes politiques, l'Administration, comme avaient été raillées l'Académie et la République. Mais c'est seulement le « Boulevard » que les auteurs cherchent à faire rire, et l'on ne saurait leur attribuer d'intentions sociales ou politiques, malgré la virulence apparente de certaines satires.

Caillavet, héritier d'un nom célèbre dans le milieu littéraire – car sa mère avait eu un salon réputé et avait été l'amie d'Anatole France –, lui-même devenu l'un des principaux rédacteurs du *Figaro*, meurt en 1915. « L'ironie était chez lui de la tendresse qui se défendait », dira Robert de Flers, à ce moment combattant volontaire sur le front allemand.

Dans les années 1920, Flers demeure un favori de son public. Sans rancune, l'Académie française l'élit (1920). Avec Francis de Croisset (1877-1937) comme collaborateur, il donnera *les Vignes du Seigneur* (1923), *les Nouveaux Messieurs* (1925), *le Docteur Miracle* (1926), enfin le livret de *Ciboulette* (1923), opérette sur une musique de Reynaldo Hahn [voir **CROISSET**].

F. Nassery-Warburg

FLORE Jeanne

(1re moitié du XVIe siècle)

Les *Comptes amoureux* de « Madame Jeanne Flore », publiés à Lyon dans les années 1530 et signés d'un nom demeuré mystérieux, constituent l'un des plus singuliers et des plus modernes recueils narratifs de la Renaissance française.

Le livre nous est parvenu mutilé. Que l'on se fie aux *Comptes amoureux* ou à la *Pugnition de l'Amour contempné* (1540), il faut savoir que nous ne lisons que les fragments d'un ouvrage plus vaste. Mais ni le sujet ni la composition d'ensemble ne permettent le moindre doute : Jeanne Flore, contre la conception pessimiste de l'amour défendue au même moment par *la Deplourable Fin de Flamecte* (traduite de Juan de Flores par Maurice Scève), invite les femmes à succomber à leurs désirs et à cultiver tous les plaisirs. À commencer par celui du texte : sous l'égide du *Songe de Poliphile*, encadrée comme l'était *le Décaméron*, nourrie d'un italianisme heureux et luxueux marié à de flamboyantes réminiscences gothiques, son écriture se veut conquête triomphante de la parole et affirmation du pouvoir de créer. Ses mots débridés racontent la libération des corps, le châtiment des orgueilleuses et des frustrées qui se sont montrées rebelles à la « saincte affection d'amours ».

Jeanne Flore décrit la joie des sens sur le mode brûlant, à moins qu'elle ne la rêve. Faut-il donc penser, comme le suggère l'envoi final, « que tout ce est fiction de poësie » ? Son insistance à souligner l'« ancienneté » de ses histoires, alors que la mode est à la « nouvelle nouvelle », le recours à des sources dont le caractère littéraire et « intertextuel » marqué devait être fort sensible aux lecteurs contemporains invitent à le penser. Tout comme le choix d'un style au dessein rhétorique affirmé quand la production narrative s'efforce à l'oralité. Mais ce serait là négliger la partie la plus militante et la plus urgente du recueil. Car quand Jeanne Flore vient à protester contre l'« impareil mariage » qui place dans le lit de beautés jeunes et fraîches des vieillards luxurieux mais glacés, sa verve s'anime, où l'on pressent un cœur intéressé : « il eust la teste grosse et lourde, herissée de rude et aspre chevelure, jà envieillie et grise, le front ridé, les sourcilz gros et espaix… De l'estomach luy issoit une espaisse et fetide haleyne à travers une puante, noyre et baveuse bouche… » À tel autre « estoient restées en la gueule quatre dens pourries et caverneuses […] Et quand il rehaulsoit ses vestemens, de là exhaloit une pueur d'urine abhominable ». Pareil « contre-blason », même inspiré par Pétrone, signale une vigueur de conviction qui va au-delà de la réussite oratoire. Comment l'oubli put-il recouvrir ce livre pendant trois siècles ? On l'avait lu au XVIe siècle (à sa mort, Galliot Du Pré en conservait 64 exemplaires, comme pour les grands succès de l'époque). Si les *Comptes amoureux* n'ont pas été réimprimés après 1574 (ou, preuve supplémentaire, n'ont connu au XIXe siècle qu'une impression pour bibliophiles avertis), c'est moins, on le devine, par indifférence que par souci concerté de prévenir le scandale d'une parole de femme devenue insupportable.

M. Simonin

FLORIAN Jean-Pierre CLARIS de

(1755-1794)

Qui ne saurait fredonner « Plaisir d'amour », mais qui se souvient encore que celui qui composa cette ariette pour clavecin s'appelait Florian ? Ce même Florian qui, en des temps où la politique n'était guère aux bergeries, s'ingéniait à rajeunir le roman espagnol et publiait des pastorales, *Galatée* et *Estelle et Némorin*, aimait à émailler sa poésie de chants que se disputaient les musiciens. S'il fut romancier, conteur, poète, fabuliste et dramaturge fort prisé à son époque, c'est sans doute parce qu'il sut adroitement exploiter « les canons établis par une mode ou bien ancienne, mais qui gardait son public, dans le cas des récits romanesques, ou bien récente dans le cas des pastorales », écrit R. Godenne. Jusqu'au siècle dernier, la fluidité et l'harmonie naturelle de ses *Fables* firent de lui le premier épigone de La Fontaine. Sa trilogie dramatique de *l'Histoire d'Arlequin*, où triomphe la vertu, remportait encore un vif succès en 1889. Ses nouvelles, injustement oubliées aujourd'hui, offrent pourtant une originalité indéniable par rapport à celles de ses contemporains, Ussieux, Baculard d'Arnaud et même Sade. Il fut peut-être le seul écrivain, en cette fin du XVIIIe siècle, qui sut se soumettre aux règles essentielles de la composition d'une nouvelle : la rigueur de la narration et la sobriété du style.

« Florianet » : un cœur ingénu

D'origine noble, mais sans fortune, Florian regrettera toujours la tendresse d'une mère qu'il n'eut guère le temps de connaître. Élevé par un grand-père attentif et instruit, il coule deux années de son enfance au château de Ferney, auprès de Voltaire, lequel, séduit par sa grâce, sa vivacité d'esprit et sa gentillesse, le surnomme « Florianet ». C'est encore son amabilité et sa douceur qui le feront apprécier du duc de Penthièvre, dont il est le page (1768) puis le gentilhomme ordinaire. Nommé officier de dragons dans un régiment du duc – qui sera toujours son protecteur –, il s'efforce, en écrivant, de tromper l'ennui de la vie sédentaire à Paris. En 1783, son imitation de *Galatée,* de Cervantès, est fort bien accueillie et l'incitera à composer *Estelle et Némorin* (1788), autre pastorale de son invention. Un recueil de *Six Nouvelles* paru en 1784, complété en 1792, confirme ses talents de conteur. Ses romans pseudo-historiques, *Numa Pompilius* (1786) et *Gonzalve de Cordoue* (1791), qui s'inscrivent dans la tradition des grands romans héroïques du XVIIe siècle, obtiennent davantage de succès à l'étranger. Il s'essaie dans le genre théâtral en renouvelant le personnage d'Arlequin et joue lui-même *les Deux Billets* (1779), *le Bon Ménage* (1782), *le Bon Père* (1790). Ses poèmes lui conservent la réputation qu'il avait acquise, et son églogue intitulée « Ruth » est couronnée par l'Académie française (1782), qui lui offre la même année le fauteuil de Buffon. La publication des cinq livres de *Fables* (1792) consacre sa renommée. La Révolution vient troubler cet homme épris d'innocence et de candeur : incarcéré à la prison de la Bourbe, libéré un mois plus tard, il s'éteint en 1794, n'ayant pu supporter de tels événements. Après sa mort, on publiera *Éliézer et Nephtaly,* poème prétendument traduit de l'hébreu (1802), une traduction de *Don Quichotte, Nouveaux Mélanges de poésie et de littérature, la Jeunesse de Florian ou Mémoires d'un jeune Espagnol,* autobiographie dans le genre picaresque.

Pastorales, fables et arlequinades

Amoureux de la langue espagnole, Florian admire Cervantès, qu'il aborde par le genre des pastorales, influencé en cela par l'écrivain suisse Gessner (1730-1788), dont les pastorales *la Mort d'Abel* et *Daphnis* connurent un grand succès en France. Dans son adaptation de *Galatée,* il apporte d'heureux changements, embellissant le récit d'une fête champêtre, de l'histoire des tourterelles et des adieux au chien d'Elicio. Son second poème, *Estelle,* beaucoup plus travaillé que *Galatée,* contient de nombreuses romances mises en musique et l'amène à réfléchir sur le genre même de la pastorale : les bergers, héros d'une églogue ou d'une idylle, inspirent l'ennui quand ils sont emprisonnés dans des cadres aussi étroits ; il est donc plus judicieux de les insérer dans un roman : « Sans intérêt, aucun ouvrage d'agrément ne peut avoir un succès durable ». Sa traduction de *Don Quichotte,* meilleure que celle de Filleau de Saint-Martin, fut néanmoins – et à juste titre – critiquée, le comique et la verve ayant été gommés.

Loin de reprendre l'Arlequin classique des farces italiennes, Florian innova dans le caractère qu'il donna au principal personnage de ses comédies : « Rien ne l'étonne, tout l'embarrasse ; il n'a point de raison, il n'a que de la sensibilité » (Préface des *Deux Billets*). Sa trilogie, donnée au Théâtre-Italien, représente le héros dans les différents états de la vie : jeune homme, marié et père de famille généreux, crédule et confiant envers les hommes. En dépit du but moral que s'était fixé Florian, « exciter les hommes à la vertu, en leur rappelant combien elle donne de vrais plaisirs », on ne saurait être dupe : Arlequin n'est pas un homme, ce n'est qu'un masque. Ces pièces ne sont pas seulement d'agréables naïvetés, il a su trouver « le pathétique simple et le vrai ton de la tragédie bourgeoise » (J. Lemaitre), et *les Jumeaux de Bergame* (1782) ne sont pas sans rappeler Marivaux, « mais où le naturel prévaut » (Grimm).

Ce même naturel spirituel se retrouve dans ses *Fables*, conçues comme de « petits drames », qui mettent en scène tous les états de la société. Chacun de ses apologues se termine par « une morale aimable et bienveillante, mais qui n'exclut ni la raillerie ni la malice » (Sainte-Beuve), car sa gaieté, nous dit Florian, est « à la fois celle de l'esprit et celle du caractère ».

Le renouveau d'un genre : la nouvelle

C'est sans aucun doute dans ces brefs récits qui « annoncent timidement ce que sera la nouvelle romantique d'un Balzac ou d'un Stendhal » (R. Godenne), que Florian se montre le plus novateur. Par le choix de ses sujets, il reste inféodé à une tradition romanesque (« Célestine », « Camiré », « Sanche ») ou morale (« Pierre », « Claudine »…), mais peut aussi s'en éloigner en créant une atmosphère d'étrangeté proche du fantastique (« Zulbar », « Rosalba », « Valérie »). Par rapport à ses prédécesseurs, Florian ne recourt pas à la technique du roman : il a le souci de l'unité anecdotique, il sélectionne les incidents, expose l'intrigue dans son déroulement chronologique ; le récit n'est jamais ralenti par des commentaires personnels. À cet esprit de concision s'ajoute la sobriété d'expression nécessaire pour préserver l'authenticité des histoires, la vérité des personnages et de leurs sentiments. Si le style manque parfois de simplicité, il n'est pas dénué d'humour. L'originalité de Florian réside donc dans la mise en œuvre de l'action : « Je ne vous apprendrai rien de nouveau ; en fait de mensonge, l'on a tout dit ; mais heureusement, on peut varier encore sur la manière de mentir » (« Bliombéris »).

C. Lavigne

FOIGNY Gabriel de

(1630-1692).

Écrivain né à Foigny (Champagne). Prédicateur doué mais de mœurs relâchées, il quitte précocement l'ordre des Cordeliers et s'exile à Genève en 1666. Vingt ans durant, il va souffrir en pays calviniste de la misère et des persécutions religieuses. Il se convertit à la religion réformée mais est expulsé de Genève pour concubinage avec une veuve, qu'il épousera à Lausanne et dont il aura quatre enfants. Un ouvrage d'édification, *les Attraits au service divin,* le fait suspecter de papisme. Régent à Morges en 1669, son intempérance brise sa carrière. De retour à Genève (1672-1675), il vit de leçons particulières, écrit une grammaire latine (1673) et un almanach (1674). Son édition des *Psaumes* de Marot et Théodore de Bèze est interdite de publication. En 1676, la « parution » par ses soins de *la Terre australe* est condamnée par la Vénérable Compagnie de Genève, « le livre contenant choses fausses, deshonestes, impies et fort dangereuses ». Devenu veuf, Foigny cause un ultime scandale en engrossant sa servante. Emprisonné, persécuté et humilié, il se révolte et retourne en France et à la foi catholique. Il meurt dans un couvent savoyard en 1692, tandis que paraissent à Paris *les Avantures de Jacques Sadeur, dans la découverte et le voiage de la terre australe,* version remaniée et affadie de l'utopie d'un « solitaire qui a souffert de toutes les orthodoxies et qui rêvait d'une humanité délivrée de tous les pouvoirs » (A. Adam).

Le texte de Foigny s'insère dans un ensemble de textes utopiques (Veiras, Tyssot de Patot) où la description de la terre australe développe les rêves de société idéale et autorise la satire indirecte de notre monde, dans le cadre narratif traditionnel des aventures d'un voyageur. Jacques Sadeur, orphelin marginal, doit à son hermaphrodisme d'être accueilli par les Australiens, hermaphrodites qui ignorent le désir sexuel. Ce tabou – marque de l'investissement personnel de Foigny dans son texte – signifie également l'emprise absolue de la raison sur ce monde géométrique et logique : la nature y est disciplinée de force, les montagnes sont rasées, les animaux sélectionnés ; la *physis* est insérée dans un habitat de pierre et de cristal, selon une rigoureuse division arithmétique. L'hermaphrodisme fonde en nature ce monde de l'identité et de l'égalité radicales où s'abolissent l'altérité et la contradiction des désirs et besoins : « Tous les particuliers [...] sont nés avec cette inclination de ne vouloir absolument rien plus que les autres » ; ce qui rend nulle la propriété : « Ils ne savent ce que veut dire le mien et le tien ; tout est commun entre eux. » Un discours didactique tenu par un oraculaire vieillard démontre l'insanité de l'espèce humaine et prône un très audacieux déisme qui rejette tout signe de dévotion, y compris la prière. L'extrémisme logico-linguistique rejoint l'extrémisme religieux : la langue australe est monosyllabique ; les voyelles représentent les éléments fondamentaux (air, feu) ; les consonnes, des qualités différentielles (sec, humide...), et un nominalisme absolu identifie le nom et le concept : « En les entendant [les noms], on conçoit aussitôt l'explication et la définition de ce qu'ils nomment. »

Cet univers n'est pas un pays de cocagne, contrairement au Congo (décrit au chapitre II) ; le travail y existe, mais aisé, et régi par une stricte économie. La guerre sévit, et les « Australiens » affrontent demi-hommes et oiseaux anthropophages. Cette utopie, si radicale, aboutit à des impasses : la langue, ramenée à une combinatoire, est incapable de transmettre émotions et images ; surtout, la philosophie australe, néo-stoïcienne, privilégie le suicide, unique moment de jubilation et de déraison dans la vie des Australiens. Ce monde, fort éloigné du burlesque et du baroque lunaires de *l'Autre Monde* de Cyrano, ne laisse guère de place à la fantaisie, et le règne de la raison semble bannir l'imagination. Logique et lugubre, l'utopie de Foigny se présente comme une esquisse des Lumières, élaboration rationnelle mais sombre d'une société autre, qui escamote, *geometrico more,* « les difficultés de réforme et de révolution » (R. Pomeau).

G. Declercq

Folies Tristan v. *Tristan et Iseut*

FOLLAIN Jean

(1903-1971)

Écrivain né à Canisy (Manche). Jean Follain fait ses études au collège de Saint-Lô, puis à la faculté de droit de Caen. Il s'installe à Paris en 1923, s'inscrit au barreau de Paris en 1928, se lie avec nombre d'écrivains (Salmon, Reverdy, Fargue). Dès lors, il publie régulièrement recueils de poèmes et récits en prose. Il reçoit le prix Mallarmé en 1939. Après la guerre, il quitte la magistrature (1957) et entreprend ensuite de grands voyages en Amérique et en Afrique. Il reçoit le grand prix de poésie de l'Académie française en 1970 et meurt l'année suivante, renversé par une voiture, à Paris.

On ouvre un livre de Jean Follain, et le réel s'éveille à la mémoire. On avait oublié les travaux les plus simples dans le plus pur quotidien. En des poèmes brefs, soigneusement ciselés, Follain note tous les vestiges d'une civilisation fragile : l'épicerie, le mendiant, l'œuvre discrète d'une servante, un jeu d'enfants, une quincaillerie un soir. Le poète écrit la vie éphémère en ses gestes quotidiens, mais sous les espèces de l'éternel et du rite : le pain, le vin, « le sel dans la cupule en buis ». Il affirme la vie des choses et des êtres – un de ses livres s'appelle *Exister* (1947) –, leur éternité. Fugaces mais persistants objets dans le monde : « L'orage grondait/chaque chose pourtant veillait et travaillait/pour sauver son éternité ». Nommer l'objet en sa présence têtue (sans être pour autant anthropomorphiste), c'est alors délimiter un lieu et un temps humains, comme l'indiquent certains de ses recueils (*Inventaire*, 1942 ; *Usage du temps*, 1943 ; *Chef-lieu*, 1950 ; *Territoires*, 1953 ; *Objets*, 1955 ; *Espaces d'instants*, 1971...). Mais cela s'opère toujours sous la forme d'un paradoxe, d'une surprise, souvent marqués par l'adverbe « pourtant » : les hommes durent, et pourtant ils s'effacent ; un accident a eu lieu, ici, et pourtant la vie continue là, là-bas, voire ici. Le sentiment domine que les choses, les mondes, plutôt que reliés sont parallèles, qu'il y a conjointement continuité et rupture : « Un homme, une femme ou un enfant passait dans notre jour alors que la nuit régnait en d'autres lieux du monde. » Le temps coule, l'espace se fragmente, et vice versa. D'où un étonnement perpétuel à l'égard du monde, d'où ce regard toujours neuf, cette écriture qui veut donner à voir. Il s'agit, derrière chaque élément, le plus humble soit-il, de retrouver un message perdu : « La finesse des choses donne sa noblesse à l'univers. Derrière chacune un mot de passe reste caché. » Tout est chargé de sens : « Couper une tige/au fond d'un pré lisse au soir/devient alors/une réussite de la vie. » Mais tout aussi est menacé, et sécrète une angoisse constante. L'autonomie des objets rappelle à l'homme sa fragilité, la brièveté de sa vie. Un objet seul, et l'on s'interroge sur l'absence de son propriétaire. En chaque objet, une parole, un être attendent que le poète les saisisse et leur donne vie. Derrière chacun il y a une histoire, l'Histoire. C'est pourquoi cette poésie du singulier a vocation à exprimer l'universel. Dans sa simplicité, Jean Follain, poète discret, demeure une des voix majeures de notre modernité.

B. Conort

FOMBEURE Maurice

(1906-1981)

Plus proche de l'école fantaisiste que de Baudelaire, Rimbaud ou Lautréamont, dont il semble rejeter les leçons, Maurice Fombeure, ce « frais chanteur » (R. Sabatier), se fait le porte-parole d'une poésie « rafraîchissante » : « Il faudrait donner à la poésie une nouvelle virginité [...]. Lavons-la, brossons-la, promenons-la dans l'herbe, dans le vent, dans les bois. Écoutons un peu notre cœur. La tête a joué son rôle. Elle y a failli. Nous n'en voulons plus. Il faut un peu de fraîcheur sur la terre. La poésie des gouttes d'eau. »

Faisant pleine confiance à la parole (*les Moulins de la parole*, 1936) pour restituer le monde sensible et rendre compte du perpétuel miracle des êtres et des choses, Fombeure, dont la verve langagière est rare, « reconquiert sinon la naïveté, du moins la magnifique liberté d'allure des trouvères et des jongleurs » (L.-G. Gros) et renoue avec les ritournelles et les vieilles chansons populaires (*Chansons de la grande hune*, 1942) ; fantaisiste et inventif (son bestiaire, à lui seul, en témoignerait), il se tient à l'écart du surréalisme mais n'en aime pas moins les images insolites, souvent baroques, et se grise de mots à la manière d'un Saint-Amant, « chantre inégalé du melon, du fromage et des cabarets » (*la Vie aventureuse de M. de Saint-Amant*, 1947). Sa virtuosité technique, cependant, tourne parfois à vide et aboutit alors au « genre mirliton » ou à une préciosité formelle et creuse (« C'est en forgeant qu'on devient forgeron,/C'est en lisant qu'on devient liseron »).

Malgré les trilles joyeux qu'il pousse le plus souvent, Maurice Fombeure laisse percer une sourde gravité, la mémoire lointaine et mélancolique de l'enfance, la présence d'une angoisse funèbre, que le lecteur d'aujourd'hui retrouvera encore dans *les Étoiles brûlées, Une forêt de charme* (1983).

En marge de ses recueils poétiques (*Silence sur le toit*, 1930 ; *À dos d'oiseau*, 1942 ; *Pendant que vous dormez*, 1953 ; *Sous les tambours du ciel*, 1959 ; *À chat petit*, 1963), Maurice Fombeure, enseignant dans le civil, a écrit deux récits qui relatent avec un humour rabelaisien son expérience de la vie militaire (*Soldat*, 1935, et *Les godillots sont lourds*, 1948), ainsi que *la Rivière aux oies* (1932), plongée dans l'enfance et les légendes du terroir poitevin.

Comme pour confirmer sa prédilection pour le chant, nombre de ses poèmes ont été mis en musique par Francis Poulenc, Florent Schmitt, Claude Arrieu et quelques autres compositeurs.

L. Pinhas

FONDANE Benjamin

Pseudonyme de **Barbu FUNDOIANU** *(1898-1944)*

Écrivain français d'origine roumaine. Né à Iasi (Roumanie) dans une famille juive, il travaille à Bucarest comme journaliste et critique littéraire (1919-1923), manifestant une prédilection pour la culture française, Baudelaire, Apollinaire, Gide qu'il fait connaître au public roumain. Installé à Paris en 1923, employé dans les assurances puis en 1930 comme scénariste à la Paramount, naturalisé français en 1938, il participe à la vie intellectuelle dans les marges du surréalisme et du *Grand Jeu*, se lie avec Cioran, Ribemont-Dessaignes, Chestov surtout qui l'entraîne dans son combat antirationaliste. Rimbaud, alors en danger d'annexion par Claudel ou les surréalistes, donne ainsi à Fondane l'occasion d'illustrer les théories de Chestov : *Rimbaud le voyou* (1933) analyse le « tragique » d'une tentative vouée à l'échec, dès lors que l'« inconnu » visé par le poète est déjà un objet intellectuel. Cette tentation de l'évidence rationnelle conduit les penseurs à négliger, comme Marx, un « réel métaphysique » insaisissable par leurs concepts, soit, comme ces philosophes de l'existence que sont, à leur manière, Kierkegaard, Bergson, Heidegger, à renier l'expérience existentielle pour édifier des systèmes : Fondane le « démolisseur » (Schlœzer) s'emploie à dénoncer coups de force et trahisons dans une série d'articles à la dialectique rigoureuse, réunis sous le titre de *la Conscience malheureuse* (1936). Faut-il dès lors en rester au stade de la pure affectivité, au silence, au « Plus de mots ! » de Rimbaud ? Le *Faux Traité d'esthétique* (1938) propose une solution : la poésie. À Lévy-Bruhl, sociologue de la pensée primitive, Fondane emprunte une notion-clé : celle de « participation », qui dans l'expérience poétique abolit le partage du sujet et de l'objet en une fusion difficile, tendue, de la pensée et du vivant, du discours rationnel et du cri (cf. Antonin Artaud). « Esthétique » que Fondane s'efforce de mettre en œuvre dans ses premiers recueils poétiques, *Ulysse* (1933), *Titanic* (1937), parcours initiatiques dont le lyrisme violent, brassant l'image concrète, voire triviale, et l'interrogation métaphysique, s'exprime en vers libres où passe parfois un alexandrin martelé, débris d'une rhétorique traditionnelle qu'emporte le torrent des mots. Le thème obsédant du voyage, du poète-navire ou du poète-fleuve se retrouve encore dans *le Mal des fantômes* et *Au temps du poème*, publiés en extraits en 1944 ; cette année-là Fondane est arrêté, envoyé à Auschwitz, gazé à Birkenau. Avec *Exode. Super flumina Babylonis*, poème conçu en 1934 mais accru en 1943 d'un « intermède » inspiré par la persécution nazie, la quête existentielle se mue en odyssée où le moi s'éprouve comme acteur et victime d'une tragédie collective à plusieurs voix : « Accusés d'un délit que vous n'avez pas fait, d'un meurtre dont il manque encore le cadavre »... Face à la barbarie, la poésie, jusque-là vouée à déconstruire les édifices de la raison, devient alors le monument *aere perennius* par quoi s'affirme la dignité de l'homme.

J.-P. de Beaumarchais

FONTAINE Charles

(1514-après 1564)

Poète parisien, mais Lyonnais d'adoption, Charles Fontaine est tombé dans l'oubli qu'il croyait vaincre par la poésie. Il fut pourtant, au milieu du XVIe siècle, un maillon important entre Marot et la Pléiade, entre les néo-latins et les défenseurs du français : son anagramme, qui est aussi souvent sa signature – « HANTE LE FRANÇOIS » –, dit ses choix. Il relie aussi le milieu parisien et celui de la Cour au milieu lyonnais, si actif alors. Il se vanta d'avoir deux ou trois mille amis : c'était exagéré ; mais il sut aussi, et très jeune, se faire courageusement des ennemis : ceux de Marot. De la Pléiade, il loua toutes les idées.

D'une manière moderne, Fontaine s'est fait le chantre de la famille. Né devant Notre-Dame le 13 juillet 1514, il joue, enfant, dans les rues de Paris. Orphelin très jeune, il est élevé à Clamart par un oncle bienveillant. Il fait de bonnes études au collège du Plessis ; maître ès arts en 1530, il suit les cours du grand helléniste Pierre Danès, qui est l'un des premiers lecteurs du tout nouveau Collège royal. Il entre à l'abbaye Saint-Victor, où il se fait novice : de ces années 1531-1536 date la composition d'un ensemble de poèmes d'inspiration évangélique, dans l'esprit de Lefèvre d'Étaples et de Marguerite de Navarre ; ils ne seront jamais publiés du vivant de leur auteur, soit qu'ils aient fait partie de ces papiers que Fontaine dit avoir perdus au cours de ses voyages (ils appartiennent en effet au Vatican), soit que ses convictions aient changé dans les remous de l'affaire des Placards (1534), qui a entraîné l'exil de son ami Marot. Jamais, en tout cas, il ne retrouvera une inspiration aussi austère, et ses vrais débuts se font dans le bruit de deux querelles célèbres : celle qui mit aux prises les partisans de Marot contre ceux de Sagon (1534-1537) et la Querelle des Amies (à partir de 1541). La première, dont dépendit le sort de Marot, fut dure, avec ses arrière-plans politiques et religieux ; dès le départ, Des Périers et Fontaine s'y engagèrent totalement en écrivant les *Disciples et Amys de Marot contre Sagon* (1537). La seconde, beaucoup plus aimable, se déroula entre gens de bonne compagnie, qui avaient souvent les mêmes libraires-éditeurs : elle se fit aux dépens ou en faveur des femmes ou, plus exactement, de la mode, introduite en France par le *Courtisan* de Castiglione, des « amies de cour ». Fontaine y participe par la *Contr'amye de court* (1542) – réponse à l'ouvrage de Bertrand de La Borderie, *l'Amye de court* (1541) –, qui lui assure la notoriété. Il cherche à gagner la faveur de François Ier par un texte en prose (aujourd'hui perdu), puis part pour l'Italie, après un séjour à Lyon, où il rencontre déjà ses futurs amis et peut-être sa première femme. Turin, Pavie, Venise, Milan et surtout Ferrare – où il trouve momentanément appui, comme Marot, auprès de Renée de France – lui donnent cette connaissance de l'Italie propre à la période mais le laissent revenir aussi pauvre que devant. Il s'installe définitivement à Lyon, qu'il ne quittera que pour quelques séjours à Paris. D'abord régent au fameux Collège de la Trinité – sans doute sur la demande de Barthélemy Aneau –, il travaille aussi comme correcteur chez l'imprimeur Guillaume Roville (1549-1553), est principal, pendant quelques semaines (1555), dudit collège, et toujours à la recherche d'argent pour nourrir sa deuxième femme, Flora, et ses nombreux enfants, qui lui inspirent ses poèmes les plus réussis. Il a sa part des troubles qui agitent la ville et son milieu. Accusé d'être l'auteur du *Quintil Horatian*, qui attaque la *Deffense et Illustration* de Du Bellay, il s'en défend auprès de relations communes, et fréquente, à Paris, le cercle de Jean Brinon, qui lui assure des contacts avec la Pléiade et surtout, sans doute, avec Jodelle. Son activité se partage entre les traductions (Ovide, en particulier) et la poésie. Après 1564, où il fête l'entrée de Charles IX à Lyon par une *Salutation au roy Charles IX*, on perd complètement sa trace.

« La gayeté naturelle »

Il y a plusieurs écrivains en Fontaine, mais il ne semble pas, emporté par sa vivacité et sa franchise, avoir voulu choisir. Il avait pourtant pris conscience de la qualité de sa prose, qui éclate dans ses traductions de saint Augustin ou d'Artémidore, et dans ses préfaces : sa réflexion sur les songes (ses propres rêves, livrés), sur la poésie (dans l'esprit du poète, il « y a toujours je ne sçay quoy de gayeté naturelle, sans laquelle, j'ose dire, ne se peult appeler poëte »), sur la traduction (il faut rendre « la robe », « le corps » et « l'âme » du texte, en belle langue française), etc., est toujours exprimée dans un style élégant et direct. Son savoir fut très apprécié lorsqu'il traduisit tout un ensemble de devises antiques collectionnées sur des médailles ; et sa connaissance des textes italiens enrichit quelque peu sa poésie.

Ses deux grands recueils, aux titres plaisants inspirés par la Rhétorique, la *Fontaine d'amour*, de 1545, et les *Ruisseaux de Fontaine*, de 1555, ne choisissent pas non plus entre deux types de poèmes. D'un côté, les épîtres et élégies, encore marotiques, jettent sur tout un regard neuf très affectif : l'amour, la danse, les fêtes, ses deux femmes, ses enfants qui naissent et meurent dans la misère, ses maladies – rire et larmes. De l'autre, une masse indigeste d'« épigrammes », c'est-à-dire de billets versifiés, en l'honneur de (trop) nombreux dédicataires : ils sont cependant une mine incomparable pour l'étude d'un vaste milieu intellectuel, depuis les mécènes jusqu'aux écrivains et médecins, en passant par les dames parisiennes et lyonnaises. Ils ne lui assurèrent pas la survie, et c'est dommage.

M. M. Fontaine

FONTANEY Antoine Étienne

(1803-1837)

Écrivain né à Paris, il fut d'abord petit employé de mairie. Fréquentant salons et cénacles romantiques, il s'initia à la nouvelle poésie et publia en 1828 *Ballades, mélodies et poésies diverses,* recueil composite où les traductions (Wordsworth, Byron, Moore, Scott, Manzoni) dominent largement les œuvres personnelles. Admirateur de Hugo – familièrement appelé Victor dans le *Journal intime* –, il lui dédia « l'un des premiers sonnets parfaits qu'eût produit la nouvelle renaissance poétique » (C. Asselineau) :

Qu'ils tremblent de fouler ces domaines de l'âme,
Tes royaumes, volcans assoupis, dont la flamme
À ta voix, en Etnas jaillirait sous leurs pas.

Rien de tel chez Fontaney dont la vie ni l'œuvre n'ont rien de volcanique : attaché d'ambassade en Espagne au lendemain des Trois Glorieuses, il en rapporte une série d'articles pour la *Revue des Deux Mondes.* Mais sa situation reste précaire : « Me voici, à mon âge, sans état, sans ressources, sans appui. Enfin, mes pistolets sont là, chargés » (*Journal intime,* 6 septembre 1831). Et ses amours ne sont guère heureuses : Marie Nodier lui échappe ; contre l'avis de la comédienne, il se lie avec sa fille Gabrielle Dorval, l'enlève du couvent où on l'a enfermée, vit quelques mois d'idylle en Angleterre. Peu après leur retour, « l'ange » Gabrielle meurt de phtisie, précédant son « ami » dans la tombe. En 1835 Fontaney avait regroupé ses articles espagnols sous le titre de *Scènes de la vie castillane et andalouse,* se cachant sous le mystérieux pseudonyme de « lord Feeling ». Il laissait aussi ce *Journal intime* dont René Jasinski a révélé l'existence en 1925.

À une époque où l'Espagne faisait partie de la grande batterie de l'imaginaire romantique, où chacun effectuait son voyage *tra los montes* comme un pèlerinage, Fontaney a cherché à éviter la couleur locale gratuite : « Je suis un mauvais voyageur pittoresque. Je décris mal les lieux. Ce serait l'homme plutôt que je m'efforcerai d'esquisser. » Attitude constante chez Fontaney qui évite tout autant le clinquant décoratif que l'envahissement du moi : pas plus que les pages espagnoles ne cèdent aux images stéréotypées, les lignes du *Journal intime* ne se complaisent dans l'introspection narcissique mais ressuscitent de façon extraordinairement dynamique l'intense activité intellectuelle des années du romantisme flamboyant ; écrivains, peintres, graveurs, musiciens sont ici les héros involontaires d'une vie quotidienne : « Je vais chez Victor. Je le trouve s'habillant pour aller dîner avec sa femme chez Émile [Deschamps]. Joué avec les enfants. Victor allume une lampe qu'il a faite avec un sac de bonbons découpé » (19 janvier 1832) ; « Nodier conte admirablement ; il nous a dit aussi l'histoire de ce curé athée prêchant contre Dieu en ôtant sa chasuble » (1er février 1832). Qu'il s'agisse des hommes ou des sujets, Fontaney offre ainsi au lecteur une vue des coulisses du grand théâtre romantique sur le devant duquel les grands noms prennent des poses.

D. Couty

FONTENELLE Bernard LE BOVIER de

(1657-1757)

Fontenelle est longtemps resté, il demeure encore, aux yeux du public, un bel esprit sage et plaisant ; ses bons mots sont illustres, mais on se refuse à croire à la gravité de sa philosophie, à l'originalité de ses œuvres littéraires. Tout au plus consent-on à le considérer comme un habile vulgarisateur.

Né à Rouen, il fut d'abord le neveu des Corneille – de Pierre sans doute (dont il écrira une *Vie*) –, mais plus encore de Thomas, auquel il ressemble si souvent. C'est Thomas Corneille qui le fit entrer au *Mercure galant,* où il donna nombre de petits poèmes dans les années 1678-1681 et aussi une intéressante lettre critique sur *la Princesse de Clèves* (1678). C'est également Thomas qui lui fit écrire la plus grande part des opéras de *Psyché* (1678) et de *Bellérophon* (1679) signés du nom de… CORNEILLE. C'est encore Thomas qui l'encouragea à écrire des comédies, *la Pierre philosophale* (1681), *la Comète* (1681), et une tragédie, *Aspar* (1680), qui n'eut que deux représentations.

Ce littérateur doué qui touche à tout devra, après la chute d'*Aspar,* attendre quelques années avant de connaître le grand succès avec les *Lettres galantes du chevalier d'Her**** (1683), où, dans un style fort épigrammatique, fort « rococo », il présente une sorte d'enquête romancée sur la société parisienne, la société de sa province (Rouen et la haute Normandie) et « l'amour à la mode ». Le projet est plus ambitieux dans les *Dialogues des morts* (1683), imités de Lucien : le rococo règne toujours ; ce sont d'incessants paradoxes et, dans chaque dialogue, le désir de faire paraître des morts qui semblent fort étonnés de se trouver réunis. Mais ce livre forme surtout une sorte de bréviaire du libertinage de 1680. Sans doute est-ce vers la même époque que Fontenelle, décidément beaucoup moins « charmant », beaucoup moins anodin qu'on ne veut le voir, écrira sa grande utopie, *la République des Ajaoiens* (publiée en 1768).

La gloire vient avec les *Entretiens sur la pluralité des mondes* (1686) et l'*Histoire des oracles* (1687) – deux ouvrages de vulgarisation : il s'agit de répandre dans le public et de faire connaître, par les dames, l'astronomie cartésienne et l'érudition de Van Dale… Au même moment, Fontenelle publie ses *Pastorales* (1688). Peut-être lui manque-t-il, comme on l'a dit si souvent, le sens de la nature, mais nous sommes au siècle de Segrais, et non à celui de Lamartine. Cette nature enrubannée est celle de Lancret et de Boucher, et ces poésies ne sont pas gratuites ; elle concourent, aussi bien que les *Lettres galantes,* les *Dialogues* et la *Pluralité,* à dessiner l'idéal de Fontenelle : l'amour et le repos, l'innocence loin des fléaux des villes et des cours (ambition, superstition, mensonge…).

Son engagement, dès janvier 1688, aux côtés des Modernes contre Boileau et ses amis peut s'expliquer par des motifs personnels (il est l'ami de Perrault ; le neveu de Corneille se retrouve logiquement dans le camp opposé à celui de Racine ; le *Mercure galant* est depuis longtemps la feuille des Modernes) ; mais il s'agit aussi pour Fontenelle de ruiner par une argumentation rigoureuse l'une des erreurs du « vieux monde » : les Anciens n'ont pas été inégalables ; il existe, en tout cas dans les sciences, un progrès indiscutable ; l'art et la littérature doivent changer avec les siècles.

Plutôt que contre Boileau, c'est contre Longepierre, un autre auteur d'idylles, que Fontenelle polémique dans son *Traité de la nature de l'églogue* et sa *Digression sur les Anciens et les Modernes* [voir **Querelle des Anciens et des Modernes**].

Dans les années suivantes, il va s'efforcer, dans presque tous les genres littéraires, d'imposer son esthétique : ce sont les opéras, *Thétis et Pélée* (1689), qui obtint un durable succès, et *Énée et Lavinie* (1690) ; ce sont les deux tragédies écrites avec Catherine Bernard, *Laodamie* (1688) et *Brutus* (1690), qui, oubliant l'exemple de Racine, paraissent à la fois remonter à Corneille, et, dans certains passages, annoncer Marivaux, ou la comédie larmoyante, ou le drame bourgeois ; ce sont trois nouvelles écrites avec Catherine Bernard, *Éléonor d'Ivrée* (1687), *le Comte d'Amboise* (1689), *Inès de Cordoue* (1696) ; ces œuvres reprennent la technique – et un peu l'amère morale – de *la Princesse de Clèves*, mais un effort s'y discerne vers plus de rigueur, une composition plus serrée, une philosophie plus impitoyable – et d'ailleurs plus laïque… ; des contes de fées agrémentent *Inès de Cordoue,* et c'est l'occasion pour Fontenelle et Catherine Bernard de proposer un nouveau merveilleux, différent à la fois des fables antiques et des mythes chrétiens.

Les Modernes sont « les gens de Paris », et les Anciens « les gens de Versailles ». La querelle se transporte parfois sur le plan politique : Fontenelle, qui, dès 1686, a raillé la révocation de l'édit de Nantes (*Relation de l'isle de Bornéo*), chansonne, en 1689, les vains efforts de Jacques II pour remonter sur le trône (couplet cité par Voltaire dans *le Siècle de Louis XIV*) ; *Brutus* nous montre un mauvais roi détrôné, qui recherche le secours de protecteurs étrangers, et la difficile installation à Rome du nouveau régime.

Les théories, qui expliquent tous ces efforts, toutes ces expériences, sont contenues dans *De l'origine des fables*, l'*Histoire du théâtre français* et les *Réflexions sur la poétique* – trois essais publiés en 1724, mais écrits dès la fin du siècle précédent. Avec bien de la désinvolture et en commettant maintes erreurs de détail, Fontenelle invente l'histoire littéraire, et peut-être même une sorte de sociologie. Sa poétique idéale annonce souvent Marivaux. Les fables, comme sans doute l'Évangile, ont été le fruit de l'imposture, mais plus encore de l'ignorance humaine ; il faut que les peintres et les poètes renoncent à la fois aux nymphes et à la Vierge ; un merveilleux moderne s'impose…

Élu à l'Académie française en 1691, nommé en 1699 secrétaire de l'Académie des sciences, Fontenelle va, alors que commence le XVIIIe siècle, renoncer, ou presque, à écrire. Son traité *Du bonheur,* composé alors (mais publié en 1724), atteste qu'il s'est trouvé : l'épicurisme des *Églogues* s'est desséché ; le sage se resserre et se limite ; dans la mélancolie de cette interminable « fin de règne », Fontenelle propose – et pratique – quelques recettes de sérénité, sinon d'euphorie : l'amour est sacrifié ; un modeste « néo-stoïcisme » balaye toutes les illusions. Il va emplir sa vie, durant un demi-siècle, de divertissements mondains (salons de Mmes de Lambert, de Tencin, Geoffrin, du Deffand), ainsi que de tâches officielles, dont la plus prenante et la plus illustre sera celle de secrétaire de l'Académie des sciences ; le vieux célibataire, qui cisèle des bons mots dans les salons où il se fait recevoir, va prononcer l'éloge de Duverney, de La Hire, de toutes les sommités des sciences françaises, et aussi de Newton, et surtout de Leibniz. Il se fait ainsi le législateur de la physique moderne : peut-être un peu par chauvinisme, certainement par goût des idées claires et par haine des qualités occultes, il s'attache aussi longtemps qu'il le peut à bannir de la bonne science l'attraction et à y maintenir les tourbillons cartésiens (*Théorie des tourbillons*, 1752).

Il sut cependant ne pas se laisser accaparer par ses fonctions officielles ; il écrivit, à ses moments perdus, des comédies un peu bâclées, trop romanesques et parfois trop moralisantes ; il médita sur le calcul infinitésimal, tenta de le pratiquer et d'en faire la philosophie (*Éléments de la géométrie de l'infini*, 1727). Il sut aussi ne pas trop s'aliéner parmi ces missions et ces honneurs imposés ; il laissa paraître le *Traité de la liberté* (1743), où s'affirmait le spinozisme le plus déterminé ; il griffonna une nouvelle utopie, pas tellement différente des *Ajaoiens.* Tout cela, sans oublier certaines réflexions « sur la nature de l'esprit humain », « sur l'origine des idées », n'était, au fond, que l'aboutissement logique de ses tentatives littéraires, de ses réflexions esthétiques, de ses paradoxes de jeunesse.

Mais, après la Régence, où sa gloire fut à son zénith, il prolongea indéfiniment une existence de plus en plus morose : son scepticisme paraissait de plus en plus désuet, un néoclassicisme se déclarait contre son « rococo », tout s'emplissait, enfin, de convictions, dont il ne pouvait s'empêcher de s'effrayer. Il mourra presque centenaire, encore vénéré, mais déjà démodé.

Un grand vulgarisateur

Les *Entretiens sur la pluralité des mondes* ont eu un énorme succès. Il s'agissait de faire connaître aux mondains l'astronomie cartésienne. Pour cela était choisi un prétexte galant – une marquise (qui est Mme de La Mésangère, la fille de Mme de La Sablière), un beau château de Normandie, un parc au clair de lune. Et puis, avec parfois des chiffres approximatifs, et même de graves erreurs, le système des tourbillons était à peu près expliqué. Pour ne pas ennuyer, il fallait le couvrir de plaisanteries, de paraboles, d'allusions – bref de ce qu'on appelait alors des « agréments », c'est-à-dire le fard et la poudre, qui peuvent adoucir les plus austères sujets et même les rendre plaisants.

Une méthode analogue se retrouve dans l'*Histoire des oracles,* ainsi que dans la plupart des gros volumes de l'*Histoire de l'Académie des sciences* (1708). L'adaptation de Van Dale est, en effet, présentée par Fontenelle comme une expérience littéraire, et Van Dale avoua que son émule changeait et renversait « terriblement toute l'économie de [son] ouvrage ». C'est que des ellipses, des « grâces », des rapprochements humoristiques remplaçaient de longs développements. Et dans les *Éloges des académiciens,* dans les *Mémoires de l'Académie,* où tant d'inventions et tant de recherches sont présentées, le même talent se découvre qui fit de Fontenelle « le héraut de la science moderne ».

Un vrai philosophe

Fontenelle s'est cherché durant près d'un demi-siècle, évoluant du matérialisme des *Ajaoiens* au déisme de l'*Existence de Dieu.* Il est passé du monde de Mme Deshoulières et de Bernier à celui de Dumarsais et de Diderot. Mais des évidences se révèlent dans une carrière complexe et presque trop riche. C'est, après le nihilisme galant des *Dialogues des morts,* la découverte, vers 1684, dans les *Entretiens* et dans les *Pastorales,* d'une certaine positivité : quelques vérités sont accessibles (au moins le mécanisme qui régit la nature), et une forme de bonheur (l'amour et le repos) est à notre portée. Le progrès est ainsi affirmé, et ce n'est peut-être d'abord qu'un long cheminement vers le paradis pastoral – un paradis situé dans la science et la parfaite raison, et non plus dans l'innocence primitive.

Une méthode est définie, qui n'est pas vraiment cartésienne, puisque ni l'histoire ni l'érudition ne sont rejetées, et que « l'ancienne philosophie n'a pas toujours eu tort ». Certaines vérités sont appréhendées : l'existence de Dieu, – mais c'est un Dieu fort imprécis, fort lointain ; le déterminisme ou, comme le dit Fontenelle, le fatalisme, qui exclut la liberté humaine et qui, puisque ce Dieu est si transparent, nous ramène à l'*Éthique* de Spinoza ; enfin, par-delà les approximations de la philosophie et les inductions de la physique, les certitudes mathématiques – le calcul infinitésimal surtout, qui autorise un véritable optimisme, puisqu'il s'applique à la nature même (préformation des germes ; système des tourbillons).

Au temps de la Régence, la politique (car il fut le conseiller de Philippe d'Orléans et de l'abbé Dubois), l'art, la philosophie, le théâtre se pliaient aux décrets de Fontenelle. Une époque de parfaite clairvoyance, enfin purgée des mythes pernicieux et des passions absurdes, paraissait s'imposer. Cette aurore fut brève. L'homme n'était pas fait pour ce monde parfaitement clair, cette dure lumière qui anéantit tout *sfumato,* cette sèche netteté qui fait des passions un jeu fatal (*Traité du bonheur ; Inès de Cordoue*) et des planètes des boules tourbillonnantes. L'absolu et le sentiment furent vite restaurés. La Régence sombra avec ses fanfreluches et ses fadeurs, où il ne faut peut-être voir qu'un moyen de faire accepter aux hommes de trop dures vérités.

Fontenelle reste pour nous l'image de la lumière et de l'intransigeance. Peu importe que ses poésies soient mièvres, que ses comédies n'offrent qu'une ébauche de celles de Marivaux, que ses opéras soient inférieurs à ceux de Quinault, que Catherine Bernard n'ait su égaler ni Mlle de Scudéry ni Mme de Lafayette. À travers tant de demi-échecs se dessine un projet trop ambitieux peut-être pour s'accomplir en littérature, ou du moins pour faire de la littérature autre chose qu'une ruse et un prétexte – le projet de clairvoyance absolue, d'universelle démythification. C'en était trop, même avec les prudences et les astuces du rococo, pour se faire entendre durablement.

A. Niderst

FORNERET Xavier

(1809-1884)

Il y a bien un « cas » Forneret, comme l'écrivit André Breton, qui fut, après Charles Monselet et son article élogieux paru dans *le Figaro* du 26 juillet 1859, le défenseur et le promoteur de cet énigmatique poète bourguignon, irréductible aux profils connus de la poésie du XIXe siècle. Romantique, Forneret ? Certainement, mais au risque des pires excès comme des pires platitudes. Petit romantique ? Peut-être, mais à coup sûr à l'écart des groupes de Bousingots ou de Jeunes-France. Précurseur ? Évidemment, mais sur la voie étroite, semée de coups de génie et d'impostures, qui va de Lautréamont à l'OuLiPo, en passant par Roussel et les surréalistes.

L'obstination dans le scandale

La vie de Forneret est fort mal connue : les seuls repères en sont les dates de sa carrière d'écrivain et de ses multiples procès de plaideur impénitent. Né à Beaune, dans une riche famille de viticulteurs et de négociants, Xavier Forneret fut loin de connaître la misère qui fut le lot de nombre d'écrivains contemporains. Le premier scandale de son existence est sans doute là, dans cette réalité de la fortune qui le prive de la commisération allouée, en général, aux créateurs infortunés… De l'argent, ce jeune bourgeois excentrique en a suffisamment pour publier en 1834, à Paris, à compte d'auteur et dans une luxueuse édition, un copieux drame romantique intitulé *Deux Destinées,* et pour récidiver l'année suivante avec l'édition, à grand renfort de publicité, d'un drame dont il espère la célébrité, *l'Homme noir.* En vain. Pour sortir de l'ombre, Forneret, sans lésiner sur la dépense, décide de faire jouer sa pièce dans la superbe salle du théâtre de Dijon. Mais le 10 mars 1837 eut lieu là-bas, dans un indescriptible chahut, ce qu'il faut bien appeler une bataille d'*Hernani* manquée !

Le jeune homme, désabusé, va alors multiplier provocations et scandales devant la bourgeoisie beaunoise : signant « l'Homme noir », portant vêtements de deuil et chapeaux extravagants, il passe ses nuits à jouer du violon quand il ne médite pas au fond d'un cercueil d'ébène ! Lassé du théâtre, il s'adonne à la poésie avec *Vapeurs, ni vers ni prose* (1838), aux contes avec *Pièces de pièces, temps perdu* (1840), ou gribouille de curieuses maximes qu'il intitule *Sans titre…* (1838), *Encore un an de Sans titre, par un homme noir blanc de visage* (1840) et plus tard *Broussailles de la pensée* (1870). Si l'on veut bien admettre qu'il exista un esprit « petit romantique », c'est à coup sûr à cette époque que Forneret fut le plus proche des Borel, O'Neddy, Esquiros et autres Lassailly.

La décennie 1845-1855 fut pour lui un long intermède journalistique, dans le domaine de la critique musicale, puis dans celui de la politique. À l'approche de 1848, ses articles des gazettes beaunoises le font supposer « républicain lamartinien ». Mais c'est pour Cavaignac que le bourgeois qu'il est resté s'enthousiasme avant de se rallier à Louis-Napoléon Bonaparte au lendemain du coup d'État. Ces palinodies successives lui valent de nombreux ennemis, qui s'ajoutent à la cohorte des adversaires qu'il traîne – ou qui le traînent – en justice pour trafics de propriétés, outrages, diffamations, voire affaires de mœurs.

Forneret retrouvera la littérature par le chemin de ses débuts, le théâtre. Après l'échec d'une comédie burlesque, *Oncle et neveu Franget* (1853), il jette le reste de ses forces et de sa fortune dans la mise en scène à Paris d'un grand drame moralisant, *Mère et fille* (1855). Cabales, procès, échecs auront cette fois raison de lui. Retiré dans sa province, solitaire et ruiné, il publie encore en 1860 des *Ombres de poésie,* où il n'est plus que l'ombre de lui-même, et meurt à Beaune, dans l'oubli général. Son dernier scandale sera d'outre-tombe, lors de funérailles qu'il avait tenu à régler avec toute l'excentricité de son étrange génie.

Imposteur et précurseur

Il faudra près d'un demi-siècle pour que le surréalisme s'empare de ce génie ambigu et le revendique comme précurseur. Encore Breton lui-même reconnaissait-il que l'oubli de Forneret n'était pas sans raison, rappelant « l'extrême inégalité de sa production, où la trouvaille la plus authentique voisine avec la pire redite, où le sublime le dispute au niais, l'originalité constante de l'expression ne laissant pas de découvrir fréquemment l'indigence de la pensée… ». Dramaturge, Forneret s'englue souvent, c'est vrai, dans les effets faciles du mélodrame ; poète, il confond plus d'une fois rimaillerie avec virtuosité, singerie avec talent ; moraliste, il n'échappe pas toujours aux fatuités solennelles ou aux lapalissades prudhommesques.

Mais derrière le petit-maître besogneux ou vaniteux, il y a un autre Forneret, qui finit par élever ses vanités et sa besogne à la dignité de chef-d'œuvre. « Tout est senti chez moi, sans jamais bien en sortir », disait-il. Or, c'est cette tension cruelle entre le désir d'écrire et la « gésine » même de l'écriture qui est fascinante chez lui. Tension qui impose à l'imagination désirante les visions les plus hallucinantes ou les plus outrancières, comme dans la série des *Rêves* (1846), pour que « quelque chose » advienne, malgré tout, sur l'horizon de silence et de solitude. Forneret, qui avait le génie des titres, a-t-il jamais mieux cerné la tragique ambiguïté du geste de l'écrivain que dans l'intitulé de son premier petit conte, *Rien… Quelque chose* (1836) ? C'est parce qu'il sait que le rien, le néant, le silence le menacent en permanence qu'il s'impose – et impose à son lecteur – ces parodies de mort et de douleur, boursouflées de désespoir ou d'humour noir, ces apothéoses ou ces apocalypses d'images merveilleuses ou fantastiques qui ne sont rien d'autre que l'émergence brûlante de la glaciale « dictée du silence » qui le hante intérieurement ; c'est aussi parce qu'il connaît trop bien – comme Mallarmé les connaîtra – tous les vertiges et toutes les transes que peut donner la page blanche qu'il ose, le premier, en violer ou en pervertir l'espace et les structures : paginations perturbées, titres déplacés, typographies déroutantes, inflation des blancs ou couleurs tapageuses…

Charles Monselet avait pressenti ce que ces « effets de silence et de lumière surprenants » pouvaient avoir d'authentiquement novateur derrière leur scandale. En même temps que le Nerval d'*Aurélia,* Forneret a proclamé que « les rêves sont les seules réalités de la vie » ; avant le Baudelaire du *Spleen de Paris,* il a entrevu tout le parti littéraire qu'on pouvait tirer de la dérision et de l'humour noir ; avant Lautréamont, il a osé torturer la syntaxe et la rhétorique pour les plier aux incongruités de l'imaginaire ; avant Rimbaud, il a eu quelquefois d'étonnantes « illuminations » ; avant les surréalistes, lui qui a écrit que « la Folie, c'est la Mort avec des veines chaudes » et que « le brouillard est la coquetterie du soleil », il a bien « été surréaliste dans la maxime » (Breton) ; avant Roussel, Queneau, Roubaud et leurs amis de l'OuLiPo, il a enfin multiplié, pour le meilleur ou pour le pire, les gags et les acrobaties métriques.

Le bilan des novations fera-t-il oublier celui des platitudes et des médiocrités ? D'une boutade, Forneret avait joliment prévenu le procès : « En écrivant, j'ai encore, toujours rêvé ; ainsi on peut bien dormir en me lisant. Quand on voit bâiller, naturellement on bâille… »

D. Rincé

FORT Paul

(1872-1960)

Né à Reims, Paul Fort vient avec sa famille à Paris en 1878. Dix ans plus tard, le jeune homme, avec son ami Pierre Louÿs, fréquente le café Voltaire, quartier général des poètes symbolistes. C'est en 1890 que, selon les vœux des symbolistes, il fonde le « Théâtre d'Art », qui fonctionnera durant trois saisons (avec pour décorateurs Gauguin, Bonnard, M. Denis…), et la revue *le Livre d'art.* Quand il se marie en 1891, ses témoins sont Verlaine et Mallarmé. En 1896, il découvre le genre poétique de la « ballade ». De 1896 (1922 pour l'édition définitive) à 1958, le poète publiera les dix-sept volumes des *Ballades françaises,* restant ainsi fidèle à une seule forme poétique. Or, l'œuvre est loin d'être monotone, malgré l'abondance de la production.

LES BALLADES FRANÇAISES

T. I :	*la Ronde autour du monde (1922)*
T. II :	*l'Amour et l'Aventure (s.d.)*
T. III :	*le Marchand d'images (1924)*
T. IV :	*la Tourangelle (1925)*
T. V :	*les Fleurs de lys (1926)*

T. VI :	*le Livre des visions (1941)*
T. VII :	*l'Arbre des fées (1942)*
T. VIII :	*Un jardinier du jardin de France (1943)*
T. IX :	*Bol d'air (1946)*
T. X :	*On loge à pied et à cheval (1947)*
T. XI :	*Contes de ma sœur l'Oie et de mon frère le Jars (1947)*
T. XII :	*le Pèlerin de la France (1948)*
T. XIII :	*Vive Patrie (1949)*
T. XIV :	*Mon Grand Pays ou l'Ombre du trouvère s'étend sur la France (1950)*
T. XV :	*Empire de France (1953)*
T. XVI :	*Ferveur française (1954)*
T. XVII :	*Si tout l'amour m'était conté (1958)*

Lorsque paraissent, en 1896, les trois premiers volumes des *Ballades*, Paul Fort a déjà publié cinq plaquettes d'inspiration symboliste. En 1905, il fondera la revue *Vers et Prose*. Après avoir été élu par son clan « Prince des Poètes » (1912) à la mort de Léon Dierx, il fera connaître son *credo* littéraire à l'étranger, donnant des conférences à Moscou, puis en Amérique du Sud. Deux ans après la parution du dix-septième et dernier tome de ses *Ballades* (1958), il meurt le 20 avril 1960 à Montlhéry, où il s'était retiré. Outre les dix-sept tomes de *Ballades*, Fort a publié plusieurs volumes de poésie (*Plusieurs choses*, 1894 ; *Premiers venus sur la colline*, 1894 ; *Presque les doigts aux clefs*, 1895 ; *Il y a là des vies*, 1895). Son théâtre, demeuré confidentiel et entièrement inspiré par l'Histoire, est plus tardif : *Louis XI, curieux homme*, 1922 ; *les Compères du roi Louis*, 1923 ; *Ysabeau*, 1924 ; *le Camp du Drap d'or*, 1926 ; *la Conquête de l'Angleterre*, 1933. Enfin, ses *Mémoires* ont paru en 1944.

Renouvellement d'un genre

Ni son activité en faveur du symbolisme, ni sa perspicacité à s'entourer de ceux qui allaient devenir des grands noms de la vie littéraire du XXe siècle n'auraient suffi à faire de Paul Fort l'une des figures attachantes de la poésie de notre temps. Son importance tient au renouvellement d'un genre poétique, la « ballade », et à la fidélité à un même projet.

Il ne serait pas exact de dire que l'on est en présence d'une écriture identique tout au long des dix-sept volumes des *Ballades*. Fidélité n'est pas ressassement, et la réussite de Paul Fort réside, à travers un parcours unique, dans l'appropriation d'un genre et dans l'expression de toute la poésie, depuis la fantaisie jusqu'à la poésie pure.

Avec la « ballade », Paul Fort découvre un genre commode, ce qui ne veut pas dire facile. Il ne s'agit plus de la « ballade » du XVe siècle, ce poème à forme fixe composé de trois strophes et d'un envoi d'une demi-strophe, et que Villon a immortalisé. De la « ballade » du XIXe siècle, Paul Fort retient qu'elle met en scène des légendes populaires ou des sujets historiques. Mais il rejette sa structure trop codée, en particulier la rime. Car pour lui la ballade, prise au sens musical originel de « chanson à danser », de « danse », doit s'écrire en prose et, ce qui peut paraître contradictoire, concilier le refus du vers syllabique réglé et de la rime avec l'intention de reprendre le genre de la chanson populaire. Ainsi, la prose des *Ballades* est en réalité faite de vers réguliers, rimés ou assonancés. Il suffit, pour s'en convaincre, de lire cette strophe, dédiée à Francis Jammes, où, derrière l'apparence optique de la prose, éclate l'évidence de parfaits alexandrins rimés :

> *Vous le savez, Francis, aimant l'Ile-de-France,*
> *qu'une ville, un pays, décoré d'un beau nom, bien*
> *mieux que ses voisins nous fait des confidences, et*
> *que ce beau nom-là doit se joindre à ses dons…*

L'intention est avant tout rythmique et ce jeu verbal redonne à la ballade son sens originel, musical. Une contradiction est alors résolue. En ce sens, l'écriture poétique de Paul Fort n'est jamais, malgré les apparences, l'illustration de l'esthétique symboliste du « vers libre ».

Les limites d'une inspiration

L'importance quantitative de la production fait que l'on nie aujourd'hui l'intérêt d'une telle poésie. Chacun sait que les grands poètes n'ont pas une production facile ; la facilité est ici suspecte, et l'œuvre n'est pas sans défauts. L'histoire de France, la géographie et le folklore des provinces françaises ne sont plus des sujets pour la poésie. Il reste pourtant, dans la poésie de Paul Fort, un pouvoir de création verbale qui passe par tous les degrés de l'écriture : verve d'inspiration rabelaisienne, humour poétique avec la « grenouille bleue » (par exemple), écriture symboliste qui annonce les tentatives de la poésie pure, catalogue d'images d'Épinal qui reviennent à la mode… Paul Fort n'a-t-il pas écrit : « Moi seul ai dans le sang toute la poésie, et je ne mourrai qu'ayant tout chanté » ? Cette naïveté tranquille et prolifique ne justifie sans doute pas l'enthousiasme de 1912, mais n'autorise pas la dérision.

C. Gambotti

FOUCAULT Michel

(1926-1984)

Philosophe, écrivain. Professeur au Collège de France de 1970 à sa mort.

Difficile à classer malgré le style limpide et élégant de son auteur, l'œuvre de Michel Foucault se situe à l'intersection de trois préoccupations dont il est malaisé de dire laquelle l'emporte : une volonté philosophique de mettre au jour les fondements théoriques du savoir ; un souci historique de rétablir les généalogies authentiques qui unissent, à travers les siècles, problèmes et concepts ; un engagement politique, enfin, aux côtés de tous ceux – fous, prisonniers, déviants – que la société a marginalisés et dont les grands partis eux-mêmes se détournent prudemment.

Seule la conjonction de ces trois axes peut permettre de comprendre l'évolution d'un intellectuel qui est sans doute, de sa génération, le philosophe français le plus connu à l'étranger, mais qui ne s'est que rarement expliqué sur ses motivations et sur ses buts.

C'est donc de façon arbitraire qu'on distinguera, au sein de son œuvre, trois centres d'intérêt – qui ne sont d'ailleurs pas d'égale importance.

Le premier d'entre eux, dans l'ordre chronologique, se situe dans une réflexion sur les fondements théoriques de la médecine, et en particulier de la psychiatrie, qui a abouti à deux ouvrages : *Naissance de la clinique : une archéologie du regard médical* (1963), et *Histoire de la folie à l'âge classique* (1961). Dans ce dernier livre, Michel Foucault montre comment la folie, signe d'une élection sacrée pour les hommes de la Renaissance, n'a été considérée comme un danger pour l'ordre public qu'à partir du XVIIe siècle – époque où le rationalisme s'impose en même temps que l'État –, avant de devenir, sous le nom de « maladie mentale », un objet médical relevant d'une intervention thérapeutique et justifiant la réclusion des fous dans des « hôpitaux psychiatriques ». On voit ici se préciser l'engagement de Michel Foucault : c'est ce même engagement qui le conduit à rééditer, avec une longue présentation collective, un mémoire rédigé au XIXe siècle par un paysan normand coupable de parricide et prétendu fou (*Moi, Pierre Rivière*... 1973), puis à attaquer de front, dans *Surveiller et punir* (1975), le problème de la naissance de la prison moderne. Enfin, sa monumentale *Histoire de la sexualité* (t. I, *la Volonté de savoir*, 1976 ; t. II, *l'Usage des plaisirs*, 1984 ; t. III, *le Souci de soi*, 1984) représente, même inachevée (le t. IV, *les Aveux de la chair*, devait paraître en 1985), l'effort le plus approfondi pour démonter les jeux complexes d'incitations et de contraintes qui n'ont cessé de peser sur les pratiques sexuelles en Occident.

Deuxième centre d'intérêt : l'épistémologie. Par ses travaux d'historien des pratiques médicales et pénales, attentif aux petits déplacements de langage qui signalent quelquefois, dans les textes les plus inattendus, de profonds changements de mentalité, Michel Foucault a été très tôt amené à s'intéresser au système des *a priori* qui, à une époque donnée, déterminent ce qu'il est possible de penser ou de savoir, bref conditionnent les attitudes des hommes face à tel ou tel problème. Ces systèmes d'*a priori* – qui, pour chaque grande époque de l'histoire occidentale, forment ce que Foucault appelle une *épistèmè* – connaissent évidemment des mutations : celles qui ont permis l'avènement de l'âge classique (XVIIe-XVIIIe siècles), puis sa fin, et la « mort de l'homme » à laquelle nous avons assisté au XXe siècle, ont plus particulièrement suscité l'intérêt de Foucault dans *les Mots et les Choses* (1966) et dans *l'Archéologie du savoir* (1969).

Troisième centre d'intérêt : la problématique de l'écriture, les rapports de l'auteur et du livre, l'éclatement de la notion de « littérature » à travers certaines pratiques textuelles. Encore qu'il n'ait guère systématisé sa pensée sur ce point, Michel Foucault a néanmoins consacré un livre à *Raymond Roussel* (1963) et tiré de l'oubli, pour les préfacer, les écrits « délirants » du gendarme Brisset (1970). Sa leçon inaugurale au Collège de France intitulée *l'Ordre du discours* (1971), évoque la disparition possible du mythe de l'« auteur ».

Ch. Delacampagne

FOUCHET Max-Pol

(1913-1981)

La notoriété de Max-Pol Fouchet dans les sphères poétiques provient d'abord de ce qu'il fut le fondateur et l'infatigable animateur de cette revue *Fontaine* qui, depuis Alger, pendant la Seconde Guerre mondiale, se jouera des censures vichyste et allemande pour ne jamais cesser, durant toute cette période d'asservissement, de lutter afin de sauver l'honneur de l'homme et de défendre la liberté de l'esprit ; *Fontaine* fut ainsi, grâce à Fouchet – et aux côtés de *Poésie* de Pierre Seghers –, la « revue de la Résistance en pleine lumière », le lieu de rassemblement de ceux qui délaissèrent *la Nouvelle Revue française* de Drieu La Rochelle.

Mais Max-Pol Fouchet a connu une notoriété plus vaste grâce à la télévision, où il anima, avec Pierre Desgraupes et Pierre Dumayet, l'émission célèbre de critique littéraire parlée *Lectures pour tous* (1953-1968) avant que d'ouvrir *le Fil de la vie* à tous les problèmes du monde contemporain. Là encore, cet homme d'une rare qualité de communication se battit, sans jamais se soumettre à quelque intervention que ce fût, afin que l'esprit ne fût pas bâillonné, et il milita pour l'homme.

L'humanisme, chez cet ami d'Albert Camus et d'Emmanuel Mounier, est en effet une passion constante qu'exprime le rêve d'innocence, hors de la faute et du temps corrosif, que vient heurter l'histoire ; c'est ce rêve qui constitue le lien entre les écrivains qui lui tiennent à cœur (*les Appels*, 1967) et qui circule tant dans ses poèmes au lyrisme expansif (*Simples sans vertu*, 1936 ; *Vent profond*, 1938 ; *les Limites de l'amour*, 1942 ; *Demeure le secret*, qui rassemble les recueils précédents, 1961) que dans ses récits de voyage. Des *Peuples nus* (1953) et de *Terres indiennes* (1955) à *Nubie, splendeur retrouvée* (1965), en passant par *Portugal des voiles* (1959) et *l'Art à Carthage* (1962), le refus des « missionnaires de l'ordre de la faute » ne se sépare jamais d'une méditation sur le destin ni du rapprochement de l'art et de la vie des peuples, rapprochement que Fouchet tient à effectuer sans cesse pour manifester, malgré les « inquisiteurs » européens, une permanence des civilisations. Il appuie son propos de nombreuses photographies ; indissociables, le texte et l'image concourent ainsi, dans *l'Art amoureux des Indes* (1957), à montrer que l'érotisme oriental est un moyen spirituel pour rejoindre le sacré (il faut noter que *Fontaine*, avant guerre, souhaitait étudier les rapports de la mystique et de la poésie et que plusieurs photographies de Max-Pol Fouchet illustrent *l'Érotisme* de Georges Bataille).

L'entreprise de Max-Pol Fouchet, par-delà les formes multiples qu'elle revêt (Fouchet a également publié des nouvelles – *les Évidences secrètes*, 1972 – et trois romans – *la Rencontre de Santa Cruz*, 1976 ; *la Relevée des herbes*, 1980 ; et *Histoires pour dire autre chose,* 1980), reste celle d'un poète. Car il conçoit la poésie – et c'est tout à son honneur – « non seulement comme fonction du poète, comme écriture et publication du poème, mais comme une activité interne, ininterrompue, inachevée, qui, à chaque instant, éclaire les actes de notre vie et leur donne un sens ». Ce que son cheminement ne manque pas, constamment, de prouver et que la Préface à son *Anthologie thématique de la poésie française* (1955), qui a fait date, précise de façon remarquable : « Si nous désirons la poésie plus que le poème, c'est qu'il nous importe d'atteindre [à travers les formes] une certaine éternité de l'homme. »

L. Pinhas

Fougeret de Monbron Louis Charles

(1706-1760)

Rangé parmi les romanciers libertins grâce à sa célèbre *Margot la ravaudeuse* (1750), Fougeret de Monbron tire sa vraie originalité d'une attitude devant la vie. *Contemni et contemnere,* mépriser et être méprisé : ce « cosmopolite » lève les masques, mais sa dénonciation sans espoir ni cause à défendre se retourne contre lui-même. Seule reste une écriture spécifique, et qui annonce parfois Chamfort : procès-verbal ironique et distancié d'un monde peuplé de dupes et d'« habiles comédiens », dont la dissection porte pour fruit de « haïr par raison ce qu'[on] haïssait par instinct » (*le Cosmopolite,* 1750).

Le « cœur velu »

« J'ai le cœur velu », aurait répondu Fougeret à Diderot qui s'étonnait de le voir rester de glace à un concert. Ce « tigre à deux pieds » (Diderot *dixit,* dans la *Satire première*) naquit à Péronne en Picardie ; son père Jean Fougeret, petit fournisseur aux armées, s'enrichit au temps de Law, devint « de Monbron » et envoya Louis-Charles à Paris au régiment des Gardes du corps (1726), où il resta jusqu'en 1730. Il quitte alors le service, mène une vie de débauche et d'oisiveté d'où sa famille le tire en 1735, en lui achetant la charge de valet de chambre du roi, dont il se défait quatre ans plus tard. Ses amis se nomment alors d'Allainval, le chevalier de Mouhy, l'abbé Pellegrin, figures faméliques de la bohème littéraire du temps. Le véritable tournant de son existence se situe en 1742, lorsqu'il décide de « promener ses ennuis », voyages qu'il racontera dans *le Cosmopolite* (1750) : le voici en Angleterre, en Hollande, en Turquie. Revenu en France, lesté désormais de l'héritage paternel, il donne deux ouvrages parodiques, le *Discours prononcé au Roi par un paysan de Chaillot* (1744), satire antimonarchique en style poissard, et une *Henriade travestie en vers burlesques* (1745), qui connaîtra une dizaine de rééditions au cours du siècle. En 1745, nouvelles pérégrinations en Italie (le « pays de Papimanie »), en Prusse chez le « Salomon du Nord » d'où il décampe après s'être querellé avec d'Argens, puis en Espagne et au Portugal, « un paradis terrestre pour le clergé et les femmes », en Angleterre à nouveau. Accusé d'espionnage et d'immoralité à son retour (la police a saisi le manuscrit de *Margot*), il est emprisonné quelques semaines au For-l'Évêque (1748). *Margot la ravaudeuse* paraît en 1750, la même année que *le Cosmopolite ou le Citoyen du monde,* publié à La Haye ; les deux ouvrages font scandale. En 1753, Fougeret retrouve sa cible favorite avec une *Épître à M. de Voltaire pendant son séjour à Mayence* ; il arrive peu après à Moscou, d'où son franc-parler le contraint à un départ précipité. En France, la police le guette, l'arrête et l'embastille quelques mois (1755). Libéré, il s'installe à Paris, retrouve ses amis et ses habitudes, règle leur compte aux Anglais avec un *Préservatif contre l'anglomanie* (1757), et aux Parisiens dont il dénonce le luxe et les vices dans *la Capitale des Gaules ou la Nouvelle Babylone* (1759). Rousseauisme inattendu, ou dernière provocation de la part d'un immoraliste moqueur en qui Diderot trouvera l'un des modèles de son *Neveu de Rameau* ?

« Je tiens à tout et je ne tiens à rien »

Publiés la même année, *le Cosmopolite* et *Margot la ravaudeuse* apparaissent comme les faces complémentaires d'un même projet d'écriture. Là, un parcours « horizontal » qui va d'un peuple, d'une culture à l'autre ; ici, une coupe verticale du laquais au grand seigneur en passant par le moine et le financier. De même que chacun met à nu son corps et son caractère devant la « catin », de même le coup d'œil non prévenu du voyageur perspicace permet-il de déceler la décevante vérité de chacun.

> *L'univers est une espèce de livre dont on n'a lu que la première page quand on n'a vu que son pays. J'en ai feuilleté un assez grand nombre que j'ai trouvées presque également mauvaises. Cet examen ne m'a pas été infructueux. Je haïssais ma patrie, toutes les impertinences des peuples divers parmi lesquels j'ai vécu m'ont réconcilié avec elle. Quand je n'aurais tiré d'autre bénéfice de mes voyages que celui-là, je n'en regretterais ni les frais ni les fatigues.*
>
> **Ces quelques lignes tirées du *Cosmopolite* furent placées par Byron en épigraphe à *Childe Harold* (1812).**

Le « cosmopolitisme » provocateur de Fougeret se veut l'affirmation d'une indépendance absolue à l'égard de son pays comme de toute morale : le narrateur du *Cosmopolite* est un « outlaw » (R. Trousson), mais qui assume sereinement un égoïsme et un appétit de plaisir que les autres vivent dans la mauvaise conscience. Et les plus « masqués » (les Vénitiens au temps du carnaval) ne sont pas les pires du troupeau. Une cible privilégiée, pourtant : le clergé, sous toutes ses formes et de tous les temps – derviches de Constantinople, prêtres d'Apollon cherchant à « jouir en secret » de la sibylle de Cumes (!), chevaliers de Malte courant les cantatrices, moines surtout, accablés de qualificatifs malsonnants, penaillons, fraparts, cafards porte-froc, bâtards des Apôtres ; un Inquisiteur espagnol se comporte exactement comme celui de *Candide* (1759). Contre eux, Fougeret cultive les deux registres voltairiens de l'ironie devant une liturgie décrite de l'extérieur, d'où est expulsée toute signification spirituelle : ainsi de ce « tic fort singulier » du pape, qui consiste à « fendre l'air avec deux doigts comme si les mouches l'incommodaient » ; et de l'indignation lyrique lorsque le jeu devient dangereux comme ce scandale, à Florence, d'une prise de voile forcée (en 1760, Diderot entreprendra sa *Religieuse*). De même le récit se développe-t-il à deux niveaux : celui de la narration anecdotique où d'aventure en aventure tombent les illusions (les « vilaines maisons de plâtre et de bois » de Constantinople ne ressemblent guère aux palais des contes orientaux, etc.), et celui d'une réflexion générale en forme de maximes sur la nature humaine, la vertu (« le plus méchant est celui qui sait le moins se contrefaire »), l'incommunicabilité des civilisations (« tout est également ridicule ici-bas »), la femme, contrainte à l'hypocrisie par l'homme qui lui impose retenue et chasteté. Masques divers qui au fil des différentes cultures disent l'impossible compromis entre la nature et la contrainte sociale.

Ce même désir universel, dans *Margot la ravaudeuse*, réunit autour de la « catin » une humanité identique malgré les différences de surface, moine paillard, Allemand rustaud, Anglais misanthrope, financier qui « ne soupire que l'argent à la main ». Seuls comptent ici la vaillance du sexe et le nombre des écus. Sans doute Fougeret sacrifie-t-il aux métaphores classiques du récit libertin (« Le monstre répandit un torrent de larmes dans l'excès de sa joie »), mais elles soulignent d'autant mieux la sécheresse d'un discours débarrassé de l'écume des mots d'amour et des jugements moraux, où la « machine » humaine (est-ce encore une métaphore ?) se met à nu sans figures inutiles. Si les « Sultanes » s'exhibent, c'est qu'il faut « avertir les chalands que la place est vide et qu'elles sont à louer ».

Un scepticisme aussi radical peut-il épargner l'auteur lui-même ? N'est-il pas comme les autres une simple mécanique à sensations ? En 1750, l'écriture et la réflexion suffisent encore à Fougeret pour prendre ses distances et affirmer sa différence. Le « cosmopolite » se proclame « maître absolu de ses volontés et souverainement indépendant » ; Margot a fait fortune et se retire à la campagne, jouissant de « ce que la vie a de plus délicieux dans tous les genres ». Mais neuf ans plus tard, le sarcasme de *la Capitale des Gaules* s'appuiera sur la nostalgie d'un « âge heureux où vivaient nos ancêtres », où le moi désemparé pourra plonger ses racines. En ce sens, l'itinéraire intellectuel de Fougeret de Monbron paraît exemplaire d'une révolte qui, en 1750, est encore en quête d'une idéologie.

J.-P. de Beaumarchais

FOUREST Georges

(1867-1945)

Poète né à Limoges, il fit des études de droit mais abandonna très vite la carrière d'avocat pour se consacrer aux lettres. Collaborateur de revues poétiques – *le Décadent, la Connaissance* –, fondateur de *l'Ermitage*, il laisse une œuvre mince : deux recueils poétiques – *la Négresse blonde* (1909) et *le Géranium ovipare* (1935) – et un de *Contes pour les satyres* (1923).

Fourest n'est pas l'auteur d'une poétique mais le maître d'une stylistique, voire d'une rhétorique :

> *À moi le calembour énorme et l'à-peu-près [...]*
> *J'entasserai le biscornu sur le baroque*
> *Mes rimes hurleront tels des singes hurleurs.*

Il serait faux, donc, de chercher ici autre chose qu'un verbalisme ludique : le mot est tout, objet de désarticulation pour les besoins d'une rime loufoque («... je voudrais qu'a/près ma mort on me disséquât... ») ou de néologie pour satisfaire une insatiable logorrhée dont témoigne, par exemple, la présentation de l'héroïne d'un de ses *Contes* : « Il était une fois une Princesse qu'on vocitait la Princesse Blanche, fille du Roi Niger XXXV, de la sorte cognominé... » Le raccourci n'est pas, on le voit, le souci majeur de Fourest : comme les maîtres précieux ou burlesques qu'il revendique dans son « Apologie », il sait masquer la vacuité du sens sous les contournements formels (périphrases et métaphores filées prolifèrent sous sa plume) ou les rimes surprises (Paul de Kock/bock ; de Lesseps/forceps ; Brummel/cummel...). Reste que cette rhétorique de la gratuité amuse parce qu'elle se veut résolument hypertextuelle, pastichant la plastique parnassienne (« le Cid »), travestissant les registres tragiques (« Carnaval des chefs-d'œuvre ») ou parodiant jusqu'à l'outrance les pièces zutiques (« la Singesse »). Ainsi le texte de Fourest n'existe-t-il que par référence à une culture (livresque, linguistique) sans laquelle il se dissout. Et sans doute faut-il voir un dernier clin d'œil dans le choix dérisoire d'une guenon pour Muse : il est vrai que le rut remplace ici le luth, et que, pour le Poète, profanateur sacré, il s'agit avant tout « d'incaguer la pudeur, de convomir le bon goût ». Là encore Fourest n'existe qu'au second degré.

D. Couty

FOURIER Charles

(1772-1837)

Comment qualifier Fourier ? Philosophe ? Économiste ? Démiurge ? Ce penseur défie les normes, alors même qu'il a imaginé la société la plus précisément organisée.

Ce Bisontin, fils de commerçant, perd sa fortune sur une spéculation manquée en 1793, se retrouve commis voyageur, puis caissier dans une entreprise, avant de consacrer sa vie entière à l'édification de son système, élaborant le fouriérisme, autrement dit un projet de transformation radicale du monde par la construction d'un ordre fondé sur la connaissance précise et la satisfaction intégrale des passions. Cet ordre trouve son expression et sa réalisation dans le phalanstère.

Tout cela est présenté, analysé, exposé dans les moindres détails dans les célèbres ouvrages : *Traité de l'association domestique et agricole* (1822), *le Nouveau Monde industriel et sociétaire* (1829), qui procèdent de sa *Théorie des quatre mouvements et des destinées générales* (1808).

Au départ, l'attraction universelle lui semble devoir s'appliquer dans le jeu social, et les passions doivent rentrer en harmonie pour constituer la société authentiquement naturelle, laquelle s'oppose à l'état de civilisation qui entrave les passions et engendre la morale : par conséquent, les passions sont devenues nécessairement subversives en provoquant les désordres de la société et du monde. Il s'agit alors de réintroduire l'« harmonie mesurée » dans l'organisation sociale, en prenant pour base de calcul – car il convient de calculer minutieusement, comme Newton – la série : douze passions fondamentales, à partir desquelles toutes les combinaisons doivent être établies. Une règle absolue : aucun désir ne saurait être contrarié. Le fouriérisme est « un eudémonisme radical » (Barthes).

Éducation des enfants et vie économique se pratiquent de façon communautaire, pour que chacun s'épanouisse et que le travail, satisfaisant un désir, redevienne attrayant. Le phalanstère regroupe 810 caractères pour chacun des sexes, soit 1620 au total, pour 415 hommes et 395 femmes (toujours le résultat d'un savant calcul !). Le système de Fourier décourage toute entreprise d'analyse, puisqu'il faut le retranscrire intégralement pour en rendre compte. L'ordre sériel, en donnant libre cours au désir, rompt la cohérence des lois et va au-delà de la raison ; l'insolite et la poésie transfigurent le quotidien.

Les expériences de phalanstères ont malheureusement échoué, car elles se limitaient au réalisable, à l'immédiat. Fourier avait prévu plusieurs générations pour transformer les mentalités. Il faut pourtant souligner la grande diffusion de l'utopie fouriériste dans le monde entier : les tentatives foisonnent aux États-Unis entre 1835 et 1860 (y compris au Texas avec Considérant, qui échoue là même où l'Icarie de Cabet s'était brisée), et le Familistère de Godin, à Guise, dans l'Aisne, n'a pris fin que dans la seconde moitié du XXe siècle, après s'être, il est vrai, transformé en coopérative de production. Sans doute ces échecs doivent-ils beaucoup aussi à des disciples qui gommèrent les aspects les plus radicaux d'une pensée qui ne supporte aucune mutilation. Quand Barthes étudie conjointement Sade et Fourier, c'est bien parce que ces deux esprits ont fait preuve de la même hardiesse.

Il a été de bon ton d'ironiser sur Fourier, tout en célébrant son côté inventif et en goûtant ses néologismes (nécessaires, étant donné la nouveauté du projet). Roland Barthes a magnifiquement exprimé ce que révèle une telle attitude : « Pour refaire le monde (y compris la Nature), Fourier a mobilisé : une intolérance (celle de la Civilisation), une forme (le classement), une mesure (le plaisir), une imagination (la "scène"), un discours (son livre). Tout cela définit assez bien l'action du signifiant – ou le signifiant à l'action. Cette action fait lire sans cesse un manque éblouissant, qui est celui de la science et de la politique, c'est-à-dire du signifié. Ce que Fourier manque (d'ailleurs volontairement) désigne en retour ce que nous manquons nous-mêmes lorsque nous refusons Fourier : ironiser sur Fourier, c'est toujours – à si juste raison que ce soit du point de vue de la science – censurer le signifiant » (*Sade, Fourier, Loyola*).

Fourier ne peut que séduire ceux qui rêvent de libération, d'accomplissement de soi, de réalisation des fantasmes, ceux pour qui l'« intime alliage de la poésie et des mathématiques » (Queneau) permet de saisir le monde dans la passion de son unité (« l'unitéisme » de Fourier).

G. Gengembre

FOURNIER Henri *v.* ALAIN-FOURNIER

FRANCE Anatole

*Pseudonyme d'**Anatole-François Thibault** (1844-1924)*

En écrivant, dans *le Jardin d'Épicure* : « Ce serait un ouvrage bien intéressant que l'histoire des variations de la critique », Anatole France semble prophétiser son propre destin littéraire. « Mandarin », « maître officiel », « grande conscience universelle » au début du XXe siècle, Anatole France semble avoir disparu de l'horizon littéraire. Délaissé par la critique universitaire, réduit à la portion congrue dans les anthologies et les manuels scolaires, souvent absent des librairies et des bibliothèques, ce prix Nobel est passé du pinacle aux oubliettes, en ne méritant vraiment ni cet excès d'honneur ni cette indignité.

« Mépriser les hommes avec tendresse »

Anatole Thibault naît en 1844 dans une famille où, grâce à son père libraire, les livres et les lettres sont à l'honneur. Après des études sans éclat, il entre en contact, en 1866, avec le groupe parnassien, par l'intermédiaire de l'éditeur Alphonse Lemerre. Parallèlement, il commence une féconde carrière de journaliste, accédant peu à peu à d'importants journaux, comme *le Temps*, *le Globe* et, à partir de 1880, *l'Univers illustré*. Il est alors un critique littéraire peu ouvert aux nouveautés puisque, préparant en 1876 le troisième recueil du *Parnasse contemporain*, il refuse des poèmes de Verlaine et de Mallarmé, ce dont il se repentira ultérieurement. Il connaît son premier grand succès en 1881, avec *le Crime de Sylvestre Bonnard*. Un moment attiré par le boulangisme, il vante la guerre dans un article retentissant de 1886, qui marque sa dernière manifestation politique de droite. Il ne cessera ensuite de nourrir des sentiments de plus en plus orientés à gauche, alors même qu'il fait chaque jour davantage figure d'auteur installé : liaison « officielle » avec Mme de Caillavet (1893), richesse considérable procurée par le contrat qu'il signe chez Calmann-Lévy (1895), élection à l'Académie française (1896). L'affaire Dreyfus lui

fait définitivement choisir son camp, celui des dreyfusards d'abord, puis celui de toutes les victimes de l'injustice : prise de position en faveur des chrétiens d'Arménie persécutés (1897), protestation contre la répression tsariste de 1905, signature de manifestes divers… Sa carrière littéraire va conjointement de succès en succès, jusqu'à faire de lui un maître incontesté que couronne en 1921 l'attribution du prix Nobel. Ce pacifiste, sous la pression de l'opinion publique, finit pourtant par célébrer l'héroïsme des « Poilus ». Après la guerre, il ne cache pas sa sympathie pour la révolution russe, approuvée dès 1917, et pour le parti communiste, auquel toutefois il n'adhère pas vraiment. Son quatre-vingtième anniversaire est honoré par le monde entier, et il meurt six mois après.
L'ensemble de l'œuvre d'Anatole France tourne, sous des formes diverses, autour de trois grandes idées qui ne cessent de s'afficher dans ses romans historiques ou « contemporains », comme dans ses contes « philosophiques » : connaissance et admiration de la culture antique ; héritage et prolongement des idéaux du XVIIIe siècle ; pessimisme tempéré d'un « scepticisme charitable ». L'écriture rend compte de ces éléments par une volonté cultivée de clarté, où l'ironie signale la distance de celui qui ne saurait être dupe.

« Rechercher les vestiges de la sagesse antique »

Dans presque toutes ses œuvres, France, en humaniste, se plaît à évoquer d'une manière ou d'une autre l'Antiquité. Ce n'est pas simplement prétexte à reconstituer, avec un luxe de détails, toute une époque, c'est aussi et surtout l'occasion de méditer sur le caractère éphémère des choses humaines : monuments, dieux, religions, civilisations. Vanité des vanités : « Il leur en coûterait de reconnaître qu'ils n'ont que des vertus transitoires et des dieux caducs. » Mais ce que France retient tout de même, et qui fait l'objet de son admiration quelque peu nostalgique, c'est que, sous le règne de Dionysos, chez les Grecs, puis de son avatar Bacchus chez les Romains leurs successeurs, les hommes avaient inventé un art de vivre où pouvaient s'épanouir conjointement les plaisirs du corps et de l'esprit, de Vénus et des Muses, sous le regard de dieux « laborieux et bons citoyens ». « Le vrai séjour des dieux en ce monde est l'âme des hommes vertueux. » France, manifestement, aurait souhaité que l'humanité en restât à la morale d'Épicure, qu'il oppose au monde où il vit. Car il ne peut plus dire, comme Gallion dans *Sur la pierre blanche,* que « la justice et la raison gouvernent l'univers ».

« Le siècle de la philosophie »

La deuxième grande filiation dont se réclame France est le XVIIIe siècle de Voltaire et des encyclopédistes. L'espoir point avec la Renaissance, se développe avec le XVIIe siècle, où, « sans renier publiquement le dieu de leurs aïeux, les esprits se soumirent à ses deux mortelles ennemies, la Science et la Raison », et s'épanouit avec le siècle des Philosophes : le scepticisme devint « aigu », et « les métaphysiciens eux-mêmes parlaient clairement ». S'opposant à l'idée même de religion révélée, France, profondément anticlérical, exècre le fanatisme politique et religieux. Il défend une morale naturelle qui rejette toute forme de vertu obtenue par mortification ou par expiation d'un prétendu péché originel. Aucun domaine, profane ou sacré, n'échappe à l'esprit critique, pas même la justice, présentée, de manière presque obsessionnelle, comme un appareil tournant à vide, pour sauvegarder les privilèges acquis et broyer les individus au nom de valeurs aussi mythiques qu'éphémères.

« Un scepticisme charitable »

Mais il va plus loin. Comme Voltaire, il pense que « la vie d'un peuple n'est qu'une suite de misères, de crimes et de folies » (cf. l'antisémitisme, l'exploitation du prolétariat). Cependant, partageant l'espoir scientiste du XIXe siècle, il estime que « les hommes sont moins féroces quand ils sont moins misérables, que les progrès de l'industrie déterminent à la longue quelque adoucissement dans les mœurs », une telle évolution devant être parachevée par la bienfaisante instauration du collectivisme. Cela va, paradoxalement, de pair avec une conception cyclique de l'histoire, toute évolution ramenant à terme au point de départ, à la source de toutes les erreurs… qui recommenceront « sans fin ». Il faut donc faire preuve de tolérance, manifester envers ses semblables une indulgence sans illusion, en évitant de s'enfermer dans des carcans idéologiques qui imposent leurs éthiques rigides « comme les grands systèmes de philosophie, qui ne tiennent que par le mortier de la sophistique ».

« Le mainteneur de la langue française » (Maurras)

Paul Valéry reproche à France le style trop clair d'une œuvre qui n'offre au lecteur « nulle résistance ». De fait, le critique littéraire du *Temps* semble bien éloigné des meilleures recherches de son époque, dont il ne prévoit la postérité qu'avec amertume : « L'humanité ne s'attache guère avec passion aux œuvres d'art et de poésie dont quelques parties sont obscures et susceptibles d'interprétations diverses. »
Voilà, en une période où l'on considère les textes comme des réseaux de signes polysémiques, qui peut expliquer la désaffection dont souffre Anatole France. Il recherche en effet la limpidité d'un style « semblable à la clarté blanche ». Cette transparence vaut aussi pour la composition, car la simplicité « résulte uniquement du bon ordre et de l'économie souveraine des parties du discours ». France se méfie donc de tout renouvellement des formes d'expression, car « tout ce qui ne vaut que par la nouveauté du tour vieillit vite ».
Cette volonté de clarté, ennemie de tous les jargons, est évidemment d'un « honnête homme » s'adressant à d'autres « honnêtes gens », dans le plus pur esprit classique. C'est pourquoi France reproduit, dans presque toutes ses œuvres, la séquence de la conversation de salon. Le porte-parole de l'auteur s'adonne à l'aimable causerie d'un sage qui refuse le pédantisme. Ainsi s'expliquent aussi l'utilisation du dialogue voltairien (*le Jardin d'Épicure*) ou socratique (*Thaïs*) et, surtout, le constant recours aux « récits profitables ». Parfois autonomes (*Crainquebille*), ils peuvent s'emboîter dans d'autres récits, recevant alors des statuts divers : moyen d'exposition (*le Lys rouge*), peinture indirecte d'un personnage

(*les Opinions de Jérôme Coignard*), illustration d'idées abstraites (*le Jardin d'Épicure*).

Ce dernier aspect est capital, car la transparence de la langue trouve sa justification dans le recours au conte philosophique. Le style clair doit permettre d'accéder à une signification seconde. La plupart des « récits profitables » sont donc allégoriques : *Putois* dénonce certaines créations mythiques, *Riquet* nous donne une leçon de relativisme, et l'histoire de H. Gillet nous montre la cruauté de la justice. Mais ces allégories ne sauraient être hermétiques : comme Sylvestre Bonnard dans son journal, France cède « à ce goût de l'allégorie », « non certes pour altérer la vérité, mais plutôt par un secret désir d'éclaircir et d'achever ce qui demeurait obscur et confus ».

Ainsi, la transparence du style, la création de personnages porte-parole, les dialogues et les récits procèdent tous de la même démarche, perpétuant la tradition classique du conte philosophique.

	VIE		ŒUVRE
1844	**16 avr. :** naissance d'Anatole François Thibault, fils de François-Noël Thibault, libraire, et d'Antoinette Gallas, 19, quai Malaquais, Paris.		
1864	**5 nov. :** Anatole est reçu au baccalauréat.		
1867	Fait connaissance d'Alphonse Lemerre, éditeur ; rencontre Leconte de Lisle et les poètes du groupe du Parnasse.	**1867**	**Mars :** « la Légende de sainte Thaïs », dans *le Chasseur bibliographe*.
1869	Devient lecteur chez Lemerre.	**1869**	*Alfred de Vigny*, chez Bachelin-Deflorenne, premier livre.
1870	**7 janv. :** poème à la gloire de Napoléon III dans *la Vogue parisienne*. Mobilisé dans la Garde nationale en octobre.		
1871	Évite prudemment la Commune, en quittant Paris.	**1871**	Publie deux poèmes dans *le Parnasse contemporain* (second recueil).
		1873	**Janv. :** *Poèmes dorés*, chez Lemerre.
1874	Travaille à des éditions de classiques pour Lemerre (Racine…)		
1875	Prépare le troisième recueil du *Parnasse contemporain* (avec Th. de Banville et F. Coppée), dont il écarte les vers de Mallarmé, de Verlaine et de Charles Cros.		
1876	**3 août :** commis-surveillant à la bibliothèque du Sénat.	**1876**	*Les Noces corinthiennes*, chez Lemerre.
1877	**28 avr. :** mariage avec Marie-Valérie Guérin de Sauville, âgée de vingt ans.	**1877**	**3-4 avr. :** « Lucile de Chateaubriand », dans le feuilleton du *Journal officiel*.
1878	**24 oct. :** contrat chez Calmann-Lévy pour l'édition de *Jocaste*. **16 nov. :** autre contrat, chez Lemerre, pour des œuvres à venir.	**1878**	**Oct. :** *Jocaste*, publiée, sans nom d'auteur, dans *le Temps*.
1879	Activité de journaliste au *Globe* et à *la Revue alsacienne*.	**1879**	**Janv. :** *Jocaste et le Chat maigre*, chez Calmann-Lévy.
1881	**1er mars :** naissance de sa fille Suzanne.	**1881**	**Avr. :** *le Crime de Sylvestre Bonnard*, chez Calmann-Lévy ; ouvrage couronné par l'Académie française
1882	**Févr. :** donne *l'Histoire de France* à Lemerre, qui ajourne la publication. **11 déc. :** réprimande du général Pélissier, questeur du Sénat, pour « oubli du règlement ».	**1882**	**Avr. :** *les Désirs de Jean Servien*, roman, chez Lemerre.
1883	Collabore à *l'Univers illustré* sous le pseudonyme de GÉRÔME. Fréquente les salons de Mmes Aubernas, de Luynes et Arman de Caillavet.	**1883**	**Févr. :** *Abeille*, chez Charavay.
1884	**Déc. :** chevalier de la Légion d'honneur.	**1884**	**27 janv. :** représentation des *Noces corinthiennes* au Cercle des arts intimes. **2-16 mars :** « les Autels de la peur », dans les *Débats*.
		1885	**16 mars :** *le Livre de mon ami*, chez Calmann-Lévy.

	VIE		ŒUVRE
1886	**21 mars :** chronique hebdomadaire au *Temps*.	**1886**	**Juill. :** *Nos enfants*.
1887	**16 janv. :** sa chronique hebdomadaire au *Temps* prend le titre de « la Vie littéraire ». **28 août :** article contre *la Terre* de Zola.		
1888	Rencontre le général Boulanger. Début de la liaison avec Mme de Caillavet.	**1888**	*La Vie littéraire* : premier des quatre volumes recueillant ses articles.
1889	Loue une chambre au 45, rue Washington.	**1889**	**8 avr. :** *Balthasar*, recueil de contes, chez Calmann-Lévy.
1890	**1er févr. :** démissionne de son poste à la bibliothèque du Sénat. **Août :** rencontre Louis Barthou et Charles Maurras en Provence.	**1890**	**14 oct. :** *Thaïs*, roman historique, chez Calmann-Lévy, déjà publié l'année précédente dans la *Revue des Deux Mondes*.
1891	**Mars :** évite un duel avec Leconte de Lisle, motivé par une querelle littéraire.		
1892	**6 juin :** quitte le domicile conjugal. **28 juin :** article élogieux dans *le Temps* sur *la Débâcle* de Zola.	**1892**	**28 sept. :** *l'Étui de nacre*, chez Calmann-Lévy. **Oct. :** *la Rôtisserie de la reine Pédauque*, en 54 feuilletons, à *l'Écho de Paris*.
1893	**15 janv. :** éloge de Mallarmé dans le *Temps*. **2 août :** divorce « à ses torts et griefs ».	**1893**	**22 mars :** *la Rôtisserie de la reine Pédauque*, en volume chez Calmann-Lévy. **Oct. :** *les Opinions de M. Jérôme Coignard*, chez Calmann-Lévy (recueil d'articles de *l'Écho de Paris*).
1894	**Août :** installation dans un hôtel particulier au 5, villa Saïd.	**1894**	**16 mars :** création à l'Opéra de *Thaïs* de Massenet. **18 juill. :** *le Lys rouge*, en volume chez Calmann-Lévy. **7 nov. :** *le Jardin d'Épicure*, chez Calmann-Lévy.
1895	**Juill. :** officier de la Légion d'honneur.	**1895**	**27 févr. :** *le Puits de sainte Claire*, chez Calmann-Lévy.
1896	**23 janv. :** élection à l'Académie française (réception le 20 décembre).	**1896**	**Avr. :** préface pour *les Plaisirs et les Jours* de Proust.
1897	**Mars :** manifestation et articles en faveur des chrétiens d'Arménie. **Nov. : début d'agitation autour de l'affaire Dreyfus.**	**1897**	**13 janv. :** *l'Orme du mail*, premier volume de *l'Histoire contemporaine* chez Calmann-Lévy. **22 sept. :** *le Mannequin d'osier*, deuxième volume de *l'Histoire contemporaine*.
1898	**13 janv. :** Zola, « J'accuse », dans *l'Aurore*. France signe la pétition des « intellectuels » et dépose au procès Zola le 19 févr.		
1899	**Juill. :** début de la collaboration au *Figaro*.	**1899**	**1er févr. :** *l'Anneau d'améthyste*, troisième volume de *l'Histoire contemporaine*. **25 févr. :** adaptation scénique du *Lys rouge* au théâtre du Vaudeville. **5 juin :** *Pierre Nozière*, chez Lemerre. **11 nov. :** *Sous l'invocation de Clio*.
1901	**Janv. :** quitte *le Figaro*.	**1901**	**Févr. :** *Monsieur Bergeret à Paris*, quatrième volume de *l'Histoire contemporaine*. **Déc. :** *l'Affaire Crainquebille*, chez Pelletan.
1902	**5 oct. :** discours aux obsèques de Zola.	**1902**	**30 janv. :** représentation des *Noces corinthiennes* à l'Odéon. **Sept. :** *les Opinions sociales*. **9 oct. :** *Crainquebille* aux *Cahiers de la quinzaine*.
1903	**Déc. :** écrit la préface du livre de Combes, *Une campagne laïque*.	**1903**	**28 mars :** *Crainquebille*, adapté, au théâtre de la Renaissance. **Juin :** *Histoire comique*, chez Calmann-Lévy.
1904	**18 avr. :** *l'Humanité*, journal socialiste, publie en feuilleton *Sur la pierre blanche*.		

VIE		ŒUVRE	
		1905	**Janv.-févr. :** *l'Église et la République. Sur la pierre blanche*, en volume, chez Calmann-Lévy.
1906	**Juill. : réhabilitation de Dreyfus.**	1906	*Vers les temps meilleurs*, chez Pelletan.
1908	**Juill. :** testament de Mme de Caillavet, legs de manuscrits de France à la Bibliothèque nationale.	1908	*La Vie de Jeanne d'Arc.* **Oct. :** *l'Île des Pingouins ; les Contes de Jacques Tournebroche.* **Déc. :** *la Comédie de celui qui épouse une muette.*
1909	**Avr.-août :** liaison avec l'actrice Jeanne Brindeau au cours d'un voyage en Amérique du Sud.	1909	*Les Sept Femmes de la Barbe-Bleue*, recueil de contes.
1910	**12 janv. :** mort de Mme de Caillavet. **14 déc. :** Emma Laprévotte, ancienne femme de chambre de Mme de Caillavet, s'installe villa Saïd.		
		1912	**12 juin :** *Les dieux ont soif*, en volume chez Calmann-Lévy.
		1913	**Oct. :** *le Génie latin*, chez Lemerre.
1914	**31 juill. : assassinat de Jaurès.** **3 août : déclaration de guerre.** **22 sept. :** texte dans le journal *la Guerre sociale*, qui provoque des remous.	1914	**18 mars :** *la Révolte des anges*, en volume chez Calmann-Lévy.
1915	Installation à la Béchellerie.	1915	Articles patriotiques.
1916	**Juill. :** retour à l'Académie française.	1916	**Janv. :** *Sur la voie glorieuse*, recueil des articles publiés dans *la Guerre sociale*, chez Champion. **Juill. :** *Ce que disent nos morts.*
1917	Se réjouit de la Révolution russe.		
1918	**11 nov. : armistice.**	1918	**7 févr. :** *les Noces corinthiennes* à la Comédie-Française.
1919	**6 nov. :** signe l'appel du groupe Clarté dans *l'Humanité*.	1919	**9 janv. :** *le Petit Pierre.*
1920	Spasme vasculaire : paralysie de quelques jours à la fin août. **11 oct. :** épouse Emma Laprévotte.	1920	**1er sept. :** « Stendhal », dans *la Revue de Paris*.
1921	**Nov. :** prix Nobel de littérature.		
1922	**31 mai :** l'œuvre de France est mise à l'Index par le Saint-Office. **8 nov. :** « Salut aux Soviets », dans *l'Humanité*. **18 nov. :** mort de Marcel Proust. **Déc. :** France, se sentant visé par le IVe Congrès de l'Internationale communiste à Moscou, retire sa participation aux journaux communistes.	1922	**10 mai :** *les Noces corinthiennes* à l'Opéra-Comique, sur une musique de Büsser. **5 juill. :** *la Vie en fleur.*
1924	**16 avr. :** à Paris, « hommage universel » à l'occasion de son 80e anniversaire. **12 oct. :** décès à la Béchellerie. **18 oct. :** funérailles nationales.		

Le Crime de Sylvestre Bonnard

Le Crime de Sylvestre Bonnard, « membre de l'Institut », se présente comme un journal, « monument d'une humble vie », écrit de manière très discontinue, de 1861 à 1881, ce qui autorise de nombreuses fantaisies et digressions dans la conduite de deux récits autonomes, « la Bûche » et « Jeanne Alexandre ».

SYNOPSIS

« LA BÛCHE ». Le narrateur – dont on saura plus tard qu'il se nomme Sylvestre Bonnard – reçoit la visite d'un colporteur de livres, M. Coccoz, qui vit dans le grenier de l'immeuble avec sa femme enceinte. Pris de pitié, Sylvestre Bonnard leur fait donner une bûche et du bouillon. Un an plus tard, il a le plaisir de rencontrer Mme Coccoz, devenue veuve, et son enfant. Sylvestre Bonnard est, à cet instant, absorbé par la recherche d'un manuscrit très rare, indispensable au travail qu'il a entrepris sur les abbés de Saint-Germain-des-Prés. Cette recherche acharnée lui rappelle ses désirs d'enfant, notamment pour certaine poupée que son oncle, le capitaine napoléonien Victor, lui refusa. Six ans plus tard, il retrouve la trace de son manuscrit et décide d'aller le chercher, en Sicile. Il y rencontre la princesse Pétrof, dont le mari, Dimitri, est un insatiable collectionneur de boîtes d'allumettes, mais il ne trouve pas le manuscrit, « reparti » pour Paris, où on va le mettre aux enchères. Battu lors de la vente, Sylvestre Bonnard est un jour tout surpris de voir un petit garçon inconnu sonner chez lui : l'enfant lui tend une fausse bûche, dans laquelle se trouve le manuscrit tant convoité, cadeau de reconnaissance de Mme Pétrof, ex-Mme Coccoz.

« JEANNE ALEXANDRE ». Sylvestre Bonnard, à la gare de Melun, se souvient de son amour malheureux pour Clémentine. Il a rendez-vous avec M. de Gabry, pour cataloguer des manuscrits (I). Il se met au travail, mais, s'étant endormi, il rêve d'une fée (II) dont il retrouve un jour la silhouette en cire. C'est l'œuvre de « Mlle Jeanne », orpheline ruinée et… petite-fille de Clémentine (III). Sylvestre Bonnard va se recueillir sur la tombe de cette dernière, évoquant son mariage manqué à cause d'une dispute stupide. Il entreprend des démarches auprès de Maître Mouche, tuteur de Jeanne, et obtient le droit de lui rendre visite, à la pension tenue par Mlle Préfère. Après un accueil réticent, la vieille fille s'impose chez ce « membre de l'Institut » et veut le contraindre au mariage. Elle échoue, mais se venge en interdisant toute visite. Alors que Gélis, un élève de l'École des Chartes, autrefois très critique vis-à-vis de Sylvestre Bonnard, lui emprunte des manuscrits, le vieillard enlève Jeanne. Heureusement, Maître Mouche s'est enfui avec l'argent de son étude : Sylvestre Bonnard est nommé tuteur de Jeanne, qui se marie avec Gélis (IV), et il se retire à la campagne pour se consacrer aux fleurs et aux insectes (« Dernière Page »).

Le lecteur moderne n'adhère pas sans difficulté à ce conte de Noël aux « ficelles » un peu grosses et à cette histoire très morale et très mièvre. Mais le « journal » du « vieux philologue », couronné par l'Académie française en 1881, est révélateur de la sensibilité de son époque, comme est révélateur le jeu sur « crime » qui, dans le titre, doit être entendu par antiphrase. À en juger par l'inscription du mot dans le texte, le crime est double : « vol de la dot de Jeanne », c'est-à-dire conservation de quelques manuscrits précieux, alors que Sylvestre Bonnard a librement décidé de vendre sa bibliothèque pour doter sa pupille orpheline ; « enlèvement » de Jeanne, retenue dans la pension de l'ignoble Mlle Préfère. En fait, ces crimes sont bien innocents, comme le souligne la juxtaposition des deux récits, puisque la bonté de Sylvestre Bonnard apparaît clairement dans le secours qu'il apporte à Mme Coccoz et à son enfant.

Pourtant, l'unité de ces deux épisodes est peut-être ailleurs : dans l'un et l'autre cas, Anatole France s'amuse de ces hommes à qui quelque monomanie fait perdre toute mesure et tout contact avec la réalité. Passion pour les boîtes d'allumettes, qui fait courir le monde à Dimitri Pétrof et à sa femme, l'ex-Mme Coccoz ; acharnement avec lequel Sylvestre Bonnard recherche *la Légende dorée* de Jacques de Voragine (« Nous sommes d'éternels enfants, et nous courons sans cesse après des jouets nouveaux ») ; attachement viscéral du vieux maître à ses manuscrits anciens : perdu dans ses livres, il « sait déchiffrer les vieux textes, mais ne sait pas lire dans le livre de la vie », connaît mieux le droit ancien que le Code Napoléon (d'où son « crime »), « les "chiffons" du XIVe siècle que le vocabulaire actuel de la couture et de la lingerie ».

Or, la leçon principale du *Crime de Sylvestre Bonnard* est précisément la découverte de la vraie vie par le vieillard. Il semblait, muré dans son « égoïsme raffiné de vieux célibataire », ne pouvoir faire de rencontre intéressante qu'en rêve (cf. l'épisode de la fée, manifestation de fantastique résolu en étrange). Mais, au fur et à mesure qu'il agit sur les êtres vivants, en s'intéressant à Jeanne, Sylvestre Bonnard délaisse ses vieux livres : dans la « Dernière Page », symboliquement, il achève un ouvrage sur les insectes et les fleurs, hymne à la vie, alors qu'il ne finira jamais ce qu'il croyait être son Grand Œuvre, l'histoire des abbés de Saint-Germain-des-Prés.

Ainsi apparaît un goût de la vie concrète et sensuelle, qui s'affirmera ensuite dans des œuvres plus marquantes.

Thaïs

Premier grand roman historique, *Thaïs* manifeste deux des aspects fondamentaux de l'œuvre de France, et ce dès 1889 : sa profonde connaissance de l'Antiquité, ses convictions radicalement antichrétiennes.

Thaïs est d'abord une évocation de l'Égypte du IVe siècle de notre ère, où, sous le regard de l'administration romaine, s'entremêlent les vies les plus diverses. Tandis que le désert abrite les anachorètes abîmés dans la contemplation extatique, Alexandrie, la ville « belle et dorée », grouille d'une foule bigarrée. Le silence, la frugalité, voire le dénuement, et le mysticisme des moines dans les étendues de la Thébaïde contrastent avec les lamentations des mendiants, le luxe, la luxure des riches et des courtisanes, la science ratiocinante de la cité. Solitude *vs* promiscuité, pureté *vs* souillure, austérité de la vie spirituelle *vs* débauche de « l'air empoisonné du siècle », foi chrétienne vécue saintement *vs* idolâtrie antique corrompue, c'est tout cela que *Thaïs* donnerait à lire, si… si, en définitive, la mission que s'est donnée Paphnuce, abbé d'Antinoé, ne se soldait par un échec ou, plus exactement, ne l'amenait à vérifier que, comme le rappelle frère Palémon, en citant le père Antoine, « les moines qui s'en vont hors de leurs cellules et se mêlent aux gens du siècle s'écartent des bons propos ».

Car *Thaïs* est aussi la dénonciation d'une morale qui refoule l'humain. Certes, Paphnuce résiste bien aux voluptés du monde des « gentils » ; certes, sa foi n'est aucunement ébranlée par les discours stoïcien, épicurien, sceptique ou hérétiques tenus par les participants au « Banquet » (pastiche du dialogue antique placé au centre du roman) ; certes, Paphnuce réussit à « sauver » la courtisane Thaïs, à la détacher de sa vie de corruption et à la faire se retirer dans la maison d'Albine, où elle connaît une « fin bienheureuse », mais lui, Paphnuce, ne sort pas indemne de l'aventure. En effet, lui qui se croyait investi d'une mission divine découvre qu'il n'a été que le jouet du Diable, que là où il ne voyait que volonté salvatrice, il fallait comprendre « Orgueil, Luxure et Doute ». Il apprend aussi que Vénus est plus rusée, plus puissante que Dieu ; que Thaïs, c'est Hélène, qu'elle est la femme à laquelle on ne saurait échapper, car elle est le désir, l'amour, la vie. Alors, dans un univers où Dieu se tait (on reconnaît là l'influence de Vigny) pendant que Satan agit, à quoi bon mourir sans avoir vécu, à quoi bon ne pas céder « à la belle nature » et ne pas aimer, à quoi bon cette continence, cette rétention, cette frustration devant la beauté du monde ?

À l'encontre des idées nouvelles qui, au IVe siècle, sont en train de supplanter les morales antiques (celle d'Épicure, notamment), revient à la surface en une ultime lueur, dans *Thaïs*, ce message que l'obsession chrétienne du péché de la chair, « la source et le principe de tous les péchés », fait oublier à Paphnuce et aux siècles à venir, mais que rappelle France par la voix de la joueuse de cinnor : « Le bonheur est innocent » et « la joie est permise ». Car, quand il se laisse vivre, « l'homme est un bel hymne de Dieu », et, comme le comprend trop tard Paphnuce, par le souffle de Thaïs, de la femme, les hommes expriment « aisément la splendeur humaine » : « amour, beauté, vérité ».

Thaïs, qui avait été précédée par un article publié en 1867 dans *le Chasseur bibliographe*, intitulé « la Légende de sainte Thaïs », deviendra un opéra de Jules Massenet (livret de Gallet), créé le 16 mars 1894.

La Rôtisserie de la Reine Pédauque

Malgré certaines critiques défavorables, comme celle de Brunetière, *la Rôtisserie de la Reine Pédauque* connut un grand succès lors de sa publication en 1893. Bien qu'un peu oublié de nos jours, ce conte philosophique reste caractéristique de la manière et de la pensée d'Anatole France, ne serait-ce qu'à cause du célèbre abbé Jérôme Coignard qui y apparaît pour la première fois.

SYNOPSIS

Après avoir présenté ses « Mémoires » (I), le narrateur, Jacques Ménétrier, dit Jacques Tournebroche, raconte comment, alors qu'il devait succéder à son père, patron de la « Rôtisserie de la Reine Pédauque », il est devenu par hasard l'élève de l'abbé Jérôme Coignard (II). Celui-ci, ancien professeur au collège de Beauvais, puits de science victime de ses aventures amoureuses, est devenu écrivain public (III). Alors que, maintenant assez instruit (IV), Jacques, à dix-neuf ans, entre à la Rôtisserie, le jour de l'Épiphanie, un cabaliste exalté, M. d'Astarac, engage comme traducteurs Jérôme Coignard et son élève (V). Ceux-ci s'installent dès le lendemain dans un étrange château délabré (VI), prennent sur place leur premier repas (VII) et visitent l'extraordinaire bibliothèque « astaracienne » (VIII). Tandis que Jérôme Coignard se met au travail, la mère de Jacques le met en garde contre d'Astarac, « sorcier gascon » (IX), qui s'adonne à des recherches alchimiques (X). Les beaux jours venus, après avoir vu l'énigmatique « rabbin » Mosaïde (XI), Jacques rencontre Catherine, une ancienne voisine de la Rôtisserie, devenue la maîtresse du fermier général M. de La Guéritaude. Rendez-vous est pris (XII). Mais d'Astarac intercepte Jacques et lui conseille de délaisser les amours humaines pour se tourner vers les salamandres (XIII). Le rendez-vous avec Catherine est manqué (XIV). En fait de salamandres, Jacques ne rencontre que la nièce de Mosaïde, la délicieuse Jahel, qui lui accorde ses faveurs (XV), la jalousie de l'oncle se portant par erreur sur Jérôme Coignard (XVI). Un soir que Jacques se promène sous les fenêtres de Catherine, il fait la connaissance de son « amant de cœur », M. d'Anquetil, qui l'invite à souper. Mais, M. de La Guéritaude survenant, la soirée tourne mal, et il faut s'enfuir (XVII). D'Anquetil, qui se cachait provisoirement chez d'Astarac, y tombe amoureux de Jahel, veut l'enlever et charge Jérôme Coignard des « négociations ». La jalousie de Mosaïde redouble (XVIII). Alors que Jacques est ulcéré de la trahison de Jahel, les fuyards partent pour Lyon. Mais Mosaïde les a suivis et frappe de son stylet Jérôme Coignard (XIX), qui meurt deux jours après (XX-XXI), honoré par une dernière épitaphe de son élève (XXII). Après avoir souffert d'une ultime trahison de Jahel (XXIII), Jacques retourne à Paris, reprend la direction de la librairie Blaizot et, après avoir assisté à la mort de Mosaïde et de d'Astarac (XXIV), entretient le souvenir de son bon maître (XXV).

À en croire l'analyse proposée par France lui-même dans *les Opinions de Jérôme Coignard*, *la Rôtisserie de la Reine Pédauque* serait constituée de « Mémoires » écrits dans la seconde moitié du XVIIIe siècle : « Le manuscrit de Jacques Tournebroche, resté inédit, fut perdu pendant plus d'un siècle. J'ai eu l'extraordinaire bonheur de le retrouver. » En reprenant ainsi un artifice très fréquent dans les romans du XVIIIe siècle, France place immédiatement *la Rôtisserie* dans la perspective du siècle des Lumières, dont il reprend d'ailleurs d'autres procédés : motifs picaresques, au début du texte avec une scène d'auberge, des récits qui se rattachent au genre (III) et un héros lui-même « emporté dans les agitations d'une fortune moins doctorale que picaresque » (IV) ; discret démarquage du *Neveu de Rameau* (cf. la faconde et la vie de bohème de Jérôme Coignard, III) et de *Jacques le Fataliste* (cf. notamment l'allusion à « l'enchaînement des effets et des causes », V) ; tradition du roman libertin, avec ses rencontres galantes et mystérieuses (XII), ses amours délicieusement clandestines (XV-XVI), ses débuts d'orgie (XVII), ses projets d'enlèvement (XVIII), ses fuites (XIX) et ses manœuvres rouées (XXIII). De même, certains thèmes abordés ponctuellement se réfèrent au fond commun de la philosophie des Lumières : relativité de la morale (XV, XIX), dénonciation d'une vertu « contre nature » (XIII) [car « l'animal humain ne saurait être vertueux sans quelque déformation », XIX], analyse rationnelle du livre d'Énoch (XI) et critique philologique de la Bible (XIII), en conformité avec l'enseignement de Spinoza et de Richard Simon. Certaines figures de rhétorique du XVIIIe siècle sont même reprises telles quelles : ainsi cette métaphore typiquement voltairienne assimilant les philosophes à « des cloportes [...] qui croiraient que l'humidité des caves est faite pour eux et que le reste du château n'est point habitable » (XIII). Enfin, la *Rôtisserie*, avec M. d'Anquetil, évoque, de manière presque caricaturale, la noblesse des années 1750. Ennemi des religieux et agressivement athée (XVII), enfermé dans les préjugés de sa caste et mettant un point d'honneur à maltraiter ses gens (XVII), cet impénitent joueur de cartes, désargenté et insouciant, présente à lui seul l'image outrée des nobles de l'époque.

De surcroît, dans la plus pure tradition du XVIIIe siècle, *la Rôtisserie* se veut conte philosophique. Certes, France ne dédaigne pas certaines techniques empruntées au roman d'intrigue, en annonçant le dénouement de manière énigmatique (I) et en disposant avec art des indices qui le préparent : haine de Mosaïde pour les chrétiens (X) et, notamment, pour Jérôme Coignard (XV), motif du stylet (XVI), etc. Il utilise même certains procédés fantastiques, en exploitant l'hésitation des protagonistes devant des événements en apparence surnaturels : arrivées (XIII) et départs (V, XV) « étrangement soudains » de d'Astarac, « mince et noir comme une ombre » (XV) ; coïncidences troublantes quant au prétendu pouvoir des Sylphes, qui se manifeste justement sur la route de Lyon (XIX) et lors de la prononciation du « nom cabalistique d'Agla » (XIX) ; « malédiction » des mandragores (XI, XVIII), etc.

Mais l'important, dans *la Rôtisserie,* est de rendre le lecteur sensible à la philosophie de Jérôme Coignard. Ce prêtre, porte-parole d'Anatole France, est évidemment un peu original : « Il accepta l'idée de Dieu telle qu'elle lui était fournie par la foi catholique, mais encore il tenta de la soutenir sous des arguments d'ordre rationnel » (*les Opinions*...). D'où son rejet des superstitions populaires (V, XVI) et de l'alchimie (X). D'où son goût des paradoxes sur la dialectique salut/repentir (XV), sur la nécessaire « infamie » de saint Pierre (XVI) ou sur « les honnêtes femmes qui s'obstinent avec trop de superbe dans leur altière vertu » (V). C'est que cet abbé truculent (II) a mêlé toute sa vie les livres et les femmes, comme en témoigne la séduction symbolique de la libraire, Mme Pigoreau (III). Il en retire une sagesse proche de celle de France, un scepticisme aimable (XIX), c'est-à-dire « un grand mépris pour les hommes » (XVII) tempéré par une tendresse indulgente et sans préjugés.

Par opposition, d'Astarac incarne les dangers de l'intelligence dévoyée. Très cultivé, il est capable de comprendre que « le sens de la Bible est figuré » (XIII). Mais, parallèlement, il manque du plus élémentaire esprit critique, par exemple face aux mises en scène du « rabbin » Mosaïde (VI, VIII), « homme divin » « âgé de 112 ans » ! (XI). Enfin, de l'avis même de Jérôme Coignard, « ce gentilhomme paraît fou, moins parce qu'il l'est réellement que parce que ses pensées diffèrent à l'excès de celles du vulgaire » (VIII). Et c'est là la leçon principale de ce conte philosophique : à partir de bases rationnelles justes peut se développer un délire absurde mais doté d'une cohérence interne.

Il faut donc éviter de s'enfermer dans un système et de ne plus voir le monde qu'à travers lui, fût-ce en forçant inconsciemment des textes « mis cul par-dessus tête » (VI). Ainsi, en dernière analyse, se trouve rejetée la volonté de synthèse, la croyance en « un tout qui [...] procure sans faute la Connaissance » (VIII). Pas de pensée totalisante et totalitaire : la vérité est partielle, fragmentée comme le monde, diverse et « ruisselante » (XXV) comme l'âme de Jérôme Coignard.

L'Histoire contemporaine : l'Orme du mail, le Mannequin d'osier, l'Anneau d'améthyste et *Monsieur Bergeret à Paris*

Comme son titre général l'indique immédiatement, cette série de quatre romans, non dissociables, se présente surtout comme une volonté de fournir des aperçus sur les événements, les personnes et les mentalités les plus représentatives d'une époque, plutôt que comme la peinture et l'analyse du destin individuel d'un personnage. C'est sans doute cette hésitation qui explique le caractère discontinu de la narration, laquelle, d'un chapitre à l'autre, alterne, sans règle fixe, les deux genres : satire sociale de la IIIe République/vie et opinions de M. Bergeret.

Il y a peu d'éléments romanesques. Tout au plus suit-on les infortunes conjugales de M. Bergeret, qui force sa femme à le quitter après avoir découvert l'inconduite de celle-ci, et, une fois nommé à Paris, se met en quête d'un appartement. L'intrigue est mince. Cela est essentiellement dû au fait que M. Bergeret agit peu mais parle beaucoup : tout l'intérêt du personnage tient dans son discours. Cet esprit « distingué mais bizarre », sceptique, ironique, « voltairien », vit en marge et regarde s'agiter les autres, suivant avec curiosité les courants d'idées qui traversent une société bouillonnante. Maître de conférences à la faculté des Lettres, il juge avec distance la culture antique qu'il enseigne ; rationaliste, ami de la science, il s'oppose aux croyances et superstitions religieuses dans ses conversations avec l'abbé Lantaigne sur le mail, avec M. Terremondre, du parti catholique, et les autres membres de l'« Académie », chez le libraire Paillot. En ces occasions, il ne dédaigne point d'aborder les problèmes métaphysiques (l'existence du mal, du bien, de Dieu, la vie, la mort, l'immortalité de la pensée), moraux (la justice, la peine de mort), politiques (la meilleure forme de gouvernement étant la République de 1897, à la modestie touchante : « Et, puisqu'elle gouverne peu, je lui pardonne de gouverner mal »). En tout, M. Bergeret manifeste une absence sincère de fanatisme, de sectarisme ou de prosélytisme, persuadé qu'il est que : « Les opinions ne sont que jeux de mots. » Toutefois, cet homme paisible, lorsque la paix sociale et la République lui paraîtront fortement menacées, sortira de sa placidité : cela donne lieu aux apologues de Jean Cocquet et Jean Mouton, et, dans une conversation avec sa fille, à l'exposé de son véritable *credo* politique (*Monsieur Bergeret à Paris,* chap. XVII).

Dans *l'Orme du mail* et *le Mannequin d'osier,* la narration, en dehors des éléments concernant M. Bergeret précédemment évoqués, ronronne doucement en une sorte de chronique de la vie de province, avec ses intrigues cléricales pour le pourvoi du siège épiscopal de Tourcoing, avec les ragots libidineux sur la mort de la veuve Houssieu, les échos des scandales financiers et parlementaires, la rigueur caricaturale du général Cartier de Chalmot, les subtilités stratégiques du préfet Worms-Clavelin, les difficultés de la République à s'affirmer entre les courants de pensée contradictoires… Bref, la République est débonnaire « tant qu'on n'attente point à sa vie ». Mais l'affaire Dreyfus met le feu aux poudres, et *l'Anneau d'améthyste* comme *Monsieur Bergeret à Paris* sont d'une tonalité plus crispée. Avec la nomination de l'abbé Guitrel à Tourcoing, obtenue par pressions féminines, s'éteint l'inspiration anticléricale. La satire politique se concentre sur les résonances de l'Affaire. En une suite de tableaux où se côtoient racistes, opportunistes, affairistes, aventuriers des plus sincères aux plus vénaux, femmes intriguant dans les salons et les alcôves, *l'Histoire contemporaine* dénonce impitoyablement l'antisémitisme, le nationalisme farouche et les menées royalistes pour subvertir la République en cette occasion.

Il est aisé de reconnaître en l'évolution de Bergeret l'évolution même de France. Comme lui, il se contente d'un scepticisme esthète et dilettante jusqu'à ce que, avec l'Affaire et avec l'intervention de Zola, il se sente à son tour concerné directement par les événements politiques, « animé par la force pénétrante de la vérité » contre ces trublions qui prétendent « sauver la France ». Et l'on peut créditer France des composantes du *credo* politique de son héros formulées au chapitre XVII de *Monsieur Bergeret à Paris* : espoir dans la bienfaisance, dans le progrès par la machine et l'électricité (sans illusion toutefois sur les hommes), en l'instauration d'un collectivisme authentique qu'il défend avec chaleur.

L'Île des Pingouins

L'Île des Pingouins est l'un des ouvrages les plus célèbres d'Anatole France. Cette notoriété tient surtout au procédé utilisé : proposer aux hommes une image d'eux-mêmes sous le couvert transparent de sociétés animales a fait le succès des fabulistes de tout temps, comme de certains contes philosophiques (chez Swift, par exemple). Introduire cette distance entre un univers dont les valeurs et les comportements paraissent aller de soi et un observateur « étranger », c'est restituer à l'esprit critique un regard neuf, indépendant, dessillé, favorisant une remise en question axiologique. C'est précisément ce que France affirme dès sa Préface, par la voix de Jacquot le Philosophe : « Lorsqu'ils verront leurs actions ainsi travesties et dépouillées de tout ce qui les flattait, les Pingouins en jugeront mieux, et, peut-être, en deviendront-ils plus sages. »

L'histoire de la nation pingouine est divisée en grandes périodes : les origines (I), les Temps anciens (II), le Moyen Âge et la Renaissance (III), les Temps modernes (IV, V, VI, VII) et les Temps futurs (VIII). On retrouve dans cette présentation l'art, si cher à Voltaire, de réduire l'enchaînement des causes et des effets à des proportions mesquines, tournant, à des fins polémiques, en ridicule ou au burlesque, des événements historiques dont nombre furent dramatiques. C'est ainsi que la mauvaise vue et le zèle évangélisateur du saint homme Maël font entrer des Pingouins dans l'Église de Dieu et forcent Celui-ci, après une assemblée tumultueuse au paradis, à les métamorphoser en hommes. C'est ainsi que les conspirations royalistes et le boulangisme deviennent les manœuvres grossières du prince Crucho et de l'amiral Chatillon, « un imbécile », ou que l'affaire Dreyfus devient l'affaire des 80000 balles de foin qui auraient été volées par un juif nommé Pyrot.

Mais le ton parfois enjoué de la fable ne doit point abuser. *L'Île des Pingouins* est un conte philosophique qui formule les antipathies et les sympathies de France. À côté de l'obscurantisme et des superstitions religieuses, de l'anarchie sanglante des guerres de Religion (I-II), des conquêtes de Trinco (Napoléon) laissant le pays exsangue (IV), vigoureusement condamnés, on trouve affirmés l'enthousiasme pour « les Antiquités pingouines » et « le culte des primitifs » en art, « le scepticisme aigu du siècle philosophique », ou la foi en la République avec l'histoire de Mme Cérès.

Enfin, le pessimisme foncier de France se libère dans l'anticipation des Temps futurs. L'apogée de la civilisation pingouine débouche sur la catastrophe. La République, dévorée d'appétit de richesse, de violence, fondée « sur deux grandes vertus publiques – le respect pour le riche et le mépris du pauvre », « ce qu'il y a de plus fort dans la nature humaine, l'orgueil et la cupidité » –, s'asphyxie sous ses tares, ses contradictions, ses vices, et en vient à se détruire elle-même… Alors tout recommence selon les mêmes lois d'évolution des origines aux Temps futurs, en une funeste « Histoire sans fin ».

« … Et, peut-être, en deviendront-ils plus sages », disait Jacquot le Philosophe. France ne semble guère, en définitive, souscrire à ces paroles. Il paraît plutôt proche, par son dernier chapitre, des propos du vieillard subtil de la Préface, qui affirmait : « [le lecteur] ne cherche jamais dans une histoire que les sottises qu'il sait déjà. Si vous essayez de l'instruire, vous ne ferez que l'humilier et le fâcher. Ne tentez pas de l'éclairer, il criera que vous insultez à ses croyances ».

Les dieux ont soif

Salués par un succès presque unanime dès leur publication, en 1912, présentés comme un des chefs-d'œuvre d'Anatole France par les anthologies et les manuels scolaires, *Les dieux ont soif* restent, de nos jours, un de ses textes les plus lus, peut-être parce qu'on y trouve un univers pleinement romanesque.

SYNOPSIS

Avril 1793. Évariste Gamelin, jeune peintre, partisan inconditionnel du nouveau pouvoir révolutionnaire (I, II), aime en secret Élodie, qui, partageant ses sentiments (III), finit par obtenir une déclaration (IV). Comme elle avoue avoir été autrefois « séduite », Évariste accuse aussitôt, à tort, quelque aristocrate (V). Son voisin, l'ex-financier Brotteaux des Ilettes, matérialiste sage et courageux (VI), est resté en relation avec son ancienne maîtresse, Mme de Rochemaure (VII). Grâce à cette intrigante, toujours flanquée de l'opportuniste Henry, lequel, on le devinera peu à peu, est le vrai séducteur d'Élodie, Évariste est nommé juré au Tribunal révolutionnaire (XIII). C'est le début de la Terreur (IX), à peine oubliée le temps d'une partie de campagne (X). Alors que Mme de Rochemaure, en contact avec des émigrés, est trahie par Henry, Élodie « force » Évariste à devenir son amant (XI). Celui-ci est de plus en plus fanatique, et il se met à détester les athées (XIII), comme Brotteaux, qui recueille un religieux (XII) et une prostituée (XIV) persécutés. C'est qu'une folie sanguinaire s'empare du Tribunal révolutionnaire (XV) : Évariste s'acharne sur un innocent qu'il prend pour le séducteur d'Élodie (XVI), Brotteaux est arrêté avec ses protégés (XVII), et Julie Gamelin intervient sans succès auprès de son frère pour sauver son amant (XVIII). Alors qu'Évariste se sent comme aspiré par les événements (XX, XVIII), Julie se donne en vain à un juge révolutionnaire (XXI), et la justice devient sommaire : Mme de Rochemaure, Brotteaux et ses protégés sont exécutés (XXIV). Évariste décide alors de se séparer d'Élodie : il se sacrifie à la patrie (XXV). Robespierre est renversé (XXVI-XXVII) et condamné (XXVIII), entraînant dans sa chute Évariste, à qui Élodie dit un dernier adieu symbolique.

Janvier 1795. Tout rentre dans l'ordre : l'atmosphère est de nouveau à la fête, et Élodie, renonçant au culte d'Évariste, devient la maîtresse du sculpteur Desmahis.

Son titre même, emprunté à Camille Desmoulins (*le Vieux Cordelier*, n° 7), fait de cette œuvre un roman historique destiné à dénoncer certains excès sanguinaires, et les deux inscriptions de ce titre dans la narration (IX, XIX) renvoient nettement à la Terreur. L'histoire se passe en effet durant la période la plus dure de la Révolution et présente en toile de fond, dans un Paris affamé, les clubs, les séances du Tribunal révolutionnaire, la charrette des condamnés à mort, les silhouettes de Robespierre et de Marat. De plus, le déroulement temporel de la narration épouse celui des événements historiques. Le roman débute en avril 1793 après l'accusation de Marat (I) et la déclaration sur le « maximum » (VI). La trame chronologique de la narration est ensuite constituée d'allusions à des péripéties politiques décisives : acquittement (mai 1793, IV) puis assassinat de Marat (13 juillet 1793, VII) ; mise en place du Tribunal révolutionnaire, et donc entrée en fonction de Gamelin (14 septembre 1793, IX) ; exécution de Marie-Antoinette (XV) et de Mme Roland (XVI) ; durcissement de la Terreur (XIX) ; suppression des garanties habituelles de la justice (juin 1794, XXII) ; chute de Robespierre (27 juillet 1794, XXVII) ; enfin, triomphe des muscadins (décembre 1794-janvier 1795, XXIX).

Il est donc nécessaire que le héros du roman, Évariste Gamelin, soit étroitement mêlé aux événements politiques. Membre de la section du Pont-Neuf, puis juré du Tribunal révolutionnaire, ce jeune peintre, pâle imitateur de David (I), incapable, malgré le dogme du « retour à l'antique » (III), d'une œuvre vraiment originale (X), devient vite le type même du fanatique, brûlant toutes ses anciennes idoles (II), dans son désir de « réveiller le peuple assoupi en lui donnant le choix de la liberté ou de la mort » (III). C'est pour France l'occasion de dénoncer dans la Convention une nouvelle Église, avec ses saints (I), ses rites (IX) et son manichéisme (XIII). « Ils voyaient Dieu, ces jurés du Tribunal révolutionnaire. L'Être suprême, reconnu par Maximilien, les inondait de ses flammes » (XXII). Robespierre, supposé déclarer : « Aimez-vous les uns les autres » (XXVI), et à qui on adresse des « oraisons », est même assimilé au Christ (XXVII). C'est pourquoi Gamelin, comme avant lui F. Trubert (XV), faisant « à [sa] patrie le sacrifice de [sa] vie et de [son] honneur » (XXV), recherche le martyre (XXV-XXVIII), couronnement de tout fanatisme.

Toutefois, Gamelin n'est pas totalement insensible. *Les dieux ont soif* mêlent en effet une histoire d'amour à l'histoire de la Terreur : Élodie Blaise est attirée par la beauté sévère (III) d'Évariste et, banalement, devient sa maîtresse. Mais l'habileté de France est d'imbriquer étroitement les deux histoires, qui progressent et s'achèvent parallèlement, se nourrissant l'une de l'autre. D'abord, en politique comme en amour, Évariste se laisse conduire par les événements : « Nous sommes précipités, notre œuvre nous dévore » (XXV), dit-il en jugeant la Convention, alors qu'il laisse Élodie prendre toutes les initiatives (IV, V, XI). De plus, dans le domaine de l'amour et dans celui de la politique se reproduit une antithèse semblable : les Conventionnels, rêvant de justice sereine, développent la Terreur ; Élodie, se croyant née pour un bonheur paisible (X, XXVII), AIME en Évariste l'« amant sanguinaire » : « Plus elle le voyait couvert du sang de ses victimes, plus elle avait faim et soif de lui » (XVI). Au paroxysme de la Terreur correspond le paroxysme de l'amour, mêlant « horreur et volupté » (XXV). De même l'amour s'exprime-t-il dans des symboles révolutionnaires : ainsi la « bague en argent où l'on voyait en relief la tête de Marat entortillée d'un foulard » (VIII), et dont Élodie se débarrasse précisément quand, Évariste mort, « la figure de Marat, tout usée, écrasée, ne se distingue plus » (XXIX). Enfin, alors que, en plein triomphe idéologique de Rousseau (X), c'est « le bon Jean-Jacques qui leur donnait les moyens de peindre et d'orner leur amour » (VIII), les signes de cet amour renvoient toujours à la mort (paroles d'Évariste : IV, ou d'Élodie : X ; allusion à *Werther* : X ; goût du néant : XVIII) et au sang (cf. l'œillet rouge, « comme une goutte de sang » : XI, XXVIII).

En antithèse à Gamelin, ivre de passion, France a créé le « ci-devant financier » Brotteaux des Ilettes, son porte-parole en maintes occasions. S'adaptant à la tourmente avec sagesse (II), Brotteaux est d'abord un « sybarite » qui connaît tout le prix d'un mets (X) ou d'une forme charmante (X, XXV). Mais sa sensualité ne l'empêche pas de juger sans illusion des choses de la vie. Il sait que la Terreur court à sa perte (IX, XI) parce qu'il faut « gouverner les hommes tels qu'ils sont et non tels qu'on les voudrait être » (X). Ce détachement s'enracine dans un matérialisme déclaré. Se réfugiant dans la lecture de son cher Lucrèce (VI, XIV, XIX), Brotteaux reprend les thèses de d'Holbach (VI) sur le plaisir (VI), la mort (XIX) ou la « mécanique céleste » (XIV). Il est donc athée (X) « avec délices » (VI), et, comme la « coterie holbachique », il poursuit de sa haine ce « jean-fesse » (VI) de Rousseau. France utilise donc le personnage de Brotteaux pour évoquer les luttes idéologiques des années 1793-1794, mais aussi pour revenir sur une de ses obsessions : la justice, particulièrement dangereuse sous « le despotisme de la liberté ».

Même révolutionnaires, « les juges, les jurés [...] ne sont pas des hommes, ce sont des choses » (XIX). Les Conventionnels, comme tous les fanatiques, subordonnent l'avènement d'une justice sereine au triomphe de leurs idées (VI, IX) et sont d'autant plus impitoyables qu'ils croient détenir la vérité (XIII). Or, ils n'évitent ni la vénalité (XXVIII), parfois odieuse (XXI), ni l'incompétence (XXII), parfois grotesque (XXIII). Ils ne jugent que par une suite d'actes illégaux (XXII), bafouant les droits élémentaires de la défense (XXIV), et assouvissent même, comme Gamelin, leurs haines personnelles avec cynisme : « Il est des services qu'on ne peut se refuser entre collègues » (XVI). En fait, France dénonce « la continuité de la justice à travers les régimes » (IX). À l'instar de Fouquier, les « magistrats de l'ordre nouveau ressemblaient d'aspect et de façons aux magistrats de l'Ancien Régime » (IX), assurant la continuité d'un appareil redoutable. Mais, comme les verdicts populaires sont aussi iniques (VI), c'est l'idée même de justice que France et Brotteaux rejettent : « Si j'étais de votre président, je ferais comme Bridoie, je m'en rapporterais au sort des dés. En matière de justice, c'est encore le plus sûr » (VIII).

Ainsi, il se dégage des *Dieux ont soif* une philosophie désabusée qui consacre la vanité de tout engagement. Seuls, à la fin du roman, réussissent les opportunistes, qui, tous, ne recherchent que le plaisir et la volupté, avec cynisme (Jean Blaise, Henry) ou indifférence (Desmahis). Contrairement à Mme de Rochemaure qui, bien qu'intrigante sans scrupules, meurt pour avoir malgré tout manifesté des opinions, mieux vaut s'adapter à tout, comme font Julie Gamelin et Rose Thévenin.

Ce cynisme est pourtant tempéré par quelques scènes émouvantes – adieux d'Élodie à Évariste (XXVIII), et à sa bague-symbole (XXIX) –, et surtout par la pitié indulgente que France manifeste vis-à-vis des gens du peuple, crédules (X) mais pleins de bon sens (II, XXVII), sachant d'instinct relever les ridicules (IV, VIII) et les exagérations (XVI). C'est sans doute dans ces évocations fugitives et tendrement ironiques, points d'orgue de nombreux chapitres (II, VI, VII, XV, notamment), que France rejoint le plus nettement le « scepticisme charitable » de Jérôme Coignard, livrant l'idée-force de sa philosophie, à savoir que rien ne perturbe la force de la vie, qui continue : on n'empêchera jamais les vieilles de continuer leurs travaux (XVII), les lecteurs d'aimer les romans libertins (IX), et « les chiens, sous l'échafaud, [de] lécher le sang de la veille » (XIV).

La Révolte des anges

Dernière grande œuvre d'imagination, *la Révolte des anges*, dont la rédaction s'étend de 1909 à 1913, se caractérise d'abord par l'irrévérence religieuse du thème : un certain nombre d'anges, déchus et déçus du Ciel, décident de fomenter une révolte pour destituer Dieu (Iaveh ou Iadalbaoth), considéré comme un imposteur, et le remplacer par Satan (Lucifer).

Cette situation se prête à quelques scènes comiques. Le mystère entretenu autour des disparitions de livres dans la bibliothèque des d'Esparvieu au grand dam du conservateur, pauvre M. Sariette (jusqu'au chapitre X), les circonstances de la matérialisation de l'ange gardien Arcade de Maurice d'Esparvieu devant sa maîtresse Gilberte des Aubels en tenue légère, la conduite des anges, devenus hommes ou femmes et en adoptant tous les comportements (Arcade devient même l'amant de Gilberte au chapitre XXIX), laissant leurs ailes au placard, où elles sont mangées aux vers (l'ange Miror au chapitre XIII), sans compter les traits de satire sociale (I, XII, XV, XVII, XXVIII...) et les démêlés sentimentaux du vieil artiste Guimardon, tout cela confère à l'ensemble un ton enjoué, souvent souligné par le sommaire des chapitres comme « chapitre VIII. Où il est parlé d'amour ; ce qui plaira, car un conte sans amour est comme du boudin sans moutarde : c'est chose insipide... »

Mais cet aspect ne peut faire oublier le sérieux du roman : les grands thèmes, voire les obsessions d'Anatole France, sont une fois de plus manifestés. La culture antique, l'amour des livres sont quelque peu caricaturés en M. Sariette, mais ce n'est pas un hasard si ce M. Sariette en viendra au crime pour récupérer « un inestimable joyau, le Lucrèce aux armes de Philippe de Vendôme, grand prieur de France, avec des notes de la main de Voltaire ». Lucrèce, Voltaire : deux noms bien significatifs chez France ! Une nouvelle fois aussi, France propose une histoire du monde résolument antichrétienne, « aussi large et magnifique dans ses vues que le *Discours sur l'histoire universelle* de Bossuet est étroit et triste dans les siennes », depuis la victoire de Yahvé sur Lucifer jusqu'à la folie guerrière du XIXe siècle, dominée par la perte de la sagesse antique qu'a remplacée la « superstition nouvelle ». Enfin, les motifs qui amènent l'ange gardien Arcade à se lancer dans l'aventure de la révolte contre Iadalbaoth témoignent de la survivance efficiente du XVIIIe siècle philosophique et du XIXe scientiste. C'est dans la connaissance, dans la pensée qu'en a germé l'idée, comme le déclare Arcade au chapitre X : « Moi, c'est la science qui m'a inspiré un généreux désir de m'affranchir. »

Si la révolte avorte, si Satan, au dernier moment, refuse de renverser Iadalbaoth, c'est parce qu'un « rêve sublime » prémonitoire lui a fait comprendre la perversion inexorable attachée à l'exercice du pouvoir : « Dieu vaincu deviendra Satan ; Satan vainqueur deviendra Dieu. » Cette vision cyclique des choses, qui anéantit tout espoir, traduit encore une fois le pessimisme de France. Satan ne trouve comme consolation, permettant d'échapper à ce cycle « infernal », que le fait que les anges – on peut aisément interpréter la leçon, aussi, pour les quelques hommes éclairés qui cherchent la vérité sincèrement – ont détruit en eux « l'ignorance et la peur » et ont compris que « la victoire est Esprit, et que c'est en nous, et en nous seuls, qu'il faut attaquer et détruire Iadalbaoth ».

L. Acher et J. Maurice

François de Sales *v.* Sales François de

François Villon *v.* Villon François

Frank Bernard

(né en 1929)

Né à Neuilly-sur-Seine, Bernard Frank, après des études de lettres, est appelé par Sartre en 1951 à la rédaction des *Temps modernes* (cf. *Grognards et Hussards*, 1952, rééd. augmentée, 1985). Il commence parallèlement, dans divers journaux, une carrière de chroniqueur passionné, prompt à l'indignation et au sarcasme, qui le conduira d'*Arts* et de *l'Express* dans les années 1960 jusqu'au *Matin de Paris*, au *Monde* et au *Nouvel Observateur* à partir des années 1980. Son roman *les Rats* (1953) le brouille avec les dirigeants des *Temps modernes* et le fait ranger dans le groupe dit des « hussards », avec Nimier et Blondin. La même année, il publie son chef-d'œuvre, *Géographie universelle* (rééd. augmentée, 1989). Découpé en chapitres qui portent des noms de pays, ce long guide intérieur qui va par sauts et gambades est beaucoup plus proche de Montaigne que de Paul Morand : l'Angleterre, la Belgique, l'Allemagne se réduisent ici à leurs images mythiques, mais riches de fantasmes, de souvenirs littéraires dont la mise en abyme permet au moi-narrateur de se rêver, de réfléchir le monde réel – ou d'en moquer les stéréotypes. Car Frank a la dent dure, et découvre, avant le Barthes des *Mythologies,* les joies de l'adjectif substantivé, ses possibilités d'associations bouffonnes (« le duveteux » est une qualité commune au matelas anglais et aux discours de Pétain), ses clausules qui ont l'évidence de vérités objectives.

Après la parenthèse de *l'Illusion comique* (1955), pastiche de Benjamin Constant sur le thème du bel indifférent, Frank retrouve son écriture emportée, généreuse, brassant l'aphorisme et l'anecdote, la dénonciation nietzschéenne des belles âmes et la rosserie parisienne, prenant pour cibles favorites Sartre, Malraux, les Gallimard, les journalistes, les politiciens. *La Panoplie littéraire* (1958), qui contient un essai passionné sur Drieu et son temps, est suivie après un long silence par *Un siècle débordé* (1970), que conclut, dix ans plus tard, *Solde* (1980). Dans ces derniers ouvrages, le récit se déconstruit en forme de chronique d'humeur sur la vie politique et littéraire, sans toujours le recul qui, du quotidien, ferait surgir l'idée ou le type. Ce n'est pas dans le pamphlet, vite vieilli, que le mépris de Frank pour ses contemporains (sauf Françoise Sagan et quelques autres) trouve sa récompense. Mais plutôt dans le retour à des souvenirs d'enfance, à des lectures aimées (*Madame Bovary*...), dans la réflexion sur le métier d'écrivain, qu'illustrera *le Bon Plaisir,* double album d'entretiens radiophoniques (1990).

J.-P. de Beaumarchais

Frapié Léon

(1863-1949)

Romancier, né à Paris. Fils d'un maître graveur, il entra comme rédacteur à la préfecture de la Seine, où il se lia avec son collègue Charles-Louis Philippe. Encouragé par Zola, informé et sensibilisé par sa femme institutrice dans un quartier populaire, il publia en 1897 son premier roman, *l'Institutrice de province.* Victime du cléricalisme jusqu'à en mourir, cette martyre de la laïcité, tout entière vouée à sa « maternité d'âme », a peut-être vécu un sacrifice inutile : *la Maternelle* (1904), à travers le témoignage de Rose, diplômée contrainte de devenir « femme de service », retrace l'histoire d'une désillusion. À quoi bon une école dont le conformisme endort la combativité des pauvres, et où des normaliennes « névrosées et pédantes » gâchent le naturel des enfants sans les purger de leurs mauvais instincts ? *La Maternelle,* appréciée par Huysmans, obtint le Goncourt, fut illustrée par Steinlen, portée au cinéma par Benoît Lévy (1933) avec Madeleine Renaud, puis par Diamant-Berger (1949) avec B. Brunoy ; son succès entraîna celui des *Contes de la maternelle* (1910). Puis Frapié se lança dans la bataille féministe, plus ambiguë : l'homme, autant que le bourgeois, est l'accusé de *la Proscrite* (1907) ou de *la Figurante* (1908). Mais la modernité de la revendication, droit à l'éducation sexuelle, à l'amour (*la Virginité,* 1923 ; *les Filles à marier,* 1925), à la maternité (*la Divinisée,* 1927), contraste avec une technique romanesque sommaire, alternant tableaux pathétiques et portraits caricaturaux de mâles irresponsables et de vierges séduites ou drapées dans une héroïque vertu (*la Reine de cœur,* 1936).

J.-P. de Beaumarchais

FRÉNAUD André

(1907-1993)

« Pourquoi je n'aime la voix que fêlée ? » s'interroge, au point de départ de son aventure poétique, André Frénaud ; et, de fait, la « fêlure » semble bien être au centre du questionnement ontologique qui hante ce poète secret, né en Bourgogne au début du siècle dernier.

Ce n'est pas cependant que Frénaud, quoique contemporain du surréalisme, se perde dans la tentative vaine d'une transfiguration du réel qui tournerait le dos au monde. Si on peut le qualifier de mystique, c'est d'un mysticisme de la présence au monde, et si, d'autre part, Paul Eluard a pu parler de sa « sociabilité » (Préface aux *Mystères de Paris,* 1945), c'est que la tâche que s'est donnée le poète est de « faire porter pierre » au langage, même – et surtout – si les hommes, débordant d'être, se découvrent séparés, alors qu'ils guettent la même fiancée mystique (*la Noce noire,* 1946) :

Pitié pour vous et pour moi
puisqu'il n'est pas permis, frères,
d'être un seul être fraternel
avant le sein noir de la nuit,
dans l'unité de notre mère.

Dans cette recherche d'une « commune présence », dans ce retour à un « plus de réalité » opposé au « peu de réalité » surréaliste, il faut prendre garde qu'André Frénaud se situe plus à proximité d'un Jouve ou d'un Bonnefoy que d'un Guillevic ou d'un Follain, dont le « matérialisme » lui est étranger. Il chante, certes, le mystère des choses simples (cf. *les Paysans,* 1951 ; *Haeres,* 1982), « la qualité des êtres que ni l'orgueil ni la folie ne secouent, la beauté des travaux qui ne tendent qu'à l'accomplissement le plus humble, et la richesse des mots qu'on emploie dans ces heures sans révélation mais sans complaisances » (Bonnefoy), mais c'est pour retrouver le sens de la célébration médiévale ; et ses titres (*les Rois mages,* 1943 ; *Il n'y a pas de paradis,* 1962 ; *la Sainte Face,* 1968 ; *la Sorcière de Rome,* 1973), loin de renvoyer à la mystification d'un dieu personnifié, évoquent bien plutôt la quête du Graal et le voyage aux haltes fugaces (*l'Étape dans la clairière,* 1966) qui ne mène à aucun havre :

Je maudis l'aventure, je voudrais retourner [...]
Mais je ne puis guérir d'un appel insensé.

« Les noces de l'homme avec lui-même » qu'évoque nostalgiquement le Roi mage (« Plainte du Roi mage »), avant que de « reprendre les lourds chemins », ne sauraient ainsi cacher, plus fatalement essentielle, « la noce noire du ciel avec le voyageur ».

Inlassablement, en effet, l'étoile disparaît et réapparaît, promesse et vanité, et rappelle insatiablement qu'« il n'est de lucidité que précaire et de formulation que fugace » (Bonnefoy). Cette dialectique de l'affirmation et de la négation, du départ renouvelé et du repos interrompu, dont le tout premier poème, « Épitaphe », donnait les prémisses (« Mes chiffres ne sont pas faux/Ils font un zéro pur »), se retrouve dans la vision de l'histoire que développent ces grands poèmes que sont l'« Énorme Figure de la déesse Raison » et l'« Agonie du général Krivitski », où transcendance et anéantissement se conjuguent, comme dans la relation du rapport amoureux ou amical, comme, encore, dans la présentation que fait de lui-même André Frénaud : « Je me suis inacceptable », ou, de nouveau, dans son « Autoportrait » (*Poèmes de dessous le plancher,* 1949) :

Se niant lentement s'élève
Un homme porte-lumière.

Qu'une des figures majeures de son œuvre soit l'oxymore (« la fécondante déperdition », par exemple) n'est donc pas pour étonner, non plus que ce lyrisme qui est toujours rupture du lyrisme par méfiance à l'égard de la rhétorique et qui luit de l'éclat des images brisées : il témoigne (et, de même, l'alliance d'un langage fastueux et d'un langage usuel, réaliste) de cette volonté de s'enraciner dans le monde le plus quotidien pour atteindre un au-delà, de demeurer aux prises – serait-ce dans le déchirement – avec la terre plutôt que de se réfugier dans l'artifice langagier, dans la sécurité fallacieuse d'une constellation abstraite.

Ce refus de la complaisance au nihilisme et cette volonté de vivre « en dépit de tout » (Bénézet), c'est encore ce que nous engage à comprendre (au sens étymologique) *Notre inhabileté fatale* (1979), le livre d'entretiens qu'eut André Frénaud avec Bernard Pingaud, et cette sérénité inquiète qu'on lit dans *Source entière* (1952) : « Puisqu'il n'était pas vrai que je n'attendais plus. » Ainsi, Frénaud se place au cœur même de la recherche poétique contemporaine.

L. Pinhas

FRÉRON Élie-Catherine

(1719-1776)

Publiciste et critique né à Quimper, il fait ses études chez les Jésuites puis enseigne quelque temps au collège Louis-le-Grand. Il se tourne rapidement vers le journalisme littéraire et collabore avec l'abbé Pierre François Desfontaines à la rédaction du périodique *Observations sur les écrits modernes.* En 1745, il fonde les *Lettres de Mme la comtesse de *** sur quelques écrits modernes,* où il attaque les réputations les mieux établies. Sur ordre de Mme de Pompadour, la publication est interdite, et Fréron emprisonné à Vincennes (1746). On le retrouve ensuite auprès du duc d'Estouteville, dont il est le secrétaire et avec qui il travaille à une adaptation française du VIIIe chant de l'*Adonis* de Gianbattista Marino (*les Vrais Plaisirs ou les Amours de Vénus et d'Adonis,* 1748). Au début de 1749, il lance les *Lettres sur quelques écrits de ce temps,* qui, supprimées par le pouvoir l'année suivante, et publiées à nouveau en 1752, prennent en 1754 le nom d'*Année littéraire. L'Année littéraire,* qui paraît tous les dix jours et qui durera jusqu'en 1776, va faire la renommée de Fréron, qui se jette dans une bataille acharnée contre les encyclopédistes, contre ce « parti des philosophes » en qui il voit une association de malfaiteurs : « Ils se sont associés [...] pour ce

commerce d'erreur. Ces puissances philosophiques ont conclu entre elles une ligue offensive et défensive. »
Certains des épisodes de cette lutte sont restés célèbres. En 1759, *l'Année littéraire* publie une lettre de Pierre Patte, un graveur ayant travaillé pour l'*Encyclopédie,* qui accuse Diderot d'avoir plagié les planches commandées par Réaumur pour les *Descriptions des arts et métiers* de l'Académie des sciences. L'accusation n'est pas sans fondement, et une commission nommée par l'Académie des sciences est chargée de vérifier les assertions de Patte. L'affaire se terminera par un compromis [voir **Encyclopédie**]. En 1760, Voltaire donne une comédie, *l'Écossaise ou le Café,* dans laquelle il met en scène un personnage du nom de Frélon, « écrivain de feuilles », qu'il définit dans sa Préface comme un de « ces misérables qui se font un revenu de leur impudence, de ces Arétins subalternes qui gagnent leur pain à dire et à faire du mal sous le prétexte d'être utiles aux belles-lettres, comme si les vers qui rongent les fruits et les fleurs pouvaient leur être utiles ». Tout Paris, à commencer par Fréron lui-même, reconnaît dans ce Frélon le critique de *l'Année littéraire.* Il serait injuste de mettre dans cette suite d'escarmouches tous les torts du côté de Fréron qui est sans doute sincère quand il dénonce les idées subversives des « Philosophes », et les attaques portées contre lui par Voltaire (« c'est un homme qui est dans un décri et dans un mépris général, tout sortant de la prison où il a été mis pour des choses assez vilaines ») ou par Diderot (« Le triste et plat métier que celui de critique ! [...] toujours ramasser des ordures, comme Fréron ou ceux qui se promènent dans nos rues avec des tombereaux ») ne sont pas d'une grande élégance. Et si le journaliste a pour lui tous les bien-pensants et une partie de la Cour, les « philosophes » ne manquent pas d'amis puissants. Ils finiront d'ailleurs par l'emporter, puisqu'ils obtiendront du garde des Sceaux Miromesnil la suspension de *l'Année littéraire* en 1776, quelques jours avant la mort de son fondateur. Fréron a laissé une *Histoire de Marie Stuart* (1742), une *Ode sur la bataille de Fontenoy* (1742) et une *Histoire de l'empire d'Allemagne* (1771).

A. Pons

FRISON-ROCHE Roger

(1906-1999)

Romancier et journaliste, né à Paris. Issu d'une famille de restaurateurs d'origine savoyarde, Frison-Roche quitte très tôt Paris (il n'a que dix-sept ans) pour Chamonix et devient alpiniste, puis, à partir de 1930, guide de haute montagne. Il participe ensuite à deux expéditions (1935 et 1937) dans les montagnes du Hoggar, s'installe en 1938 à Alger comme journaliste, écrit dans *la Dépêche algérienne,* dans *l'Écho d'Alger* et compose *Premier de cordée* (1941), roman qui obtient un très grand succès. En 1942, il est correspondant de guerre sur le front de Tunisie ; fait prisonnier, il s'évade et, transféré en France, gagne les maquis savoyards. Dans les années d'après-guerre, il entreprend de nombreux voyages, notamment en Afrique et au Canada, enrichissant sa production littéraire de romans et reportages, souvent illustrés par les photographies de Pierre Tairraz.
De fait, chez Frison-Roche, le récit est d'abord un témoignage : les sujets de ses livres s'inspirent directement de ses expériences de guide et d'explorateur ; les lieux décrits dans la fiction – les Alpes (*la Grande Crevasse,* 1948 ; *Retour à la montagne,* 1957), le Maghreb (*la Piste oubliée,* 1950 ; *Djebel Amour,* 1979), le Canada (*les Terres de l'infini,* 1971-1973), le Grand Nord (*le Rapt,* 1962) – recouvrent les espaces parcourus lors de ses expéditions. Aussi ces romans font-ils une large part au pittoresque et aux « explications » ethnologiques, qu'un personnage principal ne manque pas de fournir à quelque moment de l'œuvre.
Les héros de Frison-Roche sont d'ailleurs moins des individus que des archétypes : ils incarnent l'« instinct » d'une race, quand il s'agit des autochtones : « Mais Kristina était *samisk* [...], et la méfiance héréditaire de la race reprenait le dessus » (*le Rapt*) ; ou, dans le cas des explorateurs, ils illustrent un trait psychologique saillant : « Le jeune savant cachait sous un aspect délicat [...] un tempérament de fer » (*la Piste oubliée*). Cette conception, assez naïvement traditionnelle, du roman se retrouve également dans la narration, strictement linéaire, ainsi que dans les descriptions, qui teintent l'aspect documentaire du récit d'un lyrisme expansif : « [Le ciel] se déchirait en traînées lumineuses qui s'effilochaient puis se reformaient en rideaux scintillants de pierreries » (*la Peau de bison*).
Sans doute certaines pages de Frison-Roche font-elles sourire ; mais pour celui-ci, l'écriture n'est pas une fin en soi. Tout au plus est-elle l'instrument de ses mythes privilégiés : fascination pour les diverses « racines » ethniques de l'homme ; recherche d'une liberté et d'une pureté primitives, que seule garantit la nature sauvage ; communion, par la contemplation obsédante de la montagne et des étoiles, de l'homme avec le cosmos.

J.-P. Damour

FROIDMONT Hélinand de *v.* HÉLINAND DE FROIDMONT

FROISSART Jean

(1337 ?-1410 ?)

Chantre de l'honneur chevaleresque et saint patron des « amateurs d'histoire-batailles », l'auteur des *Chroniques* fut aussi poète de cour. Le public d'aujourd'hui connaît mal le volet poétique de son œuvre et s'intéresse davantage à ces récits de combats, de tournois et de sièges si souvent montés en épingle dans les collections de morceaux choisis. Sans être le reflet fidèle d'une société, les *Chroniques* ne laissent pas moins entrevoir les éléments les plus accusés de l'idéologie chevaleresque, donnant ainsi un aperçu remarquable d'un monde où dominent prouesse, honneur et courtoisie, où la misère du peuple semble négligée, sauf à être « récupérée » par le truchement de quelques plaintes conventionnelles alléguant des infractions aux règles de la guerre ou bien les avanies de dame Fortune.

L'historien fréquente Froissart avec méfiance, alors que celui qui cherche à connaître les ressorts socioculturels des cercles aristocratiques et guerriers du XIVe siècle le consulte avec profit. Sa conception de l'objectivité ne répond pas, bien sûr, aux exigences de la « nouvelle » Histoire : il a cherché surtout à mettre en lumière les hautes emprises survenues au cours du conflit baptisé depuis « guerre de Cent Ans », sans parti pris quant à la nationalité de ceux qui s'y sont distingués. C'est un précepteur, qui veut édifier les jeunes, arrêter un peu le temps en prolongeant l'écho des bruits de tous ces combats exemplaires ; mais c'est aussi un conteur, qui excelle à rendre le mouvement, le remue-ménage d'un champ de bataille, les jeux de lumière sur les heaumes et les lances, les pennons flottant au vent. Il sait traduire les émotions de ses personnages par un geste, un regard silencieux, dans des tableaux dramatiques souvent rehaussés par le recours au discours direct.

Un bourreau de travail

Né à Valenciennes, Froissart passe sa jeunesse en Hainaut avant d'embarquer en 1361 pour l'Angleterre, où il bénéficiera pendant huit ans de la protection de sa compatriote Philippine, épouse du roi Édouard III. C'est à Philippine qu'il présente son premier ouvrage historique, aujourd'hui perdu, et qui chanta peut-être en vers les grands succès militaires des Anglais jusqu'à la bataille de Poitiers. À Londres, Froissart passe son temps à composer des *dittiers et traitiers amoureus*, mais aussi à interroger les otages français logés dans la capitale en prison courtoise. Il obtient de cette manière des renseignements supplémentaires sur les hostilités franco-anglaises, lesquels seront incorporés plus tard dans la première rédaction en prose des *Chroniques* et complétés par d'autres témoignages recueillis à l'occasion de voyages de recherche en Écosse (1365), à Bruxelles (1366) et en Angleterre (1366). Au retour d'un voyage en Italie vers 1368 (mariage de Lionel de Clarence et de Violante Visconti à Milan), Froissart apprend la mort de Philippine et s'installe en Hainaut, où il entamera bientôt, pour un nouveau protecteur, Robert de Namur, la première version en prose du Premier Livre des *Chroniques* (terminée vers 1373). S'il abandonne le vers, c'est sans doute parce qu'il veut suivre l'exemple de Jean le Bel, dont la *Chronique* (terminée en 1361) dénonce un ouvrage historique en vers où il y aurait « grand plenté de parolles controuvées et de redictes pour embelir la rime ». Pour donner une assise plus solide à son récit des événements de 1325-1350, Froissart ira jusqu'à transcrire, parfois mot à mot, certains « chapitres » de l'ouvrage de Jean le Bel, plagiat qui n'a rien d'extraordinaire à une époque où la citation (pratiquée souvent sans mention de sources) était un procédé courant qui rehaussait le mérite d'un ouvrage et en garantissait l'authenticité.

À partir de 1373, Froissart dispose de la cure des Estinnes-au-Mont, que lui cède Gui de Châtillon, comte de Blois, ce qui lui permet de pousser sa narration jusqu'en 1378 (« première rédaction révisée », texte de base de l'édition de S. Luce) ; mais en 1376 déjà, le comte de Blois lui commande une deuxième version du Premier Livre, appelée par Luce la « seconde rédaction », qui sera terminée à la fin de 1383 : elle contiendra des développements originaux dont on ne trouve pas trace dans la version antérieure. Viennent ensuite de la plume de ce bourreau de travail un Deuxième Livre (guerres de Flandre) et un Troisième (affaires d'Espagne et règne de Richard II d'Angleterre). Un nouveau voyage entrepris en 1388, aux frais de son protecteur, lui permet de visiter la cour fastueuse de Gaston Phébus, comte de Foix-Béarn, à Orthez, où il se renseigne sur le conflit qui vient de se dérouler en Espagne et qui fournira la matière principale de son Troisième Livre (1389). Il corrigera cette version « castillane » des événements d'après les témoignages qu'il recueillera de la bouche d'un chevalier portugais, don Fernand Pachéco, à Middelbourg, en Zélande, vers 1390. Ayant assisté aux négociations de paix à Leulinghem, en 1392, Froissart reviendra pour une dernière fois en Angleterre en 1395, mais, en dépit de la réception favorable que lui accorde Richard II, ce séjour le déçoit, car tout a changé, et ses anciens amis ont presque tous disparu. Il finit ses jours en Hainaut, où il écrit son Quatrième Livre (règnes de Charles VI et de Richard II). Son tout dernier ouvrage est une refonte totale de la première partie (1325-1350) du Premier Livre, dite « troisième rédaction », dans laquelle il semble faire état de ses craintes touchant le sort de « Prouesse » dans un pays qui vient d'assister à la déposition et à l'assassinat de son souverain.

Les *Chroniques*

Elles peuvent nous intéresser à plus d'un titre. À côté des grands morceaux de bravoure – batailles de Crécy et de Poitiers, bourgeois de Calais, amours d'Édouard III et de la comtesse de Salisbury, bal des Ardents, etc. – se trouvent des passages plus incertains, moins bien « encadrés ». Nous pensons par exemple au Troisième Livre, plus libre et plus désinvolte que les autres, où Froissart se permet de mêler le discours historique à d'autres types de récit : documentaire touristique sous forme de dialogue, reportage, anecdote, *exemplum* ou conte mythologique. Rappelons ici les tentatives répétées du chroniqueur pour tirer au clair la vérité sur le meurtre du jeune héritier de Foix-Béarn par son père Gaston Phébus : se mettant lui-même en scène pendant son voyage à cheval à travers la campagne béarnaise, Froissart ne cesse d'interroger son compagnon Espan de Lion, mais le fin fond de cette histoire obscure est constamment reporté, différé par le chevalier, et Froissart en est réduit à chercher ailleurs les détails du crime. C'est un vieil écuyer enfin qui consent – non sans maintes hésitations, combien délicieuses pour le lecteur ! – à lui conter sa version des faits. Ce récit est donc enchâssé dans une narration de seconde main, de sorte que les « faits » en question subissent un remaniement qui a pour effet de les occulter, de les mythifier. Ce même procédé est employé dans le récit de l'envoûtement de Pierre de Béarn, marqué à son tour par la « circulation » du mythe d'Actéon, si cher à Froissart, qui reparaît dans son roman *Meliador* ainsi que dans les *dits* narratifs : fait curieux d'intertextualité, dont Michel Zink a fait une analyse fort pénétrante. Il convient aussi de souligner le grand intérêt des trois rédactions du Premier Livre, du point de vue historique mais aussi, et surtout, du point de vue littéraire. Racontant, vers 1400, les préparatifs de guerre amorcés en 1333, Froissart reprend une allusion fort brève au rôle qu'y a joué l'émigré français Robert d'Artois, « qui ne cessoit nuit ne jour de lui [à Édouard III] remonstrer quel droit il avoit à la couronne de France » (texte de la « première rédaction ») pour en faire une harangue fort subtile en discours direct adressée au roi en pleine séance de conseil par Robert lui-même. Chose curieuse, le chroniqueur nous propose des scènes dramatiques de ce genre, ornées de discours fictifs, surtout lorsque l'autorité, les droits ou la réputation d'un seigneur légitime sont en jeu.

Les *Poésies. Meliador*

Ce trait de caractère moralisateur et didactique reparaît dans les poésies, et surtout dans les longs *dits* narratifs agrémentés de longues digressions mythologiques insérées à titre d'*exempla* et inventées, parfois, de toutes pièces. Dans ces poèmes, dont le style et le cadre doivent beaucoup au *Roman de la Rose* de Guillaume de Lorris et aux œuvres de Guillaume de Machaut, Froissart fait évoluer ses personnages dans des décors courtois de rêve et de convention. Il convient ici de souligner que les *dits* narratifs ont quelque peu souffert des déprédations d'une critique qui y a cherché avant tout des renseignements d'ordre biographique. On a eu tort, par exemple, de traiter comme des faits simplement « vécus » les jeux enfantins catalogués dans l'*Espinette amoureuse* (vers 1369) : W.W. Kibler a vu au contraire comment ces jeux entrent bien dans une série de motifs qui ont pour but d'ironiser sur le caractère incertain et précaire du « service d'amour ». Le personnage qui dit « je » dans ces poèmes est un être tant soit peu timide, qui se plaint de ses insuccès auprès de sa dame, et qui se peint sous les traits d'un naïf, bafoué, rejeté mais, au fond, optimiste. Le charme de ces œuvres, cependant, provient justement de la distance ironique et enjouée que prend parfois le poète à l'égard de son « moi » d'autrefois. Quant à ses poésies lyriques, on y trouve souvent de la grâce, de l'élégance, et même une certaine mélancolie résignée. N'oublions pas non plus le côté gai et « bon vivant » du poète, si bien illustré dans quelques ballades mais surtout dans deux courts poèmes narratifs fort amusants, le *Débat dou cheval et dou lévrier* (1365) et le *Dit dou Florin* (1389).

Mentionnons enfin le roman chevaleresque de *Meliador* (1365-1380), long de quelque trente mille vers qui développent abondamment une intrigue au fond assez simple : quête d'amour pour la main de la belle Hermondine d'Écosse. Froissart nous assure que sa récitation nocturne de cet ouvrage plut énormément à Gaston Phébus (cf. le *Dit dou Florin*), mais les critiques sont presque unanimes pour traiter ce roman d'« interminable », de « fastidieux » et d'« ennuyeux ». Les études de Peter F. Dembowski nous invitent cependant à le considérer d'un œil plus indulgent. Le *Meliador* se place à l'époque de la jeunesse des grands héros traditionnels du cycle arthurien et se présente comme une somme de situations et d'aventures chevaleresques. Les combats à cheval ou à pied, par exemple, semblent épuiser toutes les permutations permises par les conventions de la joute. Tout se passe donc comme si Froissart cherchait à « fixer » le tableau évanescent de la grande épopée chevaleresque, par l'*escripture* (mot qui revient fréquemment sous sa plume), en la ramenant à sa pré-histoire, à ses origines. Par là, cette œuvre bien *ordennée* rejoindrait les *Chroniques,* et même les poésies. Dans l'un et l'autre cas, il s'agirait de « comprendre » le mythe et le fait chevaleresque en les confondant, de les faire rentrer dans l'ordre, dans le canon de l'expérience médiévale, à un moment où précisément ils semblent menacés par un ordre nouveau, obscurément pressenti. En un mot, de les consacrer – et pour toujours. D'où le recours à la digression mythologique ou didactique, l'association d'un passé récent et fugitif à un passé plus « authentique » et mieux assis – assurance contre un avenir annoncé déjà par tant de signes déroutants : peste, tyrannie, assassinats politiques, usurpations, soulèvements populaires, etc. ; recours donc aux débuts mythiques du cycle arthurien ou de la chevalerie. Le trait qui nous semble relier tant d'aspects de cette œuvre en apparence si hétérogène est bien l'écriture, à la fois fondation, création, conservation et transmission de vérité : « car vous savez que toutte la cognoissance de ce monde retourne par l'escripture, ne sus aultre chose de verité nous ne sommes fondez fors que par les escriptures approuvées ».

P. F. Ainsworth

FROMENTIN Eugène

(1820-1876)

Trop longtemps réduite au seul *Dominique,* dans lequel on ne voyait que la traduction romanesque d'un épisode autobiographique, l'œuvre littéraire de Fromentin a souffert d'une mutilation tant quantitative que qualitative dont Proust s'est fait l'interprète en qualifiant le peintre-écrivain de « court et de niais ». Il est vrai que l'isolement des *Maîtres d'autrefois* dans les rayons de la critique picturale comme la méconnaissance des récits algériens ont interdit toute réflexion sur l'originalité d'une écriture conçue comme un substitut de la peinture et provoquée moins par l'imagination que par la mémoire. Écriture avant tout en quête d'une forme et qui, telle la peinture hollandaise, se caractérise « par l'absence totale de ce que nous appelons aujourd'hui un *sujet* » (*les Maîtres d'autrefois,* « Hollande », IV).

« Une triste et trop ordinaire destinée » (J.-P. Richard)

D'une famille rochelaise aisée, Fromentin connut une jeunesse sans souci : une brillante scolarité, quelques essais littéraires dans les revues locales, des études de droit à Paris tracent le portrait assez conventionnel d'un jeune bourgeois provincial. À ceci près que Fromentin dut, par deux fois, transgresser les interdits familiaux : une première fois pour des raisons sentimentales lorsque ses parents s'opposèrent à sa liaison avec Jenny Chessé, l'amie d'enfance devenue Jenny Béraud ; une seconde fois en s'inscrivant dans les ateliers parisiens – notamment celui de Cabat – pour y apprendre la peinture en dépit de l'opposition formelle de son père, lui-même peintre d'occasion. Ce n'est qu'en 1847 que Fromentin pourra écrire : « Mon père est converti, je suis libre ; je suis peintre : mon avenir est entre mes mains. » Entre-temps l'apprenti peintre avait trouvé sa voie propre au cours d'un voyage en Algérie (mars-avril 1846) : « Plus j'étudie cette nature, plus je crois que, malgré Marilhat et Décamps, l'Orient reste encore à faire. » Au Salon de 1847, il expose trois toiles dont *Une mosquée près d'Alger* et *les Gorges de la Chiffa*. De septembre 1847 à mai 1848 il retourne en Algérie (Blida, Constantine, Biskra) et en rapporte cinq toiles (dont *les Tentes de la smala de Si-Hamed-bel-Hadj* et *Une rue à Constantine*) qui lui vaudront une « médaille de 2e classe » au Salon de 1849. Il retourne une troisième fois en Algérie (novembre 1852-octobre 1853) et visite en compagnie de sa jeune épouse les confins sahariens. Mais au retour en France, sa peinture ne lui assurant que le minimum, il accepte de donner ses souvenirs de voyage à la *Revue de Paris* (1854) et regroupe ses feuilletons deux ans plus tard en publiant *Un été dans le Sahara* (1857). Bien accueilli par la critique et les écrivains (Gautier et Sand en particulier), ce premier volume l'incite à récidiver avec *Une année dans le Sahel* édité en feuilleton d'abord dans *l'Artiste* (1857) puis dans la *Revue des Deux Mondes* (1858), avant de connaître la consécration du volume (1859). La même année, il reçoit une « médaille de 1re classe » au Salon ; Baudelaire commente : « Il n'est précisément ni un paysagiste ni un peintre de genre. Ces deux terrains sont trop restreints pour contenir sa large et souple fantaisie [...] ; son âme est une des plus poétiques et des plus précieuses que je connaisse » (*Salon de 1859*). Désormais reconnu comme peintre et comme écrivain, Fromentin accède aux honneurs : Légion d'honneur, invitations à la Cour impériale, participation au jury de l'Exposition universelle de 1867, etc. Buloz lui commande un roman pour sa revue : maturation lente, écriture laborieuse qui aboutiront à la publication de *Dominique* en trois livraisons (1862) et à l'édition définitive de 1863. Personnage de plus en plus « officiel », Fromentin est envoyé à l'inauguration du canal de Suez (1869) d'où il rapporte croquis, tableaux et notes (celles-ci seront éditées en 1935 sous le titre de *Voyage en Égypte*). Il poursuit son activité picturale, envoie régulièrement toiles et dessins dans les Salons, se rend en Belgique et aux Pays-Bas (1875) pour prendre des « notes » d'où sortiront *les Maîtres d'autrefois* (1876) – immédiatement reconnus comme l'un des grands livres de la critique d'art –, échoue de peu à l'Académie, projette un nouveau roman, mais meurt subitement dans sa retraite rochelaise, laissant une œuvre mince mais travaillée, construite à la fois à partir des données du romantisme et en réaction contre lui.

La plume et le pinceau

« Si cela continue, je serai de plus en plus les deux moitiés mal assorties de quelque chose. Et l'homme entier ne sera nulle part » : cette confession de Fromentin au peintre Gustave Moreau pourrait servir d'autoportrait. Assurément, elle définit un parcours et un échec.

Parcours au long duquel la volonté d'écrire se heurte à l'impuissance de l'imagination et suscite dès lors, sinon la « vocation » picturale, du moins le « métier » de peintre : « Je sentis, ou crus sentir, que n'étant point ou ne pouvant point devenir un écrivain, je réussirais peut-être à faire un peintre » (à Charles Godelier, 1845) ; et plus tard, à Léopold Delayant, cette fois-ci : « Dois-je avouer que je ne suis pas du tout un homme de plume. Je n'en ai ni l'habitude, ni la fertilité, ni les ressources. Si jamais j'en ai eu les penchants, ils se sont appliqués ailleurs ; et en devenant ce quelque chose ambigu qu'on appelle un artiste... » Devant cette négation de l'être – « n'étant point », « je ne suis pas » –, Fromentin provoque un paraître – « je réussirais à faire », « en devenant » – compatible avec l'échec du créateur puisque la peinture, chez lui, est essentiellement acquisition et maîtrise d'une technique. D'où la définition restrictive qu'il en propose dans le « Préambule » des *Maîtres d'autrefois* : « L'art de peindre n'est que l'art d'exprimer le visible par l'invisible » ; d'où, aussi, le titre, révélateur de la volonté de se placer sous la dépendance « respectueuse de ces maîtres toujours exemplaires de la Flandre et de la Hollande » ; d'où, enfin, ces portraits qui, à l'image de ce « Tombeau de Rubens » qui clôt la série consacrée au maître anversois, concentrent l'ensemble des qualités de créativité dont le critique se proclame dépourvu : « Il a tous les caractères du génie natif, et d'abord le plus infaillible de tous, la spontanéité, le naturel imperturbable, en quelque sorte l'inconscience de lui-même. »

Mais la peinture de Rubens, comment Fromentin la voit-il ? La *Mise en croix* « est une page de pure expansion, écrite d'un bout à l'autre sur ce mode rhétoriquement appelé *sublime* – depuis les lignes jaillissantes qui la traversent [...] jusqu'à l'inimitable tête du Christ qui est la note culminante et expressive du poème, [...] c'est-à-dire la strophe suprême ». Ici, Rubens est un « lyrique ». Le *Martyre de saint Liévin* appelle d'autres comparaisons : le peintre s'y montre « éloquent. Sa langue, à la bien définir, est ce qu'en littérature on appellerait une langue oratoire ». Quant au portraitiste, il devient un créateur de « fictions » que caractérisent « la logique d'un sujet bien conçu [et] les nécessités de l'action, presque toujours dramatiques ». Poète, rhéteur ou dramaturge, la conclusion s'impose : Rubens « ne bâtit pas, il écrit ».

Devant ce critique pictural qui se fait poéticien, comment s'étonner que le peintre orientaliste ait appelé le récit au secours de la toile ? « L'instrument que j'avais dans la main était si malhabile que d'abord il me rebuta. [...] C'est alors que l'insuffisance de mon métier me conseilla, comme expédient, d'en chercher un autre, et que la difficulté de peindre avec le pinceau me fit essayer la plume », précise Fromentin dans la « Préface » ajoutée à la 3e édition (1874) d'*Un été dans le Sahara*. Et de conclure : « Le livre est là, non pour répéter l'œuvre du peintre, mais pour exprimer ce qu'elle ne dit pas. » Ainsi l'écriture apparaît-elle semblable à la peinture – elle s'applique aux mêmes « thèmes » – et pourtant différente : investie de pouvoirs plus larges, elle permet non seulement de dire et de décrire, mais d'être, comme à la fin d'*Une année dans le Sahel*, un discours sur la peinture (l'inverse n'est guère possible) et surtout de traduire les émotions de la vie intérieure. De là, dans les récits africains, la description de tableaux fondée sur le refus de la transposition : « Autant vaut ne pas parler de couleur et dire que c'est très beau » ou encore « Ce n'est plus ni de la clarté ni de l'ombre », au profit du seul impact affectivement esthétique. *Dominique*, de même, sera pour son auteur l'occasion de « s'émouvoir encore avec des souvenirs » et « d'exprimer sous forme de livre une bonne partie, la meilleure, qui ne trouvera jamais place dans des tableaux » (à George Sand). De nouveau peinture et écriture se chevauchent, montrant qu'au-delà des variations formelles l'œuvre s'élabore dans l'unité du souvenir conquis.

Dominique, l'œuvre et le fragment

Tableaux, récits de voyage, roman procèdent d'une commune démarche qui ne réside pas dans la saisie immédiate de ce qui est, mais dans le revécu de ce qui fut. Ainsi s'explique la genèse intellectuelle du *Sahara* : « Je rapportais de ce voyage de vifs souvenirs à défaut de bons documents. » Et *Dominique* doit en grande partie d'être un récit encadré non pour sacrifier à une tradition romanesque éprouvée mais à une nécessité existentielle : l'histoire ne peut qu'être rétrospective, enclavée comme une parenthèse dans un présent qui lui sert de tamis selon un mécanisme parfaitement décrit par le héros au sortir des deux mois de bonheur passés aux Trembles avec Madeleine : « Je passai les derniers moments qui nous restaient à rassembler, à mettre en ordre pour l'avenir toutes les émotions si confusément amassées dans ma mémoire. Ce fut comme un tableau que je composai avec ce qu'elles contenaient de meilleur et de moins périssable » (XI). « Rassembler », « mettre en ordre », « composer » : la mémoire n'est donc pas seulement rétentrice, elle est surtout organisatrice. *Les Maîtres d'autrefois* en fournissent d'ailleurs la preuve *a contrario* : rédigés dans la foulée des visites, ils se présentent non comme une œuvre, mais comme son ébauche : « Au vrai, ces études ne seront que des notes, et ces notes les éléments décousus et disproportionnés d'un livre qui serait à faire » (« Préambule »).

Reste que *Dominique* est, en dépit des protestations de Fromentin à George Sand – « Moi, je n'ai aucune idée de la tenue, de la logique et des vraies conditions d'équilibre d'un livre construit » –, un roman composé jusqu'en ses moindres détails, au point que résumant son « histoire », le héros pourra signaler à son interlocuteur que « le pignon de sa maison natale [figure] au début comme à la fin » (III). Récit clos sur lui-même, enfermé dans l'espace comme dans le temps, et qui tire précisément de cet isolement son organisation : « Ordre né du dedans » ainsi que le suggère Jean-Pierre Richard, « du seul déroulement des événements revécus dont aucun préjugé antérieur ou extérieur à l'aventure n'infléchit plus la coulée naturelle ».

SYNOPSIS

Au cours d'une partie de chasse, le narrateur fait la connaissance de Dominique de Bray, gentilhomme campagnard coupé de son passé (I). L'année suivante, celui-ci entreprend le récit de sa « vie manquée » (II). Après une enfance dominée par le préceptorat du sérieux Augustin, il doit, à seize ans, quitter « Les Trembles » pour Ormesson, ville où il poursuivra ses études (III). Là, il se lie avec un compagnon de collège, Olivier d'Orsel, et ses cousines : Julie et Madeleine (IV). Surpris par les premiers troubles de l'adolescence (V), il découvre, à l'occasion d'une absence de la jeune fille, qu'il s'est épris de Madeleine ; mais elle revient fiancée (VI)... Avec le mariage de son « idole » (VII) qu'il ne revoit qu'à la distribution des prix, scène douloureuse où il se sent ridicule devant cette femme d'un an son aînée (VIII), le héros tente de se défaire d'une passion désormais coupable. Conseillé par ses deux « doubles » possibles, Olivier le viveur et Augustin le laborieux, il ne sait quelle attitude adopter (IX et X). Finalement, il invite la famille aux Trembles pour deux mois d'une « courte pastorale » (XI) mais, de retour à Paris, Madeleine, qui l'a deviné, l'évite et le contraint au silence (XII). C'est qu'elle-même n'est pas insensible, et ses efforts pour « guérir » le jeune homme ne parviennent guère qu'à accroître la « contagion » (XIII). Quant à Julie, amoureuse d'Olivier, elle dépérit de cette passion non partagée. Augustin, qui s'achemine discrètement vers le bonheur, vient de se marier (XIV). Les rencontres des « amants » s'espacent à mesure que croît le trouble de Madeleine, devenue « Madame de Nièvre », (XV) jusqu'à une longue séparation au cours de laquelle, à force de travail, Dominique acquiert, sous un pseudonyme, une relative célébrité et, surtout, « une sorte de santé artificielle ». En revanche, l'état des deux sœurs est critique. Dès qu'il l'apprend, le héros se rend auprès d'elles (XVI) pour trois jours intenses qui mêlent bonheur et remords, baiser, aveu et effroi, amour et adieu – sur lequel Dominique se réfugie aux Trembles (XVII). Le récit terminé, le narrateur voit arriver Augustin comme il avait rencontré, déjà, Olivier au chapitre II ; mais, si le seigneur d'Orsel s'est défiguré en tentant de se suicider, l'humble précepteur a acquis « des habitudes élevées de situation, de monde et de rang » (XVIII).

L'intérieur et l'extérieur

Et de fait, rien ne vient troubler « ce récit très simple et trop peu romanesque » (I) : nulle date, nulle référence permettant un repérage précis. Tout s'ordonne autour de la seule mémoire, sablier d'une aventure dont ne subsiste qu'une chronologie relative : « Trois jours après » (IV), « Toute une année s'écoula de la sorte... » (V), « Quelques semaines après... » (VI), etc. Et comme pour mieux confirmer que tout est ici soumis au rythme de la vie intérieure, les saisons perdent leur caractère propre pour n'être plus que métaphoriques de l'existence de Dominique : « Puis l'hiver arrivait. [...] J'amassais, je condensais, je concentrais, je forçais à ne plus jamais s'échapper, ce monde ailé, subtil, de visions et d'odeurs, de bruits et d'images qui m'avait fait vivre pendant les huit autres mois de l'année d'une vie si active et qui ressemblait si bien à des rêves » (III), « Cette crise arriva avec le printemps » (V) ; l'automne, « dans nos pays c'est la saison bénie » (III), sert de cadre aux deux mois de « séjour unique [...] mélange de continuelles délices et de tourments » (XI), etc. Tout se passe donc comme si l'extérieur perdait son autonomie sous l'influence de cette « mémoire spéciale, assez peu sensible aux faits, mais d'une aptitude singulière à se pénétrer des impressions » (III) ; dès lors, tout ce qui n'est pas assimilé par la conscience de Dominique – la ville, le monde, l'Histoire – disparaît de l'univers romanesque : en ce sens, *Dominique* est un livre-refuge où l'individu se protège, par l'isolement et le souvenir (symbolisés par le cabinet où le héros « revient de vingt-cinq ans en arrière et cohabite pour quelques heures avec son passé »), de l'agression du « ciel orageux de la politique moderne » (XVI). Refus du présent et du mouvement qui condamne à un triple repli : la nostalgie – « Ton lot est de regretter toujours, de ne désirer jamais » (IX) –, l'abstraction – Dominique cherche moins une femme à aimer qu'un « culte uniquement afin d'adorer » (VII) – et le silence – d'où le recours au « registre muet » (II) que constituent les dates gravées dans le mur du « cabinet », hiéroglyphes qui remplacent la parole (« Je parle le moins possible », *ibid.*) et même l'écriture (puisque le héros se présente comme « un écrivain mécontent de lui qui renonce à la manie d'écrire », III).

Le romantisme conjuré ?

« Il y avait dans l'air de cette époque une foule d'idées à l'état nébuleux, de problèmes à l'état d'espérances, de générosités en mouvement » (XVI) : c'est bien cette même « époque étrange » dont parle le narrateur de *Sylvie* qui sert de toile de fond à *Dominique* ; et cependant, le roman de Fromentin peut être lu comme un double négatif de la nouvelle de Nerval. Non que l'imaginaire romantique soit absent du récit : l'amour interdit – « Madeleine était perdue pour moi et je l'aimais » (VII) –, le refuge dans le rêve et le souvenir face aux « réalités dérisoires » (*ibid.*), l'ambition sociale – dont le précepteur Augustin se fait le porte-parole (III) et le symbole vivant (XVIII) –, l'introspection forcenée que résume l'application stricte de « la maxime ancienne de se connaître soi-même » (*ibid.*). Mais à l'inverse des héros que Fromentin chantait dans un poème de 1841 (René, Jocelyn, Obermann, Amaury), son personnage ne transforme pas sa vie en destin : au lieu de plier le réel à ses chimères, Dominique accepte la fatalité et se résigne à une morale du conformisme dont il va même jusqu'à se faire le théoricien : « S'il est vrai que le but de toute existence humaine soit moins encore de s'ébruiter que de se transmettre, si le bonheur consiste dans l'égalité des désirs et des forces, [...] vous pourrez témoigner que vous avez vu un homme heureux » (I).

Éthique bourgeoise, dira-t-on, dans la lignée des héros de Voltaire, et qui fait finalement de l'aristocratique Olivier le seul marginal du récit, le seul romantique reclus, solitaire et suicidaire. Morale pratique et utilitaire donc qui préfère les « certitudes » aux « hypothèses », mais se construit paradoxalement sur l'approfondissement d'expériences intérieures.

Mais là encore, Fromentin ne va pas au bout du chemin : de même qu'il tourne le dos aux aspirations profondes du romantisme, il use d'une langue réservée et retenue dont le seul luxe tient à la présence permanente d'adjectifs qui éliminent images et métaphores. C'est dire que l'expérience subjective ne s'épanouit jamais en une stylistique qui transformerait le réel. « Langue d'un peintre », a-t-on pu dire ! Oui, si l'on entend par là l'adjonction de touches minutieuses et précises en vue de composer une page ; non, si l'on estime que la peinture est autre chose qu'une forme. Mais Fromentin lui-même avait prévenu la critique : « Je n'ai pas l'imagination... ». Écrivain réaliste alors ? Oui, d'un réalisme de l'effort et de la discipline que rappellent la patience du jeune Fromentin, l'étude des « maîtres stylistes » d'autrefois et la réussite laborieuse d'Augustin dont le nom vient symboliquement clore l'histoire de ce que le narrateur appelle la « vie manquée » (III) de Dominique de Bray.

D. Couty

FURETIÈRE Antoine

(1619-1688)

Écrivain secondaire, sauvé pour la postérité par un roman discuté et par un scandale, ce bourgeois critique de sa classe est surtout un témoin et un précurseur. Témoin malgré lui d'une crise sociale et idéologique ; précurseur d'un courant qui conduira à 1789.

Né dans une famille modeste, honorable et très parisienne, il fait des études sérieuses, puis son droit (1641-1645). Il écrit dès lors des poèmes, notamment des *Satires* où il vilipende le monde du « collège », du « latin » et des « pédants », dont il s'échappe à peine. Reçu avocat, il devient « procureur fiscal » (procureur de la justice conventuelle) à l'abbaye de Saint-Germain-des-Prés, achetant la charge, selon des ragots vraisemblables, par un subterfuge indélicat qui lui procure rapidement sa part d'héritage. Les conflits et procès où il se débat, dans une atmosphère de délation et de rapine, seront plus tard grossis et utilisés par ses ennemis. Il se fait alors connaître comme écrivain burlesque (*l'Æneide travestie*, 1649) et comme satirique. Depuis quelques années, il fréquentait Maucroix et La Fontaine, Conrart, puis le cercle de Mainard (mort en 1646), nouant les amitiés littéraires qui orienteront son action. Vers 1655, devenu prieur, c'est-à-dire bénéficiaire de revenus qui lui assurent avec une charge l'indépendance financière, il se lie à Gilles Boileau, frère aîné de Nicolas et critique redouté. Après la publication de ses *Poèmes* (1655) et surtout de sa *Nouvelle allégorique* (1658), qui conte la victoire du royaume d'Éloquence sur celui de Pédanterie, un puissant protecteur (Henry de Bourbon) et l'Académie, habilement flattée, lui sont acquis. De fait, après son ami Gilles Boileau, il est élu, ou plutôt « nommé » académicien (1662).

Critique et satirique estimé, il influence probablement alors le jeune frère de Gilles, Nicolas Boileau-Despréaux. Furetière poursuit son ascension sociale : il échange ses deux prieurés contre une petite abbaye. Mais cet académicien-abbé encore jeune (quarante-trois ans en 1662) continue à jouer les marginaux. Avec Chapelle, Racine et Boileau, avec Maucroix et La Fontaine, il fréquente le fameux traiteur de la « Croix blanche », participe à la parodie du *Cid* qui ridiculise Chapelain, dispensateur détesté des faveurs du pouvoir aux écrivains.

Plus sérieusement, il écrit *le Roman bourgeois* (paru en 1666 : c'est un échec) et commence peut-être à s'intéresser au dictionnaire de l'Académie. Puis il dédie de médiocres *Fables* à Harlay, archevêque de Paris (1671). Il se fait bien noter à l'Académie et auprès de Colbert. Le voilà donc protégé et tranquille ; comme Boileau, il semble avoir fait oublier ses incartades de jeunesse.

Mais, en 1684, le scandale éclate. L'abbé Furetière, irrité de la lenteur des travaux lexicographiques de ses collègues, persuadé de leur relative médiocrité, rédigeait, en partie avec le matériel collectif, un dictionnaire « des arts et des techniques », pour lequel il extorque un privilège. Dès qu'un *Extrait* de son ouvrage paraît, la compagnie s'affole, réagit en l'accusant de plagiat. Malgré ses appuis, ses contre-attaques et mille démarches, Furetière est exclu (début 1685), calomnié, interdit de publication. Ses *Factums,* des libelles pour et surtout contre lui nous permettent de faire l'historique de l'affaire ; son *Dictionnaire* nous conduit à porter un jugement sévère pour l'Académie. Le « Furetière », publié en Hollande par Bayle deux ans après la mort de son auteur, n'est nullement un plagiat ; il surpasse sur plusieurs plans son modèle.

L'œuvre poétique

On en retient en général les *Satires,* plus proches de Régnier que de Boileau. Vive critique sociale, prestes croquis dans une langue pittoresque et pré-classique (le procureur au Palais : « De corps, de bras, de teste, il plaide, il gesticule, il s'échauffe, il s'agite et bave en grimassant [...] Tantost comme un canard on diroit qu'il se plonge... »). Malgré des chevilles et des lourdeurs, les réussites sont nombreuses (le truculent *Jeu de boules des procureurs*) mais ne pouvaient qu'être ressenties comme archaïques après 1680.

Si l'*Ænéide* burlesque ne nous transmet que la drôlerie collective d'un genre (encore que l'extrême liberté lexicale prenne ici un sens prémonitoire), le *Voyage de Mercure* (1659) est injustement oublié. Violente satire contre les financiers (Fouquet), contre les athées (Gassendi et ses disciples), contre les hommes de guerre, le poème aurait pu être repris par la critique sociale du XVIIIe siècle (« Tant a fait faire d'injustices/La Vénalité des offices » : chansonnette antiroyaliste bien vraisemblable...).

Les *Poésies diverses* recueillies en 1655 comprennent, outre les *Satires,* des pièces mondaines de circonstance. Rarement y perce un lyrisme évocateur de Tristan, plus souvent s'y manifestent un plaisant esprit et une utilisation équivoque du langage bourgeois (locutions et termes familiers choquants dans un poème). Si les *Fables* de 1671 sont écrasées par celles de La Fontaine, les *Paraboles* (1672), quelquefois, atteignent une musicalité et un charme enfantins.

Du burlesque le plus grossier à la pédagogie sagement chrétienne, Furetière n'a pas su choisir son registre personnel.

Un pseudo-roman

En apparence, un roman réaliste mal ficelé, déséquilibré mais alerte, apparenté aux plaisanteries de Racine dans *les Plaideurs ;* une satire de la justice, et surtout de la classe qui l'alimente : la moyenne et la petite bourgeoisie. En réalité, un texte truqué. Dès le titre, *le Roman bourgeois* se formule comme une incongruité : au XVIIe siècle, roman s'accorde à bourgeois comme aujourd'hui lyrisme à épicier (par préjugé, certes). Le rapport du narrateur au narrataire est dédoublé : le premier est à la fois critique (lorsqu'il écrit quelle description serait faite par « un autre autheur moins sincère »), pasticheur, puis romancier, jetant ainsi le doute sur cette dernière activité. On s'entêta à y voir un récit réaliste et comique, à la suite des beaux récits baroques de Sorel (*Francion*) et de Scarron. En fait, démontrant la caducité d'un système narratif trop raffiné (celui des Scudéry, par exemple, mais aussi, n'en doutons pas, de Mme de La Fayette), *le Roman bourgeois* prétend restituer à l'échange avec le lecteur une sincérité perdue. Le jeu de l'écriture sert ici à dévoiler les défauts d'un style et d'une morale. Comme la *Nouvelle allégorique*, aujourd'hui illisible, mais étonnamment habile en son propos, il dérive d'un projet critique et instaure une narrativité dédoublée et par là même menacée.

Il faut donc voir Furetière comme le producteur d'un discours second, qui le conduit à cet artifice critique extrême : le dictionnaire. Commenté sur le mode polémique, mais aussi méthodologique par les *Factums*, ce *Dictionnaire* est lui aussi une machine de guerre morale et critique – contre la conception académique du langage, à la fois aristocratique et plate. Furetière, tout le premier, met au dictionnaire le savoir sur les choses, la science naissante, la critique des préjugés. Il élargit l'usage, refusant la norme exclusive du « Vaugelas » et décrivant des variables sociales. Précurseur à la fois de l'encyclopédisme et de la sociologie du langage, comme il l'est du récit critique pseudo-réaliste – et il faudrait le comparer à Diderot, à Sterne –, il grandit singulièrement lorsqu'on l'arrache au cadre étroit où la critique l'a distraitement maintenu.

Le Roman bourgeois

SYNOPSIS

L'ouvrage compte deux parties, assez disparates. Dans la première partie, il est question de deux histoires dont les intrigues se croisent : d'une part l'histoire de Javotte, la fille belle, mais naïve, du procureur Vollichon, que courtise un certain Nicodème, petit avocat ridicule ; d'autre part, celle de Lucrèce, qui vit chez son oncle, un brave avocat, et sa tante, dont l'ambition est de briller par son salon : Lucrèce, qui rêve d'un beau mariage, est séduite par un jeune marquis qui la quitte très vite pour son régiment et la laisse enceinte, ce qui la contraint à trouver un père pour son enfant au plus vite. Le lien entre les deux histoires est Nicodème, joli cœur plus que de raison, qui, avant de parvenir à être le promis de Javotte, avait signé, par jeu, une promesse de mariage avec Lucrèce. Villeflatin, un procureur ami de la famille de Lucrèce, fait échouer le mariage de Nicodème et de Javotte : Vollichon préfère pour sa fille un vieil avocat, Jean Bedout, barbon avare et peu soigneux de sa personne. Ce qui sauve Javotte est sa fréquentation des salons, où elle s'enthousiasme pour la littérature romanesque du temps, ce qui la fait rêver d'un autre amour. Jean Bedout épousera en définitive Lucrèce, dont la situation devient plus qu'urgente. Javotte, tombée amoureuse de Pancrace, un jeune aristocrate, se laisse enlever par lui.

La seconde partie fait passer au premier plan un personnage apparu dans la première partie : l'écrivain Charoselles. Celui-ci souffre de ses échecs répétés, rencontre Collantine, plaideuse habituée de la chicane, et se fâche avec elle après une brève et grotesque idylle. Belastre, « ridicule magistrat » devenu prévôt par un coup du sort, apparaît alors. Après une longue exposition, on apprend qu'il fut un grand rival de Collantine dans de nombreux procès, et qu'il est tombé amoureux d'elle à force de la rencontrer ; l'histoire roule alors sur la rivalité des deux hommes, qui se disputent la plaideuse. Cette seconde partie est entrecoupée de nombreuses pièces extérieures au récit que Furetière, parodiant la manie des plaideurs, s'amuse à citer en grand nombre : jugement des buchettes (rendu par Belastre), lettre de Belastre à Collantine, inventaire d'un écrivain récemment décédé, Mythophilacte, catalogue des livres de ce dernier, avec lecture d'une « épître dédicatoire » parodique au bourreau Jean Guillaume. L'histoire s'achève brutalement par l'intervention du romancier qui résume en trois pages la fin de l'intrigue : Charoselles épouse Collantine, et ils entrent aussitôt en procès l'un contre l'autre pour « la pointe d'une aiguille ». Furetière conclut sur une petite fable (le chien fée et le lièvre fée « qui courent encore »), image de la rivalité inépuisable entre les deux personnages.

A. Rey et E. Bury (synopsis)

FUSTEL DE COULANGES Numa Denis

(1830-1889)

Deux générations de jeunes historiens propulsent successivement l'Histoire vers le niveau institutionnel et scientifique où l'installent, après 1870, les revues, les enseignements, les efforts de recherche dont le souci de la « Revanche » semblera faire alors un besoin national, face à une Allemagne née toute casquée de son historiographie.

Dans chacune de ces deux générations, éclatantes mais sans vrais lendemains, un savant se distingue parmi les auteurs à succès et prolonge en quelque sorte leur coup d'éclat collectif par une œuvre approfondie. Si Augustin Thierry est celui-là pour la génération des années 1820-1830 parmi les Mignet, Thiers, Guizot, Barante, Fustel de Coulanges joue ce rôle pour la génération de l'Empire libéral.

L'Histoire et ses règles

Sa *Cité antique*, fruit de ses études de normalien, membre de l'école d'Athènes, archéologue à Chio (1857), fait figure en 1864 de manifeste d'une historiographie totalement neuve. Préparée par la *Vie de Jésus* de Renan (juin 1863) et par l'*Histoire de la littérature anglaise* (décembre 1863) de Taine, qui ont l'une et l'autre sonné l'heure d'une ambition scientiste à l'égard de l'Histoire, cette œuvre, systématique, mais rigoureuse dans sa documentation, paraît former la première synthèse entre les branches jusqu'alors divergentes de l'Histoire philosophique et de l'historiographie descriptive.

Michelet offrait, certes, une synthèse de cet ordre, mais dans laquelle la fusion du prouvé et du conçu résultait évidemment du génie fabricateur de son style. *La Cité antique* renverse au contraire les proportions entre sens de l'Histoire de l'écrivain talentueux et enseignements tirés des choses mêmes. La personnalité morale historique qui se dégage de cet ouvrage se compare, en puissance évocatrice comme en fermeté de construction, à la France selon Michelet, mais ce sont cette fois les données historiques elles-mêmes qui, en s'agençant selon un système dont elles se révèlent issues, et qui n'a été que restitué, produisent cette figure. Point ici de cette turgescence du génie poétique, de cette ardeur matricielle qui fait de Michelet tout à la fois le père et la mère de son sujet. *La Cité antique* établit que l'Histoire peut procurer directement, sans médiation littéraire, l'intelligence des lois qui l'ont régie durant une période donnée. Il semble en résulter le principe que le cours des choses humaines est gouverné par des règles qu'il appartient à la science de révéler.

Si ce manifeste implicite, demeuré sans postérité immédiate, illustre brillamment en son temps la cause scientiste, plaidée par Taine, prophétisée par Renan, il s'en faut de beaucoup que le contenu de l'ouvrage convienne à son annexion par la pensée positiviste ordinaire.

La thèse centrale en est en effet le caractère essentiel, dans la structure des sociétés, du fait religieux. Confirmée pour les cités grecques par les meilleures études contemporaines, cette thèse, si propre à révolter les disciples du scientisme qui auront l'héritage de Fustel de Coulanges en partage, est paradoxalement le fondement de l'argument scientiste luimême. C'est en effet dans la mesure où le principe cardinal de l'explication avancée – la religion des morts – peut être quotidiennement reconnu comme une donnée fondamentale de l'espèce humaine que l'analyse systémique proposée, avec les lois historiques qu'elle met en évidence, touche aux données structurelles de l'humain.

L'ingénieux enchaînement que Fustel de Coulanges fait apparaître entre tous les éléments tant de la structure que de l'évolution des cités antiques prend valeur d'opération scientifique parce que l'élément d'entrée en est en quelque sorte expérimental, et semble ne rien devoir au parti pris imaginaire d'un auteur contemporain. La méthode adoptée contribue, certes, autant à conforter le caractère scientifique de l'ouvrage. Ayant pris le parti de comparer Rome et les cités grecques, Fustel de Coulanges situe la problématique historique hors de l'événementiel, des climats, races ou aventures, pour faire apparaître des enchaînements qui doivent être nécessaires puisque, tenant par l'origine à un trait distinctif universel de l'espèce humaine, ils peuvent être observés en parallèle dans des contextes tout différents.

On imaginerait, sur un tel fondement, Fustel de Coulanges à l'aube d'une grande analyse de toute l'Histoire, dont l'aboutissement serait la mise en évidence de lois du temps présent. Or l'ouvrage de référence d'une telle démarche, écrit à trente ans, reste isolé.

Revirements

Nommé professeur à la faculté des lettres de Strasbourg en 1860, Fustel de Coulanges est ramené par l'annexion allemande à l'École normale supérieure comme maître de conférences d'Histoire ancienne, puis, en 1878, est nommé professeur d'Histoire du Moyen Âge à la Sorbonne. Est-ce la commotion de ce repli, est-ce l'effet des honneurs universitaires dont il est suivi (Fustel de Coulanges dirige de 1880 à 1883 l'École normale supérieure), l'historien bifurque alors doublement. Il s'affiche d'abord comme un nationaliste énergiquement anti-allemand. Cela lui vaudra, en 1905, les faveurs tapageuses de l'Action française, prétendante assidue à son parrainage posthume. Ce qu'un tel engagement comporte de passion interdit la position de neutralité intellectuelle voulue par l'historien de *la Cité antique* quant au principe de toute œuvre générale : Fustel de Coulanges semble pour sa part renoncer à une telle œuvre prolongeant son coup d'envoi. À la manière de Thierry se consacrant à l'édition d'archives, Fustel de Coulanges apporte tous ses soins à la réunion des matériaux nécessaires à une monumentale *Histoire des institutions de l'ancienne France.* La méthode, l'exigence demeurent inchangées. Mais ce que *la Cité antique* pouvait représenter comme manifeste d'une conception neuve de l'historien a disparu.

C'est que Fustel de Coulanges opère dans un contexte tout différent de celui qui a nimbé *la Cité antique.* Celle-ci n'est, au total, que l'exercice particulièrement réussi de ce même esprit de méthode et de scrupule documentaire qui guide plus tard le patriarche de l'historiographie française. Mais elle paraît au moment où l'esprit du temps est à l'invention du scientisme, et elle tient lieu de manifestation des espoirs que celui-ci éveille.

Au contraire, lorsque paraissent ces premiers fragments de ce que Fustel de Coulanges considère comme son œuvre véritable, l'*Histoire des institutions de l'ancienne France,* avec *la Gaule romaine et l'Invasion germanique* (1875), puis *la Monarchie franque* (1888), deux facteurs sont intervenus qui rendent inactuelle l'ambition systématique des années 1860. D'un côté, la Commune a paralysé par tout ce qui la caractérise la quasi-totalité des hommes de culture, qui se sont violemment jetés dans le camp de l'ordre établi et s'y retrouvent cramponnés à l'académisme. Avec eux, Fustel de Coulanges n'a plus d'ambition intellectuelle que sévèrement didactique : pas plus d'aventure désormais pour l'esprit que pour le corps social. L'autre facteur est l'apparition d'une société pratiquant l'Histoire comme un service public, et impliquant l'inscription de toute activité historienne dans un vaste système de travail valorisant beaucoup plus les contributions universitaires que les ouvrages fulgurants. L'appareil complet des écoles (Normale, Chartes, Athènes, Rome, Hautes Études, etc.) est alors totalement en place, l'Université a incorporé cette discipline, naguère fougueuse, comme l'un de ses plastrons, des revues entretiennent la circulation des idées, l'école publique assure la diffusion d'une vulgate… Si les débats politiques ne tardent pas à pénétrer dans ce champ bien cadastré, il demeure que celui-ci offre à l'œuvre ultime et posthume (Camille Jullian la terminera) de Fustel de Coulanges un espace de résonance nettement plus capitonné. L'argumentation proposée en 1897 par le disciple le plus fidèle de Fustel de Coulanges, Camille Jullian, pour faire valoir le mérite de *la Cité antique,* illustre parfaitement ce déplacement des critères de jugement entre l'époque du livre de jeunesse et celle du magistère final – né en 1859, Camille Jullian n'a connu que cette dernière période, et il en est tout empreint.

Ph. Ratte

G

GABORIAU Émile

(1832-1873)

Né à Saujon (Charente-Maritime), Émile Gaboriau a tâté de divers métiers – clerc d'avoué, hussard en Afrique, chef d'écurie – avant d'entrer au service de Paul Féval et de découvrir le monde du journalisme où il devait faire carrière. Après plusieurs essais satiriques (*le 13ᵉ Hussards*, *les Comédiennes adorées*, *les Gens de bureau*, etc.), il publie, dans *le Pays*, *l'Affaire Lerouge* : le récit passe inaperçu ; repris dans *le Soleil* en 1866, le roman connaît un énorme succès, entraînant celui du journal et de Gaboriau.

L'Affaire Lerouge

SYNOPSIS

On a assassiné la veuve Lerouge dans sa maison de Bougival. Dépêché sur place, le commissaire Gevrol conclut au vol ; mais, appelé par le juge Daburon, le père Tabaret, après un relevé précis des indices, reconstitue l'épisode criminel et élimine le mobile du vol. De retour chez lui, il reçoit les confidences d'un de ses locataires, Noël Gerdy, jeune avocat plein d'avenir qu'il considère comme son fils (ignorant les escapades nocturnes du jeune homme chez une ruineuse maîtresse) : celui-ci, qui vit seul avec sa mère, a découvert qu'il était le fils légitime du riche comte de Commarin, substitué, avec l'aide de la mère Lerouge, au fils naturel du comte et de Mme Gerdy. Il a d'ailleurs fait part au vicomte Albert de Commarin, son demi-frère, de cette découverte. Pour Tabaret tout devient clair : c'est Albert qui a tué la mère Lerouge pour éviter qu'elle ne révèle la vérité. Il ne reste plus qu'à le faire arrêter rapidement, ce qu'entreprend volontiers le juge Daburon, éconduit naguère par Mlle d'Arlange, fiancée au vicomte. Interrogé, Albert, tout en protestant de son innocence malgré d'accablants indices, ne peut fournir d'alibi ; Tabaret se met alors à douter de sa culpabilité en dépit de l'acharnement du juge. Heureusement, Gevrol a retrouvé le mari de la « veuve » qui révèle toute l'histoire : en fait il n'y a pas eu de substitution ; dans le même temps Mlle d'Arlange apprend au juge que le soir du crime Albert était chez elle… Les fils se dénouent définitivement lorsque Tabaret rencontre un usurier qui l'informe de la situation financière alarmante de Noël. C'est donc lui qui a tué la veuve, croyant récupérer une place qu'il pensait sienne, et se délivrer ainsi de ses soucis matériels.

Désormais célèbre, celui-ci devient le feuilletoniste attitré du *Petit Journal* auquel il donne *le Dossier n° 113*, *le Crime d'Orcival* (1867), *les Esclaves de Paris* (1868) et *Monsieur Lecoq* (1869). Quelques titres secondaires – *la Vie infernale* (1870), *la Clique dorée* (1871), *la Corde au cou* (1873) – viennent compléter une œuvre prématurément interrompue par la maladie.

La fiction policière s'autorise d'une double paternité : Edgar Poe et Gaboriau. Toutefois, comme le remarquait déjà Marius Topin, « là où le premier avait construit la carcasse du système, le second a mis les chairs, le sang, le souffle, la vie ». Et de fait, si le poète américain a su créer dans l'espace réduit de la nouvelle ou du conte l'intérêt pour la logique du raisonnement froid, c'est au créateur de Lecoq que revient véritablement l'invention du roman policier, ou, pour reprendre l'expression de Thomas Narcejac, l'invention d'un « roman raconté d'une façon nouvelle ». Car le récit de Gaboriau n'est pas seulement la narration d'une prouesse déductive : c'est un creuset où viennent se fondre les formes littéraires, dramatiques ou romanesques, qui parcourent le XIXᵉ siècle. Comme le roman balzacien, le roman de Gaboriau se veut peinture de la société : l'intrigue policière ne se replie jamais sur elle-même, mais devient prétexte à pénétrer tous les milieux sociaux. Orientation décisive qui devait tirer le roman policier français vers le roman naturaliste et que venait accentuer la dépendance à l'égard du feuilleton, car, étiré au moyen d'artifices éprouvés comme les sommaires qui suivent l'apparition de tout nouveau personnage, le récit s'attache autant à expliquer des comportements qu'à résoudre une énigme. Le cas limite est fourni par *Monsieur Lecoq* où l'intrigue, engagée depuis plus de 200 pages (1ʳᵉ partie, « l'Enquête »), se suspend pendant près de 500 pages pour faire place à un véritable roman historique (2ᵉ partie, « l'Honneur du nom ») dont l'action, située pendant la Terreur blanche en Dauphiné, va servir d'explication au meurtre commis à Paris sous la monarchie de Juillet !

De là le refus de compliquer l'énigme au moyen de procédés fantastiques ou merveilleux : le crime chez Gaboriau ne repose que sur une logique humaine et le détective doit avant tout faire œuvre de psychologue : « Le plus grand écueil dans les instructions de crimes mystérieux est une erreur sur le mobile » (*l'Affaire Lerouge*, II). Aussi les héros de Gaboriau – le père Tabaret, dit Tirauclair, et son disciple Lecoq – s'égarent-ils souvent avant de parvenir au but : c'est qu'ils ne sont pas confrontés à un problème théorique, désincarné, mais à des individus qui par leur silence ou leurs propos, leurs attitudes ou leurs agissements brouillent les pistes. Le roman se déroule alors comme une tragédie dont l'enquêteur est l'ordonnateur mais que le narrateur maintient toujours à la limite du mélodrame en usant de personnages (les bons/les méchants, les purs/les sans scrupules, etc.) et de situations (opulence passée/ruine récente, fils naturel/fils légitime, juge et coupable amoureux d'une même femme, etc.) stéréotypés. Et si l'on peut s'étonner que Sherlock Holmes ait méconnu la véritable démarche de Lecoq au point d'en faire « un misérable bousilleur » et de réduire ses aventures à « un livre d'exercices pour détectives leur montrant ce qu'il ne faut pas faire » (*Une étude en rouge*), on ne peut qu'approuver Conan Doyle lorsqu'il se déclare « séduit par l'élégante façon dont Gaboriau agençait toutes les pièces de ses intrigues » (*Mémoires et Aventures*).

D. Couty

GACE BRULÉ

(vers 1160-apr. 1213)

Trouvère champenois, Gace appartient à la petite noblesse briarde ; il fait partie, en 1189, du groupe de poètes qui entoure la comtesse Marie de Champagne, fille de Louis VII et d'Aliénor d'Aquitaine ; il a très certainement connu Conon de Béthune. Puis il s'attache à la plupart des grandes cours : Bretagne, Blois, avant de connaître la faveur de Louis VIII.

La production de Gace Brulé est considérable. Plus de cent poèmes lui ont été attribués : on ne lui reconnaît plus actuellement la paternité que d'une soixantaine (soixante-neuf, plus quinze douteux, selon H.P. Dyggve). Presque tous sont des chansons d'amour. Leur succès est attesté par le *Roman de Guillaume de Dole,* qui en inclut trois dans ses « farcitures » lyriques. Dante considère l'une de ses chansons : *Tre d'amor qui en mon cor repaire* – qu'il attribua par erreur à Thibaut de Champagne – comme un modèle de perfection ; il y trouve « les trois degrés nécessaires à une construction accomplie : le charme, la grâce et l'élévation » (R. Dragonetti).

Gace appartient à un cercle d'initiés, de compagnons issus d'un même groupe social, qui s'oppose, par la qualité du sentiment, aux ménestrels qui ne sont que des rimeurs et des amuseurs sans profondeur. Dans ce cercle de la grande lyrique courtoise du Nord, le poète est censé éprouver réellement les sentiments, par ailleurs convenus, qu'il célèbre dans ses poèmes. Cette doctrine, selon R. Dragonetti, « porte le genre à son plus haut point d'accomplissement, parce qu'elle apparaît comme témoignage exemplaire d'une double expérience. Son œuvre donne à entendre qu'éprouver le *fin amour* et la joie poétique suppose les mêmes règles, aboutit à la même extase [...]. C'est le poème qui fait exister l'amour courtois et crée l'amant dans le trouvère ».

Une telle attitude transfigure le lieu commun. Celui-ci est à la base de toute la tradition lyrique, mais aussi rhétorique, du Moyen Âge. On retrouve donc chez Gace Brulé tous les thèmes troubadouresques : les joies et les souffrances de l'amour, les désespoirs et les triomphes, les célébrations de la Dame... Il semble que Gace soit exclusivement attentif aux voix de son être profond, indifférent à une réalité extérieure qui n'apparaît guère que sous les traits du « losangier », du jaloux malfaisant.

Gace Brulé témoigne d'une grande maîtrise de la technique comme de la langue : structures strophiques souvent complexes, clarté d'un langage à la fois rigoureux et recherché. Il en résulte un style de grande tenue, sans grandiloquence, parfois un peu figé, bien adapté en tout cas au ton élégiaque aristocratique que cultive ce trouvère, et qui explique la faveur qu'il a rencontrée auprès de ses contemporains.

D. Boutet

GADENNE Paul

(1907-1956)

Romancier, né à Armentières. Salué de son vivant par les plus grands noms de la critique et des lettres comme l'un des écrivains les plus représentatifs de sa génération, Paul Gadenne, en mourant prématurément de la tuberculose à l'âge de quarante-neuf ans, emportait avec lui son œuvre dans l'oubli. À partir de 1956 son nom n'apparaît plus, jusqu'en 1973, où, à la faveur de l'édition posthume de son dernier roman, *les Hauts Quartiers,* on le redécouvre. Timidement encore, mais suffisamment pour le reconnaître comme l'un des précurseurs les plus décisifs des grands bouleversements qui, dans les années 1960, allaient transfigurer l'univers du roman. De *Siloë* (1941) aux *Hauts Quartiers,* l'œuvre de Gadenne dessine l'itinéraire de l'ancien roman au nouveau ; c'est le parcours d'une ascèse, qui conduit d'une forme encore toute classique (*Siloë,* qui raconte la convalescence initiatique, dans un sanatorium de montagne, d'un jeune homme atteint par la tuberculose) à une écriture du dépouillement. Assimilé un peu hâtivement aux écrivains du « roman blanc », Gadenne a pu être considéré comme un pair de Jean Cayrol, de Marguerite Duras. Les quatre romans que, presque coup sur coup, il publie après guerre : *le Vent noir* (1947), *la Rue profonde* (1948), *Baleine* et *l'Avenue* (1949), présentent en effet un certain nombre de points communs avec les textes de ces auteurs : même forme dépouillée à l'extrême, à la limite parfois du poème en prose par la minceur de l'intrigue soumise au rythme de l'attente et au poids du silence, même omniprésence de la mémoire, du temps, même thème du rapport ambigu du créateur à sa création, des mots comme mystère, de leur inévitable usure... Ces similitudes pourtant ne définissent pas une vision du monde personnelle, que ses trois romans suivants, *la Plage de Scheveningen* (1952), *l'Invitation chez les Stirl* (1955) et *les Hauts Quartiers,* par le retour de l'auteur au romanesque, permettent de cerner. Tournant le dos au nouveau roman, Gadenne veut rester un « possédé » : la transparence de l'écriture doit être soumise à une signification spirituelle plus profonde, sur laquelle, en dernière instance, lui seul détient les pleins pouvoirs.

N. Vasseur

GAGUIN Robert *v.* Humanisme

GALLAND Antoine

(1646-1715)

Orientaliste, né à Rollot en Picardie. Ce fils d'artisan put faire de bonnes études à Paris, au collège du Plessis. En 1670, l'ambassadeur de France Nointel le fit venir à Constantinople puis l'emmena en Grèce, Syrie et Palestine (1673-1674). Rentré en France, Galland repartit pour Smyrne (1677-1678) puis pour Constantinople avec le nouvel ambassadeur, Guilleragues. De retour à Paris, en 1688, riche de savoir et de documents, ayant acquis la maîtrise de l'arabe et du persan, il travailla avec les érudits Thévenot, Herbelot, Bignon, publiant des études d'inscriptions et de médailles, de nombreux ouvrages historiques et lexicographiques, des *Paroles remarquables, bons mots et maximes des Orientaux* (1694) mais aussi des *Menagiana* (1693), recueil d'anecdotes sur Gilles Ménage, traduisant les *Contes et fables indiennes de Bidpay et de Lokman*, publiés en 1724 par Gueullette, *De l'origine et des progrès du café* (1699), et surtout, à partir de 1704, un ensemble de contes populaires orientaux d'après un manuscrit du XIVe siècle et les récits du moine syrien Hanna, *les Mille et Une Nuits*. Leur publication, triomphale, s'achèvera en 1717. Une élection à l'Académie des inscriptions en 1706, la chaire d'arabe au Collège royal en 1709 couronnèrent sa carrière.

Contestées par un autre traducteur célèbre, le Dr Mardrus (*les Mille Nuits et Une Nuit*, 1899-1904), la compétence et l'honnêteté de Galland ne sont plus guère discutées. Sans doute a-t-il tendance à édulcorer le texte original et à l'adapter au goût français. Il supprime les épisodes jugés licencieux, les récits rétrospectifs « inutiles », les énumérations d'objets, les poèmes insérés dans les scènes lyriques ; il ajoute des incises qui soulignent la logique ou excusent la bizarrerie des comportements (« suivant la coutume des Arabes »), laisse à l'occasion dériver son imagination et son style vers des modèles littéraires, de *l'Odyssée* aux *Lettres portugaises* : « Ah, cruel ! C'est ta barbare main qui a mis l'objet de mon amour dans l'état pitoyable où il est. »

Mais l'important est l'extraordinaire succès de l'entreprise attesté par les rééditions et le foisonnement d'ouvrages analogues, *les Mille et Un Jours* de Pétis de la Croix (1710-1712), les *Aventures d'Abdalla* de Bignon (1712-1714). À l'aube des Lumières, dans une France louis-quatorzienne austère et souffrante, *les Mille et Une Nuits* vont offrir un cadre, voire une caution réaliste au genre du conte oriental où se diront bientôt, de Crébillon à Voltaire, les rancœurs, les critiques et les rêves d'évasion d'une époque sans poètes. Dans cet Orient déjà « philosophique », terre de plaisir, de sagesse, où règne en maître un hasard aux limites de l'absurde (« Histoire de Cogia Hassan »), la réussite est pourtant fondée sur l'intelligence personnelle et les vertus sociales (« Ali Baba », « Aventures de Sindbad ») : ce sera bientôt la leçon de *Zadig*.

J.-P. de Beaumarchais

GALLO Max

(né en 1932)

D'origine niçoise, Max Gallo enseigne au lycée de sa ville natale puis à l'université, tout en travaillant dans l'édition parisienne. Député socialiste des Alpes-Maritimes (1981), il devient secrétaire d'État dans le gouvernement de Pierre Mauroy (1983-1984), puis s'éloigne de la politique.

Après de nombreux ouvrages historiques (*l'Italie de Mussolini*, 1964 ; *Maximilien Robespierre*, 1968 ; *Histoire de l'Espagne franquiste*, 1969 ; *la Cinquième Colonne*, 1970, etc.) et plusieurs essais politiques, il se tourne vers la fiction avec *le Cortège des vainqueurs* (1972). Le succès de sa trilogie *la Baie des Anges* (1975-1976), histoire de trois Piémontais émigrant à Nice et y faisant souche, l'incite à entreprendre une vaste fresque couvrant plus de deux millénaires d'histoire provençale, *Que sont les siècles pour la mer* (1977), suivie d'une saga aux personnages issus de six familles différentes et dispersés à travers le monde, *Les hommes naissent tous le même jour* (1978-1980). Viennent ensuite *la Demeure des puissants* (1983), *le Beau rivage* (1985), *le Grand Jaurès* (1985), *Belle Époque* (1986). En 1992, Gallo commence à bâtir un nouvel ensemble romanesque qui, sous le titre *la Machinerie humaine*, se compose de romans indépendants les uns des autres mais reliés par des personnages et un thème communs : l'exploration des mœurs et des passions de la société contemporaine.

Historien et romancier, Max Gallo cherche à atteindre des totalités à travers les destins entrelacés d'une multitude d'individus. Le chemin de Robespierre rencontre celui de « tous les acteurs de la Révolution » ; la « cinquième colonne » est à la fois un mythe et une réalité ourdie par d'innombrables agents. Le personnage historique sert de caution réaliste à l'aventure racontée, des documents authentiques côtoient des journaux intimes imaginaires, faisant surgir la mythologie d'une province, l'esprit d'une époque. Ainsi, *la Machinerie humaine* croise et entrecroise-t-elle le destin de dirigeants ou de vedettes de la télévision, d'hommes politiques, de journalistes, d'aventuriers dans un monde où l'argent et les paillettes enfantent des drames plus ou moins sordides. En dépit de quelques personnages caricaturaux un peu pesants, tel le patron de télévision Terraz, Gallo dynamise le récit avec un art très efficace du suspense qui captive l'attention.

En 1999, l'Amour de la France expliqué à mon fils est contemporain d'une nouvelle étape où Gallo se tourne vers les géants de notre histoire. Un succès sans précédent salue la tétralogie qu'il consacre en 1997 à *Napoléon*. Même accueil pour une fresque en quatre volumes publiée en 1998-1999 sur *De Gaulle*. S'introduisant dans son personnage, l'écrivain s'approprie ses émotions et partage sa vision panoramique : peintre, historien ou romancier, chacun dans son art, deviennent « ceux qu'il peint », écrit-il dans la préface de *Bleu, blanc, rouge, le regard des peintres* (2000). Cette approche intimiste des grands héros est cautionnée par des phrases célèbres prononcées par l'Empereur ou des citations empruntées aux fameuses conférences de presse du Général.

On ne peut que s'émerveiller devant la fécondité d'un auteur de plus de cinquante livres (en 2000, encore un roman sur l'Occupation : *les Patriotes*, premier tome de *l'Ombre et la Nuit*), devenus presque tous des succès littéraires retentissants (800 000 exemplaires pour *Napoléon*), et s'intéresser à cet écrivain dont les ambitions balzaciennes ont fini par s'ouvrir sur une vision historique de nos grands mythes qu'il popularise avec un lyrisme contenu.

M.-A. de Beaumarchais

Garçon et l'Aveugle (le)

(seconde moitié du XIIIe siècle)

On peut estimer, avec Edmond Faral, que le théâtre comique a été fécond dès le XIIIe siècle et qu'avec *le Garçon et l'Aveugle* nous avons affaire à notre première farce, à une véritable pièce interprétée par deux jongleurs, sans doute à l'origine une parade de foire qui se jouait seule, mimant une scène de rue, et que l'on intégra par la suite à des mystères. La pièce, qui a vu le jour à Tournai dans la seconde moitié du XIIIe siècle, ne nous est parvenue que dans une seule copie, d'origine picarde.

Une pièce habile et riche

Longtemps considérée comme une farce de bas étage et trop grossière pour mériter une étude attentive, cette pièce comporte d'extraordinaires possibilités de mise en scène et utilise toutes les formes du comique : l'aveugle, vêtu de haillons, pousse des gémissements, grimace, titube, marche à tâtons en exagérant son infirmité ; le garçon, Jeannot, fait force cabrioles et pieds de nez autour de son compagnon ; tour à tour « prudhomme » et médecin, il contrefait sa voix pour venger la morale outragée (et donner une rossée à l'aveugle) ou pour délivrer une ordonnance ; il recourt au double sens, portant sur des noms propres (le village d'Honnevain devient Hontevignies pour souhaiter à l'interlocuteur de « venir à honte », de connaître le déshonneur) ou sur des noms communs, qui prennent une coloration érotique : ainsi de *piner*, « peigner ».

Mais le plus intéressant est sans doute de découvrir comment le valet met en œuvre et réalise son double dessein : capter la confiance de l'aveugle pour le dépouiller totalement, révéler sa vraie nature en faisant tomber son masque. La ruse est le principal ressort de l'action, mais elle n'est pas le résultat d'une improvisation de dernière minute. Ainsi, le contrat que le valet passe avec l'aveugle est mûrement prémédité : c'est un des stratagèmes de Jeannot pour parvenir à ses fins. Le valet tient tout au long le beau rôle – c'est la victoire du bon et du malin –, d'autant qu'il partagera son butin avec ses compagnons et qu'il dévoile le caractère de sa victime, doublement aveugle : hypocrite, l'infirme affecte un langage dévot, empli d'invocations à la Vierge, auquel il renonce peu à peu pour s'abandonner avec cynisme à un langage fort impudique, enchérissant sur Jeannot, qu'il vient pourtant de semoncer, et pour manifester son ivrognerie, sa goinfrerie, sa sensualité (à deux reprises, il marque son impatience à revoir son amie) ; avare, il mendie, alors qu'il est riche ; importun, retors, il essaie de gagner la confiance du valet, mais il trouvera plus habile que lui.

La revanche du jongleur

Il ne semble pas que la ruse, le vol, les coups que Jeannot distribue puissent s'expliquer par le seul besoin. Est-ce un jeu gratuit, la vengeance d'un petit tricheur contre un riche malhonnête, la punition infligée à un être mauvais, qui ne mérite aucune pitié, sa cécité étant la punition de ses fautes ou de celles de ses parents ? En fait, à y regarder de plus près, Jeannot le *triquemers*, le « pauvre diable », apparaît aussi sous un autre jour : non content de chanter avec l'aveugle, il affirme, au vers 82 : « par parler les vainterai » [« je les vaincrai, les convaincrai »], puis, aux vers 121-122 : « Je sai bien de geste/Canter, si vous en déduirai » [« Je sais bien chanter les chansons de geste, je vous en divertirai »]. S'agit-il seulement de tromper l'aveugle ? Il ne semble pas : Jeannot est jongleur de tout son être, par son sens de la psychologie du moment, par son art de la parole flatteuse ou ambiguë, par sa situation instable et dépendante. Il représente l'auteur, au milieu d'aveugles – fermés aux jeux de l'esprit – qu'il faut flatter et tromper pour se faire accepter d'eux, pour obtenir de quoi vivre, que l'on tourne en ridicule, et dont on se venge en les frappant, en faisant d'eux la cible du comique et de la satire, en les dépossédant des biens qu'ils ont mal acquis.

Une riche postérité

Cette pièce à deux personnages qui s'affrontent plus ou moins violemment, et dont l'un, le valet, pour triompher de l'aveugle, son maître, change sa voix à l'occasion, aura une riche postérité, s'accommodant de quelques modifications. L'aveugle tantôt guérit (*Miracles de sainte Geneviève*, *Passion de Semur*, *Farce de l'aveugle et de son valet tort*), tantôt ne guérit pas (*Mystère de la Résurrection*). Sous l'influence de la tradition des deux infirmes qui associent leur misère, le valet peut devenir boiteux (*Mystère de saint Martin*, *Moralité de l'aveugle et du boiteux* d'André de La Vigne, *Passion de Valenciennes*...). Quant au procédé de la voix feinte, il se retrouve dans le *Mystère de la Résurrection* et la *Farce de l'aveugle et de son valet tort*, avant d'être utilisé par Molière.

J. Dufournet

Garin Le Loherain v. Lorrains ou Loherains (cycle des)

GARNIER Robert

(1545-1590)

Les huit compositions dramatiques de Robert Garnier – sept tragédies, une tragi-comédie –, écrites sur une quinzaine d'années, de 1567 à 1583, constituent l'œuvre théâtrale la plus étendue, à la fois par ses dimensions et l'ampleur de son registre, qu'ait produite la Renaissance française. On a souvent voulu voir dans ces pièces les ébauches encore imparfaites des chefs-d'œuvre classiques qui fleurirent au siècle suivant. En fait, il s'agit là d'une erreur de perspective : même si Garnier a fourni à Corneille ou à Racine plusieurs sujets tragiques (*la Mort de Pompée* inspirée de *Marc-Antoine, Phèdre* héritant d'*Hippolyte* sa trame et ses ténèbres) et une frappe toute nouvelle de l'alexandrin, son œuvre appartient, dans son ensemble, à un système original, voire à une culture, dont les préoccupations fondamentales sont en grande partie étrangères à celles de la dramaturgie classique. Comme chez ses contemporains Jodelle, Grévin ou La Taille, l'univers dramatique de Garnier apparaît comme ce théâtre de l'effroi et de la cruauté qui trouve dans Sénèque son modèle et dans la réalité présente sa toile de fond et ses images obsédantes.

Un magistrat dramaturge

Né à La Ferté-Bernard, Robert Garnier fait ses études de droit à Toulouse, où il se lie avec Guy du Faur de Pibrac. Auteur, dès cette époque, de quelques poèmes de circonstance, composés, notamment, à l'occasion de l'entrée de Charles IX à Toulouse (1565), il manifeste, dans ses « Chants royaux en allégorie » (1564 et 1566), son espoir d'un retour à l'ordre en matière politique et religieuse. Avocat au parlement de Paris en 1567, où il a rejoint son ami Pibrac, il célèbre cette année-là le règne du jeune Charles IX dans son *Hymne de la monarchie* – forme de gouvernement où il voit, dans l'alliance de l'harmonie et de la force, le bien suprême. Sa tragédie romaine de *Porcie* (jouée dès 1564, publiée en 1568), qui évoque la période d'anarchie préludant à l'avènement d'Auguste, traduit les mêmes orientations politiques. Établi au Mans à partir de 1569 comme conseiller au présidial et marié quelques années plus tard avec la poétesse Françoise Hubert (1573), il publie coup sur coup les tragédies d'*Hippolyte* (1573), de *Cornélie* (1574) et de *Marc-Antoine* (1578), qui évoquent les malheurs des deux triumvirats et contiennent des allusions aux troubles civils contemporains, ainsi que *la Troade* (1579) et *Antigone* (1580). Cependant que l'œuvre dramatique rencontre son apothéose avec la tragi-comédie de *Bradamante*, inspirée d'un épisode du *Roland furieux* de l'Arioste (1582), et surtout avec la tragédie des *Juives* (1583), la carrière du magistrat culmine en 1586, lors de sa nomination au Grand Conseil du roi. Longtemps proche de la Ligue, mais rallié sur le tard au pouvoir chancelant d'Henri III, Garnier ne survit guère plus d'un an à l'assassinat du roi en 1589.

« Choses funèbres et lamentables »

Dans la plupart des tragédies de Garnier, le premier acte met le spectateur en situation et lui expose la leçon du drame. La pièce commence par le monologue d'un personnage protatique qui crée l'atmosphère de ténèbres, dont le cinquième acte verra le paroxysme, et lance l'avertissement que la catastrophe réalisera. *Porcie* s'ouvre sur un paysage de « charongnes mortes » qu'évoque Mégère, divinité de la discorde triomphante, et se clôt sur le double suicide de l'héroïne et de sa nourrice. L'Enfer est là avant toute chose : Égée en témoigne au début d'*Hippolyte,* qui remonte de l'Achéron à l'« épaisse horreur », où bientôt la tragédie tout entière va replonger ses protagonistes hurlants. Au terme de la pièce, les ultimes imprécations de Thésée disparaissent dans cette obscurité originelle :

> *Ô ciel ! ô Terre mere ! ô profonde caverne*
> *De Démons ensoufrez, inevitable Averne !*

Le drame s'abîme dans ce gouffre d'où il est remonté, troupe de spectres hantés de mauvais rêves, au début du premier acte. Cette substance élémentaire qui enveloppe les personnages et leur colle à la peau – terre gorgée du sang des morts de *Porcie* ou d'*Hippolyte,* flots tempétueux de *Marc-Antoine* animés de la même pulsation que les veines ouvertes du héros, dont l'agonie se prolonge durant toute la pièce – confère au drame ce réalisme macabre par quoi une véritable hantise est sécrétée de scène en scène. Il n'y a pas, dès lors, progression dramatique ou psychologique, mais une sorte d'envoûtement répétitif, que rehausse, dans les parties chorales ponctuant la succession des actes, un usage incantatoire du verbe. Certains dialogues même apparaissent à la limite du chant, comme cette prière qu'Amital, dans *les Juives,* répète inlassablement devant l'inflexible Nabuchodonosor :

> *Nous demandons pardon, hélas ! pardonnez-nous !*
> *Hélas ! pardonnez-nous et faites-nous pardon.*

Cette discontinuité obsédante de la tragédie selon Garnier fige l'action et la décompose en une suite de tableaux hiératiques. Par là, le drame cesse de s'apparenter à un récit soutenu de gestes et de voix, pour devenir une authentique liturgie théâtrale revêtue de sombres couleurs.

Les Juives

SYNOPSIS

Inspirée de l'Ancien Testament, la tragédie des *Juives* a pour sujet la mort de Sédécias, roi de Jérusalem, et de ses enfants, victimes de la cruauté de Nabuchodonosor, « roy d'Assyrie », qui les retient prisonniers.

L'acte I est constitué par le monologue protatique du Prophète, qui évoque les malheurs du peuple juif, châtié par Dieu pour ses infidélités – avertissement auquel répondent les lamentations du chœur des Juives. La situation est exposée, dans l'un et l'autre camp, au cours de l'acte II : à l'orgueil cruel de Nabuchodonosor, qui s'égale lui-même aux dieux, s'oppose la douceur de la Reine, qui réconforte Amital, mère de Sédécias. La péripétie de l'acte III, le plus « humain » de la tragédie, entretient l'espoir d'une issue heureuse, après les démarches de la Reine et d'Amital auprès du tyran, qui paraît s'adoucir. Mais l'acte IV s'ouvre sur l'affrontement des deux rois et prépare le dénouement de l'acte V, où le châtiment s'accomplit dans toute son horreur : Sédécias, qui voit égorger devant lui ses enfants, est ensuite aveuglé. La pièce s'achève cependant sur un chant d'espoir et l'annonce de la venue du Christ, « qui les pechez des peuples netoyra ».

Entre les parenthèses ténébreuses du prologue et du dénouement, une accumulation de malheurs s'abat sur la tête du héros impuissant. Un héros pathétique, dont toute l'action se résoudra à commenter le spectacle de ses infortunes. Cornélie perd, tour à tour, ses deux maris successifs et son père, et, au moment où elle quitte la scène, s'apprête elle-même à mourir. Jugeant insuffisante à son gré la triste fin de Porcie, Garnier imagine de toutes pièces la mort de la Nourrice, afin, dit-il, « d'en ensanglanter d'avantage la catastrophe ». Quant à l'acte V des *Juives*, il voit fondre sur un peuple réduit à l'impuissance des châtiments en constante gradation : à la déportation et à la captivité à Babylone, voici que s'ajoutent le meurtre du Grand Prêtre, l'égorgement des jeunes enfants du roi Sédécias et l'aveuglement au fer rouge de ce dernier après qu'il a assisté à la scène précédente. Le *pathos* se fonde alors sur le contraste des bourreaux et des victimes, les uns inspirant la terreur, les autres la pitié. En un jeu d'hyperboles et de diminutifs, le lexique souligne l'antithèse, et, face à la rage du « tygre » ou du « mâtin » avide de sang et qui arrache les cœurs pour s'en nourrir, les « enfançons », « enfantets » et « creaturetes » tendent en vain leurs mains « faiblettes », « tendrettes », « tendrelettes ». Dans la même scène des *Juives*, on perçoit ce que le réalisme « créaturel » de la Bible – fait, selon E. Auerbach, d'une alliance des registres épique et familier – apporte à la tradition sénéquienne. Une notation concrète comme celle des enfants qui tentent, en les mordillant, de « saquer les menottes des mains » de leur père enchaîné, tout en appuyant le contraste pathétique du tableau, indique, par-delà l'évidente disproportion des acteurs en présence, une signification positive. L'éphémère vision de ces jeux d'enfants avant le massacre laisse prévoir, en cet instant de clarté et d'innocence, le retour durable d'un ordre pacifique et la parousie finale du Créateur. Mais il faudra, pour cela, que soit consommé « le malheur des malheurs » et que s'accomplisse de bout en bout le châtiment de Dieu à l'encontre du peuple qui l'a abandonné.

De la sorte, l'antithèse pathétique, moins qu'elle ne condamne l'univers au désordre et à la fureur, comme chez Sénèque, annonce par opposition le rétablissement d'une harmonie qu'est appelé à réaliser, en un pacte d'alliance renouvelé, le retour du Créateur parmi les hommes. Ce message, que l'intransigeant catholique qu'était Garnier adressait sur fond de guerres civiles à ses contemporains, laisse entendre que la cruauté de son théâtre ne se réduit aucunement à un parti pris esthétique, mais qu'elle est, en quelque sorte, nécessitée par l'urgence du combat à livrer. Il n'en allait pas différemment pour le protestant d'Aubigné qui composait, dans les mêmes années, les âpres chants des *Tragiques*.

Bradamante

Marquant une courte période d'accalmie, *Bradamante* occupe une place à part dans l'œuvre de Garnier. La pièce, imitée d'un épisode du *Roland furieux*, est construite autour du duel de conquête amoureuse qui oppose Bradamante, sorte d'amazone en armure et dont les attaques sont comparées à celles d'« un généreux cheval », et son prétendant, le chevalier Roger. Héritant des conventions romanesques les plus éprouvées – amour absolu, idylle pastorale, incroyables substitutions de personnes, quiproquos étirés jusqu'au dernier acte –, *Bradamante* mêle les tons les plus divers, du registre épique sur lequel s'exprime l'empereur Charlemagne pour appeler la chrétienté à l'unité contre l'infidèle (entendons : les protestants) à celui de la franche comédie dans la scène où le vieux duc Aymon trépigne de colère et trébuche. Mais il ne s'agit pas là que d'un simple divertissement réussi : la pièce trahit les inquiétudes et les espoirs de l'auteur, au même titre que *la Troade* ou *les Juives*. Garnier y exprime le rêve d'une chrétienté réconciliée spirituellement et politiquement, et il n'est pas jusqu'au dénouement romanesque – où se concluent simultanément et contre toute attente deux mariages – qui ne signifie la toute-puissance d'une Providence devant laquelle hommes et nations doivent s'incliner.

F. Lestringant

GARY Romain

*Pseudonyme de **Romain KACEW** (1914-1980)*

Écrivain, diplomate, héros de la « France libre », Romain Gary confesse son penchant pour les « farces et attrapes » : marionnettiste, montreur de personnages ambigus, inventeur de fables à double sens, cœur sensible et sourire moqueur, « clown lyrique », il manie les ficelles du métier en se tenant à distance pour juger de l'effet produit, se plaisant à étonner et à séduire. Il a poussé l'art du prestidigitateur jusqu'à se donner secrètement un double, cet Émile Ajar que couronne un prix Goncourt, faisant de Gary le seul écrivain à avoir deux fois reçu cette récompense sous des noms différents.

L'écrivain et son double

Né à Wilno, en Lituanie, Romain Gary est élevé par une mère qui place en lui de grandes espérances (cf. *la Promesse de l'aube*, 1960). « Cosaque un peu tartare mâtiné de juif », il arrive en France à l'âge de quatorze ans, fait son droit, s'engage dans l'aviation, rejoint la « France libre » en 1940, termine la guerre comme Compagnon de la Libération et commandeur de la Légion d'honneur. Le succès de son premier roman, *Éducation européenne* (prix des Critiques 1945), coïncide avec son entrée au Quai d'Orsay. En poste à Sofia, Berne, New York, La Paz, Los Angeles, il écrit *le Grand Vestiaire* (1948), éducation sentimentale d'un adolescent imaginatif, *les Racines du ciel* (prix Goncourt 1956), fresque de la vie coloniale en Afrique-Équatoriale française, puis il quitte la diplomatie en 1961. Après un recueil de nouvelles, *Gloire à nos illustres pionniers* (1962), et un roman humoristique, *Lady L* (1963), il se lance dans de vastes sagas : *la Comédie américaine* (*les Mangeurs d'étoiles* et *Adieu, Gary Cooper*, 1969) et *Frère Océan* (*la Danse de Gengis Cohn*, 1967 ; *la Tête coupable*, 1968 ;

Charge d'âme, 1977), précédé d'une longue préface, *Pour Sganarelle* (1965), définissant, face aux nouvelles théories, sa propre doctrine romanesque. Après la réalisation de deux films, *Les oiseaux vont mourir au Pérou* (1968) et *Kill* (1972), exprimant dans *Chien blanc* (1970) une profession de foi antiraciste, Gary laisse percer son angoisse du déclin dans *Au-delà de cette limite, votre ticket n'est plus valable* (1975) et *Clair de femme* (1977). Après la fin tragique de la comédienne Jean Seberg, son épouse de 1962 à 1970, un dernier roman, *les Cerfs-volants* (1980), précède de peu son suicide. Mais un document posthume révèle que, avec la complicité de son neveu Paul Pavlowitch, Gary se dissimulait sous le pseudonyme du mystérieux Émile Ajar, dont les romans *Gros-Câlin* (1974), *la Vie devant soi* (prix Goncourt 1975), *Pseudo* (1976), *l'Angoisse du roi Salomon* (1979) marquent un tel renouvellement d'écriture que la supercherie ne fut jamais découverte du vivant de l'auteur, qui la révéla dans un testament (*Vie et mort d'Émile Ajar*, 1981, posth.).

GARY-AJAR : L'HISTOIRE D'UNE MYSTIFICATION

Lorsqu'il invente en 1974 « Émile Ajar », Romain Gary n'en est pas à son coup d'essai. Mais l'Homme à la colombe, *écrit sous le nom de Fosco Sinibaldi (1958), a été fraîchement accueilli, et pour* les Têtes de Stéphanie *(1974), roman signé Shatan Bogat, l'identité réelle de l'auteur a été vite établie. Toujours en 1974, le critique Michel Cournot, enthousiasmé par un manuscrit prétendument envoyé du Brésil par un interdit de séjour nommé Émile Ajar, le fait publier au Mercure de France :* Gros-Câlin *est un succès de librairie, et le nom de Gary demeure cette fois dans l'ombre. Les journaux décèlent pourtant la main d'un professionnel : on parle de Queneau, d'Aragon, voire de M. Cournot lui-même ou d'un collectif d'écrivains. En 1975, avec le triomphe de* la Vie devant soi, *prix Goncourt, 800 000 exemplaires vendus, la curiosité redouble. Le magazine* le Point *croit tenir la bonne piste en découvrant l'existence de Paul Pavlowitch, cousin bien réel de Gary, et qui lui sert d'intermédiaire avec les éditeurs. La parenté des deux hommes expliquerait de surcroît certaines ressemblances thématiques et d'écriture entre l'œuvre d'Ajar-Pavlowitch et celle de Gary, qui aurait influencé, ou, à l'occasion, aidé le débutant. La mystification atteint son comble avec* Pseudo *(1976), signé Ajar, délirante autobiographie dont Pavlowitch est le héros, et où Gary apparaît dans le personnage du « tonton macoute ». En 1979, Ajar signe encore* l'Angoisse du roi Salomon *; la réalité, désormais démontrée, de Pavlowitch continue d'abuser la plupart des critiques, tandis que d'autres, se livrant à des études comparatives serrées, commencent à soupçonner la supercherie. Gary se suicide à la fin de 1980 ; l'année suivante deux livres paraissent coup sur coup : un récit de Paul Pavlowitch,* l'Homme que l'on croyait, *qui raconte toute l'affaire, et le testament de Gary, écrit en 1979,* Vie et mort d'Émile Ajar, *où le romancier s'explique sur sa « nostalgie de la jeunesse, du début, du premier livre, du recommencement », son angoisse existentielle face à l'enfermement dans un personnage, son désir d' échapper à soi-même… et son malin plaisir d'avoir joué un bon tour au « parisianisme » honni : « Je me suis bien amusé. Au revoir et merci. »*

Mythe et réalité

Sans mythes la réalité serait accablante : l'espoir placé dans la légende de l'insaisissable Nadejda (*Éducation européenne*) soutient les partisans dans leurs combats atroces, de même que le déporté des *Racines du ciel* trouve une évasion imaginaire en se figurant le galop des éléphants courant librement dans la brousse africaine. Mais les romans de Gary pris globalement sont aussi des mythes, décrivant un monde renversé où sombrent les conformismes et se transmuent les valeurs : espèces animales défendues avec la même ardeur que lépreux ou enfants ; prostituées au grand cœur ; parias magnanimes… Mythes provocateurs destinés à éveiller les consciences, à « changer le regard ». La réussite des premiers écrits de Gary tient à la parfaite intégration du discours symbolique et de la narration réaliste. Avec ses péripéties, ses intrigues sentimentales, ses personnages fortement typés, *les Racines du ciel* notamment pourraient passer pour un somptueux reportage sur les chasseurs d'ivoire et la colonisation du Tchad. Mais le message humaniste y est discrètement implicite : entre l'extermination des éléphants et celle de six millions de Juifs, la différence est de façade, non de nature ; la violence est une. En même temps, changeant le regard par l'humour, de courts romans et des nouvelles démolissent joyeusement les tabous sociaux qu'incarnent l'aristocratique « Lady L », issue de la pègre, ou un ambassadeur aux mœurs équivoques sous son intouchable réputation (« le Luth », dans *Gloire à nos illustres pionniers*).

La liberté de l'écrivain

Mais, sous le feu croisé des critiques existentialiste et marxiste, chicanée par les tenants du « nouveau roman » et la réaction puriste (Étiemble), l'œuvre de Gary se trouve mise en question. D'où *Pour Sganarelle*, renvoyant dos à dos ces « terroristes » de tous bords. Revendiquant son indépendance d'écrivain, Gary récuse les « engagements », nécessairement ponctuels, au profit d'une contestation qui embrassera l'ensemble de l'histoire contemporaine, laissant le « roman-solution » à ces idéologues qui veulent exercer sur le public une intolérable tutelle. En regard, il élabore l'ambitieuse doctrine d'un « roman picaresque moderne », où le « héros-personnage », double du « personnage-auteur », empruntera dans l'imaginaire de « nouvelles et multiples identités », vivant et faisant librement vivre au lecteur une expérience « totale ». Ainsi naît ce Gengis Cohn, fantasmatique esprit du mal, incarné successivement en policier allemand assassin d'enfants juifs, en tortionnaire de la guerre du Viêt-nam (*Frère Océan*), reflétant dans la dérision et l'humour noir tous les crimes de notre temps. Cependant, des morceaux de bravoure ne compensent pas les longueurs de cette saga au ton forcé, qui dénote, comme *la Comédie américaine*, un talent qui s'essouffle.

Des pythons et des hommes

Sous le masque d'Émile Ajar, le « personnage-auteur » rebondit. Non qu'il renonce à ses personnages : le « répugnant » python Gros-Câlin adopté par un timide statisticien (*Gros-Câlin*) et Madame Rosa, pachydermique tenancière de clandé (*la Vie devant soi*), partagent avec les éléphants l'aspect monstrueux qui décourage la pitié sélective des bien-pensants. L'auteur reste également fidèle à ses thèmes familiers : narguant les interdits sociaux, bataillant pour les humbles, Ajar célèbre un monde d'immigrés, de putes, de travestis aussi serviables que des sœurs de charité. Mais l'appel humaniste change de niveau : Gary se plaçait à celui de l'Histoire et de ses massacres cosmiques (*Frère Océan*), Ajar peint la routine de pauvres vies humiliées. Dépouillant amertume et dérision, le ton devient celui de l'humour et de la tendresse, culminant dans l'amour du petit Arabe Momo pour Madame Rosa. Fable et réalité fusionnent à la manière de Boris Vian : « Gros-Câlin », mi-homme rampant jusqu'à son gîte, s'enroulant pour moins souffrir, mi-reptile (« lorsqu'on a besoin d'étreintes, un python de deux mètres vingt fait merveille »), exhale, sous le récit de ses rocambolesques aventures, la plainte des mal-aimés. Mais Ajar défie surtout les adversaires « flaubertistes » de Gary, inventant à l'usage de Momo un idiome fait d'à-peu-près phonétiques (les « proxynètes », la « récession » d'une maladie), noyant dans le flot d'un monologue faussement enfantin les lieux communs plus ou moins tronqués glanés auprès des filles, véhiculant entre rire et larmes l'angoisse d'un enfant déraciné, le besoin dévorant d'aimer.
Les Cerfs-volants, l'ultime roman signé Gary, renoue sous un éclairage pessimiste avec le temps de la Résistance et de l'Occupation : « Et si le nazisme n'était pas une monstruosité inhumaine ? Et s'il était humain ? » Mais le propos reste le même, le plaidoyer de Gary en faveur de la personne humaine outragée faisant écho à la voix du petit Momo d'Ajar : « Il faut aimer. »

M.-A. de Beaumarchais

GASSENDI Pierre

Pseudonyme de ***Pierre Gassend*** *(1592-1657)*

Philosophe et mathématicien. Fils de cultivateurs de la région de Digne, Gassendi étudia la théologie et la philosophie à Aix, entra dans les ordres et devint chanoine théologal de Digne (1614). Il avait entrepris une carrière d'enseignant de philosophie à Digne, puis à Aix, où il se lia avec Peiresc, enfin à Paris, où il fut nommé au Collège royal (1643). Son œuvre (rédigée presque entièrement en latin) relève de l'histoire de la philosophie. Mais son enseignement et son influence ont marqué profondément le mouvement des idées et la création littéraire au XVIIe siècle. Il apparaît en effet comme le maître de la pensée libertine.
Il peut sembler paradoxal de parler de libertinage à propos de Gassendi. Nul libertinage de mœurs de sa part : de santé fragile, il vécut austèrement ; il ne manqua jamais à ses devoirs de prêtre, ne renia jamais sa foi catholique. Pourtant, son érudition et sa philosophie étaient admirées des libertins savants, et respectées des libertins débauchés. Ainsi François Luillier, débauché notoire, lui offrit l'hospitalité et lui confia son fils Claude Chapelle ; les érudits Naudé et La Mothe Le Vayer étaient ses amis intimes. Dans le cercle des frères Du Puy, il était considéré comme un maître. Parmi ses disciples, outre Chapelle et Molière, on compte Cyrano de Bergerac et Saint-Évremond.
Dans son œuvre, on peut discerner trois lignes de force. La première est l'antidogmatisme. Ayant dû enseigner l'aristotélisme officiel, il en avait éprouvé les tares, qu'il dénonça dans son premier ouvrage (les *Exercitationes*, 1624). Plus largement, il y niait toute construction métaphysique. En cela, il est pyrrhonien. En second lieu, il combat toute innéité : ce que l'on tient pour vérité établie ou évidence n'est à ses yeux que le résultat d'un consensus dicté par les habitudes et les opinions transmises. Sur ce point, il s'oppose à Descartes, avec lequel il eut une controverse en 1641-1642. Enfin, il s'intéresse à l'épicurisme (dès 1626), et il compose en 1634 une *Apologie d'Épicure* : son sensualisme, ses curiosités scientifiques (pour les travaux de Copernic et de Galilée notamment) ne pouvaient manquer de le conduire vers l'atomisme. En 1634, il entreprit d'exposer ses vues sur ce sujet dans son *Syntagma philosophicum*, qui parut après sa mort.
Sa pensée n'est donc pas exempte de contradictions : entre pyrrhonisme et épicurisme, mais plus encore entre ces deux attitudes et la foi catholique. Son effort tend à la conciliation, mais le sens exact de sa religion reste problématique. L'essentiel est son souci d'une philosophie pragmatique, tolérante, relativiste. Ce sont les fondements du « libertinage » au sens premier du terme.

A. Viala

GASTON PHÉBUS *ou* FÉBUS

Pseudonyme de ***Gaston III, comte de Foix*** *(1331-1391)*

Bien qu'il ait aussi composé un *Livre des oraisons* (1380), ce grand seigneur « qui les chiens sur toutes bestes amoit et aux champs esté et yver voulentiers estoit » (Froissart), et dont la cour, à Orthez, fut un important foyer culturel au XIVe siècle, est célèbre par son *Livre de chasse* (1387-1388), qui connut un immense succès (manuscrits dont plus d'une vingtaine enluminés figurent parmi les plus beaux du monde). La chasse est le divertissement aristocratique par excellence, et le meilleur entraînement du chevalier. Dans le prologue, l'auteur se proclame le meilleur chasseur du temps, et les contemporains le reconnaissent comme tel. Cinq parties traitent successivement des mœurs des animaux (§ 1-14, embryon d'histoire naturelle dont s'inspira Buffon), des chiens et de leurs maladies (ces animaux, les plus nobles, font l'objet d'une pittoresque pharmacopée), de leur dressage, de la chasse royale au cerf, des autres chasses à force puis, presque honteusement, des ruses et pièges. La chasse est une forme de perfection : elle évite de pécher (un chasseur n'a guère le temps), on y mène une vie saine dans la bonne humeur, on vit longtemps (sauf si, comme Gaston, on meurt au cours d'une chasse à l'ours).

Ce *Livre de chasse* est une œuvre riche en scènes (assemblée des chasseurs au cœur de l'hiver, départ au petit matin…) et en souvenirs, qui fait rêver d'un paradis cynégétique dont les chasseurs à courre occuperaient le centre. Les détails techniques n'ont rien perdu de leur valeur, et certains chapitres, comme celui des loups, dénotent une rare expérience : rapports du mâle et de la femelle ; nourrissage des petits ; loups-garous, qui, ayant goûté à la chair humaine, ne peuvent plus s'en passer…

A. Strubel

GATTI Armand

(né en 1924)

Écrivain né à Monaco. Une enfance très pauvre et la mort de son père, un ouvrier immigré, blessé par la police au cours d'une grève en 1938, ont donné à Armand Gatti la force d'être, jusque dans sa tardive vocation théâtrale, un militant actif et persévérant. Il prend fait et cause pour tous les opprimés, qu'ils soient balayeurs chez nous (*la Vie imaginaire de l'éboueur Auguste Geai*, 1962), Indiens guatémaltèques (*le Crapaud-Buffle*, 1959 ; *le Quetzal*, 1960), anciens détenus d'une mine de sel au temps de la terreur nazie (*l'Enfant-Rat*, 1960), victimes de guerre impérialiste (*V comme Vietnam*, 1967) ou Espagnols victimes du régime franquiste (*la Passion du général Franco*, 1968). Pour Gatti, aucun de ceux qui ont lutté et sont morts pour un idéal de justice sociale ne doit avoir péri pour rien : au théâtre d'attiser cette flamme.

Grand reporter dans plusieurs journaux de 1954 à 1959, il a parcouru le monde et suivi de près ses drames. Quand il devient dramaturge, ses préoccupations restent planétaires et actuelles. Nombre de ses pièces sont d'ailleurs inspirées directement de ce qu'il a vu ou entendu lorsqu'il était en mission en Amérique du Sud ou en Chine. Ses débuts de journaliste comme chroniqueur judiciaire lui ont permis aussi de comprendre combien les procès étaient des mises à mort collectives, idée que l'on retrouve dans *l'Enfant-Rat*, dans *Chant public devant deux chaises électriques* (à propos de l'affaire Sacco et Vanzetti, 1964) ou dans les *Chroniques d'une planète provisoire* (1962).

Armand Gatti a été arrêté alors qu'il était résistant, désigné comme otage, puis déporté. Cette terrible expérience concentrationnaire s'exprime à nu dans des pièces comme *l'Enfant-Rat* ou *la Deuxième Existence du camp de Tatenberg* (1962). Plus généralement, elle l'incite à contester la temporalité traditionnelle et à chercher à mêler, par la succession des séquences et le langage lui-même, passé, présent et futur. Car cet homme si douloureusement marqué par le passé refuse de condamner l'humanité, à qui il laisse l'espérance de l'avenir et, surtout, la faculté de rêver. Auguste Geai mourant se revoit à neuf, vingt et un et trente ans, mais s'imagine aussi à l'âge de la retraite. Récusant toute tentative de reconstitution chère au drame historique, Armand Gatti n'a rien d'un dramaturge complaisant. Il sait très bien que le public, avant de voir ses pièces, doit d'abord être informé complètement sur les événements qu'elles évoquent. Il organise aussi des discussions avec lui, quelques jours après le spectacle, et en profite alors pour modifier ses textes, qu'il ne considère jamais comme définitifs. Il ne cherche pourtant pas à provoquer une adhésion unanime, jugeant logique que son théâtre politique ne plaise pas à tout le monde. Convaincu qu'on ne peut contraindre l'esprit du spectateur, il préfère lui ménager, grâce à la technique du montage et à un langage poétique, la possibilité de traduire, en fonction de ses propres désirs et besoins, les images qui lui sont proposées.

Déjà dans *les Treize Soleils de la rue Saint-Blaise* (1968), il avait représenté les soucis et les rêves des habitants d'une rue de Paris, menacée par une opération de rénovation immobilière. Par la suite, l'écrivain s'est montré à la fois plus modeste et plus ambitieux : il est devenu l'orchestrateur et le metteur en scène de créations collectives élaborées au cours d'expériences originales d'animation culturelle (cf. *Rosa collective*, 1973 ; *Notes de travail en Ulster*, 1983), délaissant souvent lieux et troupes de l'institution dramatique pour travailler avec les gens mêmes dont il met en texte l'histoire (paysans belges de *l'Arche d'Adelin*, 1973 ; collégiens du *Chat guerillero*, 1975, etc.).

D. Mortier

GAULLE Charles de

(1890-1970)

En Charles de Gaulle, l'homme politique et le stratège éclipsent quelque peu l'écrivain, classé une fois pour toutes comme un mémorialiste dont les anthologies retiennent les pages les plus lyriques : « Toute ma vie, je me suis fait une certaine idée de la France » (*Mémoires de guerre*). Pourtant, loin de se borner à la remémoration du déjà fait, le discours de l'homme du 18 Juin, du président de la République (1959-1969), est aussi l'instrument de l'histoire en train de se faire. D'où la variété – traités de stratégie, Mémoires, conférences de presse, messages – et le dynamisme de textes gouvernés par une commune finalité politique ou, à défaut, pédagogique : « Qu'ai-je été moi-même sinon quelqu'un qui tâchait d'enseigner ? » (*Mémoires d'espoir*.)

Un écrivain de combat

Né à Lille, fils d'un professeur de lettres, Charles de Gaulle grandit dans un milieu cultivé, au patriotisme sourcilleux. À seize ans, il rime un apologue à la manière de Rostand, *Une mauvaise rencontre* ; mais seule l'Histoire peut à la fois séduire son imagination et satisfaire le « côté positif » de son esprit : « Princesse des contes », la France est aussi « le pays tel qu'il est », au destin millénaire inscrit dans les données de la géographie (*Mémoires de guerre*, 1954-1959), réalité qui marquera durablement la pensée gaullienne. Avec Bergson, il partage la foi en l'instinct du héros, car il croit à son étoile : « Je ne doutais pas que la France dût affronter des épreuves gigantesques, que l'intérêt de la vie consistât à lui rendre un jour quelque service signalé, et que j'en aurais l'occasion » (*id.*). Mais Péguy lui apprend à se défier des clercs. Affrontée dès sa sortie de Saint-Cyr, en 1914, la « terrible épreuve » du feu lui enseigne la nécessité d'encourager les audacieux en leur ménageant la protection d'une « nouvelle cuirasse », le char (*Vers l'armée de métier*, 1934). Blessé, fait prisonnier à Douaumont, enfermé, après cinq évasions manquées, à la forteresse d'Ingolstadt – où se morfond le futur maréchal Toukhatchevski –, le jeune officier compose *la Discorde chez l'ennemi* (qui paraîtra en 1924), un essai sur les rapports entre autorités civile et militaire. Lorsque éclate la Seconde Guerre mondiale, l'œuvre du colonel de Gaulle comprend déjà : une *Histoire des troupes du Levant* (1931) ; *le Fil de l'épée* (1932), regroupant trois conférences sur la vocation du chef que l'auteur dispense « des apparences d'une fausse discipline » ; *Vers l'armée de métier*, développant une stratégie prophétique de l'arme blindée ; *la France et son armée* (1938). Contredisant les thèses officielles, ces ouvrages recueillent peu d'audience.

Pendant la « drôle de guerre » (1939-1940), promu général à la tête d'une unité de chars qu'il manœuvrera habilement en mai 1940, de Gaulle rédige un *Mémorandum* prévoyant le déferlement de l'offensive allemande. Membre du gouvernement Reynaud (5 juin 1940), il s'envole vers Londres à la veille de l'armistice et, le 18 juin, lance son fameux appel. Chef de la « France libre », il parvient à imposer son personnage aux dirigeants alliés et à regrouper autour de lui la Résistance française (cf. les *Mémoires de guerre*). Après la Libération, l'hostilité des milieux politiques le contraint à une retraite (1946-1958), d'où il sort à la faveur de la crise algérienne. Président de la République jusqu'à l'échec du référendum de 1969, il se retire dans sa maison de Colombey-les-Deux-Églises. Il meurt l'année suivante, laissant inachevé le deuxième tome de ses *Mémoires d'espoir* (1970). Cinq volumes de *Discours et messages*, publiés en 1970, rassemblent ses différentes interventions depuis juin 1940 jusqu'à sa disparition de la scène politique. S'y ajoutent onze volumes de *Lettres, notes et carnets* (1981-1997).

Classicisme et irrationnel

Évoquant Bossuet ou Saint-Simon, les commentateurs s'accordent pour qualifier de classique le discours historique de De Gaulle : syntaxe infaillible, économie du vocabulaire, limpidité, efficacité. Mais aussi, sous cette froideur apparente, un lyrisme à la Chateaubriand, qui s'exprime par un système métaphorique empruntant largement aux éléments de la nature. Et tout d'abord à l'eau : le narrateur se compare à « un homme au bord d'un océan qu'il prétendrait franchir à la nage », naviguant ensuite avec Churchill sur « la mer démontée de l'Histoire » (*Mémoires de guerre*). Ailleurs, « houle vivante », la foule envahissant les Champs-Élysées en août 1944 lui arrache ce cri : « Ah, c'est la mer ! » (*id.*) D'ordinaire, l'élément liquide peut être canalisé, le « torrent » endigué pour en capter l'« énergie » (*Mémoires d'espoir*). Mais lorsque de Gaulle perd prise, le continu des forces naturelles se fige soudain en discontinu mécanique, et la métaphore s'évanouit. Ainsi au « déferlement » d'enthousiasme des précédentes étapes africaines, lors de la préparation du référendum de 1958, succède l'automatisme hostile des manifestations guinéennes : « Les femmes sautent, chantent, dansent au commandement » (*id.*). Le chevauchement de la rhétorique classique et de cet imaginaire fortement marqué par le dynamisme bergsonien, opposant en un combat singulier le narrateur-héros aux puissances cosmiques, imprime aux *Mémoires* leur mouvement épique, récit historique et merveilleux intimement mêlés.

Une esthétique de la surprise

Dans les *Discours et messages*, en revanche, une écriture volontariste orientée vers l'efficacité pratique rapproche l'art de l'homme de lettres de celui du stratège. Tantôt un mot au sens obscur, à la consonance bizarre, « volapük », « quarteron », « comités Gustave ou Théodule », se détache de l'ensemble du discours, focalisant l'attention de l'auditeur ou du téléspectateur tout à coup saisi d'étonnement : « Par-dessus tout, ménager la surprise », lisait-on déjà dans *Vers l'armée de métier*. Dans d'autres textes, un effet identique est obtenu par un renouvellement complet du ton, une cocasserie soudaine tranchant avec l'image que « le Général » donne habituellement de lui-même : « L'Europe ! l'Europe ! l'Europe ! » (Entretien avec Michel Droit, 1965) – autre application d'une même tactique dont le principe est de « tenir en haleine » par l'imprévu (*Vers l'armée de métier*). Tantôt, à coup de petites phrases ductiles comme des colonnes blindées, s'avançant sous le « camouflage » (*id.*) de formules ambiguës, aux sens multiples, « je vous ai compris », « la paix des braves », de Gaulle lance ses raids, explorant le terrain, fonçant sur l'adversaire avec un humour féroce. On retrouve le zélateur de la guerre de mouvement, qui ne craint pas la feinte.

Dans la littérature ou dans l'action, de Gaulle estime hautement l'habileté tactique ; à preuve certains portraits : Jean Moulin, « homme de foi et de calcul », Staline exploitant les « détours de l'exégèse marxiste » pour conduire sa politique « grandiose et dissimulée » (*Mémoires de guerre*). De Gaulle, lui aussi, a su plier l'écriture aux exigences de son grand dessein, renouvelant le discours politique en le purifiant de sa rhétorique traditionnelle au profit d'une tactique – devenue une esthétique – de la ruse et de la surprise.

M.-A. de Beaumarchais

GAUTIER Théophile

(1811-1872)

Permanence et solidité : tels sont les mots qui peuvent caractériser la manière d'être, de penser et d'écrire de Théophile Gautier. Ses croyances et ses aspirations apparaissent vers sa vingtième année et, si elles s'affinent au cours des ans, si elles s'approfondissent jusqu'à prendre parfois des résonances dramatiques, elles restent identiques dans leur nature et dans leur objet. La création littéraire du poète est un univers solidement architecturé, aussi beau, aussi riche et aussi dramatiquement décevant que l'Eldorado de son *Fortunio.* Les lignes de force en sont la liberté de l'artiste, le culte de la beauté et de l'art, l'aspiration à l'absolu, la soif de l'impossible unité.

Une vie au service de la plume

Les hasards de la carrière administrative de son père ont fait naître Théophile Gautier à Tarbes, où il ne passa que les premiers mois de son existence. Dès 1814, son père est nommé chef de bureau aux octrois de Paris, et la famille Gautier habite 130, rue Vieille-du-Temple, puis 4, rue du Parc-Royal. Théophile vit une enfance choyée et sans histoire. N'ayant pu supporter la rudesse de l'internat du collège Louis-le-Grand, qu'il fréquente de janvier à avril 1822, il entre comme externe au collège Charlemagne, où il se lie d'une amitié indéfectible avec Gérard de Nerval. Très tôt passionné de lecture et d'art, oscillant entre la peinture et la poésie, il opte pour la carrière artistique : en 1829, sa famille s'est installée 8, place Royale, et Théophile fréquente l'atelier du peintre Rioult ; pendant les vacances, qu'il passe en famille à Mauperthuis, près de Coulommiers, il s'adonne à la peinture, faisant des portraits qui ne manquent pas de grâce ou décorant l'église du village d'une vaste toile représentant saint Pierre soignant les paralytiques.

Lancé très jeune dans les ateliers de peintres, il le fut également dans les milieux littéraires, grâce à Gérard de Nerval, qui l'emmena chez Pétrus Borel et qui, le 27 juin 1829, le présenta à Victor Hugo, pour lequel Gautier garda toute sa vie une admiration passionnée. Déçu par la difficulté d'acquérir une technique picturale solide – et prétextant sa myopie –, il revient à sa vocation première : son premier recueil, *Poésies,* parut le 28 juillet 1830, en pleine révolution.

Se dégageant progressivement du milieu familial, il fréquente le Petit Cénacle de Jehan Duseigneur, puis va habiter l'impasse du Doyenné, lieu de rencontre d'une bohème littéraire et artistique qui laissera, dans la mémoire de ceux qui l'ont vécue, le souvenir d'une vie passionnante, insouciante et libre, riche d'échanges artistiques d'une qualité rare. Il y retrouve, outre Nerval et Auguste Maquet, Alphonse Brot, Jules Vabre, Joseph Bouchardy, Célestin Nanteuil, Delacroix [voir **Romantisme**].

Sa vie sentimentale est orageuse, et les aventures se multiplient. En 1836, Eugénie Fort lui donne un fils, qu'il reconnaît et à qui il donne son nom et son prénom. Il vit quelques années avec une mystérieuse Victorine, personnage haut en couleur, avec laquelle les disputes, souvent violentes, étaient suivies de réconciliations passionnées. En 1841, il écrit le livret du ballet *Giselle* pour Carlotta Grisi, pour laquelle il éprouva des sentiments sur la nature desquels ses biographes se sont longuement interrogés sans pouvoir apporter une réponse déterminante. C'est avec Ernesta Grisi, la sœur aînée de Carlotta, qu'il se lie à l'automne de 1843 : il vivra avec elle plus de vingt ans, et elle lui donnera deux filles : Judith, née en 1845, et Estelle, née en 1847. Cette union ne met pas fin à sa vie sentimentale : on connaît ses liaisons avec Régina Lhomme, avec la célèbre actrice Alice Ozy, avec Marie Mattéi…

Sa production littéraire est variée : poésie, théâtre, prose, avec des nouvelles et des romans ; production littéraire journalistique abondante dans *le Figaro, le Cabinet de lecture, la France littéraire*… La renommée de Gautier grandit, et le caractère alerte de sa plume attire sur lui l'attention des hommes d'affaires du journalisme moderne naissant. La collaboration de Gautier au journal *la Presse,* créé en juillet 1836 par Émile de Girardin, marque un tournant dans son existence : la rédaction du feuilleton va devenir pour lui une activité primordiale et la source essentielle des revenus d'une existence dans laquelle les charges se multiplient au fil des années. Pendant le reste de son existence, il écrira au moins un feuilleton hebdomadaire, rendant compte des nouveautés théâtrales ou des nouveautés artistiques (notamment les Salons annuels), d'abord dans *la Presse* (dont il fut nommé directeur littéraire vers 1841), jusqu'en 1855, puis dans *le Moniteur universel,* jusqu'en 1869, et dans *le Journal officiel,* jusqu'en 1871.

Cette activité absorbante a été ressentie par lui comme une obligation pénible – mutilante même, parfois – et a développé en lui l'horreur de la feuille blanche qu'il devait couvrir de « pattes de mouche ». Mais elle lui a été également un moyen d'évasion puisque ses qualités d'observateur méticuleux et de conteur alerte ont poussé les directeurs de journaux à lui confier des reportages. C'est à cette fin qu'il visite la Belgique et la Hollande en 1836, l'Espagne en 1840, l'Italie en 1850, Constantinople en 1852, l'Allemagne en 1854 et 1858, la Russie en 1858 et 1861, l'Égypte en 1869.

Sans idées politiques précises, il s'est tenu à l'écart de la révolution de 1848 et s'est adapté au second Empire. À cette époque, et malgré trois échecs à l'Académie française, où il n'entra jamais, il fait figure de personnage officiel, surtout dans l'entourage de la princesse Mathilde, qui le nomme son bibliothécaire en 1868. Membre de nombreux jurys de beaux-arts, il apparaît comme l'arbitre à l'autorité incontestée pour tout ce qui touche à la peinture et à la sculpture, en même temps qu'il est perçu comme le maître de l'école de l'Art pour l'Art.

Ses dernières années sont éclairées par son amour sublimé pour Carlotta Grisi. La guerre de 1870 fut pour lui un véritable effondrement : effondrement de sa sécurité matérielle, mais aussi délabrement de sa santé ; il supporte mal les épreuves morales et les souffrances physiques du siège de Paris, et il meurt d'une maladie de cœur, en son domicile de Neuilly, qu'il occupait depuis quinze ans.

Le romantique engagé

Vibrant à l'unisson de la jeunesse de son temps, Gautier se passionne pour les discussions littéraires et artistiques : quand sonne l'heure de la bataille, celle d'*Hernani,* le 25 février 1830, c'est tout naturellement à Gautier que le maître reconnu confie le commandement de l'escouade des partisans. Ses premiers recueils sont profondément marqués par le romantisme : effets de clair de lune ou de soleil couchant, profusion de monuments gothiques, de tintements de cloches (« Les vibrements de la cloche qui tinte/D'un monde aérien semblent la voix éteinte »), ou visions cauchemardesques (« Avec ses nerfs rompus, une main écorchée/Qui marche sans le corps dont elle est arrachée/Crispe ses doigts crochus armés d'ongles de fer/Pour me saisir… »), ou visions macabres (« Quelques têtes de mort vous apparaissent blanches/ Avec leurs crânes nus, avec leurs grandes dents/Et leurs nez faits en trèfle et leurs orbites vides/Qui semblent vous couver de leurs regards avides »). Le jeune poète mélancolique médite sur la rapidité de la fuite du temps (« Comme l'ombre d'un songe au bout de peu d'instants/Ce qui charme s'en va… ») ou bien « lève les yeux au ciel et triste se souvient ».

Mais, à travers les imitations, perce déjà l'originalité potentielle de Gautier, par son sens aigu du pittoresque – dans la peinture des paysages aimés, par exemple –, de la couleur ; par les transpositions d'art, où l'on devine déjà le maître ; par la nostalgie de l'impossible rêve d'unité ; par la profession de foi artistique comme par la virtuosité technique.

Si l'engagement romantique est resté, dans sa dimension spirituelle et dans les droits qu'il reconnaît à l'imaginaire, une des tendances fondamentales de Gautier, il n'a cependant pas privé ce dernier de son sens critique : Gautier publie, en août 1833, *les Jeunes-France* « roman goguenard », qu'il a qualifié lui-même de « *Précieuses ridicules* du romantisme », et dans lequel, en raillant les manies de ses contemporains, il prend ses distances par rapport à la mode. L'humour en effet, pouvant aller parfois jusqu'à l'ironie, et très souvent jusqu'au pastiche, donne à la prose de Gautier son originalité : le dualisme de l'auteur transparaît de façon permanente dans le léger persiflage qui traverse ses pages les plus sérieuses, et cela jusqu'à la fin de sa vie.

Les contradictions et les hantises

Gautier est l'homme des contradictions ; il méprise les mesquineries de l'homme et de la société qui ont inventé le paravent commode d'une morale permettant de respecter de simples apparences ; mais c'est l'ami le plus fidèle, le plus dévoué : « le bon Théo », telle est l'expression qui revient le plus souvent sous la plume de ceux qui l'ont connu.

C'est aussi l'homme incapable d'aimer, car en lui l'esthétique prime le sentiment, ou même en tient lieu : « Ce n'est pas le regard qu'il aime, dans les yeux, c'est la forme pure des paupières, c'est la limpidité des prunelles ; ce n'est pas la finesse et la grâce qui lui plaisent dans un sourire, c'est la correction des contours, c'est la teinte pourpre des lèvres ; enfin pour lui la beauté de l'âme n'ajoute rien à la beauté », dit, par l'intermédiaire d'Irène de Châteaudun, Delphine de Girardin à propos d'Edgar de Meilhan-Théophile Gautier. Mais c'est l'amant passionné, à la riche carrière sentimentale, et qui, au soir de sa vie, sublimera tous ses désirs dans un amour éthéré pour Carlotta Grisi.

C'est l'homme qui proclame : « Trois choses me plaisent : l'or, le marbre et la pourpre ; éclat, solidité, couleur », mais qui contribue, pour une large part, à répandre en France la connaissance d'Hoffmann et qui s'affirme comme un des maîtres du fantastique : ses nouvelles fantastiques (*le Pied de momie*, *la Morte amoureuse*, *Arria Marcella*…) sont peut-être le meilleur de son œuvre, par l'art avec lequel il sait brouiller les pistes, effacer la frontière entre le possible et l'impossible, forcer le lecteur à remettre en question ses certitudes les plus élémentaires.

C'est l'homme paresseux, faisant de l'indolence une forme de sagesse, n'écrivant que contraint et forcé, mais dont l'œuvre complète ne pourra jamais être réunie en une collection unique parce qu'elle est trop abondante.

C'est l'homme tenté par l'immobilité et qui rêve son paradis comme un palais oriental, dans lequel il vivrait dans le luxe : « Moi je serais là, immobile, silencieux, sous un dais magnifique, entouré de piles de carreaux, un grand lion privé sous mon coude, la gorge nue d'une jeune esclave sous mon pied en manière d'escabeau, et fumant de l'opium dans une grande pipe de jade », mais qui se passionne pour les voyages, avide de découvrir de nouveaux visages, d'autres civilisations, d'autres images ; regrettant le passé, mais à l'affût des innovations.

C'est l'homme de tous les désenchantements « dans l'exil de la vie », « dans le désert du monde », souffrant d'un ennui d'essence métaphysique, mais c'est le compagnon le plus amusant, en quête perpétuelle du « drôle », c'est le causeur brillant que tous les salons s'arrachent, c'est le conteur spirituel dont les lecteurs attendent avec impatience le divertissement.

C'est l'homme épris de spiritualité, mais englué dans la matière : « Je ne puis ni marcher ni voler ; le ciel m'attire quand je suis sur la terre, la terre quand je suis au ciel ; en haut, l'aquilon m'arrache les plumes ; en bas, les cailloux m'offensent les pieds. J'ai les plantes trop tendres pour cheminer sur les tessons de verre de la réalité ; l'envergure trop étroite pour planer au-dessus des choses et m'élever, de cercle en cercle, dans l'azur profond du mysticisme, jusqu'aux sommets inaccessibles de l'éternel amour. » C'est l'homme enfin qui, ayant une conscience aiguë et douloureuse de ses contradictions, s'enivre à les contempler.

Ces contradictions ne sont en fait que l'expression des hantises du poète prisonnier des contingences et avide de spiritualité, se sachant voué à la mort et aspirant à la permanence, rêvant de la perfection et de la beauté dont la réalité ne lui livre que des éléments épars. Rêve de beauté et hantise de la mort sont en effet les lignes directrices les plus évidentes de toute sa création. Toute entreprise humaine lui semble vouée, par essence même, à l'échec (« Pour savourer l'odeur, il faut briser le vase »), et ce n'est que par l'expression de ses hantises dans l'œuvre d'art que l'écrivain pourra espérer arracher un morceau d'éternité.

Le poète impeccable

Le plus étonnant peut-être, dans le cas de Gautier, est la précocité de sa profession de foi, et le caractère immuable de celle-ci. « L'art, c'est la liberté, le luxe, l'efflorescence, c'est l'épanouissement de l'âme dans l'oisiveté », telle est l'affirmation centrale, provocatrice, de la Préface d'*Albertus* (1832), reprise et, avec brio, longuement développée dans la célèbre Préface de *Mademoiselle de Maupin* (1835).

Il ne s'agit pas simplement de scandaliser le bourgeois en prenant le contre-pied des idées admises dans une société matérialiste. En esthète, dans la pleine acception du terme, Gautier a senti très jeune – c'est un trait constitutif de sa manière d'être – le lien entre l'art et le beau, liés l'un à l'autre, mais liés plus étroitement encore l'un et l'autre à la gratuité :

Sans prendre garde à l'ouragan
Qui fouettait mes vitres fermées
Moi, j'ai fait Émaux et Camées.

D'où cette position permanente de Gautier considérant l'art comme un refuge et comme une religion. Refuge contre la médiocrité de l'existence, contre la hantise de la mort, religion qui voue un culte à l'esthétique, seule valeur supérieure aux contingences d'ici-bas et capable de transcender l'activité humaine en lui donnant un semblant d'éternité.

D'où cette recherche constante, chez Gautier, de la perfection formelle, qu'il tente d'atteindre par la souplesse et la richesse de son talent, aussi bien dans le domaine de la langue – l'étendue de son vocabulaire était proverbiale – que par la fantaisie dans les agencements rythmiques et strophiques de ses poèmes. D'où cet appel, constant aussi, à la complémentarité des arts dont l'union est nécessaire à qui tente de s'approcher de la perfection. Le souci unique de l'artiste est de tenter de dompter une matière qui sera d'autant plus fidèle à l'idéal de l'artiste qu'elle aura offert d'abord de plus grande résistance à son travail.

Tout passe – L'art robuste
Seul a l'éternité [...]
Les dieux eux-mêmes meurent
Mais les vers souverains
Demeurent
Plus forts que les airains.

Il fut reconnu par ses contemporains comme un esprit d'une rare élévation et d'une érudition rarement prise en défaut. Les plus grands l'ont salué comme leur égal, Balzac, Hugo, Nerval, Baudelaire, Flaubert. Il est à l'origine des formes modernes de la création artistique par les droits qu'il réclame pour l'imaginaire, par son culte de la beauté, et surtout de l'art, qu'il n'a jamais conçu autrement que comme l'expression de la liberté totale de l'artiste. [Voir aussi **Art pour l'art (l')**.]

	VIE	ŒUVRE
1810	Mariage, à Artagnan (Hautes-Pyrénées), de Pierre Gautier et Antoinette Adélaïde Cocard.	
1811	**30 août :** naissance, à Tarbes, de Pierre Jules Théophile Gautier.	
1814	Pierre Gautier est nommé chef de bureau aux octrois de Paris.	
1817	Naissance d'Émilie, sœur de Théophile.	
1820	Naissance de Zoé, sœur de Théophile.	
1822	Théophile est interne au collège Louis-le-Grand, puis externe au collège Charlemagne, où il rencontre Gérard de Nerval (alors Labrunie). Il passe ses vacances à Mauperthuis (Seine-et-Marne), lieu qui marquera profondément sa sensibilité et laissera de longs souvenirs dans son œuvre.	
1825		Il écrit, sous forme de lettres, à la demande de son père, le récit de son voyage de Paris à Mauperthuis. Il compose ses premiers poèmes.
1829	Gautier fréquente l'atelier du peintre Rioult. **27 juin :** il est présenté à Victor Hugo par Gérard de Nerval. Il quitte le collège Charlemagne.	

	VIE		**ŒUVRE**
1830	**25 févr. :** Gautier participe activement à la bataille d'*Hernani,* vêtu d'un pourpoint de satin cerise (son fameux « gilet rouge ») et d'un pantalon gris tendre à bandes noires.	**1830**	**31 juill. :** la *Bibliographie de la France* annonce le premier recueil de vers de Gautier : ***Poésies.***
		1831	**24 mars :** premier article, anonyme, dans *le Gastronome :* « Un repas au désert de l'Égypte ». **16 avr. :** poème « Orage » dans *le Mercure de France du XIXe siècle,* auquel il donnera quatre autres poèmes jusqu'au 22 octobre. **4 mai :** « la Cafetière », conte fantastique dans *le Cabinet de lecture,* auquel il collabore jusqu'en janv. 1837 (poèmes, articles sur les beaux-arts, variétés, nouvelles). **8 oct. :** « Buste de Victor Hugo », premier article sur les beaux-arts, paru dans *le Mercure de France du XIXe siècle.*
1832	Gautier adhère au « Petit Cénacle », où il fréquente, outre ses anciens condisciples Gérard de Nerval et Auguste Maquet, Jehan Duseigneur, Pétrus Borel, Alphonse Brot, Jules Vabre, Célestin Nanteuil, Philothée O'Neddy, Joseph Bouchardy. Liaison avec Mme Damarin.	**1832**	**Août :** « Onuphrius Wphly », dans *la France littéraire,* à laquelle il donnera 22 articles jusqu'en mars 1842 (beaux-arts, poèmes, critique littéraire, contes). **Nov. :** *Albertus ou l'Âme et le Péché,* recueil de vers chez Paulin.
1833	**Sept. :** traite avec Renduel pour *Mademoiselle de Maupin.* **Déc. :** traite avec Ch. Malo pour « Exhumations littéraires » (qui deviendra *les Grotesques*), dans *la France littéraire.*	**1833**	*Les Jeunes-France, roman goguenard,* chez Renduel. **Déc. :** « Laquelle des deux ? histoire perplexe », dans *le Sélam ;* « le Nid de rossignols », conte, dans *l'Amulette.*
1834	Pierre Gautier, nommé receveur d'octroi, s'installe à la barrière de Passy. **Sept. :** Gautier s'installe 3, impasse du Doyenné, près d'A. Houssaye et de C. Rogier. Liaison avec « la Cydalise », qui mourra au printemps 1836.	**1834**	**Févr. :** « Omphale ou la Tapisserie amoureuse », dans *le Journal des gens du monde,* auquel Gautier donne deux poèmes en janvier et en mars. **Avr. et mai :** deux articles dans *la France industrielle.*
		1835	**Mai :** « la Comédie à l'hôtel Castellane », chronique mi-mondaine, mi-théâtrale, dans *le Monde dramatique,* auquel il donnera cinq autres articles jusqu'au 4 janv. 1836 (critique littéraire). **Août-sept. :** *Notre-Dame de Paris par Victor Hugo,* prospectus anonyme. **Nov. :** *Mademoiselle de Maupin. Double amour,* chez Renduel.
1836	**Févr. :** début de la liaison avec Eugénie Fort. **Mars :** Gautier fonde, avec Ch. Lassailly, *Ariel, journal du monde élégant.* **Printemps :** le Doyenné se disperse ; Gautier habite avec Nerval et Houssaye 3, rue Saint-Germain-des-Prés. **Fin juill.-fin août :** voyage en Belgique avec Nerval. **29 nov. :** naissance de Théophile Gautier, fils d'Eugénie Fort. Rencontre la Victorine, leur liaison durera une dizaine d'années.	**1836**	**Févr. :** premier article dans *la Chronique de Paris,* à laquelle il donnera dix-huit autres articles jusqu'en juin 1837 (critique littéraire, nouvelles et « Un tour en Belgique »). **Mars :** « Salon de 1836 », dans *Ariel.* **Juin :** « la Morte amoureuse », dans *la Chronique de Paris.* **26 août :** « Peintures de la Chambre des députés », premier article dans *la Presse,* à laquelle il donnera environ mille deux cents articles jusqu'au 4 avr. 1855 (critique artistique et théâtrale, nouvelles, récits de voyage). **Oct. :** premier article au *Figaro,* auquel il donnera une quarantaine d'articles jusqu'en mai 1838 (chroniques artistiques, nouvelles). **17 déc. :** premier article à *la Charte de 1830,* à laquelle il donnera une vingtaine d'articles jusqu'au 28 mars 1838.
		1837	**Mai-juin :** « la Chaîne d'or ou l'Amant partagé », dans *la Chronique de Paris.* **Mai-juill. :** « l'Eldorado », dans *le Figaro* (deviendra *Fortunio*).
		1838	**Févr. :** *la Comédie de la mort,* chez Desessart. **Mai :** *Fortunio,* chez Desessart. **Nov.-déc. :** « Une nuit de Cléopâtre », dans *la Presse.*
		1839	**Janv. :** *Une larme du diable,* mystère. **Août :** « la Toison d'or », dans *la Presse.* *L'Âme de la maison ou la Vie et la Mort d'un grillon.*

	VIE		ŒUVRE
1840	**5 mai-7 oct. :** voyage en Espagne avec Eugène Piot.	**1840**	**27 mai-3 sept. :** « Sur les chemins : lettres d'un feuilletoniste », dans *la Presse*. **Juill. :** « le Chevalier double », dans *le Musée des familles*, auquel il donnera une vingtaine d'articles jusqu'en janv. 1847 (nouvelles, variétés). **Sept. :** « le Pied de momie », dans *le Musée des familles*.
		1841	**Janv. :** premier article dans la *Revue de Paris*, à laquelle il donnera une quarantaine d'articles jusqu'en nov. 1855 (poèmes, voyages). **Avr. :** premier article dans la *Revue des Deux Mondes* à laquelle il donnera une trentaine d'articles jusqu'en janv. 1850 (poèmes, variétés). **28 juin :** première représentation de *Giselle*, ballet fantastique par Gautier, Saint-Georges et Coralli, musique d'A. Adam. **Juill. :** « Deux Acteurs pour un rôle », dans *le Musée des familles*.
1842	**Janv. :** Gautier est nommé chevalier dans l'ordre de la Légion d'honneur, en récompense de services rendus comme secrétaire de la commission du Tombeau de Napoléon. **Mars :** Gautier accompagne Carlotta Grisi à Londres. Retour par la Belgique.	**1842**	**Août :** « la Mille et Deuxième Nuit », dans *le Musée des familles*.
1843	**Automne :** début de la liaison (qui durera une vingtaine d'années) avec la cantatrice Ernesta Grisi (la sœur aînée de Carlotta).	**1843**	**Févr. :** *Tra los montes*, chez Magen (reprend les feuilletons du « Voyage en Espagne » parus dans *la Presse*). **17 juill. :** première représentation de *la Péri*, ballet fantastique par Gautier et Coralli, musique de Burgmuller. **21 sept. :** première représentation du *Voyage en Espagne*, vaudeville par Gautier et Siraudin.
1844	**Juin :** excursion de Gautier en Gascogne.	**1844**	Première publication dans *l'Artiste*, auquel il donnera environ cent vingt articles (poésies, beaux-arts, littérature) jusqu'en févr. 1872. **Oct. :** « le Roi Candaule », dans *la Presse*. *Les Grotesques*, chez Desessart. « Feuillets d'album d'un jeune rapin », dans *le Diable de Paris*.
1845	**3 juill.-début sept. :** voyage en Algérie avec Noël Parfait. **25 août :** naissance de Louise Charlotte Ernestine, dite Judith, fille de Gautier et d'Ernesta Grisi.	**1845**	**8 avr. :** première représentation du *Tricorne enchanté*, bastonnade. **12-13 avr. :** « le Tricorne enchanté », dans *la Presse*. **Juin :** « l'Oreiller d'une jeune fille », dans *le Musée des familles*. **Juill. :** *Poésies complètes* (avec *España*), chez Charpentier, et *Nouvelles*, chez Charpentier (le recueil reprend neuf nouvelles publiées dans les journaux). **9 juill.-10 août :** « la Croix de Berny », roman *steeplechase*, par Gautier, le vicomte de Launay, J. Sandeau et J. Méry, dans *la Presse*. **15 nov. :** *Prologue d'ouverture de l'Odéon*. **Nov. :** *Zigzags*, chez Magen.
1846	Gautier s'installe 18, rue Lord-Byron. **Juin-juill. :** voyage à Londres, par la Belgique et la Hollande. **Oct. :** voyage en Espagne, pour le mariage des princes espagnols à Madrid.	**1846**	**Mai :** « les Roués innocents », dans *la Presse*. **Sept. :** « le Pavillon sur l'eau », dans *le Musée des familles*. **12 nov. :** première représentation de *la Juive de Constantine*, drame anecdotique par Gautier et N. Parfait.
1847	**28 nov. :** naissance d'Estelle, deuxième fille de Gautier et d'Ernesta Grisi.	**1847**	**Janv. :** « Militona », dans *la Presse*. **Juin :** *Militona*, chez Desessart. **Juill. :** *les Roués innocents*, chez Desessart. **4 oct. :** première représentation de *Pierrot posthume*, arlequinade par Gautier et Siraudin. **20 oct. :** première représentation de *Regardez, mais ne touchez pas*, comédie de cape et d'épée, par Gautier et B. Lopez.
1848	**Févr. :** Gautier se tient à l'écart de la révolution. **Juill. :** mise à la retraite du père de Gautier.	**1848**	**Sept.-oct. :** « les Deux Étoiles », dans *la Presse* (deviendront *Partie carrée*, puis *la Belle Jenny*).

VIE		ŒUVRE	
1849	**Mai-juin :** voyage à Londres, par la Hollande. Gautier rencontre Marie Mattéi. **Août-sept. :** voyage en Espagne (Bilbao). **Oct. :** début de la liaison avec Marie Mattéi.	**1849**	**Oct. :** « l'Enfant aux souliers de pain », dans *le Conseiller des enfants.*
1850	**31 juill.-nov. :** voyage en Italie, avec M. Mattéi et L. de Cormenin.	**1850**	**Mars :** *le Selam,* symphonie descriptive par Gautier et E. Reyer. **Juill. :** « Jean et Jeannette, histoire rococo », dans *la Presse.* **Sept.-oct. :** « Loin de Paris », dans *la Presse.*
1851	**Août :** Gautier visite l'exposition de Londres. **Oct. :** Gautier dirige, avec Arsène Houssaye, Maxime Du Camp et Louis de Cormenin, la nouvelle série de la *Revue de Paris.*	**1851**	**15 janv. :** première représentation de *Pâquerette,* ballet-pantomime, par Gautier et Saint-Léon, musique de Benoist. **27 déc. :** première représentation de *la Négresse et le Pacha,* parade, par Gautier et Ch. de La Rounat.
1852	**9 juin-oct. :** voyage à Constantinople, où Gautier va rejoindre Ernesta Grisi et Estelle.	**1852**	**Mars :** « Arria Marcella », dans la *Revue de Paris.* **Mai :** *Italia,* chez Lecou ; *Nouvelles,* chez Charpentier. **Juill. :** *Émaux et Camées,* chez Eugène Didier. **Août :** *Caprices et Zigzags.* **Oct. :** « De Paris à Constantinople, promenades d'été », dans *la Presse.* **20 oct. :** « Excursion en Grèce », premier article publié dans *le Moniteur universel,* auquel Gautier donnera plus de mille articles jusqu'en janvier 1869 (théâtre, beaux-arts). **Oct. :** *la Peau de tigre.* **Nov. :** *Un trio de Romans,* chez Lecou.
		1853	**Févr. :** 2e édition d'*Émaux et Camées,* chez Didier. **Déc. :** *Constantinople,* chez Michel Lévy.
1854	**Juill.-août :** Gautier est en Allemagne. **22 août :** mort de son père ; Gautier assure désormais la subsistance de ses deux sœurs.	**1854**	**31 mai :** première représentation de *Gemma,* ballet, musique de Gabrielli, chorégraphie de la Cerrito.
1855	**4 avr. :** fin de la collaboration de Gautier à *la Presse.*	**1855**	**Févr. :** *Théâtre de poche,* à la Librairie nouvelle.
1856	Échec de la candidature de Gautier à l'Académie française, au fauteuil de Ch. de Lacretelle.	**1856**	**Févr. :** « Avatar », conte, dans *le Moniteur universel.* **Juin-juill. :** « Paul d'Aspremont » (qui deviendra *Jettatura*) dans *le Moniteur universel.*
1857	**Sept. :** voyage à Wiesbaden et à Stuttgart.	**1857**	**Mars-mai :** « le Roman de la momie », dans *le Moniteur universel.* **Mai :** *Avatar,* chez Michel Lévy. **Juin :** *Jettatura,* chez Michel Lévy.
1858	**Mai-juin :** voyage en Suisse, Alsace, Allemagne, Hollande, Belgique. **Juill. :** Gautier est promu officier de la Légion d'honneur. **Sept. :** excursion à Cherbourg. **15 sept. 1858-mars 1859 :** voyage en Russie.	**1858**	**28 avr. :** première représentation de *Yanko-le-Bandit,* ballet-pantomime, musique de Deldevez. **Avr. :** *le Roman de la momie,* chez Charpentier. **14 juill. :** première représentation de *Sacountala,* ballet-pantomime, musique d'Ernest Reyer, chorégraphie de L. Petipa. **Oct. 1858-avr. 1859 :** « Esquisses de voyage (en Russie) », dans *le Moniteur universel.* Histoire de l'art dramatique en France depuis 25 ans, 6 volumes, chez Hetzel-Lévy.
1859	**Sept.-oct. :** excursion à Tarbes.	**1859**	**Janv. :** nouvelle édition, augmentée, d'*Émaux et Camées,* chez Poulet-Malassis.
		1860	**15 janv. :** *la Femme de Diomède,* prologue récité à l'inauguration de la maison pompéienne du prince Napoléon. **Août :** *les Vosges,* chez Morel.
1861	**Août-oct. :** deuxième voyage de Gautier en Russie, avec son fils. **Oct. :** séjour de Gautier à Saint-Jean, près de Genève, chez Carlotta Grisi. Première crise de rhumatismes.	**1861**	**Oct.-déc. :** « Esquisses de voyage (en Russie) », dans *le Moniteur universel.* **Déc.-juin 1863 :** « le Capitaine Fracasse », dans *la Revue nationale et étrangère.*

	VIE		ŒUVRE
1862	**Mai :** voyage à Londres, pour l'Exposition. **Août :** voyage en Algérie.		
1863	**Avr. :** Gautier reçoit une pension de l'État de 3 000 francs. **Sept. :** excursion à Nohant.	**1863**	**Août :** *Poésies nouvelles, Émaux et Camées,* chez Charpentier, et *Théâtre, Poésies diverses,* chez Charpentier. **Nov. :** *le Capitaine Fracasse,* chez Charpentier. *Romans et contes,* chez Charpentier (reprend dix contes et nouvelles publiés dans *la Presse* de 1838 à 1856). **Déc. :** *les Dieux et les Demi-Dieux de la peinture,* par Gautier, A. Houssaye et P. de Saint-Victor.
1864	**Août :** voyage en Espagne, pour l'inauguration du chemin de fer du Nord. **Sept.-oct. :** séjour à Genève, chez Carlotta Grisi.	**1864**	**Août-oct. :** « De Paris à Madrid », dans *le Moniteur universel.*
1865	**Juill.-nov. :** séjour à Genève, chez Carlotta Grisi.	**1865**	**Nov.-déc. :** « Spirite », dans *le Moniteur universel.* Loin de Paris (Suisse, Allemagne, Belgique, Afrique). *Quand on voyage* (Cherbourg, Espagne).
1866	**Févr.-avr. :** séjour chez Carlotta Grisi, à Genève. **17 avr. :** mariage de Judith Gautier et de Catulle Mendès, contre la volonté de Gautier, qui n'assiste pas à la cérémonie. **Mai :** rupture avec Ernesta Grisi, qui va vivre à Villiers-sur-Marne. **Sept., nov., déc. :** séjours chez Carlotta Grisi, à Genève.	**1866**	**Févr. :** *Spirite,* chez Charpentier. **Avr. :** « Mademoiselle Daphné de Montbriand », dans *la Revue du XIXe siècle.* **Nov. :** *Voyage en Russie.*
1867	**Mai :** échec de la candidature de Gautier à l'Académie française, au fauteuil de Barante. **Juin :** promenade nautique sur la Meuse. **Sept. :** séjour chez Carlotta Grisi, à Genève, et chez la princesse Mathilde, à Saint-Gratien. **Nov. :** séjour dans le Puy-de-Dôme, chez son fils, sous-préfet d'Ambert.	**1867**	**Juin :** *le Musée du Louvre.*
1868	**Avr. :** échec de la candidature de Gautier à l'Académie française, au fauteuil de Ponsard. **Mai-juin :** séjour chez Carlotta Grisi, à Genève. **Juill. :** séjour à Saint-Gratien ; séjour à Genève, chez Carlotta Grisi. **Août-sept. :** excursion en Auvergne. **Sept. :** voyage à Genève et en Italie. **24 oct. :** Gautier est nommé bibliothécaire de la princesse Mathilde. **Nov. :** séjour chez Carlotta Grisi, à Genève.	**1868**	*Rapport sur les progrès de la poésie en 1867.*
1869	**Mai-juin :** séjour à Genève chez Carlotta Grisi. **Sept. :** séjour à Genève chez Carlotta Grisi. **8 oct.-déc. :** voyage en Égypte, pour l'inauguration du canal de Suez ; retour par l'Italie.	**1869**	**Janv. :** *Sonnets et Eaux-fortes.* **Janv.-mars :** « Histoire de mes bêtes », dans *la Vogue parisienne* (deviendra *Ménagerie intime*). **11 janv. :** premier article dans le *Journal officiel,* auquel Gautier donnera environ cent vingt articles jusqu'au 7 oct. 1871 (théâtre, beaux-arts). **Mai :** une douzaine de sonnets. **Juin :** *Ménagerie intime,* chez Lemerre.
1870	**26 févr. :** mariage de Théophile Gautier fils et d'Élisa Portal. **Juin :** séjour à Genève chez Carlotta Grisi. **Fin août :** Gautier conduit sa fille Estelle chez Carlotta Grisi, à Genève, et rentre à Paris. **18 déc. :** naissance, à Londres, de Paul Gautier, fils de Th. Gautier fils et d'Élise Portal.	**1870**	**Janv. :** *la Nature chez elle,* chez A. Marc. **Sept. 1870-août 1871 :** « Tableaux de siège », dans le *Journal officiel.*
1871	**Juin :** voyage à Bruxelles et à Genève. **Automne :** voyages fréquents à Saint-Gratien.		
1872	**15 mai :** mariage d'Estelle avec Émile Bergerat. **23 oct. :** mort de Gautier à Neuilly.	**1872**	**Mars :** « Histoire du romantisme », dans *le Bien public.* **Avr. :** « le Prince Lothario », dans la *Gazette de Paris.*

VIE	ŒUVRE	
(suite 1872) **25 oct.** : funérailles officielles à l'église Saint-Pierre-de-Neuilly. Gautier est inhumé au cimetière Montmartre.		*(suite 1872)* **Oct.** : *L'amour souffle où il veut,* et *Théâtre : mystère, comédies et ballets,* chez Charpentier
Les héritiers de Gautier vont grouper une partie de ses feuilletons dans les recueils ci-contre (théâtre, beaux-arts, littérature, voyages).	**1874**	*Histoire du romantisme.* Portraits contemporains.
	1875	*Portraits et Souvenirs littéraires.*
	1876	*Poésies complètes,* chez Charpentier.
	1877	*L'Orient,* chez Charpentier.
	1880	*Fusains et Eaux-fortes,* chez Charpentier. *Tableaux à la plume,* chez Charpentier.
	1881	*Les Vacances du lundi,* chez Charpentier.
	1883	*Souvenirs de théâtre, d'art et de critique,* chez Charpentier.

Mademoiselle de Maupin. Double amour

Ce roman parut à la fin de 1835 et au début de 1836, après une gestation relativement douloureuse : le jeune romancier s'était lié par contrat avec l'éditeur Renduel dès 1833. Il s'était mis à l'œuvre avec un enthousiasme qui ne se maintint guère, et aurait abandonné la rédaction de l'ouvrage sans le soutien – parfois autoritaire – de son père.

Le roman est précédé de sa célèbre Préface – qui a fait l'objet de plusieurs études critiques –, déclaration de guerre à l'hypocrisie du moralisme bourgeois triomphant au début de la monarchie de Juillet, et plaidoyer brillant et provocant pour la morale du plaisir. Cette Préface reprend les principes affirmés dès les premières poésies de 1830, dès *Albertus,* et qui continueront à être ceux de Gautier jusqu'à la fin de sa vie : « Il n'y a de vraiment beau que ce qui ne peut servir à rien. »

SYNOPSIS

Le roman se présente sous forme de lettres que le héros et l'héroïne échangent avec leur ami(e) intime : le flou psychologique et social dans lequel se tient le correspondant convient à son rôle de simple utilité permettant l'épanchement et l'introspection de celui qui écrit. La composition est apparemment assez lâche mais suit une logique que l'on peut reconstituer : longues confidences de D'Albert, le héros du livre, jusqu'au moment où il rencontre l'héroïne Madelaine de Maupin, récit de la vie de Madelaine de Maupin, idylle de D'Albert et de Madelaine de Maupin. Notons cependant un déséquilibre à l'avantage du héros, dont l'auteur analyse méticuleusement la psychologie.

D'Albert est une excellente illustration du mal du siècle, et, par là, il est très proche du René de Chateaubriand, d'Adolphe de Benjamin Constant et d'Octave de Musset, son contemporain immédiat. Il s'englue dans la monotonie de la vie quotidienne à laquelle il désire échapper, sans savoir quel but il désire réellement atteindre : « Je ne désire rien, car je désire tout. » Il attend d'une « attente frémissante » d'impatience, mais pleine d'inquiétude. Ses rêves se cristallisent progressivement sur la femme. Il est conscient qu'il est beaucoup plus amoureux de l'amour que des femmes réelles, car la femme qu'il rêve doit se parer de toutes les perfections formelles : elle doit être aussi belle que les œuvres d'art la lui ont montrée, et vivre dans un luxe qui mettra sa beauté en valeur, étant bien entendu que la passion se nouera et se déroulera dans un contexte romanesque qui rompra avec la banalité du quotidien.

Il se décide pourtant à sortir de son inaction pour forcer la main du destin : il joue le jeu social de la coquetterie et fixe son choix sur Rosette, à laquelle il se lie d'un amour plus intellectuel et plus sensuel que réellement sentimental ; il sait qu'il n'a pas « reconnu » Rosette et qu'elle n'est pas l'incarnation de son idéal. La liaison se prolonge, jalonnée des jeux érotiques auxquels se plaît le héros. Au bout de cinq mois, il peut s'écrier : « Ce bonheur me laisse froid ; je le sens à peine, je ne le sens pas […]. » C'est dans ce contexte qu'il rencontre « un jeune cavalier […] vraiment parfait », vers lequel il se sent irrésistiblement attiré.

À ce moment du récit (chapitre VI) intervient une pause, soulignée par l'intervention de l'auteur s'adressant à son « débonnaire lecteur ». Cette pause permet de souligner l'ambiguïté de l'histoire, en insistant sur le comportement du jeune cavalier – Théodore – envers son jeune page. L'ambiguïté est d'autant plus grande que Rosette, la maîtresse de D'Albert, rejoint Théodore, pour lequel elle éprouve les sentiments les plus tendres et auquel elle confie son échec avec D'Albert, dont elle n'a pas su étancher la soif d'absolu. Le chapitre VIII piétine en nous montrant l'ambiguïté des rapports du trio Théodore-Rosette-D'Albert, tandis que nous découvrons que le jeune page est une femme.

D'Albert est de plus en plus attiré par Théodore, qui incarne son idéal de beauté physique ; bien qu'il soit gêné de se sentir aimer un jeune homme, sa conscience reste « sourde et muette », et il est prêt à tout puisqu'il a « trouvé le corps de [son] fantôme ». La découverte de la passion s'accompagne de souffrances qu'il ne soupçonnait pas (« J'ai désiré la beauté, je ne savais pas ce que je demandais. C'est vouloir regarder le soleil sans paupières ; c'est vouloir toucher la flamme. Je souffre horriblement »). Mais son instinct ne peut l'avoir trompé totalement, et une intuition se fait jour petit à petit : « Il faut que Théodore soit une femme déguisée ; la chose est impossible autrement. »

Avec le chapitre X intervient une rupture dans le temps – jusque-là linéaire – du récit : désormais, dans une alternance régulière, le roman va du présent au passé, racontant parallèlement l'histoire des rapports de D'Albert et de Théodore et l'histoire de l'héroïne d'après ses propres confidences. Ayant l'intuition que les hommes cachent aux femmes leur véritable nature et ne voulant pas être une victime de plus dans la longue liste dressée par les impératifs conventionnels de la vie sociale, Madelaine de Maupin a décidé de courir le monde déguisée en homme sous le nom de Théodore de Sérannes : « J'étais un homme, ou du moins j'en avais l'apparence. » C'est sur cette apparence, cachant une réalité autre, que vont reposer tous les événements de la vie mouvementée de Madelaine/Théodore.

Le chapitre XI, revenant au présent du récit, montre D'Albert utilisant les ressources du théâtre pour dénouer son problème personnel. La situation des personnages de *Comme il vous plaira* recouvre parfaitement celle des personnages du roman, et la répétition produit l'effet que D'Albert en attendait : la scène capitale où Théodore, dans le rôle de Rosalinde, apparaît vêtu en femme fait briller aux yeux de D'Albert tout le rayonnement de la beauté féminine. Ne se résolvant pas à prendre l'initiative d'un entretien avec Théodore/Madelaine, D'Albert décide de lui écrire.

Au chapitre XII, Madelaine reprend le récit de sa vie. Prise à son propre jeu, elle noue avec Rosette une intrigue qui n'est pas sans la mettre dans des situations fort embarrassantes, dont elle goûte avec avidité le charme ambigu.

Le chapitre XIII révèle le contenu de la lettre de D'Albert : « Vous êtes le but, le moyen et le sens de ma vie [...]. Sans vous, je ne suis rien qu'une vaine apparence. »

Le chapitre XIV reprend la suite des amours scandaleuses de Rosette et de Théodore, jusqu'au moment où Théodore doit fuir, poursuivi par la vindicte d'Alcibiade, le bouillant frère de Rosette. Théodore sort vainqueur d'un duel avec Alcibiade et doit fuir le château de Rosette. Il/elle a repris sa vie d'aventures, mais la connaissance qu'il/elle acquiert sur les hommes le/la ramène toujours à la même conclusion : « Comme leurs traits sont grossiers, ignobles, sans finesse, sans élégance ! » S'interrogeant sur sa propre conception de l'amour, Madelaine prend conscience de son désir d'absolu. L'amour est pour elle rêve d'unité totale, de fusion dans l'être aimé : « N'être qu'un en deux corps, fondre et mêler ses âmes de façon à ne plus savoir si vous êtes vous ou l'autre », rejoignant par là le vieux mythe platonicien de l'androgyne – ou de l'hermaphrodite. « Je suis d'un troisième sexe à part, qui n'a pas encore de nom [...], j'ai le corps et l'âme d'une femme, l'esprit et la force d'un homme. »

À la fin du chapitre XIV, les deux temps du récit se rejoignent, quand Madelaine en arrive à sa rencontre avec D'Albert, qui lui plaît et l'attire, bien qu'elle ne l'aime pas dans le sens plein qu'elle donne à ce mot. Après une longue réflexion, dans laquelle elle envisage tous les aspects et toutes les conséquences de la conduite à tenir, elle décide de se donner à D'Albert.

Leur nuit d'amour est un moment de perfection qui satisfait en D'Albert autant l'artiste que l'amant, et qui révèle la nature sensuelle de Madelaine, une Madelaine qui, au sortir de la chambre de D'Albert, fait un mystérieux détour par la chambre de Rosette.

Le chapitre XVII amène une conclusion assez inattendue, par la lettre de rupture que Madelaine écrit à D'Albert – rupture qu'elle justifie par les raisons philosophiques les plus hautes : si elle reste, leur passion s'effritera dans le quotidien ; en partant, elle sauvegarde toutes les illusions de D'Albert, lui permettant toutes les évasions hors du réel (« Vous croirez avoir fait un beau rêve »), donnant finalement à leur amour une vie et une durée que la réalité vécue lui aurait refusées.

Cette œuvre est complexe par les nuances, souvent très raffinées, de l'analyse psychologique et par la lente maturation des conceptions philosophiques (amour, réalité, art), mais aussi par la technique de la narration : le récit épistolaire (qui est d'abord échange avec un tiers et finit par confronter les héros l'un à l'autre) est coupé par des dialogues dignes d'une pièce de théâtre, faisant entrer ainsi dans le roman la dimension de la théâtralité, qui attirait tant Gautier. Ajoutons que cette technique laisse une place importante à la description du réel – objets, décors, personnages –, ancrant ainsi solidement les personnages dans la réalité à laquelle ils essaient d'échapper, et à la démultiplication (donc à la falsification) du réel par ses représentations (tableaux ou tapisseries), doublant le réel de leur ombre ou de leurs projections et gommant la netteté des contours et des limites : où commence et où finit le réel, où commence et où finit l'idée que l'homme se fait du réel, idée ou rêve ?

Enfin, doublant la voix des personnages romanesques pour s'identifier à eux ou, au contraire, pour prendre ses distances par rapport à eux en les traitant comme des marionnettes dont le montreur est maître, résonne, tout au long du roman, la voix du narrateur ; cette dernière est sans doute l'élément le plus troublant, parce qu'elle introduit une dimension assez inhabituelle dans les analyses du mal du siècle : celle de l'ironie, une ironie qui varie, allant du sourire indulgent et bon enfant au grincement dramatique, mais ironie qui désacralise. Le lecteur attentif sera forcé de s'interroger constamment ; ces variations sur le sourire sont-elles le masque derrière lequel se cache la pudeur d'une confidence trop personnelle et trop directe, ou, au contraire, une perpétuelle remise en cause satirique des valeurs sentimentales reconnues par le romantisme triomphant ? Ainsi l'ambiguïté du titre autour du terme « double » et de ses interprétations différentes se retrouve-t-elle au niveau de la signification de l'œuvre : confidence ou satire ? Certainement les deux à la fois.

Gautier a mis en scène un personnage historique dont le souvenir était encore vivant à son époque, mais il est bien évident qu'il n'a gardé que quelques traits – somme toute secondaires – de son modèle pour en faire une création très originale, porteuse de tous ses rêves : rêve de perfection formelle de la beauté féminine, rêve de l'impossible unité de l'homme, partagé entre son corps et son âme, de l'impossible unité du couple, fait d'un élément masculin et d'un élément féminin. D'Albert et Madelaine sont tous deux hantés par la perfection de l'androgyne – ou de l'hermaphrodite. Madelaine aime à la fois Rosette et D'Albert parce qu'elle est à la fois homme et femme, tout comme D'Albert, homme, rêve d'être femme : les harmoniques du mot « double » n'en finissent pas de résonner dans la mémoire du lecteur.

Malgré la légèreté du ton, l'ouvrage est pessimiste : c'est le roman de l'échec, ou du moins de la fuite, fuite devant le bonheur si ardemment poursuivi ; devant le réel, parce qu'à la perfection que l'homme peut atteindre il manquera toujours un élément essentiel : la pérennité. La perfection dans les rapports humains ne peut être que ponctuelle, le temps est usure et dégradation.

Émaux et Camées

Dans son *Rapport sur les progrès de la poésie en 1867*, Gautier minimisait son recueil *Émaux et Camées*, en estimant qu'un tel titre reflétait bien son « dessein de traiter sous forme restreinte de petits sujets, tantôt sur une plaque d'or ou de cuivre avec les vives couleurs de l'émail, tantôt avec la roue du graveur de pierres fines, sur l'agate, la cornaline ou l'onyx… ». Ce fut pourtant le recueil auquel il travailla le plus, l'enrichissant de réédition en réédition, et la richesse, la variété de l'inspiration y reflètent, dans les thèmes comme dans la structure du vers ou de la strophe, les contradictions intimes du poète.

Dans son édition, accompagnée de l'iconographie qui a directement inspiré Gautier, Madeleine Cottin a montré que « l'image règne en maître » dans ce recueil, où abondent les transpositions d'art : poème-tableau ou poème-œuvre sculpturale naissent spontanément sous la plume du poète. L'importance donnée à la sensation visuelle est primordiale ; le poète joue avec virtuosité et somptuosité sur les couleurs, variant à l'infini les nuances d'un même ton, par exemple le blanc de la « Symphonie en blanc majeur », ou le velouté des tons de rose dans la description des visages et des corps féminins – harmonisant les « tons inconnus » des bleus et des verts des paysages marins, ou des yeux de la femme aimée, aux reflets insaisissables d'aigues-marines. Évocation des fondus harmonieux des couleurs, mais aussi, ailleurs, violents contrastes des tons qui se heurtent : le noir et le blanc de « Noël » ou ceux du portrait de « Carmen », cette jeune Espagnole aux cheveux « d'un noir sinistre », à la « nuque d'ambre fauve », dont la pâleur fait ressortir « le piment rouge, feu écarlate » de sa bouche et « la lueur chaude » de ses yeux. Liée aux couleurs, qu'elle soutient et souligne, la perception des lignes. Nombreux sont les poèmes sculptant la pureté de ligne des marbres antiques – en particulier ceux qui célèbrent la beauté du corps féminin ; il serait pourtant injuste de réduire le talent de Gautier à l'évocation de l'éclat et de la netteté du marbre de Paros : à la lumière et à la précision de l'art grec s'oppose l'évanescence des brumes nordiques qui noient le dessin dans un flou inquiétant, propice aux sarabandes des cauchemars ou des danses macabres. De même, à côté des burgs gothiques où les chevaliers s'adonnent à la plus sombre orgie, se dessinent le réalisme d'une pauvre mansarde ou les raffinements élégants d'un salon XVIIIe siècle. Même contraste dans l'évocation de la nature, où le paysage, idyllique parfois jusqu'à la mièvrerie, côtoie une mer mystérieuse et fascinante.

Mais le caractère pictural, hiératique du monde vu – et rêvé – par le poète laisse place, malgré les prises de position théoriques de Gautier, à d'autres lectures possibles du recueil. Celui-ci n'est pas seulement « un recueil d'un art parfait et vain », suivant la formule employée par René Jasinski pour résumer les critiques traditionnelles faites à *Émaux et Camées* : à travers les perfections de la forme se trahissent les rêves et les angoisses du poète.

L'hymne à la beauté (et surtout à la beauté du corps féminin, si bien traduite dans l'art grec) est non seulement désir d'atteindre à cette beauté par le vers, mais est aussi accompagné d'une prise de conscience douloureuse du caractère éphémère de cette beauté : la hantise de la statuaire peut donc être ressentie par le lecteur comme l'effort, fou et désespéré, du poète pour fixer l'insaisissable, mais surtout pour vaincre l'éphémère, triompher de l'instant et de la mort.

L'hymne à la beauté n'occulte que très partiellement la personnalité du poète. Même si les confidences directes à la première personne sont rares, l'esthétisme laisse percer, dans sa quête même, les passions de l'auteur : désir effréné d'amour, qui n'est pas seulement recherche d'un plaisir pur dispensé par la beauté et la sensualité, mais qui est engagement de toutes les forces vives du poète ; l'amour a exercé sur lui une fascination telle qu'il accepterait volontiers de commettre toutes les violences, voire de se perdre lui-même, pour le goûter dans sa plénitude.

Violence contenue et passion s'accompagnent bien souvent d'une tristesse incommensurable quand le poète, mal à l'aise dans la condition humaine, fait le compte de ses « peines d'amour perdues », de ses « souffrances passées », évoque le « spectre de ses rêves », et qu'il est tenté par le suicide, ou, au contraire, quand il se révolte contre l'idée d'une mort totale : « En se quittant chaque parcelle/S'en va dans le creuset profond/Grossir la pâte universelle/Faite des formes que Dieu fond. »

D'où le désir insatiable du poète à la recherche d'un ailleurs dont les formes sont infinies : un ailleurs géographique où il subit tour à tour la tentation de l'éclat aveuglant du ciel d'Égypte ou celle du ciel passionné et coloré de tons fauves d'une Espagne imaginaire ; un ailleurs temporel où le poète boit à la source, douce et amère à la fois, des souvenirs de sa jeunesse (cf. « le Château du souvenir »), ou à la source du passé du monde occidental, quand il retrouve l'esthétisme limpide de l'art grec, qu'il appelle à son secours pour « couvrir [le] squelette gothique » ; un ailleurs métaphysique enfin, où le poète échappera à la torture du doute quand « l'âme habituée aux ténèbres/Y verra clair dans le tombeau ! » ou à la torture de toutes les dualités, celle de l'homme ou celle du couple, toujours soulignée par la différence des sexes.

Si le lecteur moderne écoute la leçon du poète (« l'Art », poème de 1857) :

Oui l'œuvre sort plus belle
D'une forme au travail
Rebelle,
Vers, marbre, onyx, émail [...]

Sculpte, lime, ciselle :
Que ton rêve flottant
Se scelle
Dans le bloc résistant,

rien ne l'empêchera, tout en admirant l'habileté avec laquelle l'artiste a ciselé le marbre résistant, d'être sensible au « rêve flottant » dont les ondes de résonance affleurent dans la perfection même de la forme.

Le Capitaine Fracasse

Promis depuis 1835, *le Capitaine Fracasse* ne parut qu'en 1861. De l'avis unanime de ses intimes, c'est dans cette œuvre que Gautier prosateur a mis le meilleur de lui-même, et c'est pourtant son œuvre la plus méconnue, car elle n'est jugée que sur des apparences. Dans la mémoire du grand public, *le Capitaine Fracasse* est un roman de cape et d'épée, bien mis en valeur dans les adaptations cinématographiques qui en ont été faites.

SYNOPSIS

L'action du roman débute « entre Dax et Mont-de-Marsan », dans un château dont l'auteur décrit avec complaisance la lente désagrégation, et dans lequel vit – avec pour seuls compagnons un vieux domestique, un chat, un chien et un cheval – le dernier descendant d'une lignée jadis riche et puissante, le jeune baron de Sigognac.

Un soir d'hiver, une troupe de comédiens ambulants demande l'hospitalité au jeune seigneur, qui la leur accorde, malgré sa pauvreté, et qui décidera, le lendemain matin, de partir à l'aventure en compagnie de la troupe.

Le récit suit les déplacements de cette troupe – avec ses aventures dramatiques, grotesques ou comiques –, relatant ses activités, racontant les amours – parfois mouvementées – de ses membres.

Sigognac, amoureux platonique et sincère de la belle Isabelle, la jeune première, décide de remplacer l'acteur Matamore, qui est mort de froid dans une tourmente de neige, et, désormais, joue sur la scène le rôle du Capitaine Fracasse.

À Poitiers, Isabelle attire malgré elle l'attention du jeune duc de Vallombreuse, qui la poursuit de ses assiduités. Sigognac, qui s'est fait le chevalier servant d'Isabelle, déjoue le premier piège que lui tend Vallombreuse, en mettant en déroute les valets chargés de le rosser. Son honneur de comédien ainsi vengé, il venge son honneur de gentilhomme en provoquant en duel Vallombreuse, qu'il blesse assez sérieusement.

Malgré leur amour réciproque, Isabelle, par grandeur d'âme, refuse d'épouser Sigognac, dont, en tant que comédienne, elle ne se sent pas digne.

Isabelle n'échappe à un enlèvement machiné par Vallombreuse que grâce à la complicité de Chiquita, et la troupe se dirige sur Paris, dont l'auteur décrit minutieusement les tavernes et les activités populaires.

Sigognac échappe à différents guets-apens préparés sur les ordres de Vallombreuse et, grâce à son talent à l'épée, s'attire la sympathie de Jacquemin Lampourde, chargé par Vallombreuse de le tuer.

Un autre homme de main de Vallombreuse, Malartic, arrive, par ruse, à s'emparer d'Isabelle, qui est entraînée dans le château de Vallombreuse, où elle est retenue prisonnière. Grâce à Chiquita, Sigognac peut retrouver Isabelle, donner l'assaut au château de Vallombreuse et délivrer sa bien-aimée. Isabelle se révèle être la propre sœur de Vallombreuse et peut épouser Sigognac. Elle fait restaurer le « château de la Misère », qui devient le « château du Bonheur ».

Il est indéniable, en effet, que *le Capitaine Fracasse* est un roman de cape et d'épée, mais on n'a pas suffisamment pris garde à la façon dont Gautier manie la technique de cette forme de narration : le romancier est au centre de sa création ; omniscient et omniprésent, il est toujours prêt à montrer qu'il est le seul maître des événements ; ses personnages sont d'une psychologie sommaire, voire d'une convention poussée à l'extrême : les événements s'enchaînent de la manière la plus gratuite, le personnage dont l'intrigue a besoin se trouvant toujours à point nommé là où il est requis, sans respect pour la vraisemblance la plus élémentaire. Entraîné par le rythme que le narrateur insuffle au récit, trompé si besoin est par une explication fallacieuse, qui s'aviserait de trouver curieux qu'un pauvre gentilhomme qui n'a jamais quitté son castel délabré soit la plus fine lame du royaume, dans un temps où les bretteurs chevronnés sont légion ? Il faut tenir compte de la dimension humoristique du talent de Gautier et de son goût pour le pastiche. Il disait lui-même de cette œuvre : « C'est une lettre de change tirée dans ma jeunesse et que j'ai acquittée dans mon âge mûr. » Tout se passe comme si Gautier vieillissant, reprenant un projet de sa jeunesse, écrivait la parodie du roman qu'il aurait pu écrire beaucoup plus sérieusement vingt-cinq ans plus tôt. L'intrigue n'est qu'un moyen commode pour lui de se laisser aller à ses fantaisies, voire à ses fantasmes.

L'intérêt est ailleurs, dans ce qui peut paraître à l'« indiligent lecteur » comme des à-côtés de l'œuvre. L'important est dans la reconstitution d'une époque, « l'époque Louis XIII », avec le flou historique peut-être de l'expression, mais avec la truculence d'une société haute en couleur que le classicisme n'avait pas encore rabotée, nivelée ; dans la peinture d'une suite de tableaux où triomphe l'art de la description de tout un monde, d'une extraordinaire précision ; dans la résurrection du monde du théâtre avec le jeu si subtil entre les apparences et la réalité, jeu sur les apparences arrivant à modeler les personnalités des acteurs, mais dont les situations coïncident si bien avec celles de la réalité. À la réflexion, on découvre l'omniprésence du théâtre : là où l'on croyait suivre un récit d'aventures, on voit se dessiner la structure d'une vaste pièce de théâtre dont l'auteur brosse d'abord un décor, des décors, pour y faire ensuite parler et agir des personnages dans une suite de scènes bien équilibrées. L'intérêt, enfin, est dans la quête du bonheur par le héros, un idéaliste qui risque d'être écrasé par la dureté de l'existence mais qui poursuit son rêve avec une ardeur infatigable. Si Gautier avait suivi sa dynamique propre, cette quête eût été vouée à l'échec : le premier dénouement qu'il avait écrit renvoyait le héros, foudroyé dans tous ses rêves, à sa pauvreté initiale. Sur les instances de son entourage, l'auteur accepta, par un pur artifice romanesque – la découverte miraculeuse et fortuite d'un trésor enfoui –, le dénouement optimiste que l'on connaît, où le héros triomphe de toutes les difficultés pour connaître la plénitude d'un amour partagé dans l'opulence retrouvée.

C'est donc une œuvre qui supporte différents niveaux de lecture : « roman pour la jeunesse », mais aussi jeu génial d'un auteur dans la plénitude de ses moyens, qui mystifie son lecteur en se livrant à l'une de ses passions favorites, la reconstruction d'une société disparue.

Le conteur fantastique : *Spirite*

Le conte – ou la nouvelle – fantastique jalonne la carrière de Gautier, de *la Cafetière* (1831) à *Spirite* (1865) en passant par *Omphale* (1834), *la Morte amoureuse* (1836), *Fortunio* (1837), *le Pied de momie* (1840), *Arria Marcella* (1852), *Avatar* et *Jettatura* (1856).

Baudelaire le premier avait reconnu l'épanouissement du talent de Gautier dans ce genre « où il s'est le plus élevé, où il a montré le talent le plus sûr et le plus grave, [...] dans la nouvelle que j'appellerai la nouvelle poétique ».

Spirite, la dernière œuvre importante de Gautier, peut être considérée comme son testament spirituel, non seulement parce qu'elle reprend tous les grands thèmes, traités isolément ou fragmentairement dans les autres nouvelles, mais parce qu'elle en offre une synthèse cohérente, en donnant des réponses positives aux questions angoissées que le poète s'est posées toute sa vie à travers l'ensemble de son œuvre.

On connaît la part importante des éléments biographiques dans cette œuvre qui est née et s'est épanouie à l'ombre de Carlotta Grisi, dont le visage rayonne sur toute la nouvelle : une « pâleur rosée [...], ses cheveux, d'une teinte d'auréole, estompaient comme une fumée d'or les contours de son front [...], des prunelles d'un bleu nocturne, d'une douceur infinie, et rappelant ces places du ciel qu'au crépuscule envahissent les violettes du soir [...] ». Le héros, Guy de Malivert, partage avec l'auteur sa vocation poétique et son talent de feuilletoniste, tout comme son goût pour les arts plastiques et pour les voyages, son incapacité à se prendre au jeu social et le culte qu'il voue à la beauté.

C. Lacoste

SYNOPSIS

À vingt-neuf ans, Guy de Malivert, esthète cultivé, n'a jamais connu l'amour ; il se rend de mauvaise grâce chez une jolie veuve de ses amies, Mme d'Ymbercourt, et sympathise avec le baron de Féroë, « compatriote de Swedenborg » attiré par le mysticisme (chap. 1-2). Un soupir et un chuchotement semblent vouloir le détourner de ses visites à la jeune femme qui attend une demande en mariage ; Féroë l'avertit du danger d'une plongée dans le monde de l'esprit (3-4). Dans son miroir de Venise, Malivert aperçoit l'ébauche du merveilleux visage diaphane d'une inconnue (5) qu'il reverra dans un splendide traîneau vainement poursuivi (6). Sur son tapis se profile une main, et l'esprit lui dicte un récit (la « Dictée de Spirite ») : jeune fille, la narratrice a aperçu Malivert au couvent, s'est mise à l'aimer, à le rechercher (7-9) mais les rumeurs sur son éventuel mariage avec Mme d'Ymbercourt l'ont incitée à prononcer ses vœux, et elle s'est éteinte peu après (10-11). Grâce aux indications de Féroë, Malivert se rend sur la tombe de la jeune morte, Lavinia d'Aufideni (12). Il vit dès lors avec la présence de Spirite, qui se laisse percevoir, mais reste insaisissable, ce qui conduit le jeune homme au bord du suicide (13-14). Il prend le vapeur pour Athènes, qui l'émerveille et, lors d'une excursion, trouve enfin, sous les balles de bandits, la mort qui lui permet de rejoindre Spirite pour toujours (15-16).

F. Court-Perez

La technique de la nouvelle fantastique revêt une importance capitale aux yeux d'un auteur qui sait qu'il écrit pour le public français, rationaliste de tempérament, et très sceptique en matière de surnaturel. Gautier a donc soigné tout particulièrement la genèse du fantastique jusqu'à sa révélation irréfutable.

Dans un cadre qui est celui du milieu *fashionable* du second Empire, connu et rassurant, se produisent tout d'abord des événements infimes – une lettre qui est écrite sans que le héros en ait conscience ; un soupir, une parole murmurée – qui peuvent trouver une explication rationnelle, et qui ne prennent une dimension inquiétante que par le trouble ressenti par le héros et par les questions qu'il se pose. Le vocabulaire grâce auquel est analysé le psychisme du héros est révélateur : par des allusions aux illusions des sens, par des expressions comme « avertissement du ciel », « impression de surnaturel », se crée un climat très particulier d'apparences trompeuses.

Le fantastique nécessite en second lieu un interprète et un guide : tel est le rôle dévolu au baron de Féroë, « penché, comme Swedenborg, sur l'abîme du mysticisme ». C'est un personnage conventionnel dans son aspect, mais mystérieux dans son intimité. Il se fait le mentor du héros en lui expliquant l'existence de l'« extramonde » et la puissance des esprits. Par son caractère mesuré, il est un garant sûr et rassurant.

Le héros, Guy de Malivert, enfin, est loin d'être un homme quelconque : il est doué d'une intuition très fine de tout ce qui touche à l'idéalisme, et l'existence qu'il a menée, par une sorte d'ascèse sentimentale, lui a donné la pureté nécessaire pour vivre l'extraordinaire histoire d'amour qu'il va connaître.

Cette triple étape de préparation parcourue, le fantastique peut éclater, avec l'apparition du visage de Spirite. Au moment de cette apparition, l'habileté de Gautier consiste à mêler deux registres de description : il décrit le réel avec des mots qui suggèrent une dimension inconnue, et qui prend une valeur de symbole ; par un jeu de lumières et d'ombres, les objets de la chambre de Guy sont animés d'« une vie fantastique », tandis que le regard se concentre irrésistiblement sur le miroir qui « paraissait d'un noir bleuâtre, indéfiniment profond, et ressemblait à une ouverture pratiquée sur un vide rempli d'idéales ténèbres », et c'est dans le miroir qu'apparaît le visage de Spirite. Parallèlement, Gautier décrit l'extramonde, avec des termes qui suggèrent une réalité, mais transcendée, de sorte qu'il brouille les pistes : l'apparition a une existence dont le héros ne doute pas, mais dont un homme ordinaire pourrait douter : « C'était bien les mêmes traits, mais épurés, transfigurés, idéalisés. » L'extramonde a, alors, juste assez de réalité pour que le héros puisse l'apercevoir et en sentir l'attrait en même temps que la puissance.

Installé désormais dans le fantastique, le récit peut se dérouler plus librement, avec des apparitions surnaturelles, selon une progression inéluctable vers l'apothéose du couple amoureux.

Malgré l'habileté dans le maniement de la technique narrative, le plaisir de conter ne semble pas une fin en soi, et la signification de l'œuvre est riche : le héros et l'héroïne, mus par la force de leur volonté, arrivent à transgresser les lois matérielles qui régissent le monde ; par la force de leur amour, ils réussissent à vaincre la mort et à atteindre, dans le monde idéal, l'unité parfaite. Gautier affirme ici avec confiance sa croyance dans une spiritualité qui triomphe dans l'unité originelle retrouvée : « Au centre d'une effervescence de lumière qui semblait partir du fond de l'infini, deux points d'une intensité de splendeur plus grande encore, pareils à des diamants dans la flamme scintillaient, palpitaient et s'approchaient, prenant l'apparence de Malivert et de Spirite. Ils volaient l'un près de l'autre, dans une joie céleste et radieuse, se caressant du bout de leurs ailes, se lutinant avec de divines agaceries. Bientôt ils se rapprochèrent de plus en plus, et, comme deux gouttes de rosée roulant sur la même feuille de lis, ils finirent par se confondre dans une perle unique ».

Les récits de voyage

Suivant la mode de son temps – et contribuant pour une large part à conforter cette mode –, Gautier lia les voyages à la littérature : financé par un directeur de journal, le voyage effectué par Gautier devient sujet de récit. Cette affirmation, valable pour les escapades en Belgique et en Hollande en 1836, ou en Angleterre en 1842 et 1843, est encore plus vraie pour les longs voyages, toujours effectués (sauf pour la Russie en 1858 et 1861) dans les pays méditerranéens.

Le plus souvent, Gautier écrit sur place sa « copie », qu'il envoie au fur et à mesure à son journal, quitte à terminer son récit juste après son retour, voire à le laisser inachevé, comme c'est le cas pour *Italia.* Ainsi « Sur les chemins : lettres d'un feuilletoniste », qui allait devenir en 1843 *Tra los montes,* parut dans *la Presse* du 27 mai au 3 septembre 1840, pendant le voyage de Gautier en Espagne, qui dura du 5 mai au 7 octobre 1840 ; la fin ne parut dans la *Revue des Deux Mondes* que du 15 juillet 1842 au 1er janvier 1843. Ainsi pour « De Paris à Constantinople, promenades d'été » qui parut du 1er au 8 octobre 1852 dans *la Presse* et les « Excursions en Grèce » dans *le Moniteur universel* du 20 au 27 octobre 1852, alors que Gautier quitta Paris pour Constantinople le 9 juin 1852 et qu'il y revint en octobre.

Cette concomitance de l'expérience vécue et de l'écriture est fondamentale, car elle conditionne la structure et la nature de l'œuvre ; l'écrivain ne prend pas le recul nécessaire pour composer une œuvre d'art ou pour corriger ses réactions personnelles : il livre ses découvertes et ses impressions dans leur spontanéité.

La structure du récit de voyage respecte les traditions du genre : elle est linéaire, suivant le déroulement chronologique et l'itinéraire du narrateur, dont le regard focalise tout. Au gré des circonstances du voyage et des caprices du narrateur vont donc s'entremêler les récits d'aventures, les analyses d'impressions, les descriptions. C'est l'équilibre entre ces trois lignes de force qui donne sa coloration propre à la manière de Gautier.

Gautier aime l'aventure et cherche le plus possible à sortir des sentiers battus, comme le prouvent son itinéraire en Espagne ou son ascension du Muley-Hassen, près de Grenade ; mais, si vivantes que soient les diverses anecdotes qu'il rapporte, son récit n'a jamais la jactance et la gratuité des récits du plus célèbre des auteurs-voyageurs de son époque, Alexandre Dumas.

Parti à la découverte de mondes nouveaux pour lui, l'Espagne, l'Italie, l'Afrique du Nord, le Moyen-Orient, la Russie, l'Égypte, Gautier a souvent été fortement impressionné par les spectacles qu'il découvrait ; cependant, il reste généralement assez discret sur sa propre émotion : il est loin du voyageur romantique qui s'extasie – parfois sur commande – devant des paysages grandioses, et dont le langage tourne vite au pathos métaphysico-religieux.

En revanche, Gautier essaie, par la description qui va occuper une place de choix, de donner à son lecteur une idée aussi précise que possible de tout ce qu'il voit. Sans préjugés, il cherche à découvrir dans le pays qu'il parcourt ce qui est différent des mœurs françaises, ce qui est typique d'une civilisation autre que la civilisation chrétienne occidentale : « Mon habitude, en voyage, est de me lancer tout seul à travers les villes à moi inconnues, comme un capitaine Cook dans un voyage d'exploration. Rien n'est plus amusant que de découvrir une fontaine, une mosquée, un monument quelconque, et de lui assigner son vrai nom sans qu'un drogman idiot vous le dise d'un ton démonstrateur de serpents boas ; d'ailleurs, en errant ainsi à l'aventure, on voit ce qu'on ne vous montre jamais, c'est-à-dire ce qu'il y a de vraiment curieux dans le pays que l'on visite. »

C'est par l'objet de ses descriptions que Gautier se révèle le mieux : ainsi ses évocations de paysages – par exemple celle de la Corne d'Or, dans *Constantinople* – sont composées comme de véritables tableaux, dont les couleurs acréent l'atmosphère propre, et qui rappellent la formation technique de l'auteur. Autant qu'à l'aspect physique et aux mœurs, Gautier s'intéresse aux arts d'un pays : ses voyages en Espagne et en Italie sont jalonnés de visites de musées et de monuments, qui font l'objet de descriptions méticuleuses.

Les résonances de ces voyages dans l'œuvre de Gautier sont diverses ; parfois, la liaison voyage/œuvre est évidente, immédiate : c'est le cas pour le voyage en Belgique en 1836 – où Gautier vit, à Anvers, *la Descente de croix* de Rubens – et pour la rédaction de *Madeleine* dès 1837, qui allait devenir en 1839 *la Toison d'or*, de même que du voyage en Espagne est né le recueil *España* (1845). En d'autres circonstances, l'imagination de Gautier a travaillé avant que ne se produise la découverte personnelle d'un pays : c'est le cas pour l'Égypte, dont Gautier a fait très tôt resurgir le passé dans *le Pied de momie* en 1840, puis dans *le Roman de la momie* en 1857, mais qu'il ne découvrira qu'en 1869, une fois ses grandes œuvres achevées.

D'une façon beaucoup plus subtile et plus profonde, l'expérience acquise au cours des voyages est fondamentale : paradoxalement – car les récits de Gautier ont une apparente objectivité –, c'est à la rencontre de lui-même que Gautier est toujours allé, si loin qu'il se soit déplacé dans l'espace, et c'est lui-même qu'il a rencontré. Les images qu'il découvre ne le bouleversent pas, ne le transforment pas, mais le confortent dans ses tendances, dans ses rêves, dans ses fantasmes. L'Espagne et l'Algérie cristallisent ses aspirations à la lumière solaire, l'Italie incarne sa passion pour la peinture, la Grèce ses rêves de beauté plastique, Constantinople l'Orient mythique auquel, avec toute sa génération, il a longuement rêvé. C'est pourquoi les richesses recueillies au cours des voyages, bien que n'étant pas génératrices de révolutions ou de révélations, ont été irremplaçables pour Gautier, qui les a appréhendées et assimilées au travers de son égotisme invétéré.

C. Lacoste

GAUTIER D'ARRAS *v. Eracle*

GAUTIER DE COINCI

(1177 ou 1178-1236)

Né à Coincy (Aisne), il entre en 1193 comme novice à l'abbaye de Saint-Médard-lès-Soissons ; en 1214, il est nommé prieur de Vic-sur-Aisne ; en 1233, grand prieur de Saint-Médard. C'est là qu'il meurt en 1236.

Ses œuvres ont été regroupées en un recueil comportant deux parties : cinquante-huit *Miracles Notre-Dame* connus à partir de 1218, de nombreuses chansons pieuses – dont vingt-deux chansons dédiées à la Vierge – et des sermons. Son inspiration prend donc place à l'intérieur du grand courant de dévotion mariale qui caractérise le XIIIe siècle. Même s'il ne compose pas de première main (ses *Miracles* suivent un recueil latin d'*exempla* trouvé à Saint-Médard), Gautier témoigne de qualités incontestables, dont certaines le rapprochent quelque peu d'Hélinant de Froidmont : grande virtuosité de la langue, profusion de rimes riches, imagination puissante et débordante, qui suscite des métaphores remarquables et saisissantes. On retrouve ces qualités dans le grand sermon *De la doutance de la mort* (on se rappelle les célèbres *Vers de la mort* d'Hélinant), qui développe le thème très traditionnel du *contemptus mundi* (« mépris du monde »).

Sa poésie lyrique ne présente pas les mêmes qualités ; l'imagination s'y fait plus discrète. Mais Gautier montre beaucoup de savoir-faire et de doigté en transposant dans le registre pieux les mélodies de la lyrique profane. Il s'attaque tout particulièrement à l'idéologie courtoise, dont il détourne les valeurs séculières vers la Dame par excellence, la Vierge Marie. Le jeu sur le langage devient ici un jeu sur l'ambiguïté du langage. Cette transposition intéresse à peu près tous les petits genres de la lyrique profane, y compris des genres narratifs comme la pastourelle. On mesure ainsi l'apport considérable de Gautier de Coinci à la lyrique pieuse, qu'il a très largement renouvelée.

D. Boutet

GAY Delphine *v.* GIRARDIN, madame de

Genet

GENET Jean

(1910-1986)

Il y a un paradoxe de Genet : son existence d'abord errante, puis carcérale, son refus de la morale courante, les thèmes provocateurs d'une œuvre qui célèbre le Mal sous tous ses avatars, tout cela a auréolé Genet d'une renommée sulfureuse. Des crimes et des délits, des romans écrits en prison, la répulsion des bien-pensants, des démêlés avec la censure, et voilà, en plein XXe siècle, une nouvelle incarnation du marquis de Sade !

Pourtant, rien n'est plus fallacieux que cette première évocation : car, très vite, Genet a été reconnu et admiré par ses pairs et, plus largement, par le public lettré. Dès 1947, Louis Jouvet lui a commandé une pièce, qu'il met en scène dans son théâtre de l'Athénée et qui est présentée en même temps que *l'Apollon de Bellac* de Giraudoux : c'est la première version des *Bonnes*. En 1952, Sartre, à qui a été demandée une préface pour la publication des œuvres complètes de Genet, donne à cette préface la dimension d'un volume : c'est le *Saint Genet, comédien et martyr*, qui apparaît aujourd'hui à la fois comme l'un des essais littéraires les plus aboutis de son auteur et comme l'étude critique majeure sur Genet. 1966... Malgré les protestations des milieux bien-pensants (l'armée, l'Église...), un théâtre national crée sa dernière pièce grâce au soutien du ministre des Affaires culturelles de l'époque, André Malraux (*les Paravents*, à l'Odéon-Théâtre de France). Enfin, de Louis Jouvet à Roger Blin, de Peter Brook à Julian Beck, de Victor Garcia à Jean-Marie Patte et Patrice Chéreau, toutes les générations du théâtre, en trente ans, aussi bien en France qu'à l'étranger, n'ont cessé d'être fascinées par l'œuvre de Genet.

De l'exclusion à la consécration

Au lecteur ordinaire, la biographie de Genet renvoie comme une image littéralement inversée de son enfance et de sa jeunesse. Le vol, la mendicité, la prostitution furent les trois « fées » qui, comme on dit, se penchèrent sur le berceau de l'enfant Genet. Et, pour se sauver, très tôt, Genet comprit qu'il lui fallait revendiquer un « vouloir être » – en d'autres termes, proclamer qu'il voulait être ce que la société faisait de lui : un voleur, un mendiant, un prostitué, voire un traître et un assassin...

De prime abord, aucun univers imaginaire n'apparaît plus nourri de rêves et de fantasmes que celui de Genet, et en même temps aucun n'est plus nourri d'une expérience vécue – et cruellement – dès ses plus jeunes années.

Jean Genet est né à Paris, le 19 décembre 1910. Premier signe de « malédiction », et peut-être signe fondamental, il fait partie de ces enfants parias, non pas orphelins, mais rejetés, abandonnés par leur mère. Il lui faudra vivre cela. De cette blessure sans doute incurable sortiront les figures maternelles de son œuvre, ces vieilles mendiantes, ces vieilles voleuses qu'on arrive à chérir jusque dans leur effondrement ou à haïr parce qu'elles n'ont jamais su ou pu être des « mères » (*Pompes funèbres ; les Paravents*...). Il ne connaîtra pas davantage son père.

L'Assistance publique le prend en charge et le confie à des paysans du Morvan. Tout se passe bien jusqu'à l'âge de dix ans. Soudain, comme le rapporte Sartre, « une voix déclare publiquement : "Tu es un voleur" ». Vrai ? Faux ? Peu importe. Le « bel ordre » s'écroule. L'intégration de Genet à cet ordre se mue en fantasme d'exclusion. Genet ne survivra à ce trauma qu'en adhérant à l'image de lui-même que la société lui renvoie. Un mécanisme se met en place qui va, désormais, structurer sa vie. Il écrit, dans le *Journal du voleur* (1949) : « Afin de survivre à ma désolation, quand mon attitude était davantage repliée, j'élaborais sans y prendre garde une rigoureuse discipline. Le mécanisme en était à peu près celui-ci (depuis lors je l'utiliserai) : à chaque accusation portée contre moi, fût-elle injuste, du fond du cœur je répondrai oui. À peine avais-je prononcé ce mot – ou la phrase qui le signifiait –, en moi-même je sentais le besoin de devenir ce qu'on m'avait accusé d'être. J'avais seize ans. »

Ainsi, non seulement Genet va se « choisir » voleur, homosexuel, mais, plus largement, il va adhérer à un système de valeurs personnel qui sera comme le double inversé du code moral traditionnel. Aussi précis. Aussi contraignant.

Son adolescence, il la passe en maison de correction – à Mettray, notamment, qui deviendra l'un des hauts lieux de sa mythologie. Destin tout tracé de petit voyou sans envergure, Genet l'avoue lui-même. Il s'évade de Mettray avant sa majorité, s'engage, déserte... « Un temps je vécus du vol, mais la prostitution plaisait davantage à ma nonchalance. J'avais vingt ans. »

On le retrouve vagabondant de port en port. Il mendie, vole, se prostitue aux marins et aux touristes, à Marseille, à Barcelone. Il ne cesse d'avoir des démêlés avec les polices et les justices des pays qu'il traverse (Italie, Yougoslavie, Autriche, Tchécoslovaquie, Pologne...). Le voici dans l'Allemagne de Hitler. Les blonds S.S. font ainsi leur entrée dans sa mythologie du crime (cf. *Pompes funèbres*). Mais, dans un régime qui officialise le crime comme moyen d'action politique, le criminel se confond avec le citoyen respectueux de la loi et de l'ordre établi. Dès lors, pour Genet, plus de singularité possible ! Il ne s'attardera pas dans cette Allemagne-là.

De retour en France, il exécute, seul, un premier cambriolage. Exploit qui lui vaut de gravir un échelon important dans « sa » hiérarchie : « Maintenant j'étais un homme, un affranchi » (*Miracle de la rose*). Genet mène alors une vie précaire où se croisent amours fragiles, activités délictueuses et séjours en prison. C'est là que se situe le second moment clé de l'existence de Genet : le voyou se métamorphose en écrivain. D'après le récit qu'il en a fait à Sartre, ce « moment » se situe en 1942 : Genet est en prison comme simple prévenu. Il a alors un peu plus de trente ans. L'un de ses compagnons de cellule compose des poèmes que Genet trouve « pleurnichards ». C'est l'étincelle. Il écrit *le Condamné à mort*, ample poème en alexandrins de facture toute classique où s'exprime sans fard l'amour qu'il portait à son ami Maurice Pilorge, guillotiné le 17 mars 1939.

À partir de cette expérience inaugurale, Genet ne va plus cesser d'écrire, au moins pendant une vingtaine d'années. Il donne, outre des poèmes, quatre romans : *Notre-Dame-des-Fleurs* (1944), *Miracle de la rose* (1946), *Pompes funèbres* et *Querelle de Brest* (1947) – nous indiquons ici les dates de parution. Sartre et Cocteau ont tout de suite reconnu l'écrivain de grande race. Ils ont aidé à sa publication. À la même époque, Genet risque la relégation à vie. Grâce à l'action concertée de ses protecteurs, appuyés par un grand nombre d'intellectuels, le président de la République lui accorde une remise de peine.

De la consécration au silence

Dès lors, Genet est un homme libre. Auteur connu, sinon encore reconnu, il vit en France ou à l'étranger. Il s'engage alors, avec *les Bonnes* (1947) et *Haute Surveillance* (1949), dans la voie du théâtre. En 1949, *Journal du voleur*, récit autobiographique, constitue la charnière entre l'œuvre romanesque, intimement liée à son passé carcéral, et l'œuvre dramatique, dont l'essentiel est encore en gestation.

On l'a vu, en 1952 paraît le magistral *Saint Genet* de Sartre. Événement majeur de la critique littéraire contemporaine, l'ouvrage devient aussi un événement majeur dans la vie et dans la carrière même de l'écrivain Genet. L'étude sartrienne eut en effet cette conséquence imprévue : au dire même de Genet, elle entraîna, chez lui, une véritable aphasie, « six ans de grisaille et d'imbécillité » ! Tant fut insupportable le malaise qu'il éprouva à se voir « dénudé par quelqu'un d'autre que par lui » : « Dans tous mes livres je me mets nu et en même temps je me travestis par des mots, des choix, des attitudes, par la féerie. Je m'arrange pour ne pas être trop endommagé. Par Sartre, j'étais mis à nu sans complaisance. »

L'entreprise sartrienne – explorer, éclairer les arcanes de la mutation d'un voyou en écrivain – avait sans doute eu pour effet de placer en pleine lumière cette zone obscure de lui-même dont un créateur a précisément besoin pour créer… « J'ai mis un certain temps à me remettre. J'ai été presque incapable de continuer à écrire… Le livre de Sartre a créé un vide qui a permis une espèce de détérioration psychologique. Cette détérioration a permis la méditation qui m'a conduit à mon théâtre. »

Peut-être faut-il, nonobstant, nuancer ces affirmations de Genet. Avant même la parution de l'essai de Sartre, Genet traversait une période de stérilité : entre 1948 et 1952, il n'avait que très peu produit. D'ailleurs, Sartre lui-même n'annonçait-il pas la naissance d'un nouveau Genet – plus précisément, la mise en chantier d'un roman qui eût été à la fois *Un coup de dés jamais n'abolira le hasard, Eupalinos* et *les Sept Piliers de la sagesse* ? Cette œuvre, extrémiste dans son ambition, ne verra jamais le jour. Mais, dans ces conditions, le *Saint Genet* ne saurait plus être tenu pour la cause première et exclusive des difficultés créatrices de l'auteur des *Bonnes*.

De fait, c'est en abandonnant le roman et en recourant à la scène que Genet trouvera un second souffle. *Les Bonnes*, après la mort de Jouvet, avaient été reprises en 1954 dans une mise en scène de Tania Balachova. Entre-temps, elles avaient été créées à Londres en 1952. Elles le seront à Bonn en 1957. *Le Balcon*, publié en 1956, est créé l'année suivante à Londres dans une mise en scène de Peter Zadek, que d'ailleurs Genet récuse violemment. La réalisation parisienne de Peter Brook (1960) ne le satisfera pas davantage. Puis ce sont *les Nègres*, présentés à Paris par Roger Blin, qui deviendra le metteur en scène attitré de Genet (1959). Enfin, la dernière pièce de Genet, *les Paravents*, est publiée en 1961. La création mondiale a lieu la même année à Berlin-Ouest.

Puis, jusqu'en 1986, c'est quasiment le silence. Un silence qui posera probablement aux historiens de la littérature à peu près autant de questions insolubles que celui de Racine après *Phèdre* ou de Rimbaud après *Une saison en enfer*. Sentiment d'échec ou d'épuisement créateur ? Refus de s'enfermer dans des formules dont le tranchant risquait de s'émousser, à force de répétition ? Impuissance à trouver les voies d'un renouvellement ? Besoin d'échapper à une « récupération » sociale inhérente à la réussite littéraire ? Conscience d'une inutilité, face à la réalité du monde, de l'acte créateur ? Sartre déclara à Simone de Beauvoir, dans des « Entretiens » de 1974 : « Il tenait beaucoup à Abdallah, qui s'est tué, plus ou moins à cause de lui, et Genet, à ce moment-là, a décidé de ne plus écrire. Et, de fait, il n'a plus écrit grand-chose depuis cette mort » (repris dans *la Cérémonie des adieux*). Après 1968, Genet dira lui-même qu'il se désintéresse de la société occidentale, de ses valeurs et de ses rites. Désormais, à ses yeux, seul vaut d'aider les opprimés du tiers monde. De fait, Genet s'engage alors activement dans un soutien au mouvement américain des Black Panthers. Et, pendant longtemps, les seuls textes qu'on pourra lire de lui seront des témoignages en faveur de militants noirs (Angela Davis, George Jackson) ou palestiniens (« Quatre Heures à Chatila », dans la *Revue d'études palestiniennes*, 1982), ces fedayins auprès desquels il a vécu pendant deux ans, de 1970 à 1972, et dont son dernier roman célébrera la révolte et la fierté « d'avoir été dangereux » (*Un captif amoureux*, posth., 1986).

Toutefois ce « silence » volontaire de vingt-cinq années n'affectera en rien sa notoriété : l'enfant terrible du cinéma allemand, R.W. Fassbinder, porte *Querelle de Brest* à l'écran (*Querelle*, 1981). En 1983, Patrice Chéreau reprend *les Paravents*. La même année, couronnement officiel dont il savoure sans doute *in petto* la dérision, Genet reçoit le grand prix national des Lettres et, en 1985, *le Balcon* entre au répertoire de la Comédie-Française.

La sacralisation du non-être

S'il est vrai que, tout au long de l'œuvre narrative, poétique et théâtrale de Genet, se manifeste un attrait pour les valeurs « noires », encore convient-il de ne pas prendre l'accessoire pour l'essentiel. Sans doute Genet a-t-il eu besoin, pour assurer son salut personnel, d'inventer ce recours à une morale inversée. Mais, au niveau de l'œuvre, c'est moins le processus d'inversion ou de provocation qui s'impose comme fondement d'une poétique ou d'une dramaturgie que l'acte même de la célébration, que le rêve d'une consécration, d'une sacralisation du non-être.

Dès ses premiers récits s'imposent les thèmes connexes du couronnement et des funérailles. S'impose aussi la conjonction du fabuleux et du dérisoire. Dans *Notre-Dame-des-Fleurs,* le cabaret le « Tavernacle » (le jeu de mots est, à cet égard, parlant) apparaît comme une sorte de temple-théâtre « où de beaux garçons bouchers [se] métamorphosent quelquefois en princesses à traîne ». Chez Genet, les personnages ne cessent de s'inventer une souveraineté fantasmatique qui traduit non pas une nostalgie du pouvoir mais un rêve de sacralisation. Dans *les Bonnes,* Solange ironise à propos des activités nocturnes de sa sœur, qui fait « [sa] souveraine, [sa] Marie-Antoinette [...], se contemplant dans les miroirs, se pavanant au balcon et saluant à deux heures du matin le peuple accouru défiler sous ses fenêtres ». Irma, dans *le Balcon,* est appelée à incarner l'archétype éternel de la Reine, figure vide, absente au pouvoir, présente uniquement à ses emblèmes, signe pur et sacré capable de survivre à toutes les révolutions : « Ma décision est prise. Je suppose que j'étais appelée de toute éternité, et que Dieu me bénira. Je vais aller me préparer dans la prière... » L'un des épisodes les plus frappants de *Notre-Dame-des-Fleurs* est sans doute celui où Louis Culafroy, surnommé Divine, perd accidentellement sa couronne de perles fausses sous les sarcasmes de ses ami(e) s : « Alors Divine pousse un rire en cascade stridente. Tout le monde est attentif : c'est son signal. De sa bouche ouverte, elle arrache son dentier, le pose sur son crâne, et, le cœur dans la gorge mais victorieuse, elle s'écrie d'une voix changée, et les lèvres rentrées dans la bouche : "Eh ! bien, merde, mesdames, je serai reine quand même." »

La royauté sépare l'élue du reste des hommes comme la mort retranche des vivants. L'apothéose, le rituel du couronnement, chez Genet, s'apparentent à des cérémonies funèbres, à moins que les funérailles ne représentent, à ses yeux, la forme parfaite du couronnement. D'ailleurs, au début de *Pompes funèbres,* Genet s'interroge : « Pourquoi suis-je limité dans mon choix et me vois-je dépeindre bientôt le troisième enterrement de chacun de mes trois livres ? » Dans sa grande tirade finale, Solange, la bonne, rêve à un cérémonial qui serait à la fois celui de son exécution et de ses funérailles : « Viennent les concierges, viennent encore les délégations du ciel. Et je les conduis. Le bourreau me berce. On m'acclame. Je suis pâle et je vais mourir. » Le jeu des *Nègres* se déploie autour d'un autel-catafalque recouvert d'une nappe blanche, d'iris, de roses, de glaïeuls et d'arums. Sous les flashes des photographes, le Chef de la police, dans *le Balcon,* se retire vivant dans son mausolée : victorieux, parce qu'il vient d'accéder à la nomenclature des archétypes, il peut se retrancher de la vie et entrer dans l'éternité de l'Image. Le dernier tableau des *Paravents* nous montre l'innombrable peuple des morts contemplant avec ironie l'agitation et les jeux des vivants... Chez Genet, la mort n'est ni un mystère ni un drame. Elle est le non-être, c'est-à-dire, dans sa hiérarchie inversée, la valeur suprême. Elle est un vide autour de quoi se constitue un théâtre pur : enterrements de Divine au début de *Notre-Dame-des-Fleurs,* de Jean dans *Pompes funèbres,* de Si Slimane dans *les Paravents*... Et les accessoires de la mort, Genet les pare d'une singulière sacralité : la guillotine, comme le poignard de l'assassin, est l'instrument d'un sacrifice et non pas seulement d'une mise à mort. À l'instar du meurtrier, le bourreau revêt la dignité d'un grand prêtre. Donner la mort ou la recevoir, c'est, d'une certaine façon, chez Genet, accéder à la sainteté.

Il faudrait analyser dans le détail les rites funèbres de Genet. S'y manifestent des fantasmes de nécrophagie et de nécrophilie ; manger le mort, faire l'amour avec lui, autant de procédures qui permettent la fusion de l'être avec le non-être : « Enfin, sortant je ne sais d'où, Jean mort et nu, marchant sur ses talons, m'apporta son cadavre, cuit à point, qu'il allongea sur la table, et il disparut. Seul à cette table, divinité que les nègres n'osaient fixer, je mangeai. J'appartenais à la tribu. Et non d'une façon superficielle, par le seul fait de ma naissance au milieu d'elle, mais par la grâce d'une adoption où il m'était accordé de participer au festin religieux » (*Pompes funèbres*).

L'écriture romanesque de Genet peut être cursivement définie comme l'outil qui permet au fantasme de se mettre en scène, et au double processus de déréalisation et de sacralisation qui structure l'imaginaire de Genet de s'accomplir. Avec le théâtre, l'illusion est définitivement « objectivée ». Elle devient la seule réalité ; de même, le mensonge devient-il la seule vérité.

Le théâtre de Genet ne montre que le théâtre, à la manière de ces miroirs se reflétant l'un l'autre à l'infini : le « Balcon » de Mme Irma est d'abord une maison d'illusion dont chaque chambre est un théâtre en miniature (un « drame » s'y joue). Et chacun de ces « théâtres » doit être montré dans son irréalité de décor mobile : « Je veux que les tableaux se succèdent, que les décors se déplacent de gauche à droite, comme s'ils allaient s'emboîter les uns dans les autres, sous les yeux du spectateur » (*Comment jouer le Balcon*).

Toute la théorie théâtrale de Genet récuse la tyrannie du réalisme : la représentation n'a pas à se faire reproduction figurative, mimétique. Elle doit inventer un système de signes. Elle doit apprendre à faire allusion et non plus illusion. Genet se réclame de trois modèles : le théâtre selon son cœur devrait être un cérémonial à la façon des théâtres d'Extrême-Orient, un rituel à la façon de la messe, un jeu aussi chargé de gravité que le jeu d'enfant (lettre à Jean-Jacques Pauvert). De fait, la chambre de Madame, dans *les Bonnes,* est l'espace consacré d'un rituel qui doit aboutir au sacrifice d'une victime (Madame ; puis Claire, se substituant à Madame), mais elle est en même temps l'arène d'un jeu qui s'invente et se transforme au fur et à mesure. Avec *le Balcon,* l'identité des personnages se dissout dans les archétypes qui peuplent leurs fantasmes : Irma devient la Reine ou, du moins, son apparence ; le Chef des révolutionnaires s'identifie au Chef de la police… Bref, l'Autre et le Même finissent par se confondre. Entre le théâtre et le réel il n'y a plus de solution de continuité ni d'antinomie, car il n'y a pas de réalité. À la fin de la pièce, Irma, s'adressant aux spectateurs, les invite à rentrer chez eux « où tout, n'en doutez pas, sera encore plus faux qu'ici ». Dans *les Nègres*, des acteurs noirs miment le meurtre rituel d'une Blanche sous le regard de spectateurs noirs qui eux-mêmes miment une cour de Blancs, cérémonie macabre doublée en coulisse d'un « réel » identique à la représentation, mais jamais présent, jamais tangible. L'être ne cesse de se dérober. Le non-être, en somme, est bien la loi suprême qui gouverne le monde imaginaire de Genet.

VIE ET ŒUVRE

1910	Jean Genet naît à Paris le 19 décembre. Père inconnu. Abandonné par sa mère, il est confié à l'Assistance publique.
1918	Jean Genet placé chez des paysans du Morvan.
1920	Accusé de vol et envoyé à la maison de redressement de Mettray.
1930	Genet s'évade de Mettray. S'engage dans la Légion étrangère. Déserte. Errance, vol, prostitution, prisons. Barcelone, Tanger, Naples, Rome, Marseille, Brest, Anvers… Yougoslavie, Allemagne…
1933	Première lettre connue de Jean Genet. Elle est adressée à Gide.
1939	Maurice Pilorge, ami de Genet, guillotiné le 17 mars. Premières tentatives littéraires
1942-1944	Incarcéré à Fresnes, puis à la Santé, écrit *le Condamné à mort* (poème, publié en 1951), *Notre-Dame-des-Fleurs* (publ. clandestine, 1944), *Haute Surveillance* (publ. 1949).
1944	Première intervention de Cocteau en sa faveur auprès des tribunaux (14 mars).
1946	*Miracle de la rose.*
1947	*Pompes funèbres* et *Querelle de Brest* paraissent sans nom d'éditeur. Louis Jouvet crée *les Bonnes* (première version) au théâtre de l'Athénée en même temps que *l'Apollon de Bellac* de Giraudoux.
1948	*Le Funambule.* Création de *'Adame Miroir* au théâtre des Champs-Élysées : musique de Darius Milhaud, chorégraphie de Janine Charrat. Jean Genet condamné à la relégation. La grâce présidentielle lui est accordée grâce aux initiatives de Sartre, de Cocteau et d'autres écrivains et intellectuels.
1949	*L'Enfant criminel* suivi de *'Adame Miroir. Le Journal du voleur* (sans nom d'éditeur). Création de *Haute Surveillance* (première version) : mise en scène de Jean Marchat et de Jean Genet.
1950	*Un chant d'amour,* premier film de Jean Genet.
1951	Parution du tome II des *Œuvres complètes* de Genet chez Gallimard. *Les Beaux Gars.*
1952	Parution du tome I : il s'agit en fait du *Saint Genet, comédien et martyr* de Sartre, initialement prévu comme préface.
1953	Tome III des *Œuvres complètes.*
1954	Tania Balachova crée la seconde version des *Bonnes* (théâtre de la Huchette). Genet passe devant la 17e Chambre du Tribunal correctionnel de Paris. Il est inculpé « d'attentat aux mœurs et pornographie ».
1956	Première version du *Balcon.* Jean Genet de nouveau condamné à 8 mois de prison et 100 000 francs d'amende pour outrage aux mœurs : l'accusation vise des œuvres publiées en 1948.
1957	*L'Atelier d'Alberto Giacometti.* Création à Londres du *Balcon.* Mise en scène de Peter Zadek violemment récusée par Genet. À Paris, cinq directeurs de théâtre acceptent puis refusent la pièce dans la mise en scène de Peter Brook.
1959	Publication des *Nègres.* Version définitive des *Bonnes.* Création à Paris des *Nègres* (mise en scène de Roger Blin).
1960	Création à Paris du *Balcon* (mise en scène de Peter Brook. Marie Bell, sociétaire honoraire de la Comédie-Française, joue Irma).
1961	Publication des *Paravents.* Création mondiale à Berlin-Ouest.
1962	Version définitive du *Balcon* accompagnée de *Comment jouer le Balcon.*
1963	*Le Balcon*, film de Joseph Strick, musique d'Igor Stravinski. Shelley Winters joue Irma.
1964	Création à Stockholm de la version intégrale des *Paravents.* À Londres, Peter Brook en présente les douze premiers tableaux.
1965	Création à New York d'un ballet inspiré par *les Bonnes* (musique : Darius Milhaud ; chorégraphie : Herbert Ross). Tournage par Tony Richardson de *Mademoiselle ou les Rêves interdits* sur un scénario original de Jean Genet. Jeanne Moreau dans le rôle principal.
1966	Création française des *Paravents* à l'Odéon-théâtre de France. Mise en scène de Roger Blin. Maria Casarès et Madeleine Renaud dans les rôles principaux. Scandale. André Malraux, ministre des Affaires culturelles, prend la défense du spectacle. Parallèlement, Genet publie ses *Lettres à Roger Blin.*
1967	« Ce qui est resté d'un Rembrandt… », dans *Tel Quel*, n° 29. « L'Étrange Mot d'… », dans *Tel Quel*, n° 30.
1968	Tome IV des *Œuvres complètes.*
1969	Genet séjourne aux États-Unis. Tournée de conférences sur les Black Panthers. Mise en scène du *Balcon* par Victor Garcia (São Paulo).
1970	Mise en scène des *Bonnes* par Victor Garcia (Madrid).
1971	Préface pour *les Frères de Soledad* de George Jackson. Reprise en français de la mise en scène des *Bonnes* par Garcia. Mise en scène des *Bonnes* par Jean-Marie Patte (Paris).
1972	Genet séjourne durant plusieurs mois au Liban avec les Palestiniens.

VIE ET ŒUVRE

1975	« Les Femmes de Djebel-Hussein », dans *le Monde diplomatique.*	**1982**	« Quatre Heures à Chatila », dans *la Revue d'études palestiniennes.*
1977	Genet termine le scénario de *la Nuit venue* dont il doit assurer la réalisation cinématographique. « La ténacité des Noirs américains », dans *l'Humanité.* « Cathédrale de Chartres, vue cavalière », dans *l'Humanité.* Préface aux *Textes des prisonniers* de « Fraction Armée Rouge ».	**1983**	Reprise des *Paravents* (Nanterre) : mise en scène de Patrice Chéreau. Maria Casarès joue de nouveau la Mère. Genet reçoit le grand prix national des lettres.
		1984	*Les Bonnes*, téléfilm de Michel Dumoulin, avec Maria Casarès, Dominique Blanchar, Francine Bergé.
1979	Tome V des *Œuvres complètes.*	**1985**	*Le Balcon* représenté à la Comédie-Française, dans une mise en scène de Georges Lavaudant. Christine Fersen joue Irma.
1980	La Comédie-Française envisage d'inscrire le Balcon à son répertoire puis y renonce.	**1986**	**13 avr.** : mort de Jean Genet. **Mai** : publication d'*Un captif amoureux*, roman auquel Genet travaillait depuis plusieurs années et qu'il venait de remettre à son éditeur. Parmi les inédits publiés après sa mort : *le Bagne* (1994) et deux pièces de théâtre, *Elle* (1989) et *Splendid's* (1993).
1981	*Querelle,* film de R.W. Fassbinder, d'après *Querelle de Brest.* *Jean Genet*, film vidéo d'Antoine Bourseiller dans la collection « Témoins » de Danièle Delorme.		

Notre-Dame-des-Fleurs

Écrit à la prison de Fresnes, à partir de 1942, *Notre-Dame-des-Fleurs* n'est pas réductible aux catégories traditionnelles de la littérature : ni roman, ni récit autobiographique, ni poème en prose, ce texte est en même temps tout cela à la fois. Dans une prose tour à tour précieuse et triviale qui, à force de raffinement verbal, magnifie l'abjection, Genet se fait, à la première personne, le récitant d'un rituel de célébration qui implique également directement le lecteur : « Il se peut que cette histoire ne paraisse pas toujours artificielle et que l'on y reconnaisse malgré moi la voix du sang : c'est qu'il me sera arrivé de cogner du front dans ma nuit à quelque porte, libérant un souvenir angoissant qui me hantait depuis le commencement du monde, pardonnez-le-moi. Ce livre ne veut être qu'une parcelle de ma vie intérieure. »

J.-J. Roubine

SYNOPSIS

Le narrateur, en prison, punaise aux murs de sa cellule des photographies des plus beaux criminels ayant droit aux honneurs des journaux. Ces idoles, « amants inconnus », s'animent dans un récit servant au détenu de support fantasmatique pour la masturbation. Le travesti Divine – suivi depuis son enfance où il s'appelait Culafroy –, le jeune maquereau Mignon, puis le voleur Notre-Dame-des-Fleurs et le Noir Seck Gorgui sont les acteurs principaux d'une histoire-cérémonie. Entrecoupés par les pauses discursives du prisonnier, les épisodes (sans chapitres) finissent par former une narration en boucle autour de l'existence de Divine, en partant de son enterrement pour se refermer sur une mort qui lui permet, dans une sainteté renversée, de rejoindre son nom. Soumis à la logique du désir, le récit prend fin avec une brusquerie affichée : il s'agit de se débarrasser des personnages, à la veille du procès réel du narrateur, qui nous quitte sur l'image du sexe de Mignon, dessiné par lui sur une lettre pour Divine.

O. Barbarant

Mêlant inextricablement souvenirs vécus, rêves et fantasmes, *Notre-Dame-des-Fleurs* a été d'abord, pour Genet, un moyen d'échapper à la solitude carcérale : le narrateur parcourt ainsi un itinéraire du crime, de l'emprisonnement et de la mort, c'est-à-dire, conformément au « système » de Genet, le trajet même de la sainteté.

L'histoire de Divine se présente comme une remémoration, à partir de sa mort et de ses funérailles. La vie misérable et dérisoire du travesti se métamorphose en un « dit » légendaire, la « Divine-saga » : « J'en ai pour toute la durée d'un livre, que je ne l'aie tirée de sa pétrification et peu à peu ne lui aie donné ma souffrance, ne l'aie peu à peu délivrée du mal et, la tenant par la main, conduite à la sainteté. » On le voit, il s'agit aussi d'une sorte de psychodrame littéraire : Genet se rêve dans ses personnages, et, en même temps, il intègre à la trame même de son récit ce mouvement de relation fusionnelle avec ses personnages : « Comment expliquerons-nous que Divine ait maintenant la trentaine et plus ? Car il faut bien qu'elle ait mon âge, pour que je calme enfin mon besoin de parler de moi, simplement, comme j'ai besoin de me plaindre et d'essayer qu'un lecteur m'aime ! »

L'anecdote à la Mac Orlan compte ici moins que le processus de transfiguration que Genet imprime à la réalité sordide qu'il évoque. Le geste le plus commun, la parole la plus triviale sont auréolés d'une beauté rayonnante. Tout devient machine à produire de l'enchantement : « Merveilleusement, par la magie de sa beauté haute et blonde, Mignon fait surgir une savane et nous enfonce au cœur des continents noirs plus profondément, plus impérieusement que, pour moi, ne le fera l'assassin nègre [...]. Bref, il porte son infamie comme un stigmate au fer rouge, à vif sur sa peau, mais ce stigmate précieux l'ennoblit autant que la fleur de lis sur l'épaule des voyous d'autrefois. »

La thématique de Genet, d'entrée de jeu constituée, traverse et travaille ses personnages. La plus grande infamie devient la plus grande valeur. Il n'y a de salut que dans le refus de la norme commune, que dans l'« inhumanisation » :

« Vendre les autres lui plaisait, car cela l'inhumanisait. M'inhumaniser est ma tendance profonde. » Et Genet évoque somptueusement le destin sacrificiel de *Notre-Dame-des-Fleurs,* le beau voyou condamné à mort pour le meurtre d'un vieillard : « Il fut aussi prodigieusement glorieux que le corps du Christ s'élevant, pour y demeurer seul, fixe, dans le ciel ensoleillé de midi. »

Pourtant la réalité ne se laisse pas oublier, et c'est peut-être sa présence obstinée, comme en sourdine, dans le filigrane du récit, qui évite à Genet de tomber dans le maniérisme ou dans l'artifice de procédés trop systématiques. Réalité sordide des personnages, telle l'errance nocturne de Divine cherchant « un peu de pain parmi les détritus d'une poubelle ». Présent carcéral du narrateur : « L'odeur qui monte des latrines bouchées, débordantes de merde et d'eau jaune, font les souvenirs d'enfance se soulever comme une terre noire minée par les taupes. »

Querelle de Brest

Querelle de Brest paraît en 1947. C'est l'année même où Jouvet crée *les Bonnes,* et déjà, dans ce roman, se profilent une mythologie, une esthétique qui ne vont plus cesser de gouverner le théâtre de Genet.

Si *Miracle de la rose* rêvait à une carcéralité mythique, *Pompes funèbres* au Paris des « collabos » et des F.F.I., *Querelle de Brest* joue avec d'autres stéréotypes : le port de guerre avec ses bagarres, ses trafics louches, ses amours fugaces et ses tendresses viriles... Mais, en dépit de ces inflexions qui singularisent superficiellement chaque roman, c'est bien d'abord les mêmes fantasmes qui sont à l'œuvre avec cette trinité du vol, du meurtre et de la trahison chère à Genet, avec cette ritualisation qui, par le verbe, magnifie les événements les plus sordides.

L'anecdote, en elle-même, a peu d'importance : deux meurtres que la police attribue d'abord à un seul assassin ; deux assassins qui finissent par se rencontrer et par s'aimer, l'amour n'étant ici que le prélude à la trahison de l'un par l'autre. Cela se passe à Brest, c'est-à-dire dans un décor de soleils et de brouillards baudelairiens, vague et somptueux comme le « palais à volonté » de la tragédie classique, et, comme lui, carcéral : on arrive à Brest, mais on n'en repart plus... Deux « pôles » orientent cet espace, deux autres lieux clos que la rêverie des hommes a sacralisés : l'ancien bagne maritime, prestigieux de toute une histoire de la galère, et la Féria, maison de passe dont, dit Genet, « l'aura fabuleuse » a fait le tour du monde.

Querelle est matelot sur le *Vengeur* et sa beauté obsède le lieutenant Seblon. Peut-être d'ailleurs Querelle n'est-il jamais que le produit de la rêverie du lieutenant : « Querelle, né de cette solitude où l'officier lui-même restait reclus, était un personnage solitaire comparable à l'ange de l'Apocalypse dont les pieds reposent sur la mer ». D'escale en escale, Querelle vole et tue, moins pour le gain que pour faire resplendir sa gloire secrète. Il dissimule sur place, sans en profiter, le produit de ses crimes, et, plus ou moins volontairement, commet des « erreurs », laisse des « traces ».

Genet, ici encore, montre la fabrique du rêve : il affiche fortement les stéréotypes comme tels ; il met à distance ses fantasmes, il les « montre » comme autant de pièces d'un grand jeu avec les images et les mots sur lesquels il jette un regard parfois teinté d'ironie : « Dans la très longue phrase débutant par "il enveloppe de nuées...", nous nous sommes abandonnés à une facile poésie verbale, chacune des propositions n'étant qu'un argument en faveur des complaisances de l'auteur. »

Classique, harmonieux jusqu'à la préciosité dans la phrase narrative, Genet, pour ses dialogues, recourt à un argot que le recul du temps fait paraître curieusement irréel. À moins que cette impression n'ait été délibérément fomentée par l'auteur. Car l'argot, ici, ne se légitime ni d'un souci naturaliste de transcription du parler des « matafs » ou des voyous, ni même du plaisir de la provocation (l'obscénité). Il se déclame, dirait-on. Il s'affiche comme cette « autre » langue par laquelle se manifeste l'appartenance à une caste d'élus, de même que le héros tragique se révèle cornélien ou racinien à travers l'alexandrin autant qu'à travers ses passions ou ses actes.

Querelle de Brest réinvente, au fond, par cette exacerbation des contrastes, par ce brouillage des codes et des valeurs, l'esthétique baroque. Et rien peut-être n'en témoigne davantage ici que la confusion du masculin et du féminin. C'est que virilité et féminité ne sont que des apparences, des repères rassurants de l'imaginaire collectif et, chez Genet, des rôles que le personnage assume tour à tour. Ces « durs » à la musculature d'acier ont des délicatesses de jeunes filles. Leurs affrontements physiques sont la sensualité secrète d'une scène de séduction. Leurs attitudes évoquent parfois les théâtrales extases de l'art baroque : « Il eut alors la posture d'une jeune sainte visitée, tombée à genoux au pied d'un chêne, écrasée par la révélation, la splendeur de la grâce, et qui se rejette en arrière pour écarter son visage d'une visitation brûlant ses cils, ses prunelles et qui l'aveugle. »

La vie est un théâtre et chacun est d'abord l'acteur de soi-même à la recherche de la perfection plastique et gestuelle qui sied à son rôle. Querelle, à l'instar de Solange, dans *les Bonnes,* ayant égorgé son complice, rêve à son procès et à sa condamnation comme à un couronnement au protocole rigoureux. « Il commandait à son double imaginaire des attitudes de peur, de révolte, de confiance et d'effroi, des tremblements, des pâleurs. Des souvenirs de lecture l'aidaient ». Ainsi, tout personnage du roman possède, cherche ou rencontre son double. Cet autre qui est le même et qu'il faut rejoindre pour accéder à on ne sait quelle plénitude. Querelle a un frère. Leur ressemblance gémellaire stupéfie tout le monde et bouleverse Madame Lysiane, maîtresse bafouée par un amour qui l'exclut. Et, de même que

Mario, le policier, aime « se confondre » avec les voyous, Querelle, l'assassin, « voulait embrasser Mario, se donner à lui, crier et chanter : il fit tout cela mais en soi-même et en une seconde ». On va voir cette hantise du double structurer tout le théâtre de Genet et notamment se déployer à travers ce jeu des rôles si caractéristiques des *Bonnes*, des *Nègres* et du *Balcon*.

C'est qu'au-delà du double il y a la forme pure de l'archétype dans laquelle tous les personnages du théâtre rêvent de s'accomplir et de se dissoudre. De même déjà Querelle qui marche « comme doit marcher un vrai matelot, et qui se veut absolument matelot », qui semble « courir après sa propre forme, à chaque instant l'atteindre et cependant la poursuivre ». Et Madame Lysiane, elle aussi, au cœur du bordel qu'elle dirige, vit « sur un mode très lent », idole somptueuse suscitée par « les millénaires d'un lent travail ». En elle se reconnaît, bien évidemment, cette figure de la Putain sacrée qui domine tout le théâtre de Genet. Madame Lysiane, c'est Madame des *Bonnes*, c'est Irma, patronne de cet autre bordel mythique qu'est *le Balcon*, c'est Warda dans *les Paravents*...

Ainsi Genet passe-t-il de sa période « romanesque » à sa période « théâtrale » sans solution de continuité. L'artiste expérimente des formes nouvelles et tente d'autres aventures, mais c'est toujours bien le même rêve qu'il poursuit et qu'il matérialise.

J.-J. Roubine

Les Bonnes

Cette pièce, quoi qu'on en ait dit, n'a que peu à voir avec l'histoire des sœurs Papin, le meurtre sanglant de deux femmes par leurs servantes, que Lacan analysa comme l'accomplissement *de facto* d'un délire paranoïaque. Comme dit Genet dans « Comment jouer *les Bonnes* », il s'agit d'un « conte » : « Il faut à la fois y croire et refuser d'y croire » ; c'est-à-dire que, comme dans toutes les pièces de Genet, il demeure problématique de démêler ce qui tient d'une intrigue complexe de ce qui ressortit à la sphère d'une représentation distanciée et consciente d'elle-même. Cabale contre Madame, projet d'assassinat, puis suicide compensatoire de l'échec du meurtre : *les Bonnes* s'envisagent comme un rituel où le poison peut n'être que du faux et le meurtre au « tillol », un avatar d'une représentation toujours reconduite du meurtre de Madame-Claire par Solange.

SYNOPSIS

Madame insulte sa bonne, puis la bonne se révolte contre « Madame » et manque l'étrangler... mais le réveil sonne. Les deux sœurs, Solange et Claire, Solange qui a joué Claire, et Claire qui a joué Madame, redeviennent deux sœurs, bonnes de Madame. Elles rangent la chambre et se disputent. Claire, qui a envoyé à la police des lettres anonymes afin de faire emprisonner Monsieur, l'amant de Madame, reproche à Solange de manquer de courage. Solange s'accuse de n'avoir pas tué Madame, lorsque Monsieur appelle pour informer qu'il est libéré et attendra Madame en ville. Les deux sœurs sont effondrées, s'apercevant que leur stratagème a été inefficace, et peut-être éventé. Claire se promet alors de tuer Madame. Lorsque Madame sonne, les deux sœurs s'entendent : il faudra que Claire mette dix comprimés de gardénal dans le tilleul. Madame, à son entrée, se désole devant Solange de l'incarcération de Monsieur. Claire entre, apportant le tilleul, mais Madame ne boit pas. Lorsque Claire et Solange annoncent que Monsieur est en liberté provisoire, Madame quitte la maison, sans avoir bu le tilleul. Claire redevient alors Madame et pousse Solange à la haine, qui se déchaîne progressivement. Claire demande grâce, mais Solange poursuit le jeu, s'entête dans le rôle de Madame, demande à Solange promue Claire, de lui verser le tilleul, qu'elle boit. Après quoi Solange aura à perpétuer toute seule, en prison, le souvenir de leurs deux existences.

Huis clos à deux interrompu par l'apparition centrale de Madame, *les Bonnes* ont pour moteur la fascination-répulsion : d'une part les bonnes haïssent Madame et ne rêvent que de la détruire en faisant enfermer son amant ; d'autre part, elles l'idolâtrent : Madame est pour les deux bonnes comme un totem devant lequel elles se prosternent ou qu'elles souillent. Il y a dans cette pièce, des traces, des réminiscences de la cruauté telle que l'a définie Artaud, les bonnes exerçant le sadisme comme l'instrument d'une nécessité qui les dépasse.

Donc le sadique n'est pas libre : une dialectique infernale gouverne le rapport intersubjectif des deux bonnes, qui, liguées contre Madame, ne parviennent jamais à se pardonner l'une à l'autre l'abjection où elles se trouvent. Lorsque, après la sonnerie du réveil, des moments d'attendrissement entre les sœurs succèdent à la violence rituelle contre Madame, on voit réapparaître entre elles deux l'antagonisme qui est le décalque de celui qu'elles entretiennent avec Madame.

Ainsi les personnages principaux sont-ils enfermés dans des mécanismes qui se traduisent jusque dans leurs déplacements à la surface de la scène. Selon la consigne de Genet lui-même, « les metteurs en scène doivent s'appliquer à mettre au point une déambulation qui se sera pas laissée au hasard : les bonnes et Madame se rendent d'un point à un autre de la scène, en dessinant une géométrie qui ait un sens ».

D'où l'idée que le sadisme des *Bonnes* n'est au fond que l'expression de la théâtralité elle-même : la pièce annonce la dramaturgie radicale qui régit les macrocosmes du *Balcon* et des *Nègres*. Ainsi, la structure de la pièce offre l'image d'un rituel impuissant à neutraliser le réel, et qui, en fin de compte, se retire en lui-même. Dans la première partie du « conte », les bonnes jouent à Madame et sa bonne ; dans la deuxième, Madame arrive et perturbe l'organisation rituelle des deux sœurs : c'est l'extérieur qui s'engouffre dans la pièce (encore Genet est-il tenté de déréaliser cette entrée finalement si théâtrale puisqu'il précise dans une note : « Je suggère que les metteurs en scène éventuels remplacent les expressions trop précises [...] par d'autres plus ambiguës ») ; dans la troisième, Madame repart et laisse les bonnes à leur échec, sublimé en suicide. Madame n'est pas l'Irma du *Balcon* : elle est une vraie Madame qui « ne sait pas jusqu'à quel point elle est bête, à quel point elle joue un rôle », tandis que les deux sœurs sont de part en part conscientes qu'elles sont les actrices et les metteurs en scène de leur situation : « Tu ne voudrais pas qu'on... qu'on s'organise dans le noir », demande Claire, qui semble réticente à nommer ce qu'il nous faut bien appeler jeu.

« Solange, tu me garderas en toi » : telle est l'une des dernières phrases des *Bonnes* dont l'intrigue évolue vers davantage d'enfermement et d'autarcie. La victime adorée et haïe – Madame – ayant disparu, reste aux bourreaux en jupons à se répartir la tâche, l'un restant bourreau, l'autre se muant en victime, pour accomplir l'acte meurtrier et résoudre concurremment la cérémonie théâtrale.

J.-M. Lantéri

Les Paravents

Jouée dans son intégralité, cette pièce constituerait un spectacle de plus de cinq heures. C'est pourquoi elle sera créée dans différentes versions abrégées, d'abord à Berlin-Ouest en 1961, puis à Londres en 1964. En 1964 également la version intégrale sera présentée à Stockholm. Paris ne verra la pièce qu'en 1966, dans une version pour la scène mise au point par l'auteur et par le metteur en scène, Roger Blin. La dimension satirique et provocatrice de l'œuvre, qui montre et les colons français et l'armée en Algérie sous un jour violemment caricatural, explique que *les Paravents* n'aient pas été joués plus tôt à Paris.

Vingt-cinq tableaux, une centaine de personnages... L'action éclate, s'organise autour de plusieurs groupes : le trio des Algériens, Saïd, sa mère et sa femme, Leïla, la plus laide d'entre toutes les femmes ; les prostituées du bordel dirigé par Warda ; les représentants guignolesques de la colonisation ; ceux de l'armée française, à travers qui s'affirme, à la fois sauvage et précieux, un érotisme de la guerre ; enfin le peuple des morts.

Crevant les paravents de papier qui définissent l'espace du jeu théâtral – et qui donnent leur nom à la pièce –, les morts se rassemblent, lavés de leurs passions et de leurs folies de vivants, colons et maquisards, Arabes et Français. Ils se font les spectateurs, attentifs et détachés, de la scène des vivants, scène où Saïd, voleur, incendiaire, délateur, assassin, va achever ce parcours de l'abjection qui doit le conduire à la sainteté.

Toutefois, la pièce est peut-être un aveu d'échec de ce rêve de sanctification et d'inhumanisation : Warda voulait devenir signe pur, archétype de la Putain, figure somptueuse et inutile. Mais la réalité de la guerre ruine ces efforts d'apothéose et ramène Warda à son ordinaire fonction prostitutionnelle. De même, Saïd sera abattu par les maquisards sans que sa « sainteté » ait été, par eux, reconnue et célébrée. C'est que la Révolution qui détruit un Ordre procède elle-même d'un Ordre idéal pour déboucher sur une nouvelle organisation du monde. Elle ne peut donc admettre la négativité comme valeur. La réalité ne peut tolérer son inversion : « Certaines vérités sont inapplicables, sinon elles mourraient... Elles ne doivent pas mourir, mais vivre par le chant qu'elles sont devenues... Vive le chant ! »

L'apparence et l'imposture deviennent, à leur tour, instruments de domination, c'est-à-dire qu'elles sont comme « récupérées » par le réel : la société des colons se donne en spectacle, dans une mascarade grotesque, mimant le jeu social qui produit du pouvoir et de l'oppression. De même les « paras » doivent-ils leur victoire à leur beauté, c'est-à-dire encore à l'apparence. Car « vaincre », c'est « perpétuer une image qui a plus de dix siècles, qui va se fortifiant à mesure que ce qu'elle doit figurer s'effrite, qui nous conduit tous, vous le savez, à la mort ».

Dans *les Paravents,* Genet déploie magistralement son esthétique théâtrale. Jamais sans doute il n'avait été aussi loin dans son refus de l'illusionnisme à l'occidentale. L'espace, grâce aux paravents de papier, est à la fois celui de l'action (les acteurs y schématisent le lieu dont ils ont besoin) et celui du rêve et de la mémoire dans la mesure où s'y inscrivent les signes de l'incendie, du crime, etc. La scène à l'italienne éclate, se démultiplie en niveaux de jeu superposés. De même, les costumes excluent toute contrainte figurative ; ils deviennent purs accessoires d'un cérémonial : « Il faudrait, demande Genet, que chaque costume soit lui-même un décor – sur fond de paravent –, capable de situer le personnage, mais, encore une fois, cette somptuosité ne doit pas renvoyer à une beauté d'ici, même pas à une beauté imitée ou parodiée, grâce à des nippes... »

La problématique du jeu de l'acteur est également tributaire de cette esthétique. Genet aurait voulu que ses personnages fussent masqués ou, du moins, maquillés de façon excessive, que les comédiens osent « des gestes admirables sans rapport avec ceux qu'[ils ont] dans la vie ». De même, la diction devrait faire éclater les limites étroites du mimétisme psychologique pour devenir déclamation et chant : « Au texte des *Paravents* devrait être joint quelque chose ressemblant à une partition. C'est possible. Le metteur en scène, tenant compte des différents timbres de voix, inventera un mode de déclamation allant du murmure au cri. Des phrases, des torrents de phrases doivent passer dans des hurlements, d'autres seront roucoulées, d'autres seront dites sur le ton de l'habituelle conversation. »

En fin de compte, dans l'évolution de Genet, *les Paravents* constituent peut-être à la fois un aboutissement et une impasse dans la tentative visant à promouvoir un théâtre qui ait la force explosive d'un événement vécu, à faire de la scène le lieu d'une déflagration dont Genet rêve « qu'elle soit si forte et si dense qu'elle illumine, par ses prolongements, le monde des morts – des milliards de milliards – et celui des vivants qui viendront ». Ce rêve, qui n'est pas sans rappeler celui d'Artaud – ce n'est sans doute pas un hasard si le metteur en scène favori de Genet est Roger Blin, qui fut très proche de l'auteur du *Théâtre et son double* –, ce rêve ne cesse de se briser sur la matérialité même du théâtre occidental et sur ses traditions.

J.-J. Roubine

GENEVOIX Maurice

(1890-1980)

L'œuvre de Maurice Genevoix fait partie de celles que critiques et lecteurs ont tôt fait de classer : d'abord taxé d'« écrivain de guerre » et de « pacifiste », l'auteur de *Ceux de 14* est devenu, après la parution et le couronnement de *Raboliot,* « chantre de la nature », un « observateur fidèle » des choses et des bêtes et, plus récemment, un écrivain « régionaliste » et « écologiste avant l'heure ». C'était peut-être donner à ses livres un sens que leur auteur n'a jamais explicitement confirmé.

Car Genevoix n'a jamais laissé penser que ses ouvrages étaient composés pour un quelconque « message ». Ses quelques rares essais n'expriment aucune théorie littéraire précise, et lui-même refuse toujours d'entrer dans le jeu de la critique : l'œuvre doit être une « réponse en soi », non une thèse. Il s'agit avant tout de « percevoir, exprimer, transmettre » (*Jeux de glaces,* 1961). Littérature objective ? Non, car « c'est forcément interpréter, mais l'objet reste déterminant ».

Les livres de Genevoix proposeraient donc une forme ambiguë de réalisme, qui, par-delà les fictions romanesques, s'évertuerait à dire ce qui est : de là viendraient ces descriptions minutieuses des étangs de Sologne et du monde animal, cette recherche d'un vocabulaire précis et littéral pour décrire la vie sociale. Mais une telle fascination pour le réel ne va pas de soi, et la biographie de l'écrivain, si elle explique la venue à la littérature d'un homme que tout destinait à suivre un itinéraire différent, n'éclaire par pour autant sa démarche créatrice.

L'université et la guerre

Maurice Genevoix naît à Decize, dans une île de la Loire. Il passe son enfance à Châteauneuf-sur-Loire, dont il fréquente l'école communale à partir de 1896 : c'est cette partie de sa vie qu'il évoquera dans les récits consacrés au pays de Loire ; mais cet attachement à sa région d'origine n'est pas encore décisif. Car, lorsque Genevoix entre en 1901 au lycée d'Orléans, puis en 1909 au lycée Lakanal de Sceaux (pour préparer le concours d'entrée à l'École normale supérieure), c'est à son avenir universitaire qu'il songe surtout. Reçu premier rue d'Ulm, en 1912, il voit s'ouvrir devant lui les perspectives d'une classique carrière d'enseignant ou de haut fonctionnaire. Ses goûts littéraires s'affirment parallèlement, et le diplôme d'études supérieures qu'il obtient avec un mémoire sur « le Réalisme des romans de Maupassant » indique déjà nettement ses options personnelles : « Maupassant, lui, réaliste, naturaliste, avait une démarche, une façon d'adhérer aux choses qui me ramenaient les pieds sur terre » (*Trente Mille Jours,* 1980).

La guerre va écarter Genevoix du chemin tout tracé de l'Université. Mobilisé en 1914, il participe l'année suivante, comme lieutenant puis commandant de compagnie, aux combats des Hauts-de-Meuse et des Éparges ; le 25 avril 1915, grièvement blessé, il est réformé. Se retirant alors à Châteauneuf, il commence à rédiger son premier livre, *Sous Verdun,* inspiré par son expérience du front et qui paraît en 1916.

L'écrivain célèbre

En 1918, il décide de renoncer à sa carrière universitaire et se consacre tout entier à la littérature ; ses premiers romans, *Jeanne Robelin* et *Rémi des Rauches,* paraissent en 1920 et 1922. En 1925, la notoriété lui est définitivement acquise, quand il obtient le prix Goncourt pour *Raboliot.* À partir de 1928, Genevoix vient habiter aux Vernelles, et, dès lors, son temps va se partager entre la rédaction de ses œuvres et quelques voyages, notamment au Canada (1939) et en Afrique (1948), qui lui inspireront des romans comme, respectivement, *Éva Charlebois* (1944) et *Fatou Cissé* (1954). Élu à l'Académie française en 1946, Genevoix en sera le secrétaire perpétuel de 1958 à 1973. Cette fonction prestigieuse contribuera à faire de lui, jusqu'à sa mort survenue en 1980, l'homme des « valeurs refuges », tant littéraires qu'idéologiques : héritier des naturalistes du XIXe siècle, décrivant en un lyrisme éprouvé les paysages du pays de Loire, il apparaîtra à la fois comme une sorte de sage et comme un prosateur au sûr métier.

Un humanisme heureux

D'ailleurs, dès ses débuts littéraires, Genevoix fait plus figure d'humaniste généreux et traditionnel que de révolté ; ses souvenirs de guerre regroupés sous le titre *Ceux de 14* (*Sous Verdun*, *Nuits de guerre,* 1917 ; *la Boue,* 1921 ; *les Éparges,* 1923), longuement travaillés et remaniés, ne visent pas à contester le bien-fondé du premier conflit mondial, ne font pas d'analyses politiques : comme cela sera la règle dans les romans suivants, Genevoix « constate ». Au milieu de toutes les épreuves traversées s'impose à l'écrivain la conscience de la valeur de l'existence. Ce souci de retrouver l'entité humaine, d'en faire le sujet essentiel de la littérature, c'est aussi – paradoxalement – dans les romans consacrés à la nature que Genevoix va le dévoiler. Les « jardins sans murs », les paysages qui enserrent les personnages ne sont pas indifférents aux actions humaines, n'existent pas sans l'homme. Tout au contraire : ils donnent la mesure de son existence. Les héros « proches de la nature » – Raboliot, Fatou Cissé, la Jourdaine de *la Motte rouge* (1979) – vivent au rythme des saisons : paysage et psychologie sont liés ; pour de tels êtres, tout devient signe : « Ces jardins, cette eau verte et rose, ce doux soleil sur les murettes de pierre, ces floraisons légères et tendres, c'était comme un printemps soudain, comme un sourire charmant de la terre et de la saison qui fût venu à leur rencontre » (*la Motte rouge*).

Cependant, cet humanisme fondamental se fait discret ; seul, parfois, un lien ténu relie la description du paysage au monologue intérieur ou au dialogue ; la raison en est que l'écriture ne cherche pas à bouleverser la syntaxe « classique » pour constituer une langue à part, qui épouserait le rythme anarchique ou véhément de la nature : toute évocation, toute observation est déjà, pour Genevoix, une mise en ordre. L'écrivain recourt d'ailleurs très rarement au mythe et au symbole ; on trouve fort peu chez lui de ces métaphores anthropomorphiques qu'un Robbe-Grillet reproche au roman humaniste traditionnel : pas de « fleuve roulant à coups d'épaule », mais des mouvements, des formes, des couleurs multiples et nuancées. Genevoix, dans *Lorelei,* oppose d'ailleurs cette forme de perception du réel au symbolisme du romantisme allemand ; Julien, jeune adolescent de Chasseneuil, voit-il « des oiseaux noirs [...] dont les ailes se glacent d'émeraude », aussitôt il les nomme « des foulques ». Günther, lui, le jeune Rhénan, « entend » des mots magiques : « aile, amour, genèse » ; Günther interprète, Julien observe. Tout se passe comme si dire les choses suffisait à les ranger dans la catégorie humaine. Sentir, écrire, c'est vivre au rythme du monde, mais aussi et surtout de l'« Homme ».

On comprend alors pourquoi Genevoix se plaît à peindre d'humbles figures de braconniers ou de paysans : ils sont pour lui des « voyants privilégiés », attentifs aux « signes magiques » de la nature (*Jeux de glaces,* 1961). Ils illustrent au mieux ce que l'écrivain imagine être le rôle de l'homme dans le monde : un être qui porte en lui l'intelligence des choses. Mais ils représentent aussi l'aboutissement d'une quête personnelle de l'écrivain : « Ils m'ont peu à peu guidé vers moi-même, vers ce qui fait écho à ce rythme en moi-même consonant, à ce chant qu'il m'appartient d'entendre dans ce monde qui nous est commun » (*Jeux de glaces*). Raboliot et ses successeurs sont l'image d'un moi épanoui, perdu puis retrouvé, que l'écrivain tente, d'œuvre en œuvre, de cerner.

Nature et conscience de soi

L'objet des romans et, plus directement encore, des chroniques que sont les *Bestiaires* (1969-1971) est en fait le regard de l'auteur. Dans ces livres qu'il appelle ses « impressions descriptives », Genevoix montre à son lecteur, non pas les choses mêmes, mais leur incidence sur les sens du narrateur : « Il faut fixer cet au-delà des apparences qui ressemble à ce que l'on sent. » Or, si la nature est signifiante, humaine, c'est qu'elle n'échappe pas au regard du moi qui se l'approprie, et elle trouve dans cette appréhension subtile et minutieuse la révélation de son existence. Pour les personnages comme pour le narrateur, la connaissance de la nature est la seule véritable initiation à la connaissance de soi. Cette quête d'une vérité stable et sereine du moi explique peut-être la prédilection de Genevoix pour les âges de transition comme l'adolescence : la conscience progressive de leur propre perception est un des traits communs des personnages de romans comme *la Loire, Agnès et les garçons* (1962), *Lorelei* (1978)... La découverte de l'amitié, plus souvent de l'amour, demeurant pour l'écrivain l'une des étapes « naturelles » vers la conscience du corps.

« Devenir ce que l'on est », trouver en la nature un rythme et un chant qui soient l'écho d'une sensation personnelle, déchiffrer les signes d'un monde pour en faire le langage de son propre corps, voilà sans doute sur quoi repose toute l'« écologie » de Genevoix. Cette écriture romanesque, que l'auteur du *Bestiaire enchanté* (1970) veut réaliste, neutre, presque plate – « Je ne voudrais point déborder le domaine des constatations » –, ne doit donc pas faire illusion : regarder, même par les yeux d'autres personnages, c'est se sentir, philosophiquement, exister : « Je regarde, donc je suis » (*Lorelei*).

« Heureux temps, nostalgique mémoire »

La quête de l'écrivain est aussi celle du Temps perdu. « La réalité ne se forme que dans la mémoire », et toute écriture vise, en fait, à reconstituer un passé. La nostalgie de la vie naturelle, qu'évoquent des personnages comme Raboliot, Éva Charlebois, Fatou Cissé, n'est qu'un moyen de retrouver cette vie des sens, qui met en communication le moi-écrivant avec son double perdu : le moi-enfant, le moi-primitif ; les *Bestiaires,* dans lesquels chaque chapitre est consacré à un animal, renvoie en fait aux différentes époques vécues par le narrateur, dans un rapport de signification parfois assez lâche, malgré le soin que met Genevoix à éviter l'illogisme ; les *incipit* sont d'ailleurs parfois révélateurs : « Le grèbe. – Si insolite que cela soit j'ai pris une fois un oiseau à la ligne. » – « Le loir. – Il y a quarante ans, le maître de notre jardin des Vernelles... »

Le moi retrouvé se rassure dans une écriture ambiguë : la nostalgie du réel évanoui sert à affirmer la stabilité dans le temps de l'impression reçue. Plus forte sera la conscience, plus précise sera l'écriture, et plus accomplie sera la communion des différents « moi » de l'homme.

Réinventer l'espace et le temps

Ainsi, comme il le précise dans *Images pour un jardin sans murs* (1968), Genevoix, sous couvert de réalisme et de naturalisme, n'a rien fait d'autre que de « réinventer sa vie », plus ou moins directement, et souvent par personnages interposés. Mais cette réinvention n'est pas, comme celle de Giono, une recréation par le livre, ou la culture. Genevoix, comme beaucoup de ses héros, rejette toute référence savante : « Les encyclopédies aussi ont leur poésie, mais qui s'évanouit et se fane au toucher des compilateurs. J'ai voulu me garder d'en être un » (*le Bestiaire enchanté*). C'est la mémoire de l'homme qui remplace l'intellect, par trop encombré de connaissances extérieures au moi ; de là, chez Genevoix, le refus des doctrines, qui ne correspondent jamais à ce que l'on est profondément.

Pourtant, ce n'est pas là le moindre paradoxe de cette écriture, souvent un peu apprêtée, sûre de ses adjectifs, de son rythme, que de chercher une vérité qui dépasse tout effet littéraire, justement par une abondance de procédés littéraires. Pour Genevoix, le style ne pose pas de problème de conscience ; sans doute n'est-il pas pour lui la seule réalité littéraire possible, mais un intercesseur obligé, évoquant un moi toujours situé au-delà de l'écriture : peut-être, en cela, cette prose paraît-elle en marge des préoccupations contemporaines.

J.-P. Damour

GENLIS, madame de

Caroline Stéphanie Félicité du CREST de SAINT-AUBIN, comtesse de GENLIS *(1746-1830)*

Un destin marqué par la volonté de parvenir, une œuvre largement étalée dans quelque 140 volumes, un parfum de vertu pharisienne qui ne peut cacher les strates profondes d'une envahissante personnalité, une nette conscience chez cet auteur de sa spécificité féminine – on s'étonne que tout cela ne donne pas un regain d'actualité à la comtesse de Genlis.

L'ambition féminine

L'enfance de Caroline Stéphanie Félicité du Crest, née à Champcéry, près d'Issy-l'Évêque, fille d'un obscur noble de province ruiné, se partage entre le château de Saint-Aubin-sur-Loire et les séjours à Paris. À treize ans, elle est protégée par le vieux La Popelinière, puis elle brille dans Paris comme virtuose de la harpe. En 1763, elle contracte un mariage secret avec le jeune officier de marine Charles Alexis Brulart, comte de Genlis – plus tard marquis de Sillery –, neveu d'un ministre des Affaires étrangères. Introduite par sa tante, Mme de Montesson, alors maîtresse du duc d'Orléans, dans la société du Palais-Royal, elle devient la tendre amie du duc de Chartres, le futur Philippe Égalité. Chargée d'élever les filles de la duchesse (1777), elle pratique sa propre réforme à l'instar de J.-J. Rousseau ; elle entre en préceptorat comme on entre en religion et s'installe avec ses élèves dans un pavillon du couvent de Bellechasse. En 1782, elle est nommée « gouverneur » des enfants d'Orléans. Parmi ses élèves figure aussi Valois, le futur roi Louis-Philippe. Son échec au prix Montyon, puis son ouvrage *la Religion considérée comme l'unique base du bonheur et de la véritable philosophie* (1787), enfin son caractère difficile l'éloignent des Philosophes. Cependant, elle va dans le sens de la Révolution et y entraîne les princes, ses élèves. Mais, après l'arrestation du roi à Varennes, elle manifeste son goût pour l'ordre. Restant à Londres plus longtemps que prévu, elle est la cause de l'inscription de son élève, Mme Adélaïde, sur la liste des émigrés. C'est ensuite, durant plusieurs années, la fuite : en pays belge ; en Suisse, où elle se sépare de ses deux élèves princiers et où elle apprend l'exécution de son mari et de Philippe Égalité ; en Allemagne du Nord. Par la célèbre et malencontreuse *Lettre à Sielk* (1796), adressée au duc de Chartres, elle dénie au futur Louis-Philippe les qualités nécessaires pour faire un monarque énergique ! Elle vit tant bien que mal du produit de sa plume jusqu'à son retour à Paris (juillet 1800). Elle perçoit une pension de Napoléon, qui la nomme inspectrice des écoles primaires, connaît le succès avec des romans comme *la Duchesse de La Vallière* (1804), louvoie gauchement au moment de la Restauration et des Cent-Jours. Puis, pensionnée par le duc d'Orléans, allant de logement en logement, accumulant les œuvres moralisantes (*le La Bruyère des domestiques*, 1828), historiques (*Abrégé du journal de Dangeau*, 1817) et antiphilosophiques (*les Dîners du baron d'Holbach*, 1822), elle élève à sa gloire personnelle le monument de ses propres *Mémoires* (1825, 10 volumes).

Une pédagogie ambiguë

Si la vie de la comtesse paraît la mise en pratique plus ou moins heureuse de la formule qu'elle place en épigraphe à son ouvrage romancé *Madame de Maintenon* (1806) : « Rien n'est plus habile qu'une conduite irréprochable », son œuvre immense semble la réalisation d'une volonté parallèle de prosélytisme pédagogique. Sa carrière littéraire débute par un prudent *Théâtre à l'usage des jeunes personnes* (1779-1780) d'où sont exclus les jeux dangereux de l'amour, réservés, ceux-là, aux adultes de son *Théâtre de société* (1781). Suivent deux textes pédagogiques : *Adèle et Théodore* (1782), présenté sous la forme à la mode du roman épistolaire, et les *Veillées du château* (1784), suite de récits reliés par un mince fil romanesque. La volonté morale y est toujours première : « Avant de songer au plan romanesque [...], j'avais préparé le plan des idées », dit-elle des *Veillées*. Elle veut y présenter « la Morale mise en action » plutôt que « des préceptes et des maximes » (*Adèle et Théodore*, lettre VIII). Ainsi l'épisode de la « pelisse donnée » (lettre XLVII), représenté par un peintre dans l'histoire narrée. Plus tard, à partir de l'émigration, le mouvement aura tendance à s'inverser, et l'auteur, pris au feu des intrigues rebondissantes (*le Siège de La Rochelle*, 1808), des raffinements psychologiques (*Inès de Castro*, 1817) ou de l'étude du milieu social (*les Parvenus*, 1819), accède enfin à la véritable dimension romanesque. La pédagogie de Mme de Genlis, largement inspirée des théories de Locke et de Rousseau, fait la part belle au principe sensualiste. On n'apprend « aux enfants que ce qu'ils peuvent comprendre » avant l'éclosion de leur raison ; on s'adresse d'abord à leurs sens, par la peinture, les images de lanterne magique, l'observation de la nature, les travaux manuels. Cependant, Mme de Genlis n'envisage pas la nature humaine avec l'optimisme de Jean-Jacques : « L'homme naît avec des défauts et des vices, mais il naît sensible » (*Adèle et Théodore*, lettre XIX). Méfiante à l'égard de l'homme, Mme de Genlis ne pouvait être révolutionnaire. Sa conception de la vertu, essentiellement chrétienne, récupère dans le sens de l'obéissance à un ordre établi les révoltes contre l'oppression et l'injustice, dont elle s'emploie à montrer le bien-fondé. « Malgré les Jacobins, je resterai leur cuisinier », dit de ses anciens maîtres un restaurateur célèbre, enrichi dans l'émigration (*le La Bruyère des domestiques*, I). De même les femmes, aussi richement douées par la nature que leurs maîtres masculins, doivent oublier cette égalité naturelle au profit de la bonne marche de la société. « Le génie est pour elle un don inutile et dangereux » (*Adèle et Théodore*, lettre IX), et les passions sont une source d'irrémédiable perdition. Dominé par un Dieu qui punit sévèrement les moindres écarts, cet univers pourrait paraître cruel. Il est cependant ouvert à un optimisme bien proche de celui qu'on trouvera dans les romans enfantins de la comtesse de Ségur. Aucune Justine, aucune Juliette sadienne ne hante ce monde où la vertu est en général récompensée. Mais la rhétorique quelque peu académique, le style ample et nombreux qui nous paraissent propres à la bonne conscience de l'auteur recouvrent parfois d'inquiétantes profondeurs. Que dire de cette complaisance érotique dans la vertu, source de jouissance (« Je jouissais délicieusement de mon ouvrage, et j'éprouvais une émotion si douce et si vive qu'il m'était impossible de proférer une seule parole », dit un précepteur d'*Adèle et Théodore,* lettre XLVII), et, plus encore, de la satisfaction sadienne de transformer en chose l'être – la victime ? – qu'on veut réduire… à la vertu ? C'est ici tout le sel, involontaire, du « Jupon vert » (*Nouveaux Contes moraux,* 1802) : « Ce fut une chose plaisante de la voir paraître, habillée en *dame,* la tête penchée d'un air honteux, le sourire aux lèvres, les larmes aux yeux […] » !

Il faut donc refuser, à propos de Mme de Genlis, des jugements aussi péremptoires que celui de son ennemi Rivarol : « Le ciel refusa la magie du talent à ses productions, comme le charme de l'innocence à sa jeunesse. » Et si des rééditions judicieusement choisies pouvaient véritablement donner à lire l'univers littéraire de la comtesse, nul doute qu'on y admirerait l'à-propos historique avec lequel elle a su passer du théâtre du XVIIIe siècle au roman du XIXe. Mêlant, de façon sans doute composite, mais non sans une certaine puissance, les techniques de La Chaussée et de Diderot à celles de Mme de La Fayette ou de La Bruyère, faisant de son *Inès de Castro* un *René* féminin, servant de relais entre La Calprenède et Alexandre Dumas par son *Siège de La Rochelle,* elle annonce même parfois – avec *les Parvenus,* par exemple – l'énorme flot bouillonnant des romans balzaciens.

R. Landy

GEOFFROI DE LA TOUR LANDRY

(XIVe siècle)

Chevalier angevin en rapport avec les grands personnages de la cour de France, auteur de ballades et de poèmes aujourd'hui disparus, il est connu pour son *Livre pour l'enseignement de ses filles* (1371-1372). Cet ouvrage est à la fois un traité d'éducation pour femmes, qui préfigure *le Mesnagier de Paris* (1393), et le recueil des Mémoires d'un gentilhomme campagnard, farci de développements moraux, de citations bibliques et hagiographiques, d'anecdotes savoureuses et parfois salaces. Écrivant « pour aprendre a romancier », Geoffroi veut aider ses filles à trouver un mari, et à le garder, grâce à l'exemple du passé : « Affin que elles peussent aprendre et estudier et veoir et le bien et le mal qui passé est, pour elles garder de cellui temps qui a venir est. » Cent vingt-huit chapitres traitent parmi les vertus traditionnelles celles qui sont le plus adaptées à une femme soumise au mari, nouveau père. C'est ainsi que l'on conseille la modestie du maintien (« l'on se bourde de celles qui se legierement brandellent et virent le visaige çà et là »), l'économie, et que l'on se moque des extravagances de la mode, avec ses décolletés audacieux, ses longues traînes et ses tailles serrées. La femme aristocratique se voit confinée dans son rôle de représentation dans la comédie sociale. Les leçons semblent surtout destinées à endiguer une liberté féminine que l'on redoute (cf. le *Petit Jehan de Saintré*). Mais, à côté de ces passages très moraux, nous trouvons des récits empruntés à de vieux contes (la femme à la garde-robe faisant bombance avec la « mesnie » ; les braies du prêtre) ou à l'expérience quotidienne – et souvent fort lestes. Le projet didactique de l'auteur ne résiste pas au plaisir de conter, en ce siècle qui est celui de la nouvelle.

A. Strubel

GEOFFROI DE VILLEHARDOUIN

(vers 1150-1213)

Un des traits marquants de la *Chronique* de Villehardouin, ce sont ses silences, que les critiques et les historiens ont interprétés différemment : les uns y ont décelé une machiavélique dissimulation ; les autres, une pudeur et une réserve toutes classiques. Dès le début de l'ouvrage, une première surprise attend le lecteur : Villehardouin, pas plus que ne le fera Robert de Clari, n'indique pourquoi il a entrepris de rassembler et de dicter ses souvenirs sur la quatrième croisade, qui vont de la fin de 1198 à septembre 1207.

Un grand seigneur champenois

Il naît vers 1150 dans une famille quasi inconnue avant cette date. La majorité de ses terres se situait à l'extrémité orientale de la Champagne pouilleuse et relevait du comté de Champagne. En 1172, son nom apparaît dans la liste des vassaux du comte de Champagne. En 1185, il devient maréchal de Champagne à la place de son neveu Érard d'Aulnay. Peut-être prend-il part à la troisième croisade avec Henri II de Champagne, lequel meurt en 1197 après avoir été roi de Jérusalem. En avril 1198, il assiste à la cérémonie au cours de laquelle Thibaud III se reconnaît l'homme lige de Philippe Auguste. Il participe à la lutte contre les Anglais.

Le 28 novembre 1199, au tournoi d'Écry-sur-Aisne, à l'appel de Foulques de Neuilly, il se croise, comme les comtes Thibaud de Champagne et Louis de Blois. En février 1201, il se rend à Venise avec Conon de Béthune pour négocier le passage en Terre sainte. Thibaud de Champagne mort (24 mai 1202), Villehardouin, après le refus d'Eudes de Bourgogne et de Thibaud de Bar, propose de placer Boniface de Montferrat à la tête de la croisade. Il renonce à sa charge de maréchal, et, le 8 octobre 1202, il quitte Venise avec les croisés.

Le 10 novembre 1202, arrivée devant Zara : les croisés promettent de rétablir sur le trône de Constantinople Isaac l'Ange et son fils Alexis, qu'Alexis III a dépossédés. À la fin de juin 1203, les voici devant Constantinople, qui est enlevée le 17 juillet. Le 1er août, Alexis IV est couronné empereur ; mais il refuse de tenir les engagements qu'il a pris envers les croisés. Murzuphle le fait assassiner et prend sa place. Le 12 avril 1204, les croisés s'emparent pour la seconde fois de Constantinople. Le 8 mai, Baudouin de Flandre est élu empereur de Constantinople ; il est couronné le 16 mai. À l'automne, Villehardouin est nommé maréchal de Romanie. En 1205, révolte des Grecs, invasions des Bulgares et des Valaques ; le 14 avril, sous Andrinople, Louis de Blois est tué, l'empereur Baudouin capturé ; Villehardouin organise la retraite.

En juin 1206, campagne de reconquête contre les Bulgares. Le 20 août, Henri Ier est couronné empereur. Les croisés sont attaqués sur tous les fronts. Villehardouin, en 1207, reçoit de Boniface de Montferrat le fief de Messinople. Boniface est tué le 4 septembre 1207 par les Bulgares. Le 1er août 1208, avant la bataille de Philippopoli, Villehardouin harangue les croisés. Il négocie le mariage de la fille d'Henri Ier avec le Bulgare Slav. Il garde Constantinople en l'absence de l'empereur, qui est allé recevoir l'hommage du royaume de Salonique.

Après 1207, il relate *la Conquête de Constantinople*. Nous ignorons le lieu et la date exacte de sa mort. Nous savons seulement que son fils prit le titre de seigneur de Villehardouin en 1213.

L'itinéraire du croisé

Il semble qu'au départ Geoffroi ait été enflammé par la prédication de Foulques de Neuilly, sur laquelle s'ouvre la chronique (sans que mention soit faite des efforts d'Innocent III), et qu'il se soit jeté dans la croisade, communiquant son zèle à Thibaud de Champagne ; l'on comprend ainsi qu'il ait été choisi comme commissaire des princes pour trouver des alliés dans les ports italiens. Dans son œuvre, il tend à prouver qu'il ne s'engagea pas à la légère : la croisade fut prêchée par un saint homme qui faisait des miracles et qui avait la caution du pape ; une indulgence plénière incita les gens à s'y engager ; de très grands seigneurs se croisèrent.

Soucieux d'efficacité, ne se contentant pas d'une manifestation de courage, Villehardouin s'efforça de réunir les conditions du succès en vue d'une reconquête durable. Pour ce faire, il décida, en accord avec d'autres seigneurs, d'emprunter la voie de mer, de ne pas faire appel à des princes trop puissants, obnubilés par leurs ambitions et leurs rivalités, de choisir comme base de départ Venise, qui avait fait ses preuves, de ne pas porter la guerre en Syrie mais au cœur même de l'empire ennemi : au Caire, de proposer comme chef de la croisade Boniface de Montferrat, dont il connaissait le zèle, l'expérience, la grandeur et les ambitions.

Mais, dans son exaltation première, sans doute avait-il cru que les croisés seraient plus nombreux – et plus riches – pour une entreprise telle que la délivrance du Saint Sépulcre. À Venise, il lui fallut déchanter : les navires prévus auraient pu embarquer une armée trois fois plus nombreuse (§ 56). Sans doute connut-il le désespoir (§ 61) de voir échouer de multiples efforts, de voir la croisade avorter encore plus loin du but que les tentatives précédentes, de manquer à sa parole, qu'il avait engagée lors du tournoi d'Écry, et aux Vénitiens, et au comte de Champagne mourant.

Le succès final de la croisade et la nécessité de rester fidèle à sa parole primant tout, Villehardouin accueillit probablement sans débat la proposition du doge de Venise de reprendre Zara, ce qui avait l'avantage de concilier les exigences de l'honneur et celles de la réussite. D'autre part, comme il s'était rendu compte qu'un fort parti de l'armée agissait non pour *despecier l'ost*, comme il dit, mais pour rejoindre directement la Syrie, et que des frictions pouvaient se produire entre les Vénitiens et les autres croisés, au point de disloquer l'ensemble, il ne rejeta pas les propositions de Boniface de Montferrat, son ami, et des Vénitiens, qu'il admirait, quand ils appuyèrent les requêtes d'Alexis le Jeune et de Philippe de Souabe pour le rétablissement d'Alexis l'Ange et de son fils Lucide ; il n'ignorait rien des ambitions commerciales des Vénitiens ni des visées politiques de Boniface de Montferrat ; mais il voulait avant tout que la croisade acquît une base sûre, obtînt des hommes et de l'argent pour reconquérir Jérusalem, d'autant que divers facteurs intervenaient pour dévier l'entreprise vers Constantinople : la défense du droit, l'horreur inspirée par la trahison d'Alexis III, l'hostilité à l'égard des Grecs, l'attrait exercé par les saintes reliques et par le butin.

Mais c'était compter sans les difficultés qui devaient clouer les croisés aux rives du Bosphore – sans le parjure d'Alexis IV, pris entre ses protecteurs et ses sujets, sans l'hostilité et la révolte des Grecs, sans la conquête longue, dangereuse et toujours remise en question de l'empire, sans les convoitises, les rivalités et la lassitude des croisés. Aussi est-ce un homme désespéré qui a entrepris de dicter ses souvenirs pour tenter d'expliquer à lui-même et aux autres pourquoi, sans qu'il y ait eu faute de sa part, il a échoué bien qu'il disposât des meilleurs moyens et soutînt la meilleure cause. Les chefs sont morts ; de redoutables ennemis menacent Constantinople, au point qu'il faut essayer de préserver quelques positions, loin d'envisager une nouvelle étape vers la Ville sainte. De plus, de vives critiques couraient sur les chefs de la croisade et les alliés des Francs, que le maréchal de Champagne avait incités à partir outre-mer ou tout au moins fortement inspirés. Il jugea bon d'engager son incontestable autorité morale pour rétablir la vérité et de faire le point sur un certain nombre de problèmes : a-t-il eu raison de proposer Boniface et de choisir Venise ? Les grands seigneurs, les barons, ont-ils été à la hauteur de leur tâche ? Dieu les a-t-il abandonnés ? La chronique de Villehardouin est donc, pour une bonne part, un plaidoyer en faveur des chefs croisés et de leurs alliés.

Le refus de la dissolution

Ce qui caractérise la personnalité de ce chef, qui fut à la fois un ambassadeur habile et probe, un conciliateur convaincant et un grand capitaine, c'est une hostilité quasi viscérale aux forces de dissolution qui menacent l'unité du moi, celle de l'armée ou celle de l'œuvre littéraire.

Il condamne ceux qui cèdent à l'affolement et à la panique, comme les parents de Renier de Trit, qui, pris et décapité, « furent bien peu plaints des gens parce qu'ils avaient si mal agi envers qui ils n'eussent pas dû le faire ». La lâcheté, qui est déshonorante et détruit l'unité de la personnalité, n'est jamais payante. Villehardouin confesse qu'il n'était pas rassuré quand il alla défier les empereurs grecs, et que les plus hardis des croisés frémirent à la vue de Constantinople ; mais cette crainte légitime ne les détourna pas de leur but. Villehardouin n'a cessé de dénoncer les parjures des croisés à toutes les étapes de l'expédition, du roi Johannitza, qui, non content d'être cruel, ne tenait aucune de ses promesses, des Grecs, qui ignoraient la loyauté et la fidélité. Dans la morale du chroniqueur, il faut demeurer fidèle à la parole donnée, quoi qu'il en coûte, et rester, quoi qu'il arrive, aux côtés de celui envers qui l'on s'est engagé. Aussi ne dissimule-t-il pas qu'il fit partie de la minorité qui, malgré les difficultés et l'impopularité, persévéra dans la voie qu'elle s'était tracée, afin de respecter les engagements que les croisés avaient pris.

Résistance aux forces de dissolution qui menacent l'unité de l'armée : sans se lasser, Villehardouin stigmatise ceux qui agissaient pour *despecier l'ost* ou la *despartir*, lui-même se rangeant parmi ceux qui voulaient *tenir l'ost ensemble*. Sans doute tient-il à discréditer les adversaires de sa politique et à rejeter sur eux la responsabilité des déviations et de l'enlisement final : mais c'est la hantise de Villehardouin (de l'homme, du militaire et du politique) : maintenir la cohésion de la croisade. Pour la préserver, il se dépensa sans compter. Ainsi au moment où l'on choisit un empereur, de peur que le candidat malheureux ne se dressât contre son vainqueur. Pour lui, il est essentiel de respecter les décisions prises. Le fait-on ? La victoire est acquise, comme lors du premier siège de Constantinople. En revanche, la témérité et l'anarchie ont causé le désastre d'Andrinople. Même s'il fut héroïque, le comte Louis de Blois eut tort de poursuivre les ennemis, contrevenant ainsi à ce qui avait été décidé. D'ailleurs, l'erreur la plus grave des croisés fut peut-être d'agir par groupes dispersés plutôt que par masses. Pour éviter cette dislocation, il faut se préoccuper des problèmes de ravitaillement : « Plus sûrement fait la guerre celui qui a des vivres que celui qui n'en a point. »

Enfin, refus de l'émiettement du récit : Villehardouin, qui croyait à la parole, n'a conservé dans son œuvre que l'essentiel, l'enchaînement rigoureux des causes et des effets, éprouvant de la répugnance pour le détail sans signification. Des discussions il ne retient que la conclusion ; d'un discours il ne conserve souvent qu'une phrase caractéristique, que suit un jugement général. Rien de ce qui est étranger à la croisade ne trouve place dans sa chronique, rien sur les antécédents de la présente expédition, sauf de brèves mentions visant à expliquer le comportement des croisés. Par une sorte d'ascétisme, Villehardouin limite le champ de sa chronique dans l'espace et dans le temps, éliminant tous ces petits faits qui, inutiles à la compréhension des événements, ont le seul mais appréciable avantage de donner l'impression de la vie, ne disant mot du spectacle et des étrangetés du monde, ne faisant aucun sort aux petites misères du quotidien. Sous la plume de cet écrivain de grande race, le récit, d'une parfaite unité de ton, avance à marche forcée vers son terme, sans la moindre détente : au contraire de Robert de Clari, il n'admet ni le grotesque ni le familier. Cette volonté de concision et de rigueur se traduit aussi par l'absence de toute allusion à l'Antiquité, par le refus des images et des comparaisons : seules quelques formules usées, sans couleur, remplissent la fonction de superlatifs ; cette volonté aboutit à l'« élimination presque totale du style direct » (J. Frappier), le style indirect se fondant mieux avec la narration et ne ralentissant pas la marche des événements.

Cette sobre grandeur, cette absence de complaisance envers soi-même, ce refus de s'exhiber, cette discrétion forcent l'estime, même si le récit est tendancieux. Selon Sainte-Beuve, « jusqu'à la fin sur la brèche, il porte intrépidement l'épée, il tient simplement la plume : c'est assez pour offrir à jamais, dans la série des historiens hommes d'action où il s'est placé, un des types les plus honorables et les plus complets de son temps ».

J. Dufournet

GEORGES CHASTELLAIN

v. **CHASTELLAIN Georges**

GÉRALDY Paul

Pseudonyme de **Paul Le Fèvre** *(1885-1983)*

Né à Paris, Paul Géraldy est le fils d'un poète émule de Banville. Son œuvre, fort abondante, compte aussi bien des recueils poétiques – *les Petites Âmes* (1908), *Toi et Moi* (1913) – que des pièces de théâtre – *les Noces d'argent* (1917), *Aimer* (1921), *Robert et Marianne* (1925), *Christine* (1932), *Duo* (1938) d'après Colette – et des romans parmi lesquels *la Guerre, Madame* (1916), *le Prélude* (1923), *l'Homme et l'Amour* (1951) et un petit livre pour les enfants, *Clindindin* (1937). On a aujourd'hui oublié l'intimisme sentimental, les thèmes un peu mièvres – maîtres paternalistes et servantes au grand cœur, amours sirupeuses, amitiés cossues – du dramaturge ou du romancier. Mais le charme désuet du poète, qui nous parle d'« abat-jour », d'albums de photographies, de querelles d'amants, de souvenirs nostalgiques, sa facilité à mettre en vers, par un rythme et une rime, les mots du quotidien continuent de valoir à Paul Géraldy un nombreux public. *Toi et Moi*, avec 1 500 000 exemplaires vendus en Livre de Poche, est un des plus grands succès poétiques de ce siècle…

B. Conort

Gerbert de Metz v. Lorrains ou Loherains (cycle des)

GHELDERODE Michel de

*Pseudonyme puis patronyme d'**Adémar Adolphe Louis Martens** (1898-1962)*

Dramaturge et conteur belge d'expression française. Né à Ixelles, Michel de Ghelderode a consacré son existence à l'élaboration acharnée d'une œuvre qui compte quatre-vingts pièces de théâtre, une centaine de contes et de poèmes, plusieurs centaines d'articles. Ce serait commettre une grave omission que de ne pas mentionner les milliers de lettres qu'il écrivit, car elles dévoilent les efforts du petit employé communal nommé Adémar Martens pour devenir Michel de Ghelderode en construisant patiemment une légende un peu diabolique, destinée à cacher un immense besoin d'approbation et d'affection. Ghelderode fut un des rares écrivains belges vraiment à cheval sur deux cultures : francisé par ses parents flamands pour des raisons de promotion sociale, il n'écrivit jamais qu'en français, mais presque toujours sur la Flandre. Ce paradoxe lui valut de connaître de véritables triomphes populaires avec des pièces jouées en néerlandais par le Vlaamsche Volkstooneel (19251932), vingt ans avant qu'elles ne provoquent à Paris une « ghelderodite aiguë » (1947-1953), à la grande stupéfaction de la Belgique francophone, qui avait toujours fait la fine bouche devant ces « machines » réputées « injouables ».

Heiligen Antonius (1919-1921), l'œuvre qui montre le mieux l'importance de la découverte de la Flandre dans la vie et dans l'œuvre de Ghelderode, est toujours inédit en français et le restera probablement, à cause de ses maladresses et de ses innombrables... fautes de français. Celles-ci rappellent que le jeune Martens, autodidacte, n'a fréquenté l'école que jusqu'à l'âge de seize ans, et témoignent de l'effort qu'il a dû faire pour traduire dans la langue de Molière ses rêves « septentrionaux ».

Malgré son titre flamand, *Heiligen Antonius,* « roman burlesque », est entièrement rédigé en français. Sous prétexte de relater la vie peu édifiante d'un saint Antoine flamand, le jeune conteur y part à la conquête de l'originalité en imitant la langue de Rabelais et de Charles De Coster, en détaillant à grand renfort de flandricismes les coutumes du petit peuple flamand et en paraphrasant certaines toiles de Bruegel, de Bosch et d'Ensor. Cette même volonté de « se trouver » en « faisant flamand » est à la base de son premier volume publié, *l'Histoire comique de Keizer Karel telle que la perpétuèrent jusqu'à nos jours les gens de Brabant et de Flandre,* recueil d'anecdotes savoureuses sur la vie de Charles Quint (1922). Cet ouvrage est à la source de cinq petites pièces pour marionnettes folkloriques, composées vers 1924-1925 et tellement proches de l'esprit du peuple (cf. *le Mystère de la Passion de notre Seigneur Jésus-Christ*) que leur auteur-mystificateur n'éprouva aucune peine à les faire passer pour « reconstituées d'après le spectacle ».

De la marionnette au théâtre, il n'y avait qu'un pas, qu'un jeune écrivain flamand, Jef Vervaecke, aida Ghelderode à franchir. En 1925, Vervaecke traduisit *la Farce de la Mort qui faillit trépasser* et réussit à faire jouer cette traduction par le Vlaamsche Volkstooneel, troupe catholique itinérante dont les spectacles, à la fois populaires et d'avant-garde, inspirés des recherches de Jacques Copeau, de l'expressionnisme et du constructivisme, mais adaptés aux aspirations religieuses et politiques de la Flandre, commençaient à attirer les foules. L'année suivante, Johan de Meester, le brillant metteur en scène hollandais de la troupe flamande, commanda à Ghelderode un spectacle commémoratif pour le septième centenaire de la mort de saint François d'Assise. La création, fin janvier 1927, de *Beeldekens uit het leven van Sint Franciskus van Assisië* (*Images de la vie de saint François d'Assise,* écrit et inédit en français) vit le premier triomphe de Ghelderode. Cet ouvrage fut suivi en 1929 de *Barabbas* et en 1930 de *Pantagleize.* En 1932, peu de jours après la première du *Sterrendief* (*le Voleur d'étoiles,* inédit en français), la troupe se disloqua lamentablement. Plus tard, Ghelderode ne manqua pas d'idéaliser sa collaboration à la « généreuse aventure », mais il est vrai que, sans les acclamations des foules flamandes, il n'aurait pas eu le courage de continuer à écrire pour la scène comme il le fit jusqu'en 1937, ce qui nous aurait privés d'une demi-douzaine d'œuvres importantes. En effet, de 1933 à 1936, le dramaturge connut, malgré l'indifférence du monde théâtral, une période de haute fécondité, inaugurée par *le Siège d'Ostende,* « épopée militaire pour marionnettes » tellement scatologique qu'elle déplut à son dédicataire, James Ensor, qui en était pourtant le protagoniste, et qu'elle dut attendre près d'un demi-siècle pour sortir de la clandestinité.

En 1934, Ghelderode composa en moins de deux mois *la Ballade du Grand Macabre,* grande farce ubuesque où la peur de la mort, de l'oppression politique et de... la femme se métamorphose, par la vertu du burlesque, en un hymne à la vie, à la liberté et à l'amitié (masculine). Dans *Mademoiselle Jaïre,* achevé en janvier 1935, il aborda le thème de la mort d'une façon toute différente : le miracle biblique de la résurrection de la fille de Jaïre y sert de trame non plus à la dérision de la mort, mais à l'expression du désir de mourir. L'année suivante, le dramaturge composa d'abord *D'un diable qui prêcha merveilles,* satire un peu laborieuse de l'hypocrisie, puis *la Farce des ténébreux,* où le même thème se double d'une exaltation assez forcée de l'érotisme comme remède contre la peur de la mort (et de la vie). Dans *Hop Signor !* enfin, réagissant contre l'incontinence verbale des pièces précédentes, il rattacha le thème de l'inhibition sexuelle au drame de l'artiste créateur incapable de se mettre au goût du jour et brimé à en mourir par une épouse âprement frustrée. En 1936 également, Ghelderode commença la rédaction de *Fastes d'enfer,* mais, le 22 octobre, alors qu'il avait écrit la moitié de la pièce, la maladie mit brusquement fin à ces trois ans de grande productivité. Il dut patienter jusqu'en novembre de l'année suivante pour trouver la force de mettre un point final à cette « tragédie bouffe » qui s'articule autour de la mort d'un évêque empoisonné par son entourage de prêtres hideusement envieux. Le 1er février 1939, Ghelderode fit savoir qu'il cessait d'écrire pour le théâtre. Le 13 juillet, alors qu'il venait d'achever le septième conte de *Sortilèges*, il reçut le grand prix triennal de Littérature dramatique 1936-1938 pour… *Escurial*, pièce composée, publiée et créée depuis plus de dix ans. Malgré l'importance de la distinction, le lauréat ne revint pas sur ses adieux au théâtre. Toutefois, après la publication, en novembre 1941, de l'édition originale de *Sortilèges*, recueil de douze fascinants contes « crépusculaires », il acheva encore trois pièces. *L'École des bouffons* (1942) est la plus connue, parce qu'elle contient un éloge de la cruauté, « secret de tout art », qui a valu à Ghelderode l'honneur d'être considéré comme un disciple, voire comme un prédécesseur d'Antonin Artaud. En fait, le rapprochement, exact sur le plan de l'utilisation des moyens scéniques, ne l'était pas sur le plan philosophique, car un abîme sépare la vision du monde fataliste et pessimiste de Ghelderode et la foi d'Artaud dans le théâtre comme moyen de changer l'homme.

À sa mort, Ghelderode laissait ses cartons remplis de projets, mais son génie créateur s'était tari vingt ans plus tôt, les affres de la guerre n'ayant fait qu'empirer l'état de sa santé déjà atteinte depuis 1936. Aucune consolation, pas même celle de voir ses pièces triompher à Paris et conquérir ainsi une partie du monde, n'avait pu lui rendre la vitalité nécessaire à l'achèvement de son œuvre. À peine avait-il eu la force de préparer cinq des sept volumes de son théâtre complet prévu par les éditions Gallimard (1950-1957) et de répondre aux demandes d'information et d'autorisation venant de tous les coins du monde. S'il avait vécu jusqu'à la fin de 1962, le dramaturge aurait vraisemblablement eu la joie de voir le prix Nobel consacrer l'intérêt porté par le monde entier à son œuvre.

L'activité de Ghelderode ne s'est pas bornée au théâtre : il a publié des poèmes (*la Corne d'abondance*, 1925 ; *Ixelles, mes amours…*, 1928, sous le pseudonyme de Philostène COSTENOBLE) et des proses (*la Halte catholique*, 1922, reprise sous le titre de *Contes et dicts de notre temps*, 1975 ; *l'Homme sous l'uniforme*, 1923 ; *Kwiebe-Kwiebus*, 1926, devenu : *Voyage autour de ma Flandre*, 1947). Il a composé plusieurs ouvrages de souvenirs et d'évocations (*Choses et gens de chez nous*, 1943 ; *Mes statues*, 1943 ; *La Flandre est un songe*, 1953) ; en 1951, il a accordé à R. Iglésis et A. Trutat les interviews des *Entretiens d'Ostende* (1956). La publication de sa *Correspondance générale* a commencé en 1982.

Depuis 1962, le rayonnement international du théâtre de Ghelderode n'a fait que s'étendre. Le phénomène semble s'expliquer en premier lieu par l'universalité de sa thématique, centrée sur les grandes questions de la condition humaine : « D'où vient l'homme ? Où va-t-il ? » « D'un trou dans un autre trou », répond l'un de ses personnages, indiquant ainsi deux hantises fondamentales de Ghelderode : l'érotisme et la mort. La crudité de la réponse est significative de la cruauté avec laquelle le dramaturge dénonce le carnaval perpétuel des illusions philosophiques, religieuses et surtout sociales que l'homme se crée pour embellir sa condition. La seule valeur que l'œuvre gheldérodienne ne met jamais en question est celle de l'individu, qu'elle défend vigoureusement contre l'action étouffante et niveleuse de tous les pouvoirs, qui sont invariablement fondés sur les mensonges de la religion et de la morale officielles, de la justice, de l'armée, de la politique, de la science. Ce qui, pour Ghelderode, compte dans l'individu, ce n'est pas la raison, c'est l'instinct « salvateur », source de vie, d'originalité et de liberté, que les institutions n'ont que trop tendance à réprimer. Cette vision du monde, si elle est par moments desservie par des réflexions incohérentes ou réactionnaires, est, dans l'ensemble, admirablement servie par un sens inné du spectacle. Avant d'être des « obsessions », la mort, la Flandre, les prêtres, les médecins, les juges, les militaires sont, dans l'esprit de Ghelderode, des sources d'images scéniques. Les singeries des prêtres de *Fastes d'enfer* traduisent moins son anticléricalisme que son goût de l'effet théâtral. De caractère auditif par sa recherche constante de l'incantation verbale et par son recours au chant, à la musique instrumentale et à toutes les ressources du bruitage, le théâtre de Ghelderode est avant tout d'ordre visuel. Les indications scéniques, souvent fort développées, témoignent du soin qu'apporte le dramaturge à choisir l'éclairage le plus approprié au déroulement du drame. Celui-ci se nourrit de toutes les formes de spectacle possibles : le théâtre dans le théâtre, le guignol, le carnaval, les cortèges, le music-hall, la danse… Mais c'est surtout à la peinture que Ghelderode emprunte l'épaisseur physique de ses personnages, soulignée par les couleurs bariolées de ses décors. L'abondance des réminiscences picturales qui caractérise son œuvre lui a valu les titres de « fils d'Ensor », de « Bosch théâtral » et de « Bruegel du théâtre contemporain ».

R. Beyen

Gide

GIDE André

(1869-1951)

Ramon Fernandez et, après lui, Maurice Blanchot ont dit l'essentiel, ce qui fait – indépendamment de la valeur artistique de son œuvre – la singularité et la grandeur de la figure d'André Gide : il fut un expérimentateur. Et le célèbre mot de Sartre – « Gide est devenu sa vérité » – le souligne en d'autres termes : des « vérités » n'ont cessé de devenir, de s'éprouver progressivement en lui… Chacun de ses livres est unique, et trouve en quelque autre son contraire ou son contradictoire ; le « message » est indéfiniment ironique, critique, mobile : il ne renvoie le lecteur qu'à soi – ou à un « auteur » dont il n'exprime qu'un choix, parmi d'autres, et qu'on trahit si on l'y enclôt. Proust est tout entier, bien sûr, dans la *Recherche,* mais Claudel est tout entier dans *le Soulier de satin* ou dans *Partage de midi,* chaque fois ; Gide n'est pas tout entier dans ses *Œuvres* même idéalement *complètes,* car sa vie – ses voyages, ses amitiés, ses engagements, ses combats… – n'est pas le simple cadre traditionnel de ces œuvres, elle en est une partie intégrante : « vécu » ou « écrit » (parfois vécu et écrit, voire contradictoirement), chaque fragment de la figure totale de Gide ne prend sens que par rapport à tous les autres. Pour une fois, « l'homme et l'œuvre » constituent un tout indissociable sous peine de mort ou de mensonge. L'histoire de Gide ne fut pas un drame du choix, mais de l'intégration, de l'orchestration de tous les choix expérimentés en même temps ou successivement dans l'existence dite réelle ou sur le plan de l'imaginaire et de la création : « La nécessité de l'option me fut toujours intolérable ; choisir m'apparaissait non tant élire que repousser ce que je n'élisais pas » *(les Nourritures terrestres)* ; « Mon esprit est, avant tout, ordonnateur. Mais mon cœur souffre de laisser rien à la porte » (*Un esprit non prévenu*).

La leçon, éthique et esthétique, de Gide est donc au-delà de chaque élément du puzzle – ou plutôt en deçà, dans le dynamisme originel et libre de l'expérimentateur, dans ce « grouillement têtu » dont parlait Barthes. Mais tout cela s'est inscrit dans le temps, dans un mouvement qui n'a pris fin que le 19 février 1951 et qu'il faut aujourd'hui retrouver sous le marbre immobile et froid des livres qui demeurent.

Sans doute est-ce là ce qui fait, aujourd'hui, la difficulté de l'accès à Gide : il n'est plus notre « contemporain capital » (suivant le mot d'André Rouveyre en 1924… souvent attribué à Malraux), c'est-à-dire la grande référence vivante, sans cesse en imprévisible avancée, l'homme qui s'identifiait et qu'on identifiait à la jeunesse même – « la jeunesse, disait Henri Michaux, c'est quand on ne sait pas ce qui va arriver ». Aujourd'hui, quel Gide fragmentaire, figé et faux peut se forger le meilleur lecteur qui n'aura lu – c'est son droit – que *la Porte étroite,* ou *l'Immoraliste,* ou *les Caves,* ou les *Nourritures* – ou même *Paludes,* ou *les Faux-Monnayeurs*… ! « Complice du temps » (Michel Tournier l'a bien vu), Gide est trahi par le temps qui a continué de couler après lui.

« L'art naît de contrainte, vit de lutte, meurt de liberté » (*Nouveaux Prétextes*) : Gide, ce fut un combat, sur de multiples fronts, toujours pour cette périlleuse liberté – « Savoir se libérer n'est rien ; l'ardu, c'est savoir être libre » (*l'Immoraliste*). Et telle est la seconde infortune, aujourd'hui, de Gide : ces combats, il les a tous gagnés – non certes définitivement, mais l'époque les a faits siens et semble n'avoir plus besoin de lui. Il n'est plus ni scandaleux ni aussi nécessaire d'exalter la nudité sur la plage, de dénoncer le carcan de religions réduites à un moralisme puritain et à un dolorisme hypocrite, de revendiquer une place pour Corydon, de condamner le système colonial, de proclamer la lutte nécessaire contre l'exploitation capitaliste de l'homme par l'homme – mais aussi de protester contre tous les stalinismes –, de faire le procès des genres littéraires traditionnels, en particulier du roman, de mettre en question la psychologie ignorante de l'inconscient, etc. Ces combats, Gide les a déclenchés ou leur a donné à des moments opportuns des impulsions décisives. Desservi par ses victoires mêmes, il exige aujourd'hui de son lecteur, si celui-ci n'entend pas se borner à admirer l'artiste, un effort d'actualisation ou, mieux, de lecture et de connaissance globales qui revivifient la source plurielle de ce « maître à contester ».

Dialogue, libération

Une famille paternelle méridionale, huguenote et de très modeste fortune ; une famille maternelle normande, protestante elle aussi, mais non sans souvenirs catholiques, et de riche bourgeoisie : Gide a souvent lui-même souligné que, né à un carrefour, il était prédestiné au dialogue et au voyage : « Né à Paris, d'un père uzétien et d'une mère normande, où voulez-vous, Monsieur Barrès, que je m'enracine ? J'ai donc pris le parti de voyager » (*Prétextes*).

Sinon voyageuse, l'enfance a été mobile, ballottée, sans cesse changeant de cadre et de rythme : physiquement robuste, Gide était de tempérament nerveux et hyperémotif, sujet à des crises à demi simulées ; entrecoupées de longues phases de « jachère » plus ou moins thérapeutiques, ses études le livrèrent à divers établissements, à divers précepteurs… Fils unique, orphelin de père à onze ans, il fut entouré et élevé par des femmes – sa mère, les tantes Rondeaux, Anna Shackleton, les cousines de Rouen… Elles incarnaient la rigueur morale, le conformisme social, le sens des devoirs – à une exception près, la tante Mathilde, dont il fit Lucile Bucolin dans *la Porte étroite,* la belle créole alanguie et légère ; sa fille Alissa, c'est Madeleine Rondeaux, l'aînée des cousines (elle avait trois ans de plus qu'André), l'Emmanuèle d'*André Walter* et de *Si le grain ne meurt.* L'amour pour Madeleine, ce « mystique orient de sa vie » découvert dans une scène de sa quatorzième année et que Gide a racontée deux fois (dans *la Porte étroite,* I, et dans *Si le grain ne meurt,* V), restera effectivement le pivot de sa vie, prison et havre d'attache – avec et contre elle tout à la fois (mais il s'agit d'un « adversaire » tout intériorisé : Alissa est tout autant Gide que Michel), il construira son œuvre.

Le premier livre, *les Cahiers d'André Walter,* est un ultimatum adressé à Madeleine et à « la famille », défavorable à leur mariage – un roman-théorème, démonstratif : Walter devient fou et meurt, après avoir promis à sa mère à l'agonie qu'il n'épouserait pas Emmanuèle. Mais André Walter est aussi un écrivain, et ses *Cahiers* constituent une « somme » littéraire, pour une large part faite de pages du *Journal* que Gide lui-même tient depuis sa quinzième ou seizième année et où il n'a cessé de réfléchir « sur quelques points de littérature et de morale ».

Le Gide de 1891 entre en symbolisme en entrant en littérature, avec ce roman-poème que suit, quelques mois plus tard, une « Théorie du Symbole », le bref et pur *Traité du*

Narcisse. Il fréquente la rue de Rome et les cénacles. L'en délivrer, le détourner d'un monde et d'une littérature qui sentent « furieusement le factice et le renfermé », l'ouvrir à la vie, lui permettre de « toucher terre et de poser simplement sur le sol un pied nu », c'est le premier voyage en Afrique du Nord, en 1893-1894, qui opère cette conversion, cette seconde naissance : il en rapporte un « secret de ressuscité » ; il a tout quitté (y compris le Christ, mais cet adieu n'est pas définitif), il a frôlé la mort, il a découvert le plaisir, la liberté, la lumière, la vie. De là *Paludes* (1895), tragédie ironique et cocasse de l'écrivain, mais aussi satire des littérateurs de cénacle et du symbolisme étouffant ; puis *les Nourritures terrestres* (1897), évangile de la joie, de l'abolition de tous les tabous, de la totale et fervente disponibilité – mais *Saül,* deux ans plus tard, en est l'« antidote » et raconte l'histoire du roi trop accueillant à tous ses démons, dépossédé de lui-même par ses propres désirs.

Autour de 1900, Gide tout à la fois conquiert son classicisme et prend conscience de son « importance ». À *la Revue blanche,* à *l'Ermitage* – avec les *Lettres à Angèle* –, il joue au critique, et l'actualité lui fournit les prétextes à la formulation progressive de son esthétique. En 1902, *l'Immoraliste,* livre ironique qui illustre l'échec de la pure doctrine des *Nourritures,* est le premier chef-d'œuvre de sa maturité, rompant avec le lyrisme et les afféteries stylistiques des écrits de jeunesse. Autour de Gide, un groupe se forme qui, en 1908-1909, aboutira à la fondation de *la Nouvelle Revue française*, qu'il inaugure pour sa part avec *la Porte étroite* – première de ses œuvres à toucher le « grand public », mais non sans malentendu : on y voit plutôt l'émouvant roman d'une âme sublime qu'un nouveau livre critique. *L'Immoraliste, la Porte étroite, Isabelle,* « livres avertisseurs » qui « dénoncent tour à tour les dangers de l'individualisme outrancier, d'une certaine forme de mysticisme très précisément protestant [...], du romantisme, et, dans *la Symphonie pastorale,* de la libre interprétation des Écritures » (« Lettre au R.P. Poucel », *Divers*).

Quand éclate la guerre, quelques semaines après la publication des *Caves du Vatican,* Gide a désormais une large et profonde audience. Non point chef d'école, mais homme d'influence, et âme de cette *Nouvelle Revue française* qui va attirer à elle tout ce qui compte dans les lettres françaises du demi-siècle.

Le contemporain capital

1919 : après cinq années d'interruption due à la guerre, *la Nouvelle Revue française* reparaît sous la ferme et intelligente direction de Jacques Rivière ; Gide y publie *la Symphonie pastorale* (immense et durable succès : à la mort de son auteur, elle aura dépassé le million d'exemplaires ; traduite en plus de cinquante langues, dont le coréen, le gallois et le latin ; deux films en seront tirés, en 1938 au Japon, par Yamamoto Satsuo, et en 1946 en France, par Jean Delannoy, avec Michèle Morgan et Pierre Blanchar), et il y salue le mouvement Dada. Lafcadio et son acte gratuit fascinent les surréalistes ; les *Nourritures* sont la bible de la génération de l'« inquiétude », ce « nouveau mal du siècle » (Marcel Arland). Dans l'espace des quatre années 1923-1926, Gide publie *Dostoïevski*, *Corydon*, *Si le grain ne meurt*, *Numquid et tu... ?*, *les Faux-Monnayeurs* et le *Journal des Faux-Monnayeurs*, et fait un long voyage d'un an en Afrique noire, au retour duquel il dénonce les injustices du système colonial. Exploration des *terrae incognitae* du psychisme, revendication d'une éthique sexuelle, quête critique de la sincérité, interrogation religieuse, subversion de la création romanesque, engagement sociopolitique..., tout cela fait de Gide le maître de liberté – en qui certains ne manquent pas de voir, et de combattre, un destructeur de l'ordre établi, un corrupteur de la jeunesse. « Ce qui est mis en cause ici, s'écrie Henri Massis, c'est la notion même de *l'homme* sur laquelle nous vivons. »

C'est, curieusement, juste après des œuvres qui, comme *l'École des femmes, Robert* (1929-1930) et le drame d'*Œdipe* (1931), s'attachent plus que jamais à l'individu, au moi – « ah ! le plus irremplaçable des êtres » –, que Gide entre réellement dans l'arène sociale et politique, en proclamant son adhésion à l'idéologie communiste (mais il ne sera jamais membre du Parti), son admiration pour le régime qui, à l'Est, au-delà du nazisme montant, construit le socialisme. Mais *les Nouvelles Nourritures,* en 1935, s'articulent bien sur les derniers mots du poème de 1897 (« AUTRUI – importance de *sa* vie ; lui parler... ») pour crier : « Mon bonheur est d'augmenter celui des autres. J'ai besoin du bonheur de tous pour être heureux. [...] Camarade, n'accepte pas la vie telle que la proposent les hommes »... Gide préside des meetings et des congrès en levant le poing, signe manifestes et pétitions, sacrifie sans compter sa personne (et son argent) à la cause. L'été 1936, c'est le voyage en U.R.S.S. et la cruelle déception de retrouver, là-bas, une société close, bloquée, inhumaine ; sa rupture est aussi retentissante qu'avait été sa « conversion ». Beaucoup rient de son « embardée », qui l'avaient jugée aveugle et le détournant de « sa ligne ». Pourtant, avant comme après le voyage à Moscou, Gide, à l'évidence, est resté fidèle aux valeurs qu'incarnent toute son œuvre et toute sa vie. En 1939, les treize cents pages du demi-siècle du *Journal* en témoignent.

Après les années noires, Gide revient en France avec un testament, l'admirable fable de *Thésée* : « C'est consentant que j'approche la mort solitaire. J'ai goûté des biens de la terre. Il m'est doux de penser qu'après moi, grâce à moi, les hommes se reconnaîtront plus heureux, meilleurs et plus libres. Pour le bien de l'humanité future, j'ai fait mon œuvre. J'ai vécu. » S'il refuse d'entrer à l'Académie, il accepte le doctorat *honoris causa* d'Oxford et le prix Nobel ; en décembre 1950, la représentation des *Caves* (une assez médiocre farce, au demeurant...) au Français, en présence du président Vincent Auriol, est une apothéose officielle... Il est l'illustre écrivain, dont la gloire au plus haut (ses ennemis n'ont pas désarmé, mais se taisent et feignent de le croire « assagi ») persiste dans une époque qui n'est déjà plus la sienne ; il s'amuse de voir, dans le monde « existentialiste » des années de la Libération, le rhabillage d'idées-forces qui avaient constitué l'essentiel de sa propre « leçon »... Il ne rate pas sa mort – une « mort ambiguë », suivant le beau et juste mot de Robert Mallet, cependant que Roger Martin du Gard, l'ami le plus intime, le témoin fidèle et vigilant, écrit : « Il faut lui savoir un gré infini d'avoir su mourir aussi *bien.* »

On a longtemps considéré Gide, Proust, Claudel, Valéry et Péguy comme les « phares » d'une grande génération de notre histoire littéraire ; si Gide s'est, certes, moins éloigné que les trois derniers, Proust est indéniablement plus présent que lui aujourd'hui, dans un temps de « retour à la littérature ». À l'auteur de *l'Immoraliste*, on fait surtout grief de son exaltation de l'individu, qu'il a en effet servie sans défaillance ; à l'écrivain scandaleux, on reproche maintenant une excessive prudence. Signes d'une époque dominée par les masses et qui croit naïvement que tout est toujours possible. Reste un homme vrai, pour qui rien, dans aucun ordre (esthétique, moral, social...), ne fut jamais acquis ni immuable : un authentique non-conformiste. Tant que vivra l'humanisme – mot que dévalue chacun de ses avatars, mais un *a priori* philosophique qui a la vie dure –, la foi gidienne en l'homme et en ses pouvoirs restera garante de la survie de son œuvre et de sa figure.

	VIE		ŒUVRE
1863	Mariage, au temple Saint-Éloi de Rouen, de Paul Gide, né en 1832 à Uzès d'une famille protestante d'origine italienne (un Gido est venu du Piémont s'installer comme « ménager » près d'Uzès, à la fin du XVIe siècle, et s'est converti à la religion réformée), professeur à la faculté de droit de Paris, et de Juliette Rondeaux, née en 1835, à Rouen, d'une riche famille bourgeoise, en majorité protestante depuis la fin du XVIIIe siècle.		
1869	**22 nov. :** naissance, à Paris (chez ses parents, 19, rue de Médicis, aujourd'hui 2, place Edmond-Rostand), d'André Paul Guillaume Gide, premier et unique enfant de Paul et Juliette Gide.		
1877	André entre en neuvième à l'École Alsacienne, rue d'Assas ; renvoyé quelques mois plus tard pour « mauvaises habitudes » ; son éducation devient alors « rompue et désencadrée » ; il étudie souvent avec des précepteurs...		
1880	Pendant l'été, André est bouleversé par son premier *Schaudern* [tremblement] – mot qu'il emprunte à Gœthe pour désigner une « angoisse indéfinissable » –, provoqué par la mort de son petit cousin Émile Widmer. **28 oct. :** mort de Paul Gide.		
1882	**Fin déc. :** « *Schaudern* de la rue de Lecat », à Rouen. André a la révélation de l'inconduite de sa tante Mathilde Rondeaux et de la souffrance de sa cousine Madeleine ; il prend conscience de son amour pour celle-ci.		
1887	**Oct. :** entre à l'École Alsacienne, en rhétorique, où il se lie avec son camarade Pierre Louis (futur Pierre Louÿs).		
1888	**Oct. :** en philosophie, au lycée Henri-IV, où il se lie avec Léon Blum.		
1890	**1er mars :** mort de son oncle Émile Rondeaux, qu'il veille avec Madeleine : « Il me semblait que s'étaient consacrées nos fiançailles... » **Été :** Gide s'isole sur le bord du lac d'Annecy pour écrire « le livre » : *les Cahiers d'André Walter.* **Déc. :** à Montpellier (chez son oncle l'économiste Charles Gide), se lie avec Paul Valéry.		
1891	**8 janv. :** Madeleine refuse le mariage. **2 févr. :** Gide est présenté par Barrès à Mallarmé et devient un familier des « mardis » de la rue de Rome. **Nov. :** fréquentation d'Oscar Wilde à Paris.	**1891**	Poésies dans *la Conque,* petite revue dirigée par Pierre Louÿs, et dans *la Wallonie* d'Albert Mockel (Liège). Publication des *Cahiers d'André Walter,* chez Perrin, à compte d'auteur (comme tous ses livres, jusqu'à *la Porte étroite*). *Le Traité du Narcisse.*
1892	**Printemps :** séjour à Munich. **Été :** voyage en Bretagne, avec Henri de Régnier. **15-22 nov. :** service militaire à Nancy – réformé pour « tuberculose ».	**1892**	*Les Poésies d'André Walter* (chez Bailly).

	VIE		ŒUVRE
1893	Pâques à Séville, avec sa mère. **18 oct. :** Gide s'embarque à Marseille, avec son ami, le jeune peintre Paul Albert Laurens, pour la Tunisie puis l'Algérie ; atteint d'une primo-infection, il se soigne. À Sousse, en novembre, première expérience homosexuelle.	**1893**	*Voyage d'Urien* (Bailly), illustré par Maurice Denis. *La Tentative amoureuse* (Bailly).
1894	**Janv.-févr. :** à Biskra, où Paul et André se partagent les faveurs d'une Ouled-Naïl, Mériem. Retour en France au printemps, par l'Italie. **Oct.-déc. :** dans la solitude de La Brévine (Jura suisse), il écrit *Paludes.*		
1895	**Janv.-mai :** nouveau voyage en Algérie (où il retrouve Wilde, qu'accompagne Alfred Douglas, « Bosie »). **31 mai :** mort de sa mère. **17 juin :** fiançailles d'André avec sa cousine Madeleine Rondeaux (née le 7 février 1867 à Rouen). Il consulte un médecin, qui lui affirme que ses goûts homosexuels disparaîtront d'eux-mêmes avec le mariage… **7-8 oct. :** mariage, à la mairie de Cuverville et au temple d'Étretat. Voyage de noces : Suisse, Italie, Tunisie, Algérie.	**1895**	*Paludes* (Bailly).
1896	**Mai :** à son retour de voyage, Gide est élu maire de La Roque-Baignard.		
1897	Gide rend visite à Wilde qui, après ses deux années d'emprisonnement, séjourne à Berneval, près de Dieppe. Il se lie avec le Dr Vangeon (en littérature, Henri Ghéon). Son ami Marcel Drouin, normalien, agrégé de philosophie, épouse sa belle-sœur Jeanne Rondeaux.	**1897**	Commence une collaboration régulière à *l'Ermitage,* qui durera jusqu'à la disparition de la revue, en 1906. *Les Nourritures terrestres* (Mercure de France). *Réflexions sur quelques points de littérature et de morale* (Mercure de France).
1898	Voyage en Italie et au Tyrol.	**1898**	« À propos des *Déracinés* » (*l'Ermitage*, février).
1899	**Printemps :** nouveau voyage du ménage Gide en Algérie. Gide commence de correspondre avec Claudel, alors consul en Chine.	**1899**	*Le Prométhée mal enchaîné* (Mercure de France). *Philoctète, El Hadj* (Mercure de France).
1900	Vente du château de La Roque ; les Gide ne conservent que la propriété de Cuverville (qui appartient à Madeleine). Voyage en Algérie, où Ghéon les rejoint.	**1900**	*Lettres à Angèle* (Mercure de France).
		1901	*Le Roi Candaule* (la Revue blanche), dont la représentation – mise en scène de Lugné-Poe – est un échec.
		1902	*L'Immoraliste* (Mercure de France).
1903	Voyage de Gide en Allemagne (Weimar), puis en Algérie.	**1903**	*Prétextes* (Mercure de France). *Saül* (Mercure de France).
1905	Claudel, qui séjourne en France, fait de vains efforts pour convertir Gide.		
1906	Les Gide emménagent dans la maison qu'ils se sont fait construire à Auteuil, villa Montmorency. Liaison à trois de Gide, Ghém et Maurice Shlumberger.	**1906**	*Amyntas* (Mercure de France).
1907	**Janv. :** voyage à Berlin, avec Maurice Denis.	**1907**	*Le Retour de l'enfant prodigue* (Vers et Prose).
1908	*L'Ermitage* disparu, Gide tente en vain de ressusciter la revue *Antée,* puis fonde, avec quelques amis (Marcel Drouin, Jacques Copeau, Henri Ghéon, André Ruyters et Jean Schlumberger), *la Nouvelle Revue française* dont le premier numéro sortira en février 1909.		
1909	Premières « Décades de Pontigny », fondées par Paul Desjardins et dont Gide et son groupe seront des participants fidèles.	**1909**	*La Porte étroite* (Mercure de France). Nombreux articles et notes dans *la Nouvelle Revue française* dès le premier numéro (février).

	VIE		ŒUVRE
		1910	*Oscar Wilde* (Mercure de France).
1911	*La Nouvelle Revue française* fonde sa propre maison (« comptoir ») d'édition, sous la direction de Gaston Gallimard.	1911	*Charles-Louis Philippe* (Figuière). *Isabelle* (Éd. de la N.R.F.). *Nouveaux Prétextes* (Mercure de France).
1912	**Mars :** voyage en Italie (Florence et Pise), avec Ghéon. **Mai :** juré à la cour d'assises de Rouen.	1912	*Bethsabée* (L'Occident).
1913	**Oct. :** ouverture du théâtre du Vieux-Colombier, annexe théâtrale de *la Nouvelle Revue française* ; Gide fait la connaissance de Roger Martin du Gard.		
1914	**Avr.-mai :** voyage avec Ghéon, en Italie, Grèce et Turquie – mais Gide renonce à pousser jusqu'à Bagdad. **Oct. :** pendant près d'un an et demi, Gide consacre tout son temps au « Foyer franco-belge », œuvre d'aide aux réfugiés des territoires envahis, aux côtés de Maria van Rysselberghe, la « Petite Dame », mère d'Élisabeth.	1914	*Souvenirs de la cour d'assises* (N.R.F.). Traduction de *l'Offrande lyrique* de Tagore (N.R.F.). *Les Caves du Vatican* (N.R.F.).
1916	Crise religieuse (dont témoignera *Numquid et tu… ?*). Début de la liaison amoureuse avec Marc Allégret.		
1917	**Août :** séjour en Suisse avec Marc.		
1918	**18 juin :** Gide part avec Marc pour un séjour de quatre mois en Angleterre. À son retour à Cuverville, il apprend de Madeleine qu'elle a brûlé toutes les lettres qu'il lui avait écrites depuis leur adolescence : « Je souffre comme si elle avait tué notre enfant… »	1918	Traduction de *Typhon* de Conrad (N.R.F.) et d'*Œuvres choisies* de Whitman (N.R.F.).
		1919	*La Symphonie pastorale* (N.R.F.).
		1921	Traduction d'*Antoine et Cléopâtre* de Shakespeare (Lucien Vogel). *Morceaux choisis* (N.R.F.) et *Pages choisies* (pour l'adolescence, Crès).
1922	**Févr.-mars :** Gide fait au Vieux-Colombier six conférences sur Dostoïevski. **Été :** sur la Côte d'Azur, avec les Van Rysselberghe.	1922	Traduction d'*Amal et la lettre du roi* de Tagore (Lucien Vogel). Préface aux *Lettres du lieutenant de vaisseau Dupouey* (N.R.F.).
1923	**18 avr. :** naissance, à Annecy, de Catherine, fille d'André Gide et d'Élisabeth Van Rysselberghe (née en 1890) ; Gide l'adoptera après la mort de sa femme. Voyage en Italie, puis au Maroc (invité par Lyautey, avec Paul Desjardins et Pierre Hamp).	1923	*Dostoïevski* (Plon). Traduction du *Mariage du Ciel et de l'Enfer* de Blake (Aveline).
		1924	*Incidences* (N.R.F.). *Corydon* (N.R.F.), première édition mise dans le commerce.
1925	**14 juill. :** après avoir vendu une partie de sa bibliothèque et sa villa d'Auteuil, et terminé *les Faux-Monnayeurs,* Gide s'embarque avec Marc Allégret pour un long voyage au Congo et au Tchad.	1925	*Caractères* (À l'enseigne de la Porte étroite).
1926	**Mai :** retour en France. Il entame une campagne contre les exactions des grandes compagnies concessionnaires et du système colonial : enquête administrative, débat à la Chambre, polémiques dans la presse.	1926	*Les Faux-Monnayeurs* (N.R.F.). *Le Journal des Faux-Monnayeurs* (Éd. Éos). *Si le grain ne meurt* (N.R.F.). *Numquid et tu… ?* (Éd. de la Pléiade).
1927	Gide s'installe 1*bis,* rue Vaneau, dans un appartement situé sur le même palier que « la Petite Dame », Mme Van Rysselberghe ; Madeleine ne quitte désormais presque plus Cuverville.	1927	*Voyage au Congo* (N.R.F.).
		1928	*Retour du Tchad* (N.R.F.). Traduction des *Nouvelles* de Pouchkine, avec Jacques Schiffrin (Éd. de la Pléiade).

	VIE		ŒUVRE
1929	**Janv. :** voyage à Alger. Parution du *Dialogue avec André Gide* de Charles Du Bos.	1929	*L'École des femmes* (N.R.F.). *Essais sur Montaigne* (Éd. de la Pléiade). *Un esprit non prévenu* (Kra).
1930	Cure en Savoie. Voyage en Allemagne et en Tunisie.	1930	*L'Affaire Redureau* et *la Séquestrée de Poitiers,* dans la collection « Ne jugez pas » (N.R.F.). *Robert* (N.R.F.).
1931	Séjour en Allemagne. Rencontre avec Th. Mann.	1931	Préface à *Vol de nuit* de Saint-Exupéry (N.R.F.). *Divers* (N.R.F.). *Œdipe* (N.R.F.).
1932	Gide s'intéresse de plus en plus à l'effort politique et social de l'U.R.S.S. et donne à *la Nouvelle Revue française* des pages de journal où il témoigne de sa sympathie croissante pour le communisme.	1932	Début de la publication des *Œuvres complètes* (N.R.F.), que la guerre interrompra en 1939 au tome XV.
1934	**4 janv. :** Gide et Malraux vont à Berlin réclamer à Goebbels la libération de Dimitrov et de communistes emprisonnés. Après le 6 février, Gide entre au Comité de vigilance des écrivains antifascistes. **Juill.-août :** voyage en Europe centrale.	1934	Traduction (inachevée) d'*Arden de Feversham*, drame élisabéthain (*Cahiers du Sud*). *Pages de Journal (1929-1932)* [N.R.F.]. *Perséphone* (N.R.F.).
1935	**23 janv. :** grand débat public à Paris (à « l'Union pour la vérité ») sur « André Gide et notre temps ». **Mars-avr. :** voyage en Espagne et au Maroc, avec l'écrivain communiste hollandais Jef Last. **Juin :** Gide préside le Congrès international des écrivains pour la défense de la culture.	1935	*Les Nouvelles Nourritures* (N.R.F.).
1936	**17 juin :** invité par le gouvernement soviétique, Gide part pour l'U.R.S.S. avec plusieurs amis ; la mort subite et mystérieuse d'Eugène Dabit, survenue à Sébastopol (21 août), abrège le voyage… **Déc. :** Gide signe la déclaration des intellectuels contre la politique de non-intervention en Espagne.	1936	*Nouvelles Pages de journal* (1932-1935) [N.R.F.]. *Geneviève* (N.R.F.). *Retour de l'U.R.S.S.* (N.R.F.).
		1937	*Retouches à mon Retour de l'U.R.S.S.* (N.R.F.).
1938	**Janv.-mars :** nouveau voyage en Afrique-Occidentale française à la demande de la commission d'enquête dans les colonies. **17 avr. (dimanche de Pâques) :** mort de Madeleine. Gide commence à écrire *Et nunc manet in te.*		
1939	Voyages en Grèce et en Égypte, puis au Sénégal. Peu après la déclaration de la guerre, Gide gagne le Midi, où il s'installe chez son amie Mme Mayrisch, à Cabris, près de Grasse.	1939	*Journal 1889-1939,* premier volume d'un auteur vivant à paraître dans la « Bibliothèque de la Pléiade ».
1940	Pendant la guerre, après avoir donné raison au maréchal Pétain déplorant que « l'esprit de jouissance [l'ait] emporté sur l'esprit de sacrifice », Gide donne « de tout son cœur son adhésion à la déclaration du général de Gaulle ». Il séjourne à Cabris, puis à Nice, chez ses amis Bussy.	1940	Gide laisse paraître des « Pages de journal » dans *la Nouvelle Revue française,* dirigée par Drieu La Rochelle.
1941	**30 mars :** Gide rompt avec *la Nouvelle Revue française* entraînée par Drieu La Rochelle dans la politique de collaboration. **21 mai :** à Nice, la Légion des anciens combattants empêche Gide de prononcer une conférence sur Henri Michaux.	1941	*Découvrons Henri Michaux* (N.R.F.).
1942	**4 mai :** Gide s'embarque pour Tunis où il résidera chez les Théo Reymond de Gentile.	1942	Introduction au *Théâtre* de Goethe (Bibl. de la Pléiade). *Théâtre* (N.R.F.).
1943	**27 mai :** Gide quitte Tunis pour Alger, où il séjourne quatre mois chez ses amis Heurgon avant de gagner le Maroc.	1943	*Attendu que…* (Alger, Charlot). *Interviews imaginaires* (éd. en Suisse, à New York et à Paris).
1944	Après un voyage en Afrique-Occidentale, Gide revient à Alger en avril.	1944	*Pages de journal 1939-1942* (New York, J. Schiffrin). Traduction d'*Hamlet* de Shakespeare (New York, Jacques Schiffrin).

	VIE		ŒUVRE
1945	**8 févr. :** naissance d'Isabelle, fille de Catherine et première petite-fille de Gide. **6 mai :** retour en France. **Déc. :** voyage de quatre mois, avec Robert Levesque, en Italie, en Égypte et au Liban.	**1945**	*Jeunesse* (Neuchâtel, Ides et Calendes).
1946	**16 avr. :** de Beyrouth, où il a prononcé une importante conférence (« Souvenirs littéraires et problèmes actuels »), Gide rentre à Paris. **Août :** Catherine Van Rysselberghe-Gide épouse le jeune écrivain Jean Lambert.	**1946**	*Thésée* (New York, Jacques Schiffrin). *Le Retour* (Neuchâtel, Ides et Calendes).
1947	**Mars-avr. :** séjour à Ascona et à Ponte Stresa. **5 juin :** Gide reçu docteur *honoris causa* de l'université d'Oxford. **Fin juin :** à Munich, au Congrès de la jeunesse avec Jef Last ; Gide prononce un discours. **13 nov. :** prix Nobel de littérature.	**1947**	Adaptation, avec Jean-Louis Barrault, du *Procès* de Kafka (N.R.F.). Début de la publication de son *Théâtre complet* aux éd. Ides et Calendes, par Richard Heyd (8 vol.).
1948	**Printemps :** Gide achète une propriété en Seine-et-Oise, à Lévis-Saint-Nom : « La Mivoie ». **Juill. :** séjour à Torri del Benaco, sur le lac de Garde.	**1948**	*Les Caves du Vatican* (farce) [Ides et Calendes]. *Correspondance avec Francis Jammes,* éditée par Robert Mallet (N.R.F.). *Notes sur Chopin* (l'Arche). *Éloges, préfaces et rencontres* (Ides et Calendes).
1949	**Janv.-avr. :** entretiens radiophoniques avec Jean Amrouche. **Été :** séjour dans le Midi ; Nicole Védrès tourne avec Gide une séquence de son film *La vie commence demain.*	**1949**	*Anthologie de la poésie française* (Bibl. de la Pléiade). *Correspondance avec Paul Claudel* (N.R.F.). *Feuillets d'automne* (Mercure de France).
1950	Marc Allégret réalise son film *Avec André Gide.* **13 déc. :** première des *Caves du Vatican* à la Comédie-Française.	**1950**	*Journal 1942-1949* (N.R.F.). *Littérature engagée,* éditée par Yvonne Davet (N.R.F.). *Correspondance avec Charles Du Bos* (Corrêa).
1951	**Janv. :** projet de voyage au Maroc. **19 févr :** André Gide meurt à Paris, d'une congestion pulmonaire ; le 22, sur la demande de la famille de Madeleine et au scandale des amis de Gide, un pasteur bénit son inhumation au cimetière de Cuverville.	**1951**	Traduction du *Prométhée* de Goethe (Jonquières). *Et nunc manet in te,* suivi de *Journal intime,* édition posthume du livre dont Gide avait fait imprimer 13 exemplaires en 1947.

Les Cahiers et les Poésies d'André Walter

Présentés anonymement comme une « œuvre posthume » dans une notice liminaire signée « P.C. » (Pierre CHRYSIS, c'est-à-dire Pierre Louÿs), les *Cahiers*, parus en janvier 1891, sont le premier livre de Gide (il a vingt et un ans). C'est le journal d'un jeune homme, tenu depuis le moment où sa mère, sur son lit de mort, lui demande de quitter sa cousine Emmanuèle (« Votre affection est fraternelle, ne vous y trompez pas… ») et de la laisser épouser T…, jusqu'à ce qu'une « fièvre cérébrale » l'emporte, après qu'il y a tracé ces derniers mots : « La neige est pure »… Des deux cahiers qui constituent ce journal, le premier, « le Cahier blanc », est surtout fait de souvenirs et de fragments antérieurs de son Journal que recopie André Walter pour exposer ses luttes – la tentation et la peur de la chair, l'aspiration à une communion d'âme à âme avec Emmanuèle –, leurs émotions, leurs lectures exaltantes (le livre est truffé d'innombrables citations, bibliques, grecques, latines, allemandes, italiennes…) ; « le Cahier noir » est l'histoire de la marche vers la folie : Emmanuèle meurt, il la retrouve enfin et la « possède » ; il commence à écrire « le livre », *Allain*, à la fois somme autobiographique et réflexion sur l'amour, la foi… et le roman. Ce « roman théorème » (« non point une vérité de réalisme, contingente fatalement ; mais une vérité théorique, absolue ») qu'André Walter n'écrit pas, André Gide le livre avec ces *Cahiers* qui sont bien la somme de sa jeunesse inquiète, l'ouvrage lyrique, confus, complaisant, mais qui lui permettra de dépasser ce drame de l'angélisme qui était le sien : « L'âme. La vertu de ce mot s'épuise à force de le répéter [on le trouve en effet 247 fois dans *les Cahiers d'André Walter*…] : il faudrait dire l'*ange* »… Thématiquement (thèmes positifs et négatifs), Gide est déjà là quasi tout entier ; mais il ne sait « pas encore écrire » (Préface à l'édition définitive, 1930).

En avril 1892, Gide réunit en une plaquette vingt pièces (précédemment parues en revues) sous le titre *les Poésies d'André Walter (Œuvre posthume)*. En 1930, alors qu'il « ne rouvre point [s]es *Cahiers* sans souffrance et même mortification », il avoue : « Par contre, je relis avec plaisir certaines de ces *Poésies* [...]. Je les écrivis presque toutes en moins de huit jours [?], peu de temps après la publication des *Cahiers,* ce qui explique leur titre, et cette attribution à un André Walter imaginaire, encore que celui-ci fût déjà mort en moi. Même il ne me paraît pas que l'André Walter des Cahiers eût été bien capable de les écrire ; je l'avais déjà dépassé » (Préface de 1930). Images et thèmes y préfigurent *Paludes*, et leur ton, d'une ironie très laforguienne, les sauve de la mièvrerie symboliste.

Paludes

Livre étrange et fascinant, revendiqué depuis par Nathalie Sarraute, Alain Robbe-Grillet, Roland Barthes... comme précurseur de la modernité littéraire, *Paludes*, « cette satire de quoi ?... » (Dédicace), ne se résume pas. À travers l'histoire – tour à tour mélancolique et drôle – du triste héros qui écrit (ou plutôt n'écrit guère) *Paludes*, « l'histoire d'un homme qui, possédant le champ de Tityre, ne s'efforce pas d'en sortir, mais au contraire s'en contente », puis *Polders*..., le livre fait bien la satire des littérateurs symbolistes stériles et vainement agités, des cénacles parisiens (le salon d'Angèle), de la vie d'ici (la « vraie vie » étant ailleurs). Mais Gide y fait aussi la satire de soi-même, de ce qu'il a été, de ce qu'il est encore et dont il veut se purifier. Satire ambiguë, où un étrange humour incarne dans des fantoches des attitudes, des pensées incontestablement positives aux yeux de l'auteur : ainsi le discours du « grand Valentin Knox », son apologie de la maladie et son refus exaspéré de l'« homme normal » ; ainsi l'esquisse, par Alexandre le philosophe, de l'acte gratuit... Si Gide se raille lui-même dans la *sotie* en analysant sa propre « maladie de la rétrospection », sa propre poursuite de la sincérité, forme vide, obsession qui « n'habite et ne peut habiter que ceux précisément qui n'ont *rien à dire*... », que doit-on penser, par exemple, de sa description des relations de Tityre avec Angèle, dans ce livre qui paraît au moment même où il unit sa vie d'un lien irréversible à celle de Madeleine ?... Dans ce petit univers factice, dans ces marais, tout stagne – mais le livre lui-même est savamment construit, sur une structure circulaire qui en fait, plus qu'un livre, une somme de livres possibles. Avec *Paludes,* cinquante ans avant les premières interrogations du Nouveau Roman, on entre dans l'« ère du soupçon », dans l'âge de l'« anti-roman ».

Les Nourritures terrestres

Appelées à être un des livres les plus célèbres et peut-être celui qui eut le plus d'influence au XXe siècle, *les Nourritures terrestres* paraissent en mai 1897 – il faudra dix-huit ans pour que s'épuisent les 1 650 exemplaires de l'édition... Commencé – sous forme de notes très fragmentaires – dès le voyage libérateur de 1893-1894 en Afrique du Nord, ce livre de « pur lyrisme » a curieusement été tenu pour « non composé », fait de morceaux artificiellement rabotés. La construction, significative, en est pourtant très nette : les *Nourritures* sont clairement articulées autour du récit de Ménalque (IV, 1, séquence narrative écrite et publiée dès la fin de 1895), entre un premier livre d'exposition (en trois sections : 1. Prélude, où sont introduits les thèmes et les mots clés ; 2. Retour en arrière, où le poète résume l'évolution qui l'a conduit à sa renaissance ; 3. Évangile sensualiste et refus de la culture livresque) et un dernier livre (VIII), qui tire son épigraphe du premier et constitue une reprise générale des thèmes, que nuance de tristesse le sentiment de la fuite du temps, et qui conduit à l'urgence de la conversion vers autrui. Le livre II est celui de la disponibilité, impérieux devoir pour l'individu tendu vers la vie intense, la jouissance de l'instant que n'entrave plus la crainte du péché. Le livre III, à travers voyages, rêves et souvenirs, chante les voluptés, mais, juste avant que l'exemplaire Ménalque ne prenne la parole, s'achève sur l'indication du « contre-thème » des *Nourritures,* le désir du havre après la tempête, du port rejoint après l'aventure... De même, la fin du livre IV, après des divertissements poétiques qui rappellent les *Bucoliques* ou le *Décaméron,* laisse percer lassitude et déception. Aussi le livre suivant est-il celui du repos, du répit sur la « pluvieuse terre de Normandie » ; mais, en chantant « la Ferme », le poète retrouve les traîneaux, prêts à fuir de nouveau dans la plaine... Le livre VI, « Lyncéus », est le livre de la vision, des choses visibles et sensibles, de la foi dans le jour qui se lève, et, si le VIIe est celui du retour en Afrique, du « désert passionnément aimé » et de la conscience de la mort, de la vie « subite », le poète conserve, malgré un certain désenchantement, la certitude que « la route qu'il suit est *sa* route, et qu'il la suit comme il faut ». Structure efficace, donc, et didactique ; mais l'« Envoi » final : « Nathanaël, à présent, jette mon livre. Émancipe-t'en. Quitte-moi », fait écho à l'avertissement liminaire : « Que mon livre t'enseigne à t'intéresser plus à toi qu'à lui-même – puis à tout le reste plus qu'à toi ». Trente ans plus tard, Gide écrira : « Certains ne savent voir dans ce livre [...] qu'une glorification du désir et des instincts. Il me semble que c'est une vue un peu courte. Pour moi, lorsque je le rouvre, c'est plus encore une apologie du *dénuement* que j'y vois » (Préface à l'édition de 1927).

L'Immoraliste

Publié en mai (édition originale tirée à 300 ex.) puis en novembre 1902 (éd. courante), *l'Immoraliste* est le premier récit de Gide. Michel y fait à quatre amis une confession dont les faits sont ceux-là mêmes que Gide a vécus et dont il a donné une première expression, lyrique, dans les *Nourritures* : à peine marié, Michel est tombé gravement malade, a failli mourir ; au cours de son voyage de noces – en Afrique du Nord, principalement à Biskra –, il a non seulement recouvré la santé, mais découvert le goût de la vie, la joie des sens ; revenu à Paris (où il revoit son ami Ménalque), puis sur son domaine de Normandie (« la Morinière »), c'est un « nouvel être » qui pratique une éthique nouvelle, délivrée de toute contrainte morale. Quand il retourne en terre africaine avec sa femme, c'est au tour de Marceline de tomber malade : elle mourra, victime en quelque sorte de l'immoralisme de Michel, qui a désormais le culte de la force et de l'indépendance. « Je vois bien, me dit-elle un jour, je comprends votre doctrine [...]. Elle est belle, peut-être – puis elle ajouta plus bas, tristement : mais elle supprime les faibles. – C'est ce qu'il faut, répondis-je aussitôt malgré moi ». La mort de Marceline est l'ultime libération de Michel – mais le livre laisse son héros dans l'angoisse et l'incertitude, et sa leçon est finalement une critique de l'immoralisme, une illustration des limites et de l'échec de la pure « doctrine » des *Nourritures terrestres.* C'est par là que *l'Immoraliste,* premier livre « objectif » de Gide, est une œuvre classique, non seulement par son style, mais parce qu'elle est « recomposée » par l'intelligence et la volonté à partir d'une matière qui a été subjective mais qui a « cessé de servir » et est donc maintenant « apte à devenir matière d'art ». Gide n'est plus Michel, il ne l'a même jamais été vraiment. Michel fut en lui un « bourgeon », qu'il a isolé et cultivé, développé, poussé jusqu'aux dernières conséquences de son choix éthique. « Que de bourgeons nous portons en nous [...], qui n'écloront jamais que dans nos livres ! Ce sont des "œils dormants", comme les nomment les botanistes [...]. Conseil : choisir de préférence (s'il est vrai qu'on puisse choisir) le bourgeon qui vous gêne le plus. On s'en défait du même coup » (lettre au critique Robert Scheffer, juillet 1902).

La Porte étroite

Publié au printemps de 1909, ce deuxième récit de Gide, dont la conception remontait au moins à 1891 (le fait est quasi général, chez Gide : « Dès vingt-cinq ans, mes livres étaient là, rangés devant moi ; il ne me restait plus qu'à les écrire. J'y ai mis le temps »...), était le fruit d'un travail difficile de quatre années (les manuscrits de plusieurs « faux départs » ont été conservés). C'est que l'histoire, simple et linéaire, d'Alissa Bucolin et de Jérôme a une base largement autobiographique, et Gide y insère de nombreux fragments textuellement transcrits des lettres et carnets intimes de Madeleine Rondeaux, datant des années antérieures à leur mariage.

SYNOPSIS

Jérôme, orphelin de père et fils unique, et sa cousine Alissa s'aiment ; tous deux sont de bonne bourgeoisie protestante, austère et puritaine, et sont prêts à suivre ardemment l'enseignement que développe le sermon du pasteur Vautier : « Efforcez-vous d'entrer par la porte étroite... » Jérôme a découvert le secret d'Alissa : l'immense tristesse que lui cause l'inconduite scandaleuse de sa mère, la belle créole Lucie Bucolin ; leur amour n'en est que plus fort et plus pur, tendant à fuir le monde dans une spiritualité exaltée. Bien qu'amoureuse, Alissa se refuse à Jérôme, se sacrifie d'abord à sa sœur Juliette, elle aussi éprise de son cousin ; mais même après le mariage de celle-ci avec un viticulteur du Midi, elle repousse celui qu'elle aime, ou plutôt ne prétend à le retrouver qu'en Dieu, loin de la chair et de la terre. Cet effort vers la sainteté, cette ascèse douloureuse la conduit à un sentiment d'effrayante solitude et à la mort : le livre s'achève sur les admirables – et atroces – pages de son *Journal,* dont elle a voulu que, après sa mort, il fût remis à Jérôme...

Gide a fait d'Alissa une très belle et noble figure – à côté de laquelle Jérôme est assurément trop pâle –, mais il est évident que sa tragédie dénonce les sophismes et les illusions d'un mysticisme opposé à l'éthique, non moins dévastatrice, du Michel de *l'Immoraliste* ; dans son refus du bonheur au nom du devoir de sainteté (« Ô Seigneur ! Gardez-moi d'un bonheur que je pourrais trop vite atteindre... Enseignez-moi à différer, reculer jusqu'à vous mon bonheur »), dans cette « étrange passion de se priver » (Jacques Rivière), un critique a eu raison de voir « plus de peur de la terre que d'attirance du ciel » (Paul Archambault). Il n'y a certes pas là « satire » (« Chaque fois que je reprends ce livre, écrivait Gide plus tard, c'est avec une émotion indicible... »), mais, comme avec *l'Immoraliste,* un récit critique.

Les Caves du Vatican

« **S**otie, par l'auteur de *Paludes* », parue au printemps de 1914 (le livre fut achevé le 24 juin 1913 ; l'auteur y pensait depuis 1893), *les Caves du Vatican* mettent en effet en scène de plaisants fantoches, entraînés dans une rocambolesque histoire inspirée d'un fait divers réel : en 1893 avait couru le bruit que le pape avait été enlevé par des francs-maçons et qu'un imposteur occupait le trône de saint Pierre, tandis que le vrai Léon XIII était emprisonné dans les caves du Vatican ; des escrocs en avaient profité pour extorquer des fonds importants à des bourgeois et des aristocrates riches et naïfs, sous couleur de financer une croisade pour délivrer le Saint-Père... Ainsi tous les personnages de la sotie gidienne se retrouvent-ils à Rome, où Anthime Armand-Dubois, savant, franc-maçon et fort anticlérical, voit la Vierge lui apparaître et se convertit au catholicisme (que pratiquent d'ailleurs très dévotement sa femme et sa fille) – tandis que son beau-frère, le romancier bien-pensant Julius de Baraglioul, après avoir pensé que son dernier roman édifiant, *l'Air des cimes,* lui ouvrirait les portes de l'Académie, va être au contraire, lui, saisi par le doute et remettre en question les principes et conventions de la société qui est la sienne... – et tandis que le brave Amédée Fleurissoire, autre beau-frère de Julius, préfère, plutôt que de commanditer la « croisade », payer de sa personne et vient se jeter en Italie dans les griffes de la bande d'aigrefins (le « Mille-Pattes ») qui a monté l'affaire : après avoir fait, à Rome, de bien étranges rencontres et perdu sa vertu,

Amédée sera proprement et gratuitement défenestré, dans le train qui le conduisait à Naples auprès d'un cardinal, par le séduisant jeune homme qui est le véritable héros des *Caves* : Lafcadio Wluiki, frère bâtard de Julius, « marginal » pour qui l'acte gratuit, sans mobile – crime parfait –, est le moyen le plus pur de se prouver sa liberté. Mais le meurtre de cette marionnette sans consistance déclenche une cascade d'événements à la fois cocasses et tragiques. Lafcadio, en proie au remords (ou plutôt qui a « l'impunité en horreur »), veut finalement se livrer à la police : mais la belle Geneviève de Baraglioul (fille de Julius), conquise par la générosité du héros, s'offre à lui, et veut qu'il s'en remette à Dieu et à son Église : « Quoi ! va-t-il renoncer à vivre ? et, pour l'estime de Geneviève, qu'il estime un peu moins depuis qu'elle l'aime un peu plus, songe-t-il encore à se livrer ? » Ainsi son destin demeure-t-il, à la fin, ouvert, incertain… Gide ne décide rien, et il quitte sa sotie comme jadis faisait son Prométhée : « Mettons que je n'ai rien dit »… *Les Caves du Vatican* déclenchèrent de vives polémiques, parce qu'elles moquaient la religion ; elles furent l'occasion de la rupture définitive de Gide avec Claudel, qui lui interdit de maintenir l'épigraphe du livre III, empruntée à *l'Annonce faite à Marie* (« Mais de quel Roi parlez-vous et de quel Pape ? Car il y en a deux, et l'on ne sait qui est le bon »… Pouvait-il en effet admettre cette citation, qui le compromettait, dans un livre où il lisait plus loin l'exclamation d'Anthime : « Et qui me dira si Fleurissoire en arrivant au paradis n'y découvre pas tout de même que son Bon Dieu non plus n'est pas *le vrai* ? »), et l'adjura de supprimer un « passage pédérastique » (V, I), en ajoutant – dans la « lettre comminatoire » qu'il lui écrivit en réponse à celle où Gide lui confiait précisément que « le mensonge des mœurs » l'étouffait, que « l'hypocrisie » lui était « odieuse »… – : « Peu à peu on oubliera »… Ce n'est que plus tard qu'on vit dans les *Caves*, surtout, une étape littéraire essentielle, la préparation par Gide de son renouvellement du roman qu'allaient accomplir, dix ans après, *les Faux-Monnayeurs*. Structures, variations du point de vue, subversion de la narration, autonomie des personnages, jeux sur les noms, etc., font de la sotie, au-delà de la satire et du rire, une œuvre d'avant-garde.

La Symphonie pastorale

Sous ce titre jeu de mots allusif et ironique, *la Symphonie pastorale* se présente sous la forme du journal d'un pasteur d'un village du Jura suisse, La Brévine.

SYNOPSIS

Un pasteur recueille une pauvre adolescente, orpheline, aveugle de naissance, et entreprend à la fois son éducation et sa formation spirituelle ; à Gertrude, qui ne voit ni les beautés du monde, ni ses laideurs, il tait celles-ci et ne lui apprend à percevoir que celles-là, la pureté des images et des cœurs. Peu à peu, la tendre affection que lui porte son père adoptif change de nature, sans que lui-même ni la jeune fille se rendent compte de leur attachement amoureux. Amélie, la femme du pasteur, et son fils Jacques sont plus clairvoyants ; dans le second cahier de son journal, le pasteur se défend contre l'argumentation religieuse de Jacques, tente de repousser la loi morale, que le christianisme, selon lui, ne tient que de saint Paul, alors que le Christ n'a enseigné que l'amour… Une opération rend la vue à Gertrude : elle voit alors leur faute, leur péché, la tristesse d'Amélie, et découvre que c'est Jacques qu'elle aime : « Quand j'ai vu Jacques, j'ai compris soudain que ce n'était pas vous que j'aimais ; c'était lui. Il avait exactement votre visage ; je veux dire celui que j'imaginais que vous aviez… ». Désespérée, elle se jette dans la rivière et n'a que le temps, avant de mourir, d'apprendre au pasteur que Jacques l'a convertie au catholicisme, à la religion de la Loi, et que son bien-aimé va d'ailleurs entrer dans les ordres.

Admirablement écrit, ce récit bref et limpide a eu un immense succès, mais le public a été plus sensible à l'émouvante histoire qu'au débat spirituel qui s'y incarne, l'opposition entre la religion paulinienne du péché et de la Loi et celle du Christ, qui n'est qu'amour et joie – conflit que Gide a lui-même vécu, et qu'il a dénoué dans les méditations de *Numquid et tu*… ? (le « Carnet vert » de 1916). L'échec tragique du pasteur dénonce le danger de « la libre interprétation des Écritures » et constitue la critique de cet essai que Gide a longtemps projeté mais n'a jamais écrit : *le Christianisme contre le Christ*. Commencée au printemps 1918, la rédaction de *la Symphonie pastorale* fut interrompue par le voyage de Gide en Angleterre avec Marc Allégret ; à son retour, il eut grand-peine à l'achever, la vie interférant alors de façon aiguë avec la fiction – la critique des rapports du pasteur avec Gertrude devenant celle de ses propres rapports avec l'adolescent dont il s'était épris…

Les Faux-Monnayeurs

C'est à Roger Martin du Gard que, en 1925, Gide dédie son « premier roman » – et leur correspondance témoigne des longs débats sur le genre qu'eurent l'auteur des *Thibault* et celui des *Faux-Monnayeurs*, œuvres on ne peut plus différentes mais dont la genèse s'enrichit à la confrontation (cf. la grande opposition Tolstoï-Dostoïevski…). Sautant le pas, abandonnant les « monographies » qu'étaient ses récits et soties, Gide conçoit ici une vaste fiction à nombreux personnages, à diverses intrigues entrecroisées, où s'incarnent, s'éprouvent et s'opposent autant d'options morales et esthétiques.

Cl. Martin

SYNOPSIS

PREMIÈRE PARTIE. « Paris ». Le jeune Bernard Profitendieu, ayant découvert par hasard qu'il est un bâtard, quitte le foyer familial. M. Profitendieu, juge d'instruction, après une conversation avec son collègue Molinier – le père du meilleur ami de Bernard, Olivier – au sujet d'une affaire impliquant des mineurs, rentre chez lui et trouve la lettre d'adieu de Bernard. Ce dernier vole, à la gare Saint-Lazare, la valise d'Édouard, écrivain et oncle d'Olivier. Vincent, le frère aîné d'Olivier, a eu une aventure amoureuse au sanatorium de Pau avec Laura, épouse de Douviers. Laura et Vincent sont maintenant à Paris et la jeune femme est enceinte mais Vincent ne l'aime plus. Il est désormais l'amant de Lilian Griffith que son ami Passavant, un écrivain à succès, lui a fait connaître. Édouard est venu à Paris car il a reçu un appel de détresse de Laura. On apprend dans le « journal » d'Édouard – trouvé par Bernard dans la valise – que celui-ci et Laura partageaient de tendres sentiments, mais que la jeune femme a pourtant épousé Douviers sur les conseils d'Édouard. Bernard décide d'aider Laura et lui rend visite. Édouard fait la connaissance de l'adolescent et l'engage comme secrétaire. Pendant ce temps, Passavant propose à Olivier de diriger une revue littéraire. Un vieux professeur de piano, La Pérouse, charge Édouard de rechercher son petit-fils Boris en Suisse.

DEUXIÈME PARTIE. « Saas-Fée ». Bernard, qui a accompagné Édouard et Laura à Saas-Fée, en Suisse, écrit à Olivier et lui raconte leur rencontre avec Mme Sophroniska, sa fille Bronja et Boris. Édouard cause de ses projets littéraires avec ses compagnons et note la présence d'un certain Strouvilhou. Bernard avoue son amour à Laura mais celle-ci le repousse. Édouard décide de placer Boris dans la pension Vedel-Azaïs où Bernard est embauché comme surveillant. Olivier, quant à lui, est devenu le secrétaire de Passavant.

TROISIÈME PARTIE. « Paris ». Georges, le jeune frère d'Olivier et de Vincent, écoule avec ses amis de la fausse monnaie. Strouvilhou, un anarchiste, est à la tête de l'affaire. Bernard devient l'amant de Sarah Vedel, la jeune sœur de Laura. Olivier tente de se suicider. Édouard et Olivier s'avouent et partagent enfin un amour qu'ils éprouvent depuis longtemps l'un pour l'autre. Édouard commence à rédiger son roman. Laura retourne auprès de son mari. Vincent tue Lilian. Boris apprend par une lettre que celle qu'il aime, Bronja, est morte. Les élèves de la pension Vedel, qui martyrisent Boris, imaginent une cruelle plaisanterie à l'issue de laquelle le jeune garçon, victime consentante en raison de son désespoir, est tué. Georges se repent et est pardonné. Bernard réintègre le foyer familial.

A. Schweiger

Au centre du livre, un romancier, Édouard, qui tient son « journal » (le « Journal d'Édouard » constitue près du tiers du livre) et écrit (essaie d'écrire : il n'y parviendra pas) un roman, *les Faux-Monnayeurs*, qui « n'a pas de sujet », parce qu'il y veut tout faire entrer, « ce que je vois, ce que je sais, tout ce que m'apprend la vie des autres et la mienne… » ; « le sujet du livre […], c'est précisément la lutte entre ce que lui offre la réalité et ce que, lui, prétend en faire […], la lutte entre les faits proposés par la réalité et la réalité idéale ». Mais l'auteur des *Faux-Monnayeurs* réels, du livre achevé que nous lisons, s'introduit lui aussi dans le roman et, à tel moment, « juge ses personnages » (II, VII) – et l'on sait que Gide a aussi tenu, et publié, son *Journal des Faux-Monnayeurs*… Ce roman-somme est donc aussi, et sans doute d'abord, une somme sur le roman. Et sur la « fausse monnaie » : le titre est à double entente, désignant l'affaire (inspirée d'un fait divers réel) où se trouvent impliqués plusieurs personnages du livre et dont le petit Boris, trop pur, est la victime, mais stigmatisant surtout ceux qui, moralement, esthétiquement, socialement…, émettent, consciemment ou non, de la fausse monnaie, tous ceux que n'anime pas l'ardente exigence de Bernard qui voudrait, « tout au long de [s] a vie, au moindre choc, rendre un son pur, probe, authentique [alors que] presque tous les gens qu ['il a] connus sonnent faux ». Bernard Profitendieu, qui découvre, au début du livre, sa bâtardise et sa liberté et apprendra finalement qu'« il est bon de suivre sa pente, pourvu que ce soit en montant », est assurément, avec Édouard, le héros le plus proche de son créateur ; les relations du jeune Olivier Molinier avec son oncle Édouard sont pour Gide l'occasion de faire l'apologie de la pédérastie ; le milieu protestant et étouffant de la famille Vedel-Azaïs, l'hypocrisie et l'aveuglement des pères (Profitendieu et Molinier), le cynisme grinçant d'Armand, l'« esprit faux » Vincent, Passavant, le brillant arriviste, poète en toc (Gide a voulu qu'on y reconnût Cocteau), le diabolique Strouvilhou, la trop perspicace doctoresse Sophroniska, vingt autres personnages permettent au romancier, non point de peindre « la société de son temps » – rien à voir avec les visées de Roger Martin du Gard ou de Jules Romains –, mais de mettre en scène tout un monde moral et d'expérimenter contradictoirement toutes les « postures » devant la vie, qu'il n'avait jusque-là développées que séparément dans ses récits et soties. Au lendemain du point final (qui laisse d'ailleurs le livre ouvert, avec désinvolture) mis à son roman, Gide transcrivait dans son *Journal des Faux-Monnayeurs* cette réflexion de Thibaudet : « Il est rare qu'un auteur qui s'expose dans un roman fasse de lui un individu ressemblant, je veux dire vivant… Le romancier authentique crée ses personnages avec les directions infinies de sa vie possible ; le romancier factice les crée avec la ligne unique de sa vie réelle. Le génie du roman fait vivre le possible ; il ne fait pas revivre le réel ». C'est en cela que *les Faux-Monnayeurs*, roman-miroir et qui reste perpétuellement en train de se faire et de se défaire, est « le lieu géométrique des tendances les plus hardies de l'art narratif contemporain ».

Si le grain ne meurt

Hanté depuis toujours par la quête de soi et la recherche de la sincérité, Gide a très tôt songé à écrire ses Mémoires (le projet précis et les premières pages écrites datent de l'automne 1897) ; mais c'est après en avoir achevé la première partie (en 1919) qu'il note : « Je suis un être de dialogue ; tout en moi combat et se contredit. Les Mémoires ne sont jamais qu'à demi sincères, si grand que soit le souci de vérité : tout est toujours plus compliqué qu'on ne le dit. Peut-être même approche-t-on de plus près la vérité dans le roman » (aussi bien met-il alors en chantier *les Faux-Monnayeurs*…). Il a pourtant mené à bien l'entreprise, et, en 1926, publié *Si le grain ne meurt* (après une édition privée et confidentielle, en 1921-1922, tirée à 13 exemplaires, l'ouvrage fut imprimé, en trois petits volumes, en 1924, mais sa mise en vente n'eut lieu qu'en octobre 1926). Ce récit des vingt-six premières années de sa vie, depuis l'enfance jusqu'à ses fiançailles au lendemain de la mort de sa mère, en passant par son entrée dans le monde littéraire parisien et ses voyages en Afrique du Nord, fit scandale par la franchise des révélations touchant sa vie sexuelle, qu'il s'agisse des « mauvaises habitudes » de l'enfant (« scabreux souvenir », écrivit Paul Souday dans *le Temps,* « qui s'étale sur le seuil du premier volume, comme une crotte sur un paillasson ») ou, surtout, dans la seconde partie, du récit de ses expériences homosexuelles en Afrique du Nord. Mais Gide avait précisément voulu n'esquiver rien (« Je sais de reste », écrit-il dès la deuxième page, « le tort que je me fais en racontant ceci et ce qui va suivre : je pressens le parti qu'on en pourra tirer contre moi. Mais mon récit n'a raison d'être que véridique. [...] À cet âge innocent où l'on voudrait que toute l'âme ne soit que transparence, tendresse et pureté, je ne revois en moi qu'ombre, laideur, sournoiserie... »), et la réussite est exemplaire. S'il donne là à Madeleine le nom d'Emmanuèle, s'il use encore de quelques pseudonymes pour désigner certains parents ou amis, ce sont les seuls masques qu'il se permet, et il n'en utilise aucun pour lui-même. En résulte une œuvre de style classique, qu'on a souvent comparée aux *Confessions* de Rousseau – sans y déceler jamais ce type d'omissions volontaires ou de demi-vérités dont Jean-Jacques s'était, lui, rendu coupable. Mais cette ambition de livrer la vérité la plus nue ne se réalise pas sans art : « Tout l'effort stylistique de Gide, toute son organisation du récit tendent à créer un espace dans lequel ombre et lumière puissent entrer en communication, où l'on puisse voir, par des éclairages latéraux, sous la forme de liséré ou de franges, l'ombre qu'engendre chaque lumière derrière ce qu'elle éclaire, un espace dans lequel la perspective ne rende plus tout à fait exclusive la représentation de l'une des deux faces d'un objet » (Philippe Lejeune). Ainsi se présente, réfractée dans un *ego* qui se cherche, l'histoire d'une liberté lentement conquise.

Thésée

Gide a porté en lui quelque quarante années cette dernière œuvre, écrite à Alger et publiée pour la première fois à New York en janvier 1946. Déjà, dans ses *Considérations sur la mythologie grecque* de 1919 (recueillies dans *Incidences*), il marquait les temps forts – à ses yeux – de cette fable, et indiquait comment il la réinterprétait. Mais le récit prend en 1946 – Gide a soixante-seize ans – une allure testamentaire, et, dans l'itinéraire de Thésée, on suit celui du vieil écrivain parvenu à la sérénité. Tous les thèmes de l'œuvre antérieure s'y trouvent repris ; le sommet en est sans doute la rencontre de Thésée et d'Œdipe : en face du vainqueur du Sphinx – lui qui avait trouvé l'unique réponse à toutes les questions : l'Homme – qui maintenant se glorifie de ses yeux crevés grâce auxquels (« Ô obscurité, ma lumière ! ») il ne voit plus que Dieu, que la « lumière surnaturelle », Thésée, vainqueur du Minotaure, s'affirme toujours, au soir de sa vie, enfant de cette terre, gardant les yeux bien ouverts sur le bonheur et la liberté des hommes. Petit livre dense, écrit d'une plume vive et pleine d'humour, *Thésée* est l'autobiographie d'un héros qui ne regrette rien – ni d'avoir abandonné Ariane après qu'elle l'eut aidé à sortir du labyrinthe (elle le « retenait », il lui fallait « passer outre »), ni d'avoir provoqué la mort de son père en « oubliant » de changer la voile de son navire (il « obstruait ma carrière alors que c'est à chacun son tour »)... Thésée est devenu lui-même, il a fait son œuvre : il peut quitter sereinement cette terre.

Journal

Dès sa quatorzième année sans doute (après la révélation que fut pour lui la lecture d'Amiel) jusqu'à dix-huit mois avant sa mort (après le 12 juin 1949, il laissa courir sa plume dans un cahier mi-journal sans dates, mi-souvenirs en vrac : ce fut le posthume *Ainsi soit-il ou Les jeux sont faits*), Gide tint un journal ; dès la fin de 1909, il en publia quelques fragments (« Journal sans dates » dans *la Nouvelle Revue française*), puis le texte suivi pour les années 1889-1932 dans les quinze tomes de ses *Œuvres complètes* ; en mai 1939 paraît l'épais volume de la « Bibliothèque de la Pléiade » : *Journal 1889-1939* (1 350 p., avec index). Deux autres volumes, parus en 1944 et 1950, y ajoutent les 350 dernières pages, que complétera le *Journal intime* accompagnant le posthume *Et nunc manet in te* (« passages de mon *Journal,* ayant trait à Madeleine, qui ne figurent pas dans le volume de la Pléiade »). Pour beaucoup de lecteurs « allergiques » au reste de l'œuvre, cet imposant ensemble apparaît aujourd'hui comme ce que Gide a laissé de plus durable et de plus singulier. Aussi bien cette œuvre est-elle indéfinissable, sinon négativement, ou ne se définirait que par l'unité de son écriture. Monument de toute une époque, témoignage d'un homme ouvert à presque tous les mouvements de son temps, c'est aussi l'incessant effort de l'individu qui s'observe et se saisit et s'échappe : narcissisme ? Certes, mais quelle attention, aussi, aux autres ! Perpétuelle quête de la sincérité ? Oui, mais que de lacunes ! que d'omissions, volontaires ou non ! Il faut savoir que le *Journal* publié est loin d'être la simple transcription de la centaine de carnets et cahiers autographes (aujourd'hui conservés, pour la plupart, dans l'important « Fonds Gide » de la bibliothèque littéraire Jacques-Doucet à Paris) qui passent pour être « le manuscrit », mais que Gide a élaboré une œuvre, savamment discontinue et cohérente à la fois, à partir de matériaux très dispersés et très hétérogènes : il est improbable qu'on puisse jamais établir la genèse précise de ce livre à plus d'un égard exceptionnel.

Cl. Martin

GILBERT Claude

(1652-1720)

Écrivain né à Dijon. Avocat dans sa ville natale, il y publia en 1700 une *Histoire de Calejava ou de l'Isle des hommes raisonnables*. Craignant le scandale, il fit brûler toute l'édition et n'en conserva qu'un seul exemplaire.

Ce « roman », presque uniquement composé de dialogues moraux et théologiques, est d'une lecture austère : le recours au modèle utopique, à la manière de Cyrano de Bergerac, n'autorise ici aucune concession à la fantaisie ou à l'exotisme. Car les « Avaïtes » de Gilbert, situés dans une Lituanie abstraite, sont en réalité nos ancêtres ; leur vie communautaire conduite par la Raison apparaît comme un retour aux sources du christianisme, voire d'une religion naturelle antérieure à toute Révélation : l'utopie devient alors une « uchronie » qui inscrit le déisme à l'origine mythique de la société, en cet instant fragile où s'accordent la nature et la raison.

Invoquant Descartes pour faire table rase des dogmes et des préjugés, pour revendiquer bien haut « le pouvoir de douter et d'examiner », puis Nicole et Bayle pour établir les bases d'une morale laïque, Malebranche pour critiquer les miracles, balayant un « pari » pascalien qui valide aussi bien l'Islam que la religion chrétienne, le roman de Gilbert opère dans l'héritage du passé un tri sélectif où se lisent déjà l'idéologie et les thèmes des Lumières : refus du célibat monastique (« ces fainéants de contemplatifs ») et de l'argument d'autorité, absurdité des querelles théologiques (« Faut-il pour une hérésie nous brouiller les uns avec les autres ? »), droit au bonheur surtout, car « Dieu veut que nous soyons heureux en ce monde. »

J.-P. de Beaumarchais

GILBERT Nicolas

(1750-1780)

Fils de cultivateurs lorrains, le jeune Gilbert tente une première carrière littéraire à Nancy. Il s'essaie dans l'ode officielle, dans la satire et dans la poésie chrétienne. À Paris (1774), il est mal reçu par les encyclopédistes. Aussi se réfugie-t-il dans le clan antiphilosophique. Il obtient le succès par ses deux satires, *le* XVIIIe *siècle* (1775) et *Mon apologie* (1778). En même temps, il soutient l'Église militante et, par ses poésies officielles et patriotiques, tente d'obtenir la faveur de la Cour. L'archevêque de Paris, Christophe de Beaumont, lui fait obtenir une pension ; la Cour ne l'ignore pas non plus, et les 2 200 livres qu'il reçoit annuellement vers la fin de sa vie, sur la cassette du roi, jointes à la pension que lui sert le *Mercure de France*, lui permettent de subvenir largement à ses besoins. Victime d'une chute de cheval en octobre 1778, il est transporté à l'Hôtel-Dieu. Un grave traumatisme, une trépanation, et c'est la course à la mort ; enfin le malade, au cours d'une crise de semi-démence, avale la clé d'une cassette. Subsiste de cette tragique période l'*Ode imitée de plusieurs psaumes*, où figurent les vers célèbres : « Au banquet de la vie infortuné convive,/J'apparus un jour et je meurs [...]. »

L'essentiel de l'œuvre de Gilbert tient dans un petit volume in-16. Y sont représentés les genres à la mode : héroïdes, vers légers, adaptation de Gessner (*Abel*). La coloration dominante est celle d'une mélancolie qu'alimentent le sentiment de la pauvreté, du mérite méconnu, de l'échec et une profonde rancœur. En découle naturellement le penchant pour une satire qui s'en prend à toutes les réussites du jour. En découlent aussi le recours aux consolations de la religion et l'attente de ses foudres vengeresses. Tout doit se terminer dans l'éternité qui suivra le Jugement dernier : « L'Éternel a brisé son tonnerre inutile ;/ Et d'ailes et de faux dépouillé désormais,/Sur les mondes détruits le Temps dort immobile » (*Ode sur le Jugement dernier*). Si Gilbert a connu la célébrité après sa mort, il la doit moins à la belle énergie de sa poésie qu'à sa position particulière de poète catholique des années 1770 et aux plaintes exhalées dans ses vers : on en a oublié le caractère de « thème poétique » pour en faire une vérité biographique, d'ailleurs gauchie en tous sens par les hagiographes du poète. Gilbert est alors le poète mort de faim, rejeté par l'appareil politique de l'Ancien Régime (Vigny, *Stello*) ; il est le poète catholique victime du siècle de l'athéisme et de la débauche (abbé Clovis Pinard, *Gilbert ou le Poète malheureux*, 1844) ; il devient même le catholique martyrisé par l'oppressante religion de Pascal, et qui n'aurait pu s'épanouir que dans la pure religion protestante ! (Bungener, « Deux morts au XVIIIe siècle », dans *Étrennes religieuses*, IV, 1853). Ployable en tous sens, à condition de lui conserver un arrière-plan de misère, de révolte et de foi convulsionnaire, le mythe Gilbert subsiste jusqu'à nos jours.

R. Landy

GILBERT-LECOMTE Roger

Pseudonyme de **Roger LECOMTE** *(1907-1943)*

« Écrivant peu, je me promets de n'écrire que l'essentiel. » Ce pari sur l'avenir sera une prophétie : l'œuvre de Gilbert-Lecomte, en effet, sera à l'image de sa vie, brève et paroxystique : succession d'éclairs et de crises de mutisme, ensemble fragmentaire de notes, plans de travail, articles, brefs recueils de poèmes, récits de rêve – le contraire, en un mot, d'une œuvre « aboutie ». Les thèmes d'un texte à l'autre, tout au long de sa vie, reviendront, identiques, avec une constance proche de l'obsession : révolte contre tout, souffrance, humour, recherche d'une poésie expressive dans la droite ligne des grands « voyants », Lautréamont, le dernier Hugo et surtout Rimbaud (son inspirateur privilégié, auquel il consacra deux articles importants), hantise de l'enfance, d'un stade primitif, onirique et magique. Thèmes et poétique qu'il associe d'emblée à l'exercice d'une « métaphysique expérimentale », fondée, en grande partie, sur l'usage de la drogue (« Monsieur Morphée, empoisonneur public », dans la revue *Bifur*, 1929), seule à pouvoir, selon lui, ouvrir les portes de la « voyance ». Amorcée au sein du groupe des « simplistes » qu'en 1922 il crée avec ses amis du lycée de Reims – René Daumal, Roger Vailland, Robert Meyrat… –, reprise par la suite au moment du *Grand Jeu* (à la fois groupe et revue, qui, de 1928 à 1932, prolongera les expériences « simplistes »), cette métaphysique, Gilbert-Lecomte sera le seul, en fait, à la vivre jusqu'au bout : jusqu'à la déchéance et l'autodestruction. À partir de 1933, surtout, où, à la suite de sa rupture avec René Daumal, son ami le plus proche, il plonge chaque jour davantage dans la drogue. De cette époque datent ses derniers grands écrits : *la Vie, l'Amour, la Mort, le Vide et le Vent* (1933), recueil de poèmes et son seul vrai livre, ainsi qu'un court essai : *Sima, la Peinture et le Grand Jeu.* Et puis plus rien, sinon des notes et des projets en vue de ce qui aurait dû être son « grand livre », *Retour à Tout* – qui ne verra jamais le jour –, quelques articles épars avant de mourir à trente-six ans à l'hôpital Broussais, à Paris, dans le dénuement le plus total, comme ces « poètes maudits », dont on a souvent fait sa famille d'esprit, à défaut de savoir mieux le définir.

N. Vasseur

Giono

GIONO Jean

(1895-1970)

Giono est avant tout romancier. D'une œuvre abondante et multiforme (poèmes, pièces de théâtre, scénarios de cinéma, textes de combat, essais) la postérité aura essentiellement retenu les romans, récits et nouvelles, où Giono apparaît comme un conteur inlassable, toujours prêt à tirer de son univers imaginaire des « histoires » aux résonances souvent allégoriques mais très vivantes et apparemment réalistes. Ce qui caractérise Giono et fait l'unité de son œuvre, c'est sans aucun doute le don de la narration.

On s'accorde généralement à considérer trois étapes dans son itinéraire romanesque : des premières œuvres, imprégnées de culture biblique et grecque, seraient nées une morale et une conception du monde qui firent le succès de Giono pour les générations de l'avant-guerre, en quête de valeurs spirituelles. Après la longue période qui couvre la mobilisation, la guerre puis la Libération, l'écrivain aurait adopté une nouvelle manière, moins didactique mais plus pessimiste et violente, où la narration devient davantage alerte et elliptique : c'est le ton stendhalien des « chroniques » et du *Hussard sur le toit.* Si ces distinctions rendent assez bien compte de l'évolution stylistique de Giono, il convient toutefois de ne pas tomber dans un schématisme exagéré qui risquerait d'aboutir à une méconnaissance de la profonde unité thématique de l'œuvre.

Manosque, une Provence imaginaire

Né dans une famille modeste d'origine en partie italienne et de tradition laborieuse, Jean Giono fut de bonne heure contraint de travailler – d'abord comme employé de banque – dans son bourg natal, Manosque. Mais c'est avant tout le côtoiement de bergers (le plus vieux métier du monde, Giono se plaisait à le rappeler), à l'occasion de vacances passées dans la solitude désertique, un peu effrayante pour un enfant, de la haute Provence, qui devait décider de la vocation littéraire (originellement poétique) du jeune Giono. C'est en effet dans le cadre naturel et sauvage de ces plateaux qu'il éprouvera le mélange d'angoisse et de fascination devant le mystère du monde dont ses lectures classiques (une Bible [cf. l'épisode du don idéalisé dans l'autobiographie fictive *Jean le Bleu*], *l'Iliade,* puis les tragiques grecs : pour l'employé pas très argenté, les ouvrages des « Classiques Garnier » sont les plus abordables) allaient lui donner une confirmation mythique. Redécouvrant l'inquiétude panique qui est le propre de l'homme vivant au contact de la nature, Giono a en même temps la révélation des légendes antiques et des créations artistiques qui tentent de rétablir un pont entre l'homme et le cosmos. De cette grande nature, Giono se sent à la fois proche et exclu. Cette veine dionysiaque, surtout sensible dans les premiers textes (*Naissance de l'Odyssée* ; *Présentation de Pan*), se retrouvera néanmoins à travers l'ensemble de l'œuvre.

La Grande Guerre, où Giono, jeune recrue participant aux épisodes les plus meurtriers, allait se trouver confronté au double drame du déracinement et de la barbarie (cf. les scènes apocalyptiques du *Grand Troupeau*), devait conforter son attachement à la littérature, seule possibilité d'évasion dans un monde dominé par le mal (un exemplaire de *la Chartreuse de Parme* ne le quitte pas durant toute la guerre des tranchées), à la Provence ensoleillée (ce « Sud imaginaire » où il situera la plupart de ses romans jusqu'aux « chroniques »), patrie du rêve plus encore que de l'observation réaliste, enfin à l'affirmation définitive d'un pacifisme sans compromission (cf. le pamphlet *Refus d'obéissance,* publié en 1937) et à la condamnation de la civilisation moderne du progrès et de l'industrie qui, selon lui, conduit irrémédiablement à l'engagement militaire.

Giono maître à penser : le gionisme

Les lecteurs de *Colline,* du *Chant du monde,* de *Que ma joie demeure,* etc., voient alors en Giono le pourfendeur d'un Occident en crise, le théoricien de l'échec d'une bourgeoisie qui rêvait de maîtriser la nature, et le prophète d'une ère nouvelle dont *les Vraies Richesses* constituent le credo. De fait, Giono lui-même, dans sa préface à cet ouvrage, signée en janvier 1936 de Manosque, n'hésite pas à reprendre les stéréotypes rousseauistes : « Les bêtes sauvages sont admirables. Un renard saute deux mètres en hauteur, tant qu'il veut. Le cœur d'un oiseau est une merveille. Le poumon des canards sauvages est une joie et une richesse formidable pour le canard. La société construite sur l'argent détruit les récoltes, détruit les bêtes, détruit les hommes, détruit la joie, détruit le monde véritable, détruit la paix, détruit les vraies richesses ». Inconscient des naïvetés du cliché, emporté par sa générosité de poète, Giono fonde ainsi, malgré lui, le culte païen d'un retour à la nature dont *Regain* est l'allégorie transparente et qui sera concrétisé, à partir de 1935, par les activités collectives antifascistes (vite transformées en pèlerinage) et le style de vie des communautés contadouriennes.

Paradoxalement, Giono se retrouvera donc le chantre d'un paysannat utopique où la droite puisera ses mythes. Son « engagement » lui vaudra d'être emprisonné deux fois au moment de la Seconde Guerre mondiale : en 1939 comme antimilitariste ; en 1945 comme vichyste. Mais réduire Giono à un rôle de guide moral, ce serait ne retenir de l'œuvre que la tendance au message – certes très sensible dans les années 1930 – et ignorer à la fois la richesse stylistique de l'écrivain et l'unité profonde de ses écrits.

Giono écrivain : les multiples visages de l'œuvre romanesque

Une première constatation s'impose : il n'est pas un type de récit qui n'ait été abordé avec succès par Giono. La prose lyrique, rythmée comme un poème, apparaît dès *Colline* ; elle se dépouille dans les textes courts de *Solitude de la pitié*, par exemple, ou dans les nouvelles de *l'Eau vive*, de *Faust au village*. L'autobiographie est illustrée par *Jean le Bleu*, et le récit à la première personne se retrouvera dans *Fragments d'un paradis*. La vivacité du conte oral, avec ses multiples digressions, est la matière même de *Un de Baumugnes* ou de *Noé*. La narration devient elliptique avec le cycle romanesque du *Hussard sur le toit*, où l'analyse psychologique d'Angelo emprunte à Stendhal le détachement, l'ironie, la désinvolture.

Il y a donc loin, au niveau de l'écriture, des archaïsmes un peu recherchés de *Naissance de l'Odyssée*, du flux perpétuel des métaphores des premiers romans où la nuit « couvre le monde de ses ailes », où le petit montagnard regarde « s'endormir devant [lui] la marée immobile des terres hautes » (*Jean le Bleu*), à la sécheresse allusive des « chroniques » où l'auteur multiplie les points de vue et décrit, en usant du style indirect, les sentiments de ses personnages, puis à l'humour noir qui apparaît dans *les Âmes fortes*. Le ton parfois biblique, proche de la parabole, donnait à certaines répliques de *Regain* un caractère mélodramatique qui fait aujourd'hui sourire et que le film de Marcel Pagnol devait accentuer (par exemple, Arsule s'extasiant sur la charrue qui va permettre à Panturle son premier labour : « Oh ! elle fait ça, c'est beau ; on dirait un devant de barque »). Si ce ton s'estompe progressivement, le symbole reste au cœur de la création littéraire chez Giono : jusque dans *le Hussard sur le toit*, la nature, pourtant hostile, a un visage humain (les talus sont « brûlés jusqu'à l'os », la route « serpente à coups de reins », etc.), et, si le mal y est intériorisé derrière l'image d'une épidémie de choléra, une même tristesse ontologique relie les œuvres de la maturité, très noires, à l'apparent rayonnement des romans du début, où la nature, quoique omniprésente et insufflant vie et espoir à l'homme, était cependant ressentie par celui-ci comme radicalement autre, violente, énigmatique. D'où l'échec de Bobi pour rétablir le paradis sur terre dans *Que ma joie demeure*, au titre trompeur, et le sentiment universel, dans l'ensemble de l'œuvre, du tragique de la création. Mais cette angoisse qui caractérise la vision du monde de Giono n'exclut pas un profond courant vitaliste dont l'optimisme fondamental transparaît précisément dans le bonheur de l'écriture.

VIE		ŒUVRE
1795	Naissance, dans le Piémont, de Jean-Baptiste Giono, grand-père de Jean Giono. Il s'expatrie bientôt en France.	
1845	Naissance de Jean-Antoine, père de Jean Giono. Il s'établira cordonnier à Marseille, en 1866.	
1857	Naissance de Pauline Pourcin, mère de l'écrivain. Elle se fixera à Manosque à partir de 1870.	
1883-1884	Épidémie de choléra en Provence.	
1892	Mariage de Pauline Pourcin et de Jean-Antoine Giono. Ils se fixent à Manosque.	
1895	**30 mars :** naissance de Jean Giono. La famille s'est installée 14, rue Grande.	
1897	Naissance, à Manosque, d'Élise Maurin.	

	VIE		ŒUVRE
1900-1910	Études à Manosque. Jean Giono se lie d'amitié avec son condisciple H. Fluchère. Vacances en Provence.		
1906	Crue très importante de la Durance.		
1911	Obligé de quitter le collège en classe de seconde à cause de la précarité des ressources de ses parents, Jean Giono entre au Comptoir national d'escompte, d'abord comme chasseur. Nombreuses lectures. Subit surtout l'influence des livres les moins onéreux : les ouvrages des « Classiques Garnier ».		
1914	Rencontre Élise Maurin, professeur au collège de Manosque. Giono est envoyé comme élève aspirant à Montségur, dans la Drôme.		
1916-1917	Envoyé au front : les Éparges, Verdun, Chemin des Dames.		
1918	Premier voyage à Paris.		
1919	Démobilisé, revient à Manosque.		
1920	Mort de Jean-Antoine Giono. **22 juin :** mariage avec Élise Maurin. Le couple s'installera 8, rue Grande, à Manosque. Giono trouve un travail d'employé de banque à Manosque.		
1920-1925	Divers voyages en Provence, dans le Briançonnais et en Suisse. Les Giono se réinstallent au 14, rue Grande.		
		1921-1923	Collaboration à la revue marseillaise *la Criée*. Giono publie une série de poèmes, entre autres « Jeux ou la Naumachie ».
		1923	Premiers textes en prose (*l'Ermite de Saint-Pancrace*).
		1924	*Accompagnés de la flûte*, poèmes publiés dans *les Cahiers de l'artisan*.
1926	**25 oct. :** naissance d'Aline Giono.		
1929	Giono passe à l'agence du Crédit du Sud-Est. Il s'installe dans un appartement de fonction, 1, boulevard de la Plaine. **Déc. :** Giono abandonne son emploi pour tenter de vivre de sa plume.	**1929**	**15 mars :** publication de *Colline* (Grasset). **25 mars :** reçoit le prix Brentano pour ce roman. **1er août :** parution de *Un de Baumugnes* dans *la Nouvelle Revue française*.
1930	Achète une petite maison sur les pentes du Mont d'Or. Il y passera toute sa vie. Par contrat, Giono partagera sa publication entre Gallimard et Grasset.	**1930**	**15 févr. :** *Présentation de Pan,* dans la *Revue de Paris.* **24 oct. :** *Regain* (Grasset). *Naissance de l'Odyssée* (Kra).
		1931	Fin de la publication du *Serpent d'étoiles,* dans *les Nouvelles littéraires.* **27 nov. :** *le Grand Troupeau* (Gallimard).
1932	**9 juill. :** Giono est nommé chevalier de la Légion d'honneur.	**1932**	**23 sept. :** *Solitude de la pitié* (Gallimard). **30 sept. :** première représentation, à Genève, de la pièce *Lanceurs de graines.* **11 nov. :** *Jean le Bleu* (Grasset).
		1933	*Le Serpent d'étoiles* (Grasset).
1934	**11 août :** naissance de Sylvie Giono.	**1934**	Marcel Pagnol tire de *Un de Baumugnes* deux films : *Angèle* et *Jofroi de la Maussan.* **15 juin :** *le Chant du monde* (Gallimard).

	VIE		ŒUVRE
1935	Premier agrandissement de sa maison du Paraïs. **Sept. :** une excursion d'une cinquantaine de personnes à Manosque le conduit cinq jours plus tard au campement du Contadour dans la montagne de Lure. C'est le début des rencontres antifascistes du groupe de Contadour.	**1935**	*Que ma joie demeure* (Grasset).
1936	**Mars-avr. :** second « Contadour ». Été : vacances aux Queyrelles (près de Briançon). Giono et sa famille y feront encore plusieurs séjours. **Sept. :** troisième « Contadour ».	**1936**	**10 avr. :** *les Vraies Richesses* (Grasset). **Juill. :** premier numéro des *Cahiers de Contadour.*
1937	**Pâques :** quatrième « Contadour ». **Sept. :** cinquième « Contadour ». Décisions pacifistes. Refus de participation à toute guerre éventuelle.	**1937**	Marcel Pagnol tourne, avec Fernandel, *Regain.* **15 janv. :** *Refus d'obéissance* (Gallimard). **6 août :** *Batailles dans la montagne* (Gallimard).
1938	Malgré l'invasion de l'Autriche par les troupes allemandes, Giono reste sur ses positions antimilitaristes. **Pâques :** sixième « Contadour ». **Sept. :** septième « Contadour ».	**1938**	Marcel Pagnol tourne, avec Raimu, *la Femme du boulanger* (d'après un épisode de *Jean le Bleu).* **Août :** publication, chez Grasset, de *Messages en faveur de la paix.* **7 oct. :** *le Poids du ciel* (Gallimard). **16 déc. :** *Précisions* (Grasset).
1939	**Avr. :** huitième « Contadour ». Rassemblement pacifiste. **Août :** neuvième « Contadour ». **5 sept. :** mobilisé à Digne, Jean Giono y est arrêté pour ses tracts pacifistes. **Nov. :** Giono est libéré sur l'intervention de Gide auprès d'Édouard Daladier.		
		1941	Traduction de *Moby Dick* accompagné de *Pour saluer Melville* (Gallimard). **30 mai :** première représentation, à Paris, de la pièce *le Bout de la route.*
		1942	**Févr. :** *Triomphe de la vie* (Grasset).
		1943	**Avr. :** *l'Eau vive* (Gallimard).
1944	**Fin août :** Giono est arrêté quelques jours après le débarquement allié au Trayas. Il sera libéré le 2 févr. 1945.		
1946	**17 janv. :** mort de la mère de Jean Giono.		
		1947	**13 juin :** *Un roi sans divertissement* (la Table ronde). **27 juin :** les éditions du Rocher à Monaco publient *le Voyage en calèche,* pièce interdite par la censure en 1943. *Noé* (la Table ronde)
		1948	**Mai :** adaptation cinématographique du *Chant du monde.* **Juill. :** *Mort d'un personnage,* dans la *Revue de Paris.* Fragments d'un paradis (Dechalotte). *Fragments d'un déluge.*
		1950	**6 janv. :** *les Âmes fortes* (Gallimard).
1951	**Sept.-oct. :** voyage en Italie.	**1951**	**18 mai :** *les Grands Chemins* (Gallimard). **Août :** *le Moulin de Pologne*, dans la *Revue de Paris* (puis Gallimard, 1952). **9 nov. :** *le Hussard sur le toit* (Gallimard).
1952	**Printemps :** voyage en Angleterre et en Écosse.		
1953	**Avr. :** le grand prix de Monaco est décerné à Giono pour l'ensemble de son œuvre.	**1953**	**11 févr. :** adaptation radiophonique, par A. Bourdil, du *Hussard sur le toit,* avec Gérard Philipe et Jeanne Moreau.

VIE	
	(suite 1953) **Févr.-juin :** diffusion des *Rencontres avec Jean Giono*, première série de quinze entretiens enregistrés par Marguerite Taos et Jean Amrouche. **Sept. :** second voyage en Italie. **Oct.-déc. :** diffusion de la suite des *Rencontres* (sept entretiens radiophoniques).
1954	Procès Dominici à Digne. **6 déc. :** Giono est élu à l'académie Goncourt.
1955	**Janv.-juin :** diffusion de vingt et un entretiens enregistrés à Manosque par Marguerite Taos-Amrouche sous le titre *Propos et récits de Jean Giono*.
1959	**19 mars :** mariage de Sylvie Giono avec Gérard Durbet.
1960	Début d'une série de séjours aux Baléares.
1970	**9 oct. :** Giono meurt à Manosque. Il y est enterré.

ŒUVRE	
	(suite 1953) **Juill.-nov. :** « Angelo », dans *la Nouvelle Revue française* ; publié en volume, 1958 (Gallimard). **25 déc. :** *Voyage en Italie* (Gallimard). *Recherche de la pureté.*
1954	*Provence.*
1955	*Notes sur l'affaire Dominici* (Gallimard).
1956	**Nov. :** *Bernard Buffet* (Hazan).
1957	**5 avr. :** *le Bonheur fou* (Gallimard).
1958	F. Villiers tourne *l'Eau vive* avec Pascale Audret. *Angelo.*
1959	Début de la collaboration de Giono au *Dauphiné libéré* et à *Nice-Matin.* *Domitien*, suivi de *Joseph à Dothan* (Gallimard).
1960	Scénario du film *Crésus* avec Fernandel.
1961	*Noé.*
1963	F. Leterrier adapte à l'écran *Un roi sans divertissement.* **1er mars :** *le Désastre de Pavie* (Gallimard).
1965	Marcel Camus met en scène *le Chant du monde.* **8 nov. :** *Deux Cavaliers de l'orage* (Gallimard).
1968	**15 sept. :** *Ennemonde et autres caractères* (Gallimard).
1970	**25 févr. :** *l'Iris de Suse* (Gallimard).
1972	*Les Récits de la demi-brigade* (Gallimard).
1973	*Le Déserteur et autres récits* (Gallimard).
1976	*Les Terrasses de l'île d'Elbe* (Gallimard).
1977	*Faust au village* (Gallimard).
1980	*Angélique*, premier roman de jeunesse, inédit (Gallimard). Adaptation télévisée de *Colline.* *Œuvres cinématographiques* (les Cahiers du cinéma).
1982	*Cœurs, passions, caractères* (Gallimard).
1984	*Les Trois Arbres de Palzen* (Gallimard).
1989	*Il n'y avait plus qu'à marcher* (Le temps qu'il fait).

Pan (trilogie)

Colline, Un de Baumugnes, Regain : trois romans qui tentent d'arracher son secret à Janet, ce personnage de *Colline* mort trop tôt pour que le monde ait trouvé un sens, trop tard pour que l'écrivain reste insensible à sa charge de mystère.

« C'est en quelque sorte un poème en prose démesuré », dit Giono à propos de *Colline*. De fait, ce roman s'inscrit bien dans la lignée des premières œuvres, poèmes ou récits bucoliques comme *Accompagnés de la flûte* ou rustiques (« Champs », dans *Solitude de la pitié*). Mais le livre, écrit en 1927, lu avec enthousiasme par Jean Guéhenno puis publié chez Grasset en 1928, marque en même temps un tournant décisif dans l'inspiration de Giono : après le lyrisme exubérant – à la limite de la préciosité – de *Naissance de l'Odyssée*, celui-ci s'oriente vers la création d'un univers pathétique mais dépouillé, où l'analyse de l'obscurité intérieure et l'ambiguïté de la vie cosmique se fondent en un récit à la fois lumineux et inquiétant, témoin de la présence cruelle de Pan. Le sacré est aussi, chez Giono, le signe de la souffrance : « Cette marque resta dans mon cœur, comme un endroit meurtri, comme le dessin du fer chaud sur la cuisse du bélier, une place plus sensible, et la petite douleur de la blessure mal recollée sera désormais ma sœur éternelle. » (Préface à l'édition de 1930.) Tout le travail de l'écriture sortira de cette énigme, de cette « terreur divine » qui ont déclenché chez Giono la nécessité d'une quête incessante, inlassable, à travers les mots humains, d'un au-delà mythique sinon mystique : « Il faudra que je parle de cette force qui ne choisit pas, mais qui pèse d'un poids égal sur l'amandier qui veut fleurir, sur la chienne qui court sa course, et sur l'homme. » (*Présentation de Pan*, 1930.)

Moins « panique » que le livre précédent, *Un de Baumugnes* (1929) se caractérise davantage par la douceur de la nostalgie, voire par la tendresse ; la voix sereine d'un récitant âgé impose d'ailleurs un ton confidentiel et l'impression d'une sorte de sagesse, qui n'excluent cependant pas la violence : le thème de la claustration, signe d'une cruauté inévitable dans les rapports humains, rattache encore ce livre non seulement à *Colline* mais à *Regain*.

Rédigé de 1928 à 1930, *Regain* paraît chez Grasset en 1930. Le point de départ de ce roman se situe moins dans l'imagination de l'auteur que dans l'anecdote réelle : en effet, employé de banque, Giono a pu, en tant que démarcheur, rencontrer l'unique habitant de Redortiers, un vieux célibataire, et s'en inspirer pour camper le personnage de Panturle. Mais le fantastique l'emporte vite sur la réalité, notamment avec l'entrée en scène de la Mamèche, symbole de l'éternité cosmique au-delà de la mort.

REGAIN

I. La diligence de Banon à Vachères passe à proximité d'Aubignane (I). Ce village est désert : il n'y reste plus que trois maisons habitées (II) : celle d'un forgeron, Gaubert, habile fabricant de charrues ; celle de la vieille Mamèche, dont le mari, puisatier, est mort dans un éboulement ; celle de Panturle enfin, homme dans la force de l'âge mais qui, célibataire, vit comme un sauvage. Cependant, le rémouleur Gédémus et Arsule, sa compagne, qu'il utilise comme une bête de somme, sont amenés à passer par Aubignane. Un sentiment de terreur les envahit, sur le plateau, où ils voient passer une étrange silhouette noire, puis dans le village désert, où, sur le seuil d'une maison, ils aperçoivent une trace de sang (III). Ils décident alors de passer la nuit à l'extérieur du village. Le lendemain, Arsule a disparu : elle a suivi Panturle, le chasseur, qui, enfermé dans sa maison avec le renard qu'il venait d'égorger, avait vu passer les deux étrangers (IV).

II. Grâce à la vertu rédemptrice de l'amour, Panturle et Arsule commencent à découvrir, l'un avec l'autre, le bonheur des joies simples. Gaubert fait don à Panturle de sa dernière charrue (I). Panturle abandonne peu à peu la chasse et entreprend de cultiver la terre. Il découvre le cadavre desséché de la Mamèche : il le porte dans le puits, auprès de celui de son mari défunt. Arsule se rend compte que l'ombre mystérieuse qui les avait conduits sur le plateau n'était autre que la Mamèche (II). Panturle vend sa première récolte de blé. À Gédémus, venu reprendre Arsule, il donne 60 francs pour s'acheter un âne (III). Peu à peu, Aubignane commence à se repeupler (IV). Au début du printemps, Arsule annonce à Panturle qu'elle est enceinte (V).

Le message moral – voire la prédication sociale – apparaît en même temps que cette vision allégorique d'une résurrection de la terre et de la vie grâce à l'amour – suscité par le sacrifice de la vieille. Mais si l'homme se dresse victorieux en face du destin qui semblait devoir l'anéantir, si, ici, le didactisme de Giono n'évite pas toujours le mélodrame, le souci esthétique et narratif l'emporte sur le risque de la propagande en faveur d'un retour aux vertus de la terre et de la tradition. Le respect des institutions sociales (symbolisées par la toute-puissance du couple) et des valeurs établies, notamment le travail (symbolisé par le don de la charrue), s'efface au profit d'une vision sacralisée et ritualisée des activités humaines, qui s'harmonisent ainsi avec les grands rythmes de l'ordre cosmique.

Les épopées romanesques

Avec *le Chant du monde*, dans sa seconde version, celle de 1934 (la première ayant disparu), Giono inaugure une nouvelle conception du roman : les aventures sont plus nombreuses, les personnages sont moins proches de modèles réels, la tendance à l'allégorie se trouve renforcée. Sans que l'on puisse parler de fantastique, puisque aucun événement invraisemblable ne s'y déroule, force est de reconnaître l'importance accordée à l'imaginaire tant au niveau de l'intrigue, chargée en aventures, qu'à celui de la signification symbolique, avec une géographie aux limites de la magie et des personnages dont les rôles conflictuels évoquent les grands drames cosmiques.

Humanité sauvage, proche des éléments, vivant à l'« état de nature », civilisation primitive et violente : ce qui, à première lecture, peut apparaître comme la description d'un univers humble et populaire est en fait une vision légendaire, épique, destinée à illustrer, conformément au titre, la cosmogonie de Giono. À travers le lyrisme de la narration transparaît le culte gionien du bonheur, fondé sur la sensualité, l'acceptation de la souffrance (la mort étant elle-même métamorphosée en excès de volupté ; cf. l'agonie du marcassin, où la bête, vautrée dans la boue fraîche des roseaux, ne s'arrête pas, bien que mortellement blessée, de « gémir ses gémissements heureux »), l'attribution d'un sens aux activités humaines idéalisées (cf. le « baptême » d'Antonio-« Bouche d'or »), en harmonie avec une nature « animisée », et l'affirmation d'un optimisme radical fondé sur le postulat du vitalisme : « Le monde a du bien et du mal. Tu as encore beaucoup de bien à sentir », s'entendait dire Clara, l'aveugle, de la bouche d'Antonio. Cette réplique a, si on la rapproche de l'apothéose finale du livre, une valeur prophétique qui peut résumer le gionisme. *Les Vraies Richesses* (1937) poursuivront cette veine du roman didactique et mythique. Mais dès 1935, avec *Que ma joie demeure,* s'accentuent les aspects allégoriques du gionisme sans que la narration perde en rien de son pouvoir poétique : le vagabond Bobi apporte à un petit village de haute Provence la révélation que celui-ci attendait confusément : il lui enseigne la soumission à l'ordre naturel du monde et le ramène aux sources primitives de la vie. C'est aussi pour Giono l'occasion de réaffirmer son adhésion à la beauté du monde plus encore qu'à sa bonté.

De fait, si les thèses de Giono – telles qu'elles seront systématisées dans les rencontres, les écrits, puis l'engagement consécutifs aux divers « Contadour » – transparaissent dans la plupart de ses œuvres d'avant guerre, où la tendance au message est, sinon volontaire, du moins omniprésente, on ne peut cependant les figer dans une conception unique, naïvement providentialiste et cherchant à ressusciter un hypothétique âge d'or : l'optimisme de Giono n'est pas idyllique ; partout règne la cruauté et triomphent des forces hostiles contre lesquelles l'homme est impuissant (cf. *Batailles dans la montagne,* 1937), et, si l'on sent pourtant la présence constante de l'espoir et du bonheur, cette présence est dans l'écriture plus encore que dans l'univers décrit. C'est la part de spiritualité – que Giono situe aussi bien dans la nature que dans l'homme – qui communique à sa narration un souffle puissant, témoin de l'élan vital qui l'anime et qui emporte sur son passage toute émergence de pessimisme ou de scepticisme.

Les « chroniques »

Après la Seconde Guerre mondiale, le style de Giono devait résolument changer, pour des raisons pratiques d'abord : la nécessité d'écrire vite des œuvres plus courtes, essentiellement narratives, dont la traduction et la publication éventuelle à l'étranger poseraient moins de problèmes. À partir de 1946, l'œuvre de Giono va donc se scinder en deux : d'une part, les « chroniques », suite de récits aux modes narratifs variés qu'il poursuivra jusqu'à la fin de sa vie ; d'autre part, la geste du *Hussard,* vaste cycle romanesque qu'il mènera parallèlement à d'autres activités « gratuites » (à tous les sens du terme) : projets et compositions de scénarios, essais divers, etc. D'ailleurs, ces « chroniques » elles-mêmes devaient constituer une sorte de série plus ou moins homogène, mais le fil d'intrigues qui relie chacune d'entre elles à la première, *Un roi sans divertissement* (1947), allait se dénouer rapidement. Ainsi, tout en respectant l'autonomie de chaque livre, Giono fera néanmoins alterner chroniques du XIXe siècle, tel *Un roi sans divertissement,* et récits modernes, comme *Mort d'un personnage* (1948). Dans leur conception, les chroniques ont au moins deux points communs qui les distinguent des œuvres précédentes : elles se veulent davantage l'histoire (au sens d'annales) d'une époque précise, et le lieu de leur action se situe dans un cadre géographiquement déterminé. Giono, dans des récits plus ramassés, proches du style elliptique d'un Stendhal, renonce donc aux créations mythiques, intemporelles, localisées dans un « Sud imaginaire », qui caractérisaient sa vision du monde antérieure à la guerre. Désormais, le protagoniste essentiel n'est plus la nature, mais l'homme dans ses rapports interpersonnels ; la violence, toujours présente, n'est plus dans le cosmos mais dans le cadre social où se joue le drame du salut, le lyrisme s'intériorisant ainsi en romantisme de l'action.

Noé, paru en 1947 aux Éditions de la Table ronde, marque une étape décisive dans l'évolution du système narratif de Giono, tout en en révélant la profonde originalité. Écrit à la première personne, ce « récit » est avant tout le roman d'un roman en train de se faire. En ce sens, Giono y subit l'influence du Gide des *Faux-Monnayeurs* tout en annonçant les « audaces » du « nouveau roman » dont par ailleurs il méprisera l'absence de créativité narrative (cf. sa Préface aux « chroniques » réunies, en 1962, chez Gallimard). Cependant, il y démontre surtout sa conception d'un réalisme spécifique, essentiellement subjectif, où le monde extérieur, pourtant si dense et si riche dans sa pesanteur matérielle, apparaît comme une création idéale, à la limite de l'onirisme : « Quoi qu'on fasse, c'est toujours le portrait de l'artiste par lui-même qu'on fait. Cézanne, c'était une pomme de Cézanne. » Giono éclaire ainsi à la fois les personnages d'*Un roi sans divertissement*, tels Langlois, M.V., Saucisse, Delphine..., dont il prolonge l'existence passée et fictive en la mêlant à son propre présent de personnage-auteur bien réel (« Or, depuis deux mois, il fait bon soleil et très calme. Pendant que je marche à flanc de coteau, à travers les olivaies, je vois, dans la vallée, des cocons de brume qui enveloppent les grandes fermes »), tout en remettant en question l'objectivité apparente de ses premiers récits, voire le prétendu réalisme de toute représentation traditionnellement considérée comme figurative : en faisant allusion à Cézanne peignant sa propre personnalité à travers un objet prétexte, en utilisant l'ambiguïté du présent, temps qui convient aussi bien à la description du monde extérieur qu'à la narration autobiographique, Giono abolit les frontières entre le réel et l'imaginaire et, du même coup, entre l'objet et le sujet. Tel est finalement le sens de l'ensemble de l'œuvre de Giono : la naissance d'un monde insolite sinon fantastique coïncide avec l'histoire (ou la légende) de la création littéraire. D'où cet apparent paradoxe d'une fascination croissante pour le narratif (Giono confiait, à propos du *Bonheur fou* : « J'ai essayé de faire que chaque phrase raconte, que chaque phrase soit en elle-même un récit complet et qu'il y ait chaque fois des possibilités de s'arrêter sur cette phrase et de voir ses prolongements romanesques aussi bien dans une direction que dans l'autre »), liée à un débordement perpétuel du récit, suspendu, interrompu, dont l'illusion est encore compromise par la discontinuité spatiale, par un discours immense, l'omniprésence sous-jacente de l'auteur étant la rançon du besoin irrépressible de conter. Mais le roman n'est autre que le rêve même du romancier : il est son autoportrait. Cette peinture « en négatif », où, comme le note finement Giono, tout est décrit, sauf l'objet – qui apparaît ainsi dans ce qui manque –, s'appliquerait avec une égale pertinence à la multitude des récits hétérogènes qui constituent l'ensemble des « chroniques », depuis la biographie prétendue de l'écrivain américain dont Giono venait de traduire *Moby Dick* (*Pour saluer Melville,* 1941) au « poème » *Fragments d'un paradis* (1948), sorte de journal de bord d'un navigateur fantastique. Deux récits maritimes qui ne sont autres que le symbole de l'aventure de l'écriture, le « portrait de l'artiste par lui-même » selon une formule chère à Giono.

Le Hussard sur le toit (cycle)

Bien qu'il soit question dès *Un roi sans divertissement* de Langlois, identique au narrateur des *Récits de la demi-brigade,* Martial, et de la naissance d'Angelo dès *Noé,* Giono considérait le cycle du *Hussard* comme constitué par *Mort d'un personnage* (1948), *le Hussard sur le toit* (1951), *le Bonheur fou* (1957), *Angelo* (1958) et *les Récits de la demi-brigade* (1972, rédigés de 1955 à 1965). Tel est du moins l'ordre de publication de ces ouvrages. Mais la chronologie de la composition est légèrement différente : *Angelo* suivi de *Mort d'un personnage* précèdent le *Hussard.* Quant à la « logique de l'action », à la diégèse, elle imposerait la lecture suivante : les *Récits, Angelo,* le *Hussard, le Bonheur fou, Mort d'un personnage.* Mais s'il y a bien une geste d'Angelo, on ne peut dire que chaque volume soit la suite du précédent : ainsi l'intrigue d'*Angelo,* écrite longtemps avant le *Hussard,* n'est pas compatible avec celle de ce dernier.

Apparu dans l'imaginaire de Giono « en réaction contre la sécheresse et le cynisme de l'époque » (la Seconde Guerre mondiale), Angelo Pardi, personnage romantique et romanesque, tient à la fois de Jean-Baptiste Giono, le grand-père carbonaro, et de Fabrice del Dongo, le héros de *la Chartreuse de Parme.* Il emprunte certains traits de son caractère à Lucien Leuwen : son orgueil, sa naïveté lucide et surtout son besoin éperdu de se sentir heureux. L'action débute sous la monarchie de Juillet, mais il est impossible de préciser en quelle année Giono situe l'épidémie de choléra qui décime la Provence. Le cadre historique ne respecte la réalité événementielle que dans *le Bonheur fou* – dont l'action se passe pendant la révolution italienne de 1848. *Mort d'un personnage,* qui met en scène Pauline et Angelo – le petit-fils d'Angelo Pardi –, est une « chronique » des années 40, au XXe siècle ; le cycle du *Hussard* couvre donc cent ans d'histoire et permet à Giono de porter un jugement amer sur la notion de progrès chère aux positivistes du XIXe siècle. Aux rêves de fraternité, à la vision idyllique d'une nature folklorique ou mythique s'est substituée l'image d'un monde dominé par le mal, l'incohérence, où seule l'aventure isolée de certains êtres exceptionnellement généreux et optimistes est possible. Le *Hussard* correspond bien à l'image idéalisée de Giono lui-même et des rapports fantasmatiques qu'il entretenait avec son père et son grand-père. La réalité qu'il y décrit sur fond de vérité historique est, une fois de plus, imaginaire. C'est le récit plus ou moins conscient de sa propre vie intérieure : « Je me suis efforcé de décrire le monde non pas comme il est mais comme il est quand je m'y ajoute, ce qui, évidemment, ne le simplifie pas » (*Voyage en Italie*).

LE HUSSARD SUR LE TOIT

I. Angelo Pardi, aristocrate italien qui a acheté son brevet de hussard, a dû temporairement quitter l'Italie. Par une suffocante journée d'été, il se dirige vers le village de Banon. Cependant, une épidémie de choléra vient de se déclarer dans la région, comme en témoigne d'abord l'agitation fébrile des autorités administratives et militaires.

II. Après avoir passé une nuit à Banon, il découvre, au pas de Redortiers, un spectacle d'apocalypse : une accumulation de cadavres monstrueux, affreusement dévorés par les bêtes. Il n'y a personne dans ce village qui ait pu échapper au fléau, à l'exception d'un jeune médecin idéaliste qui finit par mourir dans les bras d'Angelo.

III. Angelo, qui se dirige vers le château de Ser, poursuit seul sa route. Il rencontre sur son chemin plusieurs sentinelles qui tentent d'éviter que des étrangers n'apportent dans leurs villages les germes de la contamination. Angelo remporte chaque fois sur cette humanité peureuse des triomphes faciles mais gratifiants pour son orgueil de jeune homme.

IV et V. Risquant, s'il entre dans Sisteron, d'être mis en quarantaine, il prend la route avec d'autres personnages qui seront à leur tour frappés par le choléra. Il est victime de sa naïveté. Son esprit romanesque le désigne en effet comme une proie facile à duper. Après avoir été contraint de dérober sa monture à un cavalier, il parvient finalement à Manosque.

VI. Il y est d'abord incarcéré, à la suite d'un malentendu, puis libéré. Mais la population, que l'épidémie a complètement égarée, se livre à tous les actes de barbarie possibles. Face à cette panique collective, Angelo doit, s'il veut survivre, rester embusqué sur les toits de la ville, d'où il assiste au spectacle d'une humanité misérable. Il rencontrera cependant une femme, Pauline de Théus, remarquable par son sang-froid et sa beauté, qui l'hébergera une nuit.

VII à IX. Puis il passe quelque temps à laver les morts, que la population abandonne lâchement, avec une nonne qui disparaîtra bientôt. Après avoir quitté Manosque, et après de nombreuses errances, Angelo retrouve enfin son frère de lait, Giuseppe. Ils décident de se quitter, puis de rentrer séparément, mais de se retrouver en Italie, où ils travailleront pour « le bonheur de l'humanité », auquel, s'il le faut, ils sacrifieront leur vie.

X et XI. Très fier d'avoir réussi à disperser une patrouille qui voulait l'arrêter, Angelo, errant à nouveau seul, rencontre la femme qui l'avait hébergé à Manosque. Entre Pauline et lui va naître un amour chaste, fondé essentiellement sur l'admiration réciproque de leur courage qui les distingue du reste de l'humanité. L'un et l'autre parfaitement heureux, ils vont faire route ensemble en multipliant les actes de bravoure militaire. Bien qu'ils évitent les chemins fréquentés par les hommes que la peur rend capables des pires forfaits, ils sont faits prisonniers, puis mis en quarantaine, mais ils s'évadent aussitôt.

XII. Attaqués par des voleurs, ils se défendent courageusement et mettent leurs assaillants en fuite. Ils passent une nuit dans une maison déserte, où ils s'abritent et se restaurent. L'ivresse délie leurs langues, et ils se laissent aller l'un et l'autre à une longue confession qui dissimule mal l'aveu de leur amour.

XIII. En route vers le château de Théus, où Pauline retrouvera son vieux mais valeureux mari, ils rencontrent un médecin cynique et sceptique qui leur fait, à travers la description du choléra, un tableau désabusé de l'humanité : l'épidémie, derrière ses aspects monstrueux, à la limite du fantastique, apparaît bien comme l'allégorie du mal que l'homme cultive en lui.

XIV. Pauline est frappée par le choléra, au moment même où elle et son compagnon arrivent dans une région que le fléau n'avait pas encore atteinte. Dans son délire, Pauline commence à tutoyer Angelo. Elle guérit, miraculeusement – et symboliquement. Arrivés à Théus, ils se quittent. Angelo poursuivra, à nouveau solitaire, sa route vers l'Italie.

B. Valette

GIRARDIN, madame Émile de

*Née **Delphine Gay** (1804-1855)*

Poétesse, dramaturge, romancière et feuilletoniste, Delphine Gay naît à une époque où Mme de Staël, George Sand, Marceline Desbordes-Valmore ont mis à l'honneur la femme de lettres. Sa mère, Sophie Gay, écrit, mais surtout tient salon. Vigny, Lamartine ou Chateaubriand sont des familiers. Dans cet écrin mondain et littéraire, l'éclatante beauté de Delphine fait vite excuser la naïveté – pour ne pas dire la niaiserie – de ses tout premiers vers :

Au sentiment d'orgueil je ne suis point rebelle,
Je bénis mes parents de m'avoir fait si belle...

(« le Bonheur d'être belle », 1822)

La gracieuseté de son style excellera dans la poésie de circonstance, qu'il s'agisse de glorifier les lauriers de Chateaubriand (*la Druidesse*, 1824), de s'émouvoir sur « la Mort de Napoléon » (*Essais poétiques*, 1824) ou sur le sacre de Charles X (*la Vision*, 1825). Enivrée de ses premiers succès, la poétesse assimile sa lyre au glaive de Jeanne d'Arc :

Les autels retiendront mes cantiques sacrés,
Et fiers, après ma mort, de mes chants inspirés,
Les Français, me pleurant comme une sœur chérie,
M'appelleront un jour Muse de la patrie !

Lamartine l'appelle « la dixième Muse », Vigny manque l'épouser et lui dédie ses *Poèmes antiques et modernes* (1826). Faisant vibrer sa corde pour tous les stéréotypes de l'époque, s'identifiant à Corinne, Delphine chante son voyage en Italie, Naples

Où l'on souffrirait moins d'un regret douloureux,
Où dans l'exil enfin l'on pourrait être heureux.

Devenue Mme de Girardin (1831), elle campe, dans une sorte d'élégie tragique, *Napoline* (1833), un type de Werther féminin, une anti-Foedora. Le suicide est dans l'air, mais ce thème reste chez elle étrangement embourgeoisé :

C'est un grand embarras qu'une mort volontaire,
Le jour où l'on se tue, on a beaucoup à faire.

À l'exemple de sa mère, elle fait de son salon le mieux fréquenté de Paris. Cette mondanité conjuguée à la réussite journalistique de son mari, le fondateur de *la Presse*, lui fait découvrir son genre d'élection. *Les Lettres parisiennes*, rubrique bihebdomadaire qu'elle signe, à partir de 1836, sous le pseudonyme de Vicomte de LAUNAY, lui permettent d'exploiter au mieux les qualités d'humeur, de légèreté et d'esprit qu'elle a toujours prodiguées dans des tentatives romanesques sans lendemain (*le Lorgnon*, 1832 ; *le Marquis de Pontanges*, 1832 ; *la Croix-de-Berny*, parodie édulcorée des *Liaisons dangereuses*, écrite avec Gautier, Méry et Sandeau, 1846). Elle y égratigne tantôt Louis-Philippe : « Le vaisseau de l'État n'est plus un superbe navire aux voiles dépendantes que les vents capricieux font voguer au hasard ; c'est un lourd bateau à vapeur, chargé de charbon et de pommes de terre », tantôt les ennemis de Lamartine, ou ceux de Hugo qui « a pour admirateurs le peuple, les femmes et les hautes célébrités littéraires de France, c'est-à-dire la partie rêveuse et passionnée de la nation, et pour détracteurs le roi, les journalistes voltairiens et la classe bourgeoise, c'est-à-dire la partie affairée de la nation ».

Elle s'en prend avec fougue à la censure. Le public applaudit – plus franchement qu'il ne le fait quand l'auteur s'aventure au théâtre, avec *l'École des journalistes* (1839), « une comédie tragique tenant de la satire et de l'épopée », qui fait scandale, ou avec *Cléopâtre* (1847), dont le néoclassicisme et quelques vers bien frappés (« La mort, si tu le veux, pour l'amour d'un instant ») donnent le change en pleine réaction antiromantique. Ses autres tragédies (*Judith*, 1843) ou comédies (*Lady Tartuffe*, 1853 ; *La joie fait peur* et *le Chapeau de l'horloger*, 1854) ne lui valent qu'un succès d'estime.

Témoin de son temps, Delphine Gay, plus qu'elle n'en forma les goûts, les partagea. Si elle ne fut pas l'inspirée, la muse que certains idolâtrèrent, elle sut inhaler dans la fragrance d'un riche présent les parfums les plus capiteux et les moins fugaces.

D. Giovacchini

Girart de Roussillon

(v. 1150)

Chanson de geste rédigée dans une langue qui mêle des éléments français et occitans, elle retrace, en un peu moins de 10 000 décasyllabes, le conflit qui oppose Charles Martel, souverain abusif, à Girart de Roussillon, qui possède toute la terre de la Bourgogne jusqu'à Barcelone.

SYNOPSIS

Les deux filles de l'empereur de Constantinople sont promises respectivement à Charles et à Girart. Mais le roi, ébloui par la beauté de la cadette, Elissent, exige l'échange des fiancées. À titre de compensation, Girart tiendra désormais sa terre en alleu : il cesse donc d'être le vassal de Charles. Évidemment, le roi cherche très vite à récupérer son droit de suzeraineté et à obliger Girart à lui prêter de nouveau hommage. Du refus de Girart découle une première guerre, dont l'épisode final est la bataille de Vaubeton : une manifestation divine (le miracle des gonfanons brûlés par des flammes venues du ciel) fait comprendre à Girart et à Charles que Dieu condamne cette lutte. Réconciliés, les deux héros luttent ensemble contre les Sarrasins et les Frisons. Mais le meurtre de Thierri d'Ascane, parent du roi, relance les hostilités. La bataille de Civaux voit le triomphe du roi, mais Girart s'échappe ; il subit une ultime défaite sous les murs de Roussillon. Commence alors une longue pénitence : avec sa femme Berte, il mène pendant vingt ans une existence de charbonnier dans la forêt. Il expie ainsi les fautes qu'il a commises à la fois contre son roi et contre Dieu. Girart, de retour à la cour grâce à Elissent, se réconcilie avec Charles ; mais l'hostilité du lignage de Thierri d'Ascane demeure. Peu à peu, le désir de puissance renaît dans le cœur de Girart, qui souhaite rendre à son fils toutes ses possessions de l'époque de sa gloire. Le meurtre de ce fils par un vassal pourtant fidèle, mais qui redoutait le retour de guerres dévastatrices, provoque la conversion définitive du héros. Le pape scelle la paix, et Girart et Berte, construisant de leurs mains la Madeleine de Vézelay, accèdent à la sainteté.

En dépit de la très haute qualité de l'œuvre, son unité a été contestée. R. Louis pense que le texte qui nous est parvenu est dû à trois mains différentes : l'épisode de Vaubeton formerait un tout et n'appellerait nullement la seconde guerre, qui ne serait qu'une continuation. Enfin, le début et la fin de la chanson, qui seuls font intervenir Berte et Elissent, seraient l'œuvre d'un renouveleur. La légende primitive ne reposerait nullement sur l'échange des fiancées. R. Louis constate par ailleurs des contradictions juridiques, qui ne pourraient s'expliquer que par une diversité d'auteurs. Ferdinand Lot, puis Pierre Le Gentil ont marqué leurs réticences et même leur désaccord. Seule une étude psychologique approfondie permet d'expliquer d'apparentes incohérences : en particulier, la construction du personnage de Girart porte la marque non seulement d'un auteur unique, mais encore d'un grand créateur, qui a su conduire son héros de l'orgueil et de la démesure à l'humilité et à la sainteté, en ménageant les nécessaires sursauts de son ancienne nature.

Girart de Roussillon pose le délicat problème de la suzeraineté et de la souveraineté. Il rappelle que le principe de la royauté n'est pas lié aux qualités du prince. Nulle chanson, n'entre à ce point dans les raffinements juridiques : Girart, devenu alleutier, cesse-t-il pour autant d'être l'homme lige de Charles ? Son tort est d'oublier que le roi reste son souverain. Loin d'exciter les vassaux à la révolte, cette œuvre se veut une condamnation morale, religieuse et politique de la guerre privée.

R. Louis avait cru pouvoir identifier Girart avec un comte du IXe siècle, mais leur lien réside dans les abbayes de Pothières et de Vézelay. Quant au nom de Roussillon, aux raisons de sa présence dans les environs du plateau de Langres, au dialecte employé (une alternance artificielle de formes provençales et françaises), ce sont autant de mystères non résolus.

D. Boutet

Giraudoux

GIRAUDOUX Jean

(1882-1944)

École buissonnière d'un fort en thème, rêve d'évasion d'un fonctionnaire, l'œuvre de Jean Giraudoux s'élabore dans une vie assez éloignée des mythes pour que l'ironie et l'irrévérence sachent y transcrire le quotidien de l'homme en une version malicieuse ou insolente du destin des plus hautaines figures de la légende.

Les mots

Giraudoux naît à Bellac, au cœur de la patrie de Racine, « centre même de la France, d'où sa forme apparaît la plus sensée et la plus harmonieuse », au moment précis où Jules Ferry prétend insuffler aux jeunes générations le goût des classiques et l'esprit de revanche. Encouragé par son père, modeste percepteur, il s'engage aussitôt sur un chemin tout égal : ce boursier studieux, tout en meublant son imaginaire de fonctionnaires sublimes, inspecteurs exorcistes et contrôleurs lyriques qui ressusciteront dans ses pages, accumule les distinctions, du lycée de Châteauroux (1893) à Lakanal (1900), avant d'être admis, suprême consécration, à l'École normale supérieure (1903). Au mourir d'un siècle qui a peuplé son Parnasse de poètes maudits, voyants, tribuns ou prophètes, le « À nous deux maintenant ! » du jeune Giraudoux paraît singulièrement timide : « J'ai bien senti que j'allais prendre le départ sur la ligne de tout jeune Limousin – futur fonctionnaire, industriel ou écrivain –, qui est de mieux s'élancer vers son pays et sa carrière. »

C'est alors qu'une révélation vient ébranler toutes ses certitudes : l'enseignement du professeur Charles Andler lui impose la fascination de l'Allemagne, « ce grand pays humain et poétique ». Devenu germaniste par passion plus que par raison, Giraudoux présente, pour le diplôme d'études supérieures, un mémoire sur le poète Platen, puis il effectue un séjour outre-Rhin (1906), comme précepteur à Heidelberg. Faut-il dater de cette époque l'irruption d'un peu de déraison dans cette vie toute réglée ? Toujours est-il qu'il échoue à l'agrégation d'allemand. Lecteur de français à l'université de Harvard (1907), il infléchit radicalement le cours de sa carrière. Renonçant à enseigner, il cède d'abord au démon de l'écriture et publie un recueil de nouvelles, *Provinciales*

(1909), qui est assez bien accueilli. Gide, notamment, est favorablement impressionné. Soucieux toutefois d'asseoir ses chimères sur des fondations sûres, Giraudoux se présente avec succès au concours des Affaires étrangères (1910).

À peine a-t-il le temps d'écrire *l'École des indifférents* (1911) et de s'initier aux finesses de la diplomatie, la guerre vient le saisir avec tous ses doutes.

Voyage au bout des illusions

Envoûté par la passion de la démesure dont l'âme allemande, romantique et rêveuse, lui semble habitée, Giraudoux reste fermement attaché à la mesure et à l'ordre qu'il voit se manifester partout dans la culture française. Aussi va-t-il chercher dans la littérature le moyen de revêtir le songe d'une forme rassurante, d'établir sur la déraison des choses un équilibre de phrases et de mots ; ainsi l'entendra l'écrivain Lemançon, dans *Juliette au pays des hommes* : « L'univers était recouvert pour lui plus que pour tout autre d'une croûte verbale qui lui cachait les gouffres du chaos. »

La guerre va dramatiser ce débat. « Tous ceux qui là-bas derrière pensent à vous. Pourquoi vivent-ils ? La guerre serait si belle s'ils n'existaient pas… » L'inconscience, la légèreté avec lesquelles Giraudoux semble plonger dans le conflit ne suffisent pas à faire taire le mystérieux appel de Novalis, de Kleist ou de Nietzsche ; le narrateur de *Siegfried et le Limousin* parlera même d'un « pouvoir magnétique » : « Pendant la guerre, à deux ou trois reprises, j'avais cru percevoir cette succion d'un esprit, parfois tellement vive qu'elle semblait venir de la tranchée d'en face. »

Blessé deux fois, décoré, envoyé comme instructeur militaire au Portugal, puis aux États-Unis, le sous-lieutenant Jean Giraudoux clôt définitivement le cycle de ses exaltations épiques et de ses rêves wagnériens.

Le bruit et la fureur des armes paraissent avoir naturellement conduit sa conscience à l'équilibre d'une maturité, qui lui fait saluer en l'armistice de 1918 le retour à la norme ; après avoir défini ses souvenirs de combattant comme « des souvenirs de réveil », l'écrivain fête, dans *Adorable Clio* (1920), sa place retrouvée d'homme dans l'harmonie universelle : « Guerre, tu es finie ! Voilà que je reprends ma vraie distance de la mort. » Il en résulte cette leçon salutaire : « Je sens que j'ai été un élément étranger en Allemagne ; je me rends compte aujourd'hui seulement des malaises, des douleurs provoquées par elle en moi, et qui m'indiqueront peut-être mon vrai peuple » (*Siegfried et le Limousin*, 1922).

Le fonctionnaire poète

Ainsi se trouve confirmée dans sa portée métaphysique la double tâche du fonctionnaire au Quai d'Orsay et de l'écrivain. Propagandiste de la culture française, porteur d'avertissements solennels parmi les siens, Giraudoux applique sa conviction : « Connaître l'avenir et la prophétie qu'est la phrase de nos écrivains les moins inspirés, fût-elle de Boileau, […] dispense des prophéties célestes. » (Préface de *Littérature*.) Avant de reprendre ses activités de diplomate, il a le temps de publier *Simon le Pathétique* (1918) et *Elpénor* (1919). Promu dans le « grand cadre » des Affaires étrangères, Giraudoux s'installe alors dans une quiétude bourgeoise, épousant en 1921 Suzanne Boland, devenant père l'année suivante, assumant la charge de chef du Service des œuvres françaises à l'étranger. Il va, jusqu'en 1926, remplir des fonctions relativement obscures : nommé secrétaire d'ambassade à Berlin (1924), il rentre aussitôt à Paris en qualité de chef des Services d'information et de presse. Alexis Léger [voir **SAINT-JOHN PERSE**] ne semble pas beaucoup apprécier le dilettantisme de son subordonné. Le scandale provoqué, à la parution de *Bella* (1926), par les traits satiriques dont se sentent égratignés les membres du cabinet Poincaré entraîne la disgrâce de Giraudoux. Sa nomination à la Commission d'évaluation des dommages alliés en Turquie équivaut à une mise à l'écart. Elle durera huit années, pendant lesquelles l'écrivain aura tout loisir d'épanouir son art.

En 1924, il a achevé *Juliette au pays des hommes*, puis, en 1926, proposé une seconde version de *Simon le Pathétique*. Il y ajoute *Églantine* (1927), *Aventures de Jérôme Bardini* (1930), *Combat avec l'ange* (1934). Ainsi s'affirme le style d'un romancier dont les acrobaties verbales, les récits sans héros ni intrigue, les paradoxes vertigineux définissent la singularité. Giraudoux fonde un genre qui lui appartient en propre, mais parviendra-t-il à le renouveler ? La parodie des formes officielles et des conventions en art est ce point que le créateur doit atteindre pour voir plus loin et plus large. Les *Pastiches* sont une minute du temps proustien, perdue pour retrouver l'éternité. Les romans de Giraudoux, dont les personnages n'en finissent pas d'ouvrir des yeux émerveillés et naïfs à la naissance du jour, n'ont encore rien retrouvé, faute d'avoir su perdre les mots, les choses, les origines. La réécriture de *Simon le Pathétique* témoigne de l'impasse où se trouve fourvoyé le roman giralducien.

Dans le même temps, le théâtre est en crise. Copeau, Pitoëff, Dullin, voulant réagir contre les errements d'un art dramatique perverti par le mercantilisme et l'esprit routinier, ont imposé sur leurs scènes des auteurs comme Gide et Claudel, aux côtés des grands dramaturges du répertoire classique. Louis Jouvet, directeur de la Comédie des Champs-Élysées, convaincu que les auteurs de théâtre doivent d'abord « être des écrivains », car « le mot comporte tout », et « le grand théâtre, c'est d'abord le beau langage », rencontre en Giraudoux (1928) le faiseur de « beaux textes », au service duquel il met son talent et sa prestigieuse troupe. Commence alors une fructueuse et indissoluble collaboration, dont on peut saisir toute l'intimité dans cette réflexion de *Littérature* sur le rôle du metteur en scène : « L'auteur dramatique a maintenant deux Muses, l'une avant l'écriture, qui est Thalie, et l'autre après, qui est pour moi Jouvet. »

Ayant découvert sa voie royale, Giraudoux connaît un premier succès avec *Siegfried* (1928), adapté de son roman de 1922, puis triomphe avec *Amphitryon 38* (1929), sa première création originale pour la scène et son premier chef-d'œuvre reconnu. Vont suivre *Judith* (1931), *Tessa* (1934, d'après *la Nymphe au cœur fidèle* de M. Kennedy) et surtout *Intermezzo* (1933), pièce dont Jouvet affirme qu'elle est « tout

Giraudoux ». À peine renoue-t-il avec le genre romanesque pour écrire *la France sentimentale* (1932).

Son heure de vérité a sonné au théâtre. Elle finit par sonner également dans les hautes sphères de la politique : Giraudoux est rappelé du fond de son oubliette pour remplir les fonctions d'Inspecteur général des postes diplomatiques et consulaires. Proscrit la veille, il prend rang, soudain, de ministre plénipotentiaire. Gravité de sa charge ou inquiétude naturelle pour le témoin d'une actualité dramatique et menaçante ? Force est de constater l'obscurcissement de l'univers du dramaturge : *La guerre de Troie n'aura pas lieu* (1935), *Électre* (1937), *Ondine* (1939), sans être des pièces à clés, paraissent alourdir à plaisir leurs allusions, leurs sous-entendus ; l'humanité y paraît incapable de conjurer le tragique. Parallèlement, l'auteur sent peser davantage sa mission de Cassandre. Le dilettante cède la place au prophète et à l'homme d'État. Ainsi naît le projet d'une méditation politique qui tente de prendre forme dans une série de conférences, *Pleins Pouvoirs* (1939). S'interrogeant sur le rayonnement de la France dans les réalités de l'heure, Giraudoux remarque : « Les pays sont comme les astres : ils peuvent étinceler et éclairer des siècles après leur extinction. » Jusque dans *l'Impromptu de Paris* (1937), pièce promise en apparence à un ton primesautier, l'« engagement » mûrit ses maximes : « La destinée de la France est d'être l'embêteuse du monde. »

« Cela s'appelle l'aurore »

Peut-être faut-il voir dans cet appesantissement de la conscience de Giraudoux l'explication profonde de son refus quand on lui offre de diriger la Comédie-Française (1936). De toute évidence, l'amertume se fait jour dans la dernière manière giralducienne. Paradoxalement, cette lucidité qui s'aiguise dans les œuvres de l'écrivain l'oppresse dans la vie quotidienne : « Soudain affolé par les menaces japonaises au Queensland, je me réfugie dans mon ministère du Quai d'Orsay, seul asile où, de même qu'on ne parlait pas de guerre dans les tranchées, je puis enfin échanger quelques idées sur la taille des caniches et l'encadrement des Daumier » (*Pleins Pouvoirs*). Progressivement, Giraudoux semble préparer sa fuite hors du monde. *Supplément au voyage de Cook* (1935) allait quérir des leçons auprès du bon sauvage Outourou. Hors de toute rêverie utopique, l'errance dans l'ailleurs ne conquiert pas un paradis à la quiétude humaine, mais un lieu privilégié à partir duquel tout regard qui se retourne vers notre univers n'en perçoit plus que les grimaces. Le ton des œuvres d'avant-guerre touche au biblique : au théâtre (*Cantique des cantiques*, 1938) comme dans la veine romanesque (*Choix des élues*, 1939). La part étant faite de l'ironie et de la dérision dans le choix de tels titres et de tels accents, on ne peut manquer de comprendre que les mots des hommes se sont mis à bégayer des déclarations qui outrepassent la nature humaine et affirment « un lien horrible entre l'humanité et un destin plus grand que le destin humain » (*Littérature*).

Commissaire à l'Information (1939), Giraudoux voit s'accomplir les désastres attendus. La débâcle de 1940 hâte sa retraite. Hors de la mêlée, il choisit de parler au loin. Le persiflage s'efface au profit de visions d'apocalypse ; *Sodome et Gomorrhe* (1943) en témoigne : « Dans la tourmente, l'inondation et la guerre des guerres, il ne subsiste plus que la faillite, la honte, un visage d'enfant crispé de famine, une femme folle qui hurle, et la mort. » De sa solitude (« exilé dans [sa] propre ville »), Giraudoux n'en finit pas d'écrire ses testaments. De dramaturge, tout d'abord, qui attend « dans Cusset secouée par la tempête et dont les torrents mugissent », la visite d'« un héros en chlamyde qui sourit doucement, qui sourit on ne sait pas très bien à quoi, [...] mais cela n'a pas d'importance, car c'est ou à la vie ou à la mort » (« la France et son héros », *Littérature*). D'homme, enfin, désabusé par le présent, et à peine effleuré par l'espoir quand, tirant les leçons de l'armistice conclu entre Pétain et Hitler, il déclare léguer à son fils « une patrie évanouie qui ne s'animera que de son souffle ».

Adoptant déjà dans *Sans pouvoirs* (édité seulement en 1946) la voix d'outre-tombe d'un mémorialiste amer – et quelque peu grandiloquent –, Giraudoux approfondit toujours son repli hors du monde. Il laisse à Jouvet le soin de représenter *l'Apollon de Bellac* (1942), à Rio de Janeiro. Il se consacre au cinéma, adaptant le roman de Balzac *la Duchesse de Langeais* (1941), puis collaborant avec Robert Bresson pour *les Anges du péché* (1943). La mort de l'écrivain se produit au moment où chaque aspect de son œuvre devient appel à un achèvement. Deux pièces posthumes, *la Folle de Chaillot* (première en 1945) et *Pour Lucrèce* (1953), apportent à la quête de Giraudoux une réponse douloureuse ; tandis que le retour à l'harmonie s'effectue à la faveur d'une mise en scène qui ne peut convaincre que la Folle, de façon invraisemblable et canularesque, le héros lucide, qui n'est pas abusé, peut simplement sanctionner son échec par son effacement superbe : « Les héros sont ceux qui magnifient une vie qu'ils ne peuvent plus supporter. J'en suis là, ils m'engagent... », déclare Lucile (*Pour Lucrèce*, III, VI) pour justifier son suicide.

Peut-on encore soutenir la thèse d'un Giraudoux « précieux » ou « léger », « verbaliste » même ? Peut-on totalement ignorer qu'en surchargeant sa phrase du bilan de tous les désespoirs vécus, le destin a ôté aux mots beaucoup de leur gratuité ? Gracile équilibre établi par-dessus les abîmes du non-sens, la langue de Giraudoux proclame autant l'éphémère victoire de la raison que la pérennité du chaos, promet autant de fêtes que d'effondrements. Le Mendiant d'*Électre* nous avait prévenus : l'« aurore » est un mot bien pur, mais bien cruel.

Un humaniste qui sourit des systèmes

On ne peut ignorer, à l'arrière-plan de la création giralducienne, l'empire théorique d'un intellectualisme omniprésent. Le jeune normalien a goûté ce climat. En 1917, il accompagne Bergson, « notre plus grand philosophe », aux États-Unis. Se sent-il pour autant porté par le bouillonnement d'idées où bergsoniens, maurrassiens et émules de Brunschvicg mêlent leurs voix ? À son corps défendant,

Giraudoux ne parvient pas à s'y reconnaître. « Six ans se sont écoulés. Et je vis toujours sans formule ; et elle ne me manque guère. De même que j'apprécie toute musique sans me demander, comme d'autres, si je la comprends ou non, de même je n'ai point besoin d'interpréter la vie pour la juger » (*l'École des indifférents*).

De fait, on serait bien en peine de trouver des lois, des principes, des généralités dans un discours fuyant sans cesse la cohérence, fondé sur de constants retournements, d'imprévisibles pirouettes, d'inattendus paradoxes ; René Marill Albérès croit pouvoir simplement définir l'œuvre de Giraudoux comme une tentative pour résoudre le « malentendu entre l'homme et la vie cosmique » (*Esthétique et Morale chez Jean Giraudoux*). Affirmation prudente, bien propre à rendre compte d'un écrivain dont la moindre phrase met en garde contre les absolus, les certitudes, les vérités trop simples.

Sa « métaphysique », Giraudoux n'en établit les bases que tardivement, et dans un cadre où l'on ne l'attendrait pas. Cocteau avait compris qu'au-delà du « très bon élève » il fallait percevoir en lui « le prestige mystérieux du cancre ». Aussi ne doit-on s'étonner qu'à moitié de voir l'« humanisme » giralducien s'élaborer dans une œuvre conçue d'abord comme dérision massive, énorme canular. *Elpénor,* citation parodique et exploration plaisante des coulisses de *l'Odyssée,* emprunte son épigraphe à la grande épopée homérique : « C'est alors que mourut le matelot Elpénor. Seule occasion que j'aurai de prononcer son nom, car il ne se distingua jamais, ni par sa valeur ni par sa prudence » (chant X). Si Giraudoux désire, lui, en dire plus long sur Elpénor, c'est pour en faire le type même de l'antihéros, « le Charlot de *l'Odyssée* ». Confondu par les Phéaciens avec Ulysse, Elpénor introduit le surhomme ou le demi-dieu dans des quiproquos qui le dévaluent et le caricaturent : « Telle était la vie en loques qu'il déployait aux yeux des Phéaciens. Mais ceux-ci voyaient au travers des trous la doublure de l'épopée, et ne la trouvaient point ridicule ». L'ironie se trouve ainsi tout entière mise au service d'une glorification de l'humanité moyenne : « Un mortel n'est rien, mais… le souvenir du mortel le plus mince détruit sur une contrée la trace du plus grand des dieux. »

En contrepartie, la dépréciation de l'extra-humain, et particulièrement du divin, ne fixe pas de limites à son insolence, blasphématoire ou joyeuse. Qu'il s'agisse d'affirmer que « les dieux infestent notre propre univers » (*Judith*, II, IV) ou d'évoquer « l'infect Charybde, semblable aux dieux » (*Elpénor*), Giraudoux semble vouloir accommoder la tonitruante prophétie nietzschéenne au goût de la mesure française et aux couleurs de l'aurore.

La vérité la plus sûre devient celle des humbles, dont les échecs sont plus probants, voire plus magnifiques, que les triomphes du héros. « Devenir immortel, c'est trahir, pour un humain » (*Amphitryon 38,* III, II). Dieux et héros, en fin de compte, trichent. Tous les exploits d'Ulysse ne valent pas une seule des « morts d'Elpénor ». Ce parfait « spécimen de tous les milliers d'ignorants et d'anonymes peu curieux qui sont les cancres des époques illustres », qui « vidait les eaux de la Fable », autorise l'étymologie giralducienne à concevoir humour et humanisme comme issus d'une même racine. Ainsi peut se révéler l'homme, « créature indomptable et qui emmerde les dieux ».

Doit-on pour autant affirmer que le goût du jeu à l'état pur ne serait plus qu'un aspect secondaire, sinon de toute la démarche giralducienne, du moins d'*Elpénor* ? On ne peut que constater à quel point Giraudoux ne manque aucune occasion d'assouvir sa délectation pour la gratuité du calembour, du bon mot, des *concetti.* S'il évoque Polyphème, c'est pour remarquer aussitôt que « son tympan était si sonore et si large qu'on l'entendait entendre ».

Encore un tel jeu a-t-il valeur de plaidoyer, magnifiant le rôle imparti à l'homme dans l'équilibre cosmique. Ulysse lui-même « n'était point divin […], en ce que toujours il succombait au désir de placer une de ses épigrammes ». L'homme parvient à garantir la stabilité universelle par la légèreté même de sa présence au monde. Il représente ce contrepoids infime mais indispensable pour rétablir l'assiette du cosmos, compromise par la pesanteur des dieux et des héros. Il manquera un rieur, un écho malicieux, un jardinier ou un mendiant peut-être pour ôter à la terrible « pesée » à laquelle se livrent Hector et Ulysse, dans *La guerre de Troie…*, son caractère tragique. Seul avec le *fatum,* le héros ne saurait être qu'un fauteur de guerres parmi les autres. Il n'est que la sagesse toute humaine d'une Alcmène pour conjurer à son insu les catastrophes et faire « de toute cette future tragédie de dieux […] un petit divertissement pour femmes » (*Amphitryon 38*, II, VI).

Par là se trouve revendiquée la responsabilité humaine, le droit des hommes « d'être un peu seuls sur cette terre ». Aussi peut-on constater que le théâtre de Giraudoux s'est souvent plu à moduler une situation déjà largement exploitée dans ses romans : comment faire pour sauver Suzanne, Juliette, Isabelle ? Pour soustraire la jeune fille au vertige de l'au-delà ? Et surtout pour qu'elle puise dans son expérience une sagesse propre à lui faire aimer l'ici-bas ? L'avenir d'Isabelle (*Intermezzo*), c'est de devenir quelque nouvelle Alcmène, sentinelle du genre humain et ennemie des absolus. Le péril consisterait à la laisser se figer en une sœur glacée d'Électre, vestale de la justice, instrument du destin. *Suzanne et le Pacifique, Juliette au pays des hommes* mettent en œuvre avant *Intermezzo* un tel programme initiatique. Le romancier Giraudoux assigne déjà à son écriture la tâche de conjurer le tragique. En opposant aux avances de Jérôme Bardini, qui « eût aimé la ramener par la volupté dans la tragédie », une écriture définitive et claire, Renée adopte une attitude emblématique de cette recherche giralducienne : « elle lui montra de loin ces quelques mots, si lisibles, alors que d'habitude elle avait une écriture de chat, lisibles comme ses souhaits de bonne année : Va-t'en » (*Aventures de Jérôme Bardini*). Le dramaturge conservera cette préoccupation fondamentale.

Le théâtre contre la tragédie

Giraudoux ne revendiquera l'appellation « tragédie » que pour *Judith* (1931). Dans son ensemble, sa dramaturgie apparaît comme une recherche obstinée de la mesure. Son théâtre se veut un univers tellement réglé qu'il a besoin d'un metteur en scène présent et reconnaissable au sein même de l'action dramatique, chargé de maintenir l'accord harmonique des éléments, de bannir les discordances, les disharmonies, les drames. Ainsi trouvent leur statut ces personnages dont la distribution d'*Intermezzo* est la moins avare : l'Ensemblier ; le Droguiste, savant accordeur de la nature, possesseur de tous les diapasons de l'univers ; enfin, le Contrôleur des poids et mesures, l'homme qui peut sauver Isabelle et grâce à qui « l'au-delà est refoulé au-delà de sa chambre ».

Le théâtre de Giraudoux se donne pour vocation de réguler les crises, de réaliser la fameuse « purgation des passions », chère aux Anciens. Aussi ne faut-il pas s'étonner qu'un tel dessein s'assouvisse en privilégiant le temps de l'intermède, véritable écluse entre deux flux du quotidien. Ainsi se trouve rétablie la mesure pour que se lève un nouveau jour. L'invitation de Jupiter aux spectateurs d'*Amphitryon 38* n'a pas d'autre signification : « Retirez-vous sans mot dire en affectant la plus complète indifférence. »

C'est un fait : l'intermède est le moment par excellence où se révèle la vraie nature du théâtre, et plus encore celle du tragique. Entre les deux actes d'*Électre*, le dramaturge ménage un instant d'apaisement, le « Lamento du Jardinier », qui explique : « On réussit chez les rois les expériences qui ne réussissent jamais chez les humbles, la haine pure, la colère pure. C'est toujours de la pureté. C'est cela que c'est, la Tragédie, avec ses incestes, ses parricides : de la pureté, c'est-à-dire, en somme, de l'innocence ». La crise est donc résolue par le rejet de la démesure et par la glorification des humbles. Les héros s'effacent et laissent en pleine lumière la femme Narsès. La race des Atrides, des rois guerriers, est éteinte. Peut alors s'établir la dynastie des rois jardiniers, à laquelle Amphitryon, inventeur « d'une nouvelle greffe pour les vergers », appartient, et qu'Holopherne voudrait voir régner sur les hommes : « Je suis l'ami des jardins à parterres » (*Judith*, II, IV).

Il n'est pas douteux que de semblables structures imposent comme le plus giralducien des dénouements celui qui parvient à remettre à l'unisson toutes les voix discordantes. Ainsi en est-il du chœur provincial qui conclut *Intermezzo*. Même quand le *happy end* ne vient pas les confirmer, ces principes paraissent fonder l'entreprise de Giraudoux. *Ondine* reste une féerie plutôt qu'une tragédie. Certes, Hans périt, l'amour meurt. Mais quelle plus convaincante célébration de la fragilité de l'homme, de cet « éphémère » que Léda veut sauver en Alcmène, « née pour être » ? Humain et inhumain se sont à nouveau affrontés. Si l'un doit en souffrir, l'autre n'est pas indemne. Au contact de l'homme, l'extra-humain se dénature, se dévalue ou s'humanise. Ondine oubliera Hans, mais elle restera marquée par son expérience terrestre. En elle perdurera le souvenir de l'éphémère, de la mesure, de la raison : « Éternellement, il y aura une ondine bourgeoise parmi ces folles d'ondines. »

En accomplissant ce qui était écrit, le théâtre a épuisé les déterminismes et rendu ses chances au possible.

Mais quand l'Histoire vient prouver que l'harmonie n'était qu'un rêve, que cette entente idéale entre Allemagne et France attendue dans *Siegfried* ne pourra voir le jour, les fondements d'un tel système s'effritent. Et en premier lieu la figure du couple, chargée de garantir et de matérialiser la solidarité humaine contre l'inhumain. Le conflit éclate désormais entre les hommes eux-mêmes, et la mésentente du couple suffit à décider du châtiment de *Sodome et Gomorrhe.* Dès lors que les fractures s'élargissent irrémédiablement, n'offrant plus au regard que gouffres et abîmes, le verbe subsiste seul, planant dignement au-dessus des désastres, drapé dans sa perfection et sa pureté inaltérable, détaché des choses, du sens : « Le monde s'est dédoublé, et nous avons chacun le nôtre. Seuls les noms sont restés communs » (*Sodome et Gomorrhe*). L'« aurore » n'est plus qu'un nom riche de sa seule beauté, pourrait ajouter Lia.

Retour au style, retour aux sources

Toute l'œuvre de Giraudoux semble habitée par la volonté de désarmer le fait par la parole, de substituer à un tohu-bohu de gestes, d'événements et de passions un ordre verbal chatoyant et rassérénant. Principe qui vaut aussi bien pour le romancier que pour le dramaturge. Nommer devient l'acte humain par excellence, la meilleure façon de faire le tour de son domaine et d'en établir des limites sûres. Par conséquent, aller au-delà du langage sera le premier désir de quiconque cédera à la fascination de l'au-delà, prêtera sa voix à l'inhumain. Ainsi Juliette, au début de son aventure : « Elle avait dû pousser une barrière fraîchement peinte, lutter en pleine crise de confiance avec la terre contre une série d'objets ridicules dont les noms mêmes ne sont que des diminutifs : chevillette, portillon, et elle arrivait vers Gérard dégoûtée, comme aucun humain ne le fut avant elle, des vêtements, des loquets et de la parole articulée » (*Juliette au pays des hommes*).

C'est pourquoi l'essentiel de la recherche stylistique de Giraudoux consistera à faire du langage une version corrigée et exorcisée de l'univers mythique. On pourra ainsi rattacher la réflexion du héros de *Siegfried et le Limousin,* quand il réalise qu'il a « perdu l'Allemagne », méditant au sujet de « cette peine qu'[il] avait toujours à rouler le verbe à la fin », et le jeu auquel se livre Ulysse face à Polyphème, dans *Elpénor,* donnant à ses phrases un tour parodié de l'allemand au lieu de l'ordre syntaxique grec. La dérision a, du même coup, désenvoûté le langage fabuleux et conjuré une angoisse existentielle. User de la parole avec art devient une véritable magie blanche, un recours salutaire et typiquement humain : « C'est ainsi qu'avec des sobriquets Ulysse avait bâti de ses matelots un corps invulnérable, et, autour du nom insaisissable de Personne, ils goûtaient un calme enviable » (*Elpénor*). Rien que de très normal, dans ces conditions, si Agnès doit apprendre, pour faire son entrée parmi les hommes, à leur dire qu'ils sont beaux, à faire d'Apollon un prénom humain, à congédier le dieu en termes sans équivoque : « Ah ! si tu étais seulement un bel homme, bien dense en chair et en âme, ce que je te prendrais dans mes bras ! » (*L'Apollon de Bellac.*)

ÂDe telles observations invitent à revenir sur la trop commune définition de Giraudoux « magicien du verbe ». Si, dans son œuvre, le mot paraît prendre le pas sur tout le reste, c'est précisément parce que le mot peut tout. Cette certitude doit être placée à l'origine même du rêve giralducien d'un « théâtre littéraire », chargé de charmer le spectateur par le seul langage, au-delà de toutes les conventions du décor et du jeu : « C'est le style qui renvoie sur l'âme des spectateurs mille reflets, mille irisations qu'ils n'ont pas plus besoin de comprendre que la tache de soleil envoyée par la glace » (*l'Impromptu de Paris*). Ôtant à son théâtre ces moyens que certains jugent spécifiques de la scène, dépouillant les décors, resserrant le mouvement et le geste, Giraudoux semble conférer toute leur exubérance au discours, auquel tout est permis. Jamais il n'hésite à recourir à l'anachronisme, quand il veut colorer son propos d'une teinte générale et intemporelle. Le Mendiant d'*Électre* pourra ainsi nommer en toute impunité « les chemins départementaux ou vicinaux ». À chaque instant, l'allusion culturelle surgit pour faire du langage une perpétuelle mise en abyme du savoir, donnant l'illusion d'une profondeur vertigineuse, ouvrant des perspectives infinies au pouvoir de l'expression. Il suffit à Ondine d'entendre le nom de la reine, Yseult, pour croire un peu plus fort en son rêve d'amour et de fidélité : « Et Tristan ? Où est Tristan ? – Je ne vois pas le rapport, Ondine… » (II, X). La familiarité elle-même peut trouver droit de cité dans la tragédie giralducienne. Notamment quand un personnage comme Hécube l'utilise pour en faire l'arme de la dernière chance, capable de dévaluer les signes du destin pendant qu'il en est encore temps ; parlant des « portes de la guerre », elle s'exclame : « Guerre ou non, votre symbole est stupide. Cela fait tellement peu soigné, ces deux battants toujours ouverts ! Tous les chiens s'y arrêtent » (*La guerre de Troie n'aura pas lieu*).

Utilisant tous les registres, tous les tons et tous les lexiques, la langue de Giraudoux se plaît singulièrement à remettre en question les nombreux énoncés qu'elle pille. Un proverbe n'est cité que pour être soumis à quelque métamorphose plaisante ; un discours, pour débrider aussitôt la verve parodique. Ainsi en est-il de l'argot maritime, dont l'abus est un tic du roman d'aventures, et que Giraudoux utilise dans *Elpénor* pour forger cette phrase burlesque : « Il argua une conasse dans le virempot, puis, la masure ayant soupié, bordina l'astifin : il était sauvé ! » Ainsi détournés, les langages se prêtent à toutes les tentatives visant à dresser un inventaire poétique de l'univers. Les petites filles d'*Intermezzo* en donnent une démonstration éclatante, exhumant par leurs facéties les signes d'une harmonie oubliée de la vie cosmique : « L'arbre est le frère non mobile des hommes. »

Marque d'appartenance à un camp ou à l'autre, la langue suffit à désigner l'homme ou le dieu, l'humble ou le héros. Tandis que Jupiter et Léda ne peuvent se départir d'une expression abstraite et grandiloquente, Alcmène préfère les mots que lui dictent sa simplicité et sa chair. Quand Léda parle d'« ombilic », elle traduit aussitôt : « Cela veut dire nombril, je crois ? » Ainsi la parole peut porter tout entière la dignité de l'homme, jusque dans son échec, et le personnage giralducien faire appel, par-dessus les désastres, à une expression hautaine et rayonnante. C'est le cas dans *La guerre de Troie n'aura pas lieu*, dans *Électre* ou, plus significativement peut-être, dans le dénouement de *Sodome et Gomorrhe*, marqué par l'exaspération de l'Archange face à tous ces morts qui n'en finissent pas de parler. Giraudoux en arrive à bâtir une véritable esthétique du dernier mot. Mais n'est-ce pas le seul auquel l'Écho permettra de franchir les siècles et les espaces, insondables, mais sonores ?

VIE		**ŒUVRE**	
1882	**29 oct.** : naissance de Jean Giraudoux à Bellac (Haute-Vienne).		
1900	Lycéen, il s'éprend avec passion de la littérature.		
1903	Il est reçu 12e à l'École normale supérieure.		
		1904	« Le Dernier rêve d'Edmond About », conte publié par *Marseille-Étudiant.*
1905	Échec à l'agrégation d'allemand.		
1905-1907	Voyages en Allemagne et aux États-Unis.		
1909	Gide, Schlumberger et Copeau fondent *la Nouvelle Revue française.*	**1909**	*Provinciales.*
1910	Il est reçu premier au « petit concours » des Affaires étrangères.		
		1911	*L'École des indifférents.*
1913	Il s'initie à la diplomatie, voyage en Turquie et en Russie. Copeau constitue la troupe du Vieux-Colombier ; parmi ses acteurs, Louis Jouvet. Proust publie *Du côté de chez Swann* ; Apollinaire, *Alcools.*		

	VIE	ŒUVRE
1914	Sergent dans un bataillon d'infanterie, blessé, Giraudoux est cité à l'ordre du régiment.	
1916	Il est chargé de mission au Portugal et à Harvard (U.S.A.). **Bataille de Verdun.**	
1917		*Lectures pour une ombre.*
1918		*Simon le Pathétique.*
1919	Breton, Aragon et Soupault créent la revue *Littérature*.	*Elpénor.* *Amica America.*
1920		*Adorable Clio.*
1921	Mariage de Giraudoux. Il est promu dans le « grand cadre » des Affaires étrangères.	*Suzanne et le Pacifique.*
1922		*Siegfried et le Limousin.*
1924	Breton publie le *Manifeste du surréalisme*. Saint-John Perse publie, après treize ans de silence, *Anabase*. Dans la même période, Giraudoux, son subordonné au Quai d'Orsay, a ajouté sept titres à son œuvre.	*Juliette au pays des hommes.*
1925	**Conférence de Locarno.** Claudel achève *le Soulier de satin*.	
1926	Giraudoux est mis à l'écart, nommé à la Commission d'évaluation des dommages alliés en Turquie. Jouvet, Pitoëff, Dullin, Baty forment le « Cartel des Quatre ».	*Bella.*
1927		*Églantine.*
1928	Giraudoux rencontre Jouvet.	*Siegfried.*
1929		*Amphitryon 38.*
1930		*Aventures de Jérôme Bardini.*
1931		*Judith.*
1932		*La France sentimentale.*
1933	**Hitler devient chancelier du Reich.** **L'Allemagne quitte la S.D.N.**	*Intermezzo.*
1934	Giraudoux rentre en grâce au Quai d'Orsay.	*Combat avec l'ange ; Tessa ; la Française et la France.*
1935		*Supplément au voyage de Cook ; La guerre de Troie n'aura pas lieu ; Fin de Siegfried.*
1936	Époque des grandes tournées de Giraudoux aux quatre coins du monde. **Guerre civile en Espagne.** Triomphe, en France, du Front populaire.	
1937		*Électre ; l'Impromptu de Paris.*
1938	**Conférence de Munich.** Sartre publie *la Nausée*. Artaud publie *le Théâtre et son double*.	*Cantique des cantiques ; les Cinq Tentations de La Fontaine.*
1939	**Déclaration de guerre contre l'Allemagne.** Giraudoux est nommé commissaire à l'Information.	*Choix des élues ; Ondine ; Pleins Pouvoirs.*

VIE		ŒUVRE	
1940	**Armistice.** Retraite de Giraudoux à Cusset.		
		1941	*Littérature.* Cinéma : *la Duchesse de Langeais.*
1942	Retour à Paris. Camus publie *le Mythe de Sisyphe.*	1942	Jouvet donne *l'Apollon de Marsac* (ultérieurement : *de Bellac*) à Rio de Janeiro.
1943	Sartre publie *l'Être et le Néant.*	1943	*Sodome et Gomorrhe.* Cinéma, avec Bresson : *les Anges du péché.*
1944	**31 janv.** : mort de Jean Giraudoux.		
		1945	*La Folle de Chaillot* (posth.).
		1946	*Sans pouvoirs* (posth.).
		1953	*Pour Lucrèce* (posth.).
		1969	*La Menteuse* (posth.).

Amphitryon 38

Trente-huitième œuvre inspirée du même mythe, *Amphitryon 38* fut représenté pour la première fois à la Comédie des Champs-Élysées, le 8 novembre 1929. En la sous-titrant « comédie en trois actes », Giraudoux ne veut laisser planer aucun doute sur le genre de sa pièce ; à supposer que la nature et la tradition théâtrale de la légende d'Amphitryon, de Plaute à Molière, permettent la plus légère ambiguïté à ce sujet.

SYNOPSIS

ACTE I. En projetant « d'étreindre et de féconder » la belle Alcmène, épouse d'Amphitryon, roi de Thèbes, Jupiter se contenterait d'accomplir ce qui est écrit : Hercule doit naître. Or, il ne s'estimerait heureux qu'en obtenant son « consentement ». Pour séduire ainsi Alcmène la fidèle, il n'est qu'une solution : provoquer une guerre afin d'éloigner Amphitryon, et prendre sa forme (sc. I, II, III). Mais, loin de triompher, Jupiter se voit ligoté par son propre stratagème (sc. IV).

ACTE II. À aucun moment il ne parvient à se révéler sous sa vraie nature à Alcmène : « Du coucher au réveil, je n'ai pu être avec elle un autre que son mari » (sc. I, II, III). Voilà que le plus grand des dieux s'abaisse à éprouver un dépit tout humain. Jaloux d'Amphitryon, il décide d'assouvir son désir au cours d'une seconde nuit auprès de sa femme : « L'affaire Hercule est close heureusement. Il s'agit de moi ». Il en fait l'annonce aux Thébains et à Alcmène (sc. IV, V). Celle-ci conçoit une ruse : elle se fait remplacer dans sa chambre par Léda, pour qui les amours jupitériennes n'ont plus de secret. Mais, à la faveur d'un quiproquo, c'est le vrai Amphitryon qu'elle jette dans les bras de sa complice (sc. VI, VII).

ACTE III. Tandis que mille fables agitent les imaginations thébaines, Alcmène et Amphitryon font le serment de mourir plutôt que de céder aux caprices du dieu (sc. I, II, III). Jupiter ne parvient à entamer ni la résolution du couple ni la fierté d'Alcmène ; il doit même accorder aux époux la grâce d'effacer de leur mémoire tous les éléments troubles de l'aventure. L'amour humain est seul illuminé tandis que se retire le divin séducteur (sc. IV, V, VI).

Molière, tout en exploitant la structure de base de la fable antique, les rebondissements dramatiques, les cascades de quiproquos dans lesquelles le valet Sosie prend figure de symbole, tous les ressorts qu'elle met en jeu, est le premier à faire de Jupiter ce curieux dieu jaloux d'Amphitryon et rêvant d'être aimé comme seul peut l'être un simple mortel :

Et c'est moi, dans cette aventure,
Qui tout dieu que je suis, dois être le jaloux.

L'originalité de Kleist (1807) consistera à choisir Alcmène pour personnage central. Elle devient une héroïne en quête d'absolu, déchirée par le doute et qui confère à la pièce un climat dramatique et douloureusement élégiaque.

Giraudoux poursuit la transfiguration du mythe. Célébration de la naissance d'Héraclès, l'histoire d'Amphitryon ne fournit plus à sa scène qu'un prétexte à glorifier l'homme et le couple. Inaccessible aux atteintes du divin, Alcmène, la femme la moins « fatale » qui soit, veut que « la vision du couple commence à détruire en [Jupiter] l'image de la femme isolée, [...] qu'il voie quel être unique forment deux époux ».

Arrachant Alcmène à la fatalité grecque et à la démesure du romantisme allemand, Giraudoux la rend au pays de Molière, au peuple « le plus sensé et le plus pratique de l'univers », selon l'Inspecteur d'*Intermezzo.*

Aventures de Jérôme Bardini

Le roman qui paraît sous ce titre en 1930 assemble trois fragments parus séparément à quatre années de distance : « Première Disparition de Jérôme Bardini » (1926), « Stéphy » (1929) et « The Kid » (1930). Abandonnant son personnage à l'inachèvement de son parcours initiatique, l'auteur mûrit d'essai en essai la signification de sa quête, comme semble l'indiquer le long propos analytique concluant l'œuvre. L'absence d'article ouvre le titre à l'indéfini d'un pluriel lourd de contingences, de discontinuités, bien propre à confirmer cette impression d'ensemble. *Aventures de Jérôme Bardini* renoue ainsi avec les origines de l'écriture giralducienne, celle du nouvelliste, auteur des *Provinciales*.

SYNOPSIS

« PREMIÈRE DISPARITION DE JÉRÔME BARDINI ». Tout est prêt pour que Jérôme Bardini disparaisse. « Il s'était entraîné à la pensée de son évasion, de son assaut sur l'inconnu ». Des vêtements, de l'argent l'attendent dans une cache. Trop de choses lui pesaient jusqu'alors : sa vie bourgeoise ; son fonctionnariat ; Renée, sa femme ; son tout jeune fils. Renée s'en est doutée, sans pouvoir le retenir. Il part, hésite, puis revient, désireux de « faire consentir » sa femme « à son départ » ; mais c'est elle, alors, qui le chasse.

« STÉPHY ». Stéphanie Moëller rencontre, sous les arbres de Central Park, l'inconnu qu'elle a cru connaître dans ses rêves et dans les contes de fées qui ont bercé son imagination de jeune fille. « Un homme qui ne vous a jamais vue, que vous n'avez jamais vu, est excusable de ne pas comprendre que vous l'attendez depuis l'enfance ! » Las, où est l'aventure espérée ? L'Amérique n'est encore pour Bardini qu'un « affreux itinéraire », jalonné de médiocrité et de déception. Seule Stéphy connaît son moment d'émoi auprès de Jérôme : « Elle avait trouvé avec lui une manière d'être qui convenait à la fois au bolcheviste, au criminel, au bourgeois, à l'homme gâté par la vie ou au paria et jamais rien en ses gestes, en ses paroles qui pût choquer le contrebandier d'alcool, ou le mari évadé, ou le magistrat, ou l'assassin » (Première partie). Les fiançailles sont à peine prononcées que Stéphy a déjà fourbi la double personnalité qui lui permettra de disparaître dès qu'elle le jugera opportun. Ce qui finit par se produire, quand elle est suffisamment persuadée que Jérôme pourrait bien disparaître avant elle (Seconde partie).

« THE KID ». Aux côtés du Kid, enfant fugueur, sans mémoire et sans nom, Jérôme croit enfin trouver cet « instinct de vie si pur, une âme si dégagée des liens qui l'enserrent dès sa naissance, que le mot liberté reprenait un sens à sa vue ». Mais « on ne se dérobe pas impunément à ses devoirs ». L'enfant éveille la curiosité des agents de police, des maîtres d'école, des éducateurs d'orphelinat. Le Kid retrouve un jour la mémoire, un nom, une famille. Un ami, Fontranges, retrouve Bardini et le ramène en France, plein d'amertume et conscient que « le temps est passé du redressement qui aurait fait de l'humanité la race directement supérieure à l'humanité ».

On y remarque cette tendance naturelle de l'auteur de *l'École des indifférents* à organiser sa matière narrative, à structurer son univers par séquences, à jouer des pleins et des vides, des hiatus temporels, dramatisant toute durée, mettant en œuvre une véritable théâtralisation du romanesque. De fait, la béance qui s'ouvre aux lisières de chaque « aventure » de Jérôme Bardini ne peut manquer d'être rapprochée de celle qui constitue le prélude à l'acte III d'*Ondine*, taisant le lent cheminement au cours duquel s'accomplit la faute, s'aigrit la déception et s'accélère le destin.

Le héros de Giraudoux rêve d'une humanité supérieure, capable de retrouver l'harmonie primitive, celle d'Adam au sein de l'Eden. Aussi les épisodes où Bardini se baigne nu dans le fleuve, erre dans Central Park, pâle vestige du Paradis perdu, cerné par la grande cité grise, prennent-ils valeur symbolique. Mais Ève n'est jamais au bout de l'espérance. Stéphy ne ressemble en rien à Suzanne, que le Contrôleur des poids et mesures finit par arracher à son île paradisiaque. La poursuite du mythe enferme le personnage dans la répétition.

Toujours plus intensément, Bardini cherche à renaître, à entrer dans une vie nouvelle. Toujours, son échec le rattrape. « The Kid » apparaît comme le point extrême de cette entreprise : Jérôme tentera de découvrir son possible à travers un enfant.

Pourtant, la rédemption n'aura pas lieu : « L'homme qui nous libérera de l'homme ne viendra plus ». Mais, aux frontières de l'infini et du cercle étroit de la routine humaine, Bardini hésite encore, et le romancier refuse de prendre parti.

Intermezzo

Intermezzo voit le jour le 27 février 1933, à la Comédie des Champs-Élysées. Cette féerie plaisante sera définie par un de ses personnages, le Droguiste, comme un « nouvel épisode de Faust et de Marguerite ».

Parti pour installer sa pièce dans un climat fantastique et étrange, pour développer une histoire de spectre et de procès en sorcellerie, le dramaturge a pris soin de rassurer le spectateur dès l'affiche : dans l'espace de l'intermède, il ne faut attendre que fantaisie et légèreté.

SYNOPSIS

ACTE I. Le Maire et le Droguiste comptent sur l'Inspecteur envoyé de Limoges et sur le Contrôleur des poids et mesures pour les aider à comprendre l'origine du délire poétique qui s'est emparé des habitants de leur bourg : le plus pauvre gagne à la loterie ; Isabelle, jeune remplaçante de l'institutrice, emmène les fillettes, ses élèves, battre la campagne à la recherche de la mandragore, et surtout, selon les rumeurs colportées par les sœurs Mangebois, rencontre fréquemment un mystérieux Spectre (sc. I, II, III, IV, V). La pédagogie d'Isabelle n'est pas du tout du goût de l'Inspecteur, très offusqué d'apprendre, grâce aux petites filles, que le bien et le mal découlent, dans l'univers, de l'intervention de l'« Ensemblier », qui provoque les éruptions volcaniques dans l'intérêt supérieur de l'équilibre cosmique, et d'« Arthur », esprit malfaisant « qui fait monter la chenille sur les Inspecteurs en visite ». Le Droguiste doit rétablir l'harmonie de la nature, troublée par la colère de l'Inspecteur, afin qu'Isabelle puisse à nouveau rencontrer le Spectre, dont elle veut connaître les secrets (sc. VI, VII).

ACTE II. Le Contrôleur, chargé de remplacer Isabelle en qualité d'instituteur, perpétue ses méthodes et, avec le Droguiste, décide de « veiller plus étroitement sur Mlle Isabelle ». Heureusement, car l'Inspecteur est décidé à tendre une embuscade au Spectre, au cas où elle ne renoncerait pas à lui rendre visite. Et, malgré les avertissements du Contrôleur, la jeune fille en prend le risque (sc. I, II, III). L'Inspecteur tend son piège, tandis que le Droguiste, grâce à ses diapasons, maintient l'accord des éléments. Isabelle s'entretient avec le Spectre, mais les bourreaux soudoyés par l'Inspecteur tirent sur lui (sc. IV, V, VI). Peine perdue : il ressuscite aussitôt, ridiculisant ses assassins. Le Droguiste, cependant, annonce au Contrôleur, amoureux d'Isabelle, que celui-ci pourra bientôt combattre le Spectre, son rival (sc. VII, VIII).

ACTE III. Tout va se jouer dans la chambre d'Isabelle. Chacun à sa manière va chercher à en interdire l'accès au Spectre : l'Inspecteur et le Maire, par des incantations à la gloire du rationalisme, de la laïcité et de la bureaucratie de la IIIe République ; le Droguiste et le Contrôleur, en indiquant au revenant les chemins qui mènent à son vrai domaine, la mort, et en offrant à Isabelle la seule clé du royaume des vivants, l'amour (sc. I, II, III, IV). Évanouie pour avoir embrassé le Spectre au moment où il s'apprêtait à disparaître, la jeune fille voit se réunir autour d'elle tous les citoyens de la petite ville, dont le Chœur, orchestré par tous les bruits de la vie quotidienne, parvient enfin à la rappeler au jour. S'adjugeant ce triomphe, l'Inspecteur déclare : « Je vous rends un district en ordre ; l'argent y va de nouveau aux riches, le bonheur aux heureux, la femme au séducteur » (sc. V, VI).

Isabelle, centre de l'œuvre, subit l'initiation de toute jeune fille, use de son « droit de s'élever au-dessus de sa vie quotidienne et de donner un peu de jeu à sa raison ». Interlocutrice privilégiée du Spectre et de l'au-delà, elle n'attend qu'un Contrôleur-poète pour se laisser prendre au lyrisme des fonctionnaires, capables de resserrer leurs aventures et leurs délires « entre Gap et Bressuire » et de lui faire découvrir les mérites de la mesure : « Isabelle ! Ne touchez pas aux bornes de la vie humaine, à ses limites. Sa grandeur est d'être brève et pleine entre deux abîmes. Son miracle est d'être colorée, saine, ferme entre des infinis et des vides. »

Rêverie poétique du « Français normal », contrepartie rassurante des « soixante-quatre millions de rêves allemands » qui effraient l'Inspecteur, *Intermezzo* promène une inquiétude souriante dans les débats de la condition humaine. Sourire est en effet la meilleure façon d'avertir l'homme, obligé d'entretenir avec l'au-delà un dangereux voisinage, que chaque individu « doit n'être qu'un garde à ses portes ».

C'est en effet le caractère de l'intermède de maintenir l'indécision, hésitant à conclure, plaçant le personnage sur l'« escarpolette » qui le balance entre « deux vérités ou deux mensonges ». Appelant un « après », *Intermezzo* laisse la porte entrouverte à tous les possibles dramatiques, à l'épouvante d'*Électre*, à la lumineuse ironie de *l'Apollon de Bellac*.

La guerre de Troie n'aura pas lieu

Si le public de l'Athénée, le 21 novembre 1935, fait un triomphe à *La guerre de Troie n'aura pas lieu*, les nombreuses allusions à l'actualité qu'un contemporain peut croire y discerner y contribuent sans doute pour une part notable. Quand Ulysse déclare : « Il est courant que deux chefs de peuples en conflit se rencontrent seuls dans quelque innocent village, sur la terrasse au bord d'un lac », combien songent alors aux entretiens de Locarno (1925), caducs depuis les derniers infléchissements de la politique allemande !

SYNOPSIS

ACTE I. Alors qu'Andromaque affirme : « La guerre de Troie n'aura pas lieu », Cassandre soutient que « le destin s'agite » et « se met en marche » (sc. I). Hector a beau prétendre : « Tous ceux des Troyens qui ont fait et peuvent faire la guerre ne veulent pas la guerre », sa femme n'est pas rassurée (sc. II, III). En fait, tout le peuple de Troie paraît fou d'Hélène, même si Hector semble sûr de persuader Pâris et Priam de la rendre aux Grecs. Démokos, le poète, pour qui la guerre est le prix de la beauté, exprime le sentiment commun (sc. IV, V, VI). Hélène se laisse bien convaincre par Hector, mais elle le met en garde : « Je ne vois pas la paix. » Les « portes de la guerre » sont toujours grandes ouvertes.

ACTE II. Hélène continue de régner sur les cœurs troyens (sc. I, II, III). Les discours guerriers se multiplient et se font écho dans la cité. Démokos prétend que « c'est [...] la mission de ceux qui savent parler et écrire, de louer la guerre » (sc. IV). Hector fait cependant fermer les « portes de la guerre » et prépare son entrevue avec l'envoyé des Grecs en prononçant un discours aux morts qui scandalise le parti des belliqueux : « La guerre me semble la recette la plus sordide et la plus hypocrite pour égaliser les humains et [...] je n'admets pas plus la mort comme châtiment ou comme expiation au lâche que comme récompense aux vivants » (sc. V). Quant à Hélène, face à la petite Polyxène, à Hécube et à Andromaque, elle reste l'« insensible » par excellence, un masque du destin (sc. VI, VII, VIII). Hector a de plus en plus de mal à opposer son calme à tous les fauteurs d'incidents irrémédiables, qui attendent le désastre et font tout pour le provoquer : « Je gagne chaque combat. Mais de chaque victoire l'enjeu s'envole » (sc. IX, X, XI). La conversation diplomatique avec Ulysse s'engage sous de bien mauvais auspices. Dans la bouche de leur messagère, Iris, les dieux ne placent que des ultimatums contradictoires ou sibyllins. Et Ulysse, tout en acceptant, à la prière d'Hector, d'essayer de « ruser contre le destin », reste convaincu : « L'univers le sait, nous allons nous battre » (sc. XII, XIII). Dérision suprême : Hector devient l'agent de l'irréparable. Au lieu de frapper Oiax, le Grec qui l'insulte à travers Andromaque, il tue Démokos qui veut ameuter les Troyens. Hélas ! le poète fanatique, en tombant, trouve la force de désigner aux autres Oiax comme son meurtrier. Ce dernier est aussitôt mis à mort par la foule, tandis qu'Hector conclut douloureusement : « Elle aura lieu. » (Sc. XIV.)

C'est un fait : sans vouloir construire une pièce à clefs, Giraudoux n'a sans doute pas dédaigné de jouer sur la connivence du spectateur pour établir dans sa création un climat lourdement tragique, le sentiment d'une fatalité en marche. D'ailleurs, l'homme du parterre ne partage-t-il pas avec Ulysse cette expérience grâce à laquelle il sait aussi sûrement que l'« univers » que Grecs et Troyens vont se battre ? Homère le lui a soufflé depuis longtemps quand Andromaque paraît.

Pour beaucoup, cependant, l'idée d'une œuvre à thèse s'impose : Pierre Veber parlera d'une « moralité légendaire » contre ceux qui affirment que s'opère la mutation définitive de Giraudoux, enchanteur du roman, en enchanteur du théâtre.

Pourtant, ces derniers semblent avoir eu raison : *La guerre de Troie n'aura pas lieu* a survécu jusqu'à nous comme l'œuvre d'un poète. Giraudoux, usant avec virtuosité du mélange des styles, du contraste des tons et de l'opposition des caractères, vise un but plus profond que la simple bigarrure ou la pâle redite d'une dramaturgie pseudo-shakespearienne. Loin d'être gratuite, l'association du burlesque et du tragique contribue puissamment à mettre en valeur cette dimension – la plus révoltante pour l'homme qui sent et qui raisonne – de la fatalité : l'absurde, dont le scandale éclate quand on réalise que c'est Démokos, le bouffon, qui détenait les clefs du destin, tandis que les héros n'ont rien pu faire.

L'enthousiasme épique sera le lot d'un poète vainqueur, du « poète grec », Homère. Giraudoux, lui, chante la guerre où il ne peut y avoir que deux vaincus, celle où l'homme, Troyen ou Grec, a tout à perdre (cf. *Siegfried*).

Électre

D'*Électre*, jouée pour la première fois à l'Athénée, le 13 mai 1937, le critique Edmond Sée rend compte comme d'une « sorte de tragi-comédie merveilleusement subtile, pénétrante, intelligente [...] alliant la verve ironique à la pathétique éloquence ». Force est de constater que pour affûté et touchant qu'il soit, le plaidoyer d'Égisthe, champion de l'humanité, ne sauve pas les Argiens : il ne trouve en effet pour l'écouter qu'une Électre « avec sa tête de statue, ses yeux qui ne semblent voir que si les paupières sont baissées, sourde pour le langage humain ! »

SYNOPSIS

ACTE I. L'Étranger arrive à Argos, devant le palais des Atrides. On prépare le mariage d'Électre, fille d'Agamemnon – mort mystérieusement à son retour de Troie – avec le Jardinier. La jeune fille, par sa soif de vengeance et de justice, inquiète tous les Argiens ; seul Égisthe se montre assez courageux pour négliger les avertissements du destin et mépriser les dieux, tandis qu'un étrange Mendiant suffit à intriguer tous les autres, par ses énigmes et ses oracles incompréhensibles : est-ce un dieu ? (sc. III). Électre crie à la face de sa mère, Clytemnestre, son orgueil et sa haine. Elle a, de son propre chef, accepté ce mariage, proposé par Égisthe, désireux de « [la passer] à une famille invisible des dieux, [...] où le ravage restera local et bourgeois ». Mais tous le désapprouvent, et singulièrement les parents du Jardinier, les Théocathoclès, peu soucieux d'hériter de la malédiction des Atrides. Agathe, une des leurs, substitue au Jardinier l'Étranger (sc. IV, V). D'abord troublée, Électre reconnaît en celui-ci son frère, Oreste. En les voyant ensemble, Clytemnestre sent en elle un obscur pressentiment (sc. VI, VII). Oreste ne parvient pas à adoucir la rancœur d'Électre. Or, voilà que se répand dans Argos la nouvelle de son possible retour. Égisthe s'en inquiète (sc. VIII, IX). Oreste ne sait toujours pas pourquoi Électre hait leur mère ; cette dernière finit par identifier son fils. Un moment apaisées par un peu de tendresse, les retrouvailles sont vite assombries par l'implacable Électre (sc. X, XI).

À l'entracte, le Jardinier, dans son « lamento », livre la vérité émouvante de la tragédie : « C'est une entreprise d'amour, la cruauté..., pardon, je veux dire la Tragédie. »

ACTE II. En compagnie du Mendiant, Électre, Oreste contre elle, attend le jour, ou plutôt « la lumière ». À son réveil, Oreste apprend d'Électre qu'une vision nocturne lui a révélé le crime de leur mère, maîtresse d'Égisthe et meurtrière d'Agamemnon. Celle-ci n'avoue rien. Mais Électre tient bon : elle refuse de pardonner à Clytemnestre au nom de l'amour (sc. III, IV). C'est alors que les aveux burlesques d'Agathe, accusée d'infidélité par son mari, provoquent les aveux tragiques de Clytemnestre : elle ne peut entendre, sans se trahir, la frivole prétendre qu'Égisthe est son amant (sc. V). Celui-ci paraît transfiguré par une majesté nouvelle. Les Corinthiens menacent Argos ; aussi a-t-il décidé d'épouser Clytemnestre, afin de donner à la cité le roi capable de la défendre. Peu importe à Électre : « On n'a le droit de sauver une patrie qu'avec des mains propres ». Elle reste sourde, tandis qu'Égisthe réaffirme qu'« il est des vérités qui peuvent tuer un peuple ». À peine, après avoir entendu la déclaration de sa mère, consent-elle à proposer un pacte monstrueux : « Tuez-la, Égisthe. Et je vous pardonne ». Égisthe reste noble et laisse Électre et Oreste libres (sc. VI, VII, VIII). La vérité de quelques-uns devient vérité universelle. La foule des mendiants écoute d'abord le récit de l'assassinat d'Agamemnon par Égisthe et Clytemnestre, tandis qu'Oreste cherche ceux-ci, l'épée à la main. Le Mendiant continue à raconter à ses frères la vendetta qui s'accomplit en coulisses. Tout s'achève en apocalypse : les Corinthiens mettent Argos à sac, Oreste fuit, poursuivi par les Euménides. Alors que les humbles cherchent une raison d'espérer, seule Électre s'obstine : « J'ai la justice, j'ai tout » (sc. IX, X).

Tandis que le ridicule vaudevillesque, dans *Amphitryon 38*, rejaillissait sur Jupiter, le rabaissant au rang d'amant de boulevard, il n'éclabousse ici que les humains, ces malheureux Théocathoclès, parmi lesquels la frivole Agathe répand le scandale de ses écarts de conduite. Ville « hypocrite et corrompue », que le couple d'Égisthe et Clytemnestre, fondé sur la complicité et non sur l'amour, ne peut racheter, Argos est condamnée par Électre, véritable Érinnye, modèle, dans la pièce, de la dernière métamorphose des petites Euménides : « Nous prenons ton âge et ta forme pour le poursuivre. » Considérant les infernales fillettes, le Jardinier s'exclame : « C'est effroyable, le destin enfant ! » On comprend aussitôt qu'en Électre il offre déjà son visage adulte, prélude au déchaînement.

Ce n'est que dans l'entracte que peut trouver refuge l'humanité innocente, dont le Jardinier est le porte-parole, s'identifiant au spectateur dès qu'il a pris conscience de la distance qui le sépare du héros tragique. Quand Oreste l'a invité à « regarder son espèce dans ses yeux », il ne lui reste plus qu'à se retirer (« Moi, je ne suis plus dans le jeu »), avec pour seul espoir la certitude d'Électre à propos de la cité : « Me voilà satisfaite. Depuis une minute, je sais qu'elle renaîtra » ; et toute l'incertitude de « l'aurore » qui éclaire le dernier mot de la pièce.

Ondine

Avec *Ondine,* présentée pour la première fois le 27 avril 1939, au théâtre de l'Athénée, Giraudoux revient à une inspiration qu'il semblait avoir délaissée depuis *Intermezzo* (1933). Le voilà à nouveau sensible à la puissance poétique des mythologies germaniques. La pièce, en effet, adapte très scrupuleusement un conte de l'écrivain allemand Frédéric de La Motte-Fouqué, composé en 1811.

SYNOPSIS

ACTE I. Dans une cabane au fond d'une forêt, Auguste et Eugénie, deux pauvres pêcheurs, attendent inquiets le retour d'Ondine, cette jeune fille qu'ils ont recueillie au berceau : étrange personne, en vérité, qui « ne veut [...] réciter ses prières que la tête sous l'eau ». Un chevalier, Hans von Wittenstein zu Wittenstein, demande asile. Il est en train de s'acquitter de l'épreuve qui doit lui gagner la main de la comtesse Bertha (sc. I, II). Ondine arrive ; elle est aussitôt séduite par Hans. Lui-même n'est pas insensible au charme d'Ondine. Pour satisfaire Ondine déjà jalouse de Bertha, Hans décide de l'épouser (sc. III, IV, V, VI). Auguste a beau l'avertir qu'Ondine appartient peut-être à un autre univers que le sien, l'apparition des autres ondines et du roi des ondins a beau l'en convaincre, le jeune homme persiste dans son dessein (sc. VII, VIII). Ondine lui arrache le serment d'une fidélité absolue : elle veut tenter l'aventure humaine contre l'avis du roi des ondins, qui affirme : « Il te trompera » (sc. IX).

ACTE II. Tandis que tout s'apprête au palais royal pour recevoir les jeunes époux, l'Illusionniste, le Chambellan et le Poète s'amusent avec le destin en provoquant une série de rencontres entre Hans et Bertha. Celle-ci reproche à Hans son infidélité et lui fait confesser la gêne qu'il éprouve à l'idée qu'Ondine ne sera pas capable de soutenir dignement son rang à la Cour (sc. I à VII). Malgré les leçons du Chambellan, Ondine fait toujours aussi peu de cas de l'étiquette. À peine est-elle en présence de Bertha que sa jalousie éclate. Le roi et les courtisans la croient folle (sc. VIII, IX, X). Elle dévoile à la reine Yseult qu'elle a dû conclure un terrible pacte avec les ondins : si Hans la trompe, il mourra (sc. XI). Ne pouvant éloigner Hans de Bertha et blessée par l'insolence de sa rivale, elle révèle les origines de celle-ci : Bertha n'est autre que la fille disparue des pêcheurs qui élevèrent Ondine (sc. XII, XIII). Le scandale oblige Ondine et Hans à se retirer loin de la Cour. Ils emmènent Bertha avec eux (sc. XIV).

ACTE III. Du temps a passé ; Ondine a fui tandis que l'on prépare les noces de Hans et Bertha. Mais le chevalier est inquiet : des signes l'avertissent que le malheur est proche (sc. I). Ondine est capturée, on va la juger comme sorcière. Mais le roi des ondins paraît, et c'est à lui qu'il faut rendre des comptes. Voulant faire croire qu'elle partage la faute de Hans, Ondine prétend l'avoir trompé avec Bertram. Sans succès (sc. II, III, IV). Hans doit mourir. Condamnée à tout oublier, Ondine ne reconnaît pas le cadavre du chevalier, mais elle soupire en s'éloignant : « Comme je l'aurais aimé ! » (Sc. V, VI, VII.)

Une vérité s'impose à l'univers dramatique de Giraudoux, par-delà la parodie d'*Amphitryon 38* : l'amour soumet à sa fatalité aussi bien les hommes que les êtres de l'autre monde. Ondine, la femme-poisson, aime Hans, « entre tous les chevaliers [...] le plus bête ». Mais ce qui pourrait n'apparaître qu'en tant que preuve d'un divorce ontologique entre les règnes, confirmation négative des leçons d'Alcmène, se révèle ici beaucoup plus inquiétant : l'impossible accord entre créatures différentes semble confirmer une mésentente plus grave, interne à l'espèce, qui se fait jour entre les sexes. Ne nous y fions pas : l'ondine vaut pour la femme ; jamais cette dernière ne rassure tout à fait Giraudoux sur sa vraie nature, toujours elle paraît évoluer dans un milieu qui n'est pas tout à fait celui de l'homme, dans un autre élément. Stéphy, la plongeuse des *Aventures de Jérôme Bardini,* pourrait en remontrer à la sirène ; Isabelle, dans *Intermezzo,* respire un autre air que l'Inspecteur.

De fait, avant de tromper Ondine, Hans n'a-t-il pas trompé Bertha ? L'humanité est en crise. « Il faut croire que la vertu des hommes est déjà un mensonge affreux », remarque Ondine. Les ondins, eux, vivent encore dans la fidélité qu'enseignait l'Alcmène d'*Amphitryon 38.* Yseult le déplore en termes clairs : « L'homme a voulu son âme à soi. Il a morcelé stupidement l'âme générale. Il n'y a pas d'âme des hommes. Il n'y a qu'une série de petits lots d'âme où poussent de maigres fleurs et de maigres légumes. Les âmes d'hommes avec les saisons entières, avec le vent entier, avec l'amour entier, c'est ce qu'il t'aurait fallu, c'est horriblement rare. » L'héritage du genre humain ne survivra dignement qu'emporté dans l'au-delà par Ondine, que ses sœurs appelleront « l'humaine ».

C'est de son outrance même que semble périr le songe d'une fusion bienheureuse entre les êtres surnaturels et les hommes. Alcmène ne proposait que l'« amitié » à Jupiter. Ondine ne peut offrir à Hans que l'« amour », un mot soudain trop grand pour l'homme.

La Folle de Chaillot

Giraudoux est mort depuis près de deux ans quand l'Athénée de Louis Jouvet lui rend hommage en mettant pour la première fois en scène *la Folle de Chaillot* le 19 décembre 1945. Malgré une gaieté constante, l'œuvre fait entendre un ton plus amer. Charles Mauron n'hésite pas à la définir comme « un cauchemar renversé », ou plutôt travesti d'une fantaisie aussi triomphante que suspecte : « Giraudoux croit bien moins à la réalité du salut qu'à celle du mal. »

SYNOPSIS

ACTE I. Place de l'Alma, le Président, le Coulissier, le Baron et le Prospecteur, quatre affairistes sans scrupules, assis à la terrasse d'un café, font preuve d'une muflerie sans égale à l'égard de tous et de toutes et trament de sombres complots. Un jeune homme, qu'ils tiennent sous la menace d'un odieux chantage, doit faire sauter la demeure de l'ingénieur qui « depuis vingt ans refuse tout permis de prospection pour Paris et sa banlieue ». Ils n'attendent plus que l'explosion pour se livrer sans retenue à leurs louches spéculations. Mais Pierre, leur malheureux homme de main, préfère tenter de se noyer dans la Seine plutôt que d'accomplir le forfait dont ils l'ont chargé. Il se confie à Aurélie, la Folle de Chaillot. Le Chiffonnier confirme : gangrené par « les mecs », « le monde n'est plus beau, le monde n'est plus heureux ». La Folle décide alors de supprimer tous les coupables : les puissants, les riches, les agioteurs et les escrocs. Elle les invite chez elle, prétendant que sa cave contient du pétrole.

ACTE II. En effet, l'Égoutier a révélé à la Folle l'existence d'une oubliette, dans laquelle elle a résolu d'engloutir ces tristes personnages. Elle invite à se joindre à la conspiration la Folle de Passy, Mme Constance, et la Folle de Saint-Sulpice, Mme Gabrielle. Les trois amies jugent bon de consulter Joséphine, « petite-cousine par alliance de l'avocat Lachaud », sur le bien-fondé juridique de leur projet. Joséphine acquiesce, à la condition que les misérables puissent bénéficier d'un avocat. Le Chiffonnier est choisi pour cet office. Il s'en acquitte avec une telle ardeur démonstrative que la Folle est plus que jamais convaincue de la justesse de son dessein. Les aigrefins arrivent en rangs serrés. L'un après l'autre, ils s'engouffrent dans l'escalier sans retour. Tout est dit, le monde à nouveau sourit, et, en contrepartie des filous, les ténèbres libèrent les hommes « qui ont sauvé des races d'animaux », « sauvé ou créé une plante », et ceux dont la timidité a gâché la vie en les faisant passer à côté de l'amour. Irma et Pierre peuvent s'aimer. « Il suffit d'une femme de sens pour que la folie du monde sur elle casse ses dents », déclare la Folle.

La Folle de Chaillot se ressent d'avoir été conçue en marge d'une méditation sur la déchéance du monde politique, moral, métaphysique. À l'exemple de Corneille, Giraudoux semble ruminer sa vieillesse d'un cœur désabusé, si l'on en juge par les accents sans complaisance de *Pleins Pouvoirs* et, plus encore, de *Sans pouvoirs* : « La mécanique est le scalpel qui tranche les adhérences entre ces jumeaux qui sont l'arbre et l'homme, l'animal et l'homme, la pierre et l'homme. La planète chaque jour redevient une planète étrangère, c'est-à-dire que nous y redevenons étrangers. » Cette harmonie que le langage des fillettes d'*Intermezzo* avait rétablie, la voici à nouveau compromise.

Le Chiffonnier ne dit rien de bien différent dans son réquisitoire : « Autrefois les chiffons étaient plus beaux que les coupons, l'homme donnait de l'honneur à ce qu'il déformait [...]. Maintenant, les objets ne laissent plus dans les poubelles que leurs excréments, comme les personnes [...]. Autrefois tout ce que l'homme jetait sentait bon [...], sardine, eau de Cologne, iodoforme, chrysanthème ! »

Face à ce mal grandissant, la Folle va apparaître comme l'ennemie résolue de ceux qui détestent les fleurs, jugeant le millionnaire cynique encore plus pendable quand elle s'aperçoit qu'« il ne sait même pas le nom du camélia ». Elle contribue, en revanche, à arracher aux ténèbres les amis de la nature, botanistes passionnés, zoologistes naïfs et généreux.

Mais n'est-il pas trop tard ? Si Adolphe Bertaut avait osé en son temps le lui demander, Aurélie aurait pu devenir quelque courageuse Alcmène, capable de sauver l'univers des jardins et des fontaines des menaces qui pèsent sur lui. Mais cette heure est passée ; l'avenir n'appartiendra au couple d'Irma et Pierre que s'ils y prennent garde : « Forcez-les à s'embrasser, vous autres, sinon dans l'heure elle sera la Folle de l'Alma et à lui il poussera une barbe blanche ». Le destin est désormais tout entier aux mains des hommes. À eux d'en décider, avant que la Folle demeure seule à avoir raison.

D. Giovacchini

GLATIGNY Albert

(1839-1873)

Poète, dramaturge et comédien, Glatigny mena sa triple carrière avec des fortunes diverses. Deux recueils poétiques, *les Vignes folles* (1860) et *les Flèches d'or* (1864), obtinrent les suffrages de François Coppée et de Catulle Mendès sans pour autant assurer la sécurité matérielle à ce poète-histrion, qui traîna sa misère pendant toute sa brève existence. Personnage de roman picaresque, flamboyant et généreux, Glatigny fut apprécié par Hugo, Leconte de Lisle, Gautier, Banville et Verlaine, qui l'aidèrent parfois à surmonter ses nombreux déboires.

Ce *pícaro* était un enragé de la littérature : le comédien ambulant servait la poésie. Hélas ! « également inférieur dans le comique et le tragique », nous dit un de ses fidèles, il aimait les vers « d'un amour déplorable qui le portait à leur faire à tous le même sort et à les déclamer avec une emphase ridicule ». Par une mise en abyme (le comédien créant et jouant le comédien) qui est aussi projection de la vie dans le miroir de la scène, Glatigny s'est fort bien décrit dans sa pièce, *l'Illustre Brizacier* (1873) où il reprend un personnage à peine ébauché de Nerval. Brizacier, auteur bohème qui refuse le confort bourgeois, et même le bonheur, pour continuer sa route incertaine et exaltée, est, selon la Préface de l'œuvre, « un de ces fous » qui « mettent leur honneur à réciter des vers devant un public qui se bouche les oreilles [...], s'enivrent d'applaudissements idéals et meurent dans l'éblouissement de leur rêve ». Pathétique, burlesque, il se présente aussi comme :

Le plus drôle et le plus étrange casse-cou
Qu'ait jamais caressé le regard de la lune.

Par son goût pour le lyrisme, Glatigny se sentit toujours proche de Hugo. Pourtant, dans les poèmes de *Gilles et Pasquins* (1872), on trouve surtout la métrique de virtuose qui fut celle de son maître vénéré, Banville. Toute son œuvre est marquée par l'influence parnassienne, l'impassibilité marmoréenne cédant parfois la place à la sensualité joyeuse, gaillarde, ou à la véhémence de la satire politique. On retiendra, plus que la très grande souplesse et la facilité d'écriture, la sensibilité avec laquelle il évoque les paysages de brume et de rêve, et l'on comprend que Verlaine, grand admirateur de Glatigny, ait goûté des vers comme :

Ô Cythère mélancolique
Dont les ombrages profanés
Ont un charme que rien n'explique
Toujours, toujours vous m'entraînez.

F. Court-Perez

GLISSANT Édouard

(né en 1928)

Figure marquante de la littérature antillaise, Édouard Glissant a imposé une œuvre dont la puissance poétique, drue et foisonnante, est incontestable, même si elle peut dérouter, au premier abord, par le propos délibéré de jeter le lecteur au cœur d'un monde tout à la fois réaliste et fantastique, et dont la clef n'est pas donnée d'emblée. Ce qui retient alors, c'est l'attrait d'une langue pleine et riche qui livre, au cœur de phrases luxuriantes, une pensée dont l'objet est, essentiellement, la langue elle-même et la possibilité, pour l'être antillais, de s'exprimer avec les mots du français.

Glissant est enraciné dans le terroir martiniquais par ses origines sociales. Son père était contremaître dans une plantation, et il est né à Bezaudin, sur les hauteurs du centre de la Martinique. C'est ce terroir et les hommes qui y vivent qui fourniront l'aliment à une création littéraire épique. La terre, l'eau, les animaux, les humains entretiennent des rapports symboliques. Des études d'ethnologie et de philosophie entreprises à Paris à partir de 1946, après qu'il eut été boursier au lycée Schoelcher, à Fort-de-France, où il fut l'élève de Césaire, ont certainement contribué à structurer chez Glissant cette vision globale du monde, dont l'ambition est moins la recherche de l'intelligibilité que l'expression d'une totalité complexe qui unit les choses, les événements et les hommes.

Il est difficile de classer les œuvres de Glissant en poèmes, romans, théâtre, essais. Chez lui, le poème emprunte à la prose, et le roman est poésie. Ses premiers essais poétiques, *Un champ d'îles* (1953), *la Terre inquiète* (1954), posent le paysage dont *les Indes* (1955) vont écrire l'histoire. Et déjà, dans *Soleil de la conscience* (1956), Glissant, poète avant tout, réfléchit sur l'écriture : « Ce que je voudrais établir d'abord, c'est la quasi-nécessité d'un chaos d'écriture dans le temps où l'être est tout chaos. »

Avec *la Lézarde* (1958), renonçant à la facilité d'aller chercher le mythe dans l'histoire, il élève à la hauteur du mythe la réalité antillaise contemporaine, ses combats bien présents : « La politique était le nouveau domaine de la dignité. » Il obtint, pour ce livre, le prix Renaudot. La forme de ce roman épique et poétique fut vivement critiquée par certains. Mais, plus que la forme, ce qui inquiétait, c'était le souffle de l'engagement qui animait le livre, lequel apparaissait bien de nature à séduire la jeunesse antillaise : « Peut-on nommer la terre avant que l'homme qui l'habite se soit levé ? » De 1954 à 1959, Glissant collabore aux *Lettres nouvelles*. Certains de ses articles seront réunis dans *l'Intention poétique* (1969).

Après *le Sel noir* (1959) et *le Sang rivé* (1960), Glissant s'essaie au théâtre avec *Monsieur Toussaint* (1961), reprenant le thème le plus exploité de toute la littérature antillaise. L'exploration du passé se poursuit dans *le Quatrième Siècle* (1964). Puis Glissant donne avec *Malemort* (1975) son œuvre jusqu'à ce jour la plus ambitieuse, la plus totale par l'étendue du sujet et par celle des moyens utilisés. Dans une débauche de langage d'une puissante saveur (« notre parler impossible et quêté ») se dit un certain désarroi : « Nous ? les tristes rejetons de ces sortes de statues perdues dans leur rêve d'égaler l'autre et peut-être de lui être consubstantiel, et qui s'y essayaient, au lieu de s'égaler à soi-même, par tant de biais pathétiques […], mais qui n'en demeuraient pas moins statues, hiératiques monuments, pleines caricatures, et non pas ces sortes d'ombres étirées que nous sommes devenus. »

Glissant s'est consacré, depuis 1967, à la culture antillaise à l'Institut martiniquais d'études qu'il dirigea à Fort-de-France avant d'occuper un poste important à l'Unesco. Sa recherche de l'âme antillaise anime la fresque historique *la Case du commandeur* (1981) et les poèmes de *Pays rêvé, pays réel* (1985), tandis que *Mahagony* (1987) dessine comme une généalogie de la révolte « marronne ». Ses essais *le Discours antillais* (1981) ou *Poétique de la relation* (1990) posent avec force et lucidité les conditions de la création dans une langue imposée et celles du rapport entre le créole et le français, mais aussi entre les différentes cultures (*Introduction à une poétique du divers*, 1996 ; *Traité du tout-monde*, 1997).

O. Biyidi

Gobineau

GOBINEAU Arthur de

***Joseph Arthur, comte de Gobineau** (1816-1882)*

Écrivain et diplomate. Longtemps, Gobineau fut supplanté par le « gobinisme » ; punition d'une amère ironie pour cet esprit qui aspirait aux systèmes mais manquait d'assises théoriques et de rigueur pour y parvenir. De son vivant déjà, ses prétentions à l'ethnologie et à la linguistique faisaient sourire les véritables savants ; il a fallu qu'après sa mort des idéologues plus ignorants que lui, l'associant au nazisme, assurent à son nom une funeste gloire… On savait, certes, qu'outre l'*Essai sur l'inégalité des races humaines* Gobineau avait écrit un roman d'inspiration stendhalienne, *les Pléiades*, et des nouvelles que certains contemporains plaçaient à côté de celles de Voltaire et de Mérimée ; mais on préférait soit les oublier, soit en opposer l'aimable fantaisie à l'abjecte inspiration de l'*Essai*. Le théoricien et le conteur sont pourtant un même homme. Une enfance difficile, voire cruelle, leur a servi de creuset.

Un chevalier errant

Quand il « monte » à Paris, ce jeune homme de dix-neuf ans, qui s'appellera comte de Gobineau pour les besoins de son mariage et de sa carrière, peut compter sur l'appui d'un vieil oncle atrabilaire et de quelques lettres de recommandation ; mais il traîne un lourd passé. Sa mère, volage et mythomane, a eu maille à partir avec la justice (du moins sa fuite en Suisse a-t-elle offert sa première expérience cosmopolite au jeune Arthur) ; elle est la maîtresse du précepteur de ses enfants, et, quand il paradera dans les salons parisiens, Gobineau ne pourra totalement renier une sœur adultérine qui est née de leur union. Quant à son père, obscur officier légitimiste qui ronge son frein après 1830, il le considère comme un médiocre et ne prend guère de gants pour le lui faire savoir. Cette famille peu reluisante l'a sans doute privé d'épouser la jeune fille qu'il aimait ; pourtant il bataille ferme, se pousse du col, compose des vers, fréquente le monde de la presse au point d'écrire des articles de politique étrangère. Quand il se marie, à trente ans, il n'est guère qu'un feuilletoniste ; trois mois plus tard, il est l'auteur de *Mademoiselle Irnois,* mais peu s'en avisent. Trois ans encore et Tocqueville, ministre des Affaires étrangères sous la IIe République, le nomme chef du cabinet : enfin, la fortune lui sourit.

En 1851, il a terminé le premier volume de l'*Essai sur l'inégalité,* mais ses lettres à Caroline, sa sœur légitime, témoignent chez lui d'un intérêt déjà ancien pour le blason et les sciences – ou les chimères – qui en dérivent. Quand l'ouvrage paraît au complet, en 1855, il est en mission en Perse ; cet amoureux des *Mille et Une Nuits* dépêché au berceau de l'aryanisme est aux anges. Ses « trois ans en Asie » lui inspireront un merveilleux récit de voyage. Mais quand il retourne en Perse, en 1862, avec le titre de ministre de France, le temps de la désillusion a commencé. Quatre années passées à Athènes (1864-1868) l'ouvriront pourtant à la tendresse et au romanesque (Zoé et Marie Dragoumis, les « sœurs athéniennes », qui lui inspirent plus que de l'affection, sont pour beaucoup dans ce changement). Là-bas, il apprend la sculpture et, sans le savoir, le roman. Au voyage à Naxie de 1867 nous devrons « Akrivie Phrangopoulo », le plus accompli des *Souvenirs de voyage.* À son retour en France, quand son *Histoire des Perses* est enfin sur le point d'être publiée (1869), il s'avoue lassé de l'Orient, où s'étaient cristallisés tous ses espoirs de jeunesse.

Il accepte à contrecœur un poste à Rio, mais sa santé se détériore, et, en mai 1870, il lui faut rentrer en France. Il vit la Commune dans l'attente d'un autre poste. Finalement, il obtient Stockholm. Il y rencontre la comtesse de La Tour. Un « pacte » secret contient dans de sages limites son amour pour cette belle jeune femme, mais c'est sous son influence que *les Pléiades,* commencées comme un pamphlet, s'achèveront comme un hymne à l'amour fou. *La Renaissance* (scènes historiques) lui est dédiée. Entre-temps, les *Nouvelles asiatiques* ont sonné comme un dernier adieu à l'Orient. C'est le Viking qui, fidèle aux obsessions de sa jeunesse, travaille à l'*Histoire d'Ottar Jarl.* Le livre débute avec le dieu scandinave Odin et s'achève avec Joseph Arthur de Gobineau ; entre les deux, quatre cents pages d'une irréfutable filiation. Si les œuvres littéraires connaissaient le succès à raison de leur délire, *Ottar Jarl* serait un monument de notre littérature ; encore faut-il qu'elles soient lisibles. On en dirait presque autant d'*Amadis,* immense poème épique où Gobineau confirme à longueur de vers sa nostalgie du Moyen Âge. En 1877, cet esprit frondeur, qui n'a réussi qu'à moitié sa carrière, est mis à la retraite par Decazes ; les vieux jours seront difficiles. Il a rompu avec sa femme et ses filles. Seules le réchauffent l'affection de la comtesse de La Tour, l'amitié de Richard et Cosima Wagner. Wagner a été séduit le jour où il a rencontré ce grand vieillard maigre qui maudissait Cervantès d'avoir ridiculisé Don Quichotte. Ballotté entre les domiciles de ses derniers amis, entre Bayreuth, l'Auvergne et l'Italie, de plus en plus enfoncé dans le Moyen Âge au point d'ébaucher un recueil de *Nouvelles féodales,* il meurt presque aveugle, sur un quai de la gare de Turin. Ses derniers mots, d'une écriture tremblée, illisible, sont pour la comtesse de La Tour et pour sa fille.

Le prophète de l'Apocalypse

L'enfance et la formation intellectuelle de Gobineau sont mal connues. Charles de La Coindière, son précepteur, lui enseigna l'allemand et peut-être l'initia aux langues orientales ; or nous ignorons tout de ce personnage clé, que Gobineau qualifiera plus tard d'« imbécile ». Le sentiment prévaut que Gobineau apprit une foule de choses, mais sans méthode. À Paris, sa frénésie de savoir est celle d'un autodidacte. L'étonnant est en somme qu'avant quarante ans il ait produit un ouvrage aussi considérable que l'*Essai sur l'inégalité des races humaines.*

Au départ de l'*Essai,* la constatation que « toute agglomération d'hommes et le mode de culture intellectuelle qui en résulte doivent périr ». De cette mort, le mélange des races est le seul responsable. La race blanche, notamment, paie cruellement ses vertus civilisatrices puisque, à s'étendre partout, elle s'est d'autant plus corrompue. Consommé depuis longtemps (depuis le fond du Moyen Âge, semble-t-il), le métissage est irréversible. Nous mourrons : la seule dignité consiste à le savoir. Les idées de Gobineau n'offraient rien de très original à leur époque. On lui reprocha plutôt (Tocqueville, par exemple) d'avoir poussé son système des races jusqu'à réfuter le monogénisme, pierre angulaire du christianisme (dont l'*Essai* nie au demeurant les qualités civilisatrices). Chrétien, Gobineau le sera de moins en moins : les rancœurs s'accumulant, il ira plus tard jusqu'à refuser une âme aux victimes de son mépris.

Que Gobineau ne fût pas « raciste » au pire sens du mot, on en trouve souvent la preuve dans les singularités qu'il attribue à chaque race. Ainsi la sensualité des Noirs les prédispose-t-elle, selon lui, à la danse et à la musique, au point que l'élément « mélanien » est nécessaire, chez les Blancs, à l'éclosion d'un talent artistique ; mais même en art, il appartient à la raison et à l'énergie, privilège des Blancs, de donner forme aux chefs-d'œuvre. Sans parler des vertus de gouvernement, bien évidemment réservées à l'élément aryen. Bref, si toutes les spécificités raciales s'altèrent au métissage, les « grands » ont plus à y perdre que les « petits ». L'Histoire nous montre, au total, que « toute civilisation découle de la race blanche, qu'aucune ne peut exister sans le secours de cette race ».

Isolées, certaines formules de Gobineau donnent le frisson (« Ce qui n'est pas germain est créé pour servir », lit-on dans son poème « Manfredine »). Mais en Allemagne même, Gobineau ne trouvait plus depuis longtemps âme qui fût germaine. Désabusé jusqu'au désespoir, il ne pouvait servir de caution à une tentative de régénération par la race. Pour résumer, il serait absurde de rouvrir le procès de Gobineau : le racisme est du reste présent dans l'œuvre de Balzac, de Nerval et de bien d'autres. Mais on ne peut méconnaître que Gobineau seul, parmi les écrivains romantiques, tenta à ce point d'ériger en système une opinion répandue. On ne peut davantage jeter le voile sur des professions de foi qui sentent le soufre, sous prétexte que des esprits malhonnêtes en ont fait un mauvais usage.

Le temps passant, il semble que Gobineau ait voulu à la fois radicaliser son système et en préserver quelques êtres d'exception, au premier rang desquels lui-même. Ce difficile équilibre aboutira aux *Pléiades,* qui attribuent à « une combinaison mystérieuse et native » le fait que « trois mille à trois mille cinq cents cerveaux bien faits et cœurs bien battants » peuplent encore la planète. Les « fleurs d'or » écloses pendant la Renaissance répondent en principe à une loi moins hasardeuse ; en principe, car Gobineau ne nous convainc guère de l'ascendance aryenne des grands hommes de cette époque. On peut seulement s'étonner qu'en bousculant la rigueur des lois de la filiation, Gobineau demeure aussi conformiste. Les « Pléiades » proviennent « de toutes nations possibles » : mais le roman consacre d'abord un Allemand, un Anglais et un Français. Et dans *la Renaissance,* plutôt que de réviser l'histoire traditionnelle des civilisations à la lumière de ses théories, Gobineau préfère découvrir à tout prix une dominante aryenne aux civilisations consacrées. Alors même que les Aryens se seraient partout fondus dans des mélanges, c'est bien le déclin de l'Occident qui continue d'obséder en priorité ce penseur de l'universel.

La présence d'un Français parmi les « Pléiades » a pourtant de quoi surprendre. Car s'il est une nation qui illustre l'idée de « dégénération », c'est bien la France. La vue des « blouses sales » en 1848 avait accusé l'aigreur de Gobineau (« Jusqu'à ce temps-là, je ne savais pas ce que je voulais »). À plus forte raison la défaite de 1870 : *Ce qui est arrivé à la France en 1870* est un constat auquel il faut bien reconnaître une cruelle lucidité. Arrive la Commune : versaillais et communards sont englobés par Gobineau dans le même mépris. Paris, véritable « Babel », « boue physique et morale », attise le plus fort de sa haine ; rien d'étonnant que *la Troisième République française et ce qu'elle vaut* (pub. en 1907), dédiée aux provinces, prêche pour une vraie décentralisation. Que vient donc faire le Parisien Louis Laudon dans le concert des « Pléiades » ? On est tenté de répondre : légitimer les prétentions de son auteur. Celui-ci va du reste pousser plus loin son entreprise de justification personnelle dans *Ottar Jarl*, dont la rigueur maniaque contredit les sauvetages aléatoires des *Pléiades*. Obsédé par l'obscurité de sa naissance, Gobineau n'a eu de cesse qu'elle ne fût justifiée ; ainsi ce théoricien qui pâtit de son universalité était-il d'abord le plus égotiste de nos écrivains romantiques.

Le « spécialiste » de l'Orient

Gobineau n'a pas échappé à la mode de l'Orient ; qu'il se soit très tôt initié au persan témoigne pourtant d'un penchant particulier. « Il ne rêvait que mosquées et minarets, se disait musulman, prêt à faire son pèlerinage à La Mecque », écrira plus tard la baronne de Saint-Martin, qu'il aima sans pouvoir l'épouser quand elle était encore Amélie Laigneau. « Il nous racontait des histoires merveilleuses, nous forçant à nous asseoir à la façon orientale pour l'écouter. » Un médiocre poème, « Dilfiza » (1836), accumule les clichés d'un orientalisme de pacotille ; le projet, en 1841, de fonder une *Revue de l'Orient* est déjà plus sérieux. Quand il débarque en Perse en 1855, tout l'émerveille. Apeuré par la Révolution, il a trouvé là-bas « des formes de vie féodale, stable et contemplative » (J. Boissel). Bientôt, pourtant, il constate que les Orientaux du XIXe siècle ne sont pas ceux des *Mille et Une Nuits*. De même Stendhal ne reconnaît-il pas toujours dans les Italiens de son époque les héros de ses *Chroniques*. Chez l'un et l'autre, le mythe est tenace. Gobineau n'en dresse pas moins, dans une lettre à Tocqueville, un bilan négatif : « Nous [les Européens] les dominerons, et ils se laisseront dominer. Nous les dominerons, parce que nous avons plus de force dans le génie, bien autrement d'énergie dans la pensée, et si nous sommes bien loin de valoir les populations blanches dont nous descendons par quelques côtés, nous avons, assurément, gardé plus de fixité dans nos volontés que les Orientaux. » On ne chicanera pas Gobineau sur sa curiosité, sur ses réelles capacités d'émerveillement qui éclairent *Trois Ans en Asie* ; même alors (peut-il en être autrement ?), il demeure néanmoins un Occidental en voyage, et c'est souvent à l'aune de l'humanisme classique qu'il apprécie les richesses qu'il découvre.

Tributaire d'une culture, Gobineau a le tort d'oublier avec légèreté les pesanteurs qu'elle impose. *Les Religions et les Philosophies dans l'Asie centrale,* parues après son second séjour en Perse (1865), « peuvent être considérées comme le complément de *Trois Ans en Asie* » (L. Schemann). Partant du principe que « des historiettes sont aussi des documents », le lecteur des *Mille et Une Nuits* aborde ici des sujets aussi mal connus de son époque que le bābisme. C'est pourtant par le *Traité des écritures cunéiformes* (1864) que Gobineau entendait fonder le mieux sa réputation d'orientaliste. Las ! réduisant les inscriptions cunéiformes à des formules magiques et les expliquant à la lumière de leur seule vertu talismanique, Gobineau se fourvoyait. Ce traité « où chaque ligne recèle une erreur ou au moins une affirmation gratuite » (J. Gaulmier) allait lui enlever tout crédit auprès des authentiques savants. Avec son habituel entêtement, Gobineau se jugera victime d'une cabale. L'*Histoire des Perses* elle-même, à laquelle il consacrera des années de travail, apparaît revue par les yeux d'un amoureux de la féodalité occidentale, et le héros de l'épopée, Cyrus, y a les airs d'un preux chevalier ; on pouvait déjà trouver suspect que Gobineau décidât d'y mettre un terme à ce point de l'histoire « où la proche parenté cesse d'exister entre nous et les dominateurs de l'Iran ». Les *Nouvelles asiatiques*, utilisant des documents et des souvenirs bien antérieurs, témoignent de la tendresse persistante mais aussi du désenchantement de Gobineau à l'égard de l'Orient ; le fossé s'y creuse entre l'Orient légendaire, dépositaire des pures vertus aryennes, et la Perse moderne, avilie par le mensonge et la soumission.

Le théoricien de l'amour

Parmi les romans-feuilletons que Gobineau écrivit aux alentours de la trentaine, *Ternove* se lit surtout comme un document sur la mentalité des émigrés royalistes pendant les Cent-Jours, et *l'Abbaye de Typhaines* comme la reconstitution d'une commune en rébellion contre le pouvoir féodal au XIIe siècle. Son penchant pour les aventures romanesques trouvait dans ce genre de récits un exutoire facile. Mais on l'y trouve aussi attentif à la naissance et au développement de l'amour. Ce goût de l'analyse lui inspire *Mademoiselle Irnois*, « étude de nu d'une sécheresse et d'une force admirables » (Alain). C'est pourtant de ses vers, puis de ses travaux de savant qu'il espère alors la gloire. Il faudra la mue romanesque d'Athènes, puis les premiers attendrissements de la vieillesse pour qu'éclose son talent de nouvelliste et de romancier. Mieux : il croit avoir trouvé dans les *Souvenirs de voyage* une forme d'expression originale. Plutôt que de le suivre trop loin dans cette voie, on reconnaîtra des accents stendhaliens dans « Akrivie Phrangopoulo », étude d'une « cristallisation » du sentiment de l'amour, et dans *Adélaïde*, sublime peinture d'un amour de vanité et féroce satire sociale.

Il a cinquante-cinq ans, le cœur plein d'amertume et, suivant son expression, « les bras chargés d'Allemands » quand il entreprend en 1871 le seul grand roman de son œuvre. C'est pourtant par l'amour que les « Pléiades » s'élèvent au-dessus de l'humanité. Cet amour exige, comme dans *l'Astrée*, lucidité et pureté (les personnages, qui dissertent à plaisir sur leurs sentiments, paraissent échapper à toute tentation charnelle) ; énergie aussi : prince, quinquagénaire et amoureux, Jean-Théodore en trouve suffisamment pour abdiquer et pour épouser la toute jeune Aurore. Si Laudon seul se consacre à la science, c'est faute d'avoir un cœur égal à celui de ses partenaires. À croire que, comme chez Stendhal, l'amour ne peut s'épanouir au mieux dans les nations tyrannisées par la vanité. Stendhal rêvait d'être italien pour mieux aimer ; lecteur de la *Chartreuse*, Gobineau trouve en Italie les lieux d'élection de son roman, mais ses amoureux sont des Germains, une Slave à la rigueur, en aucun cas des Latins. *Les Pléiades*, à tout prendre, prolongent plus qu'elles ne contredisent l'*Essai*, puisque ce sont bien des vertus aryennes (l'énergie, l'aptitude à décider, la volonté de vivre) que les héros du roman mettent au service de l'amour. Quant à la sensualité, apanage des nations mélaniennes, ce n'est pas en vertu d'un simple scrupule d'époque qu'elle est oubliée parmi les composantes du sentiment. Jugera-t-on anachroniques ces analyses ? Gobineau, qui maudissait son siècle, n'eût pas imaginé plus grand compliment. C'est un amour idéal que célèbre de même « l'Illustre Magicien » dans les *Nouvelles asiatiques*, et, dans le même recueil, « les Amants de Kandahar » font oublier par leur élévation chevaleresque les mesquineries de l'Orient moderne. Dans *Amadis* enfin, la dévotion d'Amadis pour Oriane témoigne que le Moyen Âge, âge d'or de l'aryanisme, était aussi celui des purs sentiments.

Fortune et infortunes de Gobineau

« Il semble que Wagner m'ait conduit vers ce solitaire, abattu loin de tout flot humain avec son drapeau de vérité, et m'ait dit : "Sauve-le" » : ainsi s'exprime le professeur allemand Ludwig Schemann dans la dédicace de sa traduction de l'*Essai*. Familier de Bayreuth, Schemann avait d'abord traduit les *Nouvelles asiatiques* et *la Renaissance*. La comtesse de La Tour, légataire des intérêts littéraires de Gobineau, deviendra à partir de 1893 la collaboratrice de Schemann. Quelques mois plus tard, celui-ci fonde la *Gobineau-Vereinigung*, qui, recrutant surtout en Allemagne (notamment parmi les habitués de Bayreuth), va durer jusqu'en 1919. On devine quelles équivoques fait naître en ces années pareille association. La bibliothèque de Strasbourg, alors allemande, acquiert en 1903 le fonds Gobineau, riche (aujourd'hui encore) de lettres et d'œuvres inédites. Ce n'est pas Vacher de Lapouge qui pouvait, en se recommandant de lui dans ses travaux pseudo-scientifiques à la gloire des Aryens, améliorer l'image de marque de Gobineau. En rattachant sa pensée à celle de Nietzsche et de H. S. Chamberlain, E. Kretzer fait pis encore. Par sa belle étude sur *le Comte de Gobineau et l'Aryanisme historique* (1903), Ernest Seillière lui-même contribuait à enraciner Gobineau dans la pensée allemande – autant dire alors pangermaniste. Les conférences de Robert Dreyfus, un ami de Marcel Proust, donnent en 1905 une meilleure idée du génie de Gobineau ; réunies dans les *Cahiers de la Quinzaine*, elles révèlent en lui un admirateur du peuple juif (« un peuple libre, un peuple fort, un peuple intelligent »), le disculpant ainsi du racisme le plus ordinaire. Quoique maurrassien (Maurras jugeait Gobineau « un Rousseau gentillâtre »), Tancrède de Visan aura le mérite d'éveiller les Français à la curiosité pour les œuvres proprement littéraires de Gobineau. *Mademoiselle Irnois* est présentée par ses soins aux lecteurs de *la Nouvelle Revue française* (août 1914), tandis qu'*Adélaïde* l'avait été dans la même revue par André de Hevesy (décembre 1913).

Clément Serpeille de Gobineau, petit-fils de l'écrivain, allait reprendre le flambeau de Schemann. De 1921 à 1933 paraissent en volume la plupart des grandes œuvres de Gobineau, saluées dans *le Temps* par de pénétrants articles de Paul Souday. La revue *Europe* publie, en février 1923, un numéro spécial qui « ouvrit la route des études sérieuses sur Gobineau » (Jean Gaulmier). Maurice Lange (*le Comte de Gobineau, étude biographique et critique*, 1924) s'attache à « dégermaniser » Gobineau, tandis que Marcel Brion met en valeur l'originalité du voyageur. Le numéro spécial réservé à Gobineau par *la Nouvelle Revue*

française (février 1934) réunit les signatures d'Abel Bonnard, Cocteau, Alain, Jean Prévost, Thibaudet et quelques autres. Mais déjà, en Allemagne, l'enseignement du IIIe Reich réserve une place privilégiée à l'*Essai sur l'inégalité des races humaines* ; les œuvres romanesques de Gobineau, sans être embrassées dans la même infamie que l'*Essai* (encore qu'elles se nourrissent des mêmes chimères), y perdront pour longtemps toute chance d'être inscrites aux programmes des universités.
Après la dernière guerre, Gobineau refait surface grâce aux belles éditions des *Pléiades* et de *la Renaissance* procurées par Jean Mistler. Aux éditions Jean-Jacques Pauvert, il rejoint Barbey d'Aurevilly et Villiers de L'Isle-Adam dans la petite troupe des romantiques méconnus.
Levant le voile sur ses drames familiaux, Jean Gaulmier contribue mieux encore à situer ce « Titan indigné » parmi les écrivains maudits de notre littérature. Associé à A.B. Duff, il livre, dans les *Études gobiniennes*, un grand nombre d'inédits de Gobineau et d'approches nouvelles de l'homme et de son œuvre. Ses éditions des *Nouvelles* et des *Nouvelles asiatiques* sont exemplaires. Enfin, l'entrée de Gobineau dans la Bibliothèque de la Pléiade (1982) consacre son avènement parmi les classiques de notre littérature.

	VIE		ŒUVRE
1816	**14 juill.** : naissance de Joseph Arthur de Gobineau à Ville-d'Avray. Son père, Louis de Gobineau, et sa mère, Anne Louise de Gercy, sont probablement déjà désunis.		
1820	**6 oct.** : naissance de Caroline de Gobineau, sa sœur, qui sera infirme et deviendra en religion Mère Bénédicte.		
1830	Mme de Gobineau part pour la Suisse avec ses deux enfants.		
1832	Louis de Gobineau s'installe à Lorient, puis à Redon. Il a rappelé ses enfants auprès de lui. Arthur va préparer, sans succès, la carrière militaire.		
1835	Arthur tente fortune à Paris et commencera comme surnuméraire à la « Compagnie française d'éclairage par le gaz ».		
1839	Il entre aux Postes. Le cercle de ses relations s'est élargi.		
1840	Fondation, avec quelques amis, des « Cousins d'Isis », association ayant pour but d'aider ses membres à faire carrière.		
		1841	Article dans la *Revue des Deux Mondes* sur Capo d'Istria.
		1842	Articles dans des journaux royalistes (*l'Unité*, *la Quotidienne*).
1843	Rencontre Tocqueville.	**1843**	« Scaramouche », dans *l'Unité*.
		1844	« Les Adieux de Don Juan », poème.
		1845	Article sur Stendhal, dans *le Commerce*.
1846	Épouse Clémence Monnerot, créole de la Martinique.	**1846**	« Les Aventures de Jean de la Tour Miracle, surnommé "Le Prisonnier chanceux" », en feuilleton dans *la Quotidienne*. *La Chronique rimée de Jean Chouan*, poème, Franck édit.
1847	Fonde, avec Louis de Kergorlay, la *Revue provinciale*.	**1847**	« Mademoiselle Irnois », dans *le National*. « Nicolas Belavoir », dans *l'Union monarchique*. « Ternove » dans *le Journal des Débats*.
1848	Naissance de Diane, sa première fille.	**1848**	« L'Abbaye de Typhaines », dans *l'Union*. *Alexandre le Macédonien,* tragédie (reçue à la Comédie-Française, jamais représentée).
1849	Nommé chef du cabinet de Tocqueville, ministre des Affaires étrangères. Secrétaire à la légation de France à Berne.		
1851	Chargé d'affaires à Hanovre.		
		1852	*Nicolas Belavoir*, sous le pseudonyme de Ariel des FEUX.
		1853	Deux premiers volumes de l'*Essai sur l'inégalité des races humaines*, Firmin Didot édit.

VIE		ŒUVRE	
1854	Secrétaire à la légation de Francfort.		
1855	Chargé de mission en Perse.	**1855**	Seconde partie de l'*Essai sur l'inégalité des races humaines*, Firmin Didot édit.
1857	Naissance de Christine, sa seconde fille.		
1858	Retour de Perse.	**1858**	*Lecture des textes cunéiformes*, Didot édit.
1859	Ayant refusé une mission en Chine, il participe à une mission franco-anglaise, à Terre-Neuve. À son retour, séjourne au château de Trye (Oise), acheté deux ans plus tôt par sa femme.	**1859**	*Trois Ans en Asie*, Hachette.
1861	Ministre plénipotentiaire en Perse.	**1861**	*Voyage à Terre-Neuve*, Hachette.
1863	Retour en France. Élu maire de Trye.		
1864	Ministre de France à Athènes.	**1864**	*Traité des écritures cunéiformes*, Didot édit.
1865	Rencontre de la famille Dragoumis et notamment des deux filles, les « sœurs athéniennes ». Premières sculptures.	**1865**	*Religions et philosophies dans l'Asie centrale*, Didier édit.
1868	Retour d'Athènes.		
1869	Ministre de France à Rio, où il écrit notamment *Adélaïde* (publication posthume).	**1869**	*L'Aphroessa*, poèmes, Maillet. *Histoire des Perses*, Plon.
1870	Malade, retour de Rio. Conseiller général dans l'Oise.		
1872	Ministre de France à Stockholm. Commence les *Nouvelles asiatiques*. Rencontre la comtesse de La Tour, dont l'amour, sans doute platonique (« le pacte d'amitié »), éclairera le reste de sa vie, mais précipitera sa rupture avec sa femme.	**1872**	*Souvenirs de voyage*, Plon.
1873	Achève *les Pléiades* et commence *la Renaissance*.		
		1874	*Les Pléiades*, Plon.
1876	Voyage en Russie et en Turquie avec son ami dom Pedro II, empereur du Brésil. Rencontre Wagner à Rome.	**1876**	*Nouvelles asiatiques*, Didier. Première partie d'*Amadis*, poème, Librairie des bibliophiles.
1877	Mis à la retraite. S'installe à Rome, tente (en vain) de faire une carrière de sculpteur.	**1877**	*La Renaissance*, Plon.
1878	Partage sa vie entre Rome et la France. Travaille à *Amadis*.		
		1879	*Histoire d'Ottar Jarl, pirate norvégien*, Didier.
1881	Achève *Amadis* (publication chez Plon, en 1887). Séjour à Bayreuth chez les Wagner, puis chez la comtesse de La Tour, à Chaméane, en Auvergne.		
1882	Séjourne à Bayreuth, puis à Chaméane, qu'il quitte en octobre pour regagner l'Italie. **13 oct.** : Meurt à Turin, où il sera enterré.		

Mademoiselle Irnois

« La plus "balzacienne" des nouvelles de Gobineau » (Jean Gaulmier), parue en 1847, a pour personnage central une jeune fille idiote et contrefaite. L'immense fortune de son père en fait cependant un parti enviable. Cantonnée à l'horizon de sa fenêtre, d'où elle observe chaque jour un jeune ouvrier dans sa mansarde, Emmelina accueille sans émotion apparente l'annonce de son mariage. Quand elle se retrouve dans l'hôtel de son époux – un comte à qui elle a été unie par ordre de l'Empereur –, elle cherche la mansarde huit jours durant, et puis elle meurt. « Emmelina n'avait que le pouvoir d'aimer, et elle aima bien ! » Déjà, chez Gobineau, l'amour transfigure. Mais cette passion est ici réservée à une infirme.

Plus tard, elle transfigurera des « Pléiades ». À supposer que Gobineau eût cessé d'écrire à trente ans, cette nouvelle à elle seule lui vaudrait une petite place dans notre littérature.

SYNOPSIS

Nous sommes sous le premier Empire. M. et Mme Irnois, bourgeois immensément riches, ont une fille de dix-sept ans, Emmelina, qu'ils adorent (1). Contrefaite et mentalement attardée, celle-ci passe, dans un état de tristesse croissante, ses journées à la fenêtre de sa chambre. Le lecteur apprend que l'Empereur a promis la main de la jeune fille au comte Cabarot (2). Tandis que celui-ci se réjouit d'épouser un aussi riche parti, Mme Irnois se désole de devoir se séparer de sa fille (3). Emmelina, curieusement, ne demande pas mieux que de se marier. Les futurs époux sont enfin présentés l'un et l'autre. Cabarot est consterné à la vue de sa fiancée, mais il obéira à l'Empereur ; quant à Emmelina, elle s'évanouit (4). On apprend alors que si elle ne quittait pas sa fenêtre, c'est qu'elle était devenue amoureuse d'un jeune ouvrier, dont elle guettait les apparitions à une fenêtre voisine (5). Un jour, elle l'a fait venir jusque dans sa chambre pour lui donner de l'or (6). Informée de son prochain mariage, elle a cru naturellement qu'elle épousait ce jeune homme. S'éveillant dans la demeure de Cabarot, elle dépérit et meurt bientôt (7).

Souvenirs de voyage

Parus en 1872, ils comprennent trois nouvelles. « Le Mouchoir rouge » rapporte une histoire de vendetta vécue à Céphalonie. Le déroulement de l'intrigue est un peu mou (on est loin de la maîtrise de Mérimée), mais les portraits de Jérôme Lanza et Sophie Palazzi sont fort suggestifs. « Akrivie Phrangopoulo », sous-titrée « Naxie », vaut par la description du volcan de Santorin et de la grotte d'Antiparos, mais aussi par l'analyse des sentiments d'Henry Norton, distingué capitaine de corvette, pour une jeune Naxiote simple et ignorante, tout droit issue du monde d'Homère. Nous y apprenons que le véritable amour se situe au-delà des apparences ; pour Norton, égaré dans les « maudites routes » de l'« éducation moderne », il passe par la lucidité et la reconquête de soi. « La Chasse au caribou » nous transporte à Terre-Neuve, où Gobineau exécuta une brève mission. Une naïve jeune fille s'imagine qu'il faut prendre au pied de la lettre les serments d'amour d'un dandy parisien. La satire vise à la fois la balourdise des habitants du Nouveau Monde et les mœurs corrompues de l'Ancien ; quant à l'histoire, vivement menée, elle confirme que, suivant le mot de Mérimée, Gobineau avait « la bosse de l'observation comique ».

SYNOPSIS

LE MOUCHOIR ROUGE (Céphalonie). Le tout-puissant comte Lanza entretient depuis longtemps des liens privilégiés avec Mme Palazzi, mais, sa favorite ayant engraissé, il tourne son intérêt vers sa fille, Sophie Palazzi. Le jeune Gérasime Delfini ayant commis l'imprudence de confier au comte son amour pour Sophie, celui-ci décide d'éloigner de Céphalonie la famille Palazzi. Sophie fait alors remettre à Gérasime un bouquet de violettes, un poignard et un mouchoir rouge : en clair, elle lui ordonne d'assassiner le comte. Gérasime n'a pas l'âme très guerrière, mais comme sa bien-aimée joint bientôt les menaces à la prière, il s'exécute. Le comte, du reste, ne s'était pas privé, jadis, d'éliminer un rival... L'histoire s'achève avec le mariage de Gérasime et de Sophie, à la manière d'un conte de fées.

AKRIVIE PHRANGOPOULO (Naxie). Le commandant de l'Aurora, Henry Norton, débarque à Naxie. Il découvre les beautés de l'île et goûte l'hospitalité de la famille Phrangopoulo. Leur fille Akrivie l'émeut par sa simplicité et sa beauté ; une excursion en sa compagnie à l'île d'Antiparos et au volcan de Santorin l'en rendra amoureux. Akrivie est effarouchée quand cet étranger lui demande sa main, mais la résolution de Norton de s'établir à Naxie vaincra ses dernières résistances.

LA CHASSE AU CARIBOU (Terre-Neuve). Contrarié par son père dans ses projets amoureux, Charles Cabert décide d'informer le monde de son désespoir. Il part donc chasser le caribou dans l'île de Terre-Neuve, où les habitants lui réservent un accueil plus chaleureux que distingué. Son âme de dandy s'émeut de la grossièreté des mœurs indigènes. Pour tromper son ennui, il courtise la candide Lucy, qui prend aussitôt pour un engagement ce qui n'était que marivaudage. Les hôtes de Charles sont des gens rudes, mais honnêtes ; ils feront comprendre au jeune séducteur que la vraie distinction est d'abord celle du cœur.

Adélaïde

Cette nouvelle (écrite en 1869) devait figurer parmi les *Souvenirs de voyage*. Gobineau renonça à la publier, sans doute parce que, candidat à l'Académie française (où il n'entrera jamais), il craignait de heurter certaines susceptibilités par cette anecdote probablement inspirée de modèles réels. Adélaïde et sa mère se disputent avec âpreté le médiocre Frédéric – conquête enviable dans la seule mesure où il est l'objet des désirs d'une autre. Les deux rivales finiront par laisser choir leur proie, réunies dans la même superbe et un égal mépris. Éblouissante épure psychologique, cruelle étude de mœurs : Gobineau la composa, s'il faut l'en croire, en une seule journée, lors d'un séjour au Brésil. Quelques maladresses d'écriture n'estompent pas la hauteur de l'inspiration.

SYNOPSIS

Un baron raconte à un auditoire choisi l'anecdote suivante :

Jeune officier de vingt-deux ans, Frédéric de Rothbanner plaît à Élisabeth Hermannsburg, de treize ans son aînée, au point qu'elle décide de régner sur son cœur et, bientôt, de l'épouser. Frédéric se dérobe piteusement : il a en effet une liaison avec la fille d'Élisabeth, Adélaïde. Du moment où il l'avoue, commence, entre la mère et la fille, une guerre impitoyable dont Frédéric sera l'enjeu de plus en plus dérisoire. Il va poursuivre une vie médiocre entre les deux femmes, unies par un égal mépris envers cet homme sans volonté, dont l'unique ambition se réduit désormais à obtenir une décoration.

Les Pléiades

Ce roman, commencé vers mars 1871, parut en 1874.

SYNOPSIS

Trois jeunes gens, distingués d'allure et d'esprit (Louis Laudon, le Français, Conrad Lanze, l'Allemand, et Wilfrid Nore, l'Anglais), se rencontrent au cours d'un voyage. Sur les bords du lac Majeur, s'intitulant eux-mêmes, à la mode des *Mille et Une Nuits,* « calenders, fils de Rois », ils vitupèrent l'humanité, masse composée d'imbéciles, de drôles et de brutes. Conrad Lanze aime la tumultueuse comtesse Sophie Tonska ; Wilfrid Nore, la douce et sérieuse Harriet ; Laudon croit aimer Lucie de Genevilliers, la femme de son ami. Mais la Tonska a aussi éveillé l'amour de Jean-Théodore, prince de Burbach – une petite cour allemande qu'on croirait sortie des *Contes* d'Hoffmann – et de Casimir Bullet. Ce dernier, sachant sa passion sans espoir, aura la sagesse de se retirer à Wilna pour y mener une vie d'ermite consacrée à l'étude. La Tonska choisira, entre autres romanesques résolutions, de guérir le cœur de Conrad, jusqu'à découvrir un jour que, par une sorte de miracle, son intérêt pour lui est devenu de l'amour. Wilfrid Nore, passé un bref attrait pour la séduisante Liliane, retrouvera auprès d'Harriet le vrai chemin de l'affection. Quant à Jean-Théodore, finalement amoureux de sa cousine, la belle et jeune Aurore, et libéré par un télégramme qui lui apprend la mort de son encombrante épouse, il peut abdiquer pour vivre selon son cœur. Laudon lui-même finira par voir clair en soi : plutôt que de s'inventer un amour factice, il rejoindra sagement Bullet dans sa retraite.

Ce chassé-croisé d'intrigues, qui se dénouent avec la grâce d'un ballet, donne aux *Pléiades* un tour original et attachant. Si l'amour prend à mi-chemin du roman une place quasi exclusive, nul doute que l'influence de la comtesse de La Tour n'ait été en cela déterminante. La composition du roman était avancée quand Gobineau rencontra la comtesse à Stockholm, et l'aventure féerique de Jean-Théodore et d'Aurore exauce magiquement les désirs de l'écrivain.

D'une grande finesse de composition, *les Pléiades* peuvent séduire ou irriter par les imprécations oratoires du début et par le charme suranné de leurs nombreuses dissertations amoureuses. L'extravagance de la Tonska et le ridicule des Genevilliers (type de conservateurs libéraux que Gobineau abhorrait par-dessus tout) fournissent en tout cas matière à des scènes comiques de la meilleure veine.

Nouvelles asiatiques

Composées de 1872 à 1875, elles ont paru en 1876. Le recueil est précédé d'une Introduction, à laquelle Gobineau attachait de l'importance. Il est placé sous les auspices des *Mille et Une Nuits* – inégalables. Au moins Gobineau va-t-il s'efforcer de démontrer que, « au rebours de ce qu'enseignent les moralistes, les hommes ne sont nulle part les mêmes ». Les « variétés de l'esprit asiatique » convaincront le lecteur qu'il ne faut pas juger des vices et des vertus des Orientaux par rapport au caractère des Européens ; au vrai, qu'« il ne faut pas parler des Asiatiques en moraliste ».

Dans « la Danseuse de Shamakha », une farouche Caucasienne (c'est-à-dire Aryenne) montre son mépris pour celui qu'elle avait pris pour son frère de race, et dont les vertus ont dégénéré. Le portrait de la danseuse, digne des plus fermes créations stendhaliennes, émerge d'une intrigue un peu traînante. « L'Illustre Magicien » ressuscite la Perse des *Mille et Une Nuits*. Kassem répond à l'appel d'un vieux derviche et part à la conquête de la Science, abandonnant au désespoir sa jeune épouse. Mais au fond de la caverne où l'entraîne son itinéraire, c'est elle, Amynèh, qu'il découvre. À chacun sa vérité ; ce petit conte module l'un des thèmes favoris de Gobineau : l'éloge de la lucidité. L'« Histoire de Gambèr-Aly » est pleine d'observations pittoresques et amusantes sur la vie quotidienne en Perse. L'ascension du jeune héros témoigne du penchant des Orientaux pour la vénalité et le mensonge. « La Guerre des Turcomans », satire contre la guerre, contre les mœurs relâchées des Persans, mais aussi contre les prétentions colonisatrices des Européens, est d'un humour digne du meilleur Voltaire. Cet humour est servi par le récit à la première personne fait par Aga, jeune Oriental menteur et fataliste, innocente victime des malheurs qui s'abattent sur sa tête. « Les Amants de Kandahar » traitent à l'orientale l'histoire de Roméo et Juliette. « La Vie de voyage », enfin, retrace la vie d'une caravane ; l'autobiographie est ici à peine déguisée : derrière le jeune couple d'Italiens du Sud Valerio et Lucie, on reconnaît Gobineau et sa jeune femme, émerveillés et déconcertés à la fois par leurs premières impressions d'Orient.

SYNOPSIS

LA DANSEUSE DE SHAMAKHA (Caucase). La danseuse Omm-Djéhâne, issue d'une tribu lesghy (nord du Caucase) aujourd'hui détruite, doit à sa pureté de race une énergie intacte. Si elle veut épouser son cousin Assanoff, qui n'est ni russe, ni sauvage, mais « de tout cela un peu », c'est qu'il est son unique parent et qu'elle a résolu d'en faire un homme. Elle n'y parviendra pas et mourra dans les bras du seul homme qu'elle ait aimé, un « Franc », le lieutenant Moreno.

L'ILLUSTRE MAGICIEN (Perse). Kassem quitte sa femme, Amynèh, pour mettre ses pas dans ceux d'un derviche qui a éveillé en lui le désir de la science. Au moment d'entrer dans la caverne qui leur révélera la Vérité, le derviche soupçonne une faiblesse chez son disciple : « J'aime, avoue Kassem. – Quoi ? – Amynèh ! – Ah ! malheureux ! », et à l'entrée de la caverne, Kassem découvre, non la vérité, mais Amynèh qui l'avait suivi.

HISTOIRE DE GAMBÈR-ALY (Perse). Gambèr-Aly, élevé pauvrement à proximité du bazar de Chiraz, mène d'abord l'existence ordinaire d'un Persan. Il sera le héros candide d'aventures qui vont le conduire, à travers des intrigues où la moralité n'a guère de part, jusqu'aux coulisses du pouvoir. Peut-être sera-t-il bientôt Premier ministre.

LA GUERRE DES TURCOMANS (Azerbaïdjan). Aga raconte sa propre histoire. Il a épousé sa cousine Leïla qu'il aimait beaucoup, puis a dû la confier à son cousin pour faire la guerre ; il a connu alors les manies des instructeurs européens, la disette, l'ennui d'apprendre que Leïla s'était consolée de son absence, la captivité enfin chez les Turcomans. Libéré, il a retrouvé Leïla, remariée à un autre cousin. On lui a donné un habit magnifique et il a l'espoir d'être un jour nommé colonel.

LES AMANTS DE KANDAHAR (Afghanistan). Mohsèn et Djemylèh sont tombés éperdument amoureux l'un de l'autre, mais leur amour est contrarié par la haine qui oppose leurs familles. Un enchaînement de circonstances les conduira à combattre côte à côte ; Djemylèh, touchée à mort, expirera dans les bras de Mohsèn, touché à son tour.

LA VIE DE VOYAGE (Turquie, Perse). Marié depuis huit jours et ruiné, Valerio doit partir pour Constantinople. Lucie, sa femme, tient à l'accompagner. Ils communient devant les beautés du paysage, apprécient la noblesse du caractère des Orientaux, mais le dépaysement et les rigueurs de la vie de caravane, qui les conduit à travers la Turquie et la Perse, mettent leur amour à l'épreuve.

P.-L. Rey

GOLL Yvan

*Pseudonyme d'**Isaac LANG** (1891-1950)*

Poète, dramaturge et romancier d'expression française et allemande. Né à Saint-Dié, issu de parents alsaciens-lorrains, Yvan Goll fréquente le lycée de Metz, puis, à partir de 1912, poursuit des études de droit à l'université de Strasbourg. À la même époque, il se rend à Berlin, où il participe aux manifestations expressionnistes. Pendant la Première Guerre mondiale, réfugié en Suisse, il écrit ses premiers textes poétiques (*Élégies internationales*, 1915 ; *Requiem pour les morts de l'Europe*, 1916), composés en français ou en allemand ; il rencontre alors Claire Studer, qu'il épousera en 1921 et qui partagera avec lui ses expériences littéraires. Après la guerre, le couple se fixe à Paris ; Yvan Goll y rencontre les surréalistes et participe à la publication du *Manifeste* de 1924 ; fasciné par le nouveau mouvement littéraire, il compose des pièces de théâtre (*Mathusalem*, en allemand, 1919, éd. 1922 ; en français, éd. 1923, création 1927) et des poèmes (*Poèmes d'amour*, 1925 ; *Poèmes de la vie et de la mort*, 1927 ; *Métro de la Mort*, 1936, *Jean sans Terre*, 1936-1939). Quand la Seconde Guerre mondiale éclate, Claire et Yvan Goll se rendent à New York et créent les revues *la Voix de France* et *Hémisphères*. Mais en 1944, l'écrivain ressent les premières atteintes de la leucémie qui l'emportera peu après son retour en France.

Avec le surréalisme, Yvan Goll a recherché une poésie qui instaurât la « suprématie de l'œil » sur l'oreille, de l'image sur la musique. À l'instar de Breton ou d'Eluard, il estime que « les plus belles images sont celles qui rapprochent les éléments de la réalité éloignés les uns des autres le plus directement et le plus rapidement possible » (revue *Surréalisme*, 1924). Cependant une telle position théorique ne le mènera jamais à l'écriture automatique. C'est plutôt d'Apollinaire que Goll se rapproche, quand il reprend à son compte les thèmes et motifs de l'auteur d'*Alcools* pour en prolonger la signification métaphysique. Ainsi, fasciné par l'image du fleuve, il fait de celui-ci un élément tout à la fois dangereux et initiatique, qui place le poète en situation tragique ; marginal délaissé, perpétuellement errant, son moi souffre de l'instabilité de toute valeur : « Vivant je suis le fleuve qui passe entre les deux vérités/Entre la rive amoureuse dans son château d'aurore/Et la rive tragique et présente » (*Élégies de Lackawanna*, 1944). Tel son héros Jean sans Terre, l'écrivain vit les déchirements de son temps, qui lui interdisent toute intégration définitive dans quelque univers que ce soit – réel ou imaginaire. Seule l'écriture permet alors d'unir dans un même flux métaphorique les contradictions qui assaillent l'homme du XXe siècle, l'écartelant entre le mythe de la nature primitive et la réalité industrielle – entre l'Être et le devenir historique : « Les métros de mon cœur explosent/Ciel cuprifère troué de cigares brûlants/Sur les ailes d'un zéphyr pneumatique/Je plane poète plus lourd que l'air/Vers un soleil nickelé qui bout au bain-marie » (*le Nouvel Orphée*, 1923).

Toutes ces tensions s'expriment plus nettement encore dans les œuvres dramatiques de Goll. Soucieux de montrer la vérité sociale, de faire du dramaturge « un savant, un politicien, un faiseur de lois », l'écrivain entend construire un théâtre « surréel », qui puisse briser les moules du rationalisme et de la logique, un théâtre de « masques ». Le personnage est pour lui une entité symbolique, non un héros à la psychologie complexe. La mise en scène doit associer des signes multiples et éliminer toute vraisemblance réaliste. Une telle théorie, directement appliquée dans *Mathusalem*, préfigurera à la fois le théâtre de l'absurde et le théâtre engagé des années 50 : Goll utilise les techniques audiovisuelles les plus diverses, bouleverse le déroulement chronologique de l'action, fait participer le public au drame ; la satire du capitalisme, de la famille bourgeoise s'y développe suivant les principes qui seront ceux de Ionesco dans *la Cantatrice chauve* : bien plus que le déploiement d'une thèse, l'incohérence du langage, la vacuité de ses significations renvoient les personnages à leur néant.

La parole théâtrale devient donc une forme supérieure de dérision, mais aussi un instrument ambigu : lyrique, elle semble chercher refuge dans le merveilleux du rêve ; absurde, elle consacre la ruine de toute valeur humaniste, voire politique. Là réside sans doute la modernité de Goll ; pourtant, ce n'est pas un ouvrage précis qui confère encore à l'écrivain une relative actualité, mais le dessein général de son œuvre ; ne se bornant pas à opérer la synthèse du symbolisme, de l'expressionnisme allemand et du surréalisme, celle-ci en a prolongé les découvertes, préfigurant les expériences poétiques et dramatiques de la seconde moitié du siècle.

J.-P. Damour

GOMBERVILLE Marin LE ROY de

(1599-1674)

Poète et romancier né à Paris. Sans doute d'origine noble, il était riche, détenait des charges avantageuses et fréquentait les milieux aristocratiques. Son itinéraire idéologique abonde en contrastes. Élève des jésuites, il conserva longtemps avec eux des relations ; mais en même temps il se posait en disciple du poète libertin Théophile de Viau. Il fut de l'Académie dès sa fondation, mais se montra hostile à Richelieu et, plus tard, appartint au groupe frondeur du futur cardinal de Retz. Dans sa vieillesse, il devint janséniste et dévot, comme son protecteur le duc de Liancourt.

Son œuvre s'inscrit dans les tendances esthétiques dites baroques. Il publia en 1620 des poésies (*Tableau des bonheurs de la vieillesse*) et un *Discours sur les vices et les vertus de l'histoire*. Il s'y montre moderniste, rationaliste et prône les beautés des effets de désordre dans la création artistique. Par la suite, il s'affirmera puriste en matière de langage – ce qui est, à cette date, une forme de modernisme.

Mais sa gloire littéraire tient à ses romans héroïques. Dès 1619, il fit paraître *l'Exil de Polexandre et d'Ériclée,* et, au fil de nombreuses réécritures (quatre versions nettement différentes parurent sous le même titre), le *Polexandre* fut son œuvre principale. L'action se situe à la cour de France au XVIe siècle, au temps des guerres de Religion ou des guerres d'Italie, selon les versions. Mais l'intrigue principale et, plus encore, les narrations adjacentes au profit desquelles elle est souvent abandonnée entraînent le lecteur vers des lieux exotiques (l'Afrique saharienne, le Mexique) ou purement imaginaires, comme l'île Inaccessible, sur laquelle règne Alcidiane, la bien-aimée du héros. De fait, si Gomberville semble maîtriser un savoir historique et géographique certain, il l'utilise comme un point de départ à partir duquel se déploient les jeux de l'imaginaire. Les anachronismes et la complexité – voire les inconséquences – de la composition relèvent de la fantaisie poétique. De même, les qualités d'héroïsme absolu qui caractérisent les protagonistes justifient de leur part les attitudes les plus paradoxales. Certes, le récit n'a pas de vraisemblance et fourmille de poncifs romanesques. Mais, dans son principe et dans ses buts, il participe d'une esthétique de la surprise, de l'irrégularité, de la rêverie.

Ces mêmes traits se retrouvent dans les autres romans de Gomberville. Ils sont moins marqués dans *la Jeune Alcidiane* (1651), où, devenu dévot, l'auteur insère force discours religieux. Mais *Carithée* (1621) mêle l'univers pastoral et le roman historique, et introduit dans le monde romain, à côté de Germanicus et d'Agrippine, des personnages à clef où l'on reconnaît Louis XIII et le duc de Luynes. Univers pastoral encore que celui de la *Suite* qu'il donna à *l'Astrée* en 1625. Dans *la Cythérée* (1640-1642), le récit devient rêverie sur l'espace maritime et broderie de thèmes mythologiques.

L'œuvre de Gomberville a été controversée, mais ses virtualités poétiques sont certaines, et lui donnent plus de relief que n'en auront les romans héroïques de ses successeurs immédiats, comme La Calprenède ; aussi l'on tend aujourd'hui à la reconsidérer. Elle fut admirée en son temps, y compris par des figures marquantes du courant dit « classique », tels que Guez de Balzac, La Fontaine ou Boileau (au moins dans sa jeunesse). Preuve – si besoin est – du caractère factice de l'opposition baroque/classique.

A. Viala

Goncourt

GONCOURT Edmond et Jules de

***Edmond** et **Jules Huot de Goncourt** (1822-1896 et 1830-1870)*

Dans les dernières décennies du XIXe siècle, le rayonnement culturel des Goncourt est grand : écrivains chefs de file du mouvement naturaliste, historiens d'art spécialistes du XVIIIe siècle français et de l'art japonais, collectionneurs de renom, esthètes, ils sont des figures de proue auxquels on rend honneur en la personne d'Edmond (le cadet Jules est mort trop tôt, en 1870). Dans les années 1920-1930, l'académie Goncourt, instituée sur la dispersion de leurs collections, tente de prolonger ce renom et d'entretenir la connaissance de l'œuvre. Mais à partir des années 1950 se creuse le contraste entre la renommée du prix littéraire fondé en 1903 et l'oubli qui gagne les auteurs. La réédition du *Journal* en 1989 a relancé une lecture longtemps restreinte à des morceaux choisis et confinée dans les clichés ; les historiens d'art tentent aujourd'hui de remettre en lumière les collectionneurs, et la critique littéraire, fascinée par la fin-de-siècle, redécouvre dans les romans du seul Edmond un précurseur des décadents.

L'œuvre commune (1850-1870) : de l'histoire au roman

Après la mort de leur mère (1848), et deux années de voyages où ils pratiquent l'aquarelle et commencent à écrire en commun (leur premier roman, *En 18..*, paru le jour du coup d'État du 2 décembre 1851, passe inaperçu), les Goncourt entrent en littérature par la voie du petit journal (*l'Éclair* puis *le Paris* fondés par leur cousin de Villedeuil). Après un procès en correctionnelle pour un article jugé trop leste, les Goncourt s'éloignent du journalisme et se tournent vers l'histoire. Le projet, d'abord ambitieux (*Histoire de la société française pendant la Révolution*, 1854 ; *Histoire de la société française sous le Directoire*, 1855), se restreindra ensuite à des portraits singuliers (*Sophie Arnould, d'après sa correspondance et ses mémoires inédits*, 1857 ; *Portraits intimes du XVIIIe siècle*, 1857-1858 ; *Histoire de Marie-Antoinette*, 1858 ; *les Maîtresses de Louis XV*, 1860 ; à quoi il faut ajouter les treize monographies de *l'Art du XVIIIe siècle*, de 1859 à 1870, et *la Femme au*

XVIIIe *siècle*, 1862). À la source règne en maître le document d'époque : petits journaux, brochures, pamphlets, lettres autographes, documents inédits, enfin toutes les productions du temps, objets courants (meubles, bibelots et costumes) et œuvres d'art (peintures, dessins et gravures), qui vont être interprétés comme des témoignages de l'époque. L'histoire ne saurait désormais se limiter aux personnages illustres et aux événements officiels : les Goncourt prônent au contraire une histoire sociale, une histoire intime, des modes de vie et des états de l'âme. Ils se donnent certes des prédécesseurs (Alexis Monteil, Augustin Thierry), ils participent à cet engouement du XIXe siècle pour la pièce d'archives et pour le genre de la biographie détaillée, sur le modèle de Sainte-Beuve. Mais ils apportent leur goût particulier du menu fait, leur culte du détail qui conjugue originalité et authenticité. Leur ambition n'est pas tant de faire comprendre le passé par une vue d'ensemble qui dégagerait des lignes de force, que de le rendre sensible et de permettre de le revivre : le point de vue et la visée sont différents, ils postulent une empathie, une fraternité avec le siècle écoulé, et non cette supériorité de la postérité qui se donne le droit de juger.

Lorsqu'ils retournent au roman au début des années 1860, ils s'inspirent de leur propre pratique de l'histoire : préférence pour les monographies ; art de la nuance dans le portrait psychologique, qui permet d'éveiller la sympathie pour un personnage diffamé ; priorité au document, qui n'était pas jusqu'alors le matériau habituel du romancier (*Journal*, 24 octobre 1864 : « Le roman actuel se fait avec des *documents*, racontés ou relevés d'après nature, comme l'histoire se fait avec des documents écrits. Les historiens sont des raconteurs du passé ; les romanciers, des raconteurs du présent. »). Particulièrement frappant est leur usage des lettres d'époque : lettres d'enfant pour écrire la jeunesse conventuelle de sœur Philomène, lettres de prostituées pour *la Fille Élisa*, et jusqu'à ces lettres de lectrices qu'Edmond sollicitera pour *Chérie* (Préface de *la Faustin*, octobre 1881). Sur le modèle du document historique sera forgée la notion de « document humain », dont Edmond revendique la paternité dans la Préface des *Frères Zemganno* (mars 1879), et qui renvoie aux observations directes, aux notes prises sur le vif par le romancier, par opposition à la perception médiate et fausse de l'écrivain qui n'a recours qu'à des sources livresques. Ainsi, dans la décennie 1860, les Goncourt paraissent exploiter deux veines différentes, dont ils soulignent à l'envi les divergences de tonalité et de thématique, opposant le siècle du « joli » à la laideur contemporaine, les séjours à l'hôpital ou à la morgue à la jouissance esthétique, pour montrer la prouesse d'une écriture travaillant sur deux registres, et la double compétence de ses auteurs, spécialistes du présent et du passé, du texte et de l'image. C'est cependant le même projet qu'ils poursuivent dans les deux cas : un effort de restitution du sensible perçu dans ses détails, de l'idée saisie dans ses nuances intimes, une recréation de la vie d'un être.

Lorsqu'ils projettent, après la mort de Gavarni en novembre 1866, d'écrire un livre à la mémoire du dessinateur, c'est cette double démarche, d'inspiration historique et littéraire, qui se retrouve dans ce portrait d'un contemporain : accéder à l'intime tant par l'observation directe (Gavarni fut leur mentor et ami dès le début des années 1850) que par le document autographe. Or, cet homme qu'ils mettent en scène est, comme eux, un historien des mœurs contemporaines. En outre, par son égale aptitude au dessin et à l'écriture (c'est du moins ce que les Goncourt affirment), il s'impose comme une figure emblématique de l'artiste. Ainsi, à l'issue de vingt ans d'écriture commune, les Goncourt mettent en scène, dans un texte ambivalent qui s'inspire de leur pratique historique comme de leur écriture romanesque et diariste, un personnage qui incarne leur ambition tant littéraire qu'artistique, et leur posture à l'égard du présent : celle de peintres de la vie moderne.

L'œuvre solitaire (1873-1896) : promotion et reconnaissance

Après 1870, la notoriété vient aux deux frères, jusqu'alors entourés d'un parfum de scandale pour leurs romans, ou connus des seuls spécialistes de l'art du XVIIIe siècle. Le temps qui a passé leur confère la position d'aînés, et le survivant Edmond s'emploie à nourrir cette renommée naissante par une vaste entreprise éditoriale. Tous les romans et les livres d'histoire sont plusieurs fois réédités, et transformés pour certains en luxueux ouvrages de bibliophilie, par l'adjonction de gravures d'époque ou d'illustrations d'artistes contemporains. La publication du *Journal*, en outre, est lancée à partir de 1886 ; l'année précédente ont commencé les dimanches du « Grenier », salon littéraire auquel Edmond a donné pour siège le second étage de sa demeure d'Auteuil, et dont la presse se fait l'écho. Enfin, des textes de jeunesse (*Pages retrouvées*, 1886 ; *l'Italie d'hier, notes de voyage, 1855-1856*, 1894), des correspondances (*Lettres* de Jules de Goncourt, 1885), un recueil de textes théoriques (*Préfaces et Manifestes littéraires*, 1888) sont édités ou réédités, documentant les débuts et les à-côtés de l'œuvre : Edmond de Goncourt, se sentant entrer dans l'Histoire, fournit des documents sur son propre compte.

Il reprend également la plume pour prolonger l'œuvre fraternelle : les études historiques prennent une inflexion plus érudite, s'enrichissent de notes et d'inventaires, se focalisent sur des figures d'actrices (*la Saint-Huberty*, 1882 ; *Mademoiselle Clairon*, 1890 ; *la Guimard*, 1893). Dans le roman, il essaie d'occuper à la fois la position du chef de file et de l'avant-gardiste, s'éloignant du naturalisme pour définir une nouvelle école. *Les Frères Zemganno* (1879) sont un cas à part, « une tentative de réalité poétique », « de l'imagination dans du souvenir mêlé à du rêve », où le survivant rappelle la mémoire du défunt en transposant la collaboration fraternelle dans le travail de deux acrobates. *La Fille Élisa* (1877) s'inscrivait dans la continuité de *Germinie Lacerteux* ; mais *la Faustin* (1882) et *Chérie* (1884) prétendent renouveler la thématique naturaliste en s'attachant à la haute société, pour montrer le bien fondé d'une méthode, l'« étude appliquée, rigoureuse et non conventionnelle et non imaginative », quel qu'en soit le sujet (Préface des *Frères Zemganno)*. Mais plus fondamentalement, c'est le genre romanesque qu'il remet en cause, tentant de le dépouiller au maximum de son intrigue, dans *Chérie* notamment. En 1891, dans l'*Enquête sur l'évolution littéraire* de Jules Huret, il renchérit : « Ma pensée [...] est que le roman est un genre usé, éculé, qui a dit tout ce qu'il avait à dire, un genre dont j'ai tout fait pour tuer le *romanesque*, pour en faire des sortes d'autobiographies, de mémoires des gens qui n'ont pas d'histoire. » Il pressent un nouveau genre en gestation, où la psychologie sera dominante. Pour le théâtre, qu'il a pourtant peu illustré (*Henriette Maréchal*, 1856 ; *Blanche de la Rochedragon*, drame historique représenté en 1873 sous le titre *la Patrie en danger*), il tente aussi d'imposer sa vision : naturalisme impossible à la scène, déclin prochain du genre, tué par l'argent (Préface du *Théâtre*, 1879). Néanmoins, avec l'aide de jeunes écrivains, hôtes assidus du Grenier (Henry Céard, Jean Ajalbert, Paul Alexis...), *Renée Mauperin* et *Sœur Philomèle* seront adaptés à la scène en 1887, *Germinie Lacerteux* en 1888, *les Frères Zemganno* et *la Fille Élisa* en 1890, *Charles Demailly* en 1892, *Manette Salomon* en 1896, joués pour la plupart à l'Odéon ou au Théâtre-Libre d'Antoine.

Par ailleurs, en 1881, Edmond de Goncourt révèle au grand public une nouvelle facette, celle du collectionneur, à un moment où l'accumulation d'objets d'art dans l'intérieur privé est devenue une véritable mode. *La Maison d'un artiste* est à la fois un recueil de souvenirs, destiné à prouver la qualité de précurseurs des Goncourt dans le goût rococo ou japonisant, un inventaire des collections (repris après sa mort pour l'établissement des catalogues de vente) et un guide de visite, qui ouvre fictivement la demeure au public. Mais derrière la figure du collectionneur, celle de l'écrivain n'est pas oubliée. Au centre du livre est décrit le « cabinet de travail », qui dévoile le lieu d'écriture, et la face cachée de l'auteur publié, sur le modèle de ces « visites au grand homme », articles de reportage et d'interview qu'on commence à trouver dans les journaux. Concernant le statut de l'écrivain, le texte est en outre un manifeste, puisqu'il montre que le véritable homme de lettres est aussi un homme de l'art ; sa demeure, qui fond une multiplicité d'objets en une œuvre d'art supérieure, légitime ce titre d'artiste, porté sur la couverture. Le retentissement de *la Maison d'un artiste* est grand, comme en témoignent le *Journal* et la correspondance : il vise surtout le « décorateur d'intérieur », l'esthète, qui a su évoquer un « art de vivre » qui intègre l'objet d'art à la vie quotidienne ; Edmond de Goncourt anticipe ainsi sur les manuels à venir et pourra à juste titre revendiquer sa part dans l'évolution du goût public.

La Maison d'un artiste révèle aussi cette autre spécialité des Goncourt collectionneurs : ces grands amateurs du XVIIIe siècle français sont aussi, et particulièrement le survivant, de fervents japonisants. Au début des années 1860, les deux frères ont été parmi les premiers à acheter livres illustrés et estampes japonaises (présentés en 1867 dans un chapitre de *Manette Salomon*). À l'Exposition universelle de 1867, c'est le grand public qui découvre l'art du Japon ; les galeries d'estampes et d'objets japonais (Siegfried Bing, Auguste Sichel...) se multiplient et, onze ans plus tard, l'Exposition universelle de 1878 apparaît comme l'apogée du japonisme en France. À cette date, Edmond de Goncourt, par l'ancienneté et la diversité de ses collections (étoffes, céramique, bronze, laque), fait figure de spécialiste ; ses achats continueront sur un rythme soutenu dans les années 1880. Il s'oriente vers un projet de monographies sur le modèle de *l'Art du XVIIIe siècle*. Seuls paraîtront *Outamaro* (1891) et *Hokusai* (1896).

La redécouverte d'une esthétique formaliste

Les Goncourt n'ont cessé de revendiquer leur originalité stylistique, fondée sur une syntaxe complexe, paratactique, qui démembre la période classique au profit du rendu d'impressions isolées, et un lexique novateur, riche de néologismes, d'« épithètes rares », de termes techniques empruntés à l'art. En 1879, dans la Préface des *Frères Zemganno*, Edmond de Goncourt lui donnera le nom d'« écriture artiste ». Elle n'a pas manqué, dès l'origine, de cristalliser les rejets ; en 1869, Sainte-Beuve s'emporte contre *Madame Gervaisais* ; en 1884, Edmond de Goncourt sera sur le même front, à défendre « l'effort d'écrire personnellement », « en vue de ceux qui ont le goût le plus précieux, le plus raffiné de la prose française » (Préface de *Chérie*), répliquant au dénigrement de Maupassant (« il n'est point besoin du vocabulaire bizarre, compliqué, nombreux et chinois qu'on nous impose aujourd'hui sous le nom d'écriture artiste », Préface de *Pierre et Jean*, 1887), aux injonctions de Taine en faveur d'une langue claire et simple. Il a certes aussi ses zélateurs (tels Rosny et Poictevin), et il ne se prive pas lui-même de dénoncer chez les autres ce qu'il juge des dérives stylistiques (chez Claudel et surtout Mallarmé, voir *Journal*, 3 mars 1875).

La polémique n'aura qu'un temps, mais le discrédit jeté sur l'« écriture artiste », assimilée à un raffinement de surface, précieux mais gratuit et, surtout, daté, est longtemps demeuré. Depuis peu cependant, on redécouvre les fondements philosophiques et esthétiques d'un style qui exprime de manière profonde un rapport au monde et un rapport à l'art caractéristique de la période. L'« écriture artiste » est tout entière orientée vers un rendu des apparences dans leur évanescence (la métamorphose des choses à la tombée du jour...), dans le choc aussi de leur juxtaposition et de leur surgissement (l'hétéroclite des quartiers de banlieue dans *Renée Mauperin*, *Germinie Lacerteux*...). La vérité que l'écrivain s'efforce de traduire n'est pas dans la connaissance objective du monde mais dans l'impression sensible laissée en nous. L'écriture des Goncourt relève donc d'une phénoménologie, comme F. Gaillard l'a montré, elle est conforme à l'approche perceptiviste qui règne dans la deuxième moitié du siècle (il faut voir et rendre ce que l'on voit, non ce que l'on croit savoir).

Cependant, à ce primat de la perception, il faut adjoindre une seconde exigence, qui est peut-être la plus haute, celle de l'œuvre d'art qui transpose le visible. Pour J.-P. Bouillon, « l'acuité du regard, pour laquelle la recherche du "document" n'est qu'un moyen d'investigation privilégié, a pour finalité non pas l'exposé des faits, mais leur écriture », l'essentiel n'étant pas, en dernier recours, dans le rendu du visible, mais dans sa recomposition dans l'espace de l'œuvre. Les Goncourt participent ainsi au renouvellement esthétique fondamental du milieu du siècle, qui voit les « sujets » laisser la place aux « formes ». Leur contact, profond et prolongé, avec l'art, celui de leur temps, celui du XVIIIe siècle ou du Japon, mais bien d'autres encore (Rembrandt, Turner…), leur a permis de réfléchir sur la structure de l'œuvre d'art. Chacune, avant de renvoyer au monde selon une relation mimétique, renvoie d'abord à elle-même, à son propre système de signes. De la même façon, dans la prose d'art des Goncourt, se manifeste une attention particulière au signifiant verbal, travaillé en lui-même avant de désigner le réel. D'où cette préoccupation constante pour le « style », la « marque », la « signature », le « sceau » (le paradigme, omniprésent dans leur œuvre, est significativement rappelé dans la préface « testamentaire » du tout dernier roman), qui individualisent, de façon certaine, la recomposition du monde à laquelle se livre chaque artiste.

VIE		ŒUVRE	
1786	Antoine Huot, arrière-grand-père des Goncourt, acquiert la seigneurie de Goncourt.		
1789	Son fils, Jean Huot de Goncourt, avocat, est élu député aux États généraux ; il sera plus tard magistrat.		
1802-1814	Son dernier petit-fils, Marc Pierre, est officier de Bonaparte, puis de Napoléon.		
1822	**26 mai :** naissance du premier fils de Marc Pierre, Edmond de Goncourt, à Nancy.		
1830	**17 déc. :** naissance du second fils de Marc Pierre, Jules Alfred de Goncourt, à Paris. Il sera de santé délicate.		
1832-1840	Études d'Edmond au lycée Henri IV.		
1840-1848	Études de Jules au collège Bourbon. Deux prix (latin et grec) au concours général.		
1848	**Déc. :** mort de la mère des Goncourt. Depuis 1846, Edmond, après avoir fait des études de droit, occupe un emploi aux Finances.		
1849	Les deux frères s'établissent à Paris, rue Saint-Georges. Ils dessinent et peignent ; quelques tentatives théâtrales.		
1849-1850	Voyages en France ; voyages à Alger, en Suisse, en Belgique. Ils rapportent, surtout d'Alger, des dessins, des aquarelles, des carnets de notes.		
		1851	**Déc. :** premier roman, *En 18..* ; il est édité avec de larges passages censurés.
1852	Un parent des Goncourt, Villedeuil, fonde le journal *l'Éclair,* puis *le Paris,* journal du soir, à la fois boursier et théâtral.	**1852**	Articles des Goncourt et dessins de Gavarni au journal *l'Éclair.* *Salon de 1852.*
		1852-1853	Articles des Goncourt au journal *le Paris* : les chroniques théâtrales seront reprises dans *Mystères des théâtres 1852* (1853), certaines nouvelles dans *Une voiture de masques* (1856), d'autres beaucoup plus tard dans *Pages retrouvées* (1886).
		1853	**Déc. :** édition, chez Dentu, d'une physiologie *la Lorette*, d'abord parue en articles dans *l'Éclair* et *le Paris* sous le titre « Lèpres modernes ».
		1854	*Histoire de la société française pendant la Révolution.* *La Révolution dans les mœurs,* pamphlet contre la décadence de la société au XIXe siècle.

	VIE		ŒUVRE
1855	Exposition Courbet.	**1855**	*Histoire de la société française pendant le Directoire.* *La Peinture à l'Exposition de 1855.*
1855-1856	**Nov. 55-mai 56 :** voyage en Italie avec l'ami d'enfance Louis Passy.		
		1856	*Une voiture de masques,* réédité sous le titre *Quelques créatures de ce temps* en 1876. *Les Actrices*, court roman réédité sous le titre *Armande* en 1892.
1857	Flaubert : *Madame Bovary.* *Le Réalisme*, de Champfleury. Le « Salon des refusés ».	**1857**	*Sophie Arnould, d'après sa Correspondance et ses Mémoires inédits.* *Portraits intimes du XVIIIe siècle (1re série).*
		1858	*Portraits intimes du XVIIIe siècle (2e série).* *Histoire de Marie-Antoinette*. Éloges de Sainte-Beuve.
		1859	Première livraison de *l'Art du XVIIIe siècle*, « Les Saint-Aubin » (11 fascicules de 1859 à 1870, 12e fascicule de notules et d'additions en 1875).
1860	Darwin, *l'Origine des espèces.*	**1860**	*Les Maîtresses de Louis XV.* Premier roman vraiment publié, *les Hommes de lettres* (c'est le titre sous lequel parut la première édition ; la deuxième, en 1868, s'intitule *Charles Demailly*). Fascicule « Watteau ».
		1861	*Sœur Philomène.* Fascicule « Prud'hon ».
1862	Les Goncourt commencent à fréquenter assidûment le salon de la princesse Mathilde. C'est aussi le début des « dîners Magny » : dîners littéraires qui réunissent, tous les lundis, Flaubert, Gautier, Paul de Saint-Victor, Sainte-Beuve, Taine. Mort de Rose, la servante des Goncourt, modèle de Germinie Lacerteux.	**1862**	*La Femme au XVIIIe siècle.* Fascicule « Boucher ».
		1863	Fascicule « Greuze ».
		1864	*Renée Mauperin.* Fascicule « Chardin ».
1865	Claude Bernard, *Introduction à l'étude de la médecine expérimentale.*	**1865**	*Germinie Lacerteux.* « Littérature putride », s'écrie Louis Ulbach. *La Revue des Deux Mondes* classe les trois romans des Goncourt parus de 1861 à 1865 dans le « petit roman » ; mais Flaubert écrit : « Cela est atroce d'un bout à l'autre et sublime. La grande question du réalisme n'a jamais été si carrément posée. » Zola y voit une œuvre capitale (*le Salut public,* 24 février 1865). Fascicule « Fragonard ».
1866	Mort de Gavarni. Zola : *Mes haines.*	**1866**	**5 déc. :** *Henriette Maréchal,* drame en trois actes, au Théâtre-Français ; la pièce passe pour avoir été autorisée, malgré son sujet (une sombre histoire familiale autour de l'adultère de la mère), grâce à la protection de la princesse Mathilde. Une manifestation étudiante, de tendance républicaine, est organisée, sous la direction, semble-t-il, de Louis Cavaillé, dit Pipe-en-bois ; Jules Vallès soutient les Goncourt et la liberté de représentation (*le Figaro,* 14 décembre 1865). La pièce est jouée du 5 au 15 décembre, un jour sur deux. *Idées et sensations.* Fascicule « Debucourt ».
1867	**Mai :** voyage des Goncourt à Rome. La polémique Vallès-Saint-Victor sur Homère, auquel Vallès oppose Offenbach, s'élargit. Les Goncourt sont pour les « Modernes » ; brouille avec Saint-Victor.	**1867**	*Manette Salomon* (qui avait été annoncée sous le titre de *l'Atelier Langibout*). Fascicule « La Tour ».

	VIE		ŒUVRE
	(suite 1867) Les Goncourt donnent quelques croquis de rues *à la Rue*, journal de Vallès ; Vallès, dans *la Situation* (10 novembre), présente élogieusement les deux frères. Zola, *Thérèse Raquin*.		
1868	Alphonse Daudet, *le Petit Chose*. Les Goncourt achètent leur maison d'Auteuil. Ils notent (*Journal*, 14 décembre) : « Nous avons vu à déjeuner notre admirateur et notre élève, Zola. »	**1868**	*Charles Demailly* (c'est la deuxième édition des *Hommes de lettres*, la première sous ce titre). Fascicule « Les vignettistes, Gravelot, Cochin ».
1869	Flaubert, *l'Éducation sentimentale*.	**1869**	*Madame Gervaisais*. Sainte-Beuve promet un article, ne l'écrit pas. Zola loue le roman (*le Gaulois*, 9 mars).
1870	**20 juin :** mort de Jules de Goncourt. **22 juin :** enterrement de Jules de Goncourt. **27 août :** « Zola déjeune chez moi » (*Journal*).	**1870**	Fascicule « Les vignettistes, Eisen, Moreau ».
1871	**18 mars : Commune de Paris.** **Avr. :** Edmond abandonne sa maison d'Auteuil, qui restera intacte. Zola, *la Fortune des Rougon*, Préface des *Rougon-Macquart*.		
		1873	*La Patrie en danger*, drame en cinq actes, en prose. *Gavarni, l'homme et l'œuvre* (achevé en 1870, dernier ouvrage auquel a collaboré Jules).
1874	**14 juill. :** testament d'Edmond, qui crée une « académie » et en désigne les dix titulaires : Flaubert, Banville, Barbey d'Aurevilly, Paul de Saint-Victor, Louis Veuillot, Fromentin, Ph. de Chennevières, Léon Cladel, Alphonse Daudet, Zola. Dans les années qui suivent, Fromentin est remplacé, sur le Testament, par Bourget, Flaubert par Maupassant, Saint-Victor par Céard, Veuillot par Lok, Ph. de Chennevières par Huysmans et Léon Cladel par Jules Vallès.		
1875	**25 janv. :** le *Journal* présente Zola comme un envieux et un dominateur, spécialiste de la « confession acerbe du romancier réaliste ». Ces reproches se multiplieront dans le *Journal* en 1875, en 1876 et après. Edmond se persuade de plus en plus que lui et Flaubert, et non Zola, sont les seuls romanciers dignes de ce nom.	**1875**	*Catalogue raisonné de l'œuvre de Watteau*.
		1876	*Catalogue raisonné de l'œuvre de Prud'hon*.
1877	Zola, *l'Assommoir*. Edmond se montre fort aigre à l'égard de l'œuvre ; il estime, une fois de plus, que Zola l'a copié.	**1877**	*La Fille Élisa*. Le projet avait été conçu par les deux frères, avant 1870. L'œuvre fut un peu éclipsée par *l'Assommoir*.
1878	**9 mai :** Edmond reçoit Flaubert et Zola.	**1878**	*Madame de Pompadour* (2ᵉ partie remaniée des *Maîtresses de Louis XV*). *La Du Barry* (3ᵉ partie remaniée des *Maîtresses de Louis XV*).
		1879	*Les Frères Zemganno*. *La Duchesse de Châteauroux* et ses sœurs (1ʳᵉ partie remaniée des *Maîtresses de Louis XV*).
1880	**31 janv. :** dîner Edmond, Zola, Tourgueniev. **8 mai :** mort de Flaubert. Zola publie *les Soirées de Médan*.		
		1881	Edmond écrit *la Maison d'un artiste*, évocation de la maison d'Auteuil.
1882	**23 juin :** le journal *le Bien public* révèle le secret du « Testament Goncourt » de 1874.	**1882**	*La Faustin* (premier titre *la Fausta*). Succès : plusieurs milliers d'exemplaires vendus en quelques semaines.

	VIE		ŒUVRE
	(suite 1882) **3 juill. :** Vallès proteste contre cette nouvelle « académie » (*le Réveil,* article intitulé « les Dix »). Huysmans, *À vau-l'eau.*		(suite 1882) *La Saint-Huberty, d'après sa correspondance et ses papiers de famille.*
1883	Maupassant, *Une vie.*		
1884	Edmond est plus que jamais persuadé que Zola pille ses idées ; il s'étonne des éloges que lui prodigue Zola après *Chérie.* Huysmans, *À rebours.*	**1884**	*Chérie.* L'éditeur Kistemaeckers réimprime, sans coupures, le roman de 1852, *En 18..*
1885	**1er févr. :** début des réunions, des « dimanches », du « Grenier », noyau de l'académie Goncourt à venir. Ces « dimanches » succèdent à ceux de Flaubert : autour d'Edmond, Zola, Daudet, Maupassant, Huysmans, Bonnetain, R. et J. Caze, Céard, Heredia. Zola, *Germinal.*	**1885**	Edmond publie les *Lettres* de Jules de Goncourt. Reprise d'*Henriette Maréchal* à l'Odéon. Une brochure-pamphlet attribuée encore au mythique « Pipe-en-bois » tente de mobiliser le public contre la pièce. **Déc. :** *le Figaro illustré* commence la publication du *Journal des Goncourt.*
		1886	*Le Figaro* ordinaire poursuit la publication du *Journal.* *Pages retrouvées.*
1887	Zola, *la Terre.*	**1887**	Les trois premiers volumes du *Journal* (1851-1870) paraissent chez Charpentier.
1888	Maupassant, *Pierre et Jean.*	**1888**	*Préfaces et manifestes littéraires.* **Déc. :** Adaptation à la scène de *Germinie Lacerteux* : quarante représentations. On joue aussi la pièce à Bruxelles et à Saint-Pétersbourg.
		1889	Antoine monte, au Théâtre-Libre, la pièce en cinq actes en prose *la Patrie en danger* (elle avait été écrite bien plus tôt, sous le titre *Mademoiselle de La Rochedragon).*
		1890	Mademoiselle Clairon. Tome IV du *Journal,* chez Charpentier.
1891	Jules Huret, *Enquête sur l'évolution littéraire.*	**1891**	Tome V du *Journal,* chez Charpentier. *Outamaro,* tome I de *l'Art japonais du XVIIIe siècle.*
		1892	Tome VI du *Journal :* Edmond annonce que ce sera le dernier publié de son vivant.
1893	Zola, *le Docteur Pascal.*	**1893**	*La Guimard.*
		1894	*L'Italie d'hier, notes de voyage, 1855-1856.*
		1894-1896	Tomes VII, VIII, IX du *Journal* ; Edmond annonce, dans le tome IX, que ce sera le dernier publié de son vivant.
1895	**1er mars :** banquet de 300 couverts autour d'Edmond et de Daudet.		
1896	**16 juill. :** Edmond meurt chez son ami Daudet. Obsèques à Auteuil. Deux légataires universels, Alphonse Daudet et Léon Hennique : les héritiers familiaux intentent un procès contre le testament ; ils seront déboutés en août 1897 ; le jugement sera confirmé en 1900.	**1896**	**Juill. :** *Manette Salomon,* pièce en neuf tableaux, est jouée au Vaudeville. Elle est ensuite publiée par Charpentier-Fasquelle. *Hokusai,* tome II de *l'Art japonais.*
1903	**11 janv. :** un décret reconnaît d'utilité publique l'académie Goncourt.		

VIE	ŒUVRE
(suite 1903) **26 févr.** : premier dîner des membres de l'académie Goncourt, au Grand Hôtel. Les dîners suivants ont lieu chez Champeaux, place de la Bourse. On décide la création d'un prix de 5 000 F, qui sera décerné « au meilleur roman, au meilleur recueil de nouvelles, au meilleur volume d'imagination en prose » parus dans l'année. **21 déc.** : le dîner de l'académie Goncourt décerne le premier « prix Goncourt » à John-Antoine Nau. Les dîners, par la suite, auront lieu au Café de Paris ; puis au restaurant Drouant, place Gaillon.	

Journal

Commencé le 2 décembre 1851 (jour du coup d'État, mais aussi de la sortie de leur premier roman), le *Journal* est tenu de façon régulière à partir de 1855 : c'est dire qu'il commence avec leur carrière d'écrivain, et qu'il fonctionne à plein dès leurs premiers grands textes (tableaux historiques des années 1854-1855). Jusqu'au 10 janvier 1870, il est rédigé par Jules « sous une dictée à deux ». Après sa mort, le 20 juin 1870, Edmond reprend la plume, retranscrit *a posteriori* l'agonie de son frère, et enchaîne sur les événements du Siège et de la Commune de Paris. Il en poursuit la rédaction jusqu'au 3 juillet 1896, un mois avant sa mort. L'année 1870 marque ainsi la principale ligne de partage du *Journal*, puisqu'elle conjugue, sur le plan de l'histoire, bouleversements de la vie publique et de la vie privée, et, sur le plan de l'écriture, changement de scripteur et transformation du projet : Edmond prend peu après la décision de la publication, et rédige en 1872 une préface ; neuf volumes paraîtront de 1887 à 1896, la version intégrale restant posthume (elle intervient en fait en 1956, avec l'édition de Robert Ricatte).

Le *Journal* des Goncourt, qui a pour sous-titre *Mémoires de la vie littéraire*, est un texte long et complexe. On peut, brièvement, rappeler son statut problématique. N'est-il qu'un discours d'escorte, au même titre que la correspondance ou les notes de lecture ? Ou bien, parce qu'il radicalise une esthétique de l'informe, du discontinu, de l'inachèvement, déjà présente – à plusieurs niveaux (structurels, thématiques) – dans d'autres textes, dont les romans ou la critique d'art, n'est-il pas plutôt le texte capital et l'œuvre essentielle, comme la critique post-structuraliste semble le penser ? En tout cas, il relève d'entrée de jeu, par son projet, d'un genre nouveau, que rend possible l'avènement du journalisme au XIXe siècle. « L'attention rapportée à l'actualité sans le filtre de la mémoire » (M. Fumaroli) est le principe de ces Mémoires, peu soucieux du recul qui transforme après coup le sens de l'action, avides au contraire de recueillir la sensation du moment : les Goncourt veulent « représenter l'ondoyante humanité dans sa *vérité momentanée* », et « ne point imiter les faiseurs de mémoires qui présentent leurs figures historiques peintes en bloc et d'une seule pièce » (Préface d'août 1872). Par ailleurs, en conjuguant Journal et Mémoires, les Goncourt affichent la double portée de leur texte, tourné à la fois vers la petite et la grande histoire, la vie intime et la vie publique, l'anecdote et l'événement ; c'est aussi avouer le mélange des deux registres, le regard individuel étant le filtre constant du réel (« Nous ne nous cachons pas d'avoir été des créatures passionnées, nerveuses, maladivement impressionnables, et par là quelquefois injustes. »). Or, de cette vision délibérément subjective, partielle et partiale, ils tirent un argument supplémentaire de vérité : c'est le détail qui révèle, c'est le singulier qui éclaire le plus finement un tableau d'ensemble (le « rien », le « je-ne-sais-quoi », l'infime, plus pertinents, plus efficaces que l'idée générale). On rejoint là une philosophie de l'histoire qui a trouvé très tôt chez eux à s'affirmer, mais qui est plus largement la marque du XIXe siècle, et qui explique peut-être autant le journalisme que le comparatisme historique ou religieux à la Renan ou l'esthétique baudelairienne de la modernité : plus d'hégémonie d'une vérité unique, à chaque époque sa vérité singulière, validité de l'individuel et de l'éphémère.

La complexité du *Journal* tient aussi aux étapes de sa fabrication, laquelle inscrit dans le texte deux temporalités différentes : celle de l'écriture (où les Goncourt s'efforcent de « coller » au présent) et celle de la publication, qui fait intervenir, à partir de 1887, l'histoire du *Journal* (son lancement, sa réception, notamment les multiples hostilités qu'il soulève) dans sa propre genèse, qui confronte les hommes du présent avec leurs propos anciens, et impose doublement le nom des Goncourt sur la scène littéraire : aux côtés des romans nouveaux ou réédités paraît régulièrement ce texte prolixe, qui, quoique inédit, appartient lui aussi à la fois au présent et au passé, comme pour dire, face aux littérateurs qui revendiquent après 1870 la première place (Zola à Médan, Mallarmé rue de Rome…), le poids de ces aînés toujours d'actualité. Une approche critique traditionnelle, qui rendrait compte du fonctionnement interne du *Journal*, de ses enjeux esthétiques, ne suffit donc plus ; elle doit se doubler d'une approche sociologique, qui montre la stratégie dont procède ce texte, celle d'une occupation du champ littéraire dans la deuxième moitié du XIXe siècle (C. Duchet).

L'Art du XVIIIe siècle

Parlant au nom de son frère dans la Préface de l'édition de 1873, Edmond présente *l'Art du XVIIIe siècle* comme « leur livre préféré, le livre qui leur avait donné le plus de mal ». La genèse de l'œuvre (treize monographies de 1859 à 1870) justifie ces appellations et incite à voir dans ce livre, comme J.-L. Cabanès le suggère, « un monument de la critique d'art », « un moment essentiel de la prose poétique », une somme aussi « incomparable » que le *Journal*.

Leur démarche critique en premier lieu est novatrice. Gautier, Nerval et la bohème du Doyenné avaient donné une image fantaisiste des peintres des fêtes galantes ; les Goncourt vont utiliser leur savoir d'historiens et leur compétence de collectionneurs pour s'éloigner de cette vision réductrice. Chez eux va primer un souci constant de l'exactitude historique et du contact direct avec l'œuvre (à la différence d'un Charles Blanc qui travaille surtout sur les estampes). Ils en commentent minutieusement l'exécution, aidés en cela par leurs propres débuts de peintres, leur pratique de graveurs, leur fréquentation d'artistes contemporains. Par ailleurs, alors que cette double approche, érudite et technique, pourrait procéder d'un regard extérieur, ce que les Goncourt recherchent, c'est au contraire une intimité croissante avec l'artiste du passé : leur effort pour reconstituer la psychologie de l'artiste, qui peut paraître daté et à contre-courant d'un regard plus moderne sur la surface du tableau, est à comprendre en ce sens. C'est une étape intermédiaire pour pénétrer le processus créateur et parvenir à l'œuvre non plus achevée, mais au contraire en train de se faire. Et cette attention portée au geste créateur plus qu'à son résultat est, quant à elle, résolument moderniste. Les Goncourt iront plus loin : dans cet effort pour accompagner et comprendre la genèse, ils se feront eux-mêmes graveurs. Il ne s'agit pas seulement de fournir des illustrations ; l'enjeu est esthétique, presque philosophique : comment rendre compte de la création sinon en essayant à son tour de la vivre, de l'accomplir ? C'est une expérience, et non un donné, que la gravure, puis l'écriture, vont tâcher de transposer.

Une autre expérience anime également ces textes ; celle, non plus de l'artiste (ou de qui s'est fondu en lui pour tenter de comprendre), mais du spectateur, dont la position opposée est alors assumée. Deux aventures conjointes se donnent ainsi à lire, motivées par le même désir, la même urgence d'aboutir à l'œuvre, mais de part et d'autre de la toile, de part et d'autre du temps. Deux figures se rejoignent, arrivées de deux côtés différents, mais passées, dans les deux cas, par une longue initiation, une lente genèse : l'artiste dans son atelier, le spectateur devant la toile, doivent également, l'un par le pinceau, l'autre par le regard, dégager la forme de l'informe (« Vous regardez [...], vous regardez toujours [...]. Et à mesure que vos yeux étudient, votre admiration croît. » [*La Tour*]). C'est finalement l'acte de création, et la tentative inlassablement répétée pour percer son mystère, qui sont l'enjeu absolu de *l'Art du XVIIIe siècle* et qui fascinent nos écrivains. Et c'est leur esthétique littéraire qui se cherche derrière toutes les analyses artistiques, en des procédés qui établissent une sorte de fraternité entre le peintre et l'écrivain : Chardin est le grand maître des « consonances », il travaille la couleur comme une matière sonore, il suscite des échos ; quant à eux, artistes du mot, ils auront inversement droit à l'image, et ils chercheront à donner à voir. Tous les artistes de *l'Art du XVIIIe siècle* pourraient ainsi à divers titres porter le nom de « peintres-poètes », et légitimer une écriture qui commence, en ces années 1860, à énoncer sa rivalité avec la peinture.

Charles Demailly

Le premier grand roman des Goncourt paraît en 1860 sous le titre *les Hommes de lettres*, au terme d'une tumultueuse genèse. En 1857, ils composent une pièce qui est une satire du petit journal, et que les théâtres, prudents, refusent. Ils prennent le parti d'en tirer un roman, qu'ils achèvent en 1859. La publication en feuilleton échoue à son tour et ils sont contraints de le faire imprimer à leurs frais. Le titre, particulièrement, était jugé diffamatoire, et c'est pourquoi les Goncourt lui substituent le nom du héros lors de la réédition de 1868.

SYNOPSIS

En dépit du morcellement apparent du livre (94 courts chapitres sans titre), le roman est composé de parties bien distinctes. La première (chap. 1 à 40) est un tableau assez statique du monde des lettres en trois volets : le milieu du petit journal, ici nommé *le Scandale*, mais qui transpose essentiellement *le Figaro* et son directeur, Villemessant ; le travail solitaire de l'écrivain authentique, Charles Demailly ; le cénacle d'hommes de lettres et d'artistes qui l'accueille, après sa rupture avec les journalistes. La deuxième partie du roman (chap. 41 à 74) est centrée sur un drame conjugal : Charles s'est marié mais découvre bientôt la bêtise et la méchanceté de son épouse, l'actrice Marthe, qui se complaît dans une tyrannie quotidienne. Elle le calomnie insidieusement auprès de ses anciens confrères, refuse le rôle dans la pièce qu'il a écrite pour elle ; une dernière querelle, et Charles manque de la tuer : il la chasse. Dans une troisième partie (chap. 75 à 82) se conjuguent la vengeance de l'épouse et celle des journalistes. Elle leur livre des lettres compromettantes qu'ils publient sans se compromettre, sur fond de tractations pour le rachat du journal ; Demailly, terrassé par une attaque à sa lecture, renonce définitivement à la littérature. La quatrième partie (chap. 83 à 94) raconte la déchéance de Charles : il sombre progressivement dans la folie.

Les quatre parties du roman, bien distinctes par leur contenu thématique et par les techniques narratives employées, de longueurs très inégales aussi, forment un ensemble hétérogène, qui se ressent des modifications du projet initial. La première partie, qui occupe toute une moitié du livre, est une présentation des personnages démesurée et statique, sans rapport immédiat avec l'action. Dans la deuxième partie, une étude psychologique centrée sur le couple Demailly, les dialogues, bien moins nombreux, sont aussi d'une tout autre nature : dépourvus de la verve ou de l'esprit qui illustraient les précédents, ils montrent la distance qui se creuse peu à peu entre les époux ; apparaissent en contrepoint de luxuriantes descriptions de paysages, comme si la richesse des choses devait compenser le vide intellectuel et affectif. Dans la troisième partie, nouveau changement radical de stratégie : l'action, longtemps retardée, est concentrée à la manière de Balzac dans *le Père Goriot* ou *la Cousine Bette*, tout se déroule de façon extrêmement rapide (en moins d'une journée), faisant s'affronter autour du même projet les trois personnages les plus acharnés. Mais cette densité dramatique contraste avec l'inertie précédente, et, depuis longtemps coupée des prodromes (l'exposition ou présentation des personnages), elle perd un peu de sa force. La quatrième partie fait de nouveau le choix d'une focalisation exclusive sur le personnage, enfermé cette fois non dans le travail, ni dans le mariage, mais dans la folie, dernière étape d'une dégradation qui menace inévitablement l'écrivain : le précédent nervalien, explicitement rappelé dans le texte à deux reprises (chap. 33 et 87), en fait foi.

Pour leur retour au roman, les Goncourt ont suivi d'assez près le modèle balzacien. Non seulement, comme on l'a vu, dans la gestion de l'action, mais aussi dans les choix thématiques et dans leur traitement réaliste. Nul doute en effet qu'ils n'empruntent aux *Illusions perdues* leur satire du petit journal, contrebalancée, comme chez Balzac, par l'éloge d'un groupe d'écrivains vertueux. Ils reprennent aussi, mais en l'inversant, le thème de la passion dans le mariage, dont l'homme est chez eux la victime. Ces héritages sont si conscients qu'ils font l'objet de deux chapitres théoriques (chap. 3 et 25), où les Goncourt essaient aussi de montrer comment ils les dépassent.

Si les Goncourt empruntent beaucoup à Balzac, ils s'en séparent aussi sur plusieurs points, participant ainsi à l'évolution du genre romanesque dans les années 1850-1860. Ils proposent d'abord un nouveau traitement du personnage romanesque, qui cesse d'être un type, et résulte plutôt du montage de traits singuliers (ici, il s'agit presque d'un roman à clefs, lesquelles sont données dans le *Journal* : Monselet, Scholl, Champfleury, Nadar pour les journalistes, Banville, Barbey d'Aurevilly, Saint-Victor, Guys et Nanteuil pour les membres du cénacle). Le ton aussi les sépare de Balzac : tous leurs personnages font usage de l'ironie, incisive et blessante chez les journalistes, autocritique et désenchantée chez le héros et ses amis. En cela les Goncourt se rapprochent de Flaubert, désigné sans être nommé au début du chapitre 30. Dernier écart enfin : avec la transposition presque intégrale d'extraits de leur propre *Journal*, un autre genre fait irruption sur la scène romanesque et propose une mise en abyme de l'activité d'écriture. En outre, parce que celle-ci a lieu à un moment où le héros solitaire est replié sur lui-même, elle suscite la comparaison avec les romans de Huysmans et des décadents. Ainsi s'amorce dès 1860 dans les romans des Goncourt cette remise en cause du genre romanesque.

Ce qui se manifeste également dans ce roman, et qui ressortit en propre à la poétique des Goncourt, c'est une tension entretenue entre réalisme et poésie. D'une part, dans la verve des dialogues, riches de calembours, de coq-à-l'âne, se donne à lire une vision burlesque du réel, qui éclate dans le sketch improvisé par Charles Demailly sur la condition de l'homme de lettres (chap. 13). D'autre part, dans les parties où de longues descriptions font contrepoint à un dialogue appauvri, des rêveries déréalisantes transfigurent le décor ou le paysage (la tapisserie de la chambre conjugale animée par les coups de soleil d'un temps de giboulées, chap. 41 ; Paris vu de Montmartre se volatilisant dans le bleu du ciel, chap. 53 ; la Seine prenant la légèreté de l'azur ou la dureté du cristal, chap. 61 – on retrouvera chez Proust ces métamorphoses devenues emblématiques de son esthétique). Ainsi la luxuriance des mots recrée la féerie du visible, née sans doute du contact avec l'art, que les Goncourt auront soin de cultiver et de maintenir avec l'exigence d'observation du réalisme.

Germinie Lacerteux

Le quatrième roman des Goncourt, publié en 1865, témoigne d'une réelle maîtrise des règles du genre. Après la fresque sociale des *Hommes de lettres*, les Goncourt s'orientent vers des formes plus monographiques et monodiques, centrées sur un destin linéaire de femme (*Sœur Philomène*, 1861 ; *Renée Mauperin*, 1864). Avec *Germinie Lacerteux*, ils s'inspirent d'une expérience personnelle : en août 1862, à la mort de leur servante Rose, ils découvrent avec stupéfaction son alcoolisme et sa débauche. Travaillant alors à la préparation d'un autre roman sur le peuple, *la Fille Élisa*, ils en détournent certaines études pour les transposer dans ce destin d'une servante hystérique, qui inaugure ainsi, comme ils le proclament dans la Préface d'octobre 1864, l'entrée des « basses classes » dans le roman.

SYNOPSIS

Après un prologue (chap. 1 à 6) qui évoque sur le mode rétrospectif l'enfance de Germinie, et la vie de Mlle de Varandeuil, sa maîtresse restée vieille fille, s'ouvre une deuxième partie (chap. 7 à 28), consacrée aux premières amours de Germinie et de Jupillon, un jeune ouvrier gantier, méprisant et moqueur. Elle lui sacrifie son honneur et ses économies. La naissance de son enfant rachète sa chute. Mais son bonheur dure peu : l'enfant meurt, elle est congédiée et doit cacher sa douleur et sa honte à sa maîtresse. La seconde phase de ces amours (chap. 29 à 40) est uniformément dégradante, sous la triple action de la jalousie, de l'alcool et de l'argent. Et c'est la rupture définitive avec Jupillon. Dans la quatrième partie (chap. 41 à 57), la détresse de Germinie s'exacerbe, tandis que l'hystérie éclate : après une liaison violente et sans amour, elle se met à racoler les hommes dans la rue. Une nuit enfin, elle attrape une pleurésie qui va l'emporter. La cinquième et dernière partie (chap. 58 à 70) raconte la souffrance muette de Germinie, qui cache son mal pour ne pas éveiller les soupçons de ses créanciers et de sa maîtresse. Celle-ci la soigne comme sa fille et n'apprend qu'après coup sa duplicité. Révoltée, elle la maudit, puis pardonne, et tente de se recueillir, au cimetière Montmartre, sur des restes que la fosse commune a confondus avec tant d'autres.

« *Germinie Lacerteux* est une date. Le livre fait entrer le peuple dans le roman », écrira Zola en 1881 dans *les Romanciers naturalistes*. De fait, le menu peuple parisien n'a chez Balzac que quelques représentants isolés, à peine plus nombreux chez Champfleury. Quant à Hugo, malgré ses déclarations d'intention dans la préface des *Misérables*, ses personnages sont encore trop conventionnels, comme le notent les Goncourt dans le *Journal*. Ils vont quant à eux s'appuyer davantage sur l'observation directe. Les figures de servantes et d'ouvriers occupent chez eux le premier plan et doivent leur densité de vie au dialogue. Beaucoup plus réduit que dans *Charles Demailly*, il est une des réussites des Goncourt, dans leur tentative de restitution du parler populaire, par un usage ponctuel et approprié de l'argot (qui n'était alors en littérature que l'apanage des forçats), par une attention au rythme et aux disjonctions syntaxiques, à l'aide notamment des points de suspension (dont les Goncourt découvrent, bien avant Céline, la belle valeur expressive).

La nudité d'une ligne de vie fait aussi l'unité psychologique et plastique du roman. Aux mécanismes conjugués de l'hérédité ou du milieu, si présents chez Zola, est préféré un travail structurel et thématique sur le motif de la ligne droite, qui illustre une fatalité, un conditionnement social moins facilement discernable : « Sa vie lui semblait enfermée à jamais dans son désespoir : elle devait continuer à être toujours la même chose implacable, la même route de malheur, toute plate et toute droite, le même chemin d'ombre, avec la mort au bout » (chap. 45). C'est pourquoi, pour nombre de chapitres, Germinie marche dans une sorte d'hébétude sur un chemin qui semble sans but ni fin : « Elle se sentait dans le courant de quelque chose allant toujours, qu'il était inutile, presque impie de vouloir arrêter. Cette grande force du monde qui fait souffrir, la puissance mauvaise qui porte le nom d'un dieu sur le marbre des tragédies antiques […], la Fatalité l'écrasait, et Germinie baissait la tête sous son pied » (chap. 47). Ce qui se dilue peu à peu le long de ce chemin, c'est l'être dans son individualité, dans son humanité, et le corps de Germinie se fond dans la masse, sous le coup des injures et du malheur, avant de sombrer dans le néant psychologique de l'ivresse, puis le néant matériel de la fosse commune.

En outre, les Goncourt retravaillent, sur les plans philosophique et esthétique, le modèle de la tragédie : à la place de la transcendance divine apparaît l'organisation économique et sociale de la ville nouvelle, si disproportionnée à l'individu et qui broie l'humain comme un grain. Germinie, brisée par ce courant, a cependant « l'incroyable force de tout retenir et de tout enfoncer » (chap. 26) et conquiert dans cet effort surhumain la stature d'une héroïne tragique. « L'héroïsme de la vie moderne », que Baudelaire recherchait pour la peinture à la fin du *Salon de 1846*, dont les Goncourt s'affirment aussi en quête dans le *Journal*, est ici magnifiquement mis en scène. Germinie devient peu à peu, par l'énergie qu'elle mobilise dans son propre combat, l'incarnation d'une force qui la dépasse. Dans sa volonté acharnée de silence, son corps se pétrifie peu à peu, elle acquiert une immobilité de statue, une dureté de marbre ou de bronze (chap. 62 et 65). Sa tête, aux cheveux dressés, découpée par le cadrage de la bière, semble celle, pétrifiante, de la gorgone Méduse. La scène finale, par son lyrisme et son souffle épique, semble donner voix à cette grande bouche de bronze pour clamer une colère qui apostrophe soudain Paris.

Madame Gervaisais

En avril-mai 1867, les Goncourt séjournent à Rome pour préparer un roman dont l'héroïne aura pour modèle leur tante Nephtalie de Courmont qui, ayant sombré dans la folie mystique, y était morte de la phtisie en 1844. L'année suivante, Jules est déjà en proie à la névrose qui va l'emporter, et ce livre sera le dernier publié de son vivant. Par les circonstances morbides de sa composition, il joue, selon Marc Fumaroli, le rôle trouble d'un miroir.

SYNOPSIS

Mme Gervaisais, pour des raisons de santé, s'installe à Rome avec sa bonne et son enfant. Au bonheur des premières promenades succède le portrait des personnages. L'héroïne est une femme d'esprit, grandie dans la méditation des philosophes ; son frère, dont elle a fait l'éducation (sur le modèle de Renan et de sa sœur Henriette), sera essentiellement le destinataire de ses lettres ; son fils, pauvre enfant presque muet mais d'une sensibilité exacerbée, donnera la mesure de son dévouement et de son affection. Une première crise a lieu, suscitée par le malaise d'un temps de sirocco, qui fait voir pour la première fois Rome sous un jour morbide (chap. 14). C'est le début d'une deuxième partie qui montre les tentatives de séduction de la Rome catholique. Mme Gervaisais prend goût au décor des églises baroques, elle suit par curiosité les cérémonies religieuses de la semaine sainte. Mais celles-ci provoquent « un ébranlement de sa sensibilité ». Elle essaie de l'atténuer en s'attachant à l'étude de la Rome antique, dont la froideur de marbre la ramène finalement à la pensée du Christ. Une grave maladie de son enfant, relayée par la rencontre d'une mystique russe, transposition romanesque de Mme Swetchine, vont amener la conversion (chap. 61), et ouvrir la troisième partie du roman. Elle choisit d'abord pour directeur de conscience un jésuite, qui la coupe peu à peu de toutes ses relations, et l'oblige finalement à abdiquer sa raison. Elle cherche ensuite un confesseur plus sévère, qui va agir brutalement avec elle, jusqu'à exiger le sacrifice de son amour maternel. Elle a déménagé dans le quartier pauvre du Trastevere ; elle s'enferme dans la méditation de la mort, visitant caveaux et catacombes. Son enfant délaissé dépérit, quand survient finalement son frère, resté depuis longtemps sans nouvelles, qui veut la ramener en France. Mais ayant demandé une audience au pape, elle meurt sur le seuil de la chambre pontificale (chap. 111).

En 1891, répondant à Jules Huret, Edmond de Goncourt affirme que, avec *Madame Gervaisais*, son frère et lui s'orientaient déjà dans la voie illustrée ensuite par le roman psychologique. De fait, ce qui est décrit, c'est bien l'itinéraire spirituel d'un être qui vit avant tout par la pensée. Cependant, la conversion est paradoxalement présentée comme une revanche du corps et un réveil de la féminité. Le sentiment religieux s'immisce par le biais des sensations (la musique religieuse, la beauté plastique des églises baroques) et suscite un vocabulaire de la physiologie (« vibration », « tressaillement », « secousse », « une espèce de dénouement, de déliement de sa nature comprimée, refermée, resserrée [...] par la fermeté hautaine des idées », chap. 30). La phtisie contribue aussi au progrès religieux, en consumant le corps, en le prédisposant à l'extase. D'où finalement une curieuse alliance du physiologique et du psychologique, la spiritualité, qu'elle soit philosophique ou religieuse, ayant *a priori* pour condition ou pour conséquence la négation du corps.

Les descriptions de Rome (ses rues, ses églises, ses ruines antiques, sa campagne...) abondent dans ce roman, mais loin de servir simplement à « planter le décor », elles confèrent à la ville éternelle le rôle d'actant principal : c'est Rome qui suscite la conversion. La théorie du milieu, empruntée à Taine, est ici appliquée de manière radicale. La séduction sensuelle de la ville, commencée en ses aspects les moins religieusement marqués (beauté du paysage, couleur du ciel et parfum des fleurs), s'empare du corps et impose ensuite la religion à l'âme. Mme Gervaisais est victime de « cet enlacement d'un milieu matériel, l'asservissement des sensations, la sourde possession de son être physique, sans que son intelligence y eût part » (chap. 61). C'est présenter la religion comme une subversion charnelle, et mettre à l'arrière-plan son discours intellectuel et ses aspirations spirituelles. En cela, les Goncourt sont fidèles aux propos qu'ils tiennent dans le *Journal*, qu'ils reproduisent dans *Sœur Philomèle* ou *Germinie Lacerteux*, qui réservent la religion à l'usage de la femme, comme un soutien de sa faiblesse et un exutoire de ses passions. Leur athéisme résolu s'est fait militant dans ces années 1960, étayé par la lecture de Michelet et par les discussions des dîners Magny, où ils côtoient notamment Renan. À la Rome sensuelle succède en outre une Rome fatale, mortifère. Dans ce piège tendu à l'héroïne, d'abord séduite par une apparence brillante, pour être ensuite conduite dans des lieux clos et sombres, où règne en maître la mort, Marc Fumaroli a montré l'influence du roman gothique. Il y a ici une sorte d'excès dans la noirceur qui dénonce le parti pris des auteurs.

Dans ce roman tout particulièrement, les Goncourt se sont donné les supports thématiques d'une esthétique de la beauté maladive. L'héroïne est une femme sensible à la plastique – qui voit des groupes et des poses dans les scènes de rue, qui a pratiqué la peinture et tente d'y revenir – et une malade ; quant à Rome, c'est la ville d'art par excellence, c'est aussi la ville lourde d'un passé mort et d'un pesant héritage religieux. Dans cette atmosphère singulièrement propice, les Goncourt vont déployer deux aspects antithétiques de leur poétique : l'évanescence de la sensation, qui se révèle au moment même où elle s'anéantit, et son outrance, sa prolifération excessive qui la dénature. Ces deux modalités, particulièrement présentes dans leur critique d'art, vont trouver ici à s'appliquer, l'une à propos des paysages romains, l'autre à propos des églises baroques, à un moment où cet art est très largement déprécié (chez Michelet notamment).

La Fille Élisa

Né dès 1862 d'une réaction d'indignation après la visite de la prison pour femmes de Clermont (Oise), ce roman mûrit dans l'esprit des Goncourt de 1863 à 1869, un moment délaissé après le mauvais accueil réservé à *Germinie Lacerteux* (1865). À l'automne 1869, Jules consacre ses dernières forces à rédiger le *Gavarni*. C'est donc un roman préparé à deux qu'Edmond publiera seul en 1877, infléchissant dans un sens plus personnel l'écriture commune. Est maintenu le choix d'un tableau réaliste de la prostitution, en refus du romanesque facile des « dames aux camélias », mais la priorité est donnée en 1877 au monde carcéral, évoqué au présent, le reste demeurant dans l'éloignement du passé.

SYNOPSIS

Le prologue met en scène la fin d'un procès d'assises : la peine capitale est prononcée à l'encontre d'une femme qui a tué un soldat. La « Première Partie » reconstitue son passé. Après une enfance difficile auprès d'une sage-femme des milieux populaires, Élisa quitte sa mère et devient prostituée dans une maison de province où elle se distingue par sa « femminilité » et sa vivacité de Parisienne. Après une idylle déçue, devenue « une prostituée, semblable à toutes les prostituées », elle entre à Paris dans une maison de filles à soldats. Elle commence à haïr son métier, elle a des crises hystériques, quand elle se prend d'un amour platonique pour un jeune homme. Sa première sortie avec lui clôt brutalement la première partie : on sait seulement qu'elle en revient avec « une petite ligne rouge » sous les ongles (chap. 34). La « Deuxième Partie » est un retour au présent : la peine d'Élisa a été commuée en détention à perpétuité, la règle du silence absolu dans la prison pour femmes où elle est enfermée est une torture. Elle s'échappe la nuit dans le souvenir de son amour malheureux. Mais la scène obsessionnelle du meurtre l'épouvante. Elle n'obtient pas de secours de sa mère, ni de réconfort auprès des religieuses et du personnel de la prison, et sombre peu à peu dans la folie. Reléguée à la cordonnerie, parmi les vieilles et les impotentes, alors que son corps débile tâtonne, elle croît revivre sa petite enfance ensoleillée et fleurie dans un village des Vosges. Un épilogue met en scène le narrateur en visite dans cette prison. Il voit à l'infirmerie une vieille femme paralysée et prête à mourir : c'est Élisa.

Dans ce roman, les deux frères, puis Edmond seul, se montrent particulièrement fidèles à la méthode naturaliste (c'est un « cas limite » pour R. Ricatte, ils n'ont jamais aussi nettement joué le jeu). Le rôle de la physiologie et du milieu sont manifestes (mais il n'est pas question d'hérédité comme chez Zola, le père n'apparaît pas) : le métier et les fréquentations de sa mère poussent Élisa à la prostitution ; celle-ci suscite l'hystérie, qui conduira au crime ; de même, dans la seconde partie, c'est la loi du silence qui amènera progressivement la déchéance intellectuelle de l'héroïne, puis sa paralysie et sa mort. Néanmoins, la démarche se distingue de celle de Zola, chez qui un projet abstrait préexiste, qui suscite ensuite le document ; les Goncourt partent plutôt d'un choc personnel avec le réel, à partir duquel un projet émerge, qu'ils nourrissent d'une mosaïque de petits faits. Leur perspective reste ensuite résolument monographique ; Zola au contraire cherche plutôt la vue d'ensemble, le tableau panoramique d'une classe, en donnant consistance et longévité aux personnages secondaires. Au-delà de ces méthodes divergentes, on peut se demander si le traitement qu'impose Edmond de Goncourt à son héroïne de 1877 ne procède pas d'une mise en cause plus radicale du genre romanesque, comme le pense Colette Becker : Élisa est privée de parole, même dans la première partie, alors que les deux frères se sont complus, dans le *Journal* ou le roman, à sténographier l'oral ; elle est scindée en deux, la prisonnière n'éprouvant plus les crises hystériques de la prostituée ; elle cède souvent la place, sur le devant de la scène, à un narrateur dont on reconnaît le ton docte de spécialiste et les formules assertives, fréquentes dans d'autres textes du seul Edmond. Ainsi semblent s'effacer la spécificité du roman et son fonctionnement en vase clos.

Mais la part d'Edmond se révèle aussi dans un travail de la structure du roman, à la fois épurée et subtile (l'effort de composition, manifeste par rapport aux romans antérieurs, combat l'atomisation en multiples petits chapitres), ainsi que dans un montage et une élaboration plastique de l'image. La symétrie des deux épisodes du roman est très nette (on a vu qu'elle pouvait conduire à une césure du personnage), mais renforcée par une série de correspondances plus fines, elle concourt aussi à l'unité. Si la claustration de la prostituée annonce celle de la prisonnière, R. Ricatte a montré que les deux épisodes se répondent aussi dans leur structure interne : Élisa se distingue des autres prostituées par son tempérament de Parisienne, des autres prisonnières par sa rébellion, mais la dureté de son sort la fond dans la masse, dont elle émerge finalement de nouveau, d'une part par son crime, d'autre part par sa paralysie et sa folie, comme si le romancier avait à cœur de rester en contact avec un être singulier, qui pût cependant lui donner accès à une condition plus générale. Par ailleurs, la symétrie des deux épisodes est travaillée par une opposition passé-présent, qu'on retrouve également à un niveau sous-jacent, à l'intérieur de la seconde partie, dans les deux retours en arrière, qui ramènent à la première partie, pour compléter son non-dit : les relations avec le soldat jusqu'au crime, les souvenirs de la prime enfance. Cette structure temporelle alternée se double d'une série d'oppositions thématiques : la monotonie de l'enfermement est rompue par des scènes qui donnent à voir la nature (le bal champêtre des prostituées de province, les sorties à la campagne des prostituées de Paris, particulièrement celle d'Élisa au cimetière abandonné de Boulogne, les cerisiers vosgiens de la prime enfance). Or, ces scènes lumineuses, qui tranchent avec le gris ambiant, Edmond de Goncourt en souligne parfois l'effet de contraste par un montage hardi, en les juxtaposant de façon brusque avec ce qui précède. En outre, ces images sont traversées d'effets de lumière, associés au vol des oiseaux et au décor mouvant des arbres en fleurs (chap. 45 et chap. 64). Ainsi, sur la monotonie d'un fond, Edmond a détaché des scènes très courtes qui miroitent de façon intense avant de s'annuler brusquement. On pourrait citer d'autres efforts pour travailler l'image et souligner sa plasticité. R. Ricatte a notamment analysé les emprunts à Constantin Guys dans la recherche d'une ligne ondoyante pour dessiner la démarche d'Élisa, dans les dispositifs de clair-obscur pour le groupe des femmes attendant le soir dans le salon paré de mille feux. Ce qui demeure, dans ce roman qu'on pourrait dire le plus noir des Goncourt, c'est cette double ambition de dire le réel dans sa triste vérité, et de parvenir néanmoins, par instants, à le transfigurer.

D. Pety et R. Bellet (chronologie)

Gormont et Isembart

(XIe siècle, remaniée vers 1130)

Chanson de geste anonyme dont il ne reste que 661 octosyllabes assonancés (mètre exceptionnel pour une chanson de geste).

C'est l'une des premières œuvres épiques françaises : les versions les plus complètes sont du XIIIe siècle, mais la version la plus ancienne, conservée seulement sous une forme fragmentaire, remonte au début du XIIe siècle et pourrait elle-même être le vestige d'une chanson encore antérieure, perdue mais signalée à la fin du XIe siècle. Les fondements historiques en ont été très contestés : ils se trouveraient dans l'invasion normande de la fin du XIe siècle, qui a ravagé le Ponthieu et le Vimeu, et incendié l'abbaye de Saint-Riquier.

SYNOPSIS

Isembart, un jeune noble français, devenu renégat sous le nom de Margari, est passé en Angleterre au service du roi païen Gormont. Celui-ci envahit et ravage le nord de la France. La version ancienne, où le récit est amputé de ce début, commence au cœur d'une violente bataille qui, à Cayeux [dans la Somme actuelle], oppose les envahisseurs aux Français. Le roi Louis intervient en personne et tue le roi Gormont. Isembart essaie de prendre la relève à la tête des troupes ennemies, mais après trois jours de lutte acharnée, les païens finissent par fuir et Isembart mourra, repenti.

De l'état ancien de l'histoire il ne subsiste qu'un récit de bataille, d'honneurs funèbres et de mort presque douce en un *locus amoenus*, dans une forme qui fera tradition, où les ennemis sont devenus des Sarrasins.

Une version s'en trouve résumée dans la *Chronique rimée* de Philippe Mousket (fin du XIIIe siècle) et la légende a été de nouveau versifiée au XIVe siècle, ainsi que mise en prose et insérée dans ce qui nous est parvenu seulement par un remaniement allemand sous le nom de *Loher und Maller*.

N. Andrieux-Reix

GOUBERVILLE Gilles de

Gilles Picot, sire de Gouberville *(v. 1521-1578)*

Ce n'est certes pas un écrivain professionnel, ce gentilhomme du bocage normand, sire de Gouberville et de Mesnil-au-Val par son père, de Russy par son oncle, et vivant sur ses terres, entre Cherbourg, Barfleur et Valognes. À moins que, précisément, le simple fait d'enregistrer au jour le jour, pendant des années, des milliers de faits insignifiants, sur des mains de papier régulièrement achetées à la ville voisine, ne soit le premier degré de l'écriture. Ce « journal » de Gouberville, témoignage d'une civilisation paysanne disparue, fut découvert à la fin du XIXe siècle par l'abbé Tollemer. Depuis lors, les rares lecteurs du prolixe gentilhomme ne démêlent plus très bien les raisons de l'attraction puissante exercée par un texte dont la rédaction s'étend sur une douzaine d'années, qui n'est même pas le commencement, ou la fin, du projet, et ne se donne pour rien d'autre que des « mises et recettes », des « comptes », chiffrant les dépenses journalières. Le lecteur se projette alors dans le texte comme dans un décor réel, rassuré qu'il est par sa pauvreté, sa grisaille, son caractère répétitif autant que par sa véracité. Mais tout ce que l'on dit de Gouberville est fondé sur une recomposition des fragments, ce que vit très bien, et définitivement, Tollemer. À chaque époque sa recomposition.

Gouberville vit sur ses terres, les exploite – et y meurt –, à la fois solitaire par son état d'homme non marié et fibre vivante d'un tissu familial et social complexe, qui n'a rien à voir avec le nôtre, tant par sa hiérarchie profonde que par ses licences : entouré de parents, des bâtards de son père, des siens propres, de ses « serviteurs et serviteures » loués à la fête de la Madeleine, en juillet, qui disparaissent, reviennent, sont rarement renvoyés, souvent soignés, vêtus avec, semble-t-il, une sollicitude réelle. Il y a aussi tous les paysans qu'il dirige, avec lesquels il partage bien des travaux ; les artisans qui lui fabriquent des outils, des armes, qui réparent sa maison, qui viennent coudre des vêtements, des rideaux… Et tout ce bétail, répandu librement dans la campagne, ces vaches et taureaux devenus sauvages dans les forêts voisines, et qui surgissent tout à coup en plein marché de Cherbourg ; ces renards, lièvres et loups que l'on piège. Et partout la forêt qu'on défriche, et dont Gouberville assure pour le roi la protection : lieutenant des Eaux et Forêts pour la région de Valognes, il aurait bien aimé que son coûteux voyage à la Cour, à Blois, en 1556, lui permît de passer Maître. Gouberville ne se contente pas de ce voyage : il parcourt toute la Normandie ; il est sans cesse à cheval, pour sa charge, pour ses jeux, pour ses rencontres si nombreuses, si hospitalières, avec les hobereaux voisins ou des princes du sang, comme les dames d'Estouteville. S'il reste chez lui, il le note ; comme il note avec intérêt les heures, qui donnent un sens à sa journée sans jamais la découper de façon impérative : journée de paysan, libre, et remplie par les tâches nécessaires. La scansion des messes (malgré une tentation épisodique pour la Réforme), des saisons ; la dépendance de cette pluie obsédante et aussi, souvent, de la neige. Tout ce qui semble atemporel et qui, pourtant, ne peut plus être vécu de la même manière. Gouberville n'est pas ignorant, il lit le très sophistiqué *Amadis de Gaule*, et le curé de Cherbourg lui prête le *Quart Livre* de Rabelais à peine paru ; il met assez bien en valeur ses terres ; il est parfaitement normal. Ce n'est ni Noël du Fail, ni Montaigne.

Ce droit à l'existence permanente de ce qui n'était destiné à aucune gloire est paradoxalement aussi émouvant que le moulage d'un corps étouffé par les cendres de Pompéi : Gouberville est un homme comme les autres que cerne en creux une écriture défaillante et grossière, l'écriture grise.

M. M. Fontaine

GOUDEAU Émile

(1850-1906)

Écrivain et journaliste, né à Périgueux. Le nom de Goudeau est inséparable de celui des Hydropathes, dont il fonda le Club, et de celui des Hirsutes, dont il devint le président. Il dirigea ces deux cercles littéraires composés de francs lurons épris d'ivresse matérielle et poétique ; son étoile, comme la leur, fut éphémère. Elle brilla de 1878 à 1885.

Émile Goudeau fut élève à Bergerac, puis à Périgueux, professeur à Marmande, à Évreux, journaliste à Bordeaux et dans quelques autres villes de province, avant de débarquer à Paris, en 1873, avec dans sa valise quelques poèmes, nouvelles et ébauches de romans. Son poste d'attaché au ministère des Finances ne l'empêche pas d'être toujours sans le sou. Mais il fera carrière dans les cafés, les cabarets, grâce à sa verve ironique et gouailleuse, qui, lorsqu'il lit ses poèmes (dont il publiera un recueil, *Fleurs de bitume*, en 1878) et ses monologues satiriques, subjugue son auditoire. Il ne manque ni de sensibilité ni d'invention, et, surtout, c'est un merveilleux fumiste : c'est-à-dire qu'il possède cette espèce de « folie intérieure se traduisant à l'extérieur par d'imperturbables bouffonneries ». Comment, avec tout cela, ne pas briller ?

Le *Sherry Gobbler*, où il débute en 1875, puis les autres cafés du quartier Latin sont bien vite trop petits pour son succès. Il décide de fonder un club, et c'est, en 1878, celui des Hydropathes, qui aura pendant deux ans un gros succès et dont il sera l'âme turbulente :

Certes ne t'attends pas à trouver un goût d'eau
Au Parlement criard que dirige Goudeau.

Il crée un journal, *l'Hydropathe* (dont la parution s'échelonnera de janvier 1879 à mai 1880), qu'il transforme pour l'agrandir en *le Tout-Paris,* revue bien plus fragile encore que la précédente puisqu'elle n'aura que cinq numéros. Mais Goudeau, qui est aussi un homme d'action et de ressources, a déjà pris du service dans plusieurs grands journaux parisiens. Il publiera encore un roman, *la Vache enragée,* en 1885, et un récit autobiographique, *Dix Ans de bohème,* en 1888.

F. Court-Perez

GOUGENOT

(début du XVIIe siècle)

Auteur dramatique, né à Dijon. Sa vie est mal connue, mais il retient l'attention de tous les historiens du théâtre par sa tragi-comédie, *la Comédie des comédiens* (datée de 1633, jouée en 1631 ou 1632). Il a d'autre part composé *la Fidelle Tromperie* (tragi-comédie, 1633) et *le Romant de l'infidelle Lucrine* (1634).

La Comédie des comédiens est une source capitale de renseignements sur la vie théâtrale avant le classicisme. À tel point qu'on oublie parfois qu'il s'agit aussi d'une des premières pièces à structure complexe, et qu'elle lance ainsi une mode (Scudéry en offre une imitation directe au théâtre du Marais ; Corneille, avec *l'Illusion comique,* s'en souviendra plus tard). Les deux premiers actes, en prose, mettent en scène les difficultés d'un chef de troupe qui s'efforce d'organiser la compagnie et de résoudre les problèmes de chacun. Les trois actes suivants, en vers, constituent une pièce dans la pièce. Intitulée *la Courtisane,* celle-ci raconte l'histoire d'une fille délaissée qui se travestit pour reconquérir le cœur de son amant. Les héros de la pièce sont des comédiens qui portent les noms réels des membres de la troupe de l'Hôtel de Bourgogne en 1632 : Bellerose, Guillaume (Gros-Guillaume), Turlupin, Gautier (Gaultier-Garguille), Mlle Valliot, Mlle Beaupré, Mlle La Fleur… Les difficultés internes de ce groupe nous renseignent sur l'organisation d'une troupe de théâtre à cette époque, notamment sur la différence entre les « compagnons ayant part » et les gagistes, engagés à salaire fixe pour des périodes définies. « Ha ! je voy bien la maladie : vous voulez tirer part, et non gages », dit Bellerose face aux revendications de Turlupin et Guillaume. À propos des costumes, Mlle Boniface se plaint de ne pouvoir « paraistre sur le theatre avec les ornemens convenables aux personnes tantost d'Imperatrice, tantost de Reyne » à cause de l'avarice de son mari. On sait que la garde-robe des comédiens leur appartenait en propre et qu'ils s'attachaient à sa magnificence.

L'essentiel de l'œuvre porte cependant sur la défense du théâtre, la glorification du métier de comédien et sur une sorte de réflexion à propos de l'illusion théâtrale, un « paradoxe du comédien » avant la lettre. Le panégyrique permanent rappelle à quel point le théâtre était alors l'objet de critiques constantes de la part des moralistes : « …il faut pour paroistre bon acteur estre necessairement docte, hardy, complaisant, humble et de bonne conversation, sobre, modeste, et surtout laborieux. Ce qui est bien loin de l'opinion de plusieurs qui croyent que la vie comique ne soit qu'un libertinage, une licence au vice, à l'impureté, à l'oisiveté et au dereglement » (Beauchasteau, I, III). Un tel document mérite d'être retenu pour l'image qu'il donne du théâtre et des comédiens au début du XVIIe siècle.

J.-P. Ryngaert

GOUGES Olympe de

Pseudonyme de **Marie Olympe Aubry,** *née* **Gouze** *(1748-1793)*

Femme de lettres, née à Montauban. Reniant ses origines plébéiennes (elle se prétendait la fille de Le Franc de Pompignan), humiliée par son union avec le modeste officier de bouche Aubry, elle prit le nom d'Olympe de Gouges, vint à Paris et s'adonna à la littérature. Écrivain prolifique, fort peu soucieuse du style, elle se lança d'abord dans le genre théâtral avec une « suite » du *Mariage de Figaro, le Mariage inattendu de Chérubin* (1786), *l'Homme généreux* (1786), où elle s'insurge contre le fait que les femmes sont tenues à l'écart du pouvoir, *Zamore et Mirza* (1788), qui sera jouée à la Comédie-Française, en 1789, sous le titre *l'Esclavage des nègres ou l'Heureux Naufrage.* Cet « ouvrage incendiaire », que « les colons avaient proscrit » (préface de l'auteur) est un plaidoyer en faveur des Noirs. Déclamatoires et trop vite écrits, ces premiers drames, comme les derniers, ceux-ci directement inspirés par l'actualité : *Mirabeau aux Champs-Élysées* (1791), *le Couvent ou les Vœux forcés* (1792), *le Général Dumouriez à Bruxelles ou les Vivandiers* (1793), ont tous sombré dans l'oubli. Ses opuscules patriotiques et sociaux méritent plus de considération : entre 1789 et 1793, elle publie *l'Esprit, les Trois Urnes,* un *Testament politique* et *Remarques patriotiques.* S'il est vrai qu'Olympe de Gouges fut inconstante dans ses choix politiques, il n'en demeure pas moins que dans tous ses écrits elle dénonce la misère populaire, exigeant notamment la création de maisons pour les vieillards nécessiteux, les enfants et les veuves sans soutien. Mais la lutte dont elle souhaite prendre « la tête », celle qui lui paraît essentielle, concerne « ce sexe faible et trop longtemps opprimé, prêt à secouer le joug d'un esclavage honteux » (*Remarques patriotiques*). *La Déclaration de la femme et de la citoyenne* (1791) reste son principal ouvrage, où elle déclare que si « la femme a le droit de monter sur l'échafaud, elle doit avoir également celui de monter à la tribune ». Robespierre, qu'elle attaquait violemment, ne lui concéda que le premier, et il la fit guillotiner en 1793.

C. Lavigne

GOURMONT Remy de

(1858-1915)

Romancier et essayiste. Né au château de la Motte, à Bazoches-en-Houlme (Orne), lycéen à Coutances, étudiant en droit à Caen, Gourmont vient à Paris se mêler au monde des Lettres : attaché à la Bibliothèque nationale (1881), il compose divers ouvrages de vulgarisation et un roman, *Merlette* (1886), avant de découvrir le symbolisme dans un article de *la Vogue* de 1886. Le voici aussitôt qui participe avec ardeur au mouvement : il collabore dès sa fondation au *Mercure de France* (1889), dont il restera toujours le critique le plus autorisé, et à de nombreuses « petites revues » symbolistes (tel *l'Ymagier*, fondé en 1894 avec Aurier et Jarry), dont il établira en 1900 une précieuse bibliographie ; sous l'influence de Mme de Courrière et de Huysmans, il s'engoue pour l'occultisme ; il donne, avec *Sixtine, roman de la vie cérébrale* (1890), une œuvre d'esprit symboliste.

Mais l'année 1891 le frappe durement : il est renvoyé de la Bibliothèque nationale, à la suite d'un article intitulé « le Joujou patriotisme », et surtout atteint d'une grave maladie de peau qui le défigure, tout en accentuant son goût pour la solitude et la recherche : se succèdent alors essais érudits – *le Latin mystique* (1892) – et critiques – *l'Idéalisme* (1893), *le Livre des masques* (1896-1898) –, drames – *Théodat* (1891), *Lilith* (1892) –, poèmes – *Litanies de la rose* (1892) – et contes – *Histoires magiques* (1894), *le Pèlerin du silence* (1896)...

Puis Gourmont va délaisser tant l'érudition que la littérature de fiction (mis à part quelques romans : *les Chevaux de Diomède*, 1897 ; *le Songe d'une femme*, 1899 ; *Une nuit au Luxembourg*, 1906 ; *Un cœur virginal*, 1907) au profit des domaines les plus divers où puisse s'exprimer le jeu des idées : *Esthétique de la langue française* (1899) ; *la Culture des idées* (1900) ; *le Chemin de velours* (1902) ; *le Problème du style* (1902) ; *Physique de l'amour. Essai sur l'instinct sexuel* (1903) ; *Épilogues* (1903-1913) ; *Promenades littéraires* (1904-1927) ; *Promenades philosophiques* (1905-1909). Et au milieu de ce travail inlassable, il fonde, avec Édouard Dujardin, *la Revue des Idées* (1904), dont il sera le rédacteur, puis le directeur. Ses dernières années seront aussi marquées par sa rencontre avec Nathalie Clifford Barney, la destinataire de ses *Lettres à l'Amazone* (1914).

La « conscience critique d'une génération »

Le nom de Gourmont reste étroitement lié au symbolisme – à juste titre, d'ailleurs : idéaliste et individualiste, admirateur de Mallarmé et surtout de Villiers de L'Isle Adam, Remy de Gourmont marqua le mouvement symboliste autant qu'il en fut lui-même marqué.

Poète et érudit, il participe, avec *le Latin mystique*, à la redécouverte de la poésie latine décadente et médiévale. Romancier, il offre dans *Sixtine* un texte révélateur de la fin du siècle, avec les influences qu'il trahit (Huysmans, Barrès...) et les recherches formelles dont il témoigne. Dans ce « roman de la vie cérébrale », où le réel ne peut être que projection de l'esprit, les amours malheureuses d'Entragues et de Sixtine disent l'impuissance à réconcilier l'art et la vie... Le récit, en forme de journal intime, est entrecoupé par des digressions, par des poèmes et par les chapitres d'un autre roman que le héros-narrateur est en train d'écrire ; mises en abyme, réminiscences littéraires, variations sur les noms et les lettres – autant d'innovations techniques, qui ne peuvent compenser les artifices d'une psychologie trop statique et qui font de *Sixtine* un roman-jeu, avec l'intérêt et les limites du genre.

Mais plus que la fiction, chez lui trop intellectuelle sans doute pour être vraiment romanesque, le principal apport de Gourmont fut la réflexion critique qu'il conduisit sur le symbolisme. L'image qu'il nous en donne dans les pages du *Mercure de France*, de la synthèse de *l'Idéalisme* aux précieux témoignages du *Livre des masques*, est celle-là même qui nous en est restée : l'affirmation dans le domaine esthétique du « principe de l'idéalité du monde ».

L'œuvre de Gourmont ne saurait pourtant se limiter à la seule défense du symbolisme, ni même à la seule littérature. Une curiosité universelle, jointe à un scepticisme total, l'entraîne, tel un nouvel encyclopédiste, de la philologie à la science et à la philosophie, de l'érudition à l'étude de la sexualité ou à la méditation sur l'actualité : savoir quelque peu hétéroclite, assimilé avec une grande souplesse intellectuelle et exposé dans un style de plus en plus limpide, mais surtout rejet de tout dogmatisme et de toute idée reçue. Sa fameuse méthode des « dissociations d'idées » est fondée sur cette notion de la relativité des valeurs et un sens de la contradiction poussé parfois jusqu'au paradoxe.

Philosophe sans esprit de système, Gourmont est un critique sans préjugés : *Promenades philosophiques*, *Promenades littéraires*... Ce partisan de l'Art pour l'Art, aussi ouvert à la littérature nouvelle qu'il est intéressé par la tradition (poésie médiévale, littérature populaire), cultive une critique de goût et de sympathie centrée sur l'œuvre et sur le processus de création qui lui est propre. Quant à ses ouvrages sur le langage (*Esthétique de la langue française*, *le Problème du style*), ils traduisent une conscience historique de la langue et, par-delà des conclusions dépassées, ouvrent la voie à Paulhan, Valéry et Ezra Pound.

Gourmont n'eut jamais qu'un public restreint, mais choisi, que fascinaient son intelligence et son indépendance d'esprit. Il est aujourd'hui méconnu, bien qu'il ait contribué à la formation de notre mentalité littéraire et que son influence ait été particulièrement manifeste dans les pays anglo-saxons : chez Aldous Huxley, chez Pound et chez T.S. Eliot, qui l'admirait comme la « conscience critique de sa génération ». [Voir aussi **Symbolisme**.]

M.-O. Germain

GOURNAY Marie de *v.* MONTAIGNE

Graal *v.* CHRÉTIEN DE TROYES, *Continuations du Conte du Graal*, ROBERT DE BORON

GRACQ Julien

Pseudonyme de **Louis POIRIER** *(né en 1910)*

Pour un lecteur non averti, un récit de Gracq, où répétitions et piétinements jalonnent un univers sans surprise, risque de paraître ennuyeux. Or l'absence d'événements intrigue, force l'attention, puis finit, insensiblement, par provoquer un véritable choc en retour qui ne cesse de solliciter l'esprit et l'imagination. Dans la littérature contemporaine, Julien Gracq se signale en ce qu'il ose parler, vraiment parler, sur un ton reconnaissable maintenant entre tous, « le ton – si important, bien plus important encore pour un écrivain que la beauté des images –, le ton qu'il a pour nommer certaines choses qui vraiment lui sont *données,* à lui exclusivement » (« les Yeux bien ouverts »).

Un témoin du siècle

Très éloigné des cercles littéraires et des parades mondaines, Julien Gracq donne de lui une image qui n'est assurément pas celle d'un écrivain vedette. Refusant la diffusion de ses ouvrages en livres au format de poche, il est resté fidèle à l'éditeur José Corti, dont la devise prévient le lecteur, dès la page de titre, que l'œuvre abordée n'a « rien de commun ». Animé par le sentiment très fort du « Ne me touchez pas ! » (partagé d'ailleurs par certains de ses personnages), Gracq ne cherche pas à communiquer et ne prétend faire rien d'autre que « tout bonnement » écrire. De son premier récit, *Au château d'Argol* (1938), il souligne la « médiocre aptitude [...] à être *mis entre toutes les mains* ». L'œuvre de Gracq a ceci de commun avec la pièce de Kleist, *Penthésilée,* qu'elle ne s'attache pas plus à signifier avec précision qu'à délivrer un message. À peine s'en approche-t-on, cependant, qu'on y trouve une vibration et une lumière qui sont les signes de notre propre nostalgie.

L'attitude hautaine, distante et pleine de retenue de cet écrivain est la conséquence d'une prise de position concernant, indissolublement, l'homme et le monde, la littérature et la vie. Gracq cherche à protéger sa fragilité et son originalité en affichant une fierté qui n'est pas vanité, mais respect de son lecteur et conscience de son art. À la fois à l'écart et profondément engagé dans le siècle, Julien Gracq reste volontairement insaisissable. C'est qu'en littérature il y va, pour lui, de l'homme même. Pour éviter de se laisser dévorer par sa propre statue, l'artiste, tel que le conçoit l'auteur d'*André Breton,* doit constamment brouiller les pistes, donner le change et « entretenir l'équivoque ».

C'est ainsi que Gracq sans cesse avance et recule, fuyant tout étiquetage. Romancier, il offre en 1947 un petit recueil de poèmes, *Liberté grande*, sous-titré alors « poèmes en prose » ; auteur dramatique, en 1948, une pièce de théâtre qui sera jouée l'année suivante, *le Roi pêcheur*, inspirée de la légende du Graal. Trois romans, largement espacés dans le temps, poursuivent l'élaboration d'un univers particulier : *Un beau ténébreux* (1945), *le Rivage des Syrtes* (1951), *Un balcon en forêt* (1958). Parallèlement, Gracq écrit des poèmes, des notes critiques, des souvenirs de voyages, qui sont recueillis respectivement dans l'édition collective de *Liberté grande* (1958) et dans les deux volumes de *Lettrines* (1967, 1974) puis dans les *Carnets du grand chemin* (1992). Il publie de courts récits : *la Presqu'île* (1970), qui contient « la Route », « la Presqu'île » et « le Roi Cophetua », *les Eaux étroites* (1976), *la Forme d'une ville* (1985), « lecture » personnelle de la ville de Nantes que suivra celle de Rome (*Autour des sept collines*, 1991). Son activité de lecteur et de critique engendre une série de textes sur la littérature : présentations d'auteurs, dont la plus célèbre est publiée à part (*André Breton, quelques aspects de l'écrivain,* 1948), et réflexions sur l'écrivain et l'écriture réunies dans *Préférences* (1961) et dans *En lisant, en écrivant* (1981).

Diversité foisonnante de l'œuvre donc, qui montre une liberté d'allure à laquelle Gracq est fortement attaché. Lecteur qui ne se préoccupe jamais de justifier ses goûts, il pourrait reprendre à son compte la phrase de Christel dans *Un beau ténébreux* : « Ce que j'aime, je ne sais pas pourquoi je l'aime. Sinon que tout à coup cela s'offre à moi ainsi. » Significative est la démarche créatrice de Gracq qui avance dans son récit sans plan préétabli, « à l'aventure ». C'est pourquoi chacun de ses romans, de ses poèmes, ou de ses textes critiques, invente sa propre forme. Gracq n'ayant souci de respecter ni règles traditionnelles ni programme (l'attachement au surréalisme, par exemple, ne prend jamais dans son œuvre l'aspect d'une allégeance même ambiguë), son récit progresse au fil des mots et des tableaux, semble perdre une unité que l'auteur, en toute confiance, laisse le lecteur retrouver : « On se préoccupe trop, dans le roman, de la cohérence, des transitions. La fonction de l'esprit est, entre autres, d'enfanter à l'infini des passages plausibles d'une forme à l'autre. C'est un *liant* inépuisable. » La liberté fonde l'écriture de Gracq, qui se réclame, à cet égard, de deux figures tutélaires : Rimbaud et Breton. Dans tous les textes de Gracq naissent des images qui s'enchaînent avec « la désinvolture des décharges électriques » (*André Breton*). Contrairement à l'image cinématographique, qui exclut tout ce qui n'est pas elle-même, « le mot, pour un écrivain, est avant tout tangence avec d'autres mots » (*Lettrines 2*). L'écriture a pour fonction essentielle d'éveiller des émotions. Aussi le roman de Gracq est-il un monde de résonances et de vibrations.

De là ce désir de faire passer de « l'estomac » au cœur le centre vivant de la littérature. Dans un article de 1950 (« la Littérature à l'estomac »), Gracq reprochait vigoureusement aux Français de déléguer leur liberté de lecteurs aux critiques officiels et aux lauréats des prix littéraires, qui restent ainsi seuls habilités à authentifier l'œuvre d'art, cette dernière sombrant immédiatement dans les eaux troubles du commerce le plus avide. La charge était sévère. Le jury Goncourt, qui n'y vit pas malice ou qui voulait peut-être ramener au troupeau la brebis récalcitrante, décerna son prix à Gracq l'année suivante pour *le Rivage des Syrtes.* Gracq, étonné, refusa, aidé dans son attitude intransigeante par le désintéressement de son éditeur. Il n'avait pourtant cessé de répéter que seule l'émotion éprouvée à la lecture d'un livre peut être gage de valeur, fondant du même coup en « société secrète » le public de l'écrivain et donnant à celui-ci son statut : « C'est par elle seule qu'il *est,* s'il est quelque chose. »

La richesse du monde

Puisque la lecture, comme l'écriture, est acte d'amour, on ne peut parler d'une œuvre que dans la perspective d'une « critique de sympathie » (*André Breton*), à l'opposé d'une critique asséchante et mutilante qui, « croyant posséder une clé », s'emploie à disposer l'œuvre « en forme de serrure » (*Lettrines*). Un livre ne tient pas du squelette mais de l'organisme producteur, d'autant plus complexe qu'il ne vit que de la mort des autres livres possibles, abandonnés par l'écrivain à chaque ligne. « Toute œuvre est un palimpseste – et, si l'œuvre est réussie, le texte effacé est toujours un texte magique », dit Allan dans *Un beau ténébreux*.

Création et réflexion, poésie et commentaire, richesse surabondante de la vie et énergie magnétique du langage, tout se lie étroitement chez Julien Gracq. L'auteur, comme ses personnages, recherche ces moments d'élection, ces découvertes bouleversantes, où le monde se donne autrement à qui sait le voir. Une syntaxe « naturellement observée », selon le mot de Breton, l'emploi de mots rares ou archaïsants, l'étrangeté des noms donnés aux personnages, le procédé du soulignement, qui lave le mot des scories de la banalité, l'absence fréquente de complément, qui évite de fermer trop rapidement ce qui doit rester ouvert, permettent à la phrase de Gracq de dérouler longuement ses vagues, de rebondir, de s'amplifier jusqu'à devenir une chambre d'échos suggérant le mariage « indissoluble qui se scelle chaque jour et à chaque minute entre l'homme et le monde qui le porte » (« Pourquoi la littérature respire mal »). Dès lors, l'explication psychologique ou symbolique ne pourrait qu'appauvrir l'œuvre et le « contingent », qui seul magnifie la vigueur de « ce qui est donné ». Gracq repose, d'une œuvre à l'autre, la question de Breton, la « question que personne encore au monde n'a pu jamais laisser sans réponse, jusqu'à son dernier souffle » : « Qui vive ? » (*Le Rivage des Syrtes*.)

Un motif central orchestre cette volonté de vivre, de veiller, de guetter : l'attente ou le suspens. Tout récit se dirige vers une fin qu'on appelle, qu'on se plaît à deviner mais qui, de fait, ne vient jamais. Pendant le moment miraculeux de l'attente, attention est portée à tous les signes du monde. Si rien n'arrive, le désir reste qui maintient l'homme vivant. Les habitants du château de Montsalvage, dans *le Roi pêcheur*, espèrent la venue du Sauveur, mais le silence de Perceval les force à demeurer dans l'attente. Contemporain de Beckett et de Buzzati, Gracq ne se reconnaît que dans l'héritage du surréalisme : « Indépendamment de ce qui arrive, n'arrive pas, c'est l'attente qui est magnifique », dit Breton dans *l'Amour fou*.

L'attente n'abolit pas la quête ; elle la porte, au contraire, à sa plénitude. Partir, puis persévérer sur la lisière, sur les « confins » de toute sorte où a lieu l'attente, tel est le rite. Tous les personnages s'avancent sur « la route », à l'écoute du monde. L'auteur avoue lui-même son attirance pour la promenade. À pied, en bateau ou en voiture, l'homme est sensible à la couleur de l'air et à toute la texture du paysage, jusque dans ses accidents géographiques ou géologiques. Toutefois, dans les dernières œuvres, le voyage acquiert une dimension nouvelle. Ainsi, dans *les Eaux étroites*, l'excursion en barque sur l'Èvre, sans aventure et sans imprévu, permet, au gré des rencontres, d'évoquer Poe, Wagner, Balzac, Proust, Vermeer ou Rimbaud, car l'émotion née d'un spectacle naturel se branche « sur le réseau – plastique, poétique ou musical – où elle trouvera à voyager le plus loin ». L'œuvre elle-même devient, avec le temps, le véhicule du voyage : la typographie particulière qui clôt *les Eaux étroites* comme le second volume de *Lettrines* évoque l'image d'une barque sur l'eau, qui s'éloigne. Le rêve et la mémoire deviennent ainsi les seuls lieux du voyage enchanté, le paysage, en son fond, étant décor, au sens théâtral du mot. Le théâtre, en effet, s'affirme comme l'horizon de tous les paysages et de tous les voyages. Lieu magique, par lui on entre dans « la vraie vie » (*Un beau ténébreux*).

Impossible à localiser précisément, Julien Gracq se situe, dans la littérature du XXe siècle, au sein d'une constellation dont les pôles majeurs ont pour noms Breton, Proust et Claudel. Son originalité, cependant, se mesure à l'aune de la distance qu'il ne cesse de prendre. Énigmatique lui-même, l'écrivain interroge et, sans jamais l'élucider, révèle l'énigme qu'est le monde. Tout son effort, apparemment, vise à dégager simultanément la vérité de l'art et la vérité de l'homme. Mais cet effort trouve sa fin et son accomplissement dans la proposition, très moderne de sens, selon laquelle, comme le dit Gracq à propos de Jünger, « le monde de l'art n'est pas notre monde », affirmant par là même – et ici c'est à Breton qu'il renvoie – que « nous avons moins soif de vérité que de révélation ».

Le Rivage des Syrtes

SYNOPSIS

Aldo, jeune héritier d'une noble famille de la vieille Seigneurie d'Orsenna, s'ennuie dans cette ville moribonde et obtient un poste d'« Observateur » dans la province éloignée et côtière des Syrtes. De l'autre côté de la mer se trouve le Farghestan, ennemi héréditaire contre lequel la guerre effective s'est éteinte depuis trois siècles. La garnison, réduite, est commandée par le capitaine Marino. Celui-ci apparaîtra jusqu'à la fin des événements comme une incarnation de la volonté de maintenir l'état de stagnation régnant dans le pays depuis tant d'années. Le jeune homme mène à l'« Amirauté » une vie retranchée et goûte le charme de ce dépouillement. Ses déambulations dans la forteresse le ramènent souvent vers une salle (la « chambre des cartes ») où la « ligne rouge », précisément tracée sur le papier, des frontières maritimes du territoire, lui donne à songer. La princesse Vanessa Aldobrandi, jeune femme qu'il a rencontrée auparavant à Orsenna, l'invite dans sa résidence de Maremma, ville à demi-abandonnée de la province (la « Venise des Syrtes ») où peu à peu se fait jour et circule une rumeur concernant une éventuelle reprise des hostilités avec le Farghestan. À cette fièvre montante la belle Vanessa, belle « de la beauté souveraine de la catastrophe », semble prendre une part mystérieuse. Comme si elle était chargée, en le prenant au piège du désir qu'il éprouve pour elle, de mener Aldo à jouer un rôle, déterminé par l'invisible auteur de la tragédie qui se noue, dans ce besoin impérieux qui se répand dans tout Orsenna de sortir de l'enlisement : « Le désir que les jours de la fin se lèvent et que monte l'heure du dernier combat douteux. » Aussi inéluctablement qu'il a eu accès à la chair somptueuse de la princesse, le jeune officier sera poussé à franchir, lors d'une patrouille en mer, la ligne fatidique qui va rouvrir les hostilités. Il est convaincu de répondre en cela, en s'en faisant l'instrument, à un puissant souhait de réveil qui parcourt le pays, même si cette sortie de l'anesthésie doit le mener à sa perte. Dès lors Aldo ne cessera de s'interroger sur sa propre responsabilité dans un processus qui, au moment où il fait ce récit, a effectivement conduit Orsenna à sa ruine. Ayant mesuré la gravité de son acte, il n'en comprendra le caractère inévitable qu'au moment où le véritable instigateur du mécanisme fatal, le vieux Danielo, maintenant maître de la Seigneurie, lui révélera qu'il n'en fut qu'un rouage, trop docile au désir d'en finir manifesté par les quelques forces encore vives d'une civilisation exsangue.

G. Vannier et G. Cogez (synopsis)

GRAFIGNY *ou* GRAFFIGNY, madame de

*Née **Françoise d'HAPPONCOURT** (1695-1758)*

Née à Nancy, elle passa sa jeunesse à Lunéville, à la cour du duc de Lorraine puis du roi Stanislas, s'y consolant d'une vie conjugale malheureuse. Accueillie à Cirey par Voltaire et Mme du Châtelet durant quelques semaines (1738-1739), elle donna de son séjour une relation piquante et indiscrète dans des lettres à son ami François-Antoine Devaux, dit Panpan. Mme du Châtelet la chassa, l'accusant d'avoir divulgué un chant de la *Pucelle* de Voltaire. Installée à Paris, elle noua des relations sans préjugés avec l'élite intellectuelle, notamment avec Rousseau, Marivaux, Prévost, Crébillon fils, La Chaussée, Palissot ; mais aussi avec des mondains cultivés comme Conti ou Nivernois, des hauts fonctionnaires, Turgot, Malesherbes, des financiers philosophes comme Helvétius. À partir de 1750, elle tint un salon littéraire, et sa correspondance avec « Panpan », poursuivie jusqu'en 1758, donne un tableau précis des joies et des soucis d'une hôtesse parisienne, amie et rivale de « la Fée » (Mme Geoffrin) et de « Minette » (Mme Helvétius). Deux ouvrages publiés en trois ans assurèrent sa gloire d'écrivain : les *Lettres d'une Péruvienne* (1747), quarante-deux fois rééditées au cours du siècle et traduites en cinq langues, et *Cénie* (1750), une comédie larmoyante qui triompha à la Comédie-Française. Collé lui attribue en outre « cinq ou six comédies » destinées à la Cour impériale de Vienne, qui la protégeait ; parmi celles-ci, *Ziman et Zénise* et *Azor* publiées en 1770. Sa dernière pièce, très attendue, *la Fille d'Aristide* (1758), fut un échec total.

Les *Lettres d'une Péruvienne*, plus encore que *Cénie*, illustrent ce mythe féministe élaboré au XVIIIe siècle, qu'on retrouvera chez Mme Riccoboni, Mme de Genlis, voire dans *le Mariage de Figaro* : la femme représente l'élément « naturel », et aussi la victime privilégiée d'une société d'hommes fondée sur le paraître, l'intérêt et les préjugés ; le mal social, conçu comme violence faite à la nature, se confond dès lors avec l'oppression ou l'incompréhension masculine. Zilia, jeune Péruvienne transplantée en France, séparée de son fiancé Aza, ne sachant même où il se trouve, compose pourtant à son intention des messages sous forme de *quipos* (cordons noués à la mode inca : prestige rousseauiste d'une société sans écriture !), retranscrits par la suite. « Journal intime » (L. Versini) où se dit une passion plus forte que les surprises ou les tentations d'un monde inconnu : « O mon cher Aza, que ta présence embellirait des plaisirs si purs ! » Cependant, à mesure que Zilia parfait son apprentissage des signes et celui des mœurs européennes, elle dénonce le système social (de manière si argumentée qu'elle suscitera une réponse de Turgot) : « Leur goût effréné pour le superflu a corrompu leur raison, leur cœur et leur esprit [...], établi des richesses chimériques sur les ruines du nécessaire, substitué une politesse superficielle aux bonnes mœurs ». Écho de Rousseau sur le mode des *Lettres persanes* ?

Pourtant ni le style de Mme de Grafigny, avec ses lourdeurs, ses redites et ses naïvetés (primitivisme oblige... ou permet), ni même son propos ne sont ceux de Montesquieu. L'important est de suggérer à la femme déracinée, délaissée (Aza, finalement retrouvé, n'aime plus sa Péruvienne), persécutée (en l'occurrence par les propositions du Français Déterville), une forme de bonheur par défaut, qui préserve son équilibre au sein d'une société hostile : « Le plaisir d'être, ce plaisir oublié, ignoré même de tant d'aveugles humains ; cette pensée si douce, ce bonheur si pur, *je suis, je vis, j'existe*. »

Comme Zilia, Cénie apprenant subitement qu'elle n'est pas la fille de son père découvre la solitude : « Mon indépendance m'épouvante ; je ne tiens plus à rien, et rien ne tient à moi. » (*Cénie*, IV, I.) Mais dans la pièce tout s'arrange grâce à d'opportunes retrouvailles ; la modernité des *Lettres d'une Péruvienne* consiste à laisser la femme, d'abord sujette, inventer et construire elle-même son propre destin.

Lettres d'une Péruvienne

SYNOPSIS

Zilia, jeune Péruvienne consacrée au Soleil, est depuis deux ans fiancée à Aza, qu'elle a aimé dès sa première apparition dans le sanctuaire. Le jour des noces, le temple est envahi par des pillards espagnols qui capturent la jeune vierge. En route vers l'Espagne, leur vaisseau est intercepté par des Français, et Zilia, enlevée par leur chef Déterville qui en tombe amoureux. À Paris, le galant officier présente sa protégée à sa sœur Céline et à sa mère « dénaturée ». Partout, Zilia découvre des prodiges qu'elle ne se lasse pas d'admirer tout en se sentant humiliée. La langue des quipos incas ne lui suffisant plus à nouer une correspondance imaginaire avec Aza, elle met à profit l'absence de Déterville pour apprendre le français. Au retour de celui-ci, se produit une scène de malentendu sur la signification du mot « aimer », à laquelle Zilia met fin en avouant sa passion pour Aza.

Surmontant son chagrin, Déterville fait son possible pour retrouver le rival dont il obtient le départ de la cour d'Espagne où, de son côté, il avait été conduit. Zilia contient mal sa joie, secrètement troublée par l'absence de toute lettre d'Aza et les allusions vagues de Déterville. Ce dernier n'avait que trop bien vu : Aza s'est converti, et s'apprête à épouser une jeune Espagnole. Insensible au désespoir de sa Péruvienne, et perdu à jamais, Aza demeure impérissable dans le souvenir de Zilia, qui convie Déterville au pur plaisir de l'amitié.

J.-P. de Beaumarchais et S. Chesnier (synopsis)

Graindor ou Graindor de Douai

v. CROISADE (cycles de la)

GRAINVILLE Patrick

(né en 1947)

Romancier né à Villers-sur-Mer (Calvados), fils d'entrepreneur, Patrick Grainville a fréquenté l'école de Villerville, puis le lycée de Deauville, avant de venir à Paris poursuivre ses études au lycée Henry-IV et à la Sorbonne. Agrégé de lettres, il est depuis 1975 enseignant au lycée de Sartrouville et se consacre parallèlement à la littérature. Patrick Grainville a publié chez Gallimard, en 1972, son premier roman, *la Toison*, inaugurant une trilogie mi-romanesque mi-autobiographique que viendront compléter *la Lisière* (1973) et *l'Abîme* (1974). Mais ce sont *les Flamboyants* (1976, prix Goncourt) – odyssée baroque d'un roi fou à travers une luxuriante nature tropicale – qui feront connaître leur auteur. Dès lors, outre un recueil de nouvelles (*Images du désir*, 1978) et quelques textes consacrés à des artistes (notamment *Egon Schiele*, puis *l'Ardent désir*, 1992 et 1996), les romans se sont régulièrement succédé : *la Diane rousse* (1978) ; *le Dernier viking* (1980) ; *l'Ombre de la bête* (1981) ; *les Forteresses noires* (1982) ; *la Caverne céleste* (1984) ; *le Paradis des orages* (1986) ; *l'Atelier du peintre* (1988) ; *l'Orgie, la neige* (1990) ; *Colère* (1992) ; *l'Arbre-piège* (1993, pour la jeunesse) ; *les Anges et les Faucons* (1994) ; *le Lien* (1996) ; *le Tyran éternel* (1998) ; *Le jour de la fin du monde, une femme me cache* (2000).

L'écriture de Patrick Grainville frappe immédiatement le lecteur par sa démesure verbale. Descriptions et évocations se haussent rapidement jusqu'à l'hyperbole. Les métaphores se font obsédantes, redondantes. Les juxtapositions lexicales de termes rares ou poétiques restituent l'étrangeté des terres lointaines, le foisonnement de leur faune et leurs végétations exubérantes, ou transforment au contraire un univers *a priori* banal en une sorte de macrocosme merveilleux et lyrique. Ainsi une simple salle de bains devient-elle le théâtre d'une épopée cosmique et cosmétique : « On risque autant de se pétrifier que de se liquéfier. Couvent sous l'épiderme des ébranlements telluriques, hémorragiques, des séismes, des laves [...] extinction d'yeux squirreux » (*la Lisière*). Cependant, cette jouissance du verbe que manifestent tous les narrateurs de l'écrivain, cette recherche du premier état sonore et signifiant du mot ne relèvent pas d'un dessein romanesque purement formel. Chez Grainville, tout devient signe, et la narration romanesque se confond avec la production des mythes les plus divers : grecs, latins, africains, bibliques... Cette prolifération mythologique constitue avant tout un refus de la platitude réaliste et de la misère existentielle. Les héros de Grainville sont des démiurges qui recréent ou transfigurent le monde par le verbe. « Je ferai éclater ma nuit à coups de métaphores et de mythes », affirme le narrateur de *la Diane rousse*. Sylvanus, l'écrivain ivoirien du *Tyran éternel*, est un grand maître de l'« affabulation ». Dans *Le jour de la fin du monde, une femme me cache*, Lenny Croft, l'avocat américain à la « volubilité haletante », finit, « gigotant, tétanisé, emporté dans ses couplets cosmiques », par enchanter tous ses auditeurs de son « énergie tellurique ». Décrire et raconter, c'est donc, comme chez Giono ou Céline, dont certaines phrases de Grainville retrouvent parfois les rythmes et la scansion, obéir aux secrètes pulsions du désir poétique, du désir d'inventer et d'inventorier le monde.

Aussi tous les protagonistes de ces romans excessifs sont-ils les agents d'une quête. Non point la quête métaphysique de quelque vérité transcendante, mais la recherche du mouvement même du désir, qui unit les corps au cosmos, tels ceux de Thérèse et d'Assioussou, les amants du *Tyran éternel* : « Leur amour foisonnait, c'était une grande forêt dont les bruissements et les foudres se propageaient partout. » Comme Tokor – le roi orgiaque et délirant des *Flamboyants* –, l'artiste français érotomane de *l'Atelier du peintre* est un chercheur fondamental : « Mes désirs à moi sont sans objet définitif, errants, en quête de l'impossible et du perdu. » Longue est la liste des amateurs d'Éros, de ses fétiches, de ses jeux, qui peuplent tous les romans de Grainville. Chaque publication de l'écrivain semble le nouveau chant d'une épopée érotique, vouée à la célébration du corps – surtout du corps féminin. Les mots s'exacerbent à décrire les chevelures, les cambrures, les cuisses, tous ces fragments signifiants du corps, qui n'induisent pas l'analyse psychologique des héros voyeurs mais génèrent la conscience lumineuse, élémentaire et universelle de la beauté et de la jouissance.

Patrick Grainville apparaît dès lors comme l'un des plus purs héritiers du naturalisme d'Émile Zola. Cette filiation n'est ni pittoresque ni référentielle. On ne trouvera dans ses textes nul pastiche des *Rougon-Macquart*. Tout « vérisme », toute reproduction appliquée de la réalité sociale y sont également absents. Le naturalisme de Grainville est surtout le produit d'une philosophie, qui, par la fiction romanesque, tente de cerner les lois originaires de l'être humain, le secret de ses désirs, les modes de constitution de son imaginaire et de ses mythologies particulières. Ainsi le narrateur du *Paradis des orages*, obsédé par les potentialités érotiques des femmes, s'intéresse-t-il moins à ses performances libertines qu'à la connaissance intime des corps par le truchement de la sexualité. Pour cet impénitent amateur de croupes, séduire, c'est d'abord connaître les déterminismes décisifs, les « commencements », dans le milieu familial des amantes – ce milieu des « originelles et troublantes rivalités » –, c'est aussi investir la nature souterraine et ténébreuse de l'être aimé. De la même manière réagit « M. », l'animateur de radio du *Lien*, lorsqu'il observe Maha, la jeune métisse dont il veut faire une vedette de la chanson : « Je ne savais pas quelle chimie composait son être profond. Avec quels atomes, quels flux ; quels nœuds, quels tropismes je devais compter. » Pour nombre des narrateurs des romans de Grainville, cette connaissance de l'essence première du corps intervient, comme dans *la Bête humaine*, dans la fulgurance d'un moment, d'un geste, ou au cours de la scène amoureuse. Alors se produit l'« orage », la « fêlure » décisive, qui révèlent la béance de l'être, et l'animalité première de l'homme : « Les commencements sont vrais et définitifs. Les bêtes ne nous ont jamais quittés. Intacte nous retrouvons en nous la splendeur du loup » (*la Diane rousse*).

Pour saisir cette vérité biologique des corps, il faut un terreau originel, comme ce village de Yamoussoukro, que revendique le « tyran éternel », l'esprit du défunt Houphouët-Boigny – « village cosmique », « né des eaux primordiales » (*le Tyran éternel*). Les romans de Grainville prennent pour cadre des lieux emblématiques de ces chaos fondateurs de l'humaine animalité. Il ne s'agit donc pas de simplement dépayser le lecteur par de pittoresques descriptions, mais d'explorer les signes de toute terre susceptible de fonder et d'assouvir les pulsions des corps : l'Afrique (*les Flamboyants*, *le Tyran éternel*), le Sri Lanka (*le Lien*) ; Los Angeles et la Californie (*l'Atelier du peintre*), Rio de Janeiro et le Brésil (*Colère*) ; mais ce peut être aussi la Normandie de l'enfance (*l'Orgie, la neige*), Notre-Dame de Paris (*les Anges et les Faucons*), les tours de la Défense (*les Forteresses noires*), les stations de métro et les banlieues des métissages, hantées d'« Artémis noires et rebelles », de « Maghrébines railleuses », de « Mulâtresses géantes aux fesses hautes » (*Le jour de la fin du monde, une femme me cache*), qui renvoient aux sources mythiques de l'humanité. Loin du minimalisme et de l'écriture blanche qui ont caractérisé quelques tendances majeures de la « modernité » du XXᵉ siècle finissant, Patrick Grainville porte jusqu'au paroxysme les principes fondateurs et les mythes du naturalisme. S'il s'intéresse moins à la structure narrative de ses romans qu'à l'émergence du mot dans la phrase, c'est qu'il crée dans l'excès baroque du style le principe de la Vie.

J.-P. Damour

Grandes Chroniques de France

(XIIIᵉ-XVᵉ siècle)

Leur composition, qui commence dans le dernier quart du XIIIᵉ siècle et s'achève au XVᵉ siècle, peut se répartir en trois époques. Dans un premier temps, la tâche est confiée aux moines de Saint-Denis, qui se bornent à traduire un recueil de textes historiographiques latins, entrepris vers 1250, qui reprenait les principales chroniques des règnes mérovingiens (*Gesta Dagoberti*), carolingiens (*Vita Ludovici* de l'Astronome, par exemple) et capétiens (*Vita Ludovici Grossi* de Suger, par exemple). On allait ainsi des origines troyennes (supposées !) de la royauté jusqu'à la fin du règne de Philippe Auguste. La traduction de cet ensemble est due à Primat, moine de Saint-Denis. Jusqu'en 1350, les *Grandes Chroniques* suivent des originaux latins (Rigord, Guillaume le Breton, Guillaume de Nangis). À partir du XIVᵉ siècle et jusqu'en 1422, les chroniqueurs, qui ne sont plus des moines, rédigent directement en français, en s'inspirant largement de Jean Jouvenel des Ursins et du héraut Berry (la relation du règne de Charles V, due sans doute à Pierre d'Orgemont, est une œuvre originale). Enfin, pour la dernière période (1422-1450), Jean Chartier rédige d'abord un texte latin, qu'il traduit ensuite : retour éphémère des *Chroniques* à l'abbaye de Saint-Denis.

Les *Grandes Chroniques de France* ne sont, comme la plupart des compilations, ni un chef-d'œuvre littéraire, ni un chef-d'œuvre historique. Elles constituent, en revanche, un témoignage remarquable pour l'histoire des mentalités. Par exemple, dans toute la partie initiale, les chroniqueurs s'appliquent à glorifier une royauté qui est le plus ferme soutien de l'Église. Le règne de Philippe Auguste, particulièrement délicat à traiter dans cette perspective, donne lieu à une présentation très sophistiquée, qui permet de sauver cet idéal. Enfin, par leur composition, elles rappellent ce fait littéraire essentiel au Moyen Âge qu'est le bilinguisme.

D. Boutet

Grandes et Inestimables Cronicques et Chroniques gargantuines

(respectivement 1532 et v. 1530)

Tous ceux qui se sont intéressés aux textes de Rabelais ont eu l'attention rapidement attirée par de petits livrets contemporains du *Pantagruel* (1532) et du *Gargantua* (1534), qui partagent avec l'œuvre de Rabelais non seulement le nom de quelques héros, comme Gargantua, Grandgousier, Gargamelle – Gallemelle – et Pantagruel, mais encore un nombre assez important de motifs que l'on peut qualifier, selon la nature des recherches, de « folkloriques » ou de « populaires » : rapport de ces héros avec les pierres, ossements de la terre ; gigantisme prodigieux ; « avalages » d'hommes ou de groupes entiers par l'ogre débonnaire ; visites forcées à l'intérieur de la bouche – ou du ventre – du géant ; guerres contre Gos et Magos, etc. Certaines scènes sont encore plus précises : les *Grandes et Inestimables Cronicques du grant et énorme géant Gargantua* font, comme le *Gargantua*, abattre toutes les forêts de Beauce d'un seul coup de queue de la jument du héros, et les cloches de Notre-Dame de Paris sont, dans les deux textes, accrochées au cou de ladite jument.

Mais, de toutes ces chroniques, seules les *Grandes et Inestimables Cronicques* de 1532 sont datées et localisées avec précision : elles parurent à Lyon, chez Jacques Moderne, deux ou trois mois avant le *Pantagruel.* Cela suffit pour en faire un des éléments qui ont poussé Rabelais à exploiter une veine dont le succès était assuré. Inversement, puisque l'on ne connaît pas la date exacte du *Vray Gargantua notablement omélyé,* ni celle des *Cronicques admirables,* ni celle de *la Merveilleuse Vie…,* ni celle des *Cronicques du roy Gargantua,* ni celle de quelques autres livrets qui figurent dans les bibliothèques de Montpellier, Aix, ou Oxford, on peut penser que Rabelais, par son génie littéraire même, infiniment supérieur à ces textes, et par son succès, a servi de révélateur à tout un ensemble de motifs qui n'avaient pas encore connu l'atelier des imprimeurs, et dans lesquels ces imprimeurs ont puisé avec une science toute moderne du commerce et de la lecture : ainsi firent les Nourry à Lyon, donnant une assise solide au développement des histoires de Gargantua dans la Bibliothèque bleue. Le problème de l'identité de leurs auteurs et de l'éventuelle participation de Rabelais n'a pas été résolu. [Voir **RABELAIS**.]

M. M. Fontaine

GRATIANT Gilbert

(1895-1985)

Né à Saint-Pierre (Martinique), agrégé en 1923, il accomplit une carrière d'enseignant qui s'acheva dans de grands lycées parisiens. Comme Léon Laleau, Gilbert Gratiant se trouve à la charnière entre deux conceptions de la littérature antillaise, littérature d'imitation ou littérature « noire ». L'une et l'autre sont capables de produire certainement des œuvres médiocres et peut-être des œuvres géniales. Gratiant ne méritait pas d'être appelé « poète de caricature » par Étienne Léro dans « Légitime défense ». Mais il serait excessif de voir en lui le modèle d'une littérature à son apogée. Gratiant se sent mal à l'aise – et c'est alors le meilleur de lui-même qui réagit – devant la littérature à laquelle il a cru devoir s'astreindre dans un premier temps. Ses *Poèmes en vers faux* sont souvent irritants, d'abord par la longue introduction sur ce qu'est la poésie. Sujet ambitieux, qui demande à être traité sans aucune suffisance. Il apparaît que chez Gratiant, comme chez tant d'auteurs issus de groupes vassalisés, la littérature est conçue moins en fonction d'elle-même que comme un mode supérieur d'être conféré à la personne de l'auteur.

En témoigne le sentiment de facticité que l'on éprouve à la lecture du *Credo des sang-mêlé* (1948), sous-titré « Je veux chanter la France ». Le discours sur la France, comme celui sur la poésie, apparaît décalé par rapport à son sujet. Lorsque Gratiant dit : « Mais voici mon climat/La présence française », il ne faut peut-être pas crier à la mystification – car la « présence française », aux Antilles, cela correspond à une réalité mesurable en sueur, en sang et en larmes, mais aussi en espèces sonnantes et trébuchantes. Mieux vaut chercher quel besoin de sublime tourmente l'auteur. Poète ambigu, Gratiant n'a pas cessé, tout au long de sa carrière, d'écrire en créole, abandonnant quasiment le français après 1960, ce qui correspond mieux que toute déclaration d'intention à un véritable credo culturel. Outre les *Poèmes en vers faux* (1931), il a publié en français *Métal non ferreux* (sous le pseudonyme de Jean NOUS-TERRE, 1943), *Une fille majeure, Martinique à vol d'abeille, Par Soulanges* (1961) et, en créole, *Fab'compé Zicaque* (1948), poèmes traduits en français. Ses articles « D'une poésie martiniquaise dite nationale » (dans *Présence africaine,* n° 5, 1955-1956) et « la Place du créole dans l'expression antillaise » (dans *Présence africaine,* n°s 14-15) ont fait date.

O. Biyidi

GRÉDY Jean-Pierre *v.* BARILLET Pierre

GREEN Julien

Nom francisé de ***Julian HARTRIDGE GREEN*** *(1900-1998)*

Parce que, pour lui, la Foi est avant tout disponibilité au surnaturel, invitation à questionner la violence et le destin de l'homme, source d'angoisses qu'on peut certes surmonter, mais jamais effacer, Julien Green aurait sans doute trouvé grâce aux yeux de l'exigeant héros d'*À Rebours* de Huysmans, cruellement déçu par la plupart des écrivains catholiques (cf. son *Pamphlet contre les catholiques de France,* 1924, sous le pseudonyme de Théophile Delaporte). À ceux qui ne partagent pas l'intérêt de Des Esseintes pour les préoccupations d'ordre religieux, Julien Green offre l'exemple d'un auteur habité par un impérieux et constant désir de vérité qui, bien sûr, est précieux dans son *Journal* ou son *Autobiographie,* mais qui aussi donne à ses œuvres de fiction une grande originalité.

« Je voudrais dire *ma* vérité un jour, une heure ou seulement quelques minutes… »

Pour le croyant qu'est Julien Green, toute vie humaine, à commencer par la sienne, suit un cours mystérieux, dont le secret n'est connu que de Dieu : « Nous sommes des personnages de roman qui ne comprennent pas toujours ce que veut leur auteur. » Mais en tenant jour après jour, depuis 1928, son *Journal,* il s'écrit une sorte de longue lettre qui ne s'achèvera qu'à sa mort et dans laquelle – avoue-t-il – « il se donne à lui-même de ses propres nouvelles ». Singulière correspondance que celle-là, puisqu'elle est aussi adressée aux autres, qui peuvent la lire régulièrement, après quelques coupures nécessitées par la publication.

Conscient malgré tout que la sincérité a des limites et que les mots sont de redoutables pièges, il s'aperçoit vite que seule la fiction, qui s'accompagne inévitablement d'une transposition, permet d'atteindre une profondeur de vérité. À travers des histoires imaginaires, d'abord des nouvelles et des romans, puis, à partir de 1950, trois pièces de théâtre – *Sud* (1953), *l'Ennemi* (1954) et *l'Ombre* (1956) –, se dessinent aux yeux de l'auteur ébahi les contours du visage d'un homme qui lui était totalement inconnu. Cette *catharsis* – d'un genre particulier, puisqu'elle produit ses effets sur l'auteur – réussit, car Julien Green peut, en 1960, publier son premier roman sinon optimiste du moins apaisé, *Chaque homme dans sa nuit*.

À vingt-trois ans, déjà, il avait fait une première et vaine tentative de confession littéraire. Dix-sept ans plus tard, il avait repris ce projet, étant persuadé que tout ce qu'il écrivait « procédait en droite ligne de son enfance ». Mais il lui faut « se rejoindre » avant de pouvoir reconquérir son passé, et c'est seulement après l'achèvement de *Chaque homme dans sa nuit* qu'il pourra réaliser enfin cette indispensable *Autobiographie* (publiée entre 1963 et 1974).

Le difficile aveu

L'enfance de ce fils d'Américains « sudistes » établis à Paris fut heureuse. La mort de sa mère en 1914 le chassa de cette existence paradisiaque et l'obligea à affronter une nouvelle réalité, celle des autres. Au cours d'un séjour, de 1919 à 1921, à l'université de Virginie, il rencontra un jeune homme, Mark, et devint le porteur d'un secret, le héros d'un drame. Ses romans et ses pièces de théâtre seront hantés par la figure de l'« homme qui vient d'ailleurs », de l'étranger qui survient et détruit un précaire équilibre. Déjà les premières nouvelles, *Christine* (1927), *le Voyageur sur la terre* (1927), *Léviathan* (1928), ont pour thème le passage d'un inconnu, que ce soit la petite Christine, Paul ou le voyageur mystérieux. L'arrivée de Guéret éveille les passions endormies chez tous les personnages de *Léviathan* et les plonge dans le drame. Brittomart vient bouleverser la vie de Fabien dans *Si j'étais vous*… (1947). L'intrusion de Joseph Day dans l'univers de Moïra et de Moïra dans l'univers de Joseph Day (*Moïra*, 1950), du lieutenant polonais Jan dans celui de Régina, et de Mac Lure dans la vie de Jan (*Sud*) sont autant d'événements tragiques.

Rentré à Paris en 1922, Julien Green retrouva Mark en 1923, et, lors d'une promenade avec lui le long de la Seine, il ne parvint pas à lui faire l'aveu de son amour. Toute l'œuvre romanesque se nourrit, à quelques rares exceptions près, des souvenirs de cette période, qui va de 1914 à 1923. Bien plus, comme l'a fait remarquer Jacques Petit, romans et théâtre reprennent, chacun à sa manière, pour la rejouer indéfiniment, la scène de l'impossible aveu, devenue à la fois le nœud de tous les drames et la source féconde de la vocation de l'écrivain. Prenant la forme d'un secret tantôt d'amour, tantôt de crime, parfois des deux, cette séquence clé se retrouve dans *Mont-Cinère* (1926), *Adrienne Mesurat* (1927), *l'Autre Sommeil* (1931), *Moïra* et *Sud*. Seul Angus, l'un des personnages de *Chaque homme dans sa nuit* (1960), réussit à dire ce que jusque-là tous les héros de Julien Green avaient refoulé au plus profond d'eux-mêmes.

Avant de remporter une victoire tardive, une revanche sur le malheureux épisode de 1923, l'œuvre s'était développée en trois phases, que dégage finement Jacques Petit. Avant 1930, c'est-à-dire avant la rédaction de *l'Autre Sommeil*, des romans comme *Mont-Cinère* ou *Adrienne Mesurat*, une nouvelle telle que *Léviathan* baignaient dans une atmosphère sombre et racontaient les efforts désespérés des personnages vers une inaccessible libération. Emily Fletcher, l'héroïne de *Mont-Cinère*, ne rompt la solitude qui l'enserre qu'en allumant un incendie ; Adrienne Mesurat finit par faire tomber son père tyrannique dans l'escalier, mais passe ensuite sous la dépendance d'une voisine, avant de sombrer dans la folie. Guéret, dans *Léviathan*, après avoir défiguré Angèle et tué un vieillard rencontré sur son chemin, doit affronter la réalité menaçante et angoissante sous la forme anecdotique d'un chantier de charbon, et finit par se faire arrêter. De 1930 à 1947, date à laquelle commence la composition de *Moïra*, la narration romanesque de Green hésite entre l'évocation d'un pesant ennui quotidien et la fuite dans le rêve. Dans *Épaves* (1932), le romancier adopte la première solution : ce récit de la lâcheté de Philippe, dont les premières pages ont sans doute inspiré Camus pour *la Chute*, est tout entier construit autour de la Seine qui s'écoule, mais qui ne cesse pas d'être associée à une dérobade que le héros ne peut oublier. *Si j'étais vous*… illustre l'autre voie, et l'on y assiste au voyage de Fabien, qui s'incarne en quatre êtres différents pour fuir une existence et une personnalité qui ne le satisfont pas. Il s'aperçoit bien vite que le sort de son patron sexagénaire n'est guère enviable, que le jeune homme roux à la « laideur énergique et dominatrice » est en réalité victime de Berthe – qu'il aime et qui se moque de lui –, que le studieux, subtil et intelligent Emmanuel Fruges aimerait rejoindre l'enfance, et que la famille de Camille n'a rien d'un nid douillet. Enfin, troisième phase, les pièces de théâtre ainsi que *le Malfaiteur* (1956) et *Chaque homme dans sa nuit*, ne gardent que les thèmes les plus douloureusement enracinés dans la conscience et l'inconscient de l'auteur et – peut-être parce que les personnages y évoluent toujours sur deux plans, dont celui du passé, qui empêche de vivre – trouvent une conclusion apaisante dans le pardon accordé à Max par Wilfred mourant (*Chaque homme dans sa nuit*).

Élu à l'Académie française en 1971 – il en démissionnera en 1996 rappelant qu'il est américain et dédaigneux des honneurs –, il poursuit la rédaction de son *Journal*, dont il publie régulièrement les volumes. Il montre vers la fin de sa vie un attachement nostalgique à l'Amérique de ses ancêtres (*les Pays lointains*, 1987 ; *les Étoiles du Sud*, 1989) tout en s'interrogeant sur les relations entre ses deux langues d'expression (*le Langage et son double*, 1987 ; *l'Homme et son ombre*, 1991). Ainsi Julian et Julien se trouvaient-ils, au bout d'un long chemin, rassemblés par l'écriture.

Une aventure de l'écriture

Grâce au *Journal* (16 volumes) on peut suivre pas à pas l'auteur dans son voyage romanesque au bout de lui-même. On y découvre notamment un écrivain qui travaille sans plan préétabli et qui se laisse guider par ses personnages, se refusant à leur imposer le moindre geste ou la moindre réplique. Il lui faut pour cela écarter la tentation de reprendre des situations ou des intrigues qui ont assuré le succès de ses livres précédents et chercher le point de départ qui seul se révélera fécond : « Il n'y a qu'un commencement possible entre vingt, entre cent autres. »

Des réflexions sur la création romanesque font l'objet aussi du troisième récit inclus dans *Varouna* (1940) où le Journal de Jeanne, une romancière presque contemporaine, qui tente d'écrire la vie d'Hélène Lombard, racontée dans la seconde partie du livre, fait penser au *Journal des Faux-Monnayeurs* de Gide. Il nous montre comment l'auteur crée des personnages à partir de sa propre substance mais ne peut les empêcher d'agir en retour sur lui-même.

D. Mortier

GREGH Fernand

(1873-1960)

Fernand Gregh fut remarqué et célébré dès la parution de son premier recueil de vers, *la Maison de l'enfance* (1896), par l'Académie française, qui lui décerna alors un prix, non sans réserve car elle le trouvait à son goût « trop révolutionnaire au point de vue prosodique ». Et l'Académie attendra qu'il ait quatre-vingts ans pour l'accueillir enfin (1953). Ce jugement et cette réticence peuvent aujourd'hui prêter à sourire, concernant un poète qui, tant par ses thèmes que dans son expression, se tourna bien plus vers le siècle de sa naissance qu'il ne regarda celui dans lequel allait s'écouler la plus grande partie de sa vie.

Fervent de Hugo, à qui il consacra plusieurs études et un grand livre (*Victor Hugo, sa vie et son œuvre,* 1954), et de Vigny, dont il admirait la clarté des symboles et la mâle confiance en la noblesse de l'homme, il se fit, en 1902, dans un article du *Figaro* (« Manifeste de l'humanisme ») qui eut à l'époque un grand retentissement, le chantre d'un nouvel humanisme poétique, qu'il voulait opposer tant aux parnassiens, tenants de « la beauté pour la beauté » (« Pour que la beauté fût plus belle encore, ils ont voulu la faire moins vivante »), qu'aux symbolistes, dont l'inspiration « fut trop souvent byzantine » (« Nous ne proscrivons pas le Symbole, mais qu'il soit clair. Un beau symbole obscur, c'est un beau coffret dont on n'a pas la clef. »). Bien qu'il reconnût sa dette envers Verlaine et qu'il ne se débarrassât pas facilement des roses décadentes ni des jets d'eau nocturnes et des jardins fanés sous la lune, il milita pour une poésie accessible, mesurée, humanitaire – et non éplorée, désespérément réfugiée dans le « style artiste » –, pour un art « à la fois plus enthousiaste et plus tendre, plus intime et plus large, un art direct, vivant et, d'un mot qui résume tout : humain ».

Marcel Proust, qui fut son condisciple au lycée Condorcet et collabora au *Banquet* – la revue dont le jeune Fernand Gregh fut l'animateur en 1892-1893 – tenta de caractériser sa morale du terme de « vitalisme ». Et, certes, cette œuvre aux titres éminemment – mais clairement – symboliques (*la Beauté de vivre,* 1900 ; *les Clartés humaines,* 1904 ; *l'Or des minutes,* 1905 ; *la Chaîne éternelle,* 1910 ; *la Couronne douloureuse,* 1910 ; *Couleur de la vie,* 1927 ; *la Gloire du cœur,* 1932 ; *le Mot du monde,* 1957) chante, dans une veine élégiaque et contemplative qui rappelle, parfois, le Hugo des *Rayons et les Ombres,* aussi bien la nature (la Méditerranée, les cyprès du jardin Giusti, le parc Monceau) et les voyages que les amours – Gregh renouant ainsi avec la Pléiade – (« Nous sommes/ Seuls, il est vrai, mais seuls tous deux »), le foyer, les veillées ou encore l'écoulement du temps (« J'aurai passé mon temps sur cette vieille terre ») et la tombée du soir (« Le soir tombe parfois comme un caillou dans l'eau »).

Auteur de souvenirs (*l'Âge d'or*, 1947 ; *l'Âge d'airain*, 1951 ; *l'Âge de fer*, 1956) qui fourmillent d'anecdotes sur les salons parisiens, celui à qui René Clair succéda sous la Coupole restera l'impérissable poète de ce vers non moins éternel : « C'est aujourd'hui le jour le plus long de l'année. »

L. Pinhas

GRENIER Jean

(1898-1971)

Philosophe, essayiste et romancier, Jean Grenier a mené l'existence réservée d'un humaniste voué à la réflexion et à l'écriture. Né à Paris, il passe son enfance et sa jeunesse en Bretagne, dont les paysages de brumes et de grèves inspireront ses premières rêveries sur l'inconsistance des choses et la fluidité du réel. Après des études de philosophie marquées par la lecture de Schopenhauer et de Jules Lequier, qui fera l'objet de sa thèse, il obtient en 1922 l'agrégation. Au hasard des postes d'enseignement qu'il occupe (Alger, où il a pour disciple Albert Camus, Naples, Alexandrie, Le Caire), il découvre l'univers de la Méditerranée qui lui paraît impliquer une fervente adhésion à la vie.

Il reçoit en 1968 le Grand prix national des Lettres et achève sa carrière à la Sorbonne, comme titulaire de la chaire d'esthétique. Mieux que sa biographie, l'examen de ses écrits révèle, par sa diversité, l'originalité d'un homme sensible, curieux, disponible, dont on voit sans peine la parenté intellectuelle avec Jean Paulhan (leur *Correspondance* sera publiée en 1984). L'œuvre de Jean Grenier ne relève nullement d'une pensée linéaire ; il s'est en effet penché aussi bien sur les problèmes de la philosophie morale (*Essai sur l'esprit d'orthodoxie*, 1938 ; *Entretiens sur le bon usage de la liberté*, 1948) que sur la critique d'art (il fut l'auteur d'une étude sur la poésie contemporaine) ou le récit qu'il conçoit de façon assez informelle – à la fois évocation de souvenirs personnels quelque peu métamorphosés et analyses de la vie quotidienne (*les Iles*, 1959 ; *Inspirations méditerranéennes*, 1961 ; *les Grèves*, 1957 ; *Voir Naples*, posth., 1973).

À bien des égards, la réflexion de Grenier semble avoir hérité de Paul Valéry : même vertige existentiel devant les contradictions qui naissent de la pensée consciente, même goût des lieux méditerranéens, même scepticisme face aux opinions arrêtées : « Moi, je suis le fléau d'une balance, ne penchant ni d'un côté, ni de l'autre, parfaitement impartial dans la plénitude des possibilités qui affleurent en moi [...]. Il faut tenter de vivre, mais comment ? » (*Entretiens...*) Citant « le Cimetière marin », Grenier situe exactement les pôles de sa problématique : l'équilibre de la personne ne résulte pas, comme on le croit trop souvent, de la négation des désirs, mais de la prise de conscience de leur caractère irrémédiablement antagoniste. L'angoisse qui naît à cet instant porte en elle le vertige du néant : à vouloir contempler l'absolu, l'homme se paralyse, devient étranger au monde où il est destiné à vivre. La pensée de Grenier surgit de cette sensation d'écart, d'exil : « J'étais de ces hommes prédestinés à se demander pourquoi ils vivaient plutôt qu'à vivre. En tout cas, à vivre plutôt en marge. » Le philosophe trouve alors une issue dans l'ambiguïté des situations limites où l'Être ne se fige pas.

La démarche de l'écrivain passera donc par le refus de toute orthodoxie et par la remise en cause des théories issues de la révolution industrielle – le libéralisme comme le marxisme. Sa pensée, épousant un mouvement dialectique permanent, cerne le vrai en passant d'une valeur à son contraire : « perfection [...] je veux te fuir parce que je voudrais t'étreindre, t'abandonner parce que je voudrais te posséder » (*Entretiens*...). La langue, classique, s'adapte souplement aux mouvances d'une pensée qui fonctionne par connexions de sensations, d'impressions ; le fil du discours semble parfois se perdre pour mieux se retrouver en des images concrètes, issues d'un quotidien au prosaïsme volontiers ironique et provocateur : « L'important est de se servir de la plume tous les jours, de la même manière qu'on se sert d'un couteau et d'une fourchette, c'est-à-dire sans penser à l'instrument qu'on manie, mais seulement au plat que l'on mange » (*les Grèves*).

C'est en effet dans une certaine qualité de rapport au réel que Grenier trouve sa réponse au vertige existentiel ; les animaux apparaissent à cet égard comme des modèles : « J'aimerais avoir comme les chiens une règle simple à vivre : la nature pourrait s'acharner contre moi, mes maîtres m'abandonner, j'aurais la pureté du cœur » (*Sur la mort d'un chien*, 1954). Le voyage constitue également un accès privilégié à la connaissance de l'homme dans toute son authenticité, et Grenier a sacrifié à l'héliotropisme de son époque : aux fluidités angoissantes de la Bretagne, il oppose la fixité et les certitudes du monde méditerranéen. Face à son disciple Camus (*Albert Camus*, 1969) qui voit dans l'action le remède à la tentation du néant, le philosophe, plus sceptique peut-être, propose une autre forme d'humanisme, héritée du néo-stoïcisme et de la sagesse taoïste (*l'Esprit de Tao*, 1957) ; le bonheur résiderait dans la pure sensation de « l'Être-au-monde ». L'intellectuel ne reste pas impassible devant la misère et le malheur, mais son intervention doit obéir à des règles de prudence. Loin de sacrifier au pessimisme et à l'individualisme, celui qui garde son indépendance deviendra un « promoteur », un homme qui, comme Jean Paulhan, « découvre les esprits qui ont besoin d'être accouchés, et, comme Socrate, il leur vient en aide » (*Écrire et publier*, posth., 1982). Cette attitude devant le malheur existentiel semble la part la plus remarquable de la problématique de Jean Grenier. Sans doute n'a-t-elle pas l'ambition ni l'éclat qui caractérisent d'autres philosophes contemporains – tels Sartre ou Camus – mais elle renoue avec une tradition antique : celle de l'exercice quotidien d'une « sagesse ».

A.-C. Bruneval

GRESSET Jean-Baptiste

(1709-1777)

Auteur dramatique, né à Amiens. Son père, commissaire enquêteur au bailliage et au présidial, était un admirateur de Boileau et, à temps perdu, composait des épîtres et des satires. Jean-Baptiste Gresset fait des études au collège des jésuites d'Amiens, puis, plus tard, au collège Louis-le-Grand à Paris. Il y devient professeur. La publication en 1734 de *Ver-Vert*, poème satirique, lui attire le succès et suscite l'admiration de Jean-Baptiste Rousseau. Il écrit dans la même veine *la Chartreuse* (1735) et *le Lutrin vivant* ; il s'essaie à la traduction (médiocre traduction en vers des *Bucoliques* de Virgile). Les jésuites, soumis à des pressions ministérielles, l'envoient à La Flèche faire pénitence pour avoir égratigné les sœurs visitandines dans *Ver-Vert*. Et, plus tard, sur le conseil du cardinal Fleury, ils le prient de renoncer à son intention d'entrer dans la Compagnie. Gresset est alors accueilli à Paris et devient l'hôte assidu de la maison du duc de Chaulnes et – les méchantes langues l'assurent –, le poète préféré de la duchesse. Il obtient un poste administratif qui ne l'occupe guère mais qui lui assure les revenus dont il a besoin. Il écrit alors pour le théâtre successivement une tragédie, *Édouard III* (1740), un drame, *Sidney* (1745), et une comédie, *le Méchant* (1747). Ses succès, fort honorables, seront suivis de son élection à l'Académie française en 1748. Mais, dès 1745, il songe à renoncer aux mondanités de la vie parisienne et à retourner en province. Après le succès du *Méchant*, sa carrière littéraire proprement dite s'arrête. De retour à Amiens, il se consacrera à l'Académie locale et connaîtra dans cette ville une fin de vie paisible.

Le Méchant est la seule œuvre qui puisse encore aujourd'hui nous attacher à Gresset. Jouée par la Comédie-Française le 15 avril 1747, elle connut un vif succès et resta longtemps au répertoire. Malgré sa facture traditionnelle, elle témoigne par bien des aspects de l'évolution du genre comique au milieu du siècle. C'est une comédie de caractère qui se rattache directement à une tradition issue de Molière (*Tartuffe ou l'Imposteur*) et poursuivie par Regnard (*le Joueur*, 1696) ou Destouches (*le Dissipateur*, 1736). Gresset y présente un personnage, Cléon, qui est tout à la fois un caractère et un type social. Cléon, comme Tartuffe, s'est introduit dans une famille. Il a su se faire aimer de Florise et gagner l'amitié du frère de celle-ci, Géronte. Il emploie tous ses soins à faire échouer le mariage de Chloé, la fille de Florise, avec le jeune Valère, dont il dirige la conduite. Mais là s'arrête sa ressemblance avec Tartuffe : le désir et l'intérêt ne sont pas ses mobiles ; il agit avec une curieuse gratuité. Certes, il n'est insensible ni au charme des femmes ni à la possibilité de capter un héritage. Mais il est fort différent de don Juan, auquel on l'a parfois comparé. Cet instituteur pervers ne semble se gouverner que par calcul, et sa volupté dans la stratégie le rapprocherait plutôt de Valmont ou du Versac des *Égarements* de Crébillon. La passion de Cléon, sa « méchanceté », c'est son narcissisme :

> *Être craint à la fois et désiré partout,*
> *Voilà ma destinée et mon unique goût.*
>
> (*le Méchant*, II, I)

Ce qui ne le conduit pour autant à aucun débordement, à aucun masque comique ou libertin. À travers lui, c'est une façon de vivre, c'est la société mondaine que dénonce Gresset, une société envahie par l'ennui : « Tout languit, tout est mort, sans la tracasserie », déclare Cléon (II, I). Et, dès 1745, c'est le spleen qui pousse Sidney, un jeune gentilhomme, à fuir le monde dans une retraite campagnarde (*Sidney*). Contre l'ennui et l'immoralité, Gresset propose les douceurs de la sensibilité vertueuse : les personnages secondaires du *Méchant* (les valets ; Chloé, Ariste) sont des personnages de la comédie larmoyante. Bourgeois de province, Gresset rejoint Jean-Jacques Rousseau dans sa dénonciation de la corruption sociale, tout comme il le rejoindra plus tard, objectivement, en condamnant le théâtre. Cette palinodie (*Lettre de M. Gresset à M... sur la comédie*, Paris, 1759) parut en effet juste après la *Lettre à d'Alembert*, et, quoique l'idéologie religieuse de Gresset soit très loin de celle de Rousseau, leur fonctionnement et leur réception rapprochent ces deux textes.

Tout autant que son théâtre, la poésie de Gresset est à lire comme une pratique sociale de l'écriture. On ne la lit plus, non tant parce qu'elle est mauvaise que parce qu'elle ne répond pas aux normes de la poésie élaborées et imposées par le romantisme. Le *Ver-Vert, la Chartreuse, le Lutrin* sont des poèmes satiriques fort gais. Gresset y recherche les formules piquantes, les traits et contribue à sa façon à l'élaboration collective de la langue du siècle des Lumières. C'est bien ce que Nodier ne lui pardonne pas ; il ne voit que « luxe de mauvais goût » dans « la seule Iliade réservée à une nation qui s'en va » (*Ver-Vert*). La postérité a justement retenu certains d'entre eux (« Désir de fille est un feu qui dévore,/Désir de nonne est cent fois pire encore », *Ver-Vert*, chant II). L'œuvre de Gresset est toute dans son époque, et seulement dans son époque.

P. Frantz

GRÉVIN Jacques

(1538-1570)

Poète de qualité aux ressources diverses, dramaturge important et reconnu, médecin courageux et passionné, Jacques Grévin a su, au cours d'une carrière brève mais pleine, donner aux entreprises variées qui l'ont occupé la marque d'une personnalité forte et attachante.

Né à Clermont-en-Beauvaisis, dans une famille modeste, il étudie au collège de Boncourt, où il assiste aux représentations de la *Cléopâtre captive* et de *la Rencontre* de Jodelle. Puis il mène de front sa médecine et une carrière littéraire prometteuse, rimant à l'occasion des mariages princiers, traduisant un opuscule de Plutarque (1558). Agrégé à la « Brigade », il fait cortège à Ronsard, qui, avec Belleau et Du Bellay, salue la publication de son original « canzoniere », *l'Olympe* (1560), où il dit sa passion pour Nicole Estienne, savante fille du libraire. Sa visite à la reine Élisabeth (fin 1560) ressemble déjà à une profession de foi religieuse. Il aura encore le temps de voir représentées deux de ses pièces, *César*, adaptation de la tragédie en vers latins *Julius Caesar* de Muret, et *les Esbahis* (1561), de soutenir sa thèse et de publier son *Théâtre* et la seconde partie de *l'Olympe* et de *la Gélodacrye* (1561), avant que ne soit connue son adhésion à la Réforme. C'est dès lors pour lui, comme plus tard pour Hugo, le « temps d'avoir d'autres fièvres ». Sa participation (probable) à la polémique protestante contre Ronsard (*le Temple de Ronsard*, 1563) lui aliène le poète, tandis qu'il ferraille avec le médecin Charpentier à propos de l'antimoine. Réfugié en Angleterre (1567), un moment à Anvers, au service de Plantin, chez qui il publie quelques traductions et un livret pédagogique, il trouvera son havre auprès de Marguerite de France, à Turin, où il finira ses jours.

Les Esbahis, dont le schéma reproduit celui de la comédie italienne, saluaient le triomphe marivaudien de la jeunesse et de l'amour sur la vieillesse. Avec *la Trésorière* (1559), Grévin voudra faire une âpre satire des gens de finance mais aussi (d'abord ?) tourner en dérision des stéréotypes tels que le héros noble ou l'amant courtois. Grévin, qui prétend « aux doctes complaire » et, à cette fin, évite le parler bas et le jargon affecté, sans rompre toutefois avec la tradition médiévale, s'efforce de tirer le meilleur parti d'un genre, la comédie, envers lequel le théâtre humaniste manifeste une certaine condescendance. *César*, son unique tragédie, témoigne de la même volonté : c'est une variation réussie sur un thème familier à tous qui « se signale surtout par l'éloquence oratoire, par de saisissants effets pathétiques et par la fermeté de l'alexandrin » (M. Lazard). Bien qu'il soit l'un des premiers à faire allusion à la *Poétique* d'Aristote, Grévin demeure fidèle, comme l'a noté Weinberg, aux conceptions dramatiques du Moyen Âge.

Ronsardisant dans son *Hymne à Monseigneur le Dauphin* (1558), il a tôt fait, comme Du Bellay, de revenir à la poésie moyenne. *L'Olympe*, en dépit de quelques bouffées pétrarquistes, s'adresse à une aimée rien moins que mythologique ou inaccessible. Grévin y rêve d'un mariage bourgeois et s'y interdit toute gauloiserie. Puis, « ayant chanté l'Amour », il « chante la discorde et la haine à son tour ». Le moins connu et le moins étudié des recueils de notre auteur, *la Gélodacrye*, est peut-être le plus intéressant : il trahit la crise de l'homme et du moment en vers puissants, parfois flamboyants. À mots à peine couverts, il stigmatise la cupidité des grands (les Guise ?) et plaint le pauvre : « le peuple est pareil à la balle/ Qui jamais n'a repos [...]/On s'en joue, on le pille, on l'endort, on le lie,/Sans crainte de Celuy qui cognoist leur follie ». D'Aubigné écrira la suite.

Le médecin engagé

Des querelles médicales auxquelles a été mêlé Grévin, celle qui nous importe le plus est celle que provoqua sa traduction de l'ouvrage de Jean Wier, *Histoires, disputes et discours des illusions et impostures des diables* (1567 ; éd. augm. 1579). Cette traduction est l'acte d'un militant. Par le soin qu'il y a apporté, Grévin participe au succès européen d'un ouvrage sapant les fondements mêmes de la répression qui s'exerce alors, cautionnée par des esprits aussi sagaces qu'un Jean

Bodin, contre la sorcellerie. Il rend de manière précise et élégante ce traité où Wier « conte avec art cent histoires où il s'efforce de reconnaître la part du Diable et de la nature, pour conclure au juste châtiment des empoisonneurs et des magiciens affidés au Diable et au traitement médical attentif de leurs victimes malheureuses » (Robert Mandrou).
Grévin faisait-il plus de cas de ses polémiques religieuses et médicales que de ses poésies, comme on l'a dit ? Curieux auteur de circonstance qui ne laisse pas moins de 16 000 vers, dont la fièvre d'écriture ne se déprend d'un genre que pour s'éprendre d'un autre, et dont l'exemple aide à mesurer jusqu'où pouvait s'étendre au XVIe siècle le champ de la littérature.

M. Simonin

GRIMOD DE LA REYNIÈRE Alexandre

(1758-1838)

Fils d'un riche fermier général, neveu de Malesherbes, élevé par les belles amies de son père les actrices Mlles Quinault et Luzy, il avait tout pour être heureux – sinon des mains difformes, toujours cachées sous des gants. Amoureux de bonne chère, il renonça vite à son métier d'avocat, mena une vie fastueuse, volontiers excentrique, réunit ses amis gastronomes en de célèbres « Dîners philosophiques » où parurent notamment Beaumarchais et Rétif. Il traversa la Révolution sans dommage, jeta ses derniers feux mondains sous l'Empire et se retira dans son château de Villiers-sur-Orge. Moraliste aimable (*Réflexions philosophiques sur le plaisir*, 1785), passionné de théâtre (*Peu de chose*, 1788 ; *Moins que rien*, 1793 ; *le Censeur dramatique*, 1797-1798), cet hôte impeccable devait, en joignant un jour l'écriture à la pratique, devenir un écrivain à succès ; son *Almanach des gourmands* (1803-1812), complété par un *Manuel des amphitryons* (1808), fait de lui le véritable initiateur de la littérature gastronomique.
Constamment réédité depuis le XIXe siècle, l'*Almanach* juxtapose un « Calendrier nutritif », fixant « le rapport des saisons avec les comestibles », et un « Itinéraire nutritif » qui détaille, quartier par quartier, les meilleurs restaurants et magasins d'alimentation parisiens. Réseau serré de prescriptions – à la manière d'une utopie – où l'usager trouve un avant-goût de son plaisir non seulement dans la description des mets et recettes, mais aussi dans un anthropomorphisme bouffon, vaguement sadique, qui place la création entière au service de l'homme – et de sa gourmandise : à Noël, « MM. les cochons payent de leur personne », et l'oie gavée, appelée à fournir un succulent foie gras, serait fort à plaindre « si l'idée du sort qui l'attend ne lui servait de consolation ». Bien mieux, la gastronomie révèle le sens ultime de toute pratique sociale : le « Serrez les cuisses, ma fille » d'une mère attentive n'est ici qu'une invitation à mettre de côté la meilleure partie du dindon, et si l'on chante et prie à l'église, c'est que rien ne donne autant d'appétit que le travail « des poumons sanctifiés par la prière » ! Mais à lire sa Préface l'auteur de l'*Almanach* n'est pas tout à fait dupe de cette nouvelle liturgie : car ces minutieux exercices visent d'abord à civiliser, en les prenant par leur point faible, les nouveaux riches de la France post-révolutionnaire, qui ont un « gésier » à la place du cœur… Avec l'humour en plus, il y a décidément du (Sade, Fourier) Loyola chez Grimod de La Reynière.

J.-P. de Beaumarchais

GRINGORE Pierre

(v. 1475-v. 1538)

Alors que les grands mystères du théâtre religieux sont, pour la plupart, signés et leurs auteurs connus, l'anonymat est le lot des pièces comiques. Pierre Gringore fait exception. Né en Normandie, il fut avant tout un entrepreneur de spectacles, bien qu'on le retrouve en 1519 héraut d'armes d'Antoine de Lorraine. Il est l'un des animateurs de la confrérie des « Enfants sans soucy », où il porte le titre de Mère Sotte. Il est connu surtout pour un spectacle comprenant un « cry », une sotie, une moralité et une farce, *le Jeu du Prince des Sots*, représentée le Mardi gras 24 février 1512 aux Halles. Commandée par Louis XII, la pièce s'attaque à Jules II et s'emploie à démontrer que le roi de France est contraint à la guerre par le pape : trois Sots entrent en scène et font part de leurs inquiétudes sur les menées de l'Église et des princes étrangers. Le Prince des Sots va tenir ses assises, son arrivée est annoncée par différents personnages, Gaîté, le Seigneur de Joie, le Seigneur de la Lune, l'abbé de Plate Bourse, qui incarnent autant d'hommes de cour et de prélats. Le peuple, Sotte Commune, se désintéresse des problèmes des Grands, mais on s'efforce de le gagner à la politique royale. Mère Sotte fait son apparition, vêtue en pape, accompagnée de Sotte Fiance [Confiance] et de Sotte Occasion, ainsi que d'un astrologue. Elle soulève contre le roi les prélats ; les princes restent fidèles. Il se fait « une bataille de prélats et de princes » devant Sotte Commune, incrédule. Mais le Prince des Sots découvre sous les vêtements pontificaux le costume de Mère Sotte, qui est châtiée. Nous avons là un bon exemple de la politisation du spectacle en principe le plus « libre », la sotie.

A. Strubel

GRIPARI Pierre

(1925-1990)

Conteur, romancier, dramaturge, poète et journaliste, Pierre Gripari est né à Paris où il fit des études de lettres. Dans un entretien qu'il accorde à A. Paucard (*Gripari mode d'emploi*, 1985), l'écrivain fournit d'abondants renseignements sur lui-même, mais on trouvait déjà dans *Pierrot-la-Lune* (1963) le récit autobiographique, à la fois chaleureux et glacé, de sa jeunesse : années de khâgne, mort des parents, amitiés, petits métiers, bref passage au Parti communiste et surtout découverte et affirmation de son homosexualité. Il s'engage pour trois ans (1946-1949) dans les troupes aéroportées. Ses positions d'« extrême droite » lui ferment la porte des maisons d'édition et de petits emplois assurent sa survie. Des hasards heureux lui permettront néanmoins de se consacrer au journalisme, mais surtout à la littérature, où il s'illustre par une production abondante et variée : contes satiriques et fantastiques pour adultes (*Diable, Dieu et Autres Contes de menterie*, 1965 ; *Paraboles et Fariboles*, 1980 ; *la Rose réaliste*, 1985), contes pour enfants (*Contes de la rue Broca*, 1967 ; *Patrouille du conte*, 1983 ; *les Contes de la Folie Méricourt*, 1987), roman (*la Vie, la mort et la résurrection de Socrate-Marie Gripotard*, 1968), poèmes en vers (*le Solilesse*, 1977), pièces de théâtre (*Lieutenant Tenant*, 1962 ; *Café-théâtre*, 1979), anthologie philosophique (*l'Évangile du Rien*, 1980), recueil d'histoires drôles (*Du rire et de l'horreur*, 1984), etc. *Critique et Autocritique* (1981) renseigne sur ses lectures favorites : Aymé, Kipling, Dickens, Hugo… Gripari a aussi publié *Pièces mystiques et Pièces poétiques* (1982), *les Chants du nomade* et, en prose, un roman intriguant, *Moi, Mitounet joli* (1982). À contre-courant des modes, des messages et des théories, Gripari est un « singulier » de la littérature, qui explore avec voracité les chemins de l'imaginaire et du fantastique. Il est d'abord un conteur : les situations bousculent les dates et les lieux, mêlent l'étrange et le cocasse, l'Histoire et le mythe personnel (*Contes d'ailleurs et d'autre part*, 1990). Son point de vue de « martien », c'est celui d'un passionné des univers parallèles comme les décrit Fredric Brown. Bon connaisseur des grands systèmes philosophiques et religieux, il est en même temps un écrivain ironique, et qui se tient à l'écart. Quant à ses professions de foi « fascistes », il faut y voir le goût de la provocation chez un homme à qui répugnaient la bonne conscience et les idées reçues, fussent-elles « démocratiques ».

M. P. Schmitt

GROSJEAN Jean

(né en 1912)

Poète et traducteur, né à Paris. Fils d'ingénieur, Jean Grosjean perd sa mère très tôt (1915) et passe son enfance en Franche-Comté. Dès 1922, fasciné par Maupassant, il commence à écrire. Après son certificat d'études (1925), Grosjean entre à l'école primaire supérieure de commerce et d'industrie ; il rejoint, en 1927, l'école d'agriculture de Guyenne, travaille ensuite comme ajusteur au Perreux, passe en 1929 son brevet d'enseignement primaire supérieur. Il suit alors les cours de l'école secondaire classique de Conflans et découvre à cette époque les textes bibliques et l'œuvre de Claudel : lecture décisive, qui l'oriente vers les préoccupations religieuses et métaphysiques ; en 1933, il obtient le baccalauréat de philosophie puis entre au séminaire Saint-Sulpice d'Issy-les-Moulineaux. Après un voyage au Moyen-Orient, Grosjean est ordonné prêtre en 1939, puis mobilisé. Il se lie avec Malraux en 1940, au camp de Sens, connaît ensuite la captivité dans un stalag de Poméranie. En 1943, libéré, il devient vicaire à Port-à-l'Anglais, avant de se retirer dans le Doubs, pour vivre une solitude complète. Mais c'est après la guerre que la véritable « vocation » de Grosjean se dessinera clairement : en 1946, il publie chez Gallimard son premier livre, *Terre du temps*, qui obtient le prix de la Pléiade, et, en 1950, *Hypostase*. Il se sépare alors de l'Église catholique et se marie. Depuis ce temps Grosjean consacre sa vie à la création poétique, à la traduction de grands textes classiques (*les Tragiques grecs, Eschyle et Sophocle*, 1967) ou sacrés (*le Coran*, 1972 et 1998 ; *la Genèse*, 1987) et à l'édition littéraire : depuis 1967, il collabore à la direction de *la Nouvelle Revue française*.

La poésie de Grosjean constitue avant tout un acte de célébration : le texte, par nature, décrit, « dit » l'essence du réel ; pour cette quête de la vérité, Grosjean utilise de préférence, comme dans les textes de la Bible ou de Claudel, l'ample verset plutôt qu'un vers métriquement délimité. Et, comme chez Saint-John Perse, les multiples figures de la rhétorique ne manquent jamais à un discours qui privilégie souvent le substantif et le verbe au détriment de l'adjectif ; à ce dernier, qui altère l'entité des choses, le poète préfère le Nom, signe définitif, dans le langage humain, de la présence des Éléments : « Au creux des ténèbres ah ! fixité, ton rutilement de lampes, ce rutilement des morts qui sont mon peuple et l'âme » (*Apocalypse*, 1962).

Le propos d'une telle poésie, fuyant l'anecdotique (Grosjean refusera toujours d'écrire des œuvres « de circonstance »), est donc philosophique et métaphysique. La plupart des poèmes, courts récits ou petits traités de l'écrivain, où se réfléchit son aventure spirituelle (*le Messie*, 1974 ; *Elie*, 1982 ; *Darius*, 1983 ; *Pilate*, 1984 ; *Jonas*, 1985 ; *la Reine de Saba*, 1987 ; *la Lueur des Jours*, 1991 ; *Nathanaël*, 1996 ; *Adam et Ève*, 1997 ; *Cantilènes*, 1998 ; *Las Vasistas*, 2000) tentent de cerner des concepts : Dieu, le néant, l'âme, l'esprit, le langage. Une œuvre comme *la Gloire* (1969) ne refuse pas, là encore à l'image de la Bible, un certain didactisme théorique : « La nature de Dieu est de se diluer en parole passante […], or Dieu n'est pas éternel, il est vivant… » « Et le dieu, du fond de son silence nocturne, reconnaît là son essentielle folie, car tout retour est autre… » Mais cette parole assertorique, voire solennelle, s'éloigne de la poésie chrétienne traditionnelle : c'est surtout à partir de Hegel – ou du présocratisme – que Grosjean paraît avoir forgé sa métaphysique ; pour lui, nul principe divin qui ne connaisse sa propre négation : « C'est hors de soi que le dieu redevient soi, c'est devenu autre qu'il se voit devenir ce qu'il est » (*la Gloire*) ; Dieu est « un athée » qui se dissout dans le langage des textes sacrés. Et c'est la parole poétique qui, pour Grosjean, symbolise le mieux cette « mort de Dieu » ; l'âme du divin s'abolit parce que la poésie fait surgir le sens des choses, et que Dieu, par essence, ne dit rien, mais existe.

On comprend ainsi la fascination de Grosjean pour les signes de mort, qui abondent en son œuvre : corbeaux, interminables pluies de novembre, bourbiers, paysages désertiques de l'hiver ; plus que par le printemps et l'été, qui parent le monde de faux-semblants (« Je fus pris d'affreuse dormition quand renaissait dans le val l'herbe en fleurs », *Élégies*, 1966), la nudité véritable des choses se révèle dans le néant de l'hiver ; fidèle à sa théorie, le poète fait de cette saison l'étape négative de la connaissance.

Le monde est donc un signe, pour le métaphysicien qu'est Grosjean ; mais ce chercheur « de l'arrière-monde », dont l'écriture poétique tente de rationaliser les contradictions qu'il découvre dans le christianisme, n'abuse pas des majuscules ; il ne confère pas au poète une fonction prophétique ou initiatrice particulière : tout au plus est-il le témoin de la dialectique universelle ; il regarde se refléter les uns dans les autres les éléments contradictoires d'une nature en devenir : « Que savions-nous de la joie, quand le soleil tournait imberbe et cruel sur les montagnes où nous cherchions, sous des vapeurs de sources, les pâles reflets d'un aujourd'hui qui n'était que futur ? » (*Élégies*.)

J.-P. Damour

GROULT Benoîte *et* Flora

(née en 1920 ; 1924-2001)

Romancières et journalistes. Nées à Paris, filles d'un décorateur, nièces d'un couturier, Benoîte et Flora Groult appartiennent à la bourgeoisie parisienne aisée. Benoîte fréquente le cours Sainte-Clotilde, puis le lycée Victor-Duruy, avant d'obtenir une licence de lettres à la faculté de Paris ; elle enseigne au cours Bossuet de 1941 à 1943 et travaille ensuite, de 1944 à 1954, comme journaliste à la R.T.F. Mariée au reporter Georges de Caunes, puis au romancier Paul Guimard, elle collabore, depuis 1955, à différentes revues, parmi lesquelles *Elle, Parents, F magazine* ; elle est en outre, depuis 1976, membre du jury du prix Fémina. Sa sœur Flora, après son baccalauréat, poursuivra des études à l'École nationale des arts décoratifs. Elle entrera elle aussi dans le journalisme, écrivant pour *Elle, Connaissance des arts* ou *les Lettres françaises*.

Fermement liées l'une à l'autre, les deux sœurs entreprennent en 1962 une collaboration littéraire, avec la rédaction de *Journal à quatre mains* (1962), puis du *Féminin pluriel* (1965) et d'*Il était deux fois* (1967). Cependant, chacune des romancières compose également ses propres œuvres ; Benoîte, s'engageant davantage dans le militantisme littéraire, en faveur du féminisme, publie notamment *la Part des choses* (1972), *Ainsi soit-elle* (1975), *le Féminisme au masculin* (1978), *les Trois-Quarts du temps* (1983), *les Vaisseaux du cœur* (1988), *Pauline Roland ou comment la liberté vint aux femmes* (1991), *Cette mâle assurance : une anthologie de la misogynie* (1993), *Histoire d'une évasion* (1997). Flora révèle son attirance pour le roman sentimental avec *Ni tout à fait la même, ni tout à fait une autre* (1979), *Une vie n'est pas assez* (1981), *Belle Ombre* (1989), *le Coup de la reine d'Espagne* (1992), *l'Amour de...* (1992) et un recueil de nouvelles élégantes et nostalgiques, *Le temps s'en va, madame* (1986). Elle avait déjà publié *Maxime ou la Déchirure* (1972), *Mémoires de moi* (1975), *Un seul ennui, les jours raccourcissent* (1977).

Les réflexions que Benoîte et Flora Groult ont menées sur leur propre passé, sur leur jeunesse aisée (*Journal à quatre mains*) les ont conduites à remettre en cause le statut de la femme dans les sociétés modernes et traditionnelles. Ne se bornant pas à la psychologie ou à la physiologie, l'auteur d'*Ainsi soit-elle* émaille son discours d'analyses sociologiques : « Il ne peut échapper à personne que [notre civilisation bourgeoise] est régie par un arsenal de lois et d'usages qui tous s'inscrivent dans un contexte profondément misogyne. »

Mais la remise en cause sociale de l'inégalité des sexes, perceptible dans les articles de Benoîte Groult, apparaît beaucoup moins dans les œuvres romanesques des deux sœurs. Recourant souvent aux stéréotypes du roman bourgeois, reflétant un sentimentalisme bienveillant, le tissu narratif perd quelque peu de sa vigueur ; chez Flora, la remise en cause du comportement obligé des femmes à l'égard des hommes – « Les tromperies des femmes continuent à être considérées plus graves, même par les femmes elles-mêmes » (*Ni tout à fait la même...*) – ne semble pas empêcher ses narratrices d'avoir foi en certaines valeurs stables. Ainsi, la famille demeure un cocon qui, malgré les rapports conflictuels qu'elle entretient parfois, assure le bien-être affectif ; de même, la femme a en elle « des pensées de toujours », que Flora et Benoîte Groult « prosaïsent » en exprimant, par la bouche de leurs héroïnes, des aphorismes souvent proches du lieu commun : « C'est si différent et si proche, une fille »... « C'est solide comme du chiendent, une jeune fille ; elle survivra très bien à un peu de froideur » (*Il était deux fois*). Les deux sœurs peignent des sentiments qu'elles estiment communs à toutes les femmes : la nostalgie de l'enfance, la recherche de la grande passion amoureuse, le besoin d'être humainement utiles, l'amour maternel instinctif.

Les deux écrivains cherchent donc, de personnage en personnage, une « nature » de la femme ; en cela, Benoîte et Flora Groult illustrent les positions – mais aussi les limites – du féminisme des années 1960 et 1970, n'évitant pas toujours les contradictions entre la révolte théorique et le conformisme de la pratique romanesque.

J.-P. Damour

GRUMBERG Jean-Claude

(né en 1939)

Fils d'un tailleur en chambre mort en déportation, Jean-Claude Grumberg préfère au métier de son père, qu'il pratique d'abord, celui de comédien. Il joue dans la compagnie Jacques Fabbri, se met bientôt à écrire pour la télévision (*Un miel amer, Du bonheur et rien d'autre*) et enfin pour le théâtre. Représentée à Paris, sa première pièce, *Demain une fenêtre sur rue* (1968), lui vaut une immédiate notoriété que confirment *Amorphe d'Ottenburg* (1970), *Dreyfus* (1975), *En rev'nant d'l'Expo* (1975), *l'Atelier* (1979), *l'Indien sous Babylone* (1985), *Zone libre* (1990). Il adapte également des pièces étrangères comme *Mort d'un commis voyageur* d'Arthur Miller (1987) ou *En cas de meurtre* de Joyce Carol Oates (1995).

L'œuvre de Grumberg trouve son unité dans la dénonciation de la violence, violence provoquée par l'indifférence, voire la complicité de ceux qui en deviendront les victimes, comme ces petits-bourgeois jouisseurs observant par « une fenêtre sur rue », en téléspectateurs blasés, la répression d'une symbolique insurrection : « Regarde, il y en a un qui sort, il est armé, toc, touché, il flambe » (*Demain*...). Ainsi, des parents d'Amorphe, dont le réalisme technocratique justifie les assassinats de vieillards commis par leur fils débile au nom d'une « saine économie » (*Amorphe d'Ottenburg*). Mais un final grandguignolesque vient tirer la morale de ces drames : les imprévoyants périssent sous un « rideau champignon » ou sont poignardés par le tueur insatiable, qui finit abattu à son tour.

En s'intégrant à l'histoire (*Dreyfus*, *En rev'nant d'l'Expo*), la satire change de cible. Cette fois, Grumberg met d'emblée en scène les victimes désignées pour des massacres imminents, « solution finale » ou guerre mondiale : modestes comédiens yiddish répétant à Vilno une pièce sur l'affaire, ou artistes de caf'conc'd'avant 1914 tentant de comprendre leur destin. Mais à leur niveau de perception, l'enchevêtrement des signes brouille la lecture du sens. D'où l'ironie tragique de ces débats sur l'assimilation (« un Juif n'a rien à faire dans la peau d'un capitaine français »), la ségrégation, le « grand retour » ou l'opportunité de chercher asile à... Berlin (*Dreyfus*). Également fourvoyés, ces visiteurs de l'Expo qui admirent un puissant canon français fondu chez Krupp.

La libération marquera-t-elle la fin de la violence ? Sur *l'Atelier*, la guerre est passée, avec ses deuils et ses solidarités inattendues. Mais bientôt se profile l'implacable dieu-économie (l'*Amorphe* de la fable), condamnant l'entreprise familiale de Léon, le petit tailleur juif, au rythme infernal du « bagne, comme ailleurs, comme partout, comme la concurrence ». Sacrifiant davantage au burlesque – et peut-être aux préoccupations professionnelles de l'auteur –, *l'Indien sous Babylone* s'attaque aux impératifs de la « création contemporaine » manipulée par un pouvoir obtus et brutal tandis que *Linge sale* (1991) aborde avec un cynisme comique le mythe de la Communication ou plutôt de son absence, en réunissant dans une laverie publique des utilisateurs qui échangent, sans jamais se rejoindre, des propos décousus.

Mais avec *Adam et Ève* (1997) et *Rêver peut-être* (1998), Grumberg retrouve son inspirante obsession du destin réservé au peuple juif. Nos premiers parents, malgré « les illusions perdues, l'espoir bafoué », retrouveront-ils le paradis originel ? (*Adam et Ève*). Quant au héros de *Rêver peut-être*, un acteur qui joue le personnage éponyme de *Hamlet*, il aspire à l'impossible oubli. Mais un « salmigondis de rêves », hantés par le spectre d'un père dont la mort n'a pas été vengée, vient troubler ses nuits. Masquant l'angoisse sous un comique « de bons mots dignes, écrit-il, de l'almanach Vermot », Grumberg juxtapose les trois niveaux de réalité – l'onirique, la scène où se joue la pièce de Shakespeare, la vie – autour d'un lit pour tout décor, « lit d'où fut arraché le père [...], lit par la sonnette et par les bottes dans la porte à jamais défait ».

Grumberg est aussi l'auteur de nombreuses pièces courtes (*Sortie de théâtre* ; *Un soir de pluie*, 2000), relevant parfois de la gageure comme *Maman revient pauvre orphelin* (1993), entièrement écrite en dialogues, sans noms de personnages ni didascalies. Mais ses œuvres ont toutes en commun de faire rire « à partir d'une expérience qui fait mal » (Jules Roy). Pas de mots abstraits ni métaphysiques : une situation où la fragilité, la niaiserie et surtout la solitude de l'individu s'affirment dans la simplicité argotique du langage populaire.

M.-A. de Beaumarchais

GUÉHENNO Jean

Pseudonyme de ***Marcel GUÉHENNO*** *(1890-1978)*

Essayiste et journaliste. Né à Fougères, fils d'un pauvre cordonnier, Guéhenno quitte le collège à quatorze ans. Petit employé dans une fabrique de chaussures, il prépare seul et obtient le baccalauréat ; admis en 1911 à l'École normale supérieure, agrégé de lettres, il se partage, après la Grande Guerre, entre l'écriture, l'enseignement et le journalisme. De 1929 à 1936, rédacteur en chef de la revue *Europe* (placée alors sous l'autorité de Romain Rolland), il soutient avec fougue le Front populaire (*Entre le passé et l'avenir*, publié en 1979, réunit les textes écrits par Guéhenno de 1929 à 1935), puis crée avec André Chamson la revue *Vendredi*. Il enseigne en province, puis à Paris, se faisant une règle de « maintenir ensemble la défense de l'aristocratie de l'esprit et le principe de l'égalité des chances ». En 1942, il collabore à la création du Comité national des écrivains ; *Dans la prison* (publié clandestinement en 1944 sous le pseudonyme de CÉVENNES) et *le Journal des années noires* (1947) témoignent de son expérience de la guerre. Dans les années qui suivent la Libération, il est Directeur de la culture populaire et des mouvements de jeunesse, puis poursuit sa carrière universitaire au ministère de l'Éducation nationale comme inspecteur général de l'Instruction publique. En 1961, il est élu à l'Académie française.

Dès 1927, Guéhenno avait publié *l'Évangile éternel* (étude sur Michelet) qui annonçait les thèmes de *Caliban parle* (1928), pamphlet notable contre les inégalités culturelles, ou encore ceux de *Changer la vie* (1961). Il dénonce « le principe de dédain, d'exclusion et d'orgueil » qui pour beaucoup de maîtres à penser doit régir toute culture. Il combat les artifices du surréalisme et l'esthétisme de l'école gidienne. En 1977, dans son livre ultime *Dernières Lumières, derniers plaisirs*, il affirmait encore : « Le bonheur n'est pas dans les livres, qui compliquent tout [...]. C'est une grande limite de n'être qu'un intellectuel. » La mémoire affective de ses origines nourrit une bonne partie de son œuvre, en particulier le *Journal d'un homme de 40 ans* (1934), le livre de Guéhenno le plus connu du grand public, et qui fut traduit en plusieurs langues. Mais cet autodidacte, viscéralement attaché à sa Bretagne ouvrière et dont Gide a dit méchamment qu'il « parle des sentiments comme on parle du nez », fut aussi un intellectuel pour qui « écrire un livre [était] d'abord un métier » et qui, à ce titre, s'opposa, en 1931, aux thèses d'Henri Poulaille concernant la « littérature prolétarienne ». Il consacra plusieurs études à ses maîtres : Michelet, Rousseau (*Jean-*

Jacques, histoire d'une conscience, 1962), Romain Rolland, Renan, chacun d'eux illustrant pour lui l'authenticité d'un engagement. Sa « religion de l'homme » se retrouve dans ses récits de voyages : *Voyages, tournée américaine, tournée africaine* (1952) ; *la France et les Noirs* (1954).
L'œuvre de Guéhenno porte la marque d'un conflit intérieur entre la fidélité à des origines prolétariennes et le statut de l'intellectuel. C'est ce conflit que traduisent par exemple ses essais (*Sur le chemin des hommes,* 1959) et ses journaux intimes (*Carnets du vieil écrivain,* 1971). Le « pauvre Guéhenno » (Sartre), refusant de prendre le parti d'une culture contre l'autre, mais désireux de « changer la vie », fut salué par l'Unesco lors d'un colloque organisé pour le centenaire de sa naissance (1990).

M. P. Schmitt

GUÉRIN Maurice de

(1810-1839)

« Je dois tout à la poésie… je lui devrai peut-être mon avenir. » Trois textes (*Glaucus*, *le Centaure* et *la Bacchante*) suffisent en effet pour que Maurice de Guérin, un des initiateurs du poème en prose, éclaire encore la mémoire de ses fervents. Mais que doit sa fortune aux mythes dont il se laissa entourer par sa sœur Eugénie et ses proches ? Disputé entre mille légendes, frère trop chéri, poète christique aux accents curieusement dionysiaques et païens, il a sans doute cherché dans l'écriture – de manière plus velléitaire qu'efficace, certes – l'édification d'une histoire qui pût être sienne, tout aussi illuminée, mais différente.

L'exil ou le royaume ?

Ce castel avec sa terrasse,
Tu le sais bien, c'est le Cayla.
Il n'a pas effacé ta trace,
Tes deux sœurs sont encore là.
Oh rêve, rêve au doux Cayla !

Ainsi Maurice de Guérin exprime-t-il le drame de son existence, déchirée entre les appels incessants d'une pureté attachée par la nostalgie au paysage originel et l'exigence pressante d'une certitude finale, fruit d'une expérience sulfureuse et mortelle, mais autre.
« Tout ce que nous cherchons n'est-il pas au couchant ? » s'interroge-t-il, toujours inquiet du sens de cette double postulation qui partage son être et lui fait envier le sort des enfants morts dans leur innocence, qui « ne savent rien de la terre » et « naissent dans le ciel » : « je ne puis m'empêcher de regretter le ciel où je serais, et que je ne puis atteindre que par la ligne oblique de la carrière humaine ».
Quatrième enfant d'une famille pieuse et rigoriste, orphelin de mère à neuf ans, Maurice de Guérin révèle une sensibilité à fleur de nerfs au contact d'Eugénie (née en 1805), sa sœur, qui lui voue un amour exclusif et dont le mysticisme sublime à l'envi tout l'indicible de leurs relations :

Elle aimait mes rêves
Et j'aimais les siens,

confie-t-il. Tous deux goûtent assez la lecture de Chateaubriand pour ne rien ignorer du vertige romantique des passions interdites. Eugénie se trouve certainement à l'origine de ce climat mythique dont son frère sera toujours mis en demeure d'assumer le poids : « Aigle indépendant et vagabond, comment te fixer dans ton aire ? » lui demande-t-elle, peut-être pour mieux le crucifier dans son propre désir. Même au loin, Eugénie fait tout pour garder Maurice sous son influence, pour construire la vie de son frère comme une œuvre bien à elle. Par ses lettres, elle guide ses études au séminaire de Toulouse (1821-1824), puis au collège Stanislas, à Paris (1824-1829). Elle le met en garde quand il se lie avec Barbey d'Aurevilly et tourne le dos à la religion (1827-1828), ou lorsqu'il devient disciple de Lamennais à La Chênaie (1832-1833). Elle exerce une vigilante censure sur tout ce qu'il signe dans la presse : dans *l'Avenir* (1831), la *Revue européenne* (1832), *la France catholique* (1834). Quand il paraît lui échapper, la pudeur des termes ne parvient pas à masquer tout le feu des reproches : « je pense, hélas ! que tu n'aurais pas dû te marier. Je ne connais aucune femme pour toi. Il te faudrait une femme à part, une Ève créée pour toi, […] une femme virile », lui écrit-elle lorsqu'il épouse Caroline de Gervain (15 novembre 1838).
Oscillant toujours entre des crises de mysticisme, exacerbées par le remords d'avoir renié ses origines morales et affectives, et la fascination des autres mondes, aspirant tantôt à s'enfouir dans la « grotte » matricielle et bienheureuse qui voit naître *le Centaure,* tantôt avide de sensations étranges et dangereuses qui ne peuvent se goûter qu'en s'arrachant à son être premier, au risque de le voir « se disperser dans les vents », Maurice de Guérin ne parvient jamais à choisir l'un des deux versants de son cœur. Sa vie tout entière ne sera que départs (1824, 1830, 1831, 1832, pour Paris ; 1832, pour La Chênaie ; 1834, à nouveau – et à deux reprises –, pour Paris, où il se rendra encore en 1838) et retours au Cayla, d'où sa plus longue absence n'excédera pas trois ans (août 1834-juillet 1837).
Mais quand il meurt, à vingt-neuf ans, le 19 juillet 1839, de cette maladie de langueur dont il déclare que tout le poison résulte de « mélanges incompréhensibles de passions sans enthousiasme », il était libéré de ses hantises. Et Eugénie, lorsqu'elle découvre les publications posthumes de *Glaucus* et du *Centaure* (*Revue des Deux Mondes*, 1840) – œuvres que Maurice semble ne jamais lui avoir montrées –, sait enfin les frontières d'un royaume où elle n'a pas régné. L'ensemble sera publié par les soins de Trebutien, sous le titre *Reliquiae*, en 1861.

Au-delà des formes

L'œuvre de Maurice de Guérin voit coexister des formes multiples : lettres, journal intime (*le Cahier vert,* rédigé de 1832 à 1835), poèmes de formes quasi académiques (élégies, sonnets, strophes ïambiques…), vers libres (*la Délivrande, Glaucus*…) ou poèmes en prose (*Bal, promenade et rêverie à Smyrne* – texte hybride, intégrant un long développement versifié –, *le Centaure*, *la Bacchante*). Plus que leur voisinage, c'est la fusion ou l'aboutissement de toutes ces formes les unes dans les autres qui éclate. Non seulement autobiographie et poésie s'interpénètrent, mais toute l'écriture de Maurice de Guérin semble ne valoir d'abord qu'en tant qu'exploration des formes.

Ovide et Lucrèce ne l'auraient pas initié au mystère des métamorphoses si lui-même n'avait rêvé d'une autre vie. Sa poésie devient tout naturellement appel à la transmutation de tout ce qui est vécu en langage. Quand les jours se font lourds et que la morne réalité l'assaille, le poète, en écrivant, veut déranger l'inertie universelle, communiquer avec l'invisible : « Le silence m'enveloppe, tout aspire au repos, excepté ma plume qui trouble peut-être le sommeil de quelque atome vivant, endormi dans les plis de mon cahier… »

Le mot revêt alors une fonction première, presque incantatoire. Il donne réalité à la chose bien avant qu'elle soit présente et continue à la faire exister alors même qu'elle s'est évaporée dans l'éphémère sensation. Ainsi du moins prétend en user l'imaginaire : « J'étends au large le sens du mot imagination : c'est pour moi le nom de la vie intérieure, l'appellation collective des plus belles facultés de l'âme, de celles qui revêtent les idées de la parure des images, comme de celles qui, tournées vers l'infini, méditent perpétuellement l'invisible et l'imaginent avec des images d'origine inconnue et de forme ineffable. »

À l'évidence, pour un homme qui « suçait les mots comme les abeilles pompent les fleurs » (Barbey d'Aurevilly), il ne pouvait être question de les soumettre au joug de formes préexistant à sa parole. C'est à l'expression de naître pour inventer sa forme propre.

Persuadé, donc, qu'on est « poète par expansion et parole naturelle », Maurice de Guérin retrouve à coup sûr dans le poème en prose, avec sa cohérence monstrueuse et polymorphe, l'ondoiement imprévisible de ses rythmes, la fluidité cyclique de ses versets et la respiration rauque et barbare qui les scande, les chemins du paradis perdu de l'expression. Ainsi que les Centaures, dont les mères, « quand [elles] approchent de leur délivrance […] s'écartent vers les cavernes et, dans le fond des plus sauvages, au plus épais de l'ombre […], enfantent, sans élever une plainte, des fruits silencieux comme elles-mêmes », le poète cherchera enfin à reconnaître « des sons qui se dissolvaient dans le souffle de la nuit, ou des mots inarticulés comme le bouillonnement des fleuves » et à s'en forger un langage.

Du mythe à la conscience

Moi-écrit et moi-écrivant seront toujours conçus par Maurice de Guérin sous le signe d'une étrangeté radicale, ou, tout au moins, d'une inavouable identité. Dès lors, l'écriture se met à l'écoute d'un tumulte de mutations, de ruptures, de reniements et de révoltes que le poète n'ose revendiquer pleinement : « tandis qu'une partie de moi-même rampait à terre, l'autre, inaccessible à toute souillure, haute et sereine, amassait goutte à goutte cette poésie qui jaillira, si Dieu me laisse le temps » (*Cahier vert*, 13 août 1832). Ainsi rêve-t-il, dans l'attente d'une expression souveraine et maîtresse de soi, mais toujours à venir. Et quand, accablé par la nostalgie éprouvante de l'homme malade et de l'écrivain stérile, le poète cherche un recours hors de lui-même, il finit par découvrir aux marges de son être un univers toujours régénéré et créateur, plein de vie, de formes et de forces : « tout se prépare pour la grande fête de la nature » (*ibid.*, 3 mars 1833). Le panthéisme dont se colore toute l'œuvre de Maurice de Guérin vient ainsi donner à l'élément mythologique, omniprésent, un sens tout autre que simplement référentiel. En fait, l'univers mythologique, monde à l'intérieur duquel la chose et le mot sont à réinventer, où le mot est la chose, permet d'accéder à une langue secrète, codée, autorisant seule l'inconscience à parler d'elle-même pour dire ce qu'elle est. Si le Centaure dit « je », c'est à juste titre, tant la conscience poétique, hallucinée de ses métamorphoses se découvre autre, étrangère à elle-même et à sa propre sensation. Telle la Bacchante, aiguillonnée par son délire sacré : « Pour moi, qui ignorais encore le dieu, je courais en désordre dans les campagnes, emportant dans ma fuite un serpent qui ne pouvait être reconnu de la main, mais dont je me sentais parcourue tout entière. »

L'écriture poétique peut alors devenir transposition des cahots d'une aventure idéologique et morale en traversée des éléments, de l'océan des formes et des règnes. La juxtaposition fragmentaire qui, vécue, donne à toute chose et à toute sensation une existence fugitive et décevante, résout enfin ses contradictions déchirantes dans l'unité d'un langage où l'errance inquiète s'efface tandis que s'ouvre un itinéraire magique. Le poète y sublime ses hantises dans le rêve d'un mouvement idéal, substituant au flux inexorable, à l'épanchement douloureux, à l'écoulement sans retour, la perpétuelle circulation des fluides vitaux, propre à ramener l'être à ses bienheureuses origines, à lui faire réintégrer sans douleur, au terme de ses impétueuses escapades, l'« antre » tiède et paisible où il reprend vie :

L'amour qui, dans le sein des roches les plus dures,
Tire de son sommeil la source des ruisseaux,
Du désir de la mer émeut ses faibles eaux,
La conduit vers le jour par des veines obscures,
Et qui, précipitant sa pente et ses murmures,
Dans l'abîme cherché termine ses travaux :
C'est le mien…

(*Glaucus*)

Ayant ainsi conjuré la malédiction que faisait peser sur sa découverte l'absolu divorce du temps et de l'espace, le poète peut accepter de la goûter comme une épreuve aux dimensions universelles.

S'arrachant aux représentations dans lesquelles on l'emprisonne, le moi poétique, construisant ses propres mythes, paraît attendre un autre lui-même pour les dépasser : le lecteur, sans doute, invoqué par cette parole hermétique en laquelle Maurice de Guérin place tout son espoir d'être entendu.

D. Giovacchini

GUÉRIN Raymond

(1905-1955)

Romancier, né à Paris. Fils d'un gérant de restaurant, il fait l'apprentissage du métier de garçon d'hôtel. À Bordeaux, il anime une petite revue littéraire, travaille dans les assurances, se marie, puis divorce. Prisonnier de guerre, il connaît la captivité dans différents camps de 1940 à 1944 ; il y poursuit son œuvre romanesque – commencée avec *Zobain* en 1936 – en rédigeant *Parmi tant d'autres feux* (publié en 1948) et *les Poulpes* (publié en 1953). Ces deux derniers titres, joints à *l'Apprenti*, formeront les trois volumes de l'*Ébauche d'une mythologie de la réalité*, que Guérin n'aura pas le temps d'achever. Il rentre en France épuisé, reprend ses occupations professionnelles à Bordeaux, sans délaisser la création littéraire (*l'Apprenti*, 1945 ; *la Peau dure*, 1948). Il meurt à cinquante ans des suites d'une pleurésie. Après un oubli de plus d'un quart de siècle, les années 80 redécouvrent son œuvre. (Voir par exemple *le Temps de la sottise*, 1989.)

Guérin fut amené (*Fragment testamentaire*, 1950) à justifier une poétique et une thématique que la critique semblait mal comprendre. Le romancier ne se soucie pas d'indiquer un chemin à suivre, de même qu'il fuit l'alibi esthétique : c'est en moraliste qu'il traduit son expérience, dans un style amer, souvent brutal. Le récit minutieux des années de formation (*l'Apprenti*) ou de sa vie sentimentale (*Zobain* ; *Parmi tant d'autres feux*), l'acharnement à décrire par le menu la nausée quotidienne d'un camp de prisonniers (*les Poulpes*), tout chez Guérin proteste contre un monde dérisoire, dégradant et sans joie. Dans *Un romancier dit son mot* (1948), il vilipende les « niais » qui le rangent parmi les romanciers réalistes, voire naturalistes. Pourtant, si l'on met à part des essais philosophiques comme *la Confession de Diogène* (1947) ou *Empédocle* (1950), l'œuvre romanesque de Guérin se nourrit d'un matérialisme puissant, pour lequel la sueur et les viscères sont au cœur de la condition humaine : *Quand vient la fin* (1941 puis 1945) ; *le Pus de la plaie* (journal de sa maladie, posthume, 1982).

M. P. Schmitt

GUEULLETTE Thomas Simon

(1683-1766)

Né à Paris, avocat de profession, Thomas Simon Gueullette fut un écrivain très goûté en son temps. Ses ouvrages ont subi le sort de tant d'autres : généralement méprisés par la critique en France au XIXe siècle, ils ne sont connus aujourd'hui que des spécialistes. Les contes de fées de Gueullette mériteraient pourtant d'être tirés de l'oubli où ils sont tombés, surtout *les Aventures merveilleuses du mandarin Fum-Hoam, contes chinois* (1723), satire fine et fort amusante des mœurs de l'époque (rappelons que les *Lettres persanes* étaient parues deux ans auparavant, en 1721). Ses ouvrages jouirent d'une étonnante fortune en Angleterre dès le XVIIIe siècle, comme en témoignent, par exemple, les douze éditions en anglais du *Mandarin Fum-Hoam*, et les nombreuses autres traductions anglaises de ses œuvres. Sa vogue fut d'ailleurs quasi universelle, puisque Gueullette fut traduit en russe, en allemand, en néerlandais et en espagnol, entre autres langues.

Gueullette débuta dans la République des lettres par des *Soirées bretonnes, nouveaux contes de fées* (1712), dédiées au Dauphin, et qui furent plus tard insérées dans le *Cabinet des fées*. Il donna ensuite *les Mille et Un Quarts d'heure, contes tartares* (1715 ; 2e éd., considérablement augmentée, en 1723). Le succès de ce recueil – comme celui de la plupart des romans, nouvelles et contes de Gueullette – dura tout le siècle. Ensuite ce fut le tour des « contes mogols », en trois volumes, publiés sous le titre piquant : *les Sultanes de Guzarate ou les Songes des hommes éveillés, contes mogols* (1732), dédiés à la duchesse d'Estrées. Ils connurent une dizaine d'éditions, la plupart sous le nom que leur donna l'auteur en 1749 (*les Mille et Une Soirées, contes mogols*). Quinze ans avant les *Lettres d'une Péruvienne*, ce fut Gueullette qui lança la « vogue péruvienne » avec ses *Mille et Une Heures, contes péruviens* (1733 ; « nouvelle édition, revue, corr. et cons. augm. », 1759), même s'il faut rendre justice à Mme de Grafigny en soulignant qu'un monde sépare les malheurs de sa trop sensible Péruvienne et les contes orientalisants de Gueullette. Ces « contes péruviens », parsemés de curieuses remarques, sont racontés par une des vestales de Cuzco afin de détourner l'Inca du suicide. Il ne faut pas oublier non plus les *Mémoires de Mlle de Bontemps ou de la comtesse de Marlou* (1738), qui promènent leurs personnages un peu partout, de l'Angleterre à l'Orient. Dans son « Avis au lecteur », Gueullette insiste sur la vérité des faits exposés dans le roman, qu'il désigne comme un roman à clefs.

Le dramaturge fut peut-être plus fécond que le romancier. La liste des productions théâtrales de Gueullette est impressionnante : plus de soixante-dix titres (y compris quelques pièces dont la paternité n'est nullement certaine). Il commença par écrire pour des théâtres de société et aboutit à la Foire. Il écrivit aussi pour les Italiens, rappelés en France par le Régent. Gueullette excella dans le genre de la parade, espèce de farce foraine, et tient une place honorable dans l'histoire du théâtre, ne serait-ce que dans un genre plutôt mineur. Quelques-unes de ses parades furent publiées dans le *Théâtre des boulevards* (3 vol., 1756), et d'autres – restées inédites jusque-là – en 1885. On trouve dans nombre des pièces de Gueullette un mélange de satire et d'humour gaulois frisant la grossièreté, ce qui l'éloigne de la plupart de ses compatriotes ayant écrit pour les Italiens. Les productions dramatiques de Gueullette n'eurent pas toutes l'honneur de la publication. Gueullette fut un des principaux collaborateurs des frères Parfaict à l'important *Dictionnaire des théâtres de Paris*, dont la première édition, en sept volumes, date de 1756. Il laissa également d'intéressantes *Notes et Souvenirs sur le Théâtre-Italien au XVIIIe siècle*.

On doit enfin à Gueullette plusieurs éditions de littérature médiévale et du XVIe siècle, dont les *Essais de Montaigne* (1725), les *Œuvres de Rabelais* (1732), *l'Histoire de Gérard, comte de Nevers, et d'Euryante de Savoie, sa mye* (par Gilbert de Montreuil, 1725), la *Farce de maître Pathelin* (1748) et surtout une édition érudite du *Petit Jehan de Saintré* d'Antoine de La Sale (1724), dont les notes et les pages liminaires, expliquant en détail les mœurs et les coutumes des XIVe et XVe siècles, firent beaucoup pour lancer la première période du « néo-gothique » au XVIIIe siècle.

R. Dawson

GUILHEM DE CABESTANY

v. ***Châtelain de Coucy (le)***

GUILLAUME DE MACHAUT *ou* DE MACHAULT

(v. 1300-1377)

Musicien, poète, auteur d'une chronique, de dits narratifs et lyriques, Guillaume de Machaut apparaît dans les lettres médiévales comme porteur d'une volonté de totalisation des codes, des traditions et des savoirs transmis à son époque, d'un superbe désir de définition des formes, d'une conscience nouvelle, enfin, du métier d'écrivain. Sa maîtrise, reconnue par ses contemporains, le sera encore par ses nombreux disciples dans toute l'Europe jusqu'à la fin du XVe siècle : « Maistre Guillaume de Machault, le grant rhetorique de nouvelle fourme, qui commencha toutes tailles nouvelles, et les parfais lays d'amours », écrit l'auteur anonyme des *Règles de la seconde rhétorique* (entre 1411 et 1432).

Un statut social original

Guillaume de Machaut naît d'une famille non noble originaire de Machault, petit village des Ardennes, dans l'arrondissement de Vouziers. On lit, à la fin du *Jugement dou roy de Navarre* (1349), cette signature du poète : « Je, Guillaumes dessus nommez,/ Qui de Machau sui seurnommez/[...]/Ai ce livret rimé et fait. » Son éducation, probablement à Reims, est celle d'un clerc. Vers 1323, Guillaume entre au service de Jean de Luxembourg, roi de Bohême. Il est successivement auprès de lui « clerc aumônier », « notaire », puis « secrétaire ». Il l'accompagne dans ses voyages et ses expéditions, parcourant ainsi l'Europe. Les dits du poète, bien postérieurs, nous livrent de ces voyages un écho assourdi, mais un témoignage fourni et chaleureux de son admiration pour le roi Jean. La figure du prince apparaît de nombreuses fois dans ces textes. Recours, dans le *Jugement dou roy de Behaingne* (vers 1342), Jean est cité comme modèle à Charles de Navarre dans *le Confort d'ami*, évoqué dans le dit de la *Fonteinne amoureuse* et dans *la Prise d'Alexandrie* (après 1369). Grâce sans doute à la faveur de ce roi, on voit Guillaume, qui ne recevra jamais les ordres, obtenir du pape Jean XXII divers canonicats, dont, en 1333, le canonicat en expectative de Reims. En 1337, Guillaume prend sa charge à Reims par procuration. Il semble qu'il se soit fixé dans cette ville à partir de 1340, date à laquelle le roi Jean, devenu aveugle, ne peut plus organiser de campagnes. Après la mort de son protecteur à Crécy en 1346, Guillaume de Machaut passe au service de sa fille Bonne de Luxembourg. Un moment dans le sillage de Charles de Navarre, dont il fait le juge du dit qui porte son nom et auquel il adresse *le Confort d'ami* lors de la captivité de ce dernier (1356-1357), le poète compose ensuite sa production pour le parti adverse. La *Fonteinne amoureuse* (1360) est dédiée à Jean de Berry. Machaut cite le dauphin, futur Charles V, son « droit signeur quoi que nuls die », dans le *Voir Dit* (1364). Il écrit enfin *la Prise d'Alexandrie* en l'honneur de Pierre Ier de Lusignan, roi de Chypre, qu'il avait rencontré.

Les rapports du poète et des princes, on le voit, sont étroits et définissent l'originalité du statut social de Machaut : clerc au contact des cours, clerc qui se rêve par instants chevalier. Le poète commente ainsi l'anagramme qui clôt le *Dit de l'Alérion* (ou *Dit des quatre Oiseaux*, 1349) : « Par ce verrez tout clerement/Se cils est clers ou damoiseaus/Qui fist ce "Dit des quatre oiseaus". » Position orgueilleuse qui naît, pour le poète, d'une appréciation nouvelle de son statut et des pouvoirs de l'écriture.

Le « je » du *voir dire*

La production littéraire de Machaut a deux aspects essentiels : la poésie lyrique, « Louange des dames », dans la tradition du grand chant courtois ; la poésie narrative, dont les thèmes ou les forces motrices (Amour, Désir, Espérance) viennent de ce lyrisme. Mais la narration de ces dits présente un fait notable pour le Moyen Âge : elle s'opère, dans la tradition du *Roman de la Rose*, en « je ». Le narrateur dit « je » et renvoie ce « je » à l'instance de l'auteur. Ce narrateur peut être témoin – position du clerc –, comme c'est le cas dans le *Jugement dou roy de Behaingne, le Confort d'ami* ou la *Fonteinne amoureuse,* ou plus directement protagoniste, comme dans le *Jugement dou roy de Navarre* et le *Dit dou Lyon* (1342), ou bien à la fois acteur (c'est-à-dire, étant donné le thème de ces dits, amant – c'est le rêve chevaleresque), narrateur et auteur, comme dans *le Remede de fortune*, le *Dit de l'Alérion* ou, par excellence, le *Voir Dit*.

Cette promotion du « je » du poète-clerc est importante. Il ne s'agit plus en effet du « je » indifférencié, universel de la lyrique courtoise, auquel l'auditeur pouvait s'identifier ; il ne s'agit pas non plus d'un « je » renvoyant seulement à un nom propre, comme cela pouvait être le cas dans les prologues de Chrétien de Troyes. Cette instance fait référence à un type social dont le texte laisse apercevoir des traits individués, sinon individuels : « Et comment que je soie clers/Rudes, nices et malapers,/S'ai je esté, par mes deux fois,/En tele place aucune fois/Avec le bon roy de Behaingne/[...] / Que maugré mien hardis estoie », rappelle Machaut dans la *Fonteinne amoureuse.*

Mais cette apparition dénote, de la part du poète, le sentiment puissant d'une crise des langages poétiques traditionnels. La vérité du texte doit être affirmée, garantie par le « je » : « Le Voir Dit veuil je qu'on appelle/Ce traitié que je fais pour elle/Pour ce que ja n'i mentirai », proclame le poète dans le *Voir Dit* (le Dit du Vrai ou le Vrai Dit). On comprend alors le sens, chez Guillaume, des *dits*, qui enchâssent en leur sein des pièces lyriques. Le lyrisme donne sa vérité à la narration, vérité du « sentiment ». Mais cette vérité, en retour, est garantie par le récit, qui l'ancre dans une histoire et dans un temps, qui la fixe également par l'écriture.

Car la maîtrise de Machaut réside en sa prise de conscience – neuve, pour un auteur en langue vulgaire – du métier d'écrivain. Machaut est attentif, tout d'abord, à la matérialité de ses œuvres. Il en surveille la réalisation (copie et distribution), l'organisation. On lit, à l'ouverture du manuscrit B.N. fr. 1584 : « Vesci l'ordenance que G. de Machaut wet qu'il ait en son livre. » Il est intéressant de constater que le *Voir Dit,* somme poétique de Guillaume de Machaut, est à la fois l'histoire d'un amour (du poète vieux pour une toute jeune fille) et l'histoire de la transformation de cet amour en livre. Le poète écrit à sa Dame : « Vostres livres se fait et est bien avanciez car j'en fais tous les jours C vers. » Le *Voir Dit* est le livre de l'écriture du livre. C'est un traité en actes, art d'aimer et art d'écrire. Le poète y fixe, dans une narration octosyllabe, une partie de sa production lyrique, accompagnée de musique pour certaines des pièces et des lettres en prose. Le poète a le geste du législateur. Dès *le Remède de Fortune,* d'ailleurs, il définit par l'exemple la forme des principaux genres lyriques : le lai, la complainte, la « chanson roial », la baladelle, la balade, le virelai ou chanson « baladée », le rondelet. Il devient, à ses propres yeux et aux yeux de ses contemporains, un « auctor », une autorité comme seuls l'étaient auparavant les auteurs latins.

Le témoignage le plus explicite de cette stature d'écrivain (de *poete*, dirait le Moyen Âge) prise par Guillaume de Machaut est le prologue qu'il donne *a posteriori* à ses œuvres. Il s'y voit investi par Nature et Amour d'une mission : écrire. Il reçoit pour cela, de la part de Nature : *Scens, Rhetorique* et *Musique* ; de la part d'Amour : *Dous Penser, Plaisance* et *Esperance.*

Musicien, maître en « la viez et nouvele forge », selon les termes du *Remède de Fortune,* compositeur de la première messe polyphonique complète, la *Messe Nostre Dame,* Guillaume de Machaut est un écrivain polyphonique. Il domine tous les langages – courtois, didactique, mythologique, religieux – que lui transmet la tradition ; il les étage selon une technique musicale, rendant compte par là même des contradictions non résolues de son époque, somme en tension que lui permet, grâce à son pouvoir d'enchâssement, l'écriture.

Avec Guillaume de Machaut, la littérature en langue vulgaire prend la mesure d'elle-même en tant que littérature, de ses pouvoirs et de ses responsabilités : *voir dire,* dire le vrai.

J. Cerquiglini

GUILLAUMIN Émile

(1873-1951)

Émile Guillaumin, à l'aube du XXe siècle, a bouleversé la tradition du roman rustique français, devenu, grâce à lui, l'expression du paysan par lui-même et pour lui-même. Né à la ferme de la Neverdière, près d'Ygrande (Allier), Guillaumin trouva assez de ressources dans ses seules études primaires pour dire la vie de l'exploitant agricole qu'il devait rester toute sa vie. Il refusa résolument et les peintures idylliques qu'affectionnaient les successeurs de George Sand et les noirceurs inspirées par *la Terre* de Zola. Ainsi naquirent, sous la plume d'un écrivain-laboureur qui aborda la littérature à « journée faite », « les mains avivées des morsures de la paille », des *Dialogues bourbonnais* (1889), puis *les Tableaux champêtres* (1901), scènes réalistes inspirées par la suite des saisons, et les « Mémoires du métayer Tiennon Bertin », que Stock publia en 1904 sous le titre *la Vie d'un simple.* La perplexité de son entourage n'eut d'égale que la surprise ravie des notables parisiens, dont l'un, Daniel Halévy, fit le voyage d'Ygrande pour découvrir la singularité de cet auteur inconnu. Le récit de la vie d'un paysan au XIXe siècle, la dénonciation de l'exploitation des journaliers et des métayers du Centre eurent un retentissement qui gagna jusqu'au Parlement, et qui incita Guillaumin à poursuivre son œuvre romanesque avec *Près du sol* (1905), *Rose et sa « Parisienne »* (1907), *la Peine aux chaumières* (1909), *Baptiste et sa femme* (1910), puis à l'élargir en développant le syndicalisme rural. Devenu une sorte de Cincinnatus littéraire respecté et écouté, Guillaumin fit montre jusqu'à sa mort d'une activité inlassable. Son œuvre eut des échos bien au-delà des frontières françaises, en Allemagne, aux États-Unis et au Japon en particulier, en raison de l'exemplarité de sa vie et de l'authenticité de son témoignage sur la condition paysanne française.

La Vie d'un simple offre un miroir sans apprêt des travaux ruraux, de l'existence quotidienne d'une famille paysanne. Elle en suit les événements, les déménagements, la peine jamais assez mise en lumière ; elle expose les rudesses d'une vie fruste, les incertitudes des récoltes, les tracasseries des rapports avec le propriétaire. Les faits et jugements de ce récit à peine romancé sont d'une étonnante pertinence. L'écrivain va à l'essentiel, que celui-ci tienne à la précision d'un détail, à la réticence d'une parole ou à l'embarras d'une démarche. Il dit sur le même ton la joie d'une belle récolte et la résignation à l'inévitable. Héritier de Charles-Louis Philippe, son ami, auquel il consacra un volume (*Mon Compatriote, Charles-Louis Philippe,* 1942), comme d'Eugène Le Roy, dont *Jacquou le Croquant* l'avait fortement impressionné, Guillaumin, avec *la Vie d'un simple,* occupe pourtant dans la littérature rustique une place où, selon la formule de Maurice Genevoix, il est « indispensable et seul ».

Le syndicalisme, forme concrète de l'action sociale entrevue, l'accapara à partir de 1908. Guillaumin épaula Michel Bernard, qui avait fondé les premiers syndicats agricoles, et raconta avec objectivité son « aventure » dans *le Syndicat de Baugignoux* (1912). Il se tourna enfin vers le journalisme et collabora aux *Primaires,* au *Travailleur rural,* à *Pages libres,* mais aussi à des revues ou journaux parisiens comme la *Revue des Deux Mondes* et *l'Humanité* (dans sa première formule). Enfin, il appuya les tentatives des paysans qui s'efforçaient de s'exprimer, dans un volume posthume, *Paysans par eux-mêmes* (1953). Sa correspondance, inédite à ce jour, est considérable. Guillaumin a pleinement assumé la vocation d'éducateur social à laquelle il s'était senti appelé.

Avec des ouvrages comme *À tous vents sur la glèbe* (1931), *Sur l'appui du manche* (1949), il a laissé l'image d'un sage, justifiée par son sens de la mesure, le pragmatisme de ses vues, sa volonté de ne pas se dérober à ses responsabilités. Inclinant au socialisme (voir *Six Ans de luttes syndicales*, articles du *Travailleur rural*, réunis en 1977), il ne se départit jamais, cependant, d'une attitude prudente, jugeant les hommes à leur efficacité plus qu'à leurs promesses ou à leurs principes. Passionné d'émancipation mais soucieux de la discipline ancestrale, il estima que « le mieux social ne p[ouvait] être que la résultante de l'effort individuel généralisé ». Son prestige ne cessa de grandir et sa personnalité retint l'attention des historiens, des sociologues comme des critiques littéraires, tous intrigués par l'étonnante fécondité d'une œuvre qui contribua grandement à une évolution décisive de la paysannerie française au XXe siècle.

P. Vernois

GUILLERAGUES, comte de

Gabriel Joseph de LA VERGNE, comte de GUILLERAGUES

(1628-1685)

Encore peu familier au grand public, Guilleragues est un écrivain d'avenir depuis que notre siècle lui a rendu la paternité d'un des plus mystérieux chefs-d'œuvre de la littérature, les *Lettres portugaises*, longtemps restées anonymes après avoir été considérées comme un recueil de lettres authentiques.

Jusqu'alors, la postérité n'avait retenu de ce gentilhomme que l'image d'un parfait courtisan, à qui Boileau avait dédié son *Épître V* (1674), « Sur la nécessité de se connaître soi-même » :

> *Esprit né pour la Cour et maître en l'art de plaire,*
> *Guilleragues qui sais et parler et te taire.*

On savait qu'il avait fait partie du cercle peu nombreux que Boileau et Racine consultaient avant de publier leurs ouvrages, qu'il avait dirigé un temps la *Gazette*, et le style de celle-ci, dit Bayle, « en était devenu aisé et coulant » (voir, par exemple, les articles sur la mort de Turenne, en 1675, ou sur la bataille de Tabago aux Antilles, en 1677). Son amie Mme de Sévigné a rapporté de ses bons mots, dont celui sur le poète Pellisson qui « abusait de la permission qu'ont les hommes d'être laids ». Saint-Simon reconnaît aussi son esprit : « Celui-ci avait eu accès et puis familiarité avec ce qu'il y avait de meilleur à la Cour et à Paris... », mais, sans doute eu égard à ses liens avec Mme de Maintenon, nuance un peu la séduction du personnage : « ... gourmand, plaisant, de beaucoup d'esprit, d'excellente compagnie, qui avait des amis et vivait à leurs dépens ».

Né à Bordeaux, il avait fait ses études à Paris au collège de Navarre, le meilleur qui fût pour l'étude de l'Antiquité. Les *Mémoires* de Daniel de Cosnac nous renseignent un peu sur sa jeunesse, qui ne dédaignait pas les plaisirs. En 1651, le prince de Conti le remarque à Bordeaux et se l'attache ; il l'aura près de lui lors de son gouvernement de Guyenne, ainsi qu'en 1655, aux États du Languedoc, et en 1656, à Pézenas, où joue Molière et où Guilleragues ordonne les plaisirs. Après un riche mariage en 1658 avec Marie-Anne de Pontac, il est, en 1660, nommé premier président de la cour des Aides de Bordeaux. Il vivra en province jusqu'à la mort du prince de Conti en 1666, date à laquelle il sollicite un emploi près du roi et vend sa charge pour venir s'installer à Paris. Il y fréquente la société de l'Hôtel de Richelieu (Mmes de Coulanges, de Sévigné, Barillon, le cardinal d'Estrées...). C'est l'époque où il compose l'essentiel de son œuvre, ses poèmes *les Valentins* paraissant en octobre 1668 et les *Lettres portugaises* en janvier 1669. Il achète la charge de gentilhomme ordinaire de la chambre du roi, devient un homme en vue à la Cour et gagne l'amitié du prince de Marcillac, fils de La Rochefoucauld et favori de Louis XIV.

Il vend sa charge en 1675. En 1678, protégé par Colbert et Seignelay, il obtient une ambassade à Constantinople : il s'y occupe à des discussions sur le cérémonial ainsi qu'à des négociations au sujet de l'expédition de Duquesne contre les Tripolitains. Il utilise les lumières de Galland pour enrichir les collections du roi et meurt d'apoplexie. Il semble qu'il ait été assez vite oublié.

Seul, vingt ans plus tard, Galland, dédiant le recueil des *Mille et Une Nuits* à Mme de Villiers d'O, fille de Guilleragues (et mère de la future Mme d'Épinay), rappellera « la perte irréparable de ce génie [...], le plus capable de goûter et de faire estimer les belles choses ». « Ses moindres pensées, toujours brillantes, ses moindres expressions, toujours précises et délicates, faisaient l'admiration de tout le monde, et personne n'a joint ensemble tant de grâces et tant de solidité. »

Lettres portugaises

Dès leur parution, en 1669, les *Lettres portugaises* suscitent de très vives polémiques : d'une part, elles paraissent un prolongement – en plus naturel – des tragédies raciniennes. De l'autre, un certain public, auquel se rangera Saint-Simon, se fondant sur la chronique galante, croit fermement qu'il s'agit de vraies lettres d'amour adressées à un certain Chamilly par une religieuse portugaise, et l'Avertissement de l'éditeur insiste à dessein sur la valeur de document humain du recueil. Pourtant, bien des contemporains avisés (Guéret, Le Pays...) y soupçonnent un excès de réalisme, un effet de vraisemblable qui trahit l'illusion. Donneau de Visé, en 1693, définit Guilleragues comme « un homme qui fait très bien des vers aussi bien que des lettres amoureuses », et Mme de Sévigné qualifie de « portugaise » une lettre d'amour réussie, comme elle dirait d'une lettre spirituelle que c'est une « voiture » (c'est-à-dire « digne de Voiture »).

Dans sa fameuse lettre à Racine de 1684, à propos des paysages vrais et imaginés de la Grèce, Guilleragues dévoile quelque peu son esthétique de romancier masqué : « Dans le fond, les grands auteurs, par la seule beauté de leur génie, ont pu donner des charmes éternels et même l'être aux royaumes, la réputation aux nations, le nombre aux armées et la force aux simples murailles ».

Au XVIIIe siècle, Rousseau est à peu près le seul à pencher pour l'art : « Je parierais tout au monde que les *L.P.* ont été écrites par un homme ». Le XIXe, derrière Sainte-Beuve, croit plutôt ces lettres « écrites au moment de la passion [...] d'un charme particulier dans leur désordre ». Il faudra attendre 1926 et l'article de F.C. Green pour que soient dénoncées les contradictions de la thèse du chef-d'œuvre instinctif ; en 1954, Leo Spitzer traite enfin les *Lettres* en œuvre, liant la composition dramatique au mouvement psychologique, étudiant leur influence sur Rilke, qui les traduisit. Jacques Rougeot rattache l'inspiration des *Lettres* à celle des *Valentins* et, avec Frédéric Deloffre, donne la première édition critique des *Œuvres* de Guilleragues, en soulignant l'importance des sources littéraires : élégiaques latins, Sénèque, Racine, auteurs modernes de maximes et de questions d'amour, etc. Les cinq lettres de la Religieuse commencent à être décrites comme les cinq actes d'une tragédie, avec crise, stances, catastrophe et perspective morale, comme l'histoire d'une victoire de la lucidité sur la passion. Aujourd'hui, l'œuvre fascine encore la critique par son statut ambigu et son caractère de communication bloquée, source paradoxale de sa dynamique. Les *Lettres* se réfèrent à un discours absent, les lettres du chevalier, puis à son silence. Essentielles à l'évolution du roman, les *Lettres* montrent qu'il est possible d'écrire quelque chose en ne parlant de rien : « Le texte de la Religieuse peut s'écrire, non pas par une casuistique amoureuse, mais par un développement de l'écriture elle-même » (F. Sfez).

SYNOPSIS

Le roman se compose de cinq lettres, écrites par une religieuse portugaise, Mariane, à un gentilhomme français qui avait servi au Portugal. L'histoire de la jeune femme séduite et abandonnée transparaît au fil de ces lettres qui font l'analyse de la déception : la première lettre, encore toute pleine du sentiment d'abandon, conserve les traces d'un enthousiasme amoureux et d'un espoir de revoir le jeune homme. La deuxième lettre, qui donne lieu à l'introspection des sentiments passés et présents, espère toujours, à la nouvelle de la paix en France, qu'un retour est possible, mais le soupçon d'une séparation définitive la clôt. La troisième lettre commence par le reproche de ne pas recevoir de réponse : le sentiment de la solitude s'affermit d'instant en instant ; l'image de la mort est même entrevue, mais l'aveu de la passion subsiste. Une longue quatrième lettre commence par rappeler les transports dont le gentilhomme semblait animé lorsqu'il l'a séduite, avant de brosser le tableau de son état (et les réactions des religieuses qui l'entourent) : la passion est réaffirmée avec force, presque au rebours des lettres précédentes, et une pointe de jalousie à l'égard de quelque rivale fait souhaiter à Mariane jusqu'à l'aveu d'une infidélité. La cinquième lettre est celle de la déchirure et du désespoir : Mariane adresse un adieu définitif, teinté de colère et d'amertume à l'idée qu'elle connaît désormais les « méchantes qualités » de celui qu'elle a aimé passionnément.

A. Raffalli et E. Bury (synopsis)

GUILLEVIC Eugène

(1907-1997)

La place à part que Guillevic occupe dans l'histoire poétique des quarante dernières années tient, en premier lieu, au refus qu'il n'a cessé d'opposer à la métaphore et au lyrisme du fantastique – que le surréalisme, presque au même moment, avait pourtant promus au premier rang –, au profit d'un réalisme de l'objet. C'est ce réalisme qu'inaugure *Terraqué* (1942) et qui manifeste le désir du poète de se faire voyeur plus que voyant : « La métaphore n'est pas, pour moi, l'essence du poème. Je procède par comparaison, non par métaphore. C'est une des raisons de mon opposition au surréalisme. Pour moi, comme pour Jean Follain, une chose peut être comme une autre chose, elle n'est pas cette autre chose » (*Vivre en poésie*, entretien, 1980).

Cette attention portée à la chose même n'est cependant que très peu « pongienne » [voir **PONGE**]. C'est bien la chose qui constitue, au point de départ, l'ennemi ou, du moins, le danger auquel il faut faire face, et non le mot, qui, très vite, et bien qu'il ne se laisse pas aisément faire, se donne comme allié, sert de médiation pour réduire la menace et percer l'extériorité de l'objet, dont l'opacité semble narguer l'observateur. L'aventure poétique de Guillevic est donc celle d'un effort long et persévérant – parfois laborieux, c'est-à-dire acquis à force de travail – afin de contrôler le langage – et, à travers lui, le monde – et de l'amener à se soumettre aux fins que le poète s'est fixées, « Gagner » en prenant conscience (« Conscience » est l'un des titres de suites poétiques qui reviennent le plus fréquemment chez Guillevic) :

Les mots
C'est pour savoir

(*Exécutoire*, 1947)

ou encore :

Mais nous avons à dire
Nous avons à gagner

(*Gagner*, 1949)

La chose, en effet, d'où sourd une inquiétante étrangeté, se refuse au premier abord, se dérobe à toute connaissance. L'entreprise poétique prend donc la forme d'une effraction qui se donne pour but de la pénétrer, de la posséder. Mais cette possession elle-même n'est pas sans danger, car elle comporte un risque d'embourbement, sinon d'engloutissement : de perte de la terre ferme. Or pour ce Breton né à Carnac, haut lieu qui lui suggéra l'un de ses poèmes les plus beaux et les plus hiératiques (*Carnac*, 1961), l'élément liquide, avec lequel il ne peut s'empêcher toutefois d'engager un dialogue difficultueux, représente comme la tentation du Diable, pour ne pas dire du Néant, qu'il ne peut pas ne pas regarder, mais avec quelle angoisse et quel tremblement, mais avec quel sentiment diffus de la culpabilité de crimes commis, peut-être, en commun, avant que de se détourner vers la terre et les menhirs dont l'immutabilité rassure. Mais « Il arrive qu'un bloc/Se détache et tombe/Tombe à perdre haleine/Dans la mer liquide ». Le salut entrevu s'éloigne donc, un nouvel effort est à accomplir que le terme d'« étier », employé par Guillevic comme titre de l'un de ses recueils (*Étier,* 1979), suggère : il va falloir réduire le monde « terraqué » (composé de terre et d'eau), conduire l'eau de mer jusqu'aux marais salants pour transformer le liquide en solide, autrement dit le réel fuyant en signe stable, en signe maîtrisé. Car la peur de n'être plus le maître – de soi et des choses – est constante, panique même parfois, chez Guillevic, qui avoue : « Ma "faiblesse" de poète est que je ne risque pas jusqu'au bout. Je me garde, je veux continuer [...] J'ai toujours voulu raison garder », et qui confie, dans l'un des poèmes majeurs de *Terraqué* :

Mais le pire est toujours
D'être en dehors de soi
Quand la folie
N'est plus lucide
D'être le souvenir d'un roc et l'étendue
Vers le dehors et vers le vague.

Il va donc s'agir également, pour dominer le vague et le vide, de clore l'espace, de constituer un domaine (*Du domaine,* 1977), délimité, circonscrit, de se donner une « sphère » dont la vertu primordiale est bien de permettre à l'équilibre de s'instaurer, à l'être d'« avoir place », de « se bâtir » (*Euclidiennes,* 1967) de trouver « un centre/Où habiter durablement » (*le Chant*, 1990).

Mais la découverte de cet équilibre, de cette sérénité dans et par les mots ne s'est pas réalisée sans mal : une longue crise l'a précédée qui a affecté un temps le langage propre de Guillevic (sa concision, presque sa sécheresse, ces « moindres mots » qu'il emploie, qu'il soupèse et évalue, porteurs ainsi d'un maximum de vertige ou d'émotion, ces « noces de la parole et du silence » qui constituent pour lui la poésie) et n'est pas dissociable de son engagement politique. Non cependant que la poésie militante, civique, ait détourné le poète de son chemin – elle appartenait au chemin –, mais elle a actualisé une virtualité importune : le vouloir-dire. Pendant quelque dix ans, le poète communiste Guillevic va perdre, dans le fourvoiement d'une poésie didactique, le « jaillissement » poétique qui avait préludé à ses premiers recueils : il produit alors beaucoup, mais avec pesanteur, « régressant » (le mot est de lui) au vers régulier et au sonnet, qu'à l'encontre d'un Aragon il manie mal et dont l'optimisme béat de commande se révèle le plus souvent agaçant, sinon insupportable (*Trente et Un Sonnets,* 1954 ; *l'Âge mûr,* 1955).

De ces maladresses il ne se dégagera qu'au début des années 1960 pour donner alors la plupart de ses grands recueils, *Sphère* (1963), *Avec* (1966), *Villes* (1969), *Trouées* (1982). Viendront ensuite *Requis* (1983), *Autrefois* (1984), *Elle* (1992), où son style atteint à la beauté des haïku japonais (Guillevic parle, lui, de *quanta*) et tire une sagesse de cet émoi qui, au départ, manifestait une faiblesse.

Le « matérialisme » de Guillevic n'est donc, ainsi que l'ont signalé Gaétan Picon et Jean-Pierre Richard, qu'un détour pour appréhender la présence de l'être, pour faire dire aux choses et au monde ce qu'ils savent de l'homme dont ils sont les témoins. Doit-on parler de la sacralité du quotidien ? C'est Guillevic lui-même qui revendique le terme, se découvrant à ce moment-là le plus humain et le plus fraternel, et ajoutant : « Pour moi, le poète doit aider les autres à vivre le sacré dans la vie quotidienne [...] Voilà ce que j'appelle vivre en poésie. Vivre le sacré dans le moindre de ses gestes ».

L. Pinhas

GUILLOUX Louis

(1899-1980)

L'écriture de Louis Guilloux est, dans son ensemble, difficile à apprécier. Les critiques le révèlent indirectement, qui voient en lui à la fois l'héritier d'une tradition populiste ou socialiste, inspirée de l'œuvre de Vallès, et un « marginal » du Nouveau Roman ; ses textes les plus récents recourent en effet aux techniques qu'affectionne un Robbe-Grillet : utilisation du *flash-back,* fragmentation du récit, refus de la linéarité chronologique. Par ailleurs, la célébrité du *Sang noir,* paru en 1935, au moment où la plupart des romanciers se font l'écho des luttes idéologiques du temps, a également contribué à classer Guilloux comme un écrivain « à thèse », qui aurait puisé dans son expérience personnelle la matière même de son propos. Mais si l'autobiographie apparaît en filigrane dans les premiers romans (*la Maison du peuple,* 1927, *Angélina,* 1939), la complexité de l'univers du *Jeu de patience* (1949) ou des *Batailles perdues* (1960) entraîne le lecteur bien au-delà de la Bretagne natale du romancier et des simples idéaux socialistes de son milieu d'origine.

Né à Saint-Brieuc, Guilloux a été plongé dès sa jeunesse dans l'ambiance des luttes populaires : son père, cordonnier, était un actif militant socialiste. En 1910, Louis Guilloux entre au lycée de Saint-Brieuc et, grâce à l'obtention d'une bourse, poursuit des études classiques ; il découvre les œuvres de Romain Rolland, de Jules Vallès, et dès 1914 commence à écrire. De 1916 à 1918, il devient maître d'internat dans son lycée d'origine, il subit l'influence du philosophe Georges Palante, en qui l'on voit habituellement le modèle de Cripure, la figure centrale du *Sang noir.* En 1918, il exerce différents métiers (comptable, voyageur de commerce), avant d'occuper la fonction de répétiteur au collège Gerson, à Paris. Il commence parallèlement à publier dans de nombreuses revues, mais ce n'est qu'en 1924 qu'il décidera de se consacrer totalement à la littérature.

Son premier roman, *la Maison du peuple,* apparaît vite comme un livre « social », l'auteur n'y cachant point ses admirations pour le monde du travail et les luttes des classes opprimées. Mais Louis Guilloux refuse d'adhérer au parti communiste, comme de s'engager dans quelque parti que ce soit ; néanmoins, ses actions politiques se multiplient ; en 1935 – il a publié entre-temps *Dossier confidentiel* (1930) et *Hyménée* (1932) – il accepte d'être le secrétaire du premier « Congrès mondial des écrivains antifascistes ». C'est à cette époque qu'est édité *le Sang noir*, qui demeure aujourd'hui son livre le plus connu.

Le Sang noir

SYNOPSIS

Un matin de 1917, M. Merlin, surnommé Cripure (allusion à la *Critique de la raison pure* dont il parle beaucoup en classe), est une nouvelle fois victime des brimades de ses élèves, qui ont dévissé les écrous de son vélo. Vieil homme bougon aux pieds difformes, il partage son existence misérable entre sa maîtresse et servante Maïa (qui le trompe avec Basquin), ses petits chiens, le lycée et le bordel. La visite de son fils Amédée, de retour du front, réveille en lui le souvenir demeuré intact de Toinette, mère du jeune homme et ancienne épouse de Cripure, dont celui-ci espère encore le retour, vingt ans après leur séparation. La petite ville de province se prépare à décorer Mme Faurel pour les soins apportés aux blessés de guerre. Lucien Bourcier refuse quant à lui d'assister aux réjouissances ; cet ex-lieutenant d'infanterie trouve en Cripure un allié solide que le dégoût de soi mène, comme chaque après-midi, au bistrot où il monologue quand il ne revit pas à voix haute les épisodes malheureux de sa vie passée avec Toinette, époque où ses espoirs n'étaient pas encore déçus. La cérémonie de la décoration bat son plein, mais une émeute de soldats, menée au cri de « À mort Poincaré ! », donne bientôt raison à l'antimilitarisme du professeur. Un collègue, Nabucet, se promet de « mater » les mutins, ce qui lui vaut d'être giflé par Cripure, qu'il provoque aussitôt en duel. Gagné aux arguments de Moka, son fidèle répétiteur et ami, Cripure accepte pourtant de signer un procès-verbal qui met un terme à l'affaire. Mais Cripure, après que ses chiens ont dévoré *la Chrestomathie du désespoir*, le grand ouvrage de sa vie, humilié d'avoir été privé d'une occasion de témoigner de son courage, se donne la mort d'un coup de revolver.

Le voyage qu'il entreprend en U.R.S.S. avec Gide et Dabit (1936) aboutit cependant (comme pour Gide) à une désillusion. L'après-guerre assure une célébrité définitive à l'écrivain (après *Angélina, le Pain des rêves*, 1942, et surtout *le Sang noir*), il obtient en 1949 le prix Théophraste-Renaudot pour *le Jeu de patience* et en 1967 le grand prix national des Lettres ; en 1969 enfin, il entre au jury du prix Max-Jacob. Simultanément, Louis Guilloux continuera de vivre, en témoin actif et modeste plus qu'en militant engagé, les événements de son temps (voir *l'Herbe d'oubli*, souvenirs posthumes, 1984).

Car l'histoire contemporaine est présente dans tous les récits de Guilloux – si l'on excepte le roman d'aventures vénitiennes *Parpagnacco ou la Conjuration* (1954) – et tous ses personnages, l'écrivain les situe dans un contexte social défini ; mais ce ne sont pas tant les événements ou les processus historiques qui apparaissent alors, mais la marque qu'ils impriment, jour après jour, sur les êtres et les choses : chroniques plus que romans historiques, les livres de Guilloux s'attachent aux signes plus qu'aux faits.

C'est d'abord le langage qui porte les traces de son temps ; dans *la Maison du peuple* ou dans *Angélina*, les dialogues, le discours indirect ne se contentent pas d'« illustrer » par leur archaïsme un peu naïf les thèmes chers au petit peuple : ils reflètent directement, par leurs métaphores, par leur allure de « style oral », la logique, les espoirs, les croyances des militants des Côtes-du-Nord, au début du siècle : « C'est pas le tout que de baptiser les petites filles, faut les élever, faut les nourrir. Et il en coûte, et c'est long ! Au rouet ! Au rouet ! » (*Angélina*).

Mais les choses aussi révèlent le passé, évoluent parallèlement aux mutations sociales, car « un lien fraternel unit l'homme à ses objets et, entre tous, à ses outils » (*le Pain des rêves*). La souffrance, la déchéance se voient d'abord dans le proche univers de l'homme – tout comme ses rêves d'évasion et de liberté : « Mille pièces de rajout, qu'il avait cousues lui-même à sa veste et à son pantalon, faisaient de son habit une surprenante mappemonde » (*id.*).

Le réalisme n'est pas, chez Guilloux, une méthode comme une autre pour raconter : toute écriture est réaliste dans la mesure où rien de ce qu'elle évoque ne peut échapper à l'histoire. Les « petits faits » que Guilloux rapporte dans cette chronique autobiographique que sont ses *Carnets* (*Carnets 1921-1944*, 1978 ; *Carnets 1944-1974*, posth. 1982) ou *l'Herbe d'oubli* (posth., 1984) le montrent bien ; on suit l'évolution des mentalités françaises, pendant la Seconde Guerre mondiale, par le seul rapprochement des mots et des choses : chaque époque a son « style », ses idéologies, ses objets de prédilection, dont, à un moment donné, elle fait un usage, une consommation intenses ; c'est bien un professeur petit-bourgeois comme le Nabucet du *Sang noir* qui, en 1914, pouvait associer dans le même discours le combat contre les « Boches » et la survie des valeurs littéraires classiques, « afin que [nos enfants et petits-enfants] puissent continuer comme avaient fait leurs grands-pères à lire Boileau dans le texte et apprendre par cœur la fameuse épître à Racine au sujet de l'échec de *Phèdre* ».

Le propos de Guilloux n'est cependant pas celui d'un philosophe critique, ni celui d'un militant ; certes, quelques personnages égrènent, au hasard de ses livres, des thèses et idéaux socialistes : « Ah ! si nous pouvions tous nous entendre, les gueux, ne plus seulement nous aider les uns les autres à supporter notre misère, mais tous nous accorder pour nous en défaire une bonne fois et chasser nos maîtres ! » (*Angélina*). Ces réflexions incidentes n'ont pas pour autant valeur de « messages » ; peu à peu, d'ailleurs, les romans se sont amplifiés, élargis ; après les mansardes des quartiers pauvres de Saint-Brieuc et l'échoppe artisanale d'*Angélina*, les livres de Guilloux ont exploré les mondes clos en lesquels se subdivisent les diverses classes sociales d'une cité tout entière (*le Sang noir, le Jeu de patience*) ; le lecteur n'y suit plus seulement les luttes des jeunes socialistes révoltés comme Lucien Bourcier : la narration prend également en charge les propos de marginaux comme Cripure, de notables comme Nabucet, les Bourcier et les

Faurel. Le texte devient une moire où les personnages se superposent, où les idéologies s'entrecroisent sans qu'aucune d'elles imprime une couleur dominante au récit : aux assertions réactionnaires de Nabucet répondent indifféremment, dans *le Sang noir,* les déclamations anarchistes de Francis Montfort, les utopies sociales de Lucien Bourcier, le scepticisme cynique de Cripure (l'adaptation du roman à la scène par Guilloux, *Cripure*, 1962, explicite ces oppositions). Par ce désir de construire un univers sans destination précise, sans évidences théoriques, Guilloux transforme la parole romanesque en une « matière » brute, que seul le regard du lecteur peut ordonner, mais qui n'a pas à imposer de sens. Point de vérité finale ni de portée morale : le roman – comme la vie quotidienne – fait entendre des « voix », qui, à certaines pages, résonnent plus que d'autres, avant de disparaître, recouvertes par d'autres paroles. Certes, Guilloux n'observe pas toujours une stricte neutralité à l'égard de ses personnages ; certains passages au style indirect, l'accumulation de détails dérisoires qui appellent l'ironie font songer à Flaubert : dans sa mégalomanie politique, Nabucet paraît un proche parent des Regimbart et Sénécal de *l'Éducation sentimentale* : « Ce qu'il eût souhaité dans ses rêves, c'était [...] une « enfilade » de salons avec des parquets cirés comme des glaces et partout des larbins beaux comme des suisses, avec des bas blancs et des boutons de cuivre, qui vous auraient offert des rafraîchissements, des cigarettes de luxe, des cigares de princes... » (*le Sang noir*). Pourtant la dérision ne couvre jamais le roman tout entier : ce n'est là qu'« une » vision des choses – celle de Cripure ou, par moments, d'un narrateur –, mais jamais la figure essentielle de l'écriture ; comme la poésie, qui apparaît sporadiquement dans les livres de Guilloux, cette dérision n'est pas en elle-même significative.

D'ailleurs, le monde de Guilloux relève en définitive du jeu plus que de la thèse. C'est par la technique même du récit que le texte va laisser au lecteur cette impression d'éparpillement du sens. À partir du *Sang noir,* Guilloux va se donner les moyens les plus divers pour fragmenter ce qui pourrait devenir une signification univoque, que l'Histoire même ne peut donner au passé. Il construit alors des romans prolixes, démesurés et surpeuplés, tel *le Jeu de patience* (1949), qui, avec ses thèmes innombrables et son fourmillement de personnages, dont certains figurent déjà dans *le Sang noir,* évoque les ouvrages monumentaux de Dostoïevski ou de Balzac. Mais parfois aussi, le récit devient sec et lacunaire : une succession de courts paragraphes suffit à perdre le lecteur de *la Confrontation* (1968) dans un labyrinthe de deux cents pages, où un faux journaliste se faisant passer – malgré lui ? – pour un ex-policier se révèle être le personnage qu'il était chargé (mais par qui ?) de retrouver. Autant de miroirs qui renvoient le lecteur au néant, plus apaisant que la vérité elle-même : « Celui dont tu parlais n'est qu'en toi-même. Taisons-nous désormais. Ne mettons pas trop les points sur les i. »

Le bonheur de la présence

Faut-il donc voir en Guilloux un militant déçu, renonçant à ses idéaux pour constater le non-sens général ? Certes, l'homme refuse de « s'engager », et l'écrivain de donner un sens à son œuvre, mais le regard que celui-ci jette sur le monde n'est jamais pessimiste. À l'inverse de Flaubert, qui discerne en chaque chose sa fonction dégradante, qui perçoit immédiatement la nullité de sa fonction sociale, Guilloux voit dans le petit détail, dans l'instant vécu la calme sensation d'« être là » : regarder, observer, quel que soit le contexte historique, c'est vivre – ou survivre. Les « gens » eux-mêmes comptent, en définitive, moins comme produits sociaux que comme témoins d'une existence ; au milieu des pires situations, il existe pour Guilloux un lieu clos où la conscience de la durée échappe au temps social, où sans avoir pour unique préoccupation le pain, on peut « rêver » : « Le temps passe doucement. Leurs soirées, c'est ce qu'ils ont l'un et l'autre de plus cher [...] : ce bonheur tranquille et silencieux, dans le repos, le bien-être, la présence... » (*Carnets.*)

Nul sentimentalisme pourtant : c'est le rapprochement des êtres, la vision ou le contact matériel des objets qui provoquent la rêverie, ouvrent les voies d'un « ailleurs » tout juste soupçonné : « J'ai remué les cendres dont la cheminée était pleine, et, d'entre les papiers calcinés bruissant sous le pique-feu comme de la soie, se sont encore échappées quelques poignées d'étincelles rondes et roses comme des yeux d'oiseaux » (*la Confrontation*). La vie, la mort, le beau, le sordide importent peu en soi ; dans cet opéra aux contrastes imprévus que devient l'existence, le réalisme, même exacerbé, n'est que l'envers du merveilleux. En témoignent les dernières œuvres : *Salido* et *O.K. Joe* (1976), *Coco perdu* (1978).

Une écriture en devenir

Ainsi, l'ambiguïté de l'écrivain reste totale : refusant d'être un théoricien, alors que la plupart de ses personnages reproduisent des théories, insérant les êtres et les choses dans l'Histoire, pour mieux en faire sentir la transcendance poétique, jouant avec le sens sans jamais le renier vraiment, Louis Guilloux a sans doute élaboré une œuvre-charnière, au carrefour de toutes les tendances romanesques de son époque. Loin d'opérer une synthèse ou d'unir la tradition réaliste du XIXe siècle et l'avant-garde, illustrée en leur temps par Céline ou par les écrivains du « nouveau roman », Guilloux offre au lecteur un kaléidoscope littéraire ; avec lui, la littérature n'est pas un lieu fixe, ni un musée des valeurs sûres. Le texte est tissé de signes instables, toujours en devenir, et ne s'attarde jamais aux « idées » qu'il véhicule. En un temps où les novateurs – Blanchot, Barthes, Queneau ou Pérec – s'interrogent sur l'épuisement – voire la mort – du roman, les livres de Guilloux, par leurs mues successives, montrent les évolutions d'une matière vivante, qui veut ignorer son terme : dans et par l'écriture, tout se transforme, mais rien ne se perd.

J.-P. Damour et P. Gourvennec (synopsis)

GUIRAUD Alexandre, baron

(1788-1847)

Guiraud appartient – comme son ami Alexandre Soumet – à une génération incertaine et indécise dont Lamartine semble accaparer toute l'énergie : celle qui sépare les poètes impériaux, comme Chênedollé ou Millevoye, des romantiques nés autour de 1800. Né dans le Midi, à Limoux, après avoir obtenu quelques succès poétiques aux jeux Floraux, il se tourne vers le théâtre et rénove avec prudence la tragédie historique (*Pélage*, 1820 ; *les Macchabées*, 1822 ; *le Comte Julien ou l'Expiation*, 1823 ; *Virginie*, 1827). Il donne dans la mode philhellénique qui accompagne la révolte des Grecs et la mort de Byron à Missolonghi (*Chants hellènes*, 1824), et atteint presque la popularité avec ses *Élégies savoyardes* (1823) : « le Petit Savoyard », complainte sur l'exil du jeune montagnard qui doit quitter sa famille et ses amis pour gagner sa vie en France, fut longtemps célèbre et figura dans mainte anthologie. Le recueil tout entier offre un bon exemple des complexités de l'élégie sous la Restauration : intimisme conventionnel ; passéisme ; provincialisme ; rhétorique allégée ; vocabulaire simplifié par rapport à la grande époque néo-classique ; style facile, mollement fluide, sans couleur ni relief ; mètre correct, harmonieux, rythme plaintif et sans vigueur. Élu à l'Académie française en 1826, nommé baron, l'écrivain s'éloigne des jeunes amis romantiques qu'il côtoya à *la Muse française*. Il se retire dans ses terres provinciales, où il prépare un grand ouvrage visant à restaurer la doctrine chrétienne de l'évolution historique, pour faire face au progressisme, au déterminisme de Thiers, aux diverses théories de la lutte des classes ou à l'hégélianisme (*la Philosophie catholique de l'histoire*, 1839 ; 2e édition, 1841). Guiraud, bien oublié aujourd'hui, reste le type du demi-romantique catholique, au talent timide, trop fidèle aux normes classiques et trop circonspect dans ses adaptations pour trouver place entre Chénier et Hugo.

D. Madelénat

Guirlande de Julie (la) v. Préciosité

GUITRY Sacha

*Pseudonyme d'**Alexandre Guitry** (1885-1957)*

Un ton souvent emphatique, une apparente autosatisfaction à dire « Moi-même », pourrait, si l'on ne tombait pas sous son charme qui était immense, rendre Sacha Guitry irritant. On l'a beaucoup accusé de prétention. En réalité, aucun écrivain aussi doué que lui ne fit jamais preuve d'autant de modestie vis-à-vis de son œuvre. Il se voulait divertisseur avant tout, et dans tous les domaines qu'il aborda. « Illusionniste né, vite il m'est apparu qu'au mépris des coutumes et des conventions, j'avais pour mission de plaire à mes contemporains – sans cependant déplaire à Jules Renard » (*Toutes réflexions faites*, 1947).

Un roi du théâtre

Né à Saint-Pétersbourg où les hasards de la carrière avaient conduit son père le très illustre comédien Lucien Guitry, Sacha ne tardera pas à s'imposer. Pourtant, cela débute mal : il se fait chasser de onze collèges ! Il évoquera plus tard son itinéraire de cancre avec humour (*Si j'ai bonne mémoire*, 1934). Après quelque hésitation entre les métiers d'auteur, d'acteur et de dessinateur – il excellera dans la caricature –, Sacha Guitry s'affirme à vingt ans avec une comédie : *Nono*. C'est le triomphe. Dans ces trois actes se trouvent déjà réunis tous les ingrédients qui caractériseront son œuvre : élégance et virtuosité, mots qui font mouche, cynisme, amoralité, rejet des conventions et des fausses sentimentalités, totale liberté d'expression, et une lucidité dont l'auteur ne se départira jamais.

Suivront cent vingt-trois pièces dans la plupart desquelles se produira Sacha. Elles illustreront, avec plus ou moins d'optimisme, cette conviction déjà profondément ancrée en lui : si les hommes sont laids, la vie – elle – est magnifique. *La Pèlerine écossaise* (1914) confirme sa notoriété. Il interprète cette comédie, dont le sujet démontre que le mariage est la mort de l'amour, avec sa première femme, Charlotte Lysès. Guitry puise l'inspiration dans son expérience personnelle et se donne le plaisir d'être vraiment chez lui en scène. Dorénavant, il s'y installera de plus en plus confortablement, entouré de ses meubles et de ses toiles de maîtres ainsi que de ses différentes épouses, et il commentera ses successives expériences conjugales pour un public complice et ravi. Plus que jamais, la vie et l'œuvre vont s'imbriquer étroitement. Guitry dira lui-même : « Tout ce que je fais tourne en littérature. Tout ce qui m'arrive, je le note ». *Faisons un rêve* (1916) lui permet d'exercer contre la femme – sa cible favorite – une verve particulièrement acérée. Dans tous ses écrits, on retrouvera l'analyste souvent indulgent, toujours désabusé, de l'âme féminine et de sa mauvaise foi.

Mon père avait raison (1919) marque les retrouvailles de Lucien Guitry et de son fils, brouillés depuis le mariage de ce dernier avec Charlotte Lysès. Tous deux se partagent l'affiche avec Yvonne Printemps. Avant de devenir sa seconde épouse et sa partenaire officielle, Yvonne Printemps était apparue auprès de Sacha dans *Jean de La Fontaine* (1916) et dans *Deburau* (1918) où le personnage du mime fameux sert de prétexte à glorifier « le plus beau métier du monde », celui de comédien. Élargissant le sujet, l'auteur en profite pour méditer sur la vieillesse et le renoncement. Vers libres et prose rythmée alternent dans une écriture d'une belle aisance.

De 1920 à 1932, le couple Guitry-Printemps – mariage du talent, de la grâce et de l'esprit – va enchanter Paris. Pièces légères et graves, comédies musicales, fantaisies-revues vont se succéder à un rythme accéléré : *Je t'aime* (1920) ; *Un sujet de roman* (1923), œuvre pessimiste dans la lignée de Mirbeau, qui traite du paradoxe de l'écrivain ; *l'Amour masqué* (1923) avec une musique d'André Messager ; *Mozart* (1925), musique de Reynaldo Hahn ; *Désiré* (1927) ; *Mariette* (1928), musique d'Oscar Strauss ; *Histoires de France* (1929) ; *Frans Hals ou l'Admiration* (1931) : comme pour Stendhal, l'admiration, selon Guitry, engendre l'amour. Mais justement, l'amour se défait. Il survivra encore le temps de quelques pièces et donnera en scène ses derniers soubresauts avec *Françoise* (1932). C'est dans *le Nouveau Testament* (1934), encore un constat sur le mariage, aussi féroce que comique, qu'apparaîtra la troisième madame Guitry : Jacqueline Delubac.

L'homme de cinéma

Guitry, qui jusqu'alors avait dédaigné le cinéma, va découvrir toutes les possibilités de renouvellement qu'il lui offre. À dater de 1935, et sans pour autant abandonner le théâtre, il consacrera au septième art le meilleur de sa créativité. Il porte à l'écran plusieurs de ses comédies, théâtre filmé brillamment. Mais c'est avec *le Roman d'un tricheur* (1936) qu'il trouve son style cinématographique, inventant, avec la technique de la voix *off*, le film à la première personne. François Truffaut y verra « une œuvre qui a trouvé sa forme parfaite et définitive », et Orson Welles subira son influence pour *Citizen Kane* et *la Splendeur des Amberson*.

En 1937, Guitry prend pleinement conscience des possibilités visuelles et sonores du cinéma et produit un film de grande envergure : *les Perles de la couronne*, auquel participe une pléiade d'acteurs célèbres, dont certains étrangers qui – pour les besoins du scénario – parlent leur propre langue. Le texte narratif joue avec l'image qui est chargée de symboles. Le montage et le découpage sont d'un brio et d'une rapidité inhabituels. Comme il le fera dans ses grandes fresques pseudo-historiques (*Remontons les Champs-Élysées*, 1938 ; *Si Versailles m'était conté*, 1953 ; *Napoléon*, 1954 ; *Si Paris nous était conté*, 1956) qui vont assurer sa popularité auprès d'un plus vaste public, Guitry mêle la fiction à la réalité, « écrit des histoires à propos de l'Histoire », opposant à ses détracteurs : « Le peu que je sais, je le dois à mon ignorance ».

En 1938, Jacqueline Delubac et Sacha Guitry divorcent. En 1939, il se remarie pour la quatrième fois avec une jeune fille : Geneviève de Séréville dont il tentera de faire une comédienne. Il s'en sépare en 1944. À la Libération, il est arrêté, inculpé « sans qu'aucune accusation précise soit formulée contre lui », incarcéré à Drancy et à Fresnes. Cocardier dans l'âme, Guitry qui n'a cessé d'exalter le génie de la France, de célébrer ses artistes et ses grands hommes, de défendre ses valeurs, se considère comme la victime d'une monstrueuse injustice. Jalousé, déprécié, trahi par la plupart de ses amis, il s'enferme dans une solitude hautaine. Physiquement et moralement atteint, il se remet néanmoins au travail et se remarie pour la cinquième fois avec Lana Marconi qui sera sa dernière partenaire à la ville et à la scène.

Il produit encore quelques pièces mineures mais retrouve au cinéma sa force corrosive avec *la Poison* (1951), écrit pour Michel Simon qui s'y montrera admirable. Tourné en onze jours, ce conte macabre tend à prouver que la Justice n'est que mensonge et illusions. Enfin *Assassins et voleurs* (1957) est une sorte de testament : dans cette farce subversive et grinçante, Sacha Guitry nous convainc qu'il ne croit définitivement plus en l'Homme ni en la Société. Il meurt le 23 juillet 1957 et les Parisiens lui rendent massivement un dernier hommage.

Guitry avait raison

Si Sacha Guitry avait pensé davantage à sa postérité, il nous aurait sans doute laissé plus de chefs-d'œuvre. Dans son abondante production, on décèle bien des scories, des redites, des facilités, des derniers actes bâclés avec une excessive désinvolture. Mais aussi certains de ses meilleurs ouvrages ont été rédigés en moins de trois jours et presque sans ratures !

Sacha Guitry n'a jamais fait l'unanimité autour de lui, même s'il avait des supporters tels que Colette et Paul Léautaud qui le comparait à Molière et louait son esprit « sans lequel l'intelligence n'est qu'une chose pédante, lente et monotone ». De 1948 jusqu'à sa mort, Guitry souffrit particulièrement des sévérités de la critique, souvent partisane, et finit même par lui interdire l'entrée de ses théâtres. Il l'accusait de « faire sciemment le mal avec hypocrisie. De commettre une espèce de crime sous la protection d'une loi ambiguë ».

Après sa disparition, le théâtre de Guitry connut un purgatoire – relatif et de courte durée – sous prétexte qu'il n'était pas jouable sans son auteur comme interprète. À l'occasion d'une reprise de *Mon père avait raison* en 1959, Pierre Marcabru publia cette critique : « La comédie qui était très exactement à la mesure d'une époque n'est plus à nos mesures. Le talent n'applique plus [...]. À la place du metteur en scène, j'aurais replacé l'action en 1918. C'est la seule façon de faire accepter ses rides : en les avouant franchement ». Vingt ans plus tard, en 1978, le même Marcabru disait de la même pièce que l'on reprenait pour la nième fois : « Sacha Guitry, vieux ? Vous plaisantez. C'est aujourd'hui tout neuf, tout frais, sans une ride. Bon pied, bon œil, du vif argent. Quelle leçon ! » En effet... !

Sacha Guitry laisse également des livres de dessins, de souvenirs (*Lucien Guitry raconté par son fils*, 1930 ; *Quatre ans d'Occupation*, 1947 ; *Soixante jours de prison*, 1949), des essais (*la Maladie*, 1914 ; *Mes médecins*, 1932 ; *Des goûts et des couleurs*, 1943 ; *De Jeanne d'Arc à Philippe Pétain*, 1944 ; *Cent merveilles*, 1954), des pensées (*Elles et toi*, 1945). On peut considérer que certains de ces ouvrages trouvent leur place auprès de ceux de nos meilleurs moralistes.

Les perles de Sacha

Redouter l'ironie, c'est craindre la raison.

J'ai pris mon rhume en grippe.

Si la femme était bonne, Dieu en aurait une.

Quand on ment à une femme, on a l'impression qu'on se rembourse.

Oui, c'est être constant que d'adorer l'amour, et ce n'est pas changer de goût de changer de femme, puisque les femmes changent.

À celui qui vous prend votre femme, il n'est de pire vengeance que de la lui laisser.

On a les femmes dans les bras, puis un jour sur les bras, et bientôt sur le dos.

N'ayant pas eu d'enfant, je suis toujours un fils.

En cherchant bien l'on trouverait à la plupart des bonnes actions des circonstances atténuantes.
J'aurai passé ma vie à confirmer la règle.
L'intelligence incite à la réflexion – et la réflexion conduit au scepticisme. Le scepticisme, lui, mène à l'ironie.
La Libération. J'en ai été le premier prévenu.
Être léger, visiblement, c'est démasquer les vaniteux, c'est inquiéter les hypocrites, confondre les méchants. C'est opposer la grâce à la mauvaise humeur et c'est donner en outre un témoignage exquis de pudeur morale.
Quoi de nouveau ? – Molière.
Sois de ton temps jeune homme. Car on n'est pas de tous les temps si l'on n'a pas été d'abord de son époque.

P. Barillet

GUY DE COUCY *v. Châtelain de Coucy (le)*

GUYON, madame

***Jeanne-Marie* BOUVIER *de* LA MOTTE, *dite* madame GUYON**
(1648-1717)

Un des principaux documents écrits laissés par Mme Guyon étant son autobiographie : *la Vie de Mme J.-M. Bouvier de La Motte Guyon écrite par elle-même*, publiée à Cologne en 1720, nous savons que sa mère ne l'aimait pas, que sa belle-mère la persécutait odieusement, que sa servante l'espionnait, qu'elle perdit, par suite de la petite vérole, trois de ses cinq enfants et sa beauté. « Ma vie n'était qu'un tissu de maux », dit-elle. Indifférente à ces « croix », dont elle fait cependant un récit tout à fait hallucinant, elle se livrait avec acharnement aux pratiques d'une ingrate piété, lorsque son directeur, en lui disant : « Vous cherchez au-dehors ce que vous avez au-dedans », lui révéla les voies de l'intériorité mystique. Elle la pratiqua de telle sorte, par l'action, la parole et l'écriture, qu'elle bouleversa le paysage religieux de la fin du XVIIe siècle. Cette provinciale obscure, épouse, en 1664, puis veuve, en 1676, d'un riche notable de Montargis, connaît à partir de là une existence errante, d'abord en Savoie, où elle retrouve son confident et compagnon d'aventure spirituelle, le père La Combe, puis à Paris, où sa rencontre avec Fénelon la placera au centre de l'affaire du quiétisme.

Elle se proclamait investie de la mission de « détruire la raison humaine » et, de ce fait, se trouva constamment « en butte à la contradiction des hommes », en même temps qu'elle entraînait dans son sillage des disciples fascinés par ses expériences de dépersonnalisation de la conscience, d'affranchissement de la volonté propre qui permettent d'atteindre une passivité d'instrument et de se laisser mouvoir par une inspiration toute-puissante. L'application littéraire de ces principes donna des œuvres qui sont à mettre au crédit de l'écriture automatique. Mme Guyon écrivait jusqu'à la limite de la paralysie musculaire. Elle délivra son message d'abord dans le *Moyen court et très facile pour l'oraison que tous peuvent pratiquer très aisément* (1685), où elle décrit les différentes étapes qui mènent à une hypnose de la conscience qui doit libérer l'énergie divine. L'ouvrage eut un immense succès. Approuvé par un évêque, condamné par l'autre, il fut le bréviaire de maint couvent, dont la maison de Saint-Cyr, que Mme de Maintenon, un moment favorable, arracha bientôt, effrayée, à ces égarements spirituels. C'est de la même époque que date l'effusion lyrique des *Torrents spirituels*.

L'inspiration de Mme Guyon s'exerça aussi dans le commentaire de l'Écriture. On ne s'étonne pas de la voir méditer d'abord sur les textes les plus énigmatiques. *Le Cantique de Salomon, interprété selon le sens mystique et la vraie représentation des états intérieurs* est publié à Lyon en 1688. Suivront des explications sur le *Livre de Job*, sur l'*Apocalypse*, le grand *Commentaire sur le Nouveau Testament* (1713), et sur l'*Ancien Testament* (1714-1715). Les autorités ecclésiastiques réagiront par la persécution à cette spiritualité jugée suspecte. Le janséniste Nicole entreprendra une *Réfutation des erreurs des quiétistes*, mais le principal combat de Mme Guyon sera celui qu'elle soutiendra intrépidement, à Meaux, en 1694, contre l'inquisition de Bossuet, désigné pour examiner son orthodoxie. Il ne réussira pas à la convaincre d'hérésie mais n'en condamnera pas moins ses livres et se lancera tout entier dans le combat contre cette « religion de Fénelon » dont Rousseau se dira l'adepte.

Mme Guyon connut sans faiblir diverses incarcérations, dans des couvents, à Vincennes, à la Bastille. Le père La Combe, quant à lui, sombrera dans la folie. L'ensemble impressionnant des écrits laissés par Mme Guyon (39 volumes, publiés posthumement par le théologien protestant Pierre Poiret) offre à l'interprétation moderne des perspectives qui n'ont été que fort peu explorées.

O. Biyidi

GUYOTAT Pierre

(né en 1940)

Romancier et essayiste, né à Bourg-Argental dans la Loire, issu d'une famille bourgeoise (son père est médecin), Guyotat accomplit sa première expérience décisive en 1960. Le futur romancier de *Tombeau pour 500 000 soldats* effectue en effet son service militaire en Grande Kabylie, et se trouve de fait plongé dans la guerre d'Algérie. Au printemps 1962, il est arrêté par la Sécurité militaire. On l'accuse de porter atteinte au moral de l'armée, et on l'inculpe de complicité de désertion. Il sera, pendant deux mois, gardé au secret dans une cave de casernement. En 1964, il voyage dans l'Algérie benbelliste, poursuivant ainsi ses expériences politiques. Parallèlement, il collabore au *Nouvel Observateur*, où, jusqu'en 1965, il occupe le poste de rédacteur littéraire. C'est également à cette époque qu'il entreprend la composition de *Tombeau pour 500 000 soldats*, qui paraît en 1967, et fait immédiatement remarquer son auteur, dont les deux précédents romans, *Sur un cheval* (1961) et *Ashby* (1964), étaient passés presque inaperçus. En 1968, il est invité à Cuba pour participer au Congrès international de la culture. En France, après les événements de Mai, il se rapproche des écrivains du groupe *Tel Quel*, rejoint parfois, dans ses analyses politiques, les points de vue du parti communiste avant d'évoluer peu à peu vers l'extrême gauche. En 1970, *Éden, Éden, Éden*, son nouveau récit, est victime de la censure, l'ouvrage étant jugé pornographique. Guyotat recevra l'appui des personnalités littéraires les plus célèbres de l'époque, parmi lesquelles Michel Leiris, Roland Barthes, Philippe Sollers ou Michel Foucault. Depuis lors, il a poursuivi ses recherches littéraires avec *Prostitution* (1975), *le Livre* (1984) et *Progénitures* (2000), des œuvres qui constituent des expériences limites, fondant une poétique inédite aux confins d'un langage à la fois altéré et réorganisé selon de nouvelles exigences phonétiques et sémantiques. *Vivre* (1984) ainsi que les entretiens recueillis dans *Littérature interdite* (1972) et *Explications* (2000) prolongent les démarches esthétiques de l'écrivain et contiennent l'essentiel de ses réflexions théoriques.

Chez Guyotat, la pratique de l'écriture relève d'une prise de conscience et d'un combat idéologique. Il convient d'« évacuer » du texte tout ce qui constitue le fondement de la littérature humaniste : la rhétorique artificielle du style, la toute-puissance de la psychologie, toujours nécessaire au roman bourgeois. L'écriture relève, avant tout, du matérialisme, non pas en traitant de « sujets » marxistes, mais en retrouvant dans l'écrit un être-là, ignorant de toute métaphysique ou d'une signification extérieure qui transcenderait le récit : « Il faut montrer la présence de la matière, et de plus, l'embellir, la raffiner, la donner dans son état le plus pur » (*Littérature interdite*). Livre après livre, Guyotat s'efforce de « déstructurer la langue bourgeoise » pour la transformer en ce qu'il appelle un « chant ». Le texte n'est plus alors qu'une production organique du corps de l'écrivain. Celle-ci, pour se constituer en langue et en « verbe », doit élaborer, comme la musique, sa propre syntaxe : « Une idée, c'est d'abord du rythme » (*Explications*).

L'écriture de Guyotat s'est, de fait, peu à peu modifiée, éliminant d'abord, dans *Tombeau pour 500 000 soldats*, puis dans *Éden, Éden, Éden*, toute image, métaphore ou figure de style qui voilerait la matière même des mots. Avec *Prostitution*, *Progénitures* et, plus encore, *le Livre*, ce sont les signes alphabétiques ou typographiques eux-mêmes que Guyotat entend remodeler : « C'est l'éloquence, donc l'âme, qui impose qu'on tranche, qu'on coupe, qu'on comprime, qu'on distende » (*Explications*). Ainsi supprime-t-il couramment le « e » muet, le point, les prépositions, étend l'usage de la cédille, fait apparaître des codes phonétiques ou musicaux : « appels nomenaux vefs o morts, loantan fracas avançée adversâr' o mâl' o femmall' o corts o hauts o teratomorphiaq', vol sespendu vautors à destanç' egal', fuit' faun' corber' ptet' flor' » (*le Livre*). Cette écriture, faite de rythmes et de timbres, de sons et d'incantations plus que de sens cohérents, tend, au-delà ou en deçà de tout réalisme référentiel, à retrouver la vérité du corps. Cette vérité a pour truchement la sexualité, que Guyotat perçoit comme une hantise, une fatalité à la fois écrasante et libératrice, et qui constitue la trame fondamentale de ses fictions. Pourtant, le flot de « scènes », de gestes sexuels que charrie le récit, de concert avec la violence guerrière, ne vise pas à la représentation. Loin de vouloir « faire vrai », l'écrivain tente de saisir la pulsion fondamentale des corps, leur mode de communication le plus pur, dans une sorte de poésie « protohistorique ». L'écriture expérimentale de Guyotat, en composant de véritables épopées de la matière, retrouve la scansion des grandes fables antiques : « le singe piaule, bras alanguis, guerba ramollie nouée à l'encolure mufle sanglant, sexe dressé, œil scrutant Vénus voilée de vapeurs violettes » (*Éden, Éden, Éden*).

Mais il s'agit également d'investir, par et dans le texte, tout ce que la loi sociale et l'idéologie génèrent – mais occultent. Guyotat mêle ainsi dans le matériau de sa parole violences, racismes, haines, déportations, prostitutions, salissures de toutes sortes, transgressions : « le » prostitué est, pour l'écrivain – qui préfère d'ailleurs le terme de « putain » –, la figure emblématique d'un « non-état humain », bisexuel, sans statut ontologique, asservi, mais « pourvu du verbe le plus libre » (*Explications*). Il n'est plus question de « personnages » ni d'« histoire » dans ces fictions délibérément épiques. Les sept chants de *Tombeau pour 500 000 soldats*, fondés sur une narration encore « classique », révélaient pourtant déjà, en 1967, leur parenté avec les grands textes fondateurs – *la Bible*, tout particulièrement : « Un éclatant soleil martèle les eaux. Le rocher des esclaves surgit d'un tourbillon rouge où s'entrechoquent deux halftracks remplis de soldats nus aux plaies lavées. Des charges, mines, grenades, bombes, explosent encore au fond de l'eau, la soulèvent, la déchirent. Puis, dans le temps d'un jour et de deux nuits, les eaux se retirent jusqu'aux ruines de Titov Veles. »

Entre les propos énoncés dans *Littérature interdite* et la composition de *Progénitures*, les choix esthétiques de Pierre Guyotat n'ont pas varié. Son dessein est de « réintégrer l'action dans la poésie, et la poésie dans l'action » (*Explications*), de revenir aux origines de l'écrit et de la langue française. Chez Guyotat, le livre devient une sorte de totalité mythique, où le mot n'est plus un mode d'expression ou de représentation, mais – comme dans les textes présocratiques – la chose même.

J.-P. Damour

H

HABERT François

(vers 1508-vers 1561)

Poète provincial (il est né à Issoudun, en Berry), François Habert est de ceux qui, après des débuts difficiles, ont le mieux réussi à la Cour : il devint « poète du roi » sous Henri II. Prolixe, et même un peu plus, il a composé en trente ans une cinquantaine d'ouvrages (huit pour la seule année 1542 !), qui connurent des rééditions au XVIe siècle. Il avouait à son ami Mellin de Saint-Gelais, en 1551 :

> *Et mieux aymay escrire, et mal rimer,*
> *Que point n'escrire, et œuvre bien limer.*

L'ensemble est loin d'être méprisable, et sa facilité rend bien compte des courants à la mode, avant que la Pléiade ne submerge définitivement la poésie du temps de Marot.

Avant d'être rétribué comme « poète du roi », Habert a voyagé entre Issoudun, Paris, Toulouse et Lyon (il se trouve sans doute dans cette dernière ville, en 1545, année au cours de laquelle sont publiés chez Jean de Tournes quatre de ses ouvrages). Il en garde des relations et des admirations fidèles pour Scève, Aneau, Fontaine, Peletier, Des Autels, etc., qu'il oppose à la Pléiade naissante, en 1551 : il avait quelque raison d'en vouloir aux amis de Du Bellay, puisque celui-ci l'avait pris pour cible, sous son nom, et son surnom de BANNY DE LIESSE, dans la *Deffence* ; pour la jeune troupe enthousiaste, il représentait les vieux genres marotiques et l'abus des traductions ; il représentait aussi le succès à la Cour et la docilité aux modes, auxquels la Pléiade était encore étrangère. Mais Habert sut finalement louer Ronsard et Du Bellay, et sa vie n'est pas autrement marquée par les conflits personnels, s'il s'associa par ailleurs à ceux de ses protecteurs.

Dans cette œuvre abondante se dégagent plusieurs masses. Celle, tout d'abord, des traductions, de plus en plus nombreuses vers la fin et révélant bien la permanence des goûts durant cette période : Ovide (*Métamorphoses*, commandées par François Ier ; *Héroïdes)* continue à être le grand maître, malgré les craintes que Habert exprime, par Muse interposée, sur la moralité de son inspiration ; Ausone, dont l'*Hermaphrodite* vient seconder les goûts platonisants des amis de Héroët ; Horace, dont *Satires*, *Épîtres* et *Odes* séduisent avant que Ronsard ne s'en empare ; Cornelius Agrippa, dont la *Louenge... du sexe féminin* est à verser au dossier de la Querelle des Amies en 1541 ; jusqu'aux *Métamorphoses de Cupidon*, sa dernière traduction, en 1561, qui sacrifie à la mythologie derrière un obscur poète néo-latin contemporain.

La deuxième masse en importance, mais la première dans l'inspiration du Banny de Liesse, est d'inspiration « fantastique », propice à tous les développements de l'imaginaire, depuis les *Temple de Vertu* et autres *Jardin de Félicité* (1541), *Controverse de Vénus et de Pallas* (1542), dans l'esprit, un peu raidi alors, des Rhétoriqueurs, de Lemaire et de Marot, jusqu'aux débordements de la veine grotesque, dite populaire, manifestée surtout dans la *Dure et Cruelle Bataille et Paix du glorieux saint Pensard alencontre de Caresme*... Habert aime présenter ses réflexions sous forme de « Songe » ou de « Vision », qui lui permettent de moraliser plus à l'aise. Ainsi le *Songe de Pantagruel* (1542), écrit entre le *Gargantua* et le *Tiers Livre*, et dont Rabelais se souviendra, est une sorte de moralisation de la fameuse lettre de Gargantua à son fils. Car Habert est bel et bien un défenseur de la morale à la Cour, et semble même avoir été sensible à l'inspiration évangélique : on trouve chez lui quelques bergers, loups et agneaux qui l'attestent, avant l'inspiration très orthodoxe des derniers écrits. Mais peut-être, dans cette période de trouble, faisaient-ils partie des commandes royales ?

Car les œuvres de commande, pour les naissances, les mariages et les morts des grands et des rois, forment un dernier ensemble, qui masque malheureusement le charme naturel, la verve un peu grivoise – et prête à la mise en musique – de textes comme les *Épîtres cupidiques* ou autres œuvres de 1541, certainement les plus réussies. Œuvres pour plaire à tous, et à soi-même.

M. M. Fontaine

HALÉVY Ludovic *v.* **MEILHAC** *et* **HALÉVY**

HALLIER Jean-Edern

(1936-1997)

Fondateur en 1960, avec Philippe Sollers et quelques amis, de la revue *Tel Quel* – dont il sera exclu trois ans plus tard pour divergences de vues –, Jean-Edern Hallier participe de près à l'effervescence intellectuelle et idéologique des années 1960. Après Mai 68, il est l'un des créateurs de *l'Idiot international*, revue alors soutenue par Jean-Paul Sartre et Simone de Beauvoir. Il reviendra longuement, dans ses romans (*la Cause des peuples*, 1972), essais (*Bréviaire pour une jeunesse déracinée*,

1982) et textes autobiographiques (*Carnets impudiques*, 1988), sur l'engagement politique de ces années et sur « la grande désillusion lyrique de ses années révolutionnaires ». À l'autocritique idéologique et au dandysme narcissique, deux composantes essentielles de l'écriture de Jean-Edern Hallier, s'ajoute rapidement la verve pamphlétaire et polémique : « En rébellion contre le conformisme ambiant et le terrorisme intellectuel, écrit-il dans *la Force d'âme* (1992), j'ai voulu rendre à la polémique la place qui lui revient, la première en littérature. » Anti-giscardien virulent (*Lettre ouverte au colin froid*, 1979), l'auteur devient l'un des plus féroces détracteurs du pouvoir socialiste et de François Mitterrand (*l'Honneur perdu de François Mitterrand*, 1992), qu'il avait adulés dans un premier temps. Il pourfend à la fois la gauche officielle, les critiques du *Monde des livres* et l'establishment universitaire. Si la provocation frappe souvent juste, il arrive qu'elle soit totalement déplacée – *Conversation au clair de lune* (1990) fait l'éloge de Fidel Castro, « une des plus grandes figures du XXe siècle » – ou qu'elle sombre dans la paranoïa, comme en témoigne l'affaire mal éclaircie du soi-disant enlèvement de l'auteur par de mystérieuses brigades terroristes (*l'Enlèvement*, 1983). La provocation se retourne alors contre son artisan et perd tout effet de sens au profit d'une vague écume médiatique. Jean-Edern Hallier est beaucoup plus heureux quand il fait œuvre romanesque et oublie les « persécutions en règle » dont il ferait l'objet. En témoignent le romantisme fiévreux de *Le premier qui dort réveille l'autre* (1977), et plus encore le lyrisme désespéré de *Fin de siècle* (1980), amour fou entre un archéologue et une infirmière sur fond d'atrocités et de misères cambodgiennes.

« Chateaubriand de l'ordure », comme il se définissait lui-même ? Gauchiste aristocrate et provocateur de salon ? Polémiste impitoyable ? Narcisse du désenchantement idéologique ? Il est difficile de trancher. En tout état de cause, Jean-Edern Hallier aura réussi le grand écart entre l'exploration, souvent talentueuse, du malaise politico-existentiel de cette fin de siècle et l'histrionisme médiatique le plus débridé – et parfois le plus vain.

P. Mari

HAMILTON Antoine, comte de

(1646 ?-1720)

C'est Hamilton, un écrivain écossais d'expression française, qui ouvre la production romanesque du XVIIIe siècle en France. Il a l'enjouement de Scarron et la phrase de Voltaire, qui, tout jeune, a pu le fréquenter dans la société du Temple. Miniaturiste de talent, Hamilton a dépeint, dans le type du grand seigneur frivole, une aristocratie triomphante qui trompe gaiement son oisiveté en jouant à la guerre, à l'amour et aux cartes, mais derrière laquelle se profilent déjà les roués...

Gentilhomme écossais, mais né en Irlande et élevé en France, Hamilton partage sa vie entre la cour de France et celle d'Angleterre, au gré des aventures des Stuarts. Catholique, il est tenu à l'écart de tout emploi sous Charles II ; il s'engage alors au service de Louis XIV jusqu'en 1677. À l'avènement de Jacques II en 1685, il obtient un commandement militaire et le gouvernement de la place forte de Limerick. Après 1688, de retour en France avec le roi en exil, il se consacre désormais à sa carrière littéraire, indissociable de la vie mondaine qu'il mène à la cour de Saint-Germain-en-Laye ou dans la société plus libertine des Berwick, de la duchesse du Maine et des Vendôme. Il est ami de Chaulieu et de La Fare, intime de Saint-Évremond, auquel il peut être comparé par son indépendance d'esprit et son caractère de trait d'union entre la France et l'Angleterre. Cependant, ce n'est pas dans la critique et le moralisme que Hamilton se distingue. Il met sa plume au service des salons, brillant par des talents de poète, de conteur et d'épistolier. Mêlant les vers à la prose, il compose des poésies légères, des pièces de circonstance et sacrifie à la mode du temps en rédigeant des contes qui allient le merveilleux des *Mille et Une Nuits* à celui des contes de fées de Perrault ou de Mme d'Aulnoy (leur publication n'aura lieu qu'après sa mort).

Mais ce sont les *Mémoires de la vie du comte de Gramont* – entrepris en 1704, publiés en 1713 – qui consacrent véritablement Hamilton comme écrivain, à soixante-sept ans. Ils lui ont permis de cristalliser des talents qui n'avaient donné leur mesure que dans l'éphémère conversation de l'homme de cour. Plutarque parodique, il y retrace la jeunesse de son beau-frère – « l'admiration de son siècle » – jusqu'à son mariage avec sa sœur Élisabeth Hamilton, en 1663. Liés depuis l'arrivée de Gramont à Londres en 1661, ces deux familiers des rois continuèrent à se fréquenter en France jusqu'à la mort du comte en 1707. Hamilton est censé écrire les *Mémoires* sous sa dictée ; en fait, il laisse de côté les scrupules du biographe ou de l'historien, et, préférant la narration à la troisième personne à l'autobiographie fictive pratiquée par un Courtilz de Sandras, il compose un roman dont le dessein, servi par une ironie déjà toute voltairienne, est de « divertir » le lecteur.

Le *Journal littéraire* en 1714 situe les *Mémoires* à la confluence de deux traditions narratives : celle de Sorel et celle de Bussy-Rabutin. Elles correspondent en effet à la division opérable entre le premier tiers de l'œuvre, qui, focalisé sur Gramont, participe du picaresque, et les deux derniers tiers, qui versent dans la chronique de cour, comme l'indique le sous-titre : *Histoire amoureuse de la cour d'Angleterre sous le règne de Charles II.*

Au début du roman, le chevalier de Gramont et son compagnon Matta soutiennent le siège de Trin ; la bonne chère et le jeu constituent leur ordinaire dans cette guerre en dentelle. Après la reddition de Trin, les deux amis, venus se divertir à la Cour de Savoie, doivent se plier au code de l'amour courtois en vigueur. Suivent les évolutions du héros en France, dans l'entourage de Condé, au siège d'Arras, à la Cour, d'où il est banni pour avoir voulu supplanter le roi auprès de La Motte-Houdancourt. Il passe en Angleterre. Dès lors, l'unité ne repose plus sur le protagoniste, qui devient un participant parfois privilégié, souvent occasionnel, ni ne réside par conséquent dans l'action, qui se morcelle en une multitude d'anecdotes dont le feu roulant se maintient jusqu'à la fin. Seule subsiste l'unité de lieu – de milieu –, délimitée par Whitehall et ses dépendances, patrie de la Cour. Au récit premier des chassés-croisés galants Hamilton intègre des récits burlesques où Gramont relaie le narrateur en contant, par exemple, l'histoire de l'aumônier Poussatin ou celle du valet Termes.

Dégagé de tout dessein transcendant, l'auteur s'adonne au ludisme de l'écriture. Il prend un plaisir très communicatif à jouer avec ses personnages comme avec des mots. Il construit ainsi une sorte de lexique de la Cour, où il définit un héros, qui n'est encore qu'un nom, par un portrait exécuté avec un art qui n'est pas sans évoquer la manière du peintre anglais Peter Lely et transmet l'illusion réaliste par un jeu subtil d'éloges et de restrictions. Hamilton excelle dans le portrait de femme, tel celui de cette beauté très britannique : « Son visage était des plus mignons ; mais c'était toujours le même visage ; on eût dit qu'elle le tirait le matin d'un étui pour l'y remettre en se couchant, sans s'en être servi durant la journée. » Le lexique se double d'une syntaxe qui régit les relations des personnages dans la sphère de la galanterie, où les grands sentiments sont démythifiés. Comme Dom Juan, Gramont jouit plus de la conquête que de la possession. Amour et guerre sont unis par la métaphore : « La Middleton fut la première qu'il attaqua. » S'agit-il d'une femme ou d'une place forte ? Dans le texte, les noms se succèdent à un rythme soutenu, comme celles qui les portent dans le cœur des héros. Les personnages s'agitent quelques instants sur la scène du petit théâtre mondain, puis disparaissent, définitivement ou jusqu'à une prochaine configuration produite par le kaléidoscope romanesque. Les figures de contredanse esquissées par les courtisans trouvent leur équivalent stylistique dans les figures de rhétorique qui émaillent le texte. Hamilton pratique une écriture du détail, non seulement au niveau de la structure narrative, mais aussi à celui de la phrase, où les tours plaisants correspondent, littérairement, au type de « mots » qui font fortune à Whitehall ou du côté de Guermantes. Hamilton utilise avec brio l'antanaclase – « tandis que le frère jouait de la guitare, la sœur jouait de la prunelle » –, l'antimétabole – « comme il était un peu sorti de son devoir pour entrer dans les intérêts de Monsieur le Prince, il crut pouvoir en sortir pour rentrer dans son devoir » – ou le zeugma – « au lieu de prendre les ordres, il prit le chemin d'Angleterre, et Mlle Bedingfield [...] pour femme ». Le style, spirituel et badin, se caractérise par une grande vivacité due en partie à l'usage systématique de l'ellipse et du pronom : « le vif Hamilton », écrit Voltaire dans *le Temple du goût*, mais il ajoute :

Toujours armé d'un trait qui blesse,
Médisait de l'humaine espèce.

En effet l'ironie prend des allures d'épigramme quand elle révèle, sous le paraître, un être veule, jaloux, concupiscent. Mais Hamilton la dirige aussi contre des genres littéraires (Mémoires, roman héroïque), en les parodiant, ou contre sa propre écriture, en devançant les reproches du lecteur. On retrouve ce procédé dans ses contes, publiés en 1730-1731, où la distance critique prend en charge la débauche d'enchâssements et de rebondissements d'où procèdent *les Quatre Facardins, Zénéyde, le Bélier* et *Fleur d'Épine* ; témoin, dans ce dernier, l'aparté : « Que les enchantements sont d'un grand secours pour le déroulement d'une intrigue et la fin d'un conte ! »

Hamilton connut un grand succès au XVIIIe siècle, où l'on a pu lire les *Mémoires* comme une anticipation de la licence des mœurs qui s'épanouit sous la Régence. Gramont ne préfigure-t-il pas Valmont ? L'œuvre de Hamilton fut régulièrement rééditée au XIXe siècle, avec un privilège pour les *Mémoires* (une dizaine d'éditions), qui, selon Sainte-Beuve, symbolisent l'« esprit français ».

P. Boisseau

HARDELLET André

(1911-1974)

Que l'œuvre d'André Hardellet soit longtemps restée confidentielle n'est pas pour surprendre. Elle réclame du lecteur une disponibilité à un merveilleux qui, pour emprunter en partie au surréalisme, se manifeste surtout dans l'art des évidences trompeuses. Confidentielle aussi au sens où Hardellet y confie une blessure inguérissable, celle de l'enfance perdue, et une ambition démesurée, celle d'en retrouver par les mots l'éblouissante évidence. À l'origine, un paradis perdu : le jardin familial de Vincennes. Pour Hardellet, en effet, « au monde, il n'a jamais fait aussi beau que dans mes étés d'enfance et dans ce jardin. Jamais – et je sais que je ne guérirai pas de ces saisons lumineuses » (*Donnez-moi le temps*, 1973). Dès *la Cité Montgol* (1952), le premier recueil de poèmes publié par l'entremise de P. Mac Orlan qu'il a rencontré en 1947, l'œuvre de Hardellet témoigne de cette blessure solaire et des moyens pour en retrouver « le lieu et la formule ».

Car, de poésies (*le Luisant et la Sorgue*, 1954 ; *Sommeils*, 1960 ; *les Chasseurs*, 1966) en récits (*Lady Long Solo*, 1971), de romans (*le Parc des archers*, 1962 ; *le Seuil du jardin*, 1966 ; *Lourdes, lentes*..., 1969) en essais (*Donnez-moi le temps* ; *la Promenade imaginaire*, 1974), si l'angle de vue se déplace, le point de vue et l'objet, eux, demeurent identiques, l'écriture s'enroulant sur elle-même à l'image du labyrinthe de Blake dans *le Parc des archers* en direction d'un foyer de convergence, d'un centre secret qui est aussi un point de fuite. Hardellet, en effet, écrit : « Il n'est pas un seul de mes livres où mon espoir – insensé si l'on veut – de ressusciter les "minutes heureuses" ne s'exprime par personne interposée » (*Donnez-moi le temps*). Travail de l'enveloppement et de la répétition pour approcher ce « point parfait » pressenti dans *le Nombre d'or*. Comme s'il lui fallait multiplier par l'« auto-réécriture » les angles de vision pour cerner au plus près, sans en épuiser jamais le sens, une scène primitive où se révèle, selon Hofmannsthal, cité par Hardellet dans *l'Essuyeur de tempête*, « le présent à son maximum de présence ».

Réalité imaginaire des lieux

Là où on a longtemps voulu voir un aimable flâneur dévidant les épithalames nostalgiques des bals musettes des bords de Marne, on n'a pas voulu comprendre que cette topographie de la déshérence (hippodromes désaffectés, voies de chemins de fer rendues à l'herbe, rue de la Grange-aux-Belles, buttes de tir abandonnées, etc.) était d'abord pour Hardellet le matériau d'une quête de « l'autre versant » de la réalité, en raison de ce qu'il désigne comme un « mythe de [s]on enfance » : « la conviction qu'en marchant très longtemps on devrait bien finir par atteindre le lieu où l'horizon faisait halte [...]. L'immense butin qu'il amassait en avançant toujours, il le déposait là : clochetons au soleil, rivières d'ardoises [...]. Rien que cela mais dans une ère de perfection dont la nostalgie me venait de je ne sais où... » (*La Promenade imaginaire*). Or, ce n'est pas en raison de leur pérennité, de leur aptitude à se maintenir, que les lieux hardelletiens constituent le socle de sa création littéraire, mais au contraire parce qu'ils ont été l'objet d'une transformation, de la part de ceux qu'il appelle les « bâtisseurs de ruines ». C'est parce que la rue de Fontenay a été redessinée, parce que les Halles ont été démolies que ces lieux originaires se perpétuent dans l'imaginaire et reçoivent leur puissance évocatoire des signes inaltérables dont ils portent trace. Quant à la banlieue, elle est par nature espace des marges et des friches. D'où ces descriptions d'épaves, d'empreintes – murs lézardés, guinguettes disloquées –, assurant l'ambivalence de la perte et de la permanence, comme l'atteste le peintre Stève Masson, double imaginant de Hardellet (*le Seuil du jardin*), dans son effort pour saisir sur la toile l'énigme ensoleillée d'un souvenir d'enfance saisi avec une intensité qui crée une béance dans le temps.

Des genres en vacillement

Que *le Seuil du jardin* soit aussi un roman policier, *le Parc des archers* aussi un roman de politique-fiction, ne saurait abuser. Les conventions du genre y sont suffisamment exhibées pour ne pas être suspectes. La fiction romanesque est chez lui un prétexte ou un leurre. C'est dans la forme brève – celle des poèmes et récits de *la Cité Montgol*, de *Sommeils* et des *Chasseurs* – que Hardellet parvient à trouver la tension propre à sa démarche créatrice, celle d'une écriture du secret et de son élucidation énigmatique. La « petite musique » de Hardellet joue en effet sur les énigmes, les demi-mots, l'ombre et la fuite à partir d'un ancrage concret. Comme dans les tableaux animés de *Locus Solus* (R. Roussel) ou de *l'Invention de Morel* (A. Bioy Casares), une mécanique de réanimation rectifie les apparences et participe au vacillement du réel. À la limite, la tournure aphoristique condense l'essentiel d'une expérience à la fois existentielle et poétique. Il en va ainsi de l'emploi du jeu surréaliste des définitions métaphoriques dans *Sommeils* : « le rêve – c'est l'instant où tombe enfin la robe des clairières ». Cette résurrection dépend d'abord d'une démarche d'attente ou d'« affût », pour reprendre une métaphore récurrente de l'auteur. Il s'agit de scruter la matière du souvenir et de la surprendre au moment où, d'inerte, elle se dynamise, réduisant par là même l'écart entre vie réelle et vie imaginaire, entre une durée minée par le devenir et la suspension du temps. D'où le régime particulier, dans l'œuvre, de la représentation – photographies et cartes postales anciennes – qui, tout autant que la « promenade imaginaire », a pour fonction d'attester ce qui fut et d'assurer une réversibilité réparatrice par l'investissement imaginaire. Pour Hardellet, en effet, « l'invention de Niépce possède un caractère diabolique [...] ; le mouvant tombe dans le piège de la chambre obscure, tout s'arrête, substitue son éternité essentielle à l'apparence d'une fuite ininterrompue. Alors, à mieux considérer l'image, s'insinue l'intuition que rien n'est coupé d'un présent dilaté à l'infini » (*le Parc des archers*). Ainsi, le motif récurrent de la ville double ou de la cité clandestine, qui occupera l'essentiel de la promenade onirique de *Lady Long Solo*, fait coïncider dans un même espace – le centre de Paris – les photographies des « morts de 14-18 déguisés en écoliers » avec celles des barricades de la Commune ou celles du Paris d'Atget, surgies des « corridors du temps ». Dès lors, l'élaboration de la fiction à partir d'une image accrédite une poétique de la suppression des antagonismes, où tout peut se poursuivre, affranchi des sujétions de la temporalité. En ce sens, l'érotisme participe, pour Hardellet, de la même démarche réconciliatrice qui « voudrait prolonger l'âge des émerveillements » puisque, « entre autres privilèges, l'enfant a celui de l'érotisme à l'état pur ». Condamné pour « outrage aux bonnes mœurs », *Lourdes, lentes*..., écrit sous le pseudonyme transparent de Stève MASSON, s'offre à lire non comme un manifeste de libération sexuelle mais paradoxalement comme une nouvelle approche des territoires enchantés de l'innocence.

Car c'est la vie qu'exalte Hardellet, mais la vie restituée à sa part d'enfance, jeu très sérieux qui n'ignore pas la mort mais déploie les moyens du merveilleux – au sens que donnaient aussi les surréalistes à ce terme, pour en conjurer les atteintes.

J.-M. Rodrigues

HARDY Alexandre

(1572 ?-1632 ?)

Alexandre Hardy est le plus prolifique des auteurs dramatiques du XVIIe siècle, le plus « professionnel » aussi, parce que constamment mêlé à la vie quotidienne de troupes de comédiens luttant pour s'imposer, à Paris, en province et à l'étranger. La critique a longtemps mis l'accent sur l'aspect romanesque de l'existence supposée du « poète à gages », sur la misère – également supposée – de l'écrivain de théâtre, amoureux de son art au point de renoncer à tout pour suivre le chariot des troupes errantes. Ces clichés, qui ne sont pas toujours inventés, ont parfois nui à une étude plus profonde de l'étrange carrière du dramaturge. Toutefois, les découvertes récentes de contrats notariés et les recherches érudites ont sensiblement transformé l'image traditionnelle de l'homme, et suscité un nouvel intérêt pour ses œuvres. Quelques éditions critiques permettent désormais la lecture de pièces que l'on cesse depuis lors de mesurer en fonction d'une grille de lecture soumise aux normes de la Renaissance ou du classicisme.

La vie difficile d'un poète ambulant

On a longtemps cru qu'Alexandre Hardy n'embrassa la vie des comédiens qu'à cause de sa condition modeste. En fait, il est possible qu'il ait été de bonne famille (à en juger par la parenté qu'on lui connaît à la fin de sa vie) et qu'il ait vécu une jeunesse studieuse. Paris est alors soumis au monopole théâtral des Confrères de la Passion, établis à l'Hôtel de Bourgogne. Peut-être est-ce la raison de son départ pour la province en 1592 avec une troupe, probablement celle d'A. Talmy ; il commence alors une carrière d'acteur et d'écrivain, vendant ses œuvres « à la pièce » jusqu'en 1597. Sa relative notoriété lui permet d'entrer en 1598 comme « poète à gages » dans la troupe de Valleran, dont il partagera, de longues années durant, la vie itinérante (à Paris, en province, mais aussi à l'étranger puisqu'on le signale à Leyde et à La Haye en 1613) et incertaine. C'est à Marseille, en 1620, qu'on retrouve la trace du poète, à l'occasion d'un nouveau contrat, signé cette fois avec Pierre Le Mesnier, dit Bellerose, chef des Comédiens du roi. En 1622, la nouvelle troupe est à Paris et loue l'Hôtel de Bourgogne où Hardy connaît enfin le succès. Il fait imprimer quelques-unes de ses pièces, mais rompt avec Bellerose quand celui-ci s'obstine à lui interdire l'édition de nouvelles œuvres.

Il signe alors un autre contrat de « poète à gages », en 1626, avec C. Deschamps, sieur de Villiers, chef de troupe des Vieux Comédiens du roi : il promet six pièces annuellement pendant six ans, et la troupe part jouer en province, cette fois sans son poète.

Le paysage théâtral parisien a changé pendant la longue absence du dramaturge. En rompant avec Bellerose, Hardy s'est écarté d'un foyer essentiel du théâtre, au moment où il aurait pu définitivement s'imposer. Amer, il regrette toutes les œuvres qu'il a dû abandonner à son ancienne troupe, et il semble mal supporter le succès d'une nouvelle génération de dramaturges qui s'imposent en oubliant parfois ce qu'ils doivent au poète vieilli. Plutôt isolé, il meurt ayant atteint la soixantaine, moins pauvre qu'on ne l'a dit, puisqu'il aurait obtenu la charge de secrétaire du prince de Condé et tiré quelque bénéfice de l'édition de ses pièces.

Le curieux statut d'un auteur professionnel

Au-delà de la vie privée d'Alexandre Hardy, l'existence quotidienne du « poète à gages » retient l'attention par les liens particuliers qu'elle tisse avec la création. Voilà donc un dramaturge qui a vécu constamment avec des troupes de comédiens, en France et à l'étranger, et qui a été confronté aux exigences immédiates des représentations. Son expérience d'acteur, régulier puis occasionnel, en compagnie de ceux qui deviendront les meilleurs comédiens de l'époque, est irremplaçable. Il savait pour qui il écrivait, il connaissait les lois de la représentation et ses obligations matérielles, il n'ignorait pas le goût des publics devant lesquels la compagnie jouait. À ces avantages incontestables, liés au statut de « poète à gages », s'oppose le caractère précaire d'une écriture désacralisée et soumise aux exigences de ses employeurs. Il semble que Hardy ait constamment écrit sous la pression des troupes auxquelles il appartenait, en fonction des besoins de renouvellement du répertoire, et à une cadence rapide de production qui a fait de lui l'auteur incroyablement fécond de six cents ou sept cents « poèmes dramatiques ».

Cette fécondité du poète « à la demande » a de douloureux revers. Forcé d'abandonner ses œuvres aux acteurs avec lesquels il est lié par contrat, et qui défendent leur droit d'exclusivité, il se voit interdire l'impression qui livrerait ses pièces aux troupes rivales. Il n'a donc pu en faire publier que trente-quatre de son vivant : *Théagène et Chariclée* fut imprimé en 1623 ; les trente-trois autres parurent dans son *Théâtre*, dont les cinq volumes sortirent entre 1624 et 1628. Le *Mémoire* de Mahelot mentionne dix titres de pièces perdues, et trois œuvres ont été retrouvées dans les Archives nationales par Mme Deierkauf-Holsboer. Parmi les œuvres publiées, on compte douze tragédies, quatorze tragi-comédies, cinq poèmes dramatiques et cinq pastorales. Il est possible qu'il y ait des comédies parmi les pièces perdues, mais il est difficile de l'affirmer avec certitude. De même, la datation des pièces publiées fait problème : H.C. Lancaster étale leur composition entre 1605 et 1625 et situe les pièces mentionnées par Mahelot entre 1625 et 1631 ; Mme Deierkauf-Holsboer arrive à des dates différentes allant d'« avant 1610 » à 1627. De toute façon, nous ne disposons que d'une petite partie de sa production pour juger de l'ensemble de l'œuvre.

Une dramaturgie du récit et de la passion

« Je n'avais pour guide qu'un peu de sens commun avec les exemples de feu Hardy, dont la veine était plus féconde que polie… » : cette remarque de Corneille extraite de son *Examen de Mélite* a longtemps suffi à caractériser l'œuvre de Hardy. Elle correspondait d'ailleurs à l'image que la critique voulut en donner par la suite ; pouvait-on à la fois produire beaucoup et faire œuvre louable ? D'autre part, l'œuvre de Hardy a longtemps souffert d'un jugement fondé sur les seules valeurs du classicisme : Lanson le considérait comme illisible ; la hardiesse des sujets (des violences, des meurtres sanglants, des viols), souvent empruntés aux Espagnols (Cervantès, Lope de Vega), la crudité du langage et la bizarrerie d'actions se déployant librement dans le temps et dans l'espace en faisaient une œuvre quasiment incompréhensible. Même Rigal, le « découvreur » de Hardy, écrivait : « Nous n'insisterons pas longtemps sur *Scédase* : comment, en effet, analyser une tragédie qui dépasse en horreur et en réalisme brutal les plus sombres d'entre nos drames ? […] La pièce est grossière plutôt qu'immorale ; elle est conforme au goût du temps. »

Une analyse plus profonde des pièces dans quelques éditions critiques récentes a contribué à faire renaître la curiosité pour un dramaturge souvent mal lu. En fait, la dramaturgie de Hardy est subordonnée au narratif. Tout est dans le récit, qui déroule ses méandres pour suivre les personnages là où ils sont, là où ils vont. Aucun effort n'est fait pour ordonner le déroulement d'événements dont chacun se révèle indispensable à l'histoire, sans hiérarchie et sans scènes « à faire ». Pas de tentative de « concentration » par l'intermédiaire de récits ou de paroles rapportées. Le temps, la diversité des lieux, le nombre des personnages dépendent des nécessités de l'action. Ainsi dans *la Force du sang*, le récit abandonne Léocadie confiant à sa mère qu'elle est enceinte, pour saisir dom Inigue sortant de chez lui pour se rendre à un tournoi. Puis l'action se transporte soudainement en Italie où Alphonse voyage.

La Force du sang

SYNOPSIS

À Tolède, Pizarre confie à sa femme Estéfanie qu'il a fait un songe inquiétant où une « tourtre » [tourterelle] était attaquée par un « grand aigle » (I, I). Alphonse, jeune gentilhomme de bonne famille, déclare à ses amis Rodéric et Fernande qu'il aimerait séduire une femme au hasard d'une rencontre (I, II). Dans une rue, non loin du Tage, le groupe de jeunes gens enlève Léocadie, fille de Pizarre, qui se promenait avec ses parents (I, III).

Alphonse a profité de la pâmoison de la jeune fille pour l'entraîner chez lui et la violer. Quand elle revient à elle, elle lui demande de la reconduire en ville les yeux bandés pour qu'elle ne puisse retrouver le chemin, et elle disparaîtra (II, I). Pendant ce temps, les parents de Léocadie se désespèrent. Au retour de leur fille, qui veut mourir, ils la consolent. On apprend qu'elle a dérobé chez Alphonse une œuvre d'art, qui devrait l'aider à identifier un jour son ravisseur (II, II). Dom Inigue, père d'Alphonse, qui ignore tout de l'affaire, propose à son fils un voyage à travers l'Europe (II, III).

Léocadie apprend à sa mère qu'elle est enceinte. Celle-ci décide qu'elles élèveront l'enfant en secret (III, I). Le temps a passé. Dom Inigue s'apprête à partir pour un tournoi (III, II). Pendant ce temps, Alphonse, en Italie, est en proie au remords (III, III). Dom Inigue rencontre Ludovic, le fils de Léocadie, blessé dans une chute. Séduit par le jeune enfant, il est troublé par l'étrange ressemblance entre cet enfant et son propre fils (III, IV).

Léocadie se désespère quand elle apprend par Francisque, valet de dom Inigue, la légère blessure de son fils (IV, I). Léocadie va chercher Ludovic chez dom Inigue en se faisant passer pour une tante de l'enfant. Plus tard, elle croit reconnaître le logis et raconte toute son histoire à Léonore, la mère d'Alphonse, très émue par ce récit (IV, II). Dom Inigue est décidé à oublier le passé (« Suffit que d'un grand mal résulte plus de bien »), et il organise un « banquet de parents » afin d'annoncer le mariage (V, I). Alphonse revient de voyage. Sa mère le prépare à la nouvelle, et il se déclare très heureux d'épouser un « parangon des vertus » dont le souvenir n'avait fait que le poursuivre. De grandes réjouissances publiques sont annoncées (V, II à IV).

La Belle Égyptienne multiplie également les ruptures de liaison, édifie un système de « fausses pistes » et de méprises, allonge les différents fils d'une intrigue qui se diversifie à l'extrême. Il reste, chez ce dramaturge baroque, des procédés qui datent de la Renaissance. Ainsi, ces chœurs de villageois et ces chœurs d'Égyptiens qui se répondent dans *la Belle Égyptienne* et qui disparaîtront chez les auteurs de la génération suivante. Ainsi, parfois, dans le vocabulaire, des archaïsmes ronsardiens. Ainsi, encore, un goût très vif pour les sentences et les discours moralisants :

Si la fille ne veut soi-même se garder,
Soi-même aux passions brutales commander,
Mille Argus surveillants, le chef ceint de lumières,
Mille prisons d'airain, mille fortes barrières,
Tel désastre honteux peuvent moins prévenir
Que nous de l'Océan la course retenir.

(*Scédase*, II, I)

Toutes choses qui, alliées à une syntaxe souvent compliquée par une cascade de subordinations, lui ont valu une réputation d'illisibilité :

Enfin elle retourne ainsi que du tombeau,
Et veuve de l'émail de son plumage beau,
Qui lamente, honteuse, une semblable perte,
Qui refuse d'abord notre caresse offerte.

(*La Force du sang*, I, I)

Mais ce genre d'amphigouris ne saurait faire oublier chez Hardy la précision soudaine de certaines scènes, l'art du détail, une sorte de réalisme limpide et touchant qui se mêle curieusement aux métaphores érudites et aux emprunts obligés à la mythologie. Témoin cette scène où Léocadie annonce à sa mère qu'elle est enceinte :

LÉOCADIE. – Ma turpitude énorme assez tôt paraîtra,
Et d'un objet honteux son remords accroîtra.
ESTÉFANIE. – Pourquoi ? si ce ne sont qu'effets
[de la nature,
Comme lorsqu'on se sent élargir la ceinture.
LÉOCADIE. – Ô Terre ! ô terre, mère, entrouvre ton giron
Et me plonge au plus creux des gouffres d'Achéron !
ESTÉFANIE. – Te préserve le Ciel de pire maladie.

(*La Force du sang*, III, I)

Hardy s'intéresse de près aux personnages, il leur donne des traits étonnants de vérité, des éclairs de tendresse et une grande fragilité : celle des passions qui s'étalent au grand jour, éclatent avec fracas et provoquent ensuite la stupeur de toute une catégorie de « faux méchants » repentis. Il faut relire Hardy non seulement pour ces moments privilégiés où la justesse du trait fait oublier les excès rhétoriques, mais aussi pour ses qualités d'observation des rapports sociaux, qui, chez lui, apparaissent déterminants dans la plupart des crises. Ce ne sont plus les dieux ni la Fatalité qui fondent le tragique, mais en grande partie la puissance sans scrupules de groupes qui se permettent d'assouvir toutes leurs passions. Un théâtre « en liberté » à une époque où les règles de composition classiques sont inconnues, voilà qui donne un éclairage différent au premier quart du XVIIe siècle. [Voir aussi **Baroque**.]

J.-P. Ryngaert

HÉBERT Anne

(1916-2000)

Écrivain canadien d'expression française. Anne Hébert est issue d'une famille québécoise à vocation intellectuelle et créatrice. Son œuvre, comme celle de son cousin Saint-Denys Garneau, est devenue sous certains aspects un lieu privilégié où s'est perçue ou projetée la fine pointe de l'imaginaire collectif ; elle manifeste aussi l'émergence, dans la société québécoise, d'une volonté de s'exprimer : « Mais voici que le songe accède à la parole ». C'est dire le parcours de son œuvre, pourtant jamais assuré ni à sens unique. Prolongement du songe autant que recours contre lui, son écriture et sa fiction dressent leur révolte contre les silences et les interdits d'une enfance rêveuse en même temps qu'elles y puisent leur inspiration la plus intime.

Après un premier recueil (*les Songes en équilibre*, 1942), d'une poésie naïve, l'œuvre atteint d'emblée ses résonances essentielles avec *le Torrent* (conte, 1950) et *le Tombeau des rois* (poèmes, 1953) : « J'étais un enfant dépossédé du monde », dit le narrateur matricide du conte ; « J'ai mon cœur au poing/Comme un faucon aveugle », dit la jeune fille lucide et fascinée à l'orée du tombeau royal. À mesure qu'il s'accroît, l'univers d'Anne Hébert se révèle de plus en plus unifié et régi par la vision et le langage de ces deux œuvres où apparaissent les contradictions qui en sont l'enjeu fondamental.

Un premier roman, *les Chambres de bois* (1958), tenant à la fois du conte et de la prose poétique, évoque la réclusion débilitante d'une jeune femme auprès d'un mari et d'une belle-sœur confinés dans la complicité du songe. Mais un accent nouveau retentit dans *Mystère de la parole*, publié avec *le Tombeau des rois* sous le titre *Poèmes* (1960) : à la voix grêle interrogeant son dépouillement se juxtapose un chant ample et plein où font irruption les sensations libératrices ; une parole annonciatrice de convergence universelle succède aux gravures immarcescibles de l'être réduit à ses os et à l'envoûtement de l'intériorité.

Le théâtre d'Anne Hébert s'inscrit dans l'orientation de l'œuvre, qu'il accentue sans la mener à terme. *Les Invités au procès* (1952), conte radiophonique, a le caractère polyphonique et touffu d'un cauchemar développant les thèmes de la culpabilité et de la mort. *La Mercière assassinée* (1959) prend l'allure d'une enquête policière, mais il apparaît bientôt que la victime est elle-même coupable d'une série de meurtres, alors que le coupable est victime d'une race déchue. Dans *le Temps sauvage* (1966), une famille, tenue sous l'emprise de la mère hors du temps et à l'abri du monde, se défait en un affrontement hiératique.

Avec *Kamouraska* (1970), Anne Hébert revient au roman d'éclatante façon : c'est l'écriture haletante d'une volonté de vivre, d'une conscience partagée entre le besoin de conformité sociale et le souvenir d'une révolte et d'un amour meurtriers, dans un XIXe siècle de violence et de neige. *Les Enfants du sabbat* (1975) et *Héloïse* (1980) empruntent au registre du fantastique : le premier, à la sorcellerie, pour donner libre cours au sabbat triomphal d'une possession diabolique ; le second, au vampirisme, en un récit lisse où s'impose la fascination de la mort. Après *le Premier Jardin* (1988), qui abandonne ce registre pour tracer le portrait d'une vieille femme confrontée à son enfance retrouvée, ses derniers romans mettent en scène les bouleversements provoqués, pour le meilleur ou pour le pire, dans les existences les plus rassises par des êtres doués d'une étrange séduction : *l'Enfant chargé de songes* (1992), *Est-ce que je te dérange ?* (1998), *Un habit de lumière* (1999).

Par-delà la diversité des genres littéraires, l'écriture d'Anne Hébert déploie un réseau intertextuel complexe, où, d'une œuvre à l'autre, réapparaissent des thèmes et des situations, des images et des expressions. À cet égard, les poèmes du *Tombeau des rois* demeurent le pôle auquel tout se rattache. Ainsi, *Héloïse* est placé sous l'exergue ironique du poème « En guise de fête » ; les maléfices émanant de l'appartement vétuste qu'habite un jeune couple reprennent le thème central du roman *les Chambres de bois*, qui, à son tour, prolonge celui du poème « la Chambre de bois », comme les sortilèges d'outre-tombe du personnage éponyme d'*Héloïse* correspondent à « l'immobile désir des gisants » du poème « le Tombeau des rois ». Dans ce roman, comme partout ailleurs dans l'œuvre d'Anne Hébert, resurgissent les signes d'une interrogation lancinante.

Bon nombre de textes reproduisent un même schéma dynamique : une forme d'infériorité sociale ou d'asservissement psychologique suivie d'une révolte. Ce pourrait être le rapport entre les deux recueils de poèmes de la maturité, auxquels s'ajoute en 1992 *Le jour n'a d'égal que la nuit* ; c'est l'axe des contes et des nouvelles aussi bien que celui du théâtre et des romans *les Chambres de bois* et *Kamouraska*. Cette structure thématique s'inscrit à son tour dans une irréductible tension entre culture et nature, en quoi se tient l'œuvre entière : c'est, dans *Kamouraska*, le tournoiement vertigineux du personnage d'Élisabeth entre la fenêtre et le miroir, entre le présent et le passé ; ce sont les forces antagonistes du couvent et de la montagne des sorciers dans *les Enfants du sabbat*, celles de la vie et de l'amour contre l'hypocrisie des bien-pensants dans *la Cage* (théâtre, 1990). La culture y est ce qui définit l'être, c'est là qu'on se découvre inexplicablement, mais aussi, paradoxalement, ce à quoi se rattache la fidélité la plus intime ; c'est l'espace clos ou souterrain, le passé, le songe, la mort, l'absence au monde ; la nature, au contraire, est événement, sensations et parfums, révolte, « passion du monde ». Et ces valeurs opposées polarisent la quête d'identité se formulant dans la question première de l'œuvre : où est « la vraie vie » ? Certaines œuvres, tels *Mystère de la parole* et *les Enfants du sabbat*, annoncent ou affirment le triomphe de la nature, mais c'est dans *le Torrent*, dans *le Tombeau des rois*, dans *Kamouraska* que trouve à s'accomplir l'écriture la plus authentique, celle qui explore en le dépouillant de tout artifice le repli sur soi d'un être tendu vers sa révolte et pourtant tenu en ses « liens durs » noués au plus profond de quelque « nuit secrète ».

J.-L. Major

HÉLINAND DE FROIDMONT

(1160-1220)

Né dans l'Oise d'une noble famille allemande, Hélinand fait ses études à Beauvais, sous la direction d'un élève d'Abélard, le grammairien Raoul, qui l'aide à découvrir les textes sacrés et les lettres antiques. Au théâtre, dans les écoles et à la Cour, on applaudit ses talents de trouvère. Puis, un jour, pour une raison qu'il ne précisa jamais, le poète adulé renonce au monde et se retire à l'abbaye de Froidmont, près de Beauvais, une abbaye cistercienne marquée par la réforme de saint Bernard.

Son œuvre latine, particulièrement abondante, mériterait attention. Ses sermons révèlent un véritable humaniste chrétien, qui se réfère autant aux auteurs anciens qu'aux Pères de l'Église ; il est l'un des premiers à mêler dans ses sermons l'érudition profane et l'érudition chrétienne. Grâce à Vincent de Beauvais nous sont parvenus trois opuscules en latin dont *De cognitione sui* et une lettre à Gautier, *De reparatione lapsi*, riches en détails autobiographiques. Le *De regimine principis*, où l'on décèle l'influence du *Policraticus* de Jean de Salisbury, ne développe guère la théologie du pouvoir royal en relation avec la théocratie pontificale : c'est l'époque où le roi Philippe Auguste demande leur approbation aux seuls prélats français pour faire annuler son mariage ; mais l'accent y est mis sur la valeur personnelle du prince.

Entre 1194 et 1197, Hélinand rédige, en français, les *Vers de la Mort*. L'ancien trouvère, désormais convaincu que l'homme ne peut trouver de salut hors du renoncement intégral à la chair et au monde, compose ces vers pour inciter ses amis à venir le rejoindre dans l'ordre de Cîteaux. Ses amis croient assurément en Dieu, mais, jeunes, ils s'imaginent qu'ils auront toujours le temps de se mettre en règle avec Dieu, et, pour le moment, ils vivent en disciples plus ou moins conscients d'Épicure.

Par amour pour ses amis et par désir de leur ouvrir les yeux, Hélinand décide de les « épouvanter » (strophe III), non en dépeignant les tourments réservés aux damnés, mais en exploitant la hantise de la mort subite, forme qui était alors la plus redoutée.

Il crée donc Mort, personnage d'une vitalité débordante. Protéiforme, omniprésente et omnisciente, elle tient entre ses mains tous les hommes et tout l'univers. À elle, comme à Dieu, il faut rendre des comptes. En chantant la toute-puissance de la mort et son pouvoir justicier, le poète clame la vanité des choses d'ici-bas et s'exprime sur le mode satirique. Les flèches qu'il décoche atteignent les puissants de ce monde, les cardinaux, les légats du pape, les princes et même les rois. Au-delà de la leçon d'humilité qu'il veut donner aux Grands, il dénonce les injustices sociales, et il prend le parti des opprimés. Cependant, même lorsque, sur un mode majeur, le poète s'abandonne à ses invectives, les autres motifs continuent à se faire entendre, sur un mode mineur. Composition symphonique, par laquelle Hélinand pensait conduire ses amis à découvrir le chemin qui mène au bonheur, dans l'au-delà. Ses *Vers de la Mort* se voulaient un message d'espoir, non de désespoir.

Les *Vers de la Mort* marquent un tournant dans le traitement du thème de la mort en Occident. Aux quelques représentations directes (vers, squelette, pourriture) se substitue, chez Hélinand, une figuration animée : la mort se transforme en personne, elle devient le porte-parole d'une éthique dans laquelle l'état de concept servait jusqu'alors d'argument privilégié.

Dans l'histoire de la poésie, les *Vers de la Mort* consacrent le triomphe de la « strophe d'Hélinand », douzain octosyllabique dont les rimes sont ainsi disposées : *aab aab bba bba*.

Un lecteur moderne peut sans doute rester sourd à cette « défense » de l'idéal cistercien, à cet éloge de la vie monastique, qui serait la seule porte ouverte sur le bonheur éternel. Mais comment resterait-il insensible aux cris de colère et d'indignation contre les injustices, qui annoncent les sonnets satiriques de Du Bellay, la verve mordante d'un Agrippa d'Aubigné ? Cette émotion et cette chaleur humaine confèrent à un message inscrit dans le temps un caractère intemporel. Plus mystique que philosophe, plus poète que théologien, Hélinand appartient à une lignée de penseurs qui va de l'Ecclésiaste à Claudel, en passant par l'abbé de Rancé.

M. Santucci

HELVÉTIUS Claude Adrien

(1715-1771)

Fermier général devenu philosophe, grand bourgeois nanti dans un monde encore féodal, Helvétius a vécu socialement au confluent de l'Ancien Régime et d'un monde nouveau dominé par la grande bourgeoisie financière. Libre de tout souci d'argent, il a mis son esprit, ses lectures au service de l'humanité, persuadé que les temps étaient venus où l'on pouvait enfin élaborer comme une physique expérimentale une science du bonheur, une science de la morale, laquelle est inséparable pour lui de la politique, qui elle-même repose sur la législation. Classé parmi les matérialistes parce qu'il pose à l'origine de tout la sensation, il ne soulève en fait jamais le problème de Dieu, les lois de Newton lui semblant suffisantes pour expliquer le monde. Intellectuellement, il s'en tiendra à un matérialisme fondé sur l'intérêt et l'éducation, restant étranger à la vision de la matière issue, après 1750, des progrès de la chimie et de la biologie.

Originaire du Palatinat comme celle du baron d'Holbach, la famille Schweitzer, ayant latinisé son nom en Helvétius, s'est réfugiée en Hollande au temps de la Réforme. Elle donne naissance à une lignée de médecins, dont le père de Claude Adrien, premier médecin de la reine Marie Leczinska. Une reine comme protectrice, un oncle directeur des Fermes, belle corbeille de fées. À vingt-trois ans, en 1738, Claude Adrien est déjà fermier général. Conscient des abus de ce système, mais ayant accumulé une imposante fortune, il renonce à sa charge en 1750, épouse en 1751 Mlle de Ligniville d'Autricourt, de noblesse lorraine ruinée, passe quatre mois chaque année à Paris, où il se fait mécène des encyclopédistes, huit mois dans ses terres de Voré, dans le Perche, où il se fait bienfaiteur de la population : comme Voltaire à Ferney, il est médecin, pharmacien, manufacturier. Seul échoue son projet d'exploiter le minerai de fer ; mais il a du moins forgé son esprit avec *l'Essai sur l'entendement humain* de Locke, lu pendant son adolescence, *l'Esprit des lois*, à trente-trois ans, le *Traité des sensations* de Condillac, à trente-neuf. Il avait voulu devenir littérateur, mais on a oublié son poème sur *le Bonheur*. Par contre, les réflexions qu'il a développées autour de ce poème ont donné naissance à l'un des grands livres du siècle : *De l'esprit* (1758), ouvrage « réunissant toutes les sortes de poisons qui se trouvent répandus dans différents livres modernes », au dire des théologiens de la Sorbonne. Un an après le décret promettant la mort aux auteurs ou éditeurs d'ouvrages séditieux, l'« affaire » du livre *De l'esprit*, condamné successivement par le roi, le parlement, la Sorbonne, le pape, est un des grands événements du siècle. Le censeur qui avait autorisé la publication est révoqué, Helvétius doit se rétracter ; le commentaire amplifié du livre, sous le titre *De l'homme, de ses facultés intellectuelles et de son éducation*, ne paraîtra qu'en 1773, après la mort d'Helvétius, qui a dédié son second ouvrage à Catherine II, car « les lumières et le bonheur vont maintenant vers le Nord ».

L'esprit d'Helvétius a survécu en la personne de sa femme, dont tous les contemporains ont loué la beauté, la vivacité, la générosité spontanée. Installée à Auteuil qu'elle ne quitte plus jusqu'à sa mort en 1800, elle y a tenu, au milieu de ses nombreux amis, un salon qu'ont illustré Turgot, Franklin, Chamfort, Cabanis, et même, au retour de la campagne d'Égypte, Bonaparte. Là s'est formé, postérité de la pensée d'Helvétius, l'esprit des Idéologues [voir **Idéologues (les)**].

De l'esprit

SYNOPSIS

« DISCOURS PREMIER : De l'esprit en lui-même ». Toutes nos facultés ont pour origine la sensibilité physique, mais on croit trop aisément que tout ce que l'on voit est tout ce qu'on peut voir. L'ignorance est la principale cause de nos erreurs. Exemple : les différentes opinions sur la question du luxe. « Juger n'est jamais que sentir. »

« DISCOURS SECOND : De l'esprit par rapport à la société ». Les jugements nés de la sensibilité physique sont commandés par notre intérêt. Il n'y a pas de probité absolue ; celle-ci n'est que l'« habitude des actions utiles à la nation ». À partir d'exemples historiques, Helvétius essaie de « donner des idées nettes et précises de la vertu ». Seules les bonnes lois font les hommes vertueux : « La morale n'est qu'une science frivole, si l'on ne la confond avec la politique et la législation. »

« DISCOURS TROISIÈME : Si l'esprit doit être considéré comme un don de la nature ou un effet de l'éducation ». L'inégalité des esprits humains provient de l'inégal désir de s'instruire, qui provient lui-même des passions qui nous animent en fonction de la « sensibilité physique », des jugements, de notre intérêt. Mais « tout homme est capable du degré d'attention suffisant pour s'élever aux plus hautes idées ».

« DISCOURS QUATRIÈME : Des différents noms donnés à l'esprit ». Après une revue très précise et claire des différentes catégories de l'esprit, Helvétius aborde, dans l'important chapitre XVII, la question cruciale de l'éducation. Se débarrasser de l'éducation telle que la conçoivent les jésuites, enseigner la langue nationale au lieu du latin, les sciences, etc. Veiller d'abord à l'éducation des princes (trop souvent abandonnée au hasard) puis à l'éducation publique. Alors, « les grands hommes qui maintenant sont l'ouvrage d'un concours aveugle de circonstances, deviendraient l'ouvrage du législateur ».

« L'amour des hommes et de la vérité »

Le souci essentiel d'Helvétius, entretenu par son horreur de l'ascétisme et par son refus d'une société où il faut être « muet, sot ou menteur » pour vivre à l'abri des persécutions, aura été le bonheur de l'humanité dans la lumière de la vérité. Pour cela, il est nécessaire de connaître la nature et le fonctionnement de l'esprit humain. À l'origine : la « sensibilité physique », les sensations et la mémoire. L'homme est un être qui n'éprouve d'abord que sensations et besoins. Tout va découler de là, en particulier les deux moteurs de l'action : l'intérêt et les passions. Les discours de morale ne peuvent rien contre le mécanisme des comportements. Il faut d'abord comprendre ceux-ci pour ériger une morale et une législation. Mais aussi il faut savoir que tous les hommes sont identiques par l'organisation ; l'éducation seule, donc l'influence des milieux selon le hasard de la naissance, crée les différences. L'inégalité vient du désir inégal de s'instruire, mais, en fait, chaque homme peut éprouver s'il le désire les mêmes passions et avoir les mêmes idées. L'éducation joue dans le système d'Helvétius un rôle fondamental. C'est par elle que l'homme comprendra la nécessité d'harmoniser l'intérêt particulier et l'« intérêt général », pierre angulaire de tout l'édifice ; qu'il reconnaîtra pour seuls saints les grands législateurs.

Commettant la même erreur que beaucoup de philosophes de son siècle, Helvétius étend à la société son analyse de l'individu. Il néglige le fait social et organise ainsi une nouvelle utopie, bien que nombre de ses propositions soient pourtant concrètes : il a bien aperçu les obstacles à cette harmonie ; ce sont les nobles et les prêtres. Il faut éliminer les structures féodales de la société, éliminer le despotisme clérical en enlevant l'enseignement aux jésuites. Il faut laïciser et moderniser cet enseignement, établir la liberté de la presse pour discuter des questions politiques. Il faut remédier à l'inégalité des richesses. Acquis à certaines idées des physiocrates sans partager toutefois leur théorie de la grande propriété, Helvétius condamne le mercantilisme, qui « consomme » trop d'hommes pour le seul profit de quelques-uns, entraîne le scandaleux esclavage des nègres ; il prône, lui aussi, l'agriculture.

Au-delà des propositions concrètes, Helvétius est surtout sensible au leurre des mots : la vérité, fondement du bonheur, devrait avoir pour base une sorte de dictionnaire où serait fixé une fois pour toutes le sens des termes de morale, de politique, de métaphysique, trop souvent utilisés de façon relative, en fonction des images qu'ils nous rappellent, de nos intérêts, du moment. Il s'emploie à établir ce dictionnaire, fondement d'une entente universelle ; cela l'amène malheureusement à une certaine sécheresse, à une abstraction schématique, à des conclusions péremptoires, malgré l'agrément des multiples récits, notes, anecdotes qui illustrent ce schéma du bonheur, et malgré la clarté d'un style hérité de Fontenelle.

« Comme les soleils dans les déserts de l'espace »

Les réactions des autres philosophes ont été multiples. D'Holbach était réticent, Rousseau n'acceptait pas la réduction passive du jugement à la sensation. Diderot, épris de singularité, ne pouvait admettre cette identité originelle de tous les hommes, cette négation de la matière vivante : « Je voudrais bien savoir comment l'intérêt, l'éducation, le hasard donnent de la chaleur à l'homme froid, de la verve à l'esprit réglé, de l'imagination à celui qui n'en a point » (*Réfutation du livre « De l'homme »*). Il refuse cette négation de l'émotion et du sens esthétique, il ne peut admettre que l'on puisse à discrétion fabriquer des hommes de génie, comme le prétend Helvétius. Il n'en reste pas moins que cette pensée a ouvert la voie à Condorcet, aux Idéologues, nourri l'esprit de Stendhal jeune. Sans dire avec celui-ci qu'Helvétius fut le plus grand philosophe français, on peut se souvenir de cette phrase de *De l'homme* (section II) : « Les livres originaux sont semés çà et là dans la nuit des temps comme les soleils dans les déserts de l'espace pour en éclaircir l'obscurité. Ces livres font époque dans l'histoire de l'esprit humain, et c'est de leurs principes qu'on s'élève à de nouvelles découvertes ». *De l'esprit* et *De l'homme* sont incontestablement de ces livres-là.

R. Virolle

HÉMON Louis

(1880-1913)

Né à Brest, fils d'un inspecteur de l'Instruction publique, Louis Hémon se sent bientôt à l'étroit dans son milieu. Épris d'aventure, nourri de Fenimore Cooper et de Kipling, il se destine d'abord à l'École coloniale, puis abandonne famille, études, amis et part pour l'Angleterre (1903), où il vagabondera durant huit années avant de s'établir au Canada (1911). Marchant sac au dos le long d'une voie ferrée, il trouvera la mort happé par une locomotive. Daniel Halévy voit dans cette courte existence une série de « disparitions » (préface de *Battling Malone pugiliste,* 1925) : autant de pas vers une liberté ardemment désirée. Premier obstacle à vaincre, l'autorité parentale : les *Lettres à sa famille* (1968, posth.) révèlent un épistolier avare d'épanchements, dont l'humour enjoué tient mieux à distance qu'une rébellion ouverte. Solitaire et besogneux, donnant des chroniques à des journaux sportifs et quelques nouvelles (dont « Lizzie Blakeston », 1908) au *Temps,* le jeune écrivain se perd dans Londres, dont il explore jusqu'aux bas-fonds. Pourtant, malgré l'exil libérateur, le « labyrinthe » de la vie citadine (cf. *Monsieur Ripois et la Némésis,* écrit en Angleterre, publié en 1951, adapté au cinéma par René Clément en 1953) le retient encore prisonnier de compromissions, de pièges sentimentaux : au milieu des pires difficultés financières, il tombe amoureux d'une actrice irlandaise, qui sera emprisonnée après la naissance d'un enfant. Veule et désargenté, l'irresponsable M. Ripois est la figure de cette fausse liberté. Égarés dans le labyrinthe, d'autres personnages ne trouvent d'issue que dans la mort ; Lizzie Blakeston, une frêle héroïne dickensienne, se suicide ; le boxeur Battling Malone tombe sous les balles d'une cynique lady.

En 1911, le Canada offre à Hémon une nouvelle chance d'évasion. Avant de s'embarquer, il expédie en France une malle pleine de manuscrits, avec défense de l'ouvrir. Après quelques mois à Montréal, il s'enfonce dans la campagne québécoise, défrichant la forêt avec les pionniers de la voie ferrée, travaillant dans une ferme à Peribonka, écrivant son chef-d'œuvre, *Maria Chapdelaine* (publié en feuilleton dans *le Temps,* 1914 ; chez Grasset, 1921). La soumission au rythme des saisons, « une vie dure dans un pays austère » lui semblent douces en comparaison des servitudes familiales et citadines ; elles promettent la sérénité de préférence au bonheur, une frugalité sans superflu ni misère : à l'écoute de la « voix » des ancêtres du Québec, Maria Chapdelaine renonce aux mirages de la ville pour mener cette existence ; héros intrépide et fidèle, un anti-Ripois traverse le roman : François Paradis, qui goûtera dans ses courses en forêt, jusqu'à y perdre la vie, cette « joie démesurée de bête libre » figurant l'impossible délivrance.

Louis Hémon n'est pas l'homme d'un seul livre : à trente-trois ans, il laisse une œuvre cohérente. Romans et nouvelles (*la Belle que voilà,* 1923 ; *Colin-Maillard,* 1924) jalonnent un grand dessein, et, tout en ne choisissant que la fiction pour se dire, il emporte l'adhésion du lecteur par un réalisme à la fois poétique et naïf. *Maria Chapdelaine* est sous-titrée *Récits du Canada français ;* les écrits d'Angleterre mériteraient d'être appelés « scènes de la vie londonienne ». L'environnement naturel, parcs de Londres ou sous-bois canadiens, se décompose en multiples notations de couleurs et de sonorités ; le texte intègre aussi bien les anglicismes (cf. *Battling Malone*) que le parler québécois : « Ne laissez pas amortir le feu. » D'où l'originalité de cette œuvre, apprentissage de la liberté à travers les vicissitudes d'une expérience traduite impersonnellement, avec une fidélité dénuée de prétentions littéraires. D'où aussi le succès de *Maria Chapdelaine,* un roman qui tranche sur toute la production française d'après 1914 : héroïsme sans bataille ; exotisme sans tropiques ; psychologie presque muette, aux antipodes de l'art proustien. Hémon : « une âme vagabonde » (D. Halévy), sous des cieux encore inconnus de la littérature française.

M.-A. de Beaumarchais

HENNIQUE Léon

(1851-1935)

Né à Basse-Terre (Guadeloupe), Hennique est élevé à Paris. Il rejoint le groupe de Médan, se lance dans le roman « naturaliste » avec *la Dévouée* (1878), *Élisabeth Couronneau* (1879), *les Hauts Faits de M. de Ponthau* (1880) et participe au recueil des *Soirées de Médan* (1880) avec la nouvelle « l'Affaire du Grand 7 ». Il publie encore deux nouvelles : *Benjamin Rozes* et *les Funérailles de Francine Cloarec* (1882). Mais la concurrence des romanciers aînés se fait sentir : Hennique s'essaie à la pantomime en collaboration avec Huysmans (*Pierrot sceptique,* 1881), touche au drame historique (*la Mort du duc d'Enghien,* 1886) et au drame naturaliste avec *Jacques Damour,* d'après Zola, ouvrage qui fut bien accueilli au Théâtre-Libre (1887). Entre-temps Hennique est retourné au roman (*l'Accident de M. Hébert,* 1883), à la nouvelle (*Pœuf,* 1887, sur ses souvenirs d'enfance), puis de nouveau au roman, mais dans le genre « idéaliste » (*Un caractère,* 1889 ; *Minnie Brandon*, 1898). Membre de l'académie Goncourt, Hennique en devient le président à la mort de Huysmans.

Écrivain de transition, passant du « naturalisme » à la préciosité « décadente », Hennique illustre peut-être à sa manière les « tiraillements » littéraires de la génération d'après Zola. Car il y a peu de chose en commun entre les visions hallucinatoires d'Agénor de Cluses, « esclave du spectre de sa femme », l'écriture de ses rêves (« C'est des vapeurs bleues, vertes, jaunes, lamellées de rayons, criblées d'étincelles… ») dans *Un caractère*, et la condition des « héros modernes » de *la Dévouée* ou de *l'Accident de M. Hébert* : un père qui empoisonne une de ses filles, par intérêt, et laisse condamner l'autre à sa place (la « dévouée ») ; une femme enceinte qui trompe son mari avec un officier « beau garçon à moustaches noires, à poitrine d'hercule », et qui avorte à la suite d'un « accident » dans l'escalier. Ce qui domine cette œuvre étrange, c'est un goût du macabre et du morbide, qui confine souvent au grotesque. Le récit des malheurs de Benjamin Rozès et de son ténia, celui des funérailles de Francine Cloarec sont faits de notations triviales, d'une insignifiance douloureuse et comique à la fois : les funérailles de Francine Cloarec se réduisent à l'évocation d'un escalier malodorant (« Une puanteur d'égout, une odeur de graillon rance et de charnier encombraient la respiration, s'échappant des cabinets mal fermés, des plombs ouverts, de certaines portes, de la poussière huileuse et humide répandue ») et à des conversations futiles qui font perdre de vue le convoi funèbre… D'un « pessimisme pratique », Hennique est de ces écrivains qui « eurent l'ivresse de l'écriture triste ».

A. Pierrot-Herschberg

HERBART Pierre

(1904-1974)

Témoin de son temps ou dandy de la première moitié du XXe siècle ? C'est entre ces deux définitions qu'il faut chercher la trace de Pierre Herbart, auteur de courts romans – récits, plutôt – et d'essais tout aussi brefs, portés par un style très pur. Comme Oscar Wilde, Herbart aurait pu dire qu'il a mis du génie dans sa vie, se contentant du talent pour son œuvre. Il nous en a avertis, en tête de son premier livre : « J'écris ces lignes par faiblesse. Si j'étais fort, je n'écrirais rien. »

Aussi bien, ses œuvres de fiction – du *Rôdeur* (1931) à *la Licorne* (1964) et à *Souvenirs imaginaires* (1968) – sont-elles autobiographiques ou inspirées directement par des êtres ou des situations qu'il n'a pas inventés. Si on peut le situer dans le sillage de Cocteau, ses errances le conduisent aussi loin que possible dans une fuite éperdue des réalités quotidiennes. Dès son premier roman, il montre son goût pour les marginaux – voyous, matelots, prostituées –, conforme en cela au pittoresque cultivé par une littérature de l'époque, qui va de Mac Orlan à Paul Morand. Mais un récit comme *Alcyon* (1945), écrit quinze ans plus tard, le montre étonnamment fidèle à ce qu'il nommera ensuite sa « ligne de force ». Il s'identifie encore une fois à l'adolescent qui, évadé d'un pénitencier dans les Maures, va vivre dans une île déserte, non loin de la côte, une vie sauvage. Plus tard encore, en particulier dans la nouvelle « la Nuit », qui accompagne les récits de *Souvenirs imaginaires*, il ne pourra s'empêcher de nous faire suivre un jeune Espagnol, Don Jesús, dans les rues de Paris. D'une certaine façon, ces textes ne cherchent qu'à rappeler la solitude de certains êtres, que son goût des aventures rapides lui a fait rencontrer. Tous ces récits sont tragiques, mais d'un tragique glacé.

Si Pierre Herbart exprime dans l'écriture son moi profond, sa fièvre intérieure et sa vitalité ont décidé pour lui d'une autre existence, liée, celle-là, aux grands événements de notre temps : « Mon sens inné de l'événement m'a toujours conduit au bon endroit, au bon moment ». À peine a-t-il fait ses débuts littéraires qu'il accompagne, à vingt-sept ans, la journaliste Andrée Viollis en Indochine, où il découvre, devant la misère et les injustices dont il est témoin, sa vocation politique. Rentré en France, il s'inscrit au Parti communiste, fait de la propagande antimilitariste, puis part s'installer à Moscou (cf. *En U.R.S.S.,* 1937) pour diriger, sous la surveillance amicale du patron de la *Pravda,* Michel Koltsov, l'édition française de *la Revue internationale.* C'est lui, surtout, qui organise, en 1936, le voyage en U.R.S.S. d'André Gide – qui préfacera en 1939 son essai *le Chancre du Niger* – avec lequel il est intimement lié : n'a-t-il pas épousé Élisabeth Van Rysselberghe, la mère de la fille de Gide ?

C'est ensuite la guerre d'Espagne où, toujours communiste, mais plus qu'ébranlé dans ses convictions, il retrouve à Madrid Michel Koltsov – plus tard fusillé par Staline – et André Malraux. Sous l'Occupation, il participe activement à la Résistance : Pierre Herbart, devenu le « général Le Vigan », est un des libérateurs de Rennes, où de Gaulle lui offre un cigare… On le retrouve auprès d'Albert Camus à *Combat,* dont il se sépare pour fonder *Terre des hommes,* un journal sur le modèle de ceux auxquels Herbart collaborait avant guerre, *Marianne* et *Vendredi,* mais qui n'aura qu'une existence éphémère.

Ce parcours politique, vécu aux premières loges, est retracé dans *la Ligne de force* qui, en 1958, a fait sensation. Il ne s'agit nullement de réflexions théoriques, mais d'anecdotes significatives, concernant surtout l'U.R.S.S. à la veille des grandes purges. Jouissant d'une situation privilégiée parmi les *apparatchiks,* Herbart nous montre par petites touches les sottises de la censure, les absurdités du régime ou encore l'inconscience de Gide pendant son fameux voyage, sur fond de misère et de bureaucratie kafkaïenne. Mais que ce soit en Indochine ou à Moscou, le communiste Pierre Herbart ne néglige aucun plaisir. Selon les climats, whisky, vodka ou champagne coulent à flots. Il fréquente les mauvais lieux et s'amourache éperdument d'un jeune Soviétique. À la fin de ce livre hâtif et ultra-brillant, Pierre Herbart avoue avec amertume qu'il regrette d'avoir perdu son temps à des « riens » qu'il énumère non sans cynisme : « la colonisation, le communisme, la guerre d'Espagne, la Résistance... » Rien d'étonnant après cela qu'on le retrouve dans un autre joli livre de souvenirs, *l'Âge d'or* (1953), celui-là consacré au plaisir et à l'amour – des femmes comme des garçons.

De Pierre Herbart, il faut lire aussi, non sans agacement, le livre qu'il a consacré à Gide, tout de suite après sa mort : *À la recherche d'André Gide* (1952). On l'accusera d'ingratitude. Le portrait est d'autant plus sévère qu'il l'a connu pendant plus de vingt ans et qu'il n'a guère quitté, pendant ses dernières années, l'auteur des *Faux-Monnayeurs,* dont Pierre Herbart aurait pu être un des personnages... Lui-même est mort dans une grande solitude, après avoir connu des années d'extrême pauvreté. On le rencontrait encore chez les derniers témoins d'une époque de guerres et de révolutions, que lui et ses semblables avaient traversée avec courage, sans oublier de passer chez leur tailleur.

G. Dumur

HERBERAY DES ESSARTS Nicolas d'

v. ***Amadis de Gaule***

HEREDIA José Maria de

(1842-1905)

« Maître mosaïste et maître sonneur » (Faguet), « tortionnaire de la poésie » (Gourmont) : de quelque façon qu'on le lise, l'auteur des *Trophées* apparaît davantage versificateur que poète. Il est vrai que, de mots rares en périphrases savantes, de rimes travaillées en rejets calculés, sa langue semble surtout l'objet d'un domptage patient qui ne serait qu'une nouvelle préciosité si le poème n'enfermait dans un espace réduit tout un monde vivant et dramatisé. Mais à l'ambition synthétique d'un Hugo voulant « exprimer l'humanité » à travers les amples pièces de *la Légende des siècles*, Heredia oppose la fragmentation de sonnets qui ne veulent qu'« évoquer des ombres » dans leur spécificité.

Fils d'un père espagnol et d'une mère normande...

C'est à Cuba, où son père possédait des plantations de café, que naît le futur chantre des « Conquérants ». Après une enfance insouciante, il vient en France faire ses études au collège Saint-Vincent de Senlis (1851-1859). De retour dans son île natale (1859-1861), il commence de « taquiner la muse » ; mais c'est à Paris, où il suit les cours de la faculté de droit et de l'École des chartes, qu'il publie ses premiers poèmes dans l'annuaire d'une association estudiantine, *la Conférence La Bruyère* ; vers amoureux inspirés d'un romantisme traditionnel :

Il est beau de s'aimer d'un amour virginal,
D'être deux dans le monde et ne faire qu'une âme,
Et d'aller, confiant dans le cœur d'une femme,
Appuyé sur l'amour conquérir l'idéal !

(« la Nuit d'été », 1861-1862)

Dès 1863, le ton est différent : il donne à la *Revue française* « Pan », « le Triomphe d'Iaccos » ; l'année suivante il poursuit son évolution avec « la Mort de l'Aigle » publiée dans la *Revue de Paris*. Ami et disciple de Leconte de Lisle, il fréquente dès lors les cénacles de la nouvelle poésie, collabore au *Parnasse* et aux revues. En 1877 il publie le premier volume de sa traduction de la *Véridique Histoire de la conquête de la Nouvelle-Espagne* de Bernal Diaz del Castillo ; en 1885, il adapte un conte andalou, *Juan Soldado* ; deux ans plus tard, il achève la *Véridique Histoire*... et ne retrouve son rôle de traducteur qu'en 1894 avec *la Nonne Alferez* de Catalina de Erauso. 1893 avait été sa grande année : il avait publié *les Trophées*, avait obtenu sa naturalisation française et triomphé à l'Académie devant Zola et Verlaine ! Désormais installé, il donne çà et là des chroniques, tient salon, d'abord le samedi en son appartement de la rue Balzac, puis, après sa nomination à l'Arsenal (1901), le dimanche. La fin de sa vie est occupée par l'édition critique des *Bucoliques* d'André Chénier qui sortira peu après sa mort.

À l'écart des mouvements du siècle – « la grave Muse de la Politique dont j'ignore le nom » (*Discours de réception à l'Académie française*) –, distillant avec parcimonie traductions minutieuses et poèmes ciselés, Heredia offre l'image parfaite du poète-artiste tout entier consacré à « l'amour de la poésie pure et du pur langage français » (Dédicace des *Trophées*) tel que l'ont rêvé les Parnassiens.

L'abeille et l'architecte

« Il y a des gens qui ont du génie. Moi je n'ai que du talent » : face aux poètes inspirés du XIXe siècle, l'auteur des *Trophées* installe la technique au rang de vertu cardinale de la poésie ; à côté des œuvres-fleuves, il érige un unique recueil, lentement mûri ; face aux textes engagés, en prise sur leur temps, il avance « la scorie de son rêve », suite de pièces tournées vers un passé à jamais révolu.

De là l'aspect érudit de cette poésie : archaïsmes, mots francisés (« buccinateur », « lectisterne », etc.), emprunts aux lexiques spécialisés (Anatole France n'ironisait-il pas :

« selon le cœur de M. Heredia la table alphabétique des pierres précieuses ou le catalogue du Musée d'artillerie est le plus émouvant des romans d'aventures » ?), mythologismes dans la pure tradition des salons précieux (« l'appel d'Astarté », « le chanteur de Célène », etc.), périphrases inutiles (ainsi la sauterelle est-elle baptisée successivement « lyre naturelle » puis « muse des guérets, des sillons et du blé »), tout contribue à faire des *Trophées* un livre d'images esthétisantes. Et le choix du sonnet (118 auxquels s'ajoutent les tercets du « Romancero » et les strophes des « Conquérants de l'or »), « cette forme mystique et mathématique », vient renforcer le caractère dilettante d'une poésie conçue comme point de convergence des perfections lexicales, rhétoriques et métriques ; encore convient-il que ces matériaux aboutissent à une « composition logiquement déduite » !

Or, l'espace du sonnet s'organise, chez Heredia, à partir de la focalisation d'un regard – celui du narrateur, d'un personnage, d'une foule –, sur l'objet du dernier vers : de là l'omniprésence des verbes de vision et la réduction fréquente des individus à la synecdoque de l'œil ; de là, aussi, l'aspect pictural de poèmes où couleurs, plans et perspectives définissent le cadre d'un tableau dans lequel les mouvements font ressortir la pose :

Et là-bas, sous le pont, adossé contre une arche,
Hannibal écoutait, pensif et triomphant,
Le piétinement sourd des légions en marche.

(« la Trebbia »)

Poésie formelle donc, remarquablement économe en moyens (parfois à la limite du constat prosaïque : « L'air fraîchit », « Voici le soir », etc.), et qui laisse trop souvent transparaître sa « fabrication ingénieuse » (R. Sabatier). Au point que nombre de sonnets des *Trophées* ont été pastichés à des fins… politiques :

Comme un vol d'étourneaux loin du prunier natal,
Fatigués de bobards et de calembredaines…

Dérision du fond et de la forme qui n'est peut-être qu'un hommage rendu à cette poésie décriée mais populaire, toujours esthétique, jamais hermétique.

D. Couty

HÉRIAT Philippe

Pseudonyme de ***Raymond Gérard Payelle*** *(1898-1971)*

Fils d'un premier président de la Cour des comptes, arrière-petit-fils de Zulma Carraud, l'amie de Balzac, Philippe Hériat fut, dans sa jeunesse, assistant des grands metteurs en scène de cinéma Marcel L'Herbier et Louis Delluc. Il fut aussi l'un des acteurs du *Sexe faible*, la comédie d'Édouard Bourdet. Il écrivit de nombreux romans : *l'Innocent* (1931), qui obtint le prix Théophraste-Renaudot, *la Main tendue* (1933), *l'Araignée du matin*, suivie de *En présence de l'ennemi* et de *Départ de Valdivia* (1933), *la Foire aux garçons* (1934), *Miroirs* (1936). Puis ce fut l'illustre somme des « Boussardel » : *les Enfants gâtés* (prix Goncourt, 1939), *la Famille Boussardel* (1947, grand prix du roman de l'Académie française), *les Grilles d'or* (1957), *le Temps d'aimer* (1968). Hériat composa également un récit historique, *le Secret de Mayerling* (1949), et plusieurs pièces de théâtre : *l'Immaculée* (1947), *Belle de jour* (1950), *les Noces de deuil* (1953), *les Joies de la famille* (1960), *Voltige* (1967), etc. Il fut reçu à l'académie Goncourt en 1949.

Héritier de Balzac et de Zola, Philippe Hériat s'est voulu l'observateur méticuleux de la société moderne. Il a peint les milieux du cinéma dans *la Main tendue,* ceux du music-hall dans *la Foire aux garçons.* Il a surtout été l'historien et le moraliste de la haute bourgeoisie. Par-delà l'évocation du concret (habitations, rites de l'existence) et les réflexions sur les fortunes qui se font et se défont, il a voulu donner à ce tableau une dimension morale. Dans les « Boussardel » s'opposent les principes du groupe (égoïsme collectif, sacrifice de tous les individus à la puissance familiale, de toutes les aspirations à la réussite financière) et l'« égotisme » d'Agnès, qui se rebelle contre les préjugés et les mœurs de son milieu. Ce conflit est exprimé – et c'est par là que Philippe Hériat se distingue de ses ancêtres réalistes ou naturalistes – avec une sorte de pompe, qui sacralise et poétise la haute bourgeoisie. Le style glace et dore la réalité, lui donne une dimension emblématique. C'est dire l'ambiguïté foncière de cette littérature, qui ennoblit ce qu'elle prétend dénoncer, émiette et pare le réel pour n'en plus laisser que d'harmonieuses représentations.

A. Niderst

HERMANT Abel

(1862-1950)

Reçu premier à l'École normale supérieure, Abel Hermant abandonna l'Université pour la littérature. Il fut un auteur extrêmement prolifique. Il donna d'abord dans le naturalisme (*le Cavalier Miserey*, 1887), puis dans un psychologisme à la Bourget (*Amour de tête*, 1890 ; *Serge*, 1892) ; il se chercha encore dans des évocations du passé (*les Confidences d'une aïeule*, 1893), mais il se fit surtout apprécier par les nombreux romans de mœurs qu'il publia de 1894 (*la Carrière*, satire du milieu diplomatique) à 1926, les plus célèbres ayant été regroupés sous le titre général de *Mémoires pour servir à l'histoire de la société* : dans *les Transatlantiques* (1897) et dans *Trains de luxe* (1910) est décrite avec humour la faune cosmopolite des voyageurs ; le demi-monde parisien est vivement campé dans *les Confidences d'une biche* (1909). Abel Hermant eut aussi du succès au théâtre avec *le Faubourg* (1899) ; il fut l'un des plus brillants amuseurs de la Belle Époque. On lut également ses innombrables chroniques sur la vie mondaine, et surtout celles qu'il consacra, sous le pseudonyme de LANCELOT, à la défense du bon langage (*les Samedis de M. Lancelot*, 1932 ; *Remarques de M. Lancelot pour la défense de la langue française*, 1938). Académicien en 1927, cet écrivain à qui tout paraissait sourire eut une triste vieillesse ; arrêté en 1944 pour avoir collaboré pendant l'Occupation, il mourut six ans plus tard, alors qu'il venait de sortir de prison.

Son œuvre est maintenant oubliée. Elle n'est pourtant pas négligeable. Dans une forme soignée, presque pure malgré quelques archaïsmes, Abel Hermant montra de l'esprit, une attention aiguë à certains mécanismes psychologiques et, surtout, une réelle compréhension de son époque. Cette littérature brillante, parfois cinglante, mériterait d'être lue de nos jours.

A. Niderst

HÉROËT DE LA MAISONNEUVE Antoine

(1492 ?-1568)

Antoine Héroët a composé pendant une dizaine d'années l'œuvre la plus proche des idées de Marguerite de Navarre, d'une unité rare pour l'époque, et qui mérite d'être considérée comme la première expression poétique cohérente du platonisme français de la Renaissance.

Né peut-être en 1492 à Paris, il appartient à la famille du chancelier François Olivier, homme considérable qui gagne la confiance de Marguerite avant de passer au service de François Ier. Héroët est lui aussi un serviteur discret et respecté de la sœur du roi ; celle-ci lui accorde une pension dès 1524 – renouvelée en 1529 et 1539 – et intervient en faveur de sa sœur Marie, violée dans son couvent comme le rapporte Marguerite de Navarre dans l'*Heptaméron*. Héroët est nommé abbé de Notre-Dame de Cercanceaux en 1543 ; en 1552, il succède à un frère de François Olivier comme évêque de Digne.

Ami de Marot, de Mellin de Saint-Gelais, de Fontaine, de Macrin, il est loué par tous les poètes de son temps – en particulier par les Lyonnais, au point d'être parfois (à tort) rangé parmi eux. Son influence est grande sur Scève et sur Pontus de Tyard, et la Pléiade, si difficile avec ses devanciers, n'a pas cessé de faire son éloge. Une vingtaine d'éditions très rapprochées de *la Parfaicte Amye* et de ses autres œuvres atteste son succès.

L'œuvre de Héroët commence à la Cour et ne s'en éloigne jamais ; mais il garde ses distances et semble agir la plupart du temps avec la discrétion qui caractérise Marguerite elle-même, et la hauteur qu'impliquent ses convictions platoniciennes. Il offre au roi, en 1536, le long poème de l'*Androgyne de Platon*, précédé d'une *Épître*-manifeste, dans laquelle il invite le roi à continuer sa politique de défense des belles-lettres. Il ne dédaigne pas les débats qui agitent les écrivains de son temps, participant, sur l'invitation de Marot, aux blasons anatomiques du corps féminin avec le « Blason de l'Œil » (1535), très quintessencié ; et son œuvre la plus considérable, *la Parfaicte Amye* (1542), est une contribution hautaine, mais très précisément argumentée, à la Querelle des Amyes et une réponse à la frivole et cynique *Amye de Court* de La Borderie. Dès 1544, d'ailleurs, les deux œuvres seront réunies aux autres textes de la Querelle, comme la *Contramye de court* de Fontaine : réflexion sur les mœurs, principes philosophiques et phénomènes d'édition font bon ménage, et c'est là, en grande partie grâce à Héroët, un débat de bon ton. Enfin, faisant plus nettement œuvre de courtisan, il prépare, en compagnie de Mellin de Saint-Gelais et de Claude Chappuys, des huitains d'abord destinés à servir de légende à un cycle de tapisseries commandé par le roi, l'*Amour de Cupido et Psyché*. Finalement les cartons seront utilisés vers 1542-1544 pour les vitraux du château d'Écouen, propriété du connétable de Montmorency : les dix petits poèmes de Héroët restent ainsi – symbole qui convient bien à son œuvre – fragilement inscrits dans le verre (aujourd'hui au château de Chantilly).

Platonicien et savant, Héroët l'est assurément. Il connaît celui qu'il appelle « le sage » grâce à Marsile Ficin et aux commentateurs renaissants, et sans doute a-t-il du texte du *Banquet*, ou du *Lysis* (que Des Périers traduit tout juste), ou du *Phèdre*, une connaissance encore plus directe. Il reprend essentiellement à Platon un système ascensionnel dans lequel l'Amour est ce puissant moteur qui élève l'âme vers le Beau et le Bon, vers Dieu. Mais encore faut-il préciser que, chez Héroët, il s'agit exclusivement de l'amour partagé entre l'homme et la femme (c'est le choix qu'il fait pour son *Androgyne*, chassé du Paradis comme Adam et Ève par le péché d'orgueil, et recomposé sur terre par un effet de « reconnaissance » tout proche de la réminiscence platonicienne). Si, d'autre part, la vie est bien « un songe », les deux âmes « endormies » se réveilleront en Dieu dans la mort, dont leur union sur terre est la préfiguration la plus parfaite. Cette pédagogie du sommeil traverse l'œuvre, liée à celle de la maîtrise des passions (et l'amour est, selon Héroët, une passion bonne) et à celle des conduites à tenir en société : ainsi parle-t-il constamment d'« exercice », et l'ensemble de l'œuvre se présente-t-il comme une instruction donnée à la première personne par celui – ou plutôt celle – qui sait.

Car la voix, curieusement, est presque toujours féminine, ou, comme l'a dit finement Colletet, attire l'amateur curieux « pour n'avoir pas exactement la lisière masculine et féminine ». La voix qui, dans la *Complaincte d'une Dame surprinse d'Amour*, justifie les évidentes exigences amoureuses et les plus délicats marivaudages du cœur, celle qui, dans *la Parfaicte Amye*, distille les plus choquants conseils d'abnégation et les analyses du bonheur le plus assuré, n'est pas la moindre originalité d'une œuvre composée de façon très serrée, et qui s'organise en un système poétique assez étrange : le premier livre de *la Parfaicte Amye* dit les certitudes du renoncement à tout ce qui n'est pas l'aimé ; le deuxième considère la mort comme le bien suprême ; le dernier proclame les bienfaits de la vertueuse ignorance, celle qui se donne pour but de se connaître soi-même par la seule connaissance de l'autre, qui est notre double, ou dont nous sommes la moitié. *Douleur et volupté*, *De n'aymer point sans estre aymé* ou *Description d'une femme de bien* disent avec autant de finesse que de simplicité cette morale de la jouissance contemplative.

M. M. Fontaine

HOLBACH, baron d'

Paul Henri Dietrich Thiry, baron d'Holbach *(1723-1789)*

D'Holbach fut d'abord un savant, plus particulièrement un chimiste. Ce sont les circonstances de sa vie qui ont déterminé son engagement dans le combat pour les Lumières. Est-ce parce qu'il croyait, avec le célèbre chimiste allemand Stahl, au principe igné, le « phlogistique », comme agent essentiel de la vie et de l'énergie de l'homme, qu'il a donné à ses œuvres cette ardeur et ce feu qui les caractérisent, cette violence explosive nécessaire pour foudroyer les paresses de la raison, exhorter l'humanité à se libérer des tyrans et des prêtres, à assurer son bonheur, *hic et nunc,* par le retour aux lois de la nature et à la clarté rationnelle d'un athéisme conscient ?

Juste un siècle après le *Traité théologico-politique* de Spinoza, qui avait ouvert les premières brèches dans l'édifice des dogmes établis, le *Système de la nature,* en 1770, marque par un paroxysme le premier centenaire du combat philosophique contre l'obscurantisme. C'est le sommet d'une œuvre étrange, passionnée, à la fois destructrice et conservatrice, masquée par l'anonymat et les faux noms d'auteurs ; œuvre dont on commence aujourd'hui à redécouvrir, à côté d'exposés dogmatiques parfois pesants, tout l'éclat littéraire de sermon athée et de discours révolutionnaire.

Vie mondaine et action clandestine

Originaire du Palatinat, étudiant à Leyde, installé à Paris, d'Holbach illustre à merveille le cosmopolitisme de son siècle. Pour son époque, c'est un personnage surprenant, inquiétant : un athée honnête homme. Rousseau, qui ne l'aimait guère pourtant, l'a pris comme modèle pour M. de Wolmar dans *la Nouvelle Héloïse.*

Paul Henri Dietrich Thiry, né en Rhénanie, a été élevé par son oncle d'Holbach, devenu français et baron en 1722 après s'être enrichi sous la Régence. Installé à Paris en 1749 après des études en Hollande, Paul Henri hérite en 1753 d'une partie de la fortune de cet oncle ; rentier à vingt-sept ans, il se fait mécène des philosophes, ses amis, qu'il reçoit deux fois la semaine dans son hôtel de la rue Royale-Saint-Roch, à Paris, ou l'été dans le château du Grandval, près de Sucy-en-Brie, propriété de sa belle-mère Mme d'Aine. Dans sa correspondance, Diderot narre complaisamment ces réunions du groupe de quinze ou vingt philosophes hardis, que leurs ennemis – voire leurs amis, affolés de cette hardiesse – appelleront la « coterie holbachique » ou la « synagogue ».

La rencontre de Diderot, qui eut lieu probablement en 1750, a été décisive pour le baron. Aussitôt engagé dans l'entreprise de l'*Encyclopédie* à cause de ses connaissances en sciences et en langue allemande, il rédige 376 articles : minéralogie, métallurgie, chimie… Cet homme généreux, désintéressé, d'une érudition immense, travailleur infatigable, facétieux à ses heures, fastueux dans sa table et ses vins, ne pouvait que plaire à Diderot. Par-delà les mauvaises humeurs passagères, trente ans d'amitié en témoignent. D'Holbach a soutenu sans faillir Diderot et l'*Encyclopédie* dans la grande tourmente des années 1757-1762 [voir ***Encyclopédie***].

En 1758, autre tourmente : l'ouvrage d'Helvétius, *De l'esprit,* épouvante par l'audace de son matérialisme l'Église et un pouvoir déjà en difficulté à cause des défaites militaires en Europe et au Canada. On sévit, on condamne. Helvétius doit se rétracter. D'Holbach perçoit à la fois le danger qui menace les esprits libres et l'extraordinaire pouvoir d'ébranlement des livres boutefeux. Il s'engage dans le combat. Plus prudent qu'Helvétius, il commence par publier les *Recherches sur le despotisme oriental* et *l'Antiquité dévoilée* de Nicolas Boulanger, auteur de textes interdits, mort en 1759. Puis il attribue au même feu Boulanger, en 1766, son premier grand ouvrage polémique personnel, *le Christianisme dévoilé.* C'est le début d'une série de brûlots lancés de 1766 à 1770 contre les religions, source de tout le malheur des hommes. À la différence de Voltaire, qui en ces mêmes années travaille au *Dictionnaire philosophique,* d'Holbach n'use pas systématiquement de l'ironie ; mode de communication indirect, elle n'est pas accessible à tous ; il faut être clair : « Écrire à mots couverts, c'est n'écrire pour personne ». Mais écrire clairement contre la religion implique l'anonymat. Le baron l'accepte. Son unique but est d'être utile aux hommes. Dans un style violent, net, plein d'anathèmes, de questions, d'images, d'exclamations, agrémenté d'apologues et parfois de contes, il leur enseigne dans *la Contagion sacrée* (1768), la *Théologie portative* (1768), etc., un bonheur fondé sur le refus de Dieu, la confiance dans la nature et la raison.

Condensé de toutes les idées dangereuses émises dans ces premières œuvres, ouvrage plus dogmatique et plus touffu, le *Système de la nature,* dont le dernier chapitre, éloquente prosopopée de la nature annonçant son code aux hommes, a été écrit par Diderot, éclate comme une bombe en 1770. Malgré le prix élevé du livre condamné, dix éditions se succèdent rapidement. À en croire la page de titre, il serait l'œuvre de Mirabaud, autre auteur de textes interdits, mort en 1760 ; mais personne n'est dupe, et la police propose une récompense à qui découvrira et dénoncera le véritable auteur. Le remous est considérable. Les réfutations surgissent de partout, émanant de catholiques, de protestants, de Voltaire lui-même, ravi de cette aide dans le combat contre l'« Infâme », mais atterré par l'athéisme. Il est encore plus ravi et plus atterré quand paraît, en 1772, *le Bon Sens,* contraction en 250 pages (peut-être par Naigeon, secrétaire de D'Holbach) du lourd *Système de la nature.* « Le petit livret intitulé *le Bon Sens* fera plus de mal ou de bien que toutes les plaisanteries de Voltaire », note Diderot. D'Holbach a choisi le procédé voltairien du « livre de poche » pour vulgariser ses idées. Preuve que, cette fois, il ne s'agit plus seulement de disserter, mais de conquérir. De 1770 à 1970, le *Système de la nature* connaîtra trente rééditions, *le Bon Sens* (longtemps attribué au curé Meslier) plus de soixante, témoignage évident de l'impact toujours très fort de ces livres périodiquement mis et remis à l'Index. En 1773, *le Système social,* utopie d'une société naturellement vertueuse, vient compléter cet arsenal de conquête. On a prêté à d'Holbach bien d'autres œuvres « maudites », dont une partie au moins du fameux libelle *le*

Militaire philosophe. Des recherches récentes permettent d'écarter cette attribution [voir **CHALLE**].
Marque d'un changement : le baron n'aime pas l'Angleterre, si chère à tant de philosophes de son temps. Son espoir va vers l'Amérique ; Franklin fréquente son salon. En 1776, l'espoir est en France aussi : le jeune Louis XVI, succédant à un roi qui a déçu, jouit du préjugé favorable. À son intention, d'Holbach écrit l'*Éthocratie* (1776), seul ouvrage où il propose un programme d'action immédiate : protection de la propriété, éducation morale et nationale, liberté de la presse, moralisation de l'armée, abolition des privilèges seigneuriaux, séparation de l'Église et de l'État, réforme de la magistrature, émancipation des femmes, divorce, etc. Tout cela restera lettre morte.
D'Holbach, lui, meurt à la veille d'une Révolution dont on dit trop souvent qu'il avait contribué à la préparer. En fait, sa vie et son œuvre, malgré la virulence révolutionnaire du style, préparent bien plutôt certaines idéologies bourgeoises du XIXe siècle.

« Toute religion est une absurdité »

C'est le titre du chapitre VII du *Bon Sens*. Toute religion est absurde, selon d'Holbach, parce qu'un Dieu infini est inconcevable pour l'homme. Dans toute religion, Dieu est incompréhensible, contradictoire, sinistre ; la première fonction de l'œuvre écrite et diffusée est de détruire cette idée de Dieu. De détruire également sa représentation la plus courante : « Un vrai sultan d'Asie, et ses ministres, des vizirs aussi despotiques que lui [...]. Toutes les religions du monde n'ont peuplé l'Olympe que de dieux pervers, qui remplirent la terre de leurs dérèglements, qui se firent un jeu de la destruction des humains, qui gouvernèrent l'univers d'après leurs fantaisies insensées » (*la Contagion sacrée*). La plume brutale du baron fait litière de l'idée admise selon laquelle Dieu, en créant l'univers, aurait voulu rendre l'homme heureux ; en fait, personne n'est content de son sort : « Ce qu'on appellera Providence n'est qu'un mot vide de sens » (*le Bon Sens*).
C'est parce qu'ils engendrent le malheur que Dieu et la religion doivent être refusés. Et parce que « toute religion demande pour premier sacrifice un renoncement total à la raison » (*la Contagion sacrée*), sans compter les autres sacrifices : on sacrifie aux dieux, pour s'attirer leurs bonnes grâces, ce que l'on a de plus précieux. La religion est dépossession. Le Dieu chrétien lui-même donne l'exemple en sacrifiant son propre fils, c'est la pire « extravagance théologique ». La religion est aliénation aussi ; elle oblige à aimer Dieu avant nous-mêmes et les êtres chers. Tout cela est contraire à la nature ; une société se dissoudrait « si chacun était assez fou pour vouloir être un saint » (*le Bon Sens*).
D'Holbach ne manque pas non plus de reprendre les critiques contre les miracles et les prophéties. Mais ce qui réapparaît le plus souvent, la répétition se voulant gage d'efficacité, est un réseau d'idées sur les origines des religions et des sociétés, réseau formé à partir d'un amalgame de Lucrèce, de penseurs anglais comme John Toland, d'auteurs français d'écrits clandestins : Fréret, Dumarsais, Boulainvilliers, Mirabaud, Boulanger... La religion vient de l'ignorance et de la peur des hommes primitifs, qui en ont eu l'imagination troublée, ce qui a entraîné la crédulité, exploitée par des ambitieux et des fourbes. D'où la tyrannie des uns, la résignation des autres à la servitude – et cela depuis des siècles. D'Holbach ne cesse de dénoncer l'universelle imposture exploitant l'ignorance et la crainte. La terre n'est qu'« un cachot ténébreux troublé par les clameurs du mensonge » ; tableau sombre d'un monde de fureur et de délire dans lequel l'homme trompé par les prêtres et les tyrans égorge celui qui ne délire pas de la même façon que lui. « La religion et les prêtres se rendent maîtres des souverains ; dans cette rivalité autour du pouvoir réside le plus grand danger : "Peuples, aux armes ! il s'agit de la cause de votre Dieu. Le ciel est outragé ! La foi est en péril ! À l'impiété ! au blasphème ! à l'hérésie !" Par le pouvoir magique de ces mots redoutables, auxquels les peuples ne comprirent jamais rien, les prêtres furent de tout temps les maîtres de soulever les nations, de détrôner les rois, d'allumer des guerres civiles, de mettre les hommes aux prises » (*le Bon Sens*).
Anticlérical avec plus de véhémence que son ami Diderot, niant plus absolument que celui-ci tout libre arbitre de l'homme, d'Holbach considère la religion comme « nuisible au bonheur de l'État, ennemie des progrès de l'esprit humain, opposée à la saine morale » (*le Christianisme dévoilé*). Seul recours pour retrouver le bonheur : la nature, « seul culte convenable à des êtres intelligents » (*Système de la nature*).

Le Christianisme dévoilé

SYNOPSIS

« Un être raisonnable doit dans toutes ses actions se proposer son propre bonheur et celui de ses semblables. » La religion n'a d'avantage que si elle nous rend heureux en ce monde. Si l'on consulte l'expérience et la raison, il est évident que ce n'est pas le cas. Pourquoi ? C'est que « les hommes, pour la plupart, ne tiennent à leur religion que par habitude ». Ils croient ce qu'on leur a dit dès l'enfance, n'examinent rien, s'en remettent « à ceux qui prétendent les guider ». La religion rend les souverains et les peuples « esclaves du sacerdoce », empêche la science, la grandeur d'âme, l'industrie, tout ce qui soutient une société (chap. I).
Après avoir repris systématiquement les éléments de critique du christianisme utilisés depuis Spinoza et les manuscrits clandestins du début du siècle (chap. II à XIII), d'Holbach en vient aux conséquences politiques de la religion chrétienne (chap. XIV et XV) : « Dans toutes les sociétés politiques où le christianisme est établi, il subsiste deux puissances rivales qui luttent continuellement l'une contre l'autre, et par le combat desquelles l'État est ordinairement déchiré. » Si l'on suivait les maximes du christianisme, aucune société politique ne pourrait subsister.
Conclusion : « La religion chrétienne est contraire à la saine politique et au bien-être des nations. » Ces nations « ne secoueront-elles jamais le joug de ces tyrans sacrés, qui seuls sont intéressés aux erreurs de la terre ? »

« Il n'y a qu'un devoir, c'est d'être heureux »

On sera heureux si l'on a, d'abord, une vision juste du monde et de l'homme. « L'homme est un être purement physique » (*Système de la nature*), différent des autres animaux par son organisation, mais non supérieur. Quant à l'âme, elle n'est « que le corps lui-même, envisagé relativement à quelques-unes de ses fonctions » (*id.*). Bien que d'Holbach s'avance moins loin que Diderot dans l'hypothèse de la sensibilité universelle de la matière, on trouve chez lui la même conception « chimique » de l'être humain : cerveau, nerfs et fibres. Le monde de D'Holbach est celui de la matière brute.

Le plaisir et l'intérêt sont les moteurs de ce monde. Le dynamisme naturel de la matière se manifeste dans le jeu des besoins et des désirs. Le désir, créant de nouveaux besoins, est la force de progrès ; la vie doit toujours « laisser à désirer ».

Mais il n'est pas de bonheur sans vertu, notion qui se confond avant tout, chez d'Holbach, avec celle de sociabilité naturelle. Le bonheur ne peut être individuel, la vertu est l'« art de se rendre heureux soi-même de la félicité des autres ». Optimiste fondamentalement, d'Holbach croit aussi à un instinct inné de justice : si l'égalité ne peut exister entre les hommes, ne serait-ce qu'à cause de leurs différences physiques et intellectuelles (car le baron ne croit pas, contrairement à Helvétius, que tous les hommes soient identiques à l'origine), cette inégalité est corrigée par une notion naturelle d'« équité » qui assure l'harmonie entre les hommes.

C'est à partir de cette conception d'un bonheur fondé sur la matière, le désir, la vertu et l'équité que d'Holbach élabore son projet de société. La société, pour lui, est le prolongement de la nature ; la structure politique dépend de la morale. Intervient alors la notion capitale d'utilitarisme : le rôle du gouvernement est de canaliser les passions pour les rendre utiles à l'État. L'éducation jouera par conséquent un grand rôle, avec un ministère spécial chargé, entre autres, de veiller à ce que les idées enseignées aillent bien dans le sens de l'utilité de l'État.

Les bons citoyens seront les vertueux, mais aussi « des hommes intéressés au bien du public, liés à la patrie par des possessions qui lui répondent de leur attachement ». Eux seuls seront habilités à élire les représentants aux assemblées : « Ce droit n'est pas fait pour une populace désœuvrée, pour des vagabonds indigents, pour des âmes viles et mercenaires » (*le Système social*). Hommes de bien et hommes de biens ! Les propriétaires, et en particulier les propriétaires terriens, sont les fondements de la richesse nationale. Dans la mesure où cette richesse s'acquiert par le travail, le seul pauvre sera le paresseux, plus à blâmer qu'à plaindre. Moralisation de la propriété, qui donne bonne conscience au citoyen riche, homme utile à l'État.

La conception du bonheur selon d'Holbach amalgame ainsi en un système original, totalement étranger aux principes démocratiques de Rousseau, les principes du matérialisme, du droit naturel et de l'esprit bourgeois, dans ces années 1770-1775 où précisément est en train de prendre consistance la nouvelle classe bourgeoise. Pour d'Holbach, un pays heureux est un pays à population nombreuse, dont les terres sont bien cultivées et les citoyens bien éduqués. Un pays où la vertu trouve sa récompense et le vice son châtiment. Au demeurant, puisque la nature humaine est fondamentalement bonne et juste, « le méchant est un mauvais calculateur », simplement (*le Système social*).

Les failles du système social de D'Holbach apparaissent à l'évidence : contradiction entre matérialisme et idéalisme ; primauté du moral sur le politique ; l'État considéré comme une somme d'individus, sans perception de la dualité, dans chaque homme, entre être individuel et être social. Affirmant d'un côté que la nature est dynamisme, progrès, changement, destruction des formes existantes pour en créer d'autres, d'Holbach, moins logique que Sade dans les conséquences de son matérialisme, propose par ailleurs un bonheur de conservation. Son idéologie bourgeoise, fondée initialement sur une opposition radicale au christianisme, permet pourtant de récupérer, par le biais de la « vertu », un certain nombre de valeurs de la morale chrétienne. C'est pourquoi le baron, malgré la violence de sa polémique contre la religion, ouvre la voie, bien au-delà de la Révolution – qui se référera plutôt à Rousseau –, à la grande bourgeoisie riche du XIXe siècle, libérale, progressiste et conservatrice à la fois, sûre de sa vérité et pénétrée de sa bonne conscience.

R. Virolle

HOUDAR DE LA MOTTE Antoine

Dit aussi ***LA MOTTE-HOUDAR*** *(1672-1731)*

Poète, dramaturge, critique, Houdar de La Motte eut ses dévots exclusifs, telles la duchesse du Maine et la marquise de Lambert, pour vanter le génie de sa poésie, « son imagination réglée » et son « éloquence si douce ». Rien de plus complexe et de plus ambigu pourtant que cette relation qui s'établissait entre l'orateur et son auditoire ; il eut aussi ses ennemis, qui ne surent voir que ses vers laborieux et ses fautes de syntaxe. Cependant ses opéras remportèrent de vifs succès, et, en 1697, sa pastorale *Issé* fut jouée devant le roi à Trianon ; *Inès de Castro* (1723), créée au Théâtre-Français le même jour que *la Double Inconstance* aux Italiens, assura à son auteur une renommée incontestée. Ami du progrès, La Motte choisit le parti des Modernes et fut à l'origine de la « querelle d'Homère », avatar de la querelle des Anciens et des Modernes. Entouré de Marivaux et de son ami Fontenelle, il contribua, en sa qualité de « chef des néologues », à répandre quelques idées nouvelles et audacieuses.

Une passion : le théâtre

D'origine modeste, Houdar de La Motte fait ses humanités chez les jésuites, mais renonce vite à ses études de droit. Son goût très vif pour le théâtre le pousse à offrir au Théâtre-Italien sa première comédie, *les Originaux* (1693). Cette farce n'obtient que peu de succès, si bien que La Motte, désabusé, décide d'entrer à la Trappe. L'expérience monacale ne dure que deux mois, l'abbé de Rancé étant suffisamment lucide pour comprendre la fragilité de cet engagement. La Motte, qui avait joué certaines pièces de Molière, s'adonne à nouveau à son plaisir favori et choisit d'écrire pour le théâtre de l'Opéra. Il ne compose pas moins d'une quinzaine d'œuvres : *l'Europe galante,* ballet mis en musique par Campra (1697) ; *Issé,* pastorale héroïque, jugée par Laharpe comme « la meilleure de toutes nos pastorales lyriques » ; *Amadis de Grèce,* tragédie, musique de Destouches (1699) ; *Marthésie, première reine des Amazones,* tragédie chantée (1699) ; *le Triomphe des arts,* ballet mis en musique par Michel de La Barre en 1700, qui obtint un vif succès ; *Canente,* tragédie (1700) ; *Omphale,* tragédie jouée en 1701 ; *le Carnaval et la Folie* (1703), inspiré de l'œuvre d'Érasme ; *la Vénitienne,* comédie-ballet (1705) ; *Alcione* (1706) ; *Semelé,* tragédie mise en musique par Marais (1709), et qui est, selon Laharpe, « son meilleur opéra » ; *Scanderberg,* tragédie (1735) ; *les Âges* et le *Ballet des fées,* comédies-ballets. Ces opéras que l'on n'a jamais vus sur scène depuis leur création furent fort bien accueillis par les critiques, qui estimaient que La Motte occupait le deuxième rang après Quinault. Mais la faiblesse des intrigues, la médiocrité des vers les ont condamnés à l'oubli. Le jugement de Laharpe fournirait sans doute une explication à ce désintérêt : « Un des défauts habituels de cet écrivain, même dans ses opéras, c'est la gêne des constructions, et le prosaïsme et la dureté s'y joignent encore trop souvent [...]. Le plus souvent, il a l'air d'avoir pensé en prose et traduit sa pensée en vers. »

Confiant dans ses talents, La Motte s'essaie aux comédies en prose (*le Magnifique, l'Amante difficile*), mais obtient peu de succès. Il compose alors des tragédies, dont certaines vont accroître sa renommée, et, dans un souci de réforme, il s'attaque à la règle des trois unités : *les Macchabées* (1721), *Romulus* (1722) et *Œdipe* (1730) connaissent un échec cuisant ; seule *Inès de Castro* est vivement applaudie au Théâtre-Français et remporte « un succès jamais vu depuis *le Cid* ». Pourtant l'histoire reste fade, les personnages manquent d'épaisseur, et, si la pièce n'est plus représentée, la faute en revient surtout au style.

Poète et chef des néologues

En 1709, La Motte avait publié un recueil poétique, *Odes,* non dénué de facilités mais qui lui vaut maints compliments. Lisant lui-même ses œuvres dans les salons, l'auteur est habile à les mettre en valeur... Il est élu membre de l'Académie française en 1710. Atteint de cécité deux ans plus tard, il n'en continue pas moins ses activités. Ses *Fables* (1719) n'égalent certes pas celles de La Fontaine, mais certaines renferment quelques vers dont la postérité, si elle en ignore l'auteur, garde néanmoins le souvenir : « L'ennui naquit un jour de l'uniformité » (« les Amis trop d'accord »), et peut-être Voltaire, qui écrivit :

On meurt deux fois, je le vois bien :
Cesser d'aimer et d'être aimable
Est une mort insupportable.
Cesser de vivre, ce n'est rien

se rappelait-il avoir lu ces vers de La Motte :

On meurt deux fois en ce bas monde :
La première, en perdant les faveurs de Vénus.
Peu m'importe de la seconde :
C'est un bien quand on n'aime plus.

Sa préface, comme tous les discours précédant ses œuvres, est empreinte de fausse modestie : « il a fallu enfin être tout à la fois et l'Ésope et le La Fontaine. C'en était sans doute trop pour moi ; il ne serait pas juste que j'égalasse ni l'un ni l'autre. » Son dessein est qu'« il ne faut songer qu'à imiter la Nature, imitation qui fait seule les Originaux ». Cet homme, qui avait tant peiné à écrire en vers, avoue qu'« il n'a pas le courage de trouver à redire aux négligences de la versification » de La Fontaine.

Si La Motte n'est pas totalement tombé dans l'oubli, c'est pour avoir osé une tentative qui relance la querelle des Anciens et des Modernes ; prenant parti pour les Modernes, il publie en 1714 *l'Iliade en vers avec un discours sur Homère.* Sa piètre traduction du livre XII, qui ressemble plus à une parodie qu'à une « imitation », attise une polémique retentissante avec Mme Dacier : à son *Traité des causes de la corruption du goût,* La Motte répond par ses *Réflexions sur la critique* (1715). [Voir **Querelle des Anciens et des Modernes**.]

Grand ami de Fontenelle, La Motte, en sa qualité de « chef des néologues », anime un cercle d'auteurs qui fréquentent assidûment le salon de la marquise de Lambert ; ce groupe, appelé « les Nouveaux Précieux », estime que l'histoire se caractérise par une progression continue, et répand quelques idées nouvelles ; c'est ainsi que La Motte, qui avait tant défendu ses vers et sa versification, comme il défendra le mélange des genres et l'audace de certaines expressions, prétend que tout peut s'écrire en prose. Pour n'avoir vu que la difficulté mécanique de l'écriture en vers, il tente de détromper ceux qui prétendaient que la prose ne pouvait s'élever aux expressions poétiques. Il publie, en les comparant, la première scène de *Mithridate* avec la même scène réduite en prose, ainsi qu'un *Œdipe* en prose (1730), accompagné d'une préface où l'on peut lire qu'« on s'est imaginé (car de quoi la force de l'habitude ne fait-elle pas des principes ?) que la pompe, la mesure des vers et l'éclat de la rime étaient essentiels à la dignité de la tragédie ; que les grands intérêts et les grandes passions perdraient, sans ce soutien, une grande partie de leur importance, comme si l'admiration, la terreur et le pathétique ne pouvaient être l'effet du langage ordinaire ».

À la fin de sa vie, La Motte, toujours croyant, compose des cantates et rédige un *Plan de preuves de la religion* où se manifeste son hostilité aux jansénistes.

Si l'on peut reprocher à La Motte son manque d'imagination, son style à la fois incorrect et affecté, il faut en revanche reconnaître son rôle dans la diffusion d'idées qui semblaient théoriques ou utopiques en leur temps mais qui ont fait leurs preuves depuis lors. Et une petite nouvelle orientale comme *Salned et Garaldi* mériterait à elle seule que son nom ne soit pas oublié.

Semelé

SYNOPSIS

Semelé, fille de Cadmus, roi de Thèbes, aime secrètement, et d'un amour partagé, Idas, dont elle ignore la véritable identité et qui n'est autre que Jupiter. Elle accepte cependant, par devoir, d'épouser Adraste, jeune prince thébain. Devant la résistance de la jeune femme, Jupiter avoue qui il est. Adraste ayant réclamé la vengeance de Junon, celle-ci, sous les traits de l'ancienne nourrice de Semelé, insinue le doute dans le cœur de sa rivale et la pousse à exiger de Jupiter qu'il se montre aux Thébains. Atterré par la demande, le dieu y souscrit cependant, en se lamentant car il sait désormais quel est le sort réservé à celle qu'il aime. « Dans un embrasement d'éclairs et de tonnerres », Jupiter foudroie Adraste et fait enlever Semelé :

Volez, Zéphirs, volez, portez-la dans les cieux ;
Qu'elle y partage, aux yeux de Junon même,
L'éternelle gloire des dieux.

Inès de Castro

SYNOPSIS

Alphonse, roi de Portugal, surnommé « le Justicier », a promis d'unir son fils, dom Pèdre, à Constance, fille de la reine. Mais le mariage secret du prince avec Inès, fille d'honneur de la reine, contraint celui-ci à refuser l'offre de son père. La reine, ayant tout deviné, se voit confier la garde d'Inès. Afin de l'enlever, dom Pèdre prend la tête d'une troupe de rebelles. Inès refuse de le suivre : il est arrêté, jugé et condamné. Constance supplie Inès de fléchir le roi pour sauver le prince. Inès y parvient après lui avoir révélé son union et présenté les fruits de cet amour : deux enfants. Magnanime, Alphonse pardonne à l'instant où Inès expire dans les bras de dom Pèdre, empoisonnée.

Ch. Lavigne

HOUELLEBECQ Michel

(né en 1958)

Romancier, essayiste et poète né à la Réunion, d'un père guide de haute montagne et d'une mère médecin anesthésiste. Ses parents se séparent très vite, et l'éducation du jeune garçon est assurée, à Crécy-en-Brie, par sa grand-mère maternelle, dont l'écrivain adoptera le nom. Après des études au lycée de Meaux et, en 1980, l'obtention d'un diplôme d'ingénieur agronome, une longue période d'incertitude professionnelle commence. Cependant, dès 1978, Michel Houellebecq compose des poèmes. Il devient secrétaire administratif informaticien à l'Assemblée nationale et publie en 1991 un essai sur Lovecraft (*H.P. Lovecraft. Contre le monde, contre la vie*, rééd. 1999) – livre que son auteur pense avoir écrit « comme une sorte de premier roman » et qui, de fait, contient déjà tous les thèmes et tous les choix esthétiques à venir. Ce sont deux fictions qui vont révéler Houellebecq à un plus large public – deux récits ironiques et désespérés qui remettent en cause le libéralisme économique et ses valeurs culturelles : *Extension du domaine de la lutte* (1994, adapté au cinéma en 1999 par Philippe Harel), et surtout *les Particules élémentaires* (1998). L'écrivain a également publié deux recueils d'essais (*Interventions* ; *Rester vivant*, 1998), un album mêlant photographies et récits (*Lanzarote*, 2000), la somme de ses textes poétiques (*Poésies*, 2000, regroupant : *le Sens du combat*, 1994 ; *la Poursuite du bonheur*, 1997 ; *Renaissance*, 1999) et un disque, *Présence humaine* (2000), où il interprète lui-même dix de ses poèmes mis en musique.

Chez Houellebecq, les phrases classiques, calmement ordonnées, nettes, parfois crues, instillent un humour corrosif ou une déréliction abyssale à des textes qui dressent le constat d'échec des sociétés libérales et en accusent les ridicules. Le romancier s'attaque ainsi à la bêtise ambiante des entreprises, où « avouer qu'on a perdu sa voiture, c'est pratiquement se rayer du corps social » (*Extension du domaine de la lutte*). Il décrypte les supercheries idéalistes de l'époque *new age*, qui, selon lui, a renforcé solitude, amertume, dépression, et aiguisé la conscience originelle que possède l'être humain de la mort et de la déchéance. La société moderne occidentale impose à l'individu un « impitoyable » impératif catégorique : entrer dans la lutte, devenir un individu triomphant, sous peine d'anéantissement. Même le plaisir sexuel n'est plus affaire de jouissance, mais « féroce compétition narcissique » (*Rester vivant*). Ses poèmes expriment ainsi le spleen d'un siècle agonisant. Ses romans sont les œuvres d'un moraliste, dont le regard acéré examine les signes des comportements humains en plein désarroi. Si, à la fin du récit de science-fiction que sont *les Particules élémentaires*, le clonage apparaît, dans un monde où nulle religion ne peut plus être crédible, comme l'ultime solution pour mettre fin à l'humanité et à son matérialisme désespérant, c'est que les héros de Michel Houellebecq recherchent convulsivement une sorte d'ataraxie édénique qui, après la « dislocation psychologique, ontologique et sociale » du siècle, redonnerait « un sens à la fraternité, la sympathie et l'amour ». En somme, au-delà des polémiques que ce point de vue éthique et génétique a pu susciter, Michel Houellebecq tente de conférer forme et vie à une idée toujours neuve en Europe – mais de plus en plus lointaine –, le bonheur :

Quelque chose en moi se fissure,
J'ai besoin de trouver la joie
D'accepter l'homme et la nature,
Je n'y arrive pas. J'ai froid.

(la Poursuite du bonheur)

J.-P. Damour

Hugo

HUGO Victor

(1802-1885)

VICTOR HUGO AVANT L'EXIL

Totalité et fractures

Hugo est une totalité. Lui-même l'affirme : « L'ensemble de mon œuvre fera un jour un tout indivisible. Je fais [...] une Bible, non une Bible divine, mais une Bible humaine. Un livre multiple résumant un siècle, voilà ce que je laisserai derrière moi [...]. J'existerai par l'ensemble. On ne choisit pas telle ou telle pierre de la voûte. » Totalité du projet : tout dire, mais aussi totalité du destinataire : tout dire pour tous. Et tout dire de toutes les façons possibles : qu'il n'y ait aucun canton dans l'aire de la parole qui échappe à l'investissement du poète. On comprend à la fois comment on a pu dire que la poésie moderne datait d'après Hugo – comme s'il avait bouché l'horizon – et comment un simple coup d'œil permet de voir que les formes les plus nouvelles de la poésie, le surréalisme et l'après-surréalisme, sont contenues dans Hugo. Pour tous, Hugo est le Poète, mais il a écrit peut-être le plus grand roman du XIXe siècle, ces *Misérables* si dostoïevskiens. Et dans le domaine du théâtre, il est plus novateur qu'on ne croit. Mais surtout l'écriture de Hugo transcende la distinction des genres, faisant poésie de tout – de toute la prose, et même de la critique (voir son *William Shakespeare*) – et inscrivant à l'intérieur du verbe poétique le monde réel, l'Histoire, le moi, les hommes.

« Mon père, vieux soldat, ma mère vendéenne »

En 1794, le soldat « bleu » Léopold Hugo est envoyé par la République pour mater la révolte de Vendée ; il y rencontre Sophie Trébuchet, royaliste et vendéenne. Victor Hugo est le troisième enfant de ce couple : l'histoire le fait naître non seulement de la Révolution, mais d'une guerre civile, d'un conflit interne à la nation et comme fratricide.

Très vite, les époux se séparent, ne se retrouvant qu'à l'occasion de brefs voyages de Mme Hugo et des enfants en Italie (1807), en Espagne (1810), où le général Hugo est en occupation. La mésentente familiale arrache les enfants à leur mère, d'abord en Espagne, où Victor et Eugène sont placés pour plusieurs mois au collège des Nobles à Madrid ; puis lors du procès en séparation des parents Hugo, où ils sont mis à la pension Cordier, avec interdiction d'en sortir, même pour les vacances. Ils vivent tragiquement le conflit de la mère et du père et, en 1815, la séparation définitive qui le conclut.

Un brouillon du *Victor Hugo raconté par un témoin de sa vie* fait cet aveu caractéristique : « Ce qu'ils [les enfants Hugo] voyaient, entendaient était une contradiction continuelle, leur père, soldat de 92, leur parlait révolution ; leur mère vendéenne, droit divin [...]. Jusqu'à l'idée de famille qui était contrariée [...]. Quand ils avaient le père, ils n'avaient pas la mère : jamais les deux ! jamais qu'un tronçon de famille – une idée était à peine formée qu'elle s'évanouissait, l'une chassait l'autre [...]. Ils allaient de l'affirmation à la négation, le roulis était continuel. » Les enfants vivent charnellement ce clivage de la société française, que les événements historiques mettent cruellement en lumière.

Or, tout se passe comme si le projet hugolien était de combler le fossé, de réconcilier l'irréconciliable et, en disant oui et non à la fois, de trouver les interlocuteurs les plus opposés, tous les interlocuteurs. Tout dire pour tous, c'est unir par l'écriture les oppositions. Telle est la position permanente de Victor Hugo écrivain. Si l'opposition des contraires « que les esprits superficiels nomment antithèse » passe pour le trait distinctif du style de Hugo, elle n'est pas chez lui juxtaposition, ou exclusion de l'un des termes, mais synthèse ; plus que l'antithèse, c'est l'oxymoron, présence au même lieu d'objets et de réalités contraires, qui est la figure clef de l'écriture poétique hugolienne.

Expériences

À la suite de son père, Hugo parcourt l'Europe méditerranéenne conquise. Il est l'enfant du vainqueur, position parfois inconfortable, il ne s'en aperçoit que trop, avant de devenir l'enfant du vaincu – le général Hugo oppose une belle résistance aux Prussiens dans Thionville assiégée –, ce qui ne vaut guère mieux. Là encore son expérience embrasse les deux positions antagonistes.

Il est aussi l'enfant du martyr : dans la maison des Feuillantines, où les fils de Sophie passent avec celle-ci leurs plus belles années, il y a un proscrit, un opposant à l'Empire, le général Lahorie, parrain de Victor et aussi – peut-être ne le sait-il pas – amant de sa mère. Ce « père idéal » est arrêté dans la maison, puis fusillé. La mort violente est là, toute proche, inscrite dans le vécu. Et comment faire place simultanément à l'admiration pour la Grande Armée et pour son épopée – et à la haine pour l'oppression sanguinaire ? À ce vécu irréconciliable se rattachent non seulement la vocation littéraire et son extraordinaire précocité mais aussi son caractère propre : le « je » s'adresse à tous, pour intégrer et dominer les tensions internes.

Avant de tout dire, il faut tout lire : le cabinet de lecture Royol, le libéralisme intellectuel de Sophie – qui, passablement despotique au demeurant, laissait à ses fils la plus grande liberté de penser et de lire –, la prison du collège font du jeune Hugo un formidable liseur, qui, destiné d'abord à Polytechnique, intègre toute la culture possible de son temps, de l'Antiquité classique à la science moderne. Il y a un encyclopédisme du jeune Hugo, qui se traduit aussi par la durable passion de l'écrivain pour le dictionnaire.

Son univers affectif est également conflictuel ; non seulement l'amour qu'il porte à son père et à sa mère est angoissant parce que divisé, mais l'affection qui l'unit à son frère – quasi-gémellité, solitude à deux en pension, commune passion pour leur mère – est aussi rivalité : rivalité poétique – ils briguent ensemble les prix de l'Académie française et des Jeux floraux –, rivalité amoureuse auprès de leur jeune amie Adèle Foucher. Sur tous les terrains, le cadet, Victor, gagne, tandis qu'Eugène, lentement, s'enfonce dans la schizophrénie. Autre drame d'amour : la mère refuse son consentement à l'amour de Victor et d'Adèle ; les très jeunes fiancés correspondent clandestinement, et ce sont les admirables, naïves et tragiques *Lettres à la fiancée.* En 1820, Mme Hugo meurt de tuberculose, et Victor, qui souffre de ce deuil, s'empresse pourtant de renouer avec sa fiancée, qu'il épouse en 1822. Le jour du mariage, Eugène a une crise terrible : il faut le soigner, puis l'interner. Perte très douloureuse que celle du « doux et blond compagnon de toute [s]a jeunesse ». Puis, c'est la mort du premier enfant. La vie de ce garçon de vingt ans est semée de deuils. Deuils que ne compensent ni la tendresse un peu froide d'Adèle ni la réconciliation avec le père retrouvé. Le cœur du poète est déjà plein de « fractures ».

Apprentissages : *le Conservateur littéraire*

À seize ans, Hugo embrasse la carrière du journalisme littéraire : aidé de ses frères, il fonde *le Conservateur littéraire*, à l'ombre et dans la marge du *Conservateur* de Chateaubriand. Le journal, qui comptera trente livraisons de 1818 à 1821 avant de se saborder, est d'abord, d'après Chateaubriand et sur son modèle, l'affirmation par la pratique des pouvoirs de la littérature. L'existence même d'un organe littéraire à côté du *Conservateur* politique est une déclaration d'indépendance ; défenseur du Trône et de l'Autel, il n'en revendique pas moins la liberté de l'esprit.

Organe polémique, *le Conservateur littéraire* fait siennes certaines options : en faveur de ce qu'on appelle déjà le romantisme et en faveur du théâtre et du roman ; de là l'importance du grand article sur Walter Scott. Polémique contre les « nouveaux » hommes politiques – les libéraux, en particulier –, c'est un apprentissage de la satire dont le Hugo de la maturité se souviendra.

Défenseur de la langue et du travail formel sur l'écriture, il acquiert la pratique d'une écriture rapide et régulière ; et le journal lui donne la possibilité de vivre, fût-ce difficilement, de son travail d'écrivain, lui montrant le chemin d'une indépendance non seulement financière et matérielle, mais morale.

Poésie

Les *Odes* (1822) sont à la fois une collection de lieux communs royalistes et un cahier d'exercices, où Hugo joue de plus en plus librement avec les mètres de la poésie lyrique traditionnelle, avant de ressusciter, dans les *Ballades* (1826), les tentatives prosodiques de la Pléiade.

Le plus intéressant peut-être, dans cette suite de poèmes où se fait entendre la voix la plus convenue – où le nom est précédé de l'épithète la plus attendue –, est la volonté de grandeur : « sublime » du ton, majesté de la thématique, liens de l'Histoire et du cosmique, chute des empires, présence biblique de Dieu à l'intérieur de l'histoire humaine ; un Hugo visionnaire est déjà à l'œuvre, et la volonté, ou la nostalgie, du dire prophétique s'affirme :

On dit que jadis le Poète
Savait à la terre inquiète
Révéler ses futurs destins.

Au fil de leurs quatre éditions successivement enrichies, les *Odes* varient davantage leurs rythmes, s'éloignant des mètres classiques – ainsi « Rêves » de 1828 –, et acceptent la thématique « romantique » de l'intimité et de l'horreur. Au destinataire classique Hugo tente de joindre le jeune lecteur romantique ; et le romantisme aussi évolue, de 1823 à 1829, passant du cléricalisme monarchique au libéralisme. À ce nouveau lecteur rêvé, les *Odes* ne suffisent plus, et les *Ballades* les relaient (novembre 1826-août 1828), les dernières étant plus provocantes par le jeu avec des mètres « impossibles » et par les plaisanteries anticléricales ou grivoises.

À partir du moment où la mutation politique de Hugo s'opère, ce retour au Père qu'il raconte dans *les Misérables* sous le couvert du personnage de Marius, il lui faut prendre ses distances par rapport à la politique immédiate. *Les Orientales* (1829) marqueront sa nouvelle orientation. Le souci du public est là : l'Orient des années 1827-1829 est plus qu'une mode, c'est une préoccupation générale ; Hugo y trouverait à la fois un point de contact avec ses lecteurs et un moyen d'échapper à la politique présente, en un moment où l'évolution de la monarchie des Bourbons lui rendrait de plus en plus intenable la vieille fidélité : l'art pour l'art est parfois le refuge nécessaire de la liberté.

« Génie lyrique, être soi, génie dramatique, être les autres », écrit Hugo. Mais comment, étant soi, dire à la fois le monde et soi-même ? C'est la question que posent les quatre recueils de ce qu'on peut appeler la première maturité : *les Feuilles d'automne* (1831), *les Chants du crépuscule* (1835), *les Voix intérieures* (1837), *les Rayons et les Ombres* (1840).

Prolongeant la quête des *Odes et Ballades,* ils parlent à l'aide de formes éprouvées et des thèmes que tout le monde reconnaît : Napoléon, la Charité, le Printemps, le Souvenir ou la Liberté. Rien d'étonnant que ces recueils soient semés de poèmes d'autant plus célèbres qu'ils correspondent à la vue traditionnelle d'un Hugo poète au lyrisme un peu convenu, écho sonore de son siècle : « *Oceano Nox* », « Tristesse d'Olympio ». Il y a pourtant là moins conformisme que recherche d'un rapport poétique du moi à son destinataire.

En même temps Hugo inaugure sa recherche d'une histoire du moi, qui lui permettrait non seulement de se dire mais de se reconstituer ; les quatre recueils sont la monnaie dispersée du projet des *Contemplations* : tresser sa propre histoire avec l'Histoire. Le premier poème des *Feuilles d'automne* est le célèbre « Ce siècle avait deux ans… », où se disent le désir de réconcilier les parents ennemis et l'affirmation d'une destinée du Moi.

Roman

D'emblée, le roman hugolien présente ses caractères permanents. Il procède de la reprise biaisée d'une forme familière : forte et à la mode. *Han d'Islande* (1823) est un faux roman noir, sous-genre frénétique, comme *Notre-Dame de Paris* (1831) aurait pu être roman historique. De là leur ton « ironique et railleur », qui correspond aussi à l'indécision des convictions de Hugo jusqu'à l'exil. Y échappent cependant *Claude Gueux* (1834) et *le Dernier Jour d'un condamné* (1829), tenus à la gravité par leur utilité dans le débat sur la pénalité judiciaire et sur la peine de mort.

Toute une vision du monde est ébranlée lorsque sa forme esthétique est subvertie. Le roman hugolien est critique et non « thétique ». D'abord, vis-à-vis de l'actualité, non politique (domaine qu'il aborde de préférence dans la poésie), mais sociale. Un bric-à-brac romanesque encombre *Han d'Islande* : chevalerie sentimentale, par laquelle Hugo dit le dévouement de sa passion pour Adèle ; épouvante, à demi enjouée, avec l'abominable Han, ce petit monstre bestial ravageant les contrées pour venger la mort de son fils, dans le crâne duquel il boit du sang humain ; intrigue politico-policière d'usurpation et de cassette à documents dont dépend le sort du royaume. Mais c'est l'un des premiers romans du siècle à montrer une révolte ouvrière de la misère – et non sans sympathie. Hugo, écrit J. Seebacher, « y illustre jusqu'à les retourner les thèses de Joseph de Maistre sur le pouvoir et le bourreau » et, à la violence vindicative de l'absolutisme théocratique, oppose la générosité d'une entente entre l'ardeur de la nouvelle génération, pure des crimes révolutionnaires, la sagesse traditionnelle d'une monarchie régénérée et la bonne volonté du peuple, une fois soulagée sa misère.

Toile de fond pour *Han*, l'actualité historique est au centre de *Bug-Jargal* (1820-1826), récit d'un épisode de la révolte des Noirs à Saint-Domingue, en 1791. Les débats à la Chambre sur l'indépendance de l'île ont sans doute déterminé Hugo à développer en court roman la nouvelle écrite sur un pari en 1819 ; surtout, l'intrigue, fondée sur le dévouement et le sacrifice, explore, au travers de l'asservissement colonial, les réalités humaines et sociales de la Terreur et de la domination de classe. Les deux versions de *Claude Gueux* et *le Dernier Jour d'un condamné* – avec leurs importantes préfaces – font également référence aux discussions en cours sur la législation pénale et aux scandales de l'exploitation des prisonniers par l'industrie, mais vont aussi au-delà. Au-delà même d'une dénonciation juridique et morale de la peine de mort, ils mettent en évidence la contradiction entre l'assassinat légal et les fondements civils et éthiques de la vie sociale. Inversant le raisonnement commun, ils considèrent la société elle-même du point de vue de la peine de mort et la montrent monstrueuse, jusqu'à l'impensable.

Estompé par l'éclat du modèle balzacien, ce réalisme risque aussi d'être éclipsé par d'autres modes de rapport au réel. Autre trait distinctif du roman hugolien : il s'offre à lire simultanément aux trois niveaux de la saisie des réalités contemporaines, de la pensée et de la résonance des scènes de l'imaginaire.

Assez restreint – l'inventaire en a été brillamment établi par M. Baudouin –, organisé autour du processus du sacrifice de soi et structuré par le schéma de l'inversion – retournement des occasions de bonheur en catastrophes et des promesses en malédictions –, le matériel fantasmatique est mis en œuvre de telle sorte qu'il conserve son inquiétante et violente étrangeté. *Le Dernier Jour d'un condamné,* écrit par Hugo au lendemain de la mort de son père, détaille, du rêve à la syncope, toutes les formes de l'angoisse ; moins systématique, tel texte – celui, par exemple, où la Sachette, dans *Notre-Dame de Paris,* d'un seul geste de possession désespérée retrouve sa fille et la voue à la mort – s'adresse plus directement encore à l'inconscient, par-delà l'analyse réflexive mais non pas à l'insu du lecteur. Plus généralement, chaque personnage apparaît comme une instance élémentaire et primitive du moi : la personnification d'une force, d'une conduite, d'un désir ou d'une souffrance. Si bien que l'ensemble des personnages figure une personnalité complète et que l'action forme une vaste psychomachie – si l'on ose dire –, d'une autre vérité que celle de l'analyse psychologique.

On s'explique que le même personnage puisse être image de pulsion en même temps que signe d'une idée : il indexe toujours une réalité partielle de la conscience, préservant le lecteur des empoissements de l'identification. Han, comme l'Habibrah de *Bug-Jargal,* figure toutes les difformités : allégoriquement, le mal lui-même, et son histoire – Y. Gohin l'a bien montré – manifeste « la mystérieuse loi de justice immanente selon laquelle le crime se retourne contre le criminel et devient son châtiment ». Claude Gueux, héros homonyme de tous les misérables, désigne la scandaleuse perversion qui, pour eux, inverse en honte et en crime ce qui est valeur et vertu dans la société – le sens de la justice, la générosité, l'amour – et qui leur interdit d'être bons.

La logique de la combinaison des trois lignes de signification dont le tressage forme le héros n'a guère été envisagée par la critique ; non sans motif. De quelle philosophie ou « méthodologie » dispose-t-elle qui soit capable de conceptualiser l'objet même du roman hugolien : saisir la totalité de la vie des individus, sujets en même temps qu'objets de leur histoire, de leur conscience et de leur propre condition d'hommes – articulation problématique de trois contradictions ?

De là cette sorte de blancheur des héros hugoliens, réputés dénués d'épaisseur, en réalité simples et composites. On ne les imagine que comme des silhouettes opaques, sans visage, se mouvant dans un décor profond, lui, et coloré. Ils sont devant le lecteur, non en lui, et le fil de leurs aventures forme une succession de scènes spectaculaires. C'est exprimer le dernier trait caractéristique des romans de Hugo : leur théâtralité. Elle ne tient pas seulement au mode d'existence des personnages – sollicitant l'illustration comme ceux du théâtre demandent un interprète –, à l'esthétique de la discontinuité qui brise le récit, au génie visuel propre à Hugo, à l'absence du monologue intérieur et des techniques de restriction de champ, au primat de la représentation des actions sur l'analyse de leurs motifs – tous caractères communs aux romanciers qui, comme Balzac, cherchent aussi, après Walter Scott, la formule d'un roman « dramatique » ; elle tient surtout au mode de l'énonciation romanesque : éviction complète ou mise en représentation du narrateur.

Bug-Jargal et *le Dernier Jour d'un condamné* sont le récit, ici écrit et là oral, du protagoniste : technique romanesque – déjà usée – lorsque la situation de parole du narrateur-héros est de quelque manière déliée des circonstances vécues par le héros-narrateur ; technique proprement théâtrale lorsque l'énonciation du discours participant à son objet, la narration est un moment de l'action. Ainsi le récit du capitaine d'Auverney lui vaudrait la guillotine s'il n'avait pas été le testament de son suicide ; le condamné n'écrit, au fur et à mesure, que ce qu'il vit et ne vit rien d'autre que l'écrire. Surenchère : l'épilogue de *Bug-Jargal* est une « Note », étayée de pièces officielles, ajoutée, après recherches, par l'éditeur-auditeur du récit ; la dernière page du *Dernier Jour* est le fac-similé d'une chanson, annotée de la main du condamné.

Han d'Islande et *Notre-Dame de Paris* relèvent d'une autre théâtralité : celle des marionnettes, qui s'instaure lorsque la voix du récitant se distingue comme telle. L'émetteur se dissocie, ici par l'ironie, de son récit et le livre, en plus des figures humaines qu'il fait mouvoir, met en scène, comédien interprétant un personnage, l'auteur dans le rôle du narrateur, chacun parlant tour à tour – ou ensemble.

Claude Gueux emprunte aux deux systèmes. La neutralité du narrateur et l'abondance des dialogues et monologues font du récit une page de théâtre où les indications scéniques seraient seulement très étendues ; d'autre part, une vaste péroraison transforme tout le livre en un discours fait à la Chambre et, rétroactivement, le récit lui-même en un grand *exemplum,* dit et mimé par l'orateur. Une « Note », ici encore, consacre cet effet. C'est la lettre d'un certain « Charles Carlier, négociant », demandant au directeur de la *Revue de Paris,* qui avait publié la nouvelle, d'en faire tirer à ses frais « autant d'exemplaires qu'il y a de députés en France, et de les leur adresser individuellement et bien exactement ». Spectaculaire détournement de l'origine du livre : écrit par Hugo mais envoyé par M. Carlier aux députés afin que l'un d'eux s'en empare, et le prononce en discours à imprimer au *Moniteur.* Le mérite de ce négociant – s'il a existé – avait été de bien lire ; celui de Hugo de tirer un plein parti de ce geste pour la mise en scène de son texte.

À cette date – 1834 –, Hugo était déjà un homme de théâtre confirmé. Dans sa carrière d'avant l'exil, tout se passe comme si le dramaturge avait fait ses armes chez le romancier avant de lui prendre la parole.

Théâtre

Pour trouver un contact immédiat avec le public, rien ne vaut, surtout au XIXe siècle, le théâtre – au reste, financièrement avantageux. Mais quel théâtre ? La scène alors peut être celle, officielle, des subventionnés, l'Opéra ou la Comédie-Française, repaire des genres traditionnels et de la survivance classique – ou bien les scènes populaires du « boulevard du Crime », où l'on joue mélodrames et vaudevilles. Ici encore, Hugo témoigne du clivage de la société, non plus politique mais social ; c'est à quoi correspond, avec un humour cruel, dans *Notre-Dame de Paris,* la mésaventure du poète dramatique Gringoire, dont le peuple déserte la belle œuvre pour assister à un concours de grimaces. Comment faire un théâtre à la fois artistique et populaire ?

Hugo rencontre ici le désir de la jeune génération de bouleverser la vieille tragédie pour faire entrer sur scène le monde contemporain et l'Histoire. De cette rencontre naît la *Préface* de *Cromwell* (1827) [voir **Romantisme**].

Elle est le manifeste de la liberté au théâtre, liberté non pas abstraite, mais réglée par trois éléments : l'usage et la pensée de l'Histoire, éclairant à la fois le passé et le présent ; la poésie – rigueur et force du style, usage du vers : machine à éloigner le philistinisme bourgeois – ; enfin le grotesque, image mystifiée mais vivante de la réalité populaire introduite au cœur du drame.

Cromwell lui-même est fidèle à cette triple perspective. Ses 6 000 vers composent l'image de ces masses qui entrent dans l'histoire ; grandeur poétique, exhaustivité de l'histoire, présence populaire dans les personnages et dans le grotesque – chansons des Fous, facéties burlesques de Rochester, dérision de la puissance –, l'œuvre – théorie et pratique – apparaissait capable de faire sauter le verrou de la tragédie vieillie et de renouveler le théâtre. Drame de l'Histoire, *Cromwell* pose en termes immédiatement accessibles le problème de l'action politique : qui prendra en main, après une série de convulsions, les destins d'un monde complexe et décadent ? Au théâtre, la victoire ne se remporte que sur le terrain : *Cromwell,* ce géant, ne pouvait être ni joué ni réduit. En 1829, Hugo écrit coup sur coup deux pièces où il trouve sa propre formule du drame romantique : drame de l'être double cherchant dans les luttes de l'Histoire et les vicissitudes de l'amour son identité et l'impossible réconciliation d'un moi déchiré – Didier et Hernani comme Louis XIII et don Carlos –, mais aussi le sens et le rôle du pouvoir.

Marion Delorme (1829) interdite par la censure de Charles X, Hugo aussitôt écrit *Hernani,* qui est joué en février 1830, non sans remous. La vigueur provocante du style, la violence ou le comique des situations – le roi d'Espagne dans un placard –, la grandeur paradoxale des personnages, l'amour impossible, la présence permanente de la mort ravirent une jeunesse qui voyait dans l'œuvre non seulement le mépris libéral des rois – nuancé d'une pointe de bonapartisme –, mais l'étendard enfin brandi de la liberté dans l'art, et qui y reconnaissait ce mélange diffus d'espérance et de nostalgie qui précéda et suivit la révolution de 1830. La bataille d'*Hernani,* plus idéologique et littéraire que politique, se joue dans le public, mais Hugo avait déjà dû engager un combat contre les Comédiens-Français, incapables d'accepter de telles offenses à la tragédie. Après les Trois Glorieuses, Hugo peut faire jouer *Marion* (1831) libérée de la censure ; il change de théâtre et choisit la scène – plus « populaire » – de la Porte-Saint-Martin.

Conscient du fait que, pour le théâtre dont il rêve, il n'y a pas vraiment de public, surtout après l'échec immédiat des espérances que la révolution de 1830 avait suscitées, Hugo s'efforce non seulement de trouver un public, mais de le créer un : à la fois bourgeois et populaire. Pendant l'été 1832 – année des émeutes contre le régime –, il adopte une double démarche croisée : pour le Théâtre-Français une sorte de tragédie en alexandrins, mais dont la structure et le personnage principal – un bouffon – sont grotesques ; pour la porte Saint-Martin un drame en prose, mais de structure et de personnages parfaitement classiques. La première, *Le roi s'amuse* (1832), essuie au Théâtre-Français, devant un public d'artistes, d'intellectuels et de grands bourgeois, un échec retentissant ; interdite le lendemain, elle est l'occasion d'un procès où Hugo défend les droits de la liberté dans l'art contre toute censure. La seconde, *Lucrèce Borgia* (1833), drame de l'amour incestueux et de la culpabilité fatale, proche de ces « grands mélodrames en prose » qu'aimera Artaud, et dont le dernier acte est un chef-d'œuvre de construction poétique et de violence hallucinatoire, eut un succès immense et mérité. Ce fut aussi, pour Hugo, l'occasion de la rencontre d'une petite comédienne, très belle, entretenue par un prince qu'elle quitta pour lui, Juliette Drouet, qui l'aima passionnément et vécut avec lui un amour qui dura cinquante ans.

Le drame en prose qui suit dans le même théâtre, *Marie Tudor* (1833), est peut-être la meilleure pièce de Hugo ; ce drame historique, âpre transposition de la révolution de 1830, dérouta les spectateurs par sa complexité. Et Hugo, par amour de Juliette, s'était laissé piéger dans les intrigues de théâtre. Déçu, il retourne à la Comédie-Française, qui accepte un drame en prose mais exige des concessions : Hugo s'y plie, renonce à l'histoire et au grotesque et obtient un vrai succès de public avec *Angélo, tyran de Padoue* (1835).

Une solution : créer une salle où le drame romantique serait chez lui ; c'est ce que tentent Dumas et Hugo. Pour l'inauguration du théâtre de la Renaissance, il écrit *Ruy Blas*. Il y pose les problèmes qui lui paraissent essentiels : celui de l'agonie d'une monarchie, cette mort des rois qui l'obsède depuis *Cromwell*, et surtout il met en lumière l'impossibilité pour l'artiste – l'intellectuel ou l'homme du peuple – de l'emporter face à la coalition des privilégiés. *Ruy Blas* est la mise en accusation de toute utopie politico-sociale.

Après le succès discuté de *Ruy Blas* (1838), Hugo entreprend la composition des *Jumeaux*, qu'il laisse inachevés ; puis il revient à la scène avec une formule nouvelle, la grande « trilogie » des *Burgraves* (1843). Trilogie parce qu'elle convoque le passé, le présent et l'avenir, unit la tragédie passée et la rédemption future, et entreprend cette réconciliation du « moi » et des forces ennemies que n'avait pu tenter seulement le moi fracturé de *Ruy Blas*, le laquais-ministre.

Comme tout le théâtre romantique, celui de Hugo souffre de l'inadéquation entre le projet « shakespearien » d'un drame du monde et les blocages techniques – la scène à l'italienne –, institutionnels et politiques de l'appareil théâtral de son temps. Aussi les œuvres théâtrales de Hugo les plus adéquates à son projet – et c'est aussi le cas de Musset – sont-elles peut-être le « monstrueux » *Cromwell* et ce « théâtre dans l'esprit » qu'est *le Théâtre en liberté*.

Proses

En proie aux attaques conjuguées des classiques et des libéraux – ce sont souvent les mêmes –, Hugo publie *Littérature et philosophie mêlées* (1834), pour montrer à la fois le sens de son évolution politique – du *Journal d'un jeune jacobite* au *Journal d'un révolutionnaire de 1830* – et situer sa place exacte dans le mouvement littéraire. Théorie de l'homme de génie – Mirabeau –, le livre donne la monnaie dispersée d'une théorie de la « substitution des questions sociales aux questions politiques » et du passage de « la langue hiératique à la langue démotique », qui est comme l'utopie d'une littérature du peuple.

Dès 1834, Hugo prend l'habitude de voyager un mois, pendant l'été, en compagnie de Juliette. Les nombreux dessins qu'il en rapporte – eux-mêmes infime partie d'une surprenante et abondante œuvre graphique allant de la caricature au véritable tableau – ne témoignent pas seuls de son goût du croquis sur le vif et de l'observation. Publiées après sa mort, les lettres de voyage – *France et Belgique*, *Alpes et Pyrénées* – ou de simples notes montrent un autre Hugo : attentif, exact, rapide, gai. La même acuité du regard, appliquée à l'actualité, a rendu célèbre le recueil des *Choses vues*, rassemblé par G. Simon et enrichi par H. Juin. Ce talent illustre le métier de journaliste, et il demeure étonnant qu'après le *Conservateur* et *la Muse française* (1823-24) Hugo n'ait plus jamais écrit pour la presse alors même qu'il inspira deux organes tenus par ses fils et ses proches : *l'Événement*, de 1848 à 1851, et *le Rappel* (après 1869).

Le livre *le Rhin* (1842) est un livre de voyage, certes, mais très particulier. Le fleuve est son image métaphorique ; il charrie avec la plus grande liberté tout ce que véhicule l'imaginaire de Hugo : visions « touristiques », rêves architecturaux, souvenirs d'enfance, expansions du discours au gré des rencontres – les jeunes filles devant la statue du chevalier décapité, le bouffon de Heidelberg –, jusqu'à ce conte du « Beau Pécopin » – préfiguration de *Peer Gynt* –, dont les errances séculaires montrent le néant de la course ambitieuse du moi. Et l'utopie y trouve sa place politique, qui, effaçant les querelles nées de la Sainte-Alliance, fait du grand fleuve le médiateur des sœurs ennemies, Allemagne et France, le médium de l'Europe de demain. C'est un livre du « je » où le narrateur est témoin de soi et du monde à la fois.

Intervalles sombres

En septembre 1843, Hugo est en voyage, comme chaque année, avec son amie Juliette Drouet, quand il apprend par un journal la mort accidentelle de sa fille Léopoldine, récemment mariée, noyée à Villequier, avec son mari, le 4 septembre 1843. Drame affreux. Hugo cesse d'écrire, sauf quelques poèmes d'amour. C'est que, par une réaction explicable, il s'est éloigné de Juliette et, dès la fin de 1843, s'est pris d'une passion éperdue pour Léonie Biard, femme d'un peintre –

« Thérèse la blonde », du poème des *Contemplations* « la Fête chez Thérèse ». L'aventure aboutit à un constat d'adultère (juillet 1845) qui met en péril la position officielle du poète devenu académicien (1841) et pair de France (1845). Il quitte Paris et commence à écrire son roman *les Misères,* première version des *Misérables.* Peut-être fallait-il ce double choc ; la douleur paternelle, la réprobation sociale, pour qu'il entreprenne une œuvre aussi profondément non conformiste.

En juin 1846, Juliette, qu'il n'avait pas quittée, perd sa fille Claire, morte à vingt ans de tuberculose. Cette mort ranime l'amour pour Juliette et rouvre la source des larmes. Coup sur coup, pendant le second trimestre 1846, Hugo écrit la série des célèbres poèmes sur la mort de sa fille qui figurent dans *les Contemplations* sous le titre « *Pauca meae* » et dont le plus illustre est « À Villequier ». Ces années sombres ouvrent à la fois sur *les Misérables* et sur *les Contemplations.*

Révolutions et évolution

En 1829, Hugo proposait de substituer les questions sociales aux questions politiques : signe d'un sentiment exact de l'inadéquation du débat politique à l'état réel de la lutte des classes, mais aussi demi-refus d'un engagement clair. De là une suite d'apparentes trahisons qui ont été beaucoup reprochées à Hugo. Ultraroyaliste lors du premier recueil des *Odes,* légitimiste libéral, dans le sillage de Chateaubriand, sous Charles X – dont il célèbre encore le sacre en poète officiel et pensionné –, Hugo se rallie sans éclat à la révolution de 1830 et s'éloigne bientôt de la monarchie de Juillet ébranlée par les grands mouvements sociaux auxquels *les Misérables* feront écho. En 1832, le procès du *Roi s'amuse* le classe dans l'opposition, mais ses succès lui donnent une place progressivement plus brillante dans l'élite intellectuelle que Louis-Philippe, notamment par l'entremise du duc et de la duchesse d'Orléans, parvient à rallier au régime. Bientôt familier du roi lui-même – *les Misérables* évoquent ces tête-à-tête du Prince et du Poète –, Hugo est assez en faveur pour que l'intervention royale lui permette d'entrer à l'Académie (1841), condition légale – faute de fortune – de sa nomination à la Chambre des pairs (avril 1845).

C'est le sommet de sa carrière. Les perspectives géopolitiques du *Rhin* passent pour une démonstration de ses aptitudes – voire une candidature – à la conduite des affaires. Le flagrant délit d'adultère de 1845 l'en écarte pour longtemps. Hugo montra ensuite une si constante aversion pour les dignités et les places qu'on dirait cette maladresse suicidaire. En février 1848, par fidélité plus que par conviction, il sait, inutilement, intervenir en faveur de la régence de la duchesse d'Orléans et n'accepte pas l'instauration de la République sans noter combien d'ambitions déçues y trouvent leur compte.

Républicain « du lendemain », mais loyalement respectueux de l'évidente volonté populaire, Hugo, élu dans les rangs de la « droite » – le « parti de l'ordre » –, se montre un député libéral, quoique peu réticent à donner au gouvernement les moyens du rétablissement de l'ordre, conservateur en matière économique et hostile à tout socialisme, mais prêt à des réformes sociales. En juin 1848, il est l'un des soixante députés envoyés aux barricades porter les sommations de l'Assemblée ; outrepassant sa mission, il aurait, au moins une fois, conduit l'assaut « pour empêcher l'effusion du sang ».

Trois ans après, devenu – non sans un détour bonapartiste – un orateur écouté de la « Montagne », démocrate et socialiste, il prend une part active à l'organisation de la très minoritaire résistance parisienne au coup d'État. L'expérience concrète de la politique : la certitude acquise d'une provocation politico-militaire en juin, l'autoritarisme des républicains conservateurs – Cavaignac –, l'hypocrisie d'une droite reconnaissant, dans les couloirs, n'avoir ordonné une enquête sur la misère que pour donner une illusoire satisfaction à quelques « chrétiens-sociaux » égarés, ont montré à Hugo vers quel bord politique l'avaient dès longtemps porté, sans qu'il le sût, ses qualités humaines les plus profondes et ses convictions morales.

Surtout, entre 1848 et 1851, Hugo a moins changé que la République. La guerre manifestement engagée contre celle-ci par une bourgeoisie qui se ferme en caste protégée par Louis-Napoléon conduit le régime vers un nouveau despotisme. Le dépérissement de la république la dépouille de son ancienne ambiguïté, montre qu'elle a les mêmes ennemis que les ouvriers de juin et fait voir en elle un processus dynamique de progrès : la solution simultanée et réciproque de la question politique – comme en février – et de la question sociale, à la différence de juin.

Enfin, à mesure qu'elle est attaquée et perd sa réalité, la République prend l'aspect d'un programme, d'un « postulat de la raison pratique dont la réalisation n'est jamais atteinte mais qu'il faut constamment rechercher comme but ». Idéale suppression des rapports de classe – et de la division concrète du public – procédant d'un enchaînement de réforme des lois et de libération des consciences auquel le poète participe et qu'il préfigure : telle est la République que l'histoire offre à Hugo, à laquelle il adhère et dont il contribue à former et à répandre l'image parce qu'elle est aussi un principe d'écriture.

Les Odes

Tout au long des *Odes* se lit la marche du poète : progrès de l'écriture, élargissement de la perspective ; passéiste et sectaire dans les premiers livres, son catholicisme glisse à un déisme chrétien, son monarchisme s'ouvre à l'admiration de l'épopée napoléonienne – comme s'il cherchait une audience plus large et tentait de réconcilier les contraires. Ainsi, dès l'ode II, « l'Histoire », la vue étroite des premières odes s'est ouverte à la généralisation humaniste :

Les siècles, tour à tour, ces gigantesques frères,
Différents par leur sort, semblables en leurs vœux,
Trouvent un but pareil par des routes contraires.

Cette conciliation – côté du père et côté de la mère, Chateaubriand et Napoléon – se fait sur un triple thème : celui de la chute des rois, du festin de Balthazar – « Ô rois, comme un festin s'écoule votre vie ! […]/ Mais au concert joyeux de la fête éphémère/Se mêle le cri sourd du tigre populaire/Qui vous attend demain » –, celui du peuple victorieux – « Ce peuple victorieux dans les champs de bataille/À toujours usé ses drapeaux » –, celui de la liberté – « Ni maître, ni sujet ». Ces thèmes n'ont pas fini de jalonner l'œuvre du poète.

À travers les *Odes* court un autre fil, celui qui dessine l'image du Poète, prophète et voix de Dieu, mais aussi, et de plus en plus, figure solitaire et cachée, à la fois exaltant ses pouvoirs, à l'exemple de Chateaubriand et de Lamartine – « L'aigle, c'est le génie, oiseau de la tempête » –, mais aussi poète de l'idylle intime, parlant de sa « douce retraite » et se rêvant « oubliant, oublié ».

Les Orientales

Les Orientales, publiées le 24 janvier 1829, sont le premier recueil où se lise l'écriture propre de Hugo, où se voie la patte du lion. Bien loin d'être un simple livre de poésie pure, un cahier d'exercices exotiques et prosodiques – les célèbres « Djinns » – *les Orientales* sont un itinéraire où le poète, assurant sa maîtrise, montre comment se fait en lui l'articulation de l'Histoire – lutte de la Grèce pour son indépendance et, pour finir, Napoléon, « Lui » – et des passions individuelles – « les Tronçons du serpent », « Nourmahal la Rousse ». « Victor Hugo, écrit Jean Massin, y opère, à partir du combat de la Grèce pour sa liberté, une recherche à tâtons de sa propre libération intérieure. »

Et sans doute faut-il passer par une culture autre ; l'exotisme, marquant un écart par rapport à la culture dominante, à la France de la Restauration, permet une exploration nouvelle du langage et un changement dans la position de l'écrivain : le « je » de la poésie lyrique – celui du poème « Novembre », amorce du recueil suivant – faisant place au « il » historique et épique. Par là, *les Orientales* annoncent *la Légende des siècles,* elle aussi essentiellement éloignée de l'ethnocentrisme. Comme l'indiquait la Préface du livre, « l'espace et le temps sont au poète ».

Les Feuilles d'automne, les Chants du crépuscule, les Voix intérieures et les Rayons et les Ombres

Les Feuilles d'automne ne participent pas seulement au lieu commun romantique de l'automne, saison de désenchantement, elles s'affirment comme feuilles : dispersion, expériences discontinues. Paradoxe : elles sont automnales en la saison du printemps de la monarchie de Juillet, émettant une sorte de doute sur ses vertus de rajeunissement ; doute prolongé par *les Chants du crépuscule,* qui accentuent cette incertitude.

Ces textes posent une forme d'écriture poétique spécifique en faisant de chaque développement lyrique un appel à l'autre, une voix qui inscrit son propre destinataire : « Je vous dirai quelque jour… » (poème liminaire des *Feuilles d'automne)* – « Ô vous, qui que vous soyez, jeune ou vieux, riche ou sage » (*id.,* XXIII). La voix du poète est celle qui parle à quelqu'un, particulier ou général, individuel ou anonyme, et s'affirme comme ayant pouvoir et droit de parler. Pouvoir et droit qui se disent au long des quatre recueils et qui en font l'unité, tandis que le changement des formes prosodiques en assure la variété. Le poète est, comme il l'affirme dès le départ, une « âme aux mille voix », et « l'écho sonore » est une réponse. « Âme » une, « voix » diversifiée par les destinataires : femmes, amis, Dieu, la nature, tous, et, à partir des *Chants du crépuscule,* comme l'annonce le dernier poème des *Feuilles d'automne,* les rois aussi, les riches, les puissants, ceux dont dépend la justice de ce monde, et pour qui vibre la « corde d'airain ».

C'est le sens du recueil des *Chants du crépuscule,* dont le premier poème est adressé aux combattants de Juillet et à ces rois et prêtres qui ont causé la chute de l'ancienne dynastie. De là l'importance du poème IV, « Noces et Festins », croisement entre la poésie lyrique et le théâtre, et qui, montrant la marche inexorable du destin et lié au poème suivant, « Napoléon II », affirme la fragilité du pouvoir et de la grandeur, dans une perspective plus historique que morale où se fait entendre une voix prophétique annonçant les *Châtiments.*

Après quoi, l'adresse amoureuse à sa nouvelle compagne, Juliette, se croise avec l'appel à Adèle, épouse de toujours ; l'appel à la destinataire d'amour implique une certaine forme d'écoute de la part de l'autre, qui, elle-même, exige la voix de l'univers naturel : « Que tout prenne une voix, que tout devienne une âme,/Et te dise mon nom » (XX). Là s'ouvre une nouvelle thématique du discours devenant « hymne de la nature et de l'humanité » – « psaume éclatant » (XXXII) – ; parfois déjà parole est donnée à une autre voix – « Dans l'église de *** » (XXXIII). Mais cette voix est encore celle du poète, et le poète lui répond. Ce n'est donc pas un hasard si les derniers poèmes sont adressés à une artiste, une amie musicienne, Louise Bertin.

Ainsi s'amorce le travail des *Voix intérieures,* au titre significatif, où se marquent la diversité et le clivage intérieur du poète. Ces voix, ce sont d'abord les multiples « présences » internes à la culture du poète : Virgile, Albert Dürer… ; mais c'est aussi la parole d'une figure nouvelle, Olympio, double et voix seconde, et surtout, peut-être, destinataire subjectif : à partir du moment où l'Autre fait défaut, il reste le moi – ou bien aussi le double disparu, Eugène (« À Eugène, vicomte H. ») –, et, très logiquement, le poème suivant s'intitule « À Olympio ».

Appuyé sur cette hypostase du moi, le poète peut affirmer la « Fonction du poète » au seuil des *Rayons et les Ombres,* objectivant ainsi le moi subjectif – « le Poète à lui-même » (IV). Le texte peut alors faire parler d'autres voix : le dialogue s'ouvre entre les voix du monde et celle du poète – « la Statue », « *Oceano Nox* », « Sagesse ». L'univers n'est pas un cosmos, il est une voix, un arrangement de voix, une symphonie. De là ce poème central, digne des chefs-d'œuvre de la maturité : « Que la musique date du XVIe siècle » ; le monde parle, et il parle en poète : « la Création, cette immense figure » – figure de rhétorique aussi –, et encore : « Sous l'être universel vois l'éternel symbole ». Cessant d'être confiné en lui-même et dans son dialogisme interne, le poète dialogue avec toute la planète, et son rôle est de se faire l'interprète des voix de toute la Création : le recueil entier se déplie entre le premier poème, « Fonction du poète », où la fonction créatrice liée aux autres hommes est d'être à la fois l'interprète et le promoteur des forces naissantes – « Le poète en des temps impies/Vient préparer des jours meilleurs » – et le poème final, l'immense « Sagesse », dédié à Louise Bertin et où trouvent leur place le discours de Dieu et celui de la nature, avec toutes leurs incertitudes. Poème témoin de ce que H. Meschonnic appelle « une poétique de la continuité », qui consiste à former un tissu textuel serré, sans fissures, trame construite par le réseau phonique, par la solide syntaxe périodique, par l'unité parfois rhétorique des thèmes. Continuité liée au projet philosophique qui fait de la poésie la peinture ou, pour mieux dire, la construction d'une harmonieuse unité de l'Univers.

Le Dernier Jour d'un condamné

Sans nom ni passé, le condamné du *Dernier Jour*, dont même le crime demeure inconnu du lecteur, offre le support d'une méditation sur cette inconcevable réalité : la mort sous sa forme pure, sans agonie ni violence, sans les nécessités naturelles ou accidentelles qui l'accommodent à la pensée. L'extrême détail du journal tenu par le condamné, depuis son jugement jusqu'à quelques mètres de la guillotine, est cohérent avec l'absence de toute construction romanesque du personnage ; la pensée sérieuse de la mort n'admet ni les distractions consolantes de la sagesse abstraite ni les diversions de l'histoire individuelle. Allégorique et concret, le roman rompt avec le discours philosophique en même temps qu'avec la philosophie implicite de tout récit d'une vie.

Ainsi considérée, la peine de mort rend l'humanité impensable. L'éditeur avait demandé, sans succès, à Hugo de faire connaître au moins le motif de la condamnation ; également subversifs, la modernité formelle et le principe du livre choquèrent. Camus remit les choses en ordre : accusant l'étrangeté de la condition humaine au nom de la société – alors que Hugo avait fait l'inverse.

Notre-Dame de Paris

Tres para una : selon le schéma de plusieurs drames de Hugo, l'intrigue de *Notre-Dame de Paris* fait tourner autour d'Esmeralda le prêtre Frollo, le soldat Phoebus et Quasimodo l'homme de peine. Chacun indexe une forme de l'amour : désir – et ses jalousies, possession – et sa maîtrise, dévouement et contemplation, gratitude, sacrifice, et maladresses désastreuses aussi de l'« amour proprement dit ». Tripartition humaine cohérente avec sa valeur historique : Frollo complète et corrige le symbolisme faustien, replacé au lieu d'où Goethe l'avait extrait, l'Église de la féodalité théocratique ; Phoebus reflète la pâle aurore d'un absolutisme royal qu'on voit Louis XI inaugurer ; Quasimodo, ancêtre lointain et certain de l'« Homme qui rit », figure les forces et les vertus, mais aussi l'(in)achèvement et les inévitables contresens du légitime souverain futur : le Peuple, encore enfant et muet – *Quasimodo infantes geniti*.

Ce regard de surplomb – l'histoire à vol d'oiseau – scrute l'actualité. Non tant parce que l'anticléricalisme violent des dernières années de la Restauration inspire le roman de l'« *anankè* des dogmes », mais parce que *Notre-Dame* met en perspective la révolution de Juillet, qui, J. Seebacher l'a démontré, vint en modifier, en cours de rédaction, le plan, l'intrigue, la liste des personnages. Primitivement conçu comme roman historique à la manière de Walter Scott – récit de la résolution des contradictions et de la clôture des conflits –, le livre s'installe finalement, image anticipée de 1830, dans une solution de continuité – ou un chevauchement – historique : entre la persistance d'un Moyen Âge caduc et l'ébauche des Temps modernes. Dans cette indécision de l'Histoire se posent toutes les questions présentes de la souveraineté et de la nation, de la « constitution de la foule en peuple » et, réciproquement, de sa dégénérescence en « classes dangereuses », de la place de l'individu, sujet de désir, de pouvoir et d'amour au sein d'une société mal sanglée dans les croyances officielles.

Et de celle du poète. La science de Frollo, révélation cachée à tenir secrète une fois découverte, et non savoir public et progressif, est chimérique ; l'art de Gringoire, application des règles du beau à la représentation que la société se donne d'elle-même, perd son public, détourné de la copie académique par l'original : spectacle du pouvoir et concours de grimaces ; Quasimodo détruit la cathédrale pour la défendre. Comment écrire dans une histoire dont on ne peut repérer le sens, où tout bouge sans rien changer ? Que dire à une société d'ordre décomposée ? Quelle permanence, et donc quel sens, les œuvres peuvent-elles avoir au milieu des révolutions porteuses de restaurations ?

Le chapitre, ajouté au roman comme sa vérité d'après coup, « Ceci tuera cela », la génération initiale du texte par la mise en pièces du spectacle de Gringoire, l'histoire de sa propre genèse et de ses avatars – *la Esmeralda*, opéra –, la mise en scène de sa propre formation à partir de ses sources, le symbole surtout de Notre-Dame évidée par l'Histoire et devenant ici un livre – symbole redoublé par l'anecdote fascinante de la décalcomanie d'ΑΝΑΓΚΗ passant de la pierre au papier – : autant de manières de dire que l'histoire recompose ce qu'elle semble détruire. Le livre expose ce déplacement auquel il s'expose ; interprète de l'Histoire et surtout des silences de son principal spectateur et futur acteur – le Peuple –, il s'offre, comme le drame, à l'interprétation.

Ruy Blas

Ruy Blas est la pièce de Hugo où se voit le plus clairement un fonctionnement particulier de la parole : surabondante dans le drame hugolien, elle y est essentiellement inopérante, soit parce que celui qui la dit n'a pas le droit de le faire, soit parce qu'elle est destinée à qui ne veut ou ne peut l'entendre. Ici, le célèbre « Bon appétit, messieurs ! » est adressé aux privilégiés qui ferment leurs oreilles et prononcé par l'homme dont l'identité est masquée et qui n'a, en fait, ni pouvoir ni droit parce qu'il est un laquais. Ainsi est dite la vanité de la parole seule et, en particulier, de la parole parlementaire, simple leurre en cette monarchie censitaire. Mais, du coup, le théâtre hugolien peut donner la parole a qui n'y a pas droit : la prostituée, le bouffon, l'histrion, le valet, l'artisan, montrant que cette parole a le droit pour elle, mais qu'elle est présentement vouée à l'impuissance. Leçon qui serait abstraite si elle n'avait pour contrepoint la verve vigoureuse et l'invention poétique du personnage grotesque, ici don César de Bazan.

LE VICTOR HUGO DE L'EXIL

La parole exilée

Il y a dans les textes et dans la vie de Hugo les signes d'une vocation à l'exil. Qu'elle construise des personnages : Bug-Jargal, Hernani, Schumacker, qu'elle organise l'image de Napoléon ou qu'elle colore l'attitude de retrait prise dans les quatre recueils lyriques, la proscription informe, dès les *Odes*, la représentation de toute élection, celle, en particulier, du poète. À l'autre bout de sa carrière, l'exil reste pour Hugo la marque de son destin et le lieu même de la création. Plus exactement le redoublement d'exil. Chassé de Belgique en 1852, Hugo avait dû partir pour Jersey et, de là, pour Guernesey ; en 1871, à nouveau expulsé de Belgique, il trouve refuge au Luxembourg, où il compose *l'Année terrible* ; une fois encore, en 1872, devenu « étrange au milieu de la ville », il retourne à Guernesey pour y écrire *Quatrevingt-Treize*.

Solitude océane, écho des douloureuses expériences enfantines maintenant sublimées et assumées, mort et rédemption mythiques : l'exil offre à Hugo son « atmosphère respirable ». En 1851, il s'y trouve aussi une justification personnelle. La déréliction des années noires où s'expiaient la mort de Léopoldine, la gloire et les faiblesses, est devenue malédiction sociale injuste et partagée avec tout un peuple. La proscription enfin ratifie l'action politique. Cette célébrité littéraire qui passait pour une girouette politique et n'avait matériellement agi qu'en juin 1848 contre ceux-là mêmes dont l'œuvre en cours – *les Misères* – prenait la défense ; cet ouvrier de la dernière heure du combat pour la République qu'un homme du peuple avait couché en joue à la Bastille en février 1848, avait enfin fait son devoir. La sanction de l'Histoire, recherchée dans un comportement suicidaire pendant la résistance au coup d'État, donnait à Hugo une consécration civique.

Surtout l'exil est une position de parole. Hugo en avait eu l'intuition depuis longtemps. Le retrait de l'élite artistique et sociale place l'écrivain hors du régime de fonctionnement normal de la littérature – en particulier hors des formes canoniques de l'intervention politique, qui assimilent inévitablement le message à ce qu'il combat parce qu'il est émis dans le même univers institutionnel – et lui confère une stature incomparable. Grandi par son sacrifice, distingué par son isolement, identifié aux motifs idéaux de son dévouement, mythologiquement ajouté aux listes légendaires des grands proscrits, le poète exilé n'est qu'une voix, plus amplifiée par l'éloignement ; et personne pourtant n'est plus que lui un individu : unique et libre.

Ce ne serait que singularité grandiose – Baudelaire n'y voit qu'une version venteuse de la tour d'ivoire –, si l'exil n'autorisait pas ce nouveau régime du discours qui avait été l'ambition du romantisme. Elle consistait moins dans la réforme des moyens que dans la réévaluation des fins d'une littérature devenue « vérité, religion, lumière sur notre destinée ». Ainsi s'expliquent la continuité de l'œuvre et ce qui la distingue en deux parties de part et d'autre de 1851. En donnant concrètement au poète un droit à la parole, en lui faisant même un devoir de son art – « à mes yeux l'écrivain est une sorte de mystérieux fonctionnaire » –, l'exil satisfait à une exigence ancienne, que ni les ambiguïtés de la monarchie de Juillet ni l'embrigadement dans les chevau-légers ultras ne pouvaient remplir. Dans la proscription, Hugo a trouvé ce qu'il cherchait : plus qu'un « en-cas acceptable », la bonne place pour un poète.

À juste titre. Car les dimensions socioculturelles de l'exil concrétisent l'essence même de l'acte littéraire. La littérature est chose si familière qu'on en perd de vue le caractère le plus simple : sa destination est ambiguë, universelle en même temps que singulière. Toutes les autres choses écrites s'adressent à un lecteur précisément défini et prennent un tour étrange – poétique – lorsqu'elles sont lues en dehors de leurs conditions normales de réception. Le texte littéraire est le seul dont chacun sent qu'il est écrit pour lui en sachant qu'il l'est pour tout le monde. Corrélativement, l'écrivain est cet être contradictoire qui livre le plus intime de soi dans un dialogue personnel avec le lecteur et se dérobe derrière un personnage public d'auteur, souvent anonyme ou s'abritant sous un pseudonyme. Naufragé éternel, il jette à la mer son message : convocation personnellement adressée à qui le trouvera, mais à tout autre autant qu'à lui. Telle est aussi la parole exilée : jetée aux quatre vents hors des circuits de la communication sociale – même si elle en emprunte les canaux matériels –, injonction et appel, elle constitue son récepteur en son destinataire. Présent, puisqu'il s'adresse à moi, absent parce qu'il est loin, l'exilé est par nature un écrivain : mort et vivant, il écrit, comme tous les poètes, d'outre-tombe.

En 1851, les circonstances redoublaient les vertus poétiques de l'exil : il devenait une réponse adéquate au divorce de la société bourgeoise et de ses écrivains provoqué par le décalage grandissant entre la pratique de la classe dominante et son idéologie. Dès la monarchie de Juillet, plus clairement après les massacres de Juin et le coup d'État, la bourgeoisie a démenti ses propres valeurs : droits de l'homme et du citoyen, République, démocratie, progrès, lumières. Il faut à l'écrivain, contradictoirement, et rompre avec sa classe et s'adresser à elle dans un langage dont elle a d'avance invalidé le sens. Bientôt la Commune ne laissera de choix qu'entre la révolte (Rimbaud) ou le suicide (Mallarmé) et l'abandon, la reddition du divertissement. Pour l'heure, l'Art pour l'Art offre encore un refuge illusoire.

Autant de formes de complicité. L'exil est l'unique solution tenable, mais coûteuse – Flaubert et Sand ne paient pas tout le prix –, de cette aporie. Retranché hors de la société – et non dans une peureuse et fallacieuse république des lettres –, l'exilé, loin de renoncer à y intervenir, s'en donne les moyens : il défendra sa classe contre elle-même, s'en faisant à la fois le champion et l'adversaire. De là l'universalité enfin possible du discours. Parce qu'il n'est nulle part – et non, comme naguère, dans l'entre-deux –, le poète exilé peut être partout : exilé de l'intérieur aux côtés du peuple, dont il partage la souffrance, en même temps que du côté des oppresseurs, dont il garde le langage et les anciennes convictions. En abandonnant ces convictions, la bourgeoisie aussi s'est exilée : du vrai et d'elle-même. Si bien que la proscription ne chasse l'écrivain que d'une société fausse et l'installe, dans une solitude toute provisoire, en plein centre de la société réelle à venir, qu'anticipent et garantissent son existence et son œuvre. La contradiction persiste, mais l'exil la dépasse. Au moins provisoirement. Illusoirement ? C'est affaire de comportement et d'écriture.

Il faut d'abord que l'exil ne sanctionne pas un échec mais soit une douleur glorieusement revendiquée ; il faut aussi qu'il atteigne dans l'écrivain le poète et non le responsable d'une action politique dont l'écriture ne serait qu'un moyen. De fait, depuis la publication provocatrice de *Napoléon-le-Petit* (1852) qui chasse Hugo de Belgique et l'oblige à trouver refuge à Jersey, jusqu'à celle de *la Voix de Guernesey* (1867), qui provoque l'interdiction à Paris des représentations de *Ruy Blas*, en passant par le refus de l'amnistie en 1859 et par cette affaire de 1855 où Hugo paie de sa propre expulsion sa solidarité avec les autres proscrits expulsés de Jersey, tout se déroule comme s'il entendait montrer en chaque occasion que son exil est de nature et non de circonstance, qu'il n'éloigne pas provisoirement un opposant mais rejette nécessairement une idée vivante et cherche à en assourdir l'expression – en vain. Attitude absurde ou prétentieuse si elle devait avoir valeur par elle-même. Plus logique que morale, elle atteste la vocation du titulaire du ministère – au sens religieux – de la parole.

Cette situation laisse le discours se donner un statut d'exception. Protestant au nom du droit contre le fait, au nom de l'humanité contre l'affrontement inhumain des classes, au nom de l'avenir contre le présent, il se pose non seulement comme vrai et, la solitude même de l'exilé le veut, comme seul vrai, mais aussi comme plus réel que la société contre laquelle il s'inscrit en faux. Lorsque le monde est assez radicalement perverti pour exclure celui qui ne fait que parler, l'essence même du langage est en cause, et il faut soit en désespérer – et avouer, vertige pour la raison, que tous les discours se valent dans une commune nullité –, soit l'exhausser à un niveau où il prévaut contre ce qu'il désigne. *Napoléon-le-Petit* et les *Châtiments* (1853) le répètent : les mots ont un sens. Et, « puisque le juste est dans l'abîme », et que le poète est exilé, il revient au discours lui-même d'attester sa valeur et d'équilibrer par son propre poids un monde qui tend à frapper le langage d'interdit ou de non-sens. Son existence suffira à prouver sa vérité. Un sursaut d'énergie emporte le langage au-delà et au-dessus de son référent : il ne dit plus les lois d'un monde déréglé, mais lui dicte la sienne.

Cet effort détermine les principaux caractères de la parole hugolienne exilée. Dans son assomption la poésie tend à perdre sa fonction de communication. Telle la parole prophétique, d'autant plus véridique qu'elle est incomprise, elle persuade moins qu'elle ne témoigne. *« Admonet et magna testatur voce per umbras »*, répétait Hugo depuis les *Odes* ; cette devise prend son vrai sens lorsque le poète, ombre aux yeux des vivants, est en vérité le seul vivant au milieu des « viveurs ». Objet plus que discours et, à la limite, sans destinataire ni destinateur, le texte n'est pas tant fait pour être compris qu'admis ; de message il devient chose en soi : moins à écouter qu'à entendre et à approuver qu'à contempler.

Une ambition totalitaire est le propre d'un tel exercice de la poésie. Il y a, de fait, dans la variation des genres et des sujets pratiquée par Hugo comme la volonté d'accomplir à lui seul toute la littérature possible. Complémentairement, chaque œuvre, résumant l'acte qui la suscite, contient en elle tous les genres : la prose romanesque est poème, la poésie est discursive et narrative, le théâtre descriptif et le discours dramatique. En cela l'exil n'innove pas ; il redresse une démarche qui tentait de produire la cause – une juste position d'énonciation – en mimant ses effets.

L'entreprise hugolienne prend donc à bon droit l'aspect d'un vaste ratissage où l'écriture récupère toutes les formes littéraires et tous les idiolectes : science, argot, philosophie... Dénoncés les uns par les autres dans leur rapprochement, les langages sociaux se fondent dans une parole unique qui peut être adressée à tous parce qu'elle n'est la propriété de personne. Cette universalité de l'auditoire, recherchée dès avant l'exil, est pourtant neuve. Il ne s'agit plus de cumuler les publics en offrant à chacun un peu de ce qu'il attend, mais de transformer chaque auditoire particulier en partie de l'auditoire universel que l'œuvre postule et produit. Délibérément émis d'un point d'où il ne devrait être entendu de personne, le texte doit créer les conditions de sa réception. C'est une bonne parole, qui éveille les qualités requises pour son écoute et suscite l'homme nouveau à qui elle s'adresse. De là une rupture avec l'écriture traditionnelle – évidente quand on compare les *Misères* avec *les Misérables* –, et ce mélange surprenant d'une extrême attention aux modes littéraires et d'une complète indifférence envers les courants esthétiques contemporains. Désuète en même temps qu'anticipatrice, datée mais sans qu'on puisse la rattacher à une école, l'œuvre ne ressemble à rien et pourtant donne incessamment le sentiment du déjà-vu.

Du déjà-vu surtout dans Hugo lui-même. L'abondance est inhérente à la parole exilée, dont le principe d'énonciation veut qu'elle soit incessante. Comment s'arrêterait le discours dont l'émission répare la dénaturation du monde et retient la vérité, les valeurs, le langage même, au bord du gouffre ? L'exil rencontre alors un ancien fantasme hugolien : celui du *Drang*, de la « force qui va » (*Hernani*). Parce que la logique de cette parole est de prouver sa validité par son existence comme on prouve le mouvement en marchant, le poète doit aller, sans cesse ni trêve. Son geste intitule l'une des plus célèbres pièces des *Contemplations* : « *Ibo* ». L'inépuisable créativité hugolienne n'est donc pas tant de tempérament que de raison ; et ce n'est pas par coquetterie que Hugo fit publier une part considérable de son œuvre longtemps après que celle-ci fut rédigée lorsque, diminué par l'attaque de 1878, il n'écrivait plus guère, laissant d'ailleurs des textes à publier après sa mort. Habilement, il employait les accidents de sa vie corporelle à continuer, sous une autre forme, le mode de présence à son siècle que l'exil lui avait conféré. Proscrit de la vie, il parlait à nouveau d'outre-tombe, se faisant – pour reprendre le mot très juste de Pierre Albouy – fantôme, encore et déjà.

Moins compulsive qu'injonctive – et enjointe –, cette passion d'écriture se manifeste dans l'œuvre. Le ressassement et l'addition lui sont inhérents parce que le peu de choses à dire doit être dit et qu'il ne l'est jamais une fois pour toutes. La période oratoire intarissable, les intrigues qui varient la répétition d'une même figure logique, la construction de poèmes par retour d'une situation de discours, sont les formes que prend une écriture empreinte de la nécessité d'un surgissement ininterrompu. Complémentairement, chaque texte obéit à un mouvement ou en figure un. Chez Hugo, pas de sur-place comme chez Flaubert : la fiction conduit ses personnages d'un point à un autre et les lance encore ailleurs à la fin ; les recueils poétiques sont désormais construits selon une progression linéaire. La spirale, figure essentielle de l'imaginaire hugolien, résulte de la nécessité faite à la parole exilée de se redire sans se répéter.

Aucun des textes de Hugo n'est clos sur lui-même. Beaucoup se concluent sur un suspens, un envol ou un envoi, ou sur un effacement qui implique recommencement. Au moment de leur conception, presque tous sont pris dans un ensemble plus vaste dont ils ne tiennent qu'en partie la promesse. Enfin, comme en témoignent les trois séries de *la Légende des siècles* (1859, 1877 et 1883) ou l'amplification des *Misères* en *Misérables*, leur structure est fondamentalement cumulative ; c'est, pourrait-on dire, une structure d'accueil. Plus généralement, les œuvres, particulièrement de poésie, ne se forment pas immédiatement en livres prêts pour la publication. Un flux composite de poèmes et de fragments sans destination s'organise lentement en recueils réunissant des pièces de dates diverses, parfois fort anciennes. L'unité de l'œuvre trouve là une de ses causes.

Il est paradoxal en effet qu'un ensemble si varié par les sujets, les thèmes et les formes donne cependant le sentiment d'une telle permanence, voire d'une si grande monotonie. Cela est dû à une compénétration des textes que Hugo a notée lui-même : « Dans mon œuvre les livres se mêlent comme les arbres dans une forêt. Il y a des branches des *Châtiments* dans *les Feuilles d'automne* et des branches de *la Légende des siècles* dans *les Orientales* et *les Burgraves*. » Mais l'unité profonde de l'œuvre de l'exilé – et ce qui la différencie de l'œuvre du Hugo d'avant l'exil – relève de son énonciation, du lieu d'où elle est émise, de la position prise pour la dire, de son ton. Il y a une manière de s'adresser à son lecteur qui n'appartient qu'à Hugo – au Hugo de l'exil – et qui fait reconnaître la moindre page.

Le texte hugolien est un acte de langage. C'est une profération. Son premier caractère est la force. Constamment « écrite », l'œuvre semble pourtant incessamment déclamée. À condition de ne pas la lire à haute voix – il n'en est guère de plus difficile à prononcer –, elle se lit *magna voce*. Jeté au corps du lecteur avec violence, le texte provoque moins un plaisir, un intérêt ou une émotion qu'une commotion. Intensité épurée par l'abondance : nulle nervosité ni brutalité ; et il n'y a rien de facile, de fugace ou de malsain dans cette énergie. Car elle est justifiée et produite par l'accès du poète à une position qui peut lui être refusée par principe, qui récuse moins les idées ou le style que la relation instituée par le texte entre l'auteur et le lecteur – mais qui, une fois admis qu'il s'y tienne, autorise son ascendant.

C'est cette position que visent les formules les plus acerbes – et finalement les plus justes – : « Jocrisse à Pathmos », « garde national épique ». S'il fallait en donner une image approchée, elle associerait les figures du maître d'école, du prophète et, écartées les connotations péjoratives, du bonimenteur. Tous trois pratiquent le régime de discours propre à l'exil, celui de la révélation : d'un savoir élémentaire, d'une vérité primordiale qui ne se réalise, d'ici à la fin des temps, que dans son énonciation d'un événement fabuleux et accessible. Car l'objet de cette révélation n'a rien d'inouï. La philosophie même de l'exil veut que le poète ne découvre que des vérités occultées, mais, à quelque titre, familières. Hugo ne provoque pas le sentiment de sortie d'un rêve qu'on éprouve en refermant d'autres livres. Son monde est grand, mais on y entre de plain-pied, et, s'il présente des escarpements – figure majeure de l'exil –, ce ne sont pas ceux de l'œuvre mais de la réalité : le sacrifice, l'amour fou, la misère, les promontoires du songe.

Même ambiguïté pour le sujet de cette parole faussement monumentale. L'ironie dont on accable la mégalomanie hugolienne est déplacée. Mieux vaudrait crier au blasphème. Dieu seul pourrait être l'auteur d'un discours qui prétend à plus de réalité que le monde – car ce discours créerait le monde –, l'entreprise des grands poèmes métaphysiques, *Dieu*, *la Fin de Satan*, concurrence ouvertement l'Évangile. Scandale redoublé par une foi en Dieu de bonne logique puisqu'elle assure la nature divine de la parole poétique. Mais il n'y a ni modestie ni orgueil à signer cette dédicace : « Les génies sortent de toi, foule mystérieuse. Donc qu'ils retournent à toi. Peuple, l'auteur, Dieu, te les dédie. »

Car le mouvement qui porte l'auteur jusqu'au voisinage de la divinité le dépouille aussi de toute dimension individuelle. Si bien que le « je » hugolien entretient des rapports complexes avec l'individu Victor Hugo. Il lui emprunte les circonstances de son existence, mais sans les assumer ni se réduire à lui. Il désigne l'instance émettrice du texte – non son auteur –, mais la déborde, étant capable d'autres œuvres et doué d'une existence propre, puisée dans le texte mais persistante au-delà de lui. Si, comme le dit Hugo, Napoléon fut l'Homme-Peuple, lui-même apparaît comme l'Homme-Texte ; la formule célèbre « *Ego Hugo* », autant qu'elle l'affirme, efface son nom dans la rime. Personnel et désindividualisé, dilaté jusqu'à absorber toute autre individualité et du même coup effacé, divin mais fortement ancré dans la réalité historique datable d'un homme, le « je » hugolien est moins déchiré qu'inconcevable sous les catégories par lesquelles est ordinairement pensé le sujet.

Aussi est-on tenté de réduire la monstruosité de ce moi et, plus généralement, l'originalité de l'exercice hugolien de la poésie. Un humanisme de bon aloi absorbe le « Insensé qui crois que je ne suis pas toi », assimilé à l'« Hypocrite lecteur… » de Baudelaire, en méconnaissant la proximité de cet autre avertissement : « Ce livre doit être lu comme le livre d'un mort. » Pour rabattre sur des modèles apaisants le régime de discours pratiqué par Hugo, il suffit de n'y voir « que de la littérature » – une manière de parler – ou bien une vérité qui préexisterait à sa formulation. Or le texte hugolien n'est pas plus forme d'expression pour son auteur que « message » pour son lecteur, mais outil de recherche producteur de pensée. *Les Misérables* (1862) forgent un objet nouveau : la Misère, qui qualifie tout ce qui défigure l'existence humaine (la détresse historique, la pauvreté, la corruption de la conscience, les « effondrements intérieurs »), mais qui ne saurait recevoir – encore maintenant, peut-être – de définition conceptuelle, n'a de sens que par le roman tout entier et de pertinence que dans son efficacité morale sur le lecteur. De même la singulière tentative de *la Légende des siècles* est de produire en objet unique le phénomène historique ordinairement dissocié en trois réalités séparées : un matériau de l'imaginaire ; un objet de savoir ; une dimension de la condition humaine.

Il faut donc interpréter. Plus exactement lire. Car, paradoxalement, pour un auteur si familier et déjà ancien, la vulgate, même grossière, du sens de son œuvre reste à faire, surtout s'agissant du Hugo de l'exil. En sorte qu'il n'est pas question plus gênante pour plusieurs de ses livres que le tout simple « De quoi s'agit-il ? » S'il est vrai qu'un texte littéraire ne se laisse analyser qu'une fois passé le temps de son service idéologique actif, c'est là le signe d'une actualité de Hugo qui conduit à retoucher la thèse de Pierre Albouy, jusqu'ici reprise pour l'essentiel.

Un abus de langage qualifie sans doute de bourgeoise l'idéologie à laquelle Hugo se subordonne. L'étiquette implique qu'on se désolidarise d'un projet caduc, pour ne plus admirer que le geste de conduire à ses dernières conséquences une idéologie à l'abandon. Le Victor Hugo ainsi formé demeure grandiose dans son effort désespéré pour sauver l'idéologie en substituant l'œuvre à une réalité renégate, et aussi parce que la protestation de l'idéologie contre le fait – dont elle devrait assurer la représentation – bascule nécessairement hors de l'idéologie. « Hugo est le Dieu qui nous sauve de Dieu », conclut Pierre Albouy. Sans doute. Encore faut-il ne pas croire en Dieu pour lire ainsi Hugo, qui y croyait. Nul inconvénient à ce qu'il nous garde également de la sainte trinité : le Beau, le Bon, le Vrai. Nous sauverait-il aussi de la République, du Peuple, de la Démocratie et du Progrès ? Le soubassement idéologique de l'œuvre une fois identifié à l'idéologie bourgeoise, le texte se vide de toute pertinence actuelle – et passée –, et il faudrait reconnaître pour juste – en même temps que totalement fausse, mais c'est alors tout un – sa lecture par les officiels de la IIIe République.

Sa lecture – à dire vrai : son exploitation. Hugo transcrit l'idéal républicain et démocratique bien moins qu'il ne le travaille. La situation d'exterritorialité sociale de l'exil tout à la fois crée les conditions de réponse à la question centrale, enregistre cette question et la pose : de quelle manière l'idéologie, originellement bourgeoise et essentiellement politique, de la démocratie doit-elle être maintenue et transformée lorsque la bourgeoisie la désavoue et que le peuple ne l'a pas encore reprise à son compte ? La question des droits de l'homme et du citoyen et celle de la démocratie socialiste ne se posent pas aujourd'hui en des termes si différents. Ce qui explique peut-être le regain d'intérêt observable en France pour le Hugo de l'exil aux périodes d'union populaire. Apparemment toujours en retard d'une révolution – ou de deux –, bourgeois attardé et enclin à freiner l'émancipation du prolétariat, Hugo peut-être nous précède. L'Histoire n'a sans doute pas épuisé tous les effets, tiré tous les bénéfices – et par là rendu clair à la critique tout le sens – de l'entreprise hugolienne.

Celle-ci ne s'analysera donc que provisoirement. Sous deux perspectives. Le mode d'énonciation sur lequel sont émis les textes de l'exil – dimension essentielle de leur sens et de leur fonction – implique qu'ils aient en commun non seulement de réaliser leur nature discursive par diverses voies – dont quelques-unes viennent d'être décrites –, mais aussi de l'imager et de la discuter. En sorte qu'on peut les lire comme l'explicitation de la stratégie où ils prennent place. Cette autofiguration des textes serait abstraite et vaine – sécessionniste et non militante – si chacun n'y procédait pas pour exposer la portée et les conséquences de sa propre existence au regard de l'objet qu'il aborde. Récit et exécution d'une expérimentation des pouvoirs du discours confronté aux réalités du monde, le texte hugolien se pose comme un absolu face à l'univers dont il rend compte. Ce n'est pas pour le supplanter, mais pour en prendre l'exacte mesure : en dénoncer l'irréalité ici, en avouer l'énigmatique surréalité là, en dévoiler ailleurs la vérité méconnue, afin que le lecteur s'y ajuste et y travaille.

Historien, poète, mage

Une telle pratique de la poésie n'est pas atteinte d'emblée. Arrivé à Bruxelles, Hugo entreprend sans délai l'*Histoire d'un crime* (publiée en 1877). Ce titre indique assez la contradiction de la position adoptée : comment être historien en même temps que juge ? Si un consciencieux travail d'information – d'ailleurs trop lent pour l'urgence du témoignage – garantit la première fonction, sur quoi étayer la seconde ? C'est pour elle que Hugo fut bientôt conduit – et autorisé – à opter pour une loi belge, prise à la demande du gouvernement français, qui punissait d'expulsion les auteurs d'écrits hostiles au régime du coup d'État. L'exil changeait de nature : persécution vindicative, il ne sanctionnait plus l'action violente, quoique légale, de l'homme politique, mais violait un droit de l'homme.

Le coup de génie de *Napoléon-le-Petit* (1852) fut d'en tirer pleinement parti. Le savant dispositif par lequel Hugo fait exactement coïncider la date de publication avec celle de son arrivée à Jersey signale la stratégie énonciative du texte : anticiper dans le ton et la démarche du livre ses conséquences attendues. *Napoléon-le-Petit* proportionne l'attaque à la riposte. À l'opportune humilité du témoin d'actions où il s'est lui-même illustré, à la nécessaire impartialité de l'historien se substituent la grandeur de la protestation contre l'injustice et la hauteur du juge détenteur et gardien du Droit. Hugo exilé revêt la souveraineté cumulée du représentant du Peuple en mission, de l'écrivain censuré, du juste persécuté.

Après les *Châtiments* (1853) où Hugo, achevant cette démarche, accède au plein exercice de la parole exilée, le cadre restait à demi vide d'une fonction poétique dont seule la mission politique venait d'être assumée. La suite de l'œuvre peut s'interpréter comme effort pour le remplir : pour exploiter les bénéfices et explorer les moyens de connaissance offerts par la position d'énonciation occupée dans les *Châtiments*. De 1853 à 1860, tout se passe comme si Hugo couvrait systématiquement les champs ouverts à la conquête poétique entreprise : le moi, dans *les Contemplations* (1856) ; l'histoire et l'avenir de l'humanité, dans *la Légende des siècles*. Les choses sont moins simples.

La chronologie des publications dissimule en effet l'étonnante fécondité de la création – et sa nature véritable – durant les années qui séparent l'achèvement des *Châtiments* de la reprise des *Misérables*. De cette période datent aussi bon nombre des pièces plus tard recueillies dans *Océan* (1942), dans *Toute la lyre* (1888), dans *Dernière Gerbe* (1902), et dans *les Quatre Vents de l'Esprit* (1881), mais surtout plusieurs très grands poèmes dont certains furent publiés après le retour d'exil : *la Pitié suprême* (1879), *l'Âne* (1880), d'autres après la mort du poète : *la Fin de Satan* (1886), *Dieu* (1891), et dont l'un, *le Verso de la page*, reconstitué par Pierre Albouy, avait été démantelé par Hugo et employé, *membra disjecta*, en divers endroits. Tout se passe comme si, d'une immense « nébuleuse poétique » qui n'aurait pas réussi à prendre forme, seule une partie, la plus petite, avait été sauvée, une fois polarisée par la force attractive de deux projets marginaux par rapport à l'ensemble : celui des *Contemplations*, antérieur aux *Châtiments*, et celui des *Petites Épopées*, suggéré par Hetzel.

La nature de l'entreprise se devine aux modalités de son échec. Celui-ci tient d'abord à la résistance que le public oppose à Hugo à travers les réticences de son éditeur ; en second lieu à l'impossibilité finalement reconnue de réunir ces textes dans un ensemble cohérent et organique ; enfin – ceci explique cela –, à leur nature même. Telles quelles, et isolées des *Contemplations* ou de la *Légende*, auxquelles plusieurs projets tentaient de les articuler, ces œuvres naufragées demeurent abstraites. Hugo y manque son objet : non une vérité dogmatique, mais une certaine nature d'appréhension, vécue et participative, de ce qui était (et est demeuré) pensé sous les catégories distinctes – fausses, pour Hugo – du religieux et du philosophique.

L'expérience des tables tournantes est, avec les *Châtiments*, à l'origine d'un effort quasi surhumain vers ce qu'on ne peut qualifier que par des termes inadéquats : une révélation ou une somme. Hugo n'a jamais été « spirite », mais, en signalant les limites des connaissances et la variété des formes du « surnaturel », les Tables autorisaient l'audace de son entreprise. Les *Châtiments* avaient prouvé la viabilité d'une écriture prophétique où la poésie affronte les enjeux essentiels en tant que telle : non plus comme discours – le premier romantisme en était resté là –, mais comme unique moyen d'appréhension, forme nécessaire de manifestation et seule voie de réalisation de vérités autrement hors d'atteinte. Ce que les *Châtiments* avaient fait envers l'Histoire présente et future, il s'agissait de le reproduire envers ce qu'il faut – mal – nommer : Dieu, l'Âme, le Mal.

Or, la vision prophétique des *Châtiments* se rapportait à la réalité vécue et publique du coup d'État ; les méditations mystico-théosophiques des années 1854-1860 ne s'enracinaient que dans l'expérience personnelle de Hugo et transgressaient celle de ses lecteurs : la religion instituée ou l'institution philosophique. Aucun moyen rhétorique, ni le détour mythologique – combiné dans *la Fin de Satan* avec la duplicité d'un récit alternativement situé « Hors de la terre » et dans l'histoire légendaire – ni la théologie négative de *Dieu* n'ancrait assez le discours pour qu'il échappe, sauf ésotérisme, aux attractions institutionnelles propres à dégrader le Poète en phraseur, en métaphysicien ou en mystagogue.

La Fin de Satan montre Nemrod en route vers Dieu. Attelés à son radeau de l'éther, quatre aigles l'emportent, appâtés par des viandes que maintiennent au-dessus d'eux des perches, elles-mêmes fixées au radeau. Mouvement se nourrissant de son propre élan : c'est l'image parfaite de cette prométhéenne tentative. Il ne devait en rester que ce qui reconnaît l'immanence de l'infini à une réalité concrète : celle du moi dans *les Contemplations*, celle de l'histoire de l'humanité dans *la Légende des siècles*. Il fallait renoncer définitivement à cette première : Dieu par la face nord. *William Shakespeare* (1864) en tire la leçon : l'art, fait d'alternances et de tension, est « allées et venues ». « Les génies partent […], ils tournent aux choses terrestres leur dos formidable […], ils s'enfoncent dans l'infini terrible avec un immense bruit d'aigles envolés. Puis tout à coup ils reparaissent. Les voici. Ils consolent et sourient. Ce sont des hommes ». En 1860, Victor Hugo abandonne *la Fin de Satan* et revient aux *Misérables,* laissés inachevés depuis 1848.

Portraits de l'artiste

Chaque langage institue en sujet celui qui le parle : roman polyglotte, *les Misérables* opèrent une mise en question de l'identité. Jean Valjean, personnage quasi anonyme, protéiforme et monolithique, réalise l'affirmation de soi la plus héroïque dans un effacement silencieux. Son histoire a deux versions : le gros livre mémorable et le quatrain sans auteur d'une épitaphe effacée où il n'est pas nommé. De même, d'innombrables allusions autobiographiques, mais distribuées sur plusieurs personnages et parfois évidentes mais souvent secrètes, affichent l'image de l'auteur et la dissolvent. La force du ton et les immenses digressions imposent sa présence littéraire, que brouillent la multiplication des formes de son intervention et la variation des points de vue du narrateur. Hugo surplombe son texte et s'y noie, réduit à cette mince définition : « Celui qui écrit ces lignes. »

Ce portrait de l'artiste en anonyme forme le premier volet d'un triptyque autobiographique complété, l'année suivante, par le *Victor Hugo raconté par un témoin de sa vie* (1863) et, un an après encore, par *William Shakespeare.* Sur le modèle des *Contemplations,* mais de l'extérieur et de manière critique, Hugo y achève la construction d'un sujet exemplaire : lui-même, mais tout autre à travers lui. Le rapport de ces trois textes les uns aux autres reproduit ce que chacun réalise pour son compte : l'omniprésence d'un auteur absent, l'évidement et la dilatation vers l'universel d'un individu singulier.

Publié sans nom d'auteur, mais joint aux œuvres complètes, le *Victor Hugo raconté* est une biographie défective. Anecdotique et tronquée, elle se consacre aux circonstances externes de la création et prend logiquement fin avec l'entrée à l'Académie. *William Shakespeare* prend la suite et, inversement, fait l'autoportrait du génie. Mais déguisé : Hugo s'y prend pour modèle, et d'autres noms que le sien sont au bas du tableau, où les grands prédécesseurs exilés ne figurent pas comme individus mais par la personnalité mythique en laquelle leurs œuvres se résument. C'est, au milieu de l'exil, la clé consciente et claire de toute l'œuvre, son commentaire composé. La lumière aveugle : ce livre où sont abordées toutes les questions de la littérature – pouvoir sur progrès dont elle est susceptible, moyen de connaissance qu'elle offre, les masses, « utilité du beau », unité et diversité – et de sa réception – critique et enseignement – fut et demeure méconnu tant il heurte, pris au pied de la lettre, les conceptions modestes de l'art.

Seconde manière

Ce retour réflexif semble marquer dans la carrière de Hugo la fin d'une époque. Ayant conquis et fixé lui-même sa place dans la liste des génies, tout se passe comme s'il renonçait, sinon à la logique même de la parole exilée, du moins à l'audacieuse évidence de son ambition.

Désormais moins nombreux, ses livres auront un format et une allure plus conformes aux habitudes littéraires, et, apparemment, plus attentifs aux conditions de leur accueil. Le fonctionnaire de Dieu succède à l'athlète de l'Infini. En fait, la recherche de formes nouvelles aboutit à une sorte de « seconde manière » de l'exil, moins spectaculaire mais plus retorse, moins visiblement ardue – et, par là, plus déroutante encore – que la première : en définitive moins bien reçue, jusqu'à aujourd'hui, par le public.

Les Chansons des rues et des bois (1865) sont comme l'envers – non le contraire – de *la Légende des siècles,* dont leur premier noyau est contemporain, et de *William Shakespeare,* proposé en même temps à l'éditeur. Le grand poème « Au cheval », prologue et épilogue du recueil, le présente comme une halte, une parenthèse dans l'âpreté de l'effort poétique :

Que fais-tu là ? me dit Virgile. [...]
Maître, je mets Pégase au vert.

La hauteur de cette réponse dissipe l'idée vacancière d'insouciant divertissement. Destinées à être chantées dans les rues, ces chansons des bois – de la nature, plus familière mais non rapetissée d'être vue au ras du sol, d'être vue couché parfois – prennent sur les enjeux primordiaux de l'existence individuelle – amour, famille, âges de la vie – et sociale – guerre, « Liberté, Égalité, Fraternité », progrès – une vue de contre-plongée : désignant leur grandeur par contraste implicite avec l'humilité des objets qui les évoquent.

Un contresens dont Hugo avait redouté l'éventualité dénatura, pour longtemps, ce livre. La litote généralisée d'une tendresse souriante fut retournée en ironie amoindrissante ou en mièvrerie. Les chansons d'un Gavroche peut-être trop savant, mal comprises, furent admirées par la bonne société cultivée du second Empire (Morny lui-même !) et ignorées du peuple. *Les Travailleurs de la mer* (1869), bien reçus, ne le furent peut-être pas plus intelligemment ; *L'homme qui rit* (1869) fut un échec. Quant au *Théâtre en liberté,* seul *Torquemada* en sera publié, mais en 1882. La gloire de Hugo, déclinante, se nourrissait de son éloignement et du succès des œuvres antérieures.

L'exil à Paris

Triomphal quoique assombri par la guerre, le retour d'exil n'aurait fait qu'ajouter à la parole hugolienne l'autorité de la prophétie vérifiée, sans la Commune. Démissionnaire d'une Assemblée où il est insulté et impuissant, expulsé de Belgique pour avoir offert l'asile de sa maison aux communards en fuite mais aussi rejeté par ceux-ci qui l'avaient sollicité en vain, battu aux élections de 1872, regardé de travers dans la rue – il s'amuse à le noter – par les bourgeois, en dépit de sa gloire, Hugo éprouve directement l'ampleur de cette nouvelle fracture historique. Surtout, elle retarde indéfiniment les progrès décisifs qu'il attendait de la chute de l'Empire, tend à lui montrer dans la République la forme constitutionnelle de la domination des puissants, bref disqualifie toute la construction idéologique qui soutenait la pratique poétique de Hugo sous l'Empire.

Deux attitudes répondent à ce démenti : la résistance dans *Quatrevingt-Treize* (1874) qui, écrit à Guernesey, est la dernière œuvre de l'exil ; le retrait ensuite dans une position plus simplement militante. Comme jadis l'*Histoire d'un crime* pour *Napoléon-le-Petit* et *les Châtiments*, *l'Année terrible* (1872) est une pierre d'attente ; la mise au point immédiate et l'intervention politique urgente ménagent le recul nécessaire à *Quatrevingt-Treize*.

Mois après mois, le recueil couvre les événements nationaux, plus rarement personnels, du siège de Paris et de la Commune. Chronique de l'actualité, discours politique, vision lyrique du désarroi historique, méditation douloureusement optimiste sur la « Loi de formation du progrès », le livre ne s'élève pas à la hauteur prophétique des *Châtiments*. Le réalisme – politique et littéraire – sacrifie volontairement la vertu prophétique du poème à un acte de foi dans le progrès historique et à l'efficacité du discours en faveur de l'amnistie des Communards.

Les publications qui suivent *Quatrevingt-Treize* n'en annulent pas la valeur testamentaire. Exception faite de *l'Art d'être grand-père* (1877), ce sont des interventions ponctuelles, soit qu'elles se rapportent directement aux événements, soit qu'elles s'efforcent de corriger telle tendance idéologique dominante ou en voie de l'être. Leur unité de perspective interdit cependant d'y voir des œuvres de circonstance. Hugo y renonce à cet exercice transcendantal de la poésie sur lequel reposait son œuvre de l'exil et gagne en pertinence politique ce qu'il perd en majesté poétique, mais la valeur de ces textes tient à leur écart paradoxal aux situations : visées de biais et atteintes, pour ainsi dire, par la bande.

En 1877, la dissolution de la Chambre par Mac-Mahon donne l'occasion de publier *Histoire d'un crime* : rappel, avertissement et juste appréciation. L'année suivante, *le Pape* oppose cruellement l'institution terrestre de l'Église au message évangélique, moins pour célébrer l'avènement de Léon XIII que pour fêter la mort de l'autocrate du gouvernement et du dogme, Pie IX, vainqueur de la République romaine et inventeur de l'infaillibilité pontificale. Dans les deux cas, il s'agissait de protéger la République naissante.

À l'horizon de tous les textes publiés depuis 1871, la campagne en faveur de l'amnistie – qui, en 1879, détourne et actualise le sens de *la Pitié suprême* – est faussement « humanitaire ». Il s'agit que la République ne s'enracine pas, comme en 1848, dans la victoire d'une classe. Parallèlement, *Religions et religion* ainsi que *l'Âne*, en 1880, et, en 1882, *Torquemada*, sans revenir sur l'anticléricalisme du *Pape* (1878), combattent moins le matérialisme religieux des cultes institués que celui, semblablement conservateur, de la gauche athée. On comprendrait mal cette obstination, qui éloigne Hugo de beaucoup de ses amis politiques, si l'on ne voyait que son spiritualisme fut alors au réformisme républicain ce que, récemment, la critique de l'économisme a été au révisionnisme et au stalinisme : toujours la gestion d'une société supposée n'obéir qu'à des lois positives ampute le progrès et abandonne des libertés.

Pourtant, ce qui se passe en ces dernières années de la vie de Hugo importe plus, peut-être, à son œuvre que ce qui la complète. Son anticonformisme, non de mode mais de doctrine, s'absorbe dans sa gloire. Au travers de son élection (1876) puis de sa réélection (1882) au siège de sénateur de la Seine, des manifestations officielles auxquelles donnent lieu son soixante-dix-neuvième anniversaire puis son inhumation, des discours, écrits, publications et ovations, s'opèrent l'apothéose de Hugo et l'appropriation de ce nouveau Dieu par la IIIe République. Longtemps le procès de Hugo a été, en fait, celui de ce curieux régime aujourd'hui devenu, pour la conscience commune, aussi mythologique que ses héros, Pasteur et Hugo. Si bien que dans l'image rassurante – et consternante – du « pontife de la démocratie », on distingue mal désormais ce qui fut le fait du prêtre, ce qui revient à son Église et ce qu'il faut rendre à leur commun adversaire : la grande vague antidémocratique de l'entre-deux-guerres.

Il y a un siècle et demi, *Notre-Dame de Paris* l'avait dit : l'âge féodal et théocratique réunit les forces d'un peuple entier pour l'érection d'une construction vite détruite ou progressivement vidée de son sens. L'âge démocratique fait foisonner les livres : chacun est éphémère, mais leur ensemble est vivant, donc immortel. Hugo – ce n'est pas pour rien que toutes les enquêtes montrent qu'il sature la conscience littéraire de la France – est le seul écrivain de notre langue qui revit sous les trois espèces : par son œuvre elle-même, par l'engendrement d'autres grands poètes – Aragon ne sera pas le dernier –, par les avatars innombrables – de l'adaptation télévisée au billet de banque – où il se métamorphose : dénaturé et reconnaissable. Création continuée, notre Hugo n'est pas un monument mais un effort collectif poursuivi.

Châtiments

« Le misérable n'était cuit que d'un côté, je le retourne sur le gril » : le recueil ne serait effectivement que l'adaptation versifiée de *Napoléon-le-Petit* si Hugo n'y parachevait sa conquête du droit à la parole. Trois faits rendent compte de cette reprise et de ce progrès.

Le prochain rétablissement de l'Empire a déterminé, pour les *Châtiments*, le jaillissement créateur. Crime contre Napoléon ajouté au crime contre la République, l'entreprise de Louis Napoléon ne relève plus de la prose, qui discute la légalité, mais du vers, qui institue la légitimité, qui dénonce l'usurpation du faux empereur et consacre le poète.

Napoléon-le-Petit lui-même faisait devoir à Hugo de poursuivre un geste dont la répétition changeait la nature. Parce qu'elle s'est une fois élevée, il faut à nouveau faire entendre la voix que l'on voulait réduire au silence. Se taire serait reniement. La première parole oblige à la seconde, et la porte plus loin ; celle-là vaut par son objet, celle-ci par sa seule existence. Entre l'auteur de *Napoléon-le-Petit* et le poète des *Châtiments*, il y a toute la distance du simple hérétique au relaps.

Enfin l'énorme succès de *Napoléon-le-Petit* – bien accueilli jusque dans les Cours européennes, où l'on commença par redouter l'oncle dans le neveu – élevait Hugo à la hauteur historique de son adversaire et le confirmait dans la mission dont il s'était chargé de sa propre initiative. Ayant, en quelque sorte, fait ratifier par le public le coup d'État littéraire de *Napoléon-le-Petit*, Hugo récidive, pour ainsi dire à l'exemple de Louis Napoléon, et s'appuie sur le succès de la première opération discursive pour la reproduire à un niveau supérieur. Il s'était posé en juge et avait conquis son titre à cette magistrature du seul fait de l'exercer ; il exécute désormais au nom de l'Histoire et de l'avenir la sentence prononcée.

L'acte de parole des *Châtiments* s'apparente donc à un performatif ; la démarche de Hugo y consiste moins à formuler un propos convaincant qu'à accomplir une prise de parole et à parler comme si la cause était entendue : en bourreau exécutant un jugement acquis, en prophète dont les malédictions font survenir l'avenir qu'elles prédisent, en confesseur de la foi dont le martyre participe des mystères qu'il enseigne.

La célébrité n'est pas injustifiée du

Et s'il n'en reste qu'un, je serai celui-là !

qui conclut « *Ultima verba* ». Plusieurs autres poèmes, dont le nombre et l'importance sont une nouveauté chez Hugo, fixent ainsi les images du geste poétique, pour en régler la lecture mais, surtout, parce qu'une entreprise poétique sortie du cadre convenu de la littérature ne peut laisser implicite sa nature.

Autre innovation des *Châtiments*, reprise dans tous les recueils ultérieurs : sa division en parties, qui ordonne les poèmes selon une composition où ils trouvent un supplément de sens. Placés entre « *Nox* » – la nuit du coup d'État – et « *Lux* » –, l'avenir républicain ouvert par la chute de l'Empire et, au-delà, la fin radieuse de toute histoire –, sept livres miment les parcours de Josué autour de Jéricho. Faisant naître le progrès de la répétition selon la figure logique du saut du quantitatif au qualitatif – « tant va la cruche… » –, ils figurent l'incessante récidive criminelle de l'Empire en même temps que son envers nécessaire : le surgissement répété de la parole vengeresse, finalement justicière.

La variété était donc la qualité indispensable à ce recueil, qui pratique un constant et violent contraste des teintes et des tons, à la différence de ceux des années 1830, dont la couleur et non l'objet fait l'unité. Élégie, épopée et chanson, discours, diatribe et fable : Hugo varie systématiquement les genres et les mètres. Il y acquiert non la maîtrise mais la souveraineté dans le remaniement du vers. Pierre Albouy l'a dit avec raison : « C'est avec les *Châtiments* que naît ce plus grand poète : le Victor Hugo de l'exil. »

Les Contemplations

Les Contemplations sont à l'œuvre lyrique de Hugo ce que *les Misérables* sont à son œuvre romanesque : le sommet parce qu'en cette somme tout se résume et se fond. Le projet même du livre le veut qui entend, de la jeunesse au moment présent, retracer une destinée « écrite là jour à jour ».

L'expression par laquelle Hugo répond lui-même à la question : « Qu'est-ce que *les Contemplations* ? – Les Mémoires d'une âme », fixe précisément l'instance active : une âme, qui est plus qu'un cœur ou qu'une pensée, et son objet, qui est plus qu'une vie. Mais ce que le terme de « Mémoires » implique de récapitulation close efface le trait dominant du recueil : sa dynamique, que signalent les titres : « *Ibo* », « En marche », « Au bord de l'infini ». Recherche et construction du sens d'une existence, *les Contemplations* évoquent et opèrent une double progression : celle qui ouvre le moi à des expériences cumulées et de valeur croissante – la jeunesse, l'amour, les « luttes et les rêves », le deuil, l'exil, la contemplation –, et celle qui le transforme lui-même et change sa nature.

Cela distingue *les Contemplations* des recueils d'avant l'exil. Une relation complexe s'y élabore entre le moi personnel et le « je » poétique, entre l'objet et le sujet de ce qui, dès lors, n'est plus exactement un discours mais plutôt une activité intérieure rendue objective et communicable. Dans *les Contemplations*, livre doublement poétique, l'histoire de l'individu est appréhendée du point de vue du poète, et elle consiste dans sa sublimation en lui. « C'est encore l'homme, dit Hugo, ce n'est plus le moi ».

De là l'aspect circulaire du recueil. Son titre désigne un comportement spirituel dont l'objet propre n'est atteint qu'au dernier livre ; le mot de la fin est « commencement ». De là aussi l'importance de la Préface. Elle corrige l'inévitable erreur de la première lecture en posant au départ, mais de manière schématique et abstraite, ce qui n'est concrètement acquis qu'à l'arrivée : le statut du poète, sa présence-absence au monde : « Ce livre doit être lu comme le livre d'un mort. »

Très logiquement, la structure du recueil dispose en son centre ce qui est à la fois son lieu d'émission et le terme de son parcours : la mort. Dont celle de Léopoldine n'est que l'image. Car on réduirait à tort – non pour l'individu Hugo, mais pour son livre – l'incidence de la mort à ses dimensions intimes et philosophiques. Sans doute le point de vue de la mort peut-il seul donner sens à une vie – et donc à toutes – et pleine signification à l'apostrophe : « Insensé qui crois que je ne suis pas toi ». Mais, dans *les Contemplations*, la mort est une position poétique qui ne résulte pas d'une simple fiction métaphysique et à laquelle le deuil ne fait qu'ouvrir l'accès. L'envoi final, « À celle qui est restée en France », offre à une morte le livre devenu celui d'un mort. Il a fallu, après la ligne de points qui suit la date du 4 septembre 1843 et les « *Pauca meae* », que le poète « en marche » parvienne « au bord de l'infini » par la prière et par l'exil : par la contemplation, qui est l'activité poétique elle-même, devenue asymptotique à ce que serait la vision d'une âme après la mort.

En cela, *les Contemplations* relèvent de la même démarche que les *Châtiments*. Tous deux racontent, miment et produisent en leur progression la position de parole qu'ils adoptent d'emblée. Ils procèdent à la même anticipation : celle de la République universelle ici, et là celle de la mort ; et, supposant acquise leur condition d'énonciation, font le récit de la manière dont ils y parviennent.

Autrefois-Aujourd'hui, cette coupe, lorsque les *Châtiments* n'étaient pas encore achevés, devait, au sein d'un seul recueil, les distinguer d'une première partie de « poésie pure » : *Autrefois*, première version des *Contemplations*. La dichotomie éloignait l'ancien poète du nouveau et renvoyait au passé la poésie du moi personnel. Ce déplacement sur *les Contemplations* de ce qui les séparait des *Châtiments* suffit à indiquer que Hugo a trouvé dans l'achèvement même de ce recueil de quoi conduire la poésie lyrique du moi au point où elle devenait pertinente au poète que les *Châtiments* avaient fait de lui.

Placée naguère à la date de l'exil, maintenant à celle de la mort de Léopoldine, la coupure de l'avant et du maintenant superpose les deux fractures, les deux exils : l'un, retranchant le poète des intérêts affectifs immédiats, en fait un homme de souvenir quant à la vie, de conquête contemplative quant au vrai ; l'autre, le retranchant de l'histoire présente, réelle et illusoire, le projette dans la communauté sociale idéale, provisoirement réalisée dans l'écriture et la lecture de son œuvre.

Les Misérables

Quoique d'accès aisé et de lecture populaire, le plus célèbre des romans de Hugo est aussi le plus déroutant. D'une part, parce qu'il réalise une synthèse toute classique, plus goethéenne que shakespearienne, entre plusieurs formes romanesques : pour l'essentiel, le roman mélodramatique des bas-fonds lancé avec succès par Eugène Sue, la fresque réaliste d'un milieu, d'une ville et d'une aventure individuelle, la saga populaire d'un héros mythique, le roman didactique, renouvelé du XVIIIe siècle, alternant l'intrigue et de vastes digressions. D'autre part, parce que ses significations trop nombreuses et trop riches ne le laissent pas réduire à un sens, ni même à un objet unique. De quoi parlent *les Misérables* ? De ce trou où l'Histoire est tombée en 1815, dont ni la Révolution, ni le Prince, ni l'Insurrection ne surmontent l'escarpement, et où les individus vivent la désespérance du progrès promis ; de la rédemption sociale et individuelle par la souffrance et la mort consenties ; de la peine profonde des pauvres ; de la ruse impitoyable par laquelle la justice et la charité fabriquent et se renvoient les coupables et les secourus dont elles ont besoin pour construire la société sur l'exclusion des « misérables » : criminels et malheureux ; du geste mystérieux qui constitue l'humanité et l'individu : celui de la conscience – de soi et du bien ; de tous les accomplissements par avortement : celui de la République dans l'échec d'une insurrection ; celui de la virilité généreuse dans l'héroïsme suicidaire d'un garçon ; celui de la femme dans la féminité embourgeoisée, détruite ou prostituée ; celui de la paternité et de « l'amour proprement dit » dans l'adoption d'une orpheline bâtarde par Jean Valjean, forçat évadé et « vieillard vierge ».

Enfin, parce qu'il y a deux textes dans *les Misérables*. Commencé en 1845 et achevé aux quatre cinquièmes en 1848, c'est le roman d'un académicien, plutôt bien-pensant, pair de France provisoirement écarté des charges publiques et qui travaille à reconquérir son auditoire perdu en même temps qu'à prouver ses capacités en matière sociale et politique. Repris en 1860 et publié en 1862, c'est le livre du grand prophète républicain, de l'exilé irréconciliable, tête-à-tête avec Dieu et l'Océan.

Tels sont les débris dont se construit ce texte-barricade. Conçu et composé de part et d'autre de 1848, il s'installe à la limite de l'histoire moderne : entre les deux monarchies restaurées et les deux Empires, entre la Révolution et la République. Il récuse le réalisme conservateur de Balzac et le socialisme paternaliste d'Eugène Sue, mais aussi les certitudes philosophiques et religieuses de Hugo lui-même. Faisant, très logiquement, sens de sa propre genèse, il s'extrait à la fois de sa première version, corrigée – et de sa « Préface philosophique », abandonnée.

Contre les simplicités passives des économistes, qui étudient la « question sociale », des métaphysiciens, qui posent le « problème du mal », des moralistes, friands des fruits de l'arbre de la connaissance du bien et du mal, des historiens du progrès linéaire ou de la tradition immuable, Hugo invente un objet nouveau : la misère, qui désigne l'unité des confins de la société – barrières et égouts parisiens –, de l'Histoire – bataille perdue et barricades suicidaires – et de l'individu – « effondrements intérieurs » et « tempête sous un crâne » –, où les hommes tout à la fois accomplissent et manquent leur appartenance à l'humanité.

Hors de portée de tous les discours parce qu'elle est l'ailleurs et l'envers de la société qui les parle, la misère exclut et exige leur inévitable emploi. *Les Misérables* assument et transgressent tous les langages : l'argot, le poème, la langue des tribunaux et celle des « sciences spéciales », toutes les sortes de roman.

La Légende des siècles

La Légende des siècles (premier titre : *les Petites Épopées*) offre, après *les Contemplations*, une mise à distance du moi individuel en même temps qu'une vue totalisatrice de l'Histoire travaillée par les deux grandes forces que sont l'amour et la justice. Lutte de la volonté de puissance, avec l'inimaginable flot de cruauté qu'elle déverse sur les hommes, et du désir de justice, aidé par le formidable pouvoir qui fait de Ruth et de Booz des ouvriers de l'avenir et par qui le Satyre domine les dieux cruels.

Histoire humaine comprise à la fois comme espace de l'homme, comme place du concret, comme lieu des mythes. De là le va-et-vient entre le réel historique et cette traversée de l'imaginaire qui permet à la *Légende* d'être œuvre poétique. Poétique parce que l'écriture permet la « totalisation impossible » : l'Histoire est fragmentée en histoires, le continu de *la Fin de Satan* et de *Dieu*, ces immenses coulées, se révèle impossible à tenir : l'Histoire est éclatée, il faut donc la jalonner de récits exemplaires.

À plus d'un titre. Le Hugo le plus connu est celui de ces cathédrales que sont « Booz endormi », « la Conscience », « les Pauvres Gens », « Aymerillot », « le Cimetière d'Eylau ». *La Légende des siècles* élève contre la brutalité des faits la protestation de la justice, parfois écrasée, parfois immanente et vengeresse – « le Parricide », « le Travail des captifs », « l'Aigle du casque », « Ratbert », « la Rose de l'infante ». Cette épopée est l'épopée de la mort et déjà de la mort des tyrans – « les Sept Merveilles du monde », « Zim-Zizimi », « l'Épopée du ver ».

Non sans l'intervention des héros – Eviradnus ; le Roland du « Petit Roi de Galice » –, qui ne seraient pas hugoliens s'ils n'étaient éloquents, l'immense discours de la justice se déplie dans la verve vengeresse de « Welf, castellan d'Osbor », d'« Elciis », d'« Eviradnus », du « Satyre ». C'est dans « le Satyre », qui n'a pas usurpé sa célébrité, que se perçoit le plus clairement la perspective de la *Légende* : le poète, le Satyre, bouche des faibles, des monstres, des exclus, décrit le mouvement même qui fait exister l'histoire des hommes, jusque dans ses perspectives d'avenir – « Plein Ciel » –, c'est-à-dire dans sa fin.

Les Travailleurs de la mer

Composés en même temps qu'elles, *les Travailleurs de la mer* s'apparentent aux *Chansons* par leur naturalisme, qui transfère sur une réalité décrite exactement, et non sans pittoresque, ce qui naguère était abordé de front par le poète pensif.

L'histoire est celle d'un conte. Gilliatt arrache à l'Océan le moteur d'un navire naufragé pour obtenir de l'armateur sa récompense : la main de sa fille. Vain exploit : il se laissera engloutir par la mer en assistant au départ de celle qu'il aime avec celui qu'elle préfère. D'abord intitulé *l'Abîme*, le livre mérite ses deux titres. Il exploite la vogue récente du roman maritime ou régionaliste, et il la détourne. L'invention et l'industrie humaines – plus exactement que le travail – y sont magnifiées pour elles-mêmes, mais aussi comme métaphore de toute rencontre avec le « moi de l'infini » – Dieu – et particulièrement de l'aventure laborieuse du génie.

Vie sociale quotidienne, solitude de l'épreuve au sein des éléments, sacrifice de soi et contemplation : les parties du récit explorent les aspects du monde : « Humanité, Nature, Surnaturalisme », qui, dans *William Shakespeare*, sont définis comme « les trois horizons » du Génie. La lutte du héros contre l'Océan reproduit les phases technologiques de l'affrontement de la nature par l'humanité, mais s'achève en un combat avec l'Ange : la prière dépasse l'effort titanesque et répare son échec. Le labeur de Gilliatt relève de la description qui est donnée de l'art dans *William Shakespeare* : « Double et gigantesque travail, physique au début, métaphysique à la fin, qui cherche Dieu et trouve le bien, chemin faisant. »

Enfin, en variant les modes d'apparition de son auteur, le texte figure, mime et réalise ce qu'exprime symboliquement l'aventure du héros. « L'Archipel de la Manche », préambule autobiographique du roman, montre l'écrivain : vivant, concret, historique. Puis le récit gomme l'individualité de l'auteur, encore perceptible cependant à l'affichage de ses goûts et de ses opinions. Dans la seconde partie, la personne et la personnalité s'effacent derrière le Poète et le Penseur : affirmation impérieuse et révélation, la « philosophie » hugolienne s'exprime à nouveau. Enfin, parole laissée aux personnages, le récit devenu impersonnel s'achève dans le silence d'un narrateur disparu.

Par là, Hugo récupère, réunit et concrétise le contenu de l'effort philosophique qui, depuis *les Misérables*, avait conduit à *William Shakespeare* et à plusieurs textes en prose inemployés : la « Préface philosophique » destinée aux *Misérables* ; *l'Âme* ; *Promontorium somnii* ; *les Choses de l'infini* ; *Contemplation suprême* ; *Utilité du beau*. *Les Travailleurs de la mer* sont à cette entreprise avortée ce que *les Misérables* avaient été à *la Fin de Satan*. De l'un à l'autre, même progrès ; le roman surmonte le demi-échec de la pensée abstraite, surtout il universalise ses leçons et les réalise. La philosophie tendait à « démontrer l'âme », et *William Shakespeare* à montrer dans l'art l'unique voie vers l'idéal, la seule vraie rédemption. Par son sens, par l'activité de l'imaginaire qu'il exige et par la position qu'il contraint le lecteur de prendre, face à l'auteur, le roman fait ce qu'il dit : il ouvre à tous le mortel accomplissement du génie.

Le Théâtre en liberté

« Comédies où l'on meurt, tragédies où l'on ne meurt pas », le *Théâtre en liberté* – deux groupes de textes, l'un principalement en prose, composé de 1865 à 1867, l'autre en vers, en 1869 – libère le rapport toujours frustré que Hugo entretient avec le théâtre joué : hors de l'institution peut apparaître le carnaval de la subversion et s'affirmer ce qui donne la parole aux exclus. Deux sortes de textes : d'un côté les mélodrames populaires, *l'Intervention* et surtout *Mille Francs de récompense*, où s'épanouit la parole du héros gueux et voleur Glapieu, qui, instrument de la justice, fait entendre à travers la citation ironique du mélodrame la satire terrible des valeurs bourgeoises ; de l'autre côté les drames poétiques, comme ce rabelaisien *Mangeront-ils ?* où, contre le roi-tyran, le personnage populaire exprime la revendication victorieuse de la bouche qui mange.

Théâtre impossible où s'épanouit ce grotesque rêvé, comique et douleur s'étayant l'un l'autre, qui n'a pu être le lot du théâtre joué. Théâtre des figures subversives : la prostituée, le révolté, la sorcière, le voleur et même l'enfant. Théâtre profondément révolutionnaire dans la mesure où il dénonce avec énergie la difficulté d'aimer dans un monde de l'appropriation et de l'oppression – ainsi les couples de *l'Intervention* ou les amants tragiques des *Deux Trouvailles de Gallus*.

Il faut mettre à part *Torquemada*, ce « Roméo et Juliette » du XIXe siècle, festival d'iniquités, la seule œuvre théâtrale que Hugo ait rendue à la fois historique, épique et grotesque, sorte de somme de l'Histoire, sortie tout armée de *la Légende des siècles* et où les puissances temporelles et spirituelles s'unissent malgré leurs divergences pour écraser le couple des jeunes amants.

L'homme qui rit

Une machine à vapeur réparée et un couple heureux : la mort de Gilliatt sauvait l'avenir, sans laisser de trop grandes illusions sur sa valeur. *L'homme qui rit* met en doute ce que les *Travailleurs* avaient acquis.

Extravagant et baroque, ce roman exige l'interprétation. « J'ai voulu, note Hugo, forcer le lecteur à penser à chaque ligne. De là, une sorte de colère du public contre moi. » De fait, l'entreprise était provocatrice et suicidaire. Interrogation angoissée d'un Hugo vieillissant dans un trop long exil sur la validité de son œuvre et de sa vie, *L'homme qui rit* met en question la fonction du poète affronté aux contraintes de l'Histoire.

Le roman est formé de deux récits. Le premier, exploit d'énergie et de bonté, répète les *Travailleurs* et, comme eux, « affirme l'âme ». Le second, sous l'exemple de l'aristocratie anglaise du XVIIe siècle, donne la formule de la France impériale et de toute société historique : division et exploitation, dénaturation et perversion. Le héros, Gwynplaine, en est l'emblème, si bien défiguré « par ordre du roi » pour servir aux spectacles princiers que son malheur est son visage, fixé dans un rire affreux. « C'est de l'enfer des pauvres qu'est fait le paradis des riches. » De sorte que la parole aussi produit l'effet inverse de celui qu'on attendait.

Image « en abyme » du roman, *Chaos vaincu*, drame allégorique, joué par Gwynplaine, de la « victoire de l'esprit sur la matière aboutissant à la joie de l'homme », ne provoque que le rire du peuple, victime d'un inévitable et profond contresens. Auprès des puissants, la seconde œuvre du héros recommence, au lieu de le réparer, l'insuccès de la première. L'échec de Gwynplaine, venu devant la Chambre des Lords « plaider la cause des muets », manifeste l'inanité de tout effort pour convaincre, de tout réformisme. La misère aliène aussi ceux qui en sont responsables : le même rire que celui du peuple, hilare au spectacle de sa propre déchéance, secoue les Lords à la vue de leur crime. Aussi longtemps qu'il y aura des puissants pour huer le génie, il n'y aura pas de peuple pour l'entendre.

Voici la Révolution justifiée et même, dit Hugo, « prouvée » par ce livre où il conduit la critique sociale plus loin qu'il ne l'avait jamais fait. Terme du processus d'autodestruction de la société, la Révolution procédera du renversement de l'antithèse sociale. Inutilement peut-être – *Quatrevingt-Treize* y reviendra – si le peuple demeure dénaturé en foule.

Le poème ne sauve donc que le poète. Sur le bateau de l'exil, le spectateur unique – et divin – d'une ultime représentation sanctionne l'authenticité de la mission du génie en rendant, à l'instant de leur mort, le sourire à Gwynplaine et la vue à celle qu'il avait sauvée et aimée – beauté, liberté, justice : Déa. *Chaos vaincu* a pris son vrai sens : la mort seule achève la pénétration de la matière par l'esprit ; la poésie est une « parole qui tue » d'abord celui qui la prononce.

Tel Gwynplaine jetant son rire à la face des Lords, Hugo prend acte de l'inanité de l'écriture et, le temps du livre, la dément. *L'homme qui rit* retourne en acte d'accusation sociale la scandaleuse inutilité du Beau. C'est, à la veille de la Commune, un geste de révolte – promesse et désespoir de la Révolution.

Quatrevingt-Treize

« Nous avons revu ces mœurs » : dans ce roman, discret sur ce qui allait de soi, aucune autre phrase n'assimile la Révolution à la Commune. Les atrocités des deux camps y seraient équitablement stigmatisées, et la Commune serait excusée par l'œuvre révolutionnaire qui justifie la Terreur, si l'identification des combattants de 1871 dans ceux de 1793 était simple.

Or, sédition contre-révolutionnaire – « en République, l'insurrection, c'est le suicide » – et révolte de la misère ignorante, Vendée parisienne, la Commune peut être condamnée par la Révolution. Ou l'inverse. Après la Semaine sanglante, Hugo pouvait songer qu'il avait bien fait de tenir en réserve l'*Histoire d'un crime*. À juste titre : le livre qui visait Louis Napoléon atteindra MacMahon. 1815, 1830, 1848, 1870 : la révolution tourne tôt ou tard à la réaction et s'achève en monarchie. En rapportant cette involution de la République à l'ambiguïté de ses origines révolutionnaires, *Quatrevingt-Treize* tente de répondre à cette question d'actualité posée par la Commune à l'histoire du siècle : à quelles conditions la Révolution est-elle susceptible d'engendrer un nouvel ordre des choses ?

Le tableau du personnel romanesque – tel que chaque force historique est représentée par deux personnages : l'un ayant adopté une position conforme à son origine, l'autre une position contraire à la sienne – met en place et en question une représentation euphorique et idéaliste de la Révolution. Accomplie, au moins en partie, par ceux qui n'y ont pas intérêt, elle n'obéit pas à la loi du plus fort qu'elle doit abolir et ne se réduit pas au retournement d'une oppression dont elle permuterait les acteurs et perpétuerait l'injustice.

L'échec des héros dévoués – et la réussite de ceux qui ne le sont pas –, leur monstruosité ou leur angélisme et les hasards d'une intrigue où le destin des personnages figure la nécessité de la Terreur dénoncent cette illusion et enferment la réflexion dans deux cercles vicieux. Si la Révolution, brisant l'aliénation morale aux castes, ouvre une ère de progrès pacifique où la forme républicaine de l'État permet l'éducation des esprits, comment pourrait-elle procéder elle-même des conversions qu'elle doit rendre possibles ? Inversement, comment la Terreur serait-elle l'outil obligé de la Révolution dont elle est la négation ? « Méprise habituelle aux esclaves », le peuple vendéen combat la Révolution ; la Terreur aussi, qui exécute Gauvain tandis que Cimourdain se suicide. La Révolution est donc inconcevable : impossible si elle doit trouver son moteur dans son effet, inacceptable – et nulle – si elle le cherche dans son involution terroriste. L'Histoire se fait, mais sans principes.

Et sans poètes. Car l'écrivain trouvait sa raison sociale et historique d'être dans l'idée d'une Révolution résultant de l'addition progressive des conversions individuelles à la Vérité. Roman de l'impuissance à penser la Révolution, *Quatrevingt-Treize* rend compte de l'échec de la République en le faisant payer au poète de son silence futur et de la caducité de son œuvre passée. C'est le mérite de Hugo que d'avoir su condamner l'idéologie qui avait si longtemps sous-tendu son œuvre pour ne pas avoir à condamner la Commune. Non sans appel.

La scène finale des enfants – destructeurs terroristes du livre *Saint-Barthélemy* : de la culture et du passé dont le « massacre » se termine « par un évanouissement dans l'azur », le discours du héros dans son cachot –, acte de foi du personnage dans le credo politique de l'auteur –, l'envol final des âmes de Gauvain et de Cimourdain – « sœurs tragiques » dont la réconciliation restaure dans l'au-delà l'inconcevable unité de la Terreur et de la Révolution – récupèrent au niveau de la transcendance ce qui a été compromis à celui de l'Histoire. Images du roman, ces scènes font du poème le salut de la Révolution par le martyre du poète. Dans *Quatrevingt-Treize,* Hugo avoue ne pouvoir absoudre l'Histoire et conserver espoir en elle qu'en s'en excluant.

L'Art d'être grand-père

Ce recueil – méconnu et gâché par une lecture bêtifiante – est une pièce en faveur de l'amnistie des communards et, par une sorte d'assimilation entre le peuple et l'enfant, plaide pour le pardon et pour le respect des faibles ; partout présentes dans le recueil, et souvent fort explicites, ces connotations ôtent à ces poèmes toute mièvrerie. Le problème qu'ils posent est plus aigu que jamais : comment comprendre l'autorité, comment comprendre le rapport du peuple et du pouvoir ? Ce qui s'impose ici, c'est le regard critique de Hugo sur la paternité, ou plutôt sur le paternalisme : ce qu'il rêve, c'est une paternité qui aurait divorcé de l'autorité. Et l'exaltation des enfants, de leur parole balbutiante, s'élève contre tout logocentrisme.

Le recueil contient une impressionnante série de poèmes admirables et ignorés : chansons pour les enfants – « Choses du soir » –, mais aussi grands poèmes subjectifs exaltant l'amour et la beauté physique et comme sensuelle de l'enfance – « *Ora, ama* » –, poèmes tout pleins du double sentiment conjoint de la mort et de la vie.

La voix de Hugo est ici celle d'une autorité grand-paternelle et « poétique » : « Je n'ai point d'autre affaire ici-bas que d'aimer » ; c'est l'âge, la force de la raison et du savoir, sans aucun pouvoir – la voix de la vieillesse qui dit le présent de l'enfance, l'avenir du genre humain, et poursuit la route qui est celle même du poète :

Mais moi, le croyant de l'aurore,
Je forcerai bien Dieu d'éclore
À force de joie et d'amour.

VIE		ŒUVRE
1797	Mariage, à Paris, de Sophie Françoise Trébuchet, née en 1772, et de Léopold Sigisbert Hugo, né en 1773. Ils se sont rencontrés à Nantes – d'où Sophie est originaire – l'année précédente.	
1798	Naissance d'Abel Hugo, frère aîné de Victor ; son second frère, Eugène, naît en 1800.	
1802	**26 févr. :** naissance de Victor-Marie Hugo, prématuré, semble-t-il, et de très faible constitution. Il a été conçu – son père le lui écrira – au sommet du Donon, point culminant des Vosges. Les parents attendaient une Victorine plutôt qu'un Victor. **Nov. :** Sophie quitte les siens, à Marseille, pour tenter une démarche en faveur de son mari à Paris. Elle s'y attarde, sans doute auprès du général Lahorie, et ne rejoint mari et enfants que près d'un an après, pour revenir, presque immédiatement, à Paris – avec ses enfants, cette fois.	

	VIE		ŒUVRE
1803	Naissance d'Adèle Foucher, premier amour et future épouse de Victor Hugo.		
1804	Arrestation du général Moreau, accusé de conspirer contre l'Empire, dont les amis sont recherchés, Lahorie en particulier, que Sophie aide à se cacher.		
1806	Naissance de Julienne-Joséphine Gauvain, plus tard Juliette Drouet, second et dès lors unique amour de Victor Hugo. Léopold au service de Joseph Bonaparte, roi de Naples, participe à la « pacification » du royaume. Il aura les mêmes tâches en Espagne, où il suit Joseph deux ans plus tard.		
1808	Sophie et ses enfants rejoignent Léopold à Naples, sans pour autant vivre auprès de lui. Ils en repartent à la fin de l'année et s'installent aux Feuillantines, où vient vivre caché le général Lahorie.		
1810	Lahorie est arrêté aux Feuillantines. Sur la demande du roi Joseph, Léopold fait venir sa famille en Espagne ; il apprend tout sur Lahorie et sur sa requête en divorce. Eugène et Victor sont placés au collège des Nobles de Madrid (juillet 1811).		
1812	Sophie rentre en France avec Eugène et Victor, Abel restant auprès de son père, dans l'armée. Après l'échec de leur coup d'État, Malet et Lahorie sont fusillés. Date probable des premiers textes connus de Victor Hugo.		
1814	Léopold défend Thionville ; les fils Hugo sont faits « Chevaliers du lys » ; Léopold est mis en demi-solde ; la procédure de divorce est engagée.		
1815	Leur père met Eugène et Victor à la pension Cordier ; il défend à nouveau Thionville, puis s'installe à Blois.	**1815**	Premier *Cahier de vers français.*
1817	La carrière d'écrivain de Hugo commence avec une mention d'encouragement obtenue à un concours de l'Académie française.		
1818	Il travaille pour l'académicien François de Neufchâteau à la *Revendication de Gil Blas par les Espagnols.* Eugène et lui, études secondaires achevées, sont autorisés par leur père, qui les destinait à Polytechnique, à s'inscrire à la faculté de droit. Quittant la pension Cordier, ils viennent vivre auprès de leur mère.		
1819	Aveu amoureux de Victor à Adèle – et réciproquement. Premier numéro du *Conservateur littéraire,* donné pour ultra et antiromantique.	**1819**	L'ode sur *le Rétablissement de la statue d'Henri IV* est primée par l'académie des Jeux floraux de Toulouse.
1820	Mme Hugo s'oppose à l'amour de son fils, qui entame une correspondance secrète avec Adèle. V. Hugo fait des connaissances dans l'intelligentsia, y noue des amitiés – le duc de Rohan, Lamennais, Lamartine, Chateaubriand. Nouveau prix à l'académie de Toulouse, nouvelle mention à l'Académie française.	**1820**	Publication de *Bug-Jargal* (première version).
1821	Après la mort de sa mère, Victor Hugo est à nouveau reçu dans la famille d'Adèle et renoue avec son père des relations progressivement plus affectueuses.		
1822	Victor Hugo reçoit une pension royale ; il se marie avec Adèle.	**1822**	Publications des *Odes et Poésies diverses.* Le drame *Inès de Castro* est interdit.
1823	Naissance et mort du premier enfant d'Adèle. Hugo reçoit une seconde pension et participe au lancement de *la Muse française.*	**1823**	Publication de *Han d'Islande.* Nouvelle édition des *Odes.*

	VIE		ŒUVRE
1824	La naissance de Léopoldine répare la perte de Léopold. Premières réunions du « cénacle » de Nodier à l'Arsenal. Le sabordage de *la Muse française*, par lequel Soumet achète son fauteuil à l'Académie, l'éviction de Chateaubriand du ministère et l'offensive antiromantique des institutions écartent Hugo des ultras.	**1824**	Publication de *Nouvelles Odes*.
1825	Derniers succès officiels et Légion d'honneur, à l'occasion du sacre de Charles X.		
1826	Naissance de Charles Hugo et de Claire Pradier, fille de Juliette Drouet et du sculpteur Pradier.	**1826**	Publication des *Odes et Ballades* et de la seconde version de *Bug-Jargal*.
1827	Sainte-Beuve entre en relations intimes avec Victor et Adèle Hugo.	**1827**	La publication de l'ode *À la colonne de la place Vendôme* et celle de *Cromwell* et de sa *Préface* achèvent de ranger Hugo aux côtés des romantiques et, moins nettement, des libéraux.
1828	Mort du général Hugo ; naissance du second fils : Victor, dit François-Victor.	**1828**	Édition définitive des *Odes et Ballades*.
1829	Offre, en réparation de l'interdiction de *Marion Delorme,* d'un poste officiel, que Hugo refuse ainsi qu'une troisième pension. Ainsi désolidarisé du régime, il ne se ralliera pourtant pas sans pondération à la révolution de 1830, avec le poème « À la jeune France ».	**1829**	Publication des *Orientales* et du *Dernier Jour d'un condamné*. Interdiction de *Marion Delorme*.
1830	Naissance d'Adèle, seconde fille de V. Hugo. Début, entre Sainte-Beuve et Adèle, d'une assez longue liaison, à laquelle Hugo laisse, inutilement, le champ libre.	**1830**	Représentation d'*Hernani*.
		1831	Publication de *Notre-Dame de Paris* et des *Feuilles d'automne* ; première de *Marion Delorme*.
1832	V. Hugo installe sa famille au 6, place Royale (actuelle Maison Victor-Hugo de la place des Vosges).	**1832**	Première, interdiction et procès du *Roi s'amuse*.
1833	Victor Hugo et Juliette se rencontrent ; pour elle, dans *les Misérables* : « La nuit du 16 au 17 février 1833 fut une nuit bénie. Elle eut, au-dessus de son ombre, le ciel ouvert. »	**1833**	Première de *Lucrèce Borgia* et de *Marie Tudor*.
1834	Sur une brouille, Juliette quitte Paris ; il la rejoint ; ils voyagent ensemble en Bretagne et dans le pays de Loire, son pays d'enfance à elle, celui de son père à lui.	**1834**	Publication de *Littérature et Philosophie mêlées* et de *Claude Gueux*.
1835	Voyage annuel avec Juliette – Normandie et Nord. Rupture définitive entre V. Hugo et Sainte-Beuve. Hugo est nommé membre du « Comité des monuments inédits » à sa création. Plusieurs articles dont « Guerre aux démolisseurs », en 1832, l'avaient désigné à cette fonction, où il emploie et complète une grande compétence en matière d'architecture.	**1835**	Première d'*Angelo* et publication des *Chants du crépuscule*.
1836	Voyage en Normandie avec Juliette. Éloignement entre Adèle et Sainte-Beuve. Double échec à l'Académie.	**1836**	Échec de *la Esmeralda,* livret de Hugo, musique de Louise Bertin, à l'Opéra.
1837	Eugène meurt, à Charenton. Premières relations, bientôt amicales, entre V. Hugo et la famille d'Orléans. La Belgique et le Nord pour le voyage avec Juliette.	**1837**	Publication des *Voix intérieures*.
1838	Premier contrat pour la publication des œuvres complètes ; il porte sur une somme équivalant à un million d'euros environ.	**1838**	Inauguration du théâtre de la Renaissance avec *Ruy Blas*.
1839	V. Hugo obtient de Louis-Philippe la grâce d'Armand Barbès, condamné à mort. Échec à l'Académie. Juliette et lui s'engagent par une sorte de mariage, secret et morganatique ; ils voyagent : Alsace, Rhénanie, Suisse et Provence.	**1839**	Hugo entreprend et abandonne *les Jumeaux*.
1840	Échec à l'Académie. Voyage avec Juliette : Rhin et Forêt-Noire.	**1840**	Publication des *Rayons et les Ombres* et, à l'occasion du transfert des cendres, du *Retour de l'Empereur* (qui sera repris dans *la Légende des siècles*).
1841	Élection à l'Académie française.		

	VIE		ŒUVRE
1842	Victor Hugo fait connaissance avec Léonie Biard et avec le roi Louis-Philippe.	1842	Publication du *Rhin.*
1843	**4 sept. :** mort à Villequier, noyés dans la Seine, de Léopoldine et de Charles Vacquerie, qui s'étaient mariés en février. Sainte-Beuve fait tirer, hors commerce, *le Livre d'amour,* autobiographique. À la fin de l'année, Victor Hugo devient l'amant de Mme Biard.	1843	Échec des *Burgraves.*
1844	Candidat à l'Académie, Sainte-Beuve reçoit l'appui de Victor Hugo. Plusieurs entretiens privés entre le roi et Victor Hugo.		
1845	Hugo répond au discours de réception de Sainte-Beuve. Il est nommé pair de France. Auguste Biard, artiste peintre, fait constater le flagrant délit d'adultère de sa femme avec V. Hugo. Elle est enfermée deux mois à la prison de Saint-Lazare et six mois au couvent des Augustines. Biard retire sa plainte sur intervention du roi et, moyennant commande, ce qui évite à Hugo une condamnation pour complicité, divorce, laissant Léonie et ses enfants à la charge de Victor Hugo. Bref voyage à l'est de Paris, où Hugo passe par Montfermeil.	1845	Hugo commence ce qui deviendra *les Misères,* puis *les Misérables.*
1846	Plusieurs discours à la Chambre des pairs. Mort de Claire Pradier, fille de Juliette.	1846	Composition de plusieurs poèmes des futures « *Pauca meae* » des *Contemplations.*
1847	Victor Hugo continue la même singulière existence : interventions politiques libérales et réformistes ; mondanités et entretiens avec le roi ; vie familiale paisible ; amour avec Léonie ; demi-éloignement douloureux avec Juliette, rencontres diverses, dont Alice Ozy, auprès de qui son fils Charles est son rival.	1847	Hugo poursuit la rédaction des *Misérables.*
1848	**Févr. :** Victor Hugo est hué lorsqu'il tente, place de la Bastille, de proclamer la régence ; il refuse la mairie de son arrondissement et le ministère de l'Instruction publique, offerts par Lamartine. En juin, il est difficilement élu à la Constituante, et, après avoir contribué à l'écrasement de l'insurrection, il cherche à adoucir la répression judiciaire. *L'Événement,* dirigé par ses fils, fait écho à cette lente évolution vers la gauche dont l'appui donné à la candidature de Louis-Napoléon ne constitue qu'un épisode.		
1849	Élu député à l'Assemblée législative, Victor Hugo rompt progressivement avec la droite, notamment à propos de la Question romaine et à l'occasion de la proposition d'enquête sur la misère.		
1850	Les interventions de Hugo le rangent définitivement à la gauche de l'Assemblée : contre la loi Falloux, contre la peine de déportation, contre la restriction apportée au suffrage universel, pour la liberté de la presse. Interdiction de la vente de *l'Événement* sur la voie publique. Hugo prononce l'éloge funèbre de Balzac sur la tombe de celui-ci au cimetière du Père-Lachaise.		
1851	V. Hugo visite les caves de Lille. **Juill. :** Grand discours contre la révision de la Constitution demandée par Louis Napoléon : « Napoléon-le-Petit ». Charles et François-Victor Hugo, Paul Meurice et Auguste Vacquerie, condamnés pour délit de presse, sont incarcérés. L'envoi par Léonie de lettres reçues de Victor Hugo apprend à Juliette ce qu'elle ignorait depuis sept ans et la met au désespoir, sans toutefois la faire renoncer. **Du 2 au 11 déc. :** échappant à la police, Hugo tente, au sein du comité nommé par la Montagne, de susciter la résistance parisienne : affiches, harangues, réunions, contacts avec les associations ouvrières, implantation et défense des barricades. Lorsque le succès du coup d'État est devenu patent, il quitte Paris sous un faux nom. Sans délai, Juliette, qui avait veillé à sa sécurité et était elle-même recherchée, le rejoint à Bruxelles.		

VIE		ŒUVRE	
1852	Victor Hugo, officiellement expulsé du territoire, est rejoint par ses fils, peine purgée, et met en vente son mobilier parisien. Il commence *Histoire d'un crime* et l'interrompt pour *Napoléon-le-Petit,* qui paraît à Bruxelles le jour où, devançant son expulsion de Belgique, il arrive à Jersey.	1852	Publication, à Bruxelles, de *Napoléon-le-Petit.* Après avoir envisagé la publication d'un volume de vers : *les Contemplations,* puis d'une œuvre en deux volumes : « *Autrefois,* poésie pure..., *Aujourd'hui,* flagellation de tous ces drôles », l'annonce du rétablissement de l'Empire le détermine à y consacrer un livre entier.
1853	Mme de Girardin [Delphine Gay] initie le cercle Hugo aux tables tournantes ; on y renoncera en 1855 après la crise de folie d'un des participants.	1853	Publication en Belgique des *Œuvres oratoires* ; double publication des *Châtiments*, l'une expurgée, sans nom d'auteur (Bruxelles), l'autre complète et signée (« à Genève et New York »).
		1854	Rédaction de *la Forêt mouillée* – publiée en 1886 dans le *Théâtre en liberté* – et du premier noyau de *la Fin de Satan.* Préparation des *Contemplations.*
1855	La protestation d'une quarantaine de proscrits à Jersey – dont Hugo – contre l'expulsion de trois des leurs à la suite de la publication d'un article condamnant le voyage de la reine Victoria à Paris, leur vaut leur propre expulsion. Victor Hugo et sa famille, Juliette et Auguste Vacquerie s'installent à Guernesey.	1855	Rédaction du premier noyau de *Dieu.* Hugo prend le parti de consacrer aux *Contemplations* tout ce qui peut y trouver place, afin que ce soit son « œuvre de poésie la plus complète », sa « grande pyramide ».
1856	La fille de V. Hugo, Adèle, donne les premiers signes d'une mauvaise santé mentale. Le succès des *Contemplations* permet à Victor Hugo d'acheter sa maison : Hauteville House.	1856	Publication des *Contemplations* ; la quatrième page de couverture annonce *Dieu* et *la Fin de Satan.*
1857	V. Hugo entreprend l'aménagement de Hauteville House, œuvre singulière qu'il faut visiter, et installe Juliette dans une maison toute proche, d'où ils peuvent se voir.	1857	Sur le conseil de Hetzel, Hugo diffère la publication de *Dieu* et de *la Fin de Satan* et, se laissant convaincre, signe un contrat pour *les Petites Épopées.* Mais il leur destine *la Révolution* et sans doute aussi *le Verso de la page*, *l'Âne* et *la Pitié suprême,* achevés l'année suivante.
1858	Malgré qu'en ait V. Hugo, les deux Adèle quittent Guernesey pour Paris, durant quelques mois. Pénibles discussions avec la famille, à qui l'exil devient insupportable : « Ta maison est à toi. On t'y laissera seul. » François-Victor publie le permier tome de sa traduction de Shakespeare.	1858	L'exil s'assombrit : embarras devant les grands poèmes, qu'il apparaît impossible de publier avec *les Petites Épopées* ; ajournement nécessaire de *la Fin de Satan* et de *Dieu.*
1859	Séjour à Londres des deux Adèle et de Charles. Ce dernier en revient pour visiter l'île de Sercq avec son père et Juliette, dont il fait alors la connaissance. Désormais, les enfants de Victor Hugo, et sa femme plus encore, seront le plus souvent absents, et il mène avec Juliette une existence plus familiale. Après Solferino, Napoléon III décrète l'amnistie ; réponse de Hugo : « Quand la liberté rentrera, je rentrerai. » Peut-être est-ce l'exécution de John Brown, âme d'une insurrection antiesclavagiste à Charlestown, et dont Hugo ne parvient pas à obtenir la grâce, qui le détermine à revenir aux *Misérables.*	1859	Sur les instances de Hetzel, Hugo publie sans attendre la « première série » de *la Légende des siècles.* Il songe à *Torquemada,* projette et compose en quasi-totalité les *Chansons des rues et des bois,* revient à *la Fin de Satan.*
1860	Lettre à Juliette : « ... Nous sommes le besoin l'un de l'autre... ».	1860	Toute l'année, Hugo travaille aux *Misérables* dont il reprend la rédaction proprement dite en décembre après avoir abandonné la « Préface philosophique ».
1861	V. Hugo laisse pousser sa barbe. Tout l'été, avec Juliette, il voyage en Hollande et séjourne en Belgique, où il visite Waterloo et achève *les Misérables.* Le contrat est signé pour douze ans d'exploitation et 300 000 francs (de 1 à 2 millions de nos euros). Adèle rencontre le lieutenant Pinson, se croit fiancée ; son père le reçoit et consent à un mariage qui semble n'avoir eu de réalité que dans l'imagination malade de la jeune fille. Aventure dont Y. Gohin a montré les échos dans *les Travailleurs de la mer* et qui a inspiré le beau film de François Truffaut, *Adèle H.*		
1862	Voyage en Belgique, au Luxembourg et en Rhénanie avec Juliette, Charles Hugo et Paul Meurice.	1862	Publication des *Misérables* dont le succès est immédiat et dépasse toute attente.

VIE		ŒUVRE	
1863	Adèle s'enfuit rejoindre le lieutenant Pinson – Londres, Halifax, New York, plus tard La Barbade ; fait croire à son mariage, que son père annonce, puis le dément. Elle sera reconduite à Paris en 1872 et, folle, internée. Reprenant l'ancienne habitude, Victor Hugo voyage avec Juliette – Luxembourg et Rhénanie.	**1863**	Publication de *Victor Hugo raconté par un témoin de sa vie.* Après avoir songé à reprendre les grands poèmes de 1854-1859 dans une nouvelle série de *la Légende des siècles,* puis hésité devant *Quatrevingt-Treize,* Hugo écrit *William Shakespeare* et les textes qui l'entourent.
1864	L'été, nouveau voyage en Belgique et en Rhénanie avec Juliette, ses fils et des amis. Adèle, l'épouse, revient à Guernesey après seize mois d'absence et en repart deux mois après.	**1864**	Hugo entreprend la rédaction des *Travailleurs de la mer,* dont le projet remonte au voyage à Sercq de 1859. Publication de *William Shakespeare.*
1865	Adèle et ses fils s'installent à Bruxelles, où Victor Hugo les retrouve au cours de son voyage annuel avec Juliette. Mariage à Bruxelles de Charles Hugo.	**1865**	*Les Travailleurs* achevés, rédaction de *la Grand'Mère* – qui paraîtra en 1886 dans *le Théâtre en liberté.* Publication des *Chansons des rues et des bois.*
1866	Séjour d'été accoutumé auprès des siens à Bruxelles, accompagné de Juliette.	**1866**	Retour au théâtre : Hugo écrit *Mille Francs de récompense* – publié en 1934 –, *l'Intervention* – publié en 1951 –, et commence *L'homme qui rit.* Publication des *Travailleurs de la mer.*
1867	Revenue à Guernesey, Adèle fait une visite, bientôt rendue, de remerciement à Juliette. Voyage annuel en Belgique – baptême de Georges, fils de Charles, premier petit-fils de V. Hugo – et en Hollande. Adèle perd progressivement la vue ; Juliette lui fait la lecture ; ainsi s'achève cette « rivalité ».	**1867**	Rédaction de *Mangeront-ils ?* publié en 1886 dans *le Théâtre en liberté.* Publication de *Paris-Guide,* ouvrage collectif édité à l'occasion de l'Exposition universelle et dont Hugo signe l'*Introduction.* Mais, après la défaite de Mentana, Hugo publie, à la gloire de Garibaldi, *la Voix de Guernesey,* et *Ruy Blas* est interdit alors que se poursuit le succès de la première reprise d'*Hernani.*
1868	Mort du premier fils de Charles ; naissance d'un second, nommé Georges également. Adèle rejoint son mari en vacances à Bruxelles et y meurt, peu de jours après qu'il a achevé *L'homme qui rit.* Hugo accompagne jusqu'à la frontière le corps de sa femme, qui sera enterrée à Villequier.	**1868**	Hugo termine *L'homme qui rit.* Il écrit une comédie : *Zut dit Mémorency,* dont le texte, perdu, correspond peut-être à cet autre titre d'une comédie inconnue : *Peut-être un frère de Gavroche.*
1869	Voyage à Lausanne, pour présider le Congrès de la paix, avec Juliette, François-Victor, des amis. Naissance de Jeanne, fille de Charles. Charles, François-Victor, Meurice, Vacquerie et Rochefort fondent *le Rappel,* qui, à travers saisies et interdictions, participe à l'offensive républicaine.	**1869**	Pour le *Théâtre en liberté* projeté, Hugo écrit *les Deux Trouvailles de Gallus* – qui formera le « livre dramatique » des *Quatre Vents de l'Esprit* –, *l'Épée* – ou *Slagistri* –, *Torquemada* et *Welf, castellan d'Osbor* – qui entrera dans la « seconde série » de *la Légende des siècles.* Publication de *L'homme qui rit.*
1870	Victor Hugo et *le Rappel,* déjà plusieurs fois condamnés, prennent position pour le « non » au plébiscite. Un voyage de Charles et des siens à Guernesey achève de reformer la famille. Victor Hugo plante le gland du « Chêne des États-Unis d'Europe », tandis que la guerre se prépare. De Bruxelles, où il a attendu les événements, Hugo rentre à Paris le lendemain de la proclamation de la République : « Accueil indescriptible ». De diverses manières – lectures publiques des *Châtiments* dont les recettes payent des canons, présence aux remparts, publication des appels *Aux Allemands, Aux Français* et *Aux Parisiens,* visites aux blessés –, Hugo, désormais « chose publique », participe à l'effort de guerre.	**1870**	Reprise à Paris de *Lucrèce Borgia.* Préparation du recueil *les Quatre Vents de l'Esprit.* Nouvelle édition des *Châtiments.*
1871	Élu député à l'assemblée de Bordeaux, V. Hugo ne parvient pas à unir la gauche – républicains et radicaux –, déjà très minoritaire, et démissionne lors de l'invalidation de l'élection de Garibaldi, seul général de l'armée française à s'être bien battu. À l'enterrement de son fils Charles, Paris, au tout début de son insurrection, lui manifeste une profonde sympathie ; il met pourtant en garde les insurgés, qui lui semblent partir « d'un droit pour aboutir à un crime », et quitte Paris pour Bruxelles, où il règle la succession de Charles. À la fin de la Semaine sanglante, *le Rappel* est suspendu ; Hugo y avait publié trois	**1871**	Au Luxembourg, Hugo compose *l'Année terrible.*

	VIE		ŒUVRE
	(suite 1871) poèmes dont l'équilibre, dans la fureur anti-populaire générale, penchait en faveur des communards ; malgré l'intention affichée du gouvernement belge de fermer la frontière aux insurgés en fuite, Hugo leur offre l'asile de sa maison ; elle est attaquée à coups de pierre par une bande de jeunes bien-pensants, et lui-même est expulsé. Il se réfugie au Luxembourg. Largement battu aux élections complémentaires de Paris – où il n'était pas candidat –, il rentre en France à la fin de l'année pour obtenir une commutation de la peine de déportation à laquelle Rochefort avait été condamné.		
1872	Reparution du *Rappel*. Nombreuses interventions de Hugo, qui use de sa gloire, en faveur de condamnés de la Commune ; elles se poursuivront jusqu'à l'amnistie. Nouvel échec électoral à Paris : Victor Hugo ne sollicitera plus jamais un mandat du suffrage universel. Pour fuir Paris, ses tentations et ses échecs, et pour achever son œuvre avec *Quatrevingt-Treize*, il rentre volontairement en exil à Guernesey avec Juliette et Blanche Lanvin, une enfant de l'Assistance publique au service de Juliette.	**1872**	Après *Actes et Paroles en 1870-1871-1872*, Hugo publie *l'Année terrible*. La couverture annonce *les Quatre Vents de l'Esprit*, *le Théâtre en liberté*, *Dieu* et *la Fin de Satan*.
1873	*Quatrevingt-Treize* achevé, retour à Paris ; avant qu'ils ne s'y installent ensemble, ultime péripétie passionnelle – à l'occasion de Blanche – : fuite, télégrammes, serments, entre Victor Hugo et Juliette. Mort de François-Victor.	**1873**	Hugo termine *Quatrevingt-Treize* à Guernesey.
		1874	Publication de *Mes fils* et de *Quatrevingt-Treize*.
		1875	Publication de *Actes et Paroles*.
1876	Élu, au suffrage indirect, sénateur de la Seine – « Union républicaine » : extrême gauche –, Victor Hugo poursuit son action en faveur de l'amnistie ; son projet, dont Gambetta s'est désolidarisé, n'est pas adopté.		
1877	Alice, veuve de Charles, se remarie avec E. Lockroy.	**1877**	Publication de la « seconde série » de *la Légende des siècles* et de *l'Art d'être grand-père*, dont les poèmes ont été écrits les années précédentes. En réponse à l'esquisse d'un coup d'État de Mac-Mahon, publication de *Histoire d'un crime*.
1878	En juin, Victor Hugo est victime d'une congestion cérébrale, dont il se remet, assez lentement, pendant un long séjour à Guernesey. L'activité créatrice proprement dite de Hugo prend alors fin.	**1878**	Première représentation de l'adaptation tirée des *Misérables* par Charles Hugo et Paul Meurice. Publication du *Pape* et du discours prononcé pour le centenaire de Voltaire.
1879	Dépôt d'une nouvelle proposition d'amnistie, partiellement adoptée. Mort de Léonie Biard. Voyage à Villequier où, pour la première fois, V. Hugo visite la tombe d'Adèle.	**1879**	Publication de *la Pitié suprême*.
1880	Troisième discours au Sénat pour l'amnistie, cette fois-ci adoptée.	**1880**	Publication de *Religions et Religion* et de *l'Âne*.
1881	Hommage du conseil municipal et de tout Paris à Hugo pour fêter le début de sa quatre-vingtième année. Une partie de l'avenue d'Eylau reçoit son nom. Testament : « Vérité, lumière, justice, conscience, c'est Dieu [...]. Je donne tous mes manuscrits et tout ce qui sera trouvé écrit ou dessiné par moi à la Bibliothèque nationale de Paris. »	**1881**	Publication des *Quatre Vents de l'Esprit*.
1882	Victor Hugo est réélu sénateur. *Le Rappel* publie un « Appel de Victor Hugo » au sujet des massacres de juifs en Russie.	**1882**	Publication de *Torquemada*.

VIE		ŒUVRE	
1883	Le 11 mai, Juliette Drouet meurt, qui, depuis longtemps malade, semble avoir attendu ce cinquantenaire pour quitter Hugo. Codicille testamentaire : « Je donne 50 000 F [environ 200 000 euros actuels] aux pauvres. Je désire être porté au cimetière dans leur corbillard. Je refuse l'oraison de toutes les Églises ; je demande une prière à toutes les âmes. Je crois en Dieu. »	1883	Publication de la « série complémentaire » de *la Légende des siècles,* puis de ce recueil dans sa version définitive. Publication – la dernière du vivant de Hugo – de *l'Archipel de la Manche.*
1885	Mort de Victor Hugo le 22 mai. La Chambre et le Sénat votent à la quasi-unanimité ses obsèques nationales. Exposé sous l'Arc de triomphe, son corps est, assez joyeusement, veillé par le peuple, puis accompagné jusqu'au Panthéon ; et l'on criait au passage du cercueil : « Vive Hugo ! »		
		1886	Publication de *la Fin de Satan* et du *Théâtre en liberté.*
		1888-1893	Publication du recueil *Toute la lyre.*
		1891	Publication de *Dieu* ; première représentation de *Sur la lisière d'un bois.*
		1898	Publication du recueil *les Années funestes* ; première représentation de *la Grand'Mère.*
		1901	Publication des *Lettres à la fiancée.*
		1902	Publication du recueil *Dernière Gerbe* ; première représentation de *l'Épée.*
		1907	Première représentation de *Mangeront-ils ?*
		1913	Publication de *Choses vues* par G. Simon.
		1923	Première représentation des *Deux Trouvailles de Gallus.*
		1934	Publication de *Mille Francs de récompense.*
		1936	Publication des textes critiques et philosophiques en relation avec *William Shakespeare.* Première représentation de *Torquemada.*
		1942	Publication des recueils *Océan* et *le Tas de pierres.*
		1951	Publication de *Pierres,* recueil de fragments formé par Henri Guillemin. Publication de *l'Intervention.*
		1952	Publication de *Strophes inédites,* recueil formé par Henri Guillemin.
		1955	Publication de *Choses de la Bible,* dossier de Hugo reconstitué par R. Journet et G. Robert.
		1961	Première représentation de *Mille Francs de récompense.*
		1964	Première représentation de *l'Intervention.*
		1965	Publication de *Boîte aux lettres,* dossier de Hugo reconstitué par R. Journet et G. Robert.
		1966	Publication de *Épîtres,* dossier de Hugo reconstitué par F. Lambert.
		1971	Première représentation de *Cromwell.*

G. Rosa et A. Ubersfeld

HUGUENIN Jean-René

(1936-1962)

Jean-René Huguenin est né à Paris. Parallèlement à ses études de philosophie et de sciences politiques, il devait écrire de nombreux articles dans diverses revues comme *la Table ronde* et *Arts*. Avec cinq amis, il fonde la revue *Tel Quel*, qu'il quitte quelques mois plus tard, continue de collaborer à de nombreux magazines : *le Figaro littéraire, les Nouvelles littéraires, les Lettres françaises, Réalités* (articles recueillis dans *Une autre jeunesse*, 1965), et, en 1960, publie ce qui sera son seul roman, *la Côte sauvage*. Alors qu'il accomplissait son service militaire, il se tue en automobile au cours d'une permission : de ce fait, le second roman qu'il préparait ne devait jamais voir le jour. Son *Journal* sera publié après sa mort, avec une préface de François Mauriac.

À travers ses rares œuvres, son journal intime (*Journal*, 1964), un recueil de textes et de lettres (*le Feu à sa vie*, 1987), et surtout *la Côte sauvage*, J.-R. Huguenin porte un témoignage sur les rêves, l'inquiétude et l'intransigeance amère des jeunes intellectuels des années 1950-1960. Que ce soit dans son roman, où le mariage avec Pierre qu'Anne annonce à son frère Olivier déclenche chez celui-ci une véritable crise psychologique, ou dans le *Journal*, qui laisse percevoir un malaise omniprésent malgré une soif très intense d'idéal – ou à cause de cette soif –, Huguenin est le peintre d'une jeunesse romantique, en proie, dans un milieu ou dans un cadre naturel privilégiés, à la torture d'un « vague des passions » moderne.

B. Valette

Humanisme

Peu de termes prêtent autant à équivoque que celui d'« humanisme ». Il est bon de rappeler que la Renaissance ne l'a pas connu et que, fruit d'une longue maturation de la pensée historique, il s'est inévitablement chargé de significations complexes et parfois ambiguës. Oublions sa première apparition, en 1765, au sens d'« amour général de l'humanité », acception qui s'est perdue. C'est dans les années 1830-1840 que le terme commence, dans les études allemandes, à s'imposer pour désigner, comme l'indique W.K. Ferguson, « le mouvement intellectuel associé au réveil des langues et de la littérature anciennes » qui marque l'âge de la Renaissance. En 1859, par son livre intitulé *le Réveil de l'Antiquité classique ou le Premier Siècle de l'Humanisme*, l'historien allemand Georg Voigt liait définitivement l'Humanisme et la Renaissance. Mais le mot était trop chargé de valeurs connexes pour ne pas se prêter à des emplois très divers et sans attache historique déterminée : avec Renan, il désigne « le culte de tout ce qui est de l'homme, la vie entière sanctifiée et élevée à une valeur morale » ; dans les années 1875, où il se répand en France, il s'applique aussi bien à la culture des belles-lettres, des « humanités », qu'à la théorie philosophique qui fait dépendre de l'humanité elle-même ses développements historiques. Depuis lors, on a pu entendre parler de l'humanisme médiéval, de l'humanisme de Dante, de celui de Diderot ou de Malraux, et, dans l'immédiat après-guerre, on se plaisait à définir l'existentialisme ou le marxisme comme des humanismes. De nos jours, au contraire, une certaine critique croit avoir décelé le péché irrémissible quand elle a, à l'encontre d'une interprétation, d'une pensée, d'une philosophie, prononcé le mot d'« humanisme ». À leur tour, il est des historiens de la Renaissance qui, lassés de ce terme à toutes mains, renoncent à l'employer s'il ne s'applique pas à ce qui caractérise ceux qui méritaient le nom technique d'« humanistes ».

Il est certain que, notamment en terre italienne, humaniste (*umanista*) désigne souvent le professeur de rhétorique. En un sens plus large, le terme d'« humaniste » convient à l'homme qui s'adonne avec ferveur à l'étude directe des textes antiques. Plus généralement encore, l'humaniste se distingue du théologien ; c'est ainsi que Montaigne écrit : « Il se voit plus souvent cette faute que les Theologiens escrivent trop humainement, que cette autre que les Humanistes escrivent trop peu theologalement » (*Essais*, I, 56). Ces lignes indiquent l'origine historique du terme d'« Humaniste ». L'enseignement médiéval était dispensé par les quatre facultés de théologie, de décret (droit canonique), de médecine et des arts. La faculté des arts dispensait un enseignement préparatoire à celui des facultés supérieures, suivant le *curriculum* bien connu du *trivium* (grammaire, rhétorique, logique) et du *quadrivium* (arithmétique, géométrie, astronomie, musique). Ces disciplines, qui disposaient l'élève à aborder les études sacrées (*divinae lectiones, diviniores litterae*) étaient désignées par le terme générique de lettres humaines (*humaniores litterae, humaniora studia*). Familièrement, l'artiste pouvait donc être appelé humaniste. Le mot d'humanisme en est issu, sans doute par une interprétation lâche et même erronée du mot *humanior*, interprétation dont la responsabilité paraît incomber notamment à Hegel. En effet, dans sa *Philosophie de l'Histoire*, celui-ci analysait le « retour de l'esprit à lui-même » comme caractéristique de l'âge de la Renaissance, où l'étude de l'Antiquité, les *studia humaniora*, avait contribué à cette nouvelle naissance : « Le mot *humaniora*, précisait-il, est très expressif, car, dans ces œuvres de l'Antiquité, honneur est fait à l'humain et au développement de l'humanité » ; il ajoutait : « Les hommes se tournèrent vers les ouvrages des Anciens, comme *studia humaniora*, où l'homme est reconnu dans ce qui le concerne lui-même et dans ce qu'il effectue. Les hommes, parce qu'ils sont hommes, trouvaient intéressant d'étudier des hommes en tant qu'hommes. »

Les pionniers : l'Humanisme stylistique

Quoi qu'il en soit, une telle interprétation, qui jette le discrédit sur le Moyen Âge, temps d'exil de l'esprit loin de lui-même, a été préparée par ceux-là même qu'on appelait les humanistes. C'est un lieu commun chez eux, dès 1470, de caractériser l'époque dont ils voulaient se distinguer comme barbare, ignorante et obscure : mouvement particulièrement net en France, où, sur tous les tons, on oppose la lumière retrouvée aux ténèbres qui l'étouffaient, ce « siècle si plein de lumière » au « brouillard épais et presque cimmérien de l'époque gothique » (Rabelais). Chacun connaît le fameux passage de la lettre que Gargantua adresse à Pantagruel : « Le temps estoit encores tenebreux et sentent l'infelicité et calamité des Gothz, qui avoient mis à destruction toute bonne litterature. »

Le propos des premiers Humanistes français est de restaurer l'éloquence ou art de bien dire et de bien écrire. Guillaume Fichet (né en 1433) écrit à son ami Robert Gaguin, en 1471 : « J'éprouve un très grand contentement en voyant les Muses et toutes les parties de l'éloquence que l'âge précédent avait ignorées fleurir enfin dans cette ville [Paris]. Quand, au temps de mes jeunes années, je quittai le pays de Baux et me rendis à Paris pour me mettre à l'étude d'Aristote, je m'étonnai de voir qu'à Paris un orateur ou un poète était chose plus rare qu'un phénix. Personne n'étudiait nuit et jour Cicéron, comme beaucoup font aujourd'hui ; personne ne savait faire un vers correct, ni scander les vers d'autrui ; l'école parisienne avait désappris la latinité, et tous ses docteurs ou presque en étaient descendus à un langage barbare. Mais à présent nous voyons enfin des jours meilleurs, car, pour parler le langage des poètes, les dieux et les déesses font renaître chez nous la science du bien-dire. »

De fait, le premier Humanisme français est essentiellement stylistique ; restaurer le goût de la belle latinité, apprendre à bien dire et à bien écrire, tel est son projet. Pour y parvenir, Fichet installe à la Sorbonne, dont il est bibliothécaire, le premier atelier typographique français. De ses presses sortent, en 1470, les *Lettres* de l'Humaniste italien Gasparino de Barzizza, recueil de modèles épistolaires, puis une *Orthographe* du même auteur. Fichet, pour sa part, rédige une *Rhétorique*, dont la préface exprime fort bien le dessein : « Nos contemporains excellent dans la dialectique et dans la philosophie, mais ils méprisent les orateurs [...]. Contents de la connaissance toute nue des choses, ils ne prennent aucun soin de l'art de bien dire. » Un peu plus tard, en 1473, Gaguin poursuit la réalisation de ce programme de restauration de l'éloquence en publiant une *Ars versificatoria*, qui expose les règles de la versification.

Ce mouvement enregistre assez vite ses premiers succès. De nombreux élèves viennent, le soir, entendre Fichet commenter les auteurs antiques. Guillaume Tardif, auteur d'un *Rhetoricae artis ac oratoriae facultatis compendium*, ou abrégé de l'art rhétorique, est autorisé, en 1484, par la Sorbonne à « lire » la rhétorique dans les écoles. Et surtout, en 1489, l'Université de Paris permet officiellement l'explication des poètes à raison d'une heure par jour, dans l'après-midi. Ces succès encouragent des Humanistes italiens à venir enseigner à Paris : en 1483 arrive de Vérone Paolo Emili, qui, auteur, avec Gaguin, de la première histoire des rois de France écrite – avec élégance – en latin, sera le fondateur de l'historiographie humaniste en France ; en 1484, Paris accueille Girolamo Balbi, de Venise ; en 1488, c'est le tour de Cornelio Vitelli et de Fausto Andrelini. Mais, dès 1476, un érudit de Bologne, Filippo Beroaldo, commentait l'œuvre de Lucain à Paris et, dans sa leçon d'ouverture, exposait le programme humaniste : « Paris est l'illustre patrie de tous les arts [...]. J'ai donc pensé faire œuvre méritoire si j'enseignais ici les humanités et la poésie, si je montrais comment elles s'accordent et s'apparentent avec la philosophie [...]. Amis des lettres, je vous exhorte à suivre les traces des Anciens, à respecter religieusement les poètes. » Autour de ces érudits se forment des cercles humanistes où se retrouve tout un public cultivé, chaque jour plus nombreux. Un jeune Italien, Jérôme Aleandre, qui, en 1511, commente Ausone, raconte sa première leçon dans une lettre qui permet de mesurer l'intensité de cet enthousiasme : « Il y avait une telle foule que le portique et les deux cours du collège ne pouvaient la contenir. Et quel public distingué ! Receveurs généraux, conseillers, avocats du roi, recteurs, théologiens, jurisconsultes, principaux de collèges, régents : le nombre en est estimé à plus de deux mille. »

Cette présence italienne ne doit pas faire oublier les liens puissants qui unissent l'Humanisme français de la fin du XVe siècle au monde flamand. Dans la Société d'amis des lettres qui se forme à Paris, on rencontre les Comtois Guillaume et Guy de Rochefort, Martin et Gilles de Delft, Charles Fernand, de Bruges, et son frère Jean, le poète Pierre Bury, lui aussi de Bruges. Même si certains d'entre eux, comme aussi Fichet et Gaguin, ont séjourné en Italie, ils continuent, à l'imitation de leurs précurseurs français – Jean de Montreuil, par exemple –, à considérer Pétrarque d'abord comme le parfait modèle de l'Humaniste chrétien, l'auteur du *De remediis*, celui qui a su mettre son érudition classique au service de la vérité chrétienne. Eux-mêmes aiment à traiter des sujets religieux : Gaguin écrit, en 1488, un poème latin sur l'Immaculée Conception, que Charles Fernand enrichit, l'année suivante, d'un commentaire. Ils ne cherchent pas à réformer le cycle des études universitaires et continuent à tenir la théologie pour la reine des sciences. Comme l'écrit justement A. Renaudet, ils n'éprouvent pas « ce besoin de donner libre jeu à toutes les activités et toutes les puissances humaines, de satisfaire harmonieusement tous les désirs de l'esprit et des sens, qui tourmentait, au XVe siècle, tant d'âmes italiennes ».

C'est donc presque à leur insu que, en définissant de nouveaux modèles culturels, ils vont provoquer de profonds changements. En critiquant le style de leurs contemporains, ils contestent en même temps des manières de penser. On le remarque en lisant ce passage d'une lettre de Gaguin à Arnold de Bosch : « Tous nos contemporains ont conservé le style et la manière d'écrire qu'ont introduits, depuis deux cent cinquante ans, ceux qu'on appelle les auteurs de questions. Supprimez de leurs ouvrages les mots "puisque", "après que", "comme", "par conséquent", "en outre", "mais au contraire", "réponse", "solution", et autres semblables : leurs livres énormes deviendront extrêmement courts. »

De telles critiques encourageaient à élaborer de nouvelles méthodes de penser. Un travail, encore hésitant, de restauration philosophique s'accomplit. Si le grec renaît, avec Georges Hermonyme, de Sparte, qui vient l'enseigner à

Paris en 1476, avec le Français François Tissard, qui, en 1507, publie le premier manuel des études grecques, les Humanistes français, encore incapables, dans l'ensemble, de lire par eux-mêmes Platon ou Aristote, tâchent de remplacer les vieilles traductions par celles qui ont désormais cours en Italie. Vers 1470, les presses de la Sorbonne impriment, dans la traduction de Leonardo Bruni, les lettres (apocryphes) de Platon. Vers 1474 paraît la *Rhétorique* d'Aristote, dans la traduction de Georges de Trébizonde. Cet intérêt, qui va s'affirmant, reste toutefois vigilant. Consulté, en 1496, par Érasme, Robert Gaguin précise : « La lecture des philosophes est périlleuse, sauf pour un esprit sage et bien dirigé, d'autant plus qu'ils persuadent et charment par leur éloquence » ; s'il reconnaît et recommande « ceux dont l'enseignement s'accorde avec la doctrine chrétienne », notamment Platon et « quelques stoïciens », il note pourtant qu'il est rare qu'on ne rencontre pas chez les philosophes « quelque faste et le goût de la vaine gloire et de la renommée ».

L'Humanisme philologique et ses développements

Ces débuts indiquent néanmoins les directions dans lesquelles l'Humanisme français est en train de s'engager. L'Humanisme stylistique s'élargit en un Humanisme philologique, qui ne se préoccupe plus seulement de l'art de bien dire mais cherche à promouvoir une connaissance complète de l'Antiquité, langues, littératures et civilisations. De ce point de vue, l'œuvre de Budé est exemplaire.

GUILLAUME BUDÉ (1468-1540)

Fils de magistrat, Guillaume Budé étudie d'abord le droit, puis décide soudain, à vingt-trois ans, de se consacrer à l'étude des belles-lettres. Ses Annotations aux vingt-quatre premiers livres des Pandectes *(1508) fondent sa réputation de philologue : Budé non seulement est soucieux de restituer le texte original et de le débarrasser des gloses abusives des commentateurs, mais encore il veut, introduisant la méthode historique dans l'interprétation du droit, établir les faits de langue et de civilisation qui permettent de mieux comprendre en lui-même le droit romain. Il poursuit cet effort dans le* De asse *(1515), étude des monnaies antiques et, par là, de la civilisation matérielle de l'Antiquité. En 1529, ses* Commentaires sur la langue grecque, *recueil de quelque sept mille articles ou remarques, le désignent comme le premier grand helléniste français.*

Ces définitions, trop brèves, des principales œuvres de Budé ne doivent pas laisser penser qu'il est un pur érudit. En 1516, Érasme peut lui écrire qu'il ne craint pas de produire son témoignage « parmi ceux des auteurs éprouvés et consacrés par le temps » ; dès 1497, Lefèvre d'Étaples lui dédie une traduction d'Aristote comme à un exceptionnel connaisseur du grec et du latin. Mais c'est surtout comme un spécialiste de l'étude grammaticale et linguistique des textes qu'il faut le considérer. Il s'est attaché de tout son être à la philologie, dont il ne cesse pas de souligner la valeur formatrice. Comme il l'indique dans son dialogue De la philologie *(1530), après l'avoir fait, en 1527, dans le* De studio litterarum recte et commode instituendo, *la philologie n'est pas seulement « l'amour des belles-lettres et le goût de l'étude », mais aussi, selon la formule d'E. Garin, « redécouverte de la sagesse antique, considérée comme l'instrument idéal pour notre éducation » ; en effet, les* humaniores litterae *– on pourrait rendre ces mots par la belle expression de Rabelais, les « lettres d'humanité » – donnent accès à toutes les autres disciplines en une science complète, en un savoir encyclopédique – au sens vrai de ce terme, qui signifie, Budé le souligne, « érudition circulaire »* (orbicularis eruditio). *Allant plus loin encore, il s'efforce, dans un ouvrage au titre significatif, le* De transitu hellenismi ad christianismum *(1535), de montrer que l'hellénisme et le christianisme, loin de s'opposer, sont entre eux dans une sorte de continuité, que l'Humanisme est au service de la foi chrétienne.*

Cet élargissement du regard, qui conduit à réformer les « disciplines », puise dans la philologie l'essentiel de son élan et de son dynamisme, même si tous ceux qui l'illustrent n'ont pas la sûreté philologique de Budé. L'ampleur de leurs curiosités ouvre à l'enquête et à la recherche de larges horizons, et révèle la vigueur novatrice de l'esprit humaniste.

JACQUES LEFÈVRE D'ÉTAPLES (V. 1450-1536)

Curieux et profond, Jacques Lefèvre d'Étaples domine cette période. Malgré son âge, il n'appartient pas proprement aux premiers temps de l'Humanisme et attend 1492 pour publier son premier livre. Il est, en outre, peu préoccupé par l'art de bien dire et écrit un latin sans grande élégance. Maître ès arts de l'Université de Paris, il séjourne en Italie et, en 1486, se trouve à Pavie et à Padoue, où il étudie l'aristotélisme sous des maîtres italiens. Après une Introduction *à la* Métaphysique *d'Aristote, écrite en 1490, et où, en de brefs commentaires, il s'efforce d'expliquer Aristote par Aristote lui-même, il édite le philosophe, de 1494 à 1515, dans des traductions latines d'Humanistes italiens. Un deuxième voyage en Italie, en 1491-1492, le conduit à Florence, où il rencontre Marsile Ficin et Pic de La Mirandole : attiré par la renaissance néoplatonicienne, il publie les* Livres hermétiques *(1494) dans la traduction de Ficin et, en 1499, la* Théologie *du Pseudo-Denys. L'œuvre de Raymond Lulle, qu'il édite en 1499, lui est particulièrement chère. Après un troisième séjour en Italie, il parcourt l'Allemagne en*

1509 et en rapporte une moisson de textes mystiques. Éditant Ruysbroeck (1512), il le défend contre Gerson, qui lui avait reproché son ignorance du latin. Spirituel et mystique, Lefèvre est en quête d'une méthode de lecture – d'un « nouveau genre d'exégèse », comme dit un contemporain –, qu'il définit et met en œuvre dans une série de publications relatives à la Bible. En 1509 paraît le Quincuplex Psalterium, *qui, comme son nom l'indique, juxtapose cinq versions du Psautier et accompagne chaque psaume d'un résumé, d'une exposition continue, de notes (essentiellement grammaticales et philologiques) et de sortes de méditations très représentatives de ce nouveau genre d'exégèse. Humaniste, Lefèvre est à la recherche de la lettre du texte et n'épargne aucun moyen pour l'établir (même si les résultats peuvent être jugés inférieurs aux intentions) ; mais, écrivain spirituel, il lui demande un plus haut sens, dont il précise qu'il s'agit d'un « sens littéral sans doute, mais qui coïncide avec l'esprit, sens qui se révèle aux voyants, aux illuminés, et qui se cache aux aveugles, à ceux qui se contentent de la lettre, qui comprennent les choses divines selon la chair ». Cette recherche, Lefèvre la poursuit en éditant, en 1512, les Épîtres de saint Paul. Qui plus est, il veut que la Bible soit pour tous un livre de vie, et il entreprend de la mettre en français : après la traduction des Évangiles (1523), il publie, en 1530, celle de la Bible tout entière.*

Figure de premier plan, Lefèvre ne doit pas faire oublier quelques autres humanistes de grande valeur. Ainsi son disciple Charles de Bovelles (1479-1567), qui partage son goût des mathématiques – et spécialement de l'arithmétique spéculative, voie royale vers l'intelligence des substances spirituelles – et son intérêt pour la pensée de Nicolas de Cues et pour le néoplatonisme florentin. Son *De sapiente* (1511), qui définit le sage comme l'accomplissement de l'homme, a pu être considéré comme l'expression puissante et profonde d'un Humanisme héroïque, proche de celui de notre temps. Outre son œuvre philosophique, Bovelles a encore écrit des poésies en français et divers travaux relatifs à la langue : *la Différence des langues vulgaires et la variété de la langue française* (1533) marque, pour les langues vulgaires, un intérêt très neuf ; il réunit, en 1531, quelque six cent cinquante proverbes usités en France.

Très différent de Bovelles, qui fut un homme discret, secret même, son contemporain le Lyonnais Symphorien Champier (1471-1537 ?). Parfois superficiel, mais d'une curiosité universelle, il est au cœur de la Renaissance humaniste à Lyon. Armé chevalier sur le champ de bataille de Marignan, il est l'auteur d'une vie du preux chevalier Bayard (1525). Pédagogue, moraliste et poète, il écrit *la Nef des princes* (1502). Mais une très grande partie de son œuvre est consacrée à la médecine. Séduit lui aussi par le ficinisme, il cherche à rendre à la médecine française une dignité en fondant la réflexion médicale sur le platonisme. Il refait le *De triplici vita* de Ficin – lui-même médecin – dans son *De quadruplici vita* (1507). Soucieux d'améliorer la formation des médecins, il compose une foule de petits traités, de brefs manuels, dont certains sont des introductions à la philosophie naturelle et les autres des ouvrages relatifs à la dignité de la médecine, à son histoire, à la matière médicale ou à la pharmacopée. Cette médecine, d'inspiration fondamentalement platonicienne, est orientée par la volonté de combattre et d'anéantir l'influence arabe au profit de la médecine grecque, seule source de la vraie médecine. En cet effort se manifeste ce qu'on a pu appeler son « Humanisme médical ».

Résistances et victoires

Malgré son audience, le mouvement humaniste est loin de se développer sans résistances. Omettons les premières escarmouches, qui, toutefois, prouvent que les scolastiques ne voient pas sans inquiétude se former un nouvel esprit et entendent lui résister. En 1515, l'affaire Reuchlin est l'occasion, pour les Humanistes, de se regrouper et de manifester comme une force organisée la nouvelle culture qu'ils élaborent. Restaurateur des études hébraïques, Reuchlin est soupçonné d'avoir des sympathies pour la pensée juive. À Paris, le monde des Humanistes se mobilise en sa faveur et fait de cette affaire son affaire : « Si tu l'emportes, écrit Lefèvre à Reuchlin, nous aussi l'emportons avec toi. » Un Humaniste allemand, Ulrich von Hutten, publie les *Lettres des hommes obscurs*, qui, en prêtant aux scolastiques des propos stupides, portent le débat des Anciens et des Modernes devant le grand public.

Pendant qu'en France la Sorbonne, comme à l'étranger la faculté de théologie de Louvain et celle d'Alcalá, tâche par tous les moyens d'entraver l'essor de l'Humanisme et dénonce dans les commencements de la Réforme une conséquence de cet esprit, la cause de l'Humanisme gagne à elle des publics de plus en plus nombreux. Des cercles humanistes se constituent en province, comme, autour de l'avocat André Tiraqueau, celui de Fontenay-le-Comte, que fréquente Rabelais. Avec Guillaume Briçonnet, évêque de Meaux, qui accueille Lefèvre d'Étaples (1521), l'Humanisme inspire l'esprit de réformation qui se développe dans l'Église de France. Les gentilshommes français, qui, pendant les guerres d'Italie, ont respiré l'air d'au-delà des monts, sont gagnés à la culture nouvelle et trouvent un nouveau modèle d'homme dans l'idéal du courtisan, homme cultivé et « cavalier » délicat, que définit Baldassarre Castiglione. Le roi François Ier, salué comme le Père des Lettres et célébré comme le vainqueur du monstre Ignorance, soutient la nouvelle culture ; il incite à multiplier les traductions d'auteurs anciens, il ouvre aux Humanistes sa bibliothèque, installée à Fontainebleau, et l'enrichit de manuscrits anciens en même temps que, par l'institution du dépôt légal, des productions nouvelles.

Une date : la création, en 1530, des lecteurs royaux. Depuis longtemps, les Humanistes souhaitaient l'ouverture à Paris – à l'imitation de l'étranger – d'un collège humaniste. Dès 1517, Budé en entretenait Érasme, dont on souhaitait qu'il en prît la tête. Dans la Préface de ses *Commentaires sur la langue grecque* (1529), le même Budé écrivait au roi : « Nous vous avons représenté la philologie comme une fille pauvre qui était à marier, et nous vous avons prié de lui faire une dot. Vous nous avez promis une pépinière, en quelque sorte, de savants, d'érudits renommés. » En 1530, François Ier crée de nouvelles chaires (grec, hébreu, mathématiques) ; s'y ajouteront des chaires de latin, de langues orientales, de médecine et de philosophie. Ainsi vit le jour le futur Collège de France.

L'esprit humaniste

La diversité de l'Humanisme est trop grande, ses intérêts trop variés, ses orientations trop nombreuses pour qu'il soit possible de le définir comme une doctrine ou une philosophie. Si flou que soit le terme, l'Humanisme ne peut être caractérisé que comme un esprit. Son unité profonde, il la trouve dans le sentiment général d'une refloraison, d'une restitution, d'une restauration des lettres, de la culture, et dans le mépris pour les « Barbares », les « Goths » et les « sophistes » qui en ont si longtemps étouffé la clarté ; dans une passion de la nouveauté qui s'exprime en l'amour des livres – partout retentit l'éloge du présent divin de l'imprimerie – et en cette soif de culture qui caractérise, par exemple, le jeune Pantagruel dès que ce monde nouveau lui est révélé.

Mais, dans la mesure où il est permis de définir l'Humanisme par la promotion, à travers les *humaniores litterae,* de l'idéal d'*humanitas,* on peut, par là, dégager les principaux caractères d'une attitude générale que le célèbre *De dignitate hominis* de Pic de La Mirandole permet assez bien de saisir. Dieu y tient à l'homme ce langage : « Nous ne t'avons assigné, ô Adam, ni une place déterminée, ni une figure propre, ni un héritage particulier, afin que tu aies et possèdes, selon tes vœux et décision, toujours la place, toujours la figure, toujours les biens par toi élus… D'après ton vouloir et pour ton propre honneur, modeleur et sculpteur de toi-même, imprime-toi la forme que tu préfères. » De là, chez les Humanistes, tant d'éloges de l'excellence de l'homme et tant d'éloges de la connaissance.

La pédagogie humaniste

On comprend que les Humanistes aient accordé une si grande importance à la pédagogie. C'est le rôle, précise Érasme dans son traité de *l'Éducation libérale des enfants* (1529), de l'éducation et de l'exercice que de développer et d'épanouir la nature. Déjà, dans le *De ratione studii* (1497), il en indiquait les voies en soulignant l'importance, dans l'éducation, de la conversation, du jeu, de l'entraînement à écrire et à parler. Dans son *Ciceronianus* (1528), il éclaire la notion souvent mal comprise d'imitation : « Je ne crois pas que Cicéron doive être suivi, mais plutôt imité et même égalé. Celui qui suit marche sur les traces d'autrui et en devient passivement dépendant ; et l'on a dit avec vérité que quiconque met toujours les pieds dans les pas d'autrui ne peut bien marcher, de même que ne peut bien nager celui qui n'a pas le courage de jeter sa bouée de sauvetage. L'imitateur, au contraire, ne cherche pas à dire les mêmes choses, mais des choses semblables, et parfois non semblables mais équivalentes. L'émule s'efforce à faire mieux, s'il le peut. » On le voit, l'éducation humaniste veut être, par l'imitation de modèles, une éducation de la liberté. C'est aussi l'avis de Pierre de La Ramée, qui, en 1550, définit la pédagogie du collège qu'il dirige et souligne le rôle de l'exercice : s'il faut d'abord que l'élève analyse le modèle proposé pour en saisir l'art et la technique, ensuite – cette nouvelle étape s'appelle *genèse* – il « commence à exécuter lui-même, par imitation, quelque chose de semblable, puis, sur sa seule initiative, il fait quelque chose d'original ». Si l'Humanisme s'est surtout soucié de former un orateur – qu'on se rappelle la page de Rabelais (*Gargantua,* VIII) où Gargantua constate l'échec de la première éducation de son fils qui, en face du disert Eudémon, « se print à plorer comme une vache et se cachoit le visaige de son bonnet, et ne fut possible de tirer de luy une parolle non plus qu'un pet d'un asne mort » –, c'est que les Humanistes voient dans cette aptitude à bien parler le signe d'un accomplissement de l'homme dans son humanité ; on saisit mieux, dès lors, les promesses dont le premier Humanisme, soucieux de l'art de bien dire, était porteur. Même si, à la fin du XVIe siècle, Montaigne, également préoccupé d'éducation, peut faire le procès des collèges, qui enseignent à décliner vertu, non à l'aimer, il reste, dans sa critique, un successeur de ceux qui ont défini l'idéal pédagogique humaniste.

On peut, du reste, se demander dans quelle mesure cet idéal n'entraînait pas une certaine indifférence à l'égard de la recherche scientifique. Certes, parmi les lecteurs royaux, on l'a vu, on compte des mathématiciens et des médecins. De plus, les élèves et les étudiants lisent Euclide, Ptolémée, Strabon, Hippocrate, Galien. Mais ni la découverte du Nouveau Monde, ni l'astronomie de Copernic, ni l'anatomie de Vésale ne semblent vraiment avoir ouvert de nouveaux horizons à l'esprit humaniste. De plus, certains des savants les plus originaux, Paracelse, Ambroise Paré, Bernard Palissy, sont des hommes sans lettres. Pour la plupart des Humanistes, l'*Histoire naturelle* de Pline ou la *Géographie* de Ptolémée suffisent à former le type d'homme qui constitue leur idéal.

La politique humaniste

En politique encore, le souci pédagogique inspire l'Humanisme : l'*Institution du prince,* de Budé, l'*Institution du prince chrétien* d'Érasme visent à former le prince, dont la sagesse sera garante du bonheur du peuple. Monarchistes libéraux, les Humanistes s'entendent surtout à dénoncer les excès de la tyrannie ; s'ils conçoivent l'idée d'une monarchie tempérée, ils se soucient peu de la fonder sur des institutions ; ils caressent volontiers l'idée traditionnelle du prince père de son peuple, comme la donnent à voir l'œuvre de Rabelais et, dès 1519, *la Grand'Monarchie de France* de Claude de Seyssel.

Un problème les préoccupe particulièrement : celui de la guerre et de la paix. « Un certain polygraphe qui ne cesse d'user de sa plume pour faire haïr la guerre et aimer la paix » : ainsi se définit Érasme, dont la politique, appel insistant à la concorde, à l'entente, à la négociation, inspire celle de nombreux Humanistes. Ils aiment à souligner que, par-delà les frontières, tous les hommes sont frères dans le Christ. S'ils sont volontiers patriotes – Budé ou Rabelais en témoignent –, un certain idéal de cosmopolitisme les anime ; Érasme en propose le modèle, qui écrivait en 1522 : « Je désire être citoyen du monde » ; il ajoute ailleurs que, « pour les amis des lettres, peu importent les différences de pays ».

La religion humaniste

En matière religieuse aussi, l'Humanisme ne peut être défini que comme un esprit. Il faut ici se garder des généralisations hâtives : il n'est pas plus vrai de voir dans l'Humanisme un nouveau paganisme que d'identifier la Renaissance à la Réforme. Mieux vaut, plus modestement, dégager les traits principaux de la religion des Humanistes, en tâchant de n'épouser ni les querelles des scolastiques, qui jetaient contre les Humanistes les accusations de paganisme, d'athéisme ou de judaïsme, ni celles des réformés, qui, avec Luther, suspectaient la foi d'Érasme et, avec Calvin, dénonçaient Rabelais, par exemple, comme irréligieux.

Dans les humanités, les Humanistes voient une propédeutique à l'Évangile – vérité ancienne, du reste, mais à laquelle ils rendent un puissant éclat. Dans l'un de ses *Colloques,* le « Repas religieux », Érasme remarque : « Évidemment l'Écriture sainte doit avant tout faire autorité. Mais il m'arrive parfois de tomber sur des propos tenus par des Anciens ou sur des œuvres d'auteurs, voire de poètes païens, dont la chasteté, la sainteté, la divinité d'expression m'imposent cette conviction que leur esprit, cependant qu'ils écrivaient, était mû par quelque dieu bienfaisant. Il est d'ailleurs possible que l'inspiration du Christ se soit propagée beaucoup plus loin que nous ne l'imaginons » ; dans ce même « colloque », Érasme ose s'écrier : « Saint Socrate, priez pour nous ! ». Cette pensée, qui inspire toute la doctrine de la *prisca theologia,* on la retrouve chez Lefèvre d'Étaples, pour qui Aristote est le philosophe qui, « par une faveur divine, nous a bénignement tirés du cachot de l'aveugle ignorance » et dont l'œuvre nous prépare à la Révélation. Même un auteur aussi irréligieux que Lucien est goûté des Humanistes, parce qu'il dénonce les impostures. Quant à la mythologie, il ne manque pas d'Humanistes pour l'interpréter allégoriquement, allant parfois jusqu'à la tenir pour une première Révélation.

En outre, philologues, les Humanistes appliquent au texte biblique les mêmes méthodes critiques qu'à tout autre texte. Cet effort est encouragé par une découverte d'Érasme. Lorenzo Valla, Humaniste italien, dont déjà on appréciait beaucoup les *Élégances,* était aussi l'auteur de *Notes sur la version latine du Nouveau Testament* ; Érasme publie ces *Notes* en 1505, en soulignant que la grammaire, elle aussi, peut servir à la théologie en éliminant du texte saint les erreurs que les siècles y ont accumulées. Lui-même, préfaçant son édition du *Nouveau Testament* (1516), précise : « Nous avons revu le Nouveau Testament tout entier d'après l'original grec, qui seul fait foi, à l'aide de nombreux manuscrits des deux langues, choisis parmi les plus anciens et les plus corrects. » Le sens profond de ce travail, Érasme l'indique dans la même préface : « C'est aux sources mêmes que l'on puise la pure doctrine. » La religion des Humanistes se caractérise notamment par ce retour aux sources mêmes de la foi. C'est la parole authentique de Dieu qui, seule, doit nourrir la foi du chrétien. Dans sa *Paraclésis* (1516), Érasme formule le vœu de voir les plus simples lire l'Évangile ou les Épîtres de saint Paul. Lefèvre d'Étaples cherche à réaliser ce souhait en mettant la Bible en français. Rabelais nous montre Pantagruel promettant à Dieu de faire prêcher l'Évangile « purement, simplement et entièrement ». De là vient que cette tendance est appelée évangélisme ; ses liens avec l'Humanisme sont intimes.

Ce retour à la Bible conduit inévitablement à confronter le texte évangélique et un certain nombre de dogmes et de formes de piété qui, alors, sont reçus ou ont cours. Lefèvre d'Étaples constate que l'Évangile ne mentionne ni le célibat des prêtres, ni l'obligation du jeûne, ni un certain nombre de pratiques liturgiques. De même, Rabelais condamne « les abus d'un tas de papelars et faulx prophètes, qui ont, par constitutions humaines et inventions dépravées, envenimé tout le monde ». Sont « constitutions humaines » le culte des saints, les dévotions aux reliques, les pèlerinages, les vœux, le jeûne. Si les Humanistes ne répudient pas nécessairement toutes ces pratiques, ils veulent les considérer, non comme des obligations, mais comme des formes simplement possibles de la piété. Parlant de son *Manuel du soldat chrétien,* Érasme écrit que le livre cherche à « guérir l'erreur de ceux dont toute la religion consiste en cérémonies, en observances matérielles et plus que judaïques ». En somme, c'est un certain formalisme qui est stigmatisé.

Cette primauté reconnue à la parole de Dieu explique les sarcasmes et les critiques des Humanistes à l'égard de ceux qu'ils appellent les sophistes, c'est-à-dire les théologiens. On connaît les incessantes attaques d'Érasme contre les « subtilités » des théologiens. De même, Lefèvre, qui n'est pas docteur en théologie et n'a pas voulu l'être, répugne profondément à une discipline qui trahit l'incomparable simplicité des paroles du Christ. Ce qu'il cherche, c'est ce qu'il nomme, en épigraphe de son édition des œuvres du pseudo-Denys, une *theologia vivificans,* une théologie, une science de Dieu, qui donne la vie, qui fait vivre. De son côté, Érasme, sous le nom provocateur de « philosophie du Christ », désigne une sagesse évangélique qui se résume aux affirmations religieuses et morales de l'Évangile et des Épîtres de Paul, préceptes qu'il faut sans cesse reparcourir et méditer ; et il précise : « Ce genre de philosophie réside dans les sentiments plus que dans les syllogismes, il est plutôt vie que discussion, plutôt inspiration qu'érudition et plutôt conversion que raisonnement. » Le courant savant et érudit qu'est l'Humanisme se résout en cette quête de la simplicité, en cette « ignorance sacrée », selon le mot de Lefèvre.

On dit souvent que l'Humanisme fut essentiellement éclectique. Si l'on entend par ce terme un penchant à accueillir mollement tous les héritages et à les juxtaposer ou les concilier tant bien que mal, il convient de ne pas l'utiliser ; mais s'il qualifie une volonté d'être lucidement disponible à tout et, dans la vigilance, de prendre partout son bien, le terme se trouve alors justifié. En effet, autant que des hommes d'ouverture, les humanistes ont été des hommes de refus ; c'est par le refus, souvent difficile, que l'Humanisme s'est constitué, et c'est par le refus, souvent coûteux, qu'il s'est imposé. Dans cette mesure, on pourrait dire que l'Humanisme a été, si l'expression n'avait été trop galvaudée, une révolution culturelle.

J. Céard

Huon de Bordeaux

(XIIIe siècle)

Cette chanson de geste est rattachée traditionnellement au cycle du roi ; mais sa thématique lui assigne une place tout à fait à part. Composée sans doute entre 1261 et 1268, elle doit beaucoup aux problèmes et aux réalités politiques de son époque. On a longtemps été sensible au rôle qu'y joue le merveilleux. Une lecture superficielle peut conduire à trouver cette œuvre composite : deux parties épiques, politiques, encadrent un long récit d'aventures en Orient, où le nain Aubéron protège Huon et l'aide à accomplir sa mission.

SYNOPSIS

Charlemagne, vieilli, souhaite transmettre la couronne à son fils Charlot. Un traître, Amauri, annonce à l'empereur que Huon se comporte en rebelle : pure invention, destinée à nuire aux Bordelais. Charlemagne envoie à Bordeaux un messager chargé de convoquer Huon à Paris. Huon, parfaitement loyal, s'y rend, lorsqu'il est pris dans une embuscade tendue par Amaury avec le concours de Charlot. Huon tue le fils de l'empereur, ignorant son identité. Accusé de ce meurtre par Amaury, il subit la haine de Charlemagne. Un duel judiciaire, où il tue le traître, ne règle pas son sort ; il devra partir en Orient, y réaliser une série d'actions aussi pittoresques que dangereuses et rapporter à Charlemagne des preuves de son succès. Mais Girart, frère de Huon, qui s'est emparé de Bordeaux en son absence, lui dérobe ses preuves. Aux yeux de l'empereur, Huon n'a donc pas accompli sa mission. Au moment où il va être condamné, Aubéron le sauve, grâce à ses dons de magicien.

Cette œuvre est difficile à classer : elle ne relate pas les hauts faits de Charlemagne, comme le fait ordinairement la geste du roi. Elle ne présente pas non plus la rébellion d'un vassal. Certes, elle conserve des réminiscences du cycle des rebelles, et en particulier du petit cycle des Lorrains : emprunt de personnages (lignage bordelais), d'épisodes (le jugement des pairs, qui se présente sous une forme voisine dans *Gerbert de Mez* ou *Anséis de Mez*). *Huon de Bordeaux* a également des liens étroits avec *Renaut de Montauban* : les deux héros sont injustement poursuivis par la haine de Charlemagne, et l'intrigue de la partie épique suit des étapes très semblables. Mais l'esprit a changé : notre auteur abandonne son modèle lorsque Renaut devient un rebelle.

La composition de *Huon de Bordeaux* est solide et soignée : symétrie exacte des épisodes autour de l'épisode central de Babylone ; regroupement constant des personnages autour d'un héros que l'on ne perd jamais de vue ; enchaînement causal aussi strict qu'on peut le souhaiter dans une chanson de geste.

L'auteur a choisi le décasyllabe et l'assonance (et non l'alexandrin rimé, plus fréquent à l'époque). L'alternance de laisses longues, propices au développement narratif, et de laisses courtes, qui maintiennent le caractère épique et manifestent une sûre connaissance des procédés de l'épopée, atteste la haute qualité de l'œuvre. Le style formulaire s'écarte des stéréotypes ordinaires et révèle une grande maîtrise de la composition.

Épopée narrative, *Huon de Bordeaux* ne peut être considéré comme une sorte de roman d'aventures. L'auteur a voulu divertir : mais surtout il a voulu imprimer à son œuvre ce caractère politique qui est le propre du genre. Il conçoit essentiellement cette politique sous la forme d'un débat juridique, sans guerre. Renforcement du pouvoir royal, affaiblissement de la noblesse, montée d'une bourgeoisie commerçante, tout cela caractérise bien la seconde moitié du XIIIe siècle. L'idéal de vie est aussi plus humain, et la sagesse a supplanté la prouesse au sommet de l'échelle des valeurs profanes.

D. Boutet

HURET Jules *v.* Naturalisme

Huysmans

HUYSMANS Joris-Karl

Pseudonyme de ***Charles-Marie-Georges Huysmans*** *(1848-1907)*

La vie littéraire et spirituelle de Huysmans, son œuvre semblent s'organiser autour d'une rupture « au milieu du chemin » : le naturaliste de la veille devient un amateur d'âmes, le peintre de la grisaille parisienne « entre dans la liturgie » (lettre du 1er novembre 1899 à Grillot de Givry), pour un peu le pécheur deviendrait un saint. Que l'auteur de *Sainte Lydwine de Schiedam* suscitât autour de lui des hagiographes, c'était difficilement évitable. « Mais les saints se font rares », il l'avait lui-même écrit : « Les ordres contemplatifs diminuent ou se tempèrent ; et le pauvre

Seigneur est bien obligé de s'adresser à nous, qui ne sommes pas des saints, pour faire des appoints. » Un appoint : c'est bien ainsi qu'il faut considérer l'œuvre « mystique » de Huysmans. Elle est venue s'ajouter à son œuvre antérieure comme Joris-Karl à Charles-Marie-Georges ; elle est venue aussi s'ajouter humblement à l'œuvre de Dieu, en restant à sa place, qui n'est pas celle des saints. C'est donc bien l'unité d'un ensemble qu'il convient de faire apparaître.

Les ruptures apparentes

On parle de rupture en amour. Mais les amours de Huysmans furent bien peu romanesques. En 1867, une petite actrice de Bobino accouche d'un enfant qui n'est pas de lui, le dégoûtant à jamais de la paternité. Comme André Jayant et Jeanne, dans *En Ménage,* Huysmans et sa maîtresse Anna Meunier, une midinette de la maison Hentenaar, se querellèrent et, au bout de quelques mois, se séparèrent, sans doute en 1872. Puis ils reprirent des relations qui s'achevèrent dans l'étrange maladie et la folie d'Anna – cf. la scène de la mort du chat errant à laquelle assiste, terrorisée, Louise Marles dans *En Rade.* Les femmes qui devaient servir de modèle à l'Hyacinthe Chantelouve de *Là-bas,* Henriette Maillat entre autres, ne pouvaient guère lui laisser que des souvenirs repoussants. Les avances de « Madame X. », celles du « petit oiseau », Henriette Du Fresnel, le tentent et l'horripilent à la fois : « Je suis si las… si las… si obsédé à la fin par ces effluves de femmes qui se succèdent, qu'il y a des moments où je me sens à bout », écrit-il le 15 janvier 1905. Car si l'on rompt encore facilement avec une femme, il est plus difficile de rompre en soi avec le vieux pécheur que l'on est, et Huysmans le sait bien.

Des ruptures d'amitié, on en trouve aussi dans la vie de Huysmans. Après la publication de *À Rebours* en 1884, il est presque devenu l'inséparable de Léon Bloy, qui vient même passer des vacances avec lui à Jutigny. Mais passer des vacances en compagnie de Bloy, cela signifie, pour Huysmans, « vomir à pleins pots avec [lui] sur la salauderie contemporaine », et il était inévitable qu'ils ne finissent un jour par se vomir l'un l'autre. En 1891, Bloy s'acharne sur *Là-bas,* et Huysmans, sans riposter, conclut que « c'est un malheureux homme dont l'orgueil est vraiment diabolique et la haine incommensurable ». Sans doute le livre « satanique » a-t-il surpris Bloy, qui attendait l'ouvrage d'« un catholique éperdu » ; mais il se dit plagié, travesti, prostitué, et il découvre dans celles de Mme de Chantelouve les manières habituelles d'Henriette Maillat, son ancienne maîtresse – sans se douter qu'elle a été aussi celle de Huysmans…

Les relations avec Zola sont bien plus importantes. C'est en 1875, semble-t-il, que Huysmans fit la connaissance et de l'œuvre et de la personne de Zola, par l'intermédiaire de son ami Henry Céard. Un petit groupe se constitua qui, chaque jeudi, se rendait chez l'écrivain, rue Saint-Georges : le « groupe des Cinq » – outre Céard et Huysmans, Paul Alexis, Léon Hennique et Guy de Maupassant. Ils prirent la défense de *l'Assommoir* (1876-1877). Huysmans, en particulier, donna dans *l'Actualité* de Bruxelles quatre importants articles où il plaidait la cause d'un naturalisme complet : « Nous ne préférons pas, quoi qu'on en dise, le vice à la vertu, la corruption à la pudeur, nous applaudissons également au roman rude et poivré et au roman sucré et tendre, si tous les deux sont observés, sont écrits, sont vécus ! » En retour, Zola, recevant *Marthe,* déclara que Huysmans serait « sûrement un de nos romanciers de demain ». Du coup, le disciple s'emploie à une « étude réaliste très poussée », racontant l'histoire de deux jeunes brocheuses dans un établissement qui rappelle celui de la mère de Huysmans : ce sera *les Sœurs Vatard,* dédié en 1879 à Zola par son « fervent admirateur et dévoué ami ».

Mais Huysmans n'avait pas l'intention d'être un larbin, d'être longtemps traité en débutant, et la déclaration citée plus haut indiquait bien qu'il se voulait autant du côté d'Edmond de Goncourt que du côté de Zola. En 1884, Zola accueillit froidement *À Rebours* ; il y eut même une explication orageuse, dont on trouve un écho dans la Préface à la réédition de 1903 : la rupture y est manifeste avec l'école naturaliste « condamnée à se rabâcher, en piétinant sur place ». En 1887, Huysmans ne s'était pourtant pas joint aux signataires du « manifeste des Cinq » (*le Figaro* du 18 août) contre *la Terre,* mais parmi eux se trouvait au moins un de ses amis, Lucien Descaves [voir **Naturalisme**].

Il est une rupture plus secrète, plus insaisissable, c'est la rupture avec soi-même. Le 12 juillet 1892, Huysmans arrive à la Trappe d'Igny ; le 14, il se confesse ; le 15, il communie : cette chronologie paraît aussi brutale que la conversion qu'elle résume. Huysmans en est le premier surpris, comme en témoigne *En Route* : « Quand je cherche à m'expliquer comment, la veille, incrédule, je suis devenu sans le savoir, en une nuit, croyant, eh bien ! je ne découvre rien, car l'action céleste a disparu sans laisser de traces. »

L'oblat de Saint-Benoît apparaît comme un Huysmans tout neuf, mais il sait bien lui-même qu'« on ne tue pas le vieil homme ». Durtal, dans *l'Oblat,* le constate à un moment de découragement : « L'orgueil est peut-être mort, mais l'amour-propre, mal inhumé, survit ; l'étiage du péché diminue, mais la boue subsiste, et y trouve encore et longuement son compte. »

La continuité réelle

Cette continuité de l'homme est attestée par la continuité même de l'œuvre. Le roman huysmansien s'organise le plus souvent autour d'un personnage central de célibataire. Dans *À vau-l'eau* (1882), un fonctionnaire minable, M. Folantin, mène dans la grisaille parisienne une pauvre vie qui ne fait que répéter les « désastreuses conditions » qui ont présidé à ses débuts. Dans *À Rebours* (1884) – Huysmans lui-même l'a souligné dans la Préface de 1903 –, Des Esseintes n'est qu'« un monsieur Folantin plus lettré, plus raffiné, plus riche et qui a découvert, dans l'artifice, un dérivatif au dégoût que lui inspirent les tracas de la vie et les mœurs américaines de son temps ». Le triste héros de *la Retraite de M. Bougran* (1881), petit rédacteur de ministère, est brusquement mis à la retraite ; mais il s'est tellement identifié à sa fonction qu'il continue à la vivre jusqu'au jour où un problème administratif imaginaire – un pourvoi devant le Conseil d'État – lui donne tant de fil à retordre qu'il en meurt d'apoplexie. Dans *Là-bas* (1891), puis dans *En Route* (1895), *la Cathédrale* (1898), *l'Oblat* (1903), Durtal, l'écrivain inquiet en quête d'apaisement, c'est l'éternel M. Folantin, nerveusement sensible aux variations de température, englué dans l'ennui, ne se faisant pas plus d'illusions sur lui que sur les autres, matériellement et spirituellement à la dérive. Des premières aux dernières œuvres nous trouvons autant d'autoportraits de Huysmans rond-de-cuir et célibataire. L'homme nouveau est apparu avec l'homme de prière, mais il vomit plus que jamais la médiocrité d'un monde qui semble pourtant à l'image de sa propre médiocrité.

Huysmans est l'homme du rejet. Il le fait dans un ressassement qui n'est pas sans conférer à son œuvre une certaine monotonie, avec les gargotiers infâmes et les concierges empoisonneurs, les chairs blettes et les alcôves fétides, et le spectre omniprésent de la muflerie. La dernière page de *À Rebours* est secouée par ce hoquet devant la médiocrité humaine. Mais c'est encore la médiocrité que flétrit Durtal au début de *En Route* devant le prêtre de Saint-Sulpice, « la vaseline de son débit », « la graisse de son accent » et les rengaines qu'il sert en guise de sermons à une poignée de dévotes.

Pour exprimer ses dégoûts, Huysmans met en œuvre toutes les ressources du lexique. L'éditeur Hetzel disait déjà, à propos du *Drageoir aux épices* (1874), que son auteur « recommençait la Commune de Paris dans la langue française ». Mais Huysmans qui, replié à Versailles, n'a pas vécu la Commune, ne se soucie guère d'être un révolutionnaire en matière de style, de « mettre un bonnet rouge au vieux dictionnaire », comme Victor Hugo. Il cherche bien plutôt à l'exploiter, ce vieux dictionnaire. Veut-il, dans *À Rebours,* célébrer le poème en prose, il le définit comme « l'osmazome de la littérature, l'huile essentielle de l'art ». Veut-il, dans *En Route,* exprimer l'émotion qu'il a ressentie à entendre les voix des moniales de la Glacière, il décrit une voix « tenant de celle de l'enfant, adoucie, mondée, épointée du bout, et de celle de l'homme, mais écorcée, plus délicate et plus ténue, une voix asexuée ».

Pour lui, l'absolu, dans le style, c'est l'inattendu. Il aime la langue d'Edmond de Goncourt : celle des *Frères Zemganno,* « une langue inversée, pirouettant par endroits avec les clowns, attachée et collée à eux comme un étincelant et pailleté maillot » ; celle de *la Faustin,* qui « fait vibrer tous les nerfs et vous tient, haletant et tendu, jusqu'aux dernières pages ». C'est à ce « nervosisme » que tend son style, qui mérite d'autant plus d'être qualifié de décadent que les décadents antiques et modernes sont les modèles dont il se réclame : le chapitre III de *À Rebours* nous donne à respirer le délicieux faisandage de la langue latine après Pétrone, « décomposée comme une venaison », et le chapitre XIV parle encore de « faisandage » à propos de Tristan Corbière ou de Théodore Hannon, deux des poètes aimés de Des Esseintes et de Huysmans.

Ce style décadent est admirablement adapté à l'expression d'un monde en décomposition. Mais convient-il pour l'expérience mystique ? Dans *En Route,* l'abbé Gévresin expose devant Durtal qu'« afin d'en parler proprement, il faudrait oublier l'usage séculaire des expressions souillées ». C'est pourquoi Huysmans se tourne vers l'art médiéval, qui donne une impression d'éternité que nous avons perdue, vers le plain-chant et « ces répétitions de notes sur la même syllabe, sur le même mot, que l'Église inventa pour peindre l'excès de cette joie intérieure ou de cette détresse interne que les paroles ne peuvent rendre ». Au même moment, Mallarmé a eu le sentiment de l'insuffisance de la langue comme moyen d'expression de l'Essence et a appelé de ses vœux le « trait incantatoire ». C'est encore à Mallarmé, célébré à la fin de *À Rebours,* que se réfère Durtal dans *la Cathédrale* quand l'abbé Gévresin expose sa théorie du symbole comme art de laisser « à deviner l'énigme » et aussi d'« en garder la solution résumée en une visible formule, en un durable contour ». Ce choix d'une langue à la fois précise et ambiguë pourrait bien être, comme le suggère Richard Griffiths, le choix de Huysmans.

Ce style est-il encore un style romanesque ? Les romans de Huysmans sont-ils encore des romans ? On peut se le demander quand on constate, à partir de *Là-bas,* et même en restant dans le cycle de Durtal, un processus d'effacement de l'intrigue, d'amenuisement des personnages, de disqualification de la fiction. Mais déjà *À Rebours* se présentait curieusement comme un catalogue des goûts de Des Esseintes, et Huysmans avait voulu tenir la gageure de fonder un roman sur la structure énumérative, sur l'accumulation de thématiques successives. C'était peut-être là l'héritage même de la méthode naturaliste, méthode avec laquelle Huysmans n'a jamais véritablement rompu. Des premiers aux derniers romans, il s'agit toujours d'emmagasiner une somme d'observations sur un sujet précis : la vie des ouvrières, dans *les Sœurs Vatard* ; les cultes sataniques, dans *Là-bas* ; la symbolique médiévale, dans *la Cathédrale* (1898). Pour montrer, dans ce dernier livre, « l'âme de l'Église », Huysmans s'est imposé ce qu'il juge lui-même un « travail fantastique » de documentation, qui aboutit là encore à une énumération vertigineuse. C'est un danger, dont Huysmans avait conscience et qui explique que *la Cathédrale,* après avoir été le plus lu de ses livres, connaisse aujourd'hui l'oubli.

On a parfois présenté Huysmans comme un naturaliste repenti. L'expression est trop forte ; elle est même inexacte. S'il a dénoncé l'impasse du naturalisme, il a encore moins de sympathie pour un idéalisme exsangue, pour Puvis de Chavannes, pour Eugénie de Guérin, ce « lymphatique basbleu », et pour toute forme de style sulpicien. Il note, dans la Préface de *À Rebours,* que Des Esseintes a repassé à Durtal son goût pour les épices. Lui, il n'a jamais perdu le sens de la chair et de l'incarnation. Philippe Berthier écrit très justement qu'« une partie du drame de Huysmans a été de se trouver impitoyablement renvoyé du sanctuaire au bordel, et inversement, comme si le corps voulait se venger de l'âme, et le contraire, dans un ping-pong sans issue ».

Dans l'œuvre de Barbey d'Aurevilly, Huysmans a déjà trouvé l'exemple de ce qu'il appelle, dans *Là-bas*, « un naturalisme spiritualiste ». Dans celle de Dostoïevski aussi – qu'il connaît comme on pouvait le connaître à l'époque. Mais plus encore dans le « naturalisme » d'un peintre religieux qu'il admire entre tous, Matthias Grünewald. Il a été bouleversé, en 1888, à Cassel, par *la Crucifixion* comme il le sera en 1903 par le retable d'Issenheim, à Colmar. La première révélation nous vaut une page somptueuse – qui est aussi une page-programme – dans *Là-bas*. La seconde lui inspire la première partie des *Trois Primitifs*. L'art chrétien y apparaît comme l'exagération des contraires, l'exaspération des excès : « Grünewald était le plus forcené des réalistes ; mais à regarder ce Rédempteur de vadrouille, ce Dieu de morgue, cela changeait. De cette tête exulcérée filtraient des lueurs ; une expression surhumaine illuminait l'effervescence des chairs, l'éclampsie des traits. Cette charogne éployée était celle d'un Dieu. »

La voie est désormais trouvée, et Huysmans saura s'y tenir : il faut « garder la véracité du document, la précision du détail, la langue étoffée et nerveuse du réalisme », mais il faut aussi se faire « puisatier d'âmes ».

Les refuges

Grünewald n'est pas le seul peintre qui ait retenu l'attention de Huysmans. À côté des primitifs – Memling ou le Maître de Flémalle –, il fait place aux modernes. À l'instar de Zola, il s'est fait très tôt critique d'art, en particulier au cours des années 1879-1883. Il rapproche Degas des Goncourt. Il avoue sa prédilection pour Félicien Rops, qui a su célébrer « le surnaturel de la perversité ». Il est fasciné par l'art de Gustave Moreau, ses « féeries écloses dans le cerveau d'un mangeur d'opium ». Les pages sur Salomé dans *À Rebours* sont restées célèbres. Elles constituent un véritable drame en trois actes : la tentation d'Hérode (« le tableau de la Salomé ») ; l'épouvante de Salomé (l'aquarelle intitulée *l'Apparition*) ; l'effacement dans l'ombre du crime et des criminels, tandis que la femme sort plus blanche et plus nue du fourreau de ses joailleries (l'*Hérodiade* de Mallarmé).

Gustave Moreau est, pour Huysmans, l'artiste qui a su se retirer des horreurs du monde moderne. Il a été capable de « s'abstraire assez du monde pour voir, en plein Paris, resplendir les cruelles visions, les féeriques apothéoses des autres âges ». Comment ne serait-il pas l'artiste de prédilection de ce Des Esseintes qui s'est retiré lui aussi dans sa maison de Fontenay-aux-Roses ? Comment ne serait-il pas l'élu de Huysmans, que toute son œuvre montre obsédé par la recherche d'un refuge, qu'il s'agisse de la thébaïde, qu'il s'agisse de la rade, qu'il s'agisse de la Trappe ou du couvent. On trouve dans *En Route* une page étonnante où Huysmans imagine autour de Paris une ceinture de maisons conventuelles et de prières protectrices. Cette vision dans l'espace a son correspondant dans le temps : c'est celle de l'Histoire comme chaîne d'expiations. Comme l'a bien montré Christian Berg, la loi de la substitution, clef de la théologie huysmansienne, constitue la métamorphose ultime des thébaïdes et des rades destinées à protéger l'homme contre une extériorité menaçante. Cette doctrine, d'origine paulinienne, repose sur la croyance dans le Corps mystique du Christ (si épouvantablement, si justement représenté par Grünewald) et la réversibilité des mérites : la souffrance réparatrice des âmes équilibre le poids des iniquités commises par les pécheurs et travaille, malgré eux, à les effacer.

Huysmans, depuis longtemps, était hanté par le terrible problème de la douleur. Sa « conversion » correspond au moment où le message chrétien lui apporte une réponse, où il rend compréhensible la douleur, où, bien plus, il la rend « aimée par des âmes qui la devaient appeler pour hâter l'expiation de leurs péchés et de ceux des autres, l'aimer en souvenir et en imitation de la Passion du Christ » (*l'Oblat*).

Le danger serait d'établir, avec la divinité, des relations de type mercantile. La doctrine de l'ex-abbé Boullan, que fréquenta Huysmans avant sa conversion, reposait sur une interprétation économique du sacrifice. Il fallait que le néophyte allât au-delà de cette conception dangereuse. Huysmans s'en est d'autant plus difficilement détaché qu'il avait besoin de cette croyance comme d'un refuge. L'étonnant est que, dans les dernières années de sa vie, la souffrance ne lui fut pas épargnée. Atteint par le cancer, Huysmans décrit dans ses lettres ses mille et une misères. Il y trouve une raison supplémentaire de s'en remettre à la Vierge. « Je ne désire pas guérir », écrit-il dans une lettre aux Leclaire, « mais continuer à être épuré pour que la Vierge m'emmène Là-Haut ». Ce Là-Haut, qui avait failli être le titre d'un de ses livres, était le dernier refuge…

VIE		ŒUVRE
1845	Mariage de Victor Huysmans, dessinateur-lithographe d'origine hollandaise, et de Malvina Badin, Parisienne.	
1848	**5 févr. :** naissance de l'écrivain, prénommé pour l'état civil Charles-Marie-Georges. Il est baptisé le lendemain à Saint-Séverin.	
1856	Mort de son père. La veuve s'installe rue de Sèvres, et l'enfant entre en pension à l'Institution Hortus, rue du Bac, dont il gardera un exécrable souvenir.	

	VIE		ŒUVRE
1857	Sa mère se remarie avec Henri Og, dont elle aura deux filles. Ouverture d'un atelier de brochage.		
1866	Baccalauréat. Il s'inscrit aux facultés de droit et de lettres, mais, parallèlement, il occupe un petit poste de fonctionnaire (employé de 6e classe) au ministère de l'Intérieur.		
1867	Mort de Jules Og. Liaison avec une petite actrice de Bobino.	**1867**	**Nov. :** publication dans *la Revue mensuelle* de son premier article, « Des paysagistes contemporains ».
1870	Mobilisé, il est atteint de dysenterie et évacué. En nov. il est affecté au ministère de la Guerre (commis aux écritures).		
1872	Liaison avec une midinette, Anna Meunier.		
		1873	Il soumet à Hetzel les poèmes en prose du *Drageoir aux épices.*
		1874	Publication du *Drageoir* chez Dentu.
1875	Début des relations littéraires et amicales avec des écrivains belges.	**1875**	Projet d'un roman sur le siège de Paris, qui s'intitulerait *la Faim.*
1876	**Avr. :** son ami Henri Céard l'introduit auprès de Zola. **Mai :** mort de sa mère. Il est nommé tuteur de ses deux demi-sœurs. Il est affecté à la Sûreté générale. **Déc. :** constitution du « groupe des Cinq » (Huysmans, Alexis, Céard, Hennique, Maupassant).	**1876**	**Sept. :** publication, en Belgique, par crainte de la censure, de *Marthe, histoire d'une fille.*
1877	**16 avr. :** dîner des Cinq chez Trapp, avec Goncourt et Flaubert.	**1877**	**Mars-avr. :** « Émile Zola et *l'Assommoir* », dans *l'Actualité* de Bruxelles. **Août-oct. :** dans la même revue, première version de « Sac au dos ».
1878	**15 sept. :** les Cinq se rendent chez Zola, à Médan.		
		1879	**Févr. :** publication des *Sœurs Vatard.* **Mai-juill. :** « le Salon de 1879 », dans *le Voltaire.*
		1880	Publication des *Soirées de Médan,* auxquelles Huysmans collabore avec « Sac au dos ». Publication des *Croquis parisiens.* **Mai-juil. :** « le Salon de 1880 », dans *la Réforme,* avec l'éloge de Gustave Moreau.
1881	**Juill.-sept. :** séjour à Fontenay-aux-Roses, pour raison de santé.	**1881**	*En Ménage.*
1882	Rencontre de Lucien Descaves.	**1882**	Publication de *À vau-l'eau,* à Bruxelles.
		1883	*L'Art moderne,* avec l'éloge des impressionnistes.
1884	Entre en relations avec Bloy.	**1884**	**14 mai :** publication de *À Rebours.* **Sept.-oct. :** « Un dilemme », dans *la Revue indépendante.*
1885	Séjour à Lourps avec Anna Meunier ; difficultés financières de la maison de brochage.		
		1887	Publication de *En Rade* et d'*Un dilemme.*
1888	Voyage en Allemagne ; à Cassel, découverte de *la Crucifixion* de Matthias Grünewald. Liaison sans lendemain avec Henriette Maillat.		
1889	Remy de Gourmont le présente à sa maîtresse Berthe Courrière. Voyage à Tiffauges. Rupture avec Bloy.	**1889**	Publication de *Certains*, recueil d'articles sur l'art et l'architecture.
1890	Début de la correspondance avec l'ex-abbé Boullan, qui l'initiera au satanisme. Premier séjour à Lyon pour y rencontrer le prêtre interdit.		

	VIE		ŒUVRE
1891	Première rencontre avec l'abbé Mugnier. Voyage à La Salette avec Boullan et nouveau séjour à Lyon.	**1891**	Publication de *Là-bas*.
1892	**Juill. :** première retraite à la Trappe d'Igny, sur les conseils de l'abbé Mugnier. **Automne :** Huysmans prend comme directeur spirituel l'abbé Ferret, vicaire de Saint-Sulpice.		
1893	Mort de Boullan. Internement d'Anna Meunier. **Août :** deuxième retraite à Igny. **Déc. :** visite à Chartres.		
1894	Rencontre de dom Besse ; deux séjours à l'abbaye de Saint-Wandrille ; troisième retraite à Igny.		
1895	Mort d'Anna Meunier, à l'asile Sainte-Anne. Fréquents séjours à Chartres.	**1895**	Publication de *En Route*.
1896	Amitié avec Descaves, avec les Leclaire. Dernière retraite à Igny, séjour à Solesmes.		
1897	Huysmans découvre un jeune peintre inconnu, Dulac. Second séjour à Solesmes. Voyage en Belgique et en Hollande avec les Leclaire.		
1898	Huysmans est mis à la retraite et nommé chef de bureau honoraire. Retraite à Solesmes ; premier séjour à Ligugé. Mort de Dulac.	**1898**	Publication de *la Cathédrale*.
1899	S'installe à Ligugé.		
1900	**18 mars :** cérémonie de vêture de l'oblat Huysmans à Ligugé.		
1901	**Sept.-oct. :** obligé de quitter Ligugé (à la suite de la séparation de l'Église et de l'État), s'installe dans l'annexe du couvent des Bénédictines de la rue Monsieur.	**1901**	Publication de *Sainte-Lydwine de Schiedam*.
1902	Premiers symptômes du cancer de la bouche. Installation rue de Babylone.	**1902**	Publication de *De Tout*.
1903	**Mars :** séjour à Lourdes. **Sept. :** voyage en Allemagne et en Belgique avec l'abbé Mugnier ; découvre le retable de Grünewald à Colmar.	**1903**	Publication de *l'Oblat*. Préface pour *À Rebours*.
1904	Installation rue Saint-Placide. Séjour à Lourdes. Il prend pour confesseur l'abbé Fontaine		
		1905	Publication de *Trois Primitifs*.
		1906	Publication des *Foules de Lourdes*.
1907	**12 mai :** mort de Huysmans.		
		1908	Publication de *Trois Églises, Trois Primitifs*.

P. Brunel

À vau-l'eau

À l'heure de cette publication, les œuvres de Huysmans s'inscrivent encore dans la mouvance naturaliste, tout comme *Marthe* et *les Sœurs Vatard*. En réalité, *À vau-l'eau* inaugure, à la suite de *En ménage*, la nouvelle période littéraire de Huysmans qui se caractérise par un recours à des thématiques décadentes.

SYNOPSIS

Tout se désagrège dans la vie de Jean Folantin : logement misérable, impossibilité de trouver un restaurant convenable, emploi ennuyeux.

Jean, malgré une intelligence prometteuse, s'est rapidement résigné à la médiocrité, à la pauvreté et au célibat. Il ne cesse cependant de rêver aux avantages affectifs et ménagers d'une tendre épouse (chap. 1). De plus en plus mélancolique, il tente de changer de vie, mais les restaurants qu'il fréquente le dégoûtent et le rendent malade. L'été venu, les promenades sur les quais parisiens le distraient à peine (2). À l'automne, il se laisse entraîner par une connaissance à une table d'hôte misérable et à l'Opéra où la vulgarité du spectacle le choque. L'hiver revient et le traiteur choisi par Folantin se révèle infect (3). Il ne trouve plus aucun salut, ni dans des rêves de retraite ni dans la fréquentation d'une prostituée répugnante. Il finit par conclure à l'inutilité de toute révolte et se laisse finalement aller « *À vau-l'eau* » (4).

Un résumé suffit à édifier le lecteur sur la substance du livre : rien. Un rien néanmoins exceptionnellement significatif. Ce roman est celui du dégoût pour la vie moderne, le cri de désespoir du médiocre contre la médiocrité des mœurs du temps. Certes, par la description précise du monde contemporain, Huysmans fait preuve de naturalisme. Mais ce naturalisme est bien curieux, qui n'est pas subordonné à la démonstration d'une loi d'hérédité mais se charge de mettre en évidence la fatalité des choses autour de soi. Des choses, de ces éléments quotidiens (la nourriture infecte, le feu qui s'éteint dans la chambre…) qui organisent notre vie et vivent de façon autonome. Cette soumission à la fatalité médiocre des événements est-elle un trait ironique contre le naturalisme de Zola dont les personnages sont soumis à l'hérédité ? Peut-être ; mais l'attitude de Huysmans est moins une attitude de rupture que de formation d'une esthétique qu'il aura l'occasion d'affirmer en insistant sur la décadence du monde et des êtres.

Le projet de Huysmans s'organise en quatre chapitres qui balaient une année entière, quatre saisons et de multiples promenades dans Paris. Il faut remarquer de quelle manière particulièrement elliptique l'auteur rend compte de ce parcours. Il privilégie les saisons hivernale et automnale, plaçant ainsi Folantin sous le signe du froid, du brouillard, des saisons troubles et intérieures. De même, les promenades dans Paris sont extrêmement restreintes : un triangle se dessine de la rue du Bac à la rue Dauphine et à la place Saint-Sulpice. Si Folantin dépasse ces limites, sa déchéance morale et physique ne fait que s'accentuer : celle-ci est exclusivement transcrite par sa déchéance stomacale, par une destruction du goût. La description des nourritures ingérées par Folantin occupe une grande place dans le roman : il va ainsi de dégoût en dégoût, de la « tranche de fromage découpée dans un pain de savon de Marseille » (chap. 1) aux « œufs qui sentaient la vesse » (chap. 4), avec tous les dérèglements imaginables auxquels il tente de remédier par des « citrates, phosphates, protocarbones… ». Cette déchéance du héros par l'estomac n'est pas sans rappeler celle qui afflige les héros décadents, tel Des Esseintes dans *À Rebours*. Mais cette maladie est traitée ici avec une ironie certaine. L'ennui, le spleen, qui affecte Folantin n'a rien de sublime et ressemble à un avachissement, « un alourdissement absolu de l'esprit » (chap. 2). De plus, il est évident que cette destruction du goût est largement symbolique de celle du goût esthétique dans le monde moderne. Si le premier chapitre sert à poser les données de la médiocrité du héros, les deux chapitres suivants approfondissent le thème de la déchéance, physique mais aussi artistique. Au chapitre 2, Folantin essaie de contrecarrer son ennui en se promenant devant les bouquinistes des quais. Alors qu'il recherche, comme Huysmans par ailleurs, des « choses de la vie réelle », il ne trouve que du psychologique fade ; l'identification à la nourriture est immédiate : « Il abomin[e] le bouillon de veau des Cherbuliez et des Feuillet » et se plaint d'« une disette de livres à lire ». Pour ce qui est de la peinture, Folantin, nostalgique des « estampes de la vie intime flamande », refuse comme Huysmans la mode des gravures du XVIIIe siècle. Même attitude critique au chapitre 3 lorsque Folantin se rend à l'Opéra : chanteurs ridicules et nasillards, décors ignobles ; Folantin proteste alors en accusant les chanteurs de n'être « bons qu'à enduire les portions qu'on leur apporte de l'immuable sauce blanche s'il s'agit d'une comédie et de l'éternelle sauce rousse s'il s'agit d'un drame ».

Si Folantin ne trouve aucun recours dans l'art, il n'en trouvera pas plus en amour. La question de la femme n'apparaît ici posée que sous la forme d'une alternative : le mariage ou la prostitution. La désillusion de Folantin est totale : ne se risquant pas au mariage, il se tourne vers la prostitution et ne s'en trouve qu'« écœuré ». Après *En ménage* où il était question des échecs du héros tant dans le mariage que dans le concubinage, Huysmans brosse ici le tableau de la vie amoureuse du célibataire. Avec *En rade*, ce sera le mariage qu'il critiquera, terminant là son catalogue des possibilités de couple. Ainsi, *À vau-l'eau* s'inscrit parfaitement dans la continuité de pensée de Huysmans, et constitue aussi une ouverture vers un autre mode d'expression. Il est certain que ce roman annonce à plusieurs égards *À Rebours*, et Huysmans le soulignera dans sa *Préface* de 1903 : « […] j'y voyais un peu un pendant d'*À vau-l'eau* transféré dans un autre monde. » Certes, les thématiques sont les mêmes : dégoût de la vie moderne et de l'art-produit. Mais Huysmans forme aussi dans ce roman un style particulier, comme sur un brouillon. Il s'est toujours intéressé à la rareté du mot, au néologisme, même dans ses premiers romans. Dans *À vau-l'eau*, l'écrivain s'attache surtout à l'immobilisation de la phrase, à la rendre close en abusant des plages descriptives dont la précision est d'autant plus singulière qu'elle fait écho à la vanité de l'objet décrit.

À Rebours

La production romanesque de Huysmans s'inscrivait jusque-là dans la lignée naturaliste, sous l'égide du maître, Zola. Avec *À Rebours*, Huysmans s'engage dans une nouvelle voie, qui le conduira vers la littérature dite décadente.

S'il est un livre emblématique de cette littérature, c'est bien *À Rebours*. En effet, le héros, Des Esseintes, dont la voix tend à se confondre avec celle de Huysmans, synthétise les attributs qui font le décadent, le « pâmé ».

SYNOPSIS

Jean Floressas, duc des Esseintes, dernier représentant d'une race dégénérée, esprit indépendant dégoûté de l'humanité, se retire à Fontenay-aux-Roses où il organise sa solitude avec un raffinement extrême (Notice) : il décore son intérieur de couleurs précieusement choisies (chap. 1), transforme sa salle à manger, lieu de repas austères, en cabine de bateau (2), compose une bibliothèque d'auteurs de la décadence latine (3), s'amuse d'une tortue vivante à la carapace incrustée de gemmes, crée un « orgue à bouche » dont les touches effleurées libèrent chacune une liqueur (4), détermine les peintures qui orneront ses murs (5). Un soir, il se remémore ses méfaits passés, la façon dont il contribua à briser un ménage, comment il poussa un adolescent vers le vice et le crime (6).

Cette solitude volontaire devient toutefois pesante et contribue à le ramener imperceptiblement à la religion. Des désordres nerveux apparaissent (7). Cherchant à se distraire, il aménage une serre de fleurs aux formes artificielles, aux aspects obscènes et morbides. Dans la nuit, Des Esseintes rêvera d'une femme, la Syphilis, offrant les pourritures florales de son corps (8). Les cauchemars se renouvellent et sa névrose se complaît dans le souvenir d'aventures érotiques, une acrobate androgyne, une ventriloque perverse, un troublant jeune homme (9). Victime d'hallucinations olfactives, Des Esseintes tente de les repousser en créant des parfums subtils qui ébranlent définitivement ses nerfs (10).

Voulant distraire sa solitude, il projette un voyage à Londres mais se contentera d'un bar anglais à Paris (11). De retour à Fontenay, il reprend goût à la lecture de Baudelaire, de Barbey d'Aurevilly et des littératures religieuses (12). Mais son estomac se dérègle (13). Grâce à un régime sévère, il peut à nouveau se consacrer à la lecture des auteurs modernes (14). D'autres hallucinations apparaissent, auditives cette fois, qui réveillent en lui le souvenir de ses musiques de prédilection. Il se décide à appeler un médecin qui le guérira mais lui enjoindra de retourner à Paris (15). Évoquant avec effroi les perversions de la société humaine, Des Esseintes se résigne à en affronter les médiocrités (16).

Avec *À Rebours*, Huysmans consacre donc sa rupture avec le naturalisme, mais de façon inconsciente, comme il l'avoue dans sa Préface de 1903 : « Je cherchais vaguement à m'évader d'un cul-de-sac où je suffoquais, mais je n'avais aucun plan déterminé et *À Rebours* qui me libéra d'une littérature sans issue, en m'aérant, est un ouvrage parfaitement inconscient. » Rupture insensible donc, mais radicale. Zola en eut d'ailleurs parfaitement conscience puisqu'il parla de trahison du naturalisme. En effet, la généalogie et l'hérédité fantaisistes de Des Esseintes, ses maladies et leurs remèdes sont autant d'attaques voilées contre les théories naturalistes sur l'individu et contre l'utilisation, par les romanciers, d'un savoir médical trop primaire. Huysmans s'attache à décrire une tout autre maladie que celles qu'appréhendaient les naturalistes : une maladie moderne, la névrose, l'ennui. Maladie insaisissable par laquelle le corps se soumet aux pulsions d'une âme compliquée, souffrant de sa supériorité, dont la volonté est réduite à néant. Telle est l'âme moderne et tel sera *À Rebours*.

La modernité s'exprime dans le parti pris de composition romanesque : « Supprimer l'intrigue traditionnelle, voire la passion, la femme, concentrer le pinceau de lumière sur un seul personnage, faire à tout prix du neuf » (Préface). Nous nous trouvons donc face à une succession de chapitres sans lien, qui ne sont jamais que prétextes à des articles critiques sur l'esthétique, que notre unique personnage prend à son compte et derrière lequel nous reconnaissons Huysmans. Pareil florilège d'essais incarne bien cette tendance de l'esthète de la fin du XIXe siècle à n'être qu'un dilettante comme Des Esseintes, et comme plus tard Swann, un individu raffiné qui organise chez lui un véritable musée de pièces rares et choisies, de bibelots. L'esthétique du bibelot, objet déraciné de sa culture et qui flatte le regard de son propriétaire, telle est la grande attitude esthétique de cette fin de siècle que dévoile *À Rebours*. Chacun des seize chapitres développera ainsi un thème différent : « Le coulis d'une spécialité, le sublimé d'un art différent » (Préface). L'ensemble s'organise selon deux grands axes : définition des choix artistiques du décadent, et description de ses goûts en général. Ces deux optiques éclairent son essentielle manie : toujours il se tourne vers ce qui est « À Rebours » de la pensée commune.

Ainsi, ce que Des Esseintes recherche dans l'art, c'est une expressivité extrême, un langage écartelé entre la violence et un raffinement ciselé, distendu jusqu'au malaise. En matière de littérature, Des Esseintes agrée d'abord les auteurs latins : rejetant Virgile, Horace et Cicéron, il isole Pétrone, Apulée, et quelques décadents mineurs pour leur style en force, composite et audacieux (chap. 3). En littérature moderne (chap. 12), « il s'intéress[e] aux œuvres mal portantes, minées, irritées par la fièvre », appréciant leurs « faisandages, ces taches morbides, ces épidermes talés et ce goût blet ». Trois auteurs sont particulièrement choyés : Baudelaire, bien entendu, pour avoir été le premier à révéler « la psychologie morbide de l'esprit qui a atteint l'octobre de ses sensations » ; Barbey, au sadisme mystique ; Mallarmé, enfin, qui sut porter à son apothéose le style décadent : écriture « affaiblie par l'âge des idées, épuisée par les excès de la synthèse, sensible seulement aux curiosités qui enfièvrent les malades et cependant pressée de tout exprimer à son déclin ». Par l'analyse de ces trois auteurs, Huysmans met en abyme ce qu'est *À Rebours* : la triple évocation de la névrose moderne, de la tentation du mysticisme et de la langue à son déclin. Des Esseintes n'oublie pas la littérature religieuse, mais l'attaque pour son inconsistance — à l'exception de Lacordaire, dont il apprécie le débordement de style. Dans le domaine de la peinture (chap. 5), Des Esseintes glorifie une esthétique morbide et perverse qui, par une technique hallucinatoire, pousse l'âme dans ses derniers retranchements et en exhume les obsessions et les terreurs (Moreau, Jan Luycken, Bresdin, Redon). En musique, Des Esseintes goûte l'œuvre de Wagner, Schumann, Schubert, faite de gravité et d'hystérie retenue, mais surtout le plain-chant aux résonances douloureuses.

Le second axe thématique, sur les sens et le luxe, est une théorie générale d'esthétique, placée sous le double signe de la synesthésie et de l'artifice, « le signe distinctif du génie » (chap. 2). Il s'agit en effet d'embrasser toutes les sensations mais avec un degré d'élaboration qui ne peut se satisfaire que de l'artificiel. Au chapitre 1, Des Esseintes choisit les couleurs afin qu'elles puissent s'exhaler à la lumière artificielle et s'harmoniser avec ses états d'âme. Les gemmes de la tortue (chap. 4) seront plus étranges que précieuses, refusant une conception vulgaire du luxe. L'épisode des fleurs (chap. 8) est l'un des plus intéressants : choisies parce qu'elles paraissent artificielles, leurs formes obscènes évoquent des sexes aux couleurs hideuses, des chairs corrompues par la maladie, comme ces « Amorphophallus [...] aux longues tiges noires couturées de balafres, pareilles à des membres endommagés de nègre » ou toutes celles qui « comme rongées par des syphilis et des lèpres, tendaient des chairs livides, marbrées de roséoles, damassées de dartres ». Ici, se trouvent résumées deux tendances de la Décadence : le goût de l'inversion, lorsque la nature se fait artifice, et la fascination pour un érotisme morbide et dégénéré. Le même goût du paradoxe se manifeste dans l'ameublement, à la fois extravagant comme cette cabine de bateau peuplée de poissons mécaniques (chap. 2), et faussement austère comme la chambre à coucher rappelant une cellule monacale mais de façon que les plus riches étoffes imitent les textures les plus pauvres (chap. 5). Les scènes de l'orgue à bouche (chap. 4) et de la création des parfums (chap. 10) évoquent des expériences de synesthésie : dans l'orgue, chaque note correspond à une liqueur, chaque mélodie créant un cocktail unique, et chaque parfum se doit de provoquer des visions de villes et de paysages hallucinés. Des Esseintes passe ainsi en revue quatre sens : la vue, l'ouïe, l'odorat, le goût. Seul le toucher n'est pas explicitement évoqué. Pourquoi ? Parce que le décadent n'a pas de chair, il n'a qu'un corps, dont les perceptions s'appliquent à des objets distanciés et exceptionnels, un corps miné par la névrose et dont les fonctions se détériorent : il n'a plus ni sexe ni estomac.

Cette âme de décadent se doit de trouver place dans une écriture que Paul Bourget définit ainsi : « Un style de décadence est celui où l'unité du livre se décompose pour laisser la place à l'indépendance de la page, où la page se décompose pour laisser la place à l'indépendance de la phrase et où la phrase se décompose pour laisser la place à l'indépendance du mot. » Définition parfaite de ce qui préside à la composition d'*À Rebours* : un éclatement du récit et de l'écriture en mille détails. Dispersion, mais aussi surcomplication. Le style tente de restituer le dernier râle du Verbe qui meurt de l'outrance et de l'indicible, tout comme l'âme du décadent. Le style de Huysmans devient ainsi contourné, se débat dans des floraisons denses et multiples, recherchant désespérément le néologisme et l'adjectif rare. Les mots se muent en bibelots précieux, exilés de leur propre sens, à réinventer : « Sur la cheminée dont la robe fut, elle aussi, découpée dans la somptueuse étoffe d'une dalmatique florentine, entre deux ostensoirs, en cuivre doré, de style byzantin, provenant de l'ancienne Abbaye-aux-Bois-de-Bièvre, un merveilleux canon d'église, aux trois compartiments séparés, ouvragés comme une dentelle, contient, sous le verre de son cadre, copiées sur un authentique vélin avec d'admirables lettres de missel et de splendides enluminures, trois pièces de Baudelaire. »

Le renversement et le déséquilibre sont donc généraux. Une seule issue à cette déroute semble possible : la foi, la foi qui s'insinue dans l'esprit de Des Esseintes dès le chapitre 6 et resurgit à la fin du roman : « L'impossible croyance en une vie future serait seule apaisante. » Sans le savoir, en s'attachant à l'art religieux, Des Esseintes s'attache peu à peu à la religion, comme la Madame Gervaisais des Goncourt : « L'Église [...] tenait tout, l'art n'existait qu'en Elle et que par Elle » (Préface).

En effet, *À Rebours*, au dire même de Huysmans dans sa Préface, prépare sa réconciliation avec le catholicisme et constitue « une amorce de [s]on œuvre catholique ». Barbey avait prédit cette évolution dès la parution de l'ouvrage : « Après un tel livre, il ne reste plus à l'auteur qu'à choisir entre la bouche d'un pistolet et les pieds de la croix. » Huysmans, comme peut-être Des Esseintes, a déjà choisi.

La Cathédrale

Ce roman est le premier qui s'inscrive dans la lignée catholique de l'œuvre de Huysmans, après ce que l'on peut appeler une conversion marquée par *En Route*.

SYNOPSIS

Depuis trois mois, Durtal se trouve à Chartres. Il y a suivi son confesseur et ami l'abbé Gévresin qui pensait ainsi l'aider à traverser une crise spirituelle. Gévresin est assisté par l'abbé Plomb, jeune homme instruit et mystique. Durtal ne ressent que plus encore, dans ce lieu de ferveur, l'aridité de son âme. Il se lie avec l'abbé Plomb avec lequel il disserte de l'architecture de la cathédrale de Chartres qu'ils visitent fréquemment ensemble. L'article que Durtal écrit sur Fra Angelico ne peut combler son vide intérieur et il pense faire retraite. Ses pas le menant toujours à la cathédrale, il se raffermit peu à peu dans le projet dont il s'entretient avec l'abbé Plomb, de devenir oblat à l'abbaye de Solesmes. Cependant Durtal hésite encore à se retirer du monde. Les visites des alentours, ses études de symbolique chrétienne ne font que retarder le moment crucial. Malgré les doutes qui l'assaillent, Durtal se décide enfin et part à Solesmes avec l'abbé Plomb.

La crise spirituelle de Durtal, qui est sans doute celle de Huysmans, est scandée par des considérations sur la symbolique chrétienne : « Elle a été l'attrait décidé de ma vie à Chartres, elle m'a allégé et consolé lorsque je souffrais de me sentir l'âme si importune et si basse », dit le héros (chap. 16). Chaque étape spirituelle de Durtal est ainsi prétexte à une réflexion sur les symboles utilisés par les mystiques chrétiens. Il évoque en premier lieu la symbolique architecturale (chap. 5, 6, 9, 11) si importante dans la pensée de Huysmans. La cathédrale de Chartres, qui donne son titre à l'ouvrage, est en effet le centre et la clé de voûte du roman du point de vue narratif (lieu de recueillement et de prière, de mise au point où Durtal retourne toujours) mais aussi un champ d'expérimentation des théories symbolistes. Sur cette dissertation architecturale se greffe toute une série d'autres développements : symbolique des couleurs (chap. 7), des pierreries (chap. 7), ce en quoi Huysmans continue ce qu'il avait amorcé dans *À Rebours*, des fleurs (chap. 10), des cloches et des vitraux (chap. 13), ce qui n'est pas sans rappeler *Là-bas*, des odeurs (chap. 14) et des bestiaires (chap. 15). Ces analyses servent parallèlement à affirmer des positions d'ordre esthétique : Durtal manifeste un goût particulier pour la statuaire et affirme une préférence paradoxale pour l'art roman, pour celui des primitifs (voir le développement sur Fra Angelico au chapitre 7) depuis lesquels, selon lui, l'art est tombé en déchéance et a perdu de sa force. La Cathédrale est ainsi tout entière dominée par l'expression d'un catholicisme érudit et mystique que Huysmans montre ici en acte, à la recherche de la spiritualité des représentations et des objets, et qui fait écho à une recherche littéraire qui privilégie l'énumération et essaie de se faire globalisante. Sans doute retrouve-t-on dans le style de Huysmans quelque chose du rythme biblique et du souffle des mystiques : « Elle seule est bien la blanche tige du blé divin, du froment eucharistique ; Elle seule est bien l'Immaculée, la Regina Virginum des Litanies, et Elle est si jeune, si ingénue, que le Fils semble couronner, avant même qu'elle ne l'ait conçu, sa Mère ! » (chap. 7). Pourtant, cette tentative trop intellectuelle d'appréhender le divin constitue en soi un blasphème pour Huysmans et un écueil. Si Durtal — que l'on ne peut qu'assimiler à Huysmans — déplore l'inculture catholique (« ignorance inouïe, haine instinctive de l'art, appréhension des idées, terreur des termes si particulière aux catholiques », chap. 11), l'esprit analytique dont il fait preuve est cela même qui cause l'absence de grâce qui le désespère. L'intellect toujours en balance avec la foi, Durtal ne peut s'abandonner naïvement à Dieu : « C'est mon manque d'abandon, mon défaut de confiance envers Dieu et aussi mon peu d'amour qui m'ont mis dans un état pareil » (chap. 15). Le seul refuge, c'est bien sûr la cathédrale, mais surtout Celle à qui elle est consacrée, la Vierge. Il est curieux de constater que c'est entre ses bras que Durtal s'abandonne, comme anéanti par cette figure féminine de pureté que nul concept ne semble pouvoir circonvenir.

H. Védrine

I

Idéologues (les)

(fin du XVIIIe-début du XIXe siècle)

On ne saurait parler d'une « école » des Idéologues, mais plutôt d'un groupe d'intellectuels et d'hommes de lettres partisans des Lumières et soucieux de définir une attitude cohérente pour leur classe sociale : la bourgeoisie voltairienne [voir **Lumières**].

La pensée des Idéologues, qu'il s'agisse de philosophes comme Condorcet, Gérando ou Maine de Biran, de savants comme Laplace, de médecins comme Cabanis et Bichat, d'historiens comme Daunou et Volney, de linguistes comme Destutt de Tracy, s'articule sur quelques principes fondamentaux : refus de la métaphysique – vaine spéculation vouée à l'incertitude –, projet d'une science de l'homme fondée sur la raison, analyse et esprit critiques, conception sensualiste de la connaissance, affirmation de la perfectibilité et foi dans le progrès.

Une position stratégique

Ce *lobby* intellectuel constitue un groupe d'amis dont les affinités sont renforcées par une commune jeunesse. On se réunit dans le salon de Mme Helvétius, et surtout on s'attache à occuper les places que le pouvoir issu de Thermidor offre à ces défenseurs du nouvel ordre bourgeois débarrassé des menaces populaires. Les Idéologues vont ainsi investir les nouveaux organismes qu'ils ont largement contribué à créer : l'Institut, et en particulier sa classe des Sciences morales et politiques, les Écoles centrales, l'École normale supérieure.

Malgré les avanies subies pendant la Terreur, les Idéologues se distinguent par une remarquable continuité de présence dans les assemblées révolutionnaires : Tracy et Volney siègent à la Constituante, Lakanal et Daunou à la Convention, on retrouve Tracy, Cabanis et Maine de Biran aux Cinq-Cents… Ils y maintiennent la constance d'une ligne de juste milieu : contre la réaction trop voyante, qui s'en prend à la philosophie des Lumières, contre la petite bourgeoisie alliée au mouvement populaire. C'est ce qu'ils appellent promouvoir « l'utilité générale et la gloire de la République ».

Ils occupent ainsi une position stratégique qui leur permet de soutenir la Déclaration des droits de l'homme, le principe de l'égalité devant la loi, celui de la laïcité de l'État et d'affirmer la nécessité d'une instruction publique comme premier souci de la nation. De ce point de vue, ils se font les porte-parole et les artisans de la grande révolution culturelle bourgeoise d'où procédera pour une bonne part le mouvement républicain tout au long du XIXe siècle. Ils représentent la pointe de l'idéologie bourgeoise (au sens marxiste du terme), qui, selon Lénine (*Iskra* du 14 février 1902), ouvre la voie au marxisme en identifiant révolution et rationalisme. On les opposera donc à ces spiritualistes conservateurs et religieux – dont le chef de file est Victor Cousin – qui récupéreront Maine de Biran sous la Restauration. Les deux mouvements se réclament cependant de Condillac et de son sensualisme.

Les Idéologues, en effet, poussent l'empirisme de Condillac (ainsi que celui de Locke, d'Adam Smith et des Écossais) vers le primat de l'expérience et le culte de la connaissance scientifique, dont le corrélat est une attitude politique opposée au despotisme et soutenant les libertés bourgeoises. La réaction napoléonienne et la Restauration ne pouvaient que combattre ces tendances libérales. Napoléon dénoncera dans les Idéologues des adversaires de l'« autorité existante » et la « source de tous les malheurs qui éprouvent notre belle France » (1812). L'éclectisme cousinien, inséparable du contrôle politique et ecclésiastique sur l'Université, calquera son extérieur sur le rationalisme analytique des Idéologues pour exprimer sur le fond une doctrine réactionnaire.

Une pensée de transition

Ce combat interne à l'idéologie bourgeoise entre matérialisme et idéalisme trouve naturellement son prolongement et son illustration dans le domaine littéraire. L'Idéologie (le mot fut forgé par Tracy, alors que le terme d'Idéologues fut consacré par Chateaubriand, leur adversaire, et qu'ils préféraient s'appeler eux-mêmes des Idéologistes) inspirera la gauche libérale sous la Restauration, tant dans les pamphlets de Paul-Louis Courier que dans les chansons de Béranger. On peut également suivre la filiation de *la Décade* au *Globe*, et l'influence de Destutt de Tracy sur Stendhal apparaît à l'évidence.

La situation des Idéologues par rapport au romantisme est assez ambiguë : leur rigorisme analytique s'oppose au vague des passions, leur héritage voltairien à la dénonciation du « hideux sourire », mais leur optimisme humaniste rejoint l'ambition prométhéenne, leur foi en l'avenir recoupe le poème de l'humanité, qu'il s'exprime dans l'*Introduction à l'histoire universelle* de Michelet (1831), dans l'*Ahasvérus* de Quinet (1833) ou dans les *Visions* lamartiniennes (1851-1853).

Tenter de dresser un bilan de l'Idéologie n'est possible qu'en considérant cet ensemble complexe qu'est l'esprit du XIXe siècle. Si l'on admet avec Paul Bénichou que « la société nouvelle a établi sa croyance sur une refonte spiritualisée des idées qui avaient opéré son violent avènement » et que « la transposition spiritualisante des idées héritées du siècle précédent a été une “plébéianisation”, une adaptation au niveau et dans le langage de la peine commune, des idéaux conçus précédemment par une minorité favorisée », on peut penser que les Idéologues prennent place dans une époque de transition et de gestation : transition entre les têtes pensantes des Lumières, dont ils systématisent les conquêtes intellectuelles, et le libéralisme du « grand soleil de juillet 1830 » ; gestation de l'idéologie républicaine sociale, dernier avatar et conséquence d'un romantisme en lequel fusionnent l'Idéal reconquis et le Réel dignifié.

En somme, les Idéologues élaborent une pensée destinée à se combiner avec – *horresco referens !* – l'irrationalisme. Peut-être ceux-là mêmes qui auraient rejeté tout ce que le « littéraire » comporte d'indéfinissable spiritualité doivent-ils leur fécondité et leur postérité à la littérature du XIXe siècle, dont « la nouvelle dignité crée alors, ou ébauche, dans une forme libérée des anciennes entraves, le lyrisme pensant des Temps modernes, l'épopée de l'humanité : le roman et le drame symbolique » (Bénichou).

G. Gengembre

IKOR Roger

(1912-1986)

Né à Paris, normalien, agrégé de grammaire, Roger Ikor eut une longue carrière de professeur de lycée (interrompue par la captivité de 1940 à 1945). En 1969, il devint maître-assistant à la Sorbonne. Il avait publié un essai sur *l'Insurrection ouvrière de juin 1848* en 1936 et une *Vie de Saint-Just* en 1937, mais c'est après la guerre que s'affirma sa vocation littéraire : entré comme journaliste au *Figaro* en 1955, il donna une pièce de théâtre, *Ulysse au port* (1956), des essais, *Mise au net* (1957), *les Cas de conscience d'un professeur* (1965). Il s'est fait connaître du grand public par ses romans, *À travers nos déserts* (1950), *les Grands Moyens* (1951), *le Tourniquet des innocents* (1972). Ses œuvres les plus célèbres demeurent des romans-cycles : *les Fils d'Avrom* (comprenant *les Eaux mêlées,* qui obtint le prix Goncourt en 1955, et *la Greffe du printemps*), *Si le temps*… (six volumes : *le Semeur de vent,* 1960 ; *les Murmures de la guerre,* 1961 ; *la Pluie sur la mer,* 1962 ; *la Ceinture du ciel,* 1964 ; *les Poulains,* 1966 ; *Frères humains,* 1969). *Ô soldats de 40 !*… (1986) est le récit de la retraite d'un régiment après la débâcle.

Peu soucieux d'innovations techniques, Roger Ikor écrit de façon simple et vivante. Deux thèmes essentiels circulent dans son œuvre : la jeunesse, avec ses problèmes, ses folies, parfois sa violence, et la situation des israélites implantés en France et peu à peu assimilés. Ces sujets sont présentés de façon concrète et colorée, quoique un peu didactique ou schématique parfois. À la fin des années 1970, il vécut un drame familial qui l'engagea dans un combat passionné contre les trafiquants de drogue (*Je porte plainte,* 1980).

A. Niderst

Illuminisme et littérature

Le terme « illuminisme » apparaît officiellement en 1819 comme un dérivé d'« illuminé » et se définit comme étant à la fois la (ou les) doctrine(s) de certains mystiques dits illuminés, tels Böhme ou Swedenborg. « Illuminé » apparaît dès 1653 pour désigner tout mystique croyant à l'illumination intérieure. Quant à l'« illumination », c'est-à-dire la lumière extraordinaire que Dieu répand dans l'âme, elle est attestée lexicalement dès 1361, date à laquelle Oresme l'utilise pour traduire le latin *illuminatio.*

La filiation religieuse est donc claire. Historiquement, il s'agit de la constitution progressive d'hérésies plus ou moins reliées, avec formation de sectes. L'apogée doctrinal se situe à la fin du XVIIIe siècle. Littérairement, le préromantisme est imprégné d'illuminisme, mais, quand ce terme apparaît, la diffusion de l'illuminisme dans le romantisme se fait au prix d'un changement de nature.

Le concept

On aimerait pouvoir répertorier les différentes formes d'illuminisme avec la belle assurance de Mme de Staël : « Il y a trois classes d'illuminés : les illuminés mystiques, les illuminés visionnaires et les illuminés politiques » (*De l'Allemagne,* IV, 8). En fait, il faut admettre avec Paul Bénichou que « ce qu'on appelle l'illuminisme se présente sous des formes apparemment si variées qu'on a peine à le définir dans son ensemble » (*le Sacre de l'écrivain,* 1973).

On sait que le siècle des Lumières est aussi celui de l'occultisme. On peut remonter, en suivant les influences successives, jusqu'au néo-platonisme, en passant par les mystiques allemands du XVIe siècle, les quiétistes vaudois et les piétistes, sans oublier les kabbalistes et les gnostiques : un certain nombre de traits communs fondamentaux apparaissent. L'illuminisme professe une croyance en une tradition primitive universelle que seuls les initiés peuvent connaître par la compréhension des forces surnaturelles et la communication avec l'au-delà. Cette tradition enseigne que la Chute originelle, ce divorce entre l'homme et la Création, a engendré la matière et qu'une régénération se produira, par réintégration de l'homme dans l'Être premier. Donc, l'illuminisme conçoit l'univers comme une unité hiérarchisée entre la divinité et l'homme, la liaison s'opérant par des puissances intermédiaires, avec lesquelles un contact peut exister par magie ou divination.

Cette vision s'oppose au rationalisme apparemment triomphant et prend l'exact contrepied des théories matérialistes, dans la mesure même où le catholicisme semble affaibli. La diversité des doctrines – et des pratiques – des illuminés est fonction des filiations reconnues ou revendiquées, des niveaux de culture… et de sincérité. On distinguera donc les adeptes de la magie, de la sorcellerie et de l'alchimie, des sectes, loges, confréries qui pullulent en Europe, visionnaires de Copenhague, quiétistes vaudois, philalèthes parisiens, etc. ; les tenants d'un illuminisme mondain, qui se pratique dans les salons de la duchesse de Noailles, de la marquise de

Clermont-Tonnerre ou de la marquise d'Urfé, et auquel on peut rattacher les cas célèbres du comte de Saint-Germain ou de Cagliostro ; enfin les fidèles de la scientologie mesmérienne.

L'illuminisme comme tel

Sur le plan littéraire, l'illuminisme théosophique est, avant la Révolution, le plus fécond. La recherche spiritualiste de quelques hommes-phares leur fait bâtir de véritables systèmes philosophiques qui constitueront autant de bibles, et cela particulièrement au XIXe siècle. Il convient de citer au moins, parmi ces novateurs, Martinès de Pasqually, Saint-Martin, Lavater et Swedenborg.

Le premier martinisme est créé par Martinès de Pasqually, en particulier dans son *Traité de la réintégration* (rédigé en 1771-1772). Ce personnage, encore mal connu aujourd'hui, y expose une théorie de l'homme à la fois émanation du Créateur et être entièrement libre, mais dont la liberté ne peut prendre tout son sens que par la communication avec le supra-réel et le déchiffrement des mystères métaphysiques. Plusieurs écoles martinistes se fondent, en particulier à Lyon, à Bordeaux et à Paris. Un des disciples de Pasqually, Saint-Martin, surnommé le « philosophe inconnu » (1743-1803), transforme la doctrine : il réunit messianisme illuministe et messianisme poétique, préfigurant ainsi le poète romantique. Dans ses nombreux textes, publiés entre 1775 et 1807, il affirme l'identité de l'esprit et de la matière, l'unité de la création (« Tout est individuel et pourtant tout n'est qu'un ») – manifeste dans l'Homme-Dieu primitif aujourd'hui dégradé – et annonce l'avenir radieux par la régénération (*l'Homme de désir*, 1790). Surtout, il fait de l'initié une voix, l'écho et l'interprète de la voix d'en haut, le prophète de la théologie humaniste. Le monde sensible n'est autre qu'une figure analogique de l'Être ; la voie est ouverte à la prédication poétique : « la poésie est plus qu'une faculté divine de l'homme ; elle est, en quelque sorte, l'unité même de l'univers célébrant Dieu » (Bénichou, *op. cit.*). C'est là l'une des origines de la conception romantique et de ses ambiguïtés [voir **SAINT-MARTIN**].

Lavater (1741-1801) développe une théorie plus naturaliste : la nature est définie comme la révélation essentielle de Dieu ; il faut donc interpréter ce grand texte et, pour ce faire, l'observer scientifiquement. Balzac en retiendra surtout la physiognomonie, interprétation du caractère d'après la forme du visage.

Swedenborg (1688-1772) aura une influence considérable. Ce naturaliste suédois illustre la double tentation scientifique et mystique du XVIIIe siècle : il passa de la rédaction d'ouvrages de sciences naturelles à la fondation de l'Église de la Nouvelle-Jérusalem, plaçant la connaissance affective au-dessus de la connaissance scientifique ou sceptique. Ses deux textes fondateurs sont *Arcana coelestia* (1749) et *De nova Hierosolyma* (1758). Leur lecture imprégnera beaucoup d'esprits. Il cxiste encore aujourd'hui des églises swedenborgiennes, notamment aux États-Unis.

L'ensemble de cet illuminisme première manière permet déjà toutes les utilisations, non seulement parce qu'il est multiple, mais surtout parce qu'il propose de nouveaux horizons à l'ambition humaine. En ce sens, il complète le rationalisme qu'il combat. La vision illuministe permet le renouvellement du fantastique (que l'on pense à Jacques Cazotte, martiniste convaincu) et alimente la sensibilité révolutionnaire. Auguste Viatte va jusqu'à distinguer un illuminisme révolutionnaire, qui serait représenté par Rétif de La Bretonne et Bonneville, entre autres. En fait, la Révolution mettra un terme à l'« ancien » illuminisme.

La coupure révolutionnaire : le sommeil de l'illuminisme

Si les maîtres continuent de publier, et en particulier Saint-Martin, qui, contrairement à la plupart des théosophes, semble plutôt approuver la Révolution, laquelle ne peut être que providentielle, les sectes se dispersent et les écoles se ferment. Tout se passe comme si les dogmes républicains étouffaient l'élan de religiosité qui s'opposait aux dogmes chrétiens, comme si l'attrait pour le mystère, l'au-delà et l'infini s'étiolait à l'ombre de la Nation, comme si l'exaltation de la sensibilité se perdait dans le règne de la Vertu, comme si les aspirations vagues s'effaçaient devant la détermination des Montagnards.

Cette interprétation est pourtant trompeuse ; s'il est vrai que la Terreur ne favorise guère le maintien des courants de pensée ésotériques, on peut parler d'un « illuminisme des carrefours » qui se perpétue en amalgamant les doctrines illuministes et les superstitions plus populaires (le vieux fond irrationaliste reste une constante, une sorte de décor qui ne se laisse jamais oublier). Il n'y a pas de véritable solution de continuité avec la génération de l'Empire. Le Directoire et le Consulat voient une floraison de publications illuministes : derniers ouvrages de Saint-Martin ; querelle philosophique de ce dernier avec Garat à l'École normale ; œuvres de ses disciples Gilbert, Joannie, Prunelle de Lierre et Gence ; traduction, par le comte de Divonne, des dialogues de W. Law, continuateur anglais de J. Böhme ; diffusion des écrits d'Eckartshausen ; traduction de Swedenborg…

On a parlé d'un illuminisme néo-païen pour qualifier les nouvelles tendances de ces années 1795-1805 qui se perpétuent sous l'Empire. Il s'agit, en fait, d'un syncrétisme à base d'ésotérisme pythagoricien, dans lequel Moïse est considéré comme un initié de Memphis et le christianisme comme une forme de la tradition unique originelle : les représentants les plus intéressants de ce courant sont Quintus Aucler avec sa *Thréicie* de l'an VII (autrement dit « culte pur des dieux »), où il annonce une doctrine inspirée des mystères de Samothrace et prône un retour aux cultes de l'Empire romain, Fabre d'Olivet (1767-1825), qui reprend les traditions orphiques – notamment le thème des rapports harmoniques de l'Univers en une musique sacrée –, et J.-A. Gleizes, pour qui le végétarisme est la clef de l'épuration progressive de la matière. On peut y ajouter Dupont de Nemours, dont *la Philosophie de l'Univers* (1799) tente une conjonction du rationalisme et de la théosophie.

Il convient également de considérer le maintien de l'intérêt manifesté par les illuministes du XVIIIe siècle à l'égard des sciences : on s'efforce d'intégrer les découvertes nouvelles aux sciences de l'invisible et à l'ésotérisme – tentative de fusion qui se manifeste encore de nos jours. Origine du langage, magnétisme, unité cosmique, action et réaction..., d'innombrables publications traitent de ces questions.

Ajoutons à ce rapide tableau la prise en compte des questions politiques. Le bouleversement révolutionnaire provoque une recrudescence du millénarisme, et deux tendances divisent l'illuminisme : la contre-Révolution, au nom d'un univers hiérarchisé par un Dieu représenté par le souverain ; la démocratie égalitaire et fraternelle, au nom de la communion des individus dans un monde unifié. Cette option débouchera sur les socialismes mystiques d'après 1830 : Fourier commence à publier sous l'Empire.

Concrètement, les illuministes peuplent la franc-maçonnerie avant la Révolution, et un Willermoz tente de lui assigner un idéal religieux ; mais les mystiques christianisants la quitteront, et la maçonnerie se transformera, sous l'Empire et la Restauration, en une organisation politique libérale. Le personnage de Napoléon fascine certains illuministes comme Fabre d'Olivet, qui voit en lui l'union de la Volonté et du Destin, ou Coëssin, qui rêve d'un héros associé à une autorité spirituelle suprême, ou encore Mme de Krüdener, qui identifie l'Empereur à l'Antéchrist auquel il faut opposer un homme providentiel : le tsar Alexandre Ier [voir **KRÜDENER**].

Si la plupart des œuvres illuministes ne se distinguent pas par des qualités littéraires déterminantes, la fin de l'Empire et, surtout, la Restauration marquent une nouvelle étape et, à certains égards, un véritable tournant : l'illuminisme va se diffuser dans le champ littéraire, mais aussi s'y diluer.

Le romantisme ou l'illuminisme dilué

Citons Auguste Viatte : « Au début de la Restauration germent tous les systèmes qui s'épanouiront plus tard. La métaphysique y devient fonction des utopies sociales. La réforme du culte n'apparaît que comme un aspect de la refonte générale des institutions. Saint-Martin ou Swedenborg séduisent encore par les aliments qu'ils offrent à l'imagination, mais l'on vise à des résultats plus tangibles. Leurs systèmes survivront à la condition de se mélanger à ceux des révolutionnaires et d'ajouter une poétique à leur théologie » (*les Sources occultes du romantisme*, 1927). En fait, dès la fin de l'Empire, l'illuminisme intrigue les écrivains autant par les thèmes qu'il développe que par les possibilités qu'il offre à l'inspiration. De là une ambiguïté certaine : dans quelle mesure les écrivains sont-ils vraiment imprégnés des doctrines illuministes ? S'il semble clair que, pour un Nodier, l'illuminisme est avant tout une source de renouvellement du fantastique, même s'il affirme : « Il était si facile alors de me faire monter sur les ailes mystiques des anges de Swedenborg, de m'enterrer tout vivant dans les entéléchies de Saint-Martin, que je fus néophyte au premier appel, comme saint Paul », on peut s'interroger sur Senancour, dont les *Libres Méditations* de 1819 montrent une élévation mystique à la recherche du divin, et sur le groupe de Coppet, autour de Mme de Staël : le mysticisme n'y est-il qu'une consolation sentimentale ?

De plus, l'illuminisme inspire nettement la pensée de Joseph de Maistre [voir **MAISTRE**] et de Ballanche [voir **BALLANCHE**] : tous deux prônent la réintégration et considèrent la révélation chrétienne comme définitive. L'illuminisme ne signifie donc pas l'unité des pensées politiques. Sans doute appréciera-t-on mieux son importance littéraire en insistant sur la promotion de l'activité poétique (au sens le plus large) qu'il entraîne, à la fois par le rôle qu'il lui assigne dans la communion et dans la connaissance, par la primauté de l'évocation et de l'expression, par la constitution d'un fonds d'idées, de thèmes et de mythes qu'on ne peut qu'énumérer : goût du mystère et des spéculations ; ferveur brûlante, mais indéterminée ; révolte contre le dogme, la discipline, la tradition édulcorée et l'ordre imposé ; lassitude du monde terrestre ; aspiration à l'amour ; attente d'une régénération et d'une rédemption ; inquiétude vague et désir ; souffrance expiatoire ; unité cosmique ; conception analogique du monde et des êtres ; harmonie ; sentiment de la faute ; nostalgie de l'androgyne ; opposition et union des contraires...

Relisons Viatte : « Déformée de mille façons, adaptée aux aspirations de l'heure, l'œuvre des théosophes, longtemps souterraine, n'en sourdra pas moins au grand jour, les multiples filets dérivés de cette rivière viendront alimenter et nuancer le grand fleuve romantique » (*op. cit.*). À la limite, l'histoire de l'illuminisme va se confondre, pendant une cinquantaine d'années (disons jusqu'aux *Illuminés* de Nerval en 1852), avec celle de la littérature même, et surtout de l'idée neuve qu'elle s'est faite de son rôle : assumer le pouvoir spirituel des Temps modernes. S'ouvre alors le temps des prophètes.

Le romantisme, issu à la fois de la contre-Révolution et du libéralisme, ne devient tel qu'après la fusion de ces deux courants dans une vision qui met en évidence les correspondances (concept illuministe par excellence) de l'idéal et du réel. L'analogie est plus qu'une figure de pensée, pour le romantisme : c'est un principe unificateur. Tout écrivain romantique peut donc être étudié de ce point de vue, et, au-delà, toute la littérature du XIXe siècle : « La nouvelle dignité de la littérature crée alors, ou ébauche, dans une forme libérée des anciennes entraves, le lyrisme pensant des Temps modernes, l'épopée de l'humanité, le roman et le drame symboliques » (Paul Bénichou, *op. cit.*).

L'illuminisme porte en lui la consécration du Poète : inspiré d'« En Haut », ce nouveau personnage quasi démiurgique prend en charge le mystère des choses. Conçu d'abord comme l'anti-Philosophe, il se confond vite avec lui pour donner naissance au Poète-Penseur, nouvel avatar de l'Homme de lettres : « Toute pensée progressive ou émancipatrice se trouva alors enveloppée d'un halo d'idéal, et la poésie régna sur la prose même. Le Poète-Penseur garantissait à la fois la régénération finale et son accomplissement sans violences ni haines. Il semblait présider dignement à la société nouvelle, dont le progrès était la loi avouée » (Paul Bénichou, *id.*).

Se crée alors une véritable communauté d'écrivains qui transcende les classes sans que pour autant s'abolissent les distinctions ; l'échec de 1848 sera celui de la littérature comme parole prophétique autant que celui de la République. Les intellectuels se réfugieront dans le pessimisme et le dégoût, et se constitueront en caste méprisante. Le second Empire verra du même coup la disparition non pas de l'illuminisme, mais de son optimisme humaniste et de son syncrétisme régénérateur. Il se dégradera alors en fausse monnaie de l'ésotérisme : il y a loin de la théosophie d'un Saint-Martin au théosophisme fin de siècle d'une Mme Blavatsky.

L'illuminisme a pu inspirer, orienter, alimenter le romantisme parce qu'il est un discours et une quête de la liberté. Il se trouve à l'origine d'une fascination devant la Poésie et l'Art, « unique couronne mystique de l'Esprit dans le siècle commençant » (Bénichou). Les nuances, voire les oppositions, entre les divers écrivains romantiques ou de l'âge romantique importent peu en regard de cette évidence ; Balzac et Nerval se rejoignent ainsi, en passant par Lamartine et Hugo. Illuminisme et littérature s'accordent pour assigner à la Parole une responsabilité capitale. Échappons-nous à cette Foi ? [Voir aussi **BALZAC**, **HUGO**, **NERVAL**, **Romantisme**.]

G. Gengembre

Ionesco

IONESCO Eugène

(1909-1994)

Quoi qu'il arrive, Ionesco est sûr d'appartenir à l'histoire du théâtre et de la littérature : il a été « classé » de son vivant. Et cela dès ses débuts, dans les années 1950, où il fait partie de la trilogie Adamov-Ionesco-Beckett, premiers représentants de ce qu'on a appelé, d'après le titre d'un essai de Martin Esslin traduit en 1963, le « théâtre de l'absurde ». Le mot a fait fortune. Créées respectivement en 1950 et 1951, traduites à peu près dans toutes les langues, jouées par les plus grands acteurs, les deux premières pièces de Ionesco, *la Cantatrice chauve* et *la Leçon,* fondent à elles seules la gloire d'un écrivain dont le nom, banal en Roumanie, son pays d'origine, paraît être devenu synonyme d'un style, d'un art spécifiques, comme le furent les noms de Kafka ou de Picasso.

Du bon usage de l'Assimil

Sur l'origine de *la Cantatrice chauve* – écrite en 1948 –, Ionesco s'est suffisamment expliqué pour qu'on veuille bien être dupe de ses commentaires paradoxaux. Il a dit et écrit qu'il avait eu la révélation de l'absurdité du langage ou, plus exactement, de celle de nos échanges verbaux quotidiens en lisant la méthode Assimil d'anglais : « Dès la troisième leçon, deux personnages étaient mis en présence, dont je ne sais toujours pas s'ils étaient réels ou inventés : M. et Mme Smith, un couple d'Anglais. À mon grand émerveillement, Mme Smith faisait connaître à son mari qu'ils avaient plusieurs enfants, qu'ils habitaient dans les environs de Londres, que leur nom était Smith, etc. » (*Notes et contre-notes*).

L'absurde de Ionesco, ce n'était donc pas, au départ, l'absurde philosophique hérité de Kierkegaard, développé par Sartre et par Camus, c'était l'étonnement devant le quotidien, le lieu commun, la banalité anonyme des êtres – de préférence petits-bourgeois. De cette simplicité formelle de la pensée et de la syntaxe, Ionesco allait faire très vite un usage multiple. Si *la Cantatrice chauve,* « anti-pièce », pouvait passer pour un exercice comique, mais inquiétant à force de gratuité, sa pièce suivante, *la Leçon,* quoique fidèle à une logique absurde, utilisait les rapports sado-masochistes d'un professeur bizarre et de sa jeune élève, et l'acte sexuel était tout bonnement remplacé par le meurtre. Cette symbolique freudienne, volontairement caricaturale, allait servir de toile de fond ou de trame aux dialogues toujours aussi « banals » des pièces qui se suivirent à un rythme accéléré : *Jacques ou la Soumission, Victimes du devoir* et *Amédée ou Comment s'en débarrasser.* De la famille stupide de *la Cantatrice chauve,* Ionesco était passé à la description imitative d'autres formes d'abrutissement, contre lesquelles la simplicité de son langage théâtral portait de sournoises accusations. Entre le pauvre type de *Victimes du devoir,* qu'un pseudo-policier oblige à fouiller son passé, et le cadavre qui ne cesse de grandir dans *Amédée ou Comment s'en débarrasser,* c'est la même culpabilité imaginaire et congénitale que semble vouloir dénoncer Ionesco, comme avant lui Kafka, avec les moyens du récit.

Homme de théâtre, donc extraverti par nécessité esthétique, Ionesco prend soin de donner chaque fois au spectateur les preuves tangibles de sa logique absurde. La fiancée à trois nez de *Jacques ou la Soumission*, les centaines d'œufs qu'elle pond dans la pièce qui fait suite : *L'avenir est dans les œufs,* le cadavre et les champignons d'*Amédée,* les meubles qui étouffent *le Nouveau Locataire,* la multiplication des chaises dans *les Chaises* sont les signes concrets, visibles, d'une angoisse qui va nourrir ce théâtre, où la subjectivité – on y retrouvera sans cesse les personnages et les événements de la vie privée de l'auteur – le dispute à un malaise à la fois social, politique et métaphysique.

À cet égard, et pour s'en tenir à cette première période du théâtre de Ionesco, le vieux couple des *Chaises* est certainement le plus pathétique que nous ait donné, avec les deux clochards de Beckett, le théâtre contemporain. On dirait que, parti de la comédie et même de la farce, Ionesco en est arrivé très vite au drame, sinon à la tragédie. Dans *les Chaises,* le gâtisme de ces deux vieillards cernés par un déluge qui a englouti Paris

(« Allons, mon chou, ferme la fenêtre, ça sent mauvais l'eau qui croupit et puis il entre des moustiques ») a beau s'exprimer de façon comique et parodique, comme en un lointain souvenir des petits-bourgeois de Labiche ou de Henri Monnier, on a beau rire à l'évocation de ces ambitions, toutes médiocres et jamais réalisées, une vérité plus profonde : le drame de la vieillesse et de la solitude, s'exprime là dans sa réalité dérisoire. Si nombre de pièces de Ionesco traitent du couple, de la vie à deux et de son échec, c'est avec *les Chaises* que, dans ce registre, il aura donné sa note la plus haute. Anouilh ne s'y est pas trompé qui, par un article retentissant paru dans *le Figaro* (1954), consacrait le talent de Ionesco et, dès lors, le signalait à un public plus vaste que celui des petits théâtres de la rive gauche, où ses premières pièces avaient été créées.

La peur des rhinocéros

Auteur typique d'avant-garde, Ionesco s'était heurté, à ses débuts, à la critique conservatrice. En multipliant les provocations inhérentes à son style de théâtre et aux explications faussement naïves qu'il en donnait, il s'exposait à un certain isolement qu'allait accentuer bientôt l'évolution du théâtre parisien. L'engagement politique des hommes de théâtre, qui devait profondément troubler Adamov, la venue de théoriciens comme Bernard Dort ou Roland Barthes, autant de circonstances qui allaient obliger Ionesco à se défendre sur sa gauche, après avoir été vilipendé sur sa droite. Des attaques dont il a été l'objet, et qui devaient trouver bizarrement leur prolongement dans les journaux anglais, après un fameux article du critique Kenneth Tynan dans *The Observer* (juin 1958), on découvrira la savoureuse illustration théâtrale dans *l'Impromptu de l'Alma.* Sur un mode moliéresque, un auteur nommé Ionesco se trouve en butte aux conseils et interdictions de docteurs en théâtrologie, tous nommés Bartholomeus.

Cette atmosphère polémique a certainement contribué à faire évoluer le théâtre de Ionesco vers une signification plus nette de ses intentions et de ses buts. Si, au début, celui-ci expliquait volontiers qu'il ne voulait que traduire le vide et la vacuité, au point de faire apparaître, à la fin des *Chaises,* un orateur muet, incapable de délivrer le « message » qu'on attend de lui, Ionesco, avec *Tueur sans gages* (1959), défend une morale de l'individu contre une forme de société qui veut le supprimer. C'est dans cette pièce qu'apparaît pour la première fois le personnage de Bérenger, *alter ego* de l'auteur, personnage naïf et courageux, fort de son innocence, qui s'oppose ici à un tueur ricanant et monstrueux.

Passant de l'individuel au politique, Ionesco donne tout de suite après, sur la grande scène de l'Odéon-Théâtre de France, alors dirigé par Jean-Louis Barrault, *Rhinocéros* (1960), œuvre plus ambitieuse que toutes celles qui ont précédé.

Dans une contrée imaginaire, où la vie est simple et heureuse, on signale soudain la présence d'un, puis de plusieurs rhinocéros, qu'on croit un moment échappés d'un cirque. De fait, ce sont les habitants de la petite ville, les collègues de bureau de Bérenger, qui se transforment peu à peu en fauves. Une corne leur pousse, leur corps se couvre d'une carapace, ils détruisent tout ce qui ne leur ressemble pas. Bérenger, lui, est le seul à lutter contre cet effrayant mimétisme : « Contre tout le monde, je me défendrai, contre tout le monde, je me défendrai ! Je suis le dernier homme, je le resterai jusqu'au bout ! Je ne capitule pas ! »

Avec raison, on a aussitôt vu dans *Rhinocéros* une critique des régimes totalitaires : montée du fascisme pour les uns, monde étouffant du communisme pour les autres. Et si Ionesco se référait effectivement à ce qu'il avait connu en Roumanie des « Gardes de Fer » de Codreanu, assimilables à des rhinocéros, l'actualité le conduisait aussi sûrement à condamner les régimes communistes, comme le confirment de nombreux articles et interviews où il s'est exprimé sans ambiguïté.

En fait, c'est toute expérience politique que Ionesco tournera désormais en dérision, qu'il s'agisse des puissants, comme dans l'excellente parodie inspirée de Shakespeare qu'est *Macbett,* ou des peuples contaminés par les fascismes, comme dans *Rhinocéros,* ou encore des velléités de révolte populaire, comme dans *Ce formidable bordel,* où l'on peut lire des répliques de ce genre :

> LE PATRON. – *C'est parce que ce ne sont pas des révolutionnaires, ce sont des réactionnaires.*
> LA SERVEUSE. – *Et leurs adversaires ?*
> LE PATRON. – *Ce sont aussi des réactionnaires. Les uns sont payés par les Lapons, les autres sont payés par les Turcs.*
> LA SERVEUSE. – *Vous avez bien vu les gueules d'Ottomans qu'ils avaient.*
> LE PATRON. – *Ah, ne soyez pas raciste !*
> LA SERVEUSE. – *Si, je suis raciste. Parce que moi, je suis pour toutes les races, je ne suis pas antiraciste.*

Hantise de la mort

L'œuvre de Ionesco (qui, en plus du théâtre, comprend des essais, un recueil de nouvelles, un roman et un film dont il est lui-même le protagoniste, *la Vase*) garde une grande unité dans sa diversité. On peut dire seulement qu'avec les années son angoisse a augmenté et qu'il a eu tendance à se mettre lui-même en scène de plus en plus. Ceux qui le connaissent – et ils sont nombreux, notamment grâce à la télévision – ne peuvent ignorer qu'il a directement utilisé ses ennuis de santé, ses névroses, sa vie familiale et sa soif de solitude dans des pièces comme *la Soif et la Faim, Ce formidable bordel, l'Homme aux valises, le Piéton de l'air, Délire à deux* et, plus encore, dans une pièce parue dans *la Nouvelle Revue française* (janvier-février-mars 1980), *Voyages chez les morts ou Thèmes et variations,* où le personnage principal, Jean, retrouve ses parents et grands-parents morts, comme si le temps était aboli.

Cette dernière œuvre peut être considérée comme un exorcisme. Partout présente dans l'œuvre de Ionesco, l'angoisse de la mort s'est surtout exprimée à l'état pur dans une pièce qui a été considérée comme son chef-d'œuvre : *Le roi se meurt* (1962), une des deux seules pièces, avec *Macbett,* « en costumes », où un roi de conte de fées se prépare aussi mal que possible à sa disparition finale. D'abord créée par Jacques Mauclair, un des premiers « découvreurs » du théâtre de Ionesco, *Le roi se meurt* a fait l'objet d'une somptueuse mise en scène à l'Odéon par la troupe de la Comédie-Française (mise en scène de Jorge Lavelli). C'est que le décor, les objets, les personnages secondaires sont les signes visibles de cette agonie, constamment tournée en dérision, et qui puise sa grandeur dans un lyrisme où l'on retrouve quelque chose d'Alfred Jarry et même de Shakespeare.

Mais on peut mettre en parallèle une autre pièce, donnée huit ans plus tard, en 1970, cruellement intitulée *Jeux de massacre*, qui n'hésite pas, cette fois, à se servir de la peste, en un noir hommage à Artaud, sans doute, pour montrer la mort sous tous ses visages. Là non plus, l'allégorie ne prend pas les allures d'un mystère néo-médiéval, comme l'a fait, par exemple, le Flamand Michel De Ghelderode, mais celles d'une réalité quotidienne et, par là, bouleversante, comme, parmi d'autres scènes, le beau dialogue du « vieux » et de la « vieille », qu'on croirait repris des *Chaises* et qui, au seuil de la mort, est un hymne à la vie.

Ironie et tendresse, attachement au monde et déréliction, étonnement devant les mots et les sentiments, rêveries en forme d'évasion ou de cauchemar, l'œuvre de Ionesco, qui paraissait, au début, reprendre à son compte les recettes du dadaïsme et du surréalisme, est probablement la dernière illustration d'un humanisme qui, depuis Molière, n'avait pas été le fait des auteurs comiques. Il est certain que ses origines étrangères, les difficultés matérielles qu'il a connues pendant la première moitié de son existence, le souci profond qu'il n'a cessé de ressentir à l'égard des événements de son temps – à commencer par ceux qui frappaient son pays d'origine – expliquent en grande partie ce va-et-vient perpétuel entre les formes les plus aiguës du désespoir et son besoin de défendre des valeurs traditionnelles, qu'il a pensé retrouver en entrant à l'Académie française.

Auteur pessimiste, c'est quand Ionesco est comique qu'il est le plus triste – comme ces grands clowns du passé auxquels ses personnages font souvent penser, à cette différence près qu'eux n'ont ni maquillage ni défroque ridicule : ils sont comme lui, comme nous.

VIE		ŒUVRE	
1909	**26 nov. :** naissance d'Eugène Ionesco à Slatina (Roumanie), de père roumain et de mère française.		
1913	La famille vient s'installer en France ; elle y restera jusqu'en 1927. De cette époque, Ionesco garde la nostalgie du village de La Chapelle-Anthenaise (Mayenne). Sa première langue est le français.		
1927	Retour à Bucarest.		
		1931-1934	Premiers essais littéraires et poèmes (*Élégies pour des êtres minuscules*, 1931).
1934	Est reçu à sa *capacitate* (équivalent roumain de l'agrégation). Il devient professeur de français au collège national Stanful Sava, à Bucarest.		
		1935	Publie en roumain un essai sur l'identité des contraires : *Nu [Non]*, où l'on trouve notamment une critique désobligeante sur un écrivain roumain, suivie d'une critique élogieuse sur le même écrivain.
1936	Mariage avec Rodica Burileanu, étudiante en philosophie.		
1938	Retour en France, avec une bourse du gouvernement roumain, pour y préparer une thèse de doctorat sur « le Péché et la Mort dans la poésie française depuis Baudelaire ».	**1938-1940**	De France, envoie des articles à la revue *Viata Românească* (Bucarest).
1942-1944	Ionesco et son épouse s'installent à Marseille, où le couple connaît de grandes difficultés financières.		
1945	Retour à Paris. Naissance d'une fille, Marie-France. Ionesco exerce divers métiers.		
1948	Correcteur dans une maison d'éditions juridiques, il vit dans un rez-de-chaussée de la porte de Saint-Cloud, souvent évoqué dans son œuvre. C'est là qu'encouragé par Pierre-Aimé Touchard, alors administrateur de la Comédie-Française, il écrit sa première pièce, *la Cantatrice chauve*.		
1950	Ionesco se lie avec André Breton, Luis Buñuel, Adamov, Maurice de Gandillac, sans parler de ses amis « roumains », comme Cioran ou Mircea Eliade, écrivains comme lui de langue française. Ionesco est naturalisé français.	**1950**	Création par Nicolas Bataille de *la Cantatrice chauve* au théâtre des Noctambules, à Paris. La pièce est aussitôt remarquée par un petit cercle d'amateurs. Écrit *les Salutations*, théâtre (éd. 1963).

	VIE		ŒUVRE
1951	Ionesco joue dans un spectacle de Nicolas Bataille, *les Possédés* (d'après Dostoïevski).	**1951**	Création de *la Leçon* (écrite en 1950) au Théâtre de Poche, à Paris.
		1952	*Les Chaises* (écrites en 1951), théâtre. *Le Salon de l'automobile,* sketch radiophonique. *Une victime du devoir*, nouvelle.
		1953	Première édition en volume (Arcanes) de *la Cantatrice chauve,* « anti-pièce », et de *la Leçon,* « drame comique ». Avec une préface du critique Jacques Lemarchand, qui ne cessera de soutenir Ionesco contre une critique en majorité hostile. *Le Maître* (écrit en 1951), théâtre. *Victimes du devoir* (écrit en 1952), théâtre. *La Jeune Fille à marier*, théâtre.
1954	Lors d'une reprise des *Chaises* par Jacques Mauclair et Tsilla Chelton, Jean Anouilh écrit un article retentissant en première page du *Figaro,* où le théâtre de Ionesco avait été jusque-là attaqué.	**1954**	*Amédée ou Comment s'en débarrasser* (écrit en 1953), théâtre. Début de la publication, aux éditions Gallimard, du *Théâtre* de Ionesco (7 vol., 1954-1981). Le premier volume est préfacé par Jacques Lemarchand.
		1955	*Jacques ou la Soumission* (écrit en 1950), théâtre. *Le Nouveau Locataire* (écrit en 1953), théâtre. *Le Tableau* (écrit en 1954), théâtre.
		1956	*L'Impromptu de l'Alma* (écrit en 1955), théâtre. *La Vase*, nouvelle.
1957	*La Cantatrice chauve* et *la Leçon* entament, au théâtre de la Huchette, une carrière qui, près d'un demi-siècle plus tard, se poursuit encore.	**1957**	*L'avenir est dans les œufs* (écrit en 1951), théâtre.
1958	Polémique à Londres, menée par Kenneth Tynan, contre le théâtre de Ionesco, joué désormais un peu partout dans le monde.	**1958**	*La Tragédie du langage.* *Expérience du théâtre*, essai.
		1959	*Tueur sans gages* (écrit en 1957), théâtre. *Scène à quatre,* théâtre. *Discours sur l'avant-garde*, essai.
1960	Avec *Rhinocéros,* mis en scène et joué par Jean-Louis Barrault à l'Odéon-Théâtre de France, c'est la première fois que Ionesco est joué dans un grand théâtre. Par la suite, J.-L. Barrault montera également *le Piéton de l'air* et *la Lacune,* satire d'un académicien qui n'a jamais réussi à passer son baccalauréat.	**1960**	*Rhinocéros* (écrit en 1958), théâtre. *Apprendre à marcher*, ballet.
		1961	*La Colère,* scénario pour le film *les Sept Péchés capitaux* (1962) ; sketch réalisé par Sylvain Dhomme. *Le Piéton de l'air*, nouvelle.
		1962	*Délire à deux,* théâtre. *Le roi se meurt,* théâtre. *La Photo du colonel,* récits. *Notes et contre-notes,* écrits divers sur son théâtre.
		1963	*Le Piéton de l'air* (écrit en 1962), théâtre
		1965	*La Soif et la Faim* (écrit en 1964), théâtre.
1966	La Comédie-Française crée *la Soif et la Faim,* avec Robert Hirsch. Elle reprendra ensuite (à l'Odéon) *Le roi se meurt,* créé par Jacques Mauclair.	**1966**	*La Lacune* (écrite en 1962), théâtre. *L'Œuf dur* (écrit en 1963), scénario. *Entre la vie et le rêve,* entretiens avec Claude Bonnefoy. *Mêlées et démêlées*, sketches.
		1967	*Journal en miettes.*
		1968	*Présent passé, passé présent.*

VIE		ŒUVRE	
		1969	*Exercices de conversation et de diction françaises pour étudiants américains*, écrits à la demande d'un professeur américain. Certains de ces « exercices » feront l'objet d'une mise en scène de Claude Confortès, dix ans plus tard. *Découvertes*, essai.
1970	Élu à l'Académie française, au fauteuil de Jean Paulhan, dont il prononce l'éloge. La même année, tourne dans un film qu'il a écrit : *la Vase.*	1970	*Jeux de massacre*, théâtre. *La Vase*, scénario de film pour la TV suisse, réalisé par Wolfgang Dauner en 1971. *Ionesco à cœur ouvert*, entretiens avec Gilbert Tarrab.
		1972	*Macbett*, théâtre.
		1973	*Le Solitaire*, seul roman connu de Ionesco. *Ce formidable bordel*, théâtre.
		1975	*L'Homme aux valises*, théâtre.
		1976	*Contes pour enfants de moins de trois ans*.
		1977	*Antidotes*, essai.
1978	Colloque consacré à Ionesco à Cerisy-la-Salle.		
		1979	*Un homme en question*, recueil d'articles de revues.
		1980	*Voyages chez les morts*, trente-troisième pièce de Ionesco.
		1985	*Le Blanc et le Noir*.
		1986	*Non* (traduit du roumain).
		1988	*La Quête intermittente*, journal intime.
		1990	*Théâtre complet* dans la Pléiade (éd. E. Jacquart)
1994	**28 mars :** mort de Ionesco à Paris.		

G. Dumur

La Cantatrice chauve

SYNOPSIS

Dans un « intérieur bourgeois anglais », M. et Mme Smith échangent des banalités teintées d'incohérences. Surviennent successivement la bonne (Mary) qui prétend s'appeler Sherlock Holmès, un couple d'amis (M. et Mme Martin) qui déduisent d'une longue litanie de coïncidences qu'ils sont mari et femme, puis un capitaine des pompiers désolé de ne pas trouver d'incendies à éteindre. Pour échapper au silence, ces fantoches racontent quelques anecdotes et fables absurdes ponctuées par les coups d'une pendule et d'une sonnette également folles. Ils mêlent évidences (« On ne fait pas briller ses lunettes avec du cirage noir ») et non-sens (« On peut prouver que le progrès social est bien meilleur avec du sucre ») avant de s'adresser des insultes pour le moins originales (« Cactus, coccyx ! coccus ! cocardard ! cochon ! »), parfois réduites à de simples lettres (« A, e, i, o, u »...). Une fois le langage mis à mal, la pièce recommence, avec les Martin dans le rôle initialement tenu par les Smith.

De la « cantatrice chauve », évoquée par le pompier au scandale des autres personnages, nous saurons seulement qu'« elle se coiffe toujours de la même façon » – unique concession à l'usage qui exige un lien entre l'œuvre et son titre. Provocante supercherie, le choix de cette Arlésienne comme héroïne éponyme réduit à des propos insignifiants – voire des borborygmes – la conversation des Smith et des Martin, auxquels le silence est impossible (sc. 7), de même que leur est interdit d'aborder le sujet de la pièce. Sans cantatrice, sans histoire, la première comédie d'Ionesco répond bien à son appellation générique d'« anti-pièce ». Ses personnages eux-mêmes, interchangeables puisque les Martin reprennent le rôle des Smith, font figure d'anti-héros : sans passé (leur mémoire se limite au menu de leur dîner) ni avenir (la fin de la pièce les condamne à un perpétuel recommencement), dotés de noms stéréotypés et d'une existence problématique (M. et Mme Martin sont-ils bien mari et femme ? Que faire d'un pompier sans incendie à éteindre ?), ils s'agitent et remplissent l'espace de paroles, mais le langage aussi leur échappe.

Dès la première scène, M. Smith offre à sa femme des claquements de langue pour toute réponse ; quand les deux couples d'amis se retrouvent enfin (sc. 7), un pesant silence s'installe, coupé seulement par les « hm » des quatre Britanniques – ces deux épisodes d'aphasie, trouble habituellement exclu au théâtre, s'inscrivent comme une évidence dans cette « tragédie du langage ». Ils présagent, en effet, le chaos final où des phrases puisées çà et là dans le manuel d'Assimil coexistent avec les cris les moins signifiants : « Teuff, teuff, teuff… », « A, e, i, o, u… ». François Coppée et Sully Prudhomme, poètes au métier éprouvé, y sont renvoyés dos à dos (« Coppée Sully ! », « Prudhomme François ») et la logique formelle n'y figure que pour mieux accuser l'incohérence des propos : « Le maître d'école apprend à lire aux enfants, mais la chatte allaite ses petits quand ils sont petits »… Le recours à la fable, genre démonstratif par excellence, rend patente cette déperdition du sens : nous demeurons, comme Mme Martin, fort perplexes quand il s'agit de deviner la moralité d'une « fable expérimentale » telle que « le Chien et le Bœuf » : « Une fois, un autre bœuf demandait au chien : pourquoi n'as-tu pas avalé ta trompe ? Pardon, répondit le chien, c'est parce que j'avais cru que j'étais éléphant » !

Or la logorrhée tranquille avec laquelle Mme Smith évoque son dîner au début de la pièce n'est pas moins problématique que la stichomythie finale : ainsi, dès la première phrase (« Tiens, il est neuf heures »), le langage entre en contradiction avec les faits (la pendule vient de sonner dix-sept coups). La rupture entre le signifiant et le signifié (qu'est-ce qu'un chien qui oublie d'avaler sa trompe ? qu'un serpent qui donne des coups de poing ?) conduit à des énoncés contradictoires : « C'est une précaution inutile, mais absolument nécessaire. » Cette subversion du discours sape l'essence même du réel (l'homonymie des époux Bobby Watson aboutit à leur indifférenciation) et entraîne dans sa folie jusqu'aux didascalies : des indications comme « La pendule ne sonne aucune fois » laissent perplexe le metteur en scène le plus inventif… Reste la « tragédie du langage », sujet véritable de cette délirante comédie.

Les Chaises

Cette « farce tragique » en prose a été créée dans une mise en scène de Sylvain Dhomme à Paris, au théâtre Lancry, le 22 avril 1952, et publiée chez Gallimard en 1954.

Comme pour *la Leçon*, Ionesco, auteur au succès encore incertain, prit la précaution de composer une œuvre au coût de représentation modeste, ayant pour décor « une salle très dépouillée » et ne faisant appel qu'à trois comédiens. Desservie, peut-être, par la mise en scène de Sylvain Dhomme qui en gommait les outrances, la pièce fut très mal accueillie par les critiques dont la virulence, paradoxalement, accéléra la reconnaissance d'Ionesco : dès 1952, des écrivains comme Queneau, Beckett et Adamov prirent publiquement fait et cause pour le nouveau dramaturge ; quatre ans plus tard, à l'occasion d'une reprise dans une mise en scène de Jacques Mauclair, Jean Anouilh, en rejoignant ses partisans, entérine sa consécration.

SYNOPSIS

Un couple de vieillards ressasse depuis longtemps les mêmes histoires, les mêmes regrets, les mêmes manifestations de tendresse que l'âge rend ridicules. Mais le Vieux s'est enfin décidé à divulguer son « message » à l'humanité, dont il a convoqué les représentants. Les invités se succèdent, invisibles et muets, qui séparent peu à peu les deux vieillards par un amas de chaises vides. Sémiramis et son époux conversent avec eux en attendant l'Orateur chargé d'être son porte-parole. Quand celui-ci arrive enfin, les deux vieillards, désormais inutiles et acculés au mur du fond par les chaises qui envahissent la scène, se suicident. Et l'Orateur, frappé d'aphasie, se révèle incapable d'accomplir sa tâche.

Sans doute l'âge des personnages (94 et 95 ans) contribua-t-il beaucoup au malaise des spectateurs, plus prompts à rire des bourgeois anglais de *la Cantatrice chauve* ou des enseignants tyranniques de *la Leçon* que de la décrépitude qui les attend. De fait, cette « farce » affiche davantage son caractère tragique que la « tragédie du langage » et le « drame comique » qui l'ont précédée. Ses personnages acquièrent une épaisseur étrangère aux pantins interchangeables auxquels Ionesco avait habitué son public. Même incertain, leur passé les ancre dans une histoire, un temps irréversible qui, en rompant le cycle des répétitions (« Depuis soixante-quinze ans que nous sommes mariés, tous les soirs, absolument tous les soirs, tu me fais raconter les mêmes histoires »), rend la mort inéluctable. Appliqués à un sujet si grave, les procédés farcesques parurent une provocation gratuite. C'est pourtant sur eux que repose la signification profonde de la pièce. Roméo et Juliette vieillis qui, au seuil de la mort, roucoulent encore, perchés sur leurs escabeaux en guise de balcon, ils comblent la vacuité de leur existence en se donnant mutuellement la comédie. Pour distraire sa « crotte », le Vieux se plie à des numéros de music-hall dérisoires : il « imite le mois de février » et raconte des histoires drôles tandis que Sémiramis évoque le passé de son « chou » sur le mode irréel (« Tu aurais pu être Président chef, Roi chef, ou même Docteur chef, Maréchal chef »). L'invisible public qui s'interpose progressivement entre eux leur renvoie, inversée et de plus en plus floue, leur propre image.

Métaphore des regrets, les chaises qui emplissent l'espace scénique de leurs absents traduisent également l'absurdité de la vie et le vide qui habite terre et ciel. Surtout, en montrant la salle sur la scène, elles abattent le « quatrième mur » dénoncé par Brecht et rappellent la convention théâtrale. La pièce devient alors la représentation d'une représentation en abyme où le Vieux tient le rôle de l'ouvreuse et Sémiramis celui de la marchande de friandises et de programmes (« Programme… mandez gramme… gramme… »), pendant que l'Orateur signe des autographes pour des « personnages ». Ainsi théâtralisés, les mots, dépourvus de référent extérieur, font fi des contradictions (« Nous avons eu un fils »/« Hélas, non... non... nous n'avons pas eu d'enfant »). Dans un tel contexte, le « système » du Vieux, aussi anonyme que son inventeur, ne peut résider que dans l'impossibilité de transmettre un message par la parole (« He, Mme, mm, mm./Ju, gou, hou, hou ») ou par l'écriture (l'Orateur invente des lettres) – aphasie éloquente de la part d'un personnage né de l'imagination d'un si farouche détracteur du théâtre à thèse...

Le roi se meurt

SYNOPSIS

Dans une salle du trône « vaguement gothique », chacun, du garde au « médecin-chirurgien-bourreau-bactériologue-astrologue », peut observer des « signes » d'une récente décrépitude – panne de chauffage, fissure dans le mur... – qui participe d'un délabrement général : vieillissement anormal d'une population dégénérée, effondrement du royaume dans un précipice, perturbation du cours des astres. Ces phénomènes apocalyptiques annoncent la mort prochaine du roi Bérenger, que ses deux épouses, Marguerite et Marie, son médecin et sa « femme de ménage et infirmière », Juliette, tentent, chacun à sa manière, de préparer à l'échéance fatale. Après une longue rébellion, le Roi « abdique » progressivement en une insolite « cérémonie » initiatique dont Marguerite se fait la grande ordonnatrice.

Quand il écrit *Le roi se meurt*, Ionesco a renoncé aux classifications génériques paradoxales et volontiers provocatrices de la décennie précédente (voir, par exemple, *la Cantatrice chauve* ou *la Leçon*). Or cette pièce, de facture plus classique, tient davantage de la tragédie et de la farce qu'aucune autre. Ses « héros » y jouissent tous d'une « noblesse » exceptionnelle dans le théâtre de l'absurde : ainsi, le roi Bérenger, précédé d'une musique inspirée de Lully, annoncé selon le protocole de l'étiquette (« Sa Majesté, le Roi Bérenger Ier. Vive le Roi ! »), doué d'une extraordinaire longévité, évoque les fastes de la royauté française. Surhomme (on lui attribue toutes les inventions humaines), Prométhée impuni (« Il a volé le feu aux dieux puis il a mis le feu aux poudres. Tout a failli sauter. »), il l'emporte même sur Yahvé (« Dès le premier jour de sa naissance, il avait créé le Soleil »). Pourtant, quand son sceptre ne lui sert plus que de canne dérisoire, son agonie devient celle d'un « petit bourgeois » égoïste et veule qui se débat misérablement, pièce d'échecs que deux reines antinomiques se disputent et qu'on met mat en une heure trente.

En effet, comme dans les tragédies, le temps, affidé du destin, est mesuré : l'histoire débute, selon Bérenger, « dès le lever du soleil » et s'achève dans une lumière grise qui « n'est plus le jour [ni] la nuit ». Dans l'intervalle, de nombreuses interventions rappellent avec une précision sadique le compte à rebours fatal (« Il nous reste trente-deux minutes trente secondes », « Il te reste un quart d'heure ») et transforme Bérenger en mécanisme d'horlogerie (« Il retarde »). Mais, contrairement à toute règle de bienséance, cet inexorable flux linéaire clame son rapport à la représentation : « Tu vas mourir à la fin du spectacle », assène Marguerite à son époux en un jeu baroque, qui inverse les rapports (c'est en fait le spectacle qui s'achève à la mort du personnage) et érige l'arbitraire de l'auteur en nécessité tragique.

Cette conscience de tenir un « rôle » dans un spectacle se double d'une représentation en abyme : la « cérémonie » de l'agonie, terme initialement prévu comme titre et employé par les personnages. Or l'auteur emprunte l'apparat et les annonces rituelles (« Le Roi se meurt. [...] Le Roi est mort. [...] Vive le Roi ! ») à la tradition royale pour mieux les subvertir. Sous couvert d'une initiation formelle, avec ses formules incantatoires – « Temps retourne, temps retourne ; temps arrête-toi » – et son parcours rituel, c'est, encore une fois, de théâtre que nous parle Ionesco. Face à la mort, Bérenger se sent « un comédien qui ne connaît pas son rôle le soir de la première » et refuse de s'adresser au public, ses gesticulations tiennent de la comédie, sa rébellion figure dans un programme. Le monde qui meurt avec son souverain n'est qu'un décor que Marguerite suscite et renvoie au néant d'une même phrase (« Ne crains pas ce vieux loup qui hurle... ses crocs sont en carton »), tandis que se disloque sous le regard du spectateur un lieu que les personnages nomment tantôt « salle du trône » tantôt « living-room » et qui se révèle être une scène.

Reste la littérature. D'un personnage qui, sous les pseudonymes d'Homère et de Shakespeare, a composé les plus belles œuvres de l'humanité, Marguerite attendait « de belles phrases exemplaires » pour la « chronique » mais, à l'heure décisive, Bérenger, double dramatique d'Ionesco, se heurte à l'indicible : « Je meurs, vous entendez, je veux dire que je meurs, je n'arrive pas à le dire, je ne fais que de la littérature. » Or le théâtre de l'absurde fait fi du mythe de l'écrivain et du « monument » qui jadis conférait l'éternité ; à l'impossible salut répond la banalisation : « Il sera une page dans un livre de dix mille pages que l'on mettra dans une bibliothèque qui aura un million de livres. » Paradoxalement, c'est dans cette impuissance des mots à traduire la mort, et plus encore à la vaincre, que réside la force de cette pièce, souvent regardée comme le chef-d'œuvre d'Ionesco.

Rhinocéros

SYNOPSIS

La soudaine apparition d'un rhinocéros, sur la place d'une petite ville de province, provoque la stupeur et occupe quelque temps la conversation des passants : Bérenger, plumitif timide et velléitaire, son ami Jean, avec lequel il se dispute, et un chœur de personnages falots que domine un « logicien » ; puis, malgré le passage d'un second animal, tout semble rentrer dans l'ordre (acte I). Le lendemain, au bureau où travaillent Bérenger et Daisy, une jolie dactylo qui a également assisté à l'incident, employés (Dudard et Botard) et chef de service (M. Papillon) se montrent incrédules. Mais, bientôt, apparaît un nouveau pachyderme que Mme Bœuf reconnaît pour son époux, dont elle était venue excuser l'absence (acte II, premier tableau). Dans sa chambre, Jean se métamorphose lui-même en rhinocéros sous les yeux de Bérenger (acte II, deuxième tableau). Traumatisé par ce bouleversement, Bérenger, reclus dans sa propre chambre, découvre l'ampleur de l'épidémie de « rhinocérite » à laquelle, un moment, il aspire à succomber. Abandonné de tous, même de Daisy, pourtant éprise de lui, il vacille un instant puis, s'armant d'une carabine, décide de ne pas « capituler » (acte III).

Malgré la présence de Bérenger, « double » dramatique de l'auteur, dont les tribulations traduisent les angoisses et les fantasmes d'Ionesco, de *Tueur sans gages* (1954) au *Piéton de l'air* (1963) en passant par *Le roi se meurt* (1962), on observe une solution de continuité entre *Rhinocéros* et un théâtre habituellement peu préoccupé de donner des leçons. Créée en Allemagne, la pièce fut d'emblée reçue comme une dénonciation du fascisme. De fait, la réaction des personnages confrontés à la « rhinocérite » ne laisse pas d'évoquer celle des Français aux premières heures de l'Occupation : attitude craintive (« Les gens s'écartent sur leur passage ») tempérée d'un discours rassurant (« Dans le fond, ils ne sont pas méchants »), prééminence des soucis domestiques (« J'ai eu du mal à trouver de quoi manger »), écoute de la « TSF » (« Faisons marcher le poste, pour connaître les nouvelles »)... Mais le propos de la fable dépasse la dénonciation de la peste brune : Botard, caricature du militant communiste, succombe à la même épidémie que Jean, épris de force et d'ordre ; tous les totalitarismes se confondent pour attenter à l'humaine condition et transformer en monstre le meilleur des hommes.

La métamorphose, comme toute action chez Ionesco, passe par le dérèglement du langage, symbolisé par le discours d'un « Logicien professionnel ». Au premier acte, celui-ci emporte l'adhésion d'un « Vieux Monsieur » à l'aide de sophismes : « Tous les chats sont mortels. Socrate est mortel. Donc Socrate est un chat », usant de prémisses fallacieuses au moment même où il prétend expliquer le principe des syllogismes. La naïveté et l'égocentrisme de son interlocuteur, facteurs de comique (« C'est vrai, j'ai un chat qui s'appelle Socrate »), dénoncent la séduction des « intellectuels, idéologues et demi-intellectuels à la page » à qui Ionesco attribuera, dans *Notes et Contre-notes*, une grande responsabilité dans la montée du nazisme : « Ils étaient des rhinocéros. Ils ont, plus que la foule, une mentalité de foule. Ils ne pensent pas, ils récitent des slogans "intellectuels". » À l'acte III, le Logicien, reconnaissable à son canotier, figurera, bien sûr, dans la foule des périssodactyles, où il aura rejoint Jean, autre manipulateur de logique, dont les répliques, au début de la pièce, ont maintes fois fait écho aux siennes, renvoyant ainsi dos à dos fausse pensée et fausse culture : « En quatre semaines, vous êtes un homme cultivé. »

Pour battre en brèche cette perversion de l'humanisme traditionnel menacé par les assauts de la rhétorique, Ionesco use de l'absurde et du comique. La mortalité des chats, qui nourrit les sophismes du Logicien, sera prouvée par le meurtre du « pauvre Mitsou », victime d'un rhinocéros, et qui alimentera la rubrique des... « chats écrasés » ; M. Papillon, chef de service volage, suit M. Bœuf dans la voie de la « rhinocérite ». Au contrepoint que fait ce bestiaire humoristique avec la dramatique animalité des rhinocéros, s'ajoute le hiatus entre les situations et leur exploitation dramaturgique. Ainsi, l'apparition des premiers monstres suscite des réactions anormales, tantôt outrées (comme le chagrin de la ménagère qui pleure son chat), tantôt pondérées à l'excès (« Ce n'est pas une raison pour casser les verres »). Avec l'intervention de M. Bœuf, premier monstre identifié, le burlesque atteint son apogée. Puis, même si la pièce tourne ensuite au tragique avec la métamorphose « à vue » de Jean et l'annonce de l'ampleur de l'épidémie, le comique affleure sans cesse, jusque dans la pusillanimité du héros. Ionesco échappe de la sorte aux démonstrations univoques du « théâtre à thèse » qu'il blâme tant chez Brecht ou Sartre.

Seul Bérenger échappe à cet univers kafkaïen. Ses certitudes appartiennent à notre monde : « Un homme qui devient rhinocéros, c'est indiscutablement anormal », et son langage, initialement fantaisiste, s'ancre peu à peu dans un fonctionnement cartésien qui annonce la « résistance » finale. Ainsi accède-t-il au statut de « héros », si peu prévisible dans l'œuvre de l'inventeur des Bobby Watson (voir *la Cantatrice chauve*).

H. Lefebvre

ISOU Isidore

Pseudonyme de ***Jean Isidore Goldstein*** *(né en 1925)*

Isidore Isou se présente comme le « pape » incontesté du mouvement lettriste, dont il est, au demeurant, le fondateur et qu'il anime avec Maurice Lemaître. D'origine roumaine, né à Botosani (Roumanie), il se fait connaître en publiant dans l'immédiat après-guerre *l'Agrégation d'un nom et d'un messie* et surtout l'*Introduction à une nouvelle poésie et à une nouvelle musique* (1947), ouvrage dans lequel, tout en offrant sa « première épître aux lettristes », sans renier absolument l'expérience poétique antérieure, il s'explique sur « le devenir et le futur de la lettrie », synthèse originale de la poésie et de la musique, qui doit mettre au jour le matériel poétique dans sa substance primitive. Il veut ainsi approfondir et justifier théoriquement une recherche qui n'avait fait auparavant l'objet que de tentatives limitées. La lettre devient intrinsèquement l'unité de mesure, et l'alphabet usité se voit enrichi pour permettre l'élargissement de la gamme des signes lettristes et la multiplication des combinaisons possibles. La poésie d'Isou, « symphonie de voix », se débarrasse donc, *in abstracto*, du mot porteur de sens, qui n'a plus rien à dire, pour retenir uniquement le mot en tant que « morceau sonore ».

La nostalgie de l'art total, de l'invention absolue, qui se manifeste dans ce livre amène Isidore Isou à déborder de son cadre de départ ; ses prétentions s'étendent très vite à l'économique et au politique, de même qu'au roman, au théâtre (*Fondements pour la transformation intégrale du théâtre*, 1953-1970) et à la peinture (*les Champs de force de la peinture lettriste*, 1964). Son activité picturale participe du désir affiché de constituer le lettrisme en un mouvement de création capable de transformer l'ensemble des disciplines esthétiques de notre temps, puis de bouleverser les autres domaines de la culture, tout en impliquant fortement le public dans l'acte créateur (happening, etc.) : en ce sens, Isou peut être considéré comme un des initiateurs du situationnisme.

Une telle ambition se passe difficilement de la violence polémique (cf. *la Revue lettriste et hypergraphique*, les revues *Lettrisme* et *Arguments lettristes*), ainsi que d'une pratique certaine de l'anathème (contre les « pompiers » du nouveau roman, contre Freud, ce « sale flic », voire contre toute la philosophie classique depuis Socrate jusqu'à Heidegger) et surtout de l'hyperbolique et du spectaculaire. On a plus parlé du personnage Isou et de ses intentions que de ses œuvres, en grande partie ignorées.

Isidore Isou a également réalisé des films « expérimentaux » (*Traité de bave et d'éternité*, 1951 ; *Neuf Films polythanasiques esthapeïristes et supertemporels*, 1960-1972 ; *Des myriades et des myriades de perspectives*, 1978).

L. Pinhas

ISTRATI Panaït

Pseudonyme de ***Gherasim Istrati*** *(1884-1935)*

Écrivain roumain de langue française, né à Braïla, port cosmopolite du bas Danube, fils illégitime d'une paysanne roumaine (qui se fera blanchisseuse à la journée pour l'élever) et d'un contrebandier grec (qu'il ne connaîtra pas). Quittant l'école à douze ans, il entre dans la vie active, s'essayant dans sa ville natale aux petits métiers les plus divers : le plus constant restera celui de peintre en bâtiment. Trois expériences majeures marqueront son adolescence : son amitié passionnée pour Mikhaïl Kazansky, d'humeur vagabonde comme lui mais aussi homme de culture, issu de la haute noblesse russe ; ses voyages hivernaux en Méditerranée (Égypte, Syrie, Liban, Istanbul, Athènes) ; sa collaboration, née de son activité ouvrière à Braïla, avec le mouvement et la presse socialistes roumains (ses premiers écrits seront des articles enflammés dans la *Romînia muncitoare* de 1909-1910). En mars 1916, il laisse la Roumanie (qui entre en guerre en août suivant) pour poursuivre en Europe occidentale une existence errante, solitaire, suspendue à de petits travaux d'occasion. C'est lors d'un premier séjour en Suisse, à Leysin, qu'il réalise à vingt-deux ans un vieux rêve en se lançant en autodidacte dans l'apprentissage de la langue française dont il commence à découvrir les classiques. En mars 1920, il se rend en France, mais l'accumulation des épreuves matérielles et affectives le conduit, le 3 janvier 1921, à une tentative de suicide dans un jardin public de Nice. On retrouve dans ses papiers et expédie à son destinataire une lettre-confession de seize pages qu'il écrivit deux ans plus tôt (sans pouvoir la lui faire parvenir) à Romain Rolland, dont il venait de découvrir le *Jean-Christophe*. Immédiatement convaincu des dons de l'inconnu, celui qu'il appellera « le sorcier » l'encourage à écrire, le conseille, le corrige. En 1923, Rolland publie dans la revue *Europe* le premier récit d'Istrati, *Kyra Kyralina* (un chapitre du livre de ce nom), en l'accompagnant d'une préface où il présente le « Gorki balkanique ». Puis paraissent coup sur coup quatre recueils de récits, libre adaptation de thèmes folkloriques et d'épisodes historiques roumains : *Kyra Kyralina* (1924), *Oncle Anghel* (1924), *Présentation des Haïdoucs* (1925), *Domnitza de Snagov* (1926). Ils suscitent – le premier surtout – des articles enthousiastes dans la presse française de toutes tendances, frappée par la singulière destinée de l'auteur comme par la nouveauté de l'œuvre. Pourtant l'intérêt commence à retomber et l'inspiration du conteur devenu écrivain professionnel paraît se tarir quand il entreprend sa plus brillante réussite, une longue nouvelle, *les Chardons du Baragan*, achevée en 1928. Entre-temps, son départ pour l'U.R.S.S. (à l'occasion du dixième anniversaire de la Révolution) marque un tournant. Il y fait la connaissance du romancier grec Nikos Kazantzaki avec qui il sillonne l'immense pays. À l'enthousiasme débordant du début pour la patrie des travailleurs succédera l'indignation devant les excès de la bureaucratie, « la main féroce du Parti » (en pleine purge de l'opposition trotskiste). À son retour en 1929, il exprime son revirement dans un livre retentissant, le premier tome de *Vers l'autre flamme* (les deux tomes suivants parus sous son nom sont l'œuvre de Victor Serge et Boris Souvarine). Ce coup d'éclat lui vaut une attaque en règle de la gauche française et le rejet de ses anciens amis. Il sera désormais « l'homme qui n'adhère à rien », n'hésitant pas à mettre dos à dos communisme et fascisme, et par conséquent harcelé des deux côtés. Ses dernières années seront assombries par cet isolement et l'aggravation de la tuberculose qui l'affectait depuis sa jeunesse. Il les passe principalement dans son pays d'origine où il épouse en 1932, en troisièmes noces, une étudiante roumaine, Marga Izescu. Renonçant au genre du conte pour le « réalisme autobiographique », assorti d'un message social plus explicite, il donne *la Maison Thüringer* et *le Bureau de placement* (1933), *Méditerranée. Lever du soleil* (1934), *Méditerranée. Coucher du soleil* (1935).

Les écrits d'Istrati (la plupart rattachés à un narrateur commun, Adrien Zograffi, double de l'auteur) relèvent de genres divers (conte, roman historique, autobiographie, essai politique) mais qui s'interpénètrent souvent ; surtout, ils puisent tous à des sources communes : son expérience vécue, presque exclusivement celle des années danubiennes et méditerranéennes d'avant 1916 ; sa personnalité même, passionnée et exigeante, faisant de l'amitié « la plus vivante des religions », en révolte permanente contre « l'atroce égoïsme qui rend l'homme insensible à la détresse de son prochain ». Sur le plan littéraire, ses réussites les plus incontestables sont ses contes et récits où il sait adapter à ses besoins ce français tardivement acquis, lui imprimer le rythme, les techniques du conteur oral traditionnel, le faire vibrer par l'insertion de formes syntaxiques ou de termes roumains. Son monde est celui des paysans roumains lâches mais surtout opprimés (par tous, boyards, clergé orthodoxe, parvenus grecs, maîtres turcs, nouvel État roumain), de leur folklore chatoyant, de leurs héros semi-légendaires, les Haïdoucs, intrépides hors-la-loi et généreux redresseurs de torts, de leur histoire sanglante (évocation de la répression de la jacquerie de 1907 dans les *Chardons*) ; mais il transfigure ces éléments par son sens grandiose de la nature (l'embouchure sauvage du Siret, l'immensité désolée du Baragan), son sentiment tragique des destinées humaines, cette violence intérieure qui resurgit toujours. Quant aux positions politiques d'Istrati, longtemps décriées ou au mieux taxées de candeur, nous en redécouvrons le courage et la lucidité à la lumière des révisions idéologiques de notre temps.

G. Veinstein

IVOI Paul d'

Pseudonyme de **Paul Charles DELEUTRE** *(1856-1915)*

Le plus célèbre roman de Paul d'Ivoi, *les Cinq Sous de Lavarède* (1894), fut écrit en collaboration avec Henri Chabrillat (1842-1893) qui devait mourir avant la publication de l'ouvrage. Ce roman apparut comme une heureuse réaction contre le récit d'aventures anglo-saxon qui avait régné pendant des décennies : un héros très français, voire parisien, à la fois gouailleur et chevaleresque, dont Arsène Lupin sera le modèle achevé ; des aventures héroï-comiques qui s'efforcent à la vraisemblance ; un exotisme facile à prétentions pédagogiques ; une action allègre. Cette action, dans le cas des *Cinq Sous*, est la conséquence d'une sorte de pari : Armand Lavarède vient d'hériter d'un cousin ; il ne touchera cependant l'héritage qu'à condition d'accomplir, en moins d'un an, le tour du monde avec cinq sous seulement en poche. Si la condition n'est pas remplie, c'est un Anglais, sir Murlyton, qui héritera. Double populaire de Phileas Fogg, Lavarède traverse les villes, les déserts, les océans, à pied, en bateau, à bicyclette et même en ballon ; suivi et surveillé par Murlyton et sa fille miss Aurett, il séduit celle-ci et l'épouse après avoir triomphé par sa débrouillardise des obstacles – somme toute complaisants – placés sur son chemin.

L'ouvrage eut plusieurs éditions dans les années 1894-1895. Chabrillat était mort ; Paul d'Ivoi tira parti du succès de son héros en donnant une suite à ses exploits. Le nom des deux auteurs apparut encore sur la deuxième partie des *Cinq Sous*, *les Compagnons du lotus blanc* (1903), mais Paul d'Ivoi signa seul la troisième partie, *Miss Aurett* (1903). En 1902, au Châtelet, *les Cinq Sous de Lavarède* devinrent une pièce à grand spectacle, en quatre actes et vingt et un tableaux. Publiant la plupart de ses romans dans le cadre d'une série nommée « Voyages excentriques », d'Ivoi conçut un nouveau personnage d'aventurier, le *Corsaire Triplex* (1898), héros d'une nouvelle trilogie : *le Corsaire invisible* (1901), *Triplex* (1901), *l'Île d'or* (1902). Toujours sous le titre générique de « Voyages excentriques », parurent ensuite *Massiliague de Marseille* (1902), *les Semeurs de glace* (1904), *Millionnaire malgré lui* (1906), *le Maître du drapeau bleu* (1907), *Miss Mousqueterr* (1908). D'Ivoi lança enfin, dans *le Petit Journal* (février-juin 1910), un feuilleton ultramoderne, *l'Aéroplane fantôme*, annoncé par l'image d'un avion enlevant une femme dans les airs, au-dessus des villes et des campagnes.

R. Bellet

IZZO Jean-Claude

(1935-2000)

Après avoir obtenu un C.A.P. d'ajusteur-tourneur-fraiseur, Jean-Claude Izzo, fils d'immigrés italiens, part pour Djibouti, dans la coloniale, désireux de « voir enfin la maison de Rimbaud ». Il se fait démobiliser en Éthiopie où, de léproseries en maisons closes, il passe un an. Regagnant la France à la fin des années 1950, il y écrit des poèmes, devient journaliste et adhère au parti communiste. En 1978, il abandonne néanmoins la rédaction du journal *la Marseillaise* et rend sa carte du Parti. « J'ai tout gobé, dira quelques années plus tard l'un de ses personnages [...] : la Hongrie, la Tchécoslovaquie, le bilan globalement positif du socialisme. Maintenant, je ne gobe plus que des œufs ! » L'écrivain et voyageur Michel Le Bris le pousse à écrire : c'est ainsi que naît, en cinq mois, à raison d'un chapitre par semaine, *Total Khéops* (1995), roman policier dont le succès est foudroyant. Vendu à 150 000 exemplaires, *Total Khéops* est le premier volume d'une trilogie qui comprendra *Chourmo* (1996) et *Soléa* (1998) ; profondément inscrit dans la vie marseillaise, l'ensemble déroule, sur fond de racisme, de désespérance haineuse et de violence sociale, les aventures du « flic de gauche » Fabio Montale, qui se heurte à la fois à la mafia locale, aux élus locaux véreux, à la police aux ordres des puissants et à la presse stipendiée. « Par n'importe quel bout qu'on prenne les choses, dit Fabio Montale avec un cynisme accablé, on en revient toujours au même endroit. Là où on a les pieds. Dans la merde. » Le succès considérable de la trilogie s'explique à la fois par l'ancrage socio-politique de l'intrigue – le public a sans doute été sensible à la dénonciation conjointe de la misère sociale et de l'affairisme débridé – et par la fascination qu'exerce depuis quelques années la cité phocéenne, comme en témoigne au cinéma le triomphe du *Marius et Jeannette* (1997) de Robert Guédiguian. Avec une rigueur qui force l'admiration, Jean-Claude Izzo refusera d'exploiter le succès de ses trois romans policiers : il fait mourir son héros à la fin de *Soléa*, afin, affirme-t-il, de ne pas céder à la facilité. Pour lui, le polar n'était qu'un prélude à une œuvre romanesque plus ambitieuse dont témoignent *les Marins perdus* (1997), *le Soleil des mourants* (1999), et qu'une mort précoce l'a empêché de mener à bien. Deux ans avant son décès, l'un de ses recueils de nouvelles s'intitulait *Vivre fatigue*. On ne peut s'empêcher de trouver le titre prémonitoire, chez cet homme qui déclarait : « Ce qui se passe, ce que je vois, ce que j'entends me désespère. Je ne vois pas d'espoir. Et ce qui est terrible, c'est que plus j'écris, plus je désespère. »

P. Mari

J

JABÈS Edmond

(1912-1991)

Poète d'origine juive, né au Caire, Edmond Jabès se situe dans la tradition mallarméenne. Il a écrit une œuvre importante qui est à la fois une méditation sur l'écriture et une confrontation de la littérature à sa propre utopie, à son propre horizon : cet auteur secret, mais aussi très rigoureux, est d'abord un « poète de la poésie », au sens où son travail interroge les fondements mêmes de l'entreprise poétique. Pour Jabès, l'écriture se construit et se détruit en même temps, elle explore un ailleurs fictif de retourner au silence d'où elle est sortie.

Deux grands ensembles forment l'essentiel de la quête poétique d'Edmond Jabès : *le Livre des questions* (1963-1973), qui comporte sept livres étalés sur dix années, *le Livre des questions, le Livre de Yukel, le Retour du livre, Yaël, Elya, Aely, El,* et *le Livre des ressemblances* (1976-1980), qui en comporte trois, *le Livre des ressemblances, le Soupçon le Désert, l'Ineffaçable l'Inaperçu* ; viennent ensuite *Récit* (1983), *le Livre du dialogue* (1984), *le Livre des marges* (1985), *Le Seuil Le Sable, poésies complètes 1943-1988* (1990) et *le Livre de l'hospitalité* (1991). D'un titre à l'autre, on suit toujours le même approfondissement, au carrefour de quelques thèmes fondamentaux : le judaïsme (un judaïsme « après Dieu », dit Jabès), l'angoisse (celle d'écrire, celle de l'holocauste auquel fut livré le peuple juif et, aussi, celle du désert égyptien, qui est ici une métaphore de la création), la réflexion, sur l'origine et sur la fin, l'interpellation réciproque entre la poésie et les grands textes sacrés ; le refus de toute certitude en matière d'écriture... Cela fait la beauté erratique, la tendresse et la fragilité de la poésie d'Edmond Jabès, poésie très consciente de sa solitude, mais qui réconcilie pourtant la tradition et la modernité.

A. Clavel

JACCOTTET Philippe

(né en 1925)

Jean Starobinski peut à juste titre évoquer « la parfaite lisibilité de l'écriture de Jaccottet », tant les ouvrages du poète frappent par leur souci de transparence. Celui-ci n'a-t-il pas lui-même évoqué son « rêve d'écrire un poème qui serait aussi cristallin et aussi vivant qu'une œuvre musicale » ? Non que les ombres soient absentes d'une poésie méfiante à l'égard de ses propres artifices, soucieuse de refléter la beauté d'un paysage ou l'intensité d'une émotion sans jamais figer l'impression fugitive, d'une poésie enfin qui n'a cessé de suivre ce principe fondateur : « laiss[er] à l'insaisissable sa part ». Et, malgré son apparente simplicité, l'œuvre de Philippe Jaccottet ne se révèle pas moins déchirée entre deux tensions contradictoires que désigne, dans *À travers un verger* (1984), l'image d'une balance qui présenterait « sur un plateau […] la douleur, la mort, sur l'autre la beauté de la vie ».

Dès ses premiers poèmes recueillis dans *l'Effraie* (1954), Philippe Jaccottet manifeste sa distance à l'égard des avant-gardes poétiques. Cependant, la persistance des rimes et des vers réguliers ne contrarie nullement l'extrême souplesse d'une parole qui apparaît déjà tiraillée entre le charme du présent et le pressentiment de la mort – ce « cours de la vie / entêté vers en bas ». Un même attachement à des formes poétiques traditionnelles est sensible dans *l'Ignorant* (1958) qui affirme l'exigence éthique d'une œuvre appelée par tout « ce qui reste irrévélé tant qu'on l'éclaire » : découvrant l'étendue d'un paysage ou croisant le passage furtif d'un animal, le poète sera lui-même un « ignorant » qui refuse de soumettre à la raison l'énigme d'une présence déroutante. Avec *Airs* (1967), les poèmes s'abrègent et la syntaxe se simplifie, faisant songer à la sobriété du haïku. Ce resserrement de la parole vise à traduire à la fois la « rapacité » du regard et le mystère d'un surgissement excédant les sens et le langage. C'est pourquoi le titre de ses *Leçons* (1969) est trompeur : loin de toute certitude, il s'agit toujours pour le poète d'affirmer un émerveillement mêlé d'ignorance face à un paysage inlassablement parcouru. Mais la présence de la mort se fait plus sensible : Jaccottet évoquera ses *Leçons* et ses *Chants d'en bas* (1974) comme « deux livres de deuil ». Confronté à l'indicible d'une disparition, le poète se défie plus vivement encore des facilités de l'écriture, se dénonçant comme un « sentencieux phraseur » et rappelant combien une parole peut être « lâche / insulte à la douleur ».

Cette critique de la poésie se fait encore entendre dans le beau recueil *À la lumière d'hiver* (1977), traversé par le sentiment du vieillissement. Le doute ressenti à l'égard des mots qui « font écran » suscite ainsi cette exclamation significative : « trop facile de jongler / avec le poids des choses une fois changées en mots ! » C'est néanmoins une légèreté intacte et une relation harmonieuse avec le paysage qui marquent les poèmes de *Pensées sous les nuages* (1983).

Cependant, si le recueil affirme une recherche de ces instants où « s'insinue une douceur dans la lumière / comme pour aider à traverser la nuit », une tonalité plus douloureuse est maintenue dans son écriture, notamment avec ses *Plaintes sur un compagnon mort*, dédiées à Pierre-Albert Jourdan.

Le questionnement du lieu, au centre de la poésie de Jaccottet, se prolonge dans ses ouvrages en prose, comme dans *la Promenade sous les arbres* (1957) et ses remarquables *Paysages avec figures absentes* (1970). De longues phrases périodiques permettent au poète de rester au plus près des infinis miroitements du paysage, à ses replis secrets et au dialogue ténu qu'il entretient avec nous – mais l'écriture reste hantée par son incapacité à saisir l'*immédiat*, à répondre à ce qui en nous a « été touché comme par une flèche ». Aussi, cette suite de descriptions se donne-t-elle également à lire comme un véritable art poétique, traversé par les figures de Hölderlin et de Rilke, mettant en garde contre le « danger de l'image qui dérive » et affirmant la nécessité de « seulement dire les choses, seulement les situer, seulement les laisser paraître ».

Cette écriture tendue vers l'immédiateté d'une sensation est toutefois nourrie par un dialogue constant avec de grandes œuvres littéraires, qui interdit de dissocier la poésie de Jaccottet de son importante activité de traducteur (Musil, Ungaretti, Hölderlin, Rilke...) et de ses pénétrants travaux critiques. Ses chroniques de poésie parues en revue ou en journal, puis recueillies dans *l'Entretien des Muses* (1968) et dans *Écrits pour papier journal* (1994), témoignent en effet d'une lecture des plus sensibles d'œuvres abordées comme autant de portes ouvertes « sur plus de réalité ». Car pour Philippe Jaccottet, proche en cela des poètes de la revue *l'Éphémère*, rien n'importe tant qu'une interrogation toujours relancée d'un réel nécessairement fuyant, mais dont la poésie offre une approche privilégiée.

V. Hugotte

JACOB Max

(1876-1944)

Vers la fin de sa vie, Max Jacob a brossé de lui-même un sublime portrait : cravaté d'ombre comme une cathédrale, jambes et pieds ogivaux, il dit s'être désiré gothique, lui qui n'alla qu'en sabots. Et il ajoutait : « Le fond de mon ventre est un opéra-comique. » Aussi l'imagine-t-on assez bien en habit d'Arlequin. Chez ce grand frère d'Apollinaire qui influença fortement le surréalisme, la farandole et la fantaisie vont au rendez-vous d'une poésie paradoxale, dont on se plaît souvent à souligner les contrastes. Ces contrastes font, par exemple, que ce blagueur infatigable fut aussi un mystique ; Max Jacob aimait le silence, mais il est également un des plus somptueux flambeurs de mots que le XXe siècle ait connus... Et si beaucoup de facéties ont roulé de son cornet à dés sur le tapis vert d'une langue essentiellement ludique, il ne faudrait pas oublier que ce genre de pratique est une des plus dangereuses qui soient : jouer avec la langue, comme Max Jacob l'a fait toute sa vie, c'est porter la crise au plus profond des fondations du sujet, ce sujet qui ne tient précisément que d'être chevillé au langage.

Dandy et mystique

La biographie de Max Jacob est devenue tellement légendaire qu'elle a parfois occulté l'œuvre elle-même. Ce fils d'un tailleur juif émigré, qui découvre Rousseau à dix ans entre deux scénarios de Guignol, a passé son enfance à Quimper, dans une Bretagne profondément catholique et terriblement superstitieuse. Aussi, dès le départ, sa vie s'inscrit-elle sous un triple signe : déracinement, mysticisme, goût pour le mystère. Nous sommes à la fin du siècle lorsque le jeune Max décide de quitter sa province natale et de monter à Paris. Il y publie des contes pour enfants (*le Roi Kaboul et le Marmiton Gauvin*, 1904) et fait un peu tous les métiers avant d'aller saupoudrer ses irrésistibles badinages sur la bohème avant-gardiste de Montmartre, que ses amis Picasso et Apollinaire lui font découvrir. C'est l'époque où les rêves bleutés et la misère noire conjuguent leurs roulis contre les planches mal jointes du « Bateau-Lavoir », cette étrange demeure que le poète évoquera dans *le Roi de Béotie* (1921). Pour occuper ses journées, Max Jacob peint des gouaches ; mais surtout, il ébauche ses premiers poèmes en prose, qu'il empile dans une grosse malle.

En 1909, coup de théâtre : le Christ lui apparaît dans sa chambre, surgi brutalement d'une aquarelle accrochée au mur. Il se précipite chez un prêtre, qui se moque de lui, mais il persiste dans sa conviction. Cet épisode sera d'ailleurs suivi d'une autre rencontre avec le surnaturel, cinq ans plus tard. Fantasme, hallucination due à l'éther, parodie de religiosité, influence du mysticisme breton, singerie de cette bigoterie dont regorgeait le Quimper de son enfance ? On a beaucoup épilogué sur ces visions de Max Jacob. Toujours est-il qu'elles ont provoqué un bouleversement dans sa vie : sa conversion au catholicisme. Une conversion qui donne alors à son existence une tournure toute différente : après avoir publié un roman truffé de vers (*Défense de Tartuffe*, 1919) ainsi que les textes poétiques qui feront sa célébrité (*les Œuvres burlesques et mystiques de frère Matorel*, 1912, *le Cornet à dés*, 1917, et *le Laboratoire central*, 1921), il se retire en effet, à partir de 1921, dans une cellule quasi monacale, non loin de la basilique de Saint-Benoît-sur-Loire, s'astreignant uniquement à la méditation religieuse, à l'écriture et à la correspondance. Pendant cette période de repli, Max Jacob n'en continue pas moins de publier : il donne deux romans parodiques, *le Cabinet noir* (1922) et *le Terrain Bouchaballe* (1920-1923), un traité rassemblant des aphorismes sur l'*Art poétique* (1922), et un recueil de nouvelles, *le Roi de Béotie*.

Après six années – entrecoupées de courts voyages en Bretagne, en Italie, en Espagne – de cette retraite passée entre l'écritoire de bois et la messe du matin où on le voit se battre la poitrine, Max Jacob revient à ce Paris du dandysme qui l'avait dégoûté. Nous sommes en 1927. Dix ans passent. À nouveau lassé de sa vie factice, il aspire à retrouver la paix de Saint-Benoît. Il s'y fixe définitivement, vivant de la vente de ses gouaches. Dès lors, vers la fin des années 30, l'obsession de la guerre le tenaille, mais aussi la passion du divin. Les persécutions antijuives et la déportation de sa sœur vont le convaincre qu'il « mourra martyr ». Il est en effet arrêté par la Gestapo, le 24 février 1944, et meurt le 5 mars d'une bronchopneumonie au camp de Drancy, rejoignant ainsi ces « visages de papier brûlé » qu'Eluard chanta dans *Au rendez-vous allemand.* Son corps repose aujourd'hui, comme il l'avait souhaité, à Saint-Benoît-sur-Loire.

Une modernité poétique

L'œuvre de Max Jacob s'ouvre avec deux titres qui donnent assez bien la tonalité de l'ensemble : *Saint-Matorel* (1911), qu'illustra Picasso, et *les Œuvres burlesques et mystiques de frère Matorel,* un recueil de poèmes que Michel Leiris place dans sa « bibliothèque idéale », auprès de Desnos et de Roussel. Trop longtemps négligés par la critique, ces livres sont de la trempe du futur *Laboratoire central* : le mysticisme latent s'y incurve sans cesse vers une ironie qui n'hésite pas à se plagier elle-même, et, dans un mouvement inverse, le fou rire intérieur dérape fréquemment vers une lucidité désespérée. Lucidité qui, chez Max Jacob, se métamorphose souvent en jeu : *les Œuvres burlesques,* en particulier, cascadent sur la rampe fortuite d'un théâtre dont le registre essentiel est le jeu verbal, entre la comptine traditionnelle et le *limerick* anglo-saxon. Ainsi Max Jacob passa-t-il sa vie à faire bruisser la langue comme il faisait tinter le domino dans ses récréations d'adolescent.

Quant à ses autres recueils poétiques, il faut les placer à l'origine de la poésie moderne avec ceux d'Apollinaire. Si la langue du poète d'*Alcools* est plus musicale, celle de Max Jacob joue sur des unités plus courtes, préférant ainsi le travail sur le signifiant à la modulation mélodique.

Publié en 1917 à compte d'auteur alors que le jeune bohème débarqué de Quimper était encore un inconnu, *le Cornet à dés* est sans doute le livre le plus lu et le plus important de son œuvre. Après une Préface célèbre, où Max Jacob fait part de son credo esthétique en définissant la poésie à partir de la notion de « situation », le recueil rassemble deux grandes parties d'où surgissent des poèmes en prose qui évoquent plus d'une fois les tours de l'escamoteur, et même les loopings des premiers aéroplanes : dérision, goût du calembour, collages, jeux d'ombre qui rappellent un Aloysius Bertrand, fallacieuses illusions d'optique, prestiges de saltimbanque tout droit sortis de la gidouille du Père Ubu, anecdotes inspirées par les rêves, tels sont les procédés qui font de l'art un « mensonge réussi », comme l'affirmera une phrase de l'*Art poétique.* Un mensonge dont le ressort essentiel vient sans doute du traitement « raisonné » et systématique du hasard, comme à la roulette.

Et c'est sur ce point que *le Cornet à dés,* ce journal de tous les instants, innove le plus. Par petites phrases discrètes qui semblent jalonner le quotidien du poète comme les sortilèges d'une loterie, la réalité s'y présente de revers, offrant une vision télégraphique d'elle-même qui révèle la part d'inconnu qu'elle recèle, à la manière d'une toile cubiste. Anamorphosée sous le jeu de loupes qui la renvoient à sa magie inquiétante, elle se déploie en corolles, faisant ainsi apparaître toutes les facettes du dé à la fois : les poussières du vécu, les lapsus, les actes manqués, les petites coïncidences qui attiseront plus tard la fantaisie surréaliste, les faits divers, la babiole, le gag, tout cela y côtoie le tragique et la gravité sans qu'aucun filtre, aucune censure vienne privilégier un élément ou transformer le chaos en cosmos. À n'en pas douter, de toutes les faces de ce dé, il en est une qui hantait souvent Max Jacob : la septième. Celle qui se trouve dans l'envers du miroir et dans la logique illogique des songes : « Je me suis appliqué à saisir en moi, de toutes les manières, les données de l'inconscient : mots en liberté, associations hasardeuses des idées, rêves de la nuit et du jour, hallucinations, etc. ». C'est dire le régime nocturne des textes de Max Jacob, dont le lyrisme tient à cette inconscience contrôlée qui fait de la poésie un « rêve inventé », comme l'a dit Marcel Béalu.

Comme au jeu de trictrac, on voit alors les poèmes du *Cornet à dés* résonner en rebondissant selon une combinatoire infinie, dont le sens ultime est à rechercher du côté d'une esthétique « non-sensique ». Chantre de la transcendance lorsqu'il s'agenouillait devant le tabernacle de Saint-Benoît, Max Jacob vide la poésie de cette même transcendance. Il la débarrasse de ses vieux stigmates religieux : il démystifie et désacralise les métaphysiques de l'inspiration, abandonnant sa plume aux règles aléatoires du signifiant, à cette mécanique d'auto-engendrement qui désamorce le langage de sa fonction sociale et utilitaire. Autre effraction : *le Cornet à dés* fait entrer dans le domaine poétique tout ce qui, jusque-là, était censuré pour trivialité, qu'il s'agisse de l'argot familier, des noms de rues ou d'enseignes, ou encore de cette quincaillerie d'objets désuets qui passent « de l'autre côté de l'équateur »...

Publié quatre ans après *le Cornet à dés, le Laboratoire central* rassemble des poèmes en vers (réguliers pour certains, libres pour la plupart) qui furent écrits entre 1903 et 1921. Même si leur disposition ne respecte pas l'ordre chronologique de leur création, on y devine une logique interne, une trame qui ressemble aux figures d'un menuet. Quatre grandes parties, quatre décors : les souvenirs de Quimper d'abord, puis ceux de la bohème parisienne ; vient ensuite une longue rhapsodie sur le thème du bal masqué, le tout finissant en feu d'artifice du côté du ciel et du surnaturel. Le fil conducteur est le même que celui du *Cornet à dés* : une volonté de se démarquer de toutes les vieilleries poétiques et d'incarner « l'esprit nouveau » né vers 1915, un lyrisme sans romantisme ni éloquence. Un lyrisme « déshamlétisé », dira Max Jacob, qui retourne le quotidien comme un gant et démultiplie le langage à la manière cubiste, afin de mieux faire « frissonner l'inconscient ». Les deux livres ont d'ailleurs d'autres points communs : mêmes bestiaires exotiques, mêmes floralies, même tendresse, mêmes titres parfois, même palette de rires jaunes et d'amourettes rosées, même parenté avec les grands aînés, Laforgue et Corbière...

Quant à la tonalité du *Laboratoire central,* outre l'humour, elle repose sur une orfèvrerie stylistique presque maniaque. La « folie harmonieuse » de Max Jacob soupèse les diphtongues, compte les voyelles et les consonnes, fait mûrir l'épithète et rebondir l'euphonie. « Il faut aimer les mots comme un peintre aime les lignes », dira-t-il dans ses *Conseils à un jeune poète* (1945, posth.). La logique interne du langage est donc le seul guide de cette pensée qui veille en survolant celle qui rêve, et c'est alors le son qui donne l'impulsion créatrice, bien avant le sens. Ainsi, la parole poétique repose sur la *mimesis,* comme l'a si bien montré Yvon Belaval, elle se déploie par redondance, par ressemblance : « La répétition du rythme, l'écho de la rime, les rappels de l'assonance, les doublets du calembour, les reflets du pastiche », tels sont les procédés qui ont engendré *le Laboratoire central.* Et si Max Jacob s'est tellement intéressé à l'astrologie (cf. *Miroir d'astrologie,* éd. 1949), c'est peut-être parce qu'il y avait là une cartographie impeccable qui évoquait en lui une autre marqueterie tout aussi pointilleuse, celle de la poésie. Peut-être aussi parce que les constellations du zodiaque étaient le signe de ce qu'il a toujours visé : une sorte d'apesanteur à la belle étoile où le diurne et le nocturne pourraient enfin se confondre sur l'étroite nacelle d'une syllabe. « Trappiste » à Saint-Benoît, Max Jacob fut un trapéziste en écriture, un équilibriste, et cela jusqu'aux *Pénitents en maillots roses* de 1925, au *Sacrifice impérial* de 1929, aux *Ballades* de 1938 ou aux *Derniers Poèmes,* publiés en 1945 après sa mort : une modernité étonnante, une des plus belles spéléologies jamais effectuées dans les gouffres du langage.

Le grand perturbateur

Mais là ne s'arrête pas le génie de ce Protée ventriloque. Il y a encore le Max Jacob « régionaliste », qui publie *la Côte* en 1911, et qui, dans les années 30, signe d'un pseudonyme (MORVEN LE GAÉLIQUE) des chants bretons publiés en 1953, qu'il puise dans le folklore populaire. Et puis, bien sûr, il y a le mystique : l'Enfer hantait Max Jacob, ainsi que la question du mal. Un grand nombre de ses textes sont d'une authentique inspiration chrétienne, en particulier ceux qu'on trouve réunis dans *la Défense de Tartuffe* et dans les *Visions infernales* (1924). De ce point de vue, l'énorme correspondance de Max Jacob, éditée en partie seulement (*Lettres à un ami,* 1951 ; *Correspondance I* et *II,* 1953 et 1956 ; *Lettres mystiques,* 1984 ; *Lettres à M. Jouhandeau,* 1979 ; *à R. Rimbert,* 1983 ; *à M. Manoll,* 1985), devrait être très précieuse pour éclairer son cheminement spirituel. Quant à ses contes et à ses romans, il reste encore à leur donner leur vraie place. On y découvrirait un La Bruyère moderne, comme l'a dit René Guy Cadou. Toujours le même humour, la même verve satirique qui croque d'une seule phrase tel travers ou telle mesquinerie : les tics de la petite bourgeoisie provinciale dans *le Roi de Béotie,* les ridicules du genre humain dans ce roman épistolaire qu'est *le Cabinet noir.* Sans oublier la galerie de portraits de *Filibuth ou la Montre en or* (1922), ni *le Terrain Bouchaballe,* cette truculente parodie de la vie à Quimper au début du siècle.

Ainsi, tour à tour bouffon ou derviche, Faust ou Pinocchio, Max Jacob a été de toutes les parties. Ce clown enfariné, qui aimait aussi se grimer de noir, a tâté de tous les registres, ange lorsqu'on le jugeait pantin, et canaille quand on le croyait dévot. Jamais l'imagination n'aura autant voltigé, jamais la poésie n'aura autant innové. La littérature de notre temps lui doit, ainsi qu'à Rimbaud, Apollinaire, Desnos et quelques autres, d'avoir découvert la magie du verbe, l'eldorado magnétique du langage. Et s'il a brûlé sa vie entre deux pirouettes avant de disparaître tragiquement, Max Jacob ne s'est jamais installé dans aucun de ses rôles. Pour lui, l'écriture restait justement cette force capable de brouiller les cartes, de choquer, de déranger l'ordre établi, fût-il celui du burlesque. Aussi, comme l'a dit Michel Leiris, a-t-il inventé ce « fantastique quotidien » qui fait de lui notre grand perturbateur.

A. Clavel

JAKEMES *v.* *Châtelain de Coucy (le)*

JAMMES Francis

(1868-1938)

Né à Tournay dans les Hautes-Pyrénées (région où il passera toute sa vie), Jammes fait ses études à Pau. Il échoue au baccalauréat en 1888. C'est à Orthez qu'il publie ses premiers poèmes, *Six Sonnets* (1891), que suivront *Vers* (1892-1894) et *Un jour* (1895). Au cours de sa vie, il rencontrera tous les grands écrivains de l'époque, notamment Colette, Gide, Valery Larbaud, avec lesquels il échangera une importante correspondance. Jammes se convertit au catholicisme en 1905, se marie en 1907. Il se voit décerner le grand prix de littérature de l'Académie française en 1917 et meurt à Hasparren, âgé de soixante-dix ans.

Nul poète, plus que Jammes, n'a paru exempt de toute influence, étranger à toute école ; au point qu'on parlera de jammisme, mouvement sans maître, pour désigner cette poésie inimitable. Il semble que son œuvre n'ait pas d'âge tant elle s'affirme originale, extérieure à tout processus historique. Gide la qualifie d'« accident heureux dans le cours de notre littérature ». Heureux en effet car nul n'a su, mieux que Jammes, rendre l'immédiateté pleine de la nature, que ce soit dans ses vers (*De l'Angélus de l'aube à l'Angélus du soir,* 1898 ; *le Deuil des primevères,* 1901 ; *Sources et Feux,* 1944) ou dans ses proses poétiques. « Poète rustique », pour reprendre le titre d'une de ses œuvres (1920), mais non régionaliste, il s'étonne d'une fleur, d'une herbe dans un pré, de l'hirondelle déchirant le ciel d'un coup de faux rapide, du lièvre (*le Roman du lièvre,* 1903), de l'âne humble aux champs (« Prière pour aller au Paradis avec les ânes », dans *le Deuil des primevères*). Avec Jammes, nous découvrons une poésie épicurienne, sensible à la terre et au désir, nommant tout ce qui peuple la nature, mais aussi suppliante et priante : « C'est que la poésie est l'âme de la vie » (*Clairière dans le ciel,* 1902-1906). Et d'ajouter : « Je suis la voix qui chante à l'humble foyer noir ». Nul mot abscons, aucune recherche visible : le naturel, ici, est au plus haut point de sincérité. Que cette poésie soit apparue alors que le symbolisme finissant se sclérosait en précieuses formules accroît encore son prix. Certains écrivaient, en savantes révoltes, contre les règles ; lui, à côté, il les ignore : « J'ai fait des vers faux, et j'ai laissé de côté, ou à peu près, toute forme et toute métrique. Mon style balbutie, mais j'ai dit ma vérité [...]. Pour être vrai, mon cœur a parlé comme un enfant ». Cela ne signifie nullement une naïveté feinte mais un rapport direct au monde qui ne nie pas le travail sur l'écriture. Simplement il n'y a pas de méfiance à l'égard des pouvoirs du langage. Le mot donne la chose dans sa totalité et sa spontanéité. Aussi cette poésie imprégnée de nostalgie et de souffrance a un tel pouvoir d'évocation que ce qui procure la souffrance, par la magie du verbe devient objet présent et saisissable, conquis enfin par la parole, comme ces « jeunes filles » toujours refusées au poète, et que le désir transforme en êtres présents à jamais : *Clara d'Ellébeuse* (1899), *Almaïde d'Étremont* (1901). Le catholicisme rendra plus grave, plus profonde cette poésie charnelle : la nature devient alors figure de Dieu dans ses plus petits détails (*les Géorgiques chrétiennes,* 1912). Mais, pour la postérité, Jammes restera l'humble poète de la vie rurale, des choses simples et de la paix de l'âme :

J'irai, et je dirai aux ânes mes amis :
Je suis Francis Jammes et je vais au Paradis.

B. Conort

JAMYN Amadis

(1541 ?-1593)

Poète d'origine champenoise, Amadis Jamyn n'eût pas existé sans sa rencontre avec Ronsard, dont il fut le secrétaire et le disciple. Mais la proximité du maître laisse le compagnon dans une demi-obscurité qui en fausse l'image : plus léger, plus direct, d'effet plus modeste, bien réel cependant, Jamyn s'adapte mieux, par ses limites mêmes, au monde de la cour de Charles IX et de Henri III, qui lui assure en retour un assez beau succès.

À côté de Ronsard

Né à Chaource, près de Troyes, il commence peut-être ses études à Paris ; on ignore par qui (Jean Passerat ?) et quand il fut présenté à Ronsard. De nombreux éléments font penser qu'il est ce « Corydon » qui apparaît vers 1553 dans la poésie de Ronsard ; mais peut-être ne devint-il son page, puis son secrétaire, que vers 1557. Il reçut en tout cas une précieuse formation en latin, grec et italien, sans cesser de s'imprégner des anciens textes français, en particulier le *Roman de la Rose* et les œuvres de Lemaire de Belges.

Formé auprès de Ronsard, Jamyn n'en est pas écrasé aux yeux de ses contemporains. En même temps qu'il participe aux travaux de son maître au prieuré de Saint-Cosme, entre 1567 et 1570, il pénètre dans le cercle de Nicolas de Neufville, sieur de Villeroy, et écrit déjà quelques poèmes pour son album de poésies. Il est lecteur royal à la cour dès 1560, écrit des vers pour la Fête des Polonais, en 1573, qui célébra avec splendeur l'accession du futur Henri III au trône de Pologne. Comme Jodelle, Tyard, Ronsard..., il fréquente dans ces années-là le salon de Claude Catherine de Clermont, maréchale de Retz, participe à son album poétique et lui dédie un recueil de poésies amoureuses : le livre d'*Artémis* (*Œuvres* de 1575).

Bien établi auprès de Henri III après la mort de Charles IX (1574), au point de subir les attaques qui visaient l'entourage du roi, il n'économise pas sa peine : sous l'influence de la dévotion royale, il compose des discours ou poèmes d'inspiration religieuse. Lorsque, en avril 1578, les mignons Quélus, Maugiron, Livarot et Schomberg s'entre-tuent dans un duel célèbre, et que, peu après, Saint-Mégrin est assassiné, ce qui plonge le roi dans la douleur la plus extrême, Jamyn, impressionné par la grandeur du deuil et des manifestations funèbres, écrit sans doute ses plus beaux vers, les *XXVI Sonnetz du deuil de Cléophon.* Pour fournir à l'Académie du Palais quelques conférences fort appréciées, il s'adonne à la philosophie, à la logique, aux sciences à la mode (optique, etc.). Tous les textes de cette époque sont rassemblés dans le *Second Volume des Œuvres* de 1584 ; mais Jamyn n'est plus à Paris depuis 1580, et ne semble pas surveiller cette dernière édition de ses œuvres. Revenu, en notable philanthrope, dans son Chaource natal, atteint par la mort de Ronsard (décembre 1585), il meurt sieur de Basly, après avoir doté sa ville d'un collège où l'on enseigne le grec et le latin (1593).

À Ronsard il est redevable d'un apprentissage long et sûr, avant les premières publications. Son travail auprès du maître était de calligraphier ses poèmes, voire d'écrire sous sa dictée la moindre lettre, si bien que les manuscrits qui demeurent mêlent étroitement les deux écritures, comme furent sans doute mêlées leurs lectures, leur travail, divergeant parfois à partir d'inspirations communes. Ainsi, pendant que Ronsard compose la *Franciade,* tentant de créer une grande épopée française, Jamyn prépare-t-il une table des « apophtegmes, proverbes, oracles, etc. » contenus dans l'*Iliade* et s'attache à compléter la traduction d'Homère commencée, pour les onze premiers livres, par Salel : en 1574 paraîtront les livres XII à XVI ; en 1577, l'édition complète, augmentée de la traduction des trois premiers livres de l'*Odyssée,* tous écrits dans le nouveau mètre de l'épopée, l'alexandrin, que Ronsard aurait préféré pour sa *Franciade.*

Sur bien des sujets, et dans les commandes royales, Ronsard et Jamyn se croisent, empruntant l'un à l'autre : poèmes sur la chasse, la danse, etc., sans parler, bien sûr, des variations sur la thématique amoureuse. Comme prédestiné par son prénom – celui du plus populaire héros romanesque –, Amadis se doit de chanter une Oriane, mais elle est simple Tourangelle, comme la Marie de Ronsard. À l'exemple de celui-ci (et de Desportes), il consacre tout un livre à Callirée : c'est Marguerite d'Aquaviva, la maîtresse de Charles IX, que l'on chante sans se forcer. Il n'est pas jusqu'à l'Artémis de Jamyn, la maréchale de Retz, qui ne préfigure la thématique ronsardienne des sonnets pour Hélène de Surgères, l'amie de la maréchale. Rivalité sereine, comme tout ce que fit, paisiblement, Jamyn.

Une muse docile

Pourquoi s'en irriter ? Jamyn n'est jamais mieux inspiré que par l'émotion d'autrui. C'est sa façon d'écrire. Elle a ses droits et ses processus particuliers, que les contemporains goûtaient mieux que nous. Avoir tenu la plume de Ronsard y est sans doute pour quelque chose : Jamyn est à l'écoute de son temps, avec patience, simplicité, clarté, et sans engagement excessif dans les modes qui se suivent. On dit qu'il s'inspire de Desportes après Ronsard ; en fait, c'est toujours la même écriture, qui se plaît à décrire sans arrière-pensée un bois, une rivière, le plaisir d'une danse ou d'une promenade nocturne avec Oriane ; ou bien la forge dans laquelle Charles IX aime à passer le temps. Ou bien encore l'extravagante douleur de « Cléophon », devant les beaux corps morts, ensanglantés. « Il y a des tendresses » qui font encore pleurer Colletet, quelques décennies plus tard, dans le *Deuil de Cléophon* :

Le fer qui transpersa voz poitrines d'ivoire
Persa des mêmes coups d'outre en outre mon cœur
[...].
J'ay donné voz beaux noms en garde à la mémoire
Qui jamais ne taira mon feu ny vostre honneur...

M. M. Fontaine

JANIN Jules

(1804-1874)

Par la critique, Janin règne sur son temps. Elle lui vaut des amitiés qui le grandissent (Balzac, Gautier) ou des haines qui l'honorent. Mais certains remarqueront qu'un « feuilleton de Jules Janin, lu dans un volume à soixante ans du jour où il l'écrivit, n'a plus de sens ». Balzac, plaçant *la Confession* (1830), roman marquant de l'« école du désenchantement », aux côtés du *Rouge et le Noir*, Baudelaire, rappelant au critique cauteleux que celui-ci fut d'abord l'auteur visionnaire de *l'Âne mort et la Femme guillotinée* (1829), mettent peut-être Janin face à son avenir. De fait, cette partie dédaignée de son œuvre, conçue probablement dans des intentions parodiques ou divertissantes, demeure, des rééditions récentes en font foi, la plus neuve et la plus convaincante.

Du « Jeune-France » au bourgeois orléaniste

Tout porte Janin à des établissements pleins de quiétude ; son père médecin, sa jeunesse studieuse et sans orage, sa conception de la littérature des temps nouveaux, qui lui semble favoriser un embourgeoisement de l'écrivain : « L'homme de lettres d'aujourd'hui a cela de particulier, c'est qu'avec sa plume il a une existence assurée et conquise, tout aussi bien que les avoués et les notaires ». Aussi n'attend-il que 1833 pour morigéner ses débuts frondeurs d'opposant à l'ancien régime politique et littéraire dans les colonnes du *Figaro* (1825) : « Nous étions très jeunes, tous honnêtes gens, tous sans ambition, tous méchants sans méchanceté et cruels sans le savoir ! » (Préface des *Contes nouveaux*, 1833). Il tient déjà depuis trois ans le feuilleton de critique dramatique au très conventionnel *Journal des débats* – l'essentiel de ses articles sera publié sous le titre *Histoire de la littérature dramatique* (1853-1858) –, mais n'est demeuré que deux années à *la Quotidienne*, l'organe le plus enflammé de la réaction monarchiste. Janin se veut libéral. Aux ennemis d'*Antony*, il demande si « tout le théâtre antique n'était pas fondé sur l'inceste et tout le théâtre classique moderne sur l'adultère ». Il proclame : « L'opposition a été ma vie à moi, comme à d'autres la défense du pouvoir est leur vie ». L'orléanisme lui tend les bras et lui offre la sérénité douillette dont il aime s'entourer dans sa maison de Passy, « rococo, toute pleine encore des souvenirs de Louis XV, avec des amours partout, des bergères partout, des moutons partout » (Balzac).

Or, cet idéal d'une vie ouatée et étriquée, Janin semble le honnir quand il le reconnaît dans la littérature. Le héros de *la Confession*, Anatole, est étouffé par une « société de milieu, des croyances de milieu, des littérateurs de milieu », écrasé par une « monotone indifférence ». Ailleurs, Janin raille « la poésie nationale, comme on dit, pour ne pas dire la poésie médiocre », telle que l'illustre Delavigne. Il hait le théâtre de Scribe, ce monde de « petites soubrettes », « petits boudoirs », « petits jardins », qui « n'a jamais ressemblé à rien ni à personne ». Peut-être comprend-il, tout comme Sainte-Beuve, que Scribe « exprime fort bien le rêve et la conception de la vie dont s'entretient la bourgeoisie moyenne... », et dont Janin ne peut se départir, condamné à admirer au loin Hugo sur le rocher de son exil et tous ceux qui vivent dangereusement : « C'est vous, Maître, qui êtes la vie et le mouvement, la parole et le bruit, la justice et le châtiment ; nous autres, nous sommes l'apathie, le silence, l'abnégation et la pitié » (1854).

« Le prince de la critique »

Une critique qui n'exercerait que la police de la littérature ne satisferait pas Janin. Il désire l'élever au rang d'un art et contribue à la faire reconnaître telle. Ce qui lui vaut, peut-être, son élection à l'Académie au fauteuil de Sainte-Beuve (1870). S'il lie sa destinée littéraire au journalisme, c'est qu'il est persuadé de la nouvelle grandeur de l'instant, de l'éphémère, du présent : « La poésie n'est plus dans les poètes, la poésie est dans les faits ». D'où son appel à un réalisme moderne et hardi. À propos de l'adaptation à la scène d'*Eugénie Grandet* (1838), il s'exclame : « Il a fallu le grand nom de Balzac pour faire admettre Grandet au théâtre. Quelle est cette prudence du public qui exclut de la scène tout sujet qui palpite dans la société ? ». Le causeur rêve de créer et vénère son rêve à travers ceux qui le vivent.

Prompt à réparer ses propres injustices, il tempérera en louant *Ruy Blas* les traits dont il a par ailleurs accablé le drame hugolien. Admirateur de Nerval, de Berlioz et de Gavarni (*Critique, Portraits et Caractères contemporains*, 1859), conscient que « le journal est le souverain maître du monde », Janin, avec mesure mais efficacité, constitue à l'intérieur même du *Journal des débats* un véritable contre-pouvoir face aux censeurs fielleux du conservatisme littéraire, Cuvillier-Fleury ou Saint-Marc Girardin par exemple.

Ce que valorise par-dessus tout sa critique ? L'émotion, la spontanéité, l'impression telle qu'elle s'impose avant de se prêter au scalpel de la raison et du savoir. Le feuilleton devient « un petit cri de joie que nous arrache le spectacle du jour ». La manière de Janin s'offre comme un premier jet, fulgurant d'aisance et d'esprit, d'une luminosité voltairienne. Il dispense avec autant de talent son estime sans amour pour Stendhal (« un observateur à froid, un railleur cruel, un sceptique, méchant, qui est heureux de ne croire à rien ») ou son mépris pour Casimir Delavigne.

Mais un tel brio est, pour beaucoup, preuve de facilité, de légèreté désinvolte. Janin ne confond-il pas, dans sa verve, l'Orgon du *Tartuffe* et l'Argan du *Malade imaginaire* ? À ceux qui réclament une critique savante et érudite, Janin répond en fixant au critique des ambitions d'écrivain. Fi des tâcherons ! Peintre de la vie moderne, le critique ne saurait lire en vulgaire pédant, mais de manière élitiste et originale. Endossant l'habit de lumière du dandy, il écrit « pour un lecteur d'élite, actif, intelligent, dévoué ; [qui] aime avant tout l'élégance et la correction, tout comme il aime, à son lever, le bain frais et le linge blanc ». Sourcier d'universel dans un quotidien chaotique, impalpable à force de frivolité et de profusion, le critique s'engage à son tour dans la voie vertigineuse des grandes « recherches », où s'aventurent déjà poètes et romanciers. Au-delà d'un genre, le feuilleton se fait essai, repoussant de jour en jour les frontières du projet créateur dans lequel s'obstine l'écrivain. Sainte-Beuve en est conscient : « M. Janin a l'honorable ambition de faire un livre [...]. Ce livre auquel il songe tant, il le fait chaque jour sans y songer, ou plutôt le livre se fait, bon gré mal gré, de lui-même » (*Causeries du lundi*, V). Livre à venir que l'auteur élabore opiniâtrement dans ses contes (*Contes fantastiques et littéraires*, 1832 ; *Contes nouveaux* ; *Contes du chalet*, 1859 ; *Contes non estampillés*, 1862) ou ses romans.

La Confession, par l'auteur de l'Âne mort et la Femme guillotinée

Ainsi parut, en 1830, *la Confession*, sans nom d'auteur. *L'Âne mort et la Femme guillotinée*, il est vrai, avait, deux ans plus tôt, défrayé la chronique. Imitant la manière de Radcliffe, de Walpole et des romantiques fascinés par le roman noir, Janin prétendait y démontrer que « rien n'est d'une fabrication facile comme la grosse terreur ». Raillant les stéréotypes de l'époque (courtisanes maudites, jeunes gens geignards et désespérés) et les débats à la mode (le chapitre XXV emprunte son titre à Victor Hugo : « le Dernier Jour d'un condamné »), l'auteur accumulait les horreurs. Baudelaire en dresse l'accablant inventaire : « Jules Janin ne veut plus d'images chagrinantes. Et la mort de Charlot ? Et le baiser dans la lunette de la guillotine ? Et le Bosphore si enchanteur du haut d'un pal ? Et la bourbe ? Et les capucins ? Et les chancres fumant sous le fer rouge ? ». En faisant de *la Confession* l'enfant d'un même père, Janin, outre le clin d'œil publicitaire, veut-il faire entendre que la dérision présiderait encore à son entreprise ?

SYNOPSIS

Anatole attend ses quarante ans pour prendre un état dans la vie politique et se laisse marier à une charmante jeune femme. Il a mené jusque-là une vie studieuse et rangée. Faisant à travers son mariage la première expérience de la désillusion, il étrangle son épouse au cours de la nuit de noces. Son crime n'est pas découvert, mais Anatole se trouve rapidement saisi de remords. Après avoir vainement cherché dans l'étude un remède à la « maladie morale » qui le ronge, songé à se livrer à la justice, il cède à un sentiment religieux hérité de l'enfance et veut se confesser à un prêtre afin d'obtenir l'absolution. Mais où donc en trouver un, en ce siècle laïcisé ? Ceux à qui il s'adresse en premier, jeunes curés peu assurés en leur foi, se dérobent. D'autres, prélats casuistes, mécènes mondains, ne veulent pas comprendre la signification exceptionnelle de sa confession. Quant aux moines qu'Anatole va visiter dans leurs couvents, ils n'ont à lui offrir que des lamentations papelardes sur la perte de leurs richesses, de leur bien-être et de leur puissance. Après avoir accumulé les expériences d'un clergé déclassé, incapable de l'entendre et de lui répondre, Anatole, feuilletant, dans le presbytère d'un curé de campagne, un *Dictionnaire des cas de conscience*, conclut : « Je suis en dehors de ce livre, en dehors de la confession de ce prêtre, qui, après m'avoir entendu, ira feuilleter dans son dictionnaire, et ne saura que me répondre quand il verra que mon meurtre n'est pas prévu ! ». Finalement, il songe au suicide ; mais « nous [hommes du XIXe siècle] en avons trop abusé comme de tout le reste ». Il se raccroche une dernière fois à son projet initial. Il vient d'entendre louer un prêtre espagnol de grande vertu. L'Espagne, terre de l'Inquisition et de l'extrême fanatisme religieux ! Ayant assisté à la confession d'une jeune femme qu'il a suivie en cachette jusqu'au saint homme, au cours de laquelle ce dernier s'avoue pris en défaut et confie à la belle, Juana, une introduction auprès du « plus grand confesseur de l'Église romaine », un jésuite proscrit, Anatole séduit Juana et trouve le confesseur. Il reconnaît en lui un mystérieux personnage qui, lors des obsèques de sa femme, l'avait obscurément menacé ; il se confesse, s'en trouve si ébranlé que « ses parents furent obligés de l'enfermer six mois dans une maison de fous ». Puis il devient prêtre, rejoignant ainsi l'idéal d'une vie mièvre et végétative que décrivaient les moines pleurards.

Si pastiche il y a, il se fait plus amer que souriant. « Assez déplorable histoire » d'un « honnête homme coupable », *la Confession* revendique l'héritage de Crébillon fils : « Nous avons toujours [...] comme type du roman de toutes les sociétés finies, le roman comme le faisait Crébillon fils ». On soulignera à loisir que le romancier Janin, friand d'allusions, féru de dissertations morales et esthétiques, reste bien proche du critique et du causeur mondain. Le préfacier s'adresse à un certain Ariste, dont se souviendra peut-être le journaliste quand il choisira, pour signer ses articles dans *l'Indépendance belge*, le pseudonyme d'ÉRASTE. Écrivant à la hâte, au mépris de la vraisemblance, il fait surgir sur le chemin de son héros, Anatole, un mystérieux et redoutable confesseur, sans expliquer comment ce démiurgique personnage peut tout savoir du drame du jeune homme. Désinvolture ou feinte ?

Janin ne maîtrise plus ses canulars. Son imagination s'y est débridée dans des dimensions qui l'inquiètent assez pour lui faire renoncer à insérer *la Confession* parmi ses *Œuvres diverses.* Oubliées les modes dont se gausse *l'Âne mort et la Femme guillotinée,* demeure une œuvre sulfureuse et satanique, que le lecteur peut parcourir du même songe dont l'auraient entretenu *les Contes d'un buveur d'éther* ou les *Histoires extraordinaires.* Ce que Janin renie, Balzac le recueille et l'offre avec *la Peau de chagrin* comme une preuve supplémentaire que « la raillerie est toute la littérature des sociétés expirantes ». Corseté dans l'institution critique, Janin n'ose clamer trop haut qu'il étouffe à jouer les chiens de garde de l'entendement bourgeois. Quand le héros de *la Comédie humaine,* s'apprêtant à entrer dans « le grand bagne où il perdra ses illusions », laisse à l'écrivain l'espoir d'une immense quête, celui de Janin se hâte d'achever le cycle de son désenchantement. Dès qu'il ne trouve « plus d'espérance dans [son] âme, plus de larmes dans [ses] yeux, plus de fleurs dans [ses] mains », il laisse la parole au préfacier, qui bredouille ses justifications face à l'autorité qui encense ou condamne.

L'auteur de *Séraphîta* sourit, et, pour montrer à Janin jusqu'où l'on va trop loin, il écrit un trentième chapitre à *l'Âne mort et la Femme guillotinée* : « le Couteau à papier ».

D. Giovacchini

JAPRISOT Sébastien

Pseudonyme de **Jean-Baptiste Rossi** *(né en 1931)*

Né à Marseille, J.-B. Rossi n'a que dix-sept ans lorsqu'il publie *les Mal partis* en 1948 : c'est dire sa précocité ! Son expérience de la publicité où, écrit-il, « ce qui compte, c'est d'en mettre un coup dans l'imagination », semble lui servir en littérature : il s'applique à frapper l'esprit du lecteur par son choix de l'intrigue policière et par un renversement, au profit d'une écriture personnelle, de toutes les conventions du genre.

« Une affaire d'assassinat, c'est un assassin, une victime et des témoins », pense le commissaire de *Compartiment tueurs* (1962). Il suffit de multiplier les cadavres en supprimant les témoins, de donner de l'importance à ce qui pourrait n'en pas avoir pour que toute cette logique soit en défaut. Ni l'enquêteur, ni le mobile, ni le coupable ne sont ce qu'ils devraient être dans la tradition des règles de Van Dine (1928) : inattendu, non spectaculaire ; une seule évidence, choses et individus changent sans cesse, dans le jeu des voix entremêlées. Ce déplacement sans limites s'illustre mieux encore dans *Piège pour Cendrillon* (1962), récit à la première personne d'une jeune amnésique qui enquête sur son passé, et où le lecteur non plus n'échappe pas au piège du roman : la conclusion à la troisième personne le renvoie à un questionnement infini, au mépris de toute clôture sécurisante ; car une double lecture est possible, sans qu'aucun indice textuel ne puisse infirmer l'une ou l'autre. Dans *Un long dimanche de fiançailles* (1991) Mathilde, fiancée à un soldat mutin fusillé en 1917, refuse de se résigner et enquête sur sa mort, tentant vainement de remonter le temps.

Dans ces romans policiers qui n'en sont pas, l'insolite définit le comportement des acteurs principaux, dont « les millions de gestes imprévisibles » menacent le sens et l'ordre d'un monde adulte ; c'est qu'ils sont très proches de l'enfance encore : témoins, leur goût des noms propres métaphoriques (Bambi, Miss Quatre-Œil, Pin-Pon), les contes qu'ils s'inventent pour tromper solitude et insécurité, leur évolution dans un temps intérieur dilaté, sans réalité objective. « Le Temps est un personnage », rappelle-t-on dans *la Dame dans l'auto avec des lunettes et un fusil* (1966) ; personnage essentiel même, qu'il faut gagner à sa cause, apprivoiser ou réapprendre, au risque de le contrarier : Éliane a vraiment neuf ans (*l'Été meurtrier*, 1977) comme le chapelier d'*Alice au pays des merveilles* vit à l'heure du thé.

Comme Alice, les jeunes héros de Japrisot sont en quête d'une identité, d'une existence consistante ; essentiellement doubles puisque à la fois enfants et adultes, forts de cette oscillation de leur être, ils sortent gagnants de leurs épreuves mais pas comme on aurait pu le prévoir. La structure du roman policier superposant une double temporalité, un double récit – et même bien davantage dans *la Passion des femmes* (1986) où huit voix féminines brouillent au fil de la lecture l'identité du héros et la factualité des événements, avant que l'apparition du narrateur (l'auteur ?) aux ultimes lignes ne dévoile la mécanique du texte – leur fournit un cadre à leur ambivalence, qui est aussi celle de l'auteur : écrire, n'a de sens que pour « consoler celui qui en nous n'a pas grandi, qui ne grandira jamais, qui n'arrête pas d'appeler au secours ».

B. Siot et D. Couty

JARDIN Pascal

(1934-1980)

Fils du diplomate Jean Jardin, qui fut chef du cabinet de Pierre Laval pendant la guerre, Pascal Jardin, d'abord journaliste, écrivit ensuite les dialogues d'une centaine de films. Il rédigea deux livres de souvenirs, *la Guerre à neuf ans* (1971), où il évoque son enfance à Vichy au temps de l'État français, et *Guerre après guerre* (1973), consacré à sa jeunesse et à sa carrière cinématographique. S'y ajoute un roman autobiographique, *Toupie la Rage* (1972).

Pascal Jardin est un anecdotier amusant et parfois émouvant. Il a recréé mieux que beaucoup d'historiens l'atmosphère de Vichy durant la guerre et su évoquer de façon saisissante certaines grandes figures du monde du spectacle ou de la politique, à commencer par son père (*le Nain jaune,* 1976). Refusant la chronologie, il enchaîne images et réflexions en un ordre apparemment capricieux. Ses livres deviennent ainsi tout autre chose que des recueils d'anecdotes : ils apparaissent comme des réflexions sur le souvenir – ou comme des exercices pour le ranimer magiquement. C'est l'essence même du passé que l'écrivain tente de saisir à travers tant de singularités éparses et tout le faux désordre de son écriture.

A. Niderst

Jardin de plaisance

(1502)

Le *Jardin de plaisance et fleur de rhétorique*, paru en 1502 chez l'imprimeur parisien Antoine Vérard, semble bien être la première de toutes les anthologies poétiques imprimées en France. Il connut au moins neuf éditions au cours du XVIe siècle et marque la naissance d'un type d'ouvrage qui sera fort apprécié pendant deux siècles ; même si, par plus d'un trait, il déroute le lecteur moderne, il instruit à la fois sur les goûts des amateurs de la Renaissance et sur l'habileté des imprimeurs-libraires à développer, dans leur propre intérêt, cet engouement pour la poésie : derrière Vérard suivront Michel Lenoir, Jean Petit, Jean Trepperel, Philippe Lenoir, tantôt à Paris, tantôt à Lyon, les deux centres les plus importants.

À la manière des « histoires-cadres » déjà développées en Italie depuis Boccace, le compilateur de tous ces poèmes, un certain Jourdain, dit « l'Infortuné », recueille non pas des récits, mais des ballades, rondeaux et autres genres poétiques du XVe siècle, pour les réunir dans un « jardin », combinant les différentes pièces en une histoire, enchaînant les moments comme dans une intrigue romanesque qui culmine en un « Parlement d'Amour », entouré de dialogues entre amants, de débats et complaintes. Ces fleurs, transplantées dans un terrain nouveau, ont perdu en route leurs auteurs réels, mais on peut reconnaître les plus grands de la fin du Moyen Âge, en particulier des Rhétoriqueurs : Alain Chartier, Guillaume Cretin, Jean d'Auton, Eustache Deschamps, Charles d'Orléans, Meschinot, Molinet, Octovian de Saint-Gelais, etc. Villon se taille la part du lion avec vingt-quatre pièces. La présence de Guillaume de Machaut nous oblige à rapprocher ce type de livre des recueils de musique, qui obtiennent, eux aussi, un succès considérable dans la même période et sont tout aussi anonymes. Quoique ce ne soit pas une règle absolue, la plupart des poètes cités sont morts à la parution du recueil : ainsi conserve-t-il pendant de longues années la mémoire de la poésie médiévale – fût-ce en diminuant progressivement la part de celle-ci – chez l'homme de la Renaissance.

M. M. Fontaine

Jarry

JARRY Alfred

(1873-1907)

Il y a un « cas » Jarry. Les symptômes en sont multiples. Le plus éclatant d'entre eux s'observe au niveau du lexique : il n'existe pas d'adjectif usuel formé sur le nom de Jarry – même si quelques-uns des spécialistes de son œuvre, d'ailleurs assez peu nombreux, utilisent de loin en loin « jarryque » ou « jarryesque ». Mais le nom d'Ubu a donné lieu à la formation du dérivé « ubuesque », qui est entré dans le lexique commun, avec le sens de « simultanément odieux et ridicule » – l'une ou l'autre de ces qualités étant alternativement accentuée. Cas relativement rare d'occultation de l'auteur par l'une de ses créations. Autre symptôme : le déséquilibre patent qu'on observe dans la connaissance de l'œuvre de Jarry. *Ubu roi* est universellement connu (et traduit), constamment réédité, fréquemment représenté. *Ubu enchaîné, Ubu cocu* et l'ensemble du cycle ubique profitent petitement du prestige d'*Ubu roi*. Mais le reste de l'œuvre était il y a peu presque inconnu, et il y a encore beaucoup à faire pour que les romans de Jarry, ses poèmes, ses « Spéculations » , sans parler de la non négligeable production critique et de la correspondance, atteignent véritablement le public. Et ce n'est évidemment pas un hasard si les différents projets d'édition des *Œuvres complètes* de Jarry n'ont encore abouti qu'à des résultats insuffisants ou partiels. Dernier aspect du cas Jarry : l'intérêt qui se porte sur sa « vie » – ou, plus justement, sur certains épisodes, jugés significatifs : les trop fameuses anecdotes, rapportées à foison par des témoins souvent fugitifs, voire indirects ou franchement mythomanes et reprises dévotement par les biographes, y compris les plus « sérieux ». Même si André Breton a, indirectement, appuyé de son autorité cette attitude hagiographique, elle n'en a pas moins comme conséquence d'occulter le texte aux dépens d'un mythe, en lui-même intéressant, mais fort éloigné de ce qu'on peut savoir (ou deviner) du (des) sujet(s) Jarry.

Un petit-bourgeois déclassé

Alfred Jarry est né à Laval (Mayenne). Son père, Anselme Jarry, alors négociant en toiles et coutils, est à la tête d'une petite fortune immobilière, et sa profession lui permet de faire vivre dans le confort son épouse – fille d'un juge de paix breton – et la jeune Charlotte, sœur aînée d'Alfred. Mais bientôt ses affaires périclitent, et il est contraint de reprendre son ancien métier de représentant de commerce, en sauvegardant toutefois une part non négligeable de ses biens immobiliers. Mais à cette époque son épouse s'éloigne définitivement de lui, et s'installe avec ses deux enfants à Saint-Brieuc (1879) – où réside son père – puis à Rennes (1888).

Après quelques mois passés dans la classe des « minimes » du lycée de Laval, Jarry fera – de façon à la fois brillante et désinvolte – ses études classiques aux lycées de Saint-Brieuc, puis de Rennes. Dès la classe de quatrième, il écrit de nombreux textes poétiques, que, plus tard, il réunira sous le titre *Ontogénie,* avec l'intention – à la fois affichée et retenue – de les publier.

Lorsqu'il entre en rhétorique (première) au lycée de Rennes, Jarry a pour professeur de physique un M. Hébert, qui est abominablement chahuté, depuis la nuit des temps, par ses élèves. Le triste Félix Hébert, sous les noms variés de P.H., père Heb, Eb, Ebé, Ébon, Ébance, Ébouille, est depuis plusieurs années le héros d'une geste potachique abondante et multiforme. Entre plusieurs autres textes, un épisode de ses aventures a pour titre *les Polonais* : il a été rédigé vers 1885 – soit trois ans avant l'arrivée de Jarry au lycée – par un élève, Charles Morin, et relate les aventures du P.H. devenu roi de Pologne. Ce texte, dont la version originelle est perdue, est à l'origine du futur *Ubu roi.*

Muni du baccalauréat, le jeune Jarry se prépare, d'abord comme « vétéran » au lycée de Rennes, puis, à la khâgne du lycée Henri-IV, au concours de l'École normale supérieure. Il y est par trois fois refusé (1891, 1892, 1893), comme il est, à deux reprises (en 1894), refusé à la licence ès lettres.

Dès 1892, Jarry fréquente le milieu littéraire parisien. Il commence à publier en 1893.

Après la mort de sa mère (1893), puis de son père (1895), Jarry mène, à Paris, la vie d'un homme de lettres à la mode. Le modeste héritage de ses parents lui permet de vivre, d'abord confortablement, puis de plus en plus petitement. Aucun de ses ouvrages – à la seule réserve, peut-être, de *Messaline* – ne sera vraiment lucratif : il en est vite réduit à la chasse aux « piges » dans les revues. Lorsqu'en avril 1903 *la Revue blanche,* à laquelle il collaborait régulièrement, cessera de paraître, ce sera la misère noire.

Miné par l'alcool – c'était le moyen qu'il avait trouvé pour compenser sa sous-alimentation chronique –, Jarry meurt de tuberculose à trente-quatre ans. Depuis plusieurs mois, ses ultimes efforts de production littéraire n'aboutissaient qu'à des ébauches partielles, qu'il ne parvenait plus à intégrer à un texte. On trouve la trace – émouvante – de ces efforts dans l'immense dossier de son dernier « roman », *la Dragonne.*

On ne connaît à Jarry aucune relation féminine affichée, et l'on ne peut que spéculer (inutilement ?) sur la nature de ses rapports avec quelques femmes, jeunes (Fanny Zaessinger) ou, bien souvent, beaucoup plus âgées que lui (Rachilde, Mme Claudius-Jacquet, Berthe de Courrière). Quant au personnage de sa mère, on est évidemment tenté d'en trouver la mise en scène textuelle dans *l'Amour absolu,* sous le nom de Varia : objet, précisément, de l'« amour absolu » du jeune Emmanuel Dieu.

Les relations masculines de Jarry étaient moins secrètes. Son amitié avec Léon-Paul Fargue fit scandale dans le milieu littéraire parisien, et le fils de Mme Claudius-Jacquet fut certainement fort intime avec lui. On peut repérer la trace, plus ou moins profonde, laissée par ces tensions dans *les Jours et les Nuits.*

Existence étrange, hantée par l'échec (ou ses apparences ?). À chacun de ces échecs, Jarry opposait une indifférence désinvolte, qui, pour être sans doute partiellement feinte, n'en est que de façon plus significative à l'exact opposé de cette intention de « faire de sa vie une œuvre d'art » que lui ont prêtée, après Breton, de trop nombreux critiques.

La machine à décerveler

Rien de plus hétéroclite, apparemment, que l'œuvre de Jarry. La simple énumération des genres littéraires qu'il a abordés est, à cet égard, édifiante : du poème au roman, du théâtre à l'essai philosophique, de la chronique à la critique. Encore ne faudrait-il pas se laisser abuser par l'identité des termes : quoi de commun en effet entre le drame hypersymboliste (à tous les sens du mot « symbole ») de *César-Antechrist* et l'extrême légèreté (à tous les sens du mot « légèreté ») du « théâtre mirlitonesque » ? Quelle ressemblance, dans le domaine dit « romanesque », entre l'autobiographie rêvée de *l'Amour absolu* et les descriptions de paysages littéraires ou les calculs pataphysiques des *Gestes et opinions du docteur Faustroll* ?

On ne se donnera pas ici le ridicule de chercher à mettre en évidence une « cohérence » qui risquerait fort de ne se situer qu'au niveau de notre propre discours critique. On se contentera de décrire quelques textes, en insistant toutefois sur les relations, parfois peu attendues, qui se manifestent entre eux, et qui constituent une sorte de réseau, à la fois souple et contraignant, entre les mailles duquel les textes en viennent comme à jouer une interminable partie d'échecs.

Jarry n'a pas encore trouvé tous ses lecteurs. Il scandalise encore jusqu'aux universitaires qui lui consacrent des thèses. Tabou sexuel ? Tabou sémiotique – moins apparent, mais aussi fort ? Sans doute. L'essentiel est ailleurs : le véritable scandale du texte jarryque, c'est qu'il ne comporte pas de sens préétabli : c'est bien plutôt une étrange machine – ingénieusement bricolée – à produire et détruire le sens. « Voyez, voyez, la machin' tourner ! » hurlent les Palotins d'*Ubu roi* autour de la Machine à décerveler. C'est un fait qu'on peut la faire tourner indéfiniment, et dans tous les sens.

VIE		ŒUVRE	
1863	Mariage, à Hédé (Ille-et-Vilaine), d'Anselme Jarry et de Caroline Quernest.		
1865	Naissance, à Laval, de Caroline – bientôt appelée Charlotte –, sœur aînée de Jarry.		
1873	**8 sept. :** naissance, à Laval, d'Alfred Jarry.		
1878	Alfred Jarry entre au lycée de Laval, dans la division des « minimes ».		
1879	Mme Jarry quitte son mari et s'installe avec ses deux enfants à Saint-Brieuc.		
		1885-1886	Jarry, qui vient d'entrer en quatrième, écrit de très nombreux textes poétiques, qui seront plus tard réunis dans *Ontogénie*.
1888	Mme Jarry s'installe à Rennes. Jarry entre en première au lycée de la ville.	**1888**	Composition de *la Seconde Vie ou Macaber,* poème. Adaptation théâtrale, par Jarry, du texte des *Polonais*. **Déc. :** représentation des *Polonais* par les marionnettes du théâtre des Phynances, chez les parents de Charles Morin.
		1888-1889	Jarry écrit *Onésime ou les Tribulations de Priou,* première ébauche du futur *Ubu cocu*.
1889	**Oct. :** Jarry entre en classe de philo.		
1890-1893	Il prépare, d'abord à Rennes, puis à Paris, le concours de l'École normale supérieure.		
1893	**10 mai :** mort, à Paris, de la mère de Jarry.	**1893**	Premières publications.
1893-1894	Période de l'amitié de Jarry et de Léon-Paul Fargue.		
1894	Jarry fréquente les mardis de Mallarmé, puis ceux de Rachilde. **Oct. :** fonde la revue *l'Ymagier* avec Rémy de Gourmont (7 numéros). **13 nov. :** il est incorporé à Laval au 101e R.I.	**1894**	Publication successive de « Visions actuelles et futures », d'« Haldernablou » (dans *le Mercure de France*), de l'« Acte unique » (futur « Acte prologal »), de *César-Antechrist,* enfin des *Minutes de sable mémorial.*
1895	**Janv. :** rupture de Jarry et de Fargue. **19 août :** mort du père de Jarry. **Sept. :** épisode de « la vieille dame » (Berthe de Courrière) qui déclare sa flamme à Jarry (bien en vain !). **Déc. :** Jarry est classé « réformé définitif ».	**1895**	Publication, dans *le Mercure de France,* de l'« Acte héraldique », puis de l'« Acte terrestre » (*Ubu roi*) de *César-Antechrist.* Le texte entier paraît en volume en nov.
1896	Jarry propose à Lugné-Poe, directeur du théâtre de l'Œuvre, de monter *Ubu roi* (nouveau titre des *Polonais*). Il devient, en juin, secrétaire de Lugné-Poe. **10 déc. :** la première représentation d'*Ubu roi* déclenche un énorme scandale.	**1896**	Publication du « Vieux de la montagne », d'*Ubu roi* (édition originale sous ce titre), de « l'Autre Alceste » et des « Paralipomènes d'Ubu ».
1897	Jarry, qui connaît déjà de sérieuses difficultés pécuniaires, s'installe dans un étrange local, au 7, rue Cassette ; l'appartement a été coupé en deux horizontalement !	**1897**	Jarry achève, puis publie *les Jours et les Nuits.* Il remanie le texte d'*Ubu cocu.* Il travaille en outre à *l'Amour en visites* (dont un chapitre deviendra *l'Amour absolu*) et aux *Gestes et opinions du docteur Faustroll, pataphysicien.*
1898	Jarry passe plusieurs mois au Phalanstère, grande maison de Corbeil louée en commun avec plusieurs amis, dont Rachilde et son époux Alfred Vallette, directeur du *Mercure de France.*	**1898**	Publication de *l'Amour en visites.* Jarry continue à travailler à *Faustroll* et à *l'Amour absolu.* Il termine une première version de *Par la taille* et commence, avec Claude Terrasse, à rédiger une première version de l'opéra bouffe *Pantagruel.*
1899	Après la dissolution – en janv. – du Phalanstère, Jarry passe la période des vacances dans une maison louée, toujours avec Rachilde et Vallette, à La Frette.	**1899**	Jarry publie (à ses frais) *l'Amour absolu.* À La Frette, il écrit *Ubu enchaîné.*

VIE		ŒUVRE	
1900	Jarry passe une partie de l'année dans un petit local, près du barrage du Coudray. **15 mai :** il fait représenter *Léda,* opérette bouffe rédigée en collaboration avec Berthe Danville (Karl Rosenval).	**1900**	Publication d'*Ubu enchaîné,* précédé d'*Ubu roi.* Jarry achève *Messaline,* qui sera publiée d'abord par fragments successifs dans *la Revue blanche* (juil.-sept), puis en volume (janv. 1901).
1901	Jarry s'occupe activement d'une représentation d'*Ubu roi* (réduit à deux actes) au théâtre des 4-Z'Arts. La répétition générale a lieu le 27 nov.	**1901**	Pendant toute l'année, Jarry publie ses « Spéculations » dans les numéros bimensuels de *la Revue blanche.* Il travaille au *Surmâle,* qu'il achève le 18 déc.
1902	Peu avant de partir pour Bruxelles prononcer une conférence sur « les Pantins », Jarry accuse bruyamment de « plagiat » un certain Nonce Casanova, auteur d'une *Messaline, roman de la Rome impériale.*	**1902**	Publication du *Surmâle.* Dans *la Revue blanche,* la série des « Gestes » prend la suite de celle des « Spéculations ».
1903	Début des relations – peu intimes – entre Jarry et Apollinaire. Jarry passe les derniers mois de l'année chez Terrasse, au Grand-Lemps (Isère), dans l'intention d'achever l'interminable *Pantagruel.*	**1903**	Jarry collabore – fugitivement – à *la Renaissance latine,* puis à *la Plume,* au *Canard sauvage,* à *l'Œil.* Dans *la Revue blanche* (agonisante), il publie « la Bataille de Morsang », fragment de *la Dragonne,* roman auquel il ne cessera plus de travailler, sans parvenir à l'achever.
1904	Jarry poursuit – dans la morosité – son séjour travailleur au Grand-Lemps. Il acquiert un petit terrain au Plessis-Coudray, sur lequel il fera construire une baraque qu'il baptisera « le Tripode ».	**1904**	En même temps qu'il poursuit la rédaction de *Pantagruel,* Jarry travaille à *la Dragonne.* Il collabore fugitivement au *Figaro.*
1905	**Janv. :** Jarry fait représenter une opérette, *le Manoir de Cagliostro,* qu'il a composée en collaboration avec Demolder. Il tarde à achever le *Pantagruel,* ce qui lui attire les reproches de Terrasse. **Nov. :** il est gravement malade : l'« influenza », prétend-il.	**1905**	Toujours *la Dragonne,* parallèlement à *Pantagruel.* En outre, Jarry commence à traduire, en collaboration avec son médecin, le Grec Jean Saltas, le roman d'Emmanuel Rhoïdès, *la Papesse Jeanne.*
1906	**Mai :** Jarry, très gravement malade, se croit à l'agonie ; il dicte à sa sœur Charlotte un vaste plan de *la Dragonne,* écrit à ses amis (Vallette et Saltas) de longues lettres exaltées, reçoit les derniers sacrements et rédige, avec pompe, son faire-part. En juin, il est tiré d'affaire, mais sa situation pécuniaire ne cesse de se dégrader.	**1906**	**Avr. :** publication, dans *Vers et prose,* de *« Omne viro soli »,* premier chapitre de *la Dragonne.* En mai, *Ubu sur la Butte* : texte de l'*Ubu roi* réduit à deux actes.
1907	La santé de Jarry et sa situation financière vont s'aggravant. En juill. il se réfugie à Laval, près de sa sœur. Il en repart pour Paris en oct. Le 29, il est admis à l'hôpital de la Charité, où il meurt, le 1er nov., d'une méningite tuberculeuse.	**1907**	En même temps qu'il cherche désespérément à achever *la Dragonne* – et peut-être même à en extraire un autre roman, *le Mousse de la « Pirouïtt »* –, il classe les « Spéculations », en vue d'en faire un volume : *la Chandelle verte.* (Ce projet de publication sera réalisé par Maurice Saillet en 1969.) **Juin :** *le Moutardier du Pape,* opérette sur la Papesse Jeanne.
		1908	Publication de *la Papesse Jeanne,* traduit par Alfred Jarry et Jean Saltas.
		1911	Publication de *Gestes et opinions du docteur Faustroll, pataphysicien, roman néo-scientifique,* suivi de *Spéculations.*
		1943	Publication de *la Dragonne.*
		1944	Publication d'*Ubu cocu.*
		1947	Publication par Henri Massat des *Œuvres complètes* (en réalité, très gravement incomplètes).
		1964	Publication de « Saint-Brieuc-des-Choux », fragments du dossier *Ontogénie.*
		1972	Publication du premier volume des *Œuvres complètes,* par Michel Arrivé, dans la « Bibliothèque de la Pléiade ». Tomes II et III par Henri Bordillon (1987-1988).

Le cycle ubuesque

Comment lire *Ubu roi* ? Comme un canular de potache bien doué ? Un « drame historique » ? Une « farce politique » ? Ces lectures sont possibles, et même simultanément possibles : elles rendent compte, chacune de son côté, d'éléments complémentaires du texte. Il faut toutefois avouer qu'elles laissent insatisfait. Elles se heurtent en effet, tout au long du tissu textuel, à des obstacles, blocs d'illisibilité impossibles à contourner et difficiles à intégrer : ce sont ces « mots d'auteur » – pourquoi pas « mots de texte » ? – que sont les néologismes, les déformations lexicales, les composés de forme aberrante, etc. Devant ces inventions monstrueuses, deux attitudes possibles : les neutraliser par l'histoire, les renvoyer au pittoresque des « sonorités », de la « fraîcheur » (?), de l'« actualité » (?). Ainsi pour le mot inaugural d'*Ubu roi* : le fameux « Merdre ! », hurlé par Ubu dès le lever du rideau, sans même l'ombre d'une justification dramatique ou psychologique. Désir de scandale ? C'est l'évidence, et le résultat suivit, comme le prouvent les démêlés de Jarry avec la censure théâtrale. Mais le simple « merde » – peu fréquemment proféré, à l'époque, sur une scène ! – eût été, à cet égard, aussi efficace – plus, peut-être, car on a pu analyser l'« r » infixé comme indice d'euphémisation. Ce qui arrête le lecteur, c'est précisément cet affixe insolite. Et c'est alors que fleurissent les « explications » historiques (« merdre » prononciation populaire ; « merdre » atténuation de « merde » ; etc.) ou esthétisantes (« un accent neuf et la plus affirmative des sonorités », « une majesté, une puissance plus grande », etc.). Analyses dont on conviendra qu'elles n'éclairent en rien la valeur du mot dans le texte. On ferait des remarques du même ordre sur les autres mots spécifiques d'*Ubu roi* : ainsi « phynance » a été présenté comme une graphie archaïsante ou comme une fantaisie pédantesque d'élève de *ph*ilosophie. On a décelé en « bouffre » et en « tuder » des traces de parlers provençaux.

Exactes – pour « bouffre » et, vraisemblablement, pour « tuder » –, inexactes, seulement discutables ou invérifiables, de telles analyses laissent les mots à leur illisibilité. Les faits ne s'éclairent que lorsqu'on lit *Ubu roi* comme élément d'un intertexte plus complexe. À la manière d'une phrase relative enchâssée dans une phrase matrice, le texte d'*Ubu roi* – à quelques menues modifications et suppressions près – est inséré dans *César-Antechrist,* dont il constitue l'« Acte terrestre ». Or *César-Antechrist* comporte un contenu érotique aussi explicite et redondant que possible, notamment manifesté par l'« Acte héraldique », qui précède l'« Acte terrestre », et s'articule avec lui de façon parfaitement précise. Il est donc inévitable que le contenu d'*Ubu roi* se trouve, par cette insertion, totalement sexualisé, tant dans sa structure narrative que dans ses éléments lexicaux. Citons un détail, entre tous révélateur : le « Bâton-à-physique » est, dans *Ubu roi* lu indépendamment, une arme offensive utilisée par le père Ubu. Mais, dans l'« Acte héraldique », le même « Bâton-à-physique », qui bénéficie du double statut de pièce de blason et de personnage, est explicitement donné comme symbole phallique. Ce second contenu se trouve donc nécessairement affecté au « Bâton-à-physique » de l'« Acte terrestre ». On ferait sans difficulté de semblables démonstrations pour d'autres éléments du texte, à commencer par le personnage même d'Ubu, explicitement donné comme « double » de César-Antechrist, qui est lui-même un des nombreux termes de l'exubérant inventaire de la symbolique phallique.

On voit la spécificité de ce mode de fonctionnement textuel. Le contenu du texte ne se trouve pas à proprement parler transformé ni inversé, mais stratifié, feuilleté. Il devient possible de le lire, de façon continue, sur un double registre. Quand on procède à la lecture érotique – un érotisme, faut-il le dire ? pour l'essentiel homosexuel – on constate que les mots déformés ou néologiques perdent leur caractère de blocs illisibles : ils se disposent au contraire, de façon aussi cohérente que possible, sur la ligne du contenu sexuel. Ainsi les « Palotins », dont la désignation repose sur la paronymie « pal-phalle ». Quant aux noms qui leur sont attribués – « Giron, Pile, Cotice » –, ils sont empruntés au lexique de l'héraldique, constamment sexualisé chez Jarry. Il est d'ailleurs possible d'affecter à chacun d'eux, comme au nom de « Bordure », un contenu sexuel compatible avec l'aspect de la pièce du blason qui leur sert de nom. La « phynance » ? La déformation graphique marque la relation établie avec la « physique ». Ainsi se trouvent paradigmatiquement mis en place les deux aspects de l'activité sexuelle d'Ubu : la « physique » connote ses comportements sadiques (dont les instruments sont, précisément, le « Bâton-à-physique », doublé du « petit bout de bois à oneilles ») ; la « phynance » métaphorise la substance fécale, objet des convoitises ubuesques. Et l'on rencontre ici l'équivalence bien connue en psychanalyse entre l'argent et l'excrément.

Reste l'énigmatique lexème « merdre ». Il condense, en sa « jaculation joculatoire », les deux aspects – excrémentiel et sexuel – du contenu du texte. D'où sa place à l'initiale absolue du drame : « mot », selon la belle formule de Lacan, « d'avant le commencement ».

Le cycle des transformations textuelles ne s'arrête pas là. Dans *Ubu enchaîné* – « contrepartie », selon le mot de Jarry lui-même, d'*Ubu roi* –, la royauté se transforme en esclavage, le sadisme en masochisme : « destin » que, en termes freudiens, ne pouvait manquer de connaître cette « pulsion ». D'où ce texte étrange (allusif et contrariant, à tous les sens du mot), qui ne peut se lire qu'en référence constante à *Ubu roi.* Ainsi *Ubu enchaîné* s'ouvre sur le silence d'Ubu, qui « s'avance et ne dit rien » : par là se trouve à la fois évoqué et inversé le désir d'Ubu, qui, dans la suite du texte, ne manifeste plus de convoitise qu'à l'égard des postures les plus humiliantes et les plus douloureuses : l'esclavage, la captivité, la flagellation. Mais qu'on y prenne garde : le désir sadique fait retour dans *Ubu enchaîné,* au point d'inverser la formulation de certaines situations. Ainsi dans ce très curieux passage où Ubu se vante, par un verbe actif, d'avoir « accablé » Pissedoux des coups de fouet qu'il a lui-même reçus !

Faisons, avec Jarry, un pas de plus. Si masochisme et sadisme peuvent ainsi se contaminer réciproquement, c'est qu'ils sont « équivalents », comme le sont les contraires : « Nous sommes libres de faire ce que nous voulons, même d'obéir ; d'aller partout où il nous plaît, même en prison ! La liberté, c'est l'esclavage ! ». Type de manipulation ludique des mots et des concepts qui se retrouve, manifeste ou sous-jacente selon les cas, dans la plupart des textes de Jarry. Au point qu'il a fallu lui trouver un nom : la pataphysique.

UBU ROI

Ubu est l'officier de confiance de Venceslas, roi de Pologne. Pleine d'ambition, la mère Ubu lui suggère de tuer le roi et de prendre le pouvoir. Ubu reçoit des invités à dîner et leur donne de la « merdre » à manger. Un complot s'organise : Ubu s'allie au capitaine Bordure pour tuer le roi pendant la revue (acte I). Ayant fait un songe prémonitoire, la reine tente de décourager Venceslas d'aller à la revue, mais il refuse de l'entendre. Il est tué par Ubu et Bordure, cependant que la reine et son fils, le jeune Bougrelas, parviennent à s'échapper. Réfugiée dans une caverne, la reine meurt d'épuisement. Bougrelas, encouragé par les ombres de ses aïeux, décide de se venger. Pour fêter son avènement, Ubu, malgré sa ladrerie, distribue de l'or au peuple (acte II). Ubu refuse les conseils de modération de la mère Ubu : pour s'emparer de leurs biens, il fait passer tous les nobles à la trappe, puis c'est le tour des magistrats et des financiers. Ubu part alors récolter les impôts chez les paysans avec son « voiturin à phynances » ; sa cruauté engendre la révolte et le ralliement populaire à Bougrelas. Outré du manque de reconnaissance d'Ubu, son ancien complice le capitaine Bordure va en Russie s'allier avec le tsar Alexis, qui décide d'envahir la Pologne et de rétablir Bougrelas sur le trône. Le père Ubu part donc faire la guerre, laissant la régence à la mère Ubu (acte III). À Varsovie, Bougrelas et ses partisans chassent la mère Ubu. En Ukraine, l'armée d'Ubu se prépare à affronter les Russes. La bataille a lieu, la lâcheté d'Ubu conduit ses troupes à la débandade. Ubu se réfugie dans une caverne (acte IV). Dans cette même caverne paraît la mère Ubu en fuite depuis quatre jours. Malgré l'obscurité, elle reconnaît Ubu et décide de lui donner une leçon : lorsqu'il s'éveille, elle feint d'être une apparition surnaturelle et lui fait la morale ; mais la clarté du jour levant la trahit. Ubu la bat. Bougrelas et ses fidèles surviennent, mais les Ubu parviennent à s'enfuir. La dernière scène montre Ubu et sa bande sur le pont d'un navire, faisant route vers la France (acte V).

La pataphysique

L'origine potachique de la pataphysique est attestée par une occurrence – fortement déceptive ! – du terme et de sa définition (« la pataphysique est une science que nous avons inventée et dont le besoin se faisait généralement sentir » !) dans *Ubu cocu*. Le mot apparaît de nouveau dans une très énigmatique note parenthétique du « Linteau » (Préface) des *Minutes de sable mémorial* : « La simplicité n'a pas besoin d'être simple, mais du complexe resserré et synthétisé (cf. *Pataph.*). » La « pataphysique » est absente du texte d'*Ubu roi*. Mais point tout à fait de celui de *César-Antechrist*, où elle se manifeste sous la forme du dérivé « pataphysicien » : « Axiome et principe des contraires identiques, le pataphysicien, cramponné à tes oreilles et à tes ailes rétractiles, poisson volant, est le nain cimier du géant par-delà les métaphysiques ; il est par toi l'Antechrist et Dieu aussi, cheval de l'Esprit, Moins-en-Plus, Moins-qui-es-Plus, cinématique du zéro restée dans les yeux, polyédrique infini. » Texte capital, en dépit (ou à cause ?) de ses aspects ludiques. On y repère en effet l'ancrage sexuel de la pataphysique : car tous les objets mis en scène dans ce fragment de *César-Antechrist* sont, de façon aussi explicite et redondante que possible, des symboles phalliques : le « poisson volant » n'est autre qu'une métaphore du « phallus déraciné » – c'est-à-dire du Bâton-à-physique. On y décèle aussi l'accent mis sur le principe d'identité des contraires (originellement sexuels, puis mathématiques : d'où l'expression « Moins-qui-es-Plus ») –, qui, explicite ou non, sous-tend de nombreux aspects du texte de Jarry, à commencer par celui d'*Ubu enchaîné* : Ubu lui-même s'y trouve d'ailleurs glorifié du titre, entre tous prestigieux, de docteur en pataphysique. Compétence qui lui a permis d'écrire *César-Antechrist*, qui doit, de ce fait, être lu – compte tenu du rôle qu'il y tient lui-même –, comme sa propre autobiographie :

> *Et de la dispute du signe Plus et du signe Moins,*
> *le R.P. Ubu, de la Cie de Jésus, ancien roi de Pologne,*
> *a fait un grand livre qui a pour titre* César-Antechrist,
> *où se trouve la seule démonstration pratique, par*
> *l'engin mécanique dit* Bâton-à-physique, *de l'identité*
> *des contraires.*
>
> **(*Gestes et opinions du docteur Faustroll, pataphysicien*)**

Plus tard, la pataphysique est soumise à diverses dérives. Dans *les Jours et les Nuits* – dont l'un des chapitres est précisément intitulé « Pataphysique » –, elle finit par désigner, selon la belle formule de Jacques Bonnaure, « cette technique, apparentée à la toxicomanie, destinée non à fuir la réalité, mais à la faire fuir et à se garantir de son atteinte », et, finalement, la pratique de production textuelle mise en œuvre dans le texte même des *Jours et les Nuits,* particulièrement dans le si étrange chapitre des « Propos des assassins » (il s'agit évidemment de fumeurs de hachisch) où se développe une conversation exclusivement fondée sur le signifiant des mots : « Tu es un pied, et un cor au pied, donc tu es un madrépore, madrécoraux, madré cor au pied ! Conclus, tu ne comprends pas, tu es un cor au pied. »

C'est évidemment dans les *Gestes et opinions du docteur Faustroll* que se déploie dans tous ses aspects la pataphysique. Elle y donne d'abord lieu à une série de définitions de style caricaturalement universitaire : « La pataphysique, dont l'étymologie doit s'écrire *epi (metà tà fusikà)* et l'orthographe réelle *'pataphysique,* précédé d'un *(sic)* apostrophe, afin d'éviter un facile calembour, est la science de ce qui se surajoute à la métaphysique, soit en elle-même, soit en dehors d'elle-même, s'étendant aussi loin au-delà de celle-ci que celle-ci au-delà de la physique. » Et plus bas : « Définition : la pataphysique est la science des solutions imaginaires, qui accorde symboliquement aux linéaments les propriétés des objets décrits par leur virtualité. » Pastiche des manuels à l'usage de la classe de philosophie ? Sans doute. Mais on aurait tort de ne pas lire à la lettre cette définition, en retenant particulièrement l'adverbe « symboliquement » – qui, pour pasticher à notre tour, cerne l'aspect sémiotique de la pataphysique –, et surtout le dernier élément de la proposition : il donne en effet leur fondement théorique – c'est-à-dire, nécessairement, pataphysique – aux très étranges pratiques de production textuelle qui génèrent le texte du *Faustroll* : reproduction littérale d'exploits d'huissier – jusqu'à l'alternance des romains et des italiques ; descriptions d'univers sémiotiques – picturaux, musicaux et surtout littéraires – sous l'aspect de paysages réels : certains lecteurs s'y sont trompés et n'ont pas repéré le référent textuel à l'arrière-plan de la description ; analyse exhaustive du discours de Bosse-de-Nage – limité il est vrai au « monosyllabe tautologique » : « ha ha ! » ; pastiche désobligeant du *Livre de la pitié et de la mort*, de Pierre Loti ; calculs aberrants – et d'autant plus indiscutables – sur la surface de Dieu :

> *Donc,* définitivement *:*
>
> *DIEU EST LE POINT TANGENT DE ZÉRO ET DE L'INFINI.*
>
> La pataphysique est la science.

Messaline* et *le Surmâle

Écrits dans la foulée l'un de l'autre (*Messaline* en 1900, *le Surmâle* en 1901), les deux romans sont à la fois parallèles, opposés et complémentaires. Parallèles, en ce que les deux récits sont, quant à leur structure, superposables dans leurs grandes lignes : il s'agit fondamentalement de la quête d'un absolu sexuel que Marcueil, le surmâle, et Messaline, la surfemelle – pour reprendre le mot de Thieri Foulc, excellent éditeur des deux textes –, trouvent dans la mort. Selon des modalités nécessairement différentes, et au plus haut point signifiantes. Messaline se prend d'amour pour le glaive qui la transperce :

> *Tue-moi, Bonheur ! La mort ! donne... la petite lampe de la mort. Je meurs... je savais bien qu'on ne pouvait mourir que d'amour ! Je l'ai... maman !*

Quant à Marcueil, après avoir affolé la Machine-à-inspirer l'amour, il périt de son dérèglement : la couronne crénelée « aux pointes dirigées vers le bas » qui enserre son crâne passe au rouge-blanc, se plie, bascule et, « devenue mâchoire incandescente, mord de toutes ses dents l'homme aux tempes ». Sort où l'on ne peut manquer de reconnaître celui qui est réservé à César-Antechrist, ceint, dans l'« Acte héraldique », d'une bien étrange « Couronne d'épines » – qui n'est autre que le « reflet » (le signe) d'un personnage quelque peu suspect : la pièce de blason nommée Orle –, elle-même symbole du sphincter anal. D'où une tentation : projeter l'une sur l'autre l'image du surmâle et celle de César et, nécessairement, les assimiler l'un et l'autre au phallus, soumis à l'étreinte d'un orifice (sphincter ? vagin ?) muni de dents.

Parallèles quant aux structures, *Messaline* et *le Surmâle* sont fortement opposés au niveau de la mise en forme textuelle. *Messaline,* « roman de l'ancienne Rome », accumule les références historiques et archéologiques, parfois – mais pas toujours – truquées, non sans faire apparaître çà et là tel ou tel monstrueux anachronisme, évidemment intentionnel. *Le Surmâle,* « roman moderne » – l'action est fixée en 1920 –, joue sur d'autres registres : la spéculation pseudo-scientifique, la pataphysique du record sportif et/ou sexuel, jusqu'au « réalisme » des descriptions de réunions mondaines.

Les deux textes, enfin, sont complémentaires, dans la mesure où *Messaline* paraît être, dans l'ordre du symbolique, ce que *le Surmâle* serait dans l'ordre du réel. À cet égard, *Messaline,* discours sur le sexe et discours sur le signe – et, il va sans dire, sur le signe du sexe et le sexe du signe –, est un texte proprement fascinant, par la façon dont, dans un infini jeu de miroirs, se superposent, se structurent et se déstructurent les signes – à commencer par ce signifiant majeur : le phallus.

On a pu, enfin, être tenté de repérer des éléments « autobiographiques » dans l'un et l'autre texte. Quoi qu'il en soit du degré de vraisemblance de ces spéculations – certaines sont assez satisfaisantes, d'autres très arbitraires –, elles reposent toutes sur une conception extrêmement distendue du concept d'autobiographie : il faut une bonne dose de témérité théorique pour reconnaître l'« auteur » (mais qu'est-ce à dire ?) ou « Jarry » (mais qui est Jarry ?) dans l'Asiatique de *Messaline* ou dans l'Indien du *Surmâle.*

Les romans « autobiographiques »

Ce n'est pas sans une certaine timidité que nous avançons ce terme – même protégé de rassurants (?) guillemets. C'est un fait que, dans aucun des quatre romans – *l'Amour en visites, l'Amour absolu, les Jours et les Nuits, la Dragonne* – que nous groupons sous ce titre, le « pacte autobiographique » n'est respecté ni même, à vrai dire, établi. Mais, à la différence de *Messaline* et du *Surmâle,* le donné biographique est, dans ces quatre textes, continûment identifiable. Nous persisterons donc à parler d'autobiographie, mais d'une autobiographie singulièrement subvertie : rêvée ou construite (construite comme un rêve), travaillée par le désir.

Sengle, le « héros » de *les Jours et les Nuits,* « roman d'un déserteur » (1897), n'est pas Dieu. Il n'en est pas moins habité par un désir qui en vient à restructurer la réalité ou, à tout le moins – mais cela revient au même –, les systèmes lexicaux qui la signifient. Ainsi le lecteur du roman s'aperçoit-il, avec quelque stupeur, que dans les premiers chapitres le jour est la nuit et la nuit est le jour : c'est que le désir de Sengle restructure – selon qu'il reçoit ou non une ombre de satisfaction – le continu de la durée :

Son frère l'avait accompagné partout parce que
cette chère tête devant lui, et non un astre plus
jaune ou plus blanc, distinguait de la nuit le jour,
afin qu'il ne fût très malheureux.

D'où cette explication du titre : « Et il pensait qu'il n'y a que des hallucinations ou que des perceptions, et qu'il n'y a ni nuits ni jours (malgré le titre de ce livre, ce qui fait qu'on l'a choisi). »

L'Amour en visites (1898) est le plus transparent des quatre romans. On y décèle, d'une façon exceptionnelle chez Jarry, un soupçon de complaisance pour une lecture référentielle – nécessairement scandaleuse – de certains chapitres : ainsi le voit-on reproduire tels quels (à l'orthographe et à la ponctuation près, « rétablies » par lui !) les textes et les lettres qui lui ont été effectivement adressés par « la vieille dame » (Berthe de Courrière). Mais d'autres chapitres évoquent de façon à la fois émouvante et ironique l'initiation sentimentale et sexuelle d'un très jeune homme. Mise sur le même plan que ces « visites » presque accessibles au public vulgaire qu'elles tentaient de séduire, la somptueuse et baroque mise en scène du « Vieux de la montagne ». Enfin, le texte se clôt, scandaleusement, sur les amours furtives et latrinaires de Madame Ubu avec Barbapoux : type de manipulation intertextuelle familière à Jarry. La fonction évidente en est de marquer l'équivalence fondamentale entre les productions littéraires (et littérales) les plus élaborées et les borborygmes infantiles de la geste potachique.

L'Amour absolu (1899) devait originellement constituer, sous le titre « Chez dame Jocaste », le dernier chapitre de *l'Amour en visites*. Mais le texte s'est développé de façon indépendante et a donné naissance à ce très bref roman, où l'on a pu voir « une des concrétions les plus extraordinaires de la chose écrite ». Au départ, il y a la construction du roman familial, au sens psychanalytique du terme. Le désir d'Emmanuel, c'est le désir d'Œdipe, comme le manifeste la qualification de « très pure Jocaste » qu'il confère à sa mère. Mais Œdipe, ici, est Dieu. Il est Dieu pour la plus irréfutable des raisons : il s'appelle Dieu. D'où le dédoublement des personnages : le notaire breton qui tient le rôle du père est aussi Joseph, et Varia, son épouse, est aussi Marie, la Vierge. Faut-il le dire ? Le désir de Dieu ne se confond en rien avec le désir des hommes : son désir crée la vérité – une vérité qu'il est, anachroniquement, certes (mais qu'importe ?), tentant de prendre au sens lacanien : « Moi, la vérité, je parle ». Aussi ne s'étonnera-t-on pas de voir les structures de la langue se dissoudre sous l'effet du signifiant-maître de la parole divine. Ainsi la négation se trouve-t-elle détruite, et reconvertie en affirmation :

La place est vide, comme le siège d'un spectre
[de théâtre.
Le trône où ne s'est assis Personne.
Personne.
L'une des Personnes.

Reste *la Dragonne*. C'est sans doute le texte « romanesque » auquel Jarry consacra le plus de temps, sans parvenir à l'achever. Le texte publié en 1943 chez Gallimard – avec une non négligeable collaboration posthume de Charlotte Jarry – ne peut en rien être considéré comme répondant aux intentions de Jarry. Mais l'énorme dossier que l'écrivain laissa à sa mort au *Mercure de France* – et qui dut attendre 1965 pour être publié par les soins de Maurice Saillet et Jean-Hugues Sainmont – n'est pas plus achevé : ce n'est, selon l'appréciation des éditeurs, rien de plus qu'un projet. Dans ce chantier – ou ce champ de ruines –, il n'est que trop facile de repérer quelques-uns des traits récurrents de l'imaginaire jarryque : ainsi Jeanne Sabrenas reçoit la mort exactement de la même façon que Messaline. Il faut errer dans ce « roman » comme dans une île, pour y reconnaître les efforts vainement prodigués par Jarry pour construire en forme de texte son mythe personnel et familial. Ne citons ici qu'un exemple : les traits affectés au père d'Erbrand Sacqueville sont précisément ceux du grand-père maternel de Jarry : élimination discrète (ou meurtre camouflé ?) du personnage du père, auquel est substituée la figure complexe du père de la mère, père maternel, à la fois masculin et féminin.

La Chandelle verte

Sous ce titre – qui correspond fidèlement à une intention explicitement affichée par Jarry –, Maurice Saillet a réuni, en 1969, l'ensemble des chroniques publiées par Jarry dans les périodiques qui lui permirent de subsister : *la Revue blanche, la Plume, le Canard sauvage, l'Œil* et, sporadiquement, quelques autres. On peut lire ces textes de plusieurs façons : on peut en retenir un témoignage halluciné – et d'autant plus lucide – sur la Belle Époque et les crises qui la traversèrent. Il est également possible d'y prélever les opinions de Jarry sur différents problèmes : le suicide, la peine de mort, le viol, la justice, l'armée (objet privilégié de sa sollicitude)... Là n'est sans doute pas l'essentiel. *La Chandelle verte* constitue à nos yeux une vaste manufacture de jeux de mots et de langage. C'est dans ce recueil que se trouve formulé, commenté, justifié et appliqué le célèbre aphorisme « Il n'y a que la lettre qui soit littérature » ; la lettre, osons le dire, à tous les sens du mot : graphique – d'où la curiosité constante de Jarry pour l'écriture, l'imprimerie, l'orthographe ; sémantique – d'où le procédé constant de prendre les mots « au pied de la lettre » ; psychanalytique enfin – d'où l'instance de la lettre dans plusieurs textes « poétiques », par exemple *les Minutes de sable mémorial*. Quant à la productivité du jeu sur les mots, contentons-nous d'en donner un exemple : la célèbre spéculation sur « la passion considérée comme course de côte » est construite sur une assimilation ludique des mots croix et bicyclette : « Le cadre est d'invention relativement récente. C'est en 1890 que l'on vit les premières bicyclettes à cadre. Auparavant, le corps de la machine se composait de deux tubes brasés perpendiculairement l'un sur l'autre.

C'est ce qu'on appelait la bicyclette à corps droit ou à croix » (*la Chandelle verte*, p. 357).

On voit comment fonctionne le jeu de mots ; l'énoncé sous-jacent « la bicyclette a un corps droit » donne lieu à une première métaphore, qui produit l'énoncé : « la bicyclette a une croix ». La transformation nominale de cet énoncé donne : « la croix de la bicyclette ». Syntagme ambigu : il peut en effet renvoyer soit à une interprétation métonymique (la croix que comporte la bicyclette), soit à une interprétation métaphorique (la croix qu'est la bicyclette). C'est cette dernière interprétation qui est retenue : d'où, finalement, la formulation « la bicyclette est une croix » qui génère tout le récit. Ce type de manipulation – parfois plus simple, parfois plus complexe, parfois, comme ici, fondé sur le signifié, parfois sur le signifiant – est constant dans *la Chandelle verte*. Il serait facile de montrer qu'il apparaît aussi, mais moins affiché, dans les textes romanesques – spécialement dans *la Dragonne*.

M. Arrivé et P. Besnier (synopsis)

JAUCOURT Louis *v.* *Encyclopédie*

JAUFRÉ RUDEL

(XIIe siècle)

Six chansons conservées, d'attribution certaine, dont quatre avec leur mélodie, c'est peu. Mais de cette œuvre minuscule se nourrit, depuis la postérité immédiate du poète jusqu'au romantisme, une immense rêverie poétique. C'est que Jaufré Rudel, poète de l'amour lointain et de la Dame jamais vue, constitue l'un des types littéraires les mieux dessinés de la culture européenne.

Sous la surcharge mythique, dont la forme achevée est la *Vida* qui le fait amoureux de la comtesse de Tripoli sur la seule foi de ses mérites et l'imagine mourant entre les bras de la Dame au terme du voyage, on devine un grand personnage de la vie politique et artistique.

Il était seigneur de Blaye, d'une famille où l'on se donnait le titre de « prince », vassal des comtes d'Angoulême. La première mention qu'on ait de lui en un acte coïncide à peu près avec la mort de Guilhem IX, le duc d'Aquitaine, premier troubadour en date. C'était le temps de la gloire d'Èbles de Ventadorn, le « chanteur ». Le Saintongeais reçoit donc et relance une mode du *trobar* dans sa première jeunesse. Il dut être en querelle féodale avec Guilhem X, qui occupa un moment son château. Deux de ses chansons permettent de suivre la renommée de son chant, dans les terres d'Hugues de Lusignan et dans celles de Toulouse.

La vie légendaire mais aussi une allusion précise de son ami Marcabrun le relient à l'Orient chrétien. On peut conjecturer qu'il fut de l'expédition de 1148 et qu'il connut ce comté de Tripoli, fondé par la maison de Toulouse, où il a pu chanter l'une ou l'autre Dame : Melisenda, fille du comte Raimon II, ou Odierna, épouse de celui-ci. À moins qu'il ne s'attachât à la personne d'Éléonor, alors en Palestine avec son premier mari, Louis VII de France.

Qu'il ait, dans ce cadre de vie élégant, prétendu aimer une dame qu'il n'avait jamais vue, rien ne s'y oppose. Comme l'a noté Martin de Riquer, le thème appartient à la poésie amoureuse de plusieurs traditions, et un modèle direct pourrait figurer dans les *Héroïdes* d'Ovide. À vrai dire, la mention la plus sûre de cette passion exemplaire s'insère dans une strophe où l'absence de la Dame est projetée en avenir comme affirmée en passé : « Qu'on ne s'étonne pas si j'aime ce qui jamais ne me verra, car mon cœur n'abrite d'autre amour que de celle qu'onques ne vis... ». Jaufré Rudel donne une interprétation limite du thème de la dame absente, qui est en général dans le *trobar* ; l'anecdote biographique est une retombée romanesque de cette situation émotive, où se délivrent toutes les suggestions du désir insatisfait, perpétuellement vibrant et tremblant.

Cette émotion éternisée fait le charme de la poésie de Jaufré Rudel ; elle est donnée dans une forme très simple et d'une admirable sûreté : ces « paufres mots », pour citer le biographe, sont la réussite d'un art aristocratique, celui du *trobar lèu*. Ils soutiennent des mélodies où l'on s'accorde à voir des chefs-d'œuvre ; ils se lient au thème printanier pour de fraîches évocations naturelles.

On est d'accord aujourd'hui pour renoncer aux explications ésotériques de cette œuvre (la « dame lointaine » serait la Vierge, selon Carl Appel) et pour la reconnaître comme l'un des sommets de l'art « mondain », tel que l'établissait la civilisation féodale en ce milieu du XIIe siècle.

R. Lafont

JEAN BODEL

(1165 ?-1209 ou 1210)

Trouvère de la seconde moitié du XIIe siècle, mort à Beaurains, à la léproserie des « bourgeois » d'Arras, Bodel nous est connu par l'inscription de son nom dans le *Nécrologe de la confrérie dite des Ardents* (confrérie des jongleurs et des bourgeois d'Arras) et par ses ouvrages, surtout par son dernier poème, les *Congés* : saluant tous ses amis, afin de susciter leur générosité, il ne nomme que des Arrageois. Il nous montre ainsi que, probablement héraut de la confrérie, et peut-être employé de l'échevinage d'Arras, il avait fréquenté des gens de tous les milieux (marchands, artisans, jongleurs, riches financiers – comme Robert Cosset ou Sauwalon Huchedieu –, châtelains, et peut-être même la célèbre Mahaut de Tenremonde, « avoueresse de Béthune »).

Son œuvre, très variée, fait de lui l'un des meilleurs représentants de la littérature bourgeoise, peu après la naissance des communes du nord de la France.

Ayant certainement parcouru les villages de l'Artois et observé leurs habitants, peut-être comme jongleur « forain » – c'est-à-dire ambulant – pendant une partie de sa vie, il compose une fable (« le Loup et l'Oie ») et huit fabliaux : « le Vilain de

Farbu », « le Vilain de Bailleul », « Gombert et les Deux Clercs », « Brunain, la vache au prestre », « le Souhait desvez » (ou des vits), « le Convoiteux et l'Envieux », « Barat, Travers et Haimet » (ou « les Trois Voleurs ») et « les Deux Chevaux ». La satire anticléricale ou misogyne laisse percer, avec une gaieté plus gauloise qu'érotique, une sympathie certaine pour les classes rurales et une méfiance affirmée à l'égard du clergé, plus sérieuse qu'il n'y paraît à première vue. Quant à la fable, qui présente le même caractère que le *Roman de Renart*, – triomphe des faibles sur les puissants –, elle est une défense spirituelle des intérêts professionnels des jongleurs.

Poète et musicien, Bodel a laissé également cinq pastourelles (« Entre le bos et le plaine », « l'Autre jor lès un boschel », « Hui main me cheminoie », « Lès un pin verdoiant », « Contre le dous tans novel »). Dans ce genre traditionnel, qui offre habituellement une scène de séduction d'une bergère par un chevalier, notre poète marque doublement son originalité : tout d'abord il campe des pastoures à la langue hardie, où la raillerie populaire se mêle à l'évocation des amours rustiques ; de plus, la cinquième de ces pièces est l'une des rares pastourelles à pouvoir être qualifiée de *politique* : attaquant Français et Flamands, elle paraît refléter une sorte de patriotisme artésien. La musique de ces pièces est agréable et adaptée au sujet, ne négligeant ni l'air de danse ni l'harmonie imitative.

La Chanson des Saisnes

L'œuvre la plus longue, sinon la plus importante, de Jean Bodel, l'épopée de *la Chanson des Saisnes* (ou *des Saxons*), nous a été conservée dans quatre manuscrits : ils offrent deux versions, l'une longue, d'environ 8 000 vers, l'autre courte, de 4 335 vers (mais il existe une partie commune aux quatre manuscrits, comptant 3 135 vers). Les caractéristiques de la langue et du style sont les mêmes dans chacune des versions conservées. L'œuvre est écrite en alexandrins, ce qui marque son caractère tardif. Le fond narratif prend appui sur les guerres de Charlemagne contre les Saxons : ceux-ci sont commandés par leur chef Witikind (que Bodel appelle Guiteclin ou Guitechin). La narration fournie par les *Saisnes* est parallèle à celle que nous rencontrons dans la *Karlamagnussaga*. Elle est probablement le remaniement d'une chanson de geste ancienne, dont on retrouve quelques traces dans le texte. L'épopée comporte trois grandes parties, mais l'esprit, dans chacune d'elles, est original.

SYNOPSIS

La première partie présente une révolte des peuples de l'ouest de la France (appelés ici « les Hurepois ») qui, sous la direction de Salomon de Bretagne, s'opposent aux exigences de l'empereur, refusent le tribut et amènent Charlemagne à faire amende honorable.

Le développement central narre la guerre de positions soutenue, de chaque côté d'une rivière, la Rune [peut-être la Ruhr], par les deux armées franque et saxonne. Les exploits chevaleresques mettent en lumière deux héros, Baudouin, neveu de l'empereur, et Bérart de Mondidier, vrais successeurs épiques de Roland et d'Olivier. Le poème devient un roman semi-courtois, puisque Sebile, épouse du chef saxon, s'éprend de Baudouin, avec qui, après la mort de Guiteclin, elle se remariera. Par son rôle, elle contribue à la victoire des Francs.

La troisième partie, qui commence par la revanche des Saxons sous le commandement de Dyalas, fils de Guiteclin, conte le siège de Trémoigne [Dortmund], la mort de Baudouin et de Bérart, la conversion de Dyalas, qui, par ses exploits, mérite de recevoir en fief la Saxe.

Fantaisiste au point de vue historique, le récit est marqué par des péripéties amoureuses et guerrières, mais aussi par un esprit nouveau : exaltation des troupes des communes, milices chargées de la défense des cités ; admiration pour les travailleurs, même révoltés, d'un pays occupé ; enfin coloration sentimentale, à la fois héroïque et tendre, et sympathie pour les amantes et les chevaliers. Influencé à la fois par le *Roland* et les premiers romans, Bodel semble avoir voulu plaire à tous les publics. Son alexandrin, déjà presque classique, frémit de la douleur des mères qui ne croient pas à la disparition de leur enfant –

Il sera de sa mère en plorant atenduz

– ou définit audacieusement une éthique qui oppose le mérite à la naissance :

Mainz bas hom a feru sor duc et sor princier :
Qui chaille de parage, s'il est bons chevalier ?

Jeu de saint Nicolas

Si *la Chanson des Saisnes* est l'œuvre la plus longue, le *Jeu de saint Nicolas* est de beaucoup l'ouvrage le plus original, et aussi le plus célèbre, de notre auteur. Long de 1 540 vers, où se mêlent l'alexandrin et l'octosyllabe (ce dernier mètre étant le seul, pour Bodel, à pouvoir rendre la vie du dialogue), c'est à la fois une épopée dramatisée, une pièce réaliste et, dans l'histoire du théâtre, déjà un « miracle » édifiant.

Ch. Foulon

SYNOPSIS

Après un Prologue où le prêcheur résume le miracle de saint Nicolas, le messager Auberon vient au palais prévenir le roi sarrasin que les chrétiens ont envahi ses terres. Le souverain s'emporte contre son dieu Tervagan, puis, se repentant sur les conseils de son sénéchal, sollicite un oracle qui se révèle très ambigu. Le crieur Connart proclame le ban royal, tandis qu'Auberon, chargé de convoquer les vassaux païens, fait une halte à la taverne avant de se rendre chez les émirs, qui viennent se mettre au service de leur suzerain. À la vue des païens, les chrétiens se recommandent à Dieu, encouragés par un ange qui annonce leur admission au Paradis. Tous sont massacrés, sauf un vieux « prudhomme » que les Sarrasins trouvent en train de prier auprès d'une statue de saint Nicolas et qu'ils ramènent au roi, tandis que l'ange exalte le sacrifice des chrétiens et réconforte le survivant. Celui-ci apprend au prince que le saint, entre autres miracles, préserve des voleurs les trésors confiés à sa garde. Le roi décide de le mettre à l'épreuve : le prudhomme jeté en prison, il fait proclamer par son crieur que son trésor est placé sous la seule garde du « mahomet cornu » qu'est la statue de saint Nicolas.

Après une altercation entre Connart et Raoulet, le crieur de la ville, qui fait l'éloge du vin, trois larrons, Cliquet, Pincedé et Rasoir, se retrouvent à la taverne : tout à la joie de savoir le trésor sans sa garde habituelle, ils s'attablent et jouent l'écot aux dés. Dispute, coups. L'aubergiste les sépare et leur prête un sac pour transporter le trésor qu'ils vont voler. Après avoir vérifié que le roi et ses barons dorment, ils s'emparent du butin et le rapportent à la taverne. De nouveau ils jouent aux dés et se battent, de nouveau intervient le patron à qui ils confient le trésor avant de s'endormir.

Au palais, le sénéchal païen, qu'un songe a averti de la disparition du trésor, réveille le roi qui fait venir le prudhomme pour lui annoncer sa condamnation. Il lui accorde cependant un répit. Le chrétien invoque saint Nicolas et un ange lui annonce le secours divin. Saint Nicolas apparaît dans la taverne aux trois voleurs et leur ordonne de restituer le trésor. Chassés par le tavernier, ils s'exécutent, non sans projeter de nouveaux méfaits. Au palais, le roi, de nouveau réveillé, apprend, par un songe heureux survenu à son sénéchal, que le trésor est revenu et qu'il a même doublé. Le prudhomme est délivré, les Sarrasins se convertissent, sauf l'émir d'Outre l'Arbre sec, et le sénéchal détruit la statue de Tervagan. Tous entonnent le *Te Deum laudamus*.

J. Dufournet

Joué pour la première fois dans la soirée du 5 décembre 1201, peut-être par des membres de la confrérie et quelques clercs, le *Jeu de saint Nicolas* a maintenu son succès pendant deux siècles. Mêlant, dans des décors variés, le sublime et le trivial, la pièce peut être considérée comme préromantique avant la lettre.

Les *Congés*

Les *Congés* constituent la dernière œuvre de Jean Bodel. Formés de quarante-cinq douzains d'octosyllabes (rythme repris à Hélinand), ils sont un poignant adieu à la vie, et le premier modèle d'un genre plus tard imité par deux autres Artésiens, Baude Fastoul et Adam de la Halle. Au moment où il devait partir pour la quatrième croisade, l'auteur, déjà atteint de la lèpre, maladie qu'il avait longtemps cachée, se voit obligé d'entrer dans une léproserie. Il craint d'être séparé de la vie et d'être placé dans une « maladrerie » de charité. Il « prend congé » de tous ses amis (au nombre de cinquante), leur proposant, avec discrétion et dignité, de faire une collecte (une « cueilloite ») pour adoucir cette séparation. L'échevinage d'Arras, ému et admiratif, accorda à Bodel un lit de fondation à la léproserie des bourgeois d'Arras. Les strophes mêlent la douleur, l'amertume, le déchirement, la piété et, en même temps, la nostalgie des joies partagées et disparues, l'affection, ainsi que la reconnaissance pour tant de bienfaits reçus des confrères et des compagnons. La tristesse y est parfois teintée d'humour et fait de Bodel une sorte de Jules Laforgue médiéval.

Conteur gaulois, poète épique et lyrique, dramaturge au succès durable, Jean Bodel est le plus original des trouvères du nord de la France ; l'un des précurseurs d'Adam de la Halle, il fut imité par des écrivains français (David Aubert) ou étrangers (Chaucer, Boccace). Ses contemporains et ses successeurs ont admiré ces ouvrages

Que Jehans Bodiaus fist, a la langue polie,
De bel savoir parler et science aguisie.

Ch. Foulon

JEAN DE JOINVILLE

(vers 1224/1225-1317)

Fils de Simon, sire de Joinville, et de Béatrice de Bourgogne, Jean reçut une éducation soignée. En 1240, il épousa Alix de Grandpré ; il se croisa en 1245. En 1248, il devint sénéchal de Champagne. L'esprit de croisade était chez lui d'abord un puissant sentiment religieux. Les hasards des événements d'Égypte l'ont amené à devenir progressivement l'un des familiers du roi. Après la mort de Louis IX (1270), il contribua à la canonisation du souverain par son témoignage sur les mérites de celui-ci. Hostile à Philippe le Bel, il entreprend pour lui-même, puis pour répondre à la demande de Jeanne de Navarre, reine de France, la rédaction d'un « livre des saintes paroles et des bons faits » de Saint Louis, pour l'édification du futur Louis X. Commencé dès 1272, l'ouvrage est finalement dédié au roi en 1309.

Joinville ne cherche pas à faire œuvre historique ; il ne se considère pas comme un chroniqueur : la chronologie est le dernier de ses soucis. Son but est l'édification du lecteur, et en premier lieu de Louis X. Le projet didactique se confond avec l'hommage au grand disparu. À la manière des *exempla* en latin, Joinville utilise tous les événements de la vie quotidienne du roi pour en tirer ou en suggérer des leçons : les conversations les plus hautes (sur Dieu, sur le droit...) côtoient les plus triviales (le vêtement ou les bonnes manières à table). Il s'agit de montrer les qualités du « preudome » dans l'accomplissement de tous ses devoirs : chez le roi, la courtoisie sublime la politesse, comme l'amour divin transcende le respect scrupuleux des préceptes religieux. Au demeurant, l'apologie reste sincère et n'exclut pas des critiques : Joinville s'étonne, par exemple, de la froideur de Louis envers sa femme et ses fils.

Au-delà de ce que l'auteur veut nous dire, de ce dont il veut témoigner, il y a tout ce qu'il laisse percer ou ne parvient pas à masquer. On discerne ainsi l'influence de Philippe Auguste sur la formation de Louis IX (qui s'est souvenu, par exemple, de sa conception du preudome) ; celle, aussi, de Blanche de Castille. Joinville ne parvient pas non plus à se départir de son orgueil aristocratique. Il rappelle à Robert de Sorbon son origine roturière ; il s'applique à protéger les chevaliers pauvres, dont les problèmes se posaient alors avec une grande acuité. Son mépris des vilains éclate en plus d'un endroit. Cela ne l'empêche pas d'être d'abord un homme de devoir : du

devoir envers les autres, du devoir envers soi-même, du devoir envers Dieu. Sa curiosité psychologique est ainsi toujours orientée vers une finalité moralisatrice.
Joinville est également l'auteur d'un commentaire du *Credo*. Lors de la croisade de 1245, il avait vu des combattants mourir : la foi de certains d'entre eux faiblissait au moment suprême. L'idée lui est ainsi venue de préparer un ouvrage abondamment illustré, qui serait destiné à fortifier la foi. Chaque membre de phrase du *Credo* est commenté selon un triple schéma : un renvoi à l'image (élaborée sous la direction de Joinville, très sensible à l'art pictural), une prophétie « par œuvres » et une prophétie « par paroles » : la seconde est une prophétie au sens ordinaire (prononcée), attribuée à un prophète de l'Ancien Testament ; la première est, en fait, une allégorie contenue dans la Bible et analysée selon les règles de la typologie.
L'œuvre de Joinville est rapidement tombée dans l'oubli, peut-être parce que la simplicité et le naturel l'emportent sur les qualités proprement littéraires.

D. Boutet

JEAN FROISSARD *v.* FROISSARD Jean

JEAN MICHEL

(1435-1501)

Médecin et régent de l'université d'Angers, il est l'auteur d'un *Mystère de la Passion* de 30 000 vers, qui fut représenté dans sa ville en août 1486, puis à Paris (1490, 1498, 1507) ; on en connaît dix-sept éditions entre 1488 et 1550. Selon la tradition, Jean Michel emprunte largement à Arnoul Gréban (11 000 vers sur 17 000 pour les journées II et III...). L'orientation de l'œuvre est néanmoins différente : pour lui, il s'agit avant tout d'illustrer le *verbum caro factum est* ; les évangiles apocryphes sont aussi plus sollicités. La première journée va de la prédication de Jean-Baptiste à sa décollation ; la deuxième prépare l'entrée à Jérusalem ; la troisième s'étend jusqu'à la comparution devant Caïphe ; la quatrième narre les événements du Calvaire jusqu'à la garde du Tombeau.

A. Strubel

Jehan de Saintré *v.* ANTOINE DE LA SALE

Jeu d'Adam (le) ou *Ordo representacionis Ade*

(composé au milieu du XIIe siècle)

Drame semi-liturgique anglo-normand en vers, *le Jeu d'Adam* a été conservé par un manuscrit unique du premier quart du XIIIe siècle, tardif donc, corrompu et incomplet, dont la fin a été perdue. Écrit vers 1150 en vers octosyllabiques et en quatrains de décasyllabes monorimes, ce texte comporte trois sujets, trois ensembles (la faute d'Adam et Ève, le crime de Caïn, le défilé des prophètes) traitant des fautes contre Dieu et contre le prochain qui ont appelé la Rédemption. Dans le titre latin, *Ordo representacionis Ade*, *ordo* signifie « texte ».

SYNOPSIS

Dieu, appelé Figura, installe Adam et Ève dans le Paradis terrestre, leur accordant la disposition de tout, mais leur défendant de manger du fruit de tel arbre. Adam et Ève, tentés par le Démon, commettent la faute, qui leur vaut d'être expulsés du Paradis. Ils se lamentent sur leur sort, tout en conservant l'espoir d'être sauvés. Une rubrique en latin nous apprend que des diables enchaînent les coupables et les entraînent en Enfer.
Abel tente d'inciter Caïn à plus d'humilité envers Dieu et à plus de fraternité afin qu'il ne tombe pas dans le péché et la tristesse. Insensible à ces propos, Caïn emmène son frère visiter leurs champs et, par envie, le tue dans un endroit écarté (en perçant une outre de sang fixée sous sa tunique). Dieu condamne le meurtrier, et, selon une rubrique en latin, les deux frères sont poussés en Enfer par les diables.
Suit le défilé des prophètes : Abraham, Moïse, Aaron, David, Salomon, Balaam sur son ânesse, Daniel, Habacuc, Jérémie, Isaïe. Chacun, à tour de rôle, dit sa prophétie en latin et en français, et Isaïe dialogue avec les Juifs. Enfin, Nabuchodonosor s'étonne d'avoir vu les trois jeunes gens dans la fournaise. Le texte du manuscrit se termine par un « dit », une allocution sur les Quinze Signes annonciateurs du Jugement dernier, qui est sans doute l'addition d'un remanieur.

Si *le Jeu d'Adam* s'apparente aux drames religieux par de nombreuses et explicites didascalies et rubriques en latin, qui indiquent décors et costumes, et donnent des conseils pour la diction, la physionomie et les gestes des acteurs, aussi bien que par l'importance du chœur qui chante les leçons liturgiques, en revanche toute la partie parlée était en français et la pièce fut sans doute représentée devant l'église, sur une place qui pouvait contenir une foule plus nombreuse.
Pour l'auteur, d'un indéniable talent psychologique et dramaturgique, les démons ne cessent de rôder dans le monde pour inciter les hommes à pécher. Les tentations sont fréquentes, comme le signifient les va-et-vient des diables à travers le public, à en juger par la rubrique qui précède la faute d'Adam et Ève : « *Interea demones discurrant per plateas, gestum facientes competentem* » [« Que, pendant ce temps, les diables courent à travers la place, en faisant la mimique appropriée ! »]. Le chef des démons commence par tenter Adam en lui assurant un plus grand bonheur, en excitant son orgueil : « Dieu t'a fait son jardinier. N'as-tu pas d'autre ambition ? T'a-t-il créé pour faire de toi un ventre ? Mange du fruit et tu seras son égal » (v. 182-192). Ne réussissant pas à le convaincre, il s'adresse ensuite en séducteur courtois à Ève : il promet de lui révéler quelques secrets du Paradis, il s'assure de sa discrétion, il vante son intelligence et sa beauté, il la plaint d'être mal assortie au brutal et servile Adam, il exalte les vertus du fruit défendu qu'il lui conseille de cueillir et d'offrir à Adam sans tenir compte de ses objections. Dès lors,

elle est prête à écouter le serpent enroulé autour de l'arbre. Elle offre la pomme à Adam qu'elle défie et méprise de trop tarder à s'exécuter, et elle mord la première dans le fruit. Adam, qui a confiance en sa femme, devenue tentatrice dans le droit fil de la misogynie médiévale, l'imite, mais il comprend aussitôt que la mort et l'Enfer l'attendent: il est devenu la proie du Diable pour avoir désobéi à Dieu, son créateur et son seigneur. Il reproche à sa femme de l'avoir trahi, mais il garde l'espoir d'être sauvé par le fils qui naîtra de Marie (v. 381).

Ainsi s'entrelacent deux leitmotive : le Diable s'acharne à la perte des hommes et veut leur malheur, la faute condamne à l'Enfer après la mort, mais la pitié divine, qui prévaudra sur la force satanique, permet de croire en la Rédemption. Ève, qui reconnaît sa faute, affirme elle aussi sa foi en la bonté toute-puissante de Dieu : « En Deu est ma sperance / [...] Deus me rendra sa grace et sa mustrance, / Gieter nus voldra d'emfer par pussance » (v. 587-590). Aussi s'explique-t-on qu'Abel soit obsédé par la faute et le malheur, dont il essaie de détourner Caïn, voué au péché par hérédité, portant en lui le mal, envieux, orgueilleux et agressif, déloyal et cauteleux pour perpétrer son forfait. Si l'auteur évoque les deux fautes initiales contre Dieu et contre son prochain, il annonce que le péché originel sera racheté par le Rédempteur, malgré la malice constante de Satan, à condition de bannir l'orgueil et l'envie.

On peut voir aussi dans la pièce, avec Maurice Accarie, un aspect politique : l'ordre féodal et aristocratique n'échappera au crime et à la ruine que s'il reconnaît la toute-puissance du Seigneur et refuse la double tentation de l'individualisme orgueilleux et de la courtoisie hypocrite.

J. Dufournet

Jodelle

JODELLE Étienne

(1532 ?-1573)

Entre Du Bellay et d'Aubigné – entre la hauteur et la violence –, Jodelle, qui participe des deux, a difficilement trouvé place devant la postérité ; ce n'était pas faute d'avoir reçu leur appui enthousiaste, pourtant ; mais la gloire qui entoura ses débuts s'achève en exécration. Déjà mal accepté de son époque, Jodelle ne trouvera grâce qu'à la nôtre, qui aime justement en lui le caractère impulsif, fragmentaire, inachevé de ses ébauches – de ses chefs-d'œuvre.

« Pourquoy, pourquoy, fortune, Ô fortune aux yeux clos ! Es-tu tant importune ? »

Ces vers de *Cléopâtre captive,* l'œuvre la plus vivement saluée, peut-être, de tout le siècle, semblent en pleine gloire présager ses malheurs.

Parisien – il se glorifiera toujours de cette origine, assez mal représentée dans le groupe de la Pléiade, auquel il appartient –, Jodelle est né dans une famille bourgeoise ; d'une très relative aisance, le poète s'arroge le titre de sieur du Lymodin, du nom d'une terre qu'il possède au sud de Paris. Sa mince fortune va s'émietter tout au long de sa vie. Un oncle maternel possède une riche bibliothèque dans laquelle Jodelle a dû puiser tout jeune ; et il semble que dès l'âge de quatorze ans, il ait composé en l'honneur de Marot ; suivront – au dire de son futur éditeur, Charles de La Mothe – des « sonnets, odes et charontides », en 1549. Alors commence une vie mystérieuse, contradictoire, louée et maudite, dont les deux extrêmes figurent peut-être dans le succès provocant de *Cléopâtre* (1553) et dans le premier échec – amplifié avec fureur dans le propre récit qu'il en fait – de la Fête de l'Hôtel de Ville, en 1558. Tout est paradoxal chez Jodelle : proche des milieux réformés par l'intermédiaire de Guillaume Guéroult (à Lyon, vers 1551-1552), il écrira, à partir de 1567, des textes d'une très grande violence contre les protestants et Michel de l'Hôpital ; quoiqu'il ait approuvé la Saint-Barthélemy, il trouvera en d'Aubigné son meilleur défenseur posthume. Tenté au moins à deux reprises par une carrière militaire (en Italie, vers 1551, auprès du lieutenant général du roi à Turin, Charles de Cossé ? puis en 1559 ?), il ne rêve que de la gloire poétique la plus austère et d'une vie solitaire qu'il mènerait en vagabond dans la campagne. S'étant laissé aduler en 1553 par la Cour, les nouveaux poètes du cercle de Jean Brinon, le groupe de Boncourt et celui de Coqueret (Muret, Belleau, Denisot, Fontaine ; puis Baïf, Ronsard, Du Bellay, etc.), il ne trouve plus le repos qu'auprès des amis les plus chers, Claude de Kerquefinen et le comte de Dammartin, pour lesquels il compose ses plus beaux vers, français et latins. Condamné à mort vers 1564 – pour des raisons demeurées mystérieuses –, il réapparaît à Paris trois ans plus tard, dans le salon le plus élégant et le plus cultivé, celui de Claude-Catherine, maréchale de Retz, et lui, qui n'a guère aimé les femmes, dédiera à celle-là de magnifiques poèmes d'amour refusé. Son comportement à l'égard de la Cour, ses ambitions et ses réussites dans ce milieu reflètent son instabilité ; assez heureux après *Cléopâtre* pour faire figure, aux yeux des échevins parisiens, de « poète du roi », il gâche tout en 1558, par l'horreur qu'il éprouve de son échec ; mais de nombreuses pièces offertes à Catherine de Médicis et à Charles IX, un appui constant à leur politique lui valent en 1571 de participer, avec son *Hyménée*, aux fêtes du mariage royal. Richement doté en 1572, il meurt un an après, dans la misère. Son protecteur le plus fidèle fut Marguerite de France, mais elle a quitté Paris pour la Savoie en 1559.

Le *Recueil des Inscriptions* (1558) nous révélera assez de quelle « fureur » fut capable celui que Du Bellay appela, avec la plus grande admiration, un « Démon », et en qui Ronsard a d'abord salué le premier poète tragique français.

Désordres

Tels qu'ils nous parviennent, les fragments de son œuvre semblent échappés d'un désastre. Cette partie visible est faite de pièces liminaires disséminées dans les œuvres d'autres écrivains, de vastes poèmes épiques inachevés, comme la haute dissertation morale et politique des *Discours de Jules César avant le passage du Rubicon* (à la fin des 2 266 vers qui nous restent, César n'a pas encore parlé...) ou les strophes de l'*Ode de la chasse* ; des dernières envolées complexes *Contre la Rière Vénus* (tenant de Platon et de Dante) ; des poèmes d'amour écrits pour l'album de la maréchale de Retz, et leur contrepartie impatiente des refus ; de magnifiques poèmes d'amitié, qui disent la confiance et la sérénité devant un monde trop injuste ; des priapées grotesques, etc. Dominent la seule comédie et les deux tragédies sauvées, et le *Recueil des Inscriptions.*

Consubstantiellement désorganisée, inachevée, maudite par son auteur « si fasché, si despit, si resveur et si pesant que tous les instruments de [ses] malheurs, qui sont les livres, les papiers et les plumes, [lui] puoient de telle sorte, que peu s'en fallut qu'[il] n'en fît un beau petit sacrifice dans son feu », l'œuvre fut encore plus saccagée par ses éditeurs, comme en témoigne d'Aubigné :

L'un en tient un lopin dont il bave sans cesse,
L'autre en tient un cayer enfermé dans l'estuy.
Un autre à qui l'argent ne feroit tant d'ennuy
Le vent à beaux testons pour mettre sur la presse.

On n'a même pas respecté l'ordre qu'il voulait pour le *Recueil,* assez clair pourtant sur la manière dont Jodelle concevait son œuvre : composite, encadrant les vers de sa « mascarade » de poèmes à son livre, de récits autobiographiques, de devises latines et de vers latins, dédiés à son ami Kerquefinen, pour conclure sur un « chapitre » *À sa Muse,* dont la vigueur, le mépris conjoint pour la Cour et le vulgaire et l'idéal de vertu solitaire cimentent l'ensemble du recueil.

En fait, l'idée de Jodelle est que dans la multiplicité des projets réside la profondeur de l'atteinte. S'il s'est voulu « de tous mestiers », architecte (comme à Verneuil), peintre, brodeur, chanteur, ou poète, c'est que, de ce désordre excessif, de ce bricolage génial doit naître l'œuvre totale, le grand spectacle (dont il ne pouvait que pressentir le développement : l'opéra) qui réunit musique, paroles et décor dans un propos hautain, politique et moral. Alors, tout est littéralement « en jeu », comme il l'explique dans l'*Épithalame* de Marguerite de France, extravagant à force d'imagination concrète. Et l'on comprend qu'il ait cherché à séduire le grand Roland de Lassus.

« Jamais l'Opinion ne sera mon collier »

Un tel idéal, qui ne supporte pas les échecs, pourtant inéluctables du fait de l'originalité d'un tel projet, se heurte cruellement à la mentalité « mécanique » des bourgeois qui le paient ou à la versatilité d'une Cour plus occupée d'apparence que de vertu :

Tu sçais, ô vaine Muse, ô Muse solitaire
Maintenant avec moy, que ton chant qui n'a rien
Du vulgaire, ne plaist non plus qu'un chant vulgaire.

Malgré tous les soutiens, malgré l'enthousiasme qu'il fait partager – ou à cause de lui –, Jodelle peu à peu « s'étrange » du monde, « furieux et demi-mort ». Cette fureur (fureur poétique et folie), ce forcènement continuel et ce caractère démoniaque qui fit l'admiration de Du Bellay, cet autre fou de vertu et de raison, forment son langage le plus constant : « J'ay déjà dépassé toutes les bornes de Raison. »

Les événements ont tant de prise sur lui qu'il ne sait plus s'il est lui, comme il l'avoue avec amertume. « Trop de malheur ou trop de capacité » sont une seule et même chose à ses yeux. Et d'Aubigné dit encore son impuissance à l'égaler dans la violence :

... Je n'ay pu, Jodelle
Pour louer ta fureur estre assez furieux.

La malédiction qui marque sa vie devait se montrer tenace :

Si tost que Jodelle est mort
Voici la canaille qui sort,

dit le poète des *Tragiques*. Il est curieux qu'il y ait eu besoin de quatre siècles et d'un érudit italien pour reconnaître, non seulement le poète tragique, mais encore le poète tout court.

VIE

1532 (?)	Naissance à Paris.
1551-1552 (?)	Jodelle à Lyon. Noue des relations avec Guillaume Guéroult chez l'imprimeur Arnoullet. Jodelle en Italie (?). Turin : rencontre Charles de Cossé, lieutenant général du roi en Italie (?).
1552-1553	Paris. Fréquente le cercle de Jean Brinon, le collège de Boncourt (Muret, Denisot, Fontaine, Belleau, puis Ronsard, Baïf...).

ŒUVRE

1546	Épitaphe de Marot dans les *Œuvres* de Marot.
1549 (?)	Sonnets, odes et charontides, selon Charles de La Mothe.
1551	Sonnet pour la traduction des *Psaulmes* par Théodore de Bèze.
1552	(Seconde moitié) : l'*Eugène* ; *Ode* et *Sonnet* pour Denisot ; *Épigramme* et *Distique latin* pour Muret.

	VIE		ŒUVRE
1553	**Févr.-mars :** représentation de *Cléopâtre captive* devant le roi, à l'Hôtel de Reims, puis au collège de Boncourt ; Jodelle loué par tous. « Fête du Bouc », à Arcueil, pour fêter le succès de *Cléopâtre.*	**1553**	*Cléopâtre captive.* Poèmes pour Henri II, Hugues Salel, Ronsard, Étienne Pasquier, Claude Colet.
1554	Continuation des éloges.	**1554**	Poème pour le *Tombeau* de Brinon.
1555	Jodelle sans protecteur. Premiers emprunts sur sa terre de Lymodin, au sud de Paris. Fontaine se plaint qu'il ne publie pas tous ses vers.		
1556	Loué par Le Caron et divers.	**1556**	*Ode* pour une traduction de Paul Émile par J. Regnart ; *Chanson pour répondre à celle de Ronsard : « Quand j'étois libre » ; Épître à… Marguerite de France.*
		1557-1558	Poèmes pour Gruget, Thevet.
1558	Semble protégé par Marguerite de France. Loué par Du Bellay (*Regrets*). Commande, par les échevins parisiens, d'un spectacle pour fêter la victoire du duc de Guise. Échec de la fête, le 17 février.	**1558**	*Recueil des Inscriptions, Figures et Masquarades ordonnées en l'hostel de ville à Paris, le jeudi 17 février 1558…*
1559	Jodelle n'est pas à Paris. Tente une carrière militaire ? Relations d'amitié avec Claude de Kerquefinen, qui restera un appui constant pour le poète.	**1559**	*Épithalame* pour les noces de Marguerite de France.
		(?)	*Discours de Jules César avant le passage du Rubicon* (inachevé).
1561-1563	Toujours loué par Ronsard et Grévin.	**1563**	Poèmes pour Catherine de Médicis et Charles IX. *Ode de la chasse.*
1564	Philippe de Boulainvilliers, comte de Dammartin et de Fauquenberge, ami et protecteur de Jodelle, l'aide dans les projets de construction de son château de Verneuil.	**1564**	Poèmes pour Philippe de Boulainvilliers (en latin).
1564-1566	Jodelle condamné à mort ; loin de Paris.	**(?)**	*Didon se sacrifiant.*
1565	*Chanson pour respondre à celle de Ronsard : « Je suis Amour… »*		
1567	Jodelle à Paris ; maladie.	**1567**	*Élégie* pour Baïf. *Sonnets* contre les protestants.
1568	Loué par Du Bellay (*Œuvres* posthumes).	**1568**	*Satire* contre Michel de L'Hospital. *Sonnets* politiques.
1569	D'abord loin de Paris, Jodelle y revient et fréquente le salon de la maréchale de Retz (?).	**1569**	*Tombeau* pour un seigneur catholique. *Tombeau* pour Timoléon de Cossé. Sonnet et vers latins pour la mort de Florimond Robertet.
		1570	Poèmes pour la mort de Jeanne de Loynes ; vers latins en l'honneur de Roland de Lassus ; *Tombeau* de Gilles Bourdin ; *Sonnet* au roi sur la paix de Saint-Germain.
1571	Participe aux fêtes pour le mariage de Charles IX par *l'Hyménée,* peut-être commandé par la Ville de Paris.	**1571**	*Chapitre en faveur d'Orlande, excellent musicien.* *Hyménée* de Charles IX. Participation à plusieurs « tombeaux ».
1572	Approuve la Saint-Barthélemy ; reçoit 500 livres tournois de Charles IX.		
1573	Saisie de sa terre de Lymodin. **Juill. :** testament ; mort.		

VIE		ŒUVRE	
1574	*Vers funèbres sur la mort d'Estienne Jodelle, parisien, Prince des poètes tragiques,* par Agrippa d'Aubigné. *Épitaphe* élogieuse de Jean de La Jessée. Retournement de Ronsard, qui lui préfère Garnier.	1574	Publication, par Charles de La Mothe, aidé par un groupe d'amis du poète, du premier volume des *Œuvres et Meslanges poétiques d'Estienne Jodelle.* Les « quatre ou cinq volumes suivants », annoncés, ne verront jamais le jour, malgré les plaintes de d'Aubigné. Nouvelles éditions en 1583 et 1597.
Après 1575	Quelques éloges paraissent encore (Le Loyer, M.C. Buttet, G.M. Imbert, Lefèvre de La Boderie, d'Aubigné encore), mais Ronsard et Pasquier reprennent leurs critiques.		

Eugène

À un moment où les textes comiques français sont très rares et tiennent encore de la farce, quand ils ne sont pas des traductions de la comédie érudite italienne ou de la *commedia dell'arte*, ou de simples adaptations de Plaute ou de Térence, l'*Eugène* (1552) de Jodelle occupe une place originale et apparaît bien comme la première comédie bourgeoise d'une longue tradition. « Rien d'étranger on ne vous fait entendre », dit Jodelle dans un prologue-manifeste. Il a cherché à atteindre « le plus bas populaire », mais avec des personnages qui ne chaussent pas les « sabots » de la farce ou de la comédie paysanne de Ruzante : de condition plus élevée, l'abbé Eugène, qui vit en épicurien, sa sœur Hélène, personnage noble et touchant, l'homme d'armes Florimond, qui vient de se distinguer dans la campagne du duc de Guise, sont plus que des personnages de farce. De même, dit Jodelle, « le style est nôtre », il est « de ce langage », et le débat – la rivalité entre l'homme d'Église et le gentilhomme – revêt un caractère national et d'actualité. La couleur locale, la réalité parisienne, l'idéal héroïque opposé aux aspirations de la bourgeoisie, à son confort luxueux, font de la pièce la première comédie humaniste sans pédantisme, qui sait prendre à la farce l'octosyllabe en même temps que le sujet traditionnel du cocuage, à la comédie érudite des analyses très fines, à Plaute et surtout à Térence la vigueur de la construction. Mais surtout, la comédie doit à une écriture vive de dépeindre avec précision un idéal libertin d'indépendance épicurienne :

Nul ne garde si bien en soy
Ce bonheur comme moy à moy [...]
Toujours, Monsieur, moy je seray
Et tous mes ennuis chasseray [...]
Je ne voûray jamais à rien,
Sinon au plaisir mon étude...

Comme d'autres pièces, *Eugène* fut sans doute jouée dans un collège.

SYNOPSIS

L'abbé Eugène aime une jeune rouée, Alix, et la marie au bon Guillaume, qu'il sait berner par des cadeaux. Le jeune Florimond revient de guerre et apprend qu'Alix, qui était sa maîtresse avant son départ, l'a trompé. Il la bat, tandis que Guillaume se lamente. Mais Eugène réussit à faire revenir Florimond vers sa propre sœur, la noble Hélène, qu'il avait aimée avant Alix. Guillaume et Eugène se partagent dorénavant Alix en toute bonne conscience.

Cléopâtre captive

Innovateur dans la tragédie comme dans la comédie, Jodelle est l'auteur de la première grande tragédie française à sujet profane. C'est dans l'enthousiasme le plus général que cette pièce fut jouée devant le roi à l'hôtel de Reims, en février 1553, puis au collège de Boncourt, en mars. Les rôles étaient tenus par Jodelle et ses compagnons, dont Rémy Belleau. Pour constituer un spectacle complet à l'antique, elle était accompagnée d'une nouvelle comédie dans le style bourgeois de l'*Eugène*, et qui est aujourd'hui perdue, *la Rencontre*. On date communément du succès de *Cléopâtre* la première manifestation à valeur de programme du groupe de la Pléiade.

La pièce, qui prenait son sujet à Plutarque et non à une tragédie antique (ce passage de la *Vie d'Antoine* venait d'être traduit par l'historien Claude de Seyssel), montrait par là sa modernité : Jodelle comptait tirer de la vie des grands personnages historiques, que, dès le prologue adressé à Henri II, il rattache aux princes de son temps, une leçon morale et politique ; les royaumes se défont, et la direction du monde passe d'une main à l'autre, de l'Égypte à Rome – mais aussi, en trame, de l'Italie à la France. Pour ce relais fatal, le prince sert d'instrument : en Cléopâtre, comme en Antoine, l'amour a été la figure de la fatalité. Cette vision, toute racinienne déjà, d'une faute dont ils ne sont pas coupables confère aux personnages une grandeur tout à fait nouvelle, et la démesure grecque, l'orgueil humain s'incarnent en péché. La *Didon se sacrifiant* le dira encore davantage, usant plus encore de Sénèque que de Virgile pour dévoiler le gouffre de la passion.

SYNOPSIS

ACTE I. L'ombre d'Antoine annonce : « Cléopâtre mourra » ; Cléopâtre, devant son tombeau, souhaite la mort.

ACTE II. Octavian souhaite que Cléopâtre vive, pour figurer à son triomphe romain.

ACTE III. Cléopâtre affecte de vouloir vivre, pour sauver la vie de ses enfants. Octavian le lui accorde.

ACTE IV. Cléopâtre se prépare à la mort.

ACTE V. Le récit de la mort de Cléopâtre affecte les Romains et le chœur, qui chante la mort « heureuse », celle qui délivre de la servitude et donne une gloire immortelle.

La structure de *Cléopâtre* est à l'antique : en cinq actes, dont l'unité est parfaite, alternent chœurs et dialogues. Mais on ne dira jamais assez à quel point cette pièce, par la volonté de variété dans la symétrie, appartient à la Renaissance. À chaque acte voué à Cléopâtre – écrit en alexandrins, le mètre le plus lyrique alors – succède un acte où domine Octavian (Octave) – écrit en décasyllabes, le mètre « héroïque ». Au centre, à l'acte III, la rencontre et l'affrontement. Chacun des deux personnages s'entoure lui-même de deux conseillers ou de deux suivantes, qui se font écho ou s'opposent ; au centre, un intermédiaire, traître à Cléopâtre, Séleuque. À tous les niveaux se répètent les rythmes en se décalant, et particulièrement dans les chœurs « à l'antique », qui ont fait à juste titre la gloire de *Cléopâtre*. De plus en plus abondants à mesure que la pièce avance, ils varient, comme l'ode ronsardienne, les strophes et les mètres, au point qu'il n'y en a aucun de semblable : du quatrain à la strophe de onze vers, du vers de trois syllabes à celui de sept, avec un goût très évident pour l'impair. Valse-hésitation des rythmes, à laquelle notre oreille est peu sensible, mais qui ravit celles du XVIe siècle.

La beauté constante des vers, l'absence de toute surcharge mythologique (seuls les chœurs ébauchent et réveillent les mythes), le lyrisme élégiaque de Cléopâtre opposé physiquement à la noblesse tourmentée d'Octavian justifient l'intensité de l'accueil fait à la pièce. Tragédie politique, tragédie du destin et de la mort, de la mort différée et de la mort glorieuse, *Cléopâtre* est aussi une tragédie de l'adieu, puisqu'il fallait

rompre paix et combattre
Ou séparer Antoine et Cléopâtre.
Séparer, las ! ce mot me fait faillir...

Didon se sacrifiant

Le sujet est identique à celui de *Cléopâtre* : à la femme qui va mourir, et que la passion a rendue fatalement coupable, il oppose l'homme politique dont le destin est de réaliser la grandeur d'une nation, Énée. Le traitement est différent : Jodelle a abandonné la structure mobile de *Cléopâtre* pour une composition régulière, et utilise systématiquement l'alexandrin. Celui-ci lui permet, dans la lignée de Sénèque, de suivre d'une façon toute nouvelle la psychologie du personnage, ou d'en décrire les bouleversements physiologiques. Comme la Phèdre de Racine, Didon, proie offerte à Vénus, qu'elle supplie, est mise à nu :

Je palli, je me pers, je me trouble et retrouble ;
Je croy ce que j'ai veu n'estre rien fors qu'un songe.
[...]
Faible, palle, sans cœur, sans raison, sans haleine,
Anne, mon cher support, maugré moy je me traîne
De rechef çà et là, mal apprise à souffrir
Un repos qui me vient l'impatience offrir.

Du Bellay avait traduit avec moins de génie le IVe chant de *l'Énéide* ; le récit du songe d'Anne, violent et baroque, est un véritable morceau de bravoure. Cette violence, en effet, du sang, des mouvements furieux, des imprécations, de la mort – exacerbée dans *Didon* –, oppose à la Raison, sans cesse invoquée, toute sa dérision tragique. Que de ressources dans cette tragédie, écrite après 1560 et dont on ne sait si elle fut jouée, si même elle fut lue par ses héritiers, non seulement les auteurs baroques, mais encore Racine !

Recueil des Inscriptions

Plus encore que *Cléopâtre*, c'est pour nous l'apogée de Jodelle, dans son échec même. Le 11 février 1558, Jodelle accepte la commande des échevins parisiens : il doit, en six jours, composer un spectacle pour fêter la victoire du duc de Guise sur les armées impériales, et son retour à Paris ; il doit non seulement l'écrire, mais le réaliser, recruter les acteurs et chanteurs, les peintres et artisans qui vont construire tout le décor de l'Hôtel de Ville (l'escalier d'entrée, la salle de banquet qui est aussi celle du spectacle), leur donner les thèmes, les devises, acheter et faire coudre les costumes, etc. Il fera tout. Il écrira une « masquarade » qui a pour thème les Argonautes (le navire *Argo* est identifié à celui qui figure sur les armes de Paris), il veillera à la moindre devise, il déplacera la moindre feuille de lierre.

Forcené, il travaille avec fureur ; aucune des allégories que sa mémoire peut lui offrir, aucune symbolique, aucun mythe qu'il ne tisse comme ces branches de lierre dont il décore tout. Mais Jodelle est maudit : il rencontre là son « désastre accoutumé ». La salle de banquet ne laisse plus aucune place aux évolutions de ses acteurs, tant il y a de monde, et qui parle et qui mange, et qui ignore – vulgaires bourgeois qu'ils sont – ce qu'aiment les rois. Les décors – des rochers trop pointus, comme des clochers – doivent être amputés pour pouvoir entrer dans la salle ; les chanteurs n'ont plus de voix. Lui-même – lui qui a écrit ces vers et qui a si bonne mémoire ! – ne se souvient plus d'un mot et devient la risée de ceux qui écoutent encore.

Autour de ces événements, Jodelle, fou de malheur, va écrire quelques pages de prose qui comptent parmi les plus belles du XVIe siècle, témoignage lyrique qu'il publie en juin, encadrant les fragments du spectacle de ses explications, de ses défenses, de ses injures. Seule la pression excessive du sentiment de l'injustice peut mener à une littérature autobiographique si maîtresse d'elle-même :

Combien que j'en aye porté et porte encore un tel regret, que je ne le puis autrement nommer que desespoir, non pas tant pour la faute que pour voir que Dieu m'a fait naistre si malheureusement, que de toutes choses que j'ay bien faictes, ou que j'eusse peu bien faire en ma vie, je n'en sceu jamais avoir l'usage, vivant presque en ce monde tout tel qu'un Tantale aus enfers, s'il faut ici parler encore de fable : qui est ce toutesfois qui en ceci n'estimera ceus impitoyables qui avecques leurs brocards publiques, leurs secretes reproches, et leurs injustes injures ne m'ont point pardonné d'avantage que si j'eusse esté coupable du plus grand crime de lese maiesté ?

Ce bourreau de soi-même était bien fait, avant Rousseau, pour l'exécration générale.

M. M. Fontaine

JOINVILLE Jean de *v.* JEAN DE JOINVILLE

JOUBERT Joseph

(1754-1824)

« La réputation de Joubert, disait avec irritation Rétif de La Bretonne, est assise tout entière sur l'idée qu'on a conçue de ce qu'il est capable de faire. » Il semble que l'histoire littéraire continue à faire crédit à l'auteur des *Carnets*. De tous les écrivains dont elle a retenu – et consacré – les écrits privés au nombre des grandes œuvres littéraires, Joseph Joubert est, sans doute, le cas le plus surprenant. Ses carnets intimes, qui ne doivent qu'à l'amitié et à l'estime de Chateaubriand une publication tardive (et tronquée), ne se soutiennent d'aucun ouvrage canonique publié ou achevé (achever, quel mot !) – même mineur ou méconnu, dont ils pourraient constituer une sorte de revanche posthume –, ni d'une quelconque notoriété publique de leur auteur ; la vie de Joubert est aussi discrète que son œuvre.

Joseph Joubert est né à Montignac, en Dordogne, dans une famille sans fortune. Après une brève expérience de l'enseignement, à Toulouse, dans l'établissement religieux où il avait été élevé, il tente une première aventure parisienne, qui lui permet de rencontrer des Philosophes, et surtout Diderot. À un intérêt timide pour les débuts de la Révolution se substituèrent assez vite des convictions religieuses solides et une sagesse politique qui lui firent juger favorablement l'avènement de Bonaparte (« Le pouvoir donne du génie »). Une de ses grandes affaires fut de conclure un mariage qui lui assurera la sécurité financière et la jouissance d'une propriété à Villeneuve-sur-Yonne. Son ami de toujours, Fontanes, une fois devenu grand maître de l'Université impériale, le recommanda à Napoléon, en 1809, pour un poste d'inspecteur général de l'enseignement. Il partagea une vie tranquille entre les charmes de la conversation avec ses amis, dont Chateaubriand, une longue et fidèle amitié amoureuse avec Pauline de Beaumont, et surtout la rédaction de son journal intime, commencée en 1786, qu'il poursuivra sans interruption jusqu'à sa mort. Chateaubriand, en 1838, prit l'initiative de faire paraître un recueil de *Pensées* de son ami disparu, choisies et classées par ses soins. Ce n'est que cent ans plus tard, en 1938, que fut publiée une édition complète des *Carnets*, fidèle à leur ordre chronologique.

Une éthique et une esthétique de l'écriture exigeantes

Œuvre unique, sans référence externe, ces *Carnets* ne sont pas l'envers secret et obscur de quelque grande entreprise avortée, ou une esquisse paresseuse et indéfiniment recommencée, rêverie impuissante sur l'œuvre à faire... Ou plutôt si, impuissante, mais revendiquée – et parfois avec optimisme – comme condition première et nécessaire de toute ambition littéraire : il faut « savoir ne pas écrire » et commencer par « écarter avec soin la multitude des mots ». Or, partout autour de lui, c'est le triomphe du discours plein et euphorique, le règne de ceux qui se prennent pour des « architectes » parce qu'ils « construisent de longs murs ». Quand il commence, en 1786, la rédaction de son journal, les grandes voix qui ont occupé l'espace discursif du siècle se sont tues. Joubert n'est pas tendre pour elles : Voltaire, cet « homme adroit » qui pouvait écrire sur tout et si légèrement ; Rousseau, qui « a donné des entrailles et des mamelles aux mots » et voulu peindre « les viscères humains » ; Diderot, dont il fut un familier dans les débuts de sa vie parisienne et qui lui a probablement inspiré ce jugement : « Des esprits rudes, pourvus de robustes organes sont tout à coup entrés dans la littérature, et c'est eux qui en pèsent les flux... ». L'éloquence révolutionnaire ne pouvait évidemment pas trouver grâce à ses yeux : « abus des mots, fondement de l'idéologie ». Même sévérité pour les gloires littéraires montantes : Mme de Staël, qui a pris « les fièvres de l'âme pour sa force », et Chateaubriand lui-même, à peine ménagé par l'amitié, suspect d'exploiter, « toutes ses facultés au-dehors », la veine des « gémissements de l'exilé ». Une condamnation aussi universelle relève, bien sûr, beaucoup du parti pris, de la rancœur ou tout simplement de la méconnaissance ; on est frappé, cependant, par la cohérence de ces critiques ; elles ont, à nos yeux, le mérite de dépasser les clivages traditionnels de l'histoire littéraire, et surtout de manifester le souci d'une exigence – non contradictoire – de morale et d'esthétique littéraires. Il y a, pour Joubert, une morale de la littérature, une morale de la phrase, du mot, et qui commence par le dépouillement : « J'aime le papier blanc... ».

Il nous a découvert le vide en littérature, dont ses contemporains ont horreur, obsédés qu'ils sont par le « plein » et les « fausses solidités » ; il a pressenti un espace propre à l'émergence du texte, à la fois milieu et distance, où le découpage, les blancs et le silence signifient autant que les mots et avec eux : « Quand vous voulez employer une figure [...], préparez-lui d'abord une région » ; « avant d'employer un beau mot, faites-lui une place ». D'où le recours fréquent à la métaphore de l'architecture : écrire, c'est habiter un espace, c'est donner à voir – tout comme parler, « c'est écrire dans l'air ce qu'on dit » ; mais c'est aussi creuser l'espace (Joubert est bien le seul penseur qui ait pu sérieusement vanter les « idées creuses »), selon les lois de la perspective et de l'harmonie visuelle mais aussi auditive (« Les mots se peignent à l'oreille ») et même tactile (« Les mots où boit la pensée ») ; enfin la lumière, exigence suprême, que Joubert, en disciple fidèle de Platon, fait procéder du monde des Idées, car « Toute pensée est lueur ». Il restera, alors, au lecteur à imaginer ce monde, c'est-à-dire à lui donner « forme et figure ». Joubert n'a pas créé l'œuvre poétique dont il a défini avec tant de soin les contours ambitieux (« J'aurai rêvé le beau comme ils disent qu'ils rêvent le bonheur »), et la hantise de l'idéal inaccessible, qui lui arrache parfois des accents mallarméens (« Je ne suis propre qu'à la perfection »), n'est pas seule en cause. Sa vision esthétique reste prisonnière d'un schéma platonicien qui, posant la primauté de l'idée à la recherche de sa meilleure forme sensible, condamne l'œuvre d'art à une fragmentation infinie en petits îlots de sens, de son et d'harmonie, à une sorte de beauté éclatée et finalement impossible. Son esthétique est une esthétique de la phrase et même du mot, qui « subsiste tout seul et porte avec lui sa place » ; ajoutons, pour lui être fidèle : sa lumière. Il n'a pas voulu voir ou comprendre cet étrange pouvoir combinatoire et productif du discours, capable de faire un chef-d'œuvre de la littérature la plus larmoyante ou la plus soumise, en apparence, à la tyrannie du forum. Mais, en rêvant l'ouvrage impossible, auquel il renonçait avec fierté (« N'ayant rien trouvé qui valût mieux que le vide, il laisse l'espace vacant »), il a fait la théorie de sa réelle pratique d'écrivain, celle du journal intime : une écriture différente, protégée par sa temporalité propre de la prolixité du discours continu, dispensée par sa nature intransitive de la nécessité de séduire ou de convaincre, privée enfin – et fatalement – du soin ultime de conclure. Nous savons aujourd'hui reconnaître aussi à ces signes l'engagement dans la littérature.

F. Suzzoni

JOUFFROY Alain

(né en 1928)

La rencontre d'André Breton que fit en 1946, encore adolescent, Alain Jouffroy dans un hôtel d'Huelgoat (bel exemple de « hasard objectif » !) se révéla pour le jeune homme décisive et marqua de façon durable son évolution littéraire, même s'il prit assez rapidement ses distances avec le mouvement surréaliste proprement dit, dans une revue duquel (*Néon*), pourtant, il avait publié ses premiers poèmes. Ses recueils poétiques des années 1950 (*Attulima*, 1954 ; *les Quatre Saisons d'une âme*, 1955 ; *À toi*, 1958) manifestent nettement l'influence du « pape du surréalisme ». Par la suite, quitte à des falsifications (cf. la polémique autour de *la Fin des alternances*, 1970), Alain Jouffroy cherchera à réconcilier « les grands aînés » et à porter Aragon aux nues à la mort de Breton, en dépit des cadavres qui, selon ce dernier, les séparaient irrémédiablement.

Si l'on aime, dans l'écriture d'Alain Jouffroy, « un heureux concours de familiarité et de lyrisme, de sobre économie verbale et de spontanéité, d'observation directe et de surréalité » (Jean Rousselot), peu à peu le poète a eu tendance à l'encombrer de considérations brumeuses sur le devenir de la révolution et à vouloir de manière forcée convaincre – et se convaincre – des vertus de « la guerre des mots qui changent l'Histoire ». Il finit par ne retenir du surréalisme, outre l'interpénétration du rêve et de la réalité « jusque dans la mort » et la violence érotique (*Tire à l'arc*, 1962), que l'exaltation de l'individu, par essence, révolutionnaire (*De l'individualisme révolutionnaire*, 1975 ; *le Gué*, 1977 ; *la Révolution nuit et jour*, 1982) : « Dans la mesure où la poésie n'a pas d'autre sens social que celui, extrême, d'une révolte de l'individu contre l'autorité, on pourrait peut-être commencer à admettre que l'individu a tous les droits, sauf celui de se confondre avec une autorité suprême » (*Éternité, zone tropicale*, 1976).

D'une production poétique surabondante, il faut retenir, outre les premiers recueils, *Aube à l'antipode* (1966), *Trajectoire* (1968), *Liberté des libertés* (1971) et *New York* (1976).

Alain Jouffroy, qui fut codirecteur de la revue *Opus international*, a également publié un essai sur l'art contemporain (*Une révolution du regard*, 1964), de nombreuses présentations de peintres, de même que des romans poétiques à la langue charnelle et lyrique, où se mêlent expérience mystique et voyage initiatique, fiction et réalité, prémonition et amour, ainsi qu'errance dans la ville où plane l'ombre de Gérard de Nerval (*Un rêve plus long que la nuit*, 1964 ; *le Temps d'un livre*, 1966 ; *l'Usage de la parole*, 1971 ; *l'Indiscrétion faite à Charlotte*, 1980 ; *la Treizième Lettre*, 1986).

L. Pinhas

JOUHANDEAU Marcel

(1888-1979)

Marcel Jouhandeau était le fils d'un boucher de Guéret, homme dur, violent, volage. Son enfance fut entourée d'affections féminines : sa mère, sa grand-mère Blanchet, la boulangère, tante Alexandrine. C'est à dix ans qu'il découvrit le plaisir, et toute sa « vie sensuelle et sentimentale, écrit-il, n'a été que le recommencement de cet assassinat ». L'influence d'une jeune fille, qui avait été carmélite, et celle de Mme Alban, une dame mûre qui veut l'orienter vers la prêtrise, colorent de spiritualité son adolescence. En 1908, il se rend à Paris, pour y poursuivre ses études. Il deviendra, en 1912, professeur de sixième au pensionnat Saint-Jean de Passy, et il y enseignera durant trente-sept ans, appréciant cette vie modeste et l'indépendance qu'on lui laisse en dépit de toutes les routines...

L'amitié jouera un grand rôle dans sa jeunesse – amitiés sensuelles, qui se bornent souvent à de furtives rencontres ; amitiés féminines surtout, plus durables et plus enrichissantes – celles d'Éliane et de Véronique Pincengrain, celle de Mme Laveine, qui deviendra dans ses livres « la duchesse », celle aussi de Marie Laurencin.

S'il a brûlé, en 1914, tous ses premiers écrits, il envoie à Gallimard, en 1919, la première partie de *la Jeunesse de Théophile*. C'est ainsi que commencera sa carrière littéraire. *La Nouvelle Revue française* publie, en octobre 1920, *les Pincengrain*, et *la Jeunesse de Théophile* paraît l'année suivante. Jouhandeau devient l'ami de Gide, de Jean Paulhan, de Roger

Martin du Gard, qui l'admirent et qui l'aident. Ses ouvrages se succèdent avec une belle fécondité : citons *Monsieur Godeau intime* (1923), *Prudence Hautechaume* (1927), *Astaroth* (1929), *Images de Paris* (1934 et 1956), *Chaminadour* (1934), *De l'abjection* (1939), *Essai sur moi-même* (1945), les sept livres du *Mémorial* (1948-1972), les neuf volumes des *Scènes de la vie conjugale* (parmi lesquels *Élise*, 1933, *Chroniques maritales*, 1938), les vingt-huit *Journaliers* (1961-1983).

En juin 1929, il épouse Élisabeth Toulemon (dite Caryathis), une ancienne danseuse. Ses démêlés conjugaux sont célèbres. La jalousie, la méchanceté, les accès de rage d'« Élise » feront d'elle un personnage inoubliable. La vie sexuelle de l'écrivain demeurera absolument parallèle à ce mariage, et, en 1948, s'illuminera d'un « pur amour » pour un soldat, qui l'élève de la simple sensualité à la véritable passion.

La mort de son père en 1930, de sa mère en 1936, puis de la chère Véronique Pincengrain en 1947, quelques inquiétudes au moment de la Libération pour un article publié en 1941 où le peuple allemand était exalté, la retraite de l'enseignement en 1949, l'adoption de la jeune Céline, enfin la mort d'Élise en 1971 et l'éducation de Marc, le fils de Céline, rythment cette existence finalement assez sereine, où la débauche et le mysticisme poursuivent leur interminable dialogue.

Chaminadour

À Guéret, les premiers livres de Marcel Jouhandeau firent scandale. C'est que, tel Asmodée, l'auteur soulevait les toits. Les menus scandales, les petites lâchetés, les hypocrisies, les horreurs de la vie provinciale y étaient dépeints, et sans aucun travestissement. La réalité brute nous était livrée. On a parlé du « picaresque ironique » de *Chaminadour* (nom sous lequel Guéret était rebaptisé). L'évocation qui y est faite des « monstres de village » a été rapprochée des plus acerbes pages de La Bruyère, de Saint-Simon, de Jules Renard. Jouhandeau, commère de sa ville natale, se plaît à détruire les apparences, mais ce n'est pas seulement une cruauté intrépide qui l'inspire ; il entre beaucoup de tendresse dans cette diffamation.

Jouhandeau est, en tout cas, l'un de nos plus grands « anecdotiers ». Toute son œuvre signifie, d'une manière ou d'une autre, que la réalité, dans sa discontinuité, sa fraîcheur, est infiniment plus singulière et plus instructive que les fictions les mieux construites. Même dans ses évocations de Paris, dans ses confidences sur sa vie sexuelle ou conjugale, rien n'est inventé. Un empirisme radical, dépourvu jusqu'à un certain point de tout système d'organisation, est le secret principe de cette littérature, qui n'offre d'abord qu'une succession de tableautins à la Frans Hals ou à la Hogarth – peu de couleurs, mais un dessin rude, qui sculpte et isole les formes.

Le « Fou de Dieu »

La vie conjugale de Jouhandeau fut un long enfer : querelles mesquines, humiliations publiques, tempêtes, tromperies. Rien de bien comique dans cette interminable comédie, qui semble mettre en cause toute possibilité d'entretenir un rapport humain en dehors de la haine et du masochisme. L'échec de ce mariage était prévisible, puisque, d'une part, Jouhandeau n'aimait pas les femmes et que, d'autre part, Élise n'admettait aucun compromis. Cette longue désunion est transcrite avec la même exactitude que les horreurs de Chaminadour. Dieu y est également présent. Il sert d'abord d'excuse : « Je n'étais pas mariable. Je ne suis mariable qu'à l'Absolu. » Du reste, l'infidélité conjugale est une image de la vie chrétienne : « Comme j'ai aimé Dieu dans mes péchés, je n'admire Élise jamais plus qu'au moment où je la trompe. » Nourri de l'*Imitation*, de saint Jean de la Croix, de sainte Thérèse d'Avila, appelé, dans son adolescence, au sacerdoce, Jouhandeau est un mystique : il a par deux fois, dans sa jeunesse, éprouvé la présence de Dieu. C'est à la lumière du catholicisme qu'il contemple sa ville natale, sa vie conjugale ou son homosexualité. À Chaminadour, il ne cherche pas tout à fait le conflit de la lumière et de la nuit. Il y guette plutôt des « âmes » – c'est-à-dire, de toute façon, des abîmes, et ces abîmes se révèlent dans les plus petits gestes et les plus provinciales bassesses. Quant à Élise, elle lui semble une image de Dieu ; et l'homosexualité, un péché sans rémission. Comme l'a dit J.-P. Sartre, Jouhandeau, au lieu de se chercher des excuses, « est un catholique écrasé par l'Église [...], il joue perdant [...], accepte la métaphysique de l'Église, tout, jusqu'à la psychologie traditionnelle des directeurs de conscience ». Se sachant immortel et souverainement libre, comme l'enseignent les Écritures et les prêtres, il choisit le péché, il choisit l'Enfer. Mais cette déchéance n'est pas sans issue. « L'Enfer est la plus grande souffrance de Dieu avant d'être la mienne. » Ainsi que l'a montré Nietzsche, Dieu est vulnérable par son amour des hommes. Ne s'agit-il que d'une damnation orgueilleuse, qui prouve la liberté du pécheur et humilie Dieu lui-même ? Ou bien, au-delà de cet orgueil et de cette révolte, ne peut-il surgir un amour plus profond de Dieu et une plus grande abnégation ? Ou même le véritable humanisme catholique ne suppose-t-il pas cette tension entre la révolte et l'humilité, entre une solitude luciférienne et l'imploration angoissée ?

Un classique

Paulhan et Gide ont admiré Jouhandeau. L'écrivain a longuement médité sur son art. Son idéal est tout classique : approche patiente, précautionneuse des âmes dans leur mystère et leur solitude ; souci de l'harmonie d'ensemble et de la propriété des termes ; effort tenace, mais dissimulé. Dans ses plus belles pages, Jouhandeau nous laisse deviner cette prudente méticulosité. Le lecteur peut être rebuté par ce catholicisme du concile de Trente, que l'Église même a abandonné ; il peut encore plus être lassé par ces interminables ratiocinations, ces redites, cette attention de myope à toutes les petitesses ; et, malgré tant de religion et tant de réalisme, l'écrivain demeure enfermé en lui-même, dans son narcissisme ou, comme il le dit, son exhibitionnisme. L'œuvre est cohérente ; on doit tout accepter pour en atteindre le suc ; et, dans les derniers livres, à force de maîtrise et de simplicité, sa prose acquiert une sorte de noblesse incantatoire.

A. Niderst

Journal d'un bourgeois de Paris

(XVe siècle)

Témoignage étonnant d'une histoire vue « par le petit bout de la lorgnette », rédigé par un Parisien anonyme pendant la guerre de Cent Ans entre 1405 et 1449. Nous y lisons les conditions de vie du peuple de la capitale menacée par un ennemi, puis par un autre, le vrai visage de la guerre, dénué de tout prestige chevaleresque, en dehors des cadres mythiques ou moralisants. C'est le choc de l'événement subi, dégagé de toute interprétation finaliste, l'attention au quotidien, guidée par le plaisir de l'énumération, de l'inventaire du monde, à une époque où la littérature redécouvre le concret. L'ennemi approche-t-il ? Le prix du pain s'envole, fromage et œufs se font inabordables. Jeanne d'Arc est vue sans excès de sentimentalité : les uns la disent martyre, les autres auraient voulu la voir plus tôt sur le bûcher, « mais quelle mauvestié ou bonté qu'elle eut faicte, elle fut arse celui jour ». L'auteur – peut-être un ecclésiastique – enregistre au jour le jour, mais juge aussi : « C'est grant pitié et d'une part et d'autre que fault que chrestienté tue ainsi l'un l'autre sans savoir cause pourquoy, car l'un sera de cent lieues loing de l'autre, qui se vendront entretuer, pour gaigner pou d'argent ou le gibet ou corps ou enfer a la pauvre ame ». Surprenante lucidité, là où un Froissart ne voyait qu'exploits et fastes de la chevalerie. Aussi bien l'auteur n'a-t-il guère d'illusions sur l'aristocratie : « Mais quand la taille estoit cueillie... plus ne leur challoit que de jouer aux dez ou chacer ou dancer, ne se faisoient mais ne joute ne nulz fais d'armes, pour paour des horions ». La noblesse a perdu sa crédibilité auprès du peuple exploité, qui ne recueille de la guerre que les misères.

A. Strubel

Journal de Trévoux v. Mémoires de Trévoux

JOUVE Pierre Jean

(1887-1976)

L'œuvre de Pierre Jean Jouve est sans doute l'une des plus originales et des plus exemplaires de ce siècle. Néanmoins, à l'image de son ambitieux dessein, elle demeure d'un accès difficile et non dépourvu de mystère – « la Poésie est soumise à une secrète interdiction », proclama Jouve –, ce qui peut expliquer le relatif silence dont l'entoure la critique. Pourtant, d'un recueil à l'autre, Jouve n'a cessé d'affirmer une même exigence de perfection formelle et de vérité. Par là même, il faisait de l'exercice de la poésie, seule activité capable de répondre aux formes obscures et prolixes du Mal, l'instrument privilégié de sa libération.

L'originalité fondamentale de l'entreprise, outre le fait qu'elle ne se départit jamais de sa confiance dans le pouvoir du Verbe – « la Poésie est l'expression des hauteurs du langage » –, résidait dans le reniement maintes fois réaffirmé par l'auteur de toute l'œuvre antérieure à 1925. « Pour le principe de la poésie, écrivait Jouve en 1928, le poète est obligé de renier son premier ouvrage » (« Postface » à *Noces*). Ainsi l'année 1925 est-elle l'amorce d'une *vita nuova* : Jouve entreprenait une œuvre nouvelle, fondée sur la « distance » et le refoulement des « années profondes ».

L'œuvre se scindait en deux ensembles : une œuvre bannie, que Jouve s'emploiera toujours à occulter, et une œuvre assumée, seule valable à ses yeux et « différant complètement de l'écriture passée – comme après métamorphose » (*En miroir*, 1954).

L'œuvre reniée (1909-1924)

On relèvera aisément deux constantes essentielles dans l'œuvre du jeune Jouve : une même attitude altruiste qui le poussait à se choisir un père auquel il se dévouât ; une même thématique du désir sexuel, du sang et de la mort, grands thèmes que l'œuvre ultérieure parachèverait.

De fait, Jouve adopta successivement trois figures du père, qui influencèrent tour à tour sa manière d'écrire et jusqu'au choix de ses thèmes. Né à Arras, étudiant à Lille et à Poitiers, victime dès son adolescence d'une santé fragile, il lance, en 1906, *les Bandeaux d'or*, petite revue dont Debussy dira du titre qu'il est tout un programme. Il se donne alors pour disciple des néo-symbolistes, en particulier Vielé-Griffin. Installé à Paris en 1908, fréquentant le groupe de l'Abbaye, il publie dans sa revue, outre ses propres poèmes, des textes de poètes qu'il admire : Verhaeren, Régnier, Vildrac et Duhamel. Puis, fasciné par l'autorité de Jules Romains, il se range sous les bannières de l'unanimisme (*les Ordres qui changent*, 1911 ; *les Aéroplanes*, 1911, poèmes ; *la Rencontre dans le Carrefour*, 1911, roman ; *les Deux Forces*, 1913, théâtre). Ayant pris ses distances vis-à-vis de Romains, Jouve devait élire en Romain Rolland la plus haute figure du père tant recherché, dont il adoptera l'idéal pacifiste (*Poème contre le grand crime*, 1916 ; *Danse des morts*, 1917 ; *Tragiques*, 1922, le plus beau de ses recueils d'alors ; *Hôtel-Dieu*, « récits d'hôpital en 1915 », 1919 ; et, hommage suprême, *Romain Rolland vivant*, 1920).

Cependant, l'éloignant « de plus en plus cruellement de son domaine », confie-t-il dans son *Journal sans date*, ce choix lui inspira des œuvres dont « la bonne conscience et la générosité ne tempéraient pas l'affreuse médiocrité » (*En miroir*).

Dès les premiers textes se manifestaient des forces profondes et parfois antagonistes, qui projetaient sur les êtres et les paysages l'étrange fascination de la sexualité. Tel lac entreaperçu entre deux collines évoque « un sexe d'or ». Les différents ouvrages demeuraient fidèles à quelques obsessions :

> *L'amour nu entièrement*
> *D'une femme impure et sauvage*
> *Ou Dieu, ou bien du génie,*
> *Ou des insurgés pleins de sang !*
>
> (*Tragiques*)

Engluement dans les fantasmes sexuels, évocation de l'ardeur mystique ou de la fièvre révolutionnaire, ces thèmes seront explicités dans le célèbre « Avant-propos » de *Sueur de sang* (1933) : « La révolution comme l'acte religieux a besoin d'amour. La poésie est un véhicule intérieur de l'amour. Nous devons donc, poètes, produire cette "sueur de sang" qu'est l'élévation à des substances si profondes, ou si élevées, qui dérivent de la pauvre, de la belle puissance érotique humaine. » Mais, pour qu'une telle œuvre fût possible, il fallait que Jouve, reniant l'œuvre antérieure, eût tué le père, rencontré celle qui l'initia à la psychanalyse – Blanche Reverchon – et qu'il se fût « converti » à une haute et exigeante « Idée » religieuse, plus proche de la gnose que du véritable dogme catholique.

L'œuvre assumée (1925-1967)

En reconnaissant l'ampleur de sa dette envers Baudelaire, auquel il consacrera d'admirables pages critiques (« Tombeau de Baudelaire », 1942, repris dans *Défense et illustration,* 1943), Jouve ordonnait presque mystiquement son œuvre et sa vie à la figure archétypale, quasi mythique, de l'auteur des *Fleurs du mal* et de *Mon cœur mis à nu*. De la même façon, l'œuvre accomplissait les quêtes de Rimbaud et de Mallarmé, sans pour autant s'achever dans la « fureur du transfuge » de l'un, ni conduire au « détachement insensé » de l'autre. Par ailleurs, on ne saurait omettre la vie mystérieuse des « figures tutélaires » (Jean Starobinski) qui, sur fond de drame ou d'opéra, ponctuent les étapes de l'ascension. Agissantes et salvatrices présences que celles du Tasse, de Blake, de Hölderlin – dont Jouve traduisit les *Poèmes de la folie* (1930) –, de Novalis, de Berg et de Mozart, guides bienveillants qui dévoileront la présence du Verbe, « puissance inanimée, capable d'extrême amour » dont « le moindre sens est fidélité au monde » et le plus grand sens « émanation de Dieu quand il se crée et retour direct à Dieu quand il est consommé » (*Proses,* 1960).

Si Jouve écrivait précédemment de l'homme qu'il « écoute battre son cœur/Dans l'immensité de sa chair » et que les « millions de soleils bleus/Que peut contenir une nuit/Ne sont pas trop pour son espoir », l'Avant-propos de *Sueur de sang,* très expressivement intitulé « Inconscient, spiritualité et catastrophe », approfondissait de telles intuitions. En effet, Jouve affirmait très solennellement :

> *Nous avons connaissance à présent de milliers*
> *de mondes à l'intérieur du monde de l'homme,*
> *que toute l'œuvre de l'homme avait été de cacher,*
> *et de milliers de couches dans la géologie de cet être*
> *terrible qui se dégage avec obstination et peut-être*
> *merveilleusement (mais sans jamais y bien parve-*
> *nir) d'une argile noire et d'un placenta sanglant.*

À ces trois mots essentiels (inconscient, spiritualité, catastrophe) il convient d'ajouter ceux qui commandent l'accès de *Proses* : « la Voix, le Sexe et la Mort ». Ces termes fondamentaux donnent la clef de l'œuvre, qui restera désormais fidèle à la proclamation précédente lorsqu'elle explorera, d'un recueil à l'autre, le monde terrible de l'homme, déchiré par le conflit du Ça et du Sur-moi.

« Inconscient » : Jouve mettait en scène « les bouches méchantes » du « cœur de l'homme », le « Désir » et les pulsions ; et, s'il utilisait les ressources de l'Inconscient, ce n'était pas à la façon des surréalistes : il insista toujours sur la nécessité du lent travail de l'œuvre ; mais, en unissant douloureusement l'Éros freudien au péché mortel, il élargissait le drame humain et retrouvait la misère pascalienne de l'homme sans Dieu (*le Paradis perdu,* 1929).

« Spiritualité » : en reprenant les termes de la double postulation baudelairienne à Dieu et à Satan, mais en en renouvelant la portée, il exprimait l'aspiration à la Divinité, toujours présente malgré l'obscurité, et que signifiait un réseau d'images : lumière, haut ciel, colombe.

> *Ô DIEU CLAIR, SOUTIENS mes pas chancelants.*
> *Sombre Cerf, fais trébucher mes pas clairs.*
>
> **(*Sueur de sang*)**

> *Ciel, matière de Dieu ! Symbole plus qu'éther.*
>
> **(*Diadème*, 1949)**

Poésie contemporaine, car édifiée sur l'Absence, l'œuvre de Jouve ne s'accomplit vraiment que dans la nuit, presque la Nuit des mystiques, où l'homme implore la venue du « Bien-Aimé » et « [meurt] de ne pas mourir » (*Glose de sainte Thérèse d'Avila,* traduite par P. J. Jouve, 1939). D'ailleurs :

> *TOUTE POÉSIE EST À DIEU. Sans cette ambition d'ange*
> *Et cette humilité d'archange et l'engendrement*
> *[humain*
> *Des accords des nombres du temps et du secret de*
> *[lumière,*
> *Le vers ne serait que le jeu des osselets de la mort.*
>
> **(*Mélodrame*, 1957)**

« Catastrophe » : le conflit se révélait d'autant plus redoutable qu'à la suite de Freud, Jouve découvrait l'instinct de mort – la « catastrophe » –, enfoui au tréfonds de l'homme, le poussant à la destruction individuelle ou collective. La Seconde Guerre mondiale – vécue d'abord en France, puis à Genève à partir de 1941 – répondra tragiquement à ce pressentiment : la ruée des forces du Mal sur la « patrie pleine de larmes » (*la Vierge de Paris,* 1944) sera l'occasion de poèmes magnifiques. D'ailleurs, l'œuvre atteignait alors à ses plus belles pages avec l'accomplissement de la parole poétique, tour à tour « lyrique » ou prophétique (*Kyrie,* 1938 ; *Porche à la nuit des saints,* 1941 ; *la Vierge de Paris*) :

> *Je vois*
> *Les morts ressortant des ombres de leurs ombres*
> *Renaissant de leur matière furieuse et noire [...]*
> *Je les vois chercher toute la poitrine ardente*
> *De la trompette ouvragée par le vent.*
>
> **(*Gloire*, 1940)**

Chaque recueil, supposant une savante architecture, répondait au dessein d'une « poésie qui se justifiât entièrement comme chant ». Les ultimes ouvrages confirmeront ce que la quête avait de rigoureux et d'inapaisé, avec parfois comme une hésitation entre l'ample verset (*Ode,* 1950 ; *Lyrique,* 1956) et la forme plus compacte, haletante et parfois même brisée (*Mélodrame,* 1957 ; *Inventions,* 1958 ; *Moires,* 1962 ; *Ténèbre,* 1965), érigeant l'image d'un homme solitaire, « pleurant dans une âme / L'unique prophétie à l'homme en ses enfers » et cherchant, « par-delà les regard usés et les faces d'ennemis », le but ultime, « la sainte Indifférence ».

Toutefois, pour combler un « fort désir de réel qui ne trouvait pas toute son issue dans la poésie » (*En miroir*), Jouve devait écrire cinq romans qu'il définira lui-même comme « poétiques » et non « réalistes » : en effet, « le personnage du romancier poète [n'est] pas tout à fait semblable à celui du pur romancier. La tendance du poète est de faire le personnage unique, le personnage symbole » (*Commentaires*). Toutes les forces que les recueils avaient orchestrées y devaient être « projetées ». De même que les recueils poétiques aboutissaient à des réseaux de symboles (l'œil, le sexe, l'arbre, le Cerf, le Cygne, le Diadème), de même les figures romanesques, qui hantent également les poèmes, s'animaient dans des décors cristallins ou sordides, identiques à ceux de la poésie et aptes à conduire la nécessaire *catharsis.* De ces drames romanesques se dégagent trois figures envoûtantes : Paulina, héroïne de l'amour et de la rupture (*Paulina* 1880, 1925) ; Catherine Crachat, sorte de « Diane infernale, face fatidique de la lune » (*Hécate,* 1928), personnage que, pour la première fois dans l'histoire moderne du roman, son créateur soumettra à la psychanalyse, en se servant pour ce faire du récit d'une véritable thérapie (*Vagadu,* 1931) ; Hélène de Sannis, enfin (« Dans les années profondes », in *la Scène capitale,* 1935 [qui contient aussi *Histoires sanglantes,* 1932]), qui institue le mythe central de toute l'œuvre, en ordonnant autour d'elle poèmes, réminiscences et obsessions, comme autant de phases d'un même rite initiatique. Outre *le Monde désert* (roman, 1927), il faut mentionner d'admirables exégèses musicales (*le Don Juan de Mozart,* 1942 ; *Wozzeck ou le Nouvel Opéra,* 1953) et les innombrables traductions que Jouve avait entreprises (de Shakespeare : *la Tragédie de Roméo et Juliette,* 1937 ; *les Sonnets,* 1955 ; *Macbeth,* 1958 ; *Othello,* 1961 ; de Tchekhov : *les Trois Sœurs,* 1958 ; de Wedekind : *Lulu,* 1959).

Outre le retour des mêmes thèmes douloureux, et la commune exigence formelle, on peut déceler dans l'œuvre entière un ton poignant et ironique, d'un lyrisme mesuré, parfois cinglant, qui ne sera pas sans exercer une puissante fascination sur des auteurs aussi différents qu'Yves Bonnefoy, Pierre Emmanuel ou Salah Stétié.

Paulina 1880

Ce roman à deux voix entrecroise le récit d'un narrateur et le monologue intérieur, voire le journal intime de l'héroïne, Paulina Pandolfini.

SYNOPSIS

Élevée dévotement à Milan sous la tutelle jalouse de son père et de ses frères, Paulina est enjouée, pieuse, innocemment sensuelle, amoureuse de la campagne dont le narrateur déploie autour d'elle les paysages ensoleillés, rayés de cyprès. Encore enfant, elle a l'intuition, en contemplant un tableau représentant l'extase de sainte Catherine, d'une troublante similitude entre l'amour et la mort. Avec l'adolescence, la volupté de se voir belle, « adorable », contredit chez elle une exigence de pureté qui la fait songer au couvent : « Entrer dans les ordres, me mortifier... Non, pas encore... je veux avoir Milan à moi. Milan, les hommes, tout ». Un ami de la famille, le comte Michele Cantarini, s'éprend de Paulina : pendant un séjour chez les Pandolfini, déjouant la surveillance du père, il parvient à la séduire. Les amants connaissent alors tous les plaisirs de la chair. Mais la mort de son père, puis celle de l'épouse du comte engendrent chez Paulina le remords aigu de sa « faute ». La liaison passionnée reste clandestine, Paulina, déchirée entre la dévotion et l'amour, refusant le mariage que lui propose le comte. Bientôt, c'est la rupture.

En 1876, on retrouve la jeune femme sous les traits de « sœur Blandine » au couvent de la Visitation, mortifiant sa chair, transcrivant dans son Journal les brûlantes prières qu'elle adresse à Dieu, cet « Époux » en qui elle voudrait se fondre. Mais, trop orgueilleuse pour se soumettre à la règle d'obéissance, Paulina doit quitter l'habit. Dans la grande villa solitaire où elle veut désormais établir son « couvent intérieur », elle ne parvient pas à retrouver les extases qu'a jadis connues « sœur Blandine ». C'est alors vers le comte que se tourne l'exilée. Les amants se rejoignent ; avec une sorte de fureur désespérée, le désir renaît en Paulina déchirée entre sa sensualité et sa soif nostalgique d'union avec Dieu : « Plus d'unité, plus d'espoir d'unité »... L'angoisse fait alors de Paulina une meurtrière : d'un coup de revolver elle tue le comte dans son sommeil, retourne en vain l'arme contre elle-même et s'abat sur un miroir tout semblable à celui où jadis s'encadrait son jeune visage. Au dernier chapitre, devenue « Marietta », méprisée des gens du village où elle s'est réfugiée à sa sortie de prison, Paulina mène l'existence d'une humble paysanne, « morte vivante », « usée » par l'amour qui l'a tour à tour jetée vers un homme et vers Dieu – mais enfin pacifiée.

Ph. Delaveau

JULIET Charles

(né en 1934)

L'œuvre de Charles Juliet peut être lue comme le compte rendu d'une éprouvante naissance à l'écriture, ainsi que de la difficile réconciliation avec lui-même d'un sujet « désespérant de vivre », d'après un poème de *Fouilles* (1980). L'écrivain a vingt-cinq ans lorsqu'il définit le poète comme « celui qui aspire à naître et s'engendre par le verbe » : près de quarante années d'écriture le séparent encore de la conquête, affirmée dans *Lambeaux*, d'une « adhésion à la vie ». L'œuvre de Juliet commence en effet par faire le constat d'une identité morcelée, ne trouvant de cohésion que dans une angoisse contrariant sans cesse l'expression du *je*. La rédaction de son *Journal* (premier volume publié en 1978), mélangeant réflexions générales, anecdotes et confessions fragmentées, lui permet d'abord d'apprivoiser l'écriture en se rapprochant d'une vérité intime. Mais la création poétique joue aussi un rôle important dans ce travail d'introspection et de mise au jour par lequel *L'œil se scrute*, selon le titre d'un recueil de 1976. Le dépouillement de la phrase et la concision des vers apparaissent significatifs d'un refus de toute complaisance lyrique, d'une démarche ascétique également qui vise à atteindre une « clarté intérieure ». C'est une même lutte intransigeante, un même combat toujours repris contre la tentation du mutisme et de l'isolement, qu'il retrouve chez des écrivains et des artistes tels que Beckett, Leiris, Cézanne et Van Velde, auxquels il a consacré plusieurs essais.

Par ailleurs, on ne saurait ignorer le caractère éthique d'un tel engagement. Si Juliet affirme au début de son *Journal* que « celui que ronge la souffrance se débat dans un gouffre où nul ne peut le rejoindre », l'écriture aura précisément pour enjeu de permettre un dépassement de cette douleur incommunicable, et surtout de transmuer une souffrance intérieure en attention portée à autrui. C'est pourquoi les textes de Juliet prennent volontiers la forme d'un dialogue, comme dans les nouvelles de *Failles* (1993), ou d'une lettre tendue vers un destinataire impossible : la mère disparue ou l'enfant que l'on a été dans *Lambeaux* (1995), le « Cézanne qui est en moi » dans *Un grand vivant* (1994).

Cependant, c'est bien un retour sur soi et le recours à la première personne qui permettent à Juliet d'assumer enfin sa propre histoire et de donner une nouvelle orientation à son écriture : le bouleversant récit autobiographique *l'Année de l'éveil* (1989), consacré à son expérience d'enfant de troupe, a toute la valeur d'un exorcisme. De fait, son œuvre révélera dès lors une ferveur nouvelle, même si deux autres livres exhumeront des blessures enfouies : tandis que *l'Inattendu* (1992) replace l'épisode de l'ouvrage précédent dans un cadre plus vaste, *Lambeaux* évoque surtout le destin brisé d'une mère que l'écrivain n'a jamais connue. Un ton plus apaisé trahit alors la dimension cathartique de cette démarche et confirme le bilan formulé par l'écrivain à la parution du troisième tome de son *Journal* : « Au désarroi et au découragement qui ont marqué les débuts de mon parcours, se sont progressivement substitués une force, une confiance, le ferme besoin de consentir, d'adhérer. » Une adhésion que son œuvre incite à considérer comme une véritable renaissance et qui, à la longue traversée d'une nuit intérieure, permet finalement de substituer le pressentiment d'*Une lointaine lueur* (1992).

V. Hugotte

K

KAHN Gustave

(1859-1936)

Né à Metz, Gustave Kahn s'installe à Paris avec sa famille en 1870. Encore étudiant, il commence à écrire dans des revues, participe activement à la vie littéraire – malgré l'échec d'un volume de *Proses* refusé par les éditeurs (1879) –, rencontre Mallarmé, assiste rue Cujas aux soirées des Hydropathes. Il passe quatre années en Afrique (1880-1884), et fonde, après son retour, la revue *la Vogue* (1886) et le journal *le Symboliste* ; en 1888, Édouard Dujardin lui confie la direction de *la Revue indépendante*. Deux ans plus tard, il se marie et accomplit un long séjour en Belgique (1890-1895). Sans abandonner une carrière de journaliste qui se poursuivra au *Mercure de France*, Kahn se consacre alors davantage à son œuvre poétique : un premier recueil, *les Palais nomades* (1887), est suivi par *Chansons d'amant* (1891), *Domaine de fée* (1895) et *le Livre d'images* en 1897. Cette année-là, il organise à l'Odéon avec Catulle Mendès les « Matinées de poètes » destinées à faire connaître au grand public la nouvelle poésie. Il se tourne ensuite vers le roman, avec *les Fleurs de la passion* (1900) et *l'Adultère sentimental* (1902). Son engagement dans le débat littéraire contemporain (*Symbolistes et Décadents*, 1902) n'éteint pas sa curiosité pour d'autres époques ou d'autres moyens d'expression : après des études sur *Boucher* (1905), *Fragonard* (1906), *Rodin* (1906), il publiera un *Fantin-Latour* (1926) et un *Baudelaire* (1928).

L'activité littéraire de Gustave Kahn s'étend sur un demi-siècle ; pourtant son œuvre est aujourd'hui oubliée, alors qu'elle a exercé une influence considérable sur tous les écrivains de la modernité. Il n'est pas sûr que cette influence soit avouée par tous ceux qui l'ont subie ; elle reste, de ce fait, diffuse, Kahn ne s'étant jamais érigé en porte-parole d'une école, en chef de file d'un mouvement. Il reste avant tout un défricheur des domaines nouveaux de l'expression, incapable souvent de pousser lui-même jusqu'au bout l'expérience poétique de la nouveauté. La critique refusera de voir chez lui la moindre trace d'un quelconque génie littéraire : injustice à l'égard d'un précurseur, ou limites réelles d'une œuvre multiple ? Les œuvres du début, *Palais nomades* ou *Chansons d'amant*, ne manquent pourtant pas d'intérêt ; et *le Livre d'images* a peut-être influencé Apollinaire.

Réfléchir sur l'œuvre de Gustave Kahn consiste aujourd'hui à définir son apport à la littérature, sachant qu'il n'est, pour le génie poétique, ni Rimbaud ni Mallarmé. Ce qui différencie Kahn de la génération des symbolistes et de la génération de 1885 éminemment classique (Moréas, Régnier...), c'est qu'il aborde le problème de l'expression littéraire d'une manière tout à fait nouvelle. Alors que les symbolistes s'enferment dans une poésie à forme fixe dont les procédés stylistiques et de versification sont évidents, Gustave Kahn ouvre des voies créatrices pour des esprits aussi divers que Gide ou Mac Orlan, Apollinaire ou Max Jacob, Marinetti ou Colette... Sa conception de l'art sera à l'œuvre dans tout le XXe siècle.

L'« inventeur » du vers libre

C'est, en effet, Kahn qui a introduit le premier l'idée de la libération du vers dans un article de *l'Événement* du 28 septembre 1886. Il écrit à propos du vers : « La tentative actuelle consiste à l'amplifier et à le libérer... ».

Le *Manifeste du symbolisme* de Moréas, qui est déjà paru à cette date, n'aborde pas la question de la transformation du vers. Ce qui confirme la place de Gustave Kahn dans l'histoire du développement et des métamorphoses des techniques d'expression, de la fonction communicative dans les pratiques littéraires.

Gustave Kahn précisera de façon remarquable, jusqu'en 1891, la définition du vers libre, se gardant de formuler des indications trop rigoureuses, examinant les dangers qui feraient du vers libre de la prose, même poétique. Le vers, s'il est libéré, ne doit pas perdre sa qualité musicale, dont les garants sont la rime et l'assonance : « Nous ne proscrivons pas la rime : nous la libérons, nous la réduisons parfois et volontiers à l'assonance... ». Ainsi, il ne faut pas confondre « vers libre » et « vers blanc ».

Autour de 1886, la question de savoir quel est l'inventeur du vers libre suscite de nombreuses querelles. Édouard Dujardin écrira pour sa part : « Que Gustave Kahn ait "trouvé" le vers libre, j'en suis persuadé. Je veux dire par là que je crois fermement, non seulement pour l'avoir lu attentivement, mais pour l'avoir personnellement fréquenté de 1886 à 1888, qu'il n'a pris le vers libre ni à Rimbaud, ni à Laforgue, ni à Moréas, ni à personne » (dans « les Premiers Poètes du vers libre », *Mercure de France*, 1922).

Ces querelles, reprises par la critique universitaire, ne doivent pas nous cacher l'apport de l'œuvre de Gustave Kahn à la littérature. *Les Palais nomades* ou *Chansons d'amant* ont eu une influence considérable sur la poésie moderne parce qu'ils inaugurent la période de l'utilisation consciente du vers libre dans l'histoire de la littérature. Cette découverte sur la forme prend chez Kahn le pas sur le fond. Son influence essentielle ne s'exerce pas sur les idées mais sur les procédés d'écriture, que ce soit pour la poésie avec le vers libre, ou pour le roman, dont il esquisse la théorie qui fonde le style du XXe siècle lorsqu'il parle de l'écoulement des idées et des sensations, de la notation psychologique.

L'histoire littéraire a tranché, semble-t-il, sur l'œuvre de Gustave Kahn. Mais la littérature du XXe siècle doit à cette œuvre un apport important dans le domaine des innovations techniques, le théoricien du vers libre l'emportant aujourd'hui sur le poète, et plus encore sur le romancier et sur le critique d'art.

Ch. Gambotti

KARR Jean-Baptiste Alphonse

(1808-1890)

Écrivain d'origine germanique né à Paris, Karr, après de brillantes études, tenta sa chance en poésie et au théâtre mais connut le succès avec un roman, *Sous les tilleuls* (1832), histoire d'un amour contrarié qui se termine en récit nécrophilique : « Quand je serai morte, viens dire adieu à mon cadavre ; viens me donner un baiser d'amour sur ma bouche morte ! ». L'année suivante, dans *Une heure trop tard*, il romançait sa liaison avec Juliette Drouet. À partir de 1834, il partagea sa vie entre Paris et la côte normande (Sainte-Adresse, Étretat), poursuivant une féconde carrière de romancier (*Fadièze*, 1834 ; *Vendredi soir*, 1835 ; *le Chemin le plus court*, 1836, etc.) et collaborant aux journaux en place comme aux revues d'un jour. Mais, à l'étroit dans une presse jugulée par la « mauvaise foi », il entreprit de rédiger seul *les Guêpes* (1839-1846), « expression mensuelle de [sa] pensée sur les hommes et sur les choses, en dehors de toute idée d'ambition, de toute influence de parti ». Au lendemain de 1848, après un bref passage dans la politique, il prit parti pour Cavaignac et fonda un quotidien de soutien, *le Journal* ; le coup d'État de Louis Napoléon le contraignit alors à un « noble exil volontaire » (E. Sue) en Belgique, puis en Italie, à Nice enfin où il s'adonna à l'exploitation des fleurs coupées dont il fit commerce à travers toute l'Europe. Continuant sa carrière littéraire et journalistique, il parvint enfin à se faire jouer mais connut un double échec avec *la Pénélope normande* (1860) et *les Roses jaunes* (1867). Réfugié dans la solitude – qu'il ne brisait que pour adresser son feuilleton au *Figaro* –, il s'éteignit à Saint-Raphaël.

Médiocre romancier par son incapacité à maintenir l'intérêt d'une intrigue sans cesse diluée artificiellement au gré d'épisodes, Karr excelle dans les genres brefs du type causerie – qu'illustre le charmant *Voyage autour de mon jardin* (1854), pot-pourri de propos botaniques – et plus encore dans le journalisme d'humeur. Le succès des *Guêpes* – 20 000 exemplaires pour chaque livraison –, succès qui encouragea les initiatives malheureuses de Paul Lacroix, de Nestor Roqueplan, d'Alphonse Peyrat, de vingt autres encore dont Balzac et son éphémère *Revue parisienne* (1840), montrait que l'entreprise reposait sur l'association étroite d'un format (in-12) pratique (« Je veux qu'on les mette dans sa poche, que l'employé les porte à son bureau, le député à la chambre, le juge au palais, l'étudiant au cours »), d'un ton à mi-chemin du sérieux et du satirique (« Je ne veux pas qu'on s'aperçoive que je fais aussi penser ») et surtout d'une constante adaptation à l'actualité. On le vit *a contrario* avec *les Guêpes* de l'exil azuréen, *Nouvelles Guêpes* (1853-1855) et *Guêpes hebdomadaires* (1871-1876), « plus bourdonnantes que piquantes ». Finalement, et comme le prévoyait Karr lui-même, il ne demeure de cette œuvre polymorphe que quelques formules : « La vie privée doit être murée » ; « L'amour naît de rien et meurt de tout » ; « Plus ça change, plus c'est la même chose », etc. Propos aphoristiques qui par leur efficacité formelle traduisent davantage un tempérament de journaliste que d'écrivain.

D. Couty

KATEB Yacine

(1929-1989)

Écrivain algérien d'expression française, Yacine Kateb a vu le jour à Constantine, mais a été inscrit sur les registres de l'état civil de Condé Smendou (aujourd'hui Zirout Youcef). Il est issu d'une grande tribu où les mariages endogamiques étaient fréquents. Son père, qui était *Oukil* judiciaire (défenseur), mourut en 1950. Yacine Kateb suivit les leçons de l'école coranique, puis son père le mit à l'école française, « dans la gueule du loup ». Il est au lycée de Sétif lors de la manifestation du 8 mai 1945. Il est arrêté avec d'autres Algériens, à seize ans. Alors en classe de troisième, il est expulsé du lycée. Libéré, il part pour Bône avec « un grand chagrin au cœur » à cause de Nedjma (une cousine aimée). En 1946, il publie son premier recueil de poèmes, *Soliloques*. En 1947, il donne une conférence à Paris sur *Abd el-Kader et l'indépendance algérienne*. Il fréquente les milieux nationalistes de l'époque. Inscrit au parti communiste, il travaille à *Alger républicain*. Il voyage comme reporter jusqu'en Asie centrale. Quelque peu nomade en Algérie, il l'est bientôt en France à partir de 1951. Il tâte de tous les métiers, mais pense toujours à ses amours lointaines : Nedjma, l'Algérie, sa mère. Il fait la rencontre de Brecht en 1954 à Paris et voyage en Europe durant la guerre de libération. En 1956 paraissait *Nedjma* ; en 1959, sa pièce de théâtre *le Cercle des représailles*. Dans le même volume, édité au Seuil et préfacé par Édouard Glissant, figuraient *le Cadavre encerclé*, *la Poudre d'intelligence* et *Les ancêtres redoublent de férocité*. En 1967, il effectue un voyage au Viêt-nam. Ses pièces sont jouées à l'étranger durant la guerre, puis, après 1962, en Algérie (*l'Homme aux sandales de caoutchouc*, 1970). En 1972, après bien des errances, il revient se fixer en Algérie. Il anime d'abord le Groupe théâtral de l'action culturelle des travailleurs du ministère du Travail, puis dirige le théâtre de Bel-Abbès. Durant ces années, il fait jouer des pièces en arabe parlé algérien, de manière à atteindre un très large public populaire.

L'œuvre de Kateb est connue dans de nombreux pays – en français, mais aussi traduite en diverses langues. Le premier poème sur Nedjma paraissait dans *le Mercure de France* en janvier 1948, mais *Nedjma*, en 1956, représentait un tournant dans le roman maghrébin : mélange des genres littéraires, luxuriance du vocabulaire, plongée dans les profondeurs de l'inconscient algérien. Cela aussi bien dans *Nedjma* que dans le *Cercle* et, en 1966, dans *le Polygone étoilé*. L'auteur disait d'ailleurs qu'une grande partie de son travail était inconscient, ouvrant ainsi la porte à une interprétation psychanalytique. Un Kateb tragique se manifestait dans cette œuvre à la recherche de l'identité nationale, des racines ancestrales, du passé enseveli. *Nedjma* est comme le roman du grand dérangement : tout y est bouleversé et en déplacement. Il s'agit pour l'auteur de rassembler les bribes éparses des amours aliénées, des identités raturées, de l'inconscient mutilé.

L'œuvre romanesque de Kateb (*Nedjma* surtout) a été, en 1956, un apport considérable dans la littérature maghrébine sur le plan de l'écriture, des techniques littéraires et de l'expression. Dans *Nedjma*, par exemple, il n'y a pas de déroulement chronologique cohérent : « La mémoire n'a pas de succession chronologique » (*le Polygone étoilé*). Des bribes de la réalité vécue et de la réalité rêvée se mêlent à la réalité imaginée et aux souvenirs du passé. Kateb aime les redoublements, les répétitions donnant du même événement ou de la figure de tel personnage des points de vue particuliers. Les personnages sont souvent interchangeables : Kateb a parlé d'« autobiographie au pluriel ». Des phrases nominales, des phrases courtes dans le feu de l'action et de la fièvre alternent avec des phrases longues, coulées qui n'en finissent pas, moments indéfiniment prolongés. Kateb utilise les *ma'na*, des allusions tirées de la langue et de la sagesse populaires. Le texte baigne enfin, en général, dans une atmosphère poétique où s'opère la libération de l'imaginaire et des énergies inconscientes. « J'étais comme un oued sous un orage inattendu », déclarait-il. Par-dessus tout, son œuvre montre l'utilisation du mythe, son intercession dans le face-à-face avec les grands drames de l'existence du poète : l'identité collective de la nation disparue, les ancêtres fondant autrefois la nation, l'errance mutilante. Cette œuvre de Kateb en français demeure un grand moment de l'histoire de la littérature maghrébine.

Le Kateb satirique et ironique surgit ici et là dans *Nedjma* et dans *la Poudre d'intelligence* ainsi que dans *le Polygone étoilé*. Il vitupère les faux dévots, les hypocrites, les forces rétrogrades ; il veut démythifier et démystifier ; il critique donc – parfois lourdement. La satire prend toute son ampleur dans les pièces jouées en arabe algérien : *Mohammed prends ta valise* (1971), *Saout-En-Nisa* (1972), *la Guerre de 2000 ans* (1974), *le Roi de l'Ouest* (1977), *Palestine trahie* (1978). Le combat acquiert alors des dimensions universelles puisque tout prolétaire est opprimé par la classe au pouvoir. Kateb a toujours voulu être « la révolution dans la révolution ». Il dérange donc souvent les gens satisfaits et conformistes, qui se contentent de l'ordre établi. À travers toutes ces œuvres en français et en arabe, Kateb dit, avec ses exigences de vérité, le tragique de sa quête d'une Algérie profonde, nettoyée de toutes les scories.

Nedjma

SYNOPSIS

[Les parties III et IV se composent de deux séries de 12 séquences, dont la numérotation recommence à 1 une fois atteinte la fin de la première séquence.]

I. Quatre amis, Rachid, Lakhdar, Mourad et Mustapha, se sont engagés comme manœuvres dans un village de l'Est algérien. Lakhdar qui, dès le premier jour, a frappé M. Ernest, le chef de chantier, et a été emprisonné, s'est évadé. Peu de temps après, Mourad tue le vieil entrepreneur libidineux Ricard qui vient d'épouser la séduisante Suzy, fille de M. Ernest. Il est à son tour arrêté, tandis que ses trois amis s'enfuient du village et se séparent (séquences 1-9). Plus tard, Rachid, qui est porté déserteur, retrouve Mourad en prison (10-12).

II. Lakhdar est malmené par M. Ernest et réplique. Il est arrêté (1-2). Il se souvient alors de sa première arrestation, à la suite de la manifestation du 8 mai 1945 (3-7). C'est ensuite qu'il est parti à Bône, où se trouvent Rachid, Mustapha et Mourad, chercher refuge chez sa cousine Nedjma, qui est également celle de Mourad (8-12).

III. Dans sa prison, Mourad tente de se remémorer ce que lui avait dit Rachid à son arrivée à Bône (1-7). Il venait à la poursuite de Nedjma, fille d'une Française successivement enlevée par quatre amants, dont le père de Rachid et l'impénitent séducteur qu'est Si Mokhtar. Nedjma fut conçue dans une grotte où ces derniers avaient conduit la Française, au cours d'une nuit à l'issue de laquelle fut retrouvé le cadavre du père de Rachid (8-12). Rachid reprend alors la narration, pour évoquer sa première rencontre avec Nedjma, à Constantine (1-3), ses tribulations avec Si Mokhtar lors d'un pèlerinage à La Mecque (4-9), ainsi que le récit que lui a fait ce dernier des origines de leur tribu commune, les Keblouti (10-12).

IV. Rachid, dans sa cellule, reçoit la visite rêvée du vieux Keblout légendaire (1-2). Il narre comment, avec Si Mokhtar, il a enlevé Nedjma et l'a entraînée au Nadhor, terre originelle des Keblout, comment Si Mokhtar a été tué par le nègre gardien du lieu; comment Nedjma y a été retenue, tandis que lui-même en était chassé (3-8). Libéré, Rachid retourne à Constantine et s'installe au fondouk d'Abdallah (9-12). Rachid est à présent le gérant du fondouk, lequel abrite une fumerie (1-2). Dans les effluves d'herbe, il développe pour un écrivain un entrelacs de récits qui remontent jusqu'à l'antique Numidie et à la défaite de Jugurtha (3-12).

V. Lakhdar et Mustapha grandissent dans la campagne des environs de Sétif (1-8), puis poursuivent leur scolarité au lycée de la ville (9-10). Mustapha, qui a dénoncé la colonisation dans une dissertation, est exclu huit jours (11-12).

VI. Mustapha et Lakhdar participent aux événements du 8 mai 1945 (1-2). Mustapha est arrêté (3-4). Les quatre amis convergent vers Bône où ils se découvrent tous amoureux de Nedjma (5-12). S'ensuit une nuit de confusion dans la villa de Nedjma, au cours de laquelle Lakhdar, jaloux d'une photo de soldat qui sort du sac de la jeune femme, l'enferme au salon avec Mustapha, qu'il a pris pour Mourad (1-4). Les quatre amis partent ensuite se faire embaucher comme manœuvres (5-7). Lakhdar est emprisonné (8). Ses trois compagnons se dispersent (9-12).

J. Déjeux et L. Pinhas (synopsis)

KESSEL Joseph

(1898-1979)

Né à Clara, en Argentine, de parents russes, Kessel passe son enfance tantôt chez ses grands-parents maternels, au pied de l'Oural, tantôt dans le Lot-et-Garonne, où son père, médecin, et sa mère se sont installés. Après avoir fréquenté le lycée russe d'Orenbourg, puis le lycée de Nice, il poursuit en 1914 ses études au lycée Louis-le-Grand, à Paris. Mais il est déjà tenté par le journalisme et, la même année, devient rédacteur au *Journal des débats*. Il obtient ensuite (1915) une licence de lettres classiques à la Sorbonne, devient élève au Conservatoire d'art dramatique, puis acteur à l'Odéon. La guerre interrompt tous ses projets de carrière ; en 1916, Kessel s'engage dans l'aviation, participant, avec le grade de lieutenant, à de dangereuses missions de combat et de reconnaissance. Après la fin des hostilités, le journalisme et la littérature vont occuper son existence : les voyages se succèdent, qui formeront la matière de ses livres. La Seconde Guerre mondiale suspend ces activités : après avoir participé, en 1936, à la guerre d'Espagne, après être devenu correspondant de guerre en 1940, Kessel entre en 1941 dans la Résistance française ; puis, passant clandestinement en Angleterre – où il compose, avec Maurice Druon, les paroles du *Chant des partisans* –, il effectue, de nouveau dans l'aviation, des missions spéciales en France. La guerre terminée, voyages, reportages et romans reprennent. L'œuvre littéraire de Kessel sera souvent mise à l'honneur et couronnée – notamment en 1959 par le prix du Prince Pierre de Monaco ; l'écrivain sera élu à l'Académie française en 1963.

Jusqu'à sa mort, Kessel ne cessera donc de faire cohabiter littérature et action ; attitude sans doute caractéristique de toute une génération d'écrivains qui, de Saint-Exupéry à Malraux, ont tenté de faire du roman l'« expression privilégiée » de l'aventure « vécue ». Tous les livres de Kessel reposent sur des expériences personnelles, qu'ils décrivent les combats aériens des premiers avions (*l'Équipage,* 1923), les révoltes irlandaises (*Mary de Cork,* 1925), la naissance du cinéma américain (*Hollywood, ville mirage,* 1936), les luttes de la Résistance (*l'Armée des ombres,* 1946), le Kenya (*le Lion,* 1958), l'Afghanistan (*les Cavaliers,* 1967), ou le milieu des truands parisiens (*Nuits de Montmartre,* 1932).

Au milieu de ces « témoignages » émergent des personnages au statut incertain, qui, sans toujours correspondre aux figures traditionnelles de l'aventurier, vivent en marge de la société « normale » ; d'où peut-être la prédilection de Kessel pour les peuples nomades, comme les Masaï du Kenya : « Personne au monde n'était aussi riche qu'eux, justement parce qu'ils ne possédaient rien et ne désiraient pas davantage » (*le Lion*). Mais l'errance n'est pas seulement une caractéristique ethnique ; c'est souvent un trait de psychologie qui fait des héros de Kessel des aventuriers : un même besoin d'espace unit les aviateurs de *l'Équipage* et le cavalier afghan Ouroz. Les passions « anormales » accentuent encore cette marginalisation : Patricia, la petite fille du *Lion,* cesse d'être une enfant « comme les autres », par l'amour excessif qu'elle voue à son fauve – substitut inconscient de son père. De même, Séverine, l'héroïne de *Belle de jour* (1928), qui mène la trop tranquille et bourgeoise existence de femme de médecin, éprouve le désir animal de se prostituer : « Déjà il y avait communication entre le monde ordonné où elle avait toujours vécu et celui qui s'était ouvert à elle sous la poussée d'un instinct dont elle hésitait à mesurer le pouvoir ». Vivre dans l'insécurité et le mystère, c'est éviter la redoutable stabilité du quotidien ; les personnages de Kessel communient avec le monde par le mouvement de désirs et d'instincts que l'auteur juge éternels. Continuer d'être « le premier, le seul à courir sans autre but que sa course » définit la philosophie d'Ouroz, dans *les Cavaliers,* comme celle de Kessel ; la démesure devient un mode de vie qui permet de transcender les règles formelles et sclérosantes de toute société constituée.

Le choc inévitable entre l'individu solitaire, livré à ses passions, et les structures sociales est souvent exprimé par une écriture très mélodramatique ; Kessel, qui allie dans ses descriptions le lyrisme au style lapidaire du reportage, recourt aussi à l'analyse psychologique traditionnelle pour évoquer la dangereuse grandeur de ses personnages ; il peint alors des amitiés « viriles » confrontées à l'amour hétérosexuel exclusif (*le Coup de grâce,* 1931 ; *l'Équipage*), ou des conflits entre la raison familiale et les excès du désir (*le Lion, Belle de jour*). Kessel, évitant les nuances, entend faire saisir au lecteur les lignes de force conflictuelles qui opposent les personnages. Parfois, au-delà des stéréotypes, de telles scènes transforment les héros en figures mythiques : dans *le Coup de grâce,* Hippolyte, comme son nom d'amazone le signale, incarne tout à la fois l'ambiguïté sexuelle, la vie dangereuse, l'errance loin de la cité des hommes.

Tous les reportages que paraissent être les romans de Kessel constituent, en fait, les fragments complémentaires d'une épopée humaniste ; à travers la complexité des situations ou des événements, Kessel confronte l'être humain à l'espace et au temps, cherche à préciser sa place dans l'ordre du monde. Par ailleurs, l'écrivain s'intéresse peu à l'histoire et à l'évolution des sociétés, dans la mesure où il ne pense pas que celles-ci puissent modifier un comportement humain fondamentalement instinctif ; d'œuvre en œuvre, il souligne la part essentielle occupée par le mystère dans la conscience de l'homme. « Le héros national, c'est le clandestin, c'est l'homme dans l'illégalité », écrit-il dans *l'Armée des ombres* : ce n'est pas là une simple remarque de reporter ; cet aphorisme symbolise, en fait, son idéal de l'« Homme » : un être solitaire, recherchant la liberté et le dépassement de soi dans l'action, la guerre, le voyage ou la fraternité ; par là, l'œuvre de Kessel prolonge sans doute, en plein XXe siècle, les mythes romantiques du héros.

J.-P. Damour

KLINGSOR Tristan

Pseudonyme de ***Léon Leclère*** *(1874-1966)*

Poète mais aussi musicien de talent, peintre et critique d'art, Tristan Klingsor est né à La Chapelle-aux-Pots (dans l'Oise). Son père, ancien ingénieur devenu fermier, l'envoie au collège à Beauvais. Après le baccalauréat, il passe quatre ans dans l'armée, et, lorsqu'il s'agit de trouver un emploi, il se présente à un concours de la Ville de Paris (1895) : il y sera d'abord chargé de choisir les livres destinés aux bibliothèques municipales ; lassé de ce travail, il changera ensuite de service, mais restera à l'Hôtel de Ville, et pour longtemps. Ses premières admirations, dès sa jeunesse, vont à Nerval et, surtout, à Aloysius Bertrand, un auteur rare à l'époque et dont il recopie religieusement le *Gaspard de la Nuit*. Il n'a pas vingt ans qu'il a déjà obtenu un prix au concours poétique de *la Plume* : à cette occasion, il s'est d'ailleurs choisi son pseudonyme, à la fois brillant, médiéval et wagnérien.

En 1894, il fonde avec des amis la revue des *Ibis*, où il publie ses auteurs préférés, des étrangers souvent, mais aussi des Français comme le jeune André Gide. La suite de sa carrière sera rythmée par la publication de nombreux recueils où l'inspiration symboliste du départ s'épure progressivement et devient plus personnelle : il sera d'ailleurs l'un des maîtres de ces « fantaisistes » qui apparaissent peu avant 1914. Édités en 1892 et 1894, ses premiers poèmes sont assez « orthodoxes » ; ce sont deux triptyques, *le Triptyque des Châtelaines* et *le Triptyque à la Marguerite*, où l'on retrouve des thèmes d'époque : un Moyen Âge de rêve, enchanté par des silhouettes féminines qu'on retrouve dans les *Filles-Fleurs* (1895). Suivront, parmi bien d'autres, *Squelettes fleuris* (1897), *l'Escarpolette* (1899), *le Livre d'esquisses* (1902) – entre-temps, Klingsor a dirigé la troisième série de *la Vogue* –, *Schéhérazade* (1903), *Humoresques* (1921), *l'Escarbille d'or* (1922) et les *Poèmes du brugnon* (1932). Parmi les derniers recueils qu'il publia, on peut évoquer aussi les *Cinquante Sonnets du dormeur éveillé* (1949) ou *le Tambour voilé* (1960).

Une vie longue et féconde, donc, et une poésie qui jamais ne paraît vieille ou dépassée. Même sa période symboliste échappe aux poncifs de l'école, aux atmosphères vénéneuses ou languides. Bien sûr, on y retrouve ce que Klingsor appelle, dans un article écrit pour Léon Vérane, « le vieux trésor des légendes », « leurs personnages fabuleux et familiers » : des filles-fleurs, des lutins, des gnomes à grelots, des fées et aussi l'enchanteur en personne :

> *Je suis Klingsor, le roi des magiciens,*
> *Je sais tous les sortilèges de demain.*

Le Moyen Âge offre naturellement tous les charmes d'une époque différente, fascinante, parée de cette étrangeté sans laquelle, selon Klingsor, il n'est pas de beauté parfaite. La musique du vers lui-même participe à cette impression, qu'il s'agisse du vers de onze syllabes, d'abord employé, ou du vers libre.

Et, dans l'espace, l'Orient tient le même rôle : d'où les jardins persans, les khalifes, les muezzins, Schéhérazade. On comprend aussi que Klingsor, amateur d'Omar Khâyyam, en ait transposé les poèmes : les mirages orientaux font partie de ces sortilèges auxquels succombent les enfants. Car certains textes de l'ensorceleur ont tout de la comptine, à la fois drôle et parfois étrange. En fait, cette poésie est plus ambitieuse qu'il n'y paraît : elle prend possession du monde, le dérègle et, avec humour, le recrée, décelant un univers en chaque objet (on a rapproché des textes de Ponge certaines pages du *Livre d'esquisses*). Chez Klingsor, l'écriture n'est pas une fiction plaisante, elle repose sur l'idée que le poème a de vrais pouvoirs – ceux, peut-être, d'une formule magique.

A. Preiss

KLOSSOWSKI Pierre

(1905-2001)

Pierre Klossowski est arrivé à la littérature tardivement et par d'étranges voies. Né à Paris, élevé dans une famille d'artistes (son père, peintre et historien d'art, est un ami de Gide et de Rilke ; son frère sera le peintre Balthus), il se tourne d'abord vers des études de théologie, passe par le noviciat des dominicains avant de retourner, en 1945, à la vie laïque. Deux ans plus tard, il publie *Sade, mon prochain*... Ce revirement à parfum de scandale illustre et résume la personnalité ambiguë de Klossowski, catholique fasciné par l'hérésie, et pour qui, comme chez Bataille, les ardeurs érotiques se confondent avec la passion mystique.

Il a quarante-cinq ans lorsque paraît son premier roman, *la Vocation suspendue* : ce titre semblerait annoncer une autobiographie si l'auteur ne se masquait derrière l'illustration, souvent aride, de deux tendances qui se disputent le pouvoir au sein de l'Église.

Mais le plus important de son œuvre est contenu dans la trilogie des *Lois de l'hospitalité*, qui commence en 1954 avec *Roberte ce soir*, se poursuit par *la Révocation de l'édit de Nantes* (1959) et se clôt sur *le Souffleur* (1960). Elle a pour cadre la haute bourgeoisie parisienne, où Roberte pratique assidûment les « lois de l'hospitalité », c'est-à-dire se livre, avec complaisance et sous les yeux de son mari, aux hôtes de passage... Dans *Roberte ce soir*, la question est de savoir si elle débauchera son neveu, qui vit sous le même toit.

En contrepoint de cette trame, qui pourrait être bouffonne, se mêlent les discussions et remarques d'ordre théologique, que le profane ne saisira pas toujours. En fait, Roberte s'applique à briser consciemment tous les obstacles à ce qu'elle vit comme son « progrès ». Les débordements du corps ne lui arrachent aucun soupir, aucune faiblesse ; elle parcourt le champ des perversions sexuelles sans émotion ni remords.

Avec *la Révocation de l'édit de Nantes*, les personnages s'étoffent : Roberte est député radical (et... membre de la commission de Censure), pendant qu'Octave, son mari, analyse les toiles d'un peintre pompier du nom de Tonnerre, qu'il imagine reconstituer sous forme de « tableaux vivants ». Ce que dit Octave de ces tableaux pourrait s'appliquer au livre : « Nous assistons à d'interminables expropriations du corps d'autrui, comme aussi à une complicité naissante de la femme avec une image de soi-même qu'elle a passé des années peut-être à combattre. »

L'expropriation du corps d'autrui est le principe sadien par excellence. Pour ce qui est de son corps à elle, Roberte ne cherche rien qui soit de l'ordre de l'épanouissement : elle semble plutôt désirer qu'il s'anéantisse. « Le sentiment de son corps, auquel la femme est plus intimement inhérente que l'homme, fait aussi qu'elle atteint plus sûrement à la mort des sens que l'ascète ; plus de corps, plus d'âme ; la mort parfaite ; néant avec lequel nous avons cependant un rapport presque doux, et tendre ; notre néant est aussi *chaud* que notre corps. »

Peu prolixe en publications, Klossowski devait donner une nouvelle, *le Bain de Diane* (1956), puis, en 1965, un autre roman, *le Baphomet*, scènes de magie dans le cadre d'une commanderie de l'ordre des Templiers. On lui doit aussi *Un si funeste désir* (1963), *la Monnaie vivante* (1970), ouvrage abondamment illustré par ses peintres de prédilection (notamment Bellmer), *la Ressemblance* (1984), un recueil d'articles, *Tableaux vivants* (2001), un ensemble d'essais critiques publiés de 1936 à 1983, et diverses études sur Nietzsche, qu'il n'a cessé de commenter (*Nietzsche et le cercle vicieux*, 1969) ou de traduire (*le Gai Savoir*, 1973). Mais c'est surtout au dessin, souvent suscité par les fictions littéraires, que l'auteur de *Roberte ce soir* consacre, depuis plus de vingt ans, l'essentiel de son activité.

La langue de Klossowski ne trahit aucune influence contemporaine. Ennemi de tout lyrisme, il possède, comme Sade, l'art d'enchâsser les représentations sexuelles les plus audacieuses dans des phrases impeccablement maîtrisées comme des exemples grammaticaux. Il faudrait souligner aussi ce que doit la beauté de cette langue à la pratique du latin ; Klossowski a beaucoup traduit Suétone, Virgile, Augustin, et ne se prive pas de les citer.

Pourtant, le personnage n'est pas si anachronique qu'il y paraît. En témoigne la facilité de son adaptation dans un domaine où personne ne l'attendait, le cinéma. Deux films où il a pris une part directe s'inspirent avec quelque réussite des *Lois de l'hospitalité*. Le thème des « tableaux vivants » apparaît dans *l'Hypothèse du tableau volé* (film de R. Ruiz, 1978), où l'on retrouve le peintre pompier Tonnerre, tandis que le protagoniste conduit comme une enquête la reconstitution des liens qui unissent six toiles, en prenant pour hypothèse que la septième aurait été volée ; la quête érotique est mise en images dans *Roberte* (film de P. Zucca, 1978, tiré de *la Révocation de l'édit de Nantes*), où Klossowski joue lui-même, non sans humour, le rôle d'Octave, soulevant de temps à autre une tenture pour surveiller les ébats d'alcôve de son épouse... L'humour, on l'aura compris, est aussi une composante de cette œuvre.

B. Visage

KLOTZ Claude *v.* CAUVIN Patrick

KOCK Paul de

(1794-1871)

Paul de Kock était le fils d'un banquier hollandais vivant à Paris et qui fut exécuté sur l'échafaud. Cause ou non ? Le fils fut farouchement opposé à la Révolution française et diffusa toujours une idéologie « réactionnaire ». Ses débuts littéraires se situent dans les années 1820 ; sa vogue déborde sur le second Empire ; vers 1855-1860, elle se tarit et son public se tourne vers les œuvres, à vrai dire moins frénétiques, de son fils, Henri de Kock. Dans la période qui va de 1820 à 1860, Paul de Kock livrera au public une moyenne de six volumes romanesques par an – sans compter les pièces de théâtre souvent extraites de ses romans, non plus que sept drames, quatre opéras-comiques et quarante vaudevilles. Les romans ont été par excellence « romans de la portière » – la portière, représentante privilégiée de ce public. En 1812, à dix-huit ans, il édite à ses frais son premier roman, au titre provocant : *l'Enfant de ma femme*, en trois volumes. Aussitôt après, il donne successivement cinq mélodrames à l'Ambigu-Comique. Puis des vaudevilles : *Monsieur Mouton* (1818), *Monsieur Grainedelin ou le Jour de noce* (1820), *Georgette ou la Nièce du tabellion* (1820, grand succès), *Sœur Anne* (1825). Puis des opéras-comiques : *Une nuit au château* (1818), *le Muletier* (1823), etc. Il revient ensuite au roman ; se succèdent, entre autres : *Gustave ou le Mauvais Sujet* (1821), *Monsieur Dupont* (1824, 4 volumes), *André le Savoyard* (1825), *Un tourlourou* (1837), etc. ; des nouvelles aussi.

Stéréotypes en tout genre

Cette fécondité ne pouvait aller sans le recours à des stéréotypes très déterminés et indéfiniment répétés. Le critique du *Figaro*, Bernard Jouvin, écrivait : « Doit-on dire le roman ou les romans de Paul de Kock ? ». Si on rapproche, dit-il encore, « les types, les personnages, les procédés », les effets et l'action sont calculés pour que tout se résolve doucement dans le sang. Les romans de Paul de Kock sont des histoires sentimentales compliquées, mais sauvées par un comique diffus, par une gaieté facile. Une de ses aventures favorites est l'amour, et l'amour dans la ville ; mais cet amour est réduit aux petits adultères d'une petite bourgeoisie (en 1825, il publie, en 4 volumes, *le Mari, la Femme et l'Amant* ; en 1831, *le Cocu*). Une grivoiserie épidermique, facile et bien « française », qui donne un roman non comique, mais à demi gai ; non érotique, mais semi-égrillard ; urbain sans drame urbain véritable. Peut-être le roman du « Français moyen » d'alors : la lecture de Paul de Kock nous invite à reprendre cette notion moderne. Beaucoup de titres féminins, souvent à clins d'œil au lecteur (« vous voyez, lecteur ! ») : *la Laitière de Montfermeil* (1827, 5 volumes), *la Pucelle de Belleville* (1834), *la Jolie Fille du faubourg* (1840), *Une gaillarde* (1849, 6 volumes), *Cerisette* (1850, 6 volumes), *Une femme à trois visages* (1859), *la Fille aux trois jupons* (1863), *la Dame aux trois corsets* (1865). Les femmes favorites du romancier sont, de loin, les grisettes, les ouvrières, les laitières, puis les employées de maison ; enfin des personnages-spectacles au statut ambigu : les actrices... Les personnages masculins correspondants, formant une sorte de ligne parallèle, sont composés de commis, de boutiquiers, d'artisans, de concierges ; quelques bourgeois enrichis, idiots et ventrus ; une moyenne, là encore, une petite bourgeoisie qu'on peut croiser dans la rue. Leurs petites aventures ? Quelques titres suffisent à en révéler la hauteur : *l'Homme aux trois culottes ou la République, l'Empire et la Restauration* (1840), *l'Amoureux transi* (1843), *Physiologie de l'homme marié* (1841). Les « drames » de la rue oscillent entre les imprévus de l'adultère et l'accident (chute d'une cheminée, chien méchant, etc.) ; les drames sont aussi volontiers des « drames familiaux » (*la Famille Fanfreluche*, vaudeville, 1840 ; *Monsieur Choublanc à la recherche de sa femme*, 1856).

Dans *Édouard et sa cousine* (1835-1836), le récit offre un bréviaire moral de la conduite féminine : dévouement, sacrifice, patience, économie. Les mères ont heureusement éduqué ainsi leurs filles, qui deviendront de bonnes mères. Ainsi se fait et se transmet la tradition. L'adultère est la rupture du « devoir », l'accroc au tissu familial, qu'on relativise par le rire, mais qu'on impute à la femme ; le corps féminin est à protéger et à calfeutrer ; le vêtement féminin est, chez Paul de Kock, souvent l'occasion simultanée de morale et de « gaîté » ; morale quotidienne à maintenir, « gaîté » de demi-voyeur : *la Pucelle de Belleville* met en scène la jeune Virginie, qui montre sa cuisse (un insecte l'a piquée) mais se voit interdire par sa grand-tante de prononcer le mot « cuisse » : « Dites... le fémur, ce sera plus décent ». Bref, le rire qui s'attache aux ouvrages de Paul de Kock est un produit social, historique, relatif, dépendant d'un état d'esprit dominant dans la classe moyenne, à une époque donnée. La Femme est toujours une propriété, mais une propriété infiniment plus fragile que la propriété foncière : elle doit être entourée de morale, mais cette morale est dissimulée derrière un art du discours « gai » et faussement « pudique », pour classes moyennes. *La Jolie Fille du faubourg* (1840) est d'une autre veine : c'est une sorte de « roman judiciaire » (comme on dira une vingtaine d'années plus tard) ; une erreur judiciaire s'est produite : l'originalité de l'œuvre – si l'on peut dire –, c'est qu'une femme en est la victime, du reste fille d'un condamné à mort ; elle ne peut donc être aimée du bon héros, défini comme tel dès le début. Ainsi le récit est tissé à partir de trois personnages clés : l'innocent (ici une femme), un coupable (et persécuteur), un bienfaiteur ou vengeur, le héros. Le schéma du triangle se retrouve dans *la Maison blanche* (1840) : une héroïne encore, un bienfaiteur, un persécuteur. L'anecdote : un employé de bureau, venu en Auvergne pour hériter d'un château inattendu, rencontre une orpheline, chevrière de son état ; il l'aime, mais bientôt elle disparaît, car « elle a son mystère ». Le récit est ici la quête de l'identité d'une femme ; or, elle est « fille naturelle », comme on disait : elle ignore elle-même son identité ; elle la cherche, elle la retrouve et tue son père, un vagabond, ce qui rend le meurtre plus véniel. Fausse catastrophe : tout s'arrange.

Une idéologie « consolante »

On voit que Paul de Kock s'efforce déjà d'offrir au « peuple » des images du « peuple ». Un peuple de petite bourgeoisie se reconnaît ainsi dans des personnages et des aventures qui ne comportent qu'un léger décalage avec la vie quotidienne des lecteurs. Le roman *Sans cravate ou les Commissionnaires* (1844 ; le titre associe un objet vestimentaire, absent, et un métier des rues) dépeignait ou était censé dépeindre des quartiers populaires, des métiers de brodeuses et de grisettes ; dans ce milieu donné, une petite destinée de fille séduite, sœur du héros ; une quête d'identité encore (avec une vraie « croix de ma mère », inscrite sur la peau). On trouve même ici un prolétaire, dont le vrai nom – noble – est « Paul de Saint-Cloud ». Un roman d'ouvriers, en un sens : leurs amours, leurs misères, leurs cabarets, l'alcool qui les mine. Le stéréotype de l'ouvrier a encore de belles années devant lui. La Ville est une ville dévorante : ce n'est pourtant pas celle d'Eugène Sue avec ses bouges ; la plus grande misère de ses rues est le cabaret, mais il n'est pas l'« assommoir » fatal. Paul de Kock dédramatise sans cesse et y prend plaisir ; il ne mélodramatise que par instants ; sa théâtralisation est toujours mesurée et dosée.

Il a aussi créé *le Millionnaire* (1857) et *la Famille Gogo* (1858) : c'est sa façon à lui de toucher à la question de l'argent. Sous le second Empire, il l'aborde carrément par le biais de la Bourse. *La Famille Gogo* est un roman construit autour du type issu du drame et du dessin de la monarchie de Juillet, repris par Daumier. M. Gogo, le bourgeois parvenu, est réinséré dans une famille partagée par le sang, par le Bien et le Mal. Encore une image offerte à la petite bourgeoisie, qui croit retrouver ses mœurs et sa morale. Paul de Kock a un manichéisme populaire, qui sépare nettement le Bien et le Mal ; mais il adoucit et estompe la dualité ; tout finit par se concilier ; le Bien, en définitive, l'emporte. Il ne fut jamais reproché à Paul de Kock de distiller dans le peuple lecteur le « socialisme », une croyance quelconque en la justice ; Paul de Kock désamorçait tout : « Paul de Kock est consolant », écrivit Chateaubriand.

C'est à partir de 1843 que Paul de Kock commence à publier des romans en feuilletons : *l'Amoureux transi*, d'abord feuilleton, occupa ensuite quatre volumes ; *l'Amant de la lune* (1847), dix volumes. Dans la seconde moitié du siècle, les romans s'étirent encore : *la Famille Braillard* (1860) ; *le Petit-Fils de Cartouche* (1864), suite des *Enfants du boulevard*, est interminable. Paul de Kock se répète encore dans *la Grande Ville* (1867). On avait vu en 1834 ses premières « œuvres complètes » : trente volumes ; en 1844, elles grossissent : cinquante-six volumes ; on ne compte plus le nombre de publications, en 1849, dans la collection des « Romans populaires illustrés »... Dans le même temps, il donne des articles, au *Musée des familles* notamment. Et il ne cesse de fournir des pièces au théâtre – seul ou en collaboration –, tirées de ses romans ou non. Citons *le Commis et la Grisette* (1834), *la Bouquetière des Champs-Élysées* (1838), *Un bal des grisettes* (1839), *le Théâtre et la Cuisine* (1844), *l'Atelier des demoiselles* (1848) et *Monsieur Gogo* (1859, 5 actes ; Frédérick Lemaître y joue Gogo, presque trente ans après avoir joué le brigand qui gruge M. Gogo dans *Robert Macaire*, grand succès de la monarchie de Juillet).

Paul de Kock a un style de transparence clairette, marqué par un rythme rapide – cela n'est pas étonnant de la part d'un auteur qui écrivait certains de ses romans en quinze jours et ne se relisait pas. Les dialogues occupent beaucoup de place ; il sait à la fois les rendre vivants et les allonger, pour en faire les instruments de cette fameuse « gaîté » que Jules Vallès, lui aussi, regrettera : « Je mentirais et je serais ingrat si je disais que Paul de Kock ne m'a pas fait rire comme, ma foi ! je ne sais plus rire. Les histoires de M. Bidois et de M. Dupont, un tas d'aventures cocasses, semées comme des pois fulminants [...] tout le long de son œuvre, des feux d'artifices révélateurs, les gymnastiques indiscrètes, les quiproquos rabelaisiens, cette bêtise, cet esprit m'ont fait passer, je m'en confesse, des quarts d'heure de gaîté folle, où la rate se dilatait sans souci de la vraisemblance et de la vertu » (*le Progrès de Lyon*, 28 décembre 1864).

R. Bellet

KOLTÈS Bernard-Marie

(1948-1989)

C'est en voyant Maria Casarès jouer *Médée* que Bernard-Marie Koltès eut la révélation du théâtre. S'il s'essaya aux récits (*la Fuite à cheval très loin dans la ville* 1976, publié en 1984) ou *Prologue* (1986, publié en 1991), c'est par l'art dramatique qu'il s'affirma. Son bref parcours est indissociable des metteurs en scène qui, très tôt, reconnurent son originalité et sa puissance, comme des acteurs pour qui, souvent, il écrivit. À l'école du Théâtre national de Strasbourg, il monte lui-même ses premiers textes. Dès 1972, *l'Héritage* est inscrit au « Nouveau répertoire d'art dramatique » de France-Culture. C'est avec *la Nuit juste avant les forêts*, créée durant l'été 1977 à Avignon, qu'éclate au grand jour son talent, ce lyrisme sobre, ce style précis, dense, cette « simplicité » qu'il rechercha toujours et que l'on retrouve dans tous ses textes.

C'est avec Patrice Chéreau, qui mit en scène quatre de ses pièces et qui interpréta même le rôle du dealer de *Dans la solitude des champs de coton* (1986), que Koltès trouva son expression définitive : ce long dialogue avec désaccords avoués a bien sûr coloré la manière dont cet univers fut reçu. Le metteur en scène et son scénographe, Richard Peduzzi, ont donné aux œuvres de magnifiques traductions scéniques, en amplifiant toutes leurs virtualités : nés de la nuit, les personnages y retournent, ils n'appellent jamais la prosaïque réalité. Peu de textes dramatiques, pourtant, auront si bien parlé d'un certain rapport au monde, fait de désenchantement et de fuite, qui marque la fin du XXe siècle. *Combat de Nègre et de chiens* (1983), *Quai Ouest* (1985), *Dans la solitude des champs de coton* sont autant d'étapes vers plus de rigueur, de fermeté, de radicalité. Koltès regretta publiquement que l'on ne comprît pas mieux la dimension ironique de son écriture, son humour : avec *le Retour au désert* (1988), il s'engagea plus directement dans la comédie. Impressionné par le trajet suicidaire d'un assassin, il s'en inspira pour *Roberto Zucco*, pièce créée après sa mort des suites du sida.

A. Héliot

KOUROUMA Ahmadou

(né en 1927)

Écrivain ivoirien d'expression française. Né à Boundiali, en Côte-d'Ivoire, il commence des études à Bamako, puis, expulsé de l'établissement qu'il fréquentait à la suite d'une grève, il doit effectuer son service militaire. Envoyé en Indochine pour avoir refusé de participer à la répression d'une manifestation, il reprend à son retour des études à Paris et à Lyon. Il travaille ensuite dans le secteur bancaire à Alger, puis à Abidjan, avant d'être exilé une vingtaine d'années à Yaoundé (Cameroun), pour ne revenir au pays qu'à la fin des années 1980.

Le succès très vif remporté par *les Soleils des indépendances* (1968), qui reçut le prix de la revue *Études françaises* de Montréal, tient d'abord à la façon dont Kourouma a su donner pleinement corps, une dizaine d'années après les indépendances, à un profond sentiment d'insatisfaction jusqu'alors latent. Le roman retrace la déchéance de Fama, un authentique prince malinké, découvrant progressivement qu'il n'a plus sa place dans la société nouvelle qui s'édifie depuis l'indépendance. L'action, qui se déroule à la fois sur le territoire de la Côte des Ébènes et sur celui de la République socialiste du Nikinaï – deux pays imaginaires –, est l'occasion pour le romancier de dénoncer au fond un même univers où règnent l'« indépendance », le « parti unique » et la « carte d'identité ». Parallèlement, Salimata, l'épouse de Fama, fait l'objet d'un portrait extrêmement fouillé, grâce auquel le romancier suggère la double exclusion dont se trouve frappée la femme, dans le contexte traditionnel comme sous les « soleils des indépendances ». La stérilité du couple pourra apparaître comme une métaphore de l'indépendance, combinée d'ailleurs avec le thème – non moins essentiel – de la « bâtardise ». Son second roman, *Monnè, outrages et défis* (1990), reprend, après un silence de près de vingt ans, le même thème, mais cette fois-ci en l'élargissant à l'histoire du pays malinké depuis un siècle, dressant une vaste fresque de la colonisation et des processus qui ont conduit à l'asservissement de tout un peuple, à travers le personnage grandiose et dérisoire de Djigui Keïta, roi de Soba. *En attendant le vote des bêtes sauvages* (1998, prix Inter) s'attache à retracer à travers les récits de griots l'aventure du dictateur Koyaga. Quant à *Allah n'est pas obligé*, que couronne le prix Renaudot de l'an 2000, il met en scène un adolescent dans une Afrique de l'Ouest (Liberia, Sierra Leone) déchirée par les guerres tribales, dont les aventures sont prétexte à jouer de tous les registres de langue. Car les romans de Kourouma – grand admirateur de ce Céline « qui a fait du français du petit peuple, des marges, le français essentiel » – innovent considérablement en ayant recours à une écriture qui transpose en français nombre de particularités linguistiques et stylistiques du bambara. Le ton est souvent celui de l'épopée, mais une épopée dérisoire, où le chanteur se trouve réduit à glorifier des personnages sans envergure, prisonniers de leurs contradictions, souvent ridicules et dépassés par les événements, mais, pour cette même raison, proches et émouvants.

Kourouma est par ailleurs l'auteur d'une pièce de théâtre, *Tougnantigui ou le Diseur de vérité*, qui a été créée à l'Institut national des arts d'Abidjan, en 1972, et valut à l'auteur vingt ans d'exil. Elle constitue, sous une forme plus symbolique, un prolongement direct de la perspective adoptée dans son premier roman.

B. Mouralis

KRÜDENER, madame de

Barbara Juliane de VIETINGHOFF, baronne de KRÜDENER

(1764-1824)

Femme de lettres russe d'expression française, Mme de Krüdener occupe une place non négligeable dans la production romanesque du début du XIXe siècle, avec sa *Valérie* (1803), dans le courant ésotérique de cette époque et dans la politique de la Sainte-Alliance.

Sa naissance à Riga, son mariage en 1781 avec un diplomate russe l'ont peut-être prédisposée à devenir l'égérie d'Alexandre Ier et à le convertir à son illuminisme : elle le persuade de devenir un homme providentiel, âme d'une coalition contre les forces du mal.

Cependant, celle qui rendait Sainte-Beuve « sentimental et à plaisir nuageux » (*Cahier vert*) nous intéresse encore par son appartenance au groupe de Coppet, son amitié avec Bernardin de Saint-Pierre, Mme Necker et Mme de Staël. Après quelques nouvelles, elle publie *Valérie,* inspirée, a-t-on dit, par une aventure de jeunesse. Les deux volumes de ce roman, qui enthousiasma le public féminin, racontent la langueur de Gustave, qui se meurt d'un amour impossible.

Par-delà un style conventionnel scandé de clichés usés jusqu'à la trame (« Ce pauvre Gustave nous manque, il est tombé dans la profonde nuit de la mort ! »), l'œuvre de Mme de Krüdener s'inscrit dans une continuité jalonnée par Werther, René et l'Amaury de Sainte-Beuve, dans une thématique romantique du mal de vivre, de l'impossibilité d'aimer, de l'inassouvissement du désir.

Roman épistolaire, *Valérie* se situe également dans la confusion progressive qui se produit entre le journal intime et le roman par lettres, confusion qui précède l'extinction de ce dernier vers 1840. Mme de Krüdener peut être comparée, de ce point de vue, à Mme de Charrière, à Mme de Souza, à Senancour ou au Nodier d'*Adèle.* [Voir aussi **Illuminisme et littérature**.]

G. Gengembre

KUNDERA Milan

(né en 1929)

Né à Brno, en Bohême, ce fils d'un éminent musicologue reçoit dès son enfance une culture très vaste et cosmopolite. Après avoir écrit quelques poèmes et un recueil de nouvelles au cours des années 1950, il stigmatise, dans *la Plaisanterie* (1967), la déliquescence du socialisme tchèque et les blocages d'une société en proie au mensonge et à la corruption. Traduit en plusieurs langues, l'ouvrage connaît un vif succès. Suit un recueil de nouvelles à la cruauté grinçante, *Risibles Amours* (1968). Devenu l'un des porte-parole de l'intelligentsia tchèque au moment du Printemps de Prague, Kundera est exclu du parti communiste par le régime issu de l'intervention soviétique. En décembre 1968, il rédige un texte intitulé « Le destin tchèque », appel vibrant à l'indépendance de sa nation qui paraît dans le dernier numéro de l'organe de l'Union des écrivains. La traduction française des romans suivants (*La vie est ailleurs*, 1973 ; *la Valse aux adieux*, 1976 ; *le Livre du rire et de l'oubli*, 1979) paraît avant le texte tchèque. Avec le même acharnement et la même ironie incisive que dans *la Plaisanterie* et *Risibles Amours*, Kundera y démonte les mécanismes d'une société kafkaïenne et dépeint en moraliste amer l'impuissance de l'individu broyé par le mouvement de l'histoire. En 1975, il s'installe en France, où il deviendra professeur à l'École des Hautes Études en sciences sociales. S'il acquiert la nationalité française en 1981, son roman suivant, *l'Insoutenable Légèreté de l'être* (1986), n'en est pas moins écrit en tchèque et a pour cadre la Tchécoslovaquie communiste. Mais les interrogations du romancier semblent quelque peu déserter le terrain politique pour se faire plus existentielles et culturelles : la déréliction de l'homme dans un monde où nul ne peut être sûr de rien, et encore moins de soi-même, devient l'un des *leitmotive* de son imaginaire romanesque et de ses essais.

Les œuvres suivantes de Kundera – trois essais : *l'Art du roman* (1986), *l'Immortalité* (1990), *les Testaments trahis* (1993), et deux courts romans : *la Lenteur* (1995 et *l'Identité* (1997) – seront écrites directement en français. La tension entre deux langues et deux cultures est pour lui un élément moteur : « La Bohême, dit-il, c'est ce qui m'a été destiné : mes racines, ma formation. La France, c'est ce que j'ai choisi : c'est ma liberté, c'est mon amour. La langue tchèque m'appelle, mais je n'obéis pas. » « Éperdument amoureux » de la langue française, selon sa propre expression, Kundera semble de plus en plus fasciné par le Siècle des Lumières, dont il admire à la fois les idéaux de tolérance et la langue en forme d'épure rigoureuse : en témoigne la pièce qu'il tire du roman de Diderot, *Jacques le Fataliste, hommage à Denis Diderot* (1981). Il n'est pas sûr, cependant, comme l'ont noté de nombreux critiques, que ce processus d'acculturation si remarquable ne se paie pas d'une déperdition imaginaire : bien loin des envolées satiriques, des digressions jubilatoires et du mordant des romans de la période tchèque, *la Lenteur* et *l'Identité* paraissent étrangement convenus, à la limite de la platitude. Kundera disait fort justement, dans *l'Art du roman*, que le meilleur de la tradition romanesque européenne consistait en une « orchestration d'ego expérimentaux ». Sans doute est-ce cette dimension expérimentale, génératrice d'effervescence et de tâtonnements, qui fait défaut aux dernières publications. L'ex-dissident est peut-être en quête d'un nouveau souffle subversif.

P. Mari

[illegible]

KRÜDENER, madame de

[illegible]

Sa naissance à Riga [illegible] fut diplomate [illegible]

[illegible]

KUNDERA (Milan)

Né [illegible] en Bohême [illegible]

[illegible]

Labé Louise

(avant 1524-1566)

Louise Labé est l'un des très rares écrivains dont la séduction et le mystère offrent à chacun – et cela même en dehors des frontières de sa langue – l'illusion qu'elle est un jardin secret dont il serait seul à posséder quelque pan. Curieux phénomène, si l'on songe que l'œuvre de la Belle Cordière (puisque c'est ainsi qu'on l'appela à Lyon, de son temps) est mince et d'une grande simplicité apparente.

Née peut-être à la Grange Blanche, un domaine que possédait sa famille aux abords de Lyon, Louise est fille d'un riche marchand cordier, Pierre Charly, dit Labé. De son éducation, on sait ce qu'elle nous en dit : qu'elle brodait bien, et que, telle une héroïne de l'Arioste, elle savait

> *En armes, fière, aller*
> *Porter la lance et bois faire voler,*
> *Le devoir faire en l'estour furieus,*
> *Piquer, volter le cheval glorieus...*

Il est possible qu'en compagnie de son frère maître d'armes elle ait participé à un tournoi, en 1542, devant le futur Henri II, qui montrera une évidente complaisance dans le privilège qu'il accordera plus tard à son œuvre. Maintenant elle chante, accompagnée de son luth, et compose en français et en italien, langue que, comme beaucoup de Lyonnais, elle domine parfaitement ; elle connaît aussi l'espagnol. Mais elle ne fait pas pour autant figure de femme savante, et, dans ce milieu où telle dame écrit en latin et telle autre s'entoure d'instruments d'astronomie, ses choix sont tout poétiques : elle se nourrit d'auteurs italiens, depuis Pétrarque jusqu'aux derniers disciples de Bembo, dont elle fait siens les rythmes et les obsessions.

Mais Louise, qui a un sens très vif du réel, raffole de tout ce que peut lui offrir, dans une ville aussi brillante que Lyon, une société bien vivante, aux codes raffinés ; elle crée autour d'elle un petit monde d'admirateurs fidèles, qui n'hésiteront pas à lui tresser une couronne de poèmes : les *Escrits*. Sa très célèbre beauté lui vaut de nombreux amants ; elle ne les aime pas tous. Son mari, Ennemond Perrin, riche cordier lui aussi, épousé vers 1540 et mort en 1560, est une présence que seul Olivier de Magny a l'audace de moquer : méchant procédé quand on a été, comme lui, aimé avec tant de passion et de talent. Sur la route d'Italie, en effet, le poète, frais émoulu des cercles parisiens, s'éprend d'elle ; tels Sand et Musset, ils composent ensemble, et l'on voit paraître les mêmes vers ambigus dans leurs deux œuvres. De cette passion et de bien d'autres naissent les *Élégies* et les *Sonnets* de Louise, mais cela ne plaît pas au vulgaire ni aux moralisateurs : des chansons circulent, qui font d'elle une courtisane, et de Genève, Calvin la traite de *plebeia meretrix* ; il sera de bon ton, chez les historiens réformés de Lyon, de lui garder cette mauvaise réputation. Loin de tout cela, Louise ne s'inquiète que de l'absence de l'amant, et de poésie : « La récréation de l'étude laisse un contentement de soi, qui nous demeure plus longuement. Car le passé nous réjouit, et sert plus que le présent, mais les plaisirs des sentiments se perdent incontinent et ne reviennent jamais [...]. Nous retrouvons le plaisir passé qu'avons eu ou en la matière dont écrivions, ou en l'intelligence des sciences où lors étions adonnés. » Ainsi dédie-t-elle son *Débat de Folie et d'Amour* à la vertueuse Clémence de Bourges, qui se laissera mourir d'amour.

Louise, elle, meurt après avoir dicté un testament qui nous la montre entourée de ses amis italiens, toute préoccupée de remercier la fidélité de ses fermiers et serviteurs et d'offrir aux jeunes femmes voisines quelques robes neuves.

« Le plus grand plaisir qui soit après amour, c'est d'en parler » : tel est bien le mobile qui lui fait écrire cette petite merveille en prose, le *Débat de Folie et d'Amour*, qui paraît dans la gerbe de ses *Œuvres* de 1555. Ce n'est pourtant pas un chef-d'œuvre de composition : quatre discours inégaux, dont le dernier – deux longs monologues des dieux Apollon et Mercure – mange tout. Elle semble avoir pris son sujet un peu à tout le monde, aux traités italiens sur l'amour de Bembo ou d'Ebreo, à l'*Éloge de la folie* d'Érasme, aux *Contes de Cupido et d'Atropos* de Lemaire de Belges, à tous les poèmes qui affrontent l'amour à la mort ou l'amour à la haine. Quoi de plus banal, en effet, que l'idée de mettre en présence Amour et Folie, se disputant la préséance avec tant de vigueur que Folie en crève les yeux d'Amour, puis panse sa blessure d'un bandeau que l'on ne pourra plus arracher ? Vénus se lamente : Amour ne verra plus sa beauté ; et puis il accouplera les vieux avec les jeunes, les beaux avec les laids, les nobles avec les vilains. Apollon prend la défense d'Amour, Mercure celle de Folie. Jupiter tranche dans l'ambiguïté, comme le dira très bien La Fontaine, qui récrira à sa manière ce petit dialogue d'humour :

> *Le résultat enfin de la suprême cour*
> *Fut de condamner la Folie*
> *À servir de guide à l'Amour.*

En fait, sous la procédure contradictoire, les points de vue sont les mêmes ; Apollon, comme Mercure, fait l'éloge des conduites humaines et justifie la présence de l'amour dans la société ; puisque, de toute manière, amour est fou, on le loue comme le puissant moteur de toutes les séductions, de tous les raffinements, des modes (Louise écrit sur le vêtement les plus belles pages que l'on puisse alors imaginer). L'originalité de Louise est d'avoir pour la première fois allié l'amour et le rire : le mélancolique, dans le *Débat,* c'est l'homme solitaire et sans amour, le « loup-garou ». Pas de complaisance pour le tragique, chez elle. Cela n'étonnera que ceux qui n'interprètent pas en termes de vie la mort sensuelle qu'elle appelle dans sa poésie.

Outre le *Débat de Folie et d'Amour,* trois élégies à l'ancienne mode (marotique) et vingt-quatre sonnets à la nouvelle (celle de Du Bellay, de Ronsard, et de l'ami plus proche, Tyard) ont suffi pour immortaliser le nom de Louise Labé. C'est un peu un mystère d'écriture, tant celle-ci est simple, musicale comme celle des plus grands. Les érudits peuvent s'acharner à lui trouver des modèles italiens et français : Louise leur échappe. On croit à du laisser-aller, et on s'aperçoit que rien n'est plus construit que le sonnet « Tant que mes yeux pourront larmes espandre/À l'heur passé avec toi regretter... ».

On ne sait pas davantage pourquoi ses poèmes nous semblent les plus érotiques d'un siècle qui, pourtant, s'y connaissait bien. Car les audaces et les langueurs ne sont ici le fait d'aucune recherche apparente, d'aucune impudeur travaillée. Les mots, les images sont depuis longtemps usés ; les rythmes, si parfaitement équilibrés, ne laissent place qu'à des soupirs et des questions depuis longtemps répétés par tous les poètes.

En fait, cette poésie contenue fait rêver. La leçon finale de celle qui a tant réfléchi sur l'amour est de lui préserver son dangereux mystère.

Ne reprenez, Dames, si j'ay aymé,
Si j'ay senti mile torches ardentes [...].
Mais estimez qu'Amour [...]
Pourra, s'il veut, plus vous rendre amoureuses,
En ayant moins que moy d'occasion,
Et plus d'estrange et forte passion.
Et gardez vous d'estre plus malheureuses.

M. M. Fontaine

LABICHE Eugène

(1815-1888)

Auteur de cent soixante-treize comédies et vaudevilles entre 1837 et 1877, Labiche « devait être le rire de la bourgeoisie française pendant plus d'un quart de siècle » (Zola, *Nos auteurs dramatiques,* 1881). C'est dire le nécessaire conformisme de son théâtre. Mais son génie est d'avoir compris, comme Flaubert et à la différence de pseudo-moralistes comme Augier ou Dumas fils, qu'un groupe social se définit par son langage autant que par ses mœurs ; surtout lorsqu'il s'agit de la pontifiante bourgeoisie du second Empire. D'où, ici, la particulière pertinence de la forme théâtrale, et la modernité d'un discours coupé du réel dont l'absurde annonce parfois Vitrac ou Ionesco : « Ce n'est pas pour me vanter, mais il fait joliment chaud aujourd'hui ! » (*Vingt-Neuf Degrés à l'ombre.*)

Un bourgeois organisé

La jeunesse d'Eugène Labiche est celle d'un bourgeois de la seconde génération, qu'un patrimoine fraîchement accumulé autorise à des activités désormais « libérales » : né à Paris, fils d'un industriel en sirop et fécule, il fait ses études au collège Bourbon, satisfait au rituel romantique du voyage en Italie et en Suisse (1834), prépare sa licence en droit, tâte du journalisme et de la critique dramatique à la *Revue du théâtre.* Mais cet aimable dilettante va devenir bientôt un travailleur acharné. On ne sait rien de sa première pièce, *la Cuvette d'eau* (1837). L'année suivante, il donne au Palais-Royal *Monsieur de Coyllin ou l'Homme infiniment poli.* D'emblée, il s'est adjoint des collaborateurs : Auguste Lefranc, Marc-Michel, les premiers d'une longue série d'auteurs mineurs qui grâce à lui connaîtront la gloire, Alfred Delacour, Adolphe Choler, Édouard Martin. Seuls parmi eux Anicet-Bourgeois, coauteur de *l'Avare en gants jaunes* (1858), et Émile Augier (pour *le Prix Martin,* 1876) possèdent encore un semblant de notoriété propre... Peut-être cette méthode de travail doit-elle plus à une réelle modestie – Labiche semble affecté d'une sorte de complexe d'infériorité face à la « grande » comédie – qu'à une impuissance devant l'effort solitaire ; car il écrira seul l'une de ses meilleures comédies, *Vingt-Neuf Degrés à l'ombre* (1873). Sans doute aussi est-il guidé par un souci d'efficacité : dans ses grandes années, Labiche signe couramment une demi-douzaine de productions. En 1851, avec *Un chapeau de paille d'Italie,* il donne cinq autres pièces ; de même en 1860, pour accompagner *le Voyage de Monsieur Perrichon.* L'année 1864 est une cuvée exceptionnelle : *la Cagnotte, Moi, Un mari qui lance sa femme, le Point de mire,* joués respectivement au Palais-Royal, à la Comédie-Française, au Gymnase. Car l'auteur connaît bien son ou ses publics ; ici, des amateurs de comédie de mœurs ou de caractères, là, de vaudeville : « Soyons gymnase ! » dit le héros d'un vaudeville... joué au Palais-Royal (*l'Avocat pédicure,* 1848). Il choisit aussi avec soin ses comédiens : les « bouffons » Grassot ou Hyacinthe, Geoffroy spécialisé dans les rôles de père de famille ; « Geoffroy, c'était le Bourgeois », dit Sarcey qui s'y connaissait. Une présence plus inattendue, celle de Sarah Bernhardt à vingt ans dans *Un mari qui lance sa femme* (rôle de Douchinka).

Ce critique acéré mais jovial de la morale bourgeoise n'est pourtant pas un révolutionnaire : le conformisme ne prête à rire, à ce rire-là, qu'autant que l'ordre règne. Un ordre politique : candidat malheureux à la députation en 1848, Labiche règle ses comptes à l'agitation quarante-huitarde dans *le Club champenois.* Un ordre de langage et d'écriture : *Deux Papas très bien* (1844) s'en prend à l'argot à la mode et dans *les Précieux* (1855) il attaque avec cruauté au nom d'un

« bon sens » à la Ponsard les romantiques attardés, en leur opposant comme modèle... Paul de Kock !

Maire de Souvigny en Sologne où il possède un château bien gagné, Labiche s'y retire pendant la guerre de 1870. En 1877, après l'échec de *la Clé,* il cesse d'écrire pour la scène et prépare la publication de son *Théâtre complet* (1878-1879), ne retenant que cinquante-sept pièces : moins du tiers de sa production. Entré à l'Académie française en 1879, il se partage entre la Sologne et Paris où ses chefs-d'œuvre sont repris triomphalement. Il meurt à Paris âgé de soixante-treize ans.

Chacun à sa place

Malgré une certaine diversité sociale de surface, le théâtre de Labiche trouve son unité et sa véritable drôlerie dans la description d'un type humain précis : le bourgeois. Non plus le travailleur vertueux du XVIIIe siècle, mais le rentier ; personnage essentiellement théâtral pour qui la grande affaire n'est plus de produire des biens mais des phrases (le fils du commerçant enrichi devient avocat : *la Poudre aux yeux,* 1861, *Un pied dans le crime,* 1866, etc.), ni d'amasser un patrimoine mais de le transmettre. D'où une stratégie du beau mariage... et de l'adultère, à la fois interdit et toléré, culpabilisant et prenant en charge les résistances du moi face à la contrainte sociale. Tout est prêt pour cent ans de théâtre de boulevard : « Je me trouve seul, sans armes, en face d'une affreuse jeune fille de dix-huit ans... une peau éblouissante ! des yeux noirs et des sourcils à vous manger l'âme ! Je ne sais ce qui se passe en moi... » (*Un garçon de chez Véry,* 1850.)

Jusqu'où ne pas aller trop loin ? Car ce rentier oisif, affranchi de toute servitude économique, dispose désormais d'une dangereuse liberté, et Labiche entreprend de lui faire peur ; non par des catastrophes à la Dumas fils, mais par le ridicule : le bourgeois quittant sa place quitte aussi la réalité pour la scène, le vivant pour le mécanique (témoin l'importance de Labiche dans *le Rire* de Bergson, 1900). D'où l'omniprésence d'un thème : celui du voyage. Voyage réel, tout d'abord, qui conduit l'individu à sortir de son lieu « naturel » de vie et d'épanouissement pour se retrouver les quatre fers en l'air dans une crevasse de la mer de Glace : « Des carrossiers qui vont en Suisse ! Quel siècle ! » (*le Voyage de Monsieur Perrichon*). Mais aussi dans *Maman Sabouleux* (1852), des Parisiens qui vont à la campagne ; dans *la Cagnotte,* des provinciaux qui se rendent à Paris. Plus lourd de conséquences est le voyage « social », par quoi le bourgeois sort de sa condition : par le bas, en nouant des liaisons ancillaires comme *Edgard et sa bonne* (1852) ou Alzéador du Loiret dans ce *Voyage autour de ma marmite* (1859), au titre symbolique ; ou vers le haut, en affichant une situation de fortune qu'il n'a pas (*la Poudre aux yeux*), en recherchant pour ses filles des partis trop élégants (*Un mari qui lance sa femme*) ou trop riches (*le Point de mire*). Le ton ici se fait plus âpre, comme si la tentation était plus grande, et la comédie frôle parfois le drame. Labiche dénonce le cynisme de mères prêtes à tout pour décrocher le gros lot : « Quand on a une fille à marier, il n'y a plus d'amis » (*le Point de mire*), de parents sacrifiant froidement leurs enfants : « Nous nous sommes dit : Célimare n'est pas jeune, Célimare n'est pas beau ; mais la jeunesse, la beauté, ça passe, tandis que quarante mille livres de rente, quand on a de l'ordre, ça reste ! » (*Célimare le bien-aimé,* 1863). En revanche, il est admis qu'un jeune homme de bonne famille appâte des grisettes en leur promettant le mariage, à condition de rompre définitivement au moment de se ranger (*les Marquises de la Fourchette,* 1854). Enfin, audelà du millionnaire et de la fleuriste, « points de mire » d'excursions dangereuses mais tolérées, commence le domaine de l'Autre, celui que le bourgeois n'a pas à connaître et que Labiche rejette dans le néant de la caricature : bohèmes (*les Précieux*), hobereaux (*Deux Merles blancs,* 1858), yankees excentriques (*les Trente Millions de Gladiator,* 1875), rastaquouères (*Doit-on le dire ?,* 1872), dont le rôle finalement positif consiste à venir à Paris épouser les cocottes désireuses de faire une fin : *Similia similibus...*

Ainsi l'aventure sociale se trouve-t-elle circonscrite dans d'étroites limites qui la maintiennent, à de rares exceptions près, dans le champ de la comédie : dès lors l'apologie du conformisme peut s'allier à une joyeuse liberté d'écriture prenant pour cible ce « voyageur » maladroit.

Un mobilier de famille

Comme la « commode de Victorine », titre d'une comédie de 1863, la langue bourgeoise a la pesanteur d'un mobilier de famille : elle refuse obstinément de s'adapter aux situations inattendues, au risque de paraître déplacée, contraire à ce sens commun qu'elle prétend pourtant défendre. Risque d'autant plus grand qu'elle est par essence métaphorique, conventionnelle. On ne dit pas un « cornichon », et Labiche en fait toute une pièce (*Un gros mot,* 1860), un cochon devient un... « Sainte-Menehould » (*Agénor le dangereux,* 1848). Ce qui rend ce code bourgeois inintelligible aux non-initiés. Un maître décide de marier son valet : « Mon ami, j'ai une ouverture à te faire. – Une ouverture ? où ça ? » répond l'autre (*Voyage autour de ma marmite*). Un degré de plus et les métaphores se télescopent, libérant des sens propres mutuellement incohérents : « Tu ignores les mystères de la vie parisienne ! Tu ne sais pas qu'il y a des tigres qui viennent déposer leurs œufs dans le ménage des colombes. – Mais papa, les tigres n'ont pas d'œufs. – Ces reptiles ne devraient pas en avoir, mais ils en ont » (*les Trente-Sept Sous de M. Montaudoin,* 1862). Car le bourgeois ne voit et ne dit le monde qu'au travers de clichés culturels déformants : « Je proteste au nom de la civilisation ! » lance Champbourcy emmené au poste dans *la Cagnotte* ; une érudition de potache, rappelant *la Belle Hélène* d'Offenbach (1864), vient faire irruption dans les moments les plus prosaïques : « Il boite... comme feu Vulcain » (*Un chapeau de paille d'Italie*), « Tu t'es attaché à moi... comme la ronce au tombeau de Virgile » (*On dira des bêtises,* 1853). À moins qu'à l'inverse la réalité, en l'occurrence une « grosse maman » suspectée de vouloir s'offrir un amant, ne donne au propre de la métaphore une pertinence inattendue : « Les voilà donc, ces femmes qui enveloppent la jeunesse dans leurs replis tortueux » (*la Station Champbaudet,* 1862). Mais toujours l'art de Labiche consiste à mettre cet absurde en situation : il multiplie surprises et quiproquos, tandis que de nombreux monologues et apartés témoignent de la difficulté du dialogue pour un « voyageur » empêtré dans une inutilisable langue de bois...

En ce sens, le théâtre de Labiche apparaît à la fois comme la mise en scène du *Dictionnaire des idées reçues* (« Français, le premier peuple de l'univers », Flaubert/« Adieu, France, reine des nations », Perrichon), et comme la face rose de l'absurde moderne : « Es-tu mort ? Si tu es mort, je le sentirais : rien n'est sensible comme les entrailles d'une mère » (R. Vitrac, *Victor ou les Enfants au pouvoir*). Mais ici, sous le « mécanique », le « vivant » est toujours là, ainsi qu'une formidable énergie vitale. La fossilisation du langage ne signifie pas encore celle de l'être, et *Un chapeau de paille d'Italie* est plus proche de Monnier que de Brecht, de *Joseph Prudhomme* que de *la Noce chez les petits-bourgeois*.

Un chapeau de paille d'Italie

SYNOPSIS

Jour de noces pour Fadinard, rentier parisien, qui doit épouser la fille de Nonancourt, un pépiniériste de Charentonneau. Mais la journée commence mal ; en traversant le bois de Vincennes, Fadinard a laissé son cheval dévorer le « chapeau de paille d'Italie » d'une inconnue. Celle-ci, une femme mariée, vient s'installer chez lui avec son compagnon en réclamant la restitution de l'objet, seul moyen d'éviter un drame conjugal. Surgit la noce (acte I). Cohorte de provinciaux ridicules que Fadinard traîne successivement chez une modiste qui reconnaît en lui un ancien amant alors que la noce se croit à la mairie (acte II), chez une baronne qui le prend pour un chanteur italien (acte III), enfin chez un barbon acariâtre qui n'est autre que le mari de l'inconnue : « Ce chapeau que je pourchasse depuis ce matin avec ma noce en croupe... C'est le chapeau mangé ! » (acte IV). La situation se dénoue *in extremis* lorsqu'on découvre enfin parmi les cadeaux de mariage un chapeau identique. L'infidèle Anaïs peut alors mystifier son mari, tandis que Nonancourt, de plus en plus exaspéré jusque-là, accepte de passer l'éponge : « Ton groom nous a conté l'anecdote [...]. C'est beau, c'est chevaleresque, c'est français ! [...] Je te rends ma fille, je te rends la corbeille, je te rends mon myrte » (acte V).

Le Voyage de Monsieur Perrichon

SYNOPSIS

M. Perrichon, carrossier retiré des affaires, emmène à « Chamouny » son épouse et sa fille Henriette. Celle-ci est aimée de deux jeunes gens, Armand et Daniel, qui décident de la suivre (acte I). Perrichon, tiré d'une crevasse de la mer de Glace par Armand, manifeste à celui-ci une reconnaissance bientôt agacée. Habilement, Daniel se laisse glisser dans un trou pour offrir à Perrichon la gloire de l'avoir sauvé. Daniel est au comble de la faveur (acte II). Retour à Paris. Nouveau service rendu par Armand : Perrichon se sent obligé de lui donner la préférence. Mais de nouveau Daniel pare le coup. Survient alors un commandant de zouaves, que Perrichon a insulté en voyage et qui demande réparation (acte III). Fausse manœuvre d'Armand ; Perrichon est contraint de faire des excuses au commandant. Humiliation, fureur contre Armand : « Non, monsieur, on ne me domine pas, moi ! Assez de services ! Assez de services ! » En aparté, Daniel expose à Armand sa philosophie : « Les hommes ne s'attachent point à nous en raison des services que nous leur rendons, mais en raison de ceux qu'ils nous rendent. » Mais Perrichon, ayant surpris cette conversation où Daniel le tourne en ridicule, choisit finalement Armand pour gendre (acte IV).

J.-P. de Beaumarchais

LA BODERIE
v. LE FÈVRE DE LA BODERIE Guy

LA BOÉTIE Étienne de

(1530-1563)

Né à Sarlat, il est issu d'une famille de petite noblesse de robe. Il fait ses humanités au collège de Guyenne, que fréquentera par la suite Montaigne. Après avoir étudié le droit à Orléans, où professe Anne du Bourg (qui sera en 1559 l'un des premiers martyrs de la Réforme en France), il est reçu licencié en droit civil (1553). Âgé de vingt-trois ans à peine, il est nommé conseiller au parlement de Bordeaux. Montaigne devient son collègue en 1557, et c'est alors que s'établit entre eux une indéfectible amitié. Lors des premiers troubles civils, La Boétie réagit avec sang-froid et fait preuve d'une relative modération, comme en témoigne son *Mémoire sur l'édit de janvier* composé au début de 1562. Soucieux de voir préservées l'unité et l'harmonie du royaume, il juge difficilement concevable, en dépit de sa tolérance, l'existence de deux religions et de deux partis. Emporté par la maladie à l'âge de trente-trois ans, il confie à son inconsolable ami Montaigne ses ultimes volontés. Son œuvre, entièrement posthume, comprend des traductions de Xénophon (*la Ménagerie*) et de Plutarque (*les Règles de mariage*), des poèmes latins et français d'un pétrarquisme des plus tempérés et, surtout, un traité politique écrit avec la fougue de l'adolescence et dont la fortune allait être considérable : le *Discours de la servitude volontaire* ou *Contr'Un*.

En relation avec les membres de la Pléiade, Jean-Antoine de Baïf et Jean Dorat, La Boétie s'était essayé avec succès au métier des Muses. De « sa plus verte jeunesse » datent les *Vingt-Neuf Sonnets* insérés par Montaigne au centre exact du livre I des *Essais* qui leur servent d'« encadrement maniériste » (Michel Butor). Suivent les *Vers françois*, qui, au dire de l'ami jaloux, se ressentent déjà de quelque « froideur maritale ». Inspirés par une flamme amoureuse aussi rude que sincère, ils sont dédiés à l'épouse fidèle, Marguerite de Carle, sœur du controversiste catholique Lancelot Carle. Une traduction versifiée de l'Arioste (*Chant XXXII des Plaintes de Bradamant*) commandée par la compagne exigeante, et à laquelle le poète a passé mainte veille « en se rongeant les ongles », introduit à un *canzoniere* de vingt-cinq sonnets qui déclinent la vue, le nom, l'absence et la constance de celle pour qui il a nourri une sage et réciproque affection.

Composé à l'âge de dix-huit ans, au temps de la grande révolte paysanne de Gascogne contre la gabelle et à une époque où La Boétie n'avait en tête que les *Moralia* de Plutarque et les illustres exemples de Tite-Live, le *Discours de la servitude volontaire* a suffi à assurer la gloire posthume de l'écrivain. Très tôt considéré comme un pamphlet antimonarchique invitant au tyrannicide, ce texte a été publié d'abord dans un recueil d'inspiration protestante, le *Réveille-Matin des Français* (1574), puis repris, toujours à des fins de propagande réformée, dans les *Mémoires des états de la France sous Charles le Neuvième* (1577). Réimprimé à chaque période de lutte pour la démocratie, il devait être plagié par Marat dans *les Chaînes de l'esclavage* (1774), réédité et préfacé tour à tour par Lamennais (1835), Pierre Leroux (1847), Auguste Vermorel (1863). Drapeau de la cause républicaine, puis socialiste, le *Contr'Un* a pu servir les principales révolutions des deux derniers siècles, de 1789 à la Commune. La phrase célèbre, qui en résume la thèse : « Soyez résolus de ne servir plus, et vous voilà libres », a été comprise comme un mot d'ordre.

Prudemment, Montaigne avait proposé de ne voir dans cet écrit de jeunesse qu'une « exercitation » rhétorique, une déclamation à l'antique prenant pour prétexte ce paradoxe : il est impossible à un homme seul, « nud et deffait », d'asservir un peuple si ce peuple ne s'asservit pas d'abord lui-même. Or, « c'est le peuple qui s'asservit, qui se coupe la gorge, qui, ayant le choix ou d'être serf ou d'être libre, quitte sa franchise et prend le joug ». Ce discours enflammé et oratoire, qui analyse ensuite les moyens – et notamment la « pyramide » des intérêts – dont s'aide le tyran pour demeurer au pouvoir et faire que, de complicité en complicité, le corps social s'enchaîne lui-même, constitue sans doute une réplique aux écrits de Machiavel. Il reste que, par la logique fulgurante qu'il déploie, le *Discours* dépasse de beaucoup les usages partisans et souvent intéressés auxquels il a pu prêter. Son objet, c'est, fondamentalement, la politique comme telle. À l'instar du Cannibale de Montaigne, La Boétie s'étonne du spectacle de l'obéissance. Vue de l'extérieur et en toute (fausse) ingénuité, celle-ci cesse d'aller de soi.

Contre les sociétés étatiques de son temps et du nôtre, le jeune La Boétie a peut-être rêvé, à mi-chemin entre la nostalgie d'une fraternité égalitaire à l'antique et le modèle des peuples réputés sauvages que son siècle découvrait, d'une « société contre l'État » (Pierre Clastres).

F. Lestringant

LA BORDERIE Bertrand de

(après 1507-vers 1550)

D'origine normande, Bertrand de La Borderie est un peu plus qu'un disciple de Marot et que le poète de cour consacré par le scandale mondain de l'*Amie de court* (1542). Il serait né vers 1507, dans la famille de Jean de La Forest, premier ambassadeur de François Ier auprès du sultan ; il a reçu une éducation soignée, attestée, dans sa poésie, par une bonne connaissance de la littérature classique et de la mythologie. Il semble avoir fréquenté la Cour avant 1531, et avoir participé aux campagnes militaires en Piémont et en Flandre. Une expédition vers Constantinople, à laquelle ont pris part beaucoup de gentilshommes et des savants comme Guillaume Postel (1537), lui donne l'occasion de découvrir, très jeune, des mers, des pays et des coutumes, dont il goûte la nouveauté, au point de poursuivre seul sa découverte de la Turquie : il en sortira, en 1542, le *Discours du voyage de Constantinople*, texte très brillant qui paraît sans nom d'auteur, adressé à une dame non identifiée, et qui est peut-être sa future femme. Sa célébrité est complète lorsqu'il déclenche, en 1541, la « Querelle des Amies » ; mais il reste un homme de cour, chargé d'une mission en Suisse en 1541, valet de chambre du roi de 1540 à 1545, pannetier royal en 1545. Il offre à François Ier, en 1544, le manuscrit de la traduction d'une célèbre nouvelle de Boccace (*Décaméron*, X, VIII). On a parfois – à tort – confondu La Borderie avec l'un des participants de la querelle des Amies, Paul Angier, parce que leurs devises se ressemblaient : La Borderie signait « Mort en Vie » et Angier « De mort à vie ». De telles confusions ont d'autant plus de chances de se produire que les œuvres de La Borderie ont rapidement été rééditées dans des recueils collectifs : *Opuscules d'amour* (1547), pour le *Voyage de Constantinople*, et recueils de la Querelle des Amies, pour *l'Amie de court*, suivie d'une *Énigme du ballon* et d'un poème *À l'un de ses amys*, pour se défendre d'avoir pris femme.

L'Amie de court développe la conception de la Dame de cour telle que Castiglione l'avait élaborée ; mais, plus soucieux de décrire ce qu'il a sous les yeux que de tracer un idéal plus ou moins platonicien, La Borderie dresse le portrait d'une femme libre, maîtresse – jusqu'au cynisme – de son cœur et de son corps qu'elle ne donne à personne ; point n'est besoin d'enfermer les femmes : leur intérêt est dans la franchise même de leurs coquetteries et de leurs refus ; c'est là leur vraie défense. Plus d'un vers, évoquant déjà les Célimène du XVIIe siècle, choquera les contemporains de La Borderie :

Je retiens tout et personne ne chasse [...]
Sans aymer nul, estre de tous aymée [...]
Sans aymer tout, j'ayme bien quelque chose [...]
Je ne suis point difficile en devis :
À toutes gens je leur dis mon advis...

Quant au mari, la femme décide « de l'avoir riche ou de n'en avoir point », ce qui n'exclut ni le mariage ni l'entente dans le mariage. Les vers de La Borderie ont toute la sécheresse et la densité des maximes morales que requiert ce petit traité d'immoralité et de bonne conduite en société.

D'une certaine manière, le *Discours du voyage de Constantinople*, quoiqu'il se souvienne de toute une tradition de récits de voyages et de tempêtes, à commencer par ceux de *l'Énéide*, ou de l'Italien Folengo, ou du récit d'une navigation de son ami Claude Chappuys, est tout aussi original et provocant : à côté des références de toutes sortes et des allusions mythologiques, sa poésie devient vraiment l'écriture des impressions fugitives autant que celle des curiosités. Il paraît à La Borderie aussi important de noter « le bleu vif et céleste », la transparence d'une mer inconnue, la peur de la mort « qui nage entre deux eaux », les jeux sur la plage avec les vagues, que l'étonnement des Cypriotes ou des Turcs, la tristesse ou l'enthousiasme devant les ruines d'Athènes, devant Sainte-Sophie de Constantinople, la pitié devant la souffrance des galériens. Curieux homme, qui ne semble pas s'être davantage intéressé au sort de ses œuvres.

M. M. Fontaine

LA BRUYÈRE Jean de

(1645-1696)

L'œuvre, déjà brève, de La Bruyère a souffert de l'usage pédagogique que l'on fit d'elle depuis l'Empire : dépecée dans des anthologies, émiettée en citations ornementales, elle n'a même plus droit à revêtir un sens puisque l'on admet souvent, avec Suard (1781), qu'il faut y « être moins frappé des pensées que du style ». Elle séduisit pourtant d'assez bons esprits, Vauvenargues, Sainte-Beuve, Flaubert, Proust, Gide, quelques autres aussi ; notre temps est peut-être à même d'en goûter l'exquise qualité et, qui sait ? la modernité.

L'homme ?

Proust, qui imita La Bruyère dans *les Plaisirs et les Jours*, eût pu invoquer son exemple dans son *Contre Sainte-Beuve*, et la « nouvelle critique » eût dû mieux encore le servir : en effet, les *Caractères* sont presque un livre sans auteur, ou dont l'auteur est à peine un homme. Belle occasion de les examiner pour eux-mêmes et par eux-mêmes, sans donner dans les paralogismes des lectures biographiques.

Car la vie de La Bruyère est merveilleusement obscure. Hasard ou effet de sa discrétion, les traces de son passage sur terre sont rares et pauvres. Tenons-nous-en à ce qui est certain. Ni parisien ni, comme on le croyait, d'une vieille lignée bourgeoise et ligueuse, La Bruyère, issu de petits propriétaires fonciers du Perche, est baptisé à Paris en 1645. Rien ne prouve qu'il y vécut ni qu'il y étudia chez les oratoriens. Grâce à sa famille, il poursuit une lente ascension sociale : licencié en droit à Orléans (1665), il acquiert, en 1673, un office modeste à Caen ; un héritage lui permet de vivre à Paris en petit rentier. De 1684 à 1687, il est sous-précepteur du duc de Bourbon, petit-fils du Grand Condé, qu'il suit à Chantilly, à la Cour ou au palais du Luxembourg. Son élève se mariant, La Bruyère cesse ses leçons mais reste attaché aux Condé en tant que « gentilhomme de M. le duc » ; il vend son office, s'assure une situation financière indépendante et se décide à faire paraître (mars 1688) un livre prêt depuis longtemps, les *Caractères*. Grand succès, rééditions immédiates, articles de presse, compliments flatteurs (Bussy). Désormais, La Bruyère est l'homme de son livre, qu'il enrichit incessamment et sur lequel il compte pour entrer à l'Académie. Se succèdent les éditions revues, et surtout très augmentées : 4e éd. en 1689 ; 5e éd. en 1690 ; 6e éd. en 1691 ; 7e éd. en 1692 ; 8e éd. en 1694, et 9e éd. en 1696. Chaque fois, l'opinion salue ce livre où elle trouve une pensée dont elle loue la pénétration psychologique, la rigueur religieuse ou la vivacité satirique ; elle y goûte aussi des portraits où elle veut reconnaître des contemporains (dès 1692 circulent des « clefs » manuscrites) et apprécie enfin un engagement de plus en plus âpre dans les débats du temps, affaires religieuses et politiques, paix et guerre, querelle des Anciens et des Modernes, etc. Protégé par les Condé, par Pontchartrain (ministre à partir de 1689), par les milieux dévots, et notamment par les Jésuites, il brigue un fauteuil académique, une première fois en vain (novembre 1691), une seconde fois, en mai 1693 : les pressions du pouvoir imposent alors cet « Ancien » à une Académie gagnée à la cause moderne. Le discours de réception de La Bruyère (15 juin 1693), violemment agressif à l'encontre des Modernes, provoque un petit scandale que La Bruyère aggrave en faisant imprimer seul son discours, que l'Académie voulait étouffer [voir **Querelle des Anciens et des Modernes**]. *Le Mercure galant* de Thomas Corneille et Fontenelle se déchaîne ; en 1694, La Bruyère se venge dans sa huitième édition, qui offre son *Discours* assorti d'une venimeuse Préface. Couvert par le pouvoir, allié aux dévots, La Bruyère semblait décidé, en 1696, à s'illustrer par un autre livre que ses chers *Caractères* ; il avait entrepris des *Dialogues sur le quiétisme*, où, solidaire de la Cour et de Bossuet, il attaquait la nouvelle spiritualité. La mort le surprend, à Versailles, dans l'hôtel des Condé (10-11 mai 1696). Quelques mots, bien brefs, de Saint-Simon, de Bossuet, de Claude Fleury expriment une vague sympathie. Puis le silence s'appesantit sur l'homme, et l'on ne parle plus que de l'auteur des *Caractères* que, pendant un demi-siècle, on va piller et plagier.

Cette vie est donc à peu près inconnue ; mieux : nous n'y devinons rien que de très banal – une ambition sociale que La Bruyère partage avec toute la petite bourgeoisie, une ambition littéraire qu'une élection académique suffit à combler, une expérience humaine limitée (l'achat d'un office, le préceptorat, une charge chez les Condé, un conformisme politique et religieux, le labeur obscur de l'homme de lettres surtout). Plutôt que de romancer arbitrairement cette vie (comme on l'a souvent fait), remarquons, avec Cl. Cristin (*Aux origines de l'histoire littéraire*, 1973), que La Bruyère fut, en son temps, l'un de ceux qui plaidèrent le plus vigoureusement en faveur de la dignité du métier d'écrivain ; il est bien l'un de nos premiers « intellectuels ».

Il est malaisé de juger les *Dialogues sur le quiétisme* ; en effet, on admet que sept seulement des neufs dialogues publiés en 1698 appartiennent à La Bruyère – mais dans quelle mesure ? Et quelques trouvailles comiques ne parviennent pas à faire oublier que ces idées de polémique doivent beaucoup aux *Provinciales*.

Caractères

La Bruyère demeure bien l'homme d'un seul livre, les *Caractères de Théophraste, traduits du grec, avec les caractères ou les mœurs de ce siècle*.

Ce livre a une histoire complexe où subsistent bien des énigmes qui excitent la curiosité. Entrepris bien avant 1688, longtemps travaillé, soumis à la critique de quelques proches (Boileau ?), l'ouvrage ne parut qu'accompagné d'une traduction, honorable pour l'époque, des *Caractères* du Grec Théophraste (372 ?-287 av. J.-C.) ; non que La Bruyère eût besoin, par timidité ou prudence, de s'abriter derrière un illustre Ancien, mais parce qu'il ne pouvait qu'être intéressé par cette brillante série de portraits moraux ; s'aidant de travaux érudits anciens (Casaubon, 1592 et 1599, traduction latine des *Caractères*) et modernes (Gilles Boileau, du Rondel), il traduit un livre bien connu des doctes, paraphrasé par quantité de moralistes anglais et français depuis le XVIe siècle, mais dont n'existait plus, depuis 1613, de traduction française ; il trouvait là de quoi satisfaire son goût pour l'Antiquité, pour le style coupé, pour le réalisme moral. Il assortit sa traduction d'un savant *Discours sur Théophraste* et la fait suivre de 420 remarques personnelles.

Par la suite, la place impartie à Théophraste va s'amenuiser ; en 1696, 1 120 remarques éclipsent la traduction, au reste imprimée en menus caractères depuis 1690 ; déjà, lors de la quatrième édition (1689), le volume des *Caractères* français a plus que doublé, et l'auteur, qui n'a jamais fait figurer son nom en tête de son livre, ose enfin le signer en 1691 ; c'est que, très vite, La Bruyère a décidé d'être non pas plus, mais autre chose qu'un traducteur.

Son propre livre, La Bruyère l'écrivit avec un soin étonnant. Soucieux d'étoffer chacun des seize chapitres qui le composent, il organise d'édition en édition tout un jeu subtil de modifications : il se corrige, modifie l'ordre de succession de ses remarques, les transpose d'un chapitre à l'autre – surtout, il pratique des additions, qu'il veille à signaler par des artifices typographiques. Par de lentes concrétions, le livre, tel un madrépore, s'accroît et se construit, et la critique aujourd'hui se soucie de deviner les critères que suivit cet écrivain si volontaire et si concerté, dont le labeur, qui évoque assez celui d'un Proust, semble avoir visé à réaliser déjà l'esthétique de Valéry : mettre systématiquement en échec le hasard dans l'écriture. Plus qu'aucun de ses contemporains, trop souvent passifs devant un classicisme dégénéré en académisme, La Bruyère est l'écrivain qui fait ce qu'il veut et qui veut ce qu'il fait.

Cet ouvrage, La Bruyère le donne au lecteur avec un mode d'emploi : il faut le lire d'abord en référence à une culture que proclament, outre la traduction de Théophraste, d'innombrables allusions, citations, paraphrases, etc., rassemblant un savoir littéraire et religieux ; ensuite, par rapport à un art poétique exposé notamment par le premier chapitre, « Des ouvrages de l'esprit ». Ce chapitre, si souvent pris pour un court traité « de fine et exquise rhétorique » (Sainte-Beuve), couronnant et aiguisant un classicisme dont La Bruyère est l'héritier tardif, doit, pour prendre tout son sens, être lu « historiquement » : en effet, il est écrit contre une époque qui, tourmentée par la crise de conscience européenne, veut croire que la littérature est au service des idées, donc doit se dissoudre en une pure transparence – ou qui, repue, somnole sur le trésor de certitudes morales et esthétiques d'un classicisme qu'elle croit pouvoir exploiter indéfiniment ; utilitarisme ou académisme, tels sont les adversaires que La Bruyère s'est choisis. Et son idéal de rigueur, de justesse, de science et de goût, d'élévation morale aussi, il le crie contre les « grands » écrivains de son temps qu'il exècre : Thomas Corneille, Quinault, Mme Deshoulières, Fontenelle surtout, dont il fut l'adversaire implacable. Contre une littérature dont il mesure lucidement la décadence (de fait, il est le témoin de la mort de la poésie, de la tragédie, de la grande comédie, de l'éloquence, du roman même), il décide d'écrire un livre provocant par sa perfection même.

« Moi je me suis bourré à outrance de La Bruyère... » (Flaubert)

Les *Caractères* demandent à être lus comme un livre, c'est-à-dire de façon suivie ; La Bruyère lui-même l'exige dans la préface de son *Discours* académique : n'a-t-on pas observé que « de seize chapitres qui le composent, il y en a quinze qui [...] ne tendent qu'à ruiner tous les obstacles qui affaiblissent d'abord et qui éteignent ensuite dans tous les hommes la connaissance de Dieu ; qu'ainsi ils ne sont que des préparations au seizième et dernier chapitre, où l'athéisme est attaqué et peut-être confondu [...] » ? Encore que la critique ait souvent penché à estimer que cette déclaration tardive (1694) n'était qu'une mauvaise raison polémique, nous tenons que La Bruyère a composé son livre comme il l'assure. Non certes selon la méthode de l'exposé suivi, requis alors par la philosophie et la théologie, mais à la fois selon le goût de son temps qui, par réaction contre les « sommes », privilégie les formes brèves, éclatées, disparates (vogue des « petits » genres, des essais, des recueils composites, des *ana*, des nouvelles), et surtout selon les règles propres au genre moral qui, en cette fin de siècle, implique un morcellement du discours (les *Pensées* pascaliennes, les *Maximes* de La Rochefoucauld, les *Essais* de Nicole, les *Conversations morales* de Mlle de Scudéry l'attestent, et avec eux une foule obscure de petits moralistes). Ainsi, chacun des seize chapitres des *Caractères* traite d'un aspect de l'homme réel, c'est-à-dire incarné dans une contingence, celle d'un statut social, donc d'un moment donné, ou celle de dispositions et incapacités innées. On commence avec l'homme « psychologique » : ses goûts (chap. I, « Des ouvrages de l'esprit »), ses talents (chap. II, « Du mérite personnel »), ses affections (chap. III, « Des femmes », chap. IV, « Du cœur ») ; puis La Bruyère traite de l'homme « social » : saisi dans ses relations quotidiennes avec autrui (chap. V, « De la société et de la conversation »), cet homme est tour à tour, selon une gradation hiérarchique, manieur d'argent (chap. VI, « Des biens de fortune »), bourgeois (chap. VII, « De la ville »), courtisan (chap. VIII, « De la cour »), prince (chap. IX, « Des grands ») et monarque (chap. X, « Du souverain ou de la république »). Enfin est en cause l'homme « métaphysique » : sa misère morale (chap. XI, « De l'homme »), intellectuelle (chap. XII, « Des jugements ») ; l'emploi imbécile qu'il fait de son temps, et individuellement (chap. XIII, « De la mode ») et collectivement (chap. XIV, « De quelques usages »). Que peuvent, là contre, prédication (chap. XV, « De la chaire ») et apologétique (chap. XVI, « Des esprits forts ») ? Cette grille est commode « pour rendre l'homme raisonnable, mais par des voies simples et communes » (*Discours sur Théophraste*) : une lecture suivie du livre fait surgir en nous un monde où erre un homme à notre image (« Je rends au public ce qu'il m'a prêté : j'ai emprunté de lui la matière de cet ouvrage », Préface des *Caractères*) – monde tantôt absurde, tantôt cruel, homme tantôt pervers et odieux, tantôt vain et pitoyable ou méprisable. Le livre tout entier prouve ce que le dernier chapitre explicite : en Dieu seul gît le secret d'une grandeur, d'une profondeur, d'une dignité et même d'une humanité, par ailleurs perdues, de l'homme ; et pour vivre (sinon pour agir) dans un tel monde, le sage devra se fonder sur Dieu. Nombre de critiques du siècle dernier, aveuglés, voulaient que La Bruyère prêchât une sagesse toute laïque : c'était ne pas lire de nombreux endroits où ce chrétien ombrageux précise que la vertu telle qu'il l'entend se confond avec la sainteté (cf. II, 44 ; XI, 3 ; XI, 81 ; XIII, 30 ; etc.).

Cette lecture suivie, où nous devons interpréter un texte qui, selon les lois du genre, ne développe pas une théorie mais en indique les implications concrètes tout en y renvoyant de manière oblique, nous est rendue plus aisée par la structure même de l'ouvrage, parcouru en tous sens par trois sortes de réseaux qui en assurent la solidité. D'abord, d'un chapitre à l'autre, d'une remarque à l'autre, de multiples échos, d'infimes transitions (par analogie, par contraste, par répétitions verbales, etc.) tissent une continuité, et c'est un plaisir rare, pour le lecteur attentif, que de glisser d'un texte au texte qui le suit. Ensuite, on observe que chaque chapitre est ordonné, parfois selon le sens, parfois selon des schémas rhétoriques plus ou moins complexes. Enfin, et le lecteur moderne y est plus sensible, l'unité de l'ensemble est garantie par la récurrence d'un certain nombre de motifs : constat de la superficialité et de la vanité de l'homme, ironie devant sa mécanisation, rêve d'une solitude où le sage pourrait se replier, indignation ou amertume d'un moraliste qui étale son « moi », nostalgie du temps passé et du temps perdu, dénonciation rageuse de l'inauthenticité sous toutes ses formes, etc. Ces motifs, qui rythment le livre, lui confèrent une remarquable unité de ton – gageure, si l'on songe que les *Caractères* sont non seulement morcelés, mais encore d'une variété éblouissante.

« Le soir, lu quelques pages de La Bruyère, qui m'ont lavé de toutes les agitations, les tourments, les médiocres et vaines contorsions de ce jour... » (André Gide, *Journal*)

Les *Caractères* peuvent aussi se lire ainsi. Leur aspect typographique même nous y autorise. Au niveau d'un chapitre, d'une page, voire d'une remarque, nous saisissons alors des « pensées détachées » comme l'époque de La Bruyère les aimait depuis les *Pensées* de Pascal (1670). Plus encore que la diversité des textes que le regard déchiffre – diversité étonnante : maximes, petites dissertations, portraits et de bien des sortes, énigmes, définitions, fables, lambeaux de roman, oraison funèbre en raccourci, discours et dialogues, boutades, et même un « fragment » –, c'est la perfection quasi poétique de chacun de ces morceaux qui séduit. Chacun, construit savamment, fait briller ses diverses parties pour mieux servir l'essentiel. « Bourreau délicieux de la langue », dont il « disloque » les membres (Henri Bremond), La Bruyère se joue aussi des vocabulaires, des tons (il va du solennel au trivial), des genres (il les domine presque tous), des styles (d'où souvent, chez lui, du burlesque) et, enfin, des cultures. Le grand intérêt des recherches de « sources », dans le cas de La Bruyère, fut de prouver que son art était un art savant, et que son livre exigeait, pour être goûté, la participation active d'un lecteur lettré : si « tout est dit » (I, 1), La Bruyère réussit, à force de culture, à le redire « comme sien » (I, 69), écrivant toujours en marge d'autres textes. Ainsi tel endroit des *Caractères* ne prend son sens que si l'on songe au livre dont il est l'écho, la transposition ou la réfutation ; tel autre ne vaut que par son contexte, qui seul en dit la portée ; tel autre, secrètement allusif, appelle toute une enquête – sans compter avec les clefs, et les *realia* qu'elles évoquent. De la sorte se trouvent construits de véritables objets d'art, et l'on conçoit qu'ils aient la faveur de quelques *happy few* épris de beauté et de subtilité tout à la fois.

Il y a mieux. C'est que la réflexion de La Bruyère sur les moyens stylistiques dont il disposait a abouti chez lui à la conviction, toute moderne, que la forme même avait un sens, était sens. Critiques « structuralistes » (S. Doubrovsky, R. Barthes) et surtout spitzériens (J. Brody) l'ont heureusement souligné. Ainsi La Bruyère, plutôt que de dire ce qu'il pense, le donne à penser en l'écrivant, c'est-à-dire en usant d'une écriture très particulière. Par exemple, la discontinuité des textes ou, au niveau de la syntaxe, le style coupé qu'affectionne La Bruyère se mettent à signifier l'incohérence du monde et de l'homme que visent les *Caractères* ; ou bien les hyperboles, superlatifs, accumulations, etc., disent à eux seuls le luxe d'une société bouffie d'opulence, l'épaisseur toute matérielle de Giton le Riche (VI, 83) ; ainsi les édifices verbaux que La Bruyère s'ingénie à construire, à grand renfort d'anecdotes pittoresques, de détails « réalistes », ces entassements d'images, de tropes, qui soudain s'effondrent sur le trait final ou sur une glose incongrue de l'auteur, miment, et donc disent, le vide foncier des objets décrits, hommes, sentiments, idées : ce style luxueux signifie que les hommes « n'ont point d'âme »,

« n'ont point de caractère » – sont des choses. À l'opposé, et par contraste, la verticalité abrupte d'une maxime ou d'une définition vient en elle-même prouver que, dans ce monde réifié, le moraliste seul a accès à la profondeur. Dans l'univers des *Caractères*, seul est doté d'une intériorité l'auteur, qui peut, en une effusion, exprimer un sentiment personnel : « Il y a du plaisir à rencontrer les yeux de celui à qui l'on vient de donner » (IV, 45), ou encore prendre par rapport à l'objet décrit plus ou moins de recul – le simple fait de varier la perspective atteste alors une liberté de jugement qui fait défaut chez ces êtres déshumanisés qui hantent les *Caractères*. Nous ne voyons que Saint-Simon qui, au temps de La Bruyère, ait de la sorte (mais dans un genre, celui des Mémoires, qui l'y portait) découvert un langage « qui est à lui tout seul une idéologie » (R. Barthes). C'est que l'un et l'autre avaient beaucoup à dire, ou à redire, sur leur époque.

« Il y a des créatures de Dieu qu'on appelle des hommes... » (XII, 102)

La Bruyère a peint tout un monde, surabondant en personnages, en choses, en mots ; ce petit livre contient bien presque tout ce qu'un honnête homme de 1688 estimait digne de son attention. Encore faut-il s'entendre : La Bruyère s'est bien gardé de donner dans ce que le XIXe siècle nommera si mal « réalisme » ; même les endroits qui lui ont valu la réputation d'être un observateur scrupuleux du réel (ainsi ses portraits, ou sa peinture de « l'envers du grand siècle », ou le célèbre « L'on voit certains animaux farouches... » [XI, 128]) sont, en fait, « inventés » : nourris de réminiscences littéraires autant et plus que du spectacle du monde réel, écrits avec un soin extrême, éclairés du reste par un contexte où abondent maximes et jugements, ces endroits ne reflètent pas un monde, ils le condamnent.

Monarchiste résolu, La Bruyère s'en prend à son temps au nom d'une utopie (dont il n'est pas dupe) : un roi très chrétien devrait gouverner absolument un État où chacun, restant dans son ordre et s'acquittant de sa fonction, vivrait conformément à l'Évangile ; point d'histoire (sinon celle, toute individuelle, du salut personnel) pour troubler un ordre garanti par Dieu.

Catholique, il rêve (sans illusions) d'un retour vers une mythique Église apostolique, où, proche encore de la Révélation, l'homme n'est pas « enduit contre la Grâce » (Péguy). Critique littéraire, il radicalise pareillement l'opposition entre Anciens et Modernes et crédite les premiers de toutes les vertus. Éminemment réactionnaire, on le voit, la pensée de La Bruyère a donc besoin, pour se déployer vers l'idéal qu'elle retient comme seule norme, de prendre appui sur un monde déchu ; elle se l'invente à tout moment, noircissant à loisir le tableau. Certes, le livre de La Bruyère est écrit de 1688 à 1696, donc sur fond de décadence militaire, économique, morale ; mais on a le sentiment que le moraliste l'eût inventée, s'il l'avait fallu, afin que le lecteur éprouvât le besoin de s'arracher au relatif et de se convertir à l'absolu. Il demeure, évidemment, que nombre de condamnations portées par La Bruyère touchent des maux et des abus bien réels – dégénérescence de la noblesse, imposture religieuse, luxe exorbitant des nouveaux riches, sénescence du pouvoir, crise de conscience de toute une société.

La Bruyère, même si le XVIIIe et le XIXe siècle crurent souvent (et à tort) qu'il annonçait les revendications de l'esprit philosophique des Lumières (et c'est ainsi que, de son temps, le lit le curé Meslier), comptait en fait sur le parti dévot pour remédier, au moins en partie, aux abus qui l'indignaient ; mais bien des endroits de son livre nient que l'histoire puisse être orientée (sinon dans le sens d'une décadence) et assignent à l'homme une nature immuable (et pervertie) : c'est qu'il n'escompte guère que l'humanité s'améliore. On le voit alors se raidir dans une réprobation tantôt indignée, tantôt méprisante (et l'on conçoit que Stendhal ou Nietzsche aient pu le goûter) – ou bien, parce qu'il est chrétien, se bander contre la tentation du pessimisme ou celle, pire, du cynisme ; dans les deux cas, c'est un homme qui, apparaissant sous le moraliste, se livre. Par là, la philosophie des *Caractères* est fortement personnelle ; passionnée, elle passionne.

Un lecteur actuel peut aussi goûter tous les endroits des *Caractères* où La Bruyère est moraliste au sens strict du terme ; car « le moraliste n'est pas un moralisateur ; il ne se propose pas un manuel de conduite ; son seul souci est d'examiner sans illusions [...] ce qu'est l'homme et comment il se comporte. Pour comprendre en quoi consiste la valeur morale de telles œuvres, il faut admettre, ce que d'ailleurs tout le monde n'admet pas, que la lucidité est en soi un bien... » (Odette de Mourgues, *Ô Muse fuyante proie*). Ce déploiement d'une lucidité, on est souvent tenté de croire qu'il est la raison d'écrire (de vivre ?) de La Bruyère ; certains « grands sujets lui sont défendus », qu'il « entame quelquefois » (I, 65) ou qu'il donne à deviner à propos de petites choses – là-dessus, on perçoit chez lui la jubilation d'avoir raison (« Ne nous emportons point contre les hommes [...]. Ils sont ainsi faits, c'est leur nature » [XI, 1]), ou d'avoir eu raison de quelque imposture (« Que dites-vous ? Comment ? Je n'y suis pas... Je devine enfin... » V, 7). Loin d'un monde qu'il a scruté, mesuré, inventorié, ordonné – et jugé –, La Bruyère alors nous propose de jouir de notre propre clairvoyance : « Le sage quelquefois évite le monde, de peur d'être ennuyé » (V, 83). Plusieurs chapitres s'achèvent ainsi sur l'image d'une retraite austère, taciturne, où, exempt de misanthropie, le sage tentera, presque seul, de vivre en homme : raisonnablement, il s'appliquera à conquérir une vie intérieure. Ce repli que La Bruyère préconise autour du mérite personnel dont certains ont le privilège ne s'opère pas sans hésitations. En effet, ce moraliste, trop scrupuleux parfois dans son enquête pour ne pas mesurer que la lucidité a ses limites, est mis en échec : le chapitre « Des femmes », celui « Du cœur » prouvent bien, par leur accent volontiers intime, que même le sage est à la merci des passions ; sans compter que l'homme se révèle parfois opaque (La Rochefoucauld n'est pas le seul moraliste du XVIIe siècle à ouvrir la psychologie sur les profondeurs...) ou imprévu : loin de toujours décevoir, il se révèle capable, ne serait-ce que par faiblesse, de vertu, ou alors, inconséquent, il fait un bon usage de ses défauts ! D'où, chez La Bruyère, une inquiétude et une impatience qui font que sa lucidité, sommée de demeurer éveillée, ne s'est jamais drapée d'orgueil. De la sorte, les *Caractères,* ouvrage définitif à tant d'égards, restent ouverts : l'histoire même du livre, s'augmentant d'édition en édition, et sa disposition morcelée semblent indiquer aussi que, pour La Bruyère, le procès de l'homme n'est pas clos.

Mais, avec La Bruyère, il en faut toujours revenir à l'art, surtout si l'on veut estimer le moraliste. La comparaison entre lui et ses imitateurs du début du XVIIIe siècle est ici très instructive. La Bruyère fut en effet très exploité – auteurs comiques (Dufresny, Regnard), satiriques (Montesquieu, dans les *Lettres persanes*), amateurs de portraits en vers ou en prose le pillèrent ; mais aussi s'inspirèrent de lui des moralistes professionnels (P.-J. Brillon, Bordelon, Morvan de Bellegarde... ; il faut attendre l'abbé Trublet [1697-1770] pour trouver un digne émule de La Bruyère) : on constate que, animés d'un dessein moral *a priori* identique, ces « copistes » (I, 64), incapables d'écrire comme La Bruyère, ne parviennent à proposer aucun enseignement, et que leurs œuvres, pourtant surabondantes, ne signifient rien. C'est bien que chez La Bruyère « le profond, c'est la forme » (A. Béguin), et que l'analyse que proposait la critique spitzérienne de son écriture mérite d'être poussée plus avant. En effet, l'on peut se demander si le choix par La Bruyère d'une écriture luxueuse pour flétrir le monde où il vit – et tout monde humain – ne procède pas d'intentions plus profondes encore que celles que relevait à bon droit un J. Brody (*Du style à la pensée* [...], 1980). Risquons l'hypothèse que La Bruyère aurait pu faire sien le mot de Baudelaire : « J'ai pétri de la boue, et j'en ai fait de l'or. » Ce monde déchu, cette humanité rongée par l'inauthenticité, ces courtisans-automates et ces financiers-baudruches, le chrétien La Bruyère décide, en vertu de cette « compassion » dont il a si bien parlé, de s'en emparer et d'en faire la matière d'un livre dont l'écriture – elle, authentique – leur prêtera non pas cette substance qui leur fait lamentablement défaut, mais une apparence moins décevante, car belle, que celle qu'ils se donnent ici-bas. Instrument d'une condamnation, exercice d'une sagesse, le style chez La Bruyère est peut-être acte d'amour.

Une richesse cachée

Ce petit livre, on le voit, ne cesse de poser des questions. Tolérant deux lectures à la fois, renvoyant au monde des livres comme à celui des hommes de 1688, cachant et révélant simultanément un homme, écrit avec un art savant, il dit, par un style complexe, une pensée plus profonde qu'on ne le crut ; et ce style, nous commençons seulement à l'apprécier dans toute sa puissance. Nous ne pouvons plus croire, en effet, que la littérature soit naïve *mimesis* du réel, et l'œuvre de La Bruyère, qui reçut tant de suspectes étiquettes (« réaliste », « impressionniste », « styliste », inventeur de l'écriture « artiste », etc.), subit heureusement les effets de cette crise de la conscience critique. En cours de réévaluation, les *Caractères* sont appelés à profiter aussi de l'actuel renouveau des études sur le genre même qu'illustrent ceux que nous nommons « moralistes » ; historiquement, ils peuvent être interprétés avec plus de rigueur depuis que l'époque où ils parurent nous est mieux connue. Ainsi le christianisme de La Bruyère, sa culture, ses engagements politiques, religieux et littéraires ont été récemment précisés. Mais des progrès sont encore possibles, dans l'établissement des « sources » du texte de La Bruyère, donc dans l'étude des mécanismes de son *imitatio,* dans l'inventaire des lectures que firent de lui ses contemporains et ses immédiats successeurs (un beau travail reste à écrire sur La Bruyère au XVIIIe siècle), dans l'analyse enfin de la structure du livre et des règles du genre où il se situe. Surtout, ce livre, à propos duquel les contemporains parlaient déjà d'un « je-ne-sais-quoi », conserve pour nous le prestige d'avoir tissé de subtils et serrés rapports entre le sens et le style, entre la pensée et ses signes ; sa beauté mystérieuse semble moins que jamais vouée à se ternir, dès lors que l'on aime, comme La Bruyère lui-même, manier et remanier les textes (XIV, 72).

Fragments

La gloire ou le mérite de certains hommes est de bien écrire, et de quelques autres, c'est de n'écrire point (I, 59).

À juger de cette femme par sa beauté, sa jeunesse, sa fierté et ses dédains, il n'y a personne qui doute que ce ne soit un héros qui doive un jour la charmer. Son choix est fait : c'est un petit monstre qui manque d'esprit (III, 27).

Cesser d'aimer, preuve sensible que l'homme est borné, et que le cœur a ses limites (IV, 34).

L'on doit se taire sur les puissants : il y a presque toujours de la flatterie à en dire du bien ; il y a du péril à en dire du mal pendant qu'ils vivent, et de la lâcheté quand ils sont morts (IX, 56).

Les enfants sont hautains, dédaigneux, colères, envieux, curieux, intéressés, paresseux, volages, timides, intempérants, menteurs, dissimulés ; ils rient et pleurent facilement ; ils ont des joies immodérées et des afflictions amères sur de très petits sujets ; ils ne veulent point souffrir de mal, et aiment à en faire : ils sont déjà hommes.

C'est une grande difformité dans la nature qu'un vieillard amoureux (XI, 111).

C'est abréger et s'épargner mille discussions, que de penser de certaines gens qu'ils sont incapables de parler juste, et de condamner ce qu'ils disent, ce qu'ils ont dit, et ce qu'ils diront (XII, 70).

De quoi n'est point capable un courtisan, dans la vue de sa fortune, si pour ne la pas manquer il devient dévot ? (XIII, 18).

Je ne mets au-dessus d'un grand politique que celui qui néglige de le devenir, et qui se persuade de plus en plus que le monde ne mérite point qu'on s'en occupe (XII, 75).

Une grande âme est au-dessus de l'injure, de l'injustice, de la douleur, de la moquerie ; et elle serait invulnérable si elle ne souffrait par la compassion (XI, 81).

L'esprit de parti abaisse les plus grands hommes jusques aux petitesses du peuple (XI, 63).

Irène

Irène se transporte à grands frais en Épidaure, voit Esculape dans son temple, et le consulte sur tous ses maux. D'abord elle se plaint qu'elle est lasse et recrue de fatigue ; et le dieu prononce que cela lui arrive par la longueur du chemin qu'elle vient de faire. Elle dit qu'elle est le soir sans appétit ; l'oracle lui ordonne de dîner peu. Elle ajoute qu'elle est sujette à des insomnies ; et il lui prescrit de n'être au lit que pendant la nuit. Elle lui demande pourquoi elle devient pesante, et quel remède ; l'oracle répond qu'elle doit se lever avant midi, et quelquefois se servir de ses jambes pour marcher. Elle lui déclare que le vin lui est nuisible : l'oracle lui dit de boire de l'eau ; qu'elle a des indigestions : et il ajoute qu'elle fasse diète. « Ma vue s'affaiblit, dit Irène. – Prenez des lunettes, dit Esculape. – Je m'affaiblis moi-même, continue-t-elle, et je ne suis ni si forte ni si saine que j'ai été. – C'est, dit le dieu, que vous vieillissez. – Mais quel moyen de guérir de cette langueur ? – Le plus court, Irène, c'est de mourir, comme ont fait votre mère et votre aïeule. – Fils d'Apollon, s'écrie Irène, quel conseil me donnez-vous ? Est-ce là toute cette science que les hommes publient, et qui vous fait révérer de toute la terre ? Que m'apprenez-vous de rare et de mystérieux ? et ne savais-je pas tous ces remèdes que vous m'enseignez ? – Que n'en usiez-vous donc, répond le dieu, sans venir me chercher de si loin, et abréger vos jours par un long voyage ? » (XI, 35.)

A. Lanavère

LA CALPRENÈDE, sieur de

Gautier de COSTES, sieur de LA CALPRENÈDE *(1610 ?-1663)*

Écrivain très fécond, La Calprenède fut le principal représentant de la vogue du roman héroïque et historique au milieu du XVIIe siècle. Né dans une famille de robe de rang moyen, au château de Toulgoud, près de Cahors, il fit ses études dans cette ville, puis à Toulouse. Venu à Paris en 1632, il entreprit une carrière militaire. Il obtint par la suite une charge de gentilhomme du roi. Il appartenait à l'entourage de Condé, mais ne suivit pas ce dernier dans son exil après la Fronde.

Parallèlement, il menait une carrière d'écrivain. Il se fit d'abord connaître au théâtre. De 1632 à 1641, il donna neuf pièces (cinq tragédies, quatre tragi-comédies). Certaines empruntent leur sujet à l'histoire ancienne (comme *la Mort de Mithridate*, 1635) ; trois sont inspirées par l'histoire d'Angleterre (*Jeanne, reine d'Angleterre*, 1636 ; *le Comte d'Essex*, 1637 ; *Édouard*, 1639). Puis il se consacra au roman, publiant successivement *Cassandre* (1642-1645), *Cléopâtre* (1647-1656) et *Faramond* (1661-1670 ; inachevé à la mort de La Calprenède, ce roman fut continué par Vaumorière). Ces livres, fort copieux (10 volumes pour le premier, 12 pour chacun des autres), connurent un très grand succès (et certains rapportèrent à leur auteur des sommes appréciables : ainsi 3 000 livres pour les parties II et III de *Cléopâtre*).

La Calprenède était de ceux qui tenaient le roman pour un substitut en prose de l'épopée. Ses œuvres prétendent à l'historicité : ainsi l'intitulé complet de la dernière est *Faramond ou l'Histoire de France* ; d'ailleurs, il souligne que la trame de son récit contient force « histoires dans lesquelles toutes les personnes considérables du siècle que nous traitons entreront avec assez de vraisemblance » (« Avis au lecteur » de *Cléopâtre*). De même, il s'impose de respecter la règle des unités de temps, lieu et sujet. Pour cela, il réunit ses protagonistes dans un espace restreint (une ville ou un camp et leurs environs) et un temps limité (une année), pour une action principale. Mais le jeu compliqué des retours en arrière et des récits faits par les personnages lui permet d'adjoindre à l'intrigue centrale de nombreuses histoires annexes et de diversifier largement le temps et l'espace. Enfin son style se veut toujours noble ; en fait, il est souvent guindé ou emphatique à force de recherche. Et si son œuvre témoigne, par comparaison avec celle de ses devanciers (Gomberville, par exemple), d'un souci de la couleur historique, les procédés traditionnels du récit d'aventures y abondent (déguisements, enlèvements, substitutions de personnes ou d'identités, intrigues amoureuses enchevêtrées...). Ses héros, fictifs, sont toujours beaux, braves, galants et passionnés. À travers les stéréotypes se manifeste pourtant une problématique de la générosité et de la volonté de gloire. Le succès que connurent ces romans témoigne de la persistance, à une époque de crise de l'idéologie aristocratique, de la thématique héroïque et d'un goût tourné vers la grandeur des passions et des actes.

A. Viala

LACAN Jacques

(1901-1981)

À peine mort, Jacques Lacan est entré dans la légende. De tous les acteurs de la vie intellectuelle et littéraire du XXe siècle en France, il est sans doute l'un des seuls à avoir rejoint la troupe de cette *commedia dell'arte* de la république des lettres, ceux dont le nom à lui seul évoque une silhouette, un masque, une attitude : comme Matamore, en posture de bretteur, brandissant son épée de carton, les yeux exorbités et le poil hérissé, Scapin et ses entrechats, Pantalon, vieillard hargneux, Molière sur le fauteuil du malade imaginaire, Chateaubriand sur le rocher du Grand Bé, la chevelure soulevée par les orages désirés, Rousseau herborisant en robe de chambre – Jacques Lacan faisait irrésistiblement penser à eux lorsque, sur l'estrade de populeux amphithéâtres, arborant d'étonnants nœuds papillon, il proférait le texte de son séminaire, d'une voix « qui n'est la voix de personne/Tant que des ondes et des bois ». Aussi bien fut-il tous ces personnages – et d'autres encore – et s'était-il voulu ainsi, rejoignant les figures de ce théâtre d'ombres dont il anima lui-même l'avant-scène parisienne.

Peut-être eût-il disparu avec elles, rentrant dans l'épaisseur aveugle du mur quand la lanterne s'est éteinte, s'il n'eût porté ce pouvoir de l'illusion jusqu'au cœur du langage, soumettant la langue française, dans sa syntaxe et dans ses tropes, à l'une des tentatives les plus radicales de réorganisation qu'elle eût connues depuis longtemps. Si nombreux sont ceux qui en ont éprouvé le charme et qui ont tenté, avec plus ou moins de bonheur, de le reproduire qu'il n'est pas inutile, au milieu de tant de contrefaçons, de chercher à montrer ce que fut réellement dans sa forme cette entreprise qui visait à changer le cours de la langue sinon de la pensée française.

Une première évidence s'impose : le travail de Jacques Lacan sur le langage va à contre-courant des principales tendances du français, parlé ou écrit, au XXe siècle : primauté du parlé sur l'écrit ; simplification de la syntaxe ; déstructuration – inconsciente ou délibérée – de la phrase. Le texte de Lacan, bien que dit, recourt avec délectation aux tours et aux détours les plus élaborés de la syntaxe, échafaude et complique à plaisir les constructions et les figures de style, poétise et restructure ainsi une langue que menaçait d'asphyxie la pauvreté de l'idiome psychanalytique.

On n'en a bien souvent retenu que les procédés (fréquents) de l'inversion et du calembour ; bien d'autres, plus subtils mais non pas nouveaux, sont empruntés à l'arsenal rhétorique et poétique de la plus ancienne tradition lettrée, et la plus affectée. C'est aux baroques et aux précieux, à Góngora, à Marini, sinon à Voiture et à *la Guirlande de Julie,* autant qu'aux effets plus austères de Mallarmé ou de Valéry qu'ils renvoient. Et c'est sous cette double ascendance qui prend sa commune origine dans l'art baroque, privilégiant l'expression symbolique de la pensée par les tropes et les figures de construction, qu'il faut situer, pour le comprendre, le texte lacanien depuis *Écrits* (1966) jusqu'aux volumes de *Séminaire,* publiés depuis 1973 par les soins de J.A. Miller. La première ascendance, d'inspiration précieuse, développe en spirale la chaîne continue et redondante de la métonymie dans ses formes diverses ; Lacan s'y abandonne à l'entraînement de l'« efficacité symbolique », comme il le montre de Dupin – le héros d'Edgar Poe – dans le séminaire de la *Lettre volée* : « Sans avoir besoin [...] d'écouter aux portes du professeur Freud, il ira très droit là où gît et gîte ce que ce corps est fait pour cacher, en quelque beau mitan où le regard se glisse, voire à cet endroit dénommé par les Séducteurs le château Saint-Ange, dans l'innocente illusion où ils s'assurent de tenir là la Ville. »

Mais c'est pour affirmer aussitôt que l'efficacité symbolique ne s'arrête pas là. Car « le signifiant [...] n'est, par sa nature, symbole que d'une absence ». Elle suppose aussi le jeu des « non-tropes », figures de construction, figures de style dont la raison est de dissimuler et qui, par le déplacement, l'ellipse, l'allusion, la réflexion, renvoient au foyer symbolique absent ou caché, le processus en miroir de la métaphore par excellence, l'image absente mais supposée de l'autre, centre et principe du discours symbolique. Constante de notre tradition poétique, de Scève à Mallarmé, c'est la seconde ascendance littéraire du texte lacanien. Art de l'absence et du déplacement : « C'est qu'on ne peut dire, à la lettre, que ceci manque à sa place, que de ce qui peut en changer, c'est-à-dire est symbolique. »

Voilà l'expression manifeste, dans le style du discours lacanien, de ce qui en est le principe théorique. Ce déploiement rhétorique et poétique tient en ces quelques formules et en quelques autres qui en résument le processus analytique : « L'inconscient est structuré comme un langage » ; « L'inconscient, c'est le discours de l'autre » ; « Le style c'est [...] l'homme à qui l'on s'adresse... ». Propositions qui conduisent sa démarche jusqu'à la découverte et à l'analyse du « stade du miroir » comme étape première de la formation du symbole – et de ses deux composantes formelles, où il s'organise : la chaîne métonymique et l'acte métaphorique.

Le style de Lacan apparaît bien comme l'objet de sa recherche, et son œuvre comme le miroir de cet « objet » (le « discours de l'autre ») « qui traverse le sujet sans qu'ils se pénètrent en rien », objet, pour reprendre encore ses propres termes, « qui répond à la question sur le style, que nous posons d'entrée de jeu. À cette place que marquait l'homme pour Buffon, nous appelons la chute de cet objet, révélante de ce qu'elle l'isole, à la fois comme la cause du désir où le sujet s'éclipse, et comme soutenant le sujet entre vérité et savoir ».

« Entre vérité et savoir... », tout est dans l'instance – et dans l'inconstance – de ces figures de l'illusion que fait surgir le style, inventant sinon une discipline et une école, comme le crurent et le voulurent certains, du moins une démarche, ouvrant un chemin poétique vers la connaissance. Sans nier l'apport théorique que représente la définition du stade du miroir, on peut penser que c'est là que s'exercera le plus durablement l'influence de Lacan, le rendant à une tradition poétique où, parmi les surréalistes, il se situa lui-même dès l'origine.

A. Le Pichon

LA CEPPÈDE Jean de

(vers 1550-1623)

Originaire de Marseille, La Ceppède fait carrière dans la magistrature et devient conseiller au parlement d'Aix. Grâce à sa fidélité à la cause royale au temps de la Ligue – et peut-être sur une intervention personnelle de son ami Malherbe –, il obtient la charge de premier président de la chambre des comptes de Provence (1608). Auteur d'une *Imitation des Psaumes de la Pénitence de David* suivie de *Douze Méditations* (1594), il a consacré l'essentiel de son activité littéraire à ses *Théorèmes sur le sacré mystère de nostre redemption,* dont les deux parties (1613 et 1622) comportent respectivement 300 et 215 sonnets. Il s'éteint en Avignon le 21 juillet 1623.

Les *Théorèmes* – ce titre doit être pris au sens étymologique de « méditations » – apparaissent à la fois comme un itinéraire spirituel et comme l'épopée mystique du Christ montant au Calvaire. Trois moments forts scandent ce parcours : la nuit de Gethsémani (1re partie, liv. I), l'*Ecce homo* (liv. II) et le cri sur la croix (liv. III). Exclusivement composée de sonnets qui forment chaînes, grappes, cristaux d'un même bloc, les *Théorèmes* entrelacent le récit de l'Évangile, assez fidèlement suivi, et les apartés du croyant qui partage, de station en station, les « mystiques étreintes » de son Rédempteur. Un même nœud enserre la chair martyrisée du Christ et l'âme « resserrée, captivée » du fidèle (I, 91). L'architecture baroque de la conception d'ensemble se révèle dans les éclairages abrupts : le Christ mourant s'offre tout en contraste de fleurs et de fruits (II, 70), et, devant Pilate, l'antithèse de sa chair humiliée et de la gloire divine qu'elle masque s'affirme dans l'opposition du « Sonnet en rouge » (II, 63), évoquant l'écarlate du manteau d'infamie, et du « Sonnet en blanc » (II, 54), qui se dissout dans l'« étincelant pennage » de l'Esprit saint.

On ne doit pas au demeurant sous-estimer la portée didactique de cette poésie flamboyante. Se situant avec exactitude dans le contexte doctrinal du Concile de Trente, les *Théorèmes* mettent en œuvre une vaste érudition de seconde main puisée chez les Jésuites Suarez, Tolet et Maldonat ou auprès de théologiens comme Crespet, Louis de Grenade et Panigarole. En coulant cette puissante synthèse dogmatique dans le moule impérieux d'un sonnet porté à sa perfection formelle, La Ceppède entendait servir magistralement le catholicisme rénové.

F. Lestringant

La Chaussée Pierre Claude Nivelle de

(1692-1754)

« On nous promet pour le premier jeudi de Carême, ou pour le mercredi des Cendres, un sermon du Révérend Père de La Chaussée sur "le retour sur soi-même". Déjà toutes les chaises sont retenues. » L'annonce humoristique de *l'École de la jeunesse* qu'on trouve dans le *Journal historique* de Collé rend bien compte du caractère moralisateur de la « comédie larmoyante », genre mis à la mode par le talent de La Chaussée, et qui devait ouvrir la voie au « drame bourgeois » de Sedaine et Diderot.

Ce serait pourtant beaucoup limiter l'œuvre de cet auteur dramatique que de la réduire à une telle production. Fournisseur des théâtres publics ainsi que des théâtres privés de Mme de Pompadour ou du comte de Clermont, il tente sa chance dans les parades et dans les tragédies ; il broche des comédies romanesques (*le Rival de lui-même,* 1746 ; *l'Amour castillan,* 1747) et s'efforce de faire revivre la comédie aristophanesque (*les Tirynthiens,* 1754) aussi bien que la tragi-comédie du siècle précédent (*la Princesse de Sidon,* 1754, et son personnage de Mélisende). Ni sa vie ni son œuvre ne permettent de l'identifier au moralisme pathétique et didactique de ses plus grands succès. Ce fils de bonne bourgeoisie parisienne, ancien élève du collège Louis-le-Grand, mène une vie heureuse et fréquente les joyeuses sociétés du comte de Livry ou des « dîners du bout du banc ». De caractère et d'esprit assez caustiques, un moment touché par la banqueroute de Law, il retrouve chaque fois l'équilibre, le succès et, dit-on, les joies d'amours dépourvues d'élans mystiques. Il n'est pas non plus dévoré par la passion de la carrière littéraire : à quarante et un ans (1733), avec sa *Fausse Antipathie,* il aborde les théâtres publics. S'il y exploite les ressources littéraires de la vertu et des larmes, c'est pour répondre à l'attente de son époque. En son for intérieur, sans doute préfère-t-il la libre expansion que son héroïne Katinon propose aux Tirynthiens : « La nature est avant les lois,/Le plaisir est l'âme du monde. »

La célébrité lui vint grâce aux pièces que Gustave Lanson plus tard devait qualifier de « larmoyantes ». *Le Préjugé à la mode* (1735), *Mélanide* (1741), *la Gouvernante* (1747), *l'École des mères* (1744) ou même *l'École des amis* (1737) connurent un succès qui compense largement l'accueil sévère que reçurent *l'École de la jeunesse* (1749) ou *l'Homme de fortune* (1751).

Fondée sur l'observation des inégalités sociales – mais non celles qui touchent le vrai peuple, représenté seulement par quelques valets ou suivantes, beaucoup moins nombreux que dans la comédie traditionnelle, et qui n'apportent ici ni leur habituelle fantaisie ni leurs revendications parfois vindicatives –, l'œuvre de La Chaussée présente tout un cortège de nobles en exil, de bourgeois menacés dans leurs affaires financières et de femmes souffrant de l'infériorité sociale de leur sexe. Cette inégalité est la source principale des obstacles qui retardent l'heureux dénouement des comédies ; à quoi peuvent s'ajouter les tyrannies de la mode (ainsi le « préjugé » qui couvre de ridicule l'amour conjugal), ou le parti pris des parents qui, pour établir leurs enfants, préfèrent la fortune à l'amour. Pour compliquer l'intrigue, faire naître le pathétique et retarder le dénouement, La Chaussée utilise toutes les ficelles du romanesque : quiproquos et méprises entretenus jusqu'au dernier instant, père cru mort réapparaissant à point nommé, gouvernante qui n'est autre que la mère de son élève, père cachant chez lui sa fille à l'insu de tous, alors qu'on la croit au couvent...

Dans ce monde à la fois vrai par l'observation des inégalités et faux par la mise en œuvre d'obstacles qui, en réalité, n'en sont point, Nivelle de La Chaussée fait circuler des héros qu'animent la vertu, le devoir et les bons sentiments. On y pleure beaucoup. Larmes de tristesse, parce que le malheur – le plus souvent inattendu – accable les personnages, et parce que leur vertu empêche la réalisation de leurs désirs : familles unies ou mariages heureux. Mais aussi larmes de joie, parce qu'à la dernière minute le jeu des reconnaissances permet d'effacer les obstacles. Comment d'ailleurs ne pas trouver une *happy end,* lorsque les faiblesses des héros ne sont que des erreurs passagères, ou lorsque « les vices de l'esprit ne sont pas ceux du cœur » ? Le volage mari du *Préjugé à la mode* revient à sa femme sans les arrière-pensées du comte Almaviva retrouvant la comtesse, et Mélanide récupère aisément son époux devenu sans le savoir le rival en amour

de son propre fils : « Madame, vous voyez dans quelle douce chaîne/Aussi bien que l'amour le devoir me ramène. »
L'alliance d'une dramaturgie romanesque et d'une psychologie optimiste autorise un triple mouvement dans la démarche idéologique de ce théâtre. Au milieu des préjugés et des inégalités dont ils souffrent, certains personnages manifestent quelque velléité de révolte : « Quoi, les hommes ont-ils d'autres droits que les nôtres ? » s'exclame la jeune Sophie du *Préjugé* ; et le fils du financier Brice, l'« homme de fortune », exhale sa fureur contre les avantages dont jouissent dans la carrière militaire les nobles de vieille souche. C'est ici presque le « vous vous êtes donné la peine de naître » de Figaro. Mais le sentiment du « devoir » étouffe aussitôt la révolte : « Le devoir d'une femme est de paraître heureuse », dit l'épouse délaissée, et Brice fils, s'adressant au grand seigneur dont il aime la fille : « Du fond de mon néant j'envisage l'espace/Que je ne puis franchir, à moins que vos bontés/Ne daignent m'élever jusqu'à vous... » Il ne reste plus aux personnages de haut rang qu'à faire montre de leur générosité : « Renaissez dans mon sein, ma fille est votre bien. »
Tel est ce monde à la fois bourgeois – où les personnages qui ont l'aveu de l'auteur s'appliquent à faire coïncider le paraître avec l'être, au contraire des nobles écervelés et de leurs imitateurs – et cornélien, puisque le devoir et la vertu y conduisent à la réconciliation générale. On constatera donc sans surprise que le style de La Chaussée, où règnent ces alexandrins que plus tard le drame bourgeois saura abandonner, bien loin d'être l'archétype de l'écriture sensible que Lanson voulait y trouver, est essentiellement un démarquage bourgeois de la langue de la tragédie classique. « Respectez à la fois Méranie et ma gloire/[...] Adieu, même en mourant je ne sais qu'obéir. » C'est ainsi qu'on s'exprime chez le financier Brice...

R. Landy

LACLOS Pierre Ambroise CHODERLOS de

(1741-1803)

Le scandale qui, en son temps et presque jusqu'au nôtre, entoura Laclos et *les Liaisons dangereuses* a aujourd'hui disparu. Restent deux énigmes : celle d'un écrivain amateur, produisant presque à son premier essai un chef-d'œuvre d'analyse psychologique et d'élaboration narrative ; et surtout celle d'un roman par lettres à la signification ambiguë, prétendant condamner le libertinage du XVIIIe siècle tout en l'incarnant dans la fascinante figure de Mme de Merteuil, une « Ève satanique » (Baudelaire) ; s'attachant moins peut-être à décrire l'affrontement du libertin et de la société que le dérèglement généralisé des principes de l'un et de l'autre. Bref, un roman dont « les ouvertures vers des interprétations opposées » (T. Todorov) ajoutent à un érotisme elliptique le plaisir plus moderne encore d'un incertain dialogue entre le texte et le lecteur.

Un officier au-dessus de tout soupçon

La vie de Laclos ne livre guère le secret de son chef-d'œuvre. Officier de carrière, il écrit peu, et la tradition rousseauiste, dont il paraît se réclamer dans ses lettres ou ses rares ouvrages, ne s'exprime que de biais dans *les Liaisons dangereuses.* Né à Amiens dans une famille de petite noblesse, il choisit l'armée par vocation et l'artillerie par nécessité : c'est une arme « technique », et l'on n'y regarde pas de trop près à la naissance. À partir de 1763, la France est en paix, et Laclos, qui sort de l'École militaire de La Fère, doit subir une triste vie de garnison : Toul, Strasbourg, Grenoble – où, d'après une tradition accréditée par Stendhal, se seraient trouvés les modèles réels des *Liaisons* –, Besançon, Valence. Une carrière sans histoire, avec pour seule évasion des poèmes galants (*les Désirs contrariés, les Souvenirs*), des contes érotiques (*la Procession, le Bon Choix*), généralement publiés dans *l'Almanach des Muses.* Son *Ernestine,* opéra-comique tiré d'un roman « sensible » de Mme Riccoboni, joué à la Comédie-Italienne, connaît un échec immédiat (1777).
En 1779, nommé capitaine, Laclos est envoyé à l'île d'Aix, au large de Rochefort, pour en construire les fortifications. C'est dans cette solitude, à Paris aussi où il se rend en permission, que mûrissent *les Liaisons dangereuses.* Le roman paraît en avril 1782 : triomphe (deux mille exemplaires vendus en un mois), scandale. Laclos part précipitamment pour La Rochelle afin d'en restaurer l'arsenal. Dans la bonne société rochelaise, il rencontre Marie-Soulange Duperré à laquelle il fait un enfant, puis qu'il épousera (en 1786), avec qui enfin il connaîtra un bonheur conjugal authentique, fût-il vécu et exprimé au travers de références littéraires à la mode : « Rousseau a écrit presque tout ce que tu m'as inspiré et tu m'inspires encore... » Laclos affiche encore ce rousseauisme dans un article sur *Cecilia* (roman de l'Anglaise Francesca Burney) où il salue : « *la Nouvelle Héloïse,* le plus beau des ouvrages produits sous le titre de roman » (1784) ; enfin dans trois textes inachevés, regroupés par ses éditeurs sous le titre *De l'éducation des femmes* (à partir de 1783), féconde grille de lecture pour *les Liaisons,* et où les thèses du *Discours sur l'inégalité,* largement reproduites, conduisent au même pessimisme : « La femme sociale n'est pas susceptible d'éducation. » Le troisième texte, nettement plus tardif (entre 1795 et 1802, selon Laurent Versini), tentera cependant la gageure.
Nouveau scandale : en 1786, devenu lui-même un spécialiste en la matière, Laclos se livre à une critique en règle du système de fortifications conçu et réalisé par Vauban (*Lettre à MM. de l'Académie française sur l'éloge de M. de Vauban*) ; l'année suivante, il propose un curieux projet de numérotage des rues et maisons de Paris, fondé sur un découpage de la ville en carrés. En 1788, retour à la vie civile. Le duc d'Orléans engage Laclos comme « secrétaire des commandements », et aussi pour tenir sa plume. Au nom de Philippe-Égalité, dont il partage du reste les vues progressistes, Laclos rédige des *Instructions aux assemblées de bailliage* (1789), un *Exposé de la conduite de M. le duc d'Orléans* (1790), le *Journal des amis de la Constitution* (1790-1791). Danton, son autre protecteur, le

fait nommer en 1792 commissaire du pouvoir exécutif, et il contribue, par ses conseils, à la victoire de Valmy ; général de brigade, il participe à la mise au point du « boulet creux ». Emprisonné sous la Terreur, libéré après Thermidor, Laclos donne alors son point de vue sur les origines et les objectifs souhaitables de la Révolution (*De la guerre et de la paix,* 1795). En 1800, Bonaparte, qui a apprécié son rôle lors du 18-Brumaire, l'envoie comme général de brigade à l'armée du Rhin, puis l'emmène en Italie (1800-1801). Nommé en 1803 commandant de l'artillerie française de Naples, il meurt de la dysenterie à Tarente, cette même année.

Depuis longtemps (cf. ses *Observations du général Laclos sur le roman théâtral de M. Lacretelle aîné,* 1803), il songeait à un nouveau roman qui, à l'image du *Fils naturel* de Louis Lacretelle (1802), eût été, cette fois, « le roman des liaisons heureuses » (L. Versini).

Les Liaisons dangereuses

Le roman par lui-même

Au siècle de *Clarisse Harlowe* et de *la Nouvelle Héloïse,* le choix par Laclos de la forme épistolaire n'a rien d'original. Mais *les Liaisons dangereuses* vont plus loin, en conférant à cette forme une nécessité impliquée par le contenu même du récit. Car la lettre se donne ici comme un élément constitutif de la stratégie libertine ; elle permet de nouer et d'entretenir une « liaison » que le code social interdit d'établir au niveau de la parole, et d'investir ainsi peu à peu l'« esprit » de la victime désignée : « Vous m'entourez de votre idée plus que vous ne le faisiez de votre personne » (lettre 66, Mme de Tourvel à Valmont). Cependant l'ambition explicite du libertin n'est pas seulement de conquérir mais de perdre sa victime, de « publier » sa déchéance et celle de la morale qu'elle prétendait défendre en produisant dans le public, sur le « grand théâtre », la lettre d'amour qui en portera témoignage : « Dans les affaires importantes, on ne reçoit de preuves que par écrit » (lettre 20, Mme de Merteuil à Valmont). Or, dans *les Liaisons dangereuses,* cette stratégie échoue : la lettre d'amour de Mme de Tourvel n'arrivera jamais (Laclos l'avait rédigée, puis à juste titre supprimée), sinon sous la forme d'un délire épistolaire (lettre 156) dicté au moment de sa mort par la Présidente, qui échappera ainsi de justesse à la « perte » sociale à quoi Valmont l'avait condamnée. Les « liaisons dangereuses » ont donc pour condition de possibilité à la fois le consentement de Mme de Tourvel à poursuivre la « liaison » épistolaire et le retard, justifié par divers attendus psychologiques – craintes, pudeur, etc. –, apporté à la rédaction de cette fameuse « preuve » : « L'œuvre n'existe que dans l'acte de différer sa propre fin » (M. Roëlens).

Écrire/décrire

Moteur et enjeu de l'intrigue libertine, la lettre des *Liaisons* élimine systématiquement toute information périphérique sur les lieux, les objets, l'« époque », etc. Mais cette omission est en soi significative. Elle désigne un milieu social élevé et homogène, où l'on sait écrire : symboliquement Émilie, la « fille d'opéra », est réduite au rôle de pupitre pour Valmont ; un milieu où les objets sont toujours disponibles, donc inintéressants en soi, et réduits à leur seule valeur fonctionnelle : une clef, un déshabillé, une « ottomane » ; où, d'un château à l'autre, chacun évolue en des décors identiques, qu'il est par conséquent inutile de détailler. Effacement qui valorise le seul objet digne d'attention, car toujours il se désire et se renouvelle : la lettre. De même se trouve soulignée la distance qui sépare les correspondants au détriment des lieux où ils se trouvent : distance « psychologique » et nullement topographique, car on franchit comme un trait les quelques lieues qui séparent de Paris le château de Mme de Rosemonde, lequel à l'inverse peut se distendre pour donner lieu à un échange de lettres : Valmont et Mme de Tourvel s'y écrivent d'une chambre à l'autre (lettre 40). Dans cet espace aussi réel qu'un échiquier, seule compte la position des « pièces », leur capacité de prendre ou d'être prises ; d'où ces métaphores guerrières fréquentes chez les libertins (« une victoire complète, achetée par une campagne pénible, et décidée par de savantes manœuvres », lettre 125, Valmont à Mme de Merteuil), qui sont celles aussi du joueur.

Il pourrait toutefois sembler paradoxal de confier à la lettre, écriture solitaire, la fonction de rendre compte d'une vie sociale essentiellement orale, fondée sur la conversation mondaine et la vie de salon. Mais ce n'est là pour Laclos qu'un paraître ritualisé, ce « grand théâtre » dont parle Mme de Merteuil, tandis que le moi véritable ne se donne à voir que dans le secret de ses lettres ; surtout le moi du libertin, que l'hypocrisie sociale contraint à dissimuler. Dédoublement vécu à son plus haut degré par ces Valmont et Merteuil qui échangent une correspondance scandaleuse tout en jouant pour la galerie les amoureux et les prudes et qui empruntent aux livres le naturel qui leur manque : « Je lis un chapitre du *Sopha,* une lettre d'*Héloïse* et deux *contes* de La Fontaine pour recorder les différents tons que je voulais prendre » (Mme de Merteuil à Valmont, lettre 10). Ce qui leur confère une redoutable supériorité sur ces « sentimentaires » tout d'une pièce, et aveuglés par leur passion, machines à sentiment dont les libertins démontent les rouages : « Vous ne possédez absolument que sa personne ; je ne parle pas de son cœur, dont je me doute bien que vous ne vous souciez guère ; mais vous n'occupez seulement pas sa tête » (Mme de Merteuil à Valmont, lettre 113). Face à la subtilité de ces analyses, la naïveté de Cécile, marquée par le retour obsessionnel du mot « bien » (« je vous aime bien », « je suis bien malheureuse », etc.) et le « je » mal assuré de Mme de Tourvel assaillie par des interrogations douloureuses : « Cet empire que j'ai perdu sur mes sentiments, je le conserverai sur mes actions [...]. Ne vaut-il pas mieux pour tous deux faire cesser cet état de trouble et d'anxiété ? » (à Valmont, lettre 90). Infériorité encore soulignée par la juxtaposition des lettres portant sur un événement identique. La bonne œuvre de Valmont racontée par celui-ci à Mme de Merteuil apparaît pour ce qu'elle est : une manœuvre tactique (lettre 21), alors que Mme de Tourvel se laisse prendre aux apparences (lettre 22). Les *Liaisons* apparaissent ainsi comme un récit à deux voix : d'un côté l'illusion, de l'autre la vérité que détiennent les seuls libertins et qui est comme le signe de leur pouvoir sur le monde.

La transgression généralisée

« Ne jamais écrire », proclame Mme de Merteuil dans sa grande lettre autobiographique (lettre 81). « Quelle femme pourrait avouer être en correspondance avec vous ? » demande Mme de Tourvel à Valmont (lettre 43). La lettre est donc une transgression à la règle, tant celle des libertins que celle des gens honnêtes, causant finalement la perte des uns et des autres. L'accumulation d'une correspondance explosive entre Valmont et Mme de Merteuil instaure entre eux un véritable équilibre de la terreur : une fois celui-ci rompu, Valmont sera tué en duel par Danceny (« perdre » une femme ne va pas sans risques : d'où à nouveau le bien-fondé d'une phraséologie militaire), et Mme de Merteuil condamnée à la mort sociale ; enfin, les aveux écrits de Cécile constituent un accablant dossier dans les mains de Mme de Merteuil, et Mme de Tourvel n'est sauvée du déshonneur que par la mort. Pourquoi dès lors cède-t-on à la si dangereuse tentation de l'écriture ? Pour le libertin, il s'agit de témoigner avec éclat de sa vraie nature, de trouver un public pour saluer sa performance : « Écoutez, et ne me confondez plus avec les autres femmes » (Mme de Merteuil à Valmont, lettre 85). Pour les « vertueux », écrire donne l'illusion de tenir le péché à distance, alors même que s'établit une « liaison » interdite. Et c'est ici qu'affleure le rousseauisme fondamental de Laclos. Moins sans doute dans la nostalgie d'une pureté originelle corrompue par la vie sociale et les dangers du rituel mondain (*cf.* la lettre 32) que dans l'expression romanesque d'un thème philosophique précis : celui de l'écriture, comme cause et symptôme de la dégradation des mœurs, « supplément » pervers et mensonger venu se substituer à la parole translucide des premiers temps. Rousseauisme droit venu du *Discours sur l'inégalité*, et de *l'Essai sur l'origine des langues.* Cécile, « élève » de Valmont et de Mme de Merteuil, est invitée par la marquise à « soigner davantage [son] style » (lettre 105) : symboliquement, l'apprentissage du vice va de pair avec celui de l'écriture.

La « morale » des *Liaisons*

Comme récit, *les Liaisons dangereuses* posent un problème de vraisemblance : comment le « rédacteur » de la préface a-t-il pu recevoir communication des lettres, les rassembler alors qu'elles devraient se trouver dans les mains de leurs destinataires ? Laclos se refuse à toute supercherie (lettres mystérieusement découvertes, etc.), si bien que le récit impose ses servitudes à l'histoire : il faut que dans celle-ci les libertins aient rompu la loi du silence ; dès lors, puisque nous les lisons, les lettres les plus triomphantes de la marquise disent aussi sa perte future. Dans le dénouement, par contre, tout n'est pas imposé par la loi du récit. On y trouve en effet un luxe narratif, un quelque chose de plus qui dit l'intention moralisatrice de l'auteur : l'issue fatale pour Valmont de son duel avec Danceny, les épreuves qui s'abattent sur Mme de Merteuil (petite vérole, ruine, etc.)... Mais cette gratuité est équivoque : n'est-ce pas un hommage ironique rendu aux bonnes mœurs, une punition des méchants comme on n'en voit que dans les contes ? D'où les interprétations divergentes que suscite cette fin des *Liaisons*, et partant l'œuvre entière. Si l'on se refuse à chercher le sens du roman à l'extérieur de lui-même (par exemple dans *De l'instruction des femmes*, dans l'édifiante *Ernestine*), il est permis d'y voir aussi bien une condamnation du libertinage qu'un « vrai manuel de la débauche » (Gide). À moins que l'infraction à l'ordre du récit commise par Laclos, et de quelle indiscrète manière, ne soit le reflet formel de cette « inconséquence » générale (lettre 32) qui, libertins et « vertueux » confondus, apparaît comme le propre d'une époque contradictoire où « tout-le-monde aime contre le principe qui lui interdit d'aimer » (J. Rousset).

SYNOPSIS

Invité par son ancienne maîtresse, Mme de Merteuil, à séduire la jeune Cécile Volanges, fiancée à un homme dont elle souhaite se venger (lettre II), le vicomte de Valmont lui oppose un refus : il a jeté son dévolu sur la vertueuse Présidente de Tourvel (IV). Mais celle-ci repousse avec horreur les avances du libertin, tandis que Cécile vit son premier amour avec le jeune Danceny (XVI). De lettre en lettre la Présidente paraît céder peu à peu, mais sa conduite reste irréprochable. Bientôt le ton s'aigrit entre les deux complices ; Mme de Merteuil se moque des fausses manœuvres de Valmont (XXXIII), lui donne une leçon de méthode dans une longue lettre autobiographique (LXXXI), et, par défi, feint de se laisser séduire par le beau Prévan à qui elle inflige une punition cruelle (LXXXV). Cependant Valmont, ayant appris le rôle joué par Mme de Volanges, la mère de Cécile, qui l'a démasqué auprès de la Présidente (IX), entre dans le jeu de Mme de Merteuil et, avec la complicité involontaire de Danceny, devient l'amant de Cécile (XCVI). La Présidente de Tourvel se refuse toujours, malgré l'amour qui la dévore. Invoquant une prétendue conversion et sous prétexte de lui rendre ses lettres, Valmont obtient un rendez-vous ; elle cède enfin (CXXV). Mais Mme de Merteuil ayant exigé de Valmont, qui désire renouer avec elle, le sacrifice préalable de sa nouvelle conquête, le libertin mis au défi envoie à la Présidente que pourtant il aime une lettre de rupture. « Ce n'est pas ma faute... » (CXLII). Cependant Mme de Merteuil se dérobe : c'est « la guerre » (CLIII). Les libertins s'entredétruisent en divulguant leurs lettres : Danceny, outré, tue Valmont en duel ; Mme de Merteuil, déconsidérée, frappée par la petite vérole, s'enfuit ; Mme de Tourvel meurt, Cécile entre au couvent et Mme de Volanges se lamente (CLXXV).

J.-P. de Beaumarchais

LACRETELLE Jacques de

(1888-1985)

Né dans le Mâconnais d'un père diplomate, Jacques de Lacretelle a pris très tôt le goût des voyages. Son éducation aussi élargit son horizon : après avoir fréquenté le lycée Janson-de-Sailly, il poursuivit ses études à l'université de Cambridge. C'est après la Première Guerre mondiale qu'il commença de se faire connaître en littérature, avec un roman, *la Vie inquiète de Jean Hermelin* (1920), qui reprenait un thème alors à la mode : celui de l'adolescence. À travers l'histoire d'un personnage timide et fier, il trouvait l'occasion de dépasser sa propre jeunesse. Comme ses amis Proust et Rivière, il cherchait aussi à explorer les moyens du récit et à tenir compte des idées nouvelles en matière de psychologie : le roman, écrit à la première personne, se présente comme le carnet tenu par un héros soucieux de comprendre son itinéraire, interrompu à sa mort à la guerre en 1914. La forme choisie imposait presque cette fin au roman, sous peine d'en faire un journal perpétuel de l'auteur.

Silbermann

C'est *Silbermann* (prix Femina 1922) qui devait permettre à Lacretelle d'être vraiment connu et reconnu. Comme on colle habituellement sur lui l'étiquette de romancier d'analyse, on présente d'ordinaire *Silbermann* comme un roman où Lacretelle se penche sur l'« âme juive ». La question était d'ailleurs à la mode depuis l'affaire Dreyfus. En fait, de ce point de vue, même si c'est avec talent, Lacretelle ne fait que reprendre les idées en usage sur les juifs, et il ne se montre guère plus original dans sa peinture de l'antisémitisme. En revanche, la structure même de l'œuvre est beaucoup plus intéressante. Silbermann, personnage principal du roman, n'est pas le personnage central : il est vu de l'extérieur, par un narrateur qui va se rapprocher de lui en s'éloignant de ses anciens amis antisémites. Le récit repose sur une dialectique opposant rejet et sympathie, mouvement vécu par un narrateur d'autant plus sensible qu'il n'est pas tout à fait comme les autres, lui non plus, puisqu'il est protestant. Ce roman est donc un roman de la différence, de la difficulté (illustrée aussi bien par le narrateur que par Silbermann) que tout homme rencontre pour satisfaire à deux exigences : le maintien de son originalité et le besoin de s'intégrer à un milieu. Le mécanisme même du racisme se trouve ainsi mis en évidence. On peut reprocher à Lacretelle, dans la suite qu'il donna en 1930 à son livre (*le Retour de Silbermann*), d'avoir réduit le problème à sa dimension psychologique.

SYNOPSIS

Au lycée où il va entrer en troisième, le narrateur découvre l'antisémitisme de ses amis. Surgit un nouvel élève, un juif, Silbermann, accueilli avec froideur (I). Silbermann se distingue tout de suite par son intelligence, sa culture et son goût pour la littérature. Il cristallise ainsi la haine des autres. Seul le narrateur est fasciné : c'est le début de son amitié avec Silbermann, qui l'isole de ses anciens camarades (II). Reçu chez Silbermann, dont le père est un riche antiquaire, le narrateur découvre chez son ami une volonté farouche de s'intégrer à la France (III). Mais, après avoir fait sa connaissance, les parents du narrateur s'inquiètent de l'assurance de Silbermann et du pouvoir qu'il a sur leur fils. Par ailleurs, à l'occasion d'élections, l'antisémitisme se déchaîne jusque dans le lycée, et Silbermann est victime de brimades de plus en plus violentes. Le narrateur et lui sont mis en quarantaine par les autres élèves (IV). Un été passe ; à la rentrée (V), la position de Silbermann devient plus critique encore : une plainte a été déposée contre son père pour achat et recel d'objets volés. Il demande au narrateur d'intervenir auprès de son père, qui se trouve être le juge d'instruction désigné pour l'affaire ; non seulement la démarche échoue, mais encore les parents du narrateur font chasser Silbermann du lycée, trouvant que les relations qu'il entretenait avec leur fils étaient dangereuses pour lui et pour eux (VI). Dix jours plus tard, Silbermann apprend à son ami qu'il va partir pour les États-Unis (VII). Bien que convaincu de la culpabilité de Silbermann père, le père du narrateur, cédant à des pressions politiques, fait rendre un non-lieu, et obtient l'avancement qu'il convoitait. Le narrateur se rend ainsi compte de « l'imperfection humaine » (VIII) ; mais il va aussi découvrir la sienne : à la fin, il renoue avec ses anciens camarades, en se laissant même aller à une lâcheté gratuite.

Entre-temps, il avait publié deux autres romans – *la Bonifas* (1925), *Amour nuptial* (Grand Prix du roman de l'Académie française, 1929) – et un recueil de quatre nouvelles, *l'Âme cachée* (1928). *La Bonifas* avait des relents de naturalisme, mais Lacretelle, influencé par la psychanalyse, y développait une idée qui lui tenait à cœur : « Il n'est rien qui ne soit inclus en nous dès l'origine. » Ce qui pour lui imposait une double nécessité au romancier : « montrer la trame permanente » des caractères et « exploiter dans une large mesure le pressentiment ».

Lacretelle devait donner une œuvre importante avec un roman cyclique, *les Hauts-Ponts*, composé de quatre volumes – *Sabine* (1932), *les Fiançailles* (1933), *Années d'espérance* (1935) et *la Monnaie de plomb* (1935) – qui montrent l'attachement d'une femme, Lise Darembert, au domaine vendéen qui obsède sa vie. Le talent de l'auteur reçut alors une consécration officielle : Lacretelle fut élu à l'Académie française (1936). Mais cela n'interrompit pas sa carrière : après la Seconde Guerre mondiale, tout en exerçant d'importantes responsabilités au *Figaro*, il publia notamment *le Pour et le Contre* (1946), *Deux Cœurs simples* (1952) et *les Vivants et leur ombre* (1977), souvenirs et essais qui éclairent son œuvre romanesque.

C. Lesbats

La Fayette

La Fayette *ou* Lafayette, madame de

***Marie-Madeleine Pioche de La Vergne, comtesse de La Fayette** (1634-1693)*

Si Mme de La Fayette a pu être reconnue comme « la plus grande romancière française », c'est sans doute en dépit d'elle-même, qui prit tant de soin à ne pas paraître « auteur ». Son œuvre, assez mince (deux nouvelles, des fragments de Mémoires, deux romans, dont *la Princesse de Clèves,* vraie Joconde de la littérature), recouvre en fait la plus grande révolution de l'histoire du roman. Avec l'abandon d'un climat et de formes héritées de l'épopée, Mme de La Fayette défend sans doute les droits du naturel et du vraisemblable, mais surtout elle introduit l'auteur dans le récit, présence complexe et ambiguë qui implique une vision du monde, impose un regard. De plus, née elle-même de conversations et de collaborations diverses, cette œuvre romanesque, qui suscita dès sa parution débats et polémiques, consacre l'importance d'une perspective sociale qui sera l'avenir du genre. La vérité du personnage est à rechercher dans l'auteur, celle de l'auteur dans ses lecteurs ; en même temps qu'une histoire, le roman décrit son fonctionnement et suggère sa lecture. Il est devenu genre majeur, son hégémonie commence.

« Le Brouillard »

Ainsi la nommaient ses amis, et, après eux, la postérité ne parvient pas à décider si Mme de La Fayette fut un être fragile et languissant ou une politique ambitieuse et passionnée d'intrigue. Mme de Sévigné, sa meilleure amie, parle de « sa divine raison », et, en tout cas, le monde des lettres ne l'ignore pas, car elle figure, très jeune, dans le *Dictionnaire des Précieuses* de Somaize, dans le *Cercle des femmes savantes* de La Forge ou dans la *Pléiade des dames illustres* de Caillères. On dit d'elle, sous le portrait d'Hypéride, dans *l'Amour échappé* (1669) : « Elle écrit parfaitement bien, et n'a nul empressement de montrer ses ouvrages. »

Dès sa naissance – à Paris –, on peut la situer dans un univers protégé : de très petite noblesse par son père – Marc Pioche, seigneur de La Vergne, est « écuyer » –, elle se rattache par sa mère, Isabelle Péna, à une famille de médecins et de savants humanistes. Son parrain est le marquis de Brézé, maréchal de France, et sa marraine Mme du Combalet, nièce de Richelieu, future duchesse d'Aiguillon, à qui Corneille va dédier *le Cid.* Après une petite enfance passée au Havre, où son père exerçait le commandement de la place, Marie-Madeleine rentre à Paris avec sa famille en 1640. Capitaine et ingénieur de formation, son père est précepteur d'un neveu du père Joseph (l'« Éminence grise ») et reçoit chez lui le père de Blaise Pascal, l'abbé d'Aubignac, le poète Jean Chapelain. L'enfant doit écouter beaucoup. La légende veut qu'elle ait été présentée très tôt à l'Hôtel de Rambouillet, alors déclinant. Elle a quinze ans à la mort de son père, et sa mère se remarie, un an plus tard, avec le chevalier de Sévigné, janséniste et frondeur, oncle de la jeune marquise de Sévigné avec laquelle se lie très vite Marie-Madeleine. Grâce à la duchesse d'Aiguillon, Mlle de La Vergne est nommée fille d'honneur de la reine, et c'est dans ce cercle qu'elle observe la Cour et ses manèges. En même temps, elle fréquente les Scarron, dans le sillage de sa mère, et aussi le savant Ménage, qui lui voue une amitié amoureuse et lui apprend le latin, l'italien, l'espagnol. La Fronde lui fait suivre ses parents en Anjou, où Sévigné est exilé. L'abbé Arnauld, qui la rencontre alors, lui reconnaît « tous ces talents acquis et naturels qui la distinguent si bien aujourd'hui parmi toutes les personnes de son sexe ». Le savant Costar la qualifie d'« incomparable » tandis que Ménage lui dédie ses commentaires de l'*Aminta* et lui envoie de Paris la *Clélie* de Mlle de Scudéry. Rentrée à Paris, elle épouse le comte François de La Fayette, veuf et plus âgé qu'elle de vingt ans, de vieille noblesse auvergnate. Elle suit son mari en Auvergne, où elle lit beaucoup ; en 1658, elle met au monde un premier fils, Louis (futur prêtre, qui mourra en 1729), et, en 1659, un second fils, René Armand (futur soldat, qui mourra en 1694).

Après le décès de sa mère en 1660, Mme de La Fayette rentre à Paris et s'installe rue de Vaugirard, moins, semble-t-il, à la suite d'une mésentente conjugale que pour mieux gérer les intérêts des La Fayette et plaider leurs nombreux procès. « Jamais femme sans sortir de sa chambre n'a fait de si bonnes affaires... Elle a cent bras, elle atteint partout » (Sévigné). Elle publie son premier écrit, un portrait de Mme de Sévigné, dans le recueil de Mademoiselle, chez qui elle a rencontré Segrais et Huet, qui seront ses collaborateurs. Elle fréquente beaucoup, du fait de son appartenance à la maison de la reine, Madame (Henriette d'Angleterre), qu'elle a connue enfant au couvent de Chaillot ; en 1662, elle publie *la Princesse de Montpensier* : « Elle court le monde, mais par bonheur ce n'est pas sous mon nom », et, la même année, rencontre le duc de La Rochefoucauld. Elle est assidue à l'Hôtel de Nevers, chez les Plessis-Guénégaud, foyer de jansénisme et d'opposition discrète au régime, ce qui ne l'empêche pas d'entretenir de parfaites relations avec la Cour. En 1671, Louis XIV lui fait les honneurs de Versailles « comme un particulier qu'on va voir dans sa campagne » (Sévigné) ; c'est pourtant le temps où elle commence à préférer la solitude de sa campagne de Saint-Maur aux intrigues mondaines : « Paris me tue. »

Sous le nom de Segrais, elle fait paraître *Zaïde* (2 vol., 1670-1671), roman héroïque hispano-mauresque au goût du jour, qui obtient un vif succès. Car depuis Segrais lui-même et ses *Nouvelles françaises* (1656) et le *Journal amoureux* de Mme de Villedieu (1669-1671), la nouvelle historique est à la mode, et Mme de La Fayette travaille, dans l'intimité de La Rochefoucauld, à *la Princesse de Clèves*, qui paraît chez Barbin le 18 mai 1678, après au moins cinq ans d'élaboration. La mort du chevalier de Sévigné laisse Mme de La Fayette à la tête d'une solide fortune, mais, en 1680, elle perd La Rochefoucauld, et c'est pour elle un coup très rude. Elle continue pourtant de beaucoup recevoir dans son hôtel de la rue Férou, où Corneille, La Fontaine, Retz sont venus lire leurs œuvres. Très liée avec Louvois, elle fut peut-être son intermédiaire entre lui et la cour de Savoie. Elle entretient de 1680 à 1690 une correspondance suivie avec Lescheraine, secrétaire de Madame Royale. M. de La Fayette meurt en 1683. Mme de La Fayette commence la rédaction de ses *Mémoires de la cour de France, pour les années 1688 et 1689*, s'occupe de payer les dettes de ses fils, marie le cadet à Mlle de Marillac en 1689, « une alliance agréable, tous les Lamoignon » (Sévigné). Sa santé ne cesse de s'affaiblir : « Je suis toujours triste, chagrine, inquiète [...], je me désapprouve continuellement. » Elle correspond avec Rancé, mais c'est l'oratorien janséniste Du Guet qui la rapproche de Dieu quand vient la fin.

Une œuvre-écho

Peut-être mue par le sentiment, commun à l'époque, que le métier d'écrivain ne convient pas à une grande dame, Mme de La Fayette s'inquiète : « On croira que je suis un vrai auteur de profession de donner comme cela mes livres. » Ce qui ne l'empêche pas d'agir en écrivain de métier : pour *la Princesse de Montpensier*, elle revoit avec soin les épreuves : « Il y a une faute à la 58e page qui ôte tout le sens ! » Surtout, sous la pudeur aristocratique, s'exprime le désir de se faire le juste écho d'une société d'honnêtes gens occupés avec passion à ne pas être dupes des apparences, à déchiffrer le caché, les mystères de la conscience et du cœur. Nées d'un questionnement collectif, les œuvres de Mme de La Fayette soumettent à l'épreuve d'un vécu romanesque les maximes du monde. Le texte constitué fait le prétexte d'autres conversations, réclame un discours critique, seul capable de dégager un sens. On a beaucoup insisté (André Beaunier, Émile Magne) sur tout ce que la romancière doit à Ménage, qui lui fournit sa documentation historique. C'est à Segrais qu'elle doit son initiation aux techniques romanesques. Le *Traité de l'origine des romans* de Huet (publié avec *Zaïde*) éclaire beaucoup les conceptions de Mme de La Fayette et de ses amis : « Rien ne dérouille tant un esprit nouveau venu des universités, ne sert tant à le façonner et à le rendre propre au monde que la lecture des bons romans. »

La romancière se veut avant tout moraliste. La vraie nature de ses rapports avec La Rochefoucauld importe moins que les effets de cette relation privilégiée. En 1664, date de la publication des *Maximes,* Mme de La Fayette écrit : « Quelle corruption il faut avoir dans le cœur et l'esprit pour imaginer tout cela ! » Elle reconnaîtra plus tard : « M. de La Rochefoucauld m'a donné de l'esprit, mais j'ai réformé son cœur. » Du reste, ses nouvelles, qui sont ses œuvres les plus sévères sur la faiblesse humaine, sont antérieures aux *Maximes,* et c'est à vingt ans à peine que Mlle de La Vergne écrivait : « Je suis si persuadée que l'amour est une chose incommode que j'ai de la joie que mes amis et moi en soyons exempts. » C'est Mme de Sévigné qui a le mieux évoqué le rapport si original entre les deux écrivains : « Il me paraît qu'à la Cour, on n'a pas le loisir de s'aimer. Le tourbillon qui était si violent pour tous était paisible pour eux et donnait un grand espace au plaisir d'un commerce délicieux. » L'amitié qui unit l'épistolière et la romancière procède d'une vision du monde assez proche qui nourrit la substance morale de *la Princesse de Clèves* : même méfiance envers la passion, même perspective féministe sur le mariage qui aliène la femme et ne sert que l'homme, même refus janséniste de « trouver auprès des casuistes des accommodements entre leur vie mondaine et leurs aspirations religieuses » (Francillon). Plus que Descartes, c'est Pascal qui influence les deux femmes, l'auteur de ces *Pensées* dont Mme de La Fayette pensait que de ne pas les goûter était un bien mauvais signe. *La Princesse de Clèves* peut aussi se lire comme l'histoire d'une conversion. La part de tant d'influences prouve surtout « la coïncidence incertaine du sujet de l'écriture et du sujet vivant » (M. Laugaa).

L'invention de l'auteur

« Je le trouve très agréable, bien écrit sans être extrêmement châtié, plein de choses d'une délicatesse admirable et qu'il faut relire plus d'une fois, et surtout, ce qui s'y trouve, c'est une parfaite imitation du monde de la Cour et de la manière dont on y vit. Il n'y a rien de romanesque et de grimpé. Aussi n'est-ce pas un roman. C'est proprement des Mémoires, et c'était, à ce que l'on m'a dit, le titre du livre, mais on l'a changé » (lettre de Mme de La Fayette à Lescheraine, 13 avril 1678). Ainsi, tout en niant être l'auteur de *la Princesse de Clèves,* Mme de La Fayette, à l'abri du masque de critique, pose-t-elle son œuvre comme une sorte d'anti-roman.

De fait, dès 1678, le livre parut à ce point issu des préoccupations mondaines – une femme doit-elle avouer à son mari qu'elle en aime un autre que lui ? Un amant doit-il être heureux que sa maîtresse aille seule au bal ? etc. – que les commentaires qu'il suscita furent vite aussi célèbres que lui. Ce fut le cas de la correspondance semi-privée échangée à ce sujet entre Mme de Sévigné et Bussy-Rabutin, des articles et de l'enquête à propos de l'« aveu » dans *le Mercure galant* (janvier-octobre 1678), et surtout des deux livres inspirés par *la Princesse de Clèves :* les *Lettres à la marquise de XXX...,* par Valincour, et la réponse à ce livre, par l'abbé de Charnes, avec sa *Conversation sur la critique de « la Princesse de Clèves »* (1679). Un tel succès prouve moins l'habileté d'une campagne publicitaire qu'une implication évidente des lecteurs par une littérature de la réalité morale, à cent lieues de l'idéalisme romanesque traditionnel : l'auteur se montrant d'autant plus efficace qu'il s'efface derrière son livre de « Mémoires ». Bussy lui-même, pourtant si sévère, a bien senti l'originalité révolutionnaire du livre : « L'auteur, en le faisant, a plus songé à ne pas ressembler aux autres romans qu'à suivre le bon sens. » Le cœur de la « querelle » sur *la Princesse de Clèves* – querelle presque aussi chaude que celle du *Cid* en 1637 – porte précisément sur la « vraisemblance » du comportement des héros, et surtout de l'héroïne, avec son refus ultime du monde et de l'amour et la condamnation qu'elle entraîne d'une société contemporaine tout entière dénoncée dans ses illusions.

Mais il faut attendre le premier tiers du XVIIIe siècle et la publication posthume des œuvres « historiques » de Mme de La Fayette (*Histoire de Madame,* 1724 ; *Mémoires de la cour de France pour 1688 et 1689,* 1731) pour que cette lecture « sociologique » soit vraiment assumée. Réalisme insuffisant, selon Prévost : « En voulant peindre les hommes au naturel, on y fait des portraits trop charmants de leurs défauts. » Cependant Rousseau espère que pour ce qui est de l'impression de l'authentique du cœur, la quatrième partie de sa *Nouvelle Héloïse* n'est pas indigne de *la Princesse de Clèves.* Et Stendhal, après lui, impose l'idée que le mystère d'une telle œuvre a sa source dans le secret d'une vie. En 1880, la découverte de la correspondance de Mme de La Fayette avec la cour de Savoie vient charger d'ombres le personnage. De là certaine tendance à privilégier le génie volontariste et quasi viril de la romancière : c'est le cas chez Gustave Lanson, qui parle de « transposition du tragique cornélien ».

La critique moderne, elle, a substitué à l'auteur caché l'image de la femme glorifiée par son œuvre. « Usage double, note Laugaa, d'un roman exemplaire proposé par les tenants de la tradition comme un manuel de savoir-vivre [...] ou condamné comme le premier maillon d'une chaîne scandaleuse. »

Les esquisses d'un chef-d'œuvre

Tous les écrits de Mme de La Fayette vont à *la Princesse de Clèves* comme les rivières se jettent dans la mer. C'est pourquoi, sans évoquer le problème d'attributions modernes douteuses (*le Triomphe de l'indifférence, Isabelle*), sans s'arrêter à l'*Histoire de Madame* (1669), qui est déjà l'histoire d'une femme plongée dans l'enfer des intrigues de cour, ni même aux intéressants *Mémoires de la cour de France,* nous ne retiendrons que le cas des deux nouvelles que la romancière composa vraisemblablement à la même époque, soit vers 1660-1662 : *la Princesse de Montpensier* et *la Comtesse de Tende,* formes resserrées et traitement plus radical d'une problématique commune. Dans les trois cas, il s'agit en effet de la faute commise par une femme mariée : dans les trois cas, le cadre historique, choisi en utilisant un habile décalage, n'est ni une Antiquité de fantaisie ni la France contemporaine, mais la cour des Valois, où le mélange de violence et de raffinement va permettre un jeu de miroirs où se reconnaîtra sans peine la société de Louis XIV. Une même musique anime les mises en situation initiales, où le symbole amorce déjà un dévoilement du sens : « Pendant que la guerre civile déchirait la France sous le règne de Charles IX, l'amour ne laissait pas de trouver sa place parmi tant de désordres et d'en causer beaucoup dans son empire » (*la Princesse de Montpensier*).

Dans *la Princesse de Montpensier,* le mariage de la jeune femme est d'abord présenté comme lié à la rivalité entre la maison de Bourbon et la maison de Guise. Le politique empoisonne déjà tout. Retirée à sa campagne de Champigny, l'héroïne est « assiégée » par deux amoureux, le duc de Guise, qu'elle a autrefois aimé, et le duc d'Anjou. Le mari n'aime sa femme que parce qu'il la sait courtisée. De plus, le comte de Chabannes, ami du prince et confident de la princesse, éprouve pour celle-ci la plus violente passion ; il va jusqu'à aider la jeune femme à recevoir secrètement Guise et sauve les apparences quand le mari va surprendre sa femme sur le point de succomber. Chabannes meurt pendant la Saint-Barthélemy, Guise s'éloigne et oublie la princesse, qui meurt « d'avoir perdu l'estime de son mari, le cœur de son amant et le plus parfait ami qui fût jamais ».

La nouvelle intitulée *la Comtesse de Tende* (publiée en 1724) est plus cruelle encore. Ici également le mari ne s'intéresse à sa femme que lorsqu'il soupçonne l'intérêt que lui porte le chevalier de Navarre, lequel est fiancé à la princesse de Neufchâtel. La comtesse, après avoir poussé Navarre au mariage, devient sa maîtresse au lendemain des noces. Malgré une tromperie des amants, le mari finit par apprendre la vérité. La guerre éloigne Navarre : il y meurt. Mais la comtesse attend un enfant de lui, le comte reçoit avec mépris l'aveu de sa faute, et elle meurt en couches.

On le voit, l'abandon de l'idéalisme héroïque dans les deux nouvelles illustre pleinement la distinction de Segrais entre le roman et la nouvelle, genre neuf : « Le roman écrit les choses comme la bienséance le veut et à la manière du poète [...] ; mais la nouvelle doit un peu davantage tenir de l'histoire et s'attacher à donner les images des choses comme d'ordinaire nous les voyons arriver... » (*Nouvelles françaises,* 1656.)

L'Histoire n'occupe dans les nouvelles de Mme de La Fayette qu'un rôle secondaire, les grands événements se situant dans le lointain ; mais le milieu mondain et son rituel contraignant pèsent fortement sur les personnages en leur imposant les masques exigés par la « réputation ». Monde hypocrite qui ne connaît d'autres lois que celles du désir ou de l'ambition. Les hommes attaquent, les femmes succombent, le mensonge et l'inconstance menacent tous les rapports. Partout l'amour, pitoyable ou ridicule, met en péril l'ordre social. Nulle morale ne semble habiter ces aristocrates tout débordants de vie violente : le comte de Tende se réjouit de la mort de sa femme ; Chabannes, repoussé par Mme de Montpensier, se détruit comme ferait un personnage de Dostoïevski, acceptant toutes les humiliations. L'originalité des nouvelles éclate si on les compare à celles de l'époque, qu'elles soient de Saint-Réal ou de Mme de Villedieu. La même ligne narrative confond l'historienne et la psychologue qui laisse ses personnages se révéler par leurs seules actions et ne se risque qu'à de rares aphorismes, tel « ce doute que l'amour-propre nous laisse toujours pour les choses qui coûtent trop cher à croire ». Mais ce n'est que dans la perspective de l'héroïne que nous sentons avec Mme de Tende que « la honte est la plus violente de toutes les passions ». Par ces effets de raccourci, par toute une esthétique d'angles marqués et de lumière froide, les nouvelles de Mme de La Fayette, de très loin, annoncent le meilleur Mérimée, comme le ton de la chronique évoque la passion future de Flaubert pour le style nu. Une vision du monde est déjà en place, qu'un certain schématisme tire presque vers la satire. Il reste à la romancière à trouver une forme.

	VIE		ŒUVRE
1634	Naissance à Paris de Marie-Madeleine de La Vergne ; baptême à Saint-Sulpice.		
1649	Mort du père. **La Fronde.**		
1650	Remariage de la mère avec Renaud de Sévigné ; Mlle de La Vergne est nommée fille d'honneur de la reine. **Fin des troubles.**		
1652	Le chevalier de Sévigné, partisan de Retz, est exilé en Anjou.		
1655	Mlle de La Vergne épouse le comte François de La Fayette.		
1658	Naissance de Louis de La Fayette.		
1659	Naissance de René Armand de La Fayette.		
1661	Après la mort de sa mère, Mme de La Fayette rentre à Paris. **Mort de Mazarin, début du règne personnel de Louis XIV et mariage d'Henriette d'Angleterre avec Monsieur, frère du roi.**		
		1662	*La Princesse de Montpensier.*
1664	*Maximes* de la Rochefoucauld.		
1670	**Mort de Madame.**	1670	*Zaïde* (premier volume).
		1672	Mme de La Fayette commence à travailler à *la Princesse de Clèves.*
1676	Mort du chevalier de Sévigné.		
1677	*Phèdre* de Racine.		
		1678	*La Princesse de Clèves.*
1680	Mort de La Rochefoucauld.		
1683	Mort de M. de La Fayette. Louis XIV épouse Mme de Maintenon.		
1689	Mariage de René Armand de La Fayette avec Mlle de Marillac, dont il aura une fille.	1689	Mme de La Fayette entreprend la composition des *Mémoires de la cour de France…*
1693	Mort de Mme de La Fayette, à Paris.		

La Princesse de Clèves

Les quatre « volumes » de *la Princesse de Clèves* ne correspondent pas à quatre parties : le récit, d'un seul tenant, se déroule sur un an, en 1559, sous le règne de Henri II, entre le mariage des princesses royales et la mort du roi.

SYNOPSIS

Après une longue présentation de la Cour et de ses principaux acteurs – Diane de Poitiers, Catherine de Médicis, la Dauphine, Marie Stuart – est introduit le personnage de Mlle de Chartres, riche et belle héritière élevée loin des intrigues, qui, peu après son arrivée, épouse par raison le prince de Clèves, qui l'aime de passion. Au cours d'un bal, la princesse rencontre le duc de Nemours, le plus séduisant des gentilshommes : c'est entre eux le coup de foudre. Tandis que le duc en prend aussitôt conscience, la princesse, instruite par sa mère du danger des liaisons, résiste longtemps à son trouble, mais – surtout après la mort de sa mère – avec de plus en plus de mauvaise foi. Des épisodes adventices (les amours du roi et de Diane ; celles d'Henri VIII, l'histoire de Mme de Tournon), loin de briser le fil du récit, élaborent, dans la perspective de l'héroïne, la suite de ces « peintures de l'amour » qui devraient l'avertir de son destin malheureux, mais qu'elle ne comprendra que trop tard. Au cours d'un séjour dans ses terres de Coulommiers, Mme de Clèves cède aux soupçons de son mari et lui avoue, en implorant sa protection contre elle-même, qu'elle est éprise d'un autre homme ; bientôt M. de Clèves n'ignore plus que Nemours est son rival heureux – à la faute près. Tandis que les amants s'abandonnent, chacun de son côté, aux rêveries de l'amour, le prince se laisse mourir de douleur, la princesse se retire dans ses terres. Une entrevue a lieu, où les amants se parlent pour la première et dernière fois à cœur ouvert. La princesse refuse de revoir Nemours et renonce à jamais au monde.

La Princesse de Clèves doit se lire comme un livre de Mémoires : la lettre de Mme de La Fayette à Lescheraine le dit clairement. D'où, pour des lecteurs comme Bussy ou Valincour, le reproche d'anachronisme, même si Mme de La Fayette a pris soin de définir ses protagonistes comme non historiques. On fut même étonné de ne retrouver que rarement dans le fil du récit les figures célèbres posées à l'introduction. C'est justement que le point de départ, a-romanesque, n'est purement descriptif que pour que l'action romanesque, avec l'apparition du duc de Nemours, soit ressentie comme la rupture d'un ordre, désir et obstacle, condition du roman et fondement du récit. Dès lors, l'ample prélude « historique » de même que les intrigues secondaires fonctionnent autour de l'action centrale comme à l'intérieur d'une composition musicale, avec effets d'échos et de contrepoint. L'héroïne « lira » son histoire à la fin du roman seulement. Pour Mme de La Fayette – comme plus tard pour Flaubert –, il n'y a pas d'« éducation sentimentale » possible. Mais alors, où se situe la réalité ? Dans l'ordre historique ou dans l'expérience passionnelle représentée comme désordre ? Le génie de Mme de La Fayette tient dans ce vertige créé : « Si vous jugez sur les apparences dans ce lieu-ci, vous serez souvent trompé : ce qui paraît n'est presque jamais la vérité. » Seul le retour sur soi, fatalement vécu après l'acte aveugle, ramène l'être à la conscience du réel, tout trouble qu'il soit. On peut aussi percevoir indirectement la vérité, comme dans la scène de Coulommiers, où le rôle de l'amant se confond avec celui du voyeur.

Dans le jeu des regards et des silences, le regard d'autrui est seul perspicace. D'où le caractère dramatique des rencontres, traitées ici en gros plan et au ralenti, où l'être craint de se trahir et s'échappe à soi-même, pour se découvrir dans la solitude « avec étonnement ». Ainsi, le « commentaire » de l'auteur se confond avec celui de ses personnages.

« L'auteur derrière sa toile » (Abbé de Charnes)

Peu de romanciers ont à un tel point recherché ce degré d'effacement à travers cet « état égal et uni » du style qui, négligences comprises, est la manière de Mme de La Fayette. Le plus souvent, elle se borne à ne soulever qu'un pan du voile : ainsi dans cette scène extraordinaire où la princesse éprouve par anticipation la souffrance de la jalousie en lisant une lettre qu'elle croit adressée à Nemours. À mesure, d'ailleurs, que l'héroïne prend ses distances par rapport au monde, la construction en double fond s'amenuise, le regard d'autrui comme révélateur psychologique s'impose moins ; avec l'importance accrue du soliloque de la princesse de plus en plus lucide, la romancière finit par déléguer à son personnage la prérogative de déchiffrement du réel, trahissant du même coup la sympathie qui lie le créateur à sa créature. C'est dans cette perspective que la scène de l'entrevue finale avec Nemours se charge d'une telle profondeur. L'auteur et le personnage étant à ce point confondus, le roman court à sa clôture.

Un monde de ténèbres et de lumière

« L'aveu de Mme de Clèves à son mari est extravagant [...], il est ridicule de donner à son héroïne des sentiments si extraordinaires » (Bussy-Rabutin). Ainsi le roman put-il apparaître comme invraisemblable, par rapport à un « devant être », c'est-à-dire à une idéologie. *La Princesse de Clèves* dénonce la mise en équation du monde et fait passer aux maximes l'examen du romanesque assimilé au vécu : avec elle, les *a priori* n'ont plus cours, et le roman n'est plus que le lieu de l'affrontement du personnage, de l'auteur et du lecteur, le sens se dégageant de leurs seuls rapports. L'étonnement que causa le livre est bien dû à cette mise en place d'un personnage hors du commun défiant le comportement habituel des gens de cour. Peut-être faut-il voir en Mme de Clèves l'exemple de l'un des pièges les plus subtils de l'amour-propre : « Je sais bien qu'il n'y a rien de plus difficile que ce que j'entreprends. » Le refus de la vie serait-il le seul choix de la liberté ? L'illusion ou la nostalgie du bonheur parsèment pourtant ce livre sombre d'îlots lumineux : l'éblouissante apparition du bal, la nuit de Coulommiers, Mme de Clèves rêvant devant le portrait de Nemours, l'image discrètement sensuelle de ses cheveux défaits – poésie troublante mais nécessaire, car liée à cette autre invention de Mme de La Fayette qui est la mémoire de ses héros. Les images pèsent sur les destins. « Divertissement » – mais au service du dévoilement des ténèbres –, l'ouvrage de Mme de La Fayette est peut-être le plus chrétien de son temps. Ayant accompli le récit d'un désir et de son refus, l'écrivain s'arrête sur le seuil d'une conversion qui ne relève plus de l'écriture.

B. Raffalli

La Fontaine

La Fontaine Jean de

(1621-1695)

La Fontaine nous a laissé deux œuvres qui restent méconnues : une tragédie et une fable. Piètre dramaturge, mais fabuliste sans rival, notre poète a raté sa tragédie et réussi sa fable : celle-là est l'histoire de sa vie, celle-ci sa légende.

Une tragédie ratée

Classicisme oblige, La Fontaine ne pouvait faire autrement qu'organiser en cinq actes, en cinq tableaux, sa vivante tragédie : le temps des engagements d'abord, le temps des « songes » ensuite, puis le temps des contraintes et celui de la mondanité, enfin le temps des reniements.

Le temps des engagements (1621-1656)

Dès l'ouverture, La Fontaine donne le ton. Rien du dilettantisme qu'on lui prête trop souvent. Mais plutôt une suite de choix hasardeux, nés de l'occasion ou de la nécessité, et dans lesquels, pendant un temps fort bref, La Fontaine s'engage à fond. Mais à peine en route, il rebrousse chemin. Il se dérobe sur l'obstacle. Engagement religieux (1641-1642) à l'oratoire de la rue Saint-Honoré : moins un coup de tête qu'un probable élan mystique qu'il retrouvera à l'occasion dans sa vie... mais qui dure peu : à vingt ans, il joue en fin de compte *l'Astrée* contre saint Augustin. Engagement poétique (1643), à la lecture des vers de Malherbe, dans la troupe de ses imitateurs. Il ne tardera pas toutefois à constater que cette voie est, pour la poésie, une impasse. Engagement conjugal (1647) au bras de la trop jeune (quatorze ans et demi), trop bavarde et trop sage Marie Héricart, épousée pour complaire à son père. Engagement professionnel (1652), en qualité de maître des Eaux et Forêts de Château-Thierry – une charge qu'il a dû acheter : s'il remplit honnêtement les devoirs de cette charge, il se lasse bientôt des adjudications, des délits de basse justice, du recrutement des gardes ou des bûcherons, de la fixation du prix des coupes ou du taux des amendes. Gageons qu'il s'ennuie ferme. Heureusement, il sait réussir ses sorties.

Le temps des « songes » (1657-1663)

En 1657, le fonctionnaire champenois va entrer de plain-pied dans les songes. Grâce à son oncle Jannart et à Mme de Sévigné, qui le protègent, il sait amuser, par son *Épître de l'abbesse,* le surintendant Fouquet, qui, en ces temps de troubles et de disette, présentait le triple avantage d'être riche, puissant et cultivé. La Fontaine lui offre, en hommage, le manuscrit calligraphié de son *Adonis* (1658). Il a désormais ses entrées à Saint-Mandé, puis au château de Vaux, en cours d'achèvement. Il devient l'un des pensionnés du surintendant. Pensionné, non parasite : La Fontaine en retour s'engage à « pensionner » trimestriellement son bienfaiteur... sous forme de poésies. *Le Songe de Vaux,* description poétique, anticipée et inachevée des splendeurs de Vaux, imaginées dans leur aspect définitif, pourvoira ainsi au paiement de plusieurs « termes ». La Fontaine se prend au jeu et au rêve : ce miracle réussi de facilité, de culture, de plaisir et de beauté lui ferait presque oublier ses éternels soucis d'argent et le difficile règlement de la succession paternelle. Il se sent frère de Poliphile, le héros du *Songe* de Francesco Colonna, qui l'inspirera à tant d'égards durant cette période. Aussi la chute de Fouquet l'invitera-t-elle brutalement à laisser là ses rêves, à revenir de ses « songes ». Adieu, veau, vache... Et, comme un malheur vient rarement seul, La Fontaine, dont les parents avaient cru pouvoir attacher à son nom un titre nobiliaire, est poursuivi pour usurpation et condamné à une forte amende. Adieu, cochon, couvée... Son oncle Jannart s'exile en Limousin. Consentant ou contraint, notre poète l'accompagne : occasion de quelques missives adressées à sa femme, qui constitueront une de ces « relations de voyage » dont on était friand à l'époque (*Relation d'un voyage de Paris en Limousin,* 1663).

Le temps des contraintes (1664-1672)

Au troisième acte, la scène se vide. Les acteurs autrefois entrevus, les amis de Vaux et de Saint-Mandé, sont passés au service du roi. La Fontaine seul reste à l'écart. On ne lui a pas pardonné son *Ode au roi* en faveur de Fouquet (1663). Aussi erre-t-il tristement dans les couloirs du palais du Luxembourg, résidence de la duchesse douairière d'Orléans, dont il est l'un des neuf « gentilshommes servants ». Atmosphère sombre : l'évêque de Bethléem, aumônier de la duchesse, a l'œil sur notre poète, dont le rôle reste bien modeste. Sa charge lui laisse de nombreuses heures libres qu'il peut consacrer à son œuvre : quand il ne s'amuse pas avec le petit chien Mignon, il trousse, en trois recueils successifs, des *Contes et Nouvelles en vers* (1665, 1666, 1671), qu'il soumet en première lecture à la jeune duchesse de Bouillon, née Marie-Anne Mancini, que les gaillardises n'effarouchent pas. En même temps paraissent les six premiers livres des *Fables* (1668) et l'étrange roman prosodié *les Amours de Psyché et de Cupidon* (1669). La Fontaine gagne en prestige littéraire ce qu'il a perdu en considération sociale. Mais sa protectrice meurt (1672). Le héros de la tragédie est disponible pour un nouvel emploi.

Le temps de la mondanité (1673-1679)

Le quatrième acte aura pour décor l'hôtel de la rue Neuve-des-Petits-Champs, où Mme de La Sablière tient salon. « Iris » éprouvait pour le poète plus que de l'estime ; La Fontaine éprouvait pour sa bienfaitrice plus que de la reconnaissance. C'est auprès d'elle qu'il retrouve le climat de culture mondaine qu'il avait connu à Saint-Mandé. Lieu propice à de nouvelles expériences littéraires : La Fontaine tâte de la poésie religieuse (*la Captivité de saint Malc,* 1673), écrit pour Lulli le livret d'un opéra qui ne sera jamais joué (*Daphné*), donne une suite « scandaleuse » à ses *Contes* qui sont interdits à la vente par le lieutenant de police, et complète les six premiers livres des *Fables* de cinq livres nouveaux, d'une inspiration renouvelée, qui lui valent un très vif succès (1678-1679).

Le temps des reniements (1680-1695)

Le drame finit sombrement. Mme de La Sablière, déçue par le monde, se tourne vers Dieu. Cette conversion spirituelle s'accompagne, matériellement, d'un déménagement : elle abandonne son hôtel pour une demeure plus modeste, rue Saint-Honoré, où elle logera encore La Fontaine, à l'entresol. Le charme est rompu. La Fontaine, vieillissant, est aux prises avec une redoutable crise d'identité : qui est-il ? qui sera-t-il désormais pour les autres ? Le personnage du « bon garçon » distrait qu'il s'est appliqué à jouer, l'auteur scandaleux des *Contes* ou le lettré repenti qui traduit les *Épîtres* de Sénèque et qui chante, dans un fiévreux *Poème du Quinquina* (1682) de trois cents vers, les vertus de cette plante médicinale ? Le poète, à la fin de sa vie, est amené à renier ce qu'il a aimé dans sa jeunesse ou dans son âge mûr. Il est probable qu'il a eu longtemps plus d'attachement pour ses *Contes* que pour ses *Fables*. Il les renie pourtant publiquement, comme il renie sa vieille amitié pour Furetière, comme il renie son indépendance pour briguer un fauteuil à l'Académie. Mais la société française, elle aussi, a changé. L'austérité est désormais de mise. La Fontaine quitte la vie dans les pas du Solitaire, compagnon du Juge arbitre et de l'Hospitalier, le héros de sa dernière fable : celle qui, en couronnant le douzième livre des *Fables* (1694), fera de cette œuvre la seule que le poète aura le sentiment d'avoir achevée. Rideau.

Au total, une tragédie ratée, parce que l'unité d'action y manque, parce que, jusqu'à l'ultime catastrophe, chaque acte y répète inlassablement le précédent. Volonté délibérée – pour le premier acte – ou hasard trop bien venu, chaque fois les liens qui attachent La Fontaine à un maître, à un genre, à un goût se trouvent rompus. Toutes les étapes de sa vie suivent une même trajectoire. Ce « papillon du Parnasse » dissimule sous une fausse insouciance, une fausse paresse, une fausse distraction, cette perpétuelle instabilité, ce refus constant de l'engagement sous quelque forme que ce soit. Il s'éprend de toutes les femmes qu'il sait ne pouvoir obtenir, comme il taquine, jusqu'à la fin de sa vie, des genres – tel l'opéra – pour lesquels il n'est pas fait. Reconnaissant au destin de le délivrer de ses engagements, il n'hésite pas à proclamer : « Diversité, c'est ma devise. » Triompher de cette insurmontable difficulté à « aller jusqu'au bout » ne lui coûte pas peu. Mettre la dernière main aux *Fables* est une victoire sur lui-même. Plusieurs fois, il est tenté de s'arrêter en route :

Les longs ouvrages me font peur.

(Épilogue du livre VI)

D'autres pourront y mettre une dernière main.
Favoris des neuf Sœurs, achevez l'entreprise.

(Épilogue du livre XI)

Il aimerait qu'on prît pour de la paresse cette inconstance. À partir d'une disposition naturelle, il a su se camper peu à peu un personnage de « distrait » qui lui assure à bon compte la tranquillité, l'impunité ou le pardon.

Cette aspiration à l'indépendance, à la tranquillité morale ne signifie pas pour autant misanthropie, haine de la société ou indifférence à l'égard de la sanction sociale. Si la carrière littéraire de La Fontaine commence tard – à quarante ans –, elle se poursuit dans le constant souci de plaire. Le poète n'en fait pas mystère : « Mon principal but est toujours de plaire : pour en venir là, je considère le goût du siècle » (Préface des *Amours de Psyché et de Cupidon*). En trente années pourtant, ce goût évolue. Et La Fontaine change avec lui. Ces continuels changements auront eu le mérite de placer l'écrivain à tous les carrefours de l'histoire, de l'opinion, de la mode... et du goût.

Ce Champenois, dont on a tort de faire un campagnard, résida la plupart du temps à Paris, et il s'y plut. C'est là que Conrart lui apprit la poésie précieuse, Maucroix l'amitié véritable, Fouquet la magnificence, Colbert l'aversion rancunière, Mme de La Sablière l'amour mondain, Bernier l'exotisme. C'est là qu'il a trouvé, dans les bibliothèques des grands, ces fabliers qui s'impriment en Italie – tels ceux de Faërno, 1564, ou de Verdizotti, 1577 –, à Bruges ou à Prague – tels ceux de Gheraerts, 1567, ou de Sadeler, 1608 –, dont les gravures, imitées par bon nombre d'éditions françaises, sont un constant appel à l'imagination. À Vaux ou à Versailles, il se plaît dans les jardins dessinés par Le Nôtre – jardins pour la « vue », à l'italienne, ou jardins de divertissement, labyrinthes et rocailles : c'est là qu'il trouve les ombrages, les bosquets et l'eau jaillissante qui manquent à son pays champenois, avare de ruisseaux et de bocages. C'est là qu'il rencontre ces groupes d'animaux opposés, sculptés dans la pierre, dans le bronze ou dans le plomb, par Girardon, par Tuby ou par Le Hongre. C'est dans les « petits appartements » des palais qu'il découvre la peinture rustique hollandaise, qui l'inspirera autant que les délicats motifs animaux ou végétaux de la porcelaine orientale dont la haute société s'éprend alors. C'est dans les salons qu'il fait l'apprentissage des jeux précieux, dont les mécanismes animent savamment son œuvre. La Fontaine, surtout auprès de Mme de La Sablière, baigne dans ce climat de culture mondaine qui marquera le deuxième recueil des *Fables*.

En somme, une tragédie sans intrigue, sans nœud véritable, sans drame réel – chez ce poète qui voulait plaire et qui n'était pas sans ambition – que celui de la misère littéraire ; sans véritable aveuglement que celui du poète sur ses propres dons ; sans volonté directrice sinon celle qui consiste à suivre les inspirations du moment ; sans but apparent enfin, si son auteur ne nous avait laissé, à travers ses *Fables*, une fable hors de pair.

Une fable réussie

Par quelle prodigieuse métamorphose ce poète attentif aux êtres et aux choses, expert à nous rendre attentifs à nous-mêmes et au monde, soucieux de ses affaires (sa correspondance avec Jannart le prouve), épris, à la fin de sa vie, de solitude et volontiers mélancolique, a-t-il fini par revêtir l'habit épicurien de l'insouciant « Bonhomme » ? Comment ce « connaisseur » qui avait su si bien se placer au carrefour des goûts venus du Midi – pour les *Contes* – et du Septentrion – pour les *Fables* –, puis humer les parfums insolites de l'Orient a-t-il réussi à devenir le barde de la terre française ?

La postérité de La Fontaine est sans doute sa meilleure fable. Dès leur origine, les *Fables* furent utilisées comme un manuel scolaire. C'est là le ressort initial du mythe. La Fontaine lui-même y avait contribué en dédiant son recueil au jeune Dauphin, « par bénéfice d'inventaire ». Pourtant, il avait senti le danger : la fable de « l'Écolier, le Pédant et le Maître d'un jardin » (IX, 5) évoque avec conviction la hantise de cet épouvantable « gâchis pédagogique » causé par une troupe d'écoliers et un maître d'école pédant envahissant à l'improviste le délicieux jardin des fables : jardin de l'intelligence, de la finesse, de la délicatesse, destiné aux lettrés et non aux enfants des classes primaires, et dont il faut laisser éclore les beautés. Ce mal tant redouté ne tardera guère à « répandre la terreur ». Si les *Fables* de La Fontaine rassemblent encore au

XVIIIe siècle le « parti flamand » qui se crée à la Cour, le genre de la fable sera utilisé par une multitude d'imitateurs – Houdart de La Motte, Grécourt, Florian... – à des fins pédagogiques, morales ou civiques. C'est ce qui permet à l'ouvrage de La Fontaine de surmonter l'épreuve révolutionnaire et de se voir conférer un brevet de civisme : il apparaît comme l'un des seuls textes « démocratiques » de l'Ancien Régime. Plus tard, la généralisation de l'enseignement obligatoire et l'utilisation des *Fables* dans les petites classes font du recueil de La Fontaine le premier et l'unique patrimoine culturel commun à tous les Français, le « Notre Père » laïque et national. Sainte-Beuve retrouve dans les *Fables* le parfum de la campagne française... respiré par Sainte-Beuve. Taine présente le Champenois comme l'exemple parfait illustrant sa « théorie de la race ». La montée du nationalisme terrien, les grandes secousses des guerres mondiales : il n'en faut pas plus pour faire de La Fontaine le chantre de la France, le protecteur du « bon » peuple de ce « doux pays ». À preuve un petit recueil patriotique intitulé *les Fables de La Fontaine et Hitler*, qui parut en 1939.

L'évolution dans la compréhension de l'œuvre s'est reportée sur son auteur. « Bien françaises », les *Fables* n'ont pu être écrites que de la main d'un « bon Français ». Et chacun d'ajouter au portrait ses péchés véniels, ses sympathiques défauts. Un malencontreux glissement de l'œuvre à l'homme a peu à peu dessiné la silhouette d'un « bonhomme » joyeux comme le savetier, libre comme le loup, amical comme la gazelle ou la tortue, insouciant, trousseur de filles et passablement paresseux. La « facilité », la « négligence », la « naïveté » que ses contemporains – Baillet, l'abbé de La Chambre, Charles Perrault, La Bruyère, Fénelon... – louaient dans le style des *Fables* ont été perçues, par méprise, comme autant de traits de caractère. Désormais La Fontaine est prisonnier de son mythe. N'y avait-il pas au fond lui-même aidé (cf. son *Épitaphe d'un paresseux*) ? À coup sûr, il a raté sa tragédie, il a réussi sa fable.

L'Accordeur, le Bonneteur et le Maître d'un jardin

La Fontaine pourrait sans doute à bon droit reprocher à la postérité de n'avoir, de son œuvre, retenu que les *Fables*. S'il voit lui-même, en celles-ci,

> *[...] le livre favori*
> *Par qui j'ose espérer une seconde vie*
>
> (*Fables*, livre VII, dédicace à Mme de Montespan),

il est certain qu'elles perdent, isolées ainsi du reste de l'œuvre, de leur épaisseur historique. Cette partialité n'est pas nouvelle : *les Amours de Psyché*, dès leur publication, déroutèrent le public et connurent l'insuccès. Les poésies élégiaques ou héroïques sont encore méconnues aujourd'hui. Il fallut attendre Paul Valéry pour tirer *Adonis* de l'oubli. Le théâtre et l'opéra de La Fontaine ne furent jamais représentés. Enfin si les *Contes*, par leur audacieux libertinage, excitent encore au XVIIIe siècle l'esprit de quelques amateurs et de quelques illustrateurs, un XIXe siècle austère et moralisant leur fera un sort... qu'ils ne méritaient pas. Des *Contes* aux poèmes d'inspiration janséniste, des *Fables* aux louanges du quinquina, on est surpris par la diversité de ces œuvres, que le poète mène concurremment à terme, et auxquelles il paraît longtemps attacher une égale importance.

L'Accordeur

Sans doute La Fontaine a-t-il eu l'ambition de faire la preuve d'un talent qui s'exerçait, avec un égal bonheur, dans tous les genres. La pseudo-comédie de *Clymène,* jointe tardivement au troisième recueil des *Contes,* place dans la bouche des Muses neuf « pastiches » d'art dramatique ou de poésie passée ou présente : à la manière d'Horace, de Marot, de Malherbe, de Voiture... La Fontaine sait trousser une lettre comme Mme de Sévigné et un livret d'opéra comme Quinault, il sait conter comme Marot, il sait faire résonner les graves comme Malherbe et vibrer les aigus comme Voiture ou Benserade. De là vient tout son mal – et sa carrière tardive. Tout est décidément trop facile. Il réussit par négligence ce que d'autres déploient leurs efforts à entreprendre ; et une carrière de second rôle, de plat imitateur ne saurait en aucun cas le satisfaire :

> *C'est un bétail servile et sot, à mon avis,*
> *Que les imitateurs...*
>
> (*Clymène*)

Aussi La Fontaine, semblable à l'accordeur, va-t-il, pendant des années, mettre au point son instrument, son « appareil stylistique ». Pour s'assurer cette maîtrise, il l'utilise dans tous les genres ; il le fait chanter sur tous les tons. La virtuosité ne s'acquiert qu'à ce prix.

Le Bonneteur

Être un virtuose dans les pas de ses devanciers ne suffit pas. La poésie en effet est, à l'époque, dans une impasse :

> *Chacun forge des vers ; mais pour la Poésie,*
> *Cette princesse est morte, aucun ne s'en soucie.*
>
> (*Clymène*)

La princesse Poésie, en 1660, a des sœurs qui s'appellent la Pédagogie, la Rhétorique ou la Langue. De toutes parts, deuil et consternation : les issues sont bloquées. Le regard de « myope », la vision pointilliste des poètes libertins – Maynard, Théophile, Saint-Amant – ont rendu à jamais « impossible » la description poétique, en particulier celle d'un paysage. La toute-puissante rhétorique impose à la pédagogie le carcan de ses figures et l'artifice de ses raisonnements antithétiques. La préciosité enfin a semé le désordre dans l'univers des mots et des choses : la langue, contournée, métaphorique et référentielle, n'adhère plus à la réalité des choses, des êtres ou des sentiments. Gangue protectrice, elle isole d'un contact trop direct avec une réalité qu'un lexique prédicatif sectionne, classe, disloque, émiette : le règne de la « distinction » précieuse a consacré le divorce des mots et des choses. « La fonction du langage cesse d'être celle d'un instrument destiné à atteindre la réalité avec force et exactitude. Il faut au contraire que le mot évite son objectif » (Odette de Mourgues, *Ô Muse, fuyante proie*).

Impasse du récit. Impasse du tableau. Impasse de la rhétorique. Impasse du langage. Quelle voie choisir quand, tel La Fontaine, on considère le « goût du siècle » et qu'il ne vous engage pas aux révolutions bruyantes ? Une seule tactique demeure possible : celle du bonneteur, de l'illusionniste. La Fontaine ne refuse aucune des cartes que lui ont laissées ses devanciers, mais, à l'insu de tous, il brouille subtilement le jeu. Chaque couleur, chaque valeur a pris la place qu'on croyait être celle d'une autre.

Ainsi celui qui, plus tard, dans la querelle des Anciens et des Modernes [voir **Querelle des Anciens et des Modernes**], prendra parti pour les Anciens réussit-il, en terroriste discret, sa moderne révolution littéraire. La Tradition mise à mort par son serviteur même... La Fontaine joue chaque fois de l'écart entre le genre et le goût. Quand il paraît s'inscrire dans la tradition d'un genre littéraire, il s'y applique dans un style qui appartient à un autre genre. De ce contraste réussi entre le fond et la forme naissent une surprise sans étonnement et une innovation sans scandale, car, si l'alliance est nouvelle, les composants sont clairement identifiables. En quelque sorte, une poésie « déplacée »... en toute bienséance.

De souche mi-gauloise mi-italienne, dans la filiation de Boccace et des *Cent Nouvelles nouvelles,* les *Contes* ne devaient craindre ni la truculence du langage, ni la gaillardise des situations, ni la franchise de l'expression. C'est pourtant le lieu que choisit La Fontaine pour déployer son arsenal précieux : vers libres, évocations détournées, euphémismes, métaphores, suggestions et langage distanciateur. Dans « les Lunettes » (IV, 12), il ne lui faut pas moins de vingt-deux vers galants et le rappel d'un mythe ancien pour désigner le membre viril de son héros.

Les Amours de Psyché mettent en scène des personnages mythologiques et des situations prodigieuses. Apulée, le modèle de La Fontaine, avait, dans *l'Âne d'or,* utilisé le récit mythique comme une allégorie afin de lui donner une réelle profondeur philosophique. Là où l'on attendrait un ton relevé, un style héroïque, La Fontaine mise sur la légèreté et la galanterie. Il mêle les vers à la prose, et, au lieu de respecter la logique chronologique du récit, il recompose dans un espace géographique – celui du parc de Versailles, découvert par quatre amis en promenade – le récit « au second degré » des aventures de Psyché. Il mêle ainsi à l'héritage d'Apulée celui de Colonna (*le Songe de Poliphile,* 1499).

Écrit-il une comédie ? Il nous prévient, dans sa note sur *Clymène,* qu'elle est contraire à toutes les règles dramatiques et qu'elle n'est, à proprement parler, ni une comédie ni un conte. Étrange théâtre, qui n'est pas destiné à la scène, « la chose n'étant pas faite pour être représentée ».

Il reprendra dans ses *Fables* ce manège de bonneteur. À cette époque, les recueils ésopiques ne manquent pas. Emblèmes moralisés, dans la tradition d'Alciat – comme ceux de Baudoin –, ou quatrains moraux – comme ceux de Pibrac –, ces fables hautement pédagogiques assènent platement les vérités élémentaires de la sagesse des nations. La Fontaine, lui, livrera à une société étonnée une suite de tableaux de genre, inspirés des petits maîtres hollandais, et disposés dans une architecture surprenante qui seule donne, en fin de compte, la clef d'une « morale » très personnelle. La Fontaine a repris la pédagogie et la rhétorique classiques pour mieux leur tordre le cou.

Le Maître d'un jardin

À toutes ces œuvres deux points communs : l'art de décrire en rejetant tout procédé descriptif ; l'art de conter en refusant les modèles traditionnels du récit. Cette double ambition et ce double refus font de La Fontaine le maître d'un jardin des illusions. Il nous donne l'illusion d'avoir vu, quand il ne nous a donné que l'ébauche d'une silhouette ou les points de repère d'un décor. La langue de La Fontaine, qui éveille en nous tant d'images, est pourtant très pauvre lorsqu'il s'agit de décrire, de peindre ou de colorer. Dans les *Fables,* c'est le mouvement des personnages, leur déplacement dans un espace sans support qui sollicitent notre imagination et exigent peu à peu d'elle qu'elle leur fournisse un cadre. La seule véritable paresse de La Fontaine est ainsi d'avoir laissé au lecteur, à son insu, une partie du travail créateur. Le jardin n'existe que pour qui fait l'effort de s'y promener. « L'art du sacrifice » (Odette de Mourgues, *op. cit.*) s'assortit naturellement d'un art de la connivence, de la complicité créative, qui justifie le plaisir que le lecteur éprouve à la lecture des *Fables.* L'écriture de La Fontaine est une écriture piégée. L'œil est abusé par cet artificieux jardin où le lecteur, croyant pénétrer de plain-pied, est pris au piège du naturel. Mais la nature de La Fontaine est une nature en liberté magistralement surveillée.

Les lettres du *Voyage de Paris en Limousin* sont éclairantes : le poète apprécie, dans les paysages ou dans les œuvres des hommes, les dissymétries heureuses, la variété et la diversité dans l'unité, les harmonies subtiles et surprenantes d'éléments apparemment hétérogènes. Ce goût est le fondement de son art poétique. « Tout élément d'irrégularité doit avoir son contrepoids exact dans un élément de régularité » (Odette de Mourgues, *op. cit.*). À la rhétorique des oppositions et des figures codifiées, il substituera une logique nouvelle, celle du jardinier : points de vue sans cesse changeants, attirantes perspectives, compositions en abyme, glissements progressifs du discours. En un mot, le rythme est le seul vrai fondement de la poésie, la rime devra se contenter du second rôle :

Avec un peu de rime, on va vous fabriquer
Cent versificateurs en un jour, sans manquer.

(*Clymène*)

Ce jardin savamment rythmé est tout entier un piège pour les sens. À l'instar du vieillard mis en scène dans la fable du « Philosophe scythe » (XII, 20), La Fontaine a su choisir chaque arbre, chaque fleur – chaque mot –, élaguer dans de justes proportions et composer un paysage que le lecteur fait renaître chaque fois en le « reconnaissant ».

Ainsi le poète parvient-il à rendre à la langue son pouvoir créateur et à réconcilier le langage et l'action, les mots et les choses. La Fontaine sait bien qu'il n'est plus temps de rêver, comme l'un des aventuriers de sa fable (« les Deux Aventuriers et le Talisman », X, 13), d'un impossible retour à l'analogie entre les mots et les choses. Du moins fait-il la preuve qu'un langage en prise sur la réalité, et qui « fait mouche » à tout coup, retrouve, dans l'imaginaire poétique, la puissance et la vitalité que le siècle lui avait ôtées. À l'écart des stéréotypes, chaque mot « induit » le lecteur vers des significations multiples, étroitement superposées. Le verbe redevient un acte. L'arbre désormais ne cache plus la forêt.

VIE		ŒUVRE	
1621	**8 juill. :** naissance et baptême de Jean de La Fontaine, à la paroisse Saint-Crépin de Château-Thierry. Il est le fils de Charles de La Fontaine, conseiller du roi et maître des Eaux et Forêts, et de Françoise Pidoux.		
1635 (environ)	La Fontaine, qui a commencé ses études au collège de Château-Thierry et y a sans doute connu François de Maucroix, quitte sa ville natale pour poursuivre à Paris ses études.		
1641	La Fontaine entre à l'Oratoire, rue Saint-Honoré, à Paris.		
1642	La Fontaine quitte l'Oratoire et abandonne sa vocation religieuse. **Mort de Richelieu.**		
1643	La Fontaine, au cours d'un séjour à Château-Thierry, découvre avec enthousiasme la poésie de Malherbe. **Mort de Louis XIII. Régence d'Anne d'Autriche.** Installation au pouvoir de Mazarin.		
1645	La Fontaine entreprend ses études de droit à Paris. Il y est le compagnon de Maucroix, de Pellisson, de Furetière, de Cassandre, avec lesquels il constitue une petite académie littéraire.		
1647	Par « complaisance » pour son père, La Fontaine épouse la jeune Marie Héricart, âgée de quatorze ans et demi.		
1648	**Début de la Fronde parlementaire.**		
1650	**Début de la Fronde des princes.**		
1652	La Fontaine achète la charge de « maître particulier des Eaux et Forêts » du duché de Château-Thierry.		
1653	Naissance et baptême du fils de Jean de La Fontaine et de Marie Héricart : Charles de La Fontaine. Premières difficultés financières. **Nicolas Fouquet est nommé surintendant des Finances.**		
		1654	Publication de l'*Eunuque* de Térence, traduit et adapté par La Fontaine (sans nom d'auteur).
1656	Nouvelles difficultés financières.		
1657	Le duc de Bouillon prend possession de Château-Thierry (extinction des offices).		
1658	Mort de Charles de La Fontaine, qui laisse une difficile succession.	**1658**	L'*Épître à l'abbesse de Mouzon* est fort goûtée par Fouquet et son entourage. Peu après, La Fontaine est présenté au surintendant. Il lui offre le manuscrit calligraphié de son *Adonis.*
1658-1661	La Fontaine fréquente la cour de Fouquet à Saint-Mandé et à Vaux, où il retrouve Pellisson et Maucroix. Il reçoit une pension du surintendant en échange d'une « pension poétique ».	**1659**	La Fontaine met en chantier *le Songe de Vaux.*
1660	**Mariage de Louis XIV et de Marie-Thérèse.**	**1660**	La farce des *Rieurs de Beau-Richard* est représentée à Château-Thierry.

	VIE		ŒUVRE
1661	**Mort de Mazarin. Début du règne personnel de Louis XIV.** Fouquet donne à Vaux une fête en l'honneur du roi. Peu après, il est arrêté et emprisonné à Nantes. La Fontaine est poursuivi pour usurpation d'un titre de noblesse.	1660-1662	La Fontaine commence probablement à composer ses premières fables, sans toutefois les publier.
1662	Il est, pour cette raison, condamné à une amende.	1662	Publication de l'*Élégie aux nymphes de Vaux* (sans nom d'auteur).
1663	La Fontaine accompagne son oncle Jannart en exil dans le Limousin.	1663	La Fontaine, en route pour le Limousin, adresse six lettres à sa femme (*Lettres du Limousin*).
1664	La Fontaine entre au service de la duchesse douairière d'Orléans, au palais du Luxembourg, comme « gentilhomme servant ». Sa femme se retire à Château-Thierry. **Fouquet est transféré à Pignerol. Colbert est nommé contrôleur général des Finances. Le roi donne à Versailles les fêtes de l'Île enchantée.**	1664	Publication, à titre d'essai, de deux contes : « Joconde » et « le Cocu battu et content », imités de Boccace.
		1665	Publication du premier recueil de *Contes et Nouvelles en vers.* La Fontaine collabore à la traduction de *la Cité de Dieu* de saint Augustin.
1666	Remontrances de Colbert au maître des Eaux et Forêts de Château-Thierry sur les abus commis dans son district.	1666	Publication de la seconde partie des *Contes.*
		1667	Publication, dans un recueil à Cologne, de trois nouveaux contes.
1668	**Paix d'Aix-la-Chapelle.**	1668	Publication du premier recueil des *Fables choisies mises en vers par M. de La Fontaine* (124 fables en six livres), chez Barbin et Thierry, avec des illustrations de François Chauveau.
1669	**Premiers travaux d'installation du labyrinthe de Versailles, orné de statues représentant les *Fables* d'Ésope.**	1669	Réédition en France de la deuxième partie des *Contes,* augmentée des trois pièces publiées à Cologne. Publication des *Amours de Psyché et de Cupidon,* suivies d'*Adonis.* Composition de la fable de « l'Huître et les Plaideurs ».
1670	La Fontaine quitte sa charge de maître des Eaux et Forêts, rachetée par le duc de Bouillon.		
		1671	Publication, sous le nom de La Fontaine, d'un recueil de *Poésies chrétiennes et diverses,* où il a seulement collaboré et où apparaissent seize fables déjà publiées. Publication de la troisième partie des *Contes.* Publication d'un recueil de *Fables nouvelles et autres poésies par le sieur de La Fontaine,* où apparaissent huit fables originales qui prendront place dans le second recueil.
1672	Mort de la duchesse d'Orléans. La Fontaine perd sa fonction. **Début de la guerre de Hollande.**	1972	Publication séparée de deux fables : « le Soleil et les Grenouilles », « le Curé et le Mort ».
1673	La Fontaine est accueilli et logé par Mme de La Sablière. Il fréquente son salon, où se retrouvent hommes de lettres, voyageurs et savants (Perrault, Bernier, Roberval…).	1673	Publication du poème de *la Captivité de saint Malc.*
		1674	La Fontaine écrit, à la demande de Lulli, le livret de l'opéra *Daphné,* qui ne sera jamais joué. La Fontaine, irrité contre Lulli, compose la satire du *Florentin.* Publication de *Nouveaux Contes* (quatrième partie des *Contes*), jugés plus licencieux que les précédents.
		1675	Le lieutenant de police La Reynie interdit à la vente cette publication des *Nouveaux Contes.*
1676	La Fontaine, confronté à de nouvelles difficultés financières, vend sa maison natale de Château-Thierry.		

	VIE		ŒUVRE
1678	**Paix de Nimègue.**	1678	La Fontaine écrit divers poèmes, notamment pour célébrer la paix de Nimègue.
1679	**Achèvement du « troisième Versailles ».**	1678-1679	Publication d'un second recueil des *Fables* (cinq livres), adjoint au premier recueil en une édition de quatre tomes. Chaque fable est illustrée d'une vignette par François Chauveau.
1680	Madame de La Sablière se tourne vers Dieu. Elle quitte son hôtel de la rue Neuve-des-Petits-Champs pour une demeure plus modeste, rue Saint-Honoré, où elle loge encore La Fontaine. **Mort de Fouquet à Pignerol.** Affaire des Poisons. Exil de la duchesse de Bouillon.		
		1681	La Fontaine traduit les citations poétiques et revoit la traduction par Pintrel des *Épîtres* de Sénèque.
1682	La Fontaine brigue un fauteuil à l'Académie. **La Cour se transporte à Versailles.**	1682	Publication du *Poème du Quinquina.* Publication de deux contes « classiques » : « Belphégor » et « la Matrone d'Éphèse ». Publication de *Galatée* et de *Daphné.*
1683	Mort de Colbert. La Fontaine est élu à l'Académie française au fauteuil de Colbert. Mais le roi suspend cette élection, au profit de Boileau, son historiographe. **Mort de Marie-Thérèse. Mariage secret de Louis XIV et de Mme de Maintenon. Déclaration de guerre à l'Espagne.**	1683	La Fontaine commence probablement à écrire une tragédie, *Achille,* qui restera inachevée. Représentation et échec d'une pièce aujourd'hui disparue : *le Rendez-Vous.*
1684	Élection définitive et réception de La Fontaine à l'Académie française.		
1685	La Fontaine se brouille avec Furetière. **Révocation de l'édit de Nantes.**	1685	Publication des *Ouvrages de prose et de poésie des sieurs de Maucroix et de La Fontaine,* contenant notamment onze fables, qui paraîtront dans le dernier recueil, et cinq nouveaux contes.
1686	**Formation de la ligue d'Augsbourg.**		
1687	**Querelle des Anciens et des Modernes.** Déportation des huguenots.	1687	*Épître à Huet,* évêque de Soissons (à propos des Anciens et des Modernes). *Épître à Monsieur de Bonrepaux.*
1688	**La France en guerre contre la ligue d'Augsbourg.** La Fontaine devient l'ami et le « chaperon » de Mme Ulrich, qu'il a rencontrée dans l'entourage des Vendôme et des Conti.		
		1690	Publication séparée, dans *le Mercure galant,* des « Compagnons d'Ulysse ».
		1691	Publication séparée, dans *le Mercure galant,* de deux autres fables : « les Deux Chèvres », « le Thésauriseur et le Singe ». Représentation et échec de la « tragédie musicale » d'*Astrée* (livret de La Fontaine, musique de Colasse).
1692	La Fontaine fait une confession générale à l'abbé Pouget, vicaire de Saint-Roch, et exprime son regret sincère d'avoir écrit des œuvres « scandaleuses ».	1692	Publication séparée de « la Ligue des rats ».
1693	Mort de Mme de La Sablière. La Fontaine trouve refuge auprès du riche fils de banquier, Anne d'Hervart. Il répudie publiquement ses *Contes* devant une délégation de l'Académie.	1693	Paraphrase du *Dies irae.* Publication de dix nouvelles fables dans un recueil de *Vers choisis* du père Bouhours.
		1694	Date de publication du dernier livre des *Fables,* qui comprennent désormais douze livres en trois parties. (L'ouvrage, bien qu'il porte la date de 1694, est paru en fait fin 1693.)

VIE		ŒUVRE	
1695	Mort de Jean de La Fontaine. On trouve sur lui un cilice.		
		1696	Publication, par les soins de Mme Ulrich, d'œuvres posthumes du poète, dont un conte (« les Quiproquos »).
1709	Mort de Marie Héricart, veuve du poète.	1714	Publication d'un « Conte tiré d'Athénée », jusqu'alors non publié.
1723	Mort de Charles de La Fontaine, fils unique du poète.		

Relation d'un voyage de Paris en Limousin

Le talent d'épistolier est sans doute le premier et le plus naturel chez La Fontaine. Comme chez Mme de Sévigné. Il écrit à tout propos : affaires d'argent, débats littéraires ou politiques, sollicitations, remerciements, avis divers. Tout lui est prétexte à prendre la plume et à mêler la prose aux vers. Nombreux furent sans doute ses correspondants. Malheureusement, de cet abondant échange épistolaire, une faible part seulement nous est parvenue.

En septembre 1661, Fouquet, protecteur du poète, est arrêté et emprisonné sur ordre du roi. L'oncle de La Fontaine, Jannart, substitut de Fouquet dans sa charge de procureur général au parlement, est contraint de s'exiler à Limoges en 1663. La Fontaine le suit dans cet exil. Entre le 25 août et le 19 septembre 1663, de Clamart, d'Amboise, de Richelieu, de Châtellerault ou de Limoges, il adresse à sa femme six lettres qui sont plus qu'une correspondance de mari à épouse. Ces épîtres littéraires fort soignées, mêlées de vers, étaient destinées à circuler dans un « micro-milieu » intellectuel – salon de Marie Héricart à Château-Thierry, et ancienne cour de Fouquet – qui appréciait et jugeait en première lecture les œuvres écrites. Bien qu'elles n'aient jamais été éditées du vivant de La Fontaine, ces six lettres forment un ensemble cohérent et appartiennent à un genre bien défini dont, la même année, en 1663, *le Voyage de Chapelle et de Bachaumont* donnait un remarquable exemple. Il s'agit d'un genre mêlé où, sur la trame d'un itinéraire géographique vécu, se succèdent des descriptions d'art (la ville d'Orléans, le château de Richelieu, le château de Blois), des impressions personnelles, des notations poétiques ou des souvenirs littéraires. Sur le ton plaisant, les lettres de La Fontaine nous instruisent à la fois sur l'« art de voyager » au XVIIe siècle, les fatigues endurées, les dangers encourus, les rencontres fortuites – ici une troupe de bohémiens, là un parent éloigné, ailleurs une avenante fille d'auberge – et sur ses goûts en matière de paysage, d'art et d'architecture. Il y loue d'un même cœur la majesté des rives de la Loire, le panorama harmonieux d'Orléans et de Blois et les captifs enchaînés de Michel-Ange au château de Richelieu. Témoignage capital : le poète soulève un coin du voile et se laisse voir – presque – à découvert.

Le Songe de Vaux, les Amours de Psyché, récits poétiques

Le Songe de Vaux, entreprise inachevée dont seuls quelques fragments seront publiés en 1671, représente néanmoins trois années du travail littéraire et poétique de La Fontaine. Fouquet lui commande cet ouvrage en 1659. Lourde tâche pour le poète : il lui faut décrire un palais en cours d'achèvement et célébrer des jardins à peine plantés. Calliopée, la fée de la poésie, doit pourvoir à ce que Palatiane, Apellanire et Hortésie – les fées de l'architecture, de la peinture et du jardinage – ne peuvent encore offrir. Il faut ruser, inventer un subterfuge, un procédé littéraire pour rendre vraisemblable cette vision anticipée : rejetant la prophétie et l'enchantement, La Fontaine imagine, plus simplement, que le Sommeil, par faveur divine, lui accorde de voir en songe le palais de Vaux achevé. Sur ce parcours enchanté, La Fontaine entend bien, une fois encore, mêler les genres et les tons. Sous la fiction onirique devaient se succéder des pièces et des morceaux divers : descriptions poétiques d'œuvres d'art – l'apothéose d'Hercule, les Muses, la Nuit, peintes par Le Brun aux plafonds du château ; évocations de bosquets ou de fontaines, fréquentés par les Nymphes ; réflexions poétiques ou littéraires, tel le débat sur les mérites comparés de l'architecture, de la peinture, de la poésie et de l'art des jardins ; enfin épisodes « plaisants » – aventures d'un cygne, aventure d'un saumon et d'un esturgeon –, dont le ton évoque parfois déjà celui des *Fables.* La Fontaine s'est évidemment amusé à rhabiller au goût du jour, et en vers, le *Songe de Poliphile,* de Francesco Colonna (1499), qu'il évoque dans son Avertissement et qui demeurait encore la bible des lettrés et des artistes. Il débarrasse simplement l'aventure onirique de son caractère mystique et initiatique et inverse le rapport entre les mots et les choses. Colonna décrivait les paysages ou les monuments sortis de son imagination comme des réalités archéologiques dont il essayait de percer les mystères et qui devaient inspirer des générations de jardiniers et d'architectes. La Fontaine, lui, s'ingénie à devancer ceux-ci, à achever poétiquement leurs œuvres entreprises pour y loger des épisodes de fantaisie. Premier indice, dans la carrière de La Fontaine, de ces « détournements littéraires » dont il allait se faire une règle.

Dans la Préface des *Amours de Psyché* (1669), ce « Songe de Versailles », selon le mot de P. Clarac, La Fontaine revendique clairement cette « manipulation littéraire ». L'écriture de ce roman poétique fut, si on l'en croit, laborieuse. Apulée, sans doute, lui fournissait la trame du récit : Psyché, jeune et superbe mortelle, est condamnée par les oracles à épouser un « monstre » qui n'est autre que l'Amour, et doit subir, avant d'être admise parmi les dieux, les épreuves imposées par la jalousie de Vénus. Ce qui était, dans le modèle latin, une quête mystique et philosophique devient toutefois chez notre poète un incomparable hymne à l'amour. La Fontaine, en outre, modifie hardiment certaines scènes, ajoute des épisodes de son invention – telle la rencontre du vieux pêcheur et de ses filles, dans la seconde partie – et surtout expérimente un procédé de composition « en abyme » qu'il réutilisera fréquemment dans ses *Fables* ou dans ses *Contes*. Le récit des aventures de Psyché est lu par Poliphile, l'un des héros du roman, devant trois autres amis – Ariste, Acante et Gélaste –, au cours d'une promenade à Versailles. Entre chaque lecture, les quatre personnages reprennent haleine : le poète en profite pour nous décrire les lieux où leurs pas les ont conduits – la ménagerie, la chambre et le cabinet du roi, l'orangerie, la grotte de Thétys, etc. L'ouvrage de La Fontaine apparaît ainsi comme une marche (*diabasis*), dont les scènes du conte d'Amour et de Psyché constituent chaque fois une station (*stasis*), telles des statues destinées à orner les carrefours du parc où se joue le récit au premier degré. En outre, dans le récit au second degré, celui des amours de Psyché, les descriptions d'art (*ekphrasis*) ne manquent pas : palais de l'Amour, tapisseries, jardins... Ces descriptions font souvent référence à des œuvres d'art bien réelles mais participent à une fiction, elle-même désignée comme l'ornement d'une description.

Elles imposent donc une troisième stratification, un troisième niveau de lecture du récit. Système complexe, en fin de compte, où la réalité et la fiction, la description d'œuvres réelles et de tableaux imaginaires échangent leur place et leur rôle, à l'instar des jardins et des palais lors des fêtes de l'Île enchantée : « Palais devenus jardins, et jardins devenus palais. »

Pourtant, l'enchantement littéraire, le trompe-l'œil stylistique savamment élaborés par La Fontaine n'atteigniront pas leur but à l'époque. L'ouvrage n'eut guère de succès. On reprocha au poète de s'y être montré « provincial » : une façon vaniteuse et bien parisienne de faire entendre que son style était trop insolite pour qu'on le goûtât pleinement.

Adonis, la Captivité de saint Malc, Poème du Quinquina, poèmes

Les vers sont pour la société mondaine le seul mode civilisé de communication. La Fontaine n'échappe pas à cette étiquette sociale. C'est en vers qu'il intercède auprès du roi pour Fouquet, en vers qu'il raille le jésuite Escobar ou le Florentin Lulli, en vers qu'il félicite la surintendante de la naissance de son fils, en vers enfin qu'il prend parti dans la querelle des Anciens et des Modernes.

Toutefois, par leur portée et leur ampleur – de 500 à 700 vers –, trois poèmes se signalent dans cette abondante production poétique : *Adonis*, dont le manuscrit, superbement calligraphié par Nicolas Jarry, fut offert à Fouquet en 1658, mais qui ne devait être publié qu'en 1669 et 1671 ; le poème de *la Captivité de saint Malc*, publié en 1673, et le *Poème du Quinquina*, qui parut en 1682.

Apparemment, trois œuvres fort dissemblables. Toutes révèlent pourtant un même « cas de figure » :

Le dédicataire de chaque poème donne le ton. L'œuvre répond aux goûts d'un « micro-milieu » culturel qui, temporairement ou durablement, joue un rôle déterminant dans la vie de l'« intelligentsia » et avec lequel La Fontaine entretient des relations suivies : avec Fouquet,

Qui connais les Beaux-Arts, qui sais ce qui doit plaire,

et son entourage de connaisseurs et d'esthètes, pour *Adonis* ; avec le cardinal de Bouillon et les cercles jansénistes pour *Saint Malc* ; enfin, pour le *Quinquina*, avec la duchesse de Bouillon et les salons de « la deuxième génération », où l'on rencontre plus de médecins, d'explorateurs et de philosophes que de trousseurs de sonnets.

Dans chaque cas, l'engagement de La Fontaine prend l'allure d'un « challenge » : il s'attaque à des sujets qu'aucun poète français n'avait encore abordés, et dont le « maître » avant lui demeure un Ancien ou un étranger (Ovide et Marino, pour *Adonis* ; Lucrèce, pour le *Quinquina*) :

Matière non encor par les Muses traitée,
Route qu'aucun mortel en ses vers n'a tentée.

(*Poème du Quinquina*)

Sujets, en outre, pour lesquels l'œuvre antérieure du poète ne semble pas particulièrement le destiner :

Je ne voulais chanter que les héros d'Ésope.

(*id.*)

En position de « challenger », La Fontaine ne peut emporter la partie qu'en la déplaçant sur un autre terrain, conforme au goût de son dédicataire. *Adonis* retrace la rencontre, l'amour et la séparation fatale de Vénus et du trop bel Adonis, tué en terrassant un monstrueux sanglier au cours d'une chasse. Héros mythologiques, scènes guerrières : le poème appartient au genre épique. Mais La Fontaine, maladroit dans l'évocation de la chasse et du monstre, se plaît à donner un pur exemple de poésie lyrique. Il reconnaît lui-même que son œuvre mérite plus le nom d'idylle que celui de poème héroïque. Et, pour le maître de Vaux, il fait concurrence aux beaux-arts : il tisse subtilement une suite de tapisseries d'une finesse de ton qui n'a d'égale que la ténuité des moments d'amour qu'il évoque :

Jours devenus moments, moments filés de soie.
Délicieux moments, vous ne reviendrez plus...

Valéry y voyait le prélude aux plaintes raciniennes.

Une lettre de saint Jérôme a fourni le canevas du *Saint Malc*. Chrétien désireux de se consacrer à Dieu, Malc, enlevé par les Infidèles, est contraint par son maître d'épouser une autre esclave. Celle-ci, par bonheur, avait formé des vœux identiques à ceux de Malc. Ces chastes époux devront lutter contre le désir et la tentation, avant de pouvoir se retourner l'un et l'autre vers Dieu au terme d'une miraculeuse évasion. Au lieu de la paraphrase patristique qu'on aurait pu redouter, La Fontaine, en près de six cents alexandrins à rimes plates, bâtit une tragédie ou, plus exactement, un drame psychologique. Il n'hésite pas à forger des « circonstances » qui rendront plus tragique l'épreuve morale que subissent ses héros et confèrent à cette œuvre originale rigueur et noblesse.

Le *Poème du Quinquina*, quant à lui, peut nous paraître aujourd'hui bien ennuyeux. C'est, en vers « irréguliers », un traité abrégé de la circulation du sang, selon la théorie de Harvey, et un guide d'utilisation des fébrifuges, selon les préceptes de Monginot. Ce poème est avant tout un signe : le signe d'un état social où le poète assume la fonction de médiateur dans le transfert de l'information spécialisée – scientifique, technique, politique, etc. La poésie, les vers sont les instruments irremplaçables d'une vulgarisation plaisante... qu'assument aujourd'hui les médias.

Contes et nouvelles en vers

La Fontaine collabore à la traduction de *la Cité de Dieu* de saint Augustin et à un recueil de poésies chrétiennes. Il compose le poème de *la Captivité de saint Malc*. Dans le même temps, il écrit et publie, en plusieurs « livraisons » (1664-1685), ses *Contes et nouvelles en vers*, dont la quatrième partie, jugée trop licencieuse, sera interdite à la vente (1674) [pour l'histoire de l'édition, voir la chronologie].

En écrivant ces contes, La Fontaine a cherché tout à la fois à relever un défi et à profiter d'une mode. La mode est celle du retour au passé littéraire français : goût des vieux auteurs, goût du vieux langage cher à Voiture, et qui, entre le mot et la chose, introduit l'épaisseur de l'histoire. Le défi, c'est celui de conter pour conter, de faire entrer le lecteur dans un jeu où l'évocation licencieuse sera si habilement déguisée qu'elle suscitera moins une émotion sensuelle qu'une admiration esthétique pour l'art du conteur. Détournés du contenu, les yeux ne doivent que s'émerveiller de la forme, de cet art consommé de l'effeuillage littéraire :

Contons, mais contons bien : c'est le point principal.
C'est tout.

(*les Oies de frère Philippe*, III, 1)

Relevant ce défi et profitant de cette mode, La Fontaine se heurte à une double difficulté : l'une posée par le style, l'autre par la matière des contes.

En effet, le retour au vieux langage s'accommode mal d'une versification libérée. Le décasyllabe marotique à rimes plates est plus séant. Pourtant la conduite du récit exige des effets que seule la souplesse du vers peut donner. Le poète, dès l'origine, pressent cette contradiction. Lorsqu'il présente ses deux premiers contes à titre d'essai, il émet le vœu que le public se fasse l'arbitre du débat : la versification de « Joconde » est libre, en vers irréguliers, comme celle des *Fables*. Au contraire, le décasyllabe, les tours marotiques et les mots du vieux langage règnent chez « le Cocu battu et content ». Le public toutefois se refuse à choisir. La Fontaine se garde bien de trancher lui-même, et il utilisera, jusqu'au dernier conte, les deux procédés. Dans un cas, la souplesse du vers autorise toutes les facéties du conteur ; dans l'autre, le recul historique l'assure de l'impunité.

Il y a bien du danger, cependant, à s'engager dans la voie de la virtuosité formelle. Celle-ci exige pour se surpasser que le sujet choisi soit sans cesse plus scabreux. Or, les situations grivoises sont en nombre fini. Aussi La Fontaine doit-il, pour rendre toujours plus éclatante sa prouesse de conteur, creuser l'écart entre la situation licencieuse et les personnages qu'il y confronte. Si, dès les premiers recueils, les filles troussées, les maris cocus et les femmes infidèles sont légion, la quatrième partie ne met plus guère en scène que des nonnes (« le Psautier », « les Lunettes »), des abbesses (« l'Abbesse »), des confesseurs (« le Cas de conscience »), ou des révérends pères... fort irrévérencieux (« Comment l'esprit vient aux filles »). L'arrêt du lieutenant de police sanctionnera comme il se doit cette « prouesse » littéraire.

Cependant, bien qu'il les ait reniés, La Fontaine s'est trop impliqué dans ses *Contes* pour ne pas avoir eu, à leur endroit, un profond attachement. Même si les sujets sont empruntés à Boccace, à l'Arioste ou aux *Cent Nouvelles nouvelles*, le poète s'introduit sans cesse clandestinement dans son récit. Il apporte, au détour d'un vers, une réflexion désabusée ou une suggestion personnelle. Si les *Contes* peuvent aujourd'hui nous sembler fades, La Fontaine y fait preuve de certains des dons qui contribuent à la gloire des *Fables* : le sens du rythme, de la composition et de la mise en scène, un langage emprunté aux terroirs, un « art des transitions » (Léo Spitzer) et une « esthétique de la négligence » (J.C. Lapp) : en un mot, le trompe-l'œil du naturel, l'absence affectée d'affectation. Le langage ici tient à distance ce que l'aventure évoque à nos sens, et, par un délicieux paradoxe, la chair s'est faite verbe...

Fables

Les *Fables* sont l'œuvre d'une vie. Leur publication s'étend sur un quart de siècle (1668-1694) ; leur composition sur plus de trente années peut-être si l'on fait remonter les premières fables à 1660 ou 1662 [pour l'histoire de l'édition, voir la chronologie].

La composition du recueil entier des *Fables*, le classement de celles-ci, la division par livres et sa finalité réelle laissent perplexes. On ne parvient à rendre compte ni de l'invention ni de la construction de cette mystérieuse machine des *Fables*. Il est surtout malaisé de concilier le projet d'utilité et de moralité invoqué par La Fontaine dans ses Préfaces avec l'« immoralité » apparente de certaines fables – dénoncée par J.-J. Rousseau – et les constantes contradictions de l'œuvre : non seulement contradiction de fable à fable, mais parfois aussi contradiction au sein d'une même fable : La Fontaine, dans sa morale, prend le contrepied de sa démonstration (ainsi dans « l'Horoscope », VIII, 16). Comment concilier l'idée d'une efficacité morale et pratique des *Fables* avec ces fréquentes contradictions ?

Certains indices sont sûrs : les quelques publications séparées dont nous disposons montrent qu'il y a eu, dans la présentation en recueils, à la fois un tri – certaines fables à caractère ouvertement politique ne seront jamais admises dans les recueils – et une répartition, un classement par livres des *Fables* qui déjoue l'ordre chronologique de leur composition.

Il apparaît, d'autre part, dans les Épilogues des deux premiers recueils, que l'œuvre, à ces moments, est simplement « suspendue » et non pas achevée. Seule la dernière fable du douzième livre, « le Juge arbitre, l'Hospitalier et le Solitaire », vient officiellement, dans ses vers ultimes, clore à jamais l'ensemble du recueil :

Cette leçon sera la fin de ces ouvrages...
Par où saurais-je mieux finir ?

Il existe donc un itinéraire des *Fables*, et celui-ci se trouve jalonné par de constants appels, par des échos significatifs de fable en fable. « Les Frelons et les Mouches à miel » (I, 21) font déjà allusion à « l'Huître et les Plaideurs » (IX, 9) ; « la Souris métamorphosée en fille » (IX, 7) semble reprendre le thème et le schéma de « la Chatte métamorphosée en femme » (II, 18) ; beaucoup de « fables doubles » comme « la Laitière et le Pot au lait » et « le Curé et le Mort » s'appellent l'une l'autre, etc. Ainsi les *Fables* constituent-elles une totalité, achevée seulement au terme du livre XII, et dont l'ordre délibéré est celui d'une progression jalonnée par des signes évidents.

Ce « parcours » nous en évoque d'autres : *le Songe de Vaux* était conçu dès l'origine comme une promenade enchantée dans le palais et les jardins de Vaux, encore inachevés ; *le Voyage de Paris en Limousin* rendait compte d'un itinéraire géographique vécu, avec ses haltes, ses stations devant certains paysages ou certains monuments ; enfin *les Amours de Psyché et de Cupidon*, qui paraîtront seulement un an après le premier recueil des *Fables*, substituent à une composition historique du récit une disposition « topographique » résultant des déplacements de quatre amis dans le parc de Versailles. Décidément, chez La Fontaine, Hortésie, la fée du jardinage, fait bon ménage avec Calliopée, la Muse de la poésie.

Or, c'est à partir de 1669 que les jardiniers installent, dans un coin forestier du parc de Versailles, un labyrinthe de verdure. Ce labyrinthe est constitué de multiples petites allées, jalonnées par des fontaines de plomb coloré reproduisant des sujets des *Fables* d'Ésope. L'instigateur du projet ? Charles Perrault, premier commis à la surintendance des Bâtiments du roi depuis la disgrâce de Fouquet. Le dessinateur de l'ensemble ? Le Brun. Les sculpteurs des fontaines ? Le Gros, Tuby, Houzeau, Le Hongre. Le jardinier ? Le Nôtre. Bref, toute l'ancienne équipe constituée autour de Fouquet lors de l'aménagement de Vaux ; tous des amis de La Fontaine. Que de similitudes entre la construction littéraire de La Fontaine et ce labyrinthe où les animaux sont représentés « dans leur forme naïve », où la nature est partout présente, où l'eau ruisselle de toutes parts, où les perspectives ne s'ouvrent qu'une à une, où la fonction pédagogique enfin est clairement affirmée puisque Bossuet, dit-on, conservait la clef du labyrinthe pour y promener le Dauphin, son jeune élève ! Au pied de chaque fontaine, on trouve un quatrain de Benserade qui relate brièvement la fable illustrée. Qu'un tel projet de « jardin fabuleux » ait pu être imaginé dès 1658 ou 1659 pour le palais de Vaux, que La Fontaine ait été pressenti depuis longtemps pour rédiger les textes versifiés des *Fables*, qu'après la chute du surintendant on lui ait, en fin de compte, préféré Benserade – ce qui légitimerait encore l'hostilité de La Fontaine, jusqu'en 1678, contre les partisans de la brièveté de la fable –, certains indices conduisent à le penser, mais rien ne nous en assure. Que le succès des *Fables* de La Fontaine ait fait naître l'idée d'aménager ce labyrinthe est également probable. Quoi qu'il en soit, retenons l'adéquation du fablier à la disposition en labyrinthe. Un labyrinthe qui ne comporte qu'une sortie.

La Fontaine ne parle-t-il pas de ses *Fables* comme d'un « enchantement », une « feinte », c'est-à-dire un délicieux trompe-l'œil ? Ne pouvons-nous imaginer, dès lors, que les fables, à l'instar des statues du labyrinthe, sont disposées de telle sorte qu'on puisse prendre plusieurs chemins mais qu'ils mènent tous à une même issue ? Ainsi entre les fables, comme entre les fontaines des sculpteurs de Versailles, sont aménagées des perspectives que déterminent aussi bien une attirance de sens qu'une concordance plastique. On voit se tisser peu à peu un réseau où toutes les fables finissent par entrer et par se répondre. Les livres ne sont pas, dès lors, des chapitres séparés, des unités en enfilade, mais plutôt des entrées possibles du labyrinthe. En effet, La Fontaine a composé chacun d'eux d'un nombre suffisant de fables pour que la douzaine de personnages principaux – l'homme, la femme, les dieux, l'oiseau, le loup, le renard, le lion, le rat, l'âne, le singe et la « gent aquatique » – y prennent place, ainsi que la douzaine d'éléments constants, pour ainsi dire « stéréotypés » du décor – forêt, champ, rocher, rivière, mer, chemin, rue de ville, échoppe, palais, chaumière. Dès lors, à nous de suivre un animal ou de remonter le cours de « la » rivière des *Fables*. Nous finirons toujours par aboutir à la « source » où se tiennent « le Juge arbitre, l'Hospitalier et le Solitaire » (XII, 29). Par là s'expliquent les contradictions et l'immoralité prétendue de certaines fables des premiers livres. Chaque fable, en effet, ne marque qu'une étape dans l'itinéraire total. Elle annule et périme une « moralité » tirée antérieure-

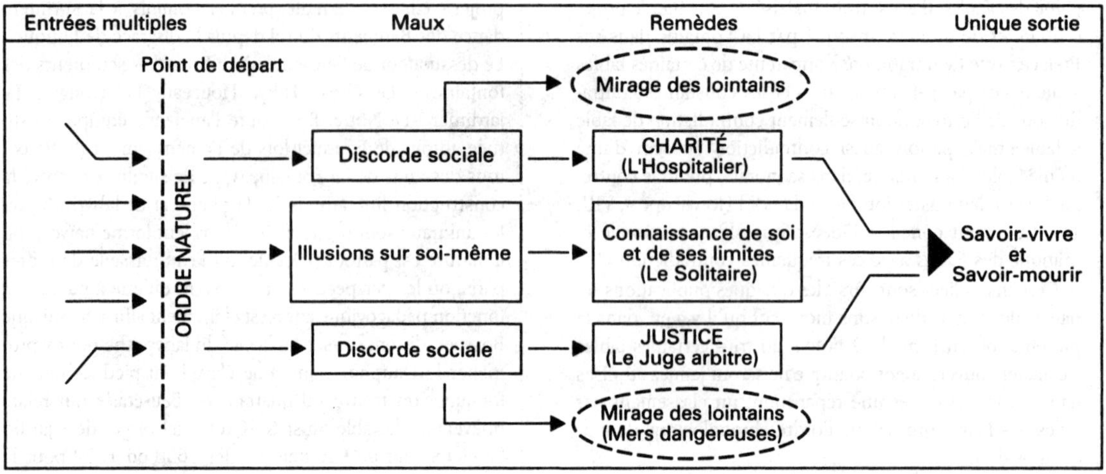

ment, elle sera à son tour surpassée par une autre. Quel que soit l'itinéraire choisi, la découverte de la leçon finale exige qu'on ne s'arrête point à l'une des stations mais qu'on poursuive la quête jusqu'au bout, comme l'amant précieux ne devait point s'en tenir à « Billet galant » ou à « Billet doux » pour parvenir à « Tendre-sur-Inclination ». La Fontaine renouvelle, dans sa composition, cet art de la cartographie littéraire qui fut celui des Précieux et auquel dut s'amuser son maître Fouquet [voir **Scudéry Madeleine de**]. Le labyrinthe des *Fables*, c'est, sur le papier, une carte en perspective cavalière, avec son paysage, ses lieux d'étape, et ses « mers dangereuses ». Dans sa progression thématique, le labyrinthe apparaîtrait conçu de la manière décrite dans le schéma ci-dessus.

Toute fable naît d'une perturbation de l'ordre naturel ou de la hiérarchie sociale. À l'origine de cette perturbation, un mal qui se loge dans le cœur de l'homme – l'illusion sur soi-même – et dans le corps social lui-même – la discorde. Échapper à ces deux maux en fuyant dans un pays idéal, cet Orient de rêve qui n'apparaît dans les *Fables* qu'à partir de 1678, est, au bout du compte, un vain espoir, un mirage, une illusion. Les vrais remèdes s'appellent la justice – le Juge arbitre –, la charité – l'Hospitalier –, propres l'une et l'autre à guérir le corps social, et la connaissance de soi-même – le Solitaire –, qui détrompe des illusions vaniteuses et rétablit en chaque homme l'ordre et la paix intérieure. Ainsi, des trois voies ouvertes encore au bout du parcours, pour qui ne s'est point laissé prendre aux mirages des lointains, une seule mène véritablement à la sortie du labyrinthe : au moment ultime, la justice et la charité sont en effet encore une fois « surpassées » par la connaissance de soi-même et de ses limites, seule clef du savoir-vivre et du savoir-mourir. Par l'addition des volontés individuelles, la connaissance de soi peut devenir la garantie de l'ordre social. Les chemins suivis par le Juge arbitre et par l'Hospitalier recoupent, juste avant la sortie, la voie royale du Solitaire, préparée dès longtemps.

Ce plan d'un « labyrinthe enchanté » pour les *Fables* correspond en fait, chez notre poète, à une double sublimation.

Sublimation d'abord de la rhétorique classique. Dans sa marche vers la leçon finale, La Fontaine a en effet conservé l'étroite voie de la rhétorique traditionnelle qui mène de la *propositio* à la *confirmatio* par le détour d'une série de « réfutations ». Mais il l'a proprement sublimée en substituant aux artifices de la rhétorique des articulations plastiques, à ses nécessités rigides et arbitraires une sollicitation constamment naturelle de perspectives tentantes et au vieux schéma scolastique un paysage vivant.

Sublimation de la pédagogie classique également : La Fontaine parvient, en effet, à faire passer dans un dessin de jardin le traditionnel système des « arts de mémoire » – ces procédés de mémoire artificielle qui faisaient largement appel à l'image et au souvenir visuel. Ces architectures, ces figures composites où Quintilien autrefois conseillait à l'orateur de loger, de façon imaginaire, les diverses parties d'un discours à apprendre par cœur, les voici à présent remplacées par un fabuleux jardin. Le projet pédagogique rencontre ici, avec une prodigieuse aisance, l'esthétique du temps.

Ainsi La Fontaine nous invite-t-il à la promenade dans un jardin fabuleux et semé de pièges. Toutefois, pour nous guider, il nous a laissé un cicérone : le jardinier des *Fables*, qui, nul ne s'en étonnera désormais, se trouve être le seul personnage constamment sympathique de l'ouvrage.

Sous la conduite d'un tel guide, nous apprendrons à déchiffrer les multiples allusions politiques, références philosophiques, citations littéraires ou même picturales qui nourrissent le « sous-sol » du jardin des *Fables*. La Fontaine ne nous a-t-il pas lui-même invités à méditer la leçon du Laboureur et ses enfants ?

ADAPTATIONS

La première « adaptation » qui fut réalisée d'une œuvre de La Fontaine est peut-être la tragi-comédie-ballet de Psyché*, écrite par Molière, en collaboration avec Corneille et Quinault, sur une musique de Lulli (1671).*

Les Contes*, malgré la vivacité de leur mise en scène, n'ont guère inspiré les hommes de théâtre. Seul André Verdun, dans la décennie 1960, a tenté de transposer sur les planches quelques-uns de ces* Contes*. Sa mise en scène faisait appel à la fois à des acteurs et à des marionnettes, présents en même temps sur la scène. En outre, on retrouve dans le* Décaméron*, porté à l'écran par Pier Paolo Pasolini (1971), un certain nombre de contes de Boccace, repris par La Fontaine.*

Les personnages des Fables*, quant à eux, ont, de bonne grâce, servi de modèles aux artistes les plus divers depuis quatre siècles et se sont prêtés à toutes les fantaisies : on les retrouve sur des tapisseries, des boiseries, des plaques de cheminée, des rideaux, des services à thé, des meubles, des tabatières, des pendules, etc. (On trouvera un inventaire non exhaustif de ces objets dans Léon Garnier,* Vie de notre bon Jehan de La Fontaine, contée par l'image, Essai iconologique*, Paris, Deruelle, 1937).*

Enfin, par leur universalité, leur brièveté, mais aussi leur charme, les Fables *devaient séduire les auteurs de courts métrages ou de dessins animés. En 1897, Georges Méliès réalise, en court métrage,* la Cigale et la Fourmi*, avec des figurants. Il est suivi par Louis Feuillade (1909) en France et G. Asagarof (1927) en Allemagne : l'un et l'autre mettent en scène la fable du poète en la transposant dans l'univers des hommes. Ce sont des acteurs qui y interprètent les différents rôles. S'inspirant de la même fable, réécrite par Ivan Krilov (*Striekoza i Muraviej*), Ladislas Starevitch réalise en 1913 un court métrage d'animation avec des poupées filmées « image par image ». Ce film sera suivi de deux autres, réalisés d'une façon identique par Starevitch,* les Grenouilles qui demandent un roi *(1923) et* le Rat de ville et le Rat des champs *(1927). Louis Feuillade, fidèle à la transposition théâtrale, avait mis en scène, quant à lui, en 1909, une fable à sujet humain :* le Savetier et le Financier.

Les Fables *ont toujours séduit les illustrateurs. La naissance du dessin animé leur ouvre de ce fait de nouvelles perspectives. Benjamin Rabier, le père du canard Gédéon, collabore avec Émile Cohl pour donner en 1922 un dessin animé retraçant la rencontre du* Renard et la Cigogne*. Lortac et Landelle traitent pour la première fois sous forme de dessin animé le thème de* la Cigale et la Fourmi *(1923). Jean Image oppose à l'écran en 1940* le Loup et l'Agneau*. Dès cette époque les Américains, spécialistes du dessin animé, s'intéressent aux fables du Champenois. Jack Hanna et Fred Spencer donnent en 1935 une version très personnelle – et désopilante – du* Lièvre et la Tortue *: le lièvre y perd son temps à séduire les jolies lapines et à disputer contre lui-même, d'un côté à l'autre du court, une essoufflante partie de tennis. Le ton est donné : chaque fois que les fables réapparaîtront désormais dans les « cartoons » d'outre-Atlantique, leur morale finale sera celle du* nonsense*. Qui sait si La Fontaine n'aurait pas applaudi ?*

A.-M. Bassy

LAFORGUE Jules

(1860-1887)

Poète aux accents d'adolescent, mort trop tôt (à vingt-sept ans), laissant derrière lui une œuvre dissonante, comme si l'harmonie s'était constamment refusée à celui qui écrivait : « Ah ! je suis-t-il malhûreux », Laforgue reste, dans les années 1880, un solitaire, isolé dans son originalité, qui incarne cependant l'esprit même de la décadence [voir **Décadence**]. Il est avant tout le poète des trois recueils publiés de son vivant : *les Complaintes* (publiées en 1885 à compte d'auteur et dédiées à Paul Bourget), *l'Imitation de Notre-Dame la Lune* (1885) et *le Concile féerique* (1886). Un recueil de vers (*Derniers Vers*, publiés par Félix Fénéon en 1890) et un recueil de nouvelles (*Moralités légendaires*, 1890) paraîtront après sa mort.

D'Uruguay à Paris en passant par l'Allemagne

Laforgue passe sa toute première enfance à Montevideo où il est né, puis rentre en France avec sa famille et fait ses études au lycée de Tarbes. Une nouvelle – écrite en 1881 mais non publiée –, « Stéphane Vassiliev », nous donne un écho attristé de cette période : le héros s'enfuit du lycée, où il se morfond, et meurt bientôt poitrinaire. Après ses échecs successifs au baccalauréat de philosophie, Laforgue se mêle aux Hydropathes dans les cafés de la rive droite. Le goût des farces macabres qu'affectionnaient ses joyeux compagnons se retrouve dans son œuvre, avec, par exemple, l'adresse passionnée au crâne de Margaretha, la « bien-aimée », crâne d'un poli d'ivoire, si pratique pour boire comme en une coupe et qu'on peut vendre, « n'est-ce pas » ? Or, Laforgue a aimé à quinze ans, avec vertige, une Marguerite vite mariée à un autre ; on saisit là son goût de la profanation, de la dérision et de la cruauté. Il entreprend un recueil de vers, *le Sanglot de la terre*, où il voudrait concentrer, entre autres, « l'hôpital, l'amour, l'alcool, le spleen, les massacres, les Thébaïdes, la folie, la Salpêtrière », et qui ne verra jamais le jour. Grâce à une recommandation de son ami Gustave Kahn, Laforgue devient le secrétaire de Charles Éphrussi, riche collectionneur et critique d'art très averti, qui regroupe des œuvres impressionnistes. À son contact, il acquiert un goût certain pour la peinture, et, tout au long de sa courte vie, il remplira des carnets de notes sur les tableaux qu'il lui est donné de voir. En 1881, grâce à quelques appuis amicaux, il part pour l'Allemagne, comme lecteur de la reine-impératrice Augusta. Il est à l'abri du besoin, mais devient, malgré quelques amours et quelques amitiés, la proie d'un ennui bientôt intolérable. Il reviendra de Berlin avec Leah Lee, une jeune Anglaise qu'il épousera fin 1886 avant de mourir bien vite, miné par la phtisie et dans un grand dénuement, à Paris.

Des modèles pour une originalité

En Allemagne, une illumination lui a donné la définition de son esthétique, « une esthétique qui s'accorde avec l'inconscient de Hartmann, le transformisme de Darwin, les travaux de Helmholtz ». Il compose aussi des poèmes en écoutant jouer son jeune ami pianiste, Théophile Isaye, le père du violoniste Eugène. C'est dire que sa poésie, avec ses nombreux refrains, ses plaintes – qui sont aussi des chants (*les Complaintes*) –, ses litanies, se berce de musicalité :

Orgue, orgue de Barbarie !
Scie autant que souffre-douleur,
Vidasse, vidasse ton cœur,
Ma pauvre rosse endolorie.

Cette musique n'est pas celle de Verlaine, même si l'on y trouve parfois de la langueur, de la mélancolie ou le rêve de l'inconnue (par exemple, la « femme inconnue, et que j'aime et qui m'aime » de Verlaine devient chez Laforgue : « Elle, loyal rêve mort-né », avec ce tragique prosaïque du dernier vers : « Vrai, je ne l'ai jamais connue »). Pourtant Verlaine est peut-être le poète dont Laforgue se sent le plus proche : « Je rêve, écrit-il en 1882, de la poésie qui ne dise rien, mais soit des bouts de rêverie sans suite », et, un an plus tard, la lecture de *Sagesse* le bouleversera. Laforgue serait un Verlaine mâtiné de Rimbaud ou de Lautréamont. De Rimbaud il a les élans, les révoltes grinçantes, les haines et surtout, plus tard – peut-être a-t-il lu *les Illuminations* –, la force de briser les carcans de la versification pour innover dans le vers libre, comme le montrent les *Derniers Vers*, qui reprennent maints poèmes précédents. De Lautréamont, Laforgue a ces trouvailles presque surréalistes, cette cruauté qui font une grande part de sa modernité. De Baudelaire il a ce goût du spleen, qu'il acidule avec rage ; de Mallarmé, pour lequel s'accroît son admiration, ce désir de briser la syntaxe :

Oh ! qu'une d'Elle-même, un beau soir, sût venir
Ne voyant que boire à mes lèvres ! ou mourir...

Mais ces influences, ces tentations sont bien légères et fugaces, et l'œuvre reste parfaitement singulière. Certes, on pourra y discerner des traces de *la Philosophie de l'inconscient* de Hartmann – on l'a vu –, du pessimisme de Schopenhauer, mais tout va se fondre dans une poésie désinvolte et désespérée, irréductible aussi.

La musique de son vers, dit M.-J. Durry, Laforgue « l'accorde et la désaccorde », et voilà bien en effet l'étrangeté de cette œuvre que la disharmonie devenue art, avec ses multiples brisures, non seulement dans le rythme – l'alexandrin voit sa majesté raillée ou saccagée – mais dans le ton, où se mêlent les accents les plus hétérogènes ; ainsi un vers aussi tristement limpide que :

L'âme des hérons fous sanglote sur l'étang

va-t-il côtoyer la suave raillerie :

Tant il est vrai que la saison dite d'automne
N'est aux cœurs mal fichus rien moins que folichonne.

Un clin d'œil, un crissement, un grincement de l'âme, mais furtif, un grand soupir qui chasse le sanglot, toujours le pathétique est frôlé, mais, au dernier moment, on lui fait la nique.

Le personnage central de cette poésie, qui est toujours parole mise en scène avec tendresse et dérision, est donc tout naturellement, semble-t-il, le Pierrot qui apparaît dès *les Complaintes*, prend le beau rôle dans *l'Imitation de Notre-Dame la Lune* et pirouette encore dans les poèmes suivants. La souffrance du Pierrot reste aérienne :

Je ne suis qu'un viveur lunaire
Qui fait des ronds dans les bassins,

un Pierrot voué aux « amours blancs, lunaires et distraits », un lord Pierrot amoureux qui refuse de croire à l'amour, dont le cœur est triste « comme un lampion forain », un « dandy de la Lune », frivole, changeant, qui abandonne la femme « cramponne » avec « un sanglot faux » pour se consoler avec « la Bonne Fortune/De l'alme lune », un Pierrot fidèle à son « vieil ennui » qui l'effleure « ah ! tout le long du cœur ».

Il est un autre héros fantasque dans l'œuvre de Laforgue, un autre double dérisoire, moins poétique cette fois que mythique, c'est Hamlet, une des figures des *Moralités légendaires*, un piètre, un pleutre Hamlet, la trentaine molle, qui se donne des airs de Néron (il meurt en s'écriant : « ah, ah ! *qualis... artifex... pereo* ! ») mais reste un garnement un peu sadique, massacreur de limaces.

La prose de Laforgue est à l'image de sa poésie : prose poétique (d'une poésie qui se raille), raffinée et méchante, crispée, glacée, pleine d'exclamations violentes, virulentes. Les personnages légendaires, de Lohengrin à Persée, sont toujours abîmés, corrodés par une verve sarcastique. La Syrinx que poursuit Pan est une pédante ; Persée, « le petit chéri des dieux », un jeune gandin « miraculeux et plein de chic ». Laforgue opère un remaniement du mythe qui fait basculer celui-ci dans le grotesque : Salomé, qui prend mal son élan pour jeter la tête de saint Jean, va rouler dans l'abîme ; Andromède épousera le bon dragon métamorphosé en prince charmant. Dérision de l'épique dans le combat de Persée et du monstre, du mal de vivre dans Hamlet, de la fascination dans Salomé. Dérision du corps, surtout : de celui, bariolé et mièvre, de Persée avec ses lis peints sur le gras des mollets ; de celui, trop banal, de Hamlet ; de celui de la femme avant tout.

La femme et la lune

Écartèlement entre le désir et la répulsion ; le corps de la femme, raillé, haï (envié ?), est au centre d'une œuvre qui crie de dégoût, exprimant une horreur panique des jupes (de ce qu'elles cachent). Corps féminin étonnamment semblable, d'ailleurs, toujours identique, mince et sans rondeurs, d'une jeune fille « à la poitrine sans sexe », parfois phtisique comme l'héroïne du « Miracle des roses », cette « idéale agonisante » avec son « air trop tard, trop tard adorable ». À croire que l'hécatombe de poitrinaires qui marque la vie de Laforgue (son père, sa mère – morts jeunes –, lui-même, suivi dans la tombe de fort près – quelques mois seulement – par la frêle Leah Lee, qu'il venait d'épouser) empreint son œuvre. Corps parfois admiré comme celui d'Andromède ou comme celui de la Syrinx, légers dans leur course folle à travers la nature ; parfois haï avec rancune, celui d'Elsa (abandonnée d'ailleurs la nuit de ses noces par un Lohengrin s'envolant sur son oreiller-cygne), celui de Salomé, ingrat sous la profusion ridicule des atours. Horreur du corps (« Je hais ces inflexions molles qui coulent d'avance par la satiété à la pourriture »), effroi de ce qu'il contient (« Oh ! le petit Messie à matrice »), dégoût pour ce « dandinement perpétuel de petit mammifère délesté depuis quelques jours à peine des kilos de ses couches »...

C'est pourquoi la femme aimée, la seule triomphante, c'est la femme au corps absent, la lointaine, la fausse maternelle, la blanche au sang oublié, la lune indifférente (n'a-t-elle pas du « coton dans les oreilles » ?), figure centrale de l'œuvre poétique. Et l'amant, celui qui est accordé à elle par son désaccord avec la terre (avec la chair), c'est le Pierrot lunaire qui délaisse l'étreinte pour la pirouette. La poésie de Laforgue, moins éloquente dans la répulsion que sa prose, est construite sur un désir fou de diaphanéité, de pureté ; et son grincement de dents vient de ce que le Pierrot toujours gambadant, le visage tourné vers la lune, retombe sur le sol : élan toujours brisé. Il en ricane méchamment et joue, dans le désespoir et la gaieté factice, avec son reflet comme avec les mots.

Cette ironie grinçante défait, refait les mots ; elle aime les mêler, leur faire violence, les tordre pour les faire geindre ou crisser sous des ciels « crépusculâtres », « sous la céleste Éternullité ». La présence de mots rares (« aptère », « déhisant », « manuterge »...) rappelle que Laforgue est un poète décadent – le premier, peut-être. Le plaisir de construire des néologismes (« félinant », « hallaliser », « élixirer »...) fait de lui un précurseur de Queneau ou de Michaux. Mais il faut aussi tendre l'oreille à cette mélopée autour d'un mot :

Falot, falote !
Et c'est ma belle âme en ribote,
Qui se sirote et se fait mal,
Et fait avec ses grands sanglots,
Sur les beaux lacs de l'Idéal,
Des ronds dans l'eau !
Falot, falot !

Si falot s'oppose à éclatant, la lune s'oppose au soleil et autant l'une est adulée, autant l'autre est voué aux gémonies. Les invectives pleuvent sur ce symbole de la fécondité, de la rondeur lumineuse : « Bellâtre, Maquignon, Ruffian, Rastaquouère. » Le soleil est trop violent, dans son existence irréductible et quotidienne, pour être vrai, et le poète ne veut pas croire à ce grossier décor de carton-pâte ; et puis le couchant est trop rouge, trop triomphal, trop pédant pour le Pierrot lunaire ; il fait trop « classique » (le mot est dans *les Moralités légendaires*). Et l'« Astre Pacha » ferait presque croire que le ciel n'est pas vide, ce que nie toute l'œuvre, traversée par une angoisse métaphysique toujours réaffirmée. Il n'y a pas de soleil ni de dieux dans l'univers de Laforgue ; seulement, peut-être, un inconscient dominateur (« L'Art est tout, du droit divin de l'Inconscience... ») et comme séparé, étranger (« L'Inconscient me mène/Or il sait ce qu'il fait, je n'ai rien à y voir »).

Il n'y a pas non plus de couple heureux, comme le montre la veine abondante qui égratigne les jeunes filles à marier et leur feinte pureté gracile. Il n'y a pas d'été épanoui, ni d'hiver vivifiant, seulement la redondance d'un automne languide, pluvieux, s'étirant dans les flaques, un peu décomposé, en accord parfait avec le poète (« Ah ! l'automne est à moi/Et moi je suis à lui »), saison des ratages, des nostalgies à en mourir, du vague à l'âme aigu et sans rémission.

L'invective alterne donc avec l'apaisement, l'émotion avec la raillerie, la formule poétique avec le prosaïsme le plus cru, et ces alternances fantasques (qui ont parfois agacé) donnent à l'œuvre sa légèreté, son étrangeté, sa force acide, cette désinvolture avec une griffe d'atrocité qui strie la langueur :

Ah ! ce soir, j'ai le cœur mal, le cœur à la lune.

F. Court-Perez

La Harpe *ou* Laharpe Jean-François de

(1739-1803)

Poète et critique. Comme tant d'hommes de lettres de la deuxième génération des « Lumières », comme son contemporain et ami Marmontel, La Harpe, interprète de la pensée moyenne des milieux « cultivés» de son époque, ne suscite guère l'enthousiasme des lecteurs modernes. On ne voit en lui que le conservateur sourcilleux d'une esthétique et d'une poétique vieillies, longuement développées dans son *Cours de littérature*. Tout au plus se délecte-t-on à l'évocation des scandales ridicules qui parsèment sa vie, et surtout de la volte-face spectaculaire qui, dans les geôles de la Terreur, fit de ce disciple de Voltaire un dévot ami de l'ordre et de la royauté.

Certes, sa vie prête à la critique. Cet orphelin, élevé par les sœurs de la Charité, boursier au collège d'Harcourt, connaît la prison du For-l'Évêque à l'âge de vingt ans pour de mauvais couplets rédigés contre ses maîtres. Plus tard, déjà célèbre par sa tragédie de *Warwick* (1763) et devenu à Ferney le protégé de Voltaire, il soustrait à son bienfaiteur un dangereux manuscrit, qu'il répand dans Paris. Peu après la mort du grand écrivain, il critique sévèrement dans *le Mercure de France* sa plus mauvaise tragédie. À quoi s'ajoutent ses rixes avec d'autres gens de plume et, plus tard, une lettre compromettante envoyée à Robespierre, ainsi qu'un second mariage, union ridicule, rompue au bout de quelques semaines par la jeune épouse malheureuse. Et l'on ne peut que se gausser de l'immense vanité et de la hargne avec laquelle il affirme ses convictions de converti.

Mais l'existence de La Harpe est aussi celle d'un homme efficace. Grand travailleur, édifiant sa fortune matérielle grâce à ses traductions, son *Abrégé de l'histoire des voyages* (1775), son travail de journaliste, notamment au *Mercure de France*, et de correspondant littéraire du futur tsar Paul Ier, puis par ses cours de littérature au « Lycée », établissement de « formation continue » pour gens du monde, il est brutalement ruiné par la Révolution. Il sait aussi lutter pour les idées qui lui tiennent à cœur. Il combat les vœux forcés et l'état monastique dans *Mélanie*, drame en vers (1770), voit son *Éloge de Fénelon* condamné par la Sorbonne (1771), est blâmé par le parlement pour avoir inséré dans *le Mercure de France* un extrait osé de Voltaire (1775). À partir de 1789, il entraîne cette même revue « dans le sens de la Révolution et de la Constitution » ; il réclame la liberté des théâtres et fréquente les Jacobins. Mais, rendu vite inquiet par la politique montagnarde, il suscite le soupçon, est incarcéré à la prison du Luxembourg, où la lecture de l'*Imitation* lui fait rencontrer le Dieu des chrétiens. Libéré après le 9-Thermidor, il fait de sa chaire de littérature au Lycée une tribune antirévolutionnaire, réfute les philosophes matérialistes, notamment Helvétius et Diderot (à qui il attribue par erreur des œuvres de Morelly ou de l'abbé Coyer). Enfin il participe à la création du journal royaliste *le Mémorial* (mai-septembre 1797). Après avoir été menacé d'arrestation au 13-Vendémiaire, il fut proscrit au 18-Fructidor mais échappa à la déportation en se cachant à Corbeil pendant de longs mois (septembre 1797-janvier 1800). Depuis longtemps miné par la maladie, il meurt peu après la fin d'un nouvel exil auquel l'avait contraint le Premier consul.

Son œuvre, multiple et abondante, souffre d'un manque d'originalité et de puissance créatrice. De ses onze tragédies, aucune n'a survécu, bien que *Warwick* et plus tard *Philoctète* (1783, imitation, dépourvue de chœurs, de la tragédie de Sophocle) aient connu le succès auprès de ses contemporains. Il s'agit en général, comme chez Corneille et chez Voltaire, de tragédies « politiques » au sens le plus large du mot. Dans les dernières (*Coriolan*, 1784 ; *Virginie*, 1786-1791), on assiste au développement d'une idéale thématique républicaine. Il a négligé d'écrire dans le seul genre littéraire qui, au XVIIIe siècle, ouvrait l'avenir : le roman. De son volume de poésies ne se lisent plus que quelques poèmes empreints d'une mélancolie « préromantique », à quoi il faudrait ajouter la belle « Épître à Schowalov sur la poésie descriptive ». Ses dernières œuvres n'ont d'importance qu'historique, comme témoignage, à l'aube du romantisme, du renouveau d'une certaine sensibilité chrétienne (adaptation des *Psaumes*).

On a longtemps consulté, notamment pour l'étude des théâtres de Racine et de Voltaire, les dix-huit volumes de son *Lycée ou Cours de littérature ancienne et moderne* (1799). Cet ouvrage est le premier dans lequel un écrivain ait tenté de présenter la littérature dans son devenir historique, des anciens Grecs jusqu'à la fin du XVIIIe siècle. Mais La Harpe s'y est heurté à l'impossibilité d'échapper aux lacunes de son érudition (« l'état des lettres en Europe depuis la fin du siècle qui a suivi celui d'Auguste jusqu'au règne de Louis XIV » est traité en un seul « Discours » de 78 pages !), ainsi qu'à son propre souci de juger les œuvres littéraires selon les canons d'un « bon goût » classique, directement issu de l'esthétique voltairienne. Constamment réédité jusqu'en 1880, ce *Cours* a servi de modèle à la critique universitaire du XIXe siècle et lui a imposé un certain point de vue, réactionnaire et « bien-pensant », sur le XVIIIe siècle des Philosophes. Les historiens de la littérature ont encore aujourd'hui recours au témoignage de sa *Correspondance littéraire*, qui les renseigne utilement sur les divers événements de la vie littéraire parisienne entre 1774 et 1791. Le texte manuscrit de cette *Correspondance* a été malheureusement beaucoup transformé en vue de la publication (1801-1807), après la conversion de son auteur.

Déformation regrettable, car ce qui peut encore intéresser le lecteur moderne, dans l'œuvre de La Harpe, c'est précisément un certain ton de polémiste obstiné qui, parfois, pendant sa période contre-révolutionnaire – notamment dans sa brochure *Du fanatisme dans la langue révolutionnaire* (1797) –, annonce la vigueur des pamphlétaires catholiques de la fin du XIXe siècle, de Louis Veuillot à Léon Bloy.

R. Landy

LA HONTAN, baron de

Louis Armand de Lom d'Arce, baron de La Hontan

(1666-1715 ?)

Voyageur et écrivain, La Hontan est un hobereau dépossédé de ses terres lorsqu'il s'embarque en 1683 comme garde-marine pour le Canada. Promu au grade de lieutenant du roi (1693) à Terre-Neuve, il se heurte avec le gouverneur, quitte son poste et erre à travers l'Europe à partir de 1694. Pendant son exil, il publie en 1703 à La Haye (ce qui pour lui est un acte de défiance à l'égard de Louis XIV) les trois ouvrages qui constituent l'essentiel de sa production. En premier lieu, *les Nouveaux Voyages de M. le baron de La Hontan dans l'Amérique septentrionale*, composés de vingt-cinq lettres, innovation dans le genre de la littérature de voyage. Ces lettres représentent une chronique de la vie canadienne à laquelle se mêlent les anecdotes personnelles, telle l'expédition qu'il entreprend dans le dessein de découvrir la rivière Longue, et qui fut considérée comme « pure fiction » par le père Charlevoix. Ses *Mémoires de l'Amérique septentrionale ou la Suite des voyages de M. le baron de La Hontan* sont le premier ouvrage à jeter les bases d'une réflexion ethnologique dans une perspective philosophique et polémique. Si l'homme blanc demeure au centre de son dialogue, c'est parce que « le sauvage est témoin, juge, modèle avant d'être ou en même temps qu'il est l'objet d'étude » (M. Roëlens). Mais on y trouve surtout « toutes les objections que la raison naturelle peut opposer aux dogmes et aux mystères de la religion révélée ».

Dans le *Supplément aux voyages du baron de La Hontan*, le sauvage, un Huron nommé Adario, avec lequel l'auteur s'entretient fait vaciller, par ses critiques de « bon sens », les bases de la société monarchique et chrétienne. Dénonçant ainsi tous les maux engendrés par la société occidentale, La Hontan exalte en revanche le mode de vie simple et indépendant des Indiens qu'il a désiré adopter avec sincérité. Quant à son Adario, il apparaît commme un premier crayon du Tahitien Orou de Diderot (*Supplément au Voyage de Bougainville*).

C. Lavigne

LAINÉ Pascal

(né en 1942)

Né dans la banlieue parisienne, Lainé a suivi le parcours classique des études littéraires réussies : bon élève, il entre à l'E.N.S. de Saint-Cloud, devient agrégé des lettres. Il est de ces jeunes professeurs que les mutations sociologiques et la démocratisation de l'enseignement mettent en contact avec un public d'adolescents auxquels ne peut plus s'adresser l'enseignement littéraire traditionnel. Nommé à Saint-Quentin dans des classes de l'enseignement technique, où il enseigne à de futurs chaudronniers ou experts-comptables, Lainé innove et tente de restituer le langage à ceux qui en sont exclus en faisant rédiger un journal par ses élèves. Il doit renoncer. À Louis-le-Grand, il aura peu d'enthousiasme pour servir les intérêts d'un public scolaire bourgeois. Il retourne alors à l'enseignement technique. Ses premiers romans témoignent d'un désarroi et d'un grand écœurement : ceux d'un jeune homme plongé dans la société de consommation des années 60, et qui prend conscience que cette société a renforcé les clivages socioculturels en les rendant plus insidieux. *B. comme Barrabas* (1967) dépeint avec amertume l'impuissance d'un enseignant à se sacrifier utilement ; *l'Irrévolution* (prix Médicis 1971) met aux prises, après 1968, le jeune agrégé avec le refus par les fils d'ouvriers d'une culture de classe. *La Dentellière* (prix Goncourt, 1974) présente une shampooineuse aliénée par les images que les magazines féminins donnent de la femme (ce dont témoigne, sous la forme d'une étude sociologique, *la Femme et ses images*, 1974). Depuis, Lainé semble avoir choisi une voie différente rejetant toutes les modes (ce qu'il dénoncera dans un pamphlet écrit comme un dialogue à la Diderot, *Sacré Goncourt !*, 2000) : il s'essaye à tous les genres, cultivant son goût pour la litote et la demi-teinte, son observation de la vie des choses et des signes minuscules révélateurs d'un être, il les a mis au service d'une sorte de conte érotiquè (*Tendres Cousines*, 1979) et de brefs romans comme *Si on partait* (1978), proche d'un exercice de style à la Queneau. Avec *Terre des ombres* (1982) cependant, Lainé engage une réflexion sur le divorce entre le réel et l'imaginaire, la construction de l'avenir et la séduction du néant, et c'est encore un grand désespoir qui traverse les pages de *Jeanne du Bon Plaisir* (1984). Amateur des formes et des genres qu'il pervertit avec humour (tel le récit policier où il met en scène l'inspecteur Lester, 1998), il sait aussi s'y lover avec aisance comme en témoigne *Dîner d'adieu* (1991), court récit d'analyse qui fait irrésistiblement penser à l'*Adolphe* de Constant.

M.-P. Schmitt

Lais anonymes bretons

(composés à la fin du XIIe siècle et au début du XIIIe siècle)

Courts récits en vers (en moyenne 600 octosyllabes à rimes plates) conservés dans huit manuscrits de la fin du XIIIe, à l'exception d'un seul du XVe siècle. Le recueil le plus fameux de *Lais* est signé de Marie de France, qui semble être la créatrice du genre. Ces lais anonymes se situent dans la mouvance de son œuvre, mais relèvent d'un esprit différent : celui du conte merveilleux. L'ensemble – y compris les versions norroises et en moyen anglais et les titres donnés dans d'autres œuvres – atteint à peine une quarantaine de pièces. Leur importance, cependant, dépasse largement leur nombre, au regard de leur influence sur l'art de la nouvelle au XIIIe siècle et au-delà.

Dans leur majorité, les lais puisent dans le fonds légendaire de la Bretagne celtique, faisant se croiser, à l'occasion d'une aventure individuelle, le monde féodal et chevaleresque et l'Autre Monde des Celtes. Plusieurs récits se situent à l'époque mythique du roi Arthur, comme à une borne obligée du temps romanesque. Ainsi Lorois, le chevalier du lai du « Trot », est un chevalier de la Table ronde, mais cette qualité n'a qu'une valeur emblématique.

Le Trot

SYNOPSIS

Un matin de printemps, Lorois s'habille élégamment pour aller écouter le chant du rossignol dans la forêt. Sous ses yeux passent deux cortèges de cavalières, les premières belles et rayonnantes, les secondes tristes et blêmes. Un dame lui donne la clé de ces étranges cavalcades : les premières ont servi l'amour durant leur vie, tandis que les secondes l'ont refusé et s'en trouvent à jamais punies.

On reconnaît là un motif (châtiment des femmes cruelles envers leurs amants) qu'utilisera Boccace dans le *Décaméron*. Le lai de « Tyolet », en revanche, souligne le lien nécessaire qu'entretient la vaillance des chevaliers arthuriens avec l'aventure. Le lai de « Mélion » met également en scène Arthur et Gauvain et parle de l'œuvre de pacification d'Arthur. D'autres récits évoquent, sobrement, un roi, toujours breton, à une époque indéterminée qui est celle de la mémoire : « jadis », « si j'ai bonne mémoire » ; et dans un temps cyclique – scandé par les fêtes annonciatrices de l'été : Pentecôte, Saint-Jean.

L'atmosphère de ces contes, en effet, malgré le surgissement, ici et là, d'éléments chrétiens (comme dans le lai de « Désiré »), est profane et païenne. Leur thème le plus fréquent est la rencontre d'un mortel ou d'une mortelle avec un être « faé », homme ou femme. Ainsi des lais de « Graelent » (entre 1178 et 1230) dont l'argument est proche du « Lanval » de Marie de France, « Guingamor » (après 1170-1178), « Désiré » (entre 1190 et 1208) et « Tydorel ».

Graelent

SYNOPSIS

Dépitée d'avoir été éconduite par Graelent, la reine le dessert auprès du roi, qui retient sa solde. Désespéré et sans ressources, Graelent part dans la forêt. Il y rencontre une biche blanche qui le conduit à une source où se baigne une jeune fille. Il la viole, puis lui demande, honteux de son acte, de devenir son amie. Elle accepte, à la condition que leur liaison reste secrète ; elle lui donne en outre d'inépuisables richesses. Graelent vit comblé jusqu'au jour où il prétend connaître une femme plus belle que la reine. Le roi lui demande de le prouver. Mais Graelent a perdu son amie. Le jour fixé par le roi, elle apparaît cependant à la cour pour disculper le jeune homme. Graelent s'élance à sa poursuite, jusqu'à un torrent tumultueux où il manque de se noyer. La fée lui pardonne enfin sa faute et l'emmène à jamais avec elle.

Guingamor

SYNOPSIS

Par dépit, la reine envoie Guingamor à la poursuite d'un sanglier blanc : chasse mortelle, dont personne n'est jamais revenu. Guingamor part avec le meilleur chien de chasse du roi. Il le perd bientôt, ainsi que la trace du sanglier, et parvient à un château magnifique et désert, puis rencontre une jeune fille qui se baigne dans une source. Elle lui propose d'être son amie, et lui promet de lui rendre le chien et la tête du sanglier dans les trois jours. Ceux-ci se passent dans une ambiance de fête. Guingamor rappelle sa promesse à son hôtesse : elle s'exécute, en lui faisant jurer de ne rien manger une fois de retour chez lui. Le jeune homme ne reconnaît ni son pays ni les habitants : trois cents ans se sont écoulés depuis la fameuse chasse. Pressé par la faim, il croque une pomme et tombe en faiblesse. Des jeunes filles volent à son secours et le ramènent « au-delà de l'eau ».

Désiré

SYNOPSIS

Un vavasseur et sa femme prient saint Gilles de leur donner un enfant : ils ont un fils, Désiré. Celui-ci, après avoir fait ses premières armes en France, revient chez lui, en Écosse, et rencontre une jeune fille, alors qu'il se rend chez un ermite. Il l'agresse ; celle-ci lui demande de l'épargner en échange de sa maîtresse plus belle qu'elle. Cette dernière l'accepte pour amant et lui donne un anneau. Ils vivent heureux jusqu'au jour où Désiré confesse sa liaison à l'ermite : l'anneau disparaît et Désiré tombe malade. Son amie vient à son chevet puis se rend avec lui à l'église. Au cours d'une chasse, il fait la connaissance de son fils : l'enfant demeure deux mois avec lui puis repart. Désiré le poursuit en vain et découvre un château mystérieux dont il s'échappe à grand-peine grâce à la servante rencontrée autrefois. À la Pentecôte, son amie se présente à la cour, accompagnée de leurs deux enfants. La fille est si belle que le roi l'épouse aussitôt, tandis que Désiré s'unit légitimement à son amie et part avec elle.

Tydorel

SYNOPSIS

La reine de Bretagne, s'étant un jour assoupie dans un verger, reçoit la visite d'un chevalier surgi d'un lac. Ils deviennent amants, et ont un fils et une fille ; le garçon ne dort jamais. Leurs amours durent jusqu'à ce qu'ils soient surpris par un chevalier. La reine reste seule avec son fils, Tydorel, devenu roi. Chaque nuit, un homme différent veille avec lui. Un soir, le jeune homme chargé de le distraire met en doute la nature humaine de celui qui l'a engendré. Tydorel presse sa mère de lui révéler le secret de son origine. Elle s'exécute, et Tydorel, fasciné par ce père mystérieux, s'élance dans les eaux sombres du lac.

Dans ces récits, le merveilleux, contrairement aux *Lais* de Marie de France, joue un rôle de premier plan : c'est la rencontre du réel et du féerique qui donne sa dynamique au conte. L'Autre Monde pénètre le nôtre et les forêts sont pleines de « fées à la fontaine » dont la beauté fascine le jeune chevalier, incapable de résister au désir qui s'empare de lui, et l'emprisonne à jamais. Si l'être aimé est humain, c'est l'auxiliaire du héros – le plus souvent un animal – qui est porteur du caractère merveilleux. L'épreuve initiatique, qui consacrera tout à la fois les qualités chevaleresques du jeune homme et son droit à aimer, se déroule dans une ambiance féerique, comme sur une « autre scène », en retrait du monde des hommes.

Les signes de la féerie, cependant, demeurent peu nombreux et sont presque immuables : certaines couleurs (le blanc et le vermeil), l'élément aquatique (lac, source, rivière) reviennent constamment. Son lieu de manifestation privilégié est la forêt, où se déroulent la rencontre de la fée, la métamorphose du loup-garou ou la vision hallucinée de la cavalcade des bonnes et des mauvaises amantes. Son moment est celui de la chasse qui sépare le chevalier audacieux de ses compagnons, à la poursuite d'un animal blanc, signe de son appartenance à l'Autre Monde, souvent un cerf, animal des métamorphoses. L'animal poursuivi s'évanouit pour laisser place à la « merveille ». Le texte, en ce point, déçoit par la pauvreté des descriptions : la jeune fille a le teint blanc et rosé, les membres sveltes et les yeux rieurs. Car la « merveille » se définit en creux par la comparaison et l'hyperbole : la femme rencontrée n'a point d'égale. La beauté est proprement indicible et n'existe que dans le regard amoureux porté sur elle, mais sa supériorité irradie vers les objets et les vêtements qui la parent. Lorsque l'amie de Graelent paraît à la cour, son équipage est plus longuement décrit que son visage : fait d'une étoffe rouge à broderies d'or, son manteau vaut un château ; la selle, la bride et le mors de son cheval valent plus de mille livres de Chartres. Le luxe et la beauté vont de pair. Le château que découvre Guingamor brille par la richesse et la rareté de ses matériaux: les murs sont de marbre vert, les portes sont faites d'ivoire et d'or et la tour d'argent. Le sable de la source où se baigne la fée est d'or et d'argent. L'Autre Monde se caractérise par sa somptuosité et sa luminosité ; c'est aussi un univers minéral, volontiers désert et silencieux, un monde au-delà de la mort où le temps s'abolit.

Le héros va seul au lieu où se joue son destin, et, sans y prendre garde, sans en être aucunement surpris, il passe de l'autre côté du monde. La peur ou l'angoisse, propres à l'écriture fantastique, ne sont jamais au rendez-vous. Une seule passion s'empare du héros. Son exclusivité nie la société dans laquelle il continue à vivre et il ne ressent les contradictions de sa situation que lorsqu'il est subitement privé de l'objet de son désir (Désiré, Graelent) ; ou encore, il rejoint véritablement cette société lorsqu'il est allé au bout de son désir, de son expérience (Tyolet vainqueur du « chevalier-bête »). Mais beaucoup restent prisonniers des forces de l'au-delà : Guingamor, mais aussi Tydorel, Graelent, ou Désiré.

Quoi qu'il en soit, les héros des *Lais anonymes* ignorent les débats des héros romanesques, partagés entre l'amour et les lois de la société. On chercherait en vain ici des ébauches psychologiques, comme chez Marie de France. Le récit court à sa conclusion (pas de monologue, à peine quelques dialogues), différant, par sa sobriété, de l'esthétique courtoise romanesque qui se met en place à la même époque, en puisant aux mêmes sources. Le lai n'élabore pas un discours amoureux proche du modèle de la poésie lyrique, comme le roman ou certains récits brefs du XIIIe siècle.

Si les figures féminines sont centrales, qu'il s'agisse des bonnes (fées amantes) ou des mauvaises (reines séductrices et agressives), elles demeurent ambiguës et dominatrices. Dans plusieurs lais, en effet, se croisent les caractères des deux principales fées médiévales : Morgane et Mélusine. Morgane se profile derrière tous les enlèvements de mortels, tandis que Mélusine, la fée maternelle, régénère la classe chevaleresque en fondant de nouvelles lignées. Mais l'homme est toujours pris au piège, en butte aux avances des reines ou amant comblé, tenu par le serment du secret (la *geis* celtique).

Daniel Poirion voyait dans cette situation, où la femme mène le jeu, le fantasme d'un matriarcat archaïque, doublement refoulé par la vision courtoise de l'amour et l'interprétation chrétienne du monde qui consacrera la mort des fées : ainsi, dans « Désiré », la fée prouve à plusieurs reprises qu'elle est bonne chrétienne. Le lai féerique s'articule donc autour du désir et de ses interdits, du mystère des origines et de l'identité, en relation avec la sexualité. Il est surtout un rêve, le rêve d'un monde idéal où beauté et amour régneraient sans partage, où tous les conflits seraient résolus, celui d'un monde où « tout est luxe, calme et volupté ».

De la parodie à la dissolution du genre

Dès le XIIe siècle sont composés des lais parodiques et burlesques, qui ne conservent que le motif du triomphe du féminin et le cadre formel de la Bretagne : le lai du « Lecheor » (le « con », moteur du monde), de « Nabaret » (le jaloux ridiculisé par sa femme), du « Cor », du « Mantel mautaillé » (un objet magique – corne à boire, manteau – révèle aux chevaliers de la cour d'Arthur s'ils sont ou non trompés par leurs femmes), du « Chevalier a l'espée » (Gauvain honteusement délaissé pour un autre chevalier). Dans ce groupe, le lai d'« Ignauré » (début du XIIIe siècle) tient une place à part. Il est à la fois la parodie et la plus ancienne version complète du motif du « Cœur mangé » [voir ***Châtelain de Coucy (le)***].

Ignauré

SYNOPSIS

Chevalier breton d'Armorique, Ignauré possédait toutes les qualités courtoises : vaillant, beau et aimable, toujours en joyeuse compagnie et adoré des femmes. Il était l'amant de douze dames, épouses de douze pairs. À la Saint-Jean, ces dames se retrouvent dans un verger et découvrent, à la faveur d'un jeu, qu'elles ont le même amant. Dépitées, elles ourdissent un piège pour le punir de son infidélité, mais il sait si bien se défendre qu'elles lui pardonnent, à condition qu'il se limite à l'une d'entre elles. Ignauré multiplie ses visites à l'heureuse élue, au mépris de toute prudence. Un espion, qui avait secrètement assisté à la scène du verger, dévoile l'affaire aux maris outragés. Ignauré est surpris dans le lit de sa maîtresse, mis à mort et châtré. Les maris servent à leurs épouses un morceau du cœur et du membre viril de leur amant. Quand elles apprennent la nature du mets dont elles se sont régalées, elles se laissent mourir de faim.

On a là l'exemple d'un lai qui s'organise sur un motif étranger à la matière bretonne. Par la préférence accordée à l'amour adultère sur la fidélité conjugale, par les interventions du narrateur qui prétend être, comme Ignauré, prisonnier des chaînes de l'amour et se propose d'offrir à ses auditeurs un exemple à méditer, l'œuvre s'inscrit davantage dans la tradition des récits courtois [voir ***Châtelaine de Vergi (la)***]. Son action se déroule dans les lieux clos de la lyrique amoureuse : verger où les dames parlent d'amour ; château où l'amant se glisse imprudemment; chambre, lieu de l'amour et de la mort. Le personnage principal, beau, élégant et raffiné, est tout entier dans l'orbite de l'amour et du féminin. Il n'est question pour lui ni de combats ni d'aventures chevaleresques. Quand il va dans la forêt, c'est, accompagné de musiciens, pour en rapporter l'arbre de mai. Malgré sa fin tragique, le récit est placé sous le double signe du jeu et du plaisir : jeu de la vérité auquel se livrent étourdiment les dames, rompant ainsi avec la règle primordiale du secret en amour, garante de leur bonheur (voir « Graelent » ou « Désiré ») ; plaisir de l'amour charnel avoué et loué sans détour. Une vision hédoniste de la vie se dégage de ce texte, qui n'exclut pas l'humour, le narrateur soulignant le danger que l'on court à n'avoir qu'une maîtresse. L'intention parodique se lit dans le nombre et les titres des maris qui rappellent les douze pairs de Charlemagne, ou dans l'amplification du motif du cœur mangé par la multiplication des maîtresses et l'émasculation de l'amant que seul notre récit mentionne. En ce point, il frôle le fabliau, n'était sa défense de l'amour et des valeurs courtoises de beauté et d'élégance, contre les maris jaloux et cruels. Dès le XIIe siècle, Ignauré est cité, dans un poème occitan et dans *le Chevalier de la charrette*, comme un héros légendaire, célèbre pour ses séductions : une sorte de don Juan médiéval victime plus que vainqueur. Le démembrement de son corps symbolise sa faculté à se partager entre tous les désirs féminins que traduisent les panégyriques amoureux de ses maîtresses, chacune vantant une partie ou une qualité de sa personne.

Le terme de « lai » en vient ainsi au XIIIe siècle à désigner des récits très différents qui se situent aux franges du fabliau et de la nouvelle courtoise : *le Lai de l'Ombre*, *le Vair Palefroi*. Il rompt ses attaches avec la matière bretonne, s'inspirant d'autres traditions populaires : *le Lai d'Aristote* d'Henri d'Andeli montre le philosophe, vaincu par l'amour, acceptant d'être chevauché par la jeune maîtresse d'Alexandre. Mais, quels que soient leurs sujets, ces pièces ne versent pas dans le registre du fabliau, leur ton reste élégant et soutenu. Le merveilleux recule au profit de la casuistique amoureuse et d'une rationalisation de l'intrigue, selon la voie déjà tracée par Marie de France. Le nom de « lai lyrique » s'applique, en outre, jusqu'au XIVe siècle, à des compositions musicales sans rapport avec nos récits, bien qu'elles conservent peut-être aussi, à leur manière, le souvenir des anciens lais chantés par les jongleurs bretons.

Genre protéiforme, le lai disparaît vers le milieu du XIIIe siècle. Il est supplanté par d'autres formes – et d'autres noms – en particulier fabliaux et dits, qui continuent l'expansion du récit bref, dont il a ouvert la tradition en langue vernaculaire.

M. Gally

Lamartine

LAMARTINE Alphonse de

(1790-1869)

Qui, aujourd'hui, lit Lamartine ? Présent dans tous les manuels scolaires, édité (pour les *Méditations poétiques*) à grand renfort de « petits classiques », il semble pourtant concerner fort peu la sensibilité d'un amateur contemporain de poésie. Les imageries du rêveur, du « pleurard », d'un idéalisme politique dépassé, nous font négliger une relecture nécessaire. En parler, ce sera donc ici, en partie, réhabiliter l'auteur du trop méconnu *Voyage en Orient*, une intelligence, une éthique, une haute qualité d'émotion. Avec Lamartine, qu'il soit politicien ou écrivain, c'est un homme, au sens le plus élevé du terme, que nous rencontrons, une vision de l'action et du langage qui doit retenir notre attention, voire constituer une leçon insoupçonnée au sein d'une modernité qui a voulu, trop souvent, séparer l'écriture et la vie.

Plusieurs Lamartine ?

Lorsque l'on considère l'existence et l'œuvre de Lamartine, on peut être tenté d'y voir un certain nombre de ruptures, voire de contradictions qui nous empêcheraient de saisir l'unité d'un visage.

Ruptures au niveau de la biographie, tout d'abord. Certes, l'enfance heureuse à Milly, l'existence parfois dissipée du jeune aristocrate et même les débuts de sa carrière poétique se placent sous le signe de la continuité. Mme de Lamartine écrit, en 1818 : « Mon fils a bien besoin de foi positive, car sa religion, trop libre et trop vague, me paraît moins une foi qu'un sentiment. » Elle indique ici une constante fondamentale de la personnalité de Lamartine. Celui-ci est l'homme de l'individualité, qu'il s'agisse de l'amoureux d'Antoniella en 1811, de celui de Julie Charles en 1816 ou même de l'époux heureux dont la fille Julia naît en 1822, du poète des *Méditations poétiques* (1820) ou de celui des *Nouvelles Méditations* (1823). Même lorsqu'il semble vouloir quitter cette orientation en affirmant que le moi ne doit plus être un objet d'inspiration pour le poète (*le Dernier Chant du pèlerinage d'Harold*, 1825), il ne peut nous convaincre, montrant avec les *Harmonies poétiques et religieuses* (1830) qu'il est avant tout le grand poète de l'émotion et du lyrisme individuel.

Pourtant, lorsque après la publication du recueil de 1830, qui le consacre comme poète lyrique, Lamartine abandonne la carrière diplomatique, ce n'est pas vers la solitude de l'écrivain qu'il se tourne mais vers l'engagement politique. Le légitimiste et le chantre du moi de 1820 va devenir, au cours d'une évolution incessante vers la gauche, le chef du gouvernement provisoire de la République de 1848. L'homme du privé va se transformer en orateur politique. N'est-ce point là un nouveau Lamartine ? Le ton d'une poésie qui ne serait plus celle du moi se dessine avec plus de force qu'en 1825. Ce sont des odes politiques : *Contre la peine de mort* (décembre 1830) et la fameuse *Ode à Némésis* (juillet 1831), où Lamartine affirme vigoureusement : « Honte à qui peut chanter tandis que Rome brûle ! » C'est en 1831 encore qu'il se présente à la députation et publie son essai *Sur la politique rationnelle*, où il définit les grandes lignes de sa vision politique. Après son périple oriental, Lamartine semble consacrer cette rupture. Pour oublier, peut-être, les épreuves de la vie privée (mort de sa fille Julia en décembre 1832), il se lance plus intensément encore dans la tâche politique, cherchant à promouvoir une politique progressiste pénétrée d'esprit évangélique. L'action littéraire, qu'il n'a jamais abandonnée, s'oriente vers une vision sociale très marquée. L'idée d'une instruction des « humbles » que l'on trouve dans *Jocelyn* (1836) annonce bien tel article de 1843 ou la préface de *Geneviève* (1851), où il proposera une conception de la lecture d'instruction (littérature édifiante, pensent certains). L'écrivain a une mission sociale. Toute la production littéraire, toute l'action politique de Lamartine à cette époque est marquée par cette préoccupation.

Mais voici une nouvelle rupture : après son échec aux élections présidentielles en décembre 1848, Lamartine quitte définitivement la scène politique. Confronté à des problèmes financiers, il devient un « galérien des lettres » et doit écrire pour vivre. La qualité s'en ressent : compilations historiques (*Histoire des constituants* [1852], *de la Turquie* [1854-5]...) ou romans. Pourtant, Lamartine peut encore montrer sa véritable valeur dans des écrits autobiographiques attachants : ce sont les *Confidences* (à partir de 1849), qui contiennent *Graziella* et *Raphaël*. Dès 1856, il livre à ses abonnés un *Cours familier de littérature*. On peut y lire, parfois, de très beaux textes, où l'auteur montre qu'il est resté le grand poète de l'émotion et du souvenir.

Si l'on n'envisage que les événements de la biographie de Lamartine, on a le sentiment d'un fil discontinu permettant d'envisager une succession de périodes : le poète du moi, l'homme public, le « galérien des lettres ». Cette absence d'unité biographique serait confirmée par les aspects forts différents de l'homme : comment concilier le personnage du poète plongé dans l'émotion personnelle avec celui du voyageur aventureux de 1832 ou de l'orateur politique véhément ? Un autre élément pourrait nous confirmer dans l'idée qu'il n'y aurait pas un mais plusieurs Lamartine, c'est la multiplicité des genres abordés : poésie lyrique, histoire, romans, essais, récits de voyage, autobiographies plus ou moins romancées. Plus profondément, on pourrait voir une contradiction entre la tendance mystique qui habite profondément l'œuvre et la conception morale d'un engagement dans le monde, d'une tâche envers autrui qui marque très tôt la personnalité de l'homme. Pourtant, derrière ces apparences morcelées, quelques attitudes éthiques et esthétiques assurent la profonde unité de l'œuvre.

Au-delà des conventions

Le lyrisme de Lamartine apparaît, en effet, comme une constante : que nous considérions le poète de l'amour, l'orateur politique, le poète de la foi ou même l'auteur du *Voyage en Orient*, nous rencontrons une même qualité d'émotion, le souffle d'une sincérité. Dans tous les cas, cette qualité essentielle permet de dépasser les conventions. Tout d'abord les conventions du style que l'on a tant reprochées au poète des *Méditations* ou des *Harmonies* : ces réminiscences nombreuses de la tradition élégiaque, ce manque d'originalité du mètre et des images qui le firent comparer à « un Chateaubriand en vers » (Faguet). En fait, dès 1820, l'expression directe du moi et l'abolition du distinct dans la perception du réel constituent une nouveauté dans l'écriture elle-même. Une poésie de l'indicible émerge, dont naguère Georges Poulet a souligné la modernité. La foi profonde qui anime les *Harmonies*, la volonté douloureuse de suggérer par le langage ce que celui-ci, par essence, est impuissant à dévoiler, tout cela nous met en présence d'un ton devant lequel on ne saurait rester insensible. L'univers des images lui-même, leur dialectique de l'ouvert et du clos, du clair et de l'obscur fondent un mouvement original. Il faut aujourd'hui refuser l'image toute faite sur la poésie lyrique de Lamartine.

Conventions des partis, ensuite : elles aussi sont balayées dans la pratique politique de Lamartine. Lorsqu'il est élu député, il refuse d'entrer dans un parti. Il avait d'ailleurs, avant son départ pour l'Orient, mesuré l'étroitesse de vues des chapelles politiques. C'est animé par un idéal supérieur, par la foi profonde en un projet divin qui doit se réaliser dans l'Histoire que Lamartine accumule sur les sujets les plus ardus une documentation abondante. On ne saurait lui faire le reproche pascalien de ne s'occuper que des moyens et non des fins. Cette position était délicate : orateur enthousiaste, Lamartine restera fidèle à sa vision lors de la révolution de 1848. Refusant le pouvoir, celui qui pouvait devenir « ministre exécutif » du gouvernement provisoire se retrouve seul et doit quitter la scène. Ce mépris des conventions politiques fut sa grandeur et causa sa perte.

Lamartine sait aussi dépasser les conventions du voyage au cours de son itinéraire oriental. Contrairement à l'image, accréditée par sa poésie lyrique, d'un écrivain incapable de décrire, il montre dans le *Voyage en Orient* et dans de nombreuses autres pages (pensons à *Graziella*, notamment) une passion de regarder, une ouverture sur autrui qui constituent un véritable lyrisme de l'observation. Lamartine sait voir l'Autre, et cette ouverture passionnée lui fait dépasser les imageries de l'Orient. C'est là un aspect de son œuvre injustement ignoré.

Une vision de l'Histoire

Il est un peu facile d'opposer le légitimiste de 1820 à l'homme de 1848. Il l'est tout autant de montrer que l'idéalisme de Lamartine peut cacher des intérêts de classe : partisan d'une démocratie politique, Lamartine cherche à canaliser la violence virtuelle d'un prolétariat misérable en proposant des réformes sociales qui, cependant, préservent le principe essentiel de la propriété, auquel il est attaché.

Ce qui nous semble fondamental, c'est de saisir l'unité profonde de la vision de l'Histoire de Lamartine, et cela dès 1820. Car elle détermine la pratique politique de l'auteur des *Méditations*. Il l'expose en 1831 dans un court essai : *Sur la politique rationnelle*. Il en conservera les éléments essentiels, qui, d'ailleurs, ne sont aucunement en contradiction avec la vision des premières *Méditations* (vision d'un projet divin) : « Nous sommes à une des plus fortes époques que le genre humain ait à franchir pour avancer vers le but de sa destinée divine. »

Comme Michelet, Lamartine croit, après Juillet, que la France est devenue le pilote d'un avenir de progrès. Il se sent en accord avec le peu « d'esprits élevés et rationnels qui ont fait de leur pensée politique un sanctuaire où l'intrigue et la passion ne pénètrent pas [...], qui placent la morale, le devoir, le salut et le progrès de l'humanité au-dessus de leurs théories d'école et de leurs affections de famille ». « Au-dessus de la mêlée », donc, il propose avec éloquence et conviction les points forts de son idéalisme politique. Il est assuré d'être finalement entendu car toute « idée sociale, descendue du ciel sur l'humanité, n'y retourne jamais à vide ». « Elle porte en soi quelque chose de vital, de divin... »

Lamartine se présente donc en guide de l'humanité et en promoteur de l'idée de liberté. Dans le ton de l'ouvrage, on sent un respect religieux pour ses convictions politiques. C'est pour conserver l'intégrité de celles-ci, les défendre sans compromission que Lamartine refuse de s'associer à un journal politique. Il est déjà un solitaire et un croyant de la politique. À son retour d'Orient, il fera encore, dans ses engagements, figure d'opposant en marge des partis.

Dans son ouvrage, Lamartine ne propose aucune analyse ponctuelle mais tente de dégager une vue générale de l'Histoire conçue comme progrès organique et nécessaire. Il existe une « destinée divine » du genre humain, et « la vérité sociale ne se développe qu'à la lueur de la vérité divine ». Si le langage est tout pénétré par un vocabulaire du sacré, c'est que l'Histoire est le lieu du progressif dévoilement d'un projet divin. L'homme politique digne de ce nom devient le guide précédant les générations comme la colonne de feu de Moïse. Toute l'évolution humaine prépare l'avènement d'une « époque évangélique » qui consacrera « l'égalité politique et civile de tous les hommes devant l'État, comme le Christ avait consacré leur égalité naturelle devant Dieu ». Or, cette époque, toute proche, nous devons, par une reconnaissance du projet divin, contribuer à la réaliser pacifiquement maintenant que la révolution a fait table rase, au terme d'un trajet nécessaire et prévisible.

Cette logique du progrès, qui réalise un « christianisme rationnel » dont la France est le porte-drapeau, il conviendrait de la mettre en rapport avec la vision d'un Michelet (dont l'*Introduction à l'histoire universelle* paraît également en 1831) et avec les autres conceptions de l'évolution des sociétés que l'on nourrit à l'époque chez Hugo et bien d'autres.

Lamartine rappelle quelques principes essentiels à la réalisation de la société souhaitée : monarchie constitutionnelle, liberté de la presse, enseignement libre et gratuit, séparation de l'Église et de l'État, élections au scrutin proportionnel, législation pénétrée d'esprit évangélique (abolition de la peine de mort), respect de la propriété, reconnaissance d'une centralisation administrative et exécutive...

Ces divers principes, Lamartine ne les pose pas, cependant, en absolus indépassables. Il note ainsi que la propriété, certes, a bien été jusqu'ici la seule base donnée par Dieu à la famille et à la société. Cependant : « Peut-être l'humanité découvrira-t-elle un jour un autre principe social. » Les attachements « idéologiques » ne sont donc que des modalités pour réaliser un plus vaste projet : elles fondent seulement une pratique justifiable au plan divin.

Mais, dans la confusion du présent, la réalisation d'une si haute visée exige un homme « complet dans l'intelligence et la vertu », « fort de la force de sa conviction et de celle de son époque [...], palpitant de foi dans l'avenir [...], capable d'entrevoir l'autre monde politique, de nous convaincre de son existence, et de nous y conduire par la persuasion de son éloquence... ». Cet homme ne pourrait-il être Lamartine en personne, qui va méditer et observer en Orient ?

Une éthique fondatrice

Si la poésie doit être de la « raison chantée », si Lamartine, dans sa pratique littéraire, présente avec *Jocelyn,* ou même dans plusieurs passages de *la Chute d'un ange* (1838) et des *Recueillements* (1839), des préoccupations sociales qui inspireront toujours les romans qui suivront, si, dans une épître de 1837, l'auteur oppose cette nouvelle conception poétique à la poésie des *Méditations,* l'unité profonde de la vision lamartinienne reste, à l'analyse, une donnée essentielle.

Poète du souvenir et de l'amour, songeur dans le désert ou homme politique, c'est bien du même personnage qu'il s'agit : les méditations du solitaire nous renvoient en effet à la prière et à la reconnaissance fervente d'un Dieu. Mais la réflexion sur l'Histoire amène, elle aussi, à la reconnaissance d'un dessein divin. Dans les deux cas, nous sommes renvoyés à une transcendance qui fonde une pratique de la vie dont l'unité est profonde. Dans les premières *Méditations* (où le thème de l'amour est bien loin d'occuper tout le recueil), on lit : « Partout où nous voyons les hommes/ Un Dieu se montre à leurs regards. » Poète du privé ou homme politique, c'est tout un : c'est le chrétien qui instaure ces deux pratiques. L'amour d'Elvire est déjà une étape vers l'amour divin ; l'engagement politique est une prière en acte. L'idéal est bien en effet la prière, la communion « cœur à cœur ». Un tel état, le langage poétique est impuissant à le créer. Il peut seulement en donner le désir, en suggérer l'émotion. Quand cette communion est là, comme dans l'amour innocent de Laurence et Jocelyn, la voix est inutile (« Quels vers vaudraient pour moi son âme ? » dit Jocelyn). La pratique politique doit apporter une contribution à la communion des hommes. Elle est fondée sur la même aspiration. C'est pourquoi Lamartine n'a jamais voulu faire de la poésie un « métier » ni adhérer à un parti. L'orientation sociale de sa production littéraire ne fait que confirmer une unité de vision préalable : acte politique, acte littéraire, c'est la même action morale, la même tendance à inscrire dans le temporel une aspiration mystique.

Relire Lamartine ?

Si on ne lit plus véritablement Lamartine aujourd'hui, c'est tout d'abord que l'on se contente des idées reçues sur son œuvre, que l'on méconnaît des ouvrages qui, d'ailleurs, sont souvent peu accessibles en librairie. Certes, les conceptions religieuses et politiques de l'auteur, ses allusions mythologiques ou ses figures de style peuvent arrêter certains lecteurs. Mais le discrédit relatif que subit sa poésie a aussi une autre cause : ce que recherche le plus souvent la poésie moderne, c'est une densité des images, une sorte de pudeur du langage qui vise à une émotion plus concentrée. Lamartine nous propose une voie différente : celle d'un langage plus accessible, qui sait pourtant nous confronter à une émotion poétique authentique. L'homme lui-même est une figure profondément attachante, dont l'éthique, au-delà des querelles idéologiques, peut constituer un véritable modèle.

	VIE	ŒUVRE
1789	Début de la Révolution française.	
1790	**21 oct. :** naissance, à Mâcon, d'Alphonse-Marie-Louis de Prat de Lamartine.	
1801	Lamartine est mis en pension à Lyon. Jusqu'à cette date, il a vécu à Milly, où sa famille s'était réfugiée.	
1802	**Amnistie des émigrés.** **Bonaparte consul à vie.**	
1803	Entrée au collège jésuite de Bellay.	
1804	**Sacre de Napoléon.**	
1811-1812	Voyage en Italie et rencontre d'Antoniella, qui deviendra « Graziella ».	
1812	Lamartine devient maire de Milly.	
1814-1815	**Abdication de Napoléon. Louis XVIII promulgue la Charte. Les Cent-Jours. Invasion de la France. Waterloo.** Entrée dans les gardes du corps royaux. Lamartine est en garnison à Beauvais. Exil en Suisse et en Savoie durant les Cent-Jours.	
1816	Date importante dans la vie de Lamartine : il rencontre à Aix-les-Bains Mme Julie Charles, qui devient Elvire, incarnation de l'amour romantique, inspiratrice des *Méditations.*	
1817	**Déc. :** mort de Julie Charles.	
1818		Refus par la Comédie-Française de *Saül,* tragédie biblique.
1819	Rencontre avec Maria Anna Elisa Birch, une riche Anglaise.	
1820	Nommé attaché d'ambassade à Naples. Mariage avec Maria Anna Birch.	**Mars :** parution des *Premières Méditations.* Le succès est « inouï et universel », selon les propres termes de Lamartine. Ce mince recueil (cent dix-huit pages pour vingt-quatre méditations) marque la « naissance » de l'écriture poétique romantique.
1820-1830	Lamartine occupe différents postes diplomatiques en Italie.	
1821	**Ministère Villèle.**	
1823		Publication des *Nouvelles Méditations.*
1824	**Sacre de Charles X.**	
1829	**Ministère Polignac.**	
1830	Lamartine est élu à l'Académie française. **Révolution de Juillet. Louis-Philippe, « roi des Français ».**	Il publie les *Harmonies poétiques et religieuses.*
1831	Échec à la députation. **Émeute des canuts lyonnais.**	Publication de l'ouvrage *Sur la politique rationnelle.*
1832	**Juin :** départ à Marseille pour un voyage en Orient, avec sa femme et sa fille Julia (née en 1822). Ce voyage constitue une étape importante dans la vie de Lamartine. Mort de Julia à Beyrouth. Pendant ce voyage, qui prend fin en septembre 1833, Lamartine est élu député. Dès son retour en France, il prend une part de plus en plus active à la vie politique, et de plus en plus tournée vers l'opposition.	

	VIE		ŒUVRE
1834	**Émeutes à Paris et Lyon.** **Lois de septembre.**	1834	*Des destinées de la Poésie.*
		1835	Publication du *Voyage en Orient.*
1836	**Ministère Thiers.**	1836	*Jocelyn.*
1838	À Rome, mise à l'Index du *Voyage*, de *Jocelyn* et de *la Chute d'un ange*.	1838	*La Chute d'un ange.*
		1839	*Recueillements poétiques.*
1843	**Querelle scolaire.**		
1846	**Crise économique.**		
		1847	*Histoire des Girondins.*
1848	**Révolution.** À cette date, la popularité de Lamartine est immense. Aux côtés de Ledru-Rollin, il fait partie du gouvernement provisoire. Il est nommé ministre des Affaires étrangères. En décembre 1848, il ne recueillera pourtant que 17 900 voix aux élections présidentielles.		
1849	**Assemblée législative.**	1849	À partir de 1849, Lamartine entreprend la publication d'œuvres autobiographiques avec *Raphaël* (1849), les *Confidences* (1849), dont il isolera *Graziella* (1852).
1850	**Loi Falloux.** **Loi électorale.**		
1851	**Coup d'État du 2 décembre.** Lamartine abandonne la politique. Il devient un « galérien de la plume », publiant sans cesse des ouvrages souvent médiocres pour payer les dettes qu'il a accumulées.	1851	*Geneviève, histoire d'une servante.* *Le Tailleur de pierres de Saint-Point.*
1852	**Proclamation de l'Empire.**		
		1853	*Les Visions.*
		1856-1869	Lamartine publie son *Cours familier de littérature,* qui comprend 28 volumes.
		1857	Parution du dernier poème de Lamartine, *la Vigne et la Maison.*
		1860-1866	Publication des *Œuvres complètes* (41 vol.).
1863	Mort de Maria Anna Birch.		
1864	**Loi sur les coalitions ouvrières.**		
1867	Lamartine accepte la rente viagère que lui attribue l'État.		
1868	**Loi sur la presse et les réunions publiques.**		
1869	**28 févr. :** mort de Lamartine.		

Méditations poétiques

L'année 1820 semble moins celle de la rupture que celle de l'accomplissement : Lamartine est nommé attaché d'ambassade à Naples, se marie, mais, surtout, il publie les premières *Méditations*. C'est la révélation d'un poète.

Cette publication constitue la première manifestation poétique reconnue du romantisme français. La première – et petite – édition de mars 1820 est immédiatement épuisée. En avril, une deuxième édition disparaît tout aussi vite de la vitrine des libraires : « Les *Méditations* ont un succès inouï et universel pour des vers en ces temps-ci », note l'auteur dans sa correspondance.

Comment expliquer un tel succès ? Ce mince recueil de vingt-quatre poèmes (l'édition de 1849 en comprendra quarante et un) ne semble d'abord que formaliser la sensibilité diffuse de l'époque. Cette insatisfaction fondamentale du moi devant le monde, l'aspiration à

Ce bien idéal que toute âme désire
Et qui n'a pas de nom au terrestre séjour,

cette exaltation sans but de l'individu ressemble fort à celle du René de Chateaubriand. Le

Et moi, je suis semblable à la feuille flétrie :
Emportez-moi comme elle, orageux aquilons

de Lamartine reprend avec une mélancolie plus accentuée le « Levez-vous vite, orages désirés, qui devez emporter René dans les espaces d'une autre vie. » Même si le décor reste le plus souvent celui d'une campagne française paisible, les paysages évoqués dans « l'Homme », l'hommage à Byron, ne nous étonnent pas : ces « rivages couverts des débris du naufrage » sont ceux que l'on trouvait dans les prémices du romantisme européen, ceux que l'on pouvait admirer dans les tableaux de Caspar David Friedrich à la même époque.

Tout cela ne semble guère nouveau. De plus, le recueil, s'il reprend les thèmes lyriques, les imageries, les clichés à la mode, s'il reprend, en outre, la tradition élégiaque, si les réminiscences d'un Parny, d'un Millevoye et de bien d'autres y sont sensibles, ne paraît pas innover davantage dans la forme, qui reste fort conventionnelle pour ce qui concerne le mètre et les images. Lamartine lui-même écrit en 1823 : « Classique pour l'expression, romantique dans la pensée, à mon avis, c'est ce qu'il faut être. » Le succès inouï de l'œuvre ne serait-il donc pas dû à ses qualités intrinsèques ?

Au-delà de ces conventions, l'ouvrage apportait en réalité plusieurs éléments essentiellement nouveaux. Tout d'abord, l'investissement dans l'écriture d'une sincérité absolue. Ce n'est plus la convention, ce sont « les fibres mêmes du cœur de l'homme, touchées et émues par les innombrables frissons de l'âme et de la nature », qui fondent la poésie. L'expression directe du moi nous éloigne fort des élégiaques de la tradition – et même de Chénier.

Mais comment exprimer ce moi ? C'est ici qu'apparaît le second élément essentiel de nouveauté de l'œuvre : Lamartine n'est pas seulement un « Chateaubriand en vers » (Faguet). Le style lui-même, sous des apparences de convention, constitue une nouveauté. Le distinct disparaît au profit de l'indistinct. La perception d'un réel détaillé s'abolit. Il s'agit de dire l'indicible, cette part sensible de l'homme difficilement cernable avec les mots. Il s'agit d'écrire sur la communion des âmes et de la nature, sur ce qui semble appartenir au domaine du silence. La poésie ne sera donc jamais descriptive. Le regard s'approprie la nature, en fait une réalité immatérielle. « Lamartine gagne cette gageure impossible d'établir par des mots entre son lecteur inconnu et lui ces intimes communications qui se forment dans le silence entre deux âmes sœurs. » La musicalité extrême du vers rend sensible cet état des âmes.

L'esprit cartésien de distinction et de clarté, devenu canon de la beauté avec les classiques, est totalement éliminé. Lamartine peut écrire : « La poésie s'est dépouillée de plus en plus de sa forme artificielle ; elle n'a presque plus de forme qu'elle-même. » Cette poésie de l'indistinct se voudrait paradoxalement en deçà de l'expression. D'où sa difficulté (« Toute parole expire en efforts impuissants ») et le thème de l'insuffisance du langage. Cette conscience du paradoxe de la parole poétique est profondément *moderne*.

Le repli sur le privé constitue l'une des idées reçues à propos du recueil de 1820. Le poète, marqué par les épreuves de l'amour, se détourne du monde, solitaire et songeur (« l'Isolement »). Le caractère tragique du temps l'amène soit au désespoir –

Je ne veux pas d'un monde où tout change, où tout [passe,
Où jusqu'au souvenir, tout s'use et tout s'efface,

– soit à la nostalgie des « ombres chéries », à la valorisation du familial ou de l'individuel. Les premières *Méditations* retraceraient un itinéraire de ce cœur blessé par le privé.

En fait, si l'on trouve dans cette œuvre la tentation du renoncement ou même celle de la mystique, on voit bien plus souvent se développer l'idée d'un dessein divin qui permet d'ouvrir, de déployer le temps comme une perspective positive et non plus tragique. Lamartine, plus que vers les soupirs éplorés du moi, se tourne vers l'inspiration d'un christianisme rationnel, d'un hymne à l'« Éternelle Raison ». Il reconnaît, en dépit des épreuves personnelles, un ordre voulu par Dieu. La révolte cède à la confiance en ce projet qui dépasse l'individu.

C'est pourquoi la perspective des *Méditations poétiques* n'exclut pas le problème de l'Histoire, même si cette dernière, en 1820, n'est pas une voie pour le poète. La vision du temps comme projet divin est celle qui fondera dix ans plus tard la pratique politique de Lamartine. Celui-ci demeurera encore l'homme du songe sur la destinée, celui qui se consacre à une tâche : contribuer à réaliser l'ordre voulu par la raison divine. L'engagement politique ne sera jamais chez lui un oubli ou un rejet de la solitude. Il en sera, au contraire et paradoxalement, une conséquence.

Harmonies poétiques et religieuses

Dans *le Dernier Chant du pèlerinage d'Harold*, Lamartine opposait à l'amour, sentiment du moi pur, la liberté du peuple, seul objet digne, désormais, pour le poète. En fait, il va montrer qu'il est, bien plus qu'un chantre de la liberté, un poète de l'effusion lyrique.

On pouvait croire qu'il resterait l'homme d'un seul livre. Lorsqu'il arrive à Florence en 1825, comme diplomate, il ignore encore qu'il va réaliser, dans cette Toscane qu'il quittera en 1828, l'une de ses œuvres poétiques les plus importantes, *les Harmonies poétiques et religieuses,* dont la première édition paraît en 1830.

Dans une lettre à Mme de Raigecourt, il annonce dès 1826 qu'il s'agira de « poésies purement et simplement religieuses ». L'ouvrage semble en effet un hymne au Créateur. Pourtant le ton n'est pas uniforme : plusieurs textes écrits après le retour d'Italie sont plus angoissés ou nostalgiques (« le Premier Regret », « *Novissima verba* »...). Mais que la poésie s'élève vers la méditation ou qu'elle ait un ton familier ou douloureux, elle reste toujours pénétrée de foi. L'unité du recueil n'est jamais altérée. Les *Harmonies,* divisées en quatre livres d'une dizaine de poèmes chacun, contiennent sans doute les textes les plus travaillés de Lamartine.

Poésie de l'hymne tout d'abord : les titres suffiraient à l'indiquer (« Hymne du matin », « Hymne de la nuit », « Hymne du soir », « Hymne au Christ »...). Dans la louange, c'est le cœur qui doit « résonner comme un temple », dans une effusion intime. Nous retrouvons alors le paradoxe des premières *Méditations,* car ces effusions du cœur constituent en vérité des « concerts muets ». Il s'agit donc d'exprimer encore une fois par le langage poétique un autre langage, qui le transcende : « Quelque chose en moi soupire [...] / Et mon cœur ne peut parler. » Il se dévoile une insuffisance essentielle du langage humain dont la poésie n'est que la marque même. La parole n'est pas, comme il conviendrait, l'âme elle-même, mais l'« ombre » de l'âme.

Alors apparaît la nostalgie d'un langage sensible, dont la nature fournit un modèle. C'est le thème de l'« hymne silencieux » du monde. La nature ne fait que clamer à celui qui sait y lire la louange du Créateur. Le cosmos est un langage :

Ô nuits, déroulez en silence
Les pages du livre des cieux !

(« Hymne de la nuit »)

La poésie n'est donc jamais une fin en soi mais le signe extérieur et imparfait d'une ferveur intime, seule véritablement essentielle. Un cœur pur et une vie simple sont un hymne suffisant. La poésie est éloge indirect d'un modèle d'existence qui est à lui seul une louange. Nous sommes donc en présence d'un discours qui fait l'apologie du silence.

Si, néanmoins, la poésie se justifie, c'est dans la mesure où, par la communication d'une ferveur, elle cherche à fondre les cœurs dans l'unité de cette émotion. Elle est une incitation à la communion des hommes. Cette qualité d'émotion, il serait vain de la refuser aux *Harmonies* en remarquant des références mythologiques trop nombreuses ou des options idéologiques désuètes. Il y a incontestablement dans de très nombreux textes un ton qui ne peut laisser insensible.

Si le langage poétique est insuffisant, la nature elle-même l'est aussi pour une conscience qui tend au dépassement du temporel et du sensible (« Que tes temples, Seigneur, sont étroits pour mon âme ! »). En effet, ni les astres ni l'homme « ne peuvent achever son Nom ». Cette aspiration mystique n'est plus l'élan vers l'infini de *René* ou des *Méditations poétiques.* Si la nature, dans son immensité ouverte, est louange mouvante de Dieu, le temple clos, la lampe du sanctuaire cachée dans l'ombre renvoient encore à cette ouverture que constitue la ferveur. L'âme n'est pas une intériorité close, mais son caractère le plus intime a vocation d'ouverture et d'effusion. Cette effusion alterne avec le recueillement et lui répond. La tombe fermée de la mère nous renvoie à Dieu. Au germe qui se déploie, à la source qui devient fleuve répondent les images du resserrement dans la terre, la tombe, l'obscurité, l'intimité du cœur. À l'aspiration mystique répond l'insistance des titres sur le temps humain : saisons, moments cruciaux du jour ou de la vie. Ainsi peuvent se multiplier les images de l'écho (le terme lui-même est très fréquemment utilisé). Partout, au cœur même de l'obscur, le poète perçoit un chant de louange, repris par l'univers entier. Pour le comprendre, apprenons à lire dans le monde et en nous-mêmes :

Ah ! l'homme est le livre suprême !
Dans les fibres de son cœur même
Lisez, mortels : il est un Dieu.

On ne saurait reprocher à Lamartine son inspiration purement religieuse. À travers les imageries d'un monde patriarcal, pieux, paisible qui traverse les *Harmonies,* dans cette poésie du souvenir et de l'enfance (« Milly ou la Terre natale ») qui apparaît en d'admirables passages, il faut ressentir l'œuvre comme une vaste prière, une aspiration fervente au dépassement de la violence et non comme les rêveries faciles d'un idéalisme de pensionnat.

Voyage en Orient

Cette œuvre a vu le jour en 1835, après la reprise des activités politiques de Lamartine en France. Aux élections de 1831, l'auteur des *Méditations poétiques* essuie un échec. Dès lors, « comment employer ces deux ans ? J'avais trop d'activités dans l'esprit pour les passer oisif à la campagne ou dans une petite ville de France. Je résolus de voyager » (*Mémoires politiques*).

À l'époque de la Renaissance, l'Italie était, en quelque sorte, le pèlerinage nécessaire. Au XIXe siècle, l'Orient n'est pas éloigné d'une telle approche. Chateaubriand a effectué son « Itinéraire de Paris à Jérusalem » en 1806-1807. Plus tard viendront Nerval, Flaubert...

Chateaubriand voyageait dans les références culturelles : il attendait peu du monde oriental. Nerval voyagera dans le moi et ses mythes. Lamartine seul accomplira un véritable voyage. En dépit de ses préconceptions politiques, religieuses, morales (l'apologie de la famille), bref, de toute l'idéologie qu'il véhicule, il a su ouvrir les yeux sur une véritable altérité, montrer une volonté authentique de découvrir, d'observer, d'amasser une foule de renseignements précieux et détaillés : « Il y a plus de philosophie dans cent lieues de caravanes que dans dix ans de lectures et de méditations », déclare-t-il d'ailleurs. Même si les images n'ont pas – loin de là – été absentes, il a su dépasser une simple imagerie de l'Orient. Tout cela va bien au-delà des notes « exclusivement pittoresques » annoncées dans l'Avertissement.

Un long itinéraire de deux ans va conduire l'écrivain de Marseille, où il s'embarque le 10 juillet 1832, en Sardaigne, à Malte, à Athènes, à Rhodes, au Liban, aux Lieux saints, à Istanbul et jusqu'aux forêts bulgares. C'est au cours de ce périple que Lamartine perdra sa fille Julia, emportée par la maladie, le 7 décembre 1832, à Beyrouth. Profondément affecté, l'écrivain se lancera à nouveau dans la vie politique dès 1833, pour oublier une vie personnelle trop douloureuse.

Un voyage privilégié

Ce n'est pas en pèlerin misérable que Lamartine s'embarque à Marseille en juillet 1832 : un navire de deux cent cinquante tonneaux a été nolisé pour la durée du voyage. Il s'agit d'une véritable maison flottante, emportant toute la famille, plusieurs amis, des femmes de chambre. On y trouve même « une bibliothèque de cinq cents volumes ». Cela ne suffit pas : les adieux à la terre natale se font en vers : « Un jeune homme de Marseille nous récitait des vers admirables où il confiait ses vœux pour nous aux vents et aux flots. » Rien ne manque à ce départ : ni l'image attendrissante de Julia, « les cheveux dénoués et flottants sur sa robe blanche », au milieu des figures mâles et sévères de l'équipage, ni l'émouvante prière du soir, les songeries de Lamartine contemplant la mer, ni même la tempête. Ainsi se constitue d'emblée une imagerie romantique du poète voyageur et contemplateur.

Voyageur, donc, mais privilégié, libre pour la contemplation puisque les soucis matériels lui sont épargnés. À peine arrivé à Beyrouth, le voilà qui engage des équipes de charpentiers, qui loue plusieurs habitations : « J'ai loué cinq maisons... » ; « Je fais faire des selles et des brides arabes pour quatorze chevaux... ». Partout, le poète voyageur est accueilli par les notables, partout il est introduit dans les endroits les plus secrets, grâce aux recommandations des chefs et des ambassadeurs.

Un voyage romantique vers les autres

Le voyage devient alors, tout d'abord, l'expérience de la sociabilité humaine. On ne compte plus les remarques de Lamartine sur l'affabilité des Orientaux, qu'il s'agisse de l'émir de Beschir ou de ses cavaliers druzes : « Nous fûmes salués partout avec politesse et grâce. » Du pacha de Jérusalem au simple M. Mauridès, c'est un plaisir sans prix que de voyager en Orient. L'Orient offre l'image d'une humanité sociable et sensible : les dangereux brigands rencontrés ici ou là sont toujours éloignés ou tenus à distance par un minimum de précautions pratiques et une habile diplomatie. Lamartine reste réaliste, il n'ignore pas l'importance des formes.

Cette transparence des cœurs n'est pas toujours une donnée immédiate pour Lamartine ; dans l'entretien entre ses hôtes et l'étonnante lady Stanhope, qui pourrait aisément prendre un tour polémique, Lamartine cherche ce qui rapproche les interlocuteurs : « On ne peut la juger qu'à son point de vue. » Toute son attitude par rapport aux diverses traditions religieuses va dans le même sens d'une universalité et d'un accord qui n'est pas sans supposer une diplomatie de la sociabilité : l'entretien avec le pacha de Jérusalem le montre fort bien. Cette habileté n'a pas pour seule fonction d'ouvrir les chemins, elle correspond à une véritable ouverture sur autrui.

L'Orient est aussi le lieu attendu d'une esthétique romantique : les descriptions de clair de lune, de ruines, de tempêtes se multiplient. Les épisodes romanesques aussi : apparition d'un chacal sous la tente, excursions périlleuses, épidémies, déguisements, ruines fabuleuses (poésie des ruines de Balbek le soir) et pillards. L'Orient, en fait, correspond d'abord à l'image que s'en faisait le voyageur. Ainsi, à Khaïfa, « l'Orient tout entier était là, tel que je l'avais rêvé dans mes belles années, la pensée remplie des images enchantées de ses conteurs et de ses poètes ». Dans un tel environnement, l'image romantique du poète songeur en haut d'un pic, méditant et priant au sommet du Carmel, ou moribond et prévoyant sa tombe, ne peut manquer de se présenter.

Ce pays fabuleux, Lamartine le voit avec ses personnages hors du commun (lady Stanhope, Anglaise installée chez les Druzes), ses costumes fascinants, la supériorité de ses paysages (la vallée de Hamana), ses coutumes étranges (le bain des femmes et la noce), et il sait nous le faire voir de même. L'Orient biblique n'est pas stérile comme l'affirmait Chateaubriand. C'est un pays vert et riant, plein d'avenir (textes prophétiques sur la Palestine). L'exotisme s'en donne à cœur joie : Liban paradisiaque ; Damas, ville splendide et périlleuse, avec ses femmes admirables.

Pour le poète contemplatif, la nature reste l'élément essentiel : cadre admirable, elle renvoie essentiellement à Dieu par sa profusion, sa surabondance de splendeurs. Elle est le lieu d'une plénitude unique, propice aux méditations du croyant. D'où cette insistance sur les lieux inspirés, singulièrement au Liban, dans la région de Tyr, à l'entrée de la Palestine...

Un voyage spirituel en prise sur le réel

En ces lieux privilégiés, Lamartine découvre avec émerveillement une harmonie patriarcale sur laquelle le temps n'a pas eu de prise, l'anticipation d'un monde parfait de prière et d'adoration. Ainsi, cette vallée des couvents maronites du Liban : « Nous restâmes muets et enchantés [...]. Nous comprîmes ce que serait la poésie à la fin des temps, quand, tous les sentiments du cœur humain éteints et absorbés dans un seul, la poésie ne serait plus ici-bas qu'une adoration et un hymne ! »

Voyager en Orient, c'est donc se rapporter au Divin : à l'Origine et à la Fin. L'Origine ce n'est pas seulement le lieu sacré, berceau du christianisme, mais aussi le souvenir, le rappel de l'enfance de Lamartine, l'image douce de sa mère : « Ma mère avait reçu de sa mère au lit de mort une belle bible de Royaumont dans laquelle elle m'apprenait à lire, quand j'étais petit enfant. » Donc pèlerinage aux sources du christianisme et aux images chéries de l'enfance, de la continuité familiale, d'une stabilité affective, d'une vie simple, liée encore à l'apprentissage du langage : origine de la poésie, de la vocation de Lamartine.

L'Orient est la terre des cultes, des prodiges, des superstitions même. La grande idée qui y travaille les imaginations en tout temps, c'est l'idée religieuse. Au-delà des prestiges d'un Orient de profusion, de civilité et de couleurs, Lamartine cherche à approfondir cette idée religieuse qui est le fondement même de toute civilisation. Le voyage sera pour lui l'occasion d'une évolution religieuse : le Divin devient à la fois plus sensible et plus immatériel. Cette pensée, qu'il développera dans *Jocelyn*, les *Recueillements poétiques* et le *Livre primitif*, éclot au contact de cet Orient dans lequel il voit d'abord des hommes goûter simplement la nature, au contraire des Occidentaux corrompus par la civilisation. Puis, dans une reconnaissance sincère d'une spécificité irréductible de l'Orient, dont il refuse les images toutes faites : pourtant il cherche à trouver sous les coutumes, sous la « nature populaire » des religions, la « nature rationnelle et philosophique » qui les unit toutes. Cette possibilité de communauté humaine en dépit des diversités d'usages (qu'il admire chez les Bédouins) lui paraît essentielle : « Toutes les religions avaient leur divine morale, toutes les civilisations leur vertu, et tous les hommes le sentiment du juste, du bien et du beau, gravé en différents caractères dans leur cœur par la main de Dieu. » Insistons : ce sentiment d'unité passe toujours chez Lamartine par une authentique reconnaissance de l'Autre.

Cette dernière attitude, essentielle, apparaît nettement dans sa manière de regarder. Voyager, c'est ouvrir les yeux. Lamartine a beau se rêver maintes fois en ermite, solitaire inconnu sur un rivage désert, il ne cesse d'engranger une moisson – passionnante pour un lecteur moderne – de documents, de notations extraordinairement concrètes et précises des choses et des coutumes ; Lamartine est un homme de la campagne : il sait observer admirablement les chevaux arabes, les animaux. Derrière tout cela se devine le rêve patriarcal de Lamartine, c'est cette beauté simple « évidente et sensible » et non historique ou conventionnelle qu'il recherche. À Égine, ce ne sont pas les ruines qu'il décrit mais les beaux fruits qu'on lui apporte sur le navire. Il note toujours avec acuité la beauté des femmes (Arméniennes de Constantinople, esclaves abyssiniennes), les moindres récits ayant une valeur humaine ou documentaire. Assurément, la vision de Lamartine reste prise dans une « idéologie ». Dans ces limites, elle reste pourtant ouverte, attentive aux êtres et aux choses. L'écrivain ramène d'ailleurs une abondance d'analyses historiques et politiques, de documents littéraires et culturels : fragments du poème d'« Antar », chants serviens, récits inédits et étonnants (récit du séjour de Fatalla Sayeghir chez les Arabes du désert)...

Là où Chateaubriand ne voyageait que dans les souvenirs et l'Histoire, Lamartine se déplace dans un monde bien réel avec ses couleurs, ses odeurs, ses émotions véritablement nouvelles. Il est un véritable voyageur : « Il n'y a d'homme complet que celui qui a beaucoup voyagé, qui a changé vingt fois la forme de sa pensée et de sa vie. »

Lamartine reste cependant le représentant et l'apologiste de notre civilisation. En Syrie, le 20 octobre 1832, il note : « Combien de sites n'ai-je pas choisis là, dans ma pensée, pour y élever une maison, une forteresse agricole et y fonder une colonie avec quelques amis d'Europe et quelques centaines de ces jeunes hommes déshérités de tout avenir dans nos contrées trop pleines ? » Il remarque la facilité de se procurer « des travailleurs à bas prix ». Dans une lettre au baron de Lesseps, datée du 6 janvier 1833 à Beyrouth, il précise son projet d'un établissement agricole. Lamartine est un tenant de la colonisation, d'une colonisation humaniste, au moins par son respect des coutumes et des religions... Il anticipe sur ce mouvement qui se développera dès le dernier tiers du siècle. Le résumé politique du *Voyage en Orient* ne peut être plus significatif : aux diverses contradictions intérieures de la France, la solution est l'expansion. Lamartine préconise un patronage européen en Orient, l'établissement de protectorats... Les restrictions que Lamartine apportera en 1849, dans l'Épilogue, à ces propositions n'en montrent pas moins les aspects idéologiques du voyage.

Jocelyn

C'est en 1836 que paraît la première édition de *Jocelyn*, que Lamartine remaniera ultérieurement. L'auteur avait entrepris cet ouvrage dès 1831, avant même son départ pour l'Orient. Le projet original, qui semble remonter à 1825, prévoyait une immense épopée dont les épisodes divers nous auraient fait parcourir l'Histoire entière de l'humanité. Dans ce vaste ensemble, *Jocelyn* ne devait constituer qu'un « épisode ». Mais Lamartine ne pourra réaliser cette épopée gigantesque. Seuls *Jocelyn* et, en 1838, *la Chute d'un ange* seront achevés. *Jocelyn* obtiendra un immense succès populaire. C'est que Lamartine réussit parfaitement à présenter dans la forme conventionnelle du vers une narration dont le caractère émouvant ne pouvait que toucher un vaste auditoire. Est-ce à dire qu'il s'agit là d'un roman en vers s'adressant à la sensiblerie plus qu'à la sensibilité ? Non, il y a là, une fois encore, un ton, une authenticité qui n'étonnent pas lorsqu'on découvre à quel point Lamartine a pu investir de lui-même dans l'ouvrage. Dans ce chant de foi et de douleur, on reconnaît de nombreux souvenirs personnels : l'histoire est d'ailleurs globalement inspirée par celle de l'ancien précepteur du poète, l'abbé Dumont. La poésie de l'enfance, l'amour de la figure maternelle, les éléments du paysage sont, eux aussi, nourris de l'expérience propre de l'auteur.

En outre, l'histoire, loin d'être un mièvre encouragement à la vertu ou une pieuse apologie du sacrifice, possède, dans ses meilleurs moments, une indiscutable acuité tragique. La ferveur, la souffrance, le sens du don ont fait pleurer des générations de lecteurs, et méritent aujourd'hui d'être reconnus, même si leur contexte idéologique nous paraît archaïque.

SYNOPSIS

L'ouvrage, qui ne compte pas moins de 9 000 vers, est réparti en neuf « époques » : il est censé constituer le journal trouvé chez un humble curé de campagne après sa mort et recueilli par son ami.

PREMIÈRE ÉPOQUE. Après la rapide évocation d'une adolescence heureuse dans un cadre familial et champêtre apparaît une donnée essentielle : le sacrifice. Afin que sa sœur puisse épouser celui qu'elle aime, Jocelyn renonce à sa part d'héritage et entre au séminaire. C'est alors l'adieu aux lieux et aux êtres chéris de l'enfance.

DEUXIÈME ÉPOQUE. Jocelyn vit une foi intense dans le lieu clos et sombre du séminaire et de l'église. Ce recueillement est bientôt troublé : nous sommes en 1793, et la violence de la Révolution gronde à l'extérieur. Jocelyn apprend la fuite de sa famille. Le peuple en furie envahit les lieux sacrés. Le jeune homme échappe au massacre et réussit, non sans peine, à gagner un refuge en pleine montagne : la grotte des Aigles, dans les Alpes du Dauphiné. La splendeur de la nature est pour Jocelyn l'objet d'amples et exaltantes contemplations.

TROISIÈME ÉPOQUE. En dépit de l'harmonie des lieux, la solitude pèse au jeune homme. Mais les événements se précipitent : Jocelyn sauve deux proscrits poursuivis par les soldats. Il s'agit d'un adolescent, Laurence, et de son père, qui, blessé dans la poursuite, meurt en confiant son enfant à Jocelyn. Laurence devient le compagnon de Jocelyn. Vie d'amitié et de bonheur dans un cadre grandiose.

QUATRIÈME ÉPOQUE. Au printemps, c'est l'émerveillement devant la nature, une joie de vivre magnifiquement rendue. L'amour, lui aussi, va faire son chemin à travers le lyrisme des dialogues. Soudain, à l'occasion d'une blessure de Laurence, c'est la révélation : le compagnon est en réalité une jeune fille, qui n'a caché son identité que par respect des dernières volontés de son père. L'amitié se change en un amour pur. Les deux jeunes gens se promettent d'unir leur destinée par le mariage.

CINQUIÈME ÉPOQUE. Jocelyn est appelé auprès de l'évêque de Grenoble, condamné à l'échafaud. Pour pouvoir faire communier le condamné, Jocelyn doit accepter d'être ordonné prêtre. C'est le retour des épreuves. Désespoir de Laurence et souffrances de Jocelyn.

SIXIÈME ÉPOQUE. Jocelyn, séparé de Laurence, traverse une période de terribles souffrances morales. Il est finalement envoyé comme prêtre dans un petit village des Alpes : Valneige. Là, il mène une vie de foi et de renoncement.

SEPTIÈME ÉPOQUE. Après un pèlerinage sur les lieux de l'enfance, Jocelyn subit une nouvelle et terrible épreuve, la mort de sa mère.

HUITIÈME ÉPOQUE. Méditations de Jocelyn séjournant chez sa sœur, à Paris. Ici se trouve le fameux texte sur la caravane humaine. Jocelyn aperçoit Laurence malheureuse et quitte Paris dans le désarroi.

NEUVIÈME ÉPOQUE. Retour à Valneige, avec pour tout amour celui de son chien. Jocelyn se voue entièrement au prochain, prêchant la tolérance, éduquant les enfants, mettant en pratique l'idéal de l'Évangile. Apologie d'une vie patriarcale, laborieuse mais pure. Un soir, il est appelé au chevet d'une jeune femme mourante : c'est Laurence. Les retrouvailles sont marquées d'un sceau tragique. Laurence et Jocelyn seront tous deux enterrés dans la grotte des Aigles, après que le pauvre prêtre aura trouvé la mort en soignant des malades.

Le lecteur ne peut qu'être frappé de l'importance accordée dans *Jocelyn* aux évocations de la nature, notamment de la haute montagne. Le rythme des saisons y est essentiel : en effet le mouvement des cœurs s'unit ou s'éloigne du mouvement de la nature selon une harmonie proprement musicale. L'épanouissement de la nature estivale cède la place lors du premier hiver à la grotte des Aigles, à un amour encore confus dans le cœur de Jocelyn. La guérison de Laurence s'associe au mouvement même du printemps.

Si cette nature est idéalisée, sa beauté n'en est pas moins admirablement mise en valeur par le style. La montagne suscite la nostalgie d'un monde plus pur. C'est pourquoi, au printemps, elle apparaît comme le lieu même du divin : les fleurs sont un mouvement d'épanchement des parfums. Or, la prière n'est justement qu'un « parfum des cœurs ». Tout aspire à cette effusion, à cette communion. Les dialogues lyriques évoquent singulièrement l'opéra dans ses plus intenses moments. La prière devient union fervente avec l'Autre et avec la nature.

Cependant l'univers de Jocelyn est loin d'être celui d'un paysage constamment harmonieux. Un mouvement d'alternance organise le texte : à la campagne riante du début succède le lieu clos du séminaire et de l'église ; à la haute montagne, le cachot de l'évêque. Mais, au fond même de ce cachot, c'est la lumière du visage du prélat qui frappe Jocelyn. Le négatif renvoie donc, en son fond, au positif.

Les étapes d'un renoncement sont nécessaires : elles recèlent un ordre secret, voulu par Dieu. C'est tout d'abord à l'amour humain qu'il faut renoncer, au prix du plus haut tragique. Ce qui, d'un point de vue humain, est épreuve insoutenable permet d'accéder à un ordre supérieur du point de vue divin. Par une vie de sacrifices, l'homme ne peut qu'entrevoir ce point de vue qui le dépasse. Il accepte l'épreuve et garde foi dans les hommes eux-mêmes. La violence pourtant n'est pas absente : l'évocation du peuple en furie envahissant les lieux saints, massacrant les vieillards, celle des cachots… C'est pourquoi, dans ce monde de larmes (et les références à *l'Imitation de Jésus-Christ* ne sont pas indifférentes), il convient de s'atteler à la tâche évangélique, de promouvoir un « christianisme social », s'attachant non aux dogmes mais à l'esprit, à la pratique, et ce dans une optique déiste peu conforme aux vues de l'Église officielle.

Roman de l'amour et de la foi, *Jocelyn* est aussi le livre d'une idéologie : Dieu, le travail et la famille. Les passages sur l'éducation annoncent une perspective plus sociale, et en particulier l'intérêt pour l'instruction du peuple que Lamartine exprimera dès 1843.

Histoire des Girondins

L'*Histoire des Girondins* paraît à Paris en 1847, chez Furne et Coquebert. Cet ouvrage monumental compte près de trois mille pages, réparties en soixante et un livres, eux-mêmes divisés en chapitres plus ou moins nombreux. Trente-six portraits-vignettes ornent l'ensemble. Des sommaires, très détaillés, aident le lecteur à trouver son chemin dans l'histoire des quarante mois qui forment le sujet de l'entreprise : la Révolution française, d'avril 1791 à juillet 1794.

Tous les grands événements de la période y trouvent leur place. Mais ces éléments, qu'on pourrait trouver dans un manuel d'histoire, ne représentent pas l'essentiel de l'*Histoire des Girondins* : l'originalité et l'intérêt de cet ouvrage résident plutôt dans la méthode suivie par Lamartine et dans les intentions qui ont présidé à son entreprise.

Lamartine ne prétend pas à la « minutieuse servilité des annalistes », même s'il affirme ne s'être servi que de documents et de témoignages avérés et n'avoir écrit qu'après « une scrupuleuse investigation des faits et des caractères » (Avertissement de 1847). De fait, le cadre temporel est souvent très flou, et Lamartine fait toujours passer l'unité d'action et d'intérêt avant le strict respect de la chronologie : c'est ainsi qu'il rapporte le récit de la chute de la royauté jusqu'à la mort du roi le 21 janvier 1793 (livre XXXV), avant de reprendre (livre XXXVI) la narration des événements militaires qu'il avait menée précédemment jusqu'à la bataille de Valmy, en septembre 1792.

De même, il n'accorde pas la même place à tous les événements qu'il prend en considération. Il est vrai que la Révolution invite à cette démarche puisque ses journées de crise (juin, août, septembre 1792, par exemple) et ses moments d'hésitation correspondent à l'alternance des temps forts et des temps faibles du récit. On remarque notamment que le récit des événements du 10 août 1792 occupe à lui seul la majeure partie des livres XX à XXIII, alors que, pour les mois d'octobre, novembre, décembre 1791 et le début de janvier 1792, le lecteur doit se contenter des vingt pages du livre IX.

Enfin, Lamartine se borne à reproduire les discours prononcés par Danton, Vergniaud, Robespierre et les autres grands orateurs de la Convention, non sans accentuer le côté un peu bavard et théorique de ces discours révolutionnaires. On reste parfois indécis sur l'importance qu'il y a lieu d'accorder à toutes ces protestations de républicanisme exprimées dans un style grandiloquent. Lamartine, orateur politique lui-même, commente volontiers la valeur oratoire et littéraire de certains discours de la Révolution (ces manifestations parlementaires représentant, à tout prendre, les seules pièces justificatives du discours tenu par Lamartine sur la période girondine).

Mais, si les discours sont si importants pour l'auteur, c'est qu'ils expriment la doctrine des orateurs, qui correspond à la conception historique de Lamartine. Ce choix explique l'abondance et la minutie des portraits. On sent même, à travers eux, poindre les sentiments de l'auteur : une secrète admiration pour la fortune militaire de Dumouriez, une fascination certaine pour Robespierre, tout au long de sa carrière révolutionnaire, une discrète tendresse pour la reine déchue, un mépris mal réprimé pour Marat et, en général, pour tous les hommes de sang. Il ne faut cependant pas s'y tromper : les portraits ressortissent moins à une intention littéraire qui parcourrait l'ouvrage qu'à un système moral qui permet de mettre l'Histoire en jugement. Éthique, plutôt qu'esthétique.

On voit bien une tentation littéraire, romanesque en l'occurrence, lorsque Lamartine essaie de deviner les sentiments des personnes qu'il cite à comparaître dans son texte (les frayeurs de Marie-Antoinette, les secrètes illusions du roi, l'idylle plus ou moins imaginaire entre la reine et Barnave, ou encore la tentative de refaire l'Histoire avec des « si », à la fin des livres I et II...).

Mais au fond, il ne s'intéresse aux individus que pour porter à travers eux un jugement sur l'Histoire. « L'impartialité de l'Histoire n'est pas celle du miroir qui reflète seulement les objets, c'est celle du juge qui voit, qui écoute, et qui prononce. Des annales ne sont pas de l'Histoire : pour qu'elle mérite ce nom, il lui faut une conscience ; car elle devient plus tard celle du genre humain. Le récit, vivifié par l'imagination, réfléchi et jugé par la sagesse, voilà l'Histoire telle que les Anciens l'entendaient, et telle que je voudrais moi-même, si Dieu daignait guider ma plume, en laisser un fragment à mon pays » (livre I, I).

Pour ce faire, pour devenir la conscience du genre humain (« La conscience est la loi des lois », livre XLV, XVI), Lamartine essaie d'approcher l'Histoire par une meilleure connaissance de ses artisans apparents, même les plus répugnants : « Il y a des abîmes qu'on n'ose pas sonder, de peur d'y trouver trop de ténèbres et trop d'horreur, mais l'Histoire, qui a l'œil impassible du temps, ne doit pas s'arrêter à ces horreurs, elle doit comprendre ce qu'elle se charge de raconter » (livre I, XVII ; on verra une application de ce choix théorique dans les descriptions minutieuses des scènes d'horreur correspondant aux massacres de septembre 1792, livre XXV).

L'hypothèse qui sous-tend la mise en accusation de l'Histoire est qu'il existe des individus personnifiant en eux une époque, une nécessité, une idée. Les révolutionnaires avaient raisonné de même au sujet de Louis XVI : « Louis XVI était cette victime innocente, mais chargée de toutes iniquités des trônes, et qui devait être immolée en châtiment de la royauté » (livre I, XI). De fait, les occurrences du verbe « personnifier » (parfois « résumer ») abondent dans l'ouvrage : Drouet, sur la route de Varennes, personnifie « toute l'agitation et tous les soupçons du peuple » (livre II, XXX) ; Pétion, l'Assemblée législative, Robespierre, Marat personnifient respectivement l'inviolabilité de la commune de Paris (livre XVI, I), le peuple (livre XXI, VI), les aspirations des députés vers l'idéal social (livre XXXIX, XXI), le crime (livre XL, XV). Cette hypothèse se retrouve dans les pages ultimes de l'ouvrage : « Les hommes naissent comme des personnifications instantanées des choses qui doivent se penser, se dire ou se faire » (livre LXI, XVII).

Si Lamartine assume le rôle du Dieu du Jugement dernier, ce n'est pas pour jouir scandaleusement de cette puissance usurpée (comme Chateaubriand le fait, dans ses *Mémoires d'outre-tombe*), mais bien pour promouvoir l'idée républicaine, en distinguant soigneusement les excès d'une populace sanguinaire et le peuple véritable, sur lequel et par lequel doit s'édifier la république. À cette intention, avouée dès le début (« Cette histoire pleine de sang et de larmes est pleine aussi d'enseignements pour les peuples », livre I, I), fait écho la profession de foi de l'historien : « Jamais il n'y eut tant de sang sur la vérité. L'œuvre de l'Histoire est de laver ces taches, et de ne pas rejeter la justice sociale parce que des flots de sang sont tombés sur les dogmes de la liberté, de la charité et de la raison » (livre XXXIX, XXI).

La dernière instance de l'*Histoire des Girondins* n'est donc ni la littérature, ni l'Histoire, ni la morale, mais la politique, conçue comme un moyen emprunté par le bien pour se diffuser sur la terre. Et, « si cette Histoire est pleine de deuil, elle est pleine de foi ». Les rapprochements incessants faits par Lamartine entre la période révolutionnaire et la monarchie de Juillet, bien avant l'appel solennel à la réconciliation des fils des victimes et des fils des combattants de la Révolution, bien avant l'invitation à poursuivre l'œuvre laissée en plan par les révolutionnaires (dernière page), montrent aux lecteurs d'aujourd'hui qu'une *Histoire des Girondins,* en 1847, est moins œuvre historique ou littéraire que témoignage polémique, politique, à la veille d'un nouveau sursaut révolutionnaire.

Et les contemporains ne s'y trompèrent pas. Dès février 1848, Victor Hugo salue ainsi Lamartine : « Son éloquente et vivante *Histoire des Girondins* vient pour la première fois d'enseigner la Révolution à la France. » Il ajoutait, résumant d'une formule toute la problématique qui hantait l'ouvrage de Lamartine, et que rendaient actuelle le vide soudain du trône et la vacance du pouvoir : « République, c'est bien. Tâchons que le mot n'empêche pas la chose. »

A. Déchamps

LA MÉNARDIÈRE *ou* LA MESNARDIÈRE Hippolyte Jules PILET de

(1610-1663)

La Ménardière fit figure de critique en son temps grâce à sa *Poétique.* Il est oublié aujourd'hui au profit de l'abbé d'Aubignac, dont la *Pratique du théâtre* (1657) demeure un ouvrage étudié. Ses autres œuvres n'avaient guère eu de succès.

Né à Nantes, il exerça la profession de médecin. C'est par celle-ci qu'il s'introduisit dans le monde. À Paris, il fut médecin ordinaire de Gaston d'Orléans, qui le prit sous sa protection, puis de Mme de Sablé, ce qui lui permit d'être reçu à l'Hôtel de Rambouillet. Il intervint dans l'affaire des possédées de Loudun et, en 1635, publia un *Traité de la mélancholie.* En 1638, il donna des *Raisonnements sur la nature des esprits qui servent au sentiment.*

Sa *Poétique,* parue en 1639, qui jette les bases d'un aristotélisme à la française, servit un temps de texte de référence à l'appui des nouvelles théories dramatiques. Dans un « Discours préliminaire », La Ménardière encensait Chapelain.

Comme souvent dans des cas semblables, La Ménardière eut moins de réussite en tant qu'auteur dramatique. Sa tragédie *Alinde* (publiée en 1643), oubliée aujourd'hui, fut ignorée de son temps. On pense qu'elle avait été commencée avant 1639, car La Ménardière avait inclus dans sa *Poétique* un long extrait de la pièce, présentée par lui comme modèle de l'expression de la jalousie. C'est la trace principale d'une œuvre dont Tallemant des Réaux écrivait : « Il a fait une poétique, où il donne pour modèle de la tragédie une pièce de théâtre qu'il avait faite, nommée *Alinde* ; mais lorsqu'on vint à la jouer, elle fut sifflée. »

J.-P. Ryngaert

LAMENNAIS *ou* LA MENNAIS Félicité de

(1782-1854)

Homme d'Église, essayiste, doctrinaire, Lamennais (c'est l'orthographe qu'il choisit) connaît le destin de ceux qui, d'abord loués et adulés, sont honnis sitôt qu'ils développent toutes les implications de leur pensée.

La première partie de sa vie, de sa naissance à Saint-Malo à la publication de l'*Essai sur l'indifférence en matière de religion* (1817-1823), en passant par la prêtrise en 1816, suit le tracé d'une foi exigeante qui l'engage dans un combat contre-révolutionnaire. Comme Bonald et de Maistre, il affirme la source divine de la nature humaine et de la société, le caractère absolu du pouvoir politique, la primauté du religieux sur le juridique qui en procède nécessairement, l'infaillibilité du dogme, qui précède la raison. Il rejette les Lumières comme hérésie du genre humain au même titre que la Réforme : « L'homme, borné dans ses facultés, insatiable dans ses désirs, tourmenté également par sa curiosité et par son impuissance, a besoin tout ensemble d'une lumière qui l'éclaire, et d'une autorité qui réprime son excessive avidité de connaître. » (*Réflexions sur l'état de l'Église de France pendant le* XVIIIe *siècle et sur sa situation actuelle,* 1808.)

À partir de là, seule l'apologétique peut restaurer une société sous l'égide du christianisme et de son Église : « Le christianisme avant Jésus-Christ était la raison générale manifestée par le témoignage du genre humain. Le christianisme depuis Jésus-Christ, développement naturel de l'intelligence, est la raison générale manifestée par le témoignage de l'Église. » (*Essai sur l'indifférence...*)

Lamennais soulève l'enthousiasme des milieux catholiques et suscite l'engagement de disciples comme Lacordaire et Montalembert. La revue *le Mémorial catholique* se fonde dans sa mouvance spirituelle ; il collabore aux journaux ultra-légitimistes : *le Conservateur*, *le Défenseur*, *le Drapeau blanc*, et, dans *De la religion considérée dans ses rapports avec l'ordre politique et civil* (1826) il affirme la subordination du pouvoir temporel au pouvoir spirituel. La rupture avec les gallicans (car cette position a pour conséquence l'ultramontanisme) en amorce une autre avec tout le pouvoir monarchique.

Réprouvant la société temporelle, Lamennais en vient assez vite à associer christianisme et liberté. En 1830, il fonde *l'Avenir*, dont la devise est : « Dieu et la liberté ». En fait, Lamennais prône l'alliance des catholiques et des libéraux pour une moralisation du pouvoir : « Il ne peut exister aujourd'hui en France qu'un seul genre de gouvernement, la République » (17 octobre 1830). Lamennais n'attend plus que l'approbation de Rome. Le Saint-Siège répondra par deux encycliques : *Mirari vos*, en 1832, et *Singulari nos*, en 1834 ; condamnation sans appel, surtout après *les Paroles d'un croyant*, de 1834, qui marquent la rupture avec une Église dénoncée comme complice de la tyrannie, une Église qui a « divorcé avec le Christ, sauveur du genre humain, pour forniquer avec tous ses bourreaux ».

Certes, son audience diminue : Lacordaire et Montalembert l'abandonnent, et la publication des *Troisièmes Mélanges* (1835) ou des *Affaires de Rome* (1836) aggrave la situation. Pourtant *le Livre du peuple* (1837), *la Religion* (1841), *l'Esquisse d'une philosophie* (1840-1846) développent une doctrine de la régénération en vue d'un avenir radieux, « mystérieux, dont les horizons se dilatent sans fin, sans repos, au sein de l'immensité et de l'éternité », assomption d'un peuple généreux et fraternel, et antithèse d'une bourgeoisie étriquée et médiocre.

La révolution de 1848 le voit député et directeur du journal *le Peuple constituant*, dont le dernier numéro contient les paroles fameuses : « Quant à nous, soldats de la presse, on nous traite comme le peuple, on nous désarme. Il faut aujourd'hui de l'or, beaucoup d'or pour jouir du droit de parler. Nous ne sommes pas assez riches. Silence aux pauvres. »

La lecture humanitariste des Évangiles que pratique Lamennais aura une longue résonance : le royaume du Messie n'a pas d'autre essence que celle du bonheur terrestre. Tout un socialisme religieux s'inspirera de Lamennais : étrange postérité pour celui qui se fit l'apôtre de la contre-révolution ; mais belle fécondité pour celui qui proclama que « l'unité véritable ne se formera jamais que par la liberté » (*Discussions critiques*, 1841).

G. Gengembre

La Mettrie Julien Offray de

(1709-1751)

Né à Saint-Malo, d'une famille de commerçants aisés, il fait ses études à Coutances, puis dans une institution de Jésuites à Caen. Ses parents le destinent à une carrière ecclésiastique, mais, à Paris, il abandonne la théologie et se tourne vers la médecine ; en 1728, il se fait recevoir docteur à Reims. En 1733, il se rend à Leyde, où il suit à l'Université les leçons du célèbre iatromécanicien Boerhaave, qui professe que tous les processus vitaux se ramènent à des phénomènes physiques, et que les maladies proviennent de l'altération des solides et des humeurs. À son retour, il traduit plusieurs œuvres de son maître et publie des études médicales originales (*Traité du vertige avec la description d'une catalepsie hystérique*, 1737 ; *Traité sur la dysenterie*, 1739 ; *Traité de la petite vérole*, 1740 ; *Observations de médecine pratique*, 1743), en même temps qu'une série de pamphlets contre les médecins parisiens (*Saint-Cosme vengé*, 1744). Nommé, en 1742, médecin aux gardes-françaises, il participe au siège de Fribourg (1744). Atteint de fièvres, il a l'occasion de « s'apercevoir que la faculté de penser n'était qu'une suite de l'organisation de la machine » (Frédéric II, *Éloge de La Mettrie*) et il développera cette intuition fondamentale dans l'*Histoire naturelle de l'âme* (1745). L'ouvrage fait scandale, et La Mettrie doit quitter le régiment des gardes. Nommé médecin-chef des hôpitaux militaires du Nord, il publie un pamphlet, *Politique du médecin de Machiavel ou le Chemin de la fortune ouvert aux médecins* (1746), qui est condamné par le parlement, et il doit s'enfuir à Gand, puis à Leyde. C'est là qu'il compose et publie *l'Homme-Machine* (1747), son œuvre la plus célèbre, où il développe une anthropologie matérialiste. L'ouvrage connaît un grand succès, mais provoque la colère des dévots de Leyde, et La Mettrie, au début de 1748, part pour la Prusse, où l'appelle Frédéric II. Il devient le lecteur préféré du roi et son ami. Maupertuis, qui dirige l'Académie de Berlin, le protège, mais Voltaire, jaloux, le dénigre. C'est en Prusse qu'il publie ses dernières œuvres, *l'Homme-Plante* (1748), *l'Anti-Sénèque ou Discours sur le bonheur* (1748), *Réflexions philosophiques sur l'origine des animaux* (1750), *les Animaux plus que machines* (1750), *le Système d'Épicure* (1750), *l'Art de jouir* (1751), *Vénus métaphysique, essai sur l'origine de l'âme humaine* (1751). Il meurt à quarante-deux ans, pour avoir mangé d'un pâté corrompu. « Il est mort comme il devait mourir, écrit Diderot, victime de son intempérance et de sa folie ; il s'est tué par ignorance de l'art qu'il professait. »

Ses *Œuvres philosophiques*, en trois volumes, ne connurent pas moins de dix éditions entre 1751 et 1796, mais son nom resta éclipsé par ceux de Condillac, Diderot, Helvétius, d'Holbach, dont les systèmes sensualistes ou matérialistes étaient cependant postérieurs au sien. Il fallut attendre Marx (*la Sainte Famille*, 1845) et surtout Albert Lange (*Histoire du matérialisme*, 1866) pour qu'une plus juste place lui fût faite dans l'histoire des idées scientifiques et philosophiques.

« Écrire en philosophe, c'est enseigner le matérialisme » : dès l'*Histoire naturelle de l'âme*, La Mettrie soutient sans concessions le point de vue matérialiste qu'il illustrera dans *l'Homme-Machine*. Celui qui se désigne lui-même comme « M. Machine » étend à l'homme l'explication mécaniste que Descartes réservait au seul animal : « Le corps humain est une horloge, mais immense et construite avec tant d'artifice et d'habileté que si la roue qui sert à marquer les secondes

vient à s'arrêter, celle des minutes tourne et va toujours son train. » Les formes substantielles, l'âme sont des hypothèses inutiles pour expliquer la vie, le mouvement, la sensibilité, la pensée elle-même : « Posé le moindre principe de mouvement, les corps animés auront tout ce qui leur faut pour se mouvoir, sentir, penser, se repentir et se conduire, en un mot, dans le physique et dans le moral qui en dépend. »
Athée radical, disciple d'Épicure et de Lucrèce, La Mettrie, même s'il admet « ignorer comment la matière, d'inerte et simple, devient active et composée d'organes », refuse le finalisme et toute tentative de démontrer par le spectacle des merveilles de la nature l'existence d'un Dieu créateur et organisateur. Il n'y a pas à choisir entre le hasard et la finalité, et « détruire le hasard, ce n'est pas prouver l'existence d'un Être suprême, puisqu'il peut y avoir autre chose qui ne serait ni hasard, ni Dieu, je veux dire la nature ». Le simple jeu des forces naturelles suffit à expliquer tous les phénomènes : la nature, « ayant fait, sans voir, des yeux qui voient, elle a fait, sans penser, une machine qui pense ». La nature, d'autre part, est une, et *l'Homme-Plante* reprend dans un sens matérialiste l'idée leibnizienne de la chaîne des êtres. Il y a progression de la plante à l'homme, et tous les êtres vivants se forment selon un plan unique : « Le dernier ou le plus vil des animaux succède à la plus spirituelle des plantes. » *Le Système d'Épicure* reprend et développe les idées de Lucrèce sur l'élimination des individus mal formés et non viables et réserve la survie aux espèces « auxquelles aucune partie essentielle n'aura manqué ».

Comme chez d'Holbach, le matérialisme n'a pas seulement, chez La Mettrie, une fonction théorique ; il a aussi une portée éthique. En débarrassant l'homme du spiritualisme théologique, en mettant fin au règne de la superstition, il lui permet d'être heureux : « La nature infectée d'un poison sacré reprendrait ses droits et sa pureté. » Mais, alors que d'Holbach fait de l'impératif matérialiste la condition première d'une reconstruction de la société sur des bases nouvelles, La Mettrie tire son naturalisme dans un sens individualiste et se fait l'apôtre d'une éthique hédoniste de la pure jouissance. Si « le plaisir est de l'essence de l'homme et de l'ordre de l'univers », s'il est « le maître souverain des hommes et des dieux, devant qui tout disparaît », l'homme, en tant qu'il est machine, est condamné au plaisir.

A. Pons

La Morlière, chevalier de

Jacques Rochette, chevalier de La Morlière *(1719-1785)*

La cause est entendue. Jacques Rochette, chevalier de La Morlière, est un vaurien qui survit encore grâce à un mince roman, *Angola*, et au portrait que laissa de lui *le Neveu de Rameau*. Réduite à des rapports de police et aux anecdotes des échotiers, la vie de ce matamore est une succession de scandales. Fils d'un honorable conseiller du roi, membre de la Chambre des comptes de Grenoble, La Morlière, après s'être rendu coupable de maintes frasques dans sa jeunesse, entra dans le corps des mousquetaires du roi d'où il sera chassé. Il devient chef de claque, la terreur des théâtres vu « la force de ses poumons » et l'ennemi juré de Mlle Clairon. Celle-ci le fit réduire au silence par deux exempts de police lors de la première de *Tancrède*. Il imagina alors de bâiller si ostensiblement à la représentation de *Blanche et Guiscard* de Saurin que toute la salle fit de même. La Morlière fut aussi un maître chanteur qui eut maille à partir avec la police pour des affaires de mœurs et des escroqueries. À Rouen où il dut aller se faire oublier, il séduisit la fille d'un conseiller du Parlement en passant pour un baron allemand, et consentit à renoncer au mariage moyennant finance. Les *Mémoires secrets* rapportent sa détention à Saint-Lazare en 1762 ; il connaîtra d'autres prisons avant de mourir, ignoré, dans un taudis. Tout au plus avait-il réussi en 1769 à étonner ses contemporains en dédiant *le Fatalisme*, recueil d'anecdotes sinistres, à Mme du Barry dont personne n'avait jusqu'alors vanté les vertus…

Cet assez triste sire a tâté sans succès du théâtre : *la Créole* et *l'Amant déguisé* au Théâtre Français, *le Gouverneur* (1751) aux Italiens furent conspués. Il a rompu des lances avec Fréron qu'il attaqua dans un libelle : *le Contrepoison des feuilles* (1754). Il s'en prit à Crébillon père, à Marmontel, voire à Voltaire dans ses *Observations sur le duc de Foix* (1752), sans compter le public avec ses *Très humbles remontrances à la cohue au sujet de Denys le Tyran* (1748). Beaucoup de bruit pour rien. Reste *Angola* (1746), ce roman écrit à l'âge de 26 ans, car *les Campagnes de l'abbé T.* rééditées sous le titre *les Lauriers ecclésiastiques* (Luxuriopolis, 1748) versent dans l'obscénité. Ceux qui ont apprécié *Angola* en reportèrent le mérite sur « l'air du temps » : Ch. Monselet qui rêva sur La Morlière au point d'écrire son autobiographie fictive et découvrit dans *Angola* « le secret du style praliné » ; E. Henriot qui lui trouva un charme comparable à celui d'un « éventail peint à la gouache ». S'agit-il seulement d'un verbiage bien daté ?

Angola peut certes prétendre au rang de document sur la société de son temps par son extraordinaire précision en matière de décors ou de toilettes. La description des objets remplace l'analyse de sentiments inexistants. Adjuvants des plaisirs, ils se voient conférer plus qu'un rôle incitatif, ils identifient les personnes, se substituent presque à elles : que serait la fée Lumineuse sans ses petits appartements ? Il importe donc de rendre dans le moindre détail la « robe ouverte », le « corset garni d'une échelle de rubans », les falbalas d'une héroïne, les consoles, glaces et bergères, tout cet « ameublement inventé pour la mollesse » ou toutes les commodités des vis-à-vis. Dans ces cadres voluptueux, des liaisons sans lendemain se nouent et se dénouent selon les mêmes rites en une poursuite vaine. Cette « saisissante fantasmagorie du plaisir » laisse apercevoir, comme en cette fin de bal où les masques tombent, où « le blanc et le rouge coulaient à grands flots sur les visages recrépits », la lassitude de la jouissance et l'écœurement de la débauche, terme logique d'un monde voué aux faux-semblants. La Morlière se meut dans l'artifice sans prétendre à l'originalité. Il emprunte à Crébillon les données du conte oriental libertin : intervention des fées et des génies, talisman qui rend le héros impuissant, triomphe de l'« occasion », discours du roué initiant Angola au monde de la galanterie. Ainsi se dégage la valeur parodique de cet « ouvrage sans vraisemblance » qui imprime en italique tous les termes du jargon à la mode et qui se complaît aux jeux de miroir. Car cette « histoire indienne », dédiée aux « Petites maîtresses » et destinée selon l'avant-propos à être témoin des « plus tendres transports », est enchâssée dans deux scènes de roman où dialoguent, avant de la lire et après l'avoir lue, un comte et une marquise. Ces personnages vont-ils imiter les héros de l'histoire, le prince Angola et la fée Lumineuse que la lecture d'une brochure licencieuse conduit eux-mêmes à s'abandonner au plaisir ? Structuré suivant le principe des poupées gigognes, ce roman ne viserait-il qu'à répéter, puis à susciter le libertinage ? Le comte, porte-parole de l'auteur, se montre conscient du « frivole de cet ouvrage », mais souligne son mérite : celui de l'art de conter. Sur ce dernier point, La Morlière a été à la hauteur de ses ambitions.

Ch. Mervaud

LA MOTHE LE VAYER François de

(1588-1672)

Fils d'un substitut du procureur au parlement, La Mothe Le Vayer lui succéda dans cette charge en 1625. Il avait suivi des études de droit mais n'avait aucun goût pour la magistrature et s'intéressait surtout à la philosophie. Il fut l'un des promoteurs du libertinage érudit.

Il fréquentait l'académie savante des frères Dupuy et lia une étroite amitié avec Naudé et Gassendi. Sa pensée s'inscrit dans la lignée de l'épicurisme. Elle se structure autour du concept – et de la méthode – de doute sceptique. Pour lui, la raison humaine est limitée et ses conclusions illusoires ; elle ne peut donc être tenue pour un moyen d'accéder à la vérité. Aussi il ne soutient pas, face au système établi, un autre système mais il pousse à l'extrême l'attitude critique. Il était athée, mais ne le professait pas. L'essentiel de sa pensée se trouve dans les *Quatre Dialogues faits à l'imitation des Anciens* (1630, augmentés de cinq autres l'année suivante), qu'il publia sous le pseudonyme d'Orasius TUBERO. Dans cet ouvrage, il déploie une immense érudition pour dénoncer les traditions religieuses et montrer la vanité de leurs preuves de l'existence de Dieu. En particulier, il bat en brèche la thèse du consentement universel en cette matière (dialogue *De la diversité des religions*). Et il conclut : « Faisons donc hardiment profession de l'honorable ignorance de notre bien-aimée sceptique. » Mais il voile ses hardiesses en déclarant exclure la religion catholique de son propos et en affirmant que dénoncer les erreurs de la raison ouvre la voie à une foi plus pure. Reste que, pour tout lecteur conséquent, les conclusions du propos tendaient à l'athéisme, et que ces critiques frappaient directement la tradition catholique de conciliation entre la foi et la raison.

Ce scepticisme critique, qui se prolonge dans ses *Opuscules* de 1643, ne pouvait en son temps être compris que par une minorité d'esprits avertis et, comme l'auteur, hostiles aux opinions « vulgaires ». En revanche, des catholiques sincères n'y virent qu'une légitime dénonciation des préjugés. L'importance de La Mothe Le Vayer dans l'histoire des idées tient davantage à sa postérité lointaine : Bayle, Fontenelle et leurs successeurs.

Il allait aussi contre les courants dominants de son temps en matière de philologie. Ses *Considérations sur l'éloquence française* (1637) prennent le contre-pied des remarques de Vaugelas, récusent le modèle mondain comme critère du beau langage et revendiquent pour l'érudition, seule capable de discerner les origines grecques et latines de la langue française, l'autorité en la matière.

La Mothe Le Vayer se montra toujours soucieux de son confort matériel et social. Machiavéliste en politique, il appartint à la clientèle de Richelieu, puis de Mazarin. Mettant ses opinions sous le boisseau, il écrivit un *Petit Discours chrétien sur l'immortalité de l'âme* (1637) ; en retour, on lui ouvrit les portes de l'Académie française (1639). Il publia (1641) un traité de *la Vertu des païens* hostile aux jansénistes et conforme aux vues de Richelieu. En 1649, il se vit confier par Anne d'Autriche l'éducation du duc d'Orléans, frère du roi ; en 1652, celle de Louis XIV, alors âgé de quatorze ans. Son fils (comme lui érudit, écrivain et philosophe) fut un abbé à son aise.

A. Viala

Lancelot en prose

(composé vers 1215-1220)

Roman en prose anonyme, conservé par une soixantaine de manuscrits complets et de très nombreux fragments. On le désigne « en prose » pour le distinguer du *Lancelot ou le Chevalier de la charrette* de Chrétien de Troyes. C'est la partie centrale et la plus ancienne d'un vaste ensemble cyclique, le *Lancelot-Graal*.

Dans la majorité des manuscrits cycliques, le *Lancelot* est en effet prolongé par deux autres récits, *la Quête du saint Graal* et *la Mort le roi Artu* [voir ces titres]. Dans d'autres, moins nombreux, il est également précédé de l'*Estoire del saint Graal* et de l'*Estoire Merlin*. Le titre de ces quatre œuvres définit le contenu et le projet de cet ensemble textuel qui, à partir des aventures de Lancelot, reconstruit par vagues successives l'histoire d'Arthur et de sa chevalerie (*Lancelot* et *la Mort le roi Artu*) et la préhistoire arthurienne (*Estoire Merlin*) en les entrelaçant à la trajectoire du Graal, de son « invention » (*Estoire del saint Graal*) à sa quête et à sa disparition (*la Quête du saint Graal*). Les hypertextes de cette immense construction sont nombreux. Ont joué cependant un rôle essentiel : *le Roman de Brut* de Wace, qui a fourni au moins un cadre chronologique, les règnes d'Uterpendragon puis d'Arthur et une couche ancienne de personnages, *le Chevalier de la charrette* de Chrétien de Troyes, à qui le prosateur a repris le personnage de Lancelot et son amour absolu pour Guenièvre, *le*

Conte du Graal, qui a procuré le motif du Graal et de sa quête. Mais le prosateur du *Lancelot* a également connu les textes qui, des *Continuations* en vers du *Conte du Graal* au *Roman de l'histoire du Graal* de Robert de Boron et aux textes en prose qui en dérivent, donnent une version christianisée du motif du Graal, référée au temps de la Passion et à un personnage-clé, Joseph d'Arimathie, « inventeur » de la relique. L'un des détournements majeurs de l'auteur du *Lancelot* est cependant d'avoir évincé Perceval, qui n'est plus dans la *Quête* que le second élu du Graal, et d'avoir réservé la vision et les mystères à Galaad, le fils bâtard de Lancelot et de la fille du Roi Pêcheur.

SYNOPSIS

Le roi Ban de Benoïc (en Gaule) meurt de douleur en voyant brûler le dernier château que lui a laissé son ennemi, le roi Claudas de la Terre Deserte. Son tout jeune fils, Lancelot – mais son vrai nom de baptême est Galaad –, est enlevé par la Dame du Lac qui l'élève jusqu'à l'âge de dix-huit ans dans son domaine très protégé, sans lui révéler son identité. L'y rejoignent bientôt ses cousins germains, Bohort et Lionel. À dix-huit ans, Lancelot veut devenir chevalier. La Dame du Lac, après lui avoir longuement expliqué l'origine et la mission de la chevalerie, l'accompagne à la cour d'Arthur (en Grande-Bretagne), où il est adoubé par le roi mais aux couleurs de la féerie (le blanc), et c'est de la reine Guenièvre, dont il sera et se voudra le chevalier, qu'il recevra son épée. Le nouveau chevalier entreprend aussitôt et simultanément de venger le chevalier « enferré » et de secourir la dame de Nohaut. Mais c'est au nom de la reine qu'il livre sa première et essentielle aventure : dissiper les enchantements de la Douloureuse Garde, qui devient la Joyeuse Garde et le lieu où il découvre enfin son identité : Lancelot du Lac, fils du roi de Benoïc, ainsi que sa double appartenance, à la féerie et au monde des hommes.

Galehaut, le fils de la géante, le roi des « Lointaines Iles », défie Arthur que défend Lancelot. Au cours de la seconde bataille, Galehaut, éperdu d'admiration pour le chevalier, renonce à sa conquête pour s'attacher celui à qui il fait bientôt avouer son amour pour la reine. Galehaut s'entremet pour lui ménager une entrevue au cours de laquelle Guenièvre, dans un long baiser, accepte l'amour du héros et lui accorde le sien. Galehaut et Lancelot partent pour le Sorelois. La quête entreprise par les chevaliers d'Arthur pour retrouver le héros fait alterner les aventures de Gauvain et d'Hector des Marés, demi-frère bâtard de Lancelot, et le récit du mélancolique séjour du héros en Sorelois.

Saxons et Irlandais affrontent Arthur devant la Roche aux Sesnes ; mais le roi tombe bientôt au pouvoir de l'enchanteresse Camille, cependant que Lancelot, qui est revenu incognito le secourir, passe sa première nuit d'amour avec Guenièvre. À son tour prisonnier de Camille, Lancelot devient fou. Guéri par la Dame du Lac, il triomphe des Saxons, libère le roi et devient enfin, avec Galehaut et Hector, compagnon de la Table ronde, avant de se retirer en Sorelois avec Galehaut. Celui-ci apprend bientôt par des signes terrifiants (l'écroulement de toutes les forteresses du Sorelois), des songes puis par les révélations de Maître Hélie que sa mort est proche.

Séduit par une fausse Guenièvre, Arthur détrône et condamne la reine. Pour la défendre, Lancelot se bat contre trois champions. Vainqueur, il l'emmène en Sorelois où il vit avec elle comme avec une sœur. Arthur cependant reconnaît son erreur et reprend sa femme. Lancelot reste auprès du roi. Lors de la grande cour de Londres, Gauvain est enlevé par Caradoc de la Douloureuse Tour. Le récit donne, en les entrelaçant, les aventures du duc de Clarence et de Lancelot partis à sa recherche. Au cours de celle-ci, Lancelot triomphe, lui le parfait amant, de l'enchantement du Val sans Retour, domaine de Morgain, mais il est fait prisonnier par la fée qui l'autorise cependant à délivrer Gauvain, puis le libère sous condition. Croyant Lancelot mort, Galehaut se laisse mourir de douleur. Nouvelle folie de Lancelot que guérit la Dame du Lac. Elle lui annonce qu'à l'Ascension la reine risque d'être enlevée.

Les aventures suivantes reprennent, en effet, les données du *Chevalier de la charrette* de Chrétien de Troyes et content la reconquête de la reine et la mise à mort de son ravisseur Méléagant. Suit le récit des exploits de Bohort, notamment au château du roi Brangoire, puis d'une longue quête de Lancelot, entraîné on ne sait où par une vieille, par Gauvain (qui assiste à Corbenic à la liturgie du Graal), Agloval, Hector, Yvain.

De la suite du récit, une partie intitulée traditionnellement l'*Agravain* et fertile en aventures, on retiendra plus particulièrement : l'épisode de Lancelot empoisonné par l'eau d'une source et guéri par une demoiselle à qui il promet de l'aimer en tout bien tout honneur ; la venue du héros à Corbenic où, trompé par un philtre, il s'unit à la fille du roi Pellès et engendre Galaad ; l'épisode de la « carole » puis de l'échiquier magiques ; au cours de la quête d'Hector, de Lionel, etc., par Lancelot, son emprisonnement par Morgain durant lequel il peint sur les murs de sa prison ses aventures héroïques et sentimentales ; l'aventure de la Fontaine bouillante, où Lancelot donne à son aïeul une sépulture chrétienne, mais apprend qu'il ne sera pas l'élu du Graal ; les différentes scènes annonçant aussi bien la venue du Graal (apparition du Blanc Cerf, visite de Bohort à Corbenic) que la disparition prochaine du royaume arthurien (la naissance illégitime de Mordred) ; l'entretien, à Camaaloth, entre la reine et Lancelot qui affirme préférer les valeurs de l'amour à la conquête du Graal.

L'action cependant se déplace en Gaule où Arthur finit par triompher de Claudas l'usurpateur (mais ni Lancelot ni ses cousins n'acceptent de devenir rois et préfèrent rester chevaliers errants), puis fait retour à Camaaloth où la fille du roi Pellès trompe une seconde fois Lancelot, lequel, surpris et chassé par la reine, sombre dans la folie. Recueilli à Corbenic, guéri par le Graal, il séjourne avec la fille du roi Pellès dans l'Île de Joie où finissent par le retrouver, au terme d'une longue quête, Hector et le jeune Perceval. Lancelot revient à la cour, adoube Galaad, qui a grandi pendant ce temps dans une abbaye de religieuses. Un ermite annonce à Arthur qu'il doit réunir sa cour à la Pentecôte. Y viendra le chevalier élu, Galaad, qui prendra place au Siège Périlleux de la Table ronde et achèvera les aventures du saint Graal.

Le *Lancelot en prose* est en premier lieu le grand roman médiéval de la passion d'amour – ainsi l'ont lu, pour leur malheur, les amants de Dante (*Enfer*, 73-138) – et de toutes les formes de la passion : passion bientôt réciproque et exclusive de Lancelot et de la reine, traversée d'extases, meurtrie par la folie, menacée par la passion mortelle de Galehaut pour le héros ; amour maternel, non dépourvu d'ambiguïté, de la Dame du Lac pour le « Bel Inconnu » qu'elle a enlevé et éduqué ; passion truquée d'Arthur pour Camille puis pour la fausse Guenièvre ; passion et fureur de Morgain et de ses sœurs en féerie pour le héros, le texte étant lui-même nourri de tous les désirs, souvent insatisfaits, que suscitent Lancelot et ses doubles, Bohort, Hector, Lionel, partout où ils passent. Mais, tout comme ses modèles immédiats, les romans arthuriens de Chrétien de Troyes, le *Lancelot* est également le grand roman de l'aventure chevaleresque, d'une prouesse que le héros, incarnation parfaite du *fin amant* comme du chevalier errant, ordonne aux seules exigences de l'amour. Des manifestations et des effets de cette prouesse le *Lancelot* offre sans doute le répertoire le plus complet, en multipliant les variations sur les motifs narratifs proposés par ses prédécesseurs. Mais l'extrême diversité des formes et figures de la passion et de l'aventure, dont le roman arthurien en vers offre au reste, à la même époque, un éventail presque aussi complet et varié, semble autant liée au désir d'exploiter tous les possibles narratifs que de mener ensemble l'aventure et la prose.

Le *Lancelot* n'est pas le premier roman en prose française : lui ont au moins ouvert la voie le *Joseph* et le *Merlin*. Mais il est le premier à exploiter et à explorer toutes les ressources de cette forme nouvelle qu'est la prose littéraire et qu'il associe définitivement à l'écriture romanesque. La caractéristique la plus immédiatement repérable est l'emploi très perfectionné de la technique de l'entrelacement dont on peut tracer l'origine à partir du *Conte du Graal* dans lequel Chrétien fait alterner les aventures de Perceval et de Gauvain. Rituellement souligné par la formule « ici se tait le conte de... et parle de » repris par la formule « le conte dit ici que... » et entre lesquelles s'insère bien souvent une enluminure, l'entrelacement est déjà un sûr moyen de substituer à la linéarité de l'action un univers diégétique sans cesse décentré-recentré au gré des dispersions et des retrouvailles des personnages afin de donner l'illusion d'un temps et d'un espace saturables et saturés. Mais elle permet également d'affirmer la toute-puissance du prosateur, libre de disposer à son gré des éléments de la fiction, de l'orientation d'un récit, de personnages dont il maîtriserait toutes les errances.

Dresser une typologie des aventures auxquelles ceux-ci se confrontent permettrait de cerner une autre caractéristique du *Lancelot* : les nombreux effets de reprises et d'échos à partir de motifs empruntés au pré-texte arthurien, puis eux-mêmes repris et différemment modulés au sein du récit. Ainsi, par exemple, du traitement des folies furieuses de Lancelot, dérivées de l'épisode de la folie d'Yvain dans *le Chevalier au lion*, ou des très nombreuses aventures qui consistent à libérer un homme, un groupe, une terre, à substituer l'ouvert au clos, la joie à la douleur, la lumière aux ténèbres (à transformer la Douloureuse Garde en Joyeuse Garde) et dont le prototype est aussi bien l'épisode de la Joie de la Cour dans *Érec et Énide* que la libération des prisonniers du royaume de Gorre dans *le Chevalier de la charrette*.

La prose du *Lancelot* ignore, ou presque (une brillante exception est le portrait de Lancelot enfant ou de Claudas), descriptions et portraits. Elle suit en revanche avec minutie le dédale soigneusement contrôlé des déplacements des chevaliers errants. Mais elle est également nourrie de morceaux de bravoure comme les discours – la phrase s'y fait période – qui supportent la dimension didactique et morale de l'œuvre, et dont le plus justement célèbre est le discours de la Dame du Lac à Lancelot sur l'origine et la mission au monde de la chevalerie. La narration fait également une très large place aux dialogues. Et l'on peut se demander s'il n'existe pas une relation de cause à effet entre l'essor de la prose, qui épouse, mieux que le couplet d'octosyllabes, le rythme brisé des échanges langagiers, et l'essor du dialogue, l'un des plus sûrs moyens de faire « vivre » des personnages, de mimer le temps réel et de créer l'illusion romanesque.

Faire du chevalier l'amant de la reine, d'une femme qu'il désire sans jamais pouvoir s'installer dans la jouissance, et étirer cette passion à la dimension d'une vie, offrait au prosateur la possibilité d'intégrer le chevalier (la chevalerie) à l'univers des hommes (ici représenté par l'univers arthurien) et de le faire renoncer aux mirages de la féerie. En dépit de la ressemblance des noms, Lancelot est un anti-Lanval. Il ne cherche jamais, comme le héros de Marie de France, à se réfugier dans le monde féerique ; un monde qui, dans ce roman, est soit incarné par la figure rassurante de la Dame du Lac, soit rejeté et disqualifié par le biais de la figure maléfique de Morgain. Le désir toujours renouvelé qui anime le héros, proche du « joy » des troubadours, et qui l'incite sans relâche à mériter par l'exploit l'amour de la reine, est également le moyen de multiplier les méandres de l'errance chevaleresque. Mais, dans son incomplétude même, il ne peut mener le récit à sa fin. Il y faut un autre héros. Et c'est sans doute la trouvaille de celui ou de ceux qui ont peu à peu élaboré le plan d'ensemble du *Lancelot-Graal* que d'avoir inventé, en croisant les données de la *Charrette* et du *Conte du Graal*, la filiation Lancelot-Galaad, l'amant de la reine engendrant, mais en marge, le chevalier « celestiel », celui qui, ordonnant sa carrière à la quête du Graal, renoue avec le droit fil du récit, tranche net dans la prolifération des aventures et substitue à l'extase amoureuse la vision éblouie et ineffable des mystères du Graal.

E. Baumgartner

LANOUX Armand

(1913-1983)

D'origine très modeste, né à Paris dans le XIIe arrondissement, Armand Lanoux fréquente le cours complémentaire de Meaux jusqu'en 1929, date à laquelle il obtient le brevet élémentaire, qui demeurera son seul diplôme. Commence alors pour lui une période riche d'expériences professionnelles, puisqu'il pratiquera des métiers aussi divers que ceux d'employé de banque, de décorateur, de représentant, d'artiste peintre, d'instituteur et de journaliste ; il entrera seulement dans la carrière des lettres en 1943, ne renonçant toutefois définitivement à la peinture qu'en 1950. Il commence ainsi à composer des romans policiers, souvent proches des récits d'un Mac Orlan ou d'un Simenon. Élargissant son domaine littéraire, il publie en 1948 *la Nef des fous,* qui obtient le prix du roman populiste, et en 1949 *la Classe du matin.* Dès lors, la vie de Lanoux se confond avec ses activités d'homme de lettres, consacrées par divers prix littéraires (grand prix du roman de la Société des gens de lettres 1952 pour *les Lézards dans l'horloge,* prix Interallié 1956 pour *le Commandant Watrin,* prix Goncourt 1963 pour *Quand la mer se retire*). Cependant que romans ou essais se succèdent avec régularité, Armand Lanoux s'occupe d'émissions radiophoniques ou d'adaptations télévisuelles d'œuvres littéraires – *le Lys dans la vallée,* d'après Balzac, *Yvette,* d'après Maupassant (1971). Président du Comité de la télévision française de 1958 à 1959, Lanoux exerce de nombreuses responsabilités : directeur de la revue *À la page* (1964-1970), membre du Conseil supérieur des lettres à partir de 1974, membre du Haut Comité de la langue française à partir de 1977, président du Conseil permanent des écrivains à partir de 1979, c'est surtout comme membre (1969), puis comme secrétaire (1971) de l'académie Goncourt qu'il confirme sa notoriété auprès du grand public ; il multiplie également les interventions pour défendre les droits et le statut des auteurs. Il soutiendra notamment la lutte des écrivains soviétiques pour la liberté d'expression.

Le rôle de Lanoux à l'académie Goncourt illustre au mieux l'attachement de l'écrivain à la tradition naturaliste et réaliste ; ses essais littéraires, et parmi les plus connus, *Bonjour, monsieur Zola* (1954) et *Maupassant le Bel-Ami* (1967), s'attachent tous à restituer l'univers du XIXe siècle finissant plutôt qu'à développer de longues études de textes : c'est que, pour lui, ce type d'ouvrage paraît être plus un roman tissé sur une très vaste documentation historique et biographique que le développement d'analyses théoriques. « L'auteur, précise-t-il dans le préambule de *Bonjour, monsieur Zola,* a fait parler son héros sans romancer, mais en romancier. » L'homme et l'œuvre se confondent dans une même histoire ; ainsi, évoquant la parution de *Nana,* Lanoux précise-t-il : « Oui, Nana est mythique. Mais d'où vient ce mythe ? De la haine de Zola pour le second Empire et la bourgeoisie, du refoulement de Zola à l'égard de la femme » ; l'écriture ne peut être séparée de la vie réelle de l'auteur.

Plus encore que sa poésie, dont l'apparence de fausse naïveté et l'irrégularité formelle dénotent clairement l'influence de Verlaine et d'Apollinaire (*la Fille de Mai,* 1943 ; *le Petit Colporteur,* 1953), les romans de Lanoux reflètent la tendance générale des essais : très peu théoricien, l'auteur aime à décrire une société, une région, un milieu, pour livrer, à travers une narration « classique » que viennent enrichir quelques traces de langage parlé, un message simple et humaniste : la célèbre trilogie qu'il a consacrée aux deux guerres mondiales (*Margot l'Enragée* : *le Commandant Watrin,* 1956 ; *le Rendez-Vous de Bruges,* 1958 ; *Quand la mer se retire,* 1963) illustre cette vocation. Dans *le Commandant Watrin* s'exprime, par-delà les oppositions sociales et nationales, le désir de défendre l'homme avant tout : « L'ennemi, pour moi, c'est tout ce qui abaisse l'homme. » En conséquence, Lanoux valorise l'espoir de liberté qu'il croit déceler en l'être humain : ses héros revendiquent cette liberté contre l'oppression sociale, mais aussi contre l'histoire et le temps, qui écrasent l'individu plus sûrement que la disparité ethnique et géographique. Pour le Québécois Abel Leclerc, parti à la recherche de ses souvenirs de guerre en Normandie, « ce n'était pas une immense étendue de mer qui séparait Arromanches de Québec, mais une énorme quantité de temps » (*Quand la mer se retire*).

Dans un univers sans Dieu, fait d'oubli, où l'homme ne peut reconnaître une mémoire commune avec « le monde qui continue et qui s'en fout », Lanoux fait confiance à la Vie, qu'il érige en véritable mythe. En elle s'abolissent souffrance et contradictions. Les personnages de Lanoux, s'ils n'ont pu comprendre ou dominer la marche du monde, retrouvent leur confiance dans la contemplation d'une nature prospère où ils trouvent l'illusion de la liberté : « Les usines, les terrains vagues, les murs lépreux disparaissent : le blé éclate dans les champs ! Alleluia [...]. Le lin de l'été tisse une coupole où trois nuages flottent comme des montgolfières » (*les Passagers du 113,* 1949). On comprend pourquoi Lanoux n'a cessé de croire à la survie du naturalisme : la réalité ne peut que confirmer l'aventure de l'homme ; le présent tangible est là pour bannir un passé fallacieux : les personnages de Lanoux ne sont pas de simples hommes, mais, comme les mineurs de *Germinal,* les fruits de la terre et de la nature ; ainsi, la Normande Bérangère fait oublier à Abel l'horreur du débarquement de juin 44 ; elle incarne « la Normandie vraie, beurrée, pas stérile, rétive, pas "morale", la Normandie à la pourriture odorante des cidres » (*Quand la mer se retire*). À l'instar de l'auteur de *la Terre,* Lanoux croit en la force mythique de l'existence : non loin du tombeau de Zola, « la vie palpite devant la Seine, au bord du beau fleuve tranquille, pour attester tranquillement que si l'homme porte tant de rêves c'est pour qu'ils soient parfois réalisés » (*Bonjour, monsieur Zola*). Armand Lanoux est aussi l'auteur d'une *Histoire de la Commune de Paris* (*la Polka des canons,* 1971 ; *le Coq rouge,* 1972) et de nouvelles (*Yododo,* 1957). Son œuvre poétique est rassemblée dans *le Montreur d'ombres* (1982).

J.-P. Damour

LANZMANN Jacques

(né en 1927)

Nul doute qu'avant d'être un conteur, Jacques Lanzmann ne soit un personnage romanesque. Marcheur impénitent – il est notamment le premier Occidental à réaliser la liaison Lhassa-Katmandou en 1985 –, il semble doté d'une énergie dont témoignent, depuis plus de cinquante ans, ses activités multiformes : une quarantaine de livres, plus de cent cinquante chansons, une multitude d'articles, des tableaux égarés ou détruits. Après avoir commencé une carrière de peintre – un jour qu'il sortait d'une exposition Picasso, il avait prétendu pouvoir « en faire autant » –, Lanzmann voyage autour du monde : il travaille dans les mines de cuivre au Chili, arpente tous les continents, rentre en France où il devient peintre en bâtiment, homme de ménage, puis critique littéraire aux *Lettres françaises*. Fondateur avec Daniel Filipacchi du magazine *Lui*, qu'il dirige de 1963 à 1968, il écrit quelques-unes des plus célèbres chansons de Jacques Dutronc (*Paris s'éveille* ; *Et moi, et moi, et moi* ; *J'aime les filles*), travaille à des scénarios de films pour Philippe Labro et devient chroniqueur à *VSD*. Sa production abondante se place sous le triple signe du roman d'aventure, du récit de voyage et de l'autobiographie – les trois dimensions se mêlant ou se séparant au fil des ouvrages. Si la fiction romanesque occupe une large part (*les Nouveaux territoires*, 1973 ; *les Transsibériennes*, 1978 ; *la Baleine blanche*, 1982 ; *le Lama bleu*, 1983 ; *le Septième Ciel*, 1985 ; *l'Âge d'amour*, 1986 ; *le Dieu des papillons*, 1992 ; *Imagine la Terre promise*, 2000), c'est surtout l'autobiographie – plus ou moins romancée – qui retient l'attention. *Le Têtard* (1976) et *la Rue des Mamours* (1981) relatent non sans truculence l'enfance et l'adolescence du petit juif roux – la tante qui l'a recueilli avait en horreur cette couleur de cheveux – peu enclin à supporter les manifestations de l'autorité, tandis que *Qui vive* (1965) évoquait son bref passage dans la Résistance. Dans *le Chant du voyage* (1998), l'auteur rapporte les histoires, cocasses ou dramatiques, qui lui sont arrivées en cinquante années de voyage et ponctue son récit de chansons composées en cours de route. *Tous les chemins mènent à soi* (1979) et *le Voleur de hasards* (1992) s'inscrivent dans la même perspective autobiographique. Au fil des textes, Jacques Lanzmann semble accorder une importance croissante à la réflexion sur sa judéité – il est le frère de Claude Lanzmann, le réalisateur de *Shoah* –, même si ce grand voyageur reconnaît que la « Terre promise » peut se trouver partout et d'abord au cœur de soi-même.

P. Mari

LA PÉRUSE Jean BASTIER de

(1529-1554)

Originaire de l'Angoumois, La Péruse fait ses humanités à Paris sous la férule de Marc-Antoine de Muret. En 1553, il a peut-être tenu l'un des principaux rôles lors de la représentation au collège de Boncour de la *Cléopâtre captive* d'Étienne Jodelle. À ce renouveau de la tragédie antique qu'encouragent les leçons de Muret et de Buchanan, il apporte sa propre pierre en composant dès le début de 1553 une *Médée* imitée de Sénèque et plus secondairement d'Euripide. Célébré dès la représentation de sa pièce comme l'« Euripide des François », La Péruse, que Ronsard avait déjà admis dans les rangs de sa Brigade, retourne alors à Poitiers pour achever son droit, chanter ses amours et celles – moins heureuses – de son camarade Guillaume Bouchet. La peste le chasse de Poitiers, non sans l'avoir contaminé, et il meurt âgé de vingt-cinq ans, au terme d'une fulgurante carrière littéraire de deux années à peine. Ses œuvres poétiques, dont sa *Médée* retouchée par Scévole de Sainte-Marthe, furent publiées à titre posthume par ses amis en 1556.

La tragédie en cinq actes de *Médée* se tient entre la traduction pure et simple du modèle latin et l'œuvre originale. Tout en manifestant une prédilection pour les vers sentencieux et les répliques bien frappées, La Péruse adapte en rythmes variés les longues parties chorales qui concluent chacun des actes. Il édulcore le caractère monstrueux de l'héroïne, censure les leçons de sorcellerie de l'original et, surtout, réagence l'ordre des scènes. Ses œuvres lyriques, où il se montre un disciple attentif de Ronsard et de Du Bellay, rassemblent les formes les plus variées, odes, chansons, sonnets, épigrammes. Dans son « Antre », ode élégiaque qu'il composa sur son lit de mort, le souvenir de la *Complainte du désespéré* cède le pas à des rêveries morbides : voûtes peuplées de couleuvres et d'aspics, « estang » de sang bouillant où le poète, comme hanté une ultime fois par les sortilèges de Médée, rêve de se noyer.

F. Lestringant

LARBAUD Valery

(1881-1957)

« Un petit oublié du commencement du XXe siècle », c'est ainsi que Larbaud se définit lui-même, et l'histoire littéraire lui a, en partie, donné raison.

Une œuvre personnelle relativement mince, étroitement liée aux événements de sa vie, une voix secrète et retenue devaient naturellement souffrir de l'écrasant voisinage d'écrivains à l'envergure plus vaste ou au souffle plus puissant. Larbaud n'a pas trouvé sa place parmi les « grands » du début du XXe siècle ; Gide, Valéry, Claudel ou Saint-John Perse, dont il fut l'ami et le compagnon littéraire. Avant que la maladie ne le condamne à un oubli prématuré, des absences prolongées hors de France, un souci constant de garder ses distances l'avaient déjà, de son vivant, maintenu dans une situation marginale à demi consentie.

Ses abondants travaux de traducteur et de critique lui valent une notoriété à l'étranger, mais le relèguent encore au rang second de découvreur dépassé par ses découvertes et de pionnier victime de son enthousiasme pour des œuvres rares qui n'intéressent que des spécialistes. La célébrité de Joyce a occulté le nom de son introducteur en France ; Landor et Butler, auxquels il consacra des années de sa vie, n'ont pas fait plus pour sa renommée que Levet, Gomez de la Serna, Svevo ou Dondey de Santeny. Paradoxale et injuste destinée d'un lecteur à la curiosité insatiable, ouvert aux littératures de toutes langues et animé d'une foi de prosélyte qui fut sans doute sa fondamentale vocation.

On l'a redécouvert en France, comme l'un des témoins privilégiés d'une époque qui resurgissait à tous les détours de la mode : au moment où renaissait l'Orient-Express, sa légende de voyageur cosmopolite alimentait la nostalgie des palaces et des wagons-lits. Mais son nom a trouvé aussi une place dans des études consacrées à la mutation du genre romanesque : l'écrivain dont on vantait surtout la « délicatesse » est reconnu, timidement, comme un novateur. Le titre d'« amateur » qu'il s'est donné a facilement entretenu à son sujet le soupçon de dilettantisme, mais, dans l'acception généreuse que Larbaud lui prête, ce mot a gouverné avec force sa vie et son œuvre de romancier et de critique.

Un riche amateur

Né de l'union tardive de Nicolas Larbaud et d'Isabelle Bureau des Estiveaux, Valery est l'héritier attendu d'une fortune et d'une position sociale. Son père, pharmacien à Vichy, a conquis aisance et notoriété par la découverte et l'exploitation de la source Saint-Yorre, dont il est devenu propriétaire après dix ans de luttes judiciaires. Son grand-père maternel, d'une famille terrienne de vieille souche bourbonnaise, jouit d'un prestige que lui valent son autorité d'avocat et son passé politique : ardent républicain, il a dû s'exiler à Genève après le coup d'État du 2 décembre 1851.

Comblé dès sa naissance de ces biens qui favorisent, en province surtout, l'entrée dans la vie, la richesse et l'établissement, l'enfant est cependant immédiatement menacé par une santé fragile. L'existence de Larbaud sera une longue suite de maladies jusqu'à l'attaque d'hémiplégie de 1935 qui l'enfermera tragiquement dans une survie de vingt années. Cette « lutte patiente du côté de l'ombre » entretient en lui l'habitude et le goût de la solitude, la familiarité avec l'idée de la mort et donne à certaines de ses pages leur accent particulier : gravité mélancolique, désinvolture pudique, ferveur hédoniste retenue.

La disparition de son père quand il a huit ans le livre à l'affection étouffante d'une mère tyrannique. L'étroite surveillance qu'elle exerce sur les études, les amours, les voyages de son fils, la limitation de ses revenus qu'elle lui impose à sa majorité maintiennent celui-ci sous sa dépendance jusqu'en 1930. Image de la rigueur protestante, elle détermine sans doute la conversion de Valery au catholicisme en 1910. Incarnation de la respectabilité bourgeoise, elle suscite chez le jeune homme des réactions d'opposition, sensibles dans ses œuvres : dandysme provocateur, haine de la province, symbole de sclérose et de petitesse ; sentiment de la malédiction de la richesse.

Le cosmopolitisme de Larbaud, à quoi on l'a souvent réduit, est donc d'abord aspiration à la liberté. Avide d'espace, de mobilité, curieux de tout, il ne connaît pas cependant la fébrilité gidienne. Toute la vie de Larbaud est jalonnée de voyages : à dix-sept ans, il a fait – concession à la mode du temps – son « tour d'Europe », qui l'a mené, émerveillé, en Russie et à Constantinople ; à vingt ans, il est le « citoyen des wagons-lits », riche des images des pays et des grandes villes d'Europe ; quelques mois avant sa dernière maladie, il va du Bourbonnais en Albanie, en traversant l'Italie. Mais il fuit, en quête de refuges : abris d'intimité – en 1905 en Scandinavie, avec « Inga » ; à partir de 1922 très souvent en Italie, en compagnie d'Angela Nebbia, qui sera sa compagne jusqu'à sa mort – ou retraites studieuses. Dans les années 1910, il se cache « au cœur de l'Angleterre », absorbé par la fièvre créatrice qui donnera naissance à la plupart de ses œuvres romanesques ; en 1912, il se retire à Florence pour achever *Barnabooth*. Prenant ses distances avec une actualité où il n'a pas sa place – il est réformé –, de 1916 à 1920 il s'installe à Alicante et se consacre à la traduction de Butler. Ce vagabond hanté par le vers de Scève, « Le vain travail de voir divers pays » (titre d'un essai paru en 1927), conjure les risques opposés de sclérose et de dispersion du moi par l'équilibre entre évasion et enracinement – aux refuges étrangers répond la « retirance » réhabilitée dans le Bourbonnais natal – et les exorcise dans son œuvre par une thématique de l'ambiguïté : ivresse de l'espace et amour des « petits états », oscillation entre nonchalance et travail, libertinage et mariage, innovation et tradition.

Autre moyen de libération : le voyage dans les livres. Élève médiocre – mis à part les années heureuses au collège Sainte-Barbe-des-Champs de Fontenay-aux-Roses (le collège Saint-Augustin de *Fermina Márquez*), Larbaud n'a que dégoût pour la vie des lycées, se fait renvoyer de Louis-le-Grand et conquiert difficilement le baccalauréat à vingt ans –, il n'obéit qu'à sa passion de lecteur et découvre « en cachette » les symbolistes, Rimbaud, Laforgue. Il obtient en 1907 une licence de langues anglais-allemand et entreprend une thèse de doctorat sur les *Conversations imaginaires* de Walter Savage Landor, qu'il n'achèvera pas. Cette vie d'étudiant attardé est riche d'enthousiasmes divers : littérature américaine, Whitman surtout, Emerson, Thoreau, Hawthorne, littératures espagnole et brésilienne, écrivains français contemporains, Levet, Claudel, Charles-Louis Philippe. C'est aussi une période de création : il termine et publie en 1908 le premier *Barnabooth*.

Car la vocation littéraire, très tôt apparue chez Larbaud (il publie ses premières œuvres, à compte d'auteur, à dix-neuf ans), est pour lui la plus sûre évasion : défi contre son milieu, revanche contre la facilité de la richesse, refus d'une « vie faite d'avance », elle lui permet de s'affirmer dans un choix libre.

Ainsi s'éclaire l'ambiguïté volontaire des mots « riche amateur » : le dilettantisme du déclassé qui s'amuse à la littérature est la face déformée de l'amour passionné pour un métier, source de joie et moyen de salut.

Les sentiers de la création

Ceux-ci se signalent chez Larbaud par une rivalité accusée entre l'œuvre personnelle et le travail de traduction et de critique qui consacrera finalement le triomphe du « bénédictin » sur l'« artiste », selon la distinction de son ami Marcel Ray. Larbaud fait son entrée dans l'édition parisienne en 1901 par deux traductions, *la Complainte du vieux marin* de Coleridge et un recueil de vieilles chansons anglaises. Avant de se signaler à l'attention d'un cercle littéraire restreint par le premier *Barnabooth*, il donne au *Nouveau Mercure* de Buenos Aires un article en espagnol sur « l'Influence française dans les littératures de langue espagnole ». Et, en 1911, ses recherches sur Landor aboutissent à la publication de *Hautes et Basses Classes en Italie*, dans l'intention avouée de faire reconnaître l'écrivain anglais.

L'essentiel de son œuvre romanesque paraît avant la Première Guerre mondiale : le premier *Barnabooth* en 1908 ; *Fermina Márquez* – à qui on refuse le prix Goncourt parce que son auteur est trop riche – en 1911 ; le second *Barnabooth* en 1913 ; *Enfantines* – dont les huit nouvelles ont paru en revues de 1908 à 1914 – en 1918.

À partir de 1920, sa production personnelle s'espace – de 1920 à 1923, les trois nouvelles d'*Amants, heureux amants* ; en 1927, *Allen* et *Jaune bleu blanc* ; en 1938, *Aux couleurs de Rome*. L'activité de Larbaud pendant cette période se multiplie en « notes » sur des auteurs français ou étrangers, en articles sur la traduction ou le fait littéraire, dont il recueillera l'essentiel pour constituer peu à peu ses livres critiques : *Ce vice impuni, la lecture* ; *Domaine anglais* (1925) ; *Domaine français* (1941) ; *Sous l'invocation de saint Jérôme* (1945). Cette espèce de conversion a sans doute été influencée par la longue plongée dans la traduction des livres de Butler de 1915 à 1919, par la découverte de l'*Ulysse* de Joyce en 1920 et par l'écrasant travail de révision qui aboutit à la publication de cette œuvre en français en 1929 ; mais, parallèlement à l'effervescence créatrice de ses débuts, Larbaud avait déjà mené une carrière de traducteur et d'introducteur. Surtout, il est l'homme des multiples projets abandonnés ou laissés en attente, des manuscrits détruits, des publications refusées : la genèse de presque toutes ses œuvres offre l'exemple de conceptions abouties à long terme, métamorphosées par la transfusion d'un livre dans l'autre. Le souci de perfection explique ces lenteurs, mais aussi le plaisir d'une longue maturation et la mobile attirance vers la nouveauté.

Le démon de la nouveauté

Barnabooth I

1908 : *Poèmes par un riche amateur, ou Œuvres françaises de M. Barnabooth. Précédés d'une introduction biographique* (Paris, Messein).

Le « premier Barnabooth », renié par Larbaud qui refusa de le publier dans ses *Œuvres complètes* (il est retranscrit entièrement par R. Mallet dans les notes de l'édition de la Pléiade). Composé d'une « biographie de M. Barnabooth », des « Poèmes » et d'un conte, « le Pauvre Chemisier », sans nom d'auteur, il est présenté par un éditeur fictif : Xavier Maxence Tournier de Zamble.

SYNOPSIS

« BIOGRAPHIE ». Archibald Olsson Barnabooth, vingt-quatre ans, d'apparence modeste et d'une grande timidité, est immensément riche. Né au Chili, il s'est fait naturaliser américain à sa majorité ; descendant de colons finlandais installés en Amérique au XVIIe siècle, il est le fils d'un *self-made man* qui fit fortune au Pérou. À dix ans, le jeune Barnabooth est orphelin ; il fait avec son tuteur un tour d'Europe et se lie avec le fils d'un grand-duc russe, Stéphane. Pour assurer son éducation, négligée jusqu'alors, on l'envoie dans une luxueuse pension de New York d'où il s'échappe à quatorze ans pour se réfugier en Russie. Son tuteur meurt quand il a dix-sept ans : Barnabooth est libre et riche. Il parcourt le monde en compagnie d'une belle Grecque, rencontrée à Constantinople, Anastasia Retzuch, qui finit par épouser un duc ruiné. Il se forme alors un joyeux ménage à trois, qui mène une existence de vice et de folie à travers l'Europe jusqu'à la mort d'Anastasia. Barnabooth, qui a alors vingt ans, revient à ses études, règle ses affaires et, libéré de toute obligation sociale, entreprend un second tour du monde. En 1907, date à laquelle se termine cette « biographie », on le retrouve à Londres, protecteur de deux jeunes Péruviennes et menant une vie fastueuse (I à VII). Le chapitre VIII, « la Personnalité de M. Barnabooth, anecdotes », rapporte des propos provocants du jeune milliardaire, destinés à expliquer son caractère à la fois « cynique » et « sentimental ». Le chapitre IX, « M. Barnabooth poète : ses idées sur l'art », contient une longue profession de foi de Barnabooth ; il revendique son indépendance, en littérature, en se proclamant « amateur », dans la vie, en acceptant son existence de vagabond et le pouvoir maléfique de sa richesse. Il passe en revue les poètes qui l'ont inspiré et qui sont également les modèles de Larbaud. Les chapitres X et XI évoquent d'autres « Propos de table » de Barnabooth, toujours provocants et cyniques, et ses idées sur la France : pays plein de charme mais « peuple de voyous ».

« POÈMES ». Cinquante poèmes divisés en deux parties : « Borborygmes » et « Europe ». Tissés des souvenirs des voyages et des rencontres de Larbaud, ils sont écrits dans un mode prosodique très bigarré, dû aux influences les plus diverses. Certains d'entre eux sont d'un ton agressif, voire trivial, et seront supprimés dans l'édition de 1913.

« LE PAUVRE CHEMISIER ». Ce conte moral, sorte de parodie des contes du XVIIIe siècle, dans lequel on sent aussi l'accent des *Moralités légendaires* de Laforgue, raconte l'histoire d'un fabricant de chemises au bord de la ruine. Barnabooth lui donne les moyens de rétablir sa situation avec l'intention de séduire Hildegarde, la fille du chemisier dont il est tombé amoureux. Celle-ci, liée par de tendres sentiments à un jeune homme pauvre, accepte un rendez-vous avec Barnabooth. Mais, magnanime, Barnabooth renvoie la jeune fille, permet, par ses dons, aux amoureux de se marier et conclut tristement que « personne, ici-bas, n'aime le pauvre homme riche ».

Barnabooth II

1913 : *A.O. Barnabooth. Ses Œuvres complètes, c'est-à-dire : un conte, ses poésies et son journal intime.* (Éditions de la Nouvelle Revue française ; paru en feuilleton la même année dans *la Nouvelle Revue française* sous le titre *A.O. Barnabooth : journal d'un milliardaire*).

La couverture, cette fois-ci, porte le nom de l'auteur, mais un avertissement présente Larbaud comme un simple « exécuteur littéraire » de Barnabooth. Dans cette nouvelle version de *Barnabooth*, « le Pauvre Chemisier », qui commence le volume, n'a subi que quelques retouches ; dans les « Poésies », quinze pièces ont été retranchées ; le « Journal intime » de Barnabooth remplace la « Biographie ».

Ce « Journal intime », beaucoup plus ample que la « Biographie », et d'un ton tout différent (le cynisme et les outrances ont disparu), est composé de quatre « Cahiers » dont les titres sont les noms des villes où séjourne Barnabooth.

SYNOPSIS

« PREMIER CAHIER : FLORENCE ». Le jeune (23 ans) et riche Barnabooth vient d'arriver à Florence. Il consigne dans son journal ses promenades, ses « crises de boutiquisme », médite sur la solitude et le malheur de l'homme riche. Il retrouve un ami, le journaliste Maxime Claremoris, directeur d'une revue d'art, le Pèlerin passionné, qui poursuit de ses sarcasmes toutes les manifestations vulgaires de l'art ou de la vie modernes : ce personnage d'esthète offre au jeune homme à la recherche de lui-même une « formule de vie » possible. Il traverse une grave crise sentimentale : par besoin de donner et volonté de réparation sociale, il propose le mariage à une danseuse, mais se heurte à un refus. Blessé de voir méconnu son sincère élan de générosité, il est aussi atteint dans son amour-propre quand il apprend que cette jeune femme était secrètement déléguée à sa surveillance par son mentor.

« DEUXIÈME CAHIER : FLORENCE. SAINT-MARIN. VENISE ». Le désespoir plonge Barnabooth dans l'« inertie du cœur » : méditations désabusées sur lui-même, sur son idéalisme bafoué. Une rencontre le sauve de cette crise : celle du marquis de Putouarey. Ce gentilhomme français vif et gai lui révèle un autre style de vie : plaisirs donnés par la richesse, collection des aventures galantes, des timbres-poste et des décorations. Mais ce « viveur » cache un amour passionné pour le métier qu'il a choisi (l'étude de la chimie, qui l'a délivré des contraintes de son milieu), une grande générosité, une secrète inquiétude religieuse. Les deux voyageurs séjournent quelques jours à Saint-Marin, descendent de Saint-Marin par Ravenne pour gagner Venise et Trieste où Barnabooth se sépare de son compagnon.

« TROISIÈME CAHIER : TRIESTE, MOSCOU, SERGHIÉVO ». Barnabooth rencontre une ancienne amie, Gertrude Hansker, belle et riche Américaine, dont l'allure sportive cache une inquiétante perversité. Barnabooth songe à nouveau à l'amour et au mariage, mais, par peur d'être incompris, quitte en secret Trieste et « Gertie ». Il s'enfuit vers la Russie, où il retrouve ses souvenirs d'enfance et son ami Stéphane. Les deux jeunes gens ont de longues conversations sur l'éducation, la société, les inquiétudes de Barnabooth à la recherche de lui-même. Stéphane offre à Barnabooth une autre formule de vie, fondée sur le dévouement aux autres et sur la foi, mais lui révèle que « toute expérience est incommunicable ».

« QUATRIÈME CAHIER : SAINT-PÉTERSBOURG, COPENHAGUE, LONDRES ». Barnabooth se sépare de Stéphane et de son influence. Il songe à une existence conforme à ses penchants, « paisible, aisée, retirée et studieuse », dans une grande capitale d'Europe. Il arrive à Copenhague en passant par la Suède, retrouve Max Claremoris, plus pauvre que jamais et au bord du suicide, qui lui confie ses doutes sur sa vocation de défenseur de l'art. À Londres, il rencontre une dernière fois Putouarey, absorbé dans ses recherches et converti à la fidélité conjugale. Ces ultimes exemples le confirment dans ses résolutions. Parvenu à la fin de sa quête, Barnabooth a enfin trouvé sa loi : se plaire à soi-même. Pour assouvir sa faim de tendresse et son besoin de dévouement, il épouse l'une des deux Péruviennes qu'il avait recueillies naguère. Pour retrouver la vraie vie, il abandonne la littérature et quitte le Vieux Monde pour le pays de ses origines, l'Amérique du Sud. Son initiation par les voyages, les rencontres et l'« exigeante introspection » est terminée : son « Journal » « s'achève », et lui « commence ».

Dans *les Poésies de A.O. Barnabooth*, le jeune Larbaud reste encore soumis aux nombreux modèles que lui ont proposés ses lectures. Le ton nouveau qu'il recherche par l'alliance de l'exotisme américain au lyrisme de ses aspirations et de ses souvenirs est dominé par le souffle de Whitman – chantre des villes, des machines et de la communauté humaine –, mais rompu par l'élégie étranglée de Laforgue et la gouaille de Levet. L'accent original, noté par Gide, est dans l'ivresse de la fuite et une « voluptueuse sensibilité ».

Larbaud romancier s'ouvrira une voie plus personnelle parmi les tentatives de son époque. Comme les pionniers de la modernité du roman, de Proust à Gide et au « nouveau roman », il veut rejeter « la vieille carcasse rouillée de l'intrigue » et proclame : « Surtout, pas d'histoires ! » La forme du journal intime dans le second *Barnabooth* répond à une exigence de nouveauté que Larbaud définit à propos de Conrad : « Il faut qu'un roman moderne ait une conscience critique et agissante quelque part. » Par la perspective du narrateur, *Barnabooth* détruit les éléments traditionnels de la narration : la description se fragmente et s'intériorise en impressions, les personnages ne prennent vie qu'à travers le regard du héros, l'événement se convertit en aventure intime. La seule « action » du livre est l'exploration intérieure d'un être à la quête de lui-même, sa seule matière celle des « états de conscience », oscillation entre la sensation, l'analyse et l'émotion. De là naît une écriture discontinue qui, par son impressionnisme souvent libéré des articulations syntaxiques, devient un style des données immédiates de la conscience. Le premier grand livre de Larbaud témoigne des recherches de son auteur vers la forme la mieux adaptée au roman nouveau, qu'il conçoit comme « une succession d'aventures morales ». La rencontre avec Joyce le conduira, dans *Amants...* et *Mon plus secret conseil*, à renouveler, avec plus de finesse et de vigueur, l'expérience, tentée pour la première fois en France par Dujardin, de nouvelles entièrement écrites en monologue intérieur.

Mais, parallèlement à la composition de *Barnabooth*, Larbaud avait déjà tenté de « s'affranchir du récit » par une série de « portraits d'enfants et d'adolescents », dont les plus achevés forment le volume d'*Enfantines*. Inscrites dans un espace clos et privilégié, comme le jardin ou la chambre (« Portrait d'Éliane », « la Grande Époque »), dans un temps hors de la durée, comme les vacances (« Devoirs de vacances », « la Grande Époque », « le Couperet ») ou l'enfance retrouvée (« Rose Lourdin »), ou réduit à des instants préservés (« l'Heure avec la Figure »), ces nouvelles échappent à la continuité d'une intrigue. Elles refusent le « personnage » et le « caractère » pour l'exploration ténue de moments fugitifs de l'âme enfantine. La liberté des modes narratifs – témoin objectif, narrateur central, ébauches de monologue intérieur –, le pouvoir suggestif des thèmes – rêverie d'évasion, puissance transformatrice du monde, rêve amoureux de l'adolescence – opèrent dans *Enfantines* la confusion entre le roman et la poésie et justifient la place que donne à cette œuvre J.-Y. Tadié dans son étude sur *le Récit poétique*.

Cette recherche d'une « nouvelle liberté » aboutit, avec *Allen* et les deux recueils de *Jaune bleu blanc* et *Aux couleurs de Rome*, à une dilution du romanesque par l'alliance de la méditation, de la confidence et de la narration. Dans ces œuvres inclassables (Larbaud appelle « poème » la prose dialoguée d'*Allen*, où s'entrelacent, sur le mode du jeu, ses thèmes les plus chers, et propose, avec une belle désinvolture, les définitions les plus diverses pour les « écrits » qui composent *Jaune bleu blanc*), en refusant toute forme donnée parce qu'il les accepte toutes, l'écrivain devient, selon le mot d'Yves-Alain Favre, « créateur de forme ». Ce témoignage d'une parfaite indifférence aux genres et aux « étiquettes » est le signe distinctif de tout auteur moderne.

Mais modernité n'est pas concession à l'actualité tapageuse et provisoire : Larbaud recherche la nouveauté dans la mesure où elle lui semble répondre à l'évolution nécessaire du genre romanesque et à une exigence intérieure. Cette œuvre si intimement autobiographique trouve dans de nouvelles formes, après l'abandon définitif de la poésie par Larbaud en 1908, les moyens d'expression de son lyrisme, quête et reconquête du moi.

Une œuvre militante

Guidé, dans son rôle de critique et de traducteur, par sa curiosité et son plaisir, soutenu par l'idée d'un devoir à accomplir – le souci d'internationalisme littéraire et le désir de réhabilitation –, Larbaud ne conçoit que la critique spontanée, missionnaire et militante.

Dès ses débuts dans la vie littéraire, il entreprend, selon ses vœux, « une politique intellectuelle interlinguistique ». De 1908 à 1914, il donne régulièrement à *la Phalange*, fondée par Jean Royère, disciple de Mallarmé, des comptes rendus, des « notes » (parfois accompagnées de traductions) sur des auteurs anglais ou américains souvent immédiatement contemporains (Hardy, Chesterton, Henley, Wells, Stevenson, London...), qu'il recueillera pour la plupart dans son *Domaine anglais*. Dans le même esprit, privilégiant « jeunes poètes et jeunes revues » ou « la poésie anglaise contemporaine », il signe de 1913 à 1920 les « Lettres anglaises » de *la Nouvelle Revue française*. Inversement, de mars à août 1914, il envoie chaque semaine au *New Weekly* de Londres une « Lettre de Paris », écho des événements importants en littérature, en peinture ou en musique. De 1923 à 1925, il collabore hebdomadairement à *la Nación* de Buenos Aires par des articles sur des auteurs français anciens ou récents. Son long séjour en Espagne pendant la Grande Guerre lui a permis un contact direct avec les auteurs contemporains de langue espagnole, et, à son retour, il se dépense en conférences et articles sur « les poètes espagnols et hispano-américains », sur « la renaissance des lettres espagnoles » et entreprend, sous le titre d'*Échantillons*, la traduction de quelques *Grequerias* de Ramón Gomez de la Serna.

Cette « politique » explique sa participation aux revues les plus diverses. Collaborateur de *la Nouvelle Revue française*, où il publie, outre des écrits de combat, des œuvres majeures comme *Barnabooth*, *Fermina Márquez*, *Allen*, de la *Revue de France* et de la *Revue de Paris*, auxquelles il donne ses importants articles sur la critique et la traduction, il fait renaître les *Écrits nouveaux* sous le nom de *Revue européenne* en 1923, avec Soupault, et fonde *Commerce* en 1924, avec Valéry et Fargue, qu'il soutient par la publication de traductions d'ouvrages appartenant à tous les « domaines » et de textes importants de son œuvre personnelle. Mais Larbaud reste attiré par des périodiques plus modestes ou plus originaux : *Littérature*, *les Marges*, *Intentions*. Il participe aux *Cahiers d'aujourd'hui*, créés en 1912 par George Besson et qui regroupent les amis de Charles-Louis Philippe. Fidèle à ses amitiés de jeunesse, il aide Jean Royère à faire vivre *le Manuscrit autographe*, réincarnation de *la Phalange*, en livrant régulièrement, de 1926 à 1932, des « Bouts de papier », textes courts abordant toutes sortes de sujets, où, sous la désinvolture du titre, emblème d'une critique éloignée du dogmatisme, se retrouvent des thèmes qui font l'unité de toute son œuvre : l'amour de la littérature, la passion de la langue et des mots.

Sa vocation militante se manifeste avec plus de vigueur dans ses « campagnes littéraires » : l'enthousiasme d'une lecture suscite en lui le besoin de propagande. L'exemple le plus spectaculaire est son combat pour *Ulysse* : conférence (chez Adrienne Monnier, 1921), article (*Nouvelle Revue française*, 1922), traductions (*Commerce*, 1924) alertent le public, tandis que le roman paraît en anglais en 1922 et que Larbaud s'acharne à la traduction française qui imposera *Ulysse* avec le retentissement que l'on sait. Pour forcer l'attention des éditeurs et des lecteurs, il se livre en 1920 et 1923, avec les mêmes moyens, à des « offensives » semblables en faveur de Butler. Une découverte imprévue, l'émotion d'une lecture, l'intuition d'un accent nouveau l'entraînent, en faveur de Dondey de Santeny, de Gianna Manzini, de Logan Pearsall Smith, à présentations, traductions ou préfaces. Il combat pour la survie de l'œuvre d'un ami : pour Ricardo Guïraldes, pour Louis Chadourne, pour Charles-Louis Philippe surtout (il assure avec vigilance, en collaboration avec ses amis de la *N.R.F.*, la réédition de ses livres). Il combat aussi par fidélité aux enthousiames de sa jeunesse : son introduction aux traductions de Whitman (*N.R.F.*, 1918), la publication des *Poèmes* de Levet (1921) sont de vieux projets, conçus à vingt ans.

Le choix critique de Larbaud est donc animé par le désir de faire reconnaître des œuvres méconnues, stimulé par la nouveauté ou l'originalité, qu'il les découvre chez des « jeunes » ou dans l'« exhumation » d'auteurs oubliés comme les poètes français des XVIe et XVIIe siècles – Scève, Héroët, Jean de Lingendes – auxquels il consacra de longs essais. En se dérobant consciemment à la facile position de qui célèbre des écrivains reconnus, il affirme son indépendance d'« amateur », son refus des valeurs conventionnelles et assume le risque de n'être pas suivi. Il a cependant gagné le mérite d'avoir ouvert un espace littéraire illimité, d'avoir le premier écrit un article sur Saint-Léger (le futur Saint-John Perse) et sur William Carlos Williams, d'avoir contribué à la renaissance des études scéviennes en France.

Critique de goût, partiale et passionnée, la critique larbaldienne évite naturellement l'éreintement, mais aussi l'impressionnisme vague. En rejetant une part de l'héritage du XIXe siècle, elle s'engage également dans les voies de la critique moderne. Ainsi, à la biographie de l'homme Larbaud prétend substituer la biographie de l'œuvre. Comme il le montre dans un article sur Valéry, il ne retient de l'expérience d'un écrivain que ce qui explique la formation d'un esprit – études, voyages, lectures – et favorise un développement intellectuel et sensible, dont l'œuvre est le fruit et l'aboutissement. Surtout, il demande inlassablement que l'on distingue l'histoire littéraire, travail d'érudition, science réservée aux « doctes », aux universitaires (qui sont pour Larbaud l'image de l'immobilisme et du dogmatisme), de sa compagne royale, la critique littéraire. Celle-ci exige des dons de sympathie et d'expression et « comporte une part de création poétique ». Si sa culture ne l'a pas toujours gardé du péché d'érudition – dans ses savantes exhumations ou ses laborieuses recherches de sources –, si, dans l'investigation critique, il se méfie de la psychanalyse et ignore les sciences humaines, Larbaud annonce du moins une idée qui fera son chemin : la critique appartient à la littérature. Aventure d'une lecture, elle peut être aussi, selon la formule de J.-P. Richard, « aventure d'être ».

Il en est de même pour cette autre forme de la critique : la traduction. Les « droits et devoirs » du traducteur, définis dans *Sous l'invocation de saint Jérôme*, consistent à privilégier « l'interprétation personnelle » aux dépens de l'exactitude grossière d'une traduction littérale, car, « pour rendre le sens littéraire des ouvrages de littérature, il faut d'abord le saisir ; il ne suffit pas de le saisir, il faut encore le recréer ». Requérant, avec plus d'exigence, les mêmes dons que la critique, la traduction est acte de création. Elle est un « art », mais aussi un « métier », qui exerce celui qui le pratique aux vertus d'humilité, de patience et d'amour. La passion de servir qui anime ses combats de critique et son dévouement de traducteur donnent à l'amateurisme de Larbaud son sens le plus profond et le plus plein, « l'éminente dignité » qu'il accorde à son entreprise militante rend à son œuvre, apparemment écartelée, son unité.

« Un peu de prose française », dit modestement Larbaud de son travail d'écrivain. Un peu de prose française pour l'amour des lettres, « pour le service », pour vaincre le temps et la mort : ce « lettré », comme il aimait à se nommer, a trouvé dans l'écriture – c'est sa grandeur et sa limite – le seul bonheur et l'unique noblesse qui puissent conjurer « la mesquine méchanceté de vivre ».

Fermina Márquez

SYNOPSIS

La vie des pensionnaires d'un collège cosmopolite des environs de Paris est subitement bouleversée par l'apparition d'une éblouissante créature de seize ans, Fermina Márquez, sœur d'un des élèves. Émerveillés, les jeunes garçons forment une cour de chevaliers servants autour de la jeune fille ; c'est alors l'ébauche d'intrigues particulières (I à VI).

Joanny Léniot est le fort en thème du collège : son physique ingrat, sa maladresse et sa raideur l'ont rejeté dans une angoissante solitude dont il ne s'échappe que par un travail acharné, couronné chaque année par tous les premiers prix : applaudi par ses camarades, il n'est guère aimé d'eux. Nourri de réminiscences livresques, il ne conçoit l'amour que comme une « séduction » et décide d'ajouter la conquête de Fermina à ses victoires scolaires. Mais, au lieu de l'ennemi à vaincre qu'il attendait, il trouve une franche camarade qui écoute avec étonnement et respect ses discours pompeux de bon élève ; dans cette créature parée de toutes les grâces de la vie, il découvre une piété exaltée dont le modèle est sainte Rose de Lima. Déconcerté, le conquérant doit renoncer à ses ambitions ; sa vie étriquée et terne a du moins été illuminée quelque temps par la tendresse (VII à XV).

Pendant ce temps, un élève de cinquième, Camille Moutier, écrasé par l'« enfer » de la vie d'internat, adore silencieusement Fermina. Son seul bonheur sera d'avoir obtenu d'elle un regard en traversant la cour du collège, tel un chevalier paré des couleurs de sa dame, un drapeau colombien à la main (XVI). C'est Santos Iturria, un séduisant et audacieux Sud-Américain, qui gagne finalement le cœur de Fermina. Joanny tient un long discours de rupture à celle-ci, dans lequel il proclame sa certitude en son génie et en sa gloire future ; mais, à jamais troublé, il maudit, comme Télémaque, la fièvre de la jeunesse et comprend que son enfance est finie. Malgré la lutte que se livrent en son cœur l'amour et la piété, Fermina laisse triompher le bonheur, et son idylle avec Santos suscite l'admiration et l'envie dans tout le collège (XVII à XIX).

Plusieurs années après la fermeture de Saint-Augustin, le narrateur témoin de cette histoire revient sur les lieux de son enfance ; long entretien avec le gardien sur la destinée des élèves – « beaucoup sont morts », parmi lesquels Léniot, victime d'une épidémie ; Iturria est marié à une belle Allemande –, méditation sur la fuite du temps et la fragilité des amours enfantines (XX).

F. Lioure

LA REYNIÈRE
v. GRIMOD DE LA REYNIÈRE

LARIVEY Pierre de

(1540 ?-1619)

Né en Champagne, où le négoce a conduit ses parents, Larivey appartenait à la famille florentine des Giunti. Installé à Paris, il fréquente le milieu des gens de justice. D'une vaste culture et parfaitement bilingue, il se fait connaître en traduisant de l'italien des œuvres de Straparole, de Firenzuola, de Piccolomini et de l'Arétin. En 1579, il publie six comédies, conçues, selon toute vraisemblance, pour la représentation : *le Laquais*, *la Veuve*, *les Esprits*, *le Morfondu*, *les Jaloux*, *les Écoliers*. Ordonné prêtre, il est pourvu d'un canonicat à Troyes.

C'est là que paraissent en 1611 ses trois dernières comédies : *la Constance*, *le Fidèle*, *les Tromperies*.

Considéré comme le créateur de la comédie en France, Larivey est moins un auteur original qu'un traducteur talentueux spécialisé dans la littérature italienne de son temps. En effet, toutes ses pièces sont des versions libres de comédies italiennes dont les noms et les auteurs sont bien connus. La meilleure d'entre elles, *les Esprits*, suit de très près l'*Aridosia* de Lorenzino de Médicis, elle-même imitée de Plaute. Larivey s'est contenté de resserrer son modèle un peu verbeux, de supprimer quelques personnages secondaires et de franciser le nom de ceux qu'il retenait. Pour parachever son œuvre d'adaptation et d'appropriation, il a affublé « sa » comédie d'un titre et d'un prologue empruntés à une autre pièce italienne, *I Fantasmi*, d'Ercole Bentivoglio... Un pareil trucage semblerait devoir justifier l'accusation de plagiat qu'on a parfois portée contre lui. Pourtant, Larivey ne faisait que se conformer aux habitudes littéraires de son temps et à cette éthique de l'imitation que prônait Jacques Peletier. Puisque « la plus vraie espèce d'imitation, c'est de traduire » et qu'« une bonne traduction vaut trop mieux qu'une mauvaise invention », Larivey, pleinement conscient de son métier, pense élaborer une œuvre authentique et « d'un nouveau genre ». L'aisance avec laquelle les répliques se coulent dans un langage parlé émaillé de dictons et de proverbes, les allusions nombreuses à l'actualité française du temps et, surtout, l'expression des sentiments confèrent à ce théâtre d'imitation sa pleine autonomie.

Les Esprits

SYNOPSIS

Fortuné, fils adoptif d'Hilaire, a tant aimé Apoline qu'elle est sur le point de lui donner un enfant, mais la belle se morfond derrière les murs d'un couvent. Urbain, fils de l'avare Séverin, a séduit Féliciane, qu'il vient d'emmener pour un dîner amoureux dans la maison paternelle, à l'insu de Séverin (acte I). L'avare rentre à l'improviste. Comment sauver les amants ? Frontin, valet futé, trompera le vieillard en lui faisant croire que des esprits ont pris possession de sa maison. Cependant, Séverin, qui voudrait bien mettre sa bourse en sécurité, mais n'ose pas rentrer chez lui, la cache dans un trou du mur. Désiré, amoureux de la fille de Séverin, Laurence, songe à s'en emparer pour procurer à Laurence la dot que Séverin lui refuse et qu'exige le père de Désiré pour conclure les épousailles (acte II). M. Josse vient contrefaire l'exorciste, tandis que Frontin contrefait le diable : les « esprits » (entendons les amants) quittent la maison non sans avoir dérobé à Séverin son anneau. Séverin, resté seul s'aperçoit du vol de sa bourse, et se désespère (acte III). Arrive la nouvelle de la naissance du fils de Fortuné : Hilaire engage son fils à se marier. Le père de Féliciane accepte qu'elle épouse Urbain et, pour convaincre l'avare, verse une dot si forte qu'elle servira aussi à Laurence. Désiré rend la bourse dont il n'a plus que faire. On célèbre le triple mariage (actes IV et V).

Comédies d'intrigue, qui procèdent du genre de la *commedia sostenuta*, plutôt que comédies de caractère, les pièces de Larivey mettent en scène les types traditionnels du valet malin (Frontin), du vieillard avaricieux et concupiscent (Séverin, dans les *Esprits*), de l'entremetteuse, du pédant ridicule, du matamore et du ruffian, tout en les adaptant aux situations sociales de la France des derniers Valois. Ici et là, au cours de la suite échevelée des scènes, perce le comique de caractère, comme dans ce monologue de Séverin (*les Esprits*) qui inspirera directement le soliloque d'Harpagon pleurant son or et sa cassette. C'est alors que, conformément au vœu de son auteur, qui a lu Horace, la comédie accède à cette « morale filosophie, donnant lumière à toute honnête discipline et, par conséquent, à toute vertu ».

F. Lestringant et M.-C. Gomez-Géraud (synopsis)

LA ROCHEFOUCAULD François VI, duc de

(1613-1680)

Partagée successivement entre des occupations aussi éloignées l'une de l'autre que l'engagement partisan, politique et militaire, d'une part, et la création littéraire en milieu mondain, d'autre part, la vie de La Rochefoucauld porte témoignage du destin d'une certaine noblesse risquant dans l'aventure de la Fronde ses dernières chances féodales, puis, vaincue par l'habileté de Mazarin et l'affirmation précoce de l'autorité de Louis XIV, contribuant à façonner, dans la vie oisive des salons et de la Cour, la grande image littéraire du règne. Les *Maximes* ont eu une grande part dans la réussite de cette percée aristocratique dans la production littéraire du XVIIe siècle, apportant, par surcroît, une préoccupation universaliste et moraliste que l'on aurait attendue davantage, à l'époque, de l'initiative d'un autre milieu social.

Littérature et mondanité

François VI de La Rochefoucauld est né à Paris. Marié vers l'âge de quinze ans à Andrée de Vivonne, dont il aura plusieurs enfants, et après quelques incursions sur les champs de bataille où l'appellent sa condition et un nom illustre, il commencera, dans l'entourage comploteur de la reine et de la duchesse de Chevreuse, une carrière de conspirateur et de rebelle qu'il poursuivra jusqu'à l'échec définitif de la Fronde. Des promesses d'Anne d'Autriche, une liaison avec la duchesse de Longueville, quelques maladresses de Mazarin contribueront à maintenir celui qui n'est encore que le prince de Marcillac, premier-né du duc de La Rochefoucauld, dans une fidélité aux princes rebelles parfois peu convaincue, mais qui lui fit payer de sa personne au cours des affrontements avec les troupes royales.

Il « fait sa paix » avec le roi en 1653, travaille quelques années au rétablissement de sa maison et à la rédaction de ses *Mémoires*, dont une édition clandestine (et partiellement désavouée) paraît à Amsterdam en 1662. Sa participation aux activités mondaines et littéraires des salons de l'époque se traduit par sa contribution au *Recueil des portraits et éloges en vers et en prose*, publié en 1659 par les soins de Mlle de Montpensier, et par les liens très forts d'amitié qu'il noue avec Mme de La Fayette – on dit qu'il mit la main à la rédaction de *la Princesse de Clèves* – et surtout avec Mme de Sablé, laquelle présidera, on le sait, à l'entreprise de l'écriture-jeu des maximes, dont La Rochefoucauld sera le maître d'œuvre et le champion incontesté. La dernière partie de la vie de l'auteur sera consacrée à la mise au point et à la publication de son recueil des *Maximes et sentences morales*, dont la première édition paraît en 1664. Le succès autorisera cinq éditions successives, parfois très remaniées et/ou augmentées. La Rochefoucauld écrivit également des *Réflexions diverses,* qui ne furent pas publiées de son vivant. Il meurt, âgé de soixante-sept ans, des suites d'un violent accès de goutte.

Le livre des *Maximes* connaît, depuis plus de trois siècles, un succès le plus souvent indifférent à la figure historique de son auteur et aux circonstances bien particulières de sa production : ce n'est pas faute d'être bien informé ; mais il n'est pas facile d'engager un dialogue sur la vanité des vertus et les motivations troubles du comportement humain, avec un personnage au profil biographique aussi intimidant que celui de François VI, duc de La Rochefoucauld, illustre frondeur par dépit contre Mazarin et pour l'amour de la duchesse de Longueville, la sœur du Grand Condé ; de reconnaître cette valeur de vérité générale, qu'ambitionne tout écrit moraliste, à une œuvre née dans le milieu le plus socialement circonscrit qui sans doute ait jamais été, œuvre inspirée, contrôlée et, parfois, littéralement dictée par lui.

Pourtant, en sollicitant les données de l'histoire littéraire, on pourrait découvrir, dans la vie et la personnalité de La Rochefoucauld, des aspects mieux assortis à l'idée que la sensibilité critique moderne se fait de l'écrivain : et d'abord, cette coupure si nette entre la période de la jeunesse intrigante et de l'aventure guerrière et celle de la retraite avec la création littéraire ; itinéraire banal et rassurant, conduisant de l'action à la méditation, de l'agitation mondaine à l'isolement dans l'écriture. Mais, on le sait, cette « retraite » fut le lot commun et forcé de bien des grands seigneurs, assagis par la volonté politique du jeune roi, et les *Maximes* ne furent rien moins qu'une création isolée. La carrière de La Rochefoucauld n'est pas sans analogie avec celle de sa complice dans la rédaction des *Maximes,* Mme de Sablé, précieuse convertie aux charmes d'un jansénisme mondain, « retirée » à Port-Royal, et renouvelant dans la querelle religieuse un goût un peu émoussé des cabales politiques et des intrigues romanesques.

L'aveu de son caractère mélancolique que nous fait l'auteur dans un célèbre autoportrait serait-il plus intéressant ? Il permettrait de postuler chez lui une prédisposition psychique à l'éveil et au parcours de la connaissance moraliste : de la séparation du monde à l'observation puis à la jubilation compensatoire dans la réussite formelle de la maxime. Mais, là encore, rien de plus conventionnel, de plus complaisamment affiché à l'époque, que cette humeur mélancolique... Voyez Alceste.

D'autre part, les autres écrits de La Rochefoucauld, les *Réflexions diverses* et les *Mémoires* n'ont pas connu, on le sait, le succès des *Maximes.* Les premières s'offrent, au mieux, comme une étape incertaine sur le chemin de l'écriture des *Maximes,* dans les domaines qu'elles explorent en commun, et, pour ce qui les distingue, comme un ensemble de règles de bonne conduite, nécessaires à la vie en société ; préoccupation bien étrangère aux *Maximes,* et même opposée, serait-on tenté de dire, tellement celles-ci nous imposent une vision de l'homme entêté dans son égoïsme et sa vanité et peu disposé à ces prudences et à ces concessions mondaines prônées par les *Réflexions.* Quant aux *Mémoires,* désavantagés par l'inévitable comparaison qu'ils appellent avec ceux du cardinal de Retz, rival du duc dans l'aventure politique et la littérature mémorialiste, ils n'ont connu, lors de leur publication, clandestine et altérée, du vivant de l'auteur, qu'un succès de circonstance et, sous leur forme actuelle et achevée, sont une « invention » philologique récente. L'image de l'énonciateur anonyme des *Maximes* ne sort guère éclairée ni enrichie de sa confrontation avec celle de l'honnête homme soucieux de définir de nouvelles règles de civilité que nous découvrent les *Réflexions diverses,* ou avec celle de l'aristocrate, rancunier et chevaleresque, des *Mémoires.*

Mais vouloir, à toute force, actualiser la personnalité de l'écrivain La Rochefoucauld, et tirer les *Maximes* vers l'image familière que l'on a aujourd'hui d'une œuvre littéraire, ce n'est pas seulement pécher par anachronisme, c'est, surtout, manquer l'intérêt propre de l'ouvrage, qui lui vient moins de l'originalité d'une vision du monde toute personnelle de l'auteur – vision dont la recherche et la cohérence supposée égarent bien des critiques – que de son étroite dépendance de l'environnement et des circonstances mondaines de sa conception.

Les *Maximes,* en effet, sont une œuvre d'inspiration et même d'exécution collective, répondant à une intention avouée de divertissement littéraire : on joue à la maxime comme on se divertit des comédies de proverbes ou des ballets. La correspondance entre les trois principaux collaborateurs : La Rochefoucauld, Mme de Sablé et Jacques Esprit, est pleine de détails significatifs et savoureux, au sens propre du terme, sur la mise en scène ludique de l'entreprise ; en ce sens, la discontinuité du texte, le blanc de l'espace typographique, caractéristique du genre, est d'abord le signe que la maxime a commencé par avoir une existence autonome, « privée », qu'elle a circulé dans la correspondance échangée par l'auteur et ses amis, glissée parfois entre l'annonce d'un envoi de truffes et la demande d'une recette de potage (il y a, chez La Rochefoucauld, chez la marquise de Sablé aussi, une attente gourmande de la « prochaine livraison »). De la même façon, une fois l'ouvrage publié, l'intervalle entre deux maximes indiquera le temps laissé à la surprise du lecteur, savourant une vérité nouvelle, née du savant assemblage des mots.

Et si la postérité a légitimement retenu et isolé des autres productions du même genre le recueil de La Rochefoucauld, recueil, d'ailleurs, dans une certaine mesure – si faible soit-elle – collectif, c'est parce que, de ce trio complice d'amateurs de formules sentencieuses, La Rochefoucauld a été, de l'avis de tous, et d'abord de ses contemporains, le meilleur faiseur, celui qui a le mieux compris et exploité les règles du jeu, qui en a également le mieux assumé les audaces idéologiques implicites.

De quoi s'agissait-il, en effet ? En s'inspirant d'un thème augustinien à la mode, « mettre sur le ton des sentences » les remarques et les jugements que l'observation des hommes suggère, pour se convaincre de la fausseté de leurs « vertus ».

L'« inspiration » janséniste

Il peut paraître surprenant d'évoquer à propos de cet aimable passe-temps d'aristocrates l'austère doctrine des jansénistes. Sans doute les beaux esprits en sont-ils imprégnés et les « solitaires » de Port-Royal eux-mêmes ne sont pas dépourvus d'une certaine aura mondaine ; cependant, la profonde influence janséniste qui s'exerce sur la littérature profane de l'époque – et les *Pensées* de Pascal en font largement partie – n'est pas tant affaire d'adhésion individuelle à une croyance ou d'affinité idéologique d'un groupe que d'incitation méthodologique au renouvellement d'une pratique discursive. On a déjà fait remarquer qu'en posant l'irréductibilité l'un à l'autre des deux mondes augustiniens, les théologiens jansénistes ont opéré dans le domaine de la morale comme Descartes dans celui de la connaissance du monde physique. La dualité cartésienne avait sinon ouvert, du moins légitimé l'accès d'un monde physique autonome et définissable selon ses lois propres ; de même, le retrait de la grâce divine hors de portée du désir humain livre à l'investigation moraliste un univers moral libéré de la tutelle du Créateur et soumis aux lois de la nature humaine et de l'échange social. Une psychologie profane naît ainsi sur fond de désespoir métaphysique. Encouragés par la légitimité que leur assurent les thèses jansénistes – les déclarations d'intention de La Rochefoucauld et de ses amis sont, à cet égard, tout à fait explicites dans les préfaces et les commentaires des *Maximes* –, les écrivains classiques vont s'employer à occuper le terrain qu'a laissé libre le reflux du discours dogmatique, invalidé par ses prétentions à l'efficacité morale. Ce discours classait les individus et hiérarchisait les conduites suivant les lignes sûres de la perspective divine ; désormais, il ne s'agira plus de s'inspirer du regard de l'observateur divin pour tenir le discours de la *doxa* moraliste, mais d'inventer des formes discursives nouvelles pour dire l'homme déserté par la Grâce, c'est-à-dire par le sens, de cesser d'être un prédicateur pour devenir l'explorateur de sens nouveaux, à déchiffrer dans le champ du visible, donc de la socialité.

Montaigne avait donné l'exemple d'une telle rupture avec le dogmatisme et montré une image déjà laïcisée de l'homme ; son œuvre était une tentative pour saisir l'homme et le monde dans le reflet d'une conscience et d'une expérience personnelles ; mais elle n'avait échappé aux pièges du solipsisme et de l'imaginaire que par ce qu'on appellerait aujourd'hui la productivité du texte : plurivocité des références, usage original de la citation, renouvellement incessant de l'écriture. Tandis que le discours moraliste des écrivains classiques se propose d'observer et de décrire l'homme pris dans le mécanisme, toujours décentré et aliénant de l'échange social et intersubjectif. Plus de présence souveraine, ni celle de Dieu ni celle d'un sujet cherchant à se connaître dans l'illusion d'une présence à soi (« sot projet », dira Pascal), mais un espace sans perspective où se produit le jeu d'affrontement des désirs et des amours-propres. C'est pourquoi la clôture de la scène sociale va de pair avec l'invention d'un nouveau langage. Le discours moraliste, en effet, est un discours « d'intérieur », tributaire de l'uniformité sociologique du milieu décrit ; sa nécessaire circularité fixe aussi ses limites : on connaît la célèbre mise en scène précautionneuse de La Bruyère pour introduire, dans ses *Caractères* (xi, 128), la figure du paysan.

Or, si la politique de Louis XIV assure à la scène sociale cette limite (la Cour, le « monde », les salons, les Académies), et la clarté nécessaire pour qu'on s'y retrouve et se reconnaisse entre égaux, il en va bien différemment de l'ambition de créer une esthétique discursive nouvelle.

C'est Pascal qui a le mieux formulé les difficultés de l'entreprise : « Le langage est pareil de tous côtés ; il faut un point fixe pour en juger. Le port juge ceux qui sont dans le vaisseau, mais où prendrons-nous un port dans la morale ? » Et encore : « La perspective l'assigne [le point fixe] dans l'art de la peinture ; mais dans la vérité et dans la morale, qui l'assignera ? » Il appartiendra à la littérature, qui s'affirme alors comme telle, de lever les apories du discours théorique. L'insistance de l'interrogation pascalienne, illustrée au plus près de l'exactitude théorique par les deux remarquables images du port et de la perspective, trouvera une réponse indirecte – et inattendue, sans doute – dans cette esthétique du discontinu et du fragment qui caractérise les grandes œuvres de l'époque. La grande originalité, en effet, du discours moraliste des classiques est d'avoir investi et exploité des genres littéraires souvent négligés par la tradition humaniste. La maxime de La Rochefoucauld, la fable de La Fontaine, le fragment de Pascal, le portrait de La Bruyère : ce qui frappe d'abord, dans cette énumération, c'est moins un souci de diversifier les genres que la volonté, chez chacun de ces écrivains, de répéter inlassablement une forme. Dire le vrai sur l'homme ne consiste plus à s'autoriser d'un point fixe théologal, pour garantir la rassurante continuité d'un discours, mais à attendre de la disponibilité structurale des formes inventoriées le surgissement de sens nouveaux. L'extrême clôture de la scène sociale, la nature des genres investis, la laïcisation de la littérature et l'adoption des thèses jansénistes par le milieu mondain expliquent que cet art prenne les apparences d'un jeu. C'est le cas de la maxime, et l'on comprend que la postérité ait engagé le dialogue non pas avec un écrivain et un penseur, mais avec le modèle achevé d'un genre.

L'invalidation du lexique des vertus

Comment s'opère la rencontre de la thèse augustinienne avec la forme de la maxime ? Nous avons dit que, mieux que d'autres, La Rochefoucauld avait su tirer parti des conséquences extrêmes de l'augustinisme, de la figure théologique extraordinairement simplifiée qu'il suggère : le monde des hommes étant nécessairement corrompu, ce que nous prenons pour des vertus ou, plutôt, ce que nous nommons vertus (formule ritualisée par l'auteur) ne peut être qu'apparences ou mensonges. Le moraliste se propose de lever le masque, et la maxime sera le lieu et la mise en scène langagière de ce dévoilement ; elle sera le plus court chemin argumentatif qui mène d'une vertu à sa négation ; non pas à son contraire supposé, le vice – car le contraire des vertus, ce n'est pas le vice mais leur absence, le néant des valeurs. À quoi bon, en effet, dénoncer la fausseté des vertus pour affirmer une « vérité » du vice ? L'impasse logique, sinon théologique, est la même. Un énoncé comme « Nos vertus ne sont le plus souvent que des vices déguisés » n'est pas véritablement une maxime ; c'en est, tout au plus, le programme « alléchant ». Il nous laisse sur l'éternel face à face, mystificateur (dans un autre langage, on dirait « immuable » et « tragique »), du vice et de la vertu. Or, le propre de la maxime sera précisément de renouveler le débat moral en lui faisant quitter le monde des essences figées, ou réversibles au gré des humeurs et des pessimismes particuliers, pour le placer sur le terrain concret des rapports humains, c'est-à-dire d'une *praxis* jamais figée mais marquée, au contraire, par le flux conquérant de l'échange. Il ne s'agit plus seulement de démasquer les (fausses) vertus, mais d'invalider le discours traditionnel des vertus.

Toute critique d'un discours dogmatique passe d'abord par l'invalidation d'un lexique. Ces vertus s'offrent au moraliste rangées et répertoriées dans la rigueur normative d'un lexique, mais il suffit de les confronter, dans l'espace de la maxime, à la réalité d'une pratique dont on prétend réduire la complexité et la variété des mobiles à la simple évidence d'un mot pour manifester leur imposture... et leur nécessité, car « les hommes ne vivraient pas longtemps en société s'ils n'étaient les dupes les uns des autres ». « Monnaie de cuir et de carton », elles n'ont cours, ces vertus, que par la vanité des hommes, et surtout par besoin d'un consensus symbolique qui masque la réalité des relations humaines. Ce sera la tâche de la maxime que de mettre à nu le mécanisme, simple jusqu'à la caricature, du jeu social, avec une extrême économie de moyens linguistiques : un petit nombre d'éléments lexicaux (liste des mots-valeurs et des comportements valorisés par la *doxa* : l'amour de la justice, le mépris des richesses, le refus des louanges, etc.), qu'un nombre encore plus limité de combinaisons syntaxiques permettra de ramener à leur contraire ou à leur négation pragmatique : la rareté du lexique et des figures utilisées fait de chaque maxime réussie – toutes ne le sont pas – un petit drame logique dont l'antithèse, « spectacle même du sens » (Roland Barthes), est le ressort principal. Ainsi l'opposition force/faiblesse dans la maxime 122 : « Si nous résistons à nos passions, c'est plus par leur faiblesse que par notre force », ou justice/injustice (max. 78) : « L'amour de la justice n'est en la plupart des hommes que la crainte de souffrir l'injustice », ou encore le renversement actif/passif, comme dans la maxime 146 : « On ne loue d'ordinaire que pour être loué », et sujet/objet : « Quand les vices nous quittent, nous nous flattons de la créance que c'est nous qui les quittons » (max. 192), sans oublier les multiples variations sur le thème central du recueil, l'échange autour du couple donner/recevoir, dont La Rochefoucauld se plaît à subvertir la rassurante polarité. Quelques traits souligneront la force illocutoire de l'énoncé : c'est le cas de la formule déceptive ne... que, dont on connaît la vogue dans les *Maximes*, sorte d'invitation à la surprise de la désillusion, et de ces adverbes, rajoutés par l'auteur à partir de la deuxième édition (quelquefois, souvent, d'ordinaire), qui témoignent, non pas, comme on l'a trop souvent écrit, de la volonté d'atténuer quelque peu le « pessimisme » de l'analyse morale, mais plutôt du souci opposé de substituer à la gratuité de l'affirmation générale la crédibilité empirique de l'observation plusieurs fois répétée ; non pas repentir, mais insistance.

Le gain de sens de la maxime

Simple jeu de la langue, serait-on tenté de dire, dans ses articulations les plus profondes, si la maxime n'était orientée, dans la recherche de sa force assertive et de sa fermeture, vers un gain de sens, destiné à illustrer l'image conquérante de l'amour-propre.

L'amour-propre, lui, n'est pas un de ces mots-valeurs dont le contenu ne résiste pas à la performance de la maxime ; sa nature n'est pas facile à définir. Le célèbre développement qui ouvrait le recueil en a été retiré dès la deuxième édition, condamné pour sa longueur et ses audaces stylistiques, par un réflexe de bon goût classique. Aujourd'hui, rendus sensibles à la difficulté de décrire les phénomènes psychiques inconscients, nous verrions plutôt un remarquable exemple d'*adequatio rei* dans les paradoxes et le gongorisme de ce passage. Il suffit, pour s'en convaincre, de citer ce passage où l'auteur, évoquant les « différentes inclinations » de l'amour-propre, remarque qu'« il se partage en plusieurs ou se ramasse en une, comme il lui plaît », image prophétique quand on connaît le succès, dans la littérature psychanalytique – et même au-delà –, des concepts de condensation et de déplacement introduits par Freud.

L'intervention de l'amour-propre, seul véritable acteur sur la scène des *Maximes*, ne se limite pas aux énoncés, déjà fort nombreux, où il est explicitement mentionné. Sa présence est universelle, parce que c'est lui qui soutient et oriente le dynamisme de la sentence, faisant en sorte qu'elle ne soit pas simple renversement arbitraire de signes. On a cru, parfois, que son rôle était en concurrence, dans le système général des *Maximes*, voire en contradiction, avec celui des humeurs – signe d'un certain naturalisme de l'époque – ou avec la Fortune, invoquée quelquefois par La Rochefoucauld, pour expliquer les mécomptes imprévus ou les succès immérités de conduites en apparence soumises à la volonté et à la liberté de l'individu. En réalité, il agit sur un autre plan : ni « accident » ni même, malgré son nom, propriété du sujet (ne lui survit-il pas après la mort ? Comment expliquer sans cela le courage et la noble indifférence devant la mort ?), l'amour-propre est ce principe actif, « principe de vie » (l'expression est de La Rochefoucauld), qui anime les relations humaines. Son domaine est celui de l'intersubjectivité. À usage interne, si l'on peut dire, il lui arrive d'égarer ou même d'aveugler le sujet, mais il ne fait alors que reproduire les leurres de l'échange symbolique ; la psychologie de La Rochefoucauld ne s'attarde pas longtemps sur les « puissances trompeuses », et l'imagination est loin d'y jouer le même rôle que chez Montaigne ou Pascal. L'individu peut bien s'abuser lui-même sur les véritables motivations de ses actes ou de ses désirs, l'important est que l'amour-propre ne se trompe jamais dans ses buts et dans ses intérêts. « Il est aussi facile, affirme la maxime 115, de se tromper soi-même sans s'en apercevoir qu'il est difficile de tromper les autres sans qu'ils s'en aperçoivent », mais on voit bien dans lequel de ces deux types de tromperie l'amour-propre se trouve impliqué ; implication qui, du même coup, donne sens à la maxime.

Le système des *Maximes* est fort simple, et chacune d'elles est la répétition, à quelques nuances près, du même scénario : dans le processus de l'échange, investi par les différentes valeurs symboliques, l'amour-propre est ce qui fait que le sujet n'acceptera jamais d'être perdant, sous peine de ne plus exister ; il est cette tension du moi qui le pousse à occuper en vainqueur l'espace symbolique où ont cours ces vertus qui serviront à la fois d'alibi et de récompense à ses efforts et à ses ruses. Le langage, en effet, est la scène et l'enjeu de cet échange ; le gain des habiletés stratégiques de l'amour-propre, révélé par la maxime, est de nature symbolique ; l'amour-propre se paie en mots, se « paie de mots », mais c'est là son but : réussir à faire nommer amitié, générosité, altruisme ce qui relève du calcul le plus égoïste et de l'intérêt personnel. Le moraliste ne juge pas des comportements ou des actes – d'ailleurs inévitables –, il déconstruit un discours ; l'hypocrite n'est pas dangereux quand il agit mais quand il parle.

La vision du moi qui se dégage des *Maximes* rejoint ici celle des théoriciens comme Pascal ou Nicole : le moi est ce qui s'appréhende toujours dans l'excès ; il n'y a pas et il ne peut y avoir de normalité – dans le langage de l'époque, on dirait d'« innocence » – du moi. La faiblesse, le « manque de principe de vie », est le seul véritable « vice » de la morale de La Rochefoucauld. De même, il ne peut y avoir d'échange égalitaire, mais seulement – et c'est la vérité formelle de la maxime, la vérité de sa forme – un échange à intérêt, l'amour-propre se « proposant toujours quelque chose à gagner ». La maxime, dans sa concision algébrique même, est la recherche et la mise au jour de cet « excédent ». La métaphore du commerce ou, mieux, du « trafic » (le mot est riche pour nous de résonances nouvelles) est exemplaire dans le recueil ; ainsi, dans la maxime 228 : « L'orgueil ne veut pas devoir et l'amour-propre ne veut pas payer », où le gain de sens est produit par le décrochage final qu'elle entraîne.

« L'homme qui dansait les trébuchets »

On comprend que l'énigme du comportement de certains individus devant la mort soit une préoccupation de La Rochefoucauld, un obstacle à l'horizon de son système : la mort, en effet, annule les gains. « C'est mal connaître, nous dit l'auteur, les effets de l'amour-propre que de penser qu'il puisse nous aider à compter pour rien ce qui le doit nécessairement détruire. » Le mépris de la mort ou du bourreau sera donc une dernière tentative, mais dérisoire, de l'amour-propre pour s'assurer le gain d'une gloire posthume, ou, comme dans cette anecdote qui avait beaucoup marqué La Rochefoucauld, d'un laquais qui avait dansé les trébuchets sur l'échafaud où il allait être roué, un aveuglement volontaire dicté par la peur, le bandeau aux yeux du condamné (max. 21). Explication décevante, et insuffisante, sans doute, même pour l'auteur, comme le prouve l'insistance de La Rochefoucauld à revenir sur cette histoire dans sa correspondance et dans son œuvre... Mais toute autre ruinerait le système, qui interdit l'exploitation tragique ou chrétienne de la mort. L'héroïsme absurde et provocateur de « ces suppliciés que l'on brûle et qui font des signes sur leurs bûchers », pour reprendre la belle et forte image d'Artaud, ne pouvait que paraître incompréhensible ou suspect au moraliste mondain du XVIIe siècle. L'homme de La Rochefoucauld reste jusque dans la mort prisonnier et comptable des pauvres gains et ruses de son amour-propre.

Nietzsche reprochait à l'auteur des *Maximes* cette absence de prolongement héroïque à la contestation des valeurs chrétiennes ; de la même façon, l'image, parfois bien étroite et mesquine, de l'amour-propre devait gêner André Gide dans ses premières lectures de l'ouvrage. C'est le destin de cette œuvre que d'ouvrir la pureté de son économie formelle à la diversité des commentaires.

On a vu que l'augustinisme a moins inspiré le recueil qu'il ne l'a, en quelque sorte, « autorisé », et l'auteur lui-même a veillé à la neutralité idéologique de son livre en en retranchant, dès la deuxième édition, les références à un point de vue religieux, qui pouvait « originer » son discours, rendant, du même coup, possible une lecture « progressiste » de l'ouvrage. Ainsi, les utilitaristes du XVIIIe siècle ont pu voir dans cet obsédant besoin d'affirmation de l'amour-propre la justification anticipée d'un « intérêt bien compris » et positif. Aujourd'hui encore, au sein de la critique, la volonté de retrouver le témoignage janséniste de l'époque voisine avec des interprétations plus audacieuses, ouvertes par exemple à l'influence du discours psychanalytique.

Si les *Maximes*, par-delà l'exotisme social et historique du milieu qu'elles évoquent, possèdent encore le pouvoir de nous interroger et de nous séduire, elles le doivent, sans doute, d'abord à la remarquable efficacité persuasive de leur structure ; il appartient, en effet, à certaines formes de véhiculer avec elles les conditions de leur acceptabilité. La beauté, disait Valéry, est l'autorité d'une forme. Mais une autre dimension de l'œuvre, et que les analyses qui précèdent ont voulu suggérer, explique et justifie, à nos yeux, l'actualité des *Maximes* : avec les autres écrivains de son temps, mais plus délibérément encore, car il en a fait son unique projet, La Rochefoucauld a ouvert à l'espace du savoir et de la littérature le domaine de l'intersubjectivité et du langage qui le parcourt ; il a montré que toute interrogation sur l'homme ne peut être portée que dans et par le langage, allant jusqu'à écrire : « Il y a des hommes qui n'auraient jamais été amoureux s'ils n'avaient pas entendu parler de l'amour. » La vérité des *Maximes*, c'est que le destin de l'individu se joue, est déjà joué, dans le symbolique ; niera-t-on que cette vérité soit encore la nôtre, aujourd'hui ?

F. Suzzoni

LA ROCHE-GUILHEN Anne de

(1644-1707)

Issue de la petite noblesse protestante du Vivarais et née à Rouen, elle est l'auteur d'une œuvre qui ne comprend pas moins de vingt-cinq titres. Abordant le métier littéraire par des traductions de l'espagnol (*Histoire des guerres civiles de Grenade* de Perez de Hita), elle vole bientôt de ses propres ailes avec des ouvrages aux intrigues aussi exotiques que conventionnelles : *Almanzaïde* et *Arioviste, histoire romaine* (1674), *Astérie ou Tamerlan* (1675). Réfugiée à Londres à partir de 1677, elle y fait jouer une comédie-ballet, *Rare en tout* (1677), et y accumule, dans les années qui suivent, une prose romanesque abondante, dont elle inonde les libraires de La Haye ou d'Amsterdam (*Zamire,* 1687 ; *le Grand Scanderberg,* 1688 ; *Zingis*, 1691 ; *le duc de Guise,* 1693 ; *les Amours de Néron*, 1695 ; *Attila, roi des Huns* ; etc.). Précieuse attardée, a-t-on prétendu : elle acquiert néanmoins assez de réputation pour que des ouvrages soient faussement publiés sous son nom. Inversement, plusieurs de ses romans sont attribués de son vivant à Mme de Villedieu. Récemment encore, *Isabelle ou le Journal amoureux d'Espagne* de 1675 a eu l'honneur d'être « présumé » de la plume de Mme de La Fayette. Le roman, dont l'action se situe sous le règne de Philippe II d'Espagne, conte les deux mariages successifs de l'héroïne avec dom Alphonse et dom Ramir, celui-ci ayant discrètement fait assassiner le précédent. L'atmosphère onirique qui baigne certaines scènes – notamment celle de l'aveu, où, commettant au détour d'une promenade forestière un étourdissant lapsus, dom Ramir révèle à Isabelle son crime – permet à l'intrigue d'échapper parfois aux conventions du genre, et fait oublier les abondantes maximes du style : « Il y a des rivales de beauté comme d'amour... »

F. Lestringant

LA ROQUE Siméon-Guillaume de

(1551-1611)

Poète qui assure la transition entre Ronsard, dont il s'inspire, et Malherbe qu'il influence, La Roque est né à Agnès, près de Clermont-en-Beauvaisis. Lié avec Philippe Desportes, le poète en faveur à la cour de Henri III, il entre au service du Grand Prieur Henri d'Angoulême, fils bâtard de Henri II, qu'il suit en Provence où il se trouve avec le jeune Malherbe. À Aix, où il séjourne de 1581 à 1586, il se mêle à la vie mondaine et intellectuelle entretenue dans l'entourage de son protecteur. Il publie en 1585 un sonnet dans les *Premières Œuvres* de Flaminio de Birague et compose des stances pour *les Larmes de saint Pierre* de Malherbe (1587). Après la mort du Grand Prieur en 1586, le poète passe au service de Claude de Lorraine, chevalier d'Aumale, cousin germain du duc de Mayenne, et se trouve dès lors associé au clan tout-puissant des Guise. À la différence de Malherbe qui a su prendre ses distances, La Roque lie à ce moment son destin au triomphe éphémère de la Sainte Ligue. Les *Premières Œuvres*, qui rassemblent en 1590 les *Amours de Phyllis* composées autour de 1580, et les *Diverses Amours et autres œuvres meslées*, témoignent, par leurs dédicaces, de ce dévouement. Toutefois le poète n'éprouvera aucune difficulté à se rallier à Henri IV après la mort du chevalier d'Aumale (1591) et l'échec final de la Ligue (1594). Il chante alors Madame, sœur du Roi, Catherine de Bourbon, à qui il consacre plusieurs pièces de ses *Diverses Poésies composées durant son séjour à Fontainebleau* (1597). Il célèbre de la même plume courtisane et avisée les bienfaits du ministre Sully dans les *Sonnets à Monseigneur de Rosny*, plaquette publiée vers 1603. Toujours solidaire de Malherbe et du milieu aixois, il compatit lui aussi à la douleur de Du Périer pleurant sa fille Marguerite, et compose un sonnet à cette occasion (1598). Autour de l'édition collective de ses *Œuvres* en 1609, il fréquente dans les dernières années de sa vie le cercle de la reine Marguerite à Paris, et meurt à la suite de celle-ci en 1611.

Héritant, par l'intermédiaire de Desportes, de la tradition néo-pétrarquiste italienne, de Sannazar à Tebaldeo, la poésie de La Roque est abstraite et dépourvue de toute référence autobiographique précise. La métaphore s'y intellectualise, le lexique s'y restreint et le recours fréquent aux maximes, d'un accent déjà cornélien, achève de conférer à cette œuvre un caractère classique avant la lettre. Composé principalement de sonnets, de complaintes, de stances et de chansons, le *canzoniere* en diptyque que constituent les *Premières Œuvres* fait alterner, de pièce en pièce, le registre élégiaque et mélancolique du soupir et celui, plus dramatique, du conflit ou de l'échange amoureux. Malherbe lui devra, en plus de motifs précis, une rigueur strophique nouvelle et une rationalisation des images, en parfait contraste avec les fastes baroques déployés à la même époque par d'Aubigné, Chassignet ou Du Bartas.

F. Lestringant

LAROUSSE Pierre

(1817-1875)

Pierre Larousse est né à Toucy, en Bourgogne. Son enfance rurale d'écolier de l'enseignement laïque, son adolescence de boursier de l'école normale primaire à Versailles (1834-1837), puis son expérience d'instituteur dans son bourg natal (1837-1840), définissent le programme de sa vie : une pédagogie vivante, ancrée dans une expérience heureuse et laborieuse de la vie, colorée par un tempérament généreux et profondément optimiste.

À Paris, où il s'établit en 1840, il fréquente assidûment la bibliothèque Sainte-Geneviève, suit des cours publics et, pour subsister, corrige des montagnes de copies et donne des leçons dans un internat privé. Il devient très modestement répétiteur et surveillant en 1848 et le demeurera jusqu'en 1851 ; c'est alors qu'il rencontre celle qui sera la compagne de sa vie, Suzanne Caubet, qu'il n'épousera qu'en 1872. En 1852, avec un autre Bourguignon instituteur, Augustin Boyer, il fonde une très petite maison d'éditions pédagogiques. Il avait alors déjà publié plusieurs ouvrages, dont une *Lexicologie des écoles primaires* (1849, devenue *Grammaire lexicologique* en 1850) et un *Traité élémentaire d'analyse grammaticale* (1851). Sa nouvelle entreprise lui permet de composer et de diffuser de nombreux manuels et de publier deux périodiques, *l'École normale* (1858-1865) et *l'Émulation* (1862-1864). Bien qu'il porte un intérêt passionné à tous les aspects de l'enseignement (voir, par exemple, son *Éducation morale et intellectuelle : méthode socratique*, 1859), c'est l'apprentissage de la langue maternelle, et notamment du lexique, qui le retient surtout.

Le « démon de la lexicologie » (*l'École normale*, t. II, p. 8) et de l'étymologie (*Jardin des racines grecques*, 1858, *latines*, 1860) conduit Larousse le pédagogue à l'encyclopédie et au dictionnaire. C'est pour fournir à ses chers élèves un instrument de travail compréhensible qu'il compose et édite en 1856 un *Nouveau Dictionnaire de la langue française*, ancêtre du futur *Petit Larousse*, qui juxtapose vocabulaire, encyclopédie et locutions latines ; ces notes encyclopédiques et les citations latines sont imprimées sur des pages roses : innovation dont on connaît la fortune... En 1860, Larousse y ajoute les noms propres. Le modèle est au point ; devenu *Dictionnaire complet...* en 1869, l'ouvrage sera par la suite illustré et deviendra, après la mort de son initiateur, le *Petit Larousse* (Claude Augé, 1902).

Cet ouvrage, ainsi que deux grammaires françaises, assure la prospérité à l'éditeur et lui permet d'envisager la réalisation du *Grand Dictionnaire universel du XIXe siècle*, qui commence de paraître en 1864, un an après les premiers fascicules du *Littré*. Travaillant à son grand œuvre comme un forcené – probablement depuis 1860 ou 1861 –, Pierre Larousse, malade, épuisé, sera frappé de congestion cérébrale à trois reprises : en 1868, en 1869, enfin en 1871, après le drame de la guerre et de la Commune et l'épreuve personnelle que fut la mort de sa mère. À cinquante-deux ans, Larousse est un cadavre intellectuel : il survivra cependant encore trois ans.

Carrière brève et intense, qui correspond à un double destin : celui de l'instituteur démocrate, qui s'incarne surtout dans un projet encyclopédique ; celui de l'entrepreneur d'éditions – encore que le succès capitaliste s'amplifiera immensément après sa mort. Larousse deviendra pour la postérité le nom d'une entreprise.

Le rôle considérable de Pierre Larousse dans l'histoire de la lexicographie est évident et n'a pas à être souligné ici. En revanche, sa place dans le « corpus » littéraire en français n'est pas aussi perceptible que celle d'un Littré.

Cependant, par l'importance idéologique de son travail autant que par la nature de son « discours » pédagogique et lexicographique, l'œuvre de Larousse plonge dans le discours littéraire – qu'il utilise – et propose une vision culturelle très « jules-ferryenne » qui concerne au premier chef la littérature. Pour cet éternel étudiant, les œuvres littéraires sont l'une des sources où l'expérience humaine et sociale la plus noble se reflète et peut se transmettre. Les goûts de Larousse, inséparables de ses engagements républicains, libéraux, humanistes et de sa visée essentielle, qui est la formation de l'esprit et du cœur des jeunes Français, le portent vers la générosité et la verve (Marot, Rabelais, Molière...) plus que vers le lyrisme ; vers la « bonhomie » de La Fontaine plus que vers le lyrisme de Racine. Cependant, le *Grand Dictionnaire universel* est remarquablement ouvert à toutes les tendances littéraires de son époque – aux antipodes du recul concerté que constituent les choix classiques d'Émile Littré. Mais, comme le souligne la structure même du *Dictionnaire*, c'est le contenu des messages littéraires, bien plus que leur forme, qui importe au lexicographe ; ou, si l'on préfère, leur pouvoir pragmatique : effet social libérateur, effet culturel enrichissant...

Quant à l'écriture de Pierre Larousse, elle est à l'image de son projet : simple, claire, naïve et bonhomme, souvent passionnée, et d'une gaieté, d'une santé rafraîchissantes, enracinées dans un terroir aimé. Ces qualités ne suppriment pas le caractère un peu figé d'une énonciation didactique empreinte de scientisme et de bonnes intentions ; mais la plume de Larousse reste alerte, surtout dans les articles du *Grand Dictionnaire* que l'on peut lui attribuer avec une quasi-certitude. C'est même le paradoxe de Larousse d'avoir réussi un témoignage aussi vivant sur la France rurale et urbaine du milieu du XIXe siècle dans un projet en principe hostile à tout discours individuel : ultime originalité de ce texte morcelé, de cette chronique alphabétisée, probablement unique en son genre.

A. Rey

LA SALE Antoine de

v. ANTOINE DE LA SALE

LAS CASES Emmanuel de

(1766-1842)

Artisan principal de la légende napoléonienne, Las Cases est l'auteur du *Mémorial de Sainte-Hélène*. Rien ne semblait le prédisposer à devenir l'historiographe de « l'Usurpateur ». Il est né au château familial de Las Cases, près de Castres, dans une vieille famille de l'aristocratie. Il entre dans la marine avant d'émigrer à Coblence en 1791. À la suite de tribulations diverses, on le retrouve à Londres, où il compose un *Atlas historique, chronologique et géographique* (1802-1804), qui paraît sous le pseudonyme de Lesage : le livre connaîtra d'innombrables éditions et fera la fortune de Las Cases. Depuis 1802, celui-ci est revenu en France et n'a pas à se plaindre du régime : nommé baron, il retourne dans l'armée comme volontaire (1809), et son attitude courageuse à Anvers lui vaut un titre de chambellan de l'Empereur. Bientôt, le voici maître des requêtes au Conseil d'État, comte d'Empire. Après Waterloo, Las Cases reste fidèle à Napoléon : il l'accompagne à Sainte-Hélène, devient son intime et commence à rassembler les matériaux de son *Mémorial*. Mal vu par les autres familiers de l'Empereur, c'est lui pourtant qui va laisser le meilleur témoignage sur la traversée, sur l'ambiance à Briars et à Longwood : Las Cases écrit souvent sous la dictée de Napoléon, il s'efforce de ne rien perdre de sa conversation et de ses confidences. Ce journal secret inquiète les Anglais, qui le confisquent et qui ne le restitueront à Las Cases qu'après la mort de Napoléon. Pour l'instant, Las Cases est expulsé (1816-1817) avec son fils : il donne des *Mémoires* (1818-1819), écrit aux souverains alliés et à Marie-Louise à propos de l'Empereur ; mais ce n'est qu'en 1821 qu'il pourra regagner la France, rédiger et publier le *Mémorial* (plusieurs éditions en 1823, 1824, 1830-1832, 1835 et 1840, qui dessinent d'ailleurs une évolution intéressante). Par la suite, Las Cases sera élu deux fois député sous la monarchie de Juillet (1831 et 1839) et siégera à l'extrême gauche.

L'« évangile » napoléonien

Le *Mémorial* se présente d'abord comme un témoignage spontané et véridique : « Tout ce que je donne ici est bien en désordre, bien confus, et demeure à peu près dans l'état où je l'écrivis sur les lieux mêmes. » Cette absence (relative) d'élaboration est un des charmes de l'ouvrage, et le lecteur a l'impression d'y voir un Napoléon authentique, avec toutes ses facettes. Il y a, bien sûr, le stratège et l'homme d'État désireux de laisser de lui une certaine image : celle d'un homme de paix, d'un héritier de la Révolution, d'un champion des nationalités. Nous le suivons dans ses analyses, dans ses plans, jugeant les hommes et les faits, refaisant l'histoire à l'occasion ou regrettant certaines erreurs. Devant ce témoin privilégié, il aborde tous les sujets : la haute politique, les institutions, le choix des alliances, le passé (qu'il récupère) et l'avenir (qui lui donnera raison). Mais le Napoléon de Las Cases n'est pas pour autant une statue ou une abstraction : cet homme, « le plus extraordinaire que présentent les siècles », est à présent humilié par les médiocres et les méchants, victime de la maladie, fixé à son rocher comme un nouveau Prométhée. On découvre même un Napoléon intime, inattendu et tout à fait émouvant. Ce que n'auraient pu faire des « Mémoires » solennels ou un panégyrique trop bien composé, c'est justement de provoquer cette émotion : tantôt donc, c'est le grand homme qui parle, remodelant l'Europe et le monde, tantôt c'est le prisonnier réduit à de mesquines promenades, mais ils ne font qu'un. Napoléon n'est plus un dictateur déchu, c'est un homme à la fois glorieux et brisé, une victime, un martyr.

Le personnage et son destin avaient tout pour séduire les imaginations, et d'abord celle de Julien Sorel, auquel un vieux chirurgien-major a légué le *Mémorial* (*le Rouge et le Noir*, I, IV). Dès cette époque, l'ouvrage est en effet devenu un « évangile », qu'on lit et qu'on relit. Le *Mémorial*, déjà romantique par lui-même, correspond à l'attente d'une génération sevrée d'aventure et de gloire (cf. Musset, *la Confession d'un enfant du siècle*) ; il influe sur sa sensibilité et renverse le fort courant antinapoléonien qui régnait jusqu'alors dans l'opinion. Tous les témoignages concordent sur cette propagande réussie : très vite, et grâce au *Mémorial*, la légende napoléonienne prend corps, et les écrivains la diffusent, comme le fait, à sa manière, le vieux fantassin du *Médecin de campagne* de Balzac. Selon Louis A. Rozelaar, « c'est probablement grâce à cette lecture que Hugo en est venu à mettre au point la célèbre théorie du grotesque » ; c'est elle encore qui a inspiré à Hugo la scène du monologue de Don Carlos ainsi que « ses grands symboles de l'Empereur-Messie, Charlemagne, Charles-Quint, Barberousse ». Frappés par cette épopée grandiose, bien des romantiques se sentent proches de Napoléon, à défaut d'être bonapartistes : en lui s'incarnent les espoirs d'une France lassée par les Bourbons, qui applaudira au « retour des cendres », et qui, plus tard encore, plébiscitera Louis Napoléon. Bien sûr, le livre de Las Cases n'a pas tout fait : simplement, il est venu au bon moment pour exalter les opinions et les sentiments. On ne peut nier son impact littéraire et politique. En fait, le *Mémorial* est plus qu'un témoignage : il propose au public une tragédie, une épopée et ce que Napoléon appelait lui-même le « roman » de sa vie.

A. Preiss

LASNIER Rina

(1915-1997)

Rina Lasnier est née à Saint-Grégoire-d'Iberville au Québec. Après des études universitaires, elle travaille aux périodiques *le Canada français* et *le Richelieu* où elle entreprend une carrière de journaliste, tout en publiant ses premiers poèmes. Membre fondateur de l'Académie canadienne-française, membre de la Société royale du Canada, elle est docteur *honoris causa* de l'université de Montréal. En 1974, elle a reçu le prix France-Canada.

Dès 1939, elle publie *Féerie indienne,* une pièce en l'honneur de Kateri Tekakwita, héroïne indienne et chrétienne. Suivent, en 1941, *le Jeu de la voyagère* et, en 1944, *Madones canadiennes,* première appropriation poétique d'œuvres d'art du patrimoine québécois. Dans *le Chant de la montée,* en 1947, les vicissitudes de l'amour sont incarnées par Rachel et Lia, chacune capable d'une fécondité différente. Texte capital dans la formation d'un poète, temps des options tranchantes, des sacrifices, mais aussi de la lucidité.

Avec *Escales,* en 1950, s'amorce une série de cinq grandes œuvres, comme cinq grandes odes qui seraient le cœur d'une œuvre. *Escales* reflète le drame du consentement aux amours humaines. Faut-il descendre sur terre ou monter au ciel ? Les figures d'Ève et de Psyché dominent, chacune brûlée par la soif du dieu, « pour ouvrir à la chair un espace respirable ». S'amorcent conjointement les grandes thématiques de l'arbre, de la mer et du vent, et s'instaure la puissance de l'évocation poétique, dans la densité d'un langage qui évoque Saint-John Perse, même si la quête fait davantage penser à un Claudel. En 1956, *Présence de l'absence* arrive à un sommet de dépouillement.

L'étape suivante est atteinte avec *Mémoire sans jours*, en 1960, recueil qui cite en épigraphe le célèbre poème de « la Malemer », lequel énonce un art poétique et érotique d'une vertigineuse puissance. La descente qui hantait *Escales* s'accomplit ici pleinement : « Je descendrai jusqu'à la malemer, où la nuit jouxte la nuit. » Règnent, dans cette imagerie, des eaux circulaires, des voies rondes. L'amour est comme le poème, « obscur au limon de la mémoire, fermentation de la parole en bulles vives ». L'esprit et l'eau, source du poème de fécondité, conjoignent la nuit et la parole pour définir *les* ou *la* MARIA, « nom pluriel des eaux – usage dense du sein et nativité du feu ».

Suivant cette descente dans les eaux immémoriales, nous assistons, avec *les Gisants*, en 1963, à une remontée dans le temps immémorial. Une suite de neuf poèmes célèbrent le vase étrusque, l'Égypte du Nil Blanc (« l'or pâle des os »), du Nil Bleu (« couleur de veine aristocratique »), du Nil Vert (« facile fécondité du lait »), Tout Ankh Amon, « l'or couché dans le rouge du sang », la vallée des Rois, « l'amulette vide de la mort », etc., jusqu'au gisant Jésus, « la spirale et le malstrom de la Pâque ».

Cette remontée dans la réalité du temps est comme reprise dans *l'Arbre blanc*, en 1966, où le centre du recueil est constitué d'une méditation sur les sept paroles du Christ en croix. L'amour ici rencontre la mort, et la série « Fils du feu », « feu-sang », « feu-soleil », aboutissant à l'obscurité, postule la résurrection et, pour ainsi dire, fonde la foi. Chacun des cinq recueils se déploie autour d'un centre, que des centaines d'autres poèmes, parfois très courts, se chargent de faire rayonner, de diffracter, et de relier à mille autres réalités qui seraient, sans ce centre, sans signification ou sans étincellement.

Ajoutons que *l'Échelle des anges* (1975) est un essai baigné de méditation et d'observation. Rina Lasnier ici récrit la Genèse et l'Apocalypse ; elle fait une synthèse de toute la Bible, source-mère de cette œuvre. Avant le Pantocrator, qui fulgure dans sa Parousie, elle désigne iconiquement le Christ, « échelle des anges », et Marie, « joie des anges ». Le recueil suivant, *les Signes* (1976), marque une descente sur terre. On retrouve partout l'arbre, image et figure centrale de l'œuvre. Les signes sont une réflexion polymorphe sur l'écriture. Quant à *Paliers de paroles* (1978), il relit et médite l'héritage chrétien : « Dieu, je bascule dans ta joie élogieuse, avec mon cri envoûtant le vide. »

Matin d'oiseaux (1978) revient aux éléments et aux objets, aux choses et aux saisons ; le terrien semble l'emporter, mais jamais dans le désespoir.

Une poésie de la célébration et de la louange, un verbe d'une richesse d'images somptueuse, d'une densité sévère. Cette œuvre d'allure altière ne supporte, au Québec, aucune comparaison.

J. Bonenfant

LASSAILLY Charles

(1806-1843)

Être poète crève-la-faim et rêver de duchesses, collaborer à mille entreprises journalistiques pour finir ignoré de tous, laisser, pour seule « bouteille à la mer », un récit aussi fascinant qu'illisible, tel fut l'étrange destin de Charles Lassailly, l'auteur des *Roueries de Trialph*. Cet écrivain fut à la fois la caricature des prétentions dérisoires d'une génération et le symbole attachant de la troupe des petits et des sans-grade du romantisme de 1830.

Grandeur et servitude d'un petit bousingot

Charles Lassailly est né dans une famille de la petite bourgeoisie orléanaise. Malgré un tempérament instable et plusieurs drames familiaux, il fait d'assez bonnes études qui ne doivent qu'à son rêve d'être poète de n'avoir pas été menées plus loin. Le voilà en effet à vingt ans sur le pavé parisien, courant les salons, les cénacles et les salles de rédaction, affublé d'un nez disgracieux qui fait vite sa célébrité chez les bousingots qu'il côtoie lors des batailles pour *Hernani* ou *Marion Delorme*. Les premiers vers, bucoliques ou élégiaques, qu'il donne à *la Psyché*, puis à *l'Almanach des Muses*, ne sont ni meilleurs ni pires que ceux de nombre de ses contemporains. Ces « Tristesses de mon âme » ou « Hommage à Lamartine » offrent cependant trop de prosaïsme, de négligences et trop peu d'émotion vraie pour qu'on s'y arrête. Lassailly est plus rigoureux et se livre avec plus de sincérité dans ses poèmes politico-satiriques (*Poésie sur la mort du fils de Bonaparte*, 1832 ; *le Cadavre*, 1834, inspiré par le massacre de la rue Transnonain) qui révèlent la générosité humaniste, nourrie de Saint-Simon et d'Enfantin, d'un jeune homme qui ne craint pas d'associer mysticisme et communisme. L'année 1833 voit la parution du seul grand texte que Lassailly parvint jamais à faire éditer, *les Roueries de Trialph, notre contemporain, avant son suicide*. Ce « roman », chef-d'œuvre de la littérature Jeune-France, aurait dû faire scandale ; il ne fit rien du tout et ne se vendit pas. Cet échec cruel devait rejeter l'écrivain dans l'insignifiance.

Lassailly, qui rêve toujours de succès, va désormais consacrer le plus clair de son temps au journalisme mondain. Collaborateur de plusieurs gazettes féminines et keepsakes à la mode, il se fait surtout remarquer en fondant en mars 1836 son propre « journal du monde élégant », *l'Ariel*, et en obtenant les signatures de Gautier, Musset, Dumas et Vigny. Mais la revue s'effondre après dix-neuf numéros, et, une fois de plus, Lassailly en est réduit à faire des piges. Ses critiques de *l'Indépendant* et du *Siècle*, très dures, le brouillent avec Scribe comme avec Hugo, qu'il juge « un homme fini » en 1837 ! Seuls Lamartine et Vigny trouvent grâce à ses yeux... et sauront s'en souvenir.

Quelques poèmes bien fades, deux ou trois nouvelles (« la Coquette sans le savoir », « le Suicide d'Hamlyre ») dont le principal mérite est de nous renseigner sur sa détresse morale et financière, telles sont les productions de Lassailly avant qu'il ne rencontre – pour quelques mois d'aisance en 1839 – Balzac, qui fait de lui son secrétaire et, à l'occasion, son

« nègre ». Las ! Toutes ses économies fondront dans un désastreux projet de keepsake de luxe que lui avait suggéré le romancier. Un passage au secrétariat de la Société des gens de lettres, un dernier conte (« le Masque de Werther », 1840) et un dernier rêve journalistique (*la Revue critique*), l'un et l'autre marqués déjà par des effusions et des violences qui doivent plus à la folie qu'au génie créateur ou critique, furent les dernières manifestations de celui qui servit de modèle au Chatterton de Vigny.

C'est Vigny, d'ailleurs, qui usa de son influence pour le faire admettre dans la fameuse clinique du docteur Blanche, puis chez le docteur Brière de Boismont, où il devait s'éteindre à l'âge de trente-sept ans, bercé par les flonflons lointains du 14-Juillet et en rêvant aux duchesses qu'il n'avait pas eues. Seul le *Journal des débats,* sous la plume de Jules Janin, l'honorera dans un hommage collectif aux victimes de la bohème : « Ils écrivent, ils écrivent, ils rêvent, ils songent, ils se perdent dans toutes sortes de fantaisies impossibles, et puis qu'arrive-t-il ? Ils restent au beau milieu du chemin et de leurs rêves commencés... »

Les Roueries de Trialph, ou l'autobiographie d'une génération

On ne résume pas *les Roueries,* ce déconcertant roman rocambolesque et divertissant, de la veine des *Frénésies* de P. Lacroix ou du *Champavert* de Pétrus Borel. Mais il est injuste que pas même un scandale n'ait salué l'apparition du récit des aventures drolatiques, des amours lubriques et finalement meurtrières de ce Trialph, « poète et fou », dont l'un des profils est celui de Lassailly lui-même et l'autre celui d'un Jeune-France anonyme de 1830. Trialph, avec sa gouaille et son lyrisme, sa désinvolture et ses anathèmes, Trialph qui affirme : « Ce sont mes Mémoires que j'écris. J'ai nom Trialph [...]. Cette expression, dans la langue danoise, signifie gâchis. » C'est, bien sûr, le double romanesque de son auteur, revivant pour lui, sur le mode de l'hyperbole ou de la dérision, ses amours mortes, ses fantasmes avortés et ses espérances déçues.

Mais *les Roueries* sont aussi l'autobiographie d'une génération « gâchée » et, comme Trialph, condamnée à la double violence du crime et du suicide. « Je suis mon siècle, s'écrie le héros ; je veux parodier par ma mort, au milieu de leur bal, les plaisirs de cette société qui n'était point faite pour moi. » Ses cris et ses anathèmes se font ainsi l'écho des voix de la bohème tout entière, révoltée contre toute forme d'institution et de pouvoir, pleine de haine contre « les anges conservateurs de bonnes doctrines, les rois fainéants de la science et de l'art, les restaurateurs d'autels, les timoniers de l'État ».

Nul doute qu'il y avait du Lautréamont en germe chez ce Lassailly-là, chez ce « Trialph-Satanas ». Mais l'ironie féroce de ses maldororiennes imprécations ne fut pas entendue, et la critique se tut, plus indifférente qu'effarée, devant les tapages de celui qui ne croyait pas si bien conclure lorsqu'il écrivait : « Je m'amuse à faire un livre dont le suicide sera le dénouement... »

D. Rincé

LA TAILLE Jean de

(v. 1535-1611)

Originaire de Bondaroy, village de Beauce dont sa famille avait la seigneurie, il étudie d'abord à Paris, au collège de Boncourt, fréquenté à la même époque par Muret et La Péruse, et où est jouée en 1553 la *Cléopâtre* de Jodelle. À Orléans, il suit les cours de droit d'Anne Du Bourg, mais se laisse bien vite séduire par les Muses, « mieux peignées, dira-t-il plus tard, et de meilleure grâce que les loix ». Il rejoint à Paris son frère cadet Jacques, élève de Jean Dorat, et déjà l'auteur de nombreux vers et de tragédies. Jacques meurt en 1562, âgé d'à peine vingt ans : certaines de ses œuvres seront publiées par les soins de Jean en 1573 : deux tragédies, *Alexandre* et *Daire* [Darius], plusieurs poèmes latins et français et un traité sur la *Manière de faire des vers.* Sans avoir la remarquable précocité de Jacques, Jean de La Taille a cependant composé dès cette époque le *Negromant,* adapté de l'Arioste, son aimable comédie des *Corrivaus* [ou rivaux en amour] et surtout son œuvre principale, la tragédie de *Saül le Furieux* (écrite vers 1562, publiée en 1572). Durant les guerres de Religion, il s'est engagé dans le camp des protestants. Blessé au combat d'Arnay-le-Duc en 1570, il consacre le reste de sa vie à sa famille et à la littérature.

Théoricien et praticien de la tragédie

En 1572 et 1573 paraissent les œuvres croisées de Jean et de Jacques, précédées de l'important traité *De l'art de la tragédie* (1572). Jean de La Taille y formule avec netteté la règle des trois unités et invoque, au nom de la vraisemblance, le respect des bienséances. Rompant avec les expositions en forme de monologue (protatique) chères à Sénèque, il veut que l'on plonge le spectateur *in medias res* dès la première scène. L'action doit produire des contrastes de situation « à l'exemple des choses humaines », de manière à « émouvoir et poindre merveilleusement les affections de chacun ». La référence implicite à la théorie aristotélicienne de la purgation des passions a pour corollaire le caractère moyen du héros : ni Thyeste ni Socrate, mais également partagé entre le vice et la vertu et promis à tous les revirements du sort comme à toutes les catastrophes. *Saül le Furieux,* « tragédie prise de la Bible », mais faite « à la mode des vieux autheurs », a par avance respecté les grandes lignes de ce programme. D'entrée de jeu, le roi Saül, en proie à la malédiction de l'Éternel et poursuivi par d'horribles visions, se précipite sur ses fils dans un accès de folie meurtrière. Revenu à lui, il déplore son malheur, mais s'égare à nouveau dans la volonté funeste et blasphématoire de connaître par art magique l'avenir. L'apparition du défunt prophète Samuel, suscité par les « sorcelages » d'une

pythonisse devant un Saül atterré et tremblant, constitue, à l'acte III, le nœud du drame. Conformément au présage qui est alors rendu, les armées d'Israël sont vaincues, et le roi, qui va pleurer la mort au combat de ses trois fils, doit se résoudre au suicide. L'action, sans cesse nourrie de péripéties en constante progression, a pour principal mérite de montrer le drame intérieur d'un homme poussé vers l'issue tragique par une pressante conduite d'échec : désireux passionnément de savoir et, à l'instant même, retenu par l'anxiété. Cette incertitude psychologique d'un personnage fasciné par son propre destin, qu'il s'efforce tour à tour de retarder ou d'anticiper, représente dans le théâtre français de la Renaissance une création exceptionnelle. Il suffit pour s'en persuader de comparer avec l'œuvre d'un Des Masures qui, dans sa contemporaine trilogie de *David* (*David combattant*, *David triomphant*, *David fugitif*, 1566), schématise à l'extrême un Saül perpétuellement réprouvé et conspirant de fureur en fureur la perte de son rival.
Revenu à la tragédie au lendemain de la Saint-Barthélemy, La Taille compose alors *la Famine ou les Gabéonites* (1573), pièce qui fait suite à *Saül* et qui conte les malheurs advenus à la descendance du roi maudit. Celle-ci est châtiée sur la croix pour le manquement à la foi jurée commis à l'encontre des Gabéonites, prisonniers et innocents, et néanmoins impitoyablement massacrés par les Israélites vainqueurs. Allusion transparente à l'actualité, la famine est pour l'auteur l'image de la guerre civile « qui forcène en nos entrailles ». La pièce, qui combine à des emprunts à Sénèque des larcins à l'*Hécube* d'Euripide, vaut surtout par l'immédiateté du drame qu'elle reflète et qui ensanglante la scène finale du supplice. Un décor de croix plantées à la Bruegel y mêle à la familiarité de détails infimes – enfants juchés sur un mur pour mieux voir – l'ampleur d'un paysage rempli par l'écho du marteau sur les clous et la vision du sang dont ruisselle le bois. Tout s'achève par ces traits pathétiques directement passés de la tragédie grecque à celle de l'âge moderne : « Bouches qui béent à la mort », « yeux qui nagent à leur fin ».

F. Lestringant

LATOUCHE Henri de

Pseudonyme de ***Hyacinthe-Joseph-Alexandre* THABAUD *de* LATOUCHE** *(1785-1851)*

Admirateur de Chateaubriand, de Mme de Staël et de Benjamin Constant, Latouche s'essaye dans tous les genres. *Le Tour de faveur* (1818), comédie raillant l'univers de la presse, lui vaut un franc succès. Il peut ainsi se consoler d'avoir causé la suppression du *Constitutionnel* (1817) en y insérant un reportage judiciaire (*l'Affaire Fualdès*) et le compte rendu d'un salon de peinture, l'un et l'autre peu prisés par la censure. Ce romantique libéral, fidèle à la mémoire de Napoléon, montre un certain génie à se trouver toujours à contre-courant de son époque, se brouillant, du fait d'une intransigeance foncière, avec la plupart de ses amis : « L'art, dit-il, doit être traité aussi sérieusement qu'une foi politique ou religieuse. »
Son goût pour le pamphlet ajoute à ses tracas, manquant de le faire emprisonner quand il signe avec Paul Bert une *Biographie pittoresque des députés* (1820). *Fragoletta* (1829), roman républicain et anticlérical, souvent scabreux, plein de couleur locale, de passions débordantes, de fièvre dans les cœurs et dans l'expression, a beau enchanter, voire inspirer Balzac, Stendhal, Gautier ou Dumas, on se plaît déjà à y pourchasser faiblesses ou obscurités.
Directeur du *Figaro* (1826-1832) et fondateur du *Mercure du XIXe siècle*, Latouche s'engage courageusement en 1830, au point de rompre avec ses amis romantiques, trop dociles à ses yeux vis-à-vis des pouvoirs :

> *Jocelyn, Antony, Ruy Blas sont courtisans.*
> *Goriot, sans portée et sans magistrature,*
> *Du feuilleton soldé subit la dictature,*
> *Amuse, à tant la ligne, un bercail d'abonnés.*

Aussi, l'écrivain se trouve-t-il bien seul pour sauver de la cabale le drame qu'il présente au Français, *la Reine d'Espagne* (1831), aussitôt retiré de l'affiche, et donnant prétexte à une haineuse diatribe de Gustave Planche, dont il se vengera dans son roman *Adrienne* (1845).
Plein d'aigreur, Latouche ne songe plus alors qu'à se retirer à Aulnay-sous-Bois, misanthrope ruminant ses échecs avec une amère lucidité. Il réunit et publie en 1833, sous le titre *la Vallée aux loups*, des pièces poétiques composées pour la plupart dix années plus tôt ; elles arrivent trop tard pour être bien accueillies : « Je passais autrefois pour un sorcier, et, maintenant qu'on s'est revêtu de ma défroque, le magicien n'a plus l'air que d'un larron. » Initiateur hier, Latouche passe désormais pour plagiaire ; ses derniers recueils de vers – *Adieux* (1843), *Encore adieu* (1852), *les Agrestes* (1844) – ou ses romans – *Grangeneuve* (1835), *Adrienne* – ont valeur de testament.
Latouche reste plus grand par tout ce qu'il sait découvrir, diffuser, inspirer que par son expression personnelle, dans laquelle s'entredéchirent le poète, l'historien et le pamphlétaire. La publication – en 1819 – des poèmes d'André Chénier, alors inconnu, est « le grand titre de Latouche », notera Sainte-Beuve, qui sans doute aurait pu ajouter à la gloire du bouillant conseiller et amant de Marceline Desbordes-Valmore ses traductions de Shakespeare, de Goethe, de Schiller, lesquelles n'ont pas peu contribué à faire connaître en France les littératures et mythologies étrangères.
Latouche, à qui revient le mérite d'avoir découvert et guidé George Sand, inspire peut-être Vigny quand il lui fait lire un poème intitulé « Chatterton » :

> *Ce qu'il faut au pouvoir ? Déshonorer la lyre,*
> *Vendre le peuple esclave à l'orgueil en délire,*
> *Contre la liberté s'unir à leurs clameurs...*
> *Dieu, seul juge entre nous, tu les entends ? Je meurs.*

Toutefois, il lui sera reproché d'avoir « parlé des vers en poète... et composé des poèmes en critique » (F. Ségu) ; de s'être égaré dans des genres pour lesquels il manquait de souffle. Et quand on le découvre plein de faconde au détour d'une chronique, alignant les aphorismes (« les hommes et les chevaux ne valent plus grand-chose dès qu'ils sont couronnés »), inventant des mots (« insulteur », « principicule »), on peut lui faire grief de n'avoir pas su découvrir son propre talent : celui d'un polémiste plein de verve, quoique grave, et mieux taillé pour le libelle que pour l'épopée.

D. Giovacchini

LA TOUR DU PIN Patrice de

(1911-1975)

Né à Paris, bientôt orphelin de père, il est élevé par sa mère dans le château familial du Bignon-Mirabeau, en Gâtinais. Il est encore étudiant lorsqu'il publie en 1933 un recueil de poèmes aussitôt remarqué par Supervielle, *la Quête de joie* : un parcours initiatique où l'écriture ordonne et concilie en une même aventure spirituelle les quatre aspirations du moi : l'absolu, la terre, le chant, l'intelligence. « Tous les pays qui n'ont plus de légende / Seront condamnés à mourir de froid » : cette poésie aux rythmes et à la métrique traditionnels puise ses images dans l'héritage romantique, mais aussi dans la rude nature qu'arpentent les chasseurs et les gentilhommes campagnards, marais, étangs, nuages lourds, vols de sauvagines, « ravins gonflés par les averses ». Après la guerre, il se retire au Bignon, élaborant minutieusement une *Somme de Poésie* composée des « trois plus grands jeux du monde » : le jeu de l'homme devant lui-même (publié en 1946), de l'homme devant le monde (1959), de l'homme devant Dieu (1983). À partir de 1964, La Tour du Pin participe à la commission chargée de traduire en français les textes de la liturgie catholique, tout en poursuivant son œuvre personnelle. Avec le troisième volet de son triptyque, dont paraissent successivement *Petit Théâtre crépusculaire* (1963), *Une lutte pour la vie* (1970), *Concert eucharistique* (1972), il tente d'élaborer une « théopoésie », théologie poétique où le message divin s'inscrirait enfin dans l'âme même, par une sorte de sympathie lyrique aux antipodes de la rhétorique démonstrative d'une autre *Somme* célèbre : celle de Thomas d'Aquin, modèle à la fois obsédant et contesté.

J.-P. de Beaumarchais

LAUDE Jean

(1922-1984)

Né à Dunkerque, Jean Laude suit d'abord des études classiques et obtient une licence de lettres ; puis il se consacre à l'ethnologie, devient collaborateur du musée de l'Homme et entreprend de nombreux voyages. Il commence à écrire après la Seconde Guerre mondiale et s'oriente ves la poésie (*Entre deux morts,* 1947 ; *les Saisons et la mer,* 1959) ; il publie également, dans *Critique,* la *Revue d'esthétique* ou *les Cahiers du Sud,* un grand nombre d'études sur les poètes et les peintres modernes. Devenu professeur, il poursuivit à travers ses recueils ou ses essais, ses recherches sur la création poétique (*En attendant un jour de fête*, 1974 ; *le Dernier Mot*, 1981).

Jean Laude conçoit la poésie comme un acte qui doit « mener à ce qui est » (*le Mur bleu,* 1965). Nourri de l'œuvre des présocratiques Empédocle et Héraclite, lecteur assidu de Novalis et de Hölderlin, il veut élaborer une écriture qui identifie l'Être et la parole. Fuyant tout pittoresque, réduisant l'univers sensible aux éléments essentiels (l'arbre, l'oiseau, le sable, la mer...), ses textes, constitués le plus souvent de versets irréguliers et fragmentés, expriment une quête de l'évidence première : harmoniser la parole et les éléments, ce serait assurer à l'homme l'éternité de la matière.

Pourtant, malgré l'ambition de son propos, la poésie de Laude s'approprie rarement l'assurance du verbe empédocléen : « Je porte la parole, pour tout pouvoir, un orage mort » (*le Grand Passage,* 1965). Au monde lumineux du présocratisme correspond un espace envahi de sable gris, de désert, de nuit : « Telle est la mort, une étendue désaffectée » (*les Plages de Thulé,* 1964). Au lieu d'accumuler les certitudes, Laude constate l'ambiguïté fondamentale de la vie : la bivalence des choses contamine le langage ; la mer, mot et « sujet » central des textes de l'écrivain, désigne aussi bien l'éternité que la force destructrice. L'écriture est, au propre, un voyage qui mène vers un lieu toujours en reflux : l'espace investi renvoie l'homme non à la connaissance du monde, mais au doute introspectif : « Flux et reflux sur les sables, nous sommes envahis du dedans » (*le Grand Passage*). L'idéal serait de forger une langue non explicite, non « signifiante », car écrire, c'est désigner – c'est oublier que la parole poétique ne devrait pas faire allusion, mais sceller l'Être. L'apparente monotonie des sujets abordés par Laude dissimule, en fait, un mythe : la poésie doit être un retour aux origines du langage ; au poète revient la tâche de retrouver une atlantide littéraire, qui recèlerait les mots d'avant le Signe.

J.-P. Damour

LAURENS Henri-Joseph *v.* DU LAURENS

LAURENT Jacques

(1919-2000)

Né à Paris, Jacques Laurent, après des études de philosophie, est mobilisé en 1939. À la Libération il commence à publier, sous le pseudonyme de Cécil SAINT-LAURENT, des romans « historiques » (*Caroline chérie,* 1947, etc.) ou policiers (*Sophie et le crime*, prix du Quai des Orfèvres 1953) et, sous le nom de Jacques Laurent, la somme romanesque des *Corps tranquilles* (1948) ainsi que de nombreux essais. Il reviendra au roman « littéraire » à plusieurs reprises – notamment en 1971 avec *les Bêtises,* ouvrage pour lequel le prix Goncourt lui est décerné, et avec *les Sous-Ensembles flous* (1981), *les Dimanches de Mademoiselle Beaunon* (1982). En 1986, il publie *le Dormeur debout* ; la même année, il est élu à l'Académie française.

L'œuvre de Jacques Laurent est multiforme. Essayiste, il s'est intéressé aussi bien à la biographie littéraire – et polémique (*Mauriac sous de Gaulle,* 1964) –, à l'enquête historique (*Quand la France occupait l'Europe,* 1948, publié sous le pseudonyme d'Albéric VARENNE) qu'à l'actualité politique (*Lettre ouverte aux étudiants,* 1969), au pamphlet (*Paul et Jean-Paul* [1951] dans lequel il renvoie dos à dos Bourget et Sartre contre lequel il ferraillera longuement et créera une revue littéraire, *la Parisienne* [1953], anti-intellectualiste et anti-existentialiste), à l'étude sociologique (*le Nu vêtu et dévêtu,* 1979) et à la critique littéraire. Dans *Roman du roman* (1977), outre une étude subjective et originale de l'évolution du genre, il propose sa propre conception du roman, fondée sur le refus des règles contraignantes au profit de la richesse et de l'infinie variété des situations inexplicables qui caractérisent, selon lui, le dynamisme de la vie. Cette définition libertaire, sinon anarchiste, du roman comme genre protéiforme par excellence lui est chère : « Si j'ai des opinions politiques à exprimer, j'écris un article ou un essai. D'ailleurs, il n'y a pas de roman politique. La politique suppose un parti pris hors du roman, un tout donné au départ. Un roman politique n'est pas un roman, c'est une fable. » « Un roman est une aventure imprévue », répond-il à un journaliste qui lui avait demandé, à propos de l'engagement d'un de ses héros, s'il avait voulu « faire un roman politique ».

C'est bien le foisonnement du réel, en effet, que Jacques Laurent essaie de traquer. D'où son refus des systèmes réductionnistes issus de l'esprit positiviste du XIXe siècle. L'analyse psychologique repose, chez lui, sur le sentiment d'absolue liberté des personnages et – au niveau stylistique – sur l'indépendance par rapport aux formes modernes et aux modes culturelles de l'écriture romanesque. Aussi la technique comme la vision de Jacques Laurent semblent-elles parfois plus proches de l'égotisme de Stendhal, qu'il admire (*Stendhal comme Stendhal ou le Mensonge ambigu,* 1984), prolonge (*la Fin de Lamiel,* 1962) et adapte à l'écran (*Lamiel,* réalisation Jean Aurel, 1967), que du dogmatisme « scientifique » de ses contemporains. Son goût pour la mystification, le pastiche, le canular, l'héroïsme immotivé s'accompagnent d'un certain pessimisme moral. En témoignent la désinvolture et le cynisme d'une narration elliptique et d'une composition qui, dans la plupart de ses romans, fait de brusques sauts dans la chronologie (ainsi dans *l'Inconnu du temps qui passe,* 1994) ou, comme dans *les Bêtises,* juxtapose plusieurs genres (roman inachevé, commentaire, journal intime), à travers lesquels la réalité se trouve diffractée.

La guerre est un cadre historique de prédilection : l'exode, l'Occupation, l'épuration, permettent à toute une génération de s'abandonner à la recherche de l'acte gratuit et du geste surréaliste ; ses héros (cf. *le Petit canard,* 1954) opposent à la logique absurde des adultes leur propre jeu désespéré, fait, malgré leur jeunesse, de lucidité et de cruauté morale. L'ironie du style se confond alors avec celle du sort, et le scepticisme apparaît ainsi comme inséparable d'un besoin d'idéal et de romantisme. C'est la même tonalité qu'on retrouvera dans *l'Erreur,* sous la signature de Cécil Saint-Laurent, préface de J. Laurent (1987), *les Années 50* (1989), *le Miroir aux tiroirs* (1990) ou même la Préface aux *Œuvres complètes* de la comtesse de Ségur.

B. Valette

Lautréamont

LAUTRÉAMONT, le comte de

*Pseudonyme d'**Isidore DUCASSE** (1846-1870)*

Lautréamont brille aujourd'hui comme un des phares de l'art moderne. On oublie qu'il y eut d'abord cinquante ans de stupeur – de 1868 à 1918. La démesure et le primitivisme des *Chants de Maldoror* déconcertèrent au point qu'on prit leur auteur pour un psychopathe. « C'est un fou comme il ne s'en était jamais vu, qui aurait pu devenir l'un des plus grands poètes du monde », déplorait en 1890 Léon Bloy, fasciné par l'accent d'une œuvre « qui fait ressembler chaque phrase à une louve enragée courant de ses pattes agiles et silencieuses » et « qui est à lui seul une originalité si démesurée, si formidable, qu'à la lecture, on sent battre ses artères et vibrer son âme jusqu'au tremblement, jusqu'à la dislocation ». La connaissance de l'homme aurait peut-être facilité, aux esprits de cette époque, l'approche de l'œuvre. Mais du signataire on ne savait presque rien : en 1920 encore, Malraux l'imaginait scandalisant son hôtel par ses beuveries de... café et se mettant au piano en pleine nuit pour écrire *Maldoror.*

De fou, soudain, Lautréamont devint prophète, et même beaucoup plus, l'annonciateur d'une nouvelle ère de l'esprit, l'auteur d'une « Apocalypse définitive » (A. Breton), un « dynamiteur archangélique » (J. Gracq). Les *Chants* apparurent au groupe surréaliste comme la preuve expérimentale de la fécondité de l'écriture automatique, qui permet de libérer l'imagination grâce à « une accélération volontaire, vertigineuse, du débit verbal » (A. Breton, préface aux *Œuvres complètes,* 1938). Ce desserrement de l'étreinte de la raison se produit dans le rêve, le demi-sommeil, l'hypnotisme. Or les *Chants* se révèlent comme « l'œuvre la plus imprégnée de sommeil de notre littérature » (M. Blanchot). De nombreuses strophes se déroulent la nuit et s'achèvent quand menace la lumière.

Dès que l'inconscient se libère, surgissent les magnifiques métaphores, celles qui recèlent « une dose énorme de contradiction apparente » (*Manifeste du surréalisme*, 1924), les plus profondes et les plus insolites. Les somptueuses images de *Maldoror*, et pas seulement les célèbres séries des « beau comme », émerveillèrent tout le groupe de Breton et lui semblèrent vérifier la théorie surréaliste. Une telle primauté accordée à l'imaginaire par Lautréamont et par les surréalistes explique leur goût commun pour le roman noir, le fantastique et le merveilleux (si présent dans la strophe de l'hermaphrodite). Ce qu'il y a dans les *Chants* de fantastique urbain va se transformer souvent, chez Breton, Aragon, Eluard... en merveilleux urbain : poésie de Paris, de la rue, de la rencontre, du passant plein de mystère.

Répudier la raison, c'est mépriser ses recettes esthétiques, c'est-à-dire la littérature. À bon droit, *Maldoror* fut considéré par le surréalisme comme la plus formidable bombe jamais jetée dans le jardin littéraire. L'ironie, la parodie des personnages, des techniques, des ornements, de l'expression littéraire, sont manifestes d'un bout à l'autre du livre. Le commentaire humoristique qui s'attache à tant de phrases, d'images ou de « trucs » d'écrivains sape toute adhésion du lecteur à ce qu'il lit et met en pleine lumière le ridicule de ces conventions, de cette esthétique. On peut même observer que les séries de « beau comme », qui nous apparaissent aujourd'hui comme une parodie de la métaphore (et non comme de suprêmes métaphores), contribuent éminemment à cette démolition des « belles œuvres », dont se moquaient un Breton et un Soupault, eux qui entreprirent la rédaction des *Champs magnétiques* « avec un louable mépris de ce qui pourrait s'ensuivre littérairement ».

Enfin la révolte de Maldoror ne pouvait que parler à ces révoltés, réchappés de l'un des plus grands massacres de l'Histoire. Révolte contre Dieu, que les *Chants*, plus qu'aucune œuvre au monde, bafouent. Révolte contre les tabous sexuels : Eluard rapprochait Lautréamont de Sade. Dénonciation de la guerre et de la corruption. Contestation de toutes les institutions, de toutes les formes d'*establishment* : famille, Église... Éclatement du réalisme quotidien et de la logique courante sous l'effet de l'humour. L'humour, dont les surréalistes, à la suite de Jacques Vaché, avaient bien vu la prodigieuse puissance de dislocation.

Il faut donc reconnaître à Breton et à ses amis le mérite non seulement d'avoir découvert Lautréamont, mais aussi d'avoir saisi d'un seul regard les deux versants des *Chants* : l'intelligence sarcastique, sardonique, d'où procèdent les ricanements, la parodie et les énormités recensées consciencieusement en 1974 par Robert Faurisson ; l'imaginaire primitif, génésique, océanique et ténébreux, créateur de monstres qui surpassent ceux des tableaux de Jérôme Bosch.

Mais la vénération des surréalistes pour l'œuvre leur semblait impliquer le refus d'une véritable analyse. Comme le proclamait Crevel en 1925, « il me paraîtrait sacrilège d'essayer une mosaïque de cailloux critiques autour de *Maldoror* ». Revendication naïve, que de remarquables études n'allaient pas tarder à balayer, celle de Léon Pierre-Quint en 1928, celle de Bachelard en 1939, en attendant le *Lautréamont et Sade* de Blanchot (1949). La psychanalyse ne pouvait manquer de se passionner pour les *Chants de Maldoror* et son fabuleux univers imaginaire. Évidemment l'autre versant de l'œuvre – le travail de l'écriture, l'activité de la parodie – sollicita bientôt l'attention de la critique formaliste. Les jeunes écrivains de la revue *Tel Quel* prirent le relais du surréalisme agonisant, mais en jouant pleinement de la réflexion critique : Philippe Sollers, Marcelin Pleynet et Julia Kristeva projetèrent sur le texte des lumières nouvelles. Peu à peu, d'autre part, les biographes exhumaient de rares documents, sans toutefois parvenir à rendre possible une connaissance précise d'Isidore Ducasse.

	VIE	ŒUVRE
1809	**12 mars :** naissance de François Ducasse, père d'Isidore, à Bazet, au nord de Tarbes (Hautes-Pyrénées). Famille de propriétaires agriculteurs.	
1821	**19 mai :** naissance de Jacquette Davezac, mère d'Isidore, à Sarniguet, village voisin.	
1839	François Ducasse part pour Montevideo (Uruguay), comme plusieurs milliers de compatriotes de sa région. Jacquette Davezac semble être venue s'établir dans la même ville en 1841.	
1846	**21 févr. :** mariage religieux de François Ducasse, commis au consulat de France, et de Jacquette Davezac. Celle-ci est enceinte de sept mois. **4 avril :** naissance d'Isidore Ducasse à Montevideo. Il sera baptisé dix-neuf mois plus tard (16 nov. 1847).	
1851	**2 déc. : en France, coup d'État de Louis Napoléon Bonaparte, qui, l'année suivante, devient empereur sous le nom de Napoléon III.**	

	VIE		ŒUVRE
1859	**Juill. :** Isidore Ducasse s'embarque pour la France (deux mois de traversée). En oct., à treize ans, il devient interne au lycée impérial de Tarbes : classes de sixième, cinquième, puis quatrième. Il y a pour condisciples Georges Dazet et Henri Mue. Ses résultats sont bons, mais sans éclat. En août 1862, il quitte le lycée de Tarbes. Il a dû recevoir, en 1862-1863, une formation privée, destinée à lui faire rattraper son retard.		
1863	**Oct. :** entrée au lycée impérial de Pau, où il effectue ses classes de rhétorique (première) et de philosophie. Il a pour professeur de rhétorique Gustave Hinstin, et pour condisciples Paul Lespès et Georges Minvielle.		
1865	**Août :** Isidore Ducasse a-t-il obtenu son baccalauréat ? On n'a trouvé aucune trace de son nom dans les archives universitaires. Il a dû séjourner à Tarbes au cours des deux années suivantes.		
1867	**21 mai :** la préfecture des Hautes-Pyrénées lui délivre un passeport pour Montevideo. Le 25, le jeune homme s'embarque à Bordeaux. **Fin de l'année** : d'après les souvenirs de Lacroix, premier éditeur de Ducasse, celui-ci était revenu en France et vivait à Paris, dans un hôtel situé 23, rue Notre-Dame-des-Victoires.		
1868	**15 sept. :** publication d'un compte rendu du chant I dans le n° 5 de la feuille bi-mensuelle *la Jeunesse* : il est signé ÉPISTÉMON.	**1868**	**Août :** publication des *Chants de Maldoror* (chant I), par ***, à l'imprimerie Balitout, Questroy et Cie. La brochure a été inscrite au Dépôt légal entre le 14 et le 21 août (32 pages, 30 centimes). **9 nov. :** courte lettre de Ducasse à un critique (inconnu). Il y annonce la mise en vente du chant I et la publication imminente par l'éditeur Lacroix du chant II (ce projet ne se réalisera pas).
		1869	**Janv. :** le chant I est réédité, toujours sans nom d'auteur, dans une anthologie poétique, *les Parfums de l'âme,* publiée à Bordeaux par Évariste Carrance. Le nom de Dazet y est remplacé par D ***. **22 mai :** lettre au banquier Darasse. Les fragments que nous en connaissons ont été publiés par Genonceaux, dans la préface de son édition des *Chants* (1890). **Été :** les *Chants de Maldoror* paraissent à Bruxelles, chez Lacroix, Verboeckhoven et Cie. **23 oct. :** dans son n° 7, le *Bulletin trimestriel des publications défendues en France imprimées à l'étranger* de Poulet-Malassis, en exil à Bruxelles, annonce la publication des *Chants de Maldoror,* par le comte de Lautréamont : un volume de 332 p. in-8° (chants I à VI). Mais une note ajoute que l'imprimeur s'est refusé, au moment de la mise en vente, à livrer les exemplaires. Ducasse en précisera les raisons dans une lettre du 12 mars 1870 : « parce que la vie y était peinte sous des couleurs trop amères, et qu'il [Lacroix] craignait le procureur général ». Lettre de Ducasse à l'éditeur Verboeckhoven à propos de ces difficultés. **27 oct. :** seconde lettre à Verboeckhoven. Il y est question de la vente des *Chants* à l'étranger, où « les esprits seront mieux préparés qu'en France pour savourer cette poésie de révolte ». Ducasse réclame vingt exemplaires de son ouvrage. Les exemplaires de cette édition de 1869 sont devenus rarissimes. Au chant I, le nom de Dazet a disparu et a été remplacé par celui de divers animaux. Dans les strophes XI et XII, les indications de dialogue et de mise en scène ont été supprimées.

VIE		ŒUVRE	
1870	**Févr. :** Ducasse s'installe au 15, rue Vivienne. **Printemps :** Ducasse s'installe dans un hôtel au 7, rue du Faubourg-Montmartre. **Sept. : en guerre avec la Prusse depuis juillet, la France est vaincue. L'Empire s'écroule, la République est proclamée. Paris est assiégé à partir du 19 septembre.** **24 nov. :** Isidore Ducasse meurt à 8 heures du matin, au 7 de la rue du Faubourg-Montmartre, « sans autres renseignements », dit l'acte de décès. Il est inhumé le lendemain au cimetière du Nord, dans une concession temporaire, en attendant la fosse commune. Ne restent de lui que les *Chants de Maldoror,* les *Poésies* et six lettres.	**1870**	**Janv. :** Évariste Carrance publie un second recueil collectif, *Fleurs et Fruits.* Au dos de la couverture se trouvent annoncés, parmi les nouveautés, les *Chants de Maldoror* par le comte de Latréaumont (véritable orthographe du titre d'un roman d'Eugène Sue, 1838). **21 févr. :** troisième et dernière lettre à Verboeckhoven : « Vous savez, j'ai renié mon passé, je ne chante plus que l'espoir. » Annonce d'« un ouvrage que je porterai à Lacroix dans les premiers jours de mars ». **12 mars :** lettre au banquier Darasse : « J'ai complètement changé de méthode, pour ne chanter exclusivement que l'espoir. » **Avr. :** le premier fascicule des *Poésies* est inscrit au Dépôt légal entre le 8 et le 22. **Juin :** le second fascicule des *Poésies* est déposé entre le 10 et le 17. Comme pour le précédent, l'éditeur est Balitout, Questroy et Cie, à Paris.
		1874	Les *Chants de Maldoror* sont mis en vente à Bruxelles, avec un simple changement de couverture, sans nom d'éditeur.
		1919	Breton, qui est allé en copier le texte intégral à la Bibliothèque Nationale, publie les *Poésies I* et *II* dans la revue *Littérature,* numéros 2 (avril) et 3 (mai).
		1920	Les *Poésies* sont éditées en volume à Paris, Au Sans-Pareil, avec une préface de Philippe Soupault.

Chants de Maldoror

Le dessein des Chants de Maldoror

Deux lettres de Lautréamont indiquent l'orientation générale de l'œuvre, l'une des plus déconcertantes de toutes les littératures :

> *J'ai chanté le mal comme ont fait Mickiéwikz* [sic]*, Byron, Milton, Southey, A. de Musset, Baudelaire, etc. Naturellement, j'ai un peu exagéré le diapason pour faire du nouveau dans le sens de cette littérature sublime qui ne chante le désespoir que pour opprimer le lecteur, et lui faire désirer le bien comme remède. Ainsi donc, c'est toujours le bien qu'on chante en somme, seulement par une méthode plus philosophique et moins naïve que l'ancienne école, dont Victor Hugo et quelques autres sont les seuls représentants qui soient encore vivants.*
>
> (lettre du 23 octobre 1869)

> *C'était quelque chose dans le genre du* Manfred *de Byron et du* Konrad *de Mickiéwicz, mais cependant bien plus terrible.*
>
> (lettre du 12 mars 1870)

Lautréamont, tout en situant les *Chants* dans le prolongement du romantisme le plus exaspéré, affirme leur nouveauté. L'obsession du mystère du Mal, la révolte, le blasphème, la solitude d'un héros dressé contre Dieu, contre les hommes et contre lui-même, l'obscure ou claire présence des puissantes figures de Satan, de Caïn et de Prométhée... tout cela semble une des dernières vagues de la marée romantique, qui avait recouvert l'Europe de 1798 à 1848. Mais l'inattendu, c'est que l'œuvre se dénonce elle-même et ne cesse de railler les personnages, les thèmes et les procédés du romantisme.

D'autre part, par son titre et par sa division en chants, elle se présente comme une épopée, et une épopée de la haine : « Lecteur, c'est peut-être la haine que tu veux que j'invoque dans le commencement de cet ouvrage ! » (I, II). Lautréamont a conscience de sa puissance créatrice et de l'ampleur de son projet poétique, puisqu'il recourt au genre littéraire le plus ambitieux et se situe dans le sillage d'Homère et de Milton.

Épopée de la haine, les *Chants* s'opposent à l'épopée de l'amour, la Bible. Le Dieu de l'Ancien Testament ne cesse d'être pris à partie avec une violence inconnue jusqu'alors. De nombreux versets bibliques sont parodiés, « retournés ». Mais, étrangement, Maldoror oublie parfois son satanisme pour s'identifier fugitivement (comme tous les grands romantiques) au Christ. Profonde ambiguïté que celle de ce héros oscillant entre la cruauté et la pitié, une haine affichée et une tendresse inguérissable, la fureur contre le Créateur et un attrait incertain pour la figure de Jésus !

Un tel constat permet d'entrevoir que, sous les desseins conscients, se déploie, malgré l'auteur et à mesure que l'œuvre avance, un dynamisme inconscient dont Maurice Blanchot, dans son *Lautréamont et Sade*, a tenté de percer le secret.

Œuvre romantique qui se moque du romantisme, épopée qui parodie les procédés épiques (épithètes homériques, formules dantesques...), les *Chants de Maldoror* semblent défier toute réduction à un sens défini : « Une porte s'ouvrait sur la mer... » (René Crevel). Demeurer à la surface d'un pareil texte, c'est à coup sûr se perdre dans ses ironiques reflets. « L'analyse, si elle veut faire quelque chose d'utile, ne doit pas regarder à ce qu'a dit Lautréamont, mais à ce qu'il a exprimé derrière ce qu'il dit, à l'aide de ce langage nouveau que constituent le choix des images, l'amoncellement privilégié des mots, la complicité de certains thèmes » (M. Blanchot). L'ironie interdit toute synthèse sur le contenu des *Chants*. Il faut, pour déjouer ses pièges, aller au contenu latent, découvrir les métaphores obsédantes, restituer l'univers imaginaire du créateur, mettre en lumière les récurrences lexicales. Avec les *Chants* comme avec les *Illuminations* de Rimbaud, quasi contemporaines, « surgit le pur inconscient. Pour la première fois l'inconscient surgit avec un caractère sacré ». Il faudrait assurément nuancer cette affirmation de Léon Pierre-Quint, qui néglige les romantiques allemands et Nerval ; elle souligne néanmoins combien le terme de « dessein », utilisé à propos de cette œuvre, se charge d'un sens nouveau.

SYNOPSIS

CHANT I

Publié d'abord isolément, ce chant s'achève par une strophe-signature : « La fin du dix-neuvième siècle verra son poète [...]. Il est né sur les rives américaines, à l'embouchure de la Plata. » Il s'agit d'une célébration du Mal : « Maldoror prend visiblement la suite des personnages maudits de toute espèce que la littérature noire a mis à la portée des imaginations » (M. Blanchot.) La voix du poète s'unit au chœur des œuvres les plus illustres de l'Occident : la Bible, Homère, Dante, Shakespeare, Hugo ; ou les plus cruelles, les plus aiguës : Racine, peut-être Sade, Baudelaire.

Strophe I : « Plût au ciel que le lecteur... » (Humour et comparaison homérique des grues.)

Strophe II : « Lecteur, c'est peut-être la haine que tu veux que j'invoque... » (Ouverture épique.)

Strophe III : « J'établirai dans quelques lignes comment Maldoror fut bon... » (Maldoror et Néron.)

Strophe IV : « Il y en a qui écrivent pour rechercher les applaudissements... » (« Peindre les délices de la cruauté ».)

Strophe V : « J'ai vu pendant toute ma vie... » (L'universalité du mal.)

Strophe VI : « On doit laisser pousser ses ongles... » (Plaisir et détresse de torturer un enfant.)

Strophe VII : « J'ai fait un pacte avec la prostitution... » (Une variation musicale sur les apocalypses et sur Dante.)

Strophe VIII : « Au clair de lune, près de la mer... » (Les chiens hurlant à la lune : l'humour et le lugubre.)

Strophe IX : « Je me propose, sans être ému... » (Célébrations oratoire et humoristique du « Vieil océan ».)

Strophe X : « On ne me verra pas à mon heure dernière... » (Un rêve de mort.)

Strophe XI : « Une famille entoure une lampe... » (Maldoror devant un univers de conte bleu.)

Strophe XII : « Celui qui ne sait pas pleurer... » (Rencontre du nouvel Hamlet avec un fossoyeur.)

Strophe XIII : « Le frère de la sangsue... » (Maldoror et le crapaud.)

Strophe XIV : « S'il est quelquefois logique... » (Signature et intrusion d'auteur.)

CHANT II

Le chant II, le plus ample, déploie et orchestre tous les thèmes de l'œuvre. Le narrateur le caractérise comme un « chant impie » : les attaques contre Dieu y sont en effet particulièrement nombreuses. L'univers de l'enfance et de l'adolescence n'y est pas moins présent.

Strophe I : « Où est-il passé ce premier chant... » (Maldoror et le Mal.)

Strophe II : « Je saisis la plume... » (Le front frappé par la foudre.)

Strophe III : « Qu'il n'arrive pas le jour où Lohengrin et moi... » (Maldoror en Job révolté.)

Strophe IV : « Il est minuit ; on ne voit pas un seul omnibus... » (La parabole fantastique de l'enfant poursuivi.)

Strophe V : « Faisant ma promenade quotidienne... » (La strophe de la jeune fille.)

Strophe VI : « Cet enfant, qui est assis... » (La tentation du jeune garçon.)

Strophe VII : « Là, dans un bosquet entouré de fleurs, dort l'hermaphrodite... » (L'unique oasis des *Chants*.)

Strophe VIII : « Quand une femme, à la voix de soprano... » (Le festin du Créateur.)

Strophe IX : « Il existe un insecte... » (L'éloge des poux.)

Strophe X : « Ô mathématiques sévères, je ne vous ai pas oubliées... »

Strophe XI : « Ô lampe au bec d'argent... » (Lutte avec l'Ange et parodie.)

Strophe XII : « Écoutez les pensées de mon enfance... » (Confidences et attaques contre le Créateur.)

Strophe XIII : « Je cherchais une âme qui me ressemblât... » (L'accouplement de Maldoror à la femelle du requin, dans la tempête.)

Strophe XIV : « La Seine entraîne un corps humain... » (Holzer le suicidé.)

Strophe XV : « Il y a des heures dans la vie où l'homme... » (Maldoror, la conscience et le Créateur.)

Strophe XVI : « Il est temps de serrer les freins à mon inspiration... »

CHANT III

Après la variété du chant précédent, les cinq strophes de celui-ci tournent autour du thème de la Providence divine : ce monde déréglé ne peut que refléter les dérèglements de son Auteur.

Strophe I : « Rappelons les noms de ces êtres imaginaires... » (Le couple des deux frères mystérieux.)

Strophe II : « Voici la folle qui passe en dansant... » (Le viol.)

Strophe III : « Tremdall a touché la main pour la dernière fois... » (Le combat de l'aigle et du dragon.)

Strophe IV : « C'était une journée de printemps... » (L'ivresse du Créateur.)

Strophe V : « Une lanterne rouge... » (Le cheveu, Dieu au lupanar.)

CHANT IV

Soudain, les *Chants* vont s'assombrir. Dans ces ténèbres se meuvent les plus étranges représentations : descendu aux enfers de l'inconscient, le poète en fait remonter des images de métamorphoses et des scènes qui font penser à Bosch et à Goya.

Strophe I : « C'est un homme ou une pierre... » (Maldoror en lutte contre l'humanité.)

Strophe II : « Deux piliers, qu'il n'était pas difficile et encore moins impossible de prendre pour des baobabs... » (Une bombe jetée sur la littérature.)
Strophe III : « Une potence s'élevait sur le sol... » (Le pendu et les deux femmes ivres.)
Strophe IV : « Je suis sale. Les poux me rongent... » (Une saisissante rêverie d'inertie et de mort.)
Strophe V : « Sur le mur de ma chambre, quelle ombre... » (L'obsession de la chevelure.)
Strophe VI : « Je m'étais endormi sur la falaise... » (La métamorphose en pourceau.)
Strophe VII : « Il n'est pas impossible d'être témoin d'une déviation... » (L'amphibie.)
Strophe VIII : « Chaque nuit, plongeant l'envergure de mes ailes... » (Falmer et le tourbillon.)

CHANT V
Le chant V est le chant d'un relatif effacement de l'homme, de la présence hallucinatoire du bestiaire. Il accentue l'enfoncement dans la nuit qui caractérise les quatre premiers chants, avant le triomphe ambigu de la lumière dans le chant VI.
Strophe I : « Que le lecteur... » (Le vol des étourneaux.)
Strophe II : « Je voyais devant moi un objet... » (L'homme-pélican, le scarabée, la première série des « beau comme ».)
Strophe III : « L'anéantissement intermittent des facultés humaines... » (La strophe de l'insomnie.)
Strophe IV : « Mais qui donc... » (Le Créateur-python.)
Strophe V : « O pédérastes incompréhensibles... »
Strophe VI : « Silence ! il passe un cortège funéraire... » (L'enterrement de l'enfant de dix ans, le milan royal.)
Strophe VII : « Chaque nuit, à l'heure où le sommeil... » (L'araignée, Réginald, Elseneur.)

CHANT VI
C'est le chant de l'allégresse luciférienne, de l'aisance et de la rapidité du récit. « L'érotisme se retire » et l'on a affaire à « une imagination libérée de ses particules lourdes » (M. Blanchot). Mervyn est le héros de ce que Lautréamont lui-même présente comme « un petit roman de trente pages ». Ses dix strophes comprennent deux préambules et une succession de huit épisodes de feuilleton.
Strophes I et II : le narrateur se fait critique.
Strophe III (1) : « Les magasins de la rue Vivienne... » (Maldoror suit Mervyn ; le retour des « beau comme ».)
Strophe IV (2) : « Il tire le bouton de cuivre... » (Réplique de la scène de famille du chant I ; Mervyn se trouve mal.)
Strophe V (3) : « Mervyn est dans sa chambre... » (Lettre de Mervyn à Maldoror.)
Strophe VI (4) : « Je me suis aperçu que je n'avais qu'un œil... » (Intermède, où prend place une nouvelle série de « beau comme ».)
Strophe VII (5) : « Sur un banc du Palais-Royal... » (Enchâssement d'un conte : le fou Aghone, les trois Marguerite.)
Strophe VIII (6) : « Le Tout-Puissant avait envoyé sur la terre... » (Seconde lutte de Maldoror avec un archange, métamorphosé en crabe-tourteau.)
Strophe IX (7) : « Le corsaire aux cheveux d'or... » (Cruauté de Maldoror à l'égard de Mervyn, enfermé dans un sac et battu.)
Strophe X (8) : « Pour construire mécaniquement la cervelle... » (Maldoror debout au sommet de la colonne Vendôme fait tournoyer autour de lui le corps de Mervyn, comme avec une fronde, et l'envoie s'écraser contre le dôme du Panthéon.)

La captation des sources

La fulgurance d'œuvres comme les *Pensées* de Pascal, les *Illuminations* de Rimbaud ou les *Chants de Maldoror* entraîne l'imagination vers la représentation mythique de génies solitaires, bénéficiaires de révélations, comme Moïse au Sinaï. En fait, comme Pascal et Rimbaud, Lautréamont a énormément lu. Il cite plus de cent écrivains dans les *Poésies*.

Poète à peine sorti de l'adolescence, il n'a pas oublié les auteurs étudiés au lycée : Homère, les Tragiques grecs, Du Bellay, Corneille, Racine, Pascal, La Fontaine, Bossuet... Il est tout nourri de Chateaubriand, Senancour, Nerval, Musset, Lamartine, Gautier, Leconte de Lisle, Hugo, Baudelaire. Il semble avoir fait ses délices des romans-feuilletons d'Eugène Sue et de Ponson du Terrail (*Rocambole*, 1859), dont il se moque tout au long du chant VI. Latréaumont, sombre héros à l'ascendant magnétique, a donné son nom à l'un des romans de Sue (1838) et fourni à Ducasse son pseudonyme. Peut-être ce dernier a-t-il aussi lu Sade ? En tout cas il a un goût prononcé pour les ouvrages scientifiques : mathématiques, médecine, et surtout sciences naturelles. Il a réfléchi sur l'essai de Naville, *le Problème du mal* (1868). Il utilise aussi la matière que lui fournissent journaux et magazines.

Si son romantisme paraît cependant plus anglais que français, c'est sans doute que – connaissant bien l'anglais – il possède Shakespeare et Milton, Shelley, Southey, Scott, et voue un culte à Young et à Byron. Lautréamont admirait les *Contes* d'Edgar Poe. Le roman noir d'Ann Radcliffe, et surtout de Maturin, a marqué les *Chants*. Mais là ne se limitent pas ses lectures étrangères. Il cite Dante, Goethe et Mickiewicz, connaît peut-être Klopstock et Hoffmann. Enfin, la Bible, et notamment les livres prophétiques, les passages apocalyptiques, *Job*, les *Psaumes* n'ont cessé de provoquer ce Job révolté.

La connaissance de leurs sources aide-t-elle à pénétrer dans les *Chants* ? Maurice Blanchot a mis en garde contre « le mirage des sources ». Le primitivisme de son imagination entraîne Lautréamont vers les grands centres d'irradiation de l'inconscient collectif, déjà atteints par les autres grands visionnaires : les prophètes juifs, Homère, l'auteur de l'*Apocalypse*, Dante, Shakespeare, Milton, Hugo. Dans bien des cas, qui dira si le poète retrouve ou se souvient, ou encore retrouve en se souvenant ? De là vient que, pour chaque évocation un peu puissante, affluent des réminiscences dont le nombre même fait apparaître l'incertitude. D'où procède la figure satanique de Maldoror ? De la Bible, de Dante, de Byron, de Mickiewicz, de Sue, de Ponson du Terrail, de Baudelaire... ? Même quand on peut établir que le héros emprunte quelque trait, il reste qu'une puissance créatrice est à l'œuvre – toute proche de la toujours fraîche source des mythes – et que cette puissance ne fait que glaner, dans sa prodigieuse odyssée, quelques expressions heureuses chez les explorateurs qui ont précédé.

Pourtant la dénonciation du « mirage des sources » ne suffit pas. Ni Blanchot, ni Pleynet, si réticents qu'ils s'affirment à l'égard de ce type d'enquête, n'ont pu éluder la question de ce qu'on appelle l'intertextualité, le jeu d'un texte avec ceux qui l'ont précédé ou qui l'accompagnent. Il existe de nombreux emprunts indubitables. Certains sont textuels, comme les six passages pris à l'*Encyclopédie d'histoire naturelle* du docteur Chenu. Dans son souci d'ironie ou de parodie, Lautréamont ne cesse de jongler avec les auteurs. L'identification des emprunts fait apparaître aussi deux procédés : le « retournement » et le « collage ». Tantôt un verset biblique, par exemple, reçoit une portée diamétralement opposée à son sens réel (déjà perce le goût de l'auteur des *Poésies* pour le retournement des maximes célèbres), tantôt plusieurs lignes d'un développement didactique de dictionnaire ou de manuel sont recopiées et insérées, telles quelles, dans un poème : la célèbre strophe du vol des étourneaux (V, I) reprend ainsi des phrases entières du docteur Chenu. Bien des strophes sont peut-être nées de certains retournements. Quant à la pratique du collage, elle met en cause, plus radicalement que tout autre procédé, la recherche esthétique et la littérature, du moins telle qu'elle est utilisée dans les *Chants*. Il faudra attendre plus de soixante ans pour que le collage devienne lui-même un procédé esthétique, maîtrisé par de grands romanciers comme Döblin, Dos Passos et Soljenitsyne.

Un verbe apocalyptique

« Cela ne manquerait pas de gaieté si le verbe n'en était à la fois incorrect et apocalyptique, Ézéchiel chez la portière, Néhémias traduit par madame Gibout. » Avec un tel jugement, Laurent Tailhade se montrait dès 1906 plus clairvoyant que ne devait l'être quarante ans plus tard l'auteur de la première thèse universitaire sur Lautréamont. En 1946, Hans-Rudolf Linder soutenait que les *Chants de Maldoror* n'étaient rien d'autre qu'une nouvelle version de l'*Apocalypse* de Jean. Maldoror synthétiserait Satan, l'ange de l'abîme Abaddôn et certains cavaliers apocalyptiques. Les cinq premiers chants égrèneraient sans ordre les rêves et souvenirs de Satan pendant son emprisonnement de mille ans, le sixième constituerait un supplément à l'*Apocalypse.* En dépit de son intérêt, cette « thèse » est affaiblie par diverses méconnaissances : l'ironie et la parodie n'y sont guère prises en compte ; écrivant avant les mises en garde de Blanchot, Linder succombe à l'illusion de « la » source unique. Enfin, plutôt que d'évoquer la seule *Apocalypse* qui clôt la Bible, il aurait fallu insister sur l'extraordinaire présence dans les *Chants* d'un genre littéraire très caractérisé, l'apocalyptique, qui affleure un peu partout dans les Écritures, aussi bien chez les prophètes que dans les Évangiles ou les lettres de saint Paul.

Une apocalypse est une révélation : Dieu se manifeste aux hommes soit directement, soit par l'intermédiaire d'anges, par des visions, des songes. Les anges, bons ou mauvais, sont intensément actifs ; la surabondance des maux, les crises et les catastrophes signalent l'imminence du dénouement. Les messages comportent des trombes d'images : le bestiaire et le lapidaire dominent ; des êtres composites surgissent ; la logique rationnelle s'estompe ou disparaît. Certains schèmes narratifs se reconnaissent aisément : « Alors je levai les yeux [...] et j'entendis [...] et je vis. »

Lautréamont est fasciné par l'apocalyptique, comme Dante ou Hugo, dont l'influence se mêle à celle des voyants juifs tout au long des *Chants* :

> *Je vis devant moi un tombeau, j'entendis un ver luisant*
>
> (I, VII)

> *Un jour, donc, fatigué de talonner du pied le sentier abrupt du voyage terrestre, et de m'en aller, en chancelant comme un homme ivre, à travers les catacombes de la vie, je soulevai avec lenteur mes yeux spleenétiques, cernés d'un grand cercle bleuâtre, vers la concavité du firmament, et j'osai pénétrer, moi, si jeune, les mystères du ciel ! Ne trouvant pas ce que je cherchais, je soulevai la paupière effarée plus haut, plus haut encore, jusqu'à ce que j'aperçusse un trône...*
>
> (II, VIII)

La densité d'un pareil texte est saisissante : apocalyptique et ironie, mais aussi passage furtif d'adjectifs hugoliens (« effarée ») ou hérités de Baudelaire (« spleenétiques »), en même temps que rencontre d'une situation dantesque (la découverte de l'infernal).

Le Créateur parade revêtu tantôt d'une « robe d'émeraude » (III, V), tantôt d'une « cruelle tunique de saphir » (II, XII). Par retournement, Maldoror se trouve nanti de caractéristiques divines : « auréole de rayons étincelants » (V, V), « cheveux blancs comme la neige » (V, VI), « figure de platine » (V, VII) et – soulignant la parodie – « poitrine d'aluminium » (V, IX). Le héros parcourt le monde sur son « célèbre cheval blanc » (V, VI). Jaspe, bronze, soufre... tous ces matériaux d'apocalypses servent à désigner l'insaisissable protagoniste. Maldoror apparaît comme une mosaïque, et comme une mosaïque changeante. En deçà de ses métamorphoses les plus voyantes s'opèrent en lui de plus subtiles transformations, des glissements de couleur, des creusements de rides. Être au physique variable, incertain, il est comme Dieu, dont les épiphanies colorées constituent un défi au principe d'identité. Cette merveilleuse mobilité interne, plus encore que la rapidité de ses chevauchées, élève la créature ducassienne bien au-dessus des misérables humains qu'elle rencontre. À deux reprises Maldoror doit affronter un ange (II, XI et VI, VIII) ; ailleurs, métamorphosé en aigle, il combat un dragon sorti tout droit de l'*Apocalypse* de Jean (III, III). Mais l'apocalypse ducassienne ne révèle que la cruauté et la sottise divines. Pourquoi ce tyran fantoche a-t-il créé la race humaine, souffrante et corrompue ? Pourquoi a-t-il donné naissance à Maldoror, qui se hait, qui hait les hommes, qui hait Dieu ? Dans un univers crépusculaire se poursuit un combat sans fin, où Maldoror, malgré certains aveux sur la supériorité de son Adversaire, ne peut être définitivement vaincu. La seule attente est celle de nouvelles visions de haine, de nouveaux affrontements. Apocalypse-feuilleton, qui ne s'achemine vers aucun dénouement.

La lucidité et l'humour

Aucun écrivain plus lucide que Lautréamont ! L'admirable est que l'agilité d'esprit, la maîtrise supérieure vont de pair avec l'invasion des plus denses ténèbres. L'éloge des mathématiques accompagne celui du « vieil océan ».

La composition semble discontinue. Comme chez les grands imaginatifs (Jérémie, Dante, Hugo), les visions variées se succèdent. En fait, d'une strophe à l'autre des liens invisibles existent, des obsessions se découvrent : la ressemblance, les couples d'adolescents, le condamné, la vermine, la prostitution, la chevelure, le tourbillon, le crime de Caïn. À l'intérieur de maint poème, le thème initial paraît oublié, une apparente digression se développe, mais la fin réunit thème et digression dans une unité inattendue. Dans bien des cas – notamment au chant VI – Lautréamont est si conscient de « l'art » de composer qu'il parodie les ficelles les plus éprouvées du roman populaire. Il a même perçu les demi-ruptures qui interviennent entre le chant I (que d'ailleurs il a publié à part) et la suite de l'œuvre, puis entre l'ensemble onirique des chants II à V et l'allégresse sarcastique du chant VI. Mais cette souveraineté n'est maintenue qu'au prix d'une incroyable distension de l'esprit, constamment menacé par le sombre déluge des images. Pourtant, d'un bout à l'autre, l'œuvre poursuit une quête obscure, gravite autour d'un secret, selon une loi que Lautréamont expose au début du chant V, avec humour, en utilisant des fragments d'un article de dictionnaire. De là, sans doute, cette hantise du tournoiement, des retours cycliques, des refrains (« Je te salue, vieil océan... »), du tourbillon, qui trouve sa plus prodigieuse expression dans la strophe finale.

Le recours aux figures de rhétorique procède de la même ambiguïté : surgissement obscur et prise de conscience ironique. Comme bien des romantiques, Lautréamont a tendance à l'emphase, mais il le sait et il en joue : « Je me propose, sans être ému, de déclamer à grande voix la strophe sérieuse et froide que vous allez entendre » (I, IX). Grandiloquence, adjectifs pompeux, guirlandes d'épithètes creuses, exordes interminables et embrouillés, abus des substantifs abstraits, tout cela est connu, voulu. Souvent le récit est interrompu par des remarques sur la phrase qui vient de s'achever : « Si le lecteur trouve cette phrase trop longue, qu'il accepte mes excuses. » Lautréamont semble moins soucieux de se corriger que de se moquer de ceux qui se moquent de son enflure ou de ses incorrections. Il va ici plus loin que Rimbaud, qui déjà jugeait que, chez l'impeccable Baudelaire, « la forme si vantée en lui est mesquine » (lettre du 15 mai 1871). L'emploi des métaphores provient parfois d'une telle poussée intérieure que la métaphore se fait métamorphose ; mais bien souvent cette figure est raillée (IV, II). Et la raillerie, dans les « beau comme », va si loin que « la suspicion [est] portée sur l'émotion esthétique », sur le beau lui-même (M. Pleynet). « Dans tout le cours de l'œuvre, l'ironie a joué un rôle suprême et tel que dans aucun autre ouvrage on ne peut lui découvrir d'analogue » (M. Blanchot). L'étude systématique des figures de rhétorique des *Chants*, dans la voie indiquée par M. Pleynet (qui découvre, par exemple, un *topos* de la conclusion, « qui veut que l'œuvre s'achève à la nuit » : III, V ; IV, VIII...), la mise en lumière de leur récurrence doivent contribuer à une meilleure connaissance d'une œuvre qui, sous son apparente clarté, échappe à l'analyse.

Reste l'humour. « L'humour est, dans son essence, une critique intuitive et explicite du mécanisme mental, conventionnel, une force qui extrait un fait ou un ensemble de faits de ce qui est donné pour leur normale pour les précipiter dans un jeu vertigineux de relations inattendues ou surréelles. Par un mélange de réel et de fantastique hors de toutes les limites du réalisme quotidien et de la logique rationnelle, l'humour, et l'humour seul, donne à ce qui l'entoure une nouveauté grotesque, un caractère hallucinatoire d'inexistence, ou du moins une objectivité douteuse et une importance dérisoire, à côté d'un sur-sens exceptionnel et éphémère mais total » (Marco Ristich, « l'Humour attitude morale », dans *le Surréalisme au service de la Révolution*).

L'humour implique un recul qui permette de multiplier les prises de vues sur un réel dans lequel nous sommes habituellement englués. Dès lors tout devient neuf, insolite. Un cheveu apparaît gigantesque (effet de zoom). Sur une chouette qui vole au loin (plan général) la caméra pratique soudain un gros plan : « Une chouette, volant dans une direction rectiligne, et dont la patte est cassée, passe au-dessus de la Madeleine [...] en s'écriant : "Un malheur se prépare" » (VI, III). On ne sait plus très bien qui parle (passage du *je* au *il*). Ou bien, dans un récit conventionnel, le narrateur intervient et donne son point de vue, ce qui brise les conventions romanesques ou épiques. Pleynet a signalé « les différences de lieu d'émission qui se révèlent dans chaque discours, les différences auxquelles d'une page à l'autre, voire d'une ligne à l'autre le lecteur se trouve en butte » : apparent réalisme, puis fantasmagorie (III, V ; VI, V). Cet humour va jusqu'au *nonsense*, qui, sur un canevas de questions et réponses logiques, développe un discours absurde. Après avoir vu se noyer dans un lac une petite fille qui cueillait des lotus, Lautréamont réfléchit : « Conséquence étrange, elle ne cueillit plus aucune nymphéacée. Que fait-elle au-dessous ? [...] Je ne m'en suis pas informé » (IV, V). Même l'humour le plus noir s'affirme avec une acuité bien étrangère au sérieux romantique : par exemple dans la strophe du naufrage (II, XIII).

Une telle mobilité pour prendre les distances les plus variées par rapport au monde et à soi-même est vraiment unique dans notre littérature.

Un naturaliste visionnaire

« Il avait beaucoup de goût pour l'histoire naturelle. Le monde animal excitait vivement sa curiosité. Je l'ai vu longtemps admirer une cétoine d'un rouge vif qu'il avait trouvée dans le parc du lycée », dit de Ducasse son condisciple de Pau, Paul Lespès. Même sans ce témoignage, d'ailleurs tardif, la simple lecture des *Chants* manifeste le règne des sciences naturelles au cœur de l'univers de Lautréamont. Mais les différents domaines de ces sciences s'y trouvent inégalement représentés.

La flore, image du développement lent et heureux ou de l'adhérence aux habitudes ou de l'épanouissement splendide, n'occupe pas une place de premier plan. Elle apparaît cependant de façon caractéristique dans la strophe de l'immobilité (IV, IV). Le plus souvent, les fleurs ne sont qu'un décor : « L'odorat est un sens trop passif pour que Lautréamont s'occupe des odeurs » (G. Bachelard).

Les symbolismes du minéral (dureté, permanence, autonomie) expliquent sans doute sa rareté dans un univers qui a été défini comme « le royaume de la viscosité » (M. Blanchot). Les mentions du saphir, de l'émeraude, de l'opale... proviennent de la Bible et mettent en lumière l'éclatant isolement de Maldoror.

En revanche, le corps humain est intensément présent dans les *Chants.* Non que les visages soient décrits avec beaucoup de précision. On pense plutôt aux descriptions anatomiques (J.-P. Weber a, par exemple, souligné l'importance des évocations d'organes génitaux), aux tables de dissection, aux squelettes et aux écorchés (détails sur les os, les muscles, les artères : V, II). Membres brisés, lacérations, viols, meurtres : le sang humain ne cesse de couler !

Mais ce qui domine, dans l'œuvre, c'est le bestiaire. G. Bachelard y a relevé 185 noms d'animaux, dont certains reviennent plusieurs fois, et 400 actes vraiment animalisés (il néglige les expressions toutes faites : à pas de loup, etc.), soit en moyenne près de deux par page. Il affirme qu'en face du bestiaire « vu » de Victor Hugo, celui de Lautréamont représente des impulsions. Les formes animales, mal dessinées, renvoient à des actions. L'animalité est vécue de l'intérieur, dans sa violence agressive, et sert à symboliser les possibilités vitales de l'homme, ce suranimal. Les animaux les plus cités sont le chien, le cheval, le crabe, l'araignée, le crapaud. Mais, fasciné par l'imagination des forces et des mouvements, Bachelard croit pouvoir négliger ces données. Il s'attache aux animaux dynamisés, relève les organes offensifs : dent, corne, défense, griffe, patte, ventouse, bec, dard, venin... Il décèle dès lors deux grands rameaux dans le lautréamontisme : les thèmes de la griffe (pince, serre... avec le crabe « moins volumineux que ses griffes ») et de la ventouse (araignée, sangsue, tarentule, vampire, poulpe...). La pureté agressive du premier explique sa prédominance. Bachelard signale encore le goût de Lautréamont « pour ce qui nage et pour ce qui vole », et il conclut en affirmant que Lautréamont imagine comme un « primitif ».

Ces résultats sont intéressants, mais Bachelard n'a exploré qu'un aspect de ce bestiaire. Il l'a classé en fonction d'une seule question, le dynamisme. On peut en poser d'autres. Ce bestiaire ne reproduit-il pas l'oscillation décelée par Blanchot entre agressivité et inertie ? L'existence de tant de zoologies sacrées (Égypte) ne pourrait-elle jeter quelque lumière sur les rapports entre ces animaux et le Dieu des *Chants* ? La correspondance entre oiseaux et poissons, si constante (la truite et l'hirondelle chez René Char, par exemple), n'explique-t-elle pas certains aspects de l'œuvre ? Les symboles animaux de la Mère terrible semblent intensément présents dans les *Chants* (V, II) comme dans *les Fleurs du Mal.* Une hantise des regards luisants n'a-t-elle pas contribué à susciter le ver, le poulpe, le pou (« fanal de Maldoror »), le requin (dont les yeux éclairent la scène : II, XIII), le Dieu-serpent ?

L'importance de la lune dans les *Chants* n'indique-t-elle pas qu'ils cachent et dévoilent une mythologie lunaire ? La lune, par ses phases, est la déesse des métamorphoses (mues du serpent), liée à la magie et à la femme, aux thèmes des frères ennemis, de la noyade et de la lacération ; elle est la souveraine de l'océan. Le bestiaire de Lautréamont réunit au chien (qui hurle à la lune) et au serpent le dragon, l'araignée, le crapaud, le crabe, le scarabée (Mircea Eliade, *Traité d'histoire des religions* ; G. Durand, *les Structures anthropologiques de l'imaginaire*).

Poésies

Les *Poésies* : une autre stratégie ?

Lautréamont confère le titre provocant de *Poésies* à de « prosaïques morceaux » (Dédicace) qui paraissent rompre avec la révolte et le romantisme des *Chants.*

Le premier fascicule procède à une extraordinaire revue des écrivains lus par Ducasse, à une satire violente du romantisme qui n'est évidemment pas sans relation avec les *Chants de Maldoror* :

> *Les gémissements poétiques de ce siècle ne sont que des sophismes [...]. Ô dadas de bagne ! Bulles de savon ! Pantins en baudruche ! Qu'ils s'approchent les Konrad, les Manfred, les Lara.*

Voici maintenant cloués au pilori ces héros de Mickiewicz et de Byron dont Maldoror avait pu paraître un si proche parent. Chateaubriand se voit affublé du titre de « Mohican mélancolique » et Lamartine de celui de « cigogne larmoyante ». Maintenant le goût pour le satanisme fait franchement rire, et Byron se trouve métamorphosé en « Hippopotame-des-Jungles-Infernales ».

Dans *Poésies II* règne un procédé déjà présent dans les *Chants* : le retournement. Une foule de formules de La Bruyère, La Rochefoucauld, Vauvenargues et surtout Pascal se trouvent soumises à un travail de négation qui a été étudié par Julia Kristeva dans sa *Révolution du langage poétique* (1974). « L'homme est un chêne », et non plus un « roseau pensant », assure ce moraliste d'un nouveau genre, avec un clin d'œil à La Fontaine (« le Chêne et le Roseau »).

Les *Poésies* représentent-elles un reniement des *Chants*, comme le suggère Maurice Saillet, qui accuse l'auteur d'avoir « retourné sa veste, en quelque sorte » ? Constituent-elles un indice de stérilité, après la plénitude de *Maldoror* (J.-P. Soulier) ? Ce « chapelet de bons sentiments », ce « rosaire de la bonne logique » traduit-il la déception éprouvée par le chercheur d'infini des *Chants*, qui exprimerait rageusement son impuissance : « S'il [faut] être banal, que la banalité règne sans faille » (Paul Zweig) ?

L'ouvrage demeure, aujourd'hui encore, ambigu. La célébration de la vertu s'y trouve parfois si outrée qu'elle semble se transformer en moquerie. Le caractère lapidaire, la dispersion et parfois la contradiction des maximes ne contribuent pas à dissiper les incertitudes. « C'est toujours le bien qu'on chante en somme », écrivait Lautréamont à propos des *Chants*. Aurait-il seulement changé – en partie – de « méthode » ? Derrière le contraste spectaculaire, les deux œuvres révèlent en réalité constamment leur unité.

Peut-être que « Lautréamont – après avoir passé en enfer une saison toute semblable, même par la nature de la hantise érotique – en est exactement à cet "Adieu" qui va jeter Rimbaud dans le désert du Harrar » (M. Blanchot).

Ph. Sellier

LA VARENDE Jean de

Jean MALLARD, comte de LA VARENDE *(1887-1959)*

Romancier d'origine normande, issu d'une vieille famille aristocratique, Jean de La Varende est né en plein pays d'Ouche. Infiniment attaché à ses traditions familiales et à son terroir natal, il est resté toute sa vie fidèle à ses « racines » et n'a guère quitté son château de Bonneville-Chamblac ; il y a séjourné en permanence à partir de 1919 et y a aménagé un musée consacré à l'histoire de la marine. Il a reçu, en 1938, le grand prix du Roman de l'Académie française pour *le Centaure de Dieu*. Bien qu'il se soit montré un écrivain fort productif, et qu'il n'ait pas hésité à aborder différents genres littéraires, son œuvre présente une grande cohérence.

La Varende a écrit, en effet, de nombreux romans qui, presque tous, se situent dans un cadre historique précis – les trente premières années du XIXe siècle – et mettent en scène des héros, gentilshommes bien sûr, plus ou moins ancêtres de l'écrivain lui-même. Il a exploité également le genre historique en rédigeant surtout des biographies de personnages dont il se sentait proche par les goûts (des marins, notamment, comme Surcouf ou Tourville) ou par le symbole qu'ils lui paraissaient incarner : l'énergie individuelle et l'âme normande pour *Guillaume le Bâtard, conquérant* (1946), le catholicisme en action pour saint Vincent de Paul. Il s'est également attaché à la description de sites – comme les côtes normandes ou *le Mont-Saint-Michel* (1941) – et de traditions – celles de la représentation du cheval dans l'art (*le Cheval et l'image*, 1947) ou celles de la broderie en pays bigouden – qui ont, là encore, valeur de symbole.

La pensée de Jean de La Varende s'organise autour d'un pôle essentiel, celui de la fidélité intransigeante aux traditions de la droite monarchiste française. Tous ses écrits affirment la nécessité de la prééminence sociale de la classe aristocratique ; la conception de la noblesse qu'il développe prétend remonter aux racines médiévales de l'aristocratie : « Pour moi, la gentilhommerie, c'est se dévouer et comprendre. » Ces notions de sacrifice, de désintéressement sont essentielles chez lui, comme en témoignent la plupart de ses œuvres romanesques ; une nouvelle du recueil *Pays d'Ouche* (1936) montre au lecteur à quelle grandeur dans la fidélité peut atteindre une servante qui se jette dans les flammes pour sauver sa maîtresse !... On doit être fidèle à ses « racines » – mot si caractéristique d'une génération dont un des maîtres à penser fut Maurice Barrès –, aux traditions de la famille, au sang ancestral, à la pureté de la race (les bâtards sont proscrits), à la terre natale (La Varende se montrera farouchement nationaliste), à la foi catholique – malgré la condamnation par le pape, en 1926, de l'Action française, condamnation dont Jean de La Varende fut profondément choqué, comme on le voit dans certains récits des *Manants du roi* (1938) : « Pour être lui-même, le vrai rural doit dépendre de Dieu et se rattacher à Dieu. Le vrai cultivateur doit être un homme de culte. » On perçoit donc très bien où réside le problème essentiel chez La Varende : en face d'un présent où le moi ne peut se situer – il faut songer au désarroi moral qui frappa beaucoup d'intellectuels d'avant-guerre –, la tentation était forte de chercher un idéal dans un passé mythiquement vécu comme glorieux. Ainsi voit-on apparaître les thèmes obsessionnels de la tradition royaliste : la décadence du monde contemporain, causée par une bourgeoisie républicaine qui ne songe qu'à l'argent et à la jouissance égoïste : « Ce pays a remplacé l'abbaye par la manufacture. Il se peut qu'il en crève ! Le cycle est : le moine, le gentilhomme, l'ouvrier. – Et après ? – Plus rien... les Barbares » (*Nez-de-Cuir*, 1937). La pensée de La Varende n'a ici rien d'original ; aussi ira-t-il chercher un idéal du côté du hobereau chasseur, grand séducteur, figé dans son modèle féodal, avec pour compagnons ses chiens, ses chevaux et ses femmes.

On comprend que pour un écrivain comme La Varende, qui souffre de « la difficulté d'être » dans le monde de son temps, et qui, par ailleurs, voit dans l'énergie individuelle le moteur de l'histoire, le problème littéraire majeur soit celui du héros. Comme celui de Drieu La Rochelle, et même comme celui de Malraux, le héros de La Varende se cherche et se trouve dans le service d'une cause, sans aucune compromission, en refusant d'observer les valeurs de la morale et de la société bourgeoises. On peut y voir une justification du caractère extrêmement sensuel de ses héros, le donjuanisme ne se concevant jamais hors du cadre de l'aristocratie. Nostalgiques du romantisme, refusant l'argent, la rentabilité immédiate, la médiocrité, ils aiment à vivre dans l'excès et la violence.

L'écriture de La Varende est alors à la mesure du sens qu'il donne à son œuvre : excessive, tout entière significative, multipliant en particulier termes de patois et archaïsmes. Pour le romancier, écrire c'est donc, d'une certaine manière, ressusciter

le passé ; mais cette tentative ne peut être que vouée à l'échec, parce qu'elle revêt un aspect mythique ; les personnages de La Varende, presque tous insatisfaits, en sont le reflet amer.
Telle qu'elle est, cette œuvre paraît ainsi exemplaire et parfaitement représentative de la pensée d'un monde et d'une époque.

J.-P. Damour

LA VIGNE André *ou* Andrieu de
v. Rhétoriqueurs

LAYA Jean-Louis

(1761-1833)

L'œuvre de Jean-Louis Laya est si profondément liée à la Révolution qu'il est impossible de l'évoquer en dehors de son rapport à l'événement historique. Laya est né à Paris. Après des études au collège de Lisieux, il écrit, en collaboration avec Legouvé, *le Nouveau Narcisse* (1785). En 1789, sa tragédie *Jean Calas* le situe dans le courant des Lumières. C'est une dénonciation du fanatisme populaire, suscité puis exploité par les autorités municipales et judiciaires, accompagnée d'un plaidoyer pour la tolérance. Laya y exalte le rôle émancipateur de la grande bourgeoisie éclairée, représentée dans la pièce par le personnage de La Salle, qui intéresse Voltaire au sort de la malheureuse famille Calas (il y a eu à la même période quatre pièces consacrées à cette affaire). Dans son drame *les Dangers de l'opinion* (1790), Laya procède à une critique des préjugés et du pouvoir de l'opinion publique ; mais les traits de l'auteur ne visent ici personne parce qu'ils visent tout le monde, en dehors de toute caractérisation sociale. Ce flou idéologique témoigne d'une hésitation et d'un recul devant les développements révolutionnaires.
En 1793, les choix sont faits : dans *l'Ami des lois,* Laya s'attaque directement aux Jacobins. Il fait représenter cette comédie le 2 janvier 1793, au théâtre de la Nation. Aucune pièce ne devait provoquer d'aussi graves incidents pendant la période révolutionnaire : le procès du roi, les dissensions entre les Indulgents, les Girondins et les Jacobins agitent l'opinion ; le théâtre de la Nation devient la tribune et le point de ralliement de tous les modérés. La Commune tente d'interdire la pièce, mais le public hue ses représentants et les gardes nationaux, exige que la représentation ait lieu et finit par obtenir satisfaction.
Laya, fin stratège, s'adresse directement à la Convention : celle-ci fait droit à sa réclamation et dénie à la Commune le droit de censurer un ouvrage dramatique. Mais les incidents ont été si violents que les comédiens prennent peur, et comme, par ailleurs, le procès du roi mobilise l'attention de l'opinion publique, les représentations de *l'Ami des Lois* sont suspendues. Curieusement, ces incidents ont tellement déterminé la réputation de la pièce que Laya ne pourra pas la faire reprendre sous la Restauration : il aura beau la remanier pour la transformer en pièce royaliste, les censeurs n'oublieront jamais qu'elle fut « séditieuse ». Elle était surtout habile. Laya retourne contre les Jacobins l'accusation de démembrer la nation. Il les présente comme des ennemis de la légalité nationale (Robespierre y apparaît sous le nom de Nomophage). Le héros, Forlis, en vrai et sincère républicain, fait appel à la justice populaire pour triompher de ses ennemis et finit par faire partager son idéal républicain au ci-devant baron de Versac. Tous ces thèmes sont, on le voit, d'inspiration girondine.
Par leur forme, les comédies et tragédies de Laya méritent plutôt le nom de drames : les enjeux y sont importants (la vie et la mort) sans que jamais le déroulement de l'action soit soumis à la fatalité. Leur esthétique n'attira guère l'attention des contemporains (sévère critique de Chamfort dans le *Mercure*) et c'est, hélas ! justice.
Après l'affaire de *l'Ami des lois,* Laya dut disparaître jusqu'à Thermidor. Par la suite il donna encore quelques tragédies : *les Deux Stuarts,* en 1797, et *Falkland,* en 1799, à qui le jeu de l'acteur Talma valut un succès d'estime. En réalité, jusqu'à la fin de sa vie, Laya consacra le plus clair de ses efforts au journalisme, comme critique littéraire au *Moniteur* ; il deviendra en 1813 professeur à la Sorbonne et en 1817 entrera à l'Académie française.

P. Frantz

LAYE Camara

(1928-1980)

Écrivain guinéen d'expression française. Né à Kouroussa (Guinée), Camara Laye effectue ses études au collège technique de Conakry, puis en France, au centre-école automobile d'Argenteuil. *L'Enfant noir* (1953), qui obtient le prix Charles-Veillon, et *le Regard du roi* (1954) le rendent célèbre. De retour en Guinée, il est appelé à un poste de direction au ministère de l'Information, puis est nommé ambassadeur au Ghana. En 1965, il rompt avec le régime de Sékou Touré et se fixe à Dakar, où il travaille comme chercheur à l'IFAN. La mort le frappe à cinquante-deux ans, après une longue maladie.
Roman de forme autobiographique, *l'Enfant noir* n'est pas ce texte serein que l'on s'est plu à exalter ou à dénoncer. Il témoigne d'une inquiétude profonde qui tient à la façon dont Laye souligne que le monde heureux qu'il évoque est, au moment où il écrit, un monde pour lui à jamais révolu. *Le Regard du roi* retrace, dans un contexte merveilleux et fantastique, l'itinéraire d'un Blanc, Clarence, qui tente d'accéder à la réalité profonde de l'Afrique, représentée ici par ce roi mystérieux dont il lui faut rencontrer le regard. La dimension initiatique et fantastique de ce roman font penser à Kafka ou à Julien Green. Avec *Dramouss* (1966), Laye entreprend d'écrire la suite de *l'Enfant noir.* Après six années passées en France, le narrateur revient au pays et découvre ce qu'est devenue la Guinée, dans le cadre du régime mis en place depuis 1958.
Le dernier ouvrage publié par Laye, *le Maître de la parole* (1978), n'est pas, à proprement parler, un roman. Fruit

d'une longue enquête menée en Afrique de l'Ouest auprès des griots détenteurs de la tradition malinké, *le Maître de la parole* est la traduction en français d'une des versions de l'épopée de Soundjata, l'empereur du Mali (mort en 1255). Ce texte, qui nous permet d'appréhender un des monuments littéraires de l'humanité, éclaire rétrospectivement les œuvres précédentes de Laye en révélant en particulier la place prépondérante que n'a cessé d'occuper dans l'univers du romancier la vision du monde des Malinkés.

B. Mouralis

LÉAUTAUD Paul

(1872-1956)

Il est difficile de séparer les écrits de Léautaud de la personnalité de leur auteur, personnage anticonformiste et critique virulent. Celui-ci est à peu près devenu un mythe. On a en effet transformé Paul Léautaud en une espèce d'éminence grise de l'édition, lui imposant une image qu'il ne lui déplaisait d'ailleurs pas tout à fait d'entretenir : celle d'un petit vieillard sec, cynique et misanthrope, qui rabrouait ses interlocuteurs, vilipendait les « valeurs sûres » de la littérature et préférait ses chats et sa solitude à toute société. Les aphorismes sarcastiques, voire injurieux, que contiennent par moments ses pages autobiographiques ont par ailleurs confirmé les impressions que l'homme laissait à ses contemporains : contempteur de l'humanité, Léautaud n'épargne rien ni personne, pas même lui, dont il se plaît à souligner l'insigne médiocrité : « Je ne me rappelle pas m'être levé un seul jour de bonne humeur, content de la vie, des autres et de moi-même » (*Passe-Temps,* 1929).

Mais, sous ce masque, d'autres figures apparaissent : celles d'un stendhalien convaincu, d'un théoricien du style, d'un moraliste qui, à l'exemple de Chamfort ou de La Rochefoucauld, aime à formuler des sentences lapidaires au gré de son plaisir ; un tel écrivain paraît, en plein XXe siècle, un auteur des plus inactuels.

De la bohème à la solitude

Né à Paris, Paul Léautaud va connaître une enfance très indépendante ; ses parents, qui vivent dans le milieu du théâtre, ne sont pas mariés et n'habitent pas ensemble : il sera élevé simplement par son père, qui l'« initiera » au théâtre en l'emmenant plusieurs fois par semaine à la Comédie-Française. Léautaud mène ensuite une jeunesse insouciante, vouée aux plaisirs et à la bohème littéraire parisienne.

En 1892, après une année passée sous les drapeaux, il est réformé ; il gardera de la vie des casernes ainsi que des exercices guerriers une image aussi peu militariste que possible : « Nous avons le service militaire, qui est la honte des sociétés actuelles. » Après cette courte expérience, il fréquente les cafés-théâtres et, en 1894, finit par entrer chez un notaire, en qualité de clerc. Parallèlement, il commence à publier des poèmes dans des revues et, peu à peu, devient un familier des éditions du Mercure de France ; c'est ainsi qu'il met au point, avec Adolphe Van Bever, une anthologie des *Poètes d'aujourd'hui* (1880-1900).

En 1902, il quitte son étude pour travailler chez un liquidateur judiciaire ; c'est vers cette date qu'il compose *le Petit Ami* (1903), son premier ouvrage, inaugurant le genre de la confidence autobiographique qu'il ne cessera d'emprunter pour s'exprimer ; le livre retrace les expériences de ses premières années, tout comme *Amours* (1906). La carrière littéraire de Léautaud apparaît alors toute tracée : après avoir tenu régulièrement une chronique dramatique au *Mercure de France,* il entre, en 1908, comme employé dans la maison d'édition du même nom. L'affirmation de ses haines, le cynisme de certaines de ses pages ne vont pas sans provoquer les récriminations des lecteurs du *Mercure,* qui, en 1920, lui retirera sa critique dramatique. Léautaud poursuivra ses chroniques à *la Nouvelle Revue française,* puis aux *Nouvelles littéraires.* Ces chroniques seront publiées sous le titre *le Théâtre de Maurice Boissard* (3 vol., 1926-1958).

Sa vie se poursuit ainsi, sans autre préoccupation majeure que la littérature (chaque jour, il rédige quelques pages de son *Journal littéraire*), sans autre souci que les chats et les chiens qu'il recueille dans son pavillon de Fontenay-aux-Roses où, depuis 1912, il s'est installé. Renvoyé des éditions du Mercure de France en 1941, Léautaud vivra alors, sans grands besoins, d'une petite pension que lui alloue le ministère de l'Instruction publique ; en 1950, des *Entretiens radiophoniques* avec Robert Mallet le révèlent au grand public (éd. 1951). Deux ans avant sa mort, il commence la publication, achevée en 1966, de l'énorme somme autobiographique que constitue le *Journal littéraire* : œuvre qui, à l'image de ses autres livres, retrace l'itinéraire de l'individualiste acharné que Paul Léautaud n'a cessé d'être.

Un égotisme du XXe siècle

« L'ironie, la peur d'être dupe, la raillerie, pour éloigner la familiarité, un certain orgueil à se sentir différent, une franchise poussée jusqu'au cynisme, une clairvoyance extrême, et le don de rire soi-même, sous son masque, de ses plus chères émotions, quitte à se défiler quelquefois sous des personnages imaginaires » : ces lignes de *Passe-Temps* révèlent ce que Léautaud attend de l'écrivain ; il importe que celui-ci consacre son temps au seul plaisir d'écrire et qu'il vive en marge du conformisme social, en marge des bien-pensants de tous bords.

Car, pour Léautaud, les fausses valeurs et les préjugés à pourfendre ne manquent pas. C'est au patriotisme et au militarisme qu'il s'en prend avant tout : en eux, il ne voit que sordides machines à tuer, à étouffer la liberté individuelle. De même, tout appareil politique lui semble suspect et aller, par essence, à l'encontre de l'intérêt des personnes. Il rejette pareillement l'insoutenable totalitarisme des régimes « forts » et la démocratie moderne, que les règles du jeu constitutionnel s'empressent d'avilir : « J'ai horreur du mot peuple, si fréquent actuellement dans les débats politiques » (*Journal littéraire,* 22 juin 1944). D'ailleurs, l'humanité entière ressasse, dans sa médiocrité, les faussetés qu'on lui inculque, et la société ne peut être libre ; trop de cadres formels, trop de structures de pouvoir pèsent sur elle : « Nous avons [...] l'instruction obligatoire, qui crée tant d'ânes prétentieux. On nous a parlé récemment du vote obligatoire. Nous pouvons voir ce qu'est appelée à devenir la liberté dans un temps plus ou moins rapproché » (*Passe-Temps*).

C'est donc en soi-même qu'il faut cultiver la liberté : en réalisant ses désirs personnels, en se laissant guider par le principe de plaisir, que Léautaud désigne par le terme dix-huitiémiste de « sensibilité ». Refus des valeurs bourgeoises, soif de vie sincère, sentiment de l'originalité du moi-tout, chez Léautaud, évoquent Stendhal, son modèle, son maître à penser et à écrire, présent au détour de chaque page du *Journal littéraire.* Comme l'auteur des *Souvenirs d'égotisme,* Léautaud voit en l'écriture non un métier (il méprise toute position sociale établie), mais un style de vie, une attitude existentielle ; l'homme et l'auteur, pour lui, ne se distinguent pas, comme l'expriment ses aphorismes, empreints d'un tardif classicisme : « Il faut écrire ce qu'on a vu, ce qu'on a entendu, ce qu'on a ressenti, ce qu'on a vécu » (*Passe-Temps*).

Écriture et littérature

Ainsi, être un bon écrivain, ce n'est pas écrire « bien ». Léautaud plaide pour l'amateurisme et le « style négligé », qu'il juge plus près des choses, et répudie la pure technique littéraire : Stendhal contre Flaubert. Il préfère la fantaisie du premier au « manœuvre du style » que lui paraît être le second. En fait, en des termes très classiques, voire un peu désuets (« Écrire bien, ce n'est autre chose qu'être clair, net et compréhensible »), Léautaud pose un problème spécifiquement contemporain : comment éviter de transformer en « littérature » l'expérience individuelle de l'écriture ? Comment l'écrivain peut-il échapper au statut sclérosant de l'« auteur », ce « gestionnaire attitré du bien-écrire », comme le dépeint Barthes ? Léautaud cherche une écriture qui ne sépare pas le signe verbal de son référent, qui fasse du mot l'immédiate présence du réel ; matériau brut, volontairement informel, subtilement grossier et négligent, la phrase doit porter la marque du moi, non du « travail » littéraire ; plus cette empreinte semble spontanée, plus la vérité est sensible.

On comprend alors l'attrait de Léautaud pour le fragment autobiographique : chaque morceau de texte est un reflet du moi, que l'artificiel souci d'unité ne vient pas altérer. Les contradictions internes sont une preuve supplémentaire de vérité : tous les états d'âme du moi, tous ses moments, tous ses masques différents mais complémentaires se trouvent ainsi exposés. Le fragment permet de suspendre le sens définitif ; chaque texte est complété, modifié, déformé par le suivant : après les sarcasmes, les louanges. Tout se mêle sans laisser d'impression définitive au lecteur.

De cette conception de l'écriture dérive le scepticisme critique de Léautaud, et ainsi s'explique sa préférence pour « la forme heureusement la plus abandonnée » d'un Apollinaire. Pour lui, nulle poésie « sans une certaine part d'imprécision, d'indéfini, d'incertain ». L'ennemi, c'est l'alexandrin, avec « l'odieux ronronnement de ses syllabes ». La fixité formelle de ceux qu'il appelle « les phraseurs à la mode » (comprenons : Mallarmé et Valéry) exaspère Léautaud, qui voit en elle un présage de mort littéraire.

Le plaisir et le néant

Car la mort effraie Léautaud ; non pas la mort en elle-même – le trépas –, mais son signe. La plupart des ouvrages de l'écrivain raillent la signification qu'elle revêt dans la société : « Le chagrin pour les morts est une niaiserie [...]. C'est sur nous-mêmes que nous pleurons, sur le vide ou la privation qu'ils nous laissent. Eux, ils sont morts, c'est-à-dire : ils ne sont plus rien. Pleurer sur eux ne rime à rien » (*Passe-Temps*). Donner un sens à chaque événement de l'existence, voilà la vraie mort : or, c'est à quoi s'emploie cette « littérature » que l'égotisme de Léautaud rejette ; d'où les sarcasmes de l'écrivain, qui n'épargnent pas les grands auteurs eux-mêmes, dont l'œuvre et la mort, au regard de l'univers, n'ont aucune importance ; ainsi, après les obsèques de Moréas, Léautaud note-t-il dans son *Journal* : « Ce mort manquait à ma collection. »

La vérité, c'est le néant, auquel nul n'échappe : « Ces millions d'êtres, en tous lieux, depuis toujours, qui se suicident, se remplaçant, apparaissant, disparaissant. Bouffonnerie, ridicule, néant » (*Journal littéraire*). Léautaud repousse donc un humanisme littéraire qui parerait la vie humaine de valeurs métaphysiques. Seul le plaisir invite à la création – une création qui sombrera, de toute façon, tôt ou tard dans le « Rien ».

Car l'exercice littéraire lui-même s'abolit dans le non-sens. Les aphorismes moraux que Léautaud développe dans son œuvre renvoient les assertions à elles-mêmes : « Il n'est pas de sentences, de maximes, d'aphorismes, dont on ne puisse écrire la contrepartie » (*Propos d'un jour,* 1917). En dernière instance, il n'y a pas de Vérité ; l'écriture s'achemine elle-même vers sa propre destruction.

Le nihilisme littéraire de Léautaud cache derrière ses défis et ses sarcasmes, la pleine conscience qu'a l'écrivain de ses limites. Ruinant, au fil de ses autobiographies, le mythe romantique de l'Auteur, Paul Léautaud n'a vu en l'écriture qu'un plaisir du corps. Empêcher ce corps de devenir un objet de culture, d'être pris en charge par de fausses valeurs, est peut-être la seule « morale » à laquelle ce lointain descendant des XVIIe et XVIIIe siècles français ait accepté d'obéir. À l'instar de l'érotisme, que Léautaud exprime en maintes pages de ses romans ou de son *Journal* (et plus encore dans le *Journal particulier*, publié à partir de 1985), l'écriture libère mais en cela seulement qu'elle reflète le plaisir de l'instant.

J.-P. Damour

LEBLANC Maurice

(1864-1941)

Né à Rouen, fils d'un armateur, il était le frère de la comédienne et cantatrice Georgette Leblanc, qui devint l'amie et l'interprète de Maeterlinck. Après des études de droit, il travailla dans l'entreprise familiale puis se fit connaître à Paris avec des romans d'analyse qui lui valurent la protection de Maupassant : *Une femme* (1893), *l'Œuvre de mort* (1896). En 1907, J. Claretie vanta, regretta peut-être « ces petits romans de deux cents pages » en préfaçant le nouvel ouvrage de Maurice Leblanc, d'un genre bien différent : *Arsène Lupin gentleman-cambrioleur*, paru après une publication triomphale en feuilleton dans le mensuel *Je sais tout*. Dès lors Leblanc se consacra presque exclusivement aux aventures de son héros, qui réapparut dans une pièce de théâtre, *Arsène Lupin* (1908), écrite en collaboration avec Francis de Croisset, et surtout dans d'innombrables romans ou recueils d'histoires courtes. Citons parmi les plus célèbres *Arsène Lupin contre Herlock Sholmès* (1908), *l'Aiguille creuse* (1909) qui dévoile le « secret » de l'aiguille d'Étretat, *813* (1910), où Lupin obtient de Guillaume II qu'il laisse le Maroc à la France en échange de lettres compromettantes, *le Bouchon de cristal* (1912), satire de l'affairisme parlementaire, *le Triangle d'or* (1918), *l'Île aux trente cercueils* (1920), roman du genre macabre, et qui se termine sur un éloge inattendu de la radioactivité, *les Dents du tigre* (1921), *la Comtesse de Cagliostro* (1924), où apparaît la fille présumée du célèbre Balsamo, *l'Agence Barnett et Cie* (1928), *la Barre-y-va* (1931), *la Cagliostro se venge* (1935).

L'Aiguille creuse

SYNOPSIS

Mystère en Normandie : qu'a-t-on volé au comte de Gesvres ? Où se trouve le chef des cambrioleurs, blessé par Raymonde de Saint-Véran ? Isidore Beautrelet, élève de rhétorique, reconstruit la logique des faits : Arsène Lupin a dérobé les Rubens du comte et se terre dans la propriété. Sans céder aux intimidations, Isidore tente de percer l'énigme du parchemin trouvé près de la cachette où, croit-on, Lupin agonisa. Il révèle que, toujours vivant, le « gentleman cambrioleur » aime Mlle de Saint-Véran. Le cryptogramme livre en partie son secret : il faut trouver l'« aiguille creuse » ! Le jeune homme s'imagine trouver la solution dans la Creuse, au château de l'Aiguille. Erreur ! Seul Lupin possède le chiffre du message historique. Après une nouvelle déception, Isidore comprend enfin : Lupin est ce qu'il est parce qu'il a installé son quartier général dans l'aiguille d'Étretat, la cache des puissants qui gouvernèrent la France. À Isidore qui est parvenu à y pénétrer, le « gentleman-cambrioleur » déclare qu'il renonce à tout pour Raymonde. Mais, alors qu'il affronte le détective Herlock Sholmès, lui aussi sur sa piste, la jeune femme est tuée et Lupin sombre dans le désespoir.

Ce « gentleman-cambrioleur » qui évolue dans tous les milieux avec la même aisance, sous ses masques-anagrammes de Grand d'Espagne (don Luis Perenna), de prince russe (Paul Sernine), voire de chef de la Sûreté, pourrait paraître inquiétant, et même subversif : Arsène Lupin, mon prochain... Mais cet aventurier est pétri de bons principes : il vole mais ne tue pas, protège la veuve et l'orphelin, manifeste un patriotisme sourcilleux, et purge la société de monstres odieux, l'abominable Vernocq des *Dents du tigre*, la fascinante et sanguinaire Dolorès Kesselbach de *813*, le sinistre député Daubrecq du *Bouchon de cristal*, face auxquels il incarne sinon le droit, du moins la norme. Sans doute Leblanc utilise-t-il sans retenue les ficelles du roman d'aventures : trésors cachés, passages secrets, messages à déchiffrer. Mais il renouvelle habilement le genre en insérant ses intrigues dans l'actualité (la guerre de 1914-1918, les rivalités coloniales, les scandales politico-financiers, voire l'affrontement avec « Herlock Sholmès » où l'entente cordiale succède à la bataille), et surtout en créant ce personnage fortement typé de « Cyrano de la pègre » (Sartre), séduisant, gouailleur et sentimental.

J.-P. de Beaumarchais et V. Anglard (synopsis)

LE BLANC DE GUILLET Antoine

*Pseudonyme d'**Antoine BLANC** (1730-1799)*

Antoine Blanc naît à Marseille dans une famille de la petite bourgeoisie. Il entre en 1746 dans la congrégation de l'Oratoire, où il enseignera plus tard la rhétorique. Il vient à Paris en 1756 et, sous le nom de Le Blanc de Guillet, commence une carrière de journaliste au *Conservateur*, et de littérateur avec la publication en 1761 d'un roman : *les Mémoires du comte de Guines*. Il écrit pour le théâtre quelques pièces que leur idéologie situe dans le courant philosophique de la seconde moitié du siècle : *Manco Capac* (1782), tragédie représentée en 1763 ; *les Druides* (1783), tragédie représentée en 1772 ; *l'Heureux Événement* (1763), une comédie ; *Adeline ou Albert Ier*, comédie héroïque (1775). Il écrit, après le début de la Révolution, sept ou huit tragédies et, avec *Tarquin ou la Royauté abolie*, tragédie (1794), connaît un dernier succès. On doit enfin à Le Blanc de Guillet une traduction en vers du *De natura rerum* de Lucrèce. Il vécut modestement, refusant, non sans dignité, une pension royale de 600 livres ; il accepta cependant un secours de la Convention en 1795, puis un poste de professeur à l'École centrale, et entra à l'Institut en 1798.

Dès la représentation de *Manco Capac*, les philosophes (Voltaire, Grimm...), même s'ils ont ri de certaines hardiesses mélodiques (« Crois-tu de ce forfait Manco Capac capable ? »), ont soutenu Le Blanc de Guillet pour sa ferme dénonciation des abus du despotisme. Leur soutien ne lui fit pas défaut non plus lors du scandale des *Druides*, que l'archevêque de Paris fit interdire parce que la pièce dénonçait le fanatisme religieux. Condorcet écrit à Turgot et à Voltaire, mobilise le parti philosophique. En vain : la pièce ne sera reprise qu'en 1784. Grimm résume d'un mot toute l'affaire : « Les prêtres ont fait à sa pièce une réputation qu'elle n'aurait jamais eue sans eux » (*Correspondance littéraire*, avril 1772). Aussi est-ce moins la qualité littéraire de ces pièces qui peut encore nous attacher que leur enjeu : celui du combat des Philosophes contre la censure théâtrale.

P. Frantz

LEBRUN Pierre Antoine

(1785-1873)

Le succès ne tarde pas à sourire à ce jeune poète, dont l'*Ode à la Grande Armée* (1805) attire les bonnes grâces de l'Empire et que le public applaudit dès qu'il porte à la scène des drames d'une facture poétique inspirée et nouvelle : *Jeanne d'Arc* (1814), *Ulysse* (1815), *Marie Stuart* (1820), *le Cid d'Andalousie* (1825). Chantre officiel du régime napoléonien, une certaine rigueur morale lui vaudra assez d'estime en son siècle pour traverser à son avantage tous les bouleversements politiques, et moissonner les honneurs : sénateur, il ne connaît pourtant pas trop de vicissitudes après 1815 ; Chateaubriand usera même de sa qualité de ministre pour faire jouer *le Cid d'Andalousie*, un moment suspecté par la censure. Académicien, il participe activement à l'élection de Victor Hugo. Directeur de l'Imprimerie royale, il démissionne en 1848, alors que les ouvriers réclamaient son maintien au Gouvernement provisoire. Sans doute son intégrité refuse-t-elle de renier son passé qui l'a vu tour à tour maître des requêtes (1827), conseiller d'État (1838) et pair de France (1839).

Tous les mérites de Pierre Lebrun ne résident pas cependant dans cette belle honnêteté. Initiateur prudent des innovations romantiques, il peut s'enorgueillir de faire plébisciter par le public, en *Marie Stuart*, une œuvre qui doit au moins autant à Schiller qu'à Racine. Certes, Lebrun n'a pas lésiné sur l'utilisation de ce pathos un peu facile que Casimir Delavigne sait alors si bien moduler. Hégésippe Moreau le confirme en tournant ce curieux « compliment » :

On voudrait applaudir ; mais le bruit des bravos
Est sans cesse étouffé par celui des sanglots.

Sainte-Beuve remarque pourtant : « En redescendant du cothurne de l'Empire, on goûtait fort chez lui quelque chose de senti, de naturel et de vrai dans la diction, d'assez voisin de la prose, avec du feu poétique pourtant et des veines de chaleur. »

Le poète, à l'évidence, ne manque pas de jugement, admirant dans le *Manfred* de Byron « la profondeur de pensées et de sentiments qu'on y trouve et une verve d'imagination, vagabonde il est vrai, qui va souvent jusqu'à la folie, mais qui s'arrête quelquefois au sublime ». Lui-même se montrera capable de lâcher la bride à un lyrisme impétueux, aux accords mélodieux et neufs :

Impatient de moi-même et du monde,
Laissez, que seul au sein des bois déserts,
Je suive encore cette voix vagabonde,
Autour de moi murmurant dans les airs,
Et loin des yeux du jaloux univers,
Que succombant au bonheur qui l'inonde,
Mon cœur trop plein se répande en mes vers.

(« la Soirée d'hier »)

Lyrisme parfois gâté, hélas ! par une propension fâcheuse à abuser d'inversions ou de périphrases :

Quel silence descend des tranquilles étoiles !
Lui-même le malheur n'oserait pas gémir.
Mouvantes lentement, sur les muettes voiles
Je les vois se bercer : le ciel semble dormir.

Ainsi s'exprime-t-il dans son œuvre majeure, *le Voyage en Grèce* (1828), comprise par Sainte-Beuve dans la tradition d'un « poète qui a su émouvoir le public et l'a toujours respecté », chez qui « la façon du vers, libre dans sa forme et souvent hardi sans système, ne rompait pas absolument avec l'ancien genre, mais jurait encore moins avec le goût nouveau, avec le rythme émancipé de 1828 ». Il serait injuste de rayer de notre mémoire ce Lebrun en qui certains de ses plus illustres contemporains virent à juste titre « un pionnier patient et résolu », voulant « non seulement la restauration complète de la poésie lyrique, mais encore celle de la poésie et même de la composition dramatique » (A. Dumas fils). On n'enlèverait rien à la gloire des Hugo, Lamartine et autres colosses en mesurant mieux l'influence et le talent de celui derrière lequel ils ne rougirent pas d'abriter, en leur temps, leurs hardiesses.

D. Giovacchini

LEBRUN-PINDARE

Surnom de **Ponce Denis ÉCOUCHARD-LEBRUN** *(1729-1807)*

Le surnom de « Pindare » que ses contemporains décernèrent à Ponce Denis Écouchard-Lebrun, en signe d'enthousiaste admiration, marque son nom d'un irrémédiable ridicule : il souligne le contraste entre la sublimité des ambitions et la médiocrité du caractère ou la froideur des réalisations d'un poète qui reste un maître de la lyrique néoclassique et un redoutable épigrammatiste.

Grandeur et misères du « Pindare français »

Fils d'un valet de chambre du prince de Conti, Lebrun, après de brillantes études, est remarqué par Louis Racine, dont il devient l'élève : cette stricte filiation classique se reflète dans la netteté sèche et concise de son style. Le tremblement de terre de Lisbonne, en 1755, lui inspire deux odes qui le font remarquer ; il projette une épopée sur la nature, mais acquiert la célébrité grâce à ses odes à Buffon et à Voltaire (1760) : en des vers émouvants, il présente au patriarche de Ferney la nièce de Corneille réduite à la misère et provoque ainsi une glorieuse adoption. Tout entier à sa vocation lyrique, épris de grandeur et de perfection, irascible et hautain, il méprise les coteries, mais s'attache, pour vivre, à des protecteurs : Conti, le comte de Vaudreuil, Calonne... Il polémique rudement avec Fréron (*la Wasprie, l'Âne littéraire* en 1761, pour répondre à *l'Année littéraire*), puis avec sa femme, en un mémorable procès : « Qu'un enfant des neuf sœurs est facile à tromper ! » avoue-t-il avec naïveté. Pensionné par Louis XVI, il embrasse furieusement la cause révolutionnaire. Robespierriste acharné, il appelle la mort du roi, flétrit la reine Marie-Antoinette, prisonnière et promise à l'échafaud, prodigue des poèmes républicains (dont l'ode fameuse sur le vaisseau *le Vengeur*, 1794). Ce violent engagement ne l'empêche pas de se rallier à Bonaparte, qui lui accorde une forte pension. Il meurt en 1807, et ses œuvres, qu'il avait négligé de réunir, sont éditées en 1811 par son ami Ginguené.

La voix lyrique

Les traverses et les palinodies de la vie, les faiblesses de la conduite publique et privée font ressortir la seule et inflexible constance de cet homme sans convictions, sans idées, sans principes : la poésie, où se concentrent grandeur, imagination, fermeté si cruellement absentes par ailleurs. Ses odes se caractérisent par un souffle fiévreux, la noblesse soutenue du vocabulaire, une hauteur aride, sans grâce ni concession au pittoresque, des ruptures vives et abruptes : à ce « grand style » s'opposent l'abondance plus facile de Jean-Baptiste Rousseau et l'harmonie imitative plus diffuse du poème didactique et descriptif. Lebrun protégea les débuts littéraires d'André Chénier, amant passionné de l'antique : mais sa manière raide, sans abondance, qui privilégie les lois formelles et métriques, l'égalité de tessiture, aux dépens de la puissance évocatoire de mots, est aux antipodes de la nonchalance charmeuse des *Élégies*. Il lui faut la compagnie des grands hommes, le choc des événements glorieux, la solennité des fêtes publiques ; ainsi célèbre-t-il, en des vers au timbre sonore, le Buffon des *Époques de la nature* :

Au sein de l'Infini ton âme s'est lancée ;
Tu peuplas ses déserts de ta vaste pensée.
La Nature, avec toi, fit sept pas éclatants ;
Et, de son règne immense embrassant tout l'espace,
Ton immuable audace
A posé sept flambeaux sur la route des Temps.

La véhémence satirique

À l'admiration et à l'élévation tendues qui signalent les odes correspond l'âpreté concise et violente des vers satiriques semés contre les ennemis, les amis, les parents ou les maîtres : versant complémentaire du talent de Lebrun, non plus compensateur, comme le lyrisme, mais serviteur des vivacités ou des bassesses du caractère. Une strophe d'une prophétique énergie réclame, en 1793, la violation des sépulcres royaux :

De ces monstres divinisés
Que tous les cercueils soient brisés !
Que leur mémoire soit flétrie !
Et qu'avec leurs crânes errants
Sortent du sein de la patrie
Les cadavres de ces tyrans.

Le Tyrtée qui précède et attise les passions populaires ou les haines politiques est aussi un Archiloque dont les flèches épigrammatiques fusent en traits serrés et mordants. La Harpe, « qui venait de parler du grand Corneille avec irrévérence », s'attire un dizain vengeur :

Ce petit homme, à son petit compas,
Veut sans pudeur asservir le génie ;
Au bas du Pinde, il trotte à petits pas,
Et croit franchir les sommets d'Aonie.
Au grand Corneille, il a fait avanie ;
Mais, à vrai dire, on riait aux éclats
De voir ce nain mesurer un Atlas ;
Et redoublant ses efforts de Pygmée,
Burlesquement roidir ses petits bras
Pour étouffer si haute renommée.

Ainsi, au cœur même des passions littéraires et des querelles d'écrivain, une amère sévérité s'éclaire et se relève du respect grave dû au génie. Cela distingue le vrai poète et traverse toute l'œuvre de Lebrun : une telle conscience de la grandeur anime d'une fière aspiration les strophes trop correctes des odes et les acerbes diatribes de la satire.

D. Madelénat

LECLERCQ Michel Théodore

(1777-1855)

Né à Paris dans une famille de cette bourgeoisie aisée qui, tout au long du XVIIIe siècle, avait fait siennes les habitudes de l'ancienne noblesse et se délectait de la vie de salon, Leclercq illustre parfaitement par son existence sans souci matériel – il ne travailla guère plus de quatre ans, occupant une charge de receveur principal des droits – comme par ses *Proverbes dramatiques* (publiés de 1823 à 1836, regroupés dans une édition posthume en 1860) la société « restaurée » par l'Empire et la royauté.

« Scènes de babil déliées et légères » (Sainte-Beuve), les *Proverbes* se jouent sans décor, avec un nombre limité de personnages, respectent les unités classiques et réduisent l'intrigue au strict minimum : « Pourvu que le mot du proverbe soit applicable, le reste dépend des détails. » D'où une structure linéaire, simpliste bien souvent (une seule scène, à la manière des dialogues médiévaux, pour *le Désintéressement*), mais qui peut s'organiser en une véritable petite comédie autour d'un coup de théâtre central (*l'Intrigant malencontreux*). Sans grande originalité littéraire ni philosophique – Leclercq se contentant généralement de reprendre les morales de La Fontaine ou de puiser dans la sagesse des nations –, les *Proverbes* construisent un microcosme de la société française des années 1820-1840. S'ils se haussent rarement à la satire politique (*l'Adjudication*, *le Retour du baron*) ou religieuse (*les Sermons de société*, *les Entrepreneurs de morale*), ils brossent, en revanche, une sorte de petite comédie humaine, contant ici les commérages d'une petite ville (*la Folle*), là les déboires d'un jeune marié (*le Plus Beau Jour de la vie*), ailleurs les intrigues d'une mère en quête d'un riche héritier (*les Dots*), etc.

« Archer et frondeur armé à la légère », selon le mot de Sainte-Beuve, Leclercq n'a rien du pamphlétaire virulent ni du dogmatique pédant ; « moraliste indulgent et critique enjoué » (Mérimée), il a, dans ses tableaux de genre, traduit le goût d'une société repliée sur elle-même et qui usait de la littérature de salon pour se protéger des réalités extérieures.

D. Couty

LE CLÉZIO J.M.G.

*Nom de plume de **Jean Marie Gustave LE CLÉZIO** (né en 1940)*

Issu d'une famille d'origine bretonne émigrée à l'île Maurice au XVIIIe siècle et installée à Nice, J.M.G. Le Clézio a poursuivi des études au collège littéraire universitaire de Nice et est docteur ès lettres. Il a publié une trentaine de livres – romans, essais, nouvelles, récits, albums…

Les révoltes logiques

Il est difficile de dire que J.M.G. Le Clézio est entré en littérature à l'âge de vingt-trois ans avec son premier roman publié : *le Procès verbal* (1963). Car avant même d'être un lecteur, à peine âgé de cinq ans, graphomane en herbe, il écrivait déjà ses premiers romans sur des tickets de rationnement que sa mère cousait « pour que cela ressemble à des vrais livres ». C'était là le seul papier disponible en ces temps de pénurie. Il imaginait déjà une collection « Loup noir » dans laquelle il publierait de nombreux titres, ses œuvres à venir. Plus tard, adolescent solitaire devenu grand lecteur, il s'est adonné à la poésie. Il avait tenté d'inventer une forme de poésie polyphonique à interpréter par un orchestre vocal. Ce projet ambitieux, testé avec quelques camarades de classe, fit long feu. Alors, il s'est essayé à la bande dessinée et au roman policier. N'ayant d'autre ambition que de devenir écrivain, il dit s'être employé sa jeunesse durant à faire semblant de l'être jusqu'à, enfin, le devenir.

Lorsqu'on l'interroge sur les conditions d'écriture du *Procès verbal*, véritable coup de pied dans la fourmilière du roman psychologique, pied de nez au nouveau roman alors en vogue, Le Clézio avoue volontiers l'avoir écrit dans une parfaite inconscience, un été de canicule à Nice, dans une ville qui l'étouffait de plus en plus et dans laquelle il avait le sentiment d'être pris au piège. *Le Procès verbal* fut un énorme succès. La jeunesse de l'auteur, sa discrétion légendaire, son physique de jeune premier de cinéma ont aussi contribué à la chaleur de cet accueil. Trente-sept ans plus tard, l'auteur commente non sans humour les conditions de parution de ce livre culte. Expédié par la poste aux éditions Gallimard, *le Procès verbal* enthousiasme Georges Lambrichs qui y dirige alors la collection « le Chemin ». Il pense que ce roman peut recevoir le prix Formentor, remis sur manuscrit, et décide donc de le garder dans ses tiroirs jusqu'à l'attribution de la récompense – un séjour de deux semaines sur l'île de Formentor –, dont la perspective enchante le jeune Niçois. Mais le jury lui préfère un autre roman. Le manuscrit du *Procès verbal* finit donc par être publié, un an après avoir été accepté par l'éditeur, et présenté aux grands prix littéraires de la rentrée. Il frôle le Goncourt et reçoit finalement le Renaudot, à la grande déception de l'auteur qui aurait préféré, de très loin, le voyage à Formentor.

Nombreux sont les lecteurs de Le Clézio qui considèrent ce premier roman comme le chef d'œuvre de l'écrivain. Il y raconte l'errance d'un jeune homme, Adam Polo, qui lui ressemble comme un frère, dans une ville de Nice à l'atmosphère irrespirable. Roman puzzle composé de scènes juxtaposées, *le Procès verbal* dit l'univers éclaté, la souffrance, la solitude, la chaleur, le mal de vivre, la mort qui plane. Dans une lettre envoyée à l'éditeur et publiée en introduction au roman, J.M.G. Le Clézio définit ainsi son projet : « *Le Procès verbal* raconte l'histoire d'un homme qui ne savait pas trop s'il sortait de l'armée ou de l'asile psychiatrique. »

Cette tension-là de l'écriture, qui tangue au-dessus du vide absolu et de la folie, se retrouve dans les livres qui vont suivre. *La Fièvre* (1965), *le Déluge* (1966), *le Livre des fuites* (1969), *la Guerre* (1970), *les Géants* (1973) disent tous, sous des formes littéraires diverses mais volontiers brisées, violentes, le désarroi de l'homme dans l'univers concentrationnaire de nos sociétés modernes et des villes qui en sont à la fois la vitrine et le miroir.

L'écriture apaisée

Plaque tournante dans l'œuvre de Le Clézio, *Voyages de l'autre côté* (1975), véritable roman-voyage, nous invite à chercher derrière les remparts obscurs de notre modernité étouffante la liberté qui palpite ailleurs, tout près, dans un monde naturel à redécouvrir, à explorer. Les livres qui vont suivre, des nouvelles (*Mondo et autres histoires*, 1978), un essai écrit dans la foulée (*l'Inconnu sur la terre*, 1978), un roman (*Désert*, 1980) voient l'émergence d'une autre écriture, d'une autre esthétique, d'une nouvelle éthique. Fini le dénigrement systématique, la révolte, le mal-être, le style tendu, la voix exaspérée. « C'est, dit-il, le moment où s'est opéré pour moi le passage très lent d'un roman où l'on peut écrire "je" et où on parle de soi, à un autre type de roman où l'on parle moins de soi, mais où l'on essaie de faire de la musique avec les mots, de construire quelque chose. »

L'espoir est là, certes menacé, mais réel. L'espoir chez Le Clézio, c'est d'abord une certaine forme de pureté que l'on rencontre dans l'enfance et dans ces sociétés plus proches de la nature – les Indiens du Mexique, les Hommes bleus du désert – que la modernité a asservies mais qui conservent dans leur culture ancienne, dans leur mémoire, dans leur organisation familiale élargie, le souvenir de cette beauté originelle que nous avons perdue.

Ce que d'aucuns ont appelé « le virage de Le Clézio » ne relève pas de la seule aventure littéraire. Si Le Clézio a modifié son écriture, si, désormais, elle a acquis cette ampleur lyrique, cette beauté lumineuse et poétique, si elle s'abandonne au bonheur de sa musicalité, c'est parce que l'écrivain de la souffrance des villes, du refus de l'univers carcéral de la modernité, a trouvé ailleurs ses marques. Le hasard du service militaire et de la coopération culturelle et technique l'a conduit jusqu'au Mexique où il a résidé de l'été 1967 à la fin de 1968. Là, il a découvert un autre monde. Celui de la ville de Mexico, d'une violence plus directe, moins insidieuse dans laquelle viennent s'échouer les populations pauvres et indiennes du pays. Celui de l'Amérique précolombienne et de la conquête racontées par les chroniqueurs espagnols des XVIIe et XVIIIe siècles, parmi lesquels Bernal Diaz del Castillo. Choc de cette double rencontre – de ceux qui racontent la dignité du peuple indien et son avilissement, et de ce même peuple indien soumis, écrasé de misère et d'alcool. Le désir de connaître ce que pouvait être la vie avant l'arrivée des Espagnols est grand chez l'écrivain. Il existe, lui dit-on, des Indiens qui vivent au Darién dans un état de quasi-nature. Dès 1970, il se rend là-bas et fait de longs séjours dans la forêt jusqu'en 1974. Le Clézio est passé de l'autre côté du miroir.

Désert est, après *le Procès verbal*, l'autre livre-culte de l'écrivain. Ce roman lui fait retrouver son lectorat premier, qui l'avait passablement abandonné en cours de route. Parallèlement, il lui apporte un nouveau public, plus jeune et pour qui *le Procès verbal* n'a aucune coloration mythique.

Roman de la maturité – l'auteur a quarante ans lorsqu'il le publie –, *Désert* raconte les aventures de Lalla, une jeune femme qui vit au Maroc dans cet enfer moderne que sont les bidonvilles. Lalla a gardé enfoui dans sa mémoire le souvenir ancien de son peuple nomade de Touaregs qui marche et marche sans fin à la recherche de l'eau. Mais Lalla rêve aussi comme une jeune fille moderne à la beauté occidentale des villes et à la magie des magazines sur papier glacé. Entre les deux mirages du passé et du futur, Lalla éprouve dans son cœur et dans son corps la grandeur du désert qui l'appelle.

Sur les chemins des origines

Cet attrait que Le Clézio témoigne désormais pour le passé qui affleure dans les creux protégés de notre modernité le conduit tout naturellement à fouiller son propre passé familial. Non pas à la recherche d'un paradis perdu, mais d'une vérité pas toujours simple à identifier, pas toujours flatteuse. Pour Le Clézio, il n'y a pas d'univers privilégié de l'enfance ni de la famille. L'enfance, c'est Nice pendant la guerre. L'isolement à l'intérieur du giron parental, la pénurie. Le sentiment d'exil dans une ville où il se sentait tout à fait différent, tout à fait étranger. C'est aussi ces histoires effroyables murmurées dans la crainte, de Juifs assassinés dans l'arrière-pays niçois, alors qu'ils fuyaient devant les Allemands et tentaient de rejoindre l'Italie. La famille, c'est l'île Maurice, l'écho d'une civilisation esclavagiste, les populations noires transportées comme du bétail dans le ventre des navires, les secrets familiaux sur lesquels flottent des rumeurs de spoliation…

Trois livres racontent Maurice : *le Chercheur d'or* (1985), *Voyage à Rodrigues* (1986) et *la Quarantaine* (1995). Deux évoquent l'enfance à Nice et en Afrique pour y retrouver le père : *Onitsha* (1991) et *Étoile errante* (1992). Dans une interview, J.M.G. Le Clézio déclare : « J'écris pour que la mémoire ne m'assassine pas. Car ce qu'on a enfoui n'est pas oublié et cela vous tourmente. » Et ce désir de mettre au jour, d'éclairer les zones d'ombre personnelles, familiales, ou plus largement celles d'une société blanche mauricienne peu encline au *mea culpa*, s'exprime chez lui par la volupté d'un récit qui toujours privilégie la nature – splendeur des paysages mauriciens –, l'enfance, l'innocence d'une terre que ne parvient pas à égratigner la brutalité des hommes. Le Clézio ne se contente pas de dénoncer une réalité sociale ou politique – celle des camps palestiniens dans *Étoile errante*, celle des autorités coloniales de Maurice qui laissent mourir les populations transportées dans *la Quarantaine*. Il a dépassé le stade premier de la dénonciation désespérée, du cri viscéral de révolte. Pour lui, écrire, c'est désormais dépasser le stade du refus et aller chercher plus loin, ailleurs, une lueur d'espoir, une porte de sortie, de survie. La beauté qui est chez lui au croisement du naturel et de la pureté est l'un des vecteurs privilégiés de l'espoir. Beauté de Lalla qui renvoie à celle des nobles guerriers du désert ; beauté de la mer, du désert. Austère beauté des femmes arabes, indiennes, palestiniennes, noires, semblables à des idoles que la souffrance ne parvient pas à flétrir.

L'univers littéraire de Le Clézio privilégie les femmes qui sont les héroïnes de la plupart de ses nouvelles et récits : *la Ronde et autres faits divers* (1982), *Printemps et autres saisons* (1989), *Hasard*, suivi de *Angoli Mala* (1999) et *Cœur brûle et autres romances* (2000), et de quelques-uns de ses romans, *Désert*, *Étoile errante*, *Poisson d'or* (1997). Elles sont celles par qui le malheur n'arrive pas. Celles qui portent dans leur cœur la mémoire du monde et, dans leur corps, son devenir. Celles qui souffrent plus qu'elles ne font souffrir. Si elles exercent la violence, ce n'est pas à l'égard d'autrui mais contre elles, par peur, par désespoir, par solitude. Elles ont le courage de l'aventure.

La littérature comme partage

On a parfois reproché à Le Clézio d'être devenu un défenseur de la nature, une sorte d'écologiste romantique au souffle lyrique et à l'éblouissant phrasé. C'est oublier la cohérence de son cheminement littéraire, de ses choix de vie. Ni militant ni rêveur impénitent – mais rêveur tout de même, revendique-t-il –, Le Clézio cherche une vérité dans sa lente et obstinée remontée vers les origines. Non pas parce qu'il croit, comme Rousseau, qu'il est un âge d'or, un temps où régnaient pacifiquement de bons sauvages dans un passé à ressusciter. Mais parce que dans ces sociétés pauvres, attachées à leurs traditions anciennes qu'il a rencontrées dans la vie, au Mexique, au Darién, mais aussi dans des livres comme *la Relation de Michoacan* (1984), qu'il a traduite de l'espagnol, ou *Gilgamesh*, qu'il a publié dans la collection « l'Aube des peuples » dont il est le codirecteur avec Jean Grosjean, il a trouvé un monde où l'individu a sa place. Pas une place centrale, ni une place marginale, mais une vraie légitimité. Réponse à toutes les formes d'exclusion, de racisme, d'ostracisme, de refus de l'autre parce qu'il est différent, les romans, récits, nouvelles et essais de Le Clézio nous disent que la littérature est le lieu privilégié de la tolérance. Et, même si la vie est autre que dans les livres, l'écriture est là pour nous inviter à entrer dans d'autres mondes. Car Le Clézio croit à la force des mots, à la grandeur de l'imaginaire, à la séduction du récit. Pour lui, la littérature est le moyen qu'il a trouvé, développé, sublimé pour entrer en empathie avec les autres. Pour ce nomade qui parcourt le monde plus comme un exilé que comme un voyageur, la littérature – et la langue qui la porte et la crée – est son seul territoire sur Terre, son seul lieu d'ancrage, sa patrie sans frontière. « Si la littérature a un sens, c'est d'être un produit collectif où chacun peut tirer ce qui lui convient et ce qu'il cherche. Je crois que tout le monde s'invente une famille, et c'est bien de la retrouver en lisant des livres. Je crois que notre seule vraie famille est celle des livres. »

M. Gazier

LECOMTE Roger
v. GILBERT-LECOMTE Roger

LECONTE DE LISLE

Pseudonyme de ***Charles Marie René LECONTE*** *(1818-1894)*

Redonner vie aux « dieux brumeux des vieilles races », aux civilisations perdues, évoquer l'histoire de l'humanité dans une langue d'une pureté formelle absolue, n'était-ce pas là une gageure, et Leconte de Lisle pouvait-il ne pas sombrer dans une telle entreprise titanesque, philosophique autant que poétique ? Il semble ne rester de cette œuvre que quelques vers dans les manuels, ceux du « Cœur de Hialmar », ou ceux du sonnet célèbre des « Montreurs » :

Ah ! misérable siècle, en ma tombe sans gloire
Dussé-je m'engloutir pour l'éternité noire,
Je ne te vendrai pas mon ivresse ou mon mal...

Leconte de Lisle porte ce masque froid et hautain d'un chef d'école, d'un maître du Parnasse, et l'œuvre, pas plus que l'homme, ne suscite guère aujourd'hui d'engouement. L'une comme l'autre sont peut-être victimes de ce halo de froideur et d'impassibilité qu'on leur a parfois faussement attribué. Leconte de Lisle est resté avant tout l'auteur des *Poèmes antiques,* son premier grand recueil, publié en 1852 et couronné par l'Académie. Ses tentatives précédentes s'étaient soldées par des échecs, et en 1852, il a perdu bien des illusions.

La poésie comme un recours

Il a quitté à quatre ans son paradis enfantin, l'île Bourbon – aujourd'hui île de la Réunion –, où il est retourné passer son adolescence (1832-1837) et qu'il retrouvera pour un dernier séjour en 1843-1845. Il n'oubliera jamais l'île lointaine, douce, luxuriante qui se profile parfois dans l'œuvre et lui inspire un accent nostalgique, un fléchissement de voix soudain plus tendre. Après avoir abandonné, à Rennes, ses études de droit pour la poésie et fondé deux revues éphémères, *la Variété* (1840) et *le Scorpion* (1842), il a connu une misère qui lui a fait accepter un poste d'éditorialiste dans un journal et une revue fouriéristes (*la Démocratie pacifique* et *la Phalange*), ce qui lui a permis de côtoyer un petit milieu éclairé et vivant. Mais ses espoirs en une action militante sont vite déçus, et, lorsque, en 1848, il se lance en Bretagne dans l'effervescence de la campagne électorale, mal lui en prend : il échappe de justesse à la lapidation. On n'a pas su l'entendre. Et, l'échec de la Révolution se confondant avec son propre échec politique, il se détourne de l'action sociale, se dégoûte des vaincus comme des vainqueurs pour s'adonner enfin, corps et âme, à la poésie, qu'il veut et qu'il va renouveler. Il se verra peu à peu reconnu par les jeunes poètes, à qui il ouvre une voie et avec lesquels il publie dans les recueils du *Parnasse contemporain.* Les institutions officielles seront, elles, séduites par ses travaux d'érudit sur l'Antiquité (des traductions de Théocrite, en 1861, et d'Homère, en 1867 et 1868). Inscrit en 1864 sur la cassette impériale, il deviendra bibliothécaire au Sénat et, consécration finale, sera élu à l'Académie française en 1886 au fauteuil de Victor Hugo.

Dans la Préface des *Poèmes antiques* s'ébauche tout son projet. Là se dessine une nouvelle esthétique qui va à l'encontre du romantisme languide et « efféminé » de Musset ou de Lamartine, à l'encontre de la nouvelle école du « bon sens » incarnée par Ponsard et soutenue par le régime, à l'encontre même du lyrisme de Victor Hugo. Car l'admiration pour le maître, auquel il emprunte, d'ailleurs, une certaine grandeur cosmique, se mêle de bien des réticences. Leconte de Lisle apparaît donc comme le théoricien d'une nouvelle poésie, à la fois philosophique et épique, qui prend sa source dans les temps bienheureux où le poète, loin d'être un paria, faisait parler à la fois la Cité et ses dieux, un temps où Homère écrivait *l'Iliade* et Valmiki le *Râmâyana.* La vraie poésie ne doit donc pas se séparer du monde mais, au contraire, se lier étroitement au contexte social, politique et religieux. Aux temps bénis de l'aventure humaine – ces temps antiques qui sont aussi des temps épiques –, l'art se conciliait avec la foi et avec l'Histoire. Mais « depuis Homère, Eschyle et Sophocle, qui représentent la Poésie dans sa vitalité, dans sa plénitude et dans son unité harmonique, la décadence et la barbarie ont envahi l'esprit humain ». On comprend bien, devant cette vision de l'humanité, pourquoi on a pu parler du pessimisme de Leconte de Lisle. La tonalité tragique de bon nombre des poèmes a fait le reste. En outre, le sentiment de la décadence est maintes fois affirmé, comme dans la « Préface » des *Poèmes et Poésies* en 1855 : « Il faut bien reconnaître [...] que les plus larges sources de la poésie se sont affaiblies graduellement ou taries. » Cela signifierait-il qu'il faille se résigner à l'imperfection ? Deux éléments incitent, selon Leconte de Lisle, à plus d'optimisme : d'abord, il est probable que, dans un avenir indéterminé (peut-être un siècle seulement), l'humanité entrera à nouveau dans une période glorieuse propice à l'éclosion d'un grand art ; ensuite, la poésie demeure toujours possible : il lui suffit de retrouver l'inspiration et « les formes plus nettes et plus précises » de la poésie antique, de s'en imprégner par l'imitation, l'étude, la traduction, mille « exercices expiatoires », et d'opérer à partir d'eux une re-création.

Le recueil de 1852, qui a tant marqué les parnassiens – au point qu'Adolphe Racot, un historien du Parnasse, le place comme phare à côté des *Orientales,* d'*Émaux et Camées* et des *Fleurs du mal* –, s'inspire donc très fortement de poètes comme Théocrite ou Anacréon. À côté des poèmes d'inspiration grecque, les poèmes hindous ont étonné : l'orientalisme, avec les travaux de Burnouf, commence seulement à pénétrer les milieux cultivés. Comme l'hellénisme plus précoce (apparu dès les premiers romantiques), il fournit à des générations déçues par une réalité figée – 1848 et le coup d'État de

1852 sont la preuve que les structures sociales ne changeront pas –, humiliées par le matérialisme triomphant qui réduit les artistes à la mendicité, un rêve merveilleux. Car l'antique, c'est la perfection, l'utopie mêlées à l'exotisme. D'où la prédilection de Leconte de Lisle pour un Çiva ou un Brahma parfaits, d'où l'avalanche des lotus qui déchaîne la verve acide d'un Barbey d'Aurevilly : « Il a le nez englouti dans le lotus bleu, et il s'asphyxie. Dévote à la mythologie du Gange, sa muse vit, une queue de vache à la main. »

Pourtant, plus que des sarcasmes, le poète a suscité bien des enthousiasmes. Pour les jeunes poètes qu'il accueillera bientôt en chef de file, il apparaît comme un prophète rassurant, un prêtre (nombre de ses contemporains ont noté son allure sacerdotale). Qu'il ait, de plus, forgé ou entretenu une certaine mystique de la poésie, rien d'étonnant puisque la poésie, c'est le souffle de l'humanité qui, à travers le poète, se souvient de ses dieux et de la période heureuse de son enfance, de son âge d'or décrit dans les *Poèmes antiques*.

Bientôt, la barbarie triomphe de l'hellénisme, de l'hindouisme ou du bouddhisme sereins ; le chaos, la fureur, le fracas des massacres, le déferlement des hordes saxonnes donnent aux *Poèmes barbares* de 1862 et aux *Poèmes tragiques* de 1884 un éclat d'incendie ; et l'on voit des amours éperdues, sauvages et sanguinaires, des tresses blondes, de beaux corps sanglants. Ces nouveaux poèmes, par l'évocation épique et minutieuse des carnages, peuvent rappeler *Salammbô* : on y trouve la même ivresse glacée du désastre. Mais la fascination pour la mort violente et mutilante (les corps décapités s'amoncellent) semble bien spécifique. Nous voilà loin d'une poésie pure à la Gautier ou de l'impassibilité prétendue ; ce ne sont que crimes, ruses, massacres – au nom de Dieu, parfois. Et le Moyen Âge espagnol prend chez Leconte de Lisle un éclat sauvage et primitif inégalé chez Corneille ou Hugo.

Une poésie de l'ambivalence

La récurrence presque obsessionnelle de la violence ne doit pas remplacer l'image d'un poète impassible par celle d'un romantique torturé. Pourtant, le contraste entre l'impassibilité et le tourment est frappant, cela au sein même de l'œuvre, et non pas seulement, comme l'a dit Edgar Pich, entre l'œuvre théorique, plus confiante, et l'œuvre poétique, plus tragique. C'est qu'il y règne une figure dominante : l'ambivalence.

La mort, par exemple, a double visage : tantôt elle est désirée comme un havre de paix (« Moi, je t'envie, au fond du tombeau calme et noir... »), tantôt elle est source d'angoisse, car les morts (et l'on retrouve ici le mythe primitif du mort persécuteur) parlent dans leur tombeau. Il ne faut pas voir là uniquement un artifice esthétique mais l'émergence de l'angoisse dans l'univers de l'apaisement.

La nature aussi est double, avec son indifférence de décor grandiose face à l'homme qui se déchire, ou, au contraire, sa richesse opulente et caressante.

L'évocation du Christ, qui apparaît le dernier dans la fresque sacrée, n'est pas plus univoque : Jésus a provoqué la destruction de religions plus sages que la sienne (le monothéisme est d'ailleurs symbole d'intolérance et s'oppose à la douceur du polythéisme grec ou indien) ; les moines hideux et déments assassinent la vierge tranquille, fidèle aux dieux antiques (« Hypatie », « Hypatie et Cyrille ») ; mais, étrangement, Jésus ressemble à ces dieux détruits, en plus doux, en plus roux ; non plus martyr mais éphèbe endormi :

Il était jeune et beau, sa tête aux cheveux roux
Dormait paisiblement sur l'épaule inclinée.

« Ce cadavre si beau, si muet et si pâle », c'est le dernier dieu trahi par le fanatisme de l'Église (fréquemment mise en accusation).

Alternance donc, contradictions, antagonismes de forces opposées donnent leur tension à l'œuvre, et font de chaque poème, par leur énergie divergente, un lieu où le désir (de mort, de vie) se joue. L'ordre même des poèmes en est parfois une indication : des pièces aux accents très violents, évoquant des champs de bataille, des carnages, vont alterner avec des poèmes d'amour raffinés ; la versification devient plus savante et subtile dans des pantoums ou des villanelles. Car le poète épique qui ressuscite un Moyen Âge atroce (« les Siècles maudits »), qui, à travers les holocaustes, les massacres, montre la mort des civilisations s'éteignant tragiquement avec leurs cultes, trouve parfois une veine apaisée, voire intimiste. Les poèmes qui allient le mieux la grâce assoupie et la cruauté sanguinaire sont les poèmes animaliers. La cruauté n'est-elle pas, comme les théories darwiniennes le corroborent (elles sont accueillies favorablement par le poète), une loi de la nature ?

La faim sacrée est un long meurtre légitime
Des profondeurs de l'ombre aux cieux resplendissants,
Et l'homme et le requin, égorgeur ou victime,
Devant ta face, ô Mort, sont tous deux innocents.

(« Sacra fames »)

Cette barbarie naturelle n'est pas dénuée d'une beauté fascinante. Ainsi le python (« l'Aboma »), qui peut dévorer l'homme, apparaît, rêveur, splendide et dédaigneux, « comme une idole antique ». La description se charge de splendeur et de danger. On pourrait montrer que le plus souvent elle aboutit à l'action, ou la suggère. Les poèmes sont fréquemment construits sur un contraste qui oppose la dernière strophe, ou le dernier vers, au corps du poème. L'action, généralement meurtrière et féroce, fait alors irruption dans la paix sournoise et feutrée de la description. Il résulte de ce mélange de beauté parfaite, comme indifférente (celle de la sultane ou de la panthère), et de mort parfois monstrueuse (la femme et le fauve tuent), un effet de choc sourd, tonifiant et voluptueux. Un poème tel que « la Panthère noire », entre autres poèmes animaliers, compte parmi les pièces à la fois les plus plastiques, les plus parnassiennes et les plus sensuelles :

Elle ondule, épiant l'ombre des rameaux lourds.
Quelques taches de sang, éparses, toutes fraîches,
Mouillent sa robe de velours. [...]

Et sur la mousse en fleur, une effroyable trace
Rouge, et chaude encore, la suit.

Même s'il répugnait au lyrisme, Leconte de Lisle n'est donc pas un poète glacé ; il n'est pas non plus un poète uniquement descriptif, même si sa poésie est avant tout visuelle. Son propos dépassait de loin l'objectivité : il a voulu concilier l'art (dont l'expression suprême était pour lui la poésie), la religion, l'Histoire et la science. Par là il est apparu comme une figure de proue pour une génération ébranlée par les crises et à qui il fit bientôt partager ses propres aspirations. Son œuvre théorique, souvent hautaine et d'une sévérité peu nuancée envers les écrivains de son temps, reste capitale pour le nouveau statut qu'elle confère à la poésie. Et son œuvre poétique, d'une langue épurée par la réflexion sur les textes anciens, mais enrichie de mots rares, semble un reflet, serein, ensanglanté, épique et lumineux, du rêve gigantesque qui la soutient [voir **Parnasse**].

F. Court-Perez

LEDUC Violette

(1907-1972)

Violette Leduc est née à Arras. Abandonnée par son père (« Mon père, qui n'a été pour moi qu'un jet de sperme », écrira-t-elle dans *Trésors à prendre,* 1960), elle sera élevée par sa mère – pour qui elle est un fardeau – dans la haine des hommes. Elle ne trouve guère de réconfort qu'auprès de sa grand-mère. Celle-ci mourra bientôt. Le remariage de sa mère, la naissance tardive d'un demi-frère, la froideur de son beau-père ne font qu'accentuer son isolement. Connaissant la pauvreté, la maladie, le poids de la solitude, Violette Leduc échoue dans ses études, obtient un modeste emploi dans une maison d'édition, mais doit interrompre son travail à cause de sa santé fragile. Après avoir vécu avec une amie (Hermine, dans *la Bâtarde,* 1964), elle épouse Gabriel. Elle ne gardera de ce mariage que le souvenir d'une vie orageuse (cf. *Ravages*, au titre explicite, 1955), de liens névrotiques, d'un avortement, d'une tentative de suicide, enfin d'une nouvelle séparation. L'écrivain Maurice Sachs, un ami homosexuel mais aussi un amant de cœur, rencontré en 1932, l'oriente définitivement vers la littérature. Elle écrit sans grand succès divers articles pour des journaux « féminins ». Les romans qu'elle publie (*l'Asphyxie,* 1946 ; *l'Affamée,* 1948 ; *Ravages*), s'ils sont admirés par l'élite intellectuelle, ne rencontrent guère d'écho auprès du grand public – jusqu'à *la Bâtarde,* préfacée par Simone de Beauvoir ; l'érotisme de certains passages nécessite alors un tirage à part ; il en ira de même pour *Thérèse et Isabelle* (1966). Après une dépression nerveuse et un séjour en maison de santé, Violette Leduc connut de dernières et brèves amours qu'elle racontera dans *la Chasse à l'amour* (1973, posthume).

S'ils ne sont pas tous autobiographiques – *la Vieille Fille et le Mort* (1958), *la Femme au petit renard* (1965), par exemple, sont des fictions imaginaires –, ses romans ont cependant tous le même thème : la marginalisation douloureuse d'une femme hypersensible, d'un être isolé qui se sent coupable et se croit rejeté par les autres. C'est l'expérience vécue qui est à la base de la série *la Bâtarde, la Folie en tête* (1970), *la Chasse à l'amour. La Bâtarde* s'ouvre par un cri de révolte désespéré qui donne le ton de l'ensemble de l'œuvre : « Mon cas n'est pas unique : j'ai peur de mourir, et je suis navrée d'être au monde. » On songe à Vallès. La violence de l'écriture exprime non seulement l'agressivité et l'angoisse avec lesquelles Violette Leduc fait face à la vie, mais aussi une volonté de jouir des « trésors » que le monde met à la disposition de ceux qui en ont besoin : l'attachement à la mère, avec sa part de haine, de rivalité, et en même temps de complicité, d'identité ; les amours d'enfance dans la solitude du pensionnat, l'obsession de la satisfaction (homo)sexuelle, symbole de l'appropriation inquiète de l'autre et de la plénitude éphémère de l'être ; l'objet dérisoire qu'enfant, l'on caresse et auquel on se raccroche du fond de la misère : un col de fourrure pour la mendiante dans *la Femme au petit renard.*

Solitude et souffrance sont exprimées chez Violette Leduc avec un flamboiement baroque, un luxe de métaphores qui évoquent le lyrisme de cet autre paria que fut Jean Genet. À ceux qui ne possèdent rien, Violette Leduc, dans ce long monologue à haute voix que sont ses livres-confessions, apprend que la misère sentimentale est elle-même poésie, que l'identité de l'être porte en soi toute la richesse du monde : « J'ai obtenu pour vingt kilomètres sous la pluie, la vision d'un facteur tassé sur son vélo, dans son capuchon. J'ai dit deux fois "Violette" à haute voix, j'ai fait ainsi l'inventaire de ma présence » (*Trésors à prendre*).

B. Valette

LE FÈVRE DE LA BODERIE Guy

(1541-1598)

Mésestimé, voire ignoré jusqu'au début du XXe siècle, ce poète orientaliste normand se voit reconnaître une place à côté des représentants les plus célèbres de la Pléiade. Mais son hermétisme érudit et complexe déroutera beaucoup de lecteurs et suscitera même, à l'occasion, la défiance de l'institution religieuse. Faisant pièce aux accusations de didactisme et d'obscurité portées à l'encontre de La Boderie, l'éclairage projeté sur le milieu et les sources du poète a permis de redécouvrir les vertus esthétiques et l'originalité d'une œuvre qui, avant celle de Du Bartas, inaugure le grand courant lyrique chrétien.

Des recherches érudites à l'œuvre poétique

Les débuts de Guy Le Fèvre de La Boderie demeurent mal connus : après Falaise, d'où il est originaire, il séjourne à Caen, foyer humaniste alors réputé, puis à Paris, à Lyon et à Mâcon (où il rencontra peut-être Pontus de Tyard). Plus significatives que cet itinéraire sont les étapes intellectuelles de sa formation : fréquentation assidue des poètes, dans l'enfance ; étude des mathématiques, dans l'adolescence ; de la philosophie et des langues, orientales et modernes, à l'âge adulte. Une inquiétude religieuse précoce l'amène à refuser définitivement, à l'âge d'à peine quinze ans, scepticisme, épicurisme et athéisme. C'est au cours de ces années d'adolescence que s'élabore son *Encyclie des secrets de l'éternité,* dont sept « cercles » sur huit sont achevés dès 1561. Probablement vers la fin de 1562, la rencontre de Guillaume Postel, rentré définitivement à Paris, sera déterminante pour sa formation d'orientaliste, en hébreu, syriaque et arabe, ainsi que pour la thématique de toute l'œuvre poétique à venir. Très vite devenu son disciple élu, La Boderie ne cessera plus d'être, selon son génie propre, l'interprète du maître désormais réduit, pour l'essentiel, au silence. C'est sur sa recommandation qu'il séjournera trois années à Anvers avec son frère Nicolas, orientaliste également, pour collaborer à l'édition monumentale de la Bible polyglotte d'Anvers patronnée par Philippe II d'Espagne, qui doit enfin réaliser la concorde universelle. Considérable, sa contribution contient déjà la substance de l'œuvre littéraire ultérieure et en révèle la dynamique créatrice. La recherche érudite et linguistique y est au service d'une herméneutique spirituelle ; elles se conditionnent l'une l'autre.

Haute science et hiéro-histoire : de l'*Encyclie* à *la Galliade*

Les huit « cercles » de l'*Encyclie* (1571), couronnés d'un « tabernacle », que prolonge une seconde partie rassemblant diverses pièces, dépassent le propos apologétique apparent exprimé sous la forme d'un dialogue platonicien dans la tradition de Pontus de Tyard. L'œuvre, influencée dans sa structure par Dante, mais aussi par la vision d'Ézéchiel, dérive progressivement du didactisme trop rationnel de la démonstration théologique à un mode de compréhension fondé sur la symbolique biblique et kabbalistique. Traversant les différents degrés de réalité visibles et invisibles jusqu'au tabernacle de l'insondable divinité, la raison, préparée par l'émerveillement devant l'ordonnance et la beauté du monde, cède la place au saisissement contemplatif. L'encyclopédisme érudit se transmue en un hymne cosmique, qui doit certes à Ronsard mais plus encore aux Psaumes, dépassant le plan des analogies profanes pour atteindre la « haute science » par la voie du symbolisme anagogique chère aux kabbalistes chrétiens. Réincarnation de David, de Virgile et d'Orphée, dans la perspective des kabbalistes, La Boderie célèbre, comme son ami Baïf, les noces de la musique et de la poésie, conçue comme sagesse inspirée. Nouvel Orphée, il affirme, contre le poète profane égaré dans le monde mythologique, l'exigence d'une « fureur » : le vrai poète est prophète ou n'est pas. Il le deviendra en chantant les secrets des Hébreux. Face à Ronsard, La Boderie revendique là une juste primauté. Second volet d'un diptyque, *la Galliade ou De la révolution des arts et sciences* (1578 et 1582), fondée elle aussi sur l'image du cercle, met l'accent non plus sur le parcours de l'âme individuelle retournant à l'Un, mais sur la « restitution » collective d'une humanité qui a retrouvé ses origines. Le poème, qui célèbre en cinq cercles l'accomplissement en Gaule, après un long périple, de l'encyclopédie hébraïque préservée par les druides après le déluge, n'est que superficiellement une épopée nationaliste, plus proche de *la Légende des siècles* que de *la Franciade.* Cette hiéro-histoire revendique une objectivité supérieure à la réalité, garantie par le recours systématique aux étymologies hébraïques dans l'esprit du *Cratyle* de Platon et de la Kabbale. L'« émithologie » postélienne, en restaurant, contre « la Grèce menteresse », *emeth,* la vérité sémantique originaire, assure l'assomption d'une Gaule étendue à l'univers. Source créatrice féconde en belles similitudes, l'hébraïsme n'épuise pas le génie du poète, qui ne rompt pas vraiment avec la tradition gréco-latine. *Les Hymnes ecclésiastiques* (1578 et 1582) et les *Diverses Meslanges poétiques* (1579 et 1582) illustrent l'universalité d'une esthétique où se résument les ambitions de la Pléiade et de la poésie protestante antérieure, mais au bénéfice d'un renouveau (dans l'esprit du concile de Trente) du lyrisme catholique.

Témoin essentiel de la vie culturelle sous les derniers Valois, La Boderie appartient au cercle de Marguerite et de son frère Alençon. Affilié sans doute à l'hétérodoxe « Famille de la Charité », ses idées rejoignent celles des « politiques » et l'irénisme des premières académies qui naissent de façon informelle dans les milieux de la Cour. Honoré d'Urfé, plus tard Nerval, lui emprunteront des thèmes. À notre époque, Claudel retrouvera certains accents de son lyrisme.

J.-F. Maillard

LEFÈVRE D'ÉTAPLES Jacques
v. Humanisme

Leiris

LEIRIS Michel

(1901-1990)

« Laisser les mots s'animer, écrit Michel Leiris en 1939, se dénuder et nous montrer par chance, le temps d'un éclair osseux de dés, quelques-unes de nos raisons de vivre et de mourir, telle est la convention du jeu. » Le jeu et les mots : tout Leiris est là. Pour cette raison, son œuvre est une des plus modernes du XXe siècle, parce qu'elle en délimite à elle seule tout l'horizon : une aventure passionnée dans ce *wonderland* qu'est le langage, étrange royaume dont on revient, comme Alice, revêtu d'ombre.

C'est par la poésie que commence Leiris. En 1925, avec ce « puzzle de mots » qu'est *Simulacre,* il donne son premier recueil placé sous le signe de Max Jacob et surtout du surréalisme, que son ami André Masson lui a fait découvrir. Deux ans plus tard, il passe au récit, et c'est *le Point cardinal* : une longue dérive onirique où les formes diurnes des apparences sont aspirées par celles du songe, tandis que se télescopent lapsus et hallucinations, calembours et calligrammes. Même climat dans *Aurora,* écrit en 1927-1928 mais publié en 1946, un second récit qui reflète le goût de Leiris pour l'exploration automatique de l'inconscient et pour la logique du coup de dés : tour à tour *eau-rô-râh, or aux rats* ou *horrora,* la nervalienne et homophonique Aurora y subit toutes sortes de métamorphoses entre les doigts de fée du prestidigitateur Damoclès *Siriel,* qui n'est autre que l'anagramme de Leiris lui-même... Ainsi, par-delà les grimoires de ce livre, le futur auteur de *la Règle du jeu* inaugure ce qui fera l'essentiel de sa quête littéraire : l'autobiographie.

L'année 1929 marque une rupture assez radicale dans l'itinéraire de Leiris. Il rompt en effet avec Breton et avec ce surréalisme débordant auquel le rattachaient ses premiers livres. Il se tourne de plus en plus vers une exploration philosophique de l'écriture, interroge ses rapports avec le sacré et la transgression, et se trouve ainsi très proche des travaux de Georges Bataille, qui anime alors *Documents,* une revue à laquelle Leiris donnera de nombreux textes – lesquels seront repris dans *Brisées* (1966). À la même époque, il entreprend une psychanalyse, puis s'intéresse aux mythes et à l'ethnologie : il entre au musée de l'Homme après avoir participé, de 1931 à 1933, à la mission Dakar-Djibouti, que dirige Marcel Griaule, mission dont il rapportera *l'Afrique fantôme* (1934), le journal souvent désabusé de sa vie sous les tropiques. Cette veine ethnologique se retrouve dans *Tauromachies* (1937) et dans *Miroir de la tauromachie* (1938), deux textes somptueux. Si Leiris se consacre à l'art du torero, c'est qu'il y trouve l'illustration vertigineuse d'un cérémonial qui se rapproche étrangement de l'érotisme et du sacré, mais surtout de l'écriture : la mort s'y effleure du bout des doigts. Pour le torero, comme pour le poète et l'amant, écrit-il, « toute l'action se fonde sur l'infime mais tragique fêlure par laquelle se trahit ce qu'il y a d'inachevé (littéralement : d'infini) dans notre condition ».

Ce sens de l'exorcisme se retrouve également dans *Haut-Mal* (1943), qui rassemble les poèmes que Leiris écrit durant ces années de rupture : l'écriture s'y définit comme une transe sacrée, elle explore musculairement, et presque viscéralement, le cachot intérieur dont le poète-gourou doit se libérer s'il veut devenir un voyant, au sens rimbaldien du terme. Pour Leiris, il est alors temps de se lancer dans sa grande entreprise d'exploration de lui-même. Préfigurant la tétralogie de *la Règle du jeu,* il publie en 1939 un de ses livres autobiographiques les plus importants, *l'Âge d'homme,* où l'on voit se déployer la chorégraphie tragique d'une tauromachie intime menacée par « la corne acérée » de la mort.

Poursuivant sur le papier sa propre psychanalyse et la disposant en une sorte de photomontage, Leiris livre dans *l'Âge d'homme* ses souvenirs d'enfance, ses terreurs inavouées, ses fabulations enfouies, ses rêves, son imagerie personnelle. Profitant du choc émotif qu'il reçut un jour devant la *Lucrèce* et la *Judith* de Cranach, il met à nu ses obsessions sentimentales ou sexuelles, montre le dessous des cartes sans crainte de se compromettre. Variation sur l'amour et sur la mort, *l'Âge d'homme* est une levée des censures qui dispose le fantasme comme de la « limaille autour des branches d'un aimant ». Cet aimant qui transmue en poésie – par une sorte d'opération alchimique – ce qui, ailleurs, n'aurait guère dépassé l'indiscrétion ou l'indécence. Là est bien le génie de ce livre : la banalité y devient mythique, fabuleuse.

On est donc loin d'une littérature de confidence ou de confession : *l'Âge d'homme* est au contraire une effraction du sujet. Pris dans la logique dévorante d'un langage qu'il met en branle mais qu'il finit par ne plus pouvoir contrôler, Leiris y est littéralement décapité. Dès lors, si son autobiographie peut se comprendre comme l'aveu d'un enfant du siècle, elle est tout autant un suicide dans le langage, ce langage dont la force boulimique échappe à la maîtrise du scripteur : un être se met en scène, et, à mesure qu'il réinvente sa propre légende, il se met à mort, victime et bourreau à la fois. Jamais autant qu'ici l'écriture n'aura fait entendre la rumeur anonyme du *thanatos.* Comme si la langue, une fois amorcée, prenait l'écrivain à revers pour devenir une messagère d'outre-tombe. Ce qui se dégage ici, c'est donc le brouillage paradoxal du « je parle » par le « ça parle ». Commentant *l'Âge d'homme,* Maurice Blanchot a parfaitement compris l'enjeu mortifère et posthume de l'autobiographie, qui en vient finalement à défaire le sujet au lieu de le construire : l'exact contre-pied du narcissisme. Ce livre, écrit Blanchot, « est ce regard lucide par lequel le je, pénétrant son obscurité intérieure, découvre que ce qui en lui regarde, ce n'est plus le je structuré du monde, mais déjà la statue monumentale, sans regard, sans figure et sans nom : le il de la mort souveraine ». Ainsi *l'Âge d'homme* est-il une façon de « changer la vie » contre la mort, de la focaliser sous le rituel essentiellement verbal d'une dépense expiatoire. « Je me conduis toujours, écrit Leiris, comme un maudit qui poursuit éternellement sa punition, qui en souffre, mais qui ne souhaite rien tant que pousser à son comble cette malédiction. » Cette logique du pire explique sans doute le caractère inachevé – et inachevable – de l'autobiographie de Leiris. Elle occupera désormais l'essentiel de son œuvre : utilisant cette fois des unités beaucoup plus larges que *l'Âge d'homme,* l'entreprise monumentale de *la Règle du jeu* va s'étendre sur près de trente ans.

Quatre titres composent cette longue prolifération qu'on a pu comparer aux *Essais* de Montaigne. Rédigé en majeure partie pendant l'Occupation, *Biffures* (1948) remonte à l'enfance et s'attache essentiellement aux premiers souvenirs concernant le langage. Comme dans les volumes ultérieurs, Leiris y utilise une méthode qui lui vient de l'ethnologie : il travaille à partir de fiches dont le désordre même est créateur, car le brassage aléatoire permet de créer de nouvelles affinités et de lever certaines censures que la mémoire seule n'est pas capable de vaincre. Publié en 1955, *Fourbis* poursuit l'inventaire des souvenirs et interroge la figure de plus en plus familière de la mort, tout en se situant sur le théâtre concret de l'histoire : Paris, le sud de la France, l'Afrique, les Antilles, voilà les lieux où se retrouve celui qui tente de découvrir les grilles de déchiffrement de lui-même. Même décor politique dans *Fibrilles*, en 1966 : la révolution chinoise et la révolution cubaine permettent à Leiris de donner une nouvelle dimension à sa quête – à cette époque, il voyage beaucoup et collabore aux *Temps modernes*. Enfin, avec *Frêle Bruit* (1976), Leiris tente de donner un « terme » à *la Règle du jeu*. Par son caractère lacunaire, éventré, fragmentaire, ce quatrième volume fait entendre une voix blanche qui poussse l'œuvre à la déroute et transforme l'espace littéraire en espace de désœuvrement : la littérature redevient un droit à la mort, comme dit Blanchot. Elle est la réponse symbolique à cette question du suicide qui revient si fréquemment chez Leiris. Écrire est alors le dernier sursis, celui qui « impose par la plume une ordonnance à ce qui est sans nom ».

Mais l'essentiel de ce grand œuvre qu'est *la Règle du jeu* se situe sans doute dans la passion de Leiris pour le langage. En ce sens, des quatre versants, *Biffures* est celui qui fascine le plus la modernité. Pour l'enfant que Leiris est resté, les mots sont des êtres charnels, capables de provoquer toutes sortes d'expériences émotives. Car ce qui constitue le fil conducteur de *Biffures*, c'est l'abandon de l'écrivain aux accidents et aux aléas du lexique : il faut « laisser le langage penser pour nous », écrit Leiris qui a beaucoup retenu de Raymond Roussel. Aussi l'autobiographie fait-elle place ici à la poésie, parce qu'elle donne l'initiative aux mots : intérêt pour les hiéroglyphes et pour les idéogrammes de l'enfance, pour les mots chargés d'une signification kabbalistique, pour la combinaison magique de termes hétéroclites, pour les étymologies rêvées, pour la matérialité phonique ou graphique des syllabes – et pour l'alphabet, surtout, dont chaque lettre se révèle être un petit instrument divinatoire, un espace pulpeux de rêverie intime.

Cette passion pour le langage et pour ses pouvoirs oraculaires ne se rencontre pas seulement dans *la Règle du jeu*. Elle donne la tonalité de l'œuvre entière. C'est le cas, par exemple, du très curieux *Glossaire, j'y serre mes gloses* (1939), écrit entre 1925 et 1939. Leiris y pratique une dissection linguistique qui lui permet de découvrir quantité de ramifications oniriques. La règle est la suivante : on choisit un mot, et l'on en donne une nouvelle « définition » poétique ou drolatique en recombinant ses éléments – sens, forme, sons. Ainsi, « assiette » devient : « la disette y fait place à la satiété ». Situation typiquement cratylienne : le nomenclateur Leiris recolle les mots et les choses, il redécouvre le paradis linguistique perdu. Ce ludisme n'est pas innocent : c'est une folie construite qui élimine les valeurs établies du signifié. Désormais, la pensée se fait dans la bouche, comme le souhaitait Tzara. Du *Glossaire* à *la Règle du jeu* en passant par les fatrasies des *Bagatelles végétales* (1956), on voit donc mûrir une véritable cosmogonie verbale : sortant de sa fonction sémantique, la langue française retrouve son pouvoir fertilisant. La clé des alphabets privés de Leiris déclenche ainsi en lui toutes sortes d'expériences qui remontent à la surface comme autant de talismans. Et si son œuvre évoque la recherche proustienne, elle doit aussi beaucoup à celle de Freud.

Au bout du compte, l'autobiographie leirisienne est une autobiologie : la vie n'explique pas l'œuvre, c'est l'œuvre qui, après coup, constitue le tissu du vécu. Le je se livre dans le jeu des mots, et il se met ainsi en jeu de façon rétrospective. Et, dans cette quête du moi comme objet ethnographique, la méthode est toujours restée la même : déglinguer nos vieux dictionnaires en y introduisant des ferments aléatoires capables de recomposer, sur l'Autre Scène, des syntaxes inouïes. Polyphonique, exubérante, utilisant les méandres de longues phrases afin de mieux prospecter les sédiments enfouis de la mémoire, *la Règle du jeu* apparaît comme un des plus beaux voyages qu'on ait pu faire dans les arcanes du langage, et c'est aussi le grand creuset de notre temps : surréalisme, existentialisme, anthropologie, linguistique, tous les savoirs de ce siècle s'y retrouvent, expérimentés et déplacés.

Véritable apothéose que ce livre, dont l'unité et la cohérence ont été maintenues d'une main tandis que, de l'autre, Leiris poussait les portes d'un monde flamboyant. Cependant tous ses ouvrages portent en eux une continuité secrète ; ils traversent un demi-siècle « en reliant entre elles les pages d'un texte apparemment dispersé », comme l'a dit Michel Butor. Quant à l'existence de Leiris, elle semble s'être peu à peu mise entre parenthèses, comme si elle s'était brodée dans les marges étroites de son interminable manuscrit. L'auteur de *la Règle du jeu* est de ceux qui ont porté la littérature à son point de plus haute exigence : que vivre ne soit qu'écrire, dans l'effroyable solitude de la page à remplir, à cent lieues du commerce trop bruyant des humains.

	VIE	ŒUVRE
1901	**20 avr. :** naissance de Michel Leiris, rue d'Auteuil à Paris. Élève du lycée Janson-de-Sailly.	
1918	Commence des études de chimie.	
1921	Premiers essais poétiques guidés par Max Jacob ; se lie avec André Masson.	
1922	Rencontre Pablo Picasso.	

VIE	
1924	Devient membre du groupe surréaliste autour d'André Breton. Se lie avec Georges Bataille.
1926	**2 févr. :** Mariage.
1927	Voyage en Égypte où il rencontre Georges Limbour, puis en Grèce.
1929	Dissident du mouvement surréaliste.
1930	Cure psychanalytique.
1931-1933	Du 19 mai 1931 au 16 févr. 1933, secrétaire archiviste de la mission ethnographique Dakar-Djibouti autour de Marcel Griaule.
1933	Chargé du département Afrique noire au musée de l'Homme.
1937	Création du Collège de Sociologie (G. Bataille-R. Caillois).
1939	Mobilisation au Sud-Sahara.
1941	Se lie avec J.-P. Sartre.
1944	Fonde avec J.-P. Sartre la revue *les Temps Modernes.*
1945	Mission en Côte-d'Ivoire.
1948	Voyage aux Antilles.
1952	Voyage aux Petites Antilles.
1955	Participe à une délégation officielle en Chine populaire.
1957	Tentative de suicide.

ŒUVRE	
1925	*Simulacre* (lithographies d'A. Masson) repris dans *Mots sans mémoire.*
1926	Parution de *Glossaire* dans le n° 6 de *Révolution surréaliste.*
1927	Commence *Aurora* et *Grande Fuite de neige. Le Point Cardinal* (repris dans *Mots sans mémoire*).
1929	Fondation de la revue *Documents* autour de G. Bataille.
1930	*Un cadavre,* pamphlet contre A. Breton en collaboration avec Bataille, Limbour, Queneau, Prévert...
1934	*L'Afrique fantôme,* journal de la mission (nouv. éd. 1951, réimpr. 1968) [E].
1936	*La Néréide de la mer Rouge,* poèmes.
1937	*Tauromachies,* dessins d'A. Masson.
1938	*Miroir de la tauromachie,* dessins d'A. Masson.
1939	*L'Âge d'homme.* *Glossaire, j'y serre mes gloses*, repris dans *Mots sans mémoire.*
1943	*Haut-Mal,* poèmes.
1945	*Nuits sans nuit,* récit de rêves.
1946	*Aurora* (réimpr. en 1978).
1947	*André Masson et son univers,* en collaboration avec G. Limbour.
1948	*La Règle du jeu,* I. *Biffures.* *La Langue secrète des Dogons de Sanga* [E].
1951	*Race et civilisation* (Unesco) [E].
1955	*La Règle du jeu,* II. *Fourbis.* *Contacts de civilisation en Martinique et en Guadeloupe* [E].
1956	*Bagatelles végétales.*
1957	*La Possession et ses aspects théâtraux chez les Éthiopiens de Gondar* [E].
1961	*Nuits sans nuit et quelques jours sans jour,* récits de rêves reprenant des textes de 1945. *Vivantes Cendres, innommées,* poèmes illustrés de gravures à l'eau-forte d'A. Giacometti. *Marrons sculptés pour Miró,* poèmes.
1964	*Grande Fuite de neige,* dédié à R. Desnos.

VIE		ŒUVRE	
		1966	*Brisées,* rassemblant des études parues dans diverses revues. *La Règle du jeu,* III. *Fibrilles.*
1967	Voyage à Cuba.		
1968	**Janv. :** Congrès international des intellectuels à La Havane.		
		1969	*Cinq Études d'ethnologie,* textes de 1950 à 1968 [E]. *Haut-Mal,* suivi de *Autres Lancers.* *Mots sans mémoire.*
1971	Prend sa retraite du musée de l'Homme mais reste en contact avec de nombreux chercheurs.		
		1976	*La Règle du jeu,* IV. *Frêle Bruit.*
		1981	*Le Ruban au cou d'Olympia.*
		1985	*Langage Tangage ou Ce que les mots me disent.*
		1990	*À cor et à cri.*

N.B. [E] : textes ethnographiques.

A. Clavel

L'Âge d'homme

La rédaction de ce premier essai autobiographique est pour Michel Leiris une tentative de découvrir un ordre et un sens à une vie dont l'échéance fatale accentue l'inanité : substituer à l'atonie d'un fatras d'éléments disparates la vigueur d'une épine dorsale capable de les innerver, opposer à la fluidité du temps qui le ronge la « roideur » d'un corps unifié. Si tant est que le « Connais-toi toi-même » socratique soit un but sacré pour l'homme, l'exploration attentive de quelques souvenirs et instants privilégiés devrait mener à cette connaissance qui est aussi construction de soi. Puisque l'enjeu est de ne pas céder au vertige devant le gouffre amer de la mort, le jeu du torero qui n'échappe au maléfice qu'en se l'incorporant en partie semble approprié : convergence puis ultime divergence pour éviter le contact de justesse, tel est le mouvement esquissé, que reproduit aussi (quoique imparfaitement) l'étreinte amoureuse. L'érotisme, en effet, est indissociable de la mort qu'il permet d'appréhender : réalisant la fusion en un seul être vivant et l'union matérielle au monde, il donne à l'homme, discontinu de nature, l'illusion fugitive de la continuité. C'est donc sous l'angle de l'érotisme, lieu de tangence et sujet tabou, que le poète examine l'ensemble fini de faits empruntés à l'enfance, qu'il juge fondateurs et inaltérables, révélateurs donc de la part d'ombre et de sacré enfouie en lui.

Ce regard sur soi lui fait valoriser les éléments visuels : autoportrait en ouverture, représentations symboliques de la Femme, idée de l'infini sur une boîte de cacao, de la vieillesse sur un album d'images d'Épinal, tout est vu et donné à voir. Les images rêvées ou réelles, théâtrales et picturales s'appellent, s'enchâssent selon un constant processus d'analogie et s'assemblent autour d'un noyau, le « tableau double » de Cranach l'Ancien figurant Lucrèce et Judith, comme autant de variations d'un même thème. Double motif de se référer à cette figure : son immuabilité ne peut qu'aider l'auteur à se fixer ; son sujet, dualité de la femme, meurtrière et victime, manifeste jusqu'au vertige les pôles droit et gauche de toutes choses, au point de jonction desquels éclôt le sacré. Car il s'agit bien de transposer sa vie dans le domaine ambigu du sacré (affranchi de son sens religieux), afin d'exhausser un quotidien trop banal et d'y approcher la mort. Une certaine théâtralité conférée à ses souvenirs, un recours réitéré aux spectacles (drames, opéras) instaurent la dimension tragique nécessaire, tout en privilégiant l'espace scénique sur la temporalité. De plus Leiris multipliant les références aux mythologies occidentales, ou s'ingéniant à créer une mythologie personnelle, tout est investi d'une aura mythique ; autre procédé d'échapper à la chronologie, le temps du mythe étant simultanément réversible et irréversible. Raconter son espace intérieur selon ces deux modes, mythe et tragédie, c'est aussi transférer à son entreprise un peu de leur grandeur, de leur universalité et à son écriture la valeur d'un rituel, c'est justifier la publication de ce livre qui, se proposant de parler d'un homme, parle de tous.

Mais l'édifice ainsi conçu révèle assez vite ses lézardes : il est impossible de se dire dans un présent proche parce qu'une vue panoramique sur soi nécessite trop de recul ;

une chronologie stricte et sèche réapparaît au terme de cet essai, le temps reprend ses droits et réactive l'angoisse. Quant à l'érotisme, il a déferlé sans que jamais la page ne frémisse à son contact ; point de vue unique dans cette tentative d'unification du « moi », il est inapte à en exprimer toute la multiplicité et la richesse que l'écriture a révélées. Ainsi, la plénitude désirée est encore à atteindre, le manque toujours à combler...

La Règle du jeu

« Un coup de dés jamais n'abolira le hasard », pourtant « la vie, seul un Dé la sépare du viDe » ; en jeter un, avec « sa pluralité de façades versatiles » est peut-être de ces gestes qui sauvent. Les dés de Michel Leiris sont désormais les lettres et les mots avec lesquels il joue, sur la base de quelques règles d'écriture simples, à découvrir la Règle du Jeu, qu'il veut « à la fois art poétique et savoir-vivre ». Dans ce travail d'approfondissement, le langage devient l'instrument qu'était l'érotisme pour *l'Âge d'homme*. Rédigés à partir des fiches où il note rêves, réflexions, souvenirs, les quatre essais de *la Règle du jeu* s'élaborent selon une dynamique nouvelle : il s'agit toujours de faire échec au temps ; mais pour ce faire, la pensée comme la phrase, tout en sinuosités, se disséminent, allant même jusqu'à l'éclatement de *Frêle bruit*, comme si, ne laissant rien au hasard, ce mouvement fureteur pouvait déjouer à l'infini l'issue dernière. Discours sur soi qui s'élargit progressivement au monde et parcours dans l'imaginaire du langage, quête inlassable qui produit son propre commentaire, *la Règle du jeu* se défait et se fait au fil de quelque trente-cinq années de composition, modifiant son auteur parallèlement, pour révéler enfin que seule importe cette voix qui a su établir un dialogue et le maintient.

I. *Biffures*

Écrit entre 1940 et 1947, ce texte orchestré en huit chapitres explore encore le monde de l'enfance, suffisamment lointain pour que ses émerveillements, ses fulgurations aient l'air de féeries édéniques. Les souvenirs qu'il met en présence pour leur qualité de faits de langage sont autant d'aiguilles de voies ferrées que les aiguillages nouent et dénouent. Pensée et écriture cheminent de « bifurs », où se multiplient les directions à prendre, en « biffures », où le sens se corrige et se surcharge, jusqu'à peut-être éclairer l'auteur sur sa nature et son but. Le jeu des affinités secrètes et des analogies souterraines entre les mots (procédé cher à Raymond Roussel) est le fil d'Ariane de ce périple dans le labyrinthe langagier. Le balcon de son enfance, écran devant le vide, dont l'aspect, la matière, les arabesques ou détours de forme le fascinaient, lui qui allait jusqu'à le « goûter », est aussi métaphore du langage qu'il analyse au chapitre « Alphabet » (IV) sous divers aspects. La phrase de *Biffures* se déroule en méandres, entrelacs et volutes se parant de tout le velouté du propos.

Pour l'enfant et le poète, les mots restent « ces fenêtres ouvertes sur un monde où on perd pied » ; pourtant le premier chapitre introduit déjà ce qui va faire dévier l'ensemble. La correction de « ... Reusement » (I) en « heureusement » dévoile le langage, instrument de communication. L'intrusion d'autrui transparaît dès lors que, le langage maîtrisé, tout s'ordonne respectivement autour du noyau « je ». Dès le chapitre « Perséphone » (V), la relation de son déménagement entraîne ce constat que « je » hors du rapport avec les autres personnes n'est rien du tout ; elle juxtapose la rêverie aux souvenirs et trahit le hiatus entre passé et présent, qui se creuse en fossé où Leiris se sent « près de perdre pied ».

Le temps, que l'expression « Il était une fois » (VI) habille encore d'éternité, continue de couler, à la fois substance et obstacle de l'écriture : « Dimanche » (VII) tente vainement de conjuguer présent, passé et futur, la fin de la guerre le surprend préoccupé de redresser son entreprise au sens bien compromis. Sans « Tambour [ni] trompette » (VIII), il achève sur un dernier mot : « tantôt », signe de l'alternative et de la projection « en avant de soi », qui tinte comme une promesse, un mot bien fait pour rassurer auteur et lecteur et consolider leur pacte.

II. *Fourbis*

C'est le mors aux dents et la mort en bouche que Leiris rompt le nébuleux silence d'un an qui le sépare de *Biffures* : l'écriture devenue raison de vivre s'affirme comme maîtresse du jeu. Le constat du malentendu qui l'oppose à son corps, soumis aux lois physiques de la dégénérescence, et à l'Occident menacé de décrépitude donne d'emblée le ton de désenchantement et de pessimisme de *Fourbis*, vocable choisi pour son insignifiance.

L'inventaire de ce qu'a engrangé sa mémoire trop sélective révèle d'obsédantes lacunes, qu'il faudrait combler pour croire « se posséder en totalité » ; parmi elles, la prise de conscience de la mort est primordiale. Glissement de mots en mots, sa recherche le conduit aux lieux du théâtre et de l'érotisme qui « jettent un pont de notre monde à l'autre » (certains choix de *l'Âge d'homme* s'éclairent). De la faille qui sépare celui qui « n'existant plus que par écrit », s'imagine « extérieur à la coulée du temps » de celui qui rêvait d'un « destin », émerge la lancinante réalité du « moi » social. Être homme *et* poète ne va pas sans déchirement. La présence des autres s'est faite plus consistante et s'impose dans le mot fraternité ; « je », « parcelle d'être collectif » dans le Sud Sahara, fait surgir de son fourbi militaire l'image de Khadidja, bel Ange de la Mort, par lequel il croit avoir pénétré les arcanes du monde à moins que là encore il ne soit le jouet de l'écriture.

III. *Fibrilles*

« La fière, la fière... » : sous ce titre, Leiris regroupe les quatre parties de ces « hasardeuses *Fibrilles* », cela résumant pour lui « tout ce qu'on peut trouver d'amer et de magique quand on aborde des lieux retirés et difficiles », ce qui fait toute la substance de ce troisième essai. Lever et chute de rideau sur la Chine dont l'harmonie visible l'a fasciné mais qui s'édulcore en un rêve engendrant le désarroi. L'histoire a sa place dans le jeu car elle signifie désormais les obsessions de l'auteur : analysant ses voyages, il prend une distance certaine avec l'enfant qu'il était (ose un « il ») et avec l'idée même de départ. C'est qu'il a effectué un voyage autrement plus troublant et plus dangereux : une tentative de suicide, véritable descente aux Enfers où il n'était plus séparé de la tangence que par un infinitésimal hiatus, et après quoi tout n'est plus que dissonance. La rêverie et la poésie l'aident à remonter de son plongeon (poèmes de « Vivantes cendres, innommées », repris dans *Haut-Mal* en 1969). Sa préoccupation première est l'art, « en tant que mode de vie » : être « art et vie, voix et chair » ! Montrant les pouvoirs et les limites de la littérature, il redéfinit son esthétique, son ambition d'une écriture totale qui susciterait « des instants dont chacun serait une éternité ». C'est le moment d'avouer que la règle d'or recherchée était un leurre, et que la poésie « par essence de l'ordre du tout et du rien » ne saurait être circonscrite par les moyens du discours.

IV. *Frêle Bruit*

À cette impossible *Fibule* qui devait clore *la Règle du jeu*, Michel Leiris oppose le filet de voix d'un veilleur qui « fêlant le silence sans le briser, empêche le vertige du néant ». Les thèmes ne diffèrent pas : la poésie, l'érotisme et la mort, ses engagements d'homme (Cuba, Mai 1968), ses oscillations, sa « difficulté d'être ». Mais à l'inverse de cette continuité, le procédé d'écriture rompt avec la linéarité qui précédait : la discontinuité de l'écriture fragmentaire (plus proche en cela de celle de Maurice Blanchot que de Raymond Roussel) rend compte de la discontinuité de l'être. Ainsi alternent jeux sur le langage, notes, rêves, poèmes dans « une vasque où se rejoignent et se croisent la Pente du souvenir, la Perspective de l'avenir et les Traverses du destin ».

L'imagination s'accroche aux moindres prises, à tout ce « par quoi l'on existe, à l'échelle des océans ou à celle du verre d'eau ». L'ombre de Mallarmé et de son Livre « en quoi tout se coagule », celle de Pilate, suivent Michel Leiris dans sa quête de la Phrase fulgurante toujours à écrire, qui laverait le poète de sa souillure et rendrait la mort acceptable parce qu'achèvement nécessaire. De plus le rôle du lecteur comme partenaire s'affirme : déjà l'emploi des tirets, parenthèses ou points de suspension avait, de *Biffures* à *Fibrilles*, introduit le temps de la lecture ; mais ici, dans le silence qu'établit chaque blanc, le « tu » se projette à la rencontre du « je » et dans la marge d'interprétation qui lui est laissée peut « ruminer » à loisir, selon le vœu de Nietzsche.

Le Ruban au cou d'Olympia

Proche de *Frêle Bruit* par sa présentation en fragments et les sujets traités, cet essai rejoint également *l'Âge d'homme* : un tableau de Manet, *Olympia*, lui sert de référence. Comme Faust fasciné par le ruban rouge ornant le cou de la Méduse (ouverture du chapitre « Tragiques » de *l'Âge d'homme*), Leiris se raccroche au ruban noir noué au cou d'Olympia pour s'empêcher de sombrer. Les variations sur cette peinture ponctuent, comme un refrain qui unirait le tout, le message du livre. L'auteur « qui sait trop bien que "je" n'est pas un autre » a du moins acquis la liberté d'user de tous les pronoms personnels (« tu » est directement interpellé, « il » à la fois « je » ou cet autre qui lui ressemble, souvent mis en jeu). Plutôt que de dire ce qu'il est, il lui importe davantage d'affirmer qu'il est. Présence avant tout, il se conjugue au présent avec un plaisir non dépourvu d'humour, trouvant le moyen de rédimer le langage et le réel, aussi déprimants qu'ils puissent être.

Langage Tangage ou Ce que les mots me disent

La première partie renoue avec la verve de *Glossaire, j'y serre mes gloses*, apportant à ce dictionnaire si singulier des suppléments ou des reprises. L'élan demeure, le jeu s'est affirmé ; le mot mis à nu livre sans doute plus profondément son auteur.

La seconde partie se donne comme un mémoire, où Leiris revient sur l'acte d'écrire et sur ses propres écrits, désireux de s'expliquer sur ses règles d'écriture et son goût du jeu de mots : recouvrer la mythique authenticité du langage originel, faire fulgurer la matière verbale, en fait justifier le seul jeu : écrire. Finalement « ni religion ni art ne peuvent rien contre la mort », mais écrire, c'est l'oublier et faire entendre à l'autre quelque chose de la mélodie humaine.

Autobiographie qui n'engage toujours que soi, qui réinvente son mode d'expression, mais surtout fondations d'un art de l'autobiographie.

B. Siot

LEMAIRE DE BELGES Jean

(1473 ?-après 1524)

En une dizaine d'années (1503-1515), à un moment où les goûts du Moyen Âge finissant se déforment et explosent dans les premières créations de la Renaissance, le poète Jean Lemaire construit un édifice littéraire qui apparaît prodigieux par sa masse et par les perspectives qu'il offrait aux écrivains à venir. Les Grands Rhétoriqueurs l'ont considéré comme leur fils, et il leur rendit cette affection ; il fut également le seul poète de cette période que Marot puis Ronsard – et leurs contemporains respectifs – lurent avec bonheur, tant ils lui surent gré d'avoir été, selon le mot de Du Bellay, « ce diligent rechercheur de l'Antiquité » ; ils aimaient aussi en lui les grâces françaises par lesquelles il continuait le *Roman de la Rose* en renouvelant la prosodie et en créant cette prose poétique dont le XVIe siècle fut amateur avec tant de lucidité.

L'art des tombeaux

Né à Bavai, qu'il croyait pouvoir appeler du nom latin de *Belgis* et qu'il considérait comme le centre de l'ancienne Gaule belgique, Jean Lemaire signe « de Belges » par fidélité à ces origines : elles le plaçaient dans une province bourguignonne, le Hainaut, mais de langue française, et la vie de Lemaire ne résoudra pas cette ambiguïté, même si son œuvre en tire sa richesse. Après la mort de ses parents, il est élevé par son oncle, le Grand Rhétoriqueur Jean Molinet, qui réside à Valenciennes, ville abondante en poètes ; près de lui, Lemaire apprend les manières d'une écriture au service du savoir et du pouvoir. Tonsuré, étudiant à Lille, puis, sans doute, à Paris, il est alors choisi comme précepteur des deux fils du seigneur de Saint-Julien, près de Mâcon : l'un d'eux, Claude, lui restera assez fidèle pour préfacer en 1549 l'énorme *Couronne margaritique,* composée vers 1505 et oubliée depuis derrière d'« enrouillées serrures ».

À partir de 1498, il entre successivement au service de princes voués à une mort prochaine, pour lesquels il va cultiver le genre des « tombeaux », éloges funèbres complexes et savants, mais finalement somptueux et gais comme les fêtes dont raffolent les Cours du temps. À la mémoire de Pierre de Bourbon, d'abord – personnage considérable, puisqu'il est l'époux d'Anne de Beaujeu, fille de Louis XI et ancienne régente du royaume –, qui l'emploie comme « clerc de finances » et meurt en 1503, il écrit son premier chef-d'œuvre, le *Temple d'Honneur et de Vertu.* À peine devient-il secrétaire d'un cousin d'Anne de Beaujeu, Louis de Luxembourg, que celui-ci meurt à son tour – et il le célèbre par la *Plainte du Désiré* (1504, éd. 1509). Il est alors choisi par la fille de l'empereur Maximilien, Marguerite d'Autriche, digne maîtresse d'un tel serviteur : élevée à la cour de France parce que promise à Charles VIII (qui doit lui préférer Anne de Bretagne), retirée près de son père en Flandre, puis mariée à l'infant d'Espagne, fils de Ferdinand d'Aragon (1495), mais veuve deux ans après, cette malheureuse princesse croit trouver le repos près du beau Philibert de Savoie – frère de Louise de Savoie –, qu'elle épouse en 1501. C'est à ce moment que Lemaire entre à leur service, les suit à Turin, puis à Pont-d'Ain ; mais le jeune duc meurt à la suite d'une chasse : Lemaire entreprend un nouvel éloge funèbre, qu'il voue tout entier à sa maîtresse, louant ses vertus dans les dix pierres précieuses de sa *Couronne margaritique* (1504-1505). Pour la divertir – et se distraire lui-même de tâches considérables –, il compose la gracieuse *Première Épistre de l'amant vert* (1505), dans laquelle le perroquet de la duchesse (l'« amant vert ») se donne la mort de chagrin, la voyant éloignée alors en Allemagne. Nouveau deuil pour Marguerite en 1506 (et nouveau texte funèbre pour Lemaire) : la mort de son frère Philippe, père du futur Charles Quint, dont Marguerite devient tutrice ; s'ensuivent les *Regrets de la dame infortunée sur le trépas de son très cher frère...* Marguerite est alors retirée dans sa Cour de Malines, où Lemaire la rejoint en 1507 ; il devient chanoine à Valenciennes, comme son oncle Molinet, qu'il voit mourir, et auquel il reprend la charge d'« indiciaire » – historiographe – de Marguerite. Il lui incombe alors de célébrer et décrire *la Pompe funeralle des obsèques de [...] Philippe de Castille* (1507) et, peu après, de glorifier dans les *Chansons de Namur* la résistance de paysans flamands à des troupes françaises.

Citoyen de la langue française et voyageur

En même temps qu'il servait ses maîtres, Lemaire ne cessait de tisser des relations avec les amis de son oncle – Guillaume Crétin le recommande dès 1498 – et avec les milieux humanistes et artistiques en pleine mutation, et sensibles aux influences italiennes. Il a, dès les premières années, été attiré par Lyon et se fixe momentanément tout près de celle-ci dans la joyeuse ville universitaire de Dole (1509) : toute une partie, vivante ou drôle, de sa correspondance le montre lié d'amitié avec le médecin platonisant Symphorien Champier, avec le peintre Jean Perréal, dit Jean de Paris, employé lui aussi par la duchesse Marguerite. Bien d'autres garderont son souvenir, y compris, sans doute, les imprimeurs lyonnais auxquels il donne ses premières œuvres, revendiquant ainsi, et peut-être pour la première fois dans les lettres françaises, l'indépendance de l'artiste et son droit à publier, même avec précipitation.

Mais, depuis 1504, Marguerite songeait pour Philibert de Savoie à un autre tombeau, bien réel celui-là : celui des cloîtres, église et monuments de Brou – vaste programme, par lequel elle s'immortalise plus encore que par les vers de ses poètes. Jean Lemaire, qui invente pour elle la devise « Fortune Infortune Fort Une », répétée partout sur la pierre, est aussi chargé de superviser les travaux, à la manière italienne et humaniste. Pour cette raison sans doute, il est envoyé en Italie en 1506 : Venise, Rome, Florence peut-être. Il y fait provision d'images, de livres, d'idées, d'expériences dans les techniques les plus variées. Il séjourne de nouveau en Italie en 1508. On le voit à Tours, où il passe commande au sculpteur Michel Colombes ; en Bourgogne, où il surveille l'extraction de l'albâtre pour les gisants de Brou ; à Brou, où il ne cesse de se quereller avec les moines qui occupent les lieux, etc. Son impatience curieuse le mène dans l'atelier des peintres, des maîtres verriers ; il patauge dans la boue pour trouver les veines de l'albâtre le plus pur, relance les ouvriers, les contrôle, les paye. Maître d'œuvre pour les cloîtres, il n'eut pas l'honneur de l'être pour l'église. Ses choix sont discutés. Peu à peu, il sait qu'il lui faut trouver d'autres maîtres.

Il se tourne alors vers Louis XII, et surtout vers Anne de Bretagne, sans quitter tout à fait Marguerite. Période de gloire et de difficultés, où il a bien besoin des recommandations des amis. En 1511, Lemaire est totalement au service d'Anne de Bretagne ; non seulement il lui dédie, ainsi qu'à sa fille Claude, les deux derniers livres des *Illustrations de Gaule et singularitez de Troye* (1512 et 1513), commencées pour Marguerite à partir de 1505, mais il soutient la politique de Louis XII contre les Vénitiens dans la *Légende des Vénitiens* (1509) et sa politique gallicane contre le pape dans *De la différence des schismes et des conciles de l'Église* (1511), texte loué plus tard par les réformés et réprouvé par les catholiques. Lemaire, quant à lui, avait toujours cherché à rassembler ; il croyait fermement à l'union de toutes les Gaules de langue française – les pays dominés par Marguerite et les pays de France et de Bretagne : il célébra avec enthousiasme le traité de Cambrai dans la *Concorde du genre humain* (1509) ; il crut possible de satisfaire tous les princes dans les *Illustrations*, afin de les réunir dans une grande croisade contre les Turcs, ce dont rêvaient les humanistes depuis longtemps. Il crut surtout pouvoir rassembler les humanistes et poètes des deux royaumes de la Renaissance des arts et des lettres, l'Italie et la France, et c'est à quoi il destina l'un de ses plus beaux textes, la *Concorde des deux langages* (1511).

L'importance de ses dernières œuvres – un poème pour célébrer la convalescence, éphémère, d'Anne de Bretagne ; un *Traitté des Pompes funèbres* pour elle encore, mais rédigé précédemment (1507) et plus longuement, pour Marguerite d'Autriche ; de nombreux poèmes étranges (dont l'attribution n'est pas toujours certaine) ; puis les trois contes maniéristes de *Cupido et Atropos*, publiés après sa mort – ne peut faire oublier la longue liste qu'il donne lui-même de ses projets, de ses ouvrages réalisés, mais aujourd'hui perdus. La pureté géométrique du cloître de Brou – dont il a pu surveiller l'élaboration –, qui unit à l'esprit de Brunelleschi une fraîcheur presque naïve, donne à l'effervescence de l'œuvre littéraire son contrepoint harmonieux : une structure équilibrée que les textes enfouissent sous l'abondance vivante des motifs.

Un écrivain fondateur : mythe et histoire

Comme ses maîtres les Rhétoriqueurs, Lemaire est un savant qui s'inspire des chroniqueurs, mythographes et encyclopédistes médiévaux ou contemporains, en en donnant, comme dans les *Illustrations*, des listes impressionnantes, ou en les faisant figurer comme narrateurs et garants de ses textes : ainsi, dans la *Couronne margaritique*, interviennent successivement ses préférés, morts ou vivants, Boccace, Chastelain, Gaguin, Albert le Grand, Ficin... Ses goûts le portent vers l'Italie, vers Dante, Boccace et Pétrarque, vers Annius de Viterbe, qui lui fournit beaucoup de ses légendes troyennes, vers Lorenzo Valla, traducteur de l'*Iliade*, vers Ficin et sa conception platonicienne de la poésie. Il leur demande à tous de l'accompagner dans la recherche des origines et du sens caché des fables, car l'Histoire doit fonder le mythe, et le mythe justifier la grandeur du temps présent. Aussi lit-il en curieux et critique les textes les plus archaïques – ou ceux qu'il croit tels –, s'intéressant aux traits de civilisation, aux jeux, aux vêtements, aux rêves, discutant âprement de la justesse de tel détail, de tel commentaire ; et l'on aurait tort de minimiser ces soucis d'historien sous prétexte que son texte revient, sans le savoir, à une description des mœurs des Cours de son temps : son dessein avoué était de corriger les erreurs faites par les peintres et tapissiers contemporains sur la chute de Troie ou le jugement de Pâris ; l'enjeu en valait la peine, puisque les princes amateurs de généalogies, bourguignons ou français, voulaient se donner, au-delà de l'Italie latine, des origines indo-européennes plus lointaines, grecques en particulier.

Deux textes – les plus anciens – fondent pour lui tout enseignement : Homère et la Bible ; des deux catastrophes – la chute de Troie et le Déluge – émergent les héros d'où découlent toutes les dynasties du monde européen ; l'histoire des empires prend sens dans le mythe des cycles, que le Moyen Âge connaît bien, mais que Lemaire livre à la Renaissance, renouvelé du sang clair de ses héros humains.

La mythologie, « toute riche de grans mystères et intelligences poétiques et philosophales, contenant fructueuse substance sous l'escorce des fables » (c'est la pensée de Boccace), infuse tout, le temps de l'histoire des hommes, mais aussi la moindre parcelle de paysage, animée en permanence de mille petites divinités des bois, ondes et montagnes, qui commentent le monde ; car il y a chez Lemaire une véritable obsession du « fruict allégorique et moral sous couleurs poétiques », qui inspirera la Pléiade et que Rabelais moque (loue) dans ses prologues tout pénétrés de l'esprit « mercurial » de Lemaire, puisque tel est le dieu préféré du poète : Mercure, le plus ambigu de toute cette fin de Moyen Âge. De ce « maître de vertu imaginative, fantastique et cogitante » il fait l'initiateur de ses propres prologues, le « ministre présidential » du jugement de Pâris entre les trois déesses, mais aussi le guide de la main de l'artiste-artisan – le peintre Perréal ou le poète Lemaire.

Illustrations de Gaule et singularitez de Troye

SYNOPSIS

LIVRE I (351 p.). Publié pour la première fois à Lyon, chez Baland, en mai 1511. Prologue de Mercure, recommandant le livre à Marguerite d'Autriche pour l'éducation du futur Charles Quint, dont elle est tutrice. Livre placé sous le signe de Pallas. Mise en place du système des généalogies de France et de Bourgogne. Dans la descendance de Noé : Osiris et Hercule de Libye, lui-même à l'origine du premier roi troyen, Dardanus, et des premiers rois de Gaule (chap. I-XIX). Enfance et jeux de Pâris Alexandre chez les pasteurs. Amours et mariage avec la nymphe Pegasis Œnone (chap. XX-XXVII). Noces de Thétis et Pélée. Jugement de Pâris entre les trois déesses, Junon, Pallas et Vénus (chap. XXVIII-XXXV). Histoire d'Achille. Jeux troyens ; Pâris se fait reconnaître par sa famille ; Œnone et Pâris à la cour de Priam (chap. XXXVI-XLIV). Liste des auteurs cités. Excuses de l'auteur.

LIVRE II (245 p.). Publié pour la première fois à Paris, chez de Marnef, en août 1512. Dédié à Claude de France, fille de Louis XII et d'Anne de Bretagne. Prologue de Mercure, placé sous le signe de Vénus. Liste des auteurs cités. Départ de l'ambassade troyenne, dirigée par Pâris, vers Lacédémone. Adieux de Pâris et d'Œnone. Généalogie d'Hélène ; son enfance et son mariage avec Ménélas (chap. I-V). Rencontre d'Hélène et de Pâris, enlèvement d'Hélène. Leur retour à Troie ; prophétie de Cassandre ; séparation d'Œnone et Pâris (chap. VI-XIII). Décisions des Grecs. Guerre de Troie ; mort d'Hector ; mort d'Achille (chap. XIV-XX). Mort de Pâris ; prise de Troie ; mort de Priam. Servitude des femmes troyennes. Mort d'Hélène (chap. XXI-XXV).

LIVRE III (235 p.). Publié pour la première fois en juillet 1513. Mercure dédie le livre à Anne de Bretagne, souhaitant que la France orientale (l'Allemagne) et la France occidentale (France et Bretagne) s'unissent contre les Turcs, dont il ne fera pas, malgré ses promesses, la généalogie. Liste des auteurs cités. Lettre à Guillaume Crétin.

Le livre III est divisé en trois « traités » : 1. Comment « l'ancienne noblesse des Troyens » est à l'origine de plusieurs royautés et empires d'Europe. Francus, fils d'Hector, arrive en Gaule ; son fils Sicambre s'installe en Hongrie ; Bavo, cousin de Priam, fonde la Gaule Belgique. Des Goths et des Cimbres sont issus les rois de Bourgogne. Brutus fonde la Bretagne. À l'origine de tous : Hercule de Libye. 2. Généalogie de Charlemagne à partir de Tuyscon, géant, fils de Noé, en passant par Clovis et Clotilde, qui unissent déjà la France et la Bourgogne, et jusqu'à Clotaire et Chilpéric. 3. Généalogie de Charlemagne du côté de Charles Martel et Pépin le Bref. Le sang romain et autrichien est mêlé à celui des dynasties française et bourguignonne. L'ascendance féminine, comme l'ascendance masculine, doit rapprocher France et Bourgogne contre les Turcs. Les mutations auxquelles sont soumises les dynasties sont le fait de la providence divine, mais aussi des prêtres. Lemaire croit à la réunion des deux Frances.

Architecte, peintre et musicien

Dans une lettre extraordinaire que Lemaire adresse le 20 novembre 1510 à Marguerite d'Autriche pour justifier son travail dans la construction de Brou, il se décrit d'abord comme l'architecte de sa poésie, disposant des outils que sont ses « dix sens naturels externes et internes » (ceux de son corps et ceux de son imagination), des pierres que sont les livres épars autour de lui, et qu'il va exploiter. Et très naturellement, parce que ses premières œuvres de commande durent s'organiser en tombeaux, subdivisés en cellules, remplis de personnages aux larmes éloquentes disposés avec symétrie et s'acquittant de charges précises, fixées d'avance, Lemaire construit éperdument chaque œuvre comme un bâtiment flamboyant où l'abondance des détails vient s'organiser avec rigueur : la *Couronne margaritique,* avec ses dix auteurs-garants, ses dix pierres précieuses, ses dix vertus répondant aux dix lettres du nom de Marguerite, en est le plus frappant exemple, avec sa répartition équilibrée de prose et de vers. Mais tous les ouvrages de Lemaire répondent aux mêmes besoins, et les *Illustrations de Gaule,* si elles n'alternent pas prose et vers, suivent un ordre précis, que, justement, les corrections et additions successives ne pourront détruire : Pâris, Œnone et le bonheur ; Pâris, Hélène et la guerre ; la réunion des deux lignées orientale et occidentale.
Mais Lemaire rivalise aussi avec le peintre et le musicien. Il sait comme ses contemporains que « rhétorique et musique sont une même chose », il travaille le vers et le renouvelle, introduisant la tierce rime italienne pour l'opposer à l'alexandrin (qu'il est le premier à reprendre, avant son grand développement au XVIe siècle) ; c'est lui aussi qui fixe la règle de l'*e* muet à la césure ; c'est lui, surtout, qui forge la prose poétique, la différenciant, d'ailleurs, selon ses besoins : une déesse latinise noblement, selon les règles de l'art oratoire, mais la description d'un paysage ou d'un vêtement miroite simplement dans le vocabulaire de la sensualité et de la technique du peintre. Le goût du vert, du bleu, des couleurs tendres, des jeux du ciel et de l'eau, du mouvement menu s'installe dans la fête des mots. Chez lui, les yeux sont « verts et étincellans » comme du soleil dans une fontaine, et la surface de l'eau se déforme comme la vibration d'un vitrail. Souvent l'artisan entre tout entier dans le tableau, et le texte est à la fois la représentation de l'artiste et une réflexion sur tous les arts.
Modeste dans ses desseins avoués, puisqu'il avait pris pour devise « De peu assez » et affirmé ne glaner que les épis laissés derrière le moissonneur, Lemaire se trouve avoir bâti un monument gigantesque, dans l'esprit de ces temps nouveaux où la sensibilité s'alliait à la raison pour conquérir le monde. Une de ses lettres dit bravement cette évidence paradoxale : « Là où je sens, mon cœur s'adonne du tout, et la raison le veut bien. »
On n'en finirait pas de citer les poètes et écrivains du XVIe siècle qui ont lu ou pillé cette œuvre – Marot, Rabelais, Saint-Gelais, Macrin, Bouchet, Peletier, Du Bellay, Ronsard, Jamyn, les Lyonnais... Oublié par suite de la défaveur du mythe qu'il a le plus illustré, celui de Troie, il retrouve grâce aux yeux des abbés érudits du XVIIIe siècle (Sallier, Goujet, Massieu...). Enfin le XXe siècle est revenu avec enthousiasme vers cet écrivain savant, féerique et sensuel. [Voir aussi **Rhétoriqueurs**.]

M. M. Fontaine

LEMERCIER Népomucène

(1771-1840)

Critique, poète et dramaturge, sa notoriété semble attachée à la bizarrerie plus qu'au talent. Il passa le plus clair de son temps à brandir l'anathème contre Chateaubriand, Hugo et Lamartine. Pourtant, la bataille d'*Hernani* ne sera qu'une mince échauffourée comparée au déchaînement qui accompagna en 1809 le *Christophe Colomb* de Lemercier : à la deuxième représentation, on déplorait déjà un mort ; la troupe dut veiller dans la salle jusqu'à ce que la pièce fût retirée de l'affiche. La nouveauté d'un théâtre faisant fi des unités, donnant essor à une versification hardie par le mélange des registres, choqua les esprits férus de tradition classique autant que les accents libertaires de l'œuvre hérissèrent la censure impériale. Lemercier n'en était pas à son coup d'essai. Dès 1797, *Agamemnon*, tragédie à l'antique dans la manière de Crébillon et de Voltaire, flétrissait bien frondeusement le régicide. Ayant intensément vécu l'exaltation de 1789, Lemercier embouche tout naturellement la trompette du drame historique. Mais plus encore qu'un brûlot contre les conventions littéraires, *Pinto ou la Journée de conspiration* (1800) demeure l'expression d'un écrivain soucieux de manifester son indépendance à l'égard du pouvoir : Brumaire est à peine passé que le héros, chef de conjurés, déclame contre les tyrans « dangereux pour la république ». L'Empire s'acharnera tout particulièrement sur Lemercier, qui « eut en dix ans cinq grands drames tués sous lui » (Hugo). *Richelieu ou la Journée des Dupes*, pièce écrite en 1804, ne sera jouée qu'en 1835 ; *la Démence de Charles VI* (1820) n'agréera pas davantage aux autorités de la Restauration.

Népomucène Lemercier aurait donc quelques raisons d'apparaître comme un fourrier du romantisme. N'offre-t-il pas d'ailleurs à la muse épique *l'Atlantiade* (1812), la *Mérovéide* (1818) ou la *Panhypocrisiade* (1819), poèmes pleins de bruit et de fureur et dans lesquels palpite l'influence de Dante ou de Milton ?

Un novateur anti-romantique

Force est de constater qu'il reste connu, au contraire, comme un des plus farouches opposants à l'école romantique, nonobstant ses vociférations de dramaturge et de poète. Depuis 1811, il professe à l'Athénée une totale soumission à Aristote : « La comédie a vingt-deux conditions à remplir, le poème épique vingt-trois, et la tragédie vingt-six », affirme-t-il dans son *Cours analytique de littérature générale* (1820). Il foudroie tour à tour ses deux grands ennemis : Chateaubriand, d'abord, dont il condamne (devant l'Académie, qui l'a élu en 1810) le *Génie du christianisme,* prêchant que « ce n'est point le caractère de la grande imagination que de chercher ses ressources dans les transports du délire » et concluant que l'ouvrage « mérite notre blâme, parce qu'il n'est point fondé sur le bon sens » ; il contribue ainsi à mettre en place les principes que soutiendront jusqu'au bout les adversaires du romantisme. Hugo, ensuite, qu'il n'hésite pas à clouer au pilori dans une parodie mélodramatique, *Caïn, ou le premier meurtre* (1827) : « Avec impunité les Hugo font des vers ! »

Nul n'est dupe, cependant, et, quand *le Globe* rend compte d'une brochure de Lemercier, *Remarques sur les bonnes et les mauvaises innovations dramatiques* (1825), un journaliste résume ironiquement : « Les bonnes innovations sont celles que j'ai faites et les mauvaises celles que les autres voudraient faire. » L'écrivain a beau refuser toute parenté avec les romantiques, la tradition lui rétorque : « La nouvelle langue qui s'est introduite au théâtre procède directement du style dans lequel Lemercier écrit son *Richelieu,* et cette poésie brisée, dure, incorrecte et sans rythme, contre laquelle notre auteur se révoltait lui-même, n'est que l'exagération de la forme qu'il avait adoptée dans un grand nombre de ses ouvrages. »

Son parti le rejette, ses ennemis ne le reconnaissent pas davantage. En 1841, Victor Hugo, élu au fauteuil de Lemercier, lequel lui avait longtemps interdit l'accès de la Coupole, adressa à son prédécesseur cet hommage posthume et empoisonné : « Ombrageux et sans cesse prêt à se cabrer, plein d'une haine secrète et souvent vaillante contre tout ce qui tend à dominer, il paraissait avoir mis autant d'amour-propre à se tenir toujours de plusieurs années en arrière des événements que d'autres en mettent à se précipiter en avant. »

Lemercier reste l'auteur de quelques vers d'une belle facture néo-racinienne : « Du crime ainsi toujours le crime ouvre la route » (*Agamemnon*). Mais quand il lâche la bride à son imagination pour écrire *Frédégonde et Brunehaut* (1821), c'est aussitôt pour abriter frileusement cette pièce sous l'appellation de « tragédie ». Il ne consent que timidement à parler de « drame historique » pour *Richard III et Jeanne Shore* (1824). Sans doute a-t-il manqué à Lemercier l'aptitude à raisonner ses délires. Non pour y couper court, mais pour y suivre au plus profond les voies d'une déraison dans laquelle la littérature s'apprêtait à faire de nouvelles découvertes.

D. Giovacchini

LEMIERRE Antoine Marin

(1723-1793)

Antoine Marin Lemierre fut justement estimé par ses contemporains, autant comme poète que comme auteur tragique. Né à Paris dans un milieu fort modeste, il fit des études solides et devint professeur. Puis il entra comme secrétaire chez le riche fermier général Dupin. Il débuta dans la poésie (1753-1757) avant de composer des tragédies. *Hypermnestre* (1758) remporta un succès honorable. Il donna alors *Térée* (1761), *Idoménée* (1764), *Artaxerxe* (1766), *Guillaume Tell* (1766) et *la Veuve du Malabar* (1770). Ces deux dernières pièces, reçues froidement à leur création, furent accueillies avec enthousiasme à leur reprise. C'est que Lemierre y avait entre-temps ajouté ce que l'on appellerait aujourd'hui des effets de mise en scène. Le public, dont le goût évoluait sous l'influence de l'opéra et du théâtre forain, boudait le Théâtre-Français, qui, à cette occasion, sut s'adapter à ces nouvelles exigences. À la reprise, en 1780, de la *Veuve du Malabar,* on offrit en effet au public le spectacle d'un bûcher en flammes ; les acteurs évoluaient dans des costumes exotiques somptueux. Le succès, en 1786, de *Guillaume Tell* fut encore plus grand. Lemierre avait substitué au traditionnel récit tragique la représentation sur la scène de l'événement pathétique : dans cette nouvelle version, on voit Guillaume Tell tirer une flèche dans la pomme placée sur la tête de son fils. L'introduction de la couleur locale dans la tragédie et cette évolution de Lemierre vers le spectaculaire sont tout à fait caractéristiques des transformations de la scène française au XVIIIe siècle.

Les thèmes traités et les sujets des tragédies de Lemierre témoignent de même de l'évolution du genre sérieux après le milieu du siècle. La dénonciation du fanatisme dans *la Veuve du Malabar,* l'idéologie anticléricale de la pièce (dont le sujet est tiré de *l'Essai sur les mœurs*) montrent l'influence déterminante de Voltaire. Le patriotisme républicain apparaît dès les premières tragédies de Lemierre. « Barnevelt, c'est la liberté attaquée ; Guillaume Tell, c'est la liberté conquise », écrit-il dans sa Préface à *Barnevelt* (1790). Dans tout ce théâtre, la liberté des citoyens est étroitement liée à celle de la patrie ; ce qui n'empêche pas Lemierre de voir dans la colonisation une œuvre libératrice et civilisatrice. Pourtant, la Révolution, qu'il salua à son début en 1790, le remplit rapidement d'effroi, et on le décrit comme un homme hébété au moment de sa mort.

L'œuvre poétique de Lemierre offre un bon exemple de ce que fut la poésie académique dans ce siècle si peu « poétique ». Au début de sa carrière, il concourt pour les prix de l'Académie, qui le couronne quatre fois. Il donne des poèmes didactiques comme *le Commerce*, célèbre pour ce vers :

Le trident de Neptune est le sceptre du monde.

Lemierre a le talent de la formule, à défaut d'inspiration dans le sujet ou de sens de la composition ; il sait égayer ses recueils, que l'on a souvent dit « rocailleux », de petits vers badins à la manière de Gentil-Bernard. De *la Peinture* (1769) et des *Fastes* (1779) on peut retenir plusieurs passages qui se suffisent à eux-mêmes pour leur grâce et leur charme élégiaque. L'académisme des comparaisons mythologiques et des allégories est alors pénétré par les sentiments et les méditations d'un sage devant les beautés de la nature :

Reine des nuits, l'amant devant toi vient rêver,
Le sage réfléchir, le savant observer.

(*les Fastes*)

Lemierre est là dans un courant poétique aujourd'hui méconnu, mais où l'on rencontrerait le La Fontaine d'*Adonis*, le Chénier des *Bucoliques* ou le Lamartine de certaines *Méditations*.

P. Frantz

LEPRINCE DE BEAUMONT Marie

(1711-1780)

Née à Rouen, sœur du peintre Jean-Baptiste Leprince, elle fit un mariage malheureux (1743) puis partit pour l'Angleterre en 1745, où elle demeura dix-sept ans, travailla comme gouvernante et se remaria. Elle se rendit en Suisse en 1764, et y demeura jusqu'à sa mort, laissant des dizaines d'ouvrages pour enfants, dont de nombreux recueils de contes : *le Nouveau Magasin français* (1750) et *le Magasin des enfants* « ou dialogue d'une sage gouvernante avec ses élèves » (1757), tous deux publiés à Londres et en France ; des *Instructions pour les jeunes dames qui entrent dans le monde* (1764) ; des romans, *la Nouvelle Clarice* (1767) et *la Double Alliance* (1772) ; enfin des recueils de *Contes moraux* (1774, 1776). Moraliste avant toute chose, elle institua le modèle du conte pédagogique où l'intrigue féerique n'est que prétexte à un discours sentencieux dans lequel se mêlent les préceptes de la religion et les quelques « clartés » élémentaires que doit recevoir un enfant bien né. Souvent la féerie disparaît tout à fait, et le « conte » n'est plus qu'une histoire sans action dont l'éducatrice organise les menus événements selon le modèle de l'échange pédagogique illustré par l'*Émile* de Rousseau. « L'imagination et la sensibilité ne sont plus considérées comme une fin en soi, mais comme le moyen qu'une sage gouvernante emploie pour mieux faire avaler le savoir » (Paul Hazard).

Pourtant, si « la Belle et la Bête », qui reste son conte le plus connu, n'est en fait que le résumé d'un texte original dû à Mme Barbot de Villeneuve, d'autres contes (« Gracieux », « le Prince chéri », « les Princes Fatal et Fortuné »), constamment réédités, témoignent d'une réelle fraîcheur d'imagination et d'écriture. Mais ce sont ses derniers contes, d'un caractère plus poétique et élégiaque, écrits en exil, qui méritent surtout dans l'histoire littéraire du XVIIIe siècle de retenir l'attention. Ils annoncent le genre du conte romantique, que Nodier portera à sa perfection. Rousseau féminin sans génie, Marie Leprince de Beaumont connut une immense popularité. La majeure partie de son œuvre, didactique, moralisante ou à prétention scientifique, a constitué pendant un siècle le vademecum de la parfaite éducatrice.

A. Le Pichon

LEROUX Gaston

(1868-1927)

Si grand que soit le renom de Rouletabille, il n'a cependant jamais éclipsé celui de son « père spirituel » : Gaston Leroux. Cet énorme (dans tous les sens du mot) auteur, faux Méridional de naissance parisienne et de souche normande – comme Marcel Allain et Maurice Leblanc –, commence sa carrière par de faciles études de droit et par trois années de barreau avant de se lancer dans le journalisme, d'abord à *l'Écho de Paris*, puis au *Matin*, où ses chroniques sont très suivies. Reporter aventureux, il sillonne le monde, de 1894 à 1906, avec une inlassable curiosité, et rapporte de ces pérégrinations de passionnants articles, notamment sur la Révolution russe de 1905. Brouillé avec le puissant Bunau-Varilla, magnat de la presse et directeur du *Matin*, il se « reconvertit » dans la littérature et, à partir de 1907, devient le fécond producteur d'une quantité de romans, qui tiennent tantôt du roman policier, tantôt du roman d'aventures. *Le Mystère de la chambre jaune* paraît dans le supplément de *l'Illustration* du 7 septembre 1907 et marque (si l'on excepte un premier roman paru en 1903, *la Double Vie de Théophraste Longuet*) le début d'une longue série de succès, qui ne se termine qu'à la mort prématurée de Gaston Leroux, à Nice.

Le Mystère de la chambre jaune

SYNOPSIS

Dans la propriété du Glandier, au sud de Paris, Mathilde Stangerson, collaboratrice de son père, physicien très connu, est victime d'une tentative (manquée) d'assassinat, vers minuit trente, le 25 octobre 1892, alors qu'elle repose dans la chambre jaune, pièce contiguë au laboratoire où travaille son père. Cette chambre est hermétiquement close de l'intérieur et nul n'a pu y pénétrer. Des comparses sont soupçonnés, arrêtés, puis relâchés, et l'enquête, menée par le grand policier Frédéric Larsan, piétine... C'est Rouletabille, jeune reporter, qui la fait avancer. Grâce au « bon bout de sa raison », il semble comprendre beaucoup plus de choses que les autres, ce qui lui permet de tendre un piège à l'assassin, qui doit revenir, et d'arriver de justesse à le mettre en fuite, non sans qu'une seconde tentative d'assassinat ait eu lieu. De lourds soupçons pèsent sur Robert Darzac, fiancé de Mathilde et qui partage la vie studieuse des Stangerson. Il est arrêté. Son procès commence.

Rouletabille, qui était parti brusquement en voyage, réapparaît : il était allé chercher en Amérique les preuves de la culpabilité... de Frédéric Larsan. Celui-ci n'est autre que Ballmeyer, gangster dont s'était jadis éprise Mathilde et qu'elle avait épousé, puis quitté. Il cherchait en vain à la reconquérir et la persécutait de ses assiduités, allant jusqu'au crime passionnel. Quant au mystère de la chambre jaune, il s'explique, grâce à Rouletabille, naturellement : la tentative d'assassinat a eu lieu vers six heures du soir, sans que d'autres que l'assassin et sa victime s'en aperçoivent. Mathilde Stangerson, héroïquement, a dissimulé les traces de l'acte, mais, une fois endormie, en a rêvé, et c'est le bruit de son cauchemar, des meubles renversés, etc., qui a fait croire au professeur et à tout le monde que l'horrible chose s'est déroulée au milieu de la nuit. La preuve que Rouletabille a vu juste et tout expliqué : c'est la fuite de Larsan-Ballmeyer, qui a disparu sans attendre la fin du procès.

Un truculent personnage

Gaston Leroux, c'est la passion de vivre dans l'instant, de goûter à tout moment, dans une extase gourmande, la plénitude de l'existence, en faisant preuve d'un appétit gargantuesque et d'un équilibre hugolien. Une obésité sans complexe et le charme d'un éternel gamin s'allient étroitement en lui et font de cet écrivain quelque peu dédaigné par les « grands » un créateur étonnamment puissant et libre par rapport aux modes de son temps. Grand flambeur de casino, père généreux et adoré de ses enfants, époux à la fois amoureux et volage, d'un esprit rigoureux et d'une imagination débridée, il est lui-même un surprenant personnage de roman ou, mieux, de pièce héroï-comique. Sceptique et d'un « apolitisme » plein d'ironie, il est passionné de justice et, à la manière de Voltaire, s'étonne devant une justice qui pratique le « deux poids, deux mesures ». Gourmet épris des bonnes tables de Paris et de Nice, éclatant d'une santé au moins apparente, il est obsédé et horrifié par la mort, qu'il conjure de toutes ses forces d'écriture. Amuseur et farceur de haute volée, il ne prend rien au sérieux, si ce n'est peut-être la tendresse. Poète, lettré – voire puriste de la langue –, il se passionne pour la technique, le progrès scientifique et tous les mystères du corps et de l'âme, en bon contemporain du docteur Alexis Carrel, qu'il cite fréquemment.

Aussi peut-on le considérer comme un événement à lui seul : il occupe le devant de la scène, et on ne peut l'effacer pour ne songer qu'à ses textes ; il est là, plus que jamais là.

Une œuvre fraîche et polymorphe

Longtemps dédaigné, Leroux fut remis à l'honneur pour le cinquantenaire de sa mort (1977) où l'on vit de petits éditeurs reprendre ses titres les plus oubliés (*Un homme dans la nuit, le Roi Mystère, les Mohicans de Babel*) ; Edgar Faure, auteur, sous le nom d'Edgar Sanday, de romans policiers, préfacer le recueil des *Histoires épouvantables* ; Radio-France, organiser une grande exposition Gaston Leroux.

Cette flambée commémorative a un sens : celui d'un retour aux sources fraîches de la raison et de la peur. Usés, les vieux ressorts de la littérature populaire ? Que non pas ! Chaque génération prend plaisir à les faire jouer de nouveau, à remonter la belle mécanique. Cette machinerie prodigieuse qu'on voit fonctionner dans les deux premiers Rouletabille : *le Mystère de la chambre jaune* et *le Parfum de la dame en noir* (1907), et qui se transforme peu à peu, dans les volumes suivants, de moins en moins « policiers », en un tourbillon d'aventures folles et en même temps très proches des réalités politiques du temps (*Rouletabille chez le tsar*, 1913 ; *Rouletabille chez Krupp*, 1920).

Le cycle de *Chéri-Bibi* (5 volumes, parus de 1913 à 1925) n'est plus l'épopée de la raison raisonnante face aux mystères « impossibles », mais plutôt le délirant feuilleton de l'Innocence aux mains de boucher, persécutée par l'Erreur judiciaire aux mains d'étrangleuse ; le conflit des pulsions de vie et de mort, les refoulements qui se libèrent dans une horreur joyeuse, à l'énormité rabelaisienne. Gaston Leroux, démiurge rigolard, se promène sur le fil d'un rasoir qui ne coupe plus, entre une belle rhétorique de l'épouvante (figures au complet) et l'amène vérité, qui ressemble souvent à une farce de carabin...

Même mélange d'amour et d'horreur, de tendresse et de sarcasme crématoire, dans des œuvres comme *la Poupée sanglante* (s.d.) et sa suite « logique » *la Machine à assassiner* (1923), dans les *Aventures effroyables de Herbert de Renich* (1917), dans *Tue-la-Mort* (1920) et tant d'autres chefs-d'œuvre tirés du placard de nos fantasmes éternels par ce magicien roublard, qui installe l'épouvante dans les lieux les plus sacrés, l'Opéra (*le Fantôme de l'Opéra*, 1910) ou l'Académie française (*le Fauteuil hanté*), qui s'amuse constamment à nous (à se) faire peur pour pouvoir, sitôt après, nous rassurer. N'est-ce pas la formule même du roman policier, selon ces grands spécialistes que sont Boileau-Narcejac ? « Le roman policier est un récit où le raisonnement crée l'effroi qu'il est chargé d'apaiser. » D'après ce critère, Gaston Leroux est, à n'en pas douter, un auteur de romans policiers. Mais il est bien plus que cela : on est ici obligé de parler littérature – et style...

Les jugements portés sur le style de Leroux sont fort variables. En tout cas, on peut se demander pour quelle mystérieuse raison l'essentiel a échappé aux commentateurs, à savoir que Leroux est en pleine possession d'une écriture vigoureusement personnelle : si son vocabulaire est relativement conformiste, sa syntaxe, ses combinaisons narratives, son habileté à emmener le lecteur à sa suite, l'intelligence extraordinaire de ses « montages fictionnels » font de lui un auteur littéraire, dans la plénitude du terme. Il lui est simplement arrivé ce qui arrive à tous ceux qui ne se prennent pas au sérieux : on l'a pris au burlesque. Il mérite – et il obtient aujourd'hui – une relecture enthousiaste.

J.-P. Colin

LEROUX Pierre

(1797-1871)

À la fois comme philosophe et comme écrivain, Pierre Leroux commence seulement à susciter l'intérêt qu'il mérite. Celui qui fut tour à tour, et parfois simultanément, maçon, typographe, journaliste, publiciste, ce théoricien socialiste, cet inspirateur de George Sand a réalisé dans sa vie l'alliance des intellectuels et du peuple.

À son nom sont associés le journal *le Globe,* qu'il vend à Enfantin en 1830, *la Revue encyclopédique* (1831-1835), *la Revue indépendante,* fondée avec Sand en 1841 ; des articles littéraires (dont le célèbre « Du style symbolique », où il montre dans le style romantique un nouveau langage poétique qui doit « faire entendre au lieu de dire ») ; une traduction avec préface de *Werther* en 1839, les ouvrages *De l'égalité* (1838), *De l'humanité, de son principe et de son avenir* (1840) ; la collaboration à *Consuelo* et à beaucoup d'autres productions sandiennes ; la députation aux assemblées de la IIe République, où il défend les thèses socialistes ; l'exil en 1851 et la fréquentation de Victor Hugo à Jersey, d'où sortira son chef-d'œuvre : *la Grève de Samarez* (1857).

Pierre Leroux ne peut être séparé de la constellation intellectuelle qui se forme autour du saint-simonisme, dont il est un dissident, de la foi dans le progrès de l'humanité (« Je ne suis pas un auteur, je suis un croyant ») et du socialisme français. Hugo le fait parler par le truchement d'Enjolras dans *les Misérables.* Ce gourou de George Sand prône une doctrine fondée sur « la nature humaine en nous », appuyée sur la solidarité autogestionnaire qui réalise la perfection d'une triade famille/propriété/patrie – les « trois modes nécessaires de la communion de l'homme avec ses semblables et avec la nature » –, la « liberté de tous et de chacun » conditionnant la « perfectibilité de la société ».

Cet apostolat d'un socialisme utopique, pour lequel l'évolution est la véritable révolution, à condition de prendre son destin en main, ne peut qu'interpeller notre époque. Ce n'est pas un hasard si les rééditions de Pierre Leroux se multiplient.

G. Gengembre

LE ROY Eugène

(1836-1907)

Né à Hautefort (Dordogne), Eugène Le Roy, après des études sommaires et un stage dans une maison de commerce à Paris, fait les campagnes d'Algérie et d'Italie, puis, rendu à la vie civile, entre dans l'Administration des contributions directes. Il finira, après quelques vicissitudes de carrière, percepteur à Montignac-sur-Vézère, où il mourra. Passionné de politique, farouche républicain, anticlérical, défenseur de la Révolution de 1789, il s'affirme tout autant amoureux de sa province périgourdine, qu'il entendra célébrer à ses heures de loisir, la quarantaine venue. Ainsi écrit-il deux romans, sensiblement différents, qui feront sa renommée : le premier, *le Moulin du Frau* (1891) ; le second, étendard de révolte des paysans opprimés du Périgord, *Jacquou le Croquant* (1899). Ses ouvrages postérieurs, *Nicette et Milou* (1901), *les Gens d'Auberoque* (1906), *Mademoiselle de la Ralphie* (1906), sont d'un moindre intérêt ; seul *l'Ennemi de la mort* (posth., 1912), histoire du docteur Charbonnière, bienfaiteur de la Double, dont l'action rappelle celle du *Médecin de campagne* de Balzac, a retrouvé vie grâce à une adaptation télévisée.

Le double héritage de Rousseau : nature et politique

Le Roy est venu au roman rustique parce qu'il a eu la conviction d'avoir sous les yeux, à l'échelon local, l'abrégé de l'histoire sociale d'un peuple essentiellement rural. Il y a donc constamment, chez lui, juxtaposition du rythme saisonnier de la vie des champs et d'interférences sociologiques et politiques suscitées par les événements parisiens. À la satisfaction d'une existence selon la nature qu'il adore se mêle le contrepoint des protestations, directes ou allusives, contre un pouvoir réactionnaire qu'il dénonce ou contre une religion que son scientisme méprise. *Le Moulin du Frau* est avant tout l'histoire d'un meunier républicain en butte aux tracasseries de la bourgeoisie, de la préfecture et du clergé. Le grand drame du roman ne réside pas dans une contestation de terrain ou dans des amours contrariées, mais dans l'arrestation de l'oncle après le coup d'État de 1851. Néanmoins, si l'on fait la part des éléments historiques et polémiques qui majorent l'importance de la chronologie romanesque, le récit de Le Roy, héritier de Rousseau, demeure un hymne à la vie campagnarde opposée aux servitudes de l'existence urbaine. Le retour du jeune Hélie au Frau est pour lui le signal d'un renouveau : celui d'une vie « toute simple et toute réglée par le soleil et les saisons, les époques des travaux de la campagne, le cours naturel des choses ». Les occupations des Nogaret, gens sages et probes, en dépit des aléas de la politique, permettent de goûter un calme bonheur. C'est une existence large et libre parce que tout paysan « en sabots et en bonnet de laine [...] est roi sur sa terre ». Aussi bien, aux yeux d'un Daudet, *le Moulin du Frau* demeure « un livre de raison comme toute province devrait en avoir un ». Coutumes et fêtes défilent au gré des mois, du « gui l'an neuf » aux feux de la Saint-Jean, des veillées aux foires, des repas pantagruéliques aux récits de braconnage, sans pour autant diminuer le relief de la fresque sociale ou des portraits individuels qui s'animent à chaque occasion.

Jacquou le Croquant, en revanche, radicalise l'esthétique romanesque de Le Roy. L'histoire d'une vie devient exemplaire en même temps que dramatique et épique. Le père de Jacquou le Croquant, Martissou, est mort aux galères pour avoir tué l'intendant du comte de Nansac qui avait abattu son chien. Après la disparition de sa mère, l'infortuné orphelin est recueilli par le curé Bonal, mais il n'oublie pas le serment de vengeance qu'il a fait dans la forêt Barade. Après la destitution de Bonal, ancien curé jureur, et sa mort, Jacquou mènera une vie difficile, hantée par l'imposture des hobereaux qui ont fait son malheur. Exaspéré par les exactions des maîtres du sol, il soulève les paysans et s'empare du château de Nansac. La révolution de 1830, qui vient d'éclater, le sauve des foudres de la cour d'assises et confère à son geste le sens d'un acte d'émancipation.

Le roman n'affiche pas l'optimisme du *Moulin du Frau*. C'est le cri de révolte des jacqueries à travers les âges et l'expression d'une farouche volonté de rétablir la justice, bafouée par la classe dirigeante. Le roman, bien structuré, montre le paysan dépourvu de moyens, soutenu par la seule charité de ses proches et d'un prêtre dissident. Les étapes du récit sont comme les marches d'un calvaire ou les degrés d'affirmation d'une reconquête de la dignité, à l'image d'une nation qui, ainsi que l'avait déjà montré Michelet, prend conscience d'elle-même et entend contrôler sa destinée.

P. Vernois

LÉRY Jean de

(1534-1613)

Né à La Margelle, en Bourgogne, il est tôt gagné à la Réforme. Son premier voyage le conduit, à dix-huit ans, à Genève, où il suit la prédication de Calvin. En 1556, Villegagnon, ami de Calvin et « roi » du Brésil, ayant demandé le renfort de colons instruits dans la nouvelle religion, Léry embarque avec quelques autres volontaires pour ce qu'on nommait alors la « France Antarctique ». Après une entrevue avec l'amiral de Coligny, qui, depuis le début, parraine l'entreprise du Brésil français, Léry et ses compagnons gagnent leur second « refuge », la terre d'asile de Guanabara – l'actuelle Rio de Janeiro.

Bien vite, cependant, les dissensions éclatent entre les nouveaux venus et le chef de la colonie, lequel, malgré les apparences, est resté catholique. Le différend porte sur la Cène : aux yeux de Léry et des Genevois, Villegagnon, qui croit en la présence réelle et corporelle du Christ dans l'Eucharistie, fait figure de théophage et d'authentique cannibale. C'est pour fuir une pareille anthropophagie symbolique qu'au bout de huit mois d'une cohabitation difficile sur l'étroite « île aux Français », les calvinistes se rendent en terre ferme, où ils sont accueillis à bras ouverts par les Tupinambas, mangeurs d'hommes ! De l'expérience que, « conversant » avec les Brésiliens et observant leurs rites, il acquiert alors de la vie sauvage, Léry tirera la matière de son *Histoire d'un voyage fait en la terre du Brésil,* d'abord publiée en 1578 et cinq fois rééditée du vivant de l'auteur.

La conclusion de l'aventure brésilienne est mouvementée : en janvier 1558, trois des Genevois qui s'en étaient retournés vers Villegagnon sont exécutés. Jean de Léry fera le récit de leur martyrologe pour l'*Histoire des martyrs* de Jean Crespin (Genève, 1564). Le retour par mer multiplie les souffrances : tempêtes incessantes ; famine, dont Léry subit pour la première fois l'épreuve. Le navire accoste en Bretagne au moment où l'un des matelots allait être immolé à l'appétit de ses camarades !

La carrière militante et le siège de Sancerre

Rentré à Genève, Léry achève ses études de théologie, se marie et est reçu bourgeois de sa ville d'adoption (1560). Commence alors son ministère pastoral, à l'époque des premières guerres de Religion : pasteur à Belleville-sur-Saône (1562), puis à Nevers (1564) et à La Charité-sur-Loire (1569), Léry, tout en déployant un zèle infatigable au service de la Réforme, joue un rôle modérateur au travers des troubles successifs. Il s'efforce de limiter l'étendue des représailles sanglantes exercées contre les catholiques. Au lendemain de la Saint-Barthélemy (24 août 1572), il se réfugie à Sancerre, seule place forte encore aux mains des huguenots « au nord des provinces où la Réforme est prépondérante » (G. Nakam). Géographiquement isolée, la ville, où les réfugiés ont afflué par centaines, est bientôt assiégée par les troupes de Claude de La Châtre. De janvier à août 1573, les combats puis la famine viennent à bout de la résistance opiniâtre des protestants, qui luttent à un contre dix. Au cours des négociations qui précèdent la reddition de la cité (25 août), Léry apparaît comme le plénipotentiaire désigné par le consistoire de Sancerre pour traiter seul à seul avec La Châtre.

Dès l'année suivante paraît l'*Histoire mémorable de la ville de Sancerre,* premier ouvrage que Jean de Léry publie sous son nom. Rédigé dans une langue claire et sèche, le récit culmine avec l'épisode de la famine, rejeté, par une entorse faite à la chronologie des événements, au chapitre X, avant la conclusion du livre. Ce chapitre lui-même obéit à une composition très concertée. La disette qui s'aggrave amène les assiégés à recourir à des nourritures toujours plus éloignées des pratiques alimentaires normales. Après la chair des chevaux et des ânes, celle des chats et des rats remplace la viande de bœuf manquante. Puis l'on s'attaque aux cuirs et aux parchemins « où les caracteres imprimez et escripts en main apparoissoyent encores, et pouvoit-on lire dans les morceaux qui estoyent au plat tous prests à manger ». Enfin, quand il ne reste plus que les herbes et les excréments que l'on ramasse dans les rues, se produit le crime redouté, dont la présence obsédante était jusqu'alors inscrite en filigrane dans le récit de Léry : l'anthropophagie. Une petite fille, âgée de trois ans et morte de faim, est dévorée par sa mère et sa grand-mère. C'est ici, après le séjour chez les cannibales de Guanabara et la famine en mer, la troisième occurrence du fait – réel ou fantasmé – dans la vie de Jean de Léry. L'anthropophagie, qui constitue dès lors un leitmotiv dans l'œuvre – et Léry est le premier à souligner cette répétition –, représente ce point de transgression où l'harmonie universelle se rompt, où l'alliance entre Dieu et le peuple élu se défait par la faute des hommes pécheurs. Une telle perspective théologique est encore accentuée par le modèle littéraire que Léry a suivi de point en point dans sa relation. *La Guerre des Juifs,* où Flavius Josèphe narre le siège de Jérusalem par Titus en l'an 70 apr. J.-C., culminait déjà dans la scène cannibale, comprise, là aussi, comme transgression extrême de la loi divine.

L'*Histoire mémorable* dépasse donc de très loin la simple chronique d'un siège, pour s'affirmer en tant que leçon morale et religieuse adressée à la postérité aussi bien qu'aux contemporains.

Après Sancerre, Léry va continuer sa carrière pastorale en Bourgogne, au bourg de Couches, puis, à partir de 1589, au pays de Vaud, dans la république de Berne. De 1595 à sa mort, survenue lors de la peste de 1613, il sera pasteur de l'Isle, près de Montricher, dans le pays de Vaud.

Le « bréviaire de l'ethnologue »

En fait, à partir de 1578, la vie de Jean de Léry semble surtout consacrée à la publication des six éditions successives de l'*Histoire d'un voyage,* sans cesse augmentée et remaniée jusqu'à la mort de son auteur. Conçue comme une riposte aux mensonges du cosmographe André Thevet décrivant un Brésil où il n'avait résidé que dix semaines, la relation de Jean de Léry se veut, en même temps qu'un pamphlet dirigé contre la science officielle incarnée par son adversaire, la narration fidèle de son séjour à Guanabara.

Après la mort de Thevet, en 1592, Léry élargira la portée polémique de son œuvre en y intégrant des fragments empruntés à l'*Histoire ecclésiastique* de Théodore de Bèze (Genève, 1580) ou bien aux *Tyrannies et Cruautez des Espagnols* de Bartolomé de Las Casas (édition française de 1579), ouvrages qui stigmatisent les atrocités commises par les catholiques, français ou étrangers, en terre d'Europe ou d'Amérique. Ainsi, dans l'édition de 1585, le chapitre traitant du rituel anthropophage chez les Tupinamba devient-il prétexte à dresser le catalogue universel des supplices infligés par intolérance religieuse. Désormais, l'*Histoire d'un voyage* apparaît moins comme le récit autobiographique qu'il se voulait à l'origine que comme une somme historique et théologique, où Léry propose des désordres de l'univers une interprétation pessimiste inspirée par sa foi calviniste. La faute de l'homme, depuis la Chute, aussi bien chez les Tupinamba, dont l'apparence édénique ne saurait faire illusion, que dans les sociétés d'Europe, est la cause véritable, en même temps que le signe, de la rupture de l'alliance de la créature au Créateur. Par là, le pasteur de Montricher se pose comme le porte-parole de la Réforme elle-même. La leçon du *Voyage* prolongeait ainsi celle de *Sancerre,* en l'étendant à l'universalité du monde connu. Le cannibalisme, illustré cette fois par les faits de l'ethnographie américaine, y remplissait la même fonction critique.

Cependant, en dépit de ce pessimisme fondamental, l'impression produite à la lecture est toute différente. Et si ce livre a pu être qualifié par Claude Lévi-Strauss de « bréviaire de l'ethnologue », ce n'est évidemment pas à ce substrat théologique qu'il le doit. Mis à part les chapitres VI et XXI, où la polémique religieuse occupe la première place, l'ensemble du texte, dans la version initiale, est dominé par le tableau des sauvages de la Briqueterie, que Léry a côtoyés pendant les deux derniers mois de son séjour au Brésil et pour qui il éprouve une sympathie grandissante : « Je regrette souvent que je ne suis parmi les sauvages », soupire-t-il bien des années après, à l'époque des guerres civiles en France.

Le Brésilien, d'emblée, est présenté en corps, « ny monstrueux ny prodigieux à nostre égard » et bien moins sujet à maladies et à malformations que l'Européen de la Renaissance. Malgré certaines réticences touchant à sa nudité, qui n'est, selon le christianisme puritain de l'époque, nullement conforme au commandement de Dieu, Léry ne peut s'empêcher d'admirer la santé édénique de ces « Sauvages » qui parviennent sans encombre « jusques à l'aage de cent ou six vingt ans ». L'air tempéré de Guanabara est pour ses habitants primitifs une vraie « fontaine de Jovence ». Léry analyse ensuite minutieusement, selon une méthode qui préfigure celle de l'ethnologue moderne, l'alimentation, l'outillage, les croyances religieuses, le régime matrimonial et l'organisation politique des « sauvages ameriquains ». Ce tableau détaillé est sans cesse émaillé d'anecdotes personnelles, qui en rompent la monotonie, ou de réflexions empreintes d'un humour bienveillant. Ainsi, la description des peintures corporelles que les Tupinamba arborent lors de leurs cérémonies religieuses donne lieu à une comparaison quelque peu irrévérencieuse avec le vêtement – à vrai dire plus fourni – du pontife romain (chapitre VIII) ; ou encore les *maracas,* qu'agite le sorcier brésilien lors des danses sacrées, sont assimilées à la marotte du « fol » médiéval (*ibid.*).

À la faveur d'un tel jeu de rapprochements qu'introduisent l'humour et, de temps à autre, une volonté moralisatrice, l'Europe contemporaine se dessine peu à peu en filigrane du Nouveau Monde. Par exemple, l'impudeur visible de la femme sauvage (« cest animal se délecte si fort en ceste nudité », écrit assez brutalement Léry) ne fait que dénoncer, *a contrario,* la fausse pudeur des Françaises, qui se couvrent de vêtements et d'« attifets » à seule fin de fournir « un appast ordinaire à convoitise ». De même, le cannibalisme rituel des Tupinamba paraît à Léry infiniment moins répréhensible que cette anthropophagie à peine déguisée des usuriers d'Europe qui sucent « le sang et la moelle, et par consequent mangent tous en vie, tant de [...] pauvres personnes » (chapitre XV). Par ces parallèles conduits entre deux types de sociétés antagonistes, où il oppose la vertu primitive des habitants du Nouveau Monde à la présomption des Européens prétendument civilisés, Léry fait écho à cette réflexion que Montaigne formule vers la même époque dans son essai *Des Cannibales* (*Essais,* I, XXXI) : « Chacun appelle barbarie ce qui n'est pas de son usage. » Quant à celui qu'on a parfois surnommé le « Montaigne des voyageurs », il jugeait ainsi les acteurs des guerres de Religion : « Ils sont loin en vérité de l'humanité de ces gens-là, lesquels nous appelons Barbares. » Une pareille dénonciation de l'ethnocentrisme a permis de voir en Léry le précurseur de l'anthropologie moderne.

Manifeste calviniste et témoignage en faveur du « sauvage », l'*Histoire d'un voyage* est aussi l'œuvre d'un écrivain qui fait alterner la grande prose oratoire, destinée à dénoncer les vices de ses contemporains, et la bonhomie de l'observateur évoquant cette « marmaille toute nue » qui « grouille comme petits canars » dans l'eau d'une rivière ou « trepille et gratte la terre comme connils de garenne ». Enfin, certains passages atteignent à une sorte de fantastique poétique, quand l'auteur rapporte, en des scènes très concises, qui évoquent l'éclair de visions oniriques, les comportements les moins compréhensibles de l'homme sauvage. Ainsi, cette apparition nocturne des esclaves indiennes arrachant les haillons qu'on les force à revêtir, afin de « se pourmener toutes nues » à travers le camp des Français, ou cette autre veillée où le narrateur, qui sommeille dans son hamac au cours d'un festin cannibale, se voit brusquement offrir un pied « cuict et boucané » que lui tend un sauvage hilare.

F. Lestringant

LESAGE Alain-René

(1668-1747)

Alain-René Lesage entre dans la vie littéraire parisienne sans autre ressource que son talent. Né à Sarzeau (Morbihan), dans une famille de petits officiers royaux (son père fut notaire royal, puis greffier), il se trouve orphelin à quatorze ans. Ses oncles et tuteurs s'emparent bien vite de son maigre héritage et placent l'adolescent au collège des jésuites de Vannes. Vers 1690, Alain René Lesage quitte sa Bretagne pour n'y jamais revenir. À Paris où il s'est rendu, il semble avoir étudié le droit (il indique sur son acte de mariage, en 1694, la profession d'avocat), mais la fortune ne dut point lui sourire dans la chicane et la procédure, car, après 1694, aucun document n'en fait plus mention. En 1695, il publie *les Lettres galantes d'Aristénète,* libre adaptation d'un recueil grec tardif, et, dès lors, la biographie de Lesage s'estompe derrière l'histoire de son œuvre.

Il poursuit, jusqu'en 1730, une double carrière de romancier (de producteur littéraire, dirait-on plus justement) et d'homme de théâtre. Il publie *les Nouvelles Aventures de l'admirable Don Quichotte de la Manche,* roman partiellement traduit de la suite anonyme du chef-d'œuvre de Cervantès, avec des modifications et des ajouts (1704), *le Diable boiteux* (1707), roman tiré d'une nouvelle de Vélez de Guevara : *El Diablo cojuelo,* et qui sera l'un des plus grands succès de librairie au XVIIIe siècle, *les Mille et Un Jours* (1710-1712), un recueil de contes d'après une traduction du turc par Pétis de la Croix. En 1715 paraît le premier tome de l'*Histoire de Gil Blas de Santillane.* À deux reprises Lesage relancera le succès de son héros par la publication d'un deuxième tome en 1724, puis d'un troisième en 1735. Il lui faut, nécessité oblige, écrire vite et beaucoup ; il donne alors une série d'ouvrages, aujourd'hui oubliés : *l'Histoire de Guzman d'Alfarache* (1732), adaptation affadie du livre de Mateo Alemán, *les Aventures de Robert Chevalier dit de Beauchêne* (1732) et, de 1736 à 1738, *le Bachelier de Salamanque*, *Estevanille Gonzalez*, *la Valise trouvée.*

Son itinéraire d'homme de théâtre commence en 1700 par l'adaptation de pièces espagnoles qui, probablement, lui avaient été proposées par son protecteur l'abbé de Lyonne ; il fait représenter en 1702 *le Point d'honneur.* Premier succès au Théâtre-Français avec *Crispin rival de son maître* en 1707, l'année même du *Diable boiteux.* Puis, en 1709, il donne *Turcaret,* qui cause un énorme scandale. Les milieux d'affaires parviennent à en faire interrompre la représentation, et le Théâtre-Français ne consentira à sa reprise que sur un ordre exprès du duc d'Orléans. Malgré son succès, la pièce est bientôt retirée de l'affiche. Désormais brouillé avec les Comédiens-français, Lesage va produire de nombreuses pièces pour le théâtre de la Foire, de 1712 à 1730. Il meurt à Boulogne-sur-Mer, chez l'un de ses fils. Ses contemporains le décrivent comme un homme d'une grande indépendance d'esprit, mais que l'âge avait rendu conformiste et, à la fin, sénile.

L'écriture est un métier

Notre premier écrivain professionnel doit à son métier sa grandeur et sa misère. En ce qui le concerne, impossible de s'en remettre au mythe de l'inspiration : il est clair que sa création est une re-création ; c'est la mise en forme, la réécriture d'un matériau littéraire préexistant, textes espagnols, Mémoires, anecdotes et historiettes, pièces de théâtre, traductions. Il ne s'agit pas non plus, chez lui, de l'imitation des écrivains de l'Antiquité que recommandaient les partisans des Anciens (toutes les sources de Lesage le signalent comme un partisan des Modernes). Plutôt d'une mise à nu de ce qu'est un texte. Aussi rien n'est-il plus vain que de lui faire, comme Voltaire, le reproche de plagiat. On y perdrait son temps. Lesage n'est un « auteur » qu'au sens où Perrault, Lautréamont sont des auteurs. L'une des meilleures œuvres de Lesage, *les Mille et Un Jours*, est parue sous le nom d'un autre, le traducteur Pétis de la Croix. Dès *les Nouvelles Aventures de Don Quichotte*, Lesage s'empare du roman picaresque espagnol, qui lui fournira entre autres les sujets du *Diable boiteux* et de *Gil Blas.* Mais l'idéologie qu'il met à l'œuvre dans son travail n'a pas grand rapport avec celle du picaresque espagnol ou de la Contre-Réforme. Il suit les modes à l'honneur chez ses contemporains de la Régence. L'écriture devient alors un jeu consenti sur le signifiant. Lesage se moque des auteurs qui se prennent au sérieux. Gil Blas rencontre son ami le poète Nunez :

> *– Depuis que je t'ai quitté, j'ai toujours fait le métier d'auteur : j'ai composé des romans, des comédies, toutes sortes d'ouvrages d'esprit. J'ai fait mon chemin : je suis à l'hôpital. – Je ne pus m'empêcher de rire de ces paroles, et encore plus de l'air sérieux dont il les avait accompagnées.*
> *– Eh quoi ! m'écriai-je, ta muse t'a conduit dans ce lieu !*
>
> (*Histoire de Gil Blas*, XI, 7)

Gil Blas se passe de muse ; il sait vendre au duc de Lerme une plume alerte et naturelle, puis au comte d'Olivares une rhétorique ampoulée. Le talent de Lesage réside dans un usage conscient et souvent parodique de la littérature. Nombre d'anecdotes, d'épisodes de *Gil Blas* peuvent être lus comme des pastiches du style romanesque naissant : enlèvements, emprisonnements, grandes passions, brigands, cavernes, tours et cachots. Ce sont là les épices nécessaires du roman, souvent aussi les accessoires de l'humour. Dans *le Diable boiteux,* comme dans *Gil Blas,* on assiste à un perpétuel jeu sur les mots, sur les situations, à l'emboîtement d'anecdotes gigognes. Ce jeu ne correspond évidemment pas à la composition canonique du roman telle que la fixera le XIXe siècle, et il serait anachronique de le reprocher à Lesage, qui a su tirer parti avec habileté des échos thématiques entre les différents épisodes, ou qui est parvenu à donner aux trois tomes de *Gil Blas* la cohérence d'un triptyque : jeunesse et premières expériences du narrateur, équilibre de la maturité, sagesse de l'âge. La succession des épisodes semble obéir à la pure loi du hasard – avec, pour le héros, des hauts et des bas –, comme au jeu de l'oie les dés font et défont la fortune du joueur ; quand le héros dépasse la dernière case, il revient en arrière – à Madrid, par exemple –, pour un nouveau tome et de nouvelles aventures. Mais le romancier, comme don Abel, le maître du jeune Scipion (*Gil Blas*), est toujours un peu tricheur et sait guider la chance. On pourrait aujourd'hui suivre la partie comme on lit *la Vie mode d'emploi* de Georges Perec, ou, mieux encore, *Jacques le Fataliste, Tristram Shandy* ou *Robinson Crusoé.* Les personnages en sont les pions. Asmodée et don Cléophas dans *le Diable boiteux*, Gil Blas n'ont aucune véritable épaisseur psychologique. Les deux premiers sont de simples masques, placés aux deux pôles de la fiction : le diable montre, et Cléophas regarde. Gil Blas narrateur porte sur Gil Blas personnage un regard qui ne varie guère au cours du roman : amusé, indulgent et satisfait. Comme Asmodée, il est un montreur.

Le métier d'écrivain est aussi, par malheur, une redoutable servitude. Lesage doit démesurément rallonger ses œuvres et sans cesse réutiliser son matériau. Vers la fin de sa carrière, il écrit trop et trop vite : à ce jeu, il endommage ses propres œuvres. Si l'écriture du *Diable boiteux* de 1726 est plus précise et plus légère, on peut déplorer ensuite l'étirement du roman, l'alourdissement de sa structure. Les corrections de 1747 de *Gil Blas* sont presque toutes malheureuses.

Les premières comédies de Lesage révèlent autant de savoir-faire que ses grands romans. *Crispin* et *Turcaret* sont dans le droit fil de la tradition de Molière. Lesage, tout comme Dancourt ou Regnard, rencontre un genre déjà constitué et des règles inviolables, des comédiens conservateurs, un goût académique.

Ce n'est donc pas dans leur structure formelle de comédies d'intrigue et de mœurs que réside la nouveauté de ces pièces. C'est plutôt dans leur cynisme joyeux, leur irrévérence critique et leur organisation idéologique. La brouille de Lesage avec les Comédiens-Français fit qu'il composa à partir de 1712 pour le théâtre de la Foire, dont il fut, avec Fuzelier et d'Orneval, l'auteur le plus important. On lui doit une centaine de pièces écrites seul ou en collaboration pour ce vrai « marché » théâtral qui seul lui était ouvert. Avec d'Orneval il commence la publication du *Théâtre de la Foire ou l'Opéra-Comique* (1721-1737). Libéré des contraintes de la comédie traditionnelle, il invente et s'amuse. Il est difficile de juger ces pièces, dont nous n'avons que le texte. Il faut faire l'effort d'imaginer ces spectacles comportant des écriteaux, des pantomimes, des décors, des machines, de la musique et des chansons (que les spectateurs reprenaient souvent en chœur). On est là aux sources mêmes de la théâtralité moderne : le théâtre de la Foire préfigure le théâtre des Boulevards. De lui naîtront le mélodrame et l'opéra-comique. Nul doute que le spectateur d'aujourd'hui lira avec amusement et intérêt quelques-unes de ces pièces, qui ont fait l'objet d'éditions récentes. Seul *Turcaret* est encore représenté régulièrement en raison de son insolence vis-à-vis des pouvoirs de l'argent, alors qu'au fond c'est par le théâtre de la Foire que Lesage est réellement proche du public populaire.

Le réalisme

Depuis le XIXe siècle, c'est un lieu commun de dire que Lesage est le véritable fondateur du roman réaliste. C'est juste, mais quelques précisions sont indispensables. Dès *Turcaret* et *le Diable boiteux*, c'est par la satire que Lesage évoque le réel. Sous les portraits qu'il a placés dans sa galerie, les lecteurs du XVIIIe siècle pouvaient sans hésiter mettre des noms. Certes, les traits qu'il décoche atteignent leur cible moins profondément que ne font les *Lettres persanes,* mais ils ont l'insolence des pamphlets et des libelles de cette fin du règne de Louis XIV et de la Régence. L'originalité réaliste de Lesage est moins dans la satire des mœurs, où il suit de près les traces de La Bruyère, que dans la satire littéraire et religieuse qui caractérise bien l'atmosphère idéologique de l'époque et, à sa façon, prépare le combat des Lumières. Son réalisme ne se limite pas, comme on l'a trop souvent cru, à de petits tableaux de la vie courante qui annonceraient Balzac. Lesage n'est ni Mercier ni Rétif. On lui demandera plutôt un témoignage sur la mutation idéologique des années 1705 à 1735. Elle est lisible par exemple dans la question clé des relations entre maîtres et valets. Crispin tente de prendre la place de son maître et d'épouser Angélique à sa place. Il échoue, mais il a fait illusion (*Crispin, rival de son maître*). Dans *Turcaret*, Frontin parvient à son but : il dupe le chevalier et le financier ; la pièce se termine par un renversement simple : « Voilà le règne de Monsieur Turcaret fini, le mien va commencer », déclare-t-il (acte V, scène XIV). À la différence de Scapin, Frontin et ses pareils n'entrent point dans les intérêts de leurs jeunes maîtres. Ce sont des fripons achevés. Mais dans le cynisme de ces premières pièces, dans celui du *Gil Blas* de la première livraison de 1715, on aurait tort d'entendre quelque voix révolutionnaire. S'attaquer aux gros financiers, aux « partisans » comme Turcaret, désignés comme les responsables de la faillite publique, c'est en faire des boucs émissaires et, finalement, faire le jeu du pouvoir. Frontin et Gil Blas n'apparaissent jamais, comme Figaro, porte-parole vertueux et indignés du peuple. Ce sont, comme Jacob, le paysan parvenu de Marivaux, des héros de la perméabilité sociale.

Rien de plus caractéristique sur ce point que l'évolution de *Gil Blas*. Étrange valet qui devient vite son propre maître et détermine librement ses voyages dans une Espagne de fantaisie. Voilà qu'à son tour il engage un valet (dans le tome paru en 1724) et devient serviteur servi. La différence des conditions s'estompe tellement que Gil Blas peut dire : « Après le zèle que Scipion avait fait paraître, je ne pouvais plus voir en lui qu'un autre moi-même. Ainsi plus de subordination entre Gil Blas et son secrétaire. Plus de façons entre eux. Ils n'eurent qu'un lit et qu'une table » (IX, 7). À la fin du roman, en 1735, deux mariages fixent la structure de l'histoire et révèlent son sens dans l'œuvre de Lesage : Gil Blas, devenu riche, s'unit avec une jeune fille noble dont le frère épouse la fille du valet de Gil Blas. Le héros de Lesage est d'abord un fripon, ensuite un parvenu : contrairement à ses modèles du roman picaresque, qui restent toujours des marginaux, il parvient à s'intégrer socialement et même moralement. Seul le personnage de Rolando le brigand se refuse à tout pacte avec la société – tel le picaro espagnol ou, à la génération suivante, certains scélérats sadiens. Lesage est encore un homme du compromis idéologique.

À la charnière entre deux époques, Lesage n'a pas eu la chance d'être porté par un mouvement comparable à celui du classicisme ou de pouvoir se nourrir dans une tradition vivante : la comédie classique se sclérose ; le roman ne fait que naître. Mais il est, comme Gil Blas, un magnifique entremetteur, le Mercure qui va et vient entre les éléments littéraires nationaux, le roman espagnol, les contes orientaux, les unit, les met en forme et les constitue en origine de la littérature moderne.

Turcaret

SYNOPSIS

La Baronne, ruinée, est courtisée par le riche « traitant » Turcaret, qui l'accable de présents. Au lieu de s'enrichir de ces largesses, elle en fait profiter le Chevalier dont elle est éprise. La suivante Marine, qui tente de la détourner de ces prodigalités, l'exaspère ; elle la chasse, et, pour mieux exploiter Turcaret, décide de placer chez le financier Frontin, qui était le valet du Chevalier (acte I). Marine a dénoncé à Turcaret les manèges de la Baronne. Il lui fait une scène terrible, mais elle se disculpe. Frontin entre au service du traitant, et son amie Lisette remplace Marine chez la Baronne (acte II). Surviennent un Marquis, ami du Chevalier, qui révèle à la Baronne que Turcaret fut jadis un laquais, puis M. Rafle, commis de Turcaret, qui pratique l'usure pour le compte de son maître, et qui révèle à celui-ci qu'une dangereuse coalition se trame contre lui. Turcaret ne se laisse pas impressionner et suit, au contraire, les conseils de Frontin, qui l'encourage à de nouvelles dépenses (acte III). Frontin parvient (avec la complicité de M. Furet, un faux huissier) à extorquer 10 000 livres au financier. Une revendeuse à la toilette, Mme Jacob, se présente chez la Baronne et lui apprend qu'elle est la sœur (laissée dans la misère) du traitant, et que celui-ci, contrairement à ses dires, n'est pas veuf, mais depuis dix ans a abandonné sa femme (acte IV). La voici précisément qui apparaît : se prétendant comtesse, elle a voulu séduire le Marquis et le Chevalier, qui tous deux l'abandonnent en découvrant sa véritable identité. Turcaret, ruiné par un caissier, est arrêté. Frontin, qui n'a cessé de trafiquer et de tromper les uns et les autres, reste seul avec Lisette : il a déjà gagné quarante mille francs (acte V).

Histoire de Gil Blas de Santillane

SYNOPSIS

Fils d'un écuyer et d'une femme de chambre de petite bourgeoisie, Gil Blas est éduqué par un oncle chanoine assez ignorant, Gil Perez, puis par le docteur Goderaz, qui lui enseigne les humanités. À dix-sept ans, il quitte Oviedo pour aller étudier à l'université de Salamanque (livre I, chap. 1). Il est d'abord dupé par un parasite, puis pris par une bande de voleurs (I, 2) ; il les sert et en vient à « travailler avec eux » (I, 3-8). Il décide de s'enfuir avec doña Marcia, qui est leur prisonnière (I, 13). On l'arrête, il est emprisonné, puis libéré. Il la retrouve à Burgos et elle lui donne de l'argent. À Valladolid, il se fait escroquer et il retrouve Fabrice, un camarade d'enfance, qui, après bien des expériences, n'a pas trouvé de meilleur métier que celui de laquais. Gil Blas l'imite et devient donc serviteur. D'abord du chanoine Sedillo, que les médecins « assassinent » (II, 1-2), puis du docteur Sangrado, qui lui apprend à soigner, ou plutôt à « tuer », les malades (II, 3-4). Menacé par un bravache, il repart sur la route et voyage avec un garçon barbier; il rencontre des comédiens ; il sert un petit-maître, don Mathias, qui est la proie des usuriers (III, 3) avant d'être tué en duel. Gil Blas devient alors le laquais de l'actrice Arsénie, est promu économe de la troupe ; il chérit cette vie, puis s'en dégoûte (III, 9-12). Il se retrouve au service de la mondaine marquise de Chaves, qui reçoit les beaux esprits de Madrid (IV, 8-9). Après s'être mêlé à une expédition fort peu recommandable (V, 1), il devient l'intendant de don Alphonse (VI, 2-3), puis le favori de l'archevêque de Grenade (VII, 3), qui finit par le chasser (VII, 5). Secrétaire du marquis de Mariabua, il paraît à la cour (VII, 13), y retrouve Fabrice, qui le place comme intendant auprès du comte Gabana, seigneur sicilien (VII, 14-15). Quand il tombe malade, son maître l'abandonne (VII, 16). Il se relève et se retrouve même secrétaire du tout-puissant ministre, le duc de Lerme (VIII, 2). Il jouit d'un certain pouvoir, mais est fort mal payé (VIII, 5). Il comprend qu'il peut faire fortune en se laissant acheter par tous ceux qui demandent des grâces (VIII, 9), et il devient parfaitement cynique (VIII, 10). Cette cupidité le rend invivable, et il se brouille avec Fabrice. Il songe à se marier avec une riche héritière ; arrêté sur une dénonciation du puissant Calderone, il est jeté dans les caves de Ségovie. On le libère, mais il est interdit à la cour (IX, 9). À Oviedo, il retrouve sa famille et voir mourir son père (X, 2). Alphonse de Leyne, à qui il a jadis rendu service, lui donne la terre et le château de Lirias (X, 3). Il épouse la belle Antonia, fille de son fermier Basile (X, 9), mais elle rend l'âme après avoir accouché d'un fils, qui ne vit que quelques jours (XI, 1). Le roi Philippe III est mort, Lerme disgracié : le comte d'Olivarès devient Premier ministre, et Gil Blas reparaît à la cour (X, 1-4). Olivarès s'attache ses services et lui fait écrire un mémoire contre Lerme (XI, 5). Il retrouve son ami Fabrice dans un hôpital (XII, 7). Il est anobli. Quand Olivarès est disgracié, Gil Blas quitte la cour et se retire à Lirias ; assagi, il s'y éprend d'une fille de la noblesse, Dorothée de Jutella (XII, 13). Il l'épouse et espère enfin trouver la paix et le bonheur avec son beau-frère, sa femme et les enfants qu'elle lui a donnés (XII, 14).

P. Frantz et A. Niderst (synopsis)

LESPINASSE Julie de

(1732-1776)

Il y a peu d'années encore, Mlle de Lespinasse n'était connue que pour avoir été l'âme d'un salon progressiste où l'on rencontrait, dans les années 1770, la frange que l'on pourrait dire « de gauche » de l'*Encyclopédie*. Seuls les amateurs de chroniques scandaleuses connaissaient d'autres aspects de sa courte existence : la « Muse de l'*Encyclopédie* » s'était consumée d'amour pour deux hommes à la fois... Le renouveau des études dix-huitiémistes et l'attention nouvelle portée désormais au genre épistolaire en tant que forme littéraire à part entière permettent de mieux mesurer aujourd'hui l'importance de cette « figurante » de l'histoire promue au rang d'écrivain.

Julie de Lespinasse naquit à Lyon : les parents que lui prête son acte de baptême n'ont jamais existé. On sait avec certitude que sa mère était la comtesse d'Albon, l'enfant étant citée dans le testament de cette grande dame, qui la garda auprès d'elle jusqu'en 1748, date de sa mort, et qui lui légua, outre une pension misérable, la phtisie dont elle souffrait. Le père, par contre, malgré les démonstrations de biographes zélés, n'est peut-être pas ce Gaspard de Vichy qui épousa Diane, fille aînée et reconnue de la comtesse d'Albon ; il n'est pas exclu que ce soit le comte d'Albon lui-même, mari de la comtesse, mais qui avait avec son épouse des relations difficiles et épisodiques qui devaient mener le couple, après 1734, à une séparation. On ne sait presque rien de ce que fut la vie de la petite Lespinasse : on la trouve à vingt ans auprès de sa sœur Diane, devenue comtesse de Vichy, dans la région de Roanne : c'est là qu'elle rencontrera la sœur aînée du comte de Vichy, une certaine marquise Du Deffand... [Voir **DU DEFFAND**.]

C'était en 1752 : après deux années d'obscures négociations, Julie vint à Paris servir de lectrice à Mme du Deffand, qui sentait sa vue décliner. Elle y connut tout le grand monde parisien de l'époque, ainsi que ceux des intellectuels qui trouvaient grâce auprès de la maîtresse de maison : parmi eux, d'Alembert, qui se prit pour Julie d'une passion platonique, et qui, une fois que sa jeune amie eut quitté la vieille marquise, vint partager son logement de la rue de Bellechasse.

Car, après dix années passées dans l'ombre de Mme du Deffand, Julie s'était retrouvée à la rue : plutôt que d'une rupture, d'ailleurs, il semble qu'il se soit agi d'une mise à la porte. Les grands seigneurs amis de Mme du Deffand, en tout cas, n'abandonnèrent pas Julie de Lespinasse, aidant à son installation et complétant généreusement la modique pension que lui versaient ses parents d'Albon. Puis, grâce à d'Alembert, secrétaire de l'Académie des sciences puis de l'Académie française, les visiteurs affluèrent chez Julie : grands seigneurs du royaume, visiteurs étrangers de marque (Hume, par exemple) et, surtout, tout ce que Paris comptait d'écrivains désireux de parvenir, par l'intermédiaire de d'Alembert, à la notoriété encyclopédiste ou aux honneurs académiques. Parmi eux, bien des gens de lettres oubliés aujourd'hui ou pas encore redécouverts : Chastellux, Thomas (spécialiste des éloges académiques), La Harpe, Suard, Guibert. Mais aussi d'autres, plus célèbres : Diderot (qui la mit en scène dans *le Rêve de d'Alembert*), Turgot, Condorcet, Necker et sa femme. Beaucoup de relations, certes, beaucoup d'habitués, mais aussi de vrais amis : les plus chers, sûrement, furent Mme Geoffrin, Turgot, Condorcet, Suard, et aussi, dans la famille d'Albon, son neveu Abel, marquis de Vichy-Chamrond. Et l'on sait qu'elle aima d'amour, aux alentours de la quarantaine, le gendre d'un Premier ministre espagnol, le marquis de Mora, puis Guibert. Elle devait mourir à quarante-quatre ans, rongée par la phtisie, et dans l'accablement où l'avait plongée l'annonce du mariage de Guibert. Ses contemporains ignorèrent, pour la plupart, que Julie de Lespinasse fût un écrivain. Pourtant le recueil des *Lettres* qu'elle adressa au comte Jacques de Guibert, l'amant de ses dernières années (1773-1776), est bien plus qu'un document scandaleux sur les amours d'une quadragénaire hystérique : ce sont les *Lettres portugaises* – et combien plus denses, combien plus vraies ! – d'une romancière éperdue (« Je n'ai plus de mots, je n'ai que des cris »), consciente jusqu'à la déchirure de la nullité de l'homme qu'elle aime et pourtant contrainte de vivre cette passion par l'écriture, jusqu'au bout, persuadée qu'elle est de l'imminence de sa mort : sans doute le seul vrai roman d'amour d'un siècle qui pourtant sut accommoder le sentiment de mille manières. On lira, à côté de cette correspondance, publiée pour la première fois en 1809, ses lettres d'amitié comme des brouillons où elle s'essaie au langage du cœur, plus que comme des documents sur tel ou tel grand homme.

J.-N. Pascal

L'ESTOILE Pierre de

(1546-1611)

Rédigés de 1574 à 1611, les *Mémoires journaux* de Pierre de L'Estoile rassemblent une masse impressionnante d'informations sur cette époque : actualité politique, chronique mondaine, faits divers, météorologie, rien de ce qui est parisien et, dans une moindre mesure, français n'est étranger à leur auteur. Né en l'hôtel Saint-Clair, rue de Tournon, inhumé en l'église Saint-André-des-Arts, cet homme discret, qui exerça de 1569 à 1601 la charge d'audiencier en la chancellerie de France, a mené une existence prudente dans une capitale longtemps en proie à la folie. Les guerres civiles ont apporté un aliment et une justification à sa curiosité naturelle ; attentif à tout ce qui se dit et s'écrit, il rassemble tous les documents sur lesquels il peut mettre la main et rédige un journal qui est le complément et le commentaire de cette moisson. Ses « registres » constituent une sorte de marqueterie hétéroclite : s'y succèdent des observations personnelles et des morceaux empruntés, des avis officiels et des rumeurs de badaud ; prose et vers, en latin et en français, textes et gravures. Mais sous le fouillis des détails et des faits apparaît un livre de bonne foi, dont la cohérence est d'abord celle d'un style ; il révèle un homme, gaulois et gallican, qui porte sur ses contemporains un regard sans illusion mais sans mépris.

Par ses origines familiales, L'Estoile appartient à la grande bourgeoisie de robe ; sa mère, Marguerite de Montholon, est fille d'un garde des Sceaux et sœur de François de Montholon, chancelier de France en 1588. Par elle, il est apparenté aux grandes dynasties parlementaires des Séguier, des Molé, des de Thou. Il reçoit la double formation humaniste et juridique à laquelle ce milieu est attaché : étude des langues anciennes, sous la direction de Mathieu Béroalde (père de François Béroalde de Verville, l'auteur du *Moyen de parvenir*), alors professeur d'hébreu à Orléans ; leçons de droit d'Alexandre Arbuthnot à Bourges. Il est reçu audiencier à la chancellerie de Paris en 1566. Les loisirs de sa charge et un relatif désintérêt pour les affaires de son ménage (malgré une vingtaine d'enfants, dont beaucoup meurent en bas âge) lui permettent de se consacrer à ses recherches. Pendant la sédition de la Ligue, qui éprouve durement les Parisiens, il connaît l'insécurité et la famine. Malgré sa prudence, avec d'autres bourgeois favorables au parti des « politiques », il est emprisonné pour quelques jours en août 1589. La paix revenue, la vie politique se stabilise, et les faits divers et les échos mondains prennent la première place dans le *Journal*. À partir de l'année 1606, les *Mémoires journaux* sont essentiellement consacrés aux nouvelles de la république des Lettres et aux controverses religieuses. Ils ne prennent fin qu'avec la mort du narrateur, de plus en plus désabusé, qui trace ces mots au bas de la dernière page : *Isti Francesi, tutti matti et coiioni. I.C. salva mia vita.*

Un journaliste à l'école de Montaigne

Placé sous le patronage du moraliste, le *Journal* est devenu consubstantiel à son auteur : « Je sçay que la pluspart de ces Discours sont plains d'inanité et de fadèze, mais de m'en desfaire je ne puis (non plus que Montagne des siens), sans me desfaire moi-mesmes. » Il s'ordonne en cercles concentriques autour d'un moi qui lui confère son unité et sa sincérité. Miroir de soi et miroir du monde, le genre du journal, dérivé des livres de raison, est le plus apte, par son élasticité, à recueillir la matière foisonnante de l'actualité. Le principe de sélection des informations découle de la situation géosociale de l'auteur ; placé au cœur de la France intellectuelle, administrative et judiciaire, il a privilégié les faits parisiens, moins curieux et moins bien informé qu'il était de la province et du monde rural.

L'ordre chronologique qui forme la trame naturelle du discours n'est que le plus apparent. Dans la masse brute des faits représentés, il est possible de repérer le retour de certains motifs, des lignes de force qui révèlent la cohérence du dessein de l'auteur. Si L'Estoile s'interdit de juger, il organise les faits de telle sorte que ceux-ci parlent d'eux-mêmes. La condamnation sans appel de la Ligue (pour son hypocrisie, son fanatisme, son absolutisme) ne procède pas d'une analyse politique ; elle est comme distillée par mille notations éparses mais convergentes qui la dénoncent. L'ironie, fréquente, n'est qu'une des formes de l'indignation et prévient la tentation d'y céder ; l'éloquence est autant que possible évitée. L'impassibilité apparaît comme une manière d'engagement.

Il n'y a pas, à proprement parler, de philosophie de l'Histoire dans les *Mémoires journaux*. Un Dieu souverain manifeste sa volonté par des signes, mais les voies de la Providence sont impénétrables. L'idéologie de L'Estoile confirme son appartenance – en dépit d'une situation personnelle plus modeste – à ce milieu de magistrats érudits, disciples d'Érasme et de Budé, qui comprend des hommes comme Étienne Pasquier, les de Thou, les Dupuy et tant d'autres. Comme eux, il est attaché d'un même lien au roi légitime et à l'Église gallicane, dont il défend les libertés. Méfiant devant le renouveau spirituel qui succède au concile de Trente, sceptique vis-à-vis des formes modernes de la dévotion (développement des processions, culte de la Vierge et des saints, place accordée au Purgatoire), il observe avec inquiétude les progrès de l'esprit ultramontain et des jésuites. Il préfère l'approfondissement intérieur de la foi aux manifestations ostentatoires de la piété. Découragé par l'esprit de frivolité et de légèreté qui se répand sous le règne de Henri IV, il s'émeut de la dégradation de la culture et de la maigre place laissée aux hommes de science. Ce précurseur des libertins entre avec appréhension et parfois avec amertume dans la France moderne.

M. Chopard

Lettres portugaises v. GUILLERAGUES Gabriel de

Lettres portugaises v. GUILLERAGUES Gabriel de

LÉVI-STRAUSS Claude

(né en 1908)

Philosophe de formation, Claude Lévi-Strauss abandonne assez vite cette discipline pour s'initier à l'ethnologie. Dans les années qui précèdent immédiatement la Seconde Guerre mondiale, il part pour le Brésil. Il y effectue diverses missions chez les Indiens Bororos, Caduveos, Nambikwaras. Après la guerre, il séjourne quelque temps aux États-Unis, puis rentre en France pour se consacrer définitivement à l'enseignement et à la recherche. De 1959 à 1982, il occupe la chaire d'anthropologie sociale au Collège de France. L'Académie française l'a accueilli en 1973.

C'est en 1949 que Claude Lévi-Strauss a publié le livre qui devait lui valoir une renommée mondiale et qui, malgré les nombreuses discussions qu'il a soulevées, demeure l'un des grands textes de l'anthropologie moderne : *les Structures élémentaires de la parenté.* Cet ouvrage met en évidence le rôle central que jouent, dans les sociétés dites primitives, les rapports de parenté et montre comment ceux-ci s'ordonnent selon des règles symboliques dont la signification varie selon les sociétés, mais dont la combinatoire n'est ni infinie ni arbitraire. Ainsi, dans la lignée de Durkheim (traiter les faits sociaux « comme des choses ») et de son continuateur Mauss (se pencher avec attention sur la réalité des faits ethnographiques), Lévi-Strauss assigne à l'anthropologie sociale – terme qu'il préfère à celui d'ethnologie – un objet : l'ensemble des faits humains de nature symbolique, en même temps qu'une méthode : l'analyse structurale, qui consiste à repérer des formes invariantes et intelligibles au sein de contenus variables et, parfois, incohérents.

Issu de la redécouverte par Lévi-Strauss du *Cours de linguistique générale* de Ferdinand de Saussure et de la rencontre à New York avec Roman Jakobson, grand linguiste, créateur de la phonologie avec Troubetskoy, poéticien, sémioticien au vaste savoir anthropologique, le « structuralisme » mis en pratique dans ce travail sur la parenté devait être développé ultérieurement, en particulier dans les deux volumes d'articles rassemblés sous le titre *Anthropologie structurale* (tome I, 1958 ; tome II, 1973) ainsi que dans les quatre volumes des *Mythologiques* (*le Cru et le Cuit,* 1964 ; *Du miel aux cendres,* 1967 ; *l'Origine des manières de table,* 1968 ; *l'Homme nu,* 1971), avant d'être exporté dans des domaines voisins de l'anthropologie par d'innombrables chercheurs. Dans la série des *Mythologiques* est établie l'unité formelle de l'ensemble des mythes partagés par les Indiens des deux Amériques. Deux ouvrages, *le Totémisme aujourd'hui* (1962) et *la Pensée sauvage* (1962), renouvellent complètement, à la lumière d'une logique qui sait reconstituer l'unité structurale des systèmes symboliques derrière la déroutante diversité des faits empiriques, l'étude de deux problèmes – classiques depuis Frazer et Lévy-Bruhl – posés par l'étude des sociétés dites primitives. En ce sens, Lévi-Strauss est bien le principal représentant, en France, du mouvement structuraliste et celui qui en a accepté jusqu'au bout toutes les conséquences même s'il n'a jamais nié l'importance de la dimension historique commune à toutes les sociétés humaines, qu'elles soient ou non « primitives ». *Le Regard éloigné* (1983) développe une réflexion épistémologique sur l'ethnologie dont la condition première est exprimée par le titre même.

Une place à part doit être faite à *Tristes Tropiques* (1955), le seul ouvrage autobiographique de Claude Lévi-Strauss, dans lequel celui-ci révèle quelques-uns des événements qui ont contribué à former sa sensibilité : il y manifeste de remarquables talents d'écrivain. Homme de culture classique, comme il le rappelle dans des entretiens avec D. Eribon (*De près et de loin*, 1988), formé aux humanités traditionnelles, peu ouvert à l'art moderne – sur lequel il a exprimé des vues très critiques –, plus sensible à la musique et à la littérature qu'aux arts plastiques, malgré l'ouvrage qu'il a consacré à *la Voie des masques* (1975), Claude Lévi-Strauss s'est toujours méfié du « structuralisme littéraire » : un texte particulièrement significatif à cet égard est sa réponse, datée de 1965 et reprise dans *Anthropologie structurale II,* à une enquête sur ce sujet. Les quelques pages consacrées à Sophocle et à Labiche, à la fin de *la Potière jalouse* (1985), ne doivent pas faire illusion. Il a d'ailleurs fréquemment insisté sur le caractère fragile et éphémère des productions littéraires ou artistiques, et sur la supériorité – y compris du point de vue esthétique – des phénomènes de la nature, surtout de la nature minérale et végétale. Après l'analyse d'un mythe indien particulièrement fécond (*Histoire de lynx*, 1991), il revient cependant, avec *Regarder, écouter, lire* (1993) à une réflexion, sensible et minutieuse, sur l'acte créateur à partir des œuvres de Rameau, Poussin et des *Salons* de Diderot.

Ch. Delacampagne

LÉVY Bernard-Henri

(né en 1948)

Normalien, agrégé de philosophie, B.-H. Lévy publie un premier ouvrage qui témoigne de son intérêt pour le Tiers-Monde, *Bangla-Desh, nationalisme dans la révolution* (1973), avant de devenir, avec *la Barbarie à visage humain* (1977), le chef de file des « nouveaux philosophes » – André Glucksmann, Jean-Marie Benoist, Jambet et Lardreau. Grand succès de librairie, l'ouvrage vient à son heure : il dénonce le mensonge et l'imposture totalitaires en une période marquée par la lecture de Soljenitsyne, où s'amorce le reflux de l'influence communiste sur la vie intellectuelle française. Le personnage de « BHL » devient alors un familier des plateaux de télévision : ses détracteurs stigmatisent ses poses romantiques, son excessive consécration médiatique, et l'accusent de multiplier simplismes et raccourcis hasardeux. La polémique atteint son comble avec *l'Idéologie française* (1981), où Bernard-Henri Lévy entend retracer la généalogie d'un « fascisme à la française » : de nombreux historiens et penseurs politiques, universitaires ou non, s'insurgent contre les simplifications abusives et les confusions qu'engendre l'absence de méthode de l'auteur. Le questionnement du statut de l'intellectuel, et plus précisément du rapport qu'ont entretenu des philosophes et écrivains français avec les grandes idéologies du XXe siècle, restera un axe essentiel de la réflexion de Bernard-Henri Lévy : en témoignent *Éloge des intellectuels* (1987), *les Aventures de la liberté* (1994), et surtout *le Siècle de Sartre* (2000), qui brosse, non sans virtuosité, l'itinéraire d'un intellectuel emblématique, à l'égard duquel l'auteur éprouve autant de fascination que de réserves. Devenu entre-temps directeur de collection chez Grasset, Bernard-Henri Lévy explore les voies les plus diverses, avec des bonheurs contrastés. Si la fresque romanesque du *Diable en tête* (prix Médicis 1984) remporte un certain succès, tout comme *les Derniers Jours de Charles Baudelaire* (1988), savante combinaison des registres du roman et de l'essai, les incursions du philosophe et essayiste dans les domaines théâtral (*le Jugement dernier*, 1992) et cinématographique (*Bosna*, 1994 ; *le Jour et la Nuit*, 1997) sont moins convaincantes. L'échec cinglant du *Jour et la Nuit* – interprété par Alain Delon et Arielle Dombasle – inspire d'ailleurs à Bernard-Henri Lévy un petit livre doux-amer, *Comédie* (1997), où il analyse avec un narcissisme à la fois irritant et touchant les raisons d'un insuccès. L'ex-star médiatique et ex-« nouveau philosophe » n'en finit pas, en un sens, de se débattre avec sa propre image. Mais il serait injuste de le réduire à cette caricature : lorsqu'il s'intéresse à l'histoire des intellectuels ou aux innovations artistiques majeures – Baudelaire, Piero della Francesca (*Piero della Francesca*, 1992), Mondrian (*Piet Mondrian*, 1992) –, Bernard-Henri Lévy fait indiscutablement preuve d'un sens aigu des révolutions de la modernité.

P. Mari

L'HERMITE Tristan *v.* TRISTAN L'HERMITE

LIGNE Charles Joseph, prince de

(1735-1814)

Le prince de Ligne, c'est le XVIIIe siècle aristocratique à lui seul... Aristocrate, il le fut, et jusqu'au bout : rejeton d'une illustre famille, il naquit à Bruxelles et vécut dans toutes les cours d'Europe, partout « chez lui », avant de mourir à Vienne, où l'avaient conduit les guerres napoléoniennes. Élevé en Belgique, dans ce château de Belœil dont il écrira une description restée fameuse (*Coup d'œil sur Belœil*, 1781), entouré de précepteurs qu'il trouvait stupides, engagé dans l'armée impériale autrichienne à l'âge de dix-sept ans, marié peu après, auteur à vingt ans de *Contes immoraux* qui dénotent une remarquable maîtrise, il fut ensuite diplomate et grand voyageur. Sa patrie fut cette « Europe des Lumières » qu'il parcourut de long en large, avec ce regard déjà sociologique des cosmopolites de l'époque, qui s'intéressaient aux hommes avant d'aller admirer les curiosités touristiques. Plus tard, quand la Révolution l'aura limité dans son inguérissable bougeotte, il réunira en trente-quatre volumes (1795-1811) tous les écrits échappés de sa plume prolifique, et qui touchent aux sujets les plus divers, sous le titre évocateur de *Mélanges militaires, littéraires et sentimentaires.* Il y a de tout dans cet amas d'œuvrettes : des pièces de théâtre (*Colette et Lucas,* 1776) et des écrits théoriques sur le genre dramatique (*Lettres à Eugénie,* 1774), des livrets d'opéra, des contes qui à la fois rappellent le *Zadig* de Voltaire et annoncent le *Vathek* de Beckford, des romans, des traités de tactique, des notes de voyage et même une passionnante méditation autobiographique : *Mes écarts ou Ma tête en liberté* (1796). Parallèlement à ces écrits, sa correspondance constitue un monde encore à découvrir.

J.-N. Pascal

LIMBOUR Georges

(1900-1970)

Georges Limbour est né avec le XXe siècle : cela est significatif, car il a fait siennes les idées du siècle sur la libération totale de l'art. Très tôt il commence à écrire (vers 1915), puis il rencontre André Breton et les premiers surréalistes. Dans le *Manifeste du surréalisme* de 1924, Breton présente, dans son château idéal, ses nouveaux amis, c'est-à-dire les tenants d'une nouvelle littérature.

« Voici Aragon..., Philippe Soupault..., et Paul Eluard... Voici Robert Desnos et Roger Vitrac [...], et Georges Limbour (il y a toute une haie de Georges Limbour)... » Cette reconnaissance immédiate n'empêchera pas Georges Limbour, qui avait entre-temps voyagé et séjourné à l'étranger, de signer en 1930 le violent pamphlet de Bataille contre André Breton, *Un cadavre.* Ces deux « situations » de Limbour montrent qu'il participe activement à la vie littéraire de ce début de siècle.

C'est une œuvre brève que Limbour nous lègue. À cela deux raisons : il s'est toujours refusé à mener une « carrière littéraire », et son œuvre reste fragmentée de 1919 à 1968. Nous avons le très bref *Soleils bas* (1924) [six poèmes], les textes versifiés écrits entre 1919 et 1949 (quatre poèmes) et de plus nombreux textes de prose (près de 140 pages dans l'édition au format de poche Poésie/Gallimard). La liste en est rapide : *l'Illustre Cheval blanc* (trois contes, 1930), *les Vanilliers* (1938), *l'Enfant polaire* (1945). À cela il faut ajouter les contes, récits et nouvelles publiés en 1972 par Gallimard (*le Calligraphe* avait paru en 1959, *la Chasse au mérou* en 1963). On peut y ajouter une pièce de théâtre (*Élocoquente,* 1967) et un opéra bouffe (*les Espagnols à Venise,* 1966), enfin, une contribution importante à la critique d'art (*André Masson,* 1951 ; *l'Art brut de Jean Dubuffet,* 1953). L'œuvre est donc mince, et une part importante ne nous est pas parvenue parce qu'elle a été impitoyablement détruite par Limbour, critique sévère de sa production poétique.

Georges Limbour, qui participe avec les surréalistes à l'opération de grande envergure portant sur le langage (selon la propre définition de Breton), reste épris de beau langage. Ce qui ne veut pas dire que sa poésie soit sans ambiguïté, ou seulement ornementale. Limbour ne confond jamais poésie et dérèglement du langage ou poésie et facilité. Mais il ne confond pas non plus poésie et gravité, celui qui fait dire à l'un de ses personnages : « Qui ne mêle un peu de jonglerie au sérieux de son art ? »

Le maître mot du surréalisme, c'est sans doute celui de « liberté » : liberté dans la poésie et de la poésie, mais aussi liberté de l'individu. En ce sens, Limbour est avant tout un homme épris de liberté, annonçant les poètes vagabonds de la *beat generation* américaine. Ses personnages privilégiés sont des vagabonds, des êtres sans attaches, des marginaux ; sa thématique essentielle est celle de la dérive.

L'esprit surréaliste réside aussi dans l'humour et l'ironie qui sous-tendent la plupart de ses textes et dans l'apparente absence de contrôle de son écriture. Encore faut-il être prudent ici ; Limbour ne pratique pas l'écriture automatique. C'est dans la mission qu'il assigne à la poésie que nous lisons l'intention surréaliste : charlatanerie suprême, la poésie doit avoir pour but l'émergence de beautés cachées par la disposition des mots sur la feuille. Ce que Breton nomme la « fulgurance du dire ». À l'inverse des surréalistes qui acceptent de produire beaucoup pour que surgissent quelques « diamants poétiques », Limbour donnera un tour achevé à chacun de ses textes. Chaque poème, chaque récit doit être un soleil radieux : c'est ce qui fait de Limbour un poète important. Selon l'esprit surréaliste, il s'agit le plus souvent de « soleils noirs », c'est ce qu'il nous est donné à voir dans le titre significatif *Soleils bas,* ou dans la dérive de *l'Enfant polaire,* ou dans l'errance du meurtrier d'« Histoire de famille » (*l'Illustre Cheval blanc*).

C. Gambotti

LOAISEL DE TRÉOGATE Joseph-Marie

(1752-1812)

Tombé dans l'oubli dès le XIXe siècle, Loaisel a été exhumé au début du XXe par les sourciers de l'histoire littéraire, décidés à trouver des précurseurs au romantisme. Il aurait pu fournir à Chateaubriand le modèle d'un héros fuyant en Amérique, vingt-cinq ans avant René, les fatigues de la vie, à Lamartine quelques variations sur la solitude, à Nerval le nom d'un personnage... C'était le condamner aux comparaisons écrasantes. Son œuvre, dispersé dans les bibliothèques et en partie perdu, vaut pourtant d'être relu pour lui-même.

L'épée et la plume

Issu d'une ancienne famille bretonne, aux frontières de l'aristocratie, il naît dans le Morbihan et s'imprègne de ces premiers décors. Après des années de service chez les gendarmes du roi, il entreprend dans les lettres une carrière qui semble lui échapper ailleurs. Il collabore à différents journaux et participe à la grande entreprise de librairie qu'est l'*Histoire des hommes ou Histoire nouvelle de tous les peuples de la terre* (1781) lancée par Delisle de Sales. Il publie plusieurs romans, puis, durant la Révolution et l'Empire, abandonne sa particule et travaille pour le théâtre. Malgré sa fécondité et certains succès, sa situation économique reste précaire. En 1795, il fait partie des écrivains secourus par la Convention. Il mourra à Paris dans l'obscurité.

La décadence d'une noblesse provinciale désargentée, en décalage croissant avec la Cour et avec la marche du temps, aussi bien que les aléas de la condition d'auteur – condition qui se précise lentement à la fin du XVIIIe siècle –, marquent Loaisel, surdéterminent son style et ses thèmes. Ses personnages, orphelins ou sevrés de protection, traînent sur terre un exil douloureux, fascinés par leur propre souffrance et par la mort qui les attend. Chaque moment de bonheur, bientôt balayé par la fatalité et « les mains dévorantes du temps », leur apparaît illusoire. Ils refusent de lutter et préfèrent la solitude.

Le roman des paroxysmes

C'est donc sous le signe de la mélancolie que s'inscrit cette création, non plus la mélancolie de l'ancienne médecine, mais un nouveau rapport au monde qui fait de chaque sentiment une souffrance. La littérature devient un appel à une complicité attendrie avec les *happy few* sensibles. Deux nouvelles, *Valmore* et *Florello*, publiées en 1776, pourraient appartenir aux *Épreuves du sentiment* de Baculard d'Arnaud. Les héros, l'un dans le Nouveau Monde, l'autre dans l'Ancien, n'ont pas besoin de vieillir pour comprendre que leur passion est vouée à l'échec. Les *Soirées de la mélancolie* (1777) rassemblent onze anecdotes « sombres ». Que le décor soit oriental ou européen, antique ou moderne, les mêmes ruines, les mêmes tombes nous installent dans un monde trop vieux et désaccordé. L'élégie *Aux âmes sensibles* (1780) traduit en alexandrins ce malaise existentiel. Mais ce sont les romans, *la Comtesse d'Alibre* (1779), *Dolbreuse ou l'Homme du siècle ramené à la vérité par le sentiment et par la raison* (1783) et *Ainsi finissent les grandes passions* (1788), qui orchestrent ces thèmes avec le plus de puissance. Le premier en donne une version frénétique, et le sang coule ; le troisième une version dépressive : le héros, cyclothymique, s'enfonce dans une indifférence désespérée. *Dolbreuse* réussit à mêler aux élans sentimentaux les piments libertins. Dans le mariage, dans les liaisons dangereuses, dans la douleur elle-même du veuvage, le personnage est en quête d'orages et d'orgasmes. Sa retraite religieuse autoriserait une lecture chrétienne de l'œuvre si la religion ne s'édulcorait en une charité et une morale proches de celles que prônent les Philosophes. Une vision tragique de l'homme sans Dieu qui a transité par les romans de Prévost se croise avec la confiance dans les bontés de la nature ; le recours à la foi ancestrale n'entame pas l'adhésion aux Lumières. La figure de Rousseau, sur la tombe duquel Dolbreuse se recueille, domine ces contradictions et les subsume. Le « préromantisme » de Loaisel est la mise en forme littéraire d'une crise sociale et idéologique : le sentimentalisme bourgeois préside à la constitution d'une aristocratie de la douleur et justifie la dénonciation du monde de l'argent ; le dolorisme chrétien couvre les tentations matérialistes et sadiques.

L'invention du mélodrame

La tension tragique semble se dénouer avec le passage à la scène. La première pièce de Loaisel, qui date de 1788, s'intitule *L'amour arrange tout*. En fait, l'« hystérie » romanesque s'y convertit en délire de décors et de coups de théâtre. Des fortunes qui tombent du ciel, des morts qui ressuscitent assurent des dénouements heureux, mais ce sont les mêmes héros, désargentés et amoureux, qui s'opposent à des méchants, maîtres d'une société de profit. La vertu ne parvient pas à contrôler *la Bizarrerie de la fortune* (1793) : tel est le thème – et le titre – d'une des comédies de Loaisel. Les histoires d'amours contrariées sont prétexte à dépaysement géographique et chronologique. Si *le Combat des Thermopyles* (1794) s'apparente aux thèmes civiques de l'an III de la République, *le Château du diable* (1792) nous entraîne au XIVe siècle, *Adélaïde de Bavière* et *Roland de Monglave* (1799) dans l'Allemagne du XVe, *la Fontaine merveilleuse* (1799) et *le Grand Chasseur* (1804) au bord de la mer Caspienne. Partout des cavernes et des châteaux gothiques cachent des brigands, des chevaliers enchantés ou des génies orientaux. Les décors se succèdent ; combats, danses et musiques sont mis à contribution pour ces pièces que l'auteur déclare « à grand spectacle » et sous-titre parfois « mélodrame ». *Le Grand Chasseur* est composé en collaboration avec celui qui va devenir un maître du genre, Pixerécourt.

M. Delon

LORRAIN Jean

Pseudonyme de ***Paul DUVAL*** *(1855-1906)*

Fils d'un armateur de Fécamp, enfant sensible et rêveur, très attaché à sa mère, le jeune Paul Duval ébauche des études de droit à Paris, mais préfère bientôt se consacrer à la vie littéraire, comme l'y pousse la passion adolescente qu'il éprouve, le temps d'un été, pour Judith Gautier. Devenu Jean LORRAIN, il s'essaie à la poésie : *le Sang des dieux* (1882) le situe dans la lignée du Parnasse ; *la Forêt bleue* (1883), *Modernités* (1885), *les Griseries* (1887), comme plus tard *l'Ombre ardente* (1897), hésitent entre Leconte de Lisle et Verlaine, tout en cultivant des thèmes décadents à la mode. Il tâte aussi du théâtre : *Viviane* (1885), et écrit ses premiers romans : *les Lépillier* (1885), qui font scandale à Fécamp, et *Très russe* (1886).

Mais c'est le journalisme qui lui confère la célébrité : en quelques années, il devient le brillant chroniqueur de la grande presse bourgeoise, passant du *Courrier français* (1884) à *l'Événement* (1887-1890), puis à *l'Écho de Paris* (1890-1895), enfin au *Journal* (1895-1905). Cette énorme masse d'articles va former de nombreux recueils d'essais, de nouvelles, et engendrer la quasi-totalité de son œuvre romanesque : *Buveurs d'âmes* (1893), *la Petite Classe* (1895), préfacée par Barrès, *Poussières de Paris* (1896), *Monsieur de Bougrelon* (1897), *Madame Baringhel* (1899), *Histoires de masques* (1900). Son théâtre, en revanche, a peu de succès, exception faite de *Prométhée* (1900), écrit en collaboration avec André Ferdinand Hérold, et accompagné par une musique de Gabriel Fauré.

Le labeur continuel et surtout les excès de sa vie parisienne (entre autres l'abus de la drogue) l'ont prématurément usé ; il voyage dans le Midi (*Heures d'Afrique*, 1899, et *Heures de Corse*, 1905) et, retiré à Nice, ne cesse d'écrire jusqu'à son dernier jour : *Monsieur de Phocas* est publié en 1901, suivi par plusieurs autres romans : *le Vice errant* (1902), *la Maison Philibert* (1904), *le Tréteau* (1906), et des recueils de nouvelles : *Princesses d'ivoire et d'ivresse* (1902), *le Crime des riches* (1905)...

Jean Lorrain fut un des personnages marquants du Paris de 1900, avec son goût de la provocation et son impatience à se perdre, son cabotinage et sa naïveté. Éthéromane, homosexuel, familier des milieux interlopes, il cultiva sa légende d'amoralisme et d'esthétisme décadent... Un personnage – mais surtout un montreur d'ombres.

Car sous sa plume redoutable de chroniqueur défilent les faits divers, mondains et artistiques du siècle finissant ; derrière la complaisance avec laquelle il évoque ces *Poussières de Paris*, l'ironie, l'exagération, l'attrait du scandale même trahissent un pessimiste – et presque un moraliste. Étonnant inventaire de l'actualité et de la mentalité de l'époque, mais aussi de tous les aspects d'une modernité littéraire : entre les pointes cruelles et les dialogues satiriques de ses fameux Pall-Mall, Lorrain fait souvent office de critique, ridiculisant les uns (romanciers mondains, ou snobs de *la Petite Classe* et des *Pelléastres*, 1910), admirant les autres et les soutenant auprès du grand public, qu'il s'agisse de maîtres reconnus, comme Barbey, Huysmans, ou de débutants, comme Henri de Régnier ou Francis Jammes...

Lorrain aura été fait – et peut-être aussi défait – par ce journalisme. Toute son œuvre narrative en porte la marque : hâtive, tumultueuse, elle va du roman de mœurs au roman mondain, en passant par le feuilleton populaire et le conte fantastique. La composition romanesque procède par séquences plus ou moins bien juxtaposées, la psychologie est souvent schématique et le pittoresque outré ou facile. Mais un style tout à la fois violent et maniéré mêle réalités et fantasmes : aristocrates décadents, aventuriers, prostituées et apaches des « fortifs » s'entrecroisent dans un univers où règnent la perversion, la vénalité et la fascination de toutes les déchéances.

Trois figures romanesques dominent cette création, et résument l'esprit de la décadence, tel que l'a ressenti Lorrain. Entre Bougrelon, vieux dandy épique et mythomane, d'une dépravation toute cérébrale (et qui transpose Barbey d'Aurevilly, tant admiré de Lorrain), et le prince russe Noronsoff, héros barbare du *Vice errant*, consumé par les vices et l'ennui, Phocas incarne une perversion froide et triste : obsédé par un regard d'émeraude où jouent les reflets de la luxure et de la mort, il le recherche à travers toutes les rencontres et toutes les expériences ; *Monsieur de Phocas* est le journal de cette quête, écrite dans le souvenir du Huysmans de *À Rebours*, de Wilde et de Gustave Moreau. Un livre lyrique et dominé, où s'épanouissent des thèmes obsédants ailleurs ébauchés : le chef-d'œuvre de Lorrain sans doute.

M.-O. Germain

Lorrains ou Loherains (Cycle des)

[début du XIIe siècle- ?]

On a coutume de distinguer, dans le « cycle des rebelles », un cycle des *Loherains* formé de quatre « branches » : *Garin le Loherain*, *Gerbert de Mez*, *Hervis de Mez*, *Anséis de Mez*, chacun de ces héros étant le père du suivant. L'œuvre la plus ancienne est *Garin le Loherain*, tandis qu'*Anséis de Mez* présente bien des caractères de l'épopée tardive. L'ensemble totalise un peu plus de 58 500 vers.

Ce cycle ne raconte pas les démêlés d'un vassal et de son roi ; il s'attache à relater la lutte sans merci et sans fin des Bordelais et des Lorrains. La royauté, tantôt forte (Charles Martel, dans les premiers épisodes de *Garin*), tantôt faible et même méprisable (Pépin, après la mort de Charles Martel), oscille entre les deux partis, avec une préférence assez marquée pour les Lorrains. L'atmosphère est généralement sombre ; les espoirs de paix sont toujours déçus, et aucun autre principe que la haine et la solidarité du lignage dans la vengeance ne semble diriger l'ensemble. Les conversions religieuses des héros n'étouffent pas les vieux sentiments : Fromondin, Bordelais devenu ermite, fomente un complot contre Gerbert lorsque celui-ci arrive par hasard à son ermitage (*Gerbert de Mez*). La croisade elle-même, qui tient une place importante, joue très imparfaitement son rôle de ciment : Fromont (Bordelais et traître parfait) n'hésite pas à rejoindre l'émir, à abjurer la foi chrétienne et à conduire l'armée païenne contre les Français, alors que Lorrains et Bordelais s'étaient provisoirement réconciliés pour repousser l'Infidèle. Comparant *Garin le Loherain*, *Raoul de Cambrai* et *Renaut de Montauban*,

Reto R. Bezzola écrit : « Dans aucune de ces trois chansons on ne peut déceler le moindre principe directeur, la moindre aspiration à la sérénité. Elles nous plongent dans un monde chaotique où les instincts les plus sauvages sont déchaînés et où, au premier abord, on ne sent que les forces élémentaires délivrées de toute entrave. » Cela est sans doute vrai de la tonalité du *Cycle des Lorrains* et de la structure des œuvres les plus tardives de l'ensemble. Mais le noyau originel, *Garin le Loherain*, est beaucoup mieux construit qu'une lecture rapide ne le laisse sentir. J. Grisward a mis cette structure en évidence. Dès le prologue (jusqu'au vers 2309, sur un ensemble de 16 617 vers), le thème de la croisade, trois fois répété, met en relief les traits distinctifs des héros, caractérise la félonie des Bordelais, et nous plonge dans cet univers de sauvagerie qui est le propre de la chanson entière. Peu à peu se dégage du texte une idée maîtresse : le règne de l'individualisme pur est terminé, et l'époque s'ouvre de la solidarité lignagère, seul remède devant l'anarchie grandissante, devant l'évanouissement du pouvoir royal. Cette situation est caractéristique du tournant du XIe siècle : première moitié pour le prologue, seconde moitié du siècle pour le reste de la chanson. J. Grisward est ainsi amené à dater *Garin le Loherain* du premier tiers du XIIe siècle, et non – comme on le faisait jusqu'alors, sur la foi d'arguments (fragiles) de Ferdinand Lot – des années 1190.

Hervis de Mez est moins une épopée qu'un roman d'aventures : on y voit Hervis, fils d'un riche vilain, dilapider sa fortune dans les grandes foires, jusqu'au moment où il rachète une esclave qui n'est autre que la fille du roi de Tyr et la sœur du roi de Hongrie. La composition d'*Hervis* est évidemment tardive. *Gerbert de Mez*, qui suit sans interruption *Garin* dans les manuscrits, décrit les péripéties de la lutte qui oppose Lorrains et Bordelais après la mort de Garin. Ce poème allie l'humour au pathétique, mais ignore presque complètement le merveilleux qui envahit *Anséis de Mez* : présages sinistres, miracles, armure magique.

La geste des Lorrains a été conservée dans un nombre considérable de manuscrits : une cinquantaine, en comptant les versions assonancées et les versions en prose. Le fait est exceptionnel pour la littérature épique.

D. Boutet

LOTI Pierre

Pseudonyme de ***Julien VIAUD*** *(1850-1923)*

Les livres de Loti payent leur succès d'autrefois. On est moins sensible aujourd'hui à leurs voyages tristes, à leur mélancolie du temps qui passe. L'auteur même semble dater un peu, avec son goût pour la mort et le souvenir qui fait de lui une sorte de Proust élémentaire et caricatural. Pourtant, Loti mérite mieux que ces clichés : à le lire, on découvre en effet le trouble d'une identité qui se cherche et ne peut se définir. Quel que soit le pays dont il parle, Loti chante toujours son mal, c'est-à-dire sa différence incurable, sa nostalgie d'une pureté qui le fascine dès lors qu'elle disparaît ou se corrompt. Plus qu'un certain exotisme fin de siècle, l'écriture de Loti révèle donc un vertige douloureux, dont il faut essayer de comprendre l'origine et les charmes.

Julien Viaud, dit Loti

L'origine, c'est peut-être cette enfance que Loti passera sa vie à regretter, et qui se déroule à Rochefort entre les femmes de sa famille, ses tantes, ses aïeules, sa sœur, sa mère, au milieu des souvenirs et de toute une tradition protestante qui s'achève avec lui. Mais Rochefort, c'est aussi les voyages et la mer, avec Oléron, la première île enchantée où il aborde. C'est enfin l'aventure, qui a déjà séduit son frère Gustave, mort en revenant d'Indochine. Comme lui, Julien sera marin : il prépare Navale à Paris et y entre en 1867. Les vingt ans de Julien Viaud ne sont pourtant pas une période heureuse de sa vie ; non seulement parce qu'il est séparé de ses « chères vieilles » et de sa mère, à qui l'attachent des liens très forts, mais aussi parce que la mort de son père va laisser la famille dans la gêne. Le jeune officier pauvre qui sort aspirant du *Borda* entame alors ses premiers voyages et tient le journal d'où naîtront ses livres. C'est à partir de ce moment qu'il devient nécessaire d'établir une double chronologie « lotienne » : celle du marin d'abord, avec une carrière sans éclat, mais qui le conduit sur toutes les mers et lui fait découvrir l'Asie Mineure, la Baltique, l'Océanie, le Sénégal, la Turquie, le Tonkin (à propos duquel Loti se met à dos le ministère Ferry en décrivant certaines atrocités coloniales), puis le Japon, le Pays basque (où il commande un petit navire sur la Bidassoa), la Chine en guerre et l'Égypte. Il finira capitaine de vaisseau en 1906 avant d'être rappelé, à sa demande, durant la guerre.

L'essentiel pourtant n'est pas là, et encore moins dans ce mariage de 1886 probablement contraire à ses mœurs. Loti, c'est d'abord le pseudonyme d'un écrivain qui, entre l'homme privé et l'auteur, jette un voile – en l'occurrence, le nom en maori d'une fleur dont on le baptisa à Tahiti. L'itinéraire proprement littéraire de Loti a donc sa logique propre, même quand ses livres disent « je » ou ne sont, surtout vers la fin, que la transcription de notes de voyage. Cette logique est peut-être justement celle du voile, du fard (qui empêche de paraître vieux) et de ces déguisements dont Loti usera pour se transformer en Turc. Tout commence en effet par *Aziyadé*, inspiré par un séjour en Turquie et publié anonymement en 1879.

Aziyadé

SYNOPSIS

PREMIÈRE PARTIE. « Salonique ». À Salonique, alors ville turque, un officier de marine anglais, Loti, revenu de tout, rencontre la jeune Circassienne Aziyadé, mariée à un vieillard turc. Ils parviennent à se revoir régulièrement grâce au domestique Samuel. Mais Loti est appelé à Stamboul où Aziyadé ne doit retourner que plus tard.

DEUXIÈME PARTIE. « Solitude ». Seul à Stamboul, il attend qu'elle vienne le rejoindre et, escorté du troublant Samuel, mène une vie de débauche.

TROISIÈME PARTIE. « Eyoub à deux ». La jeune femme arrive enfin. Dans le vieux quartier d'Eyoub où Loti vit sous le nom d'Arif, les amants se retrouvent régulièrement, Aziyadé s'échappant la nuit du harem. De pittoresques personnages protègent leur amour. Sa passion est telle que Loti songe à se faire Turc. Pendant ce temps, la situation politique est très tendue, les grandes puissances multipliant les pressions sur la Turquie.

QUATRIÈME PARTIE. « Mané, Thécel, Pharès ». Lorsque doit enfin repartir le navire de Loti, Aziyadé, au désespoir, se blesse grièvement au cours d'une fête tumultueuse. Après les adieux, Loti passe plusieurs jours seul dans la ville désertée, son départ ayant été repoussé.

CINQUIÈME PARTIE. « Azraël ». Rentré dans sa famille, il ne supporte pas la sinistre vie occidentale et repart pour Stamboul. Mais Aziyadé est morte. Engagé dans l'armée turque, Loti va se faire tuer lors de la guerre contre les Russes.

Le succès de Loti grandit bientôt avec *le Mariage de Loti* (1880) et *le Roman d'un spahi* (1881), où il évoque l'Océanie et l'Afrique. Désormais, il sera connu, riche d'argent et d'amitiés célèbres – Daudet, Sarah Bernhardt, la reine de Roumanie... Pourquoi un tel accueil ? D'abord parce que Loti offre un utile contrepoids aux naturalistes, ainsi qu'en témoigne son discours de réception à l'Académie française en 1892 ; aussi parce que sa version sentimentale et poétique du roman d'aventures peut plaire à tous, au grand public comme aux esthètes. Par la suite, Loti entraînera ses lecteurs en Bretagne avec *Mon frère Yves* (1883), dans les mers froides avec *Pêcheur d'Islande* (1886), au Japon avec *Madame Chrysanthème* (1887) et les *Japoneries d'automne* (1889), au Pays basque avec *Ramuntcho* (1897). Chaque année ou presque voit paraître un nouveau livre de Loti, qui est comme le récit direct de ses pérégrinations : *Au Maroc*, en 1890 ; *la Galilée* et *Jérusalem*, en 1895 ; *l'Inde (sans les Anglais)*, en 1903 ; *Vers Ispahan*, en 1904. Il donne à voir l'Égypte, avec *la Mort de Philae* (1909), et l'Extrême-Orient, avec *les Derniers Jours de Pékin* (1902) ou *Un pèlerin d'Angkor* (1912). Il bâtit ainsi une œuvre d'une quarantaine de titres qui s'achève sur les livres publiés pendant la guerre et où Loti dénonce surtout ce qu'il appelle *l'Horreur allemande* (1918). Ces années de guerre, qui marquent la fin d'un monde, sont aussi celles de la vieillesse de Loti, qui meurt paralysé à Hendaye. Le gouvernement lui fera des obsèques nationales.

Tristes tropiques

Loti l'exotique. Cette image d'un écrivain touriste est trop rassurante : elle réduit en effet chacun de ses livres à n'être que le guide poétisé d'une partie du monde, un *digest* pour amateurs de pittoresque. Or il faut voir, au contraire, que toutes les explorations de Loti ne découvrent jamais qu'un seul pays, que tous ses personnages ont un air de famille, que toutes les contrées où il débarque se ressemblent en profondeur. Inéluctablement, les mêmes ambiances reviennent, plaçant les paysages et les êtres sous un même signe : celui de la tristesse. Le voyage comme tristesse : ici encore, le poncif semble inévitable jusqu'au moment où l'on s'aperçoit que la nostalgie n'est pas celle du pays natal, que la seule souffrance est justement de quitter l'ailleurs, Aziyadé ou Rarahu, ces deux femmes emblèmes de leur pays. Dans ces conditions, c'est bien le retour qui apparaît comme un exil, faisant, au fond, de Julien Viaud la seule personne véritablement étrangère à Loti. Avec les autres, en revanche, Turcs ou Tahitiens, l'illusion d'une rencontre est possible, le temps d'une escale et d'un amour ; mais sans jamais arriver à la communication complète : pour Loti, en effet, il y a en toute chose une part indicible que la littérature ne peut atteindre et qu'elle cherche pourtant à évoquer : « Qui peut dire où réside le charme d'un pays ? [...] Qui trouvera ce quelque chose d'intime et d'insaisissable que rien n'exprime dans les langues humaines ? » Qui donc, sinon l'écrivain qui suggère ce charme par les moyens tout linguistiques d'un nom propre ou d'un vocabulaire troublant dans ses définitions mêmes : « *Ata*, nuage ; tige de fleur ; messager ; crépuscule. *Ari*, profondeur ; vide ; vague de la mer [...] *Reva*, firmament ; abîme ; profondeur ; mystère... » ? Voyager ou écrire, c'est donc partir en quête de ce mystère que Loti veut, paradoxalement, comprendre et préserver à la fois. Cherché dans une civilisation ou un être aimé, c'est en effet ce vertige de la différence qui constitue la seule identité de Loti en même temps que l'origine de son écriture. D'où son amour pour la différence radicale, pour les vrais sauvages ; d'où aussi sa colère quand il retrouve au Japon ou en Océanie les usines, les vêtements, les façons de penser de l'Occident : « On éprouve un sentiment de tristesse profonde en contemplant ces débris d'une nation puissante qui succombe, comme autrefois les Natchez et tant d'autres, sous la main de notre civilisation envahissante et impitoyable. »

La pureté est donc d'autant plus précieuse qu'elle est menacée, qu'il faut en jouir, comme de la jeunesse, avant qu'elle disparaisse. On comprend mieux alors cette passion de Loti pour les états transitoires, éphémères, qui sont aussi des moments de grâce et d'émotion : le crépuscule, où la lumière dore tous les objets avant de s'évanouir ; l'automne, où l'année meurt en beauté ; ces brèves époques enfin où les civilisations brillent de leur dernier éclat. Rien de plus beau ainsi que la fleur dont on pressent qu'elle va se faner, ces chrysanthèmes japonais à leur apogée et que déjà Loti regrette – avec cette nostalgie anticipée, ce deuil qui s'insinuent dans ses meilleurs plaisirs et en constituent la valeur. Il y a en effet chez lui une présence de la mort qui fait de ses livres la célébration funèbre d'un passé défunt où va bientôt s'enfouir l'instant présent. Et cela se conjugue, pour Loti, avec une esthétique de la ruine et de la cendre, avec l'étude aussi de la décomposition qui délabre les architectures et les êtres : « Qu'Allah conserve au peuple arabe ses songes mystiques, son immuabilité dédaigneuse et ses haillons gris ! Qu'il conserve [...] aux vieilles mosquées l'inviolable mystère ; et le suaire des chaux blanches aux ruines. » Le spectacle du monde devient ainsi celui d'une agonie qu'on peut suivre dans les titres mêmes de Loti : *les Derniers Jours de Pékin*, *la Turquie agonisante* (1913), *la Mort de Philae*, et ces *Japoneries d'automne* où le narrateur erre dans Nikko, la ville des morts.

Ce qui l'attire, ce sont « les débris d'un grand passé mort », les bouddhas « perdus de vétusté et de poussière », les « fonds de puits, l'envahissement des capillaires et de certaines mousses, voisines des algues [...] ». Pourtant, à certains moments, l'enthousiasme est possible, une sorte d'harmonie qui unit les âmes dans l'amour ou le chant d'un équipage ; mais pour un bref instant seulement, entre deux angoisses, comme ce chœur japonais dont chaque couplet « se prolonge en agonie, se traîne comme un souffle mourant qui tremble ». En fait, rien de plus logique que cette ambiance morbide si l'on comprend que les voyages de Loti sont autant de descentes au pays des morts, que la mort elle-même est le voyage ultime, le mystère absolu. Loti aime en effet ces peuplades rêveuses qui s'engourdissent dans le silence et le sommeil, cet Orient pourri et ces parfums étranges où l'on discerne une odeur de corruption ; il goûte enfin la phrase alanguie et épuisée qui s'achève sur des points de suspension, comme pour une invitation à la rêverie. La tristesse de Loti est donc autre chose qu'une pose. Elle est, au contraire, inscrite dans le monde tel qu'il le voit, et il ne peut lui trouver d'autre remède que le renoncement et la contemplation : aucune place dans ce monde pour l'action ou l'espoir ; la seule réalité qu'on puisse y connaître est celle du rêve et du souvenir.

Le temps immobile

La vraie vie, pour Loti, est celle de la mémoire, avec ce lien profond qui permet d'éterniser les impressions éphémères, de leur donner un sens. C'est ainsi que l'objet devient relique et, un peu comme la sensation proustienne, abolit le temps. C'est ce qui se produit pour le Jean de *Matelot* (1893) lorsqu'il tient entre ses mains la canne de son grand-père, ou pour le narrateur des *Japoneries* se faisant montrer par les prêtres la robe d'une impératrice, respirant l'odeur de vétiver qui s'en dégage et remontant d'un coup dix-sept siècles en arrière. Loti lui-même revient dans les lieux qu'il avait autrefois connus et qui prennent un côté magique : *Fantôme d'Orient*, en 1892, vient doubler *Aziyadé* comme le Loti du *Mariage de Loti* répète l'aventure de son frère. Faut-il croire que tous les voyages de Loti ne sont que les variantes d'un même mythe ? Cela expliquerait cette impression de « déjà vu » qui poursuit Loti dans ses périples, cet emprisonnement ou ce charme dont il est victime : Pékin évoque le Pays basque, et Mahé ressemble à un village du Midi. Partout, la différence s'estompe, et l'on retrouve les mêmes pénombres, les mêmes cimetières, depuis ceux de Stamboul jusqu'à ceux du Pacifique, où l'arbre de fer tient lieu de cyprès. L'autre face de la mort selon Loti, c'est donc la fascination d'une sorte d'éternel retour : car si les êtres vieillissent et meurent, leur trace demeure dans le souvenir ou dans les objets qui nous restent d'eux. Un instant, nous croyons à l'immortalité avant de reconnaître notre illusion, de comprendre que nous ne pleurons que l'« antérieur évanoui » de notre propre durée.

Cette patrie que cherche Loti aux quatre coins du monde, c'est donc lui-même : les dépaysements ne sont destinés, au fond, qu'à lui rendre le sentiment de sa propre existence, à lui donner la preuve qu'il n'est pas encore mort : « Je me dis à moi-même : "Je suis à Chiraz", et il y a un charme à répéter cela, un charme et aussi une petite angoisse..., effroi du dépaysement suprême qui devait être familier aux voyageurs de jadis. » Le monde comble donc ici un manque : lorsque Loti va vers les primitifs, lorsqu'il se déguise, on a le sentiment qu'un malaise le pousse à se chercher hors de lui-même, dans ces paysages qu'il déguise à leur tour, les revêtant d'une sorte de voile obscur – buées japonaises, poussière de Pékin ou brouillard de Jérusalem... Le monde ne se donne souvent à lui que drapé, embrumé, comme si ce qu'il voulait étreindre ne pouvait que lui échapper. À la manière de cet empereur « qu'il ne fallait pas voir », le divin se dérobe dès que Loti l'invoque ou le prie. De la fantasmagorie des voyages il ne reste, en fait, que la solitude, le désert, l'appel que personne ne peut entendre. Personne ? Peut-être pas si l'on se souvient de la reine Pomaré du *Mariage* et des personnages de mères, dans *Aziyadé* ou *Matelot*, avec lesquelles a lieu cette communion impossible avec les amis ou les amantes. Cette image maternelle, on la retrouve présente dans la tradition en qui se confie Loti pour finir, la tradition qui rattache les vivants aux morts pour « ne former, avec eux et leur descendance encore à venir, qu'un de ces ensembles résistants et de durée presque indéfinie qu'on appelle une *race* ». Sous ses apparences cosmopolites, Loti cache donc la volonté d'un enracinement. Et là se trouve sans doute une des clefs de l'œuvre : car pour dire la tradition, pour y être seulement sensible, il faut accepter d'en être exclu, d'être l'artiste, le paria qui malgré ses déguisements ne se fondra jamais dans le(s) peuple(s). La douleur d'être différent, tel est probablement le mal que chante Loti. Elle le rend, certes, plus sensible que les autres à la beauté d'une couleur, d'un visage, d'une ville ou d'une chanson, mais cette supériorité est aussi un exil, une malédiction : cet Ulysse n'a pas d'Ithaque où rentrer, ou, plus exactement, il en a trop, dotées chacune d'une Pénélope fantomatique. Car, dernière fatalité, tout cet itinéraire ne débouche que sur un monde second et irréel de correspondances esthétiques qui ne remplacent pas la vraie vie, innocente et naïve... L'image qui demeure peut-être de cette œuvre, c'est celle du narrateur d'*Aziyadé,* rôdant parmi les tombes, cherchant celle de son amour et serrant enfin dans ses bras une borne de marbre plantée dans le sol : « Une tristesse immense et recueillie planait sur cette terre sacrée de l'Islam [...] J'y voyais comme à travers un voile funèbre, et toute une vie passée tourbillonnait dans ma tête avec le vague désordre des rêves ; tous les coins du monde où j'ai vécu et aimé [...] et puis, hélas ! le foyer bien-aimé que j'ai déserté pour jamais, l'ombre de nos tilleuls, et ma vieille mère... »

A. Preiss et P. Besnier (synopsis)

LOUVET DE COUVRAY Jean-Baptiste

(1760-1797)

Lorsque survint la Révolution, Louvet, qui jouera un rôle notable parmi les Girondins, achevait *Faublas.* Cet « ouvrage frivole » devait, si l'on en croit ses Mémoires, assurer son indépendance et lui « fournir les moyens d'aller dans quelque coin de terre cacher [ses] heureuses amours » avec celle qu'il appelait Lodoïska, du nom de la seule héroïne vertueuse de son roman. La gloire du conventionnel proscrit qui abandonna toute carrière littéraire pour s'engager dans les événements de son temps a été éclipsée par la renommée de l'insaisissable créature qu'il avait lancée sur le pavé de Paris, ce Faublas de seize ans, doué d'ubiquité, le plus souvent travesti, qui, dans une course folle, s'adonne aux jeux de l'amour et hantera les mémoires, figure symbolique de ces fêtes galantes qu'offre l'Ancien Régime avant de succomber.

« Républicain jusqu'au dernier soupir »

Celui qui signa DE COUVRAY OU DE COUPEVRAY pour se distinguer d'un homonyme, et qui exhorta « des millions de citoyens-soldats » à se précipiter « sur les nombreux domaines de la féodalité », était fils d'un papetier de la rue Saint-Denis. « Petit, fluet », « la vue basse, l'habit négligé », selon Mme Roland, il ne paraissait rien au « vulgaire », qui ne remarquait pas « la noblesse de son front et le feu qui animait ses yeux et son visage à l'expression d'une grande vérité, d'un beau sentiment, d'une saillie ingénieuse ou d'une fine plaisanterie ». Né à Paris, il fut dans sa jeunesse secrétaire du minéralogiste Philippe Frédéric de Dietrich, puis commis chez le libraire Prault ; il entreprit pour gagner sa vie cette *Année de la vie du chevalier de Faublas,* imprimée à ses frais en 1787, qui lui rapporta une « petite fortune », suivie des *Six Semaines de la vie du chevalier de Faublas* en 1788, composées dans une « campagne » où il vivait heureux auprès de celle qu'il aimait depuis l'adolescence, Marguerite Denuelle, à laquelle il sera fidèle toute sa vie. Mariée contre son gré, celle-ci divorcera en 1792, et Louvet l'épousera « à la Jean-Jacques Rousseau ». À Nemours, où il achevait son roman – *la Fin des amours de Faublas* paraît en 1790 –, il apprit la prise de la Bastille.

La Révolution venait « sinon détruire [ses] espérances, du moins en différer l'accomplissement », mais, encouragé par son amante, qui, de ses propres mains, lui remit une cocarde tricolore, il se passionna pour une cause qu'il jugea « juste et belle ». Dès lors, sa vie se confond avec son activité politique, ses ouvrages ayant des visées militantes. Il publie une apologie des journées des 5 et 6 octobre 1789 sous le titre *Paris justifié* (janvier 1790), entreprend un roman par lettres, *Émilie de Varmont ou le Divorce nécessaire et les Amours du curé Sevin* (1791), plaidoyer en faveur du divorce et du mariage des prêtres, écrit, la même année, trois pièces politiques, *l'Anobli conspirateur ou le Bourgeois gentilhomme du XVIIIe siècle*, jugé « incendiaire » par le théâtre de la Nation, *l'Élection et l'Audience du grand lama Sixpi* [Pie VI], pamphlet contre les « mômeries de la cour de Rome », enfin la *Grande Revue des armées blanche et noire*, qui ridiculise l'armée de Coblence. Lorsque l'Assemblée législative eut remplacé la Constituante, Louvet, qui était entré aux Jacobins, publie, sous les auspices de la Gironde, le journal *la Sentinelle,* qu'on affichait sur les murs de Paris. Le 25 décembre 1791, il présente au nom de la « section des Lombards » une pétition mettant en accusation les frères du roi. Devenu un des plus éloquents orateurs du parti girondin, il dénonce les « triumvirs de la démagogie », Robespierre, Danton, Marat, qu'il accuse d'être stipendiés par l'émigration. Le 29 octobre 1792, il prononce une terrible philippique contre celui en qui il voyait un tyran dévoré d'orgueil et d'ambition, se targuant de sa réputation d'« incorruptible » pour marcher au pouvoir suprême. Il l'accuse d'avoir « avili, insulté ou persécuté la représentation nationale » et de se rendre l'objet d'un culte idolâtre, demandant qu'un comité soit chargé d'examiner sa conduite et réclamant « sur l'heure » un décret d'accusation contre Marat, cet « homme de sang dont les crimes sont prouvés ». Louvet est exclu des Jacobins. Il multiplie les pamphlets contre la Montagne, qui demande sa tête, et, le 2 juin 1793, fait partie des vingt-deux députés décrétés d'arrestation. Commence alors une vie de proscrit, qu'il a évoquée dans le *Récit de mes périls* (1795). Il se cache en Normandie, se réfugie ensuite non loin de Quimper, s'embarque clandestinement pour Bordeaux, revient à Paris, part pour la Suisse. Rappelé à la Convention le 8 mars 1795, il en devient le président et se voit en butte à l'hostilité du parti royaliste. Il fait partie du Conseil des Cinq-Cents jusqu'à sa mort, qui survient dix jours avant le 18-Fructidor. La fin de la vie de ce républicain fougueux que le peuple avait déçu fut amère. Sa veuve, après avoir tenté de se suicider, défendit sa mémoire et poursuivit les contrefaçons de *Faublas.*

Faublas, ou la destinée d'un « manœuvre d'amour »

Les Amours du chevalier de Faublas, qui réunissent les trois romans ayant pour héros un adolescent fripon, même si leur auteur souligna les intentions morales du dénouement, relatent avec gaieté les fredaines de cet irrésistible séducteur. Après Thermidor, Louvet prétendit avoir mêlé des « principes de philosophie et de républicanisme » à ces « légèretés ». S'agissait-il pour le vertueux disciple de Jean-Jacques, le révolutionnaire obsédé par le mal, de dénoncer une société corrompue ? La question reste ouverte. Du moins son imagination est-elle gouvernée par le fantasme de l'inépuisable virilité et par la hantise du travesti, qui donnent l'impulsion première à la création d'un protagoniste masculin omnipotent, omniprésent et néanmoins inconsistant.

Placé au centre d'une constellation de femmes qui toutes « exercent l'activité de [son] cœur et l'inconstance de [ses] sens », le moins intellectuel, le moins dogmatique des libertins ignore rouerie, perfidie, préméditation, profitant seulement du « moment ». Ses exploits ne sont que charmants corps à corps avec des belles consentantes. Tout au plus abuse-t-il de sa « santé ». « Toujours séduit par l'objet présent », il vit sans problème apparent une permanente dislocation de son moi. À peine arrivé à Paris, bien né, riche, jeune et infiniment séduisant, Faublas naît à l'amour dans un parloir de couvent et au plaisir dans l'alcôve de la marquise de B... : double initiation qui écartèle *Une année de la vie de Faublas* entre les pôles de la volupté et du sentiment. Disponible pour toute aventure et cependant possédé d'une passion exclusive pour l'unique aimée, il est ce que veulent les circonstances. « La marquise régnait sur mes sens étonnés, mon cœur adorait Sophie » : tout juste entrevue, la « jolie cousine » sera l'Épouse, certitude que ne remettent pas en cause de nombreuses infidélités, parfois suivies de larmes, mais toujours répétées ; tout juste goûtées, les facilités de la galanterie ne le sollicitent jamais en vain. Ainsi coexistent deux mondes parallèles, que le chevalier parcourt en multipliant les allées et venues de l'un à l'autre en un perpétuel recommencement, condamné à courir sans cesse comme si la rapidité de ses déplacements devait compenser son incapacité à se fixer. Un être d'élection aimante les élans de son cœur, mais toutes les femmes l'attirent. À la vie recluse dans un lieu confiné, défendu par de hautes grilles, s'oppose l'existence enfiévrée dans le labyrinthe d'un Paris galant avec escaliers dérobés, plaques de cheminée tournantes, échelles de corde, « sanctuaires de l'amour », boudoirs où pénètre par effraction l'effronté ou maisons de rendez-vous avec estampes, glaces, sophas accueillants et « draps de satin noir » qui mettent en valeur la blancheur d'une carnation. Cédant aux entraînements passagers, cet écervelé est comme aspiré par un vertige d'intrigues, de fuites et de poursuites, tout en gardant la nostalgie de la pureté. Comme Louvet s'intéresse moins à l'analyse qu'aux rebondissements de l'action, un net déséquilibre s'accuse entre les deux registres : celui du temps immobile, dont les possibilités romanesques sont vite épuisées, et celui où elles sont indéfiniment renouvelables. Les valeurs du sentiment ne sont pas remises en cause, mais les séductions et surprises de la douceur de vivre sans frein ni loi s'imposent.

Louvet fait évoluer son héros parmi des femmes galantes, des maris bernés, des soubrettes délurées et ne dédaigne point les ressources de la grivoiserie. Évitant la monotonie de la « liste » donjuanesque, il organise cette succession de folles journées et de non moins folles nuits sur les ambiguïtés du travesti. Pour déjouer les obstacles ou brouiller les pistes, les vêtements s'échangent. La fraude culmine dans des situations inversées : la marquise déguisée en vicomte de Florville donne rendez-vous à Faublas vêtu de l'amazone de Mlle du Portail. Portant avec grâce leurs falbalas, cet éphèbe s'immisce auprès des femmes, qui ne sont pas dupes de son apparence féminine, mais trompe les maris, dont il éveille les désirs. Louvet exploite donc le registre de l'équivoque, que ponctuent de piquantes séquences d'habillage et de déshabillage, des quiproquos sur des identités usurpées, des scènes de voyeurisme quand le visiteur du soir, tapi sous le sopha ou dans la remise aux carrosses, est réduit au rôle de spectateur. La présence de témoins indiscrets des ébats amoureux, l'indécision voulue de ces feintes, l'indétermination sexuelle de ces métamorphoses multiplient des scènes libertines dont le pouvoir érotique est menacé par le comique. Ce Fantomas de la jouissance, auquel ont été adressées, lors de l'épisode polonais de ses aventures, d'austères leçons – l'amour vertueux récompense des prouesses, civisme et sens du devoir commandent la vie –, bafoue ces valeurs en enlevant Sophie dont il a abusé, profitant de son évanouissement. La fille de la sublime Lodoïska et de l'héroïque Lovzinski, descendante du couple exemplaire qui incarnait les vertus romaines et républicaines, s'est laissé séduire ; Faublas a transgressé l'ordre. On lui permet d'épouser celle qu'il n'a pas respectée, mais, dès que s'achève la cérémonie du mariage, il en est séparé.

La quête de la femme aimée fournit un nouveau départ romanesque aux *Six Semaines de la vie de Faublas*, puis à *la Fin des amours de Faublas*. Fidèle à ses talents de vaudevilliste, Louvet reprend le scénario de la cascade d'événements. Cédant à sa fascination de l'action pour l'action, il cultive les situations inextricables. Le choix impossible entre l'amour et la volupté s'est encore compliqué. Les *Six Semaines* proposent une autre version de l'éducation amoureuse que Faublas dispense à la très ignorante mais très douée comtesse de Lignolles, que son mari n'a point « épousée ». Cherchant Sophie, il va de la marquise à la comtesse, non sans rendre hommage aux charmes de Mme de Fonrose, de Justine, de Coralie, d'une nonne préposée à sa garde, d'une dévote ou de Mlle de Mésanges. Alors que de nouveaux engagements l'éloignent de son épouse, l'enjeu de leur séparation lui est signifié. Son beau-père Lovzinski se veut l'instrument de son rachat, punissant l'insouciante créature qui se jouait des interdits et lui indiquant l'impossible chemin de la régénération. Mais lorsque ces exigences sont formulées, Faublas est prisonnier non seulement des rets que tisse sans trêve l'artificieuse marquise, mais aussi des promesses qu'il a faites à la possessive et passionnée comtesse de Lignolles. Paralysé par des serments contradictoires, incapable de répondre de ses actes, le « jeune homme aux cinquante noms » vit sous tutelle féminine, hypnotisé par les tendresses qu'il a fait naître, se plaignant que le ciel lui ait fait rencontrer « à la fois » plusieurs femmes qu'il a « toutes ensemble » adorées. Le destin choisit pour lui, dénouant la situation par la mort violente de ses deux maîtresses : l'une se suicide dans une scène de roman noir, l'autre reçoit le coup d'épée destiné à son amant. Lorsque Sophie lui est rendue, Faublas sombre dans la folie, conséquence d'un libertinage qui avait été « frénétique évacuation du moi ». Il guérit grâce aux soins d'un aliéniste et à l'amour de Sophie, vit à la cour de Varsovie, dépendant de son beau-père, privé de charges et d'emploi, réduit à n'être que père et époux, et passe le reste de ses jours à ressasser des « souvenirs funestes ». Le dévergondage aimable s'inscrit sur fond de désespoir, de folie, de mort, révélant l'absurdité d'une vie consacrée aux travaux forcés du plaisir.

Relégué parmi les livres du second rayon, *les Amours du chevalier de Faublas* ont pourtant nourri les rêveries de Musset, de Pouchkine, de Verlaine, tandis que les critiques bien-pensants condamnaient cette « Astrée de la volupté libertine » ou cette « histoire obscène du vice sans voiles ». Des clichés, des longueurs déparent un ouvrage qui annonce le feuilleton et use des recettes du mélodrame, mais ce « journal de bonnes fortunes », que pimentent les folies du déguisement, évoque avec brio la griserie de la futilité quand la vie ressemble à un bal masqué.

Ch. Mervaud

LOUŸS Pierre

Pseudonyme de ***Pierre-Félix Louis*** *(1870-1925)*

À demi secrète, livrée du bout des doigts – et, de préférence, dans des collections luxueuses –, l'œuvre de Pierre Louÿs ne fut jamais destinée à un large public, comme si elle était vouée à une pénombre dont elle ne serait jamais sortie ; est-ce parce qu'elle célèbre avec trop d'élégance et de raffinement un érotisme parfois leste, voire libertin, parfois violent et dramatique, le plus souvent languide ?

Érudit, créateur et mystificateur

Descendant d'une famille qui compte quelques célébrités – il est l'arrière-petit-fils du docteur Sabatier, médecin de Napoléon, et le petit-neveu du général Junot, duc d'Abrantès –, Pierre Louis, bientôt Louÿs, fut un élève brillant, batailleur, et se lança très tôt dans l'aventure littéraire : à dix-neuf ans, il est présenté à Leconte de Lisle ; à vingt et un ans, il dirige une petite revue, *la Conque*, qui publie des poèmes inédits de Heredia, Mallarmé, Verlaine, Moréas, et ceux d'un ami fidèle, Valéry, à côté de ses propres vers. Le voilà donc mêlé aux milieux parnassiens et symbolistes ; mais s'il donne des poèmes à *la Revue blanche*, à *la Plume*, au *Mercure de France* et au *Centaure*, il ne se voue pas exclusivement à la poésie, et en 1892 il publie, parallèlement à une plaquette en vers, *Astarté*, une traduction de Méléagre qui révèle son étonnante érudition et son goût pour l'hellénisme. Cette oscillation entre création et érudition, qui est le propre de sa vie littéraire, trouve un épanouissement dans *les Chansons de Bilitis* (1894), qui est aussi un exemple de mystification puisque l'ouvrage fut donné pour une « traduction du grec » et que bien des spécialistes s'y laissèrent prendre. Le succès couronne bientôt un roman « de mœurs antiques », *Aphrodite* (1896), révélé par un article de Coppée, et, après un récit contemporain, *la Femme et le Pantin* (1898), paraissent un roman leste, *le Roi Pausole* (1901), et un conte cruel, *l'Homme de pourpre* (1901). Pierre Louÿs voyage en Angleterre, en Andalousie, en Algérie, avant de s'enfoncer dans une semi-stérilité. Il s'isole, collabore à *la Revue des livres anciens,* appréciée des érudits, et continue, en bibliophile passionné, à se procurer des exemplaires rares et précieux. Au hameau de Boulainvilliers, où sa santé décline rapidement, il reprend, au milieu de travaux de recherche et d'exégèse, une ébauche de ce qui sera son grand poème, le « *Pervigilium mortis* ». L'année de sa mort, en 1925, paraîtra un recueil de contes, *le Crépuscule des nymphes*, avec des textes publiés précédemment comme *Léda* (1893), *Ariane* (1894) ou *Byblis* (1898), dans lesquels la mythologie sert de fond à des amours douces et parfois tragiques. Dans cette existence commencée avec un brio et un dandysme où s'alliaient élégance et provocation, et qui s'acheva dans la solitude, deux figures essentielles dominent : les femmes et les livres – en réalité, double objet d'un même désir, car ce que le bibliophile ou le créateur cherche dans le livre, c'est le corps de la femme. Pierre Louÿs nous montre ainsi le visage d'un moderne : celui qui, dans le texte, poursuit un Éros imaginaire.

La chair et le marbre

Dans les deux œuvres majeures de Pierre Louÿs, *les Chansons de Bilitis* et *Aphrodite*, l'érudition est inséparable de l'érotisme, comme si l'évocation du passé permettait de dire plus directement le désir et devenait elle-même objet de désir : l'Antiquité est ici toujours voluptueuse. Le passé, comme la mort, opère une fixation de la beauté, et l'analogie entre le cadavre et le marbre se trouve soulignée à la fin d'*Aphrodite,* lorsque le sculpteur Démétrios prend pour modèle le corps sans vie de la courtisane dont le visage possède « une apparence de marbre froid ». Le corps de Chrysis est devenu plus semblable encore à une statue grecque. Marbre et sculpture : *Aphrodite* est bien un roman parnassien. Mais le marbre, symbole d'une beauté indestructible, n'est que la glaciation de la chair dont la présence dans l'œuvre n'est jamais édulcorée : il ne s'agit pas pour Démétrios de trouver dans l'art une sublimation.

Seulement le marbre, la beauté s'accordent mal avec les pratiques libertines évoquées. Sous la grâce du corps féminin surgit une libido vivace, et l'Éros n'a pas de limites ; ou, plutôt, il les recule sans cesse : il se plaît à la métamorphose (les diverses amours de Bilitis), oublie l'âge ou la différence sociale et se joue si bien des tabous que, dans l'œuvre poétique, par exemple, les nymphes, les naïades, des déesses « aux seins étoilés » se plaisent avec les satyres, les cygnes, les paons, etc., dans des jeux très ambigus. Mièvrerie hellénisante et bestialité : à croire que Pierre Louÿs, devançant Georges Bataille, pour qui la beauté, « négatrice de l'animalité », est désirable dans la mesure où elle y renvoie, élaborait un érotisme de l'écart. Mais ici les tabous sont levés avec la légèreté et la désinvolture d'un libertinage souriant. Reste à savoir si, précisément, le sourire n'autorise pas l'inceste, la bestialité, la profanation et, en fin de compte, la mort, et si le plaisir qui englobe narrateur et lecteur ne provient pas de cette levée des résistances si délicatement opérée.

L'unicité de l'objet tuerait l'érotisme : double mortel d'Aphrodite, Chrysis a contrarié l'idéal de sagesse amoureuse en voulant donner à la volupté le sel de la passion, sans savoir qu'il ne peut que se transformer en sang ; elle en meurt. Le délice (d'un plaisir facile qui se perpétue en se portant toujours sur de nouveaux objets) ou la mort : on voit donc se dessiner une forme de morale ou de contre-morale. Pierre Louÿs se fait le chantre d'un libéralisme sexuel (cf. *Plaidoyer pour la liberté morale*, 1897). Dans *le Roi Pausole*, il préconise de la même façon la tolérance sociale et libidinale ; il plaide avec le même humour malicieux pour l'individualisme et pour le nu. Le libertinage est promu au rang de sage philosophie.

En contrepoint à cet érotisme apparemment délicat, souvent plus suggestif que descriptif, toute une partie de l'œuvre – qui a longtemps circulé sous le manteau – offre des textes d'une rare crudité. Là, on ne trouve plus la nymphe alanguie et gracieuse, ni cette sensualité précieuse, cet esthétisme presque déliquescent qui marquait bien la fin-de-siècle. Érudition, mythologie s'effacent, et le corps de la femme devient une machine à désir, à plaisir : le saphisme, élément récurrent de toute l'œuvre, va dans ce sens. On n'en finira pas de dénombrer, chez Pierre Louÿs, les diverses facettes d'Éros, non plus que ses écartèlements.

La Femme et le Pantin

SYNOPSIS

L'action se passe en Andalousie, et presque entièrement à Séville. C'est dans cette ville que, durant le carnaval, un jeune Français, André Stévenol, rencontre une mystérieuse jeune Sévillane, qui répond à ses avances. Il apprend bientôt qu'elle s'appelle Concha Perez, la retrouve et se voit fixer un rendez-vous. André confie sa passion et sa perplexité à un de ses amis, un riche Sévillan du nom de Mateo Diaz. Celui-ci se récrie : il ne connaît que trop Concha Perez, qui l'a fait souffrir horriblement autrefois. Et, pour mieux mettre en garde son hôte, il se met à lui raconter sa liaison tumultueuse avec la jeune femme : ce récit de don Mateo occupe, selon un procédé classique, la plus grande partie du livre. C'est dans un train bloqué par les neiges, dans le nord de l'Espagne, que don Mateo a aperçu pour la première fois cette « petite moricaude » ; puis, le hasard la lui a fait retrouver un jour à la manufacture de tabacs de Séville, où elle travaillait comme cigarière. Elle le séduit instantanément par son aplomb, ses réparties et son audace. Commence alors une liaison qui va être constituée par une incessante succession de fuites et de retrouvailles. Refusant de se donner à don Mateo, dont elle s'emploie par ailleurs à tirer d'importantes sommes d'argent, Concha se révèle une femme incompréhensible, à la fois câline et féroce, ingénue et retorse. Subjugué par sa beauté et sa jeunesse, Mateo lui cède et lui pardonne toujours. À Cadix, dans un café chantant, il a cependant, un jour, la preuve flagrante de sa fausseté. Mais ce n'est qu'ensuite, lorsque de nouveau Concha l'humilie et le bafoue ouvertement, qu'il se révolte, excédé de tant de trahisons et de mensonges. Contre toute attente, Concha se donne alors spontanément à lui. Cependant, elle redevient bien vite la créature impossible qu'elle était auparavant, et Mateo décide de s'enfuir. Mais le récit qu'il vient de faire à André a rallumé sa passion, et, en réponse à une lettre de Concha qu'on vient de lui apporter, il écrit à celle-ci pour lui demander pardon.

F. Court-Perez et J.-P. Goujon (synopsis)

Lumières

L'histoire littéraire a l'habitude de présenter notre passé culturel par tranches séculaires et de nommer le XVIIIe siècle l'âge des Lumières. Ce terme désigne, en fait, un mouvement philosophique et littéraire qui ne se confond pas avec la période allant de la mort de Louis XIV à la Révolution.

Unité des Lumières

La philosophie des Lumières prend conscience d'elle-même à travers l'entreprise encyclopédique, qui rassemble un grand nombre d'hommes de lettres, dont leurs doyens Montesquieu et Voltaire, autour de D'Alembert et de Diderot. Le prospectus (par Diderot) en 1750 et le Discours préliminaire (par d'Alembert) qui ouvre le premier tome en 1751 présentent cette entreprise comme une histoire de l'esprit humain et un acte de foi dans ses progrès futurs, auxquels l'*Encyclopédie* entend concourir. Les Lumières, c'est à la fois la raison humaine dans son indépendance et dans sa rigueur, et la masse des connaissances qu'elle accumule et que l'*Encyclopédie* recense. Le projet se réclame de l'exemple de Bacon, du rationalisme cartésien et de l'empirisme anglais [voir ***Encyclopédie***].

Plus largement, on peut placer aux origines des Lumières deux ensembles intellectuels qui s'opposent au système religieux dominant : l'héritage antique, d'une part, et, de l'autre, la pensée scientifique moderne dans ses paradigmes rationaliste et mathématique ou empirique et physique. On inscrira donc les Lumières dans un large phénomène de découverte de l'Antiquité qui commence avec la Renaissance ou bien dans un âge classique marqué par la coupure cartésienne et par les découvertes de Copernic, Galilée, Newton...

Dans un cas comme dans l'autre, les Lumières se caractérisent par une laïcisation généralisée : laïcisation du monde, qui n'est plus pensé comme un ensemble clos et hiérarchisé mais comme un univers infini ; laïcisation de la philosophie, qui cesse d'être considérée comme la servante de la théologie, pour devenir un moyen de connaître et de transformer le réel et qui passe de la contemplation à l'action militante ; laïcisation de la morale, qui substitue à l'idée de salut celle de bonheur terrestre ; laïcisation de la société, enfin, dont les anciennes structures sont mises en cause par la notion d'individu. Le sensualisme de Locke adapté en France par Condillac édifie l'être humain à partir de la seule expérience sensorielle et la société à partir d'une réciprocité des besoins.

Une telle laïcisation devient anticléricalisme quand l'Église apparaît comme force de résistance au progrès. La seconde moitié du XVIIIe siècle français voit s'opposer avec violence tenants des Lumières et défenseurs de l'orthodoxie. Les enjeux de la lutte sont le contrôle de l'appareil culturel du pays, du système éducatif, de l'administration royale. La période d'euphorie qui s'étend de 1750 à 1770 environ correspond à un moment d'expansion économique. La volonté de réformer le pays dans le sens d'une rationalisation et d'une libéralisation, le souci d'un savoir tourné vers ses applications pratiques marquent les liens de cette pensée et des besoins et aspirations de divers groupes de la bourgeoisie se heurtant aux entraves féodales. Les décennies 1770 et 1780, particulièrement critiques, se caractérisent par l'accession de partisans des Lumières à des postes de responsabilité dans l'État et par l'éclatement des contradictions inhérentes à cette philosophie. La Révolution, en réalisant une partie du programme des Lumières, suscite une crise et une mutation de leurs valeurs.

Une image slogan

L'opposition de l'ombre et de la lumière appartient aux premières expériences de l'humanité, et leur polarisation affective remonte aussi haut que la mémoire de l'espèce. Les religions ont traditionnellement valorisé la clarté comme signe du divin et associé la nuit au mal. Avec la définition de la raison comme lumière naturelle, l'image s'écarte de sa spécialisation religieuse, mais cette lumière individuelle peut rester reflet de l'esprit divin. L'originalité des Lumières est de passer d'une perspective verticale transcendante à une horizontalité purement terrestre et, parallèlement, du singulier au pluriel. À la lumière, émanation de Dieu, se substituent des centres de lumières que le travail humain s'efforce de multiplier.

L'image est développée par une série de métaphores. Le progrès des Lumières est assimilé au lever du jour et à l'ascension du soleil, mais la métaphore reste ainsi prisonnière d'une conception cyclique de l'histoire alors que, précisément, la philosophie veut ouvrir celle-ci au progrès linéaire. Un tel progrès suppose une raison qui ne se sépare pas du sentiment, un savoir qui se veut socialement utile et moralement bienfaisant. Mais les adversaires des Lumières font éclater cette unité. Ils les réduisent à une clarté glacée, à une ironie corrosive, ou, inversement, les associent à l'image du feu qui embrase la société.

L'image qui présente la vérité comme évidence et le savoir comme vision risque de fonctionner comme obstacle épistémologique. Elle occulte les contradictions qui travaillent les rapports de la sensation à la pensée, de l'activité humaine à la nature, de l'individu à la communauté. Elle a partie liée avec deux choix idéologiques : un positivisme qui fait du savoir une accumulation de connaissances ; un réformisme qui remplace toute action politique par un effort pédagogique.

Diversité et contradictions

Les Lumières ainsi évoquées dans leur logique historique ou métaphorique n'ont rien d'un mouvement monolithique. Le siècle est jalonné de ruptures : celle de Rousseau et des encyclopédistes, celle, plus larvée, de Voltaire et des matérialistes. La laïcisation du monde peut s'inscrire dans le cadre d'un déisme qui maintient un Dieu garant de l'ordre moral ou, au contraire, déboucher sur le matérialisme. Cette opposition est aussi celle qui distingue les Lumières françaises de l'*Aufklärung* allemande ou l'*Enlightenment* anglais.

L'espérance historique des Lumières ne va pas non plus sans ambiguïtés. Du libertinage érudit du XVIIe siècle et de « la crise de la conscience européenne » à ce que Jean Fabre a nommé « le midi des Lumières », on passe d'un pessimisme qui réserve la vérité à une élite, à un optimisme qui postule une diffusion du savoir et une perfectibilité de l'homme. Mais le choix politique du despotisme éclairé marque les limites d'un tel optimisme. Si 1789 a été salué par les derniers représentants des Lumières, aucun d'entre eux n'a approuvé l'entrée effective des couches populaires sur la scène politique. Du libertinage érudit de Bayle au libertinage moral de Sade, les Lumières restent habitées par la tentation élitiste.

L'association des Lumières et de la pensée bourgeoise ne doit pas être schématique. Les revendications de rationalisation et de libéralisation correspondent aux intérêts du dynamisme économique, mais les Lumières mêlent à cette idéologie des éléments à la fois pré- et postbourgeois. Les vieux modèles de communauté paysanne ou artisanale traversent les œuvres de Meslier, de Morelly, de Rousseau. Dom Deschamps stigmatise ce qu'il nomme des demi-Lumières, incapables d'échapper à l'idéalisme et à l'individualisme et de fonder un matérialisme radical. Sade enfin, fidèle à sa morgue aristocratique, refuse tout lien entre progrès intellectuel et progrès moral. Ces diverses démarches utopiques définissent autant de marges des Lumières, marges qui assurent leur irréductible polysémie.

Après la crise révolutionnaire, les Lumières laissent place à l'Idéologie (Destutt de Tracy, Volney, Daunou...) [voir **Idéologues (les)**], dont le matérialisme se perpétue dans les recherches physiologiques et médicales, et aux deux systèmes de pensée antagonistes qui accompagnent le développement du capitalisme : le libéralisme et le socialisme. Chacun de ces mouvements constitue sa propre image des Lumières, dont l'interprétation est devenue un champ de luttes idéologiques. Les débats contemporains sur les totalitarismes et les droits de l'homme font régulièrement référence à des Lumières qui n'en peuvent mais.

M. Delon

LUNEL Armand

(1892-1977)

Né à Aix-en-Provence, Armand Lunel appartient à l'une de ces familles juives installées depuis des siècles dans les anciens États du pape, à Carpentras en particulier. Il est le descendant du rabbin Jacob de Lunel, auteur, au XVIIIe siècle, de la *Tragédie provençale de la reine Esther* ; son grand-père, lié avec Frédéric Mistral, a nourri son enfance du folklore du Comtat Venaissin. Après des études à Aix, il entre à l'École normale supérieure et passe l'agrégation de philosophie. Ayant déjà publié quelques récits (*l'Imagerie du cordier*, 1924), il est encouragé par Albert Cohen à concevoir un « roman hébraïco-comtadin ». Lunel fait alors appel au souvenir des étés passés chez son grand-père, et aux archives conservées par ce dernier, pour écrire *Nicolo-Peccavi, ou l'Affaire Dreyfus à Carpentras* (1926, premier lauréat du prix Renaudot). À travers l'histoire d'un antisémite notoire qui fait d'abord preuve d'une sympathie suspecte pour Dreyfus, puis sombre dans la folie en apprenant qu'il est lui-même le descendant de juifs convertis, Lunel ressuscite l'atmosphère de cette communauté juive habituée depuis des siècles à une coexistence harmonieuse avec les chrétiens et qui redécouvre la haine, tout en soulignant l'importance du regard qui *transforme* en juif. Car ni juifs ni chrétiens ne pardonnent à Nicolo-Peccavi d'avoir fait éclater les frontières d'une identité rassurante, semblables à celles qui marquaient autrefois, dans Carpentras, l'entrée du ghetto. Cette résurrection de la vie carpentrassienne, Lunel la poursuit dans des nouvelles comme *Jérusalem à Carpentras* (1937), où, selon une filiation explicitement proustienne, il tente de faire surgir toute son enfance oubliée d'un « gratin de truffes », et évoque avec tendresse la vie de cette communauté encore repliée sur elle-même au début du siècle. On trouve la même alliance d'humour et de nostalgie dans *Esther de Carpentras*, livret de l'opéra bouffe composé par son ancien condisciple Darius Milhaud, et inspiré de l'œuvre de son aïeul : mettant en scène des comédiens juifs qui, interprétant la tragédie d'Esther pour la fête de Pourim, sont eux-mêmes en danger d'expulsion par un évêque trop zélé, il rappelle, sur le mode léger, mais dans un opéra créé en 1938, que la menace de l'extermination est au cœur de l'histoire juive.

K. Haddad-Wotling